CHARLES SPURGEON

Os Tesouros de Davi

CHARLES SPURGEON

Os Tesouros de Davi

Traduzido por
Degmar Ribas Júnior e Luís Aron de Macedo

VOLUME
2

1ª Edição

CPAD

RIO DE JANEIRO
2017

Título do original em inglês: *The Treasury of David*
Thomas Nelson, Nashville, Tennessee, EUA
Tradução: Degmar Ribas Júnior e Luís Aron de Macedo

Preparação dos originais: Cristiane Alves
Daniele Pereira
Elaine Ellen Arsênio
Karen Doreto de Andrade
Miquéias Nascimento
Patrícia Almeida
Verônica Araújo

Capa: Fábio Longo
Projeto gráfico e Editoração: Anderson Lopes

CDD: 230 – Cristianismo e Teologia Cristã
ISBN: 978-85-263-1504-4

As citações bíblicas foram extraídas da versão Almeida Revista e Corrigida, edição de 1995, da Sociedade Bíblica do Brasil, salvo indicação em contrário.

Para maiores informações sobre livros, revistas, periódicos e os últimos lançamentos da CPAD, visite nosso site: http://www.cpad.com.br.

SAC — Serviço de Atendimento ao Cliente: 0800-021-7373

Casa Publicadora das Assembleias de Deus
Av. Brasil, 34.401, Bangu, Rio de Janeiro – RJ
CEP 21.852-002

2ª Impressão: Março/2018
Tiragem: 5.000

C. H. Spurgeon no púlpito
Ilustração desenhada por E. H. Fitchew especialmente
para Os Tesouros de Davi.

SUMÁRIO

Exposição do Salmo 57 ao 110

Salmo 57 ---------- 11
Salmo 58 ---------- 27
Salmo 59 ---------- 42
Salmo 60 ---------- 60
Salmo 61 ---------- 76
Salmo 62 ---------- 86
Salmo 63 ---------- 106
Salmo 64 ---------- 125
Salmo 65 ---------- 134
Salmo 66 ---------- 158
Salmo 67 ---------- 182
Salmo 68 ---------- 192
Salmo 69 ---------- 239
Salmo 70 ---------- 273
Salmo 71 ---------- 278
Salmo 72 ---------- 301

Salmo 73 ---------- 323
Salmo 74 ---------- 354
Salmo 75 ---------- 378
Salmo 76 ---------- 389
Salmo 77 ---------- 401
Salmo 78 ---------- 423
Salmo 79 ---------- 478
Salmo 80 ---------- 491
Salmo 81 ---------- 505
Salmo 82 ---------- 519
Salmo 83 ---------- 528
Salmo 84 ---------- 543
Salmo 85 ---------- 564
Salmo 86 ---------- 581
Salmo 87 ---------- 597
Salmo 88 ---------- 613
Salmo 89 ---------- 639
Salmo 90 ---------- 682
Salmo 91 ---------- 716
Salmo 92 ---------- 750
Salmo 93 ---------- 771
Salmo 94 ---------- 781
Salmo 95 ---------- 807
Salmo 96 ---------- 826
Salmo 97 ---------- 842
Salmo 98 ---------- 861
Salmo 99 ---------- 876
Salmo100 ---------- 888
Salmo 101 ---------- 895
Salmo 102 ---------- 908

Salmo 103 ---------- 940

Salmo 104 ---------- 973

Salmo 105 ---------- 1015

Salmo 106 ---------- 1047

Salmo 107 ---------- 1088

Salmo 108 ---------- 1120

Salmo 109 ---------- 1133

Salmo 110 ---------- 1162

SALMO 57

TÍTULO

"Mictão de Davi." Em termos de qualidade, este salmo é chamado *Salmo de Ouro* ou *Salmo do Segredo*, e bem merece o nome. Podemos ler as palavras sem perceber a alegria secreta de Davi, a qual ele guardou à chave neste porta-joias de ouro.

"Para o cantor-mor." Um cântico tão enigmaticamente alegre como este deveria mesmo ficar aos cuidados do mais qualificado de todos os menestréis do Templo.

"Sobre Al-Tachete", ou seja, "Não Destruas" (cf. "segundo a melodia: Não Destruas", AEC). Essa petição é uma oração tão intensamente judiciosa quanto breve, sendo muito apropriada como lema do cântico sacro. Davi dissera: "Não destruas", em referência a Saul, quando este estava em seu poder. Agora, ele tem a satisfação de usar as mesmas palavras em súplica a Deus. Pelo teor da oração do Pai-Nosso, podemos deduzir que o Senhor nos poupará assim como poupamos os nossos inimigos. São quatro os salmos "Não Destruas", a saber, o Salmo 57, 58, 59 e 75. Em todos há menção clara da destruição dos ímpios e da salvação dos justos. Todos fazem referência à derrota dos judeus por terem perseguido o grandioso Filho de Davi. É certo que sofrerão punição severa, mas acerca deles está escrito no decreto divino: "Não os destruas".

"Quando fugia de diante de Saul na caverna." Este é um cântico que vem das entranhas da terra e, como a oração de Jonas proferida do fundo do mar, traz um sabor do lugar. No começo, o poeta está no fundo da caverna, mas no fim, dirige-se à entrada da caverna para cantar no delicioso ar fresco, tendo os olhos voltados aos céus e observando com alegria as nuvens.

DIVISÃO

Aqui, há uma oração (vv. 1 a 6) e um louvor (vv. 7 a 11). O perseguido toma ar na oração e, quando devidamente bem inspirado, sopra na alma um cântico exultante.

EXPOSIÇÃO

1 *Tem misericórdia de mim, ó Deus, tem misericórdia de mim, porque a minha alma confia em ti; e à sombra das tuas asas me abrigo, até que passem as calamidades.*
2 *Clamarei ao Deus Altíssimo, ao Deus que por mim tudo executa.*
3 *Ele dos céus enviará seu auxílio e me salvará do desprezo daquele que procurava devorar-me (Selá). Deus enviará a sua misericórdia e a sua verdade.*
4 *A minha alma está entre leões, e eu estou entre aqueles que estão abrasados, filhos dos homens, cujos dentes são lanças e flechas, e cuja língua é espada afiada.*
5 *Sê exaltado, ó Deus, sobre os céus; seja a tua glória sobre toda a terra.*
6 *Armaram uma rede aos meus passos, e a minha alma ficou abatida; cavaram uma cova diante de mim, mas foram eles que nela caíram. (Selá)*

1. *"Tem misericórdia de mim, ó Deus, tem misericórdia de mim."* A necessidade urgente convida a repetição do brado para expressar a intensa urgência do pedido. Se "quem dá logo dá duas vezes", então para receber logo temos de pedir duas vezes. O salmista roga inicialmente por misericórdia e, percebendo que não tem melhor argumento, repete-o. Deus é o Deus da misericórdia e o Pai das misericórdias. Nada mais adequado, então, que na angústia busquemos a misericórdia daquEle em quem ela habita.

"Porque a minha alma confia em ti." A fé advoga o seu pedido muito bem. Como pode o Senhor não ter compaixão da alma que confia nEle? A nossa fé não merece misericórdia, mas sempre a ganha da graça soberana de Deus, quando é sincera, como neste caso, quando a alma do homem crê. "Visto que com o coração se crê para a justiça" (Rm 10.10).

"E à sombra das tuas asas me abrigo." Ele não estava se escondendo sozinho em uma caverna, mas na brecha da Rocha Eterna. Como os passarinhos encontram amplo abrigo sob as asas parentais, assim o fugitivo se colocava sob a proteção segura do poder divino. O símbolo é deliciosamente familiar e sugestivo. Tomara todos nós conheçamos o seu significado por experiência. Quando não vemos a luz da face de Deus, é bênção nos esconder sob a sombra das suas asas.

"Até que passem as calamidades." O mal passará, e as asas eternas permanecerão sobre nós até que isso ocorra. Bendito seja Deus, pois as calamidades são questão de tempo, mas a segurança é questão de eternidade. Quando estamos sob a sombra divina, a passagem dos problemas não nos prejudica. O falcão voa pelos céus, mas não causa mal aos pintinhos quando estão aconchegados com segurança debaixo da galinha.

2. *"Clamarei."* Davi está bastante seguro, mas não deixa de orar, pois a fé nunca é tola. Oramos porque cremos. Exercitamos, pela fé, o espírito de adoção pelo qual clamamos. Ele não diz clamo ou clamei, mas clamarei. Mantenhamos esta decisão até cruzarmos as portas de pérola, pois enquanto estivermos aqui, ainda haverá a necessidade de clamarmos.

"Ao Deus Altíssimo." As orações devem ser feitas somente a Deus. A grandeza e sublimidade da sua pessoa e caráter convidam e incentivam a oração. Por mais alto que sejam os inimigos, o nosso Amigo celestial é ainda mais alto, porque Ele é "Altíssimo" e pode enviar prontamente da altura do seu poder o socorro de que precisamos.

"Ao Deus que por mim tudo executa." Davi tem razão convincente para orar, porque vê Deus agindo. O crente espera e Deus age. O Senhor trabalha por nós e não retrocede. Ele cumprirá todos os termos da aliança. Os tradutores acertaram em inserir a palavra "tudo", pois no original hebraico há um espaço em branco, como se fosse uma carta branca dada a você para escrever ali que o Senhor Deus

termina qualquer coisa e tudo que Ele começa. Seja o que for que o Senhor assume, Ele realiza. Por conseguinte, as misericórdias passadas são garantias para o futuro, e razões admiráveis para continuarmos clamando a Deus.

3. *"Ele dos céus enviará seu auxílio."* Se não há instrumentos apropriados na terra, o céu envia legiões de anjos para socorrer os santos. Em tempos de grande necessidade, podemos esperar misericórdias de tipo extraordinário. Como os israelitas no deserto, receberemos o pão quente do céu, fresco, todas as manhãs. Para que os inimigos sejam derrotados, Deus abrirá as baterias celestiais e os colocará em total confusão. Aonde quer que a batalha estiver mais renhida do que comum, chegarão os socorros do quartel-general, pois o General supremo vê tudo.

"E me salvará do desprezo daquele que procurava devorar-me." Ele chegará a tempo, não só para salvar os servos de serem devorados, mas até mesmo de serem desprezados. Não só escaparão das chamas, mas sequer o cheiro de fogo se lhes pegará. Ó cão do inferno, não só sou livre da tua mordida, como também do teu latido. Os inimigos não terão o poder de zombar de nós, pois os gracejos cruéis e as zombarias escarnecedoras serão calados pela mensagem dos céus que nos salvará para sempre.

"Selá." Uma misericórdia como essa nos faz parar para meditar e agradecer. Descanse, cantor, pois Deus deu descanso a você!

"Deus enviará a sua misericórdia e a sua verdade." Davi pediu por misericórdia e a verdade veio junto. Deus sempre nos dá mais do que pedimos ou pensamos. Os seus atributos, como anjos em pleno voo, sempre estão prontos para irem ao salvamento dos escolhidos.

4. *"A minha alma está entre leões."* Davi era um Daniel. A quem rosnaram, caçaram, feriram, mas não mataram. O lugar era por si extremamente perigoso, mas a fé o fez sentir-se tão seguro a ponto de poder deitar-se. A caverna o fez lembrar da cova de um leão, e Saul e o seu exército gritando e berrando de desapontamento por perdê-lo eram os leões. Não obstante, sob o abrigo divino Davi se sentia seguro.

"E eu estou entre aqueles que estão abrasados." Talvez Saul e o seu exército tenham feito uma fogueira na caverna enquanto descansavam, e isso fez Davi lembrar do fogo mais voraz do ódio que ardia no coração deles. Como a sarça em Horebe, o crente está no meio de chamas, mas nunca é consumido. Trata-se de poderoso triunfo de fé quando estamos entre brasas de fogo e podemos descansar, porque Deus é a nossa defesa.

"Filhos dos homens, cujos dentes são lanças e flechas, e cuja língua é espada afiada." Os homens maus levam um arsenal inteiro na boca. Não têm uma boca inofensiva, cujos dentes trituram os alimentos como em um moinho, porém as mandíbulas são tão danosas quanto se cada dente fosse um dardo ou uma seta. Não têm molares, todos os dentes são caninos, pois por natureza são caninos, leoninos, lobais, diabólicos. Quanto ao membro inquieto — a língua —, no caso dos maus, é uma espada de dois gumes, afiada, cortante e mortal. A língua, aqui comparada a uma espada, traz o adjetivo *afiado*, o qual não é usado em referência aos dentes, que são comparados a lanças, como a mostrar que se os homens fossem de fato nos despedaçar com os dentes, como fazem os animais selvagens, não nos feririam tão severamente quanto o fariam com a língua. Não há arma tão terrível quanto a língua afiada no esmeril do Diabo. Mas mesmo esta não precisamos temer, pois "toda ferramenta preparada contra ti não prosperará; e toda língua que se levantar contra ti em juízo, tu a condenarás" (Is 54.17).

5. *"Sê exaltado, ó Deus, sobre os céus."* Esse é o coro do salmo. Antes de quase concluir a oração, o homem bom insere um versículo de louvor — e louvor glorioso, visto que vem da cova dos leões e dentre brasas de fogo. Mais alto do que os céus

está o Altíssimo, e a alturas como essas devem os nossos louvores subir. Acima até mesmo do poder dos querubins e serafins para expressá-la, a glória de Deus é revelada para nós e será reconhecida por nós.

"Seja a tua glória sobre toda a terra." Como são no céu, ó grande Jeová, sejam na terra os teus louvores proclamados universalmente. Como o ar envolve toda a natureza, assim os teus louvores circundem a terra com uma zona de cânticos.

6. *"Armaram uma rede aos meus passos."* Os inimigos dos piedosos não pouparam esforços, mas executaram o trabalho maligno com a mais fria deliberação. Como para cada tipo de peixe, pássaro ou animal é necessário uma rede adequada, assim os descrentes usam a rede adequada às circunstâncias e características da vítima com cuidadosa astúcia maligna. O que quer que Davi fizesse e fosse qual fosse o caminho que ele seguisse, os inimigos estavam prontos a caçá-lo de um modo ou de outro.

"E a minha alma ficou abatida." Ele ficou preso como um pássaro em uma armadilha. Os inimigos tiveram o cuidado de não lhe dar a menor chance de sentir-se confortável.

"Cavaram uma cova diante de mim, mas foram eles que nela caíram." Ele compara o desígnio dos perseguidores a covas que eram comumente cavadas por caçadores para aprisionar a presa. As covas eram abertas no caminho habitual da vítima, e, neste caso, Davi diz: "diante de mim", ou seja, no meu caminho costumeiro. Ele se alegra, porque esses dispositivos ardilosos tinham voltado contra eles mesmos. Saul caçou Davi, mas Davi o pegou mais de uma vez e poderia tê-lo matado naquele mesmo lugar. O mal é um rio que um dia corre de volta à nascente.

"Selá." Podemos nos sentar à beira da cova e ver maravilhados as justas retaliações da providência.

7 *Preparado está o meu coração, ó Deus, preparado está o meu coração; cantarei e salmodiarei.*

8 *Desperta, glória minha! Desperta, alaúde e harpa! Eu mesmo despertarei ao romper da alva.*

9 *Louvar-te-ei, Senhor, entre os povos; cantar-te-ei entre as nações.*

10 *Pois a tua misericórdia é grande até aos céus, e a tua verdade até às nuvens.*

11 *Sê exaltado, ó Deus, sobre os céus; e seja a tua glória sobre toda a terra.*

7. *"Preparado está o meu coração."* Alguém teria pensado que Davi teria dito: "Trêmulo está o meu coração", mas não se trata disso. Ele está tranquilo, firme, feliz, resoluto, decidido. Quando o eixo central está firme, a roda está certa. Se a grande âncora de leva está presa, o navio não pode ser levado.

"Ó Deus, preparado está o meu coração." Estou decidido a confiar em ti, a servir-te e louvar-te. Duas vezes ele o declara para a glória de Deus, que assim consola a alma dos seus servos. Leitor, está mais do que certo se o seu coração, outrora tremente, agora esteja firmemente fixado em Deus e na proclamação da sua glória.

"Cantarei e salmodiarei." Vocal e instrumentalmente eu celebrarei a Tua adoração. Com a boca e com o coração atribuirei honra a ti. Satanás não me deterá, nem Saul, nem os filisteus. Farei a caverna de Adulão ecoar com música, e com isso todas as cavernas ressoarão com cânticos alegres. Crente, tome a firme decisão de a sua alma glorificar ao Senhor em todas as ocasiões.

Cante, ainda que o sentimento e a razão carnal
Queiram parar a canção alegre
Cante, e considere a mais alta traição
O santo manter a língua parada

8. *"Desperta, glória minha!"* Que as mais nobres faculdades da minha natureza se movam: o intelecto que concebe o pensamento, a língua que o expressa e a imaginação inspirada que o embeleza. Que todas elas fiquem alerta agora que chegou a hora do louvor.

"Desperta, alaúde e harpa!" Que toda a música com a qual estou familiarizado esteja bem afinada para o serviço sagrado do louvor.

"Eu mesmo despertarei ao romper da alva." Despertarei ao amanhecer com as minhas notas de alegria. Nem versos sonolentos nem notas cansadas se ouvirão de mim. Por-me-ei totalmente desperto para esta sublime atividade. Quando estamos na nossa melhor forma, estamos aquém dos desertos do Senhor. Façamos a Ele sempre o melhor que pudermos, e se, por inaptidão, não ficar bom, pelo menos não deixemos que, por preguiça, fique pior. Três vezes neste versículo o salmista se convoca a despertar. Precisamos de tantas convocações e para tal atividade? Então, não as poupemos, pois o compromisso também é honrável e muito necessário para ser deixado inacabado ou mal-acabado por falta de nos despertar.

9. *"Louvar-te-ei, Senhor, entre os povos."* Os povos gentios ouvirão os meus louvores. Este é um exemplo do modo em que o espírito evangélico verdadeiramente devoto ultrapassa os limites os quais o fanatismo fixa. O judeu comum jamais permitiria que os cachorrinhos gentios ouvissem o nome de Jeová, exceto para tremerem. Mas esse salmista ensinado pela graça tem um espírito missionário, e anunciaria o louvor e a fama do seu Deus.

"Cantar-te-ei entre as nações." Por mais distantes que estejam, farei com as nações ouçam a teu respeito por intermédio da minha salmodia alegre.

10. *"Pois a tua misericórdia é grande até aos céus."* A misericórdia abrange desde a baixeza do homem até à sublimidade do céu. A imaginação não adivinha a altura dos céus. As riquezas da misericórdia excedem os nossos mais altos pensamentos. O salmista, ao sentar-se à entrada da caverna e olhar o firmamento, alegra-se por ser a bondade de Deus mais vasta e mais sublime que a abóboda celeste.

"E a tua verdade até às nuvens." Nas nuvens, Deus fixa o selo da verdade, o arco-íris, que ratifica a aliança. Dentro das nuvens, Ele esconde a chuva e a neve, que lhe comprovam a verdade dando-nos a época do plantio e da colheita, frio e calor. A criação é grande, mas o Criador é ainda maior. O céu não pode contê-lo. Acima das nuvens e estrelas, a sua bondade excede muitíssimo.

11. *"Sê exaltado, ó Deus, sobre os céus."* Eis o coro principal. Tomem-no, anjos e espíritos dos justos aperfeiçoados, e juntem-se a Ele, filhos dos homens aqui na terra, quando disserem: "E seja a tua glória sobre toda a terra". No versículo anterior, o profeta falou da misericórdia "até os céus", mas aqui o cântico voa "sobre os céus". Os louvores sobem cada vez, não reconhecendo limites.

NOTAS EXPLICATIVAS E DECLARAÇÕES IMPORTANTES

O Título: Este salmo foi composto, como observa o título, por Davi no tocante à oração, quando ele se escondeu de Saul na caverna. Está registrado com um título duplo: *"Sobre Al-Tachete", "Mictão de Davi". Al-tachete* refere-se ao *escopo* e *mictão* à dignidade do tema. *Al-tachete* significa "não destruas" ou "que não haja matança". Pode dizer respeito a Saul, acerca de quem Davi deu ordens para que os servos não o destruíssem, ou, mais exatamente, tem referência a Deus, a quem, nesta extrema situação de emergência, o salmista derramou a alma com este grito digno de dó: *Al-tachete,* "não destruas". O outro título, *mictão,* significa "ornamento de ouro". É adequado ao tema seleto e excelente do salmo, muito mais merecedor de tal título do que os versos de ouro de Pitágoras. — *John Flavel, 1627-1691, "Divine Conduct, or the Mystery of Providence" [O Comportamento Divino ou o Mistério da Providência]*

O Título: Salmo composto *"quando fugia de diante de Saul na caverna"*. Título que nos leva ao Salmo 142, o qual, por não determinar que "caverna" era, tem de referir-se à famosa caverna onde Davi com seiscentos homens se esconderam quando Saul entrou, e o salmista cortou a orla do manto do rei. Saul, acompanhado por três mil seguidores, perseguiu Davi "aos cumes das penhas das cabras monteses" — "a uns currais de ovelhas" (1 Sm 24.2,3), para onde o rebanho era levado somente nos meses mais quente de verão — para caçá-lo em todo esconderijo. Havia uma caverna, em cuja sombra fresca Davi e os seus homens se esconderam. Tais cavernas na Palestina e no Oriente eram alargadas por mãos humanas, ficando tão espaçosas que acomodavam milhares de pessoas. Este cântico de lamento foi escrito durante as horas de expectativa que Davi passou ali, esperando até as calamidades passarem (v. 1), no qual só gradualmente ele ganha um coração robusto (v. 8). A sua vida estava realmente suspensa por um fio, se Saul ou algum dos seus servos o havia espiado! — *Augustus F. Tholuck, 1856*

O Título: "Na caverna". Há boas razões para a tradição do local, que diz que é a às margens do mar Morto, embora não haja certeza para afirmar que seja esse o lugar. A caverna assinalada fica em um ponto ao qual era mais provável que Davi chamasse os seus pais, os quais ele queria levar de Belém para Moabe, do que qualquer lugar nas planícies ocidentais. [...] É uma imensa caverna natural, cuja entrada só se pode chegar a pé pelo lado rochoso. Irby e Mangles, que a visitaram sem saber que era a reputada caverna de Adulão, declararam que "ela avança para dentro por uma longa passagem sinuosa e estreita, com pequenas câmaras ou cavidades em ambos os lados. Chegamos a uma câmara grande, com arcos naturais de grande altura. Deste lugar, havia numerosos túneis que iam a todas as direções, ocasionalmente unidos por outros em determinados ângulos e formando um labirinto perfeito. Os guias nos asseguraram que esses túneis jamais foram devidamente explorados — as pessoas ficam com medo de se perderem. A abertura dos túneis mede em geral 1,20 metro de altura por 0,90 metro de largura, e todos estão no mesmo nível uns com os outros". [...] É provável que Davi, como nativo de Belém, conhecesse bem essa região extraordinária e tivesse se servido do local como abrigo, quando estava fora atendendo os rebanhos do pai. Teria sido natural ocorrer-lhe a caverna como lugar de refúgio quando ele fugiu de Gate. — *John Kitto, 1804-1854, "A Cyclopedia of Biblical Literature" [Uma Enciclopédia de Literatura Bíblica]*

O Salmo: De maneira misteriosa e espiritualmente alegórica, podemos interpretar que este hino se refere a Cristo, pois nos dias da carne Ele foi atacado pela tirania de inimigos espirituais e temporais. Os inimigos temporais, Herodes e Pôncio Pilatos, com os gentios e o povo de Israel, furiosamente se enfureceram e tomaram conselhos juntos contra Ele. Os principais sacerdotes e os príncipes eram, disse Jerônimo, como leões, e o povo como os filhos dos leões, todos em prontidão para devorar-lhe a alma. Os governantes armaram-lhe uma rede aos seus passos (v. 6) com interrogatórios capciosos, perguntando-lhe: "É lícito pagar o tributo a César ou não?" (Mt 22.17), e se a mulher apanhada no próprio ato de adultério deveria ser apedrejada até à morte ou não (Jo 8.5). O povo era como indivíduos "abrasados", quando como se enfureceram contra ele, e os dentes e a língua eram lanças, flechas e espadas (v. 4), quando gritaram: "Crucifica-o! Crucifica-o!" (Lc 23.21). Os inimigos espirituais também procuravam devorá-lo (v.3). A sua alma estava entre leões todos os dias da vida, sobretudo na hora da morte (v. 4). O Diabo, tentando-o e atormentando-o, tinha armado uma armadilha para os seus pés; e a morte, cavando uma cova diante dEle, tinha pensado em devorá-lo (v. 6). Como Davi esteve na caverna, assim Jesus, o Filho de Davi, esteve na sepultura. — *John Boys, 1571-1625 v. 1:* "Tem misericórdia de mim, ó Deus, tem misericórdia de mim". Este salmo excelente foi composto por Davi quando havia muito a transtornar o melhor homem do mundo. A repetição denota a extremidade do perigo e a veemência do suplicante. *Misericórdia! Misericórdia! Nada mais que misericórdia*, e que ela se mostre de modo extraordinário para poder salvá-lo agora da ruína. Os argumentos que o salmista usa para obter misericórdia durante esse sofrimento são muito consideráveis. (1) Ele usa a confiança em Deus como argumento para comover a misericórdia: "A minha alma confia em ti; e à sombra das tuas asas me abrigo, até que passem as calamidades". Esta confiança e dependência em Deus, embora não seja argumentativa em relação à dignidade do ato, é em relação à natureza do objeto: um Deus compassivo, que não exporá aqueles que se abrigam sob as suas asas. E também é em relação à promessa, por meio da qual a proteção é assegurada àqueles que correm para Ele no santuário (Is 26.3). (2) Davi usa as experiências anteriores da ajuda divina dada durante os sofrimentos do passado, como argumento encorajador da esperança durante o sofrimento presente: "Clamarei ao Deus Altíssimo, ao Deus que por mim tudo executa" (v. 2). — *John Flavel*

v. 1: "Tem misericórdia de mim". De acordo com o peso do fardo que nos aflige é o clamor que damos. Como os pobres prisioneiros condenados clamam ao juiz: "Tenha piedade de nós, tenha piedade de nós!" Davi, durante o dia das calamidades, dobra a oração por misericórdia: "Tem misericórdia de mim, ó Deus, tem misericórdia de mim".

"Até que passem as calamidades." Não era uma única calamidade, mas uma multiplicidade de calamidades que rodeavam Davi, que, então, rodeia o Senhor com pedidos. Sendo o seu espírito levantado em oração, como um sino que toca, ele bate em ambos os lados: "Tem misericórdia de mim, ó Deus, tem misericórdia de mim". — *Joseph Caryl*

v. 1: "Tem misericórdia de mim, ó Deus, tem misericórdia de mim". A primeira frase contém a própria oração em uma palavra muito enfática e veemente, חָנֵּנִי, propriamente: "Mostra o teu mais terno afeto por mim", como os animais, com sons zunidores, mostram aos filhotes. — *Hermann Venema*

v. 1: "Porque a minha alma confia em ti". Esta é a melhor razão para Deus, que "agrada-se dos que o temem e dos que esperam na sua misericórdia" (Sl 147.11). — *"Pool's Synopsis" [Sinopse de Pool]*

v. 1: "Alma". A alma de Davi confiava em Deus. Esta é uma forma de expressão, cuja força não deve ser desprezada. Implica que a confiança que ele exerceu procedia dos mais íntimos sentimentos — não era de caráter inconstante, mas estava profunda e fortemente arraigado. Davi declara a mesma verdade em termos figurativos, quando acrescenta a convicção de que Deus o cobria com a sombra das suas asas. — *João Calvino*

v. 1: "À sombra das tuas asas me abrigo", ou seja, eu buscarei proteção. A aconchegante metáfora aqui empregada vem de o pintinho esconder-se com segurança sob as asas da mãe. Ao mesmo tempo, tem referência às asas dos querubins que cobriam o propiciatório. — *Simon de Muis, 1587-1644*

v. 1: "À sombra das tuas asas" (cf. Salmo 17.8; 61.4; Mateus 23.37). Compare também com a imagem apocalíptica que descreve a igreja fugindo do dragão para o deserto, após ter recebido duas asas de grande águia, e livrando-se do dragão que desejava tragar-lhe (ver Apocalipse 12.6,14-16). — *Christopher Wordsworth, 1868*

v. 1: "Até que passem as calamidades". Davi compara a sua aflição e calamidade a uma tempestade que vem e vai. Já que nem sempre o tempo é bom para nós nesta vida, também nem sempre é ruim. Atanásio, falando a respeito de Juliano que se enfureceu violentamente contra o ungido do Senhor, disse: *Nubecula est, cito transibit*, "ele é uma pequena nuvem; logo passa". O homem nasce para o trabalho e a dor, para a luta e a dificuldade, para o trabalho nas suas ações e para a dor nos seus sentimentos, e assim por diante: "Muitas são as aflições do justo, mas o Senhor o livra de todas" (Sl 34.19). Se pusermos a confiança nEle e lançarmos todos os cuidados nEle, Ele, no seu bom tempo, fará com que todas as nossas aflições passem. Deus as tirará de nós ou nós delas. Assim, saberemos sem sombra de dúvida que as dificuldades desta vida presente não são dignas da glória que na vida por vir será mostrada em nós. Quando o globo da terra, que pela mostra de grandeza chamamos impropriamente de mundo e tem, segundo cálculos dos matemáticos, muitos milhares de quilômetros de circunferência, é comparado com a grandeza da circunferência do espaço estrelar não passa de um grão de pó ou um pontinho. O trabalho e a aflição nesta vida temporal, em relação às alegrias eternas no mundo por vir, não estão em nenhuma proporção. Têm de ser comparativamente reputados a um nada, como uma nuvem escura que vem e vai em um momento. — *John Boys*

vv. 1 a 3: "À sombra das tuas asas me abrigo, até que passem as calamidades". É como se ele dissesse: Senhor, eu já estou na caverna, desfrutando de proteção e sombra. Mas, a despeito de tudo isso, não me julgo realmente seguro até encontrar-me refugiado à sombra das Tuas asas. Este é o procedimento que decido e assumo. Foi decisão sábia. Note que procedimento Davi resolve fazer: "Clamarei ao Deus Altíssimo" (v. 2). Pela oração me colocarei à sombra das asas de Deus. Note que sucesso aconteceria: "Ele dos céus enviará seu auxílio e me salvará do desprezo daquele que procurava devorar-me (Selá). Deus enviará a sua misericórdia e a sua verdade" (v. 3). Quando enviamos orações para os céus, Deus envia ajuda para a Terra. Davi *ora* a Deus como também *confia* em Deus. A menos que oremos como também confiemos, a nossa confiança falhará, porque temos de confiar em Deus aquilo pelo qual oramos. — *Jeremiah Dyke, 1620*

v. 2: "Ao Deus que por mim tudo executa". As bênçãos de Deus já recebidas são garantia de que Ele completará a obra de amor "em [עַל] mim". O começo é o desejo da conclusão. A palavra é a garantia da realização de "tudo" que preciso (cf. versículo 3; Salmo 56.4; 1 Samuel 2.9; 3.12; 23.17; 24.21; Salmo 138.8; Jó 10.3,8; 14.15; Filipenses 1.6; Isaías 26.12). — *A. R. Fausset*

v. 2: "Ao Deus que por mim tudo executa". No original hebraico, a palavra traduzida por "executa" significa "realizar", "terminar", "aperfeiçoar" (como ocorre o Salmo 138.8, ou seja, Deus com certeza executa ou termina), "por [ou para, ou em relação a] mim". Davi não detalha o que Deus executa, ou aperfeiçoa, ou cumpre, mas o deixa subentendido, como se fora fácil de entender. "Executa" ou aperfeiçoa, ou melhor, tudo o que Ele prometeu. Compromete-se em executar o que começou a fazer, ou o que ainda resta a ser executado. É habitual no idioma hebraico entender um substantivo depois do verbo. Ele indica que Deus não é como os homens, que fazem grandes promessas, mas por inabilidade, ou descuido, ou deslealdade não as executam. Deus é tão bom quanto a sua Palavra. — *Matthew Pool, 1624-1679*

v. 2: "Ao Deus que por mim tudo executa". A palavra traduzida por "executa" vem de uma raiz que significa "aperfeiçoar" e "desistir" ou "cessar". Quando um negócio é executado e aperfeiçoado, o agente cessa e desiste de trabalhar. Ele dá o toque final quando termina o trabalho. O Senhor dá a todos os assuntos duvidosos e difíceis um final feliz. Isto anima Davi, pois Deus ainda será gracioso e aperfeiçoará o que lhe concerne, como o salmista fala no Salmo 138.8: "O Senhor aperfeiçoará o que me concerne". A Septuaginta traduziu assim: τόν ἐυεργετη σοντά με, "que me favorece" ou "que me beneficia". Trata-se de uma verdade certa, pois todas as questões e assuntos da providência são favoráveis e benéficos aos santos. Mas o suplemento à tradução transmite bem a importância do lugar: "Que por mim *tudo* executa". Esse *tudo* diz respeito à mais rígida e própria noção de providência, que nada mais é do que a execução dos benévolos propósitos e promessas de Deus para o seu povo. Francis Vatablus e Simon de Muis fornecem e preenchem o lugar que a concisão que o original deixa, com *quae promisit*: "Clamarei ao Deus Altíssimo, ao Deus que por mim executa *tudo que foi prometido*". O pagamento é a execução das promessas. A graça faz a promessa e a providência faz o pagamento. John Piscator preenche o lugar com *benignitatem et misericordiam suam*, ficando assim: "Clamarei ao Deus Altíssimo, ao Deus que por mim executa *a sua bondade e misericórdia*". Mas ainda supõe a misericórdia executada a ficar contida na promessa, e muito mais na sua execução providencial para nós. — *John Flavel*

v. 2: "Ao Deus que por mim tudo executa". Mesmo quando Davi fugiu de Saul para a caverna, o salmista considera que Deus executou todas as coisas que concernem a ele. A palavra é que Ele *aperfeiçoa* todas as coisas. É digno de nota que Davi use a mesma expressão de louvor a Deus aqui, quando ele estava na caverna, escondendo-se para salvar a vida, como também quando triunfou sobre os inimigos (cf. Salmo 6; 108). — *Jeremiah Burroughs, 1599-1646*

v. 2: "Ao Deus que por mim tudo executa". O Targum parafraseia esta frase curiosamente: "Que ordena a aranha que tece a teia, em minha conta, à entrada da caverna", aplicando um fato histórico posterior que, porém, pode ter tido seu protótipo na história de Davi. — *Andrew A. Bonar, "Christ and his Church in the Book of Psalms" [Cristo e a Igreja no Livro dos Salmos], 1859*

v. 3: "Daquele que procurava devorar-me". Se eu tivesse em minha casa um homem requintadamente gordo e convidasse você a juntar-se a mim para devorá-lo, a sua indignação não seria contida por nada. Você me pronunciaria louco. Não há em Nova York um homem tão vil que não matasse a pessoa que propusesse fazer um banquete de um membro da raça humana, cortando-lhe em bifes para comê-los. Isso não é nada mais do que fazer um grande banquete com o corpo humano, enquanto todos se sentam, tomam a alma do homem, escolhem a carne macia dos quadris e convidam os vizinhos para entrar e participar dos petiscos deliciosos. Tomam a honra e o nome do homem, assam-nos em cima do carvão da sua indignação, enchem o ambiente com o aroma do churrasco, dão um pedaço ao vizinho, observam-no e disfarçam enquanto ele o mastiga. Todos vocês devoram os homens. [...] Você come as almas, os melhores elementos dos homens. Você fica mais do que contente quando pode sussurrar uma palavra que seja derrogatória a um vizinho, ou à sua esposa, ou filha. [...] A porção de carne é apetitosa demais para não ser comida. Aqui, está a alma de uma pessoa, a esperança de uma pessoa para este mundo e o mundo por vir, e você o tem no garfo. Você não pode se abster de provar e dar a alguém para provar. Você é um canibal, comendo a honra e o nome dos homens e alegrando-se com isso, mesmo que você não saiba se as coisas acusadas contra eles são verdadeiras, visto que em noventa e nove por certo casos a probabilidade é de que não são verdadeiras. — *Henry Ward Beecher, 1870*

v. 3: "Deus enviará a sua misericórdia e a sua verdade", a saber, para me salvar. Isto quer dizer que Deus, para manifestar a sua misericórdia e defender a verdade das suas promessas, me salvará. O leitor observará que a misericórdia e a verdade estão aqui poeticamente representadas como ministras de Deus, estando na sua presença, prontas para executar o seu prazer e empregadas por Ele na salvação do seu povo. — *Samuel Chandler*

v. 3: "A sua misericórdia e a sua verdade". Ele não precisa enviar anjos. Só precisa enviar "a sua misericórdia e a sua verdade", as quais em outro texto ele diz que prepara nos céus (Salmo 61.7). Ele prepara comissões para elas, e as envia com elas para que sejam executadas. — *Thomas Goodwin*

v. 4: "A minha alma está entre leões". Estas palavras referem-se também à igreja, tanto em relação aos inimigos espirituais quanto aos temporais. Quanto aos inimigos espirituais, o Diabo é um leão que ruge (1Pe 5.8), e os nossos pecados são os filhos dos leões, prontos para nos devorar. No que tange aos inimigos externos, a igreja neste mundo é como Daniel na cova dos leões, ou como a criança de peito que brinca sobre a toca da áspide (Is 11.8). Aqui, ela não tem poder visível ou ajuda externa para correr em busca de socorro, pois toda a sua confiança está no Senhor, "e à sombra das tuas asas me abrigo, até que passem as calamidades" (v. 1). [...] É claro, amado leitor, mesmo que a igreja não tivesse outro inimigo, senão estes anticristos monstruosos de Roma, ela já poderia verdadeiramente lamentar como o profeta: "A minha alma está entre leões". Onze papas tiveram esse nome, os quais todos, exceto dois ou três, foram leões que rugiram com as suas bulas papais, leões vorazes em perseguir a presa. Leão X pilhou e saqueou as belas nações da Alemanha com os imperdoáveis perdões e as impiedosas indulgências, de forma que essa crueldade insuportável deu a primeira ocasião da Reforma da religião naquele país. — *John Boys*

v. 4: "A minha alma está entre leões". "Zachary Mudge traduz literalmente: 'Eu estou com a minha alma entre leoas'." Isto concorda com a opinião de Bochart, que opina que os animais aqui mencionados são leoas exatamente no tempo em que amamentam os filhotes, quando são peculiarmente ferozes e perigosas. "Nem precisamos nos espantar", observa ele, "que as leoas sejam reconhecidas entre os leões mais ferozes, pois a leoa iguala ou até mesmo excede o leão em força e ferocidade". Ele prova essa declaração por testemunhos de escritores antigos. — *James Anderson,* "Note to Calvin" *[Nota para Calvino], in loc., 1846*

v. 4: "E eu estou entre aqueles que estão abrasados". O cerne todo está na palavra אֶשְׁכְּבָה, "eu reclinarei", "eu me recostarei", que denota a situação serena e segura do corpo e da alma, como o homem que se recosta e dorme: "Eu me deitei e dormi; acordei" (Sl 3.5), e que vive com tranquilidade: "Em paz também me deitarei e dormirei, porque só tu, Senhor, me fazes habitar em segurança" (Sl 4.8). — *Hermann Venema*

v. 4: "A minha alma está entre leões, e eu estou entre aqueles que estão abrasados, filhos dos homens, cujos dentes são lanças e flechas, e cuja língua é espada afiada". Os horrores da cova dos leões, as labaredas de uma fornalha de fogo e o ataque cruel de guerra são imagens extraordinárias pelas quais Davi descreve o perigo e a miséria da sua situação. — *John Morison*

v. 6: "Rede". Não tendo armas de fogo, os antigos eram muito mais hábeis do que as pessoas de hoje no uso de armadilhas, redes e covas para capturar animais selvagens. Uma grande classe de figuras e ilustrações bíblicas pressupõe necessariamente este estado de coisas. — *W. M. Thomson*

v. 7: "Preparado está o meu coração, ó Deus, preparado está o meu coração; cantarei e salmodiarei". O salmista, sabendo que é a ordem e obra de Deus *primeiro* preparar o coração para a comunhão e *depois* inclinar o ouvido para ouvir o seu povo, e, assim, entreter comunhão com eles nas ordenanças, observa essa ordem e a segue com a prática adequada a ela nas suas invocações diárias a Deus. Sempre que o coração se coloca em uma disposição provida e preparada para a comunhão com Deus, Ele não deixa que o coração esmoreça e perca essa condição por ser indolentemente negligente a essa disposição. Imediatamente, ele se põe no dever de cultuar a Deus e aos atos da sua adoração nas ordenações. É o que Davi expressa no versículo, a saber: נָכוֹן לִבִּי אֱלֹהִים נָכוֹן לִבִּי (*nākôn libbî 'ĕlōhîm nākôn libbî* — há o primeiro; ele encontra o coração provido e preparado para a comunhão com Deus). "Preparado [ou provido]", disse ele, "está o meu coração" (pois a palavra נָכוֹן [*nākôn*] é a conjugação passiva nifal, que significa, "ele está provido ou preparado", derivada da raiz כּוּן [*kûn*], "ele proveu ou preparou", segundo a conjugação ativa; é mais bem traduzido por "preparado" ou "provido"; portanto, לִבִּי [*libbî*], "o meu coração"; נָכוֹן [*nākôn*], "está preparado ou provido"), "ó Deus, preparado [ou provido] está o meu coração" para a comunhão contigo. E depois, o que vem? Davi agora se coloca no grande dever e ordenança da comunhão com Deus, no louvar o seu nome e cantar os seus louvores, como dizem as palavras que vêm imediatamente depois no mesmo versículo. "Preparado está o meu coração, ó Deus, preparado está o meu coração". Portanto, אָשִׁירָה וַאֲזַמֵּרָה (*'āshîrâ wa'ăzammērâ*), "cantarei e salmodiarei". — *William Strong, "Communion with God" [Comunhão com Deus], 1656*

v. 7: "Preparado está o meu coração, ó Deus, preparado está o meu coração; cantarei e salmodiarei". A capacidade para o dever está na disposição ordeira entre o corpo e a mente, tornando o homem disposto a fazer e apto em terminar o trabalho com satisfação cômoda. Se o corpo ou a mente estiver indisposto, o homem estará impróprio para tal empreendimento. Ambos têm de estar em disposição adequada, como um instrumento bem afinado, senão não haverá melodia. Por conseguinte, quando Davi se preparava para louvar e cultuar, ele diz que o coração estava preparado e, portanto, a língua também estava preparada (Sl 45.1), bem como as mãos para o saltério e a harpa. Todos esses eram despertados para constituir uma postura adequada. Podemos entender que o homem está ou esteve em disposição adequada para o serviço: (1) Pela vivacidade em executar o dever. (2) Pela atividade na execução. (3) Pela satisfação posterior. Nestes fatores ainda estão pressupostos os motivos certos e os princípios corretos. — *Richard Gilpin, 1625-1699, 1700, "Daemonologia Sacra" [Demonologia Sacra]*

v. 7: "Cantarei". Os ímpios deveriam ficar alarmados por estarem combatendo com um povo que canta e grita no campo de batalha. Eles cantam mais alto quando a aflição e a angústia são muito fortes. Se os santos vencem ou são vencidos eles cantam do mesmo jeito. Bendito seja Deus por isso. Tremam os pecadores por combaterem com homens de espírito tão celestial. — *William S. Plumer*

v. 7: "Preparado está o meu coração, ó Deus, preparado está o meu coração; cantarei e salmodiarei". A sinceridade faz o crente cantar, quando ele não tem nada para comer. Davi não estava na melhor das situações quando se encontrava na caverna. Contudo, nunca o vemos mais alegre. O seu coração compôs a mais doce música que a harpa jamais soou. — *William Gurnall*

vv. 7 e 8: O culto feito com um corpo sonolento e letárgico é adoração fraca, mas o salmista torna o despertamento do corpo o fruto e efeito da preparação do coração: "Desperta, glória minha! Desperta, alaúde e harpa! Eu mesmo despertarei ao romper da alva". Por que despertar? Porque "preparado está o meu coração". O coração preparado e, portanto, desperto, despertará o corpo. Cultuar a Deus sem um coração preparado, é cultuá-lo com um corpo sonolento, porque com um coração sonolento o culto é débil. — *John Angier, "An Help to Better Hearts, for Better Times" [Uma Ajuda para Corações Melhores, para Tempos Melhores], 1647*

v. 8: "Desperta, glória minha! Desperta, alaúde e harpa! Eu mesmo despertarei ao romper da alva". Temos de ir ao encontro de Deus por intermédio de louvores matinais como também de orações matinais: "O Deus da minha misericórdia virá ao meu encontro", canta Davi (Sl 59.10). Todo filho de Davi tem de ir ao encontro de Deus outra vez com cânticos. Josafá, ates do livramento, agradou a Deus com instrumentos de música. A fé tem de entoar um ἐπινίκιον, ou melhor, um salmo de vitória antes do triunfo. O louvor é a mãe engenhosa das misericórdias futuras, como a virgem Maria cantou em Hebrom antes do nascimento do filho em Belém. Oh, disputa celestial entre a misericórdia e o dever! — *Samuel Lee, 1625-1691*

v. 8: "Desperta, glória minha! Desperta, alaúde e harpa! Eu mesmo despertarei ao romper da alva". Temos de cantar com graça entusiasmada. Não só com graça habitual, mas com graça entusiasmada e vigente. O instrumento musical gera deleite somente quando é tocado. Neste dever, temos de seguir o conselho de Paulo a Timóteo: ἀναζωπυρεῖν, "que despertes o dom de Deus, que existe em ti" (2 Tm 1.6), e clamar como Davi: "Desperta, glória minha! Desperta". Temos de dar corda ao relógio antes que ele nos dê as horas. Os pássaros não se satisfazem com o ninho, mas com os cânticos entoados ali. Os carrilhões só fazem música enquanto estão em movimento. Imploremos que o Espírito assopre em nosso jardim para que os aromas se desprendam, quando nos dispusermos a esse serviço jubiloso. Deus ama a graça ativa no dever, para que a alma esteja devidamente preparada quando se apresentar a Cristo na adoração. — *John Wells, 1676, "Morning Exercises" [Exercícios Matinais]*

v. 8: "Eu mesmo despertarei ao romper da alva", é literalmente, "eu despertarei o amanhecer". Trata-se de ousada figura poética. É como se o escritor tivesse dito: A manhã não me despertará para o louvor, mas com as minhas canções eu anteciparei o amanhecer. — *R. T., "Society's Notes" [Notas da Sociedade]*

v. 8: "Desperta, glória minha! Desperta, alaúde e harpa! Eu mesmo despertarei ao romper da alva". De acordo com o nosso propósito, observaremos, primeiro, os termos que Davi usa e, depois, nos determos na exortação. (1) "Desperta, glória minha!" A glória é, segundo certos estudiosos, a alma, porque o espírito do homem é a glória do homem, por meio da qual ele é dignificado e elevado muito acima dos animais irracionais, a ponto de ser apenas um pouco menor do que os anjos (Sl 8.5) — não somente isso, mas ser semelhante ao próprio Deus, "ao Pai dos espíritos" (Hb 12.9). É, segundo outros estudiosos, a aptidão musical, a glória dos artistas acima dos comuns. Era neste quesito que Davi tinha a glória excelente, como Jubal teve por conta da primeira invenção. É a língua, afirmam outros estudiosos, pois esta também é a glória do homem acima das criaturas mudas, e a glória dos sábios acima dos tolos. Sendo a língua é a glória do homem, então a glória da língua é glorificar a Deus. O louvor é a glória de todos os outros usos para os quais a língua é empregada. A língua é, no corpo, "o templo do Espírito Santo" (1Co 6.19), e serve para o que a trombeta de prata servia no Templo de Salomão: soar os altos louvores de Deus e expressar os elevados sentimentos da alma. (2) "Desperta, alaúde e harpa!" Um instrumento é para o salmo, o outro é para o cântico ou hino espiritual. Em outras palavras, empregarei e consagrarei todos os meus instrumentos musicais e toda a minha habilidade para a glória daquEle que "pôs um novo cântico na minha boca" (Sl 40.3). Primeiro, Ele ensina os meus dedos a lutar e, depois, a tocar o *epinikion* ou "cântico de triunfo". Soem o meu saltério e a minha harpa em imitação daqueles que estão ao redor do trono nos céus. A sua melodia acalma os meus cuidados, acaba com os meus medos e transforma a minha caverna em um coral. Quanto a esses instrumentos na adoração a Deus, eram indubitavelmente permitidos para Davi e para a igreja do seu tempo. Eram apropriados ao estado daquela igreja e povo, que tinham a grande propensão a seguir o que sentissem, e cuja condição infantil e menos perspicaz tornava necessário o homem natural ter algo em que se firmar e com que se entreter no culto a Deus, para tornar agradável e aliviar o labor e a carga desse serviço. Mas como o culto e os compromissos relacionados ao evangelho são um serviço mais espiritual, agradável e racional, e precisam menos disso, assim com a instituição do evangelho não encontramos razão para eles. Sabemos quem os trouxe para a igreja, como também quem os trouxe para o mundo. Não faz parte do tema aqui tratar deste assunto. Alguém deve a qualquer tempo discorrer sobre isso, mas de modo indiferente, cuja inclinação seja o tempo todo contra ele e cujo gênio o leve a desejar ser firmemente refutado em tudo que propuser. Mas, visto que esses instrumentos estão em meu texto e como o som de textos como esses é usado tantas vezes para transformar o culto público em concertos musicais, deixarei a respeito esta observação: Deixar de lado esses instrumentos, sobretudo no culto público, ainda que alguém os julgue toleráveis, traz graça muito maior do que declará-los "extremamente desagradáveis a Deus, e que eles contaminam sujamente a sua santa casa e lugar de oração". (3) "Eu mesmo despertarei ao romper da alva." Sem isso, tudo o mais teria sido um som vazio. Não teria havido melodia ao Senhor, seja qual fosse a boa música que o salmista tivesse feito para Ele. Davi não demoveria Deus com um sacrifício de mero ar. Ele convoca a participação de todas as suas habilidades. Ele mesmo é a oferta. A música toca durante o sacrifício, enquanto sobe em afetos santos e alegrias espirituais. E a menos que estes acompanhem a canção, o mero sopro de um órgão ou o tremor das cordas de uma harpa é tão boa devoção quanto menos ofensivo a Deus. Considere a natureza e excelência do dever. Cantar salmos é a combinação de vários deveres. Contém oração com grande vantagem. A amplitude da voz dá disposição e influencia o poder ardente da mente pela bênção desejada. É o próprio elemento e fôlego do louvor. O apóstolo nos conta que estamos nos ensinando e nos admoestando uns aos outros quando estamos cantando "salmos, hinos e cânticos espirituais" (Cl 3.16). Quando cantamos temas de *juízo*, é para o despertamento dos pecadores. Quando cantamos temas de *misericórdia*, é para o consolo de todos. Não há melhor ajuda para a meditação. O movimento solene do tempo dá espaço para a mente entender o pleno sentido do assunto e impressioná-lo a fundo. Enquanto a língua está fazendo uma pausa, o coração está fazendo um enlevo. Em resumo, dá ênfase a todos os deveres. É a música de todas as outras ordenanças. É adaptado e serve a todas as circunstâncias, como vemos pelos salmos compostos para todas as ocasiões e sobre todos os assuntos: Salmos doutrinários, proféticos, exortativos e históricos; salmos de louvor e oração, de sofrimento e alegria; salmos na penitência e lamento, no triunfo e alegria. É como se cantar salmos representasse tudo e, como o maná no deserto, desse uma prova de todos os outros alimentos que desfrutamos na Casa de Deus. — *Benjamim Grosvenor, Doutor em Teologia, 1675-1758, "An Exhortation to the Duty of Singing" [Uma Exortação ao Dever de Cantar]. Eastcheap Lectures [Palestras em Eastcheap], 1810*

v. 8: "Desperta, alaúde e harpa!" O alaúde era um instrumento de cordas, em geral doze cordas e tocado com os dedos. A harpa ou lira era um instrumento de cordas, em geral dez cordas. Josefo diz que era tocado com uma baqueta. Ao que parece, era, às vezes, tocado com os dedos. — *Albert Barnes*

v. 9: "Louvar-te-ei, Senhor, entre os povos". O Espírito de Deus que compôs esta Escritura, fez o escritor saber que os gentios usariam estes salmos. — *David Dickson*

v. 9: "Os povos... as nações". A igreja hebraica não era chamada nem qualificada para ser uma sociedade missionária, mas nunca deixou de desejar e esperar a conversão das nações. É o que vemos em passagens em que os salmistas traem a consciência de que um dia terão o mundo inteiro por ouvintes. Como Davi foi ousado ao exclamar: "Cantar-te-ei entre as nações". No mesmo espírito, um salmista tempos depois conclama a igreja a levantar a voz, de forma que todas as nações ouçam o recital que ela faz sobre os atos poderosos do Senhor: "Louvai ao Senhor e invocai o seu nome; fazei conhecidas as suas obras entre os povos" (Sl 105.1). A importância plena dessa classe de textos é mostrada ao leitor pela constatação e ocorrência da palavra *povos* no plural, denotando numerosidade. Nos salmos, em particular, a menção aos gentios é mais frequente do que o leitor percebe. Temos de observar, porém, que além desta série de predições indiretas, a conversão do mundo é eloquentemente proclamada em muitos salmos gloriosos. Na realidade, essas proclamações são tão numerosas e tão geralmente distribuídas no transcurso dos séculos entre Davi e Esdras, que parece que em nenhum momento durante a longa história da salmodia inspirada, o Espírito deixou de compor novos cânticos nos quais os filhos de Sião enunciam a esperança de incluir todo o mundo. — *William Binnie, Doutor em Teologia, "The Psalms: their History, Teachings, and Use" [Os Salmos: a sua História, Ensinos e Uso], 1870*

vv. 10 e 11: "Pois a tua misericórdia é grande até aos céus, e a tua verdade até às nuvens. Sê exaltado, ó Deus, sobre os céus; e seja a tua glória sobre toda a terra". O coração duro e ingrato vê mesmo na prosperidade somente gotas isoladas da graça divina. O coração grato, como o de Davi, caçado por perseguidores e tocando a harpa na penumbra de uma caverna, olha a misericórdia e verdade de Deus como um oceano poderoso, ondulando e enlevando-se da terra para as nuvens e das nuvens para a terra incessantemente. — *Augustus F. Tholuck*

v. 11: "Sê exaltado, ó Deus, sobre os céus; e seja a tua glória sobre toda a terra". Jamais saíram dos lábios humanos maiores palavras de oração. O céu e a terra têm, como indicam, uma história mutuamente entrelaçada, cujo fim santo e glorioso se dará no amanhecer da glória divina para ambos. — *Franz Delitzsch, 1869*

SUGESTÕES AOS PREGADORES

v. 1. "Tem misericórdia de mim, ó Deus, tem misericórdia de mim." A repetição na oração: (1) Seus perigos: (a) Pode degenerar em "vãs repetições" (Mt 6.7). (b) Levada dolorosamente a excesso sugere a ideia de que Deus é relutante. (2) Seus usos: (a) Acalma a alma como lágrimas. (b) Manifesta intensa emoção. (c) Capacita aqueles de menos atividade mental a unirem-se na súplica geral. — *R. A. Griffin*

v. 1. Temos aqui: (1) Calamidades: (a) Guerra. (b) Peste. (c) Privação. (d) Pecado (a maior de todas). (e) Morte. (f) Maldição de uma lei quebrada. (2) Refúgio para essas calamidades: (a) Em Deus. (b) Especialmente na misericórdia de Deus. (3) Fuga para este refúgio: (a) Pela fé: "A minha alma confia em ti"; "à sombra das tuas asas me abrigo". (b) Pela oração: "Tem misericórdia de mim, ó Deus, tem misericórdia de mim". (4) A continuação na fé e na oração: "Até que passem as calamidades". — *George Rogers*

vv. 1, 4, 6, 7. Observe a situação variada do mesmo coração, ao mesmo tempo: "A minha alma confia em ti"; "a minha alma está entre leões"; "a minha alma ficou abatida"; "preparado está o meu coração".

v. 2. Oração ao Deus que tudo executa: (1) Ele cumpre todas as suas promessas, toda a minha salvação, toda a minha preservação e tudo que preciso entre aqui e o céu. (2) Ele revela a sua onipotência, graça, fidelidade e imutabilidade. (3) Somos obrigados a mostrar a nossa fé, paciência, alegria e gratidão.

v. 2. Razões estranhas: (1) O salmista, nas profundezas da angústia, clama a Deus, porque Ele é Altíssimo em glória. Com certeza, esse pensamento poderia tê-lo paralisado de medo da inacessibilidade divina, no entanto a alma despertada pelo sofrimento vê através (e além) da metáfora e alegra-se na verdade: "Embora o Senhor seja Altíssimo, Ele respeita os humildes". (2) O salmista clama a Deus em busca de ajuda, porque Deus *está* executando todas as coisas para ele. Por que, então, insistir? A oração é a música pela qual o "homem de guerra" sai para batalhar (Is 42.13). — *R. A. Griffin*

v. 3. A consolação dos santos na adversidade: (1) Há a provisão para todas as contingências: "Ele [...] enviará". (2) Há a disponibilidade dos mais altos recursos: "Dos céus". (3) Há a derrota dos piores inimigos no fim: "Daquele que procurava devorar-me". (4) Há a obtenção da derrota pelos meios mais santos: "A sua misericórdia e a sua verdade". — *R. A. Griffin*

v. 3. Os mensageiros celestiais: (1) O que são. (2) A certeza de serem enviados. (3) A sua operação eficaz. (4) O recebedor grato.

v. 3. "Deus enviará a sua misericórdia e a sua verdade." A harmonia dos atributos divinos na salvação: (1) A misericórdia fundamentada na verdade; a verdade que defende a misericórdia. (2) A misericórdia sem a injustiça; a justiça honrada na misericórdia.

v. 4. "A minha alma está entre leões." Como cheguei a essa situação? Se foi pela causa de Deus, então posso manter em mente que: (1) O meu Senhor esteve entre feras no deserto. (2) Os leões estão acorrentados. (3) Rugir é tudo que os leões podem fazer. (4) Sairei da cova dos leões vivo, ileso e honrado. (5) O Leão da Tribo de Judá está comigo. (6) Logo estarei entre os anjos.

v. 5. (1) O fim que Deus tem em vista para o céu e para a terra, para o mundo pecador e para o mundo sem pecado é a exaltação da sua própria glória. (2) O nosso dever é aceitar esse fim: "Sê exaltado", não eu, não os homens, não os anjos, mas "sê exaltado, ó Deus". Isto devemos consentir: (a) Ativamente, buscando esse fim. (b) Passivamente, submetendo-nos à vontade de Deus. — *George Rogers*

v. 6. "Armaram uma rede aos meus passos": (1) Quem são eles? (a) São os que nos conduzem ao pecado. (b) São os que pregam filosofia mundana. (c) São os que proclamam superstição sacerdotal e sacramental. (d) São os que nos seduzem a sair da igreja de Deus. (e) São os que ensinam a doutrina antinomiana. (2) Como escaparemos deles? (a) Ficando fora do seu caminho. (b) Mantendo-nos no caminho de Deus. (c) Confiando diariamente no Senhor.

v. 6. "A minha alma ficou abatida": (1) A prostração da alma: (a) É causada por inimigos, fraqueza, medo e sofrimento. (b) É profunda, agonizante, autorreveladora. (c) É comum à Cabeça e aos membros. (2) A consolação da alma: (a) Ficou batida, mas não condenada. (b) Espera na promessa. (c) Confia em Deus. (d) Aguarda uma bênção proveniente da provação.

v. 7. "Preparado está o meu coração, ó Deus." O texto deixa implícito que o coração é a principal coisa exigida em todos os atos de devoção. No que diz respeito à religião, nada é feito utilmente que não seja feito com o coração. O coração tem de estar preparado. Preparado, ajustado e disposto *para* o dever. Tem de estar preparado *no* dever sendo insistentemente aplicado, prestando atenção no Senhor sem distração. — *Matthew Henry*

v. 7. (1) O que está preparado? O coração, não apenas a mente, mas a vontade, a consciência, os sentimentos que acarretam a mente: "Preparado está o meu coração", ele encontrou um ancoradouro, um porto seguro, não está, então, à mercê de todo vento forte. (2) Os objetos aos quais o coração está preparado: (a) A Deus. (b) À Palavra de Deus. (c) À salvação de Deus. (d) Ao céu. (3) A preparação do coração a esses objetos denota: (a) Unicidade de propósito. (b) Uniformidade de ação. (c) Perseverança até ao fim. — *George Rogers*

vv. 7 a 9. (1) A pessoa que será grata tem de entesourar no coração e na memória a cortesia que lhe foi feita. Foi o que Davi fez. Ele menciona o coração e, para ser mais enfático, repete o que mencionou: "O meu coração". (2) Depois de lembrar-se da cortesia que lhe foi feita, a pessoa tem de emocionar-se com o que lembrou e tomar uma decisão a respeito. Foi o que Davi fez: "Preparado está o meu coração", ou antes: "Firme está o meu coração" (ARA), ou seja, estou decidido em ser grato e não mudarei de opinião. (3) Não basta ter um coração grato. A pessoa tem de anunciar, divulgar e tornar público o que Deus lhe fez. E deve fazê-lo com alegria. Foi o que Davi fez: "Cantarei e salmodiarei". (4) A pessoa tem de usar todos os meios disponíveis para tornar público o que Deus lhe fez. Foi o que Davi *fez*. Ele usou a língua, o "alaúde" e a "harpa", ainda que sejam todos menos do que suficientes. Por isso, por apóstrofo, Davi se volta a estes: "Desperta, glória minha! [ou seja, desperta, língua minha!] Desperta, alaúde e harpa! Eu mesmo despertarei". (5) A pessoa não deve tornar público de maneira sonolenta o que Deus lhe fez, mas com objetividade e ardência de espírito. Foi o que Davi *fez*: "Desperta... Desperta... Eu mesmo despertarei". (6) A pessoa tem de aproveitar a primeira oportunidade para tornar público o que Deus lhe fez. Não deve se demorar e nem protelar. Foi o que Davi *fez*: "Eu mesmo despertarei". (7) A pessoa tem de tornar público o que Deus lhe fez em lugares e em reuniões que redundem maior honra ao Senhor. Foi o que Davi *fez*: "Louvar-te-ei, Senhor, entre os povos; cantar-te-ei entre as nações". — *William Nicholson*

v. 8. "Eu mesmo despertarei ao romper da alva." Dormirei levemente, porque estou em território inimigo. Pedirei a Deus que me desperte. Porei o despertador da vigilância. Ouvirei o galo da advertência providencial. A luz do sol me despertará. As atividades da igreja, a trombeta dos meus inimigos e o sino do dever se combinarão para despertar-me.

v. 9. "Louvar-te-ei, Senhor, entre os povos": (1) Quem? Eu. (2) O quê? Louvarei. (3) Quem? A ti, Senhor. (4) Onde? Entre os povos. (5) Por quê?

v. 9. Confissão pública: (1) Uma necessidade. (2) Um privilégio. (3) Um dever. — *R. A. Griffin*

v. 10. A misericórdia de Deus alcança os céus: (1) Como trono. Deus é exaltado aos nossos olhos pela sua misericórdia. (2) Como escada. Pela misericórdia, subimos da terra para o céu. (3) Como arco-íris. As misericórdias do presente e do passado indicam isenção para os santos da ira dos céus. (4) Como montanha. A base está na terra, mas o cume está perdido nas nuvens. A influência da cruz eleva-se ao céu dos céus. Quem pode contar a glória do cume desta montanha, cuja base é refulgente de glória? — *R. A. Griffin*

v. 10. A grandeza surpreendente da misericórdia: (1) Não diz meramente que é tão alta como os céus, mas que é grande até aos céus. A misericórdia é alta como os céus, elevando-se acima do maior pecado e do mais alto pensamento do homem. (2) A misericórdia é ampla como os extensos céus, abrangendo os homens de todas as idades, países e classes. (3) A misericórdia é profunda. Todas as coisas de Deus são proporcionais. É funda em fundação permanente e sabedoria infinita.

SALMO 58

TÍTULO

Mictão de Davi. Este é o quarto salmo de Davi intitulado *Salmo de Ouro* ou *Salmo do Segredo*, e o segundo “Não Destruas”. Se esses nomes não servem para nada, servem pelo menos para ajudar a memória. Os homens dão nomes a cavalos, joias e outras coisas de valor, e esses nomes são úteis para descrevê-los tanto quanto para distingui-los. Em alguns casos, mostra a alta estima que o dono tem pelo tesouro. Da mesma forma, o poeta oriental deu título ao cântico que amava para ajudar a memória e externar a estima pela melodia. Não devemos ficar procurando um significado nesses títulos, mas tratá-los como fazemos com títulos de poema ou nomes de música.

Para o cantor-mor. Embora Davi mantivesse o próprio caso mentalmente, escreveu não como pessoa particular, mas como profeta inspirado. Por isso, o cântico é apresentado para uso público e perpétuo, designado ao guarda da salmodia do Templo.

Sobre Al-Tachete. Este salmo julga e condena os ímpios, mas pronuncia aos piedosos a solene e sagrada sentença “Não Destruas”.

DIVISÃO

Os inimigos descrentes são acusados (vv. 1 a 5). O julgamento do juiz é buscado (vv. 6 a 8) e visto na visão profética como já executado (vv. 9 a 11).

EXPOSIÇÃO

1 *Acaso falais vós deveras, ó congregação, a justiça? Julgais retamente, ó filhos dos homens?*

2 *Antes, no coração forjais iniquidades; sobre a terra fazeis pesar a violência das vossas mãos.*

3 *Alienam-se os ímpios desde a madre; andam errados desde que nasceram, proferindo mentiras.*

4 *Têm veneno semelhante ao veneno da serpente; são como a víbora surda, que tem tapados os seus ouvidos*

5 *para não ouvir a voz dos encantadores, do encantador perito em encantamentos.*

1. *"Acaso falais vós deveras, ó congregação, a justiça?"* Os inimigos de Davi eram um grupo numeroso e unido, e por serem tão unânimes em condenar o perseguido, eram propensos a considerar que o veredicto era justo e certo. "O que todo o mundo diz deve ser verdade", é um provérbio mentiroso baseado na presunção que provém de grandes combinações. Não concordaram todos em perseguir o homem até a morte? Quem ousa sugerir que pessoas tão eminentes podem estar equivocadas? O perseguido põe o machado à raiz exigindo que os juízes respondam a pergunta se eles estavam ou não agindo de acordo com a justiça. Faria bem as pessoas pararem de vez em quando para analisar francamente essa questão. Alguns que acompanhavam Saul eram perseguidores preferencialmente passivos do que ativos. Fechavam a boca quando o alvo do ódio real era caluniado. No original hebraico, essa primeira frase do versículo denota ter sido endereçada a eles, os quais são convidados a justificar o silêncio. Quem cala consente. Quem se abstém de defender o direito é cúmplice no erro.

"Julgais retamente, ó filhos dos homens?" Vocês também não passam de homens, ainda que investidos de pequena e breve autoridade. A sua atividade profissional concernente aos homens e a sua relação a eles prendem vocês à justiça. Esqueceram-se disso? Vocês não puseram de lado toda a verdade quando condenaram o piedoso e se uniram na busca da ruína do inocente? Fazendo assim, não fiquem muito certos do sucesso, pois vocês são apenas "filhos dos homens", e há um Deus que pode e inverterá os veredictos.

2. *"Antes, no coração forjais iniquidades."* Bem no fundo da alma, vocês ensaiam a injustiça que querem praticar e, quando a oportunidade chega, desencadeiam a vingança com prazer. O seu coração está nas obras más, para as quais as mãos estão suficientemente prontas. Os mesmos que se assentavam como juízes e fingiam tanta indignação aos crimes imputados à vítima, cometiam no coração toda forma de mal.

"Sobre a terra fazeis pesar a violência das vossas mãos." Eram pecadores deliberados, vilões frios e calculistas. Como os juízes íntegros ponderam a lei, avaliam as evidências e pesam o caso, assim os juízes maldosos dispensam injustiça premeditadamente a sangue frio. Note neste versículo que os homens descritos pecavam com o coração e com as mãos, reservadamente no coração e publicamente na terra. Trabalhavam e analisavam — eram ativos e ao mesmo tempo pensados. Veja com que geração os santos têm de lidar! Eram assim os inimigos do nosso Senhor, uma geração de víboras, uma geração má e adúltera. Procuravam matá-lo, porque Ele era a justiça em pessoa, mas mascaravam o ódio com bondade, acusando-o de pecado.

3. *"Alienam-se os ímpios desde a madre."* Não admira que os homens persigam a Semente justa da mulher, visto que eles são da ninhada da serpente e a inimizade foi colocada entre eles e essa Semente. Imediatamente após nascerem afastam-se de Deus. Que situação! Deixamos o caminho certo tão cedo? No mesmo momento que começamos a ser homens começamos a ser pecadores?

"Andam errados desde que nasceram, proferindo mentiras." Todo observador percebe como as crianças na mais tenra idade são mentirosas. Antes mesmo de falar, praticam pequenos atos enganosos. O fato é mais evidente nas crianças que crescem para ser especialistas em difamação. Começam as más atividades desde cedo, e não é de admirar que se tornem versadas na prática. Quem começa em algo de manhã cedo irá até bem depois de anoitecer. Ser mentiroso é uma das evidências mais certas do estado caído. Considerando que a falsidade é universal, também é a depravação humana.

4. *"Têm veneno semelhante ao veneno da serpente."* O homem também é um réptil venenoso? É, e o veneno é igual ao da serpente. A víbora carrega nas presas a morte para o corpo. O homem não regenerado carrega veneno debaixo da língua, destrutiva para a mais nobre natureza.

"São como a víbora surda, que tem tapados os seus ouvidos." Enquanto fala das serpentes, o salmista se lembra de que muitas delas eram dominadas pela arte dos encantadores. Mas não havia arte que dominasse ou contivesse os homens com os quais ele tinham de lidar. Por isso, ele os compara a serpentes menos suscetíveis do que as outras à música dos encantadores. Diz que recusam ouvir a razão, como as víboras tapam os ouvidos aos encantamentos que fascinam os outros répteis. O homem, na corrupção natural, tem todas as características ruins da serpente sem os seus pontos positivos. Ó pecado, o que foi que você fez?

5. *"Para não ouvir a voz dos encantadores, do encantador perito em encantamentos."* Os descrentes não são ganhos para a justiça pelos mais lógicos argumentos ou pelos mais patéticos apelos. Coloquem em prática todas as suas habilidades, pregadores da Palavra! Disponham-se a atender os gostos e desgostos dos pecadores! Mesmo assim, vocês ainda terão de exclamar: "Quem deu crédito à nossa pregação?" (Is 53.1). A causa do fracasso não está na música, mas nos ouvidos do pecador, e só o poder de Deus é capaz de sanar.

> Você pode invocar os espíritos da imensa profundeza
> Mas eles virão quando você os invocar?

Não, nós chamamos, conclamamos e invocamos em vão até que o braço do Senhor seja manifestado (cf. Isaías 53.1). Essa situação mostra, ao mesmo tempo, a culpa e o perigo do pecador. Ele precisa ouvir, mas não ouvirá, e porque não ouve, não pode escapar da condenação do inferno.

6 *Ó Deus, quebra-lhes os dentes na boca; arranca,* S*ENHOR*, *os queixais aos filhos dos leões.*

7 *Sumam-se como águas que se escoam; se armarem as suas flechas, fiquem estas feitas em pedaços.*

8 *Como a lesma que se derrete, assim se vão; como o aborto de uma mulher, nunca vejam o sol.*

6. *"Ó Deus, quebra-lhes os dentes na boca."* Se não têm capacidade para o bem, pelo menos os priva da habilidade para o mal. Trata-os como os encantadores fazem com as serpentes, extrai-lhes as presas, quebra-lhes os dentes. É o que o Senhor pode fazer e fará. Não permitirá que a maldade dos ímpios triunfe. Desferirá neles tamanho golpe a ponto de incapacitá-los de causar dano.

"Arranca, SENHOR, os queixais aos filhos dos leões." Como se uma espécie de animal irracional não tivesse bastante mal em si para caracterizar plenamente a natureza dos descrentes, outra espécie de animal selvagem é buscada. A crueldade atroz dos ímpios é comparada aos filhos dos leões, animais no primor da vitalidade e na fúria da força. Davi pede que as mandíbulas dessas criaturas sejam despedaçadas, ou estraçalhadas, ou esmagadas para que daqui em diante sejam criaturas inofensivas. Dá de entender por que o banido filho de Jessé, sendo vilipendiado pela difamação peçonhenta dos inimigos e preocupado com o poder cruel que detinham, rogasse aos céus um livramento imediato e cabal dos inimigos.

7. *"Sumam-se como águas que se escoam."* Desapareçam como córregos montanhosos secos pelo calor do verão. Extingam-se como rios cujas águas esgotam-se velozmente.

Esvaiam-se como águas derramadas que ninguém pode juntar. Vão embora, águas imundas, pois quanto mais cedo vocês forem esquecidas melhor para o universo.

"Se armarem as suas flechas, fiquem estas feitas em pedaços." Quando o Senhor parte para a guerra, os seus juízos anunciam aos perseguidores que estes podem ser estraçalhados como a marca despedaçada pelas muitas flechas que a atingem. Ou, talvez, o significado seja que, quando os descrentes marcharem para o conflito, as flechas e o arco serão desencaixados, a corda do arco virará em picadinhos, o arco será espatifado, as flechas ficarão sem ponta e as pontas serão cegas. Desta forma, os guerreiros orgulhosos não têm com que ferir o objeto do seu ódio. Seja qual for o sentido, a oração do salmo se tornava fato frequente e realiza-se novamente tantas vezes quantas forem necessárias.

8. *"Como a lesma que se derrete, assim se vão."* Como a lesma pavimenta o próprio caminho com o próprio muco, dissolvendo-se enquanto se locomove, ou como a concha é encontrada vazia, como se o morador tivesse se liquefeito, assim os maldosos comem as próprias forças enquanto procedem nos desígnios malévolos, vindo a desaparecerem. Destruir-se pela inveja e desconsolo é a porção dos malignos.

"Como o aborto de uma mulher, nunca vejam o sol." É solene essa maldição, mas como ela cai em muitos infelizes e desgraçados! São como se nunca tivessem existido. O seu caráter é informe, horroroso e indignante. São mais próprios para serem escondidos em uma sepultura desconhecida do que para serem reconhecidos entre os homens. Para eles, a vida nunca chega à maturidade e os objetivos são abortados. A única realização é terem trazido sofrimento para as pessoas e horror para si mesmos. Não teria sido melhor se homens como Pôncio Herodes, Judas Iscariotes, Alva e Edmund Bonner nunca tivessem nascido? Não teria sido melhor para as mães que os deram à luz? Melhor para as terras que eles amaldiçoaram? Melhor para a terra na qual as suas carcaças pútridas foram escondidas do sol? Todo aquele que não é regenerado é um aborto. Não atinge a verdadeira forma da humanidade feita por Deus. Apodrece na escuridão do pecado. Nunca vê ou verá a luz de Deus na pureza, no céu.

9 *Antes que os espinhos cheguem a aquecer as vossas panelas, serão arrebatados, tanto os verdes como os que estão ardendo, como por um redemoinho.*

10 *O justo se alegrará quando vir a vingança; lavará os seus pés no sangue do ímpio.*

11 *Então, dirá o homem: Deveras há uma recompensa para o justo; deveras há um Deus que julga na terra.*

9. *"Antes que os espinhos cheguem a aquecer as vossas panelas."* É tão súbita a derrota dos ímpios, é tão grande o fracasso de vida, que nunca chegam a ver a alegria. Na preparação do banquete de alegria, a panela é colocada no gancho e um monte de espinhos é posicionado embaixo. Mas antes que os espinhos sejam acesos, antes que o calor produza efeito na panela, sim, antes mesmo que as labaredas toquem o utensílio culinário, vem uma tempestade e destrói tudo. A panela é virada e os espinhos são espalhados por toda parte. Talvez, a ilustração indique que os espinhos, que são o combustível, são acessos e formam chamas tão rápidas que antes de gerar calor a fogueira se apaga, deixando o alimento cru. O cozinheiro fica desapontado, pois o seu trabalho é um completo fracasso.

"Serão arrebatados [...] como por um redemoinho." O cozinheiro, a fogueira, a panela, o alimento e tudo o mais desaparecem imediatamente, levados em um remoinho para a destruição.

"Tanto os verdes como os que estão ardendo." Do meio da vida cotidiana e na ardência de ira contra os justos, os perseguidores são devastados por um tornado.

É quando os desígnios lhe são confundidos, as ideias lhe são derrotadas e eles são destruídos. A passagem é difícil, mas esse provavelmente é o significado, sendo deveras terrível. Os infelizes maldosos enchem a grande panela fervente e juntam os espinhos para a fogueira, querendo bancar os canibais com os tementes a Deus. Contudo, agem sem o anfitrião ou mais precisamente sem o Senhor dos anfitriões. A tempestade inesperada remove todo o vestígio dessa gente, da fogueira e do banquete, e faz isso em um momento.

10. *"O justo se alegrará quando vir a vingança."* Não terá participação na vingança, nem se alegrará no espírito vingativo. A alma justa consentirá com os julgamentos de Deus, e se alegrará ao vir a justiça triunfante. As Escrituras não falam nada sobre ter compaixão dos inimigos de Deus, algo que hoje em dia os promotores de erros gostam tanto de ostentar como o tipo mais sublime de benevolência. Devemos dizer *amém* para a condenação dos ímpios, e não ter a mínima disposição de questionar os procedimentos de Deus para com os impenitentes. Lembremo-nos do que João, o apóstolo do amor, disse a respeito: "E, depois destas coisas, ouvi no céu como que uma grande voz de uma grande multidão, que dizia: Aleluia! Salvação, e glória, e honra, e poder pertencem ao Senhor, nosso Deus, porque verdadeiros e justos são os seus juízos, pois julgou a grande prostituta, que havia corrompido a terra com a sua prostituição, e das mãos dela vingou o sangue dos seus servos. E outra vez disseram: Aleluia! E a fumaça dela sobe para todo o sempre" (Ap 19.1-3).

"Lavará os seus pés no sangue do ímpio." Ele os vencerá e eles sofrerão derrota tão completa, que a ruína será final e fatal, e o livramento total e apical. A danação dos pecadores não arruinará a felicidade dos santos.

11. *"Então, dirá o homem."* Todo homem por mais ignorante será compelido a dizer: "Deveras [na verdade, de fato, com certeza], há uma recompensa para o justo". Se nada mais for verdade, essa é. No fim das contas, os tementes a Deus não serão abandonados e entregues aos inimigos. No fim das contas, os ímpios não terão a melhor parte, pois a verdade e a bondade serão recompensadas.

"Deveras há um Deus que julga na terra." Com a visão do Juízo Final, todos os homens serão forçados a ver que há um Deus, e que Ele é o justo Juiz do universo. Duas coisas ficarão devidamente claras no final: há um Deus e há uma recompensa para o justo. O tempo removerá as dúvidas, resolverá as dificuldades e revelará os segredos. Enquanto isso, os olhos previdentes da fé discernem a verdade agora e se alegram com o que vê.

NOTAS EXPLICATIVAS E DECLARAÇÕES IMPORTANTES

O Título: O significado literal da raiz de *mictão* é "gravar" ou "estampar um metal". Portanto, a rigor significa "gravura" ou "escultura". Por conseguinte, é traduzida na Septuaginta por στηλογραφία, "inscrição em uma coluna". Arrisco a fazer uma conjetura em harmonia perfeita com essa opinião. Pelos títulos de quatro destes seis salmos, parece que foram compostos por Davi enquanto estava fugindo e escondendo-se das perseguições de Saul. O que, então, nos impede de imaginar que eles foram inscritos nas pedras e paredes das cavernas que tantas vezes lhe formaram um lugar de refúgio? Esse ponto de vista concordaria com o significado etimológico literal da palavra, e explicaria a tradução da Septuaginta. — *John Jebb, "A Literal Translation of the Book of Psalms" [Uma Tradução Literal do Livro dos Salmos], 1846*

[Ver também as Notas Explicativas e Declarações Importantes dos Salmos 16 e 56.]

O Salmo: Kimchi afirma que este salmo foi escrito por causa de Abner e dos demais príncipes de Saul, que julgaram Davi como rebelde contra o governo e disseram que Saul tinha de persegui-lo até matá-lo. Caso tivessem contido Saul, ele não teria perseguido Davi. De fato, este salmo parece ter sido endereçado a juízes maus: "Não destruas". Arama diz que isso declara a maldade dos juízes de Saul. — *John Gill, 1697-1771*

v. 1: "Acaso falais vós deveras, ó congregação, a justiça? Julgais retamente, ó filhos dos homens?" No original hebraico, as primeiras palavras são sumamente obscuras. Uma delas (אֵלֶם) não consta nas traduções antigas e significa "mudez" (como no Salmo 61.1), e foi usada aqui como expressão forte para denotar alguém "totalmente mudo". O verbo seguinte indica em que aspecto eles eram tão mudos, mas a ligação fica clara nas traduções por meio de uma circunlocução. A interrogação "Acaso falais vós deveras?", expressa admiração a algo difícil de ser crido. Pode ser? É possível? Vocês estão calados, justamente vocês, cujo ofício é falar por Deus e contra os pecados dos homens? — *Joseph Addison Alexander, 1850*

v. 1: "Ó congregação", ou "bando", "grupo", "companhia". A palavra hebraica *aelem*, que tem o significado de "atar ou amarrar um feixe ou maço", denota aqui um grupo que é formado, ou juntado, ou confederado. — *Henry Ainsworth, 1622*

v. 2: "Antes, no coração forjais iniquidades". O salmista não diz que tinham iniquidades no coração, mas que as iniquidades trabalhavam lá. O coração é uma oficina interior, uma oficina subterrânea. É onde maquinavam com atenção, forjavam e elaboravam os propósitos iníquos, adequando-os às ações.

"Sobre a terra fazeis pesar a violência das vossas mãos." É alusão a comerciantes que compram e vendem por peso. Pesam o artigo por determinado peso. Não o vendem por grosso, mas pelo peso exato. Assim diz o salmista: "Fazeis pesar a violência das vossas mãos". Não oprimem brutalmente, mas com exatidão e habilidade. Sentam-se e analisam qual e quanta violência podem usar em determinado caso, ou quanto à vítima pode suportar, ou por quanto tempo pode aguentar. São sábios demais para fazer tudo de uma vez ou tudo com uma pessoa só, para que não estraguem com tudo. Pesam o que fazem, embora o que fazem seja tão mau que não venha a ter peso quando Deus for pesá-lo. Não chegam a esse nível de habilidade imediatamente, pois a obtêm depois de, por assim dizer, terem servido de aprendiz. Ligam-se muito cedo ao comércio, como diz o versículo 3 do salmo: "Alienam-se os ímpios desde a madre; andam errados desde que nasceram, proferindo mentiras", quer dizer, alienam-se de nascença e pela prática desde tenra idade. Não perdem tempo. Começam jovens, até mesmo "desde que nasceram". Assim que se veem úteis para serem usados ou para fazerem algo, usam-se e dispõem-se a fazer o mau. — *Joseph Caryl, 1602-1673*

v. 2: A palavra עוֹלֹת, "iniquidades", significa as "inclinações da balança", quando a balança pesa de um lado. A ideia é transferida à acepção de pessoas, à injustiça e iniquidade, sobretudo nos tribunais e decisões públicas, como no Salmo 82.2: "Até quando julgareis [עָוֶל] injustamente e respeitareis a aparência da pessoa dos ímpios?", ou seja, até quando julgareis por uma inclinação injusta das balanças? — *Hermann Venema, 1697-1787*

v. 2: Os princípios dos ímpios são até piores do que as práticas, pois a violência premeditada é duplamente culpada. — *George Rogers, 1871*

v. 3: "Alienam-se os ímpios desde a madre; andam errados desde que nasceram, proferindo mentiras". Como pecam desde cedo! Como se arrependem tão tarde! Assim que nascem, desviam-se. Se não forem buscados, não voltarão até que morram. Doutra forma, jamais voltarão. Crianças não andam nem falam assim que nascem, mas assim que nascem podem alienarem-se, desviarem-se e falarem mentiras. Quer dizer, as primeiras palavras são mentirosas e os primeiros passos são vagueações. Quando essas pessoas não podem andar naturalmente, podem andar erradas moral ou metaforicamente. O primeiro passo que dão é um passo fora do caminho. — *Joseph Caryl*

v. 3: "Andam errados desde que nasceram, proferindo mentiras". De todos os pecados, nenhum pode chamar Satanás de pai como a mentira. Toda a corrupção que há em nós veio de Satanás, mas o pecado do engano e da mentira é do Diabo mais do que os outros. Tem o sabor do Diabo mais do que os outros pecados. Por conseguinte, todo homem é mentiroso (Rm 3.4) e, por isso, é pecador de todos os outros pecados. De maneira especial, todo homem é mentiroso. A primeira depravação da natureza humana ocorreu pela mentira. A nossa natureza gosta muito dessa semelhança paterna que é dada a mentir. O Diabo também nos inspira fortemente a nos levar a mentir. Por conseguinte, assim que começamos a falar, começamos a mentir. Como estamos no corpo, estamos sujeitos a todas as fraquezas. Mesmo assim, alguns estão mais sujeitos a determinada fraqueza do que a outra. O mesmo se dá com a alma. Somos bastante propensos a todos os pecados, no entanto alguns são mais propensos a determinada falta do que a outra. Mas todos somos muito inclinados à mentira. O mentiroso é extremamente semelhante ao Diabo e extremamente diferente de Deus. — *Richard Capel, 1586-1656, "Temptations, theirs Nature, Danger, Cure" [As Tentações, Sua Natureza, Perigo e Cura]*

v. 3: "Alienam-se os ímpios desde a madre". A ilustração dos ímpios alienando-se assim que nascem foi tirada, ao que parece, da disposição e poder da serpentezinha imediatamente após nascer. A serpente recém-nascida pode envenenar qualquer coisa que picar. O sofrimento em todos os casos é grande, embora a picada raramente seja fatal. Coloque um graveto perto do réptil cuja idade não chega a dias, e ele o pica imediatamente. A descendência do tigre e do jacaré são desde cedo igualmente ferozes nos seus hábitos. — *Joseph Roberts, "Oriental Illustrations of the Sacred Scriptures" [Ilustrações Orientais das Escrituras Sagradas], 1844*

v. 4: "Veneno". Existe veneno, mas onde se acha? *Ubicanque fuerit, in homine quis quaereret?* "Onde está no homem que o procuraria?" Deus fez do pó o corpo do homem, mas nisso não misturou veneno. Deus soprou do céu a alma do homem, porém nisso não ventilou veneno. Ele o alimenta com pão, porém nisso não transmite veneno. *Unde venenum?* "De onde vem o veneno?" "Senhor, não semeaste boa semente no teu campo?" *Unde zizaniae:* "Donde vem, pois, o joio?" (Mt 13.27, ARA). De onde? *Hoc fecit inimicus:* "Um inimigo é quem fez isso" (Mt 13.28). Podemos perceber o Diabo nisso. A Grande Serpente, o Dragão Vermelho instilou esse veneno nos corações maus. O seu próprio veneno, *malitiam*, "iniquidade", "maldade". *Cum infundit peccatum, infundit venenum*, ou seja, "quando injetou o pecado, injetou o veneno". O pecado é o veneno. A depravação original se chama corrupção; é o próprio veneno. A violência e virulência dessa característica venenosa não surgem inicialmente. *Nemo fit repente pessimus*, isto é, "nenhum homem fica pior de uma vez". Nascemos corruptos, fazemo-nos venenosos. Há três graus, ou melhor, etapas para o pecado.

Primeiro, o pecado secreto. É uma úlcera que está nos ossos, mas surge na pele como hipocrisia.

Segundo, o pecado aberto. Brota em vilania manifesta. O primeiro é corrupção, o segundo é erupção.

Terceiro, o pecado frequente e comprovado. É esse veneno violento, que envenena alma e corpo. — *Thomas Adams, 1614*

v. 4: "A víbora". Em hebraico, פֶּתֶן (*peten*), "Naja Egípcia" (*Naja hage*), é uma das cobras venenosas colubrinas (*Colubridoe*). É uma das chamadas Cobras-de-Capelo, com as quais os encantadores de serpentes lidam. A própria Cobra-de-Capelo (*Naja tripudians*) é uma espécie proximamente catalogada. A bem conhecida naja é outra. Todas são notáveis pela picada mortal. As presas ocas se comunicam a glândulas de veneno, as quais, sendo pressionadas no ato de morder, segregam gotas de veneno pelo cano oco das presas. O veneno age depressa no organismo inteiro, logo resultando em morte. — *John Duns, Doutor em Teologia, "Biblical Natural Science" [Ciências Naturais Bíblicas], 1868*

v. 4: "A víbora surda". Falando sobre os salmos, diz certo escritor moderno que é certo que a Víbora comum na Inglaterra, cuja picada, a propósito, também é muito venenosa, se não for completamente surda, tem o sentido da audição muito imperfeito. O fato é evidente pelo perigo de esses animais serem pisados, a menos que sejam vistos. Se não forem vistos nem perturbados, nada fazem para evitar o ser humano. Mas se forem perturbados e virem uma pessoa, são muito solícitos em fugir. Admitindo, então, que há uma espécie destes animais nocivos que não têm o sentido da audição, ou se o têm, é pouco desenvolvido, podemos dizer que são surdos. Esse entendimento ajuda a explicar a passagem poética do salmista. Ele muito elegantemente compara as práticas perniciosas e destrutivas dos ímpios ao veneno das serpentes. Quando mencionou essa espécie de animais, lembrou-se de pelo menos outra peculiaridade que se assemelha aos pecadores perversos e obstinados, qual seja, eles são surdos a todo conselho, totalmente irrecuperáveis e intratáveis. Assemelham-se a essa característica da víbora, que é um animal muito venenoso e, além disso, surdo ou quase. Ao dizer que a víbora "tem tapados os seus ouvidos" pode ser nada mais do que uma expressão poética para referir-se à surdez, da mesma maneira que na linguagem comum entre os falantes chama-se de toupeira a pessoa cega, em uma expressão poética referente aos olhos fechados, os quais de fato se fecham quando expostos à luz. A frase seguinte: "Para não ouvir a voz dos encantadores, do encantador perito em encantamentos" (v. 5), é outra expressão poética para referir-se à mesma coisa. — *Samuel Burder, "The Scripture Expositor" [O Expositor Bíblico], 1810*

v. 4: "A víbora surda". Várias espécies de serpentes são bastante surdas ou têm muita dificuldade de ouvir. Talvez a serpente chamada Serpente-Castor seja mais surda do que as outras. Muitas vezes cheguei bem perto destes répteis, que não esboçaram o menor esforço para sair do caminho. Espreitam todos os lugares, e a vítima sobre quem se lançam morre em alguns minutos depois de ser picada. — *Joseph Roberts*

v. 4: "A víbora surda". A "víbora" ou áspide é, de acordo com George Leopold Cuvier (1769-1832), a *Haje Naja* ou Naja Egípcia. A audição de todas as espécies de serpente é imperfeita, visto que todas não têm cavidade timpânica e abertura externa para a orelha. A Víbora Surda não é uma espécie exclusiva. O ponto da repreensão é este: o *pethen* ou "víbora" aqui em questão ouve em certa medida, no entanto, não atende, da mesma maneira que os injustos juízes ou perseguidores de Davi ouviam com os ouvidos externos os seus apelos, como ele fez nos versículos 1 e 2, todavia, não atendiam. O encantador encanta a serpente por meio de sons estridentes, quer com a voz quer com a flauta, e a surdez comparativa da serpente ameniza esses sons. Mas há casos excepcionais de uma "víbora surda" que era surda só no sentido de recusar ouvir ou obedecer (ver também Jeremias 8.17; cf. Eclesiastes 10.11). — *A. R. Fausset, 1866*

v. 4: "A víbora surda, que tem tapados os seus ouvidos". Com relação ao animal tapar os ouvidos, não é necessário recorrermos à suposição de que realmente fazem isso, como certas pessoas afirmam. Basta saber que algumas serpentes agem da maneira acima descrita, ao passo que outras são em parte ou completamente insensíveis ao encantamento. — *Richard Mant, 1776-1849*

v. 4: "São como a víbora surda, que tem tapados os seus ouvidos". Essa frase admite uma construção diferente: "Como a víbora surda, ele tapa os ouvidos", que é a preferência de certos intérpretes, porque a áspide não pode tapar os ouvidos e não precisa tapá-los por se naturalmente surda, ao passo que é tapando os ouvidos que os ímpios se tornam como uma Víbora Surda (cf. NTLH; NVI). — *Joseph Addison Alexander*

vv. 4 e 5: Experimentados e hábeis como os encantadores de serpente, os ímpios invariavelmente não escapam impunemente. Términos fatais dessas exibições de arte psicodélica ocorrem de vez em quando, pois sempre há uma "víbora surda, que tem tapados os seus ouvidos para não ouvir a voz dos encantadores, do encantador perito em encantamentos". [...] Roberts menciona o caso de um homem que foi à casa de certo cavalheiro para fazer uma exibição com cobras dóceis. Ao ser informado de que havia uma Naja, ou Cobra-de-Capelo em uma gaiola na casa, o cavalheiro perguntou-lhe se ele sabia encantá-la. Com a resposta afirmativa, a serpente foi solta da gaiola e, sem dúvida, em estado de tremenda irritação. O homem começou os encantamentos e repetia as palavras do encanto. Mas a cobra se arremessou contra ele, picou-lhe o braço e, antes de anoitecer, ele era um cadáver. — *Philip Henry Gosse, "The Romance of Natural History" [O Romance da História Natural], 1681*

vv. 4 e 5: Certo dia, uma cascavel entrou em nosso acampamento. Havia entre nós um canadense que sabia tocar flauta e, para nos divertir, foi ao encontro da serpente com essa nova espécie de arma. Ao aproximar-se do inimigo, o réptil arrogante se enrolou em linha espiral, aplainou a cabeça, inchou as bochechas, comprimiu os lábios, mostrou as presas cheias de veneno e revelou a garganta medonha. A língua fluía como duas labaredas de fogo. Os olhos eram como brasas ardentes. O corpo, intumescido de raiva, subia e descia como os foles de uma forja. A pele dilatada assumiu um aspecto embotado e escamoso. A cauda, de onde procedia o som anunciador da morte, vibrava com tanta rapidez a ponto de assemelhar-se a uma leve fumaça. O canadense começa a tocar a flauta. A serpente tomada de surpresa recua a cabeça. Na medida em que é influenciada pelas notas mágicas, os olhos perdem a ferocidade. As oscilações da cauda ficam mais lentas e o som diminui até gradualmente extinguir-se. Menos perpendicular na linha espiral, os anéis da serpente encantada se expandem gradualmente e afundam-se no chão uma depois da outra em círculos concêntricos. As nuanças de cerúleo, verde, branco e ouro retomam o brilho na pele tremente e, virando a cabeça ligeiramente, ela permanece imóvel, na atitude de atenção e prazer. Neste momento, o canadense afasta-se alguns passos, produzindo com a flauta notas suaves e simples. A serpente, inclinando o pescoço matizado, abre passagem com a cabeça pela relva alta e rasteja-se para seguir o músico. Para quando ele para e segue-o assim que ele prossegue. Desta maneira, ela foi conduzida para fora do acampamento sob o olhar de grande número de espectadores, silvícolas e europeus, que mal acreditavam que tinham testemunhado essa ação harmoniosa. — *François Auguste, Visconde de Chateaubriand, 1768-1848*

vv. 4 e 5: "Têm veneno semelhante ao veneno da serpente; são como a víbora surda, que tem tapados os seus ouvidos para não ouvir a voz dos encantadores, do encantador perito em encantamentos". A serpente, quando começa a sentir o encantamento, coloca imediatamente um ouvido ao chão e tapa o outro ouvido com a cauda, embora, como observam certos entendidos, ao ouvir atentamente o encantador, ela é levada a cuspir o veneno e rejuvenesce[1]. As pessoas ficam tão fogosamente lascivas quando estão em pecado sexual, que se tornam surdas a todo conselho contrário. Esses indivíduos tapam os ouvidos, endurecem o coração, entesam

[1] Espécime de serpente que faz parte da antiquada história desnatural. Ninguém deve deixar-se enganar por essa lorota. — C. H. S.

o pescoço contra os trovões da Lei, a voz suave do evangelho, os movimentos do Espírito e as convicções da própria consciência. Quando o pecado chama, livram-se sem demora de todas as dificuldades. Quando o mundo manda, imediatamente atendem, prontamente ouvem e fielmente obedecem! Mas quando o Deus bendito conclama-os, dá-lhes ordens pela sua inquestionável autoridade, roga-lhes em prol da própria felicidade inalterável deles, eles, como estátuas de homens em vez de seres vivos, ficam parados e não se mexem. As outras coisas movem-se instantaneamente ao centro do qual gravitam. As pedras caem rolando para baixo. As faíscas voam rapidamente para cima. Os coelhos correm velozmente para as tocas. Os rios correm impetuosamente para o oceano. Mas os homens tolos fogem do Criador, de modo que nem rogo, nem ameaça, nem a Palavra, nem as obras de Deus, nem a esperança do céu, nem o medo do inferno pode despertá-los ou fazer com que corram à toda velocidade para a felicidade. Quem imaginaria que a alma racional agiria contra o bom senso e a razão? — *George Swinnock, 1627-1673*

v. 5: "Para não ouvir". O Senhor tem alguns eleitos que Ele vê andando por atalhos e caminhos tortuosos. Deus comissiona os seus servos, os ministros, dizendo: Ide convidar e chamar as almas para virem a mim. E insiste: "Volta, volta, ó sulamita, volta, volta" (Ct 6.13), mas a alma não volta. O Senhor torna a enviar e chamar, mas, como a Víbora Surda, a alma não ouve a voz do encantador. Neste caso, o Senhor determina: "Se tu não vens, irei buscar-te. Se meios agradáveis não funcionam, meios desagradáveis funcionarão. Então, assobia para as moscas e abelhas da aflição, convoca exércitos de dificuldade, e os encarrega de cercarem e apoderarem-se de tal homem ou mulher, dizendo: Importuna-os com tiros de canhão até que se rendam, entreguem as chaves e abaixem as velas. Ele envia doença para o corpo, consumo para os bens, morte para os amigos, vergonha para a reputação, fogo para a casa e outras ocorrências semelhantes. Ordena-lhes que depredem e saqueiem até que vejam e reconheçam que a mão do Senhor está erguida". — *J. Votier, "Survey of Effectual Calling" [Análise da Chamada Eficaz], 1652*

v. 6: "Quebra-lhes os dentes na boca", destrói as presas dessas serpentes, nas quais estão o veneno. Essas palavras têm o mesmo significado que as de acima. Salva-me das víboras — os caluniadores astutos e venenosos. Salva-me também dos leões — os homens tirânicos e sanguinários. — *Adam Clarke, 1760-1832*

v. 6: "Os queixais", מַלְתְּעוֹת, de acordo com *Dicionário Michaelis e Gesenius*, são as presas, que nos leões são afiadas e terríveis. — *George Phillips, Bacharel em Teologia, "The Psalms in Hebrew: with a Critical, Exegetical and Philological Commentary" [Os Salmos em Hebraico: com Comentário Crítico, Exegético e Filológico], 1846*

vv. 6 a 9: Os inimigos de Davi eram fortes e ferozes como leões jovens. Por isso, orou para que os dentes lhes fossem quebrados, até mesmo os dentes mais fortes, os molares, com os quais estavam prontos para devorá-lo. Desta forma, ficariam incapacitados de causar-lhe dano. Dominaram-no como uma inundação domina a terra, mas ele pediu que o solo fosse suficientemente permeável para logo escoar as águas. Estavam a ponto de atirar no salmista, mas ele suplicou que os arcos ou as flechas fossem feitos em pedaços e se tornassem como palha. Rogou para que se acabassem insensivelmente como a lesma, que deixa a própria substância corpórea no caminho por aonde vai, e virassem em nada, como um aborto. Predisse também que a ira próspera dos inimigos (que se assemelhava à crepitação de espinhos debaixo de uma panela), logo se extinguiria e não produziria efeito, enquanto o Senhor na sua ira os apressaria para a destruição imediata, como um forte vendaval derruba alguém em um precipício ou em um buraco profundo e terrível. — *Thomas Scott, 1747-1821 v. 7:* "Sumam-se como águas que se escoam". J. J. Stewart Perowne traduz essa frase assim: "Sumam-se como águas que escorrem rapidamente", e explica que a referência diz respeito a "regar escorrendo, e assim há desperdício e perda".

v. 7: "Sumam-se como águas que se escoam". Nas regiões desérticas da África, é motivo de muita alegria encontrar casualmente um riacho de água, sobretudo se corre na direção da viagem, pois é esperança de ser um valioso companheiro. Depois de nos acompanhar por uns três quilômetros, tornou-se invisível por ter afundado na areia. Três quilômetros mais adiante, porém, reapareceu e realimentou-nos a esperança com a sua permanência. Mas depois de ficar por poucas centenas de metros, afundou de vez na areia, não voltando mais a surgir. — *John Campbell, 1766-1840*

v. 8: "Como a lesma que se derrete, assim se vão", é literalmente "como a lesma que vai se derretendo [ou enlodando]". O substantivo está no acusativo e descreve a natureza da ação. A alusão é ao rastro enlodado que a lesma deixa para trás, de forma que parece estar se diluindo. Claro que esta nada mais é do que uma hipérbole poética, a qual dispensa explicação como erro popular ou engano da história natural. — *J. J. Stewart Perowne, Bacharel em Teologia, "The Book of Psalms; A New Translation, with Introductions and Notes" [O Livro dos Salmos; Uma Nova Tradução, com Introduções e Notas], 1864*

v. 8: "Como a lesma que se derrete, assim se vão". Essa passagem é muito singular e não muito clara. A Bíblia judaica a dispõe de certo modo a explicar a ideia que evidentemente prevalecia na época em que os Salmos foram compostos: "Como a lesma se derrete enquanto passa" (cf. NVI). Os antigos tinham a ideia de que o rastro enlodado feito pela lesma, enquanto rasteja, é subtraído da substância do próprio corpo. Por conseguinte, quanto mais longe ia menor se tornava, até chegar ao ponto de diluir-se completamente. No Talmude, os comentaristas assumiram essa visão do caso. A palavra hebraica, שַׁבְּלוּל (*shabbᵉlûl*), a qual significa indubitavelmente lesma de qualquer tipo, é explicada desta maneira: "O shablul é uma coisa rastejante que, quando sai da concha, verte saliva de si mesma até ficar líquida e morrer". Há outras explicações para essa passagem, mas não há dúvida de que a opinião advogada por esses comentaristas é a correta, e que o salmista, quando escreveu a terrível série de denúncias nas quais a passagem ocorre, tinha em mente a crença popular relativa à diluição gradual da lesma enquanto se vai. É desnecessário dizer que não há a menção de uma espécie particular de lesma. E é quase desnecessário declarar que na Palestina há muitas espécies de lesmas, a qualquer uma das quais ou a todas as quais essas palavras são igualmente aplicáveis. — *J. G. Wood*, "Bible Animals" [Animais de Bíblia], 1869

v. 8: "Como o aborto de uma mulher, nunca vejam o sol". Os ímpios são, por assim dizer, abortos humanos. São e para sempre permanecerão seres defeituosos e incompletos, que não realizaram o grande propósito da existência. O céu é o fim para o qual o homem foi criado, e aquele que fica aquém desse objetivo não atinge o propósito da existência. É um aborto eterno. — *O. Prescott Hiller*, 1869

v. 8: "Como o aborto de uma mulher, nunca vejam o sol". Quando Davi amaldiçoou as maquinações dos ímpios, que concebiam maldade, mantinham esse objetivo por muito tempo e estavam prestes a implementá-la, ele disse: "Como o aborto de uma mulher, nunca vejam o sol [as suas deliberações e desígnios]". Em outras palavras, sejam frustrados e destruídos, nunca produzam a ninhada venenosa para os feridos e atormentados do mundo. — *Joseph Caryl*

v. 9: "Antes que os espinhos cheguem a aquecer as vossas panelas, serão arrebatados, tanto os verdes como os que estão ardendo, como por um redemoinho".

Confundiria o próprio Édipo dar um sentido tolerável às traduções desse versículo. O texto refere-se ao costume dos viajantes no Oriente que, trafegando pelo deserto, faziam fogueira às pressas com os espinhos que juntavam, alguns verdes e cheios de seiva, outros secos e murchos, com a finalidade de preparar os alimentos. Nessas circunstâncias, surgem não raro violentas tempestades de vento que arrasam a fogueira e o aparato todo, antes que os recipientes fiquem mornos. Trata-se de vívida e expressiva ilustração da ruína total dos ímpios! — *William Walford, 1837*

v. 9: "Antes que os espinhos cheguem a aquecer as vossas panelas". Por essa expressão proverbial, o salmista descreve a deflagração súbita da ira divina. É súbita e violenta como a combustão de espinhos secos debaixo da panela de uma dona de casa. O brilho das chamas, a altura à qual chegam em um instante, a fúria com a qual lambem todos os lados do recipiente dão força e até sublimidade à imagem, embora seja uma das ocorrências mais comuns da vida doméstica — a esposa do aldeão cozinhando com a panela! O sentido, então, é este: "Antes que as vossas panelas sintam os espinhos, Ele os destruirá no vendaval e furacão". — *Samuel Horsley, 1733-1806*

v. 9: Em todo o livro de Deus, não me lembro de haver frases traduzidas com tanta variedade e diferença como este versículo. [...] Essa diversidade de traduções surge principalmente por causa da palavra hebraica no original, סִירוֹת (*sîrôt*), que na língua hebraica significa, em primeiro lugar, "panelas" ou "caldeirões" em que os alimentos são cozidos, como consta em Êxodo 16.3; 38.3; Ezequiel 11.11.

Em segundo lugar, "espinhos" e pontadas de espinhos e espinheiros, como consta em Isaías 34.13; Oseias 2.8.

Em terceiro lugar, porque as pontas dos espinhos grandes são muito afiadas e curvas, essa palavra é usada para designar "anzóis de pesca" (Am 4.2). Em todas as antigas versões bíblicas em inglês, na nova tradução de Genebra e em algumas Bíblias em latim essa palavra é usada no sentido de panelas ou caldeirões. Mas a Septuaginta, Jerônimo, latim vulgar, Agostinho, Pagnine, Tremellius e outros que consultei tomam essa palavra no segundo sentido, ou seja, as pontadas afiadas de espinhos e espinheiros. É certo que neste texto a palavra significa as pontadas afiadas do grande espinheiro, que aqui no texto hebraico é אָטָד (*'āṭād*). É a mesma palavra usada na parábola de Jotão, que fala que o espinheiro foi eleito o rei das árvores e acendeu um fogo que devorou os cedros do Líbano (Jz 9.14,15). O tronco e os galhos desse espinheiro são envoltos com espinhos curvos e afiados, alguns dos quais são verdes e têm vida e umidade. Embora sejam afiados, não são suficientemente duros e fortes a ponto de causar ferida profunda na carne humana. Outros desses espinhos são maiores, mais curvos e endurecidos pela seca e tostadura do calor veemente do sol. Ferem pronta e abruptamente, rasgando e dilacerando a pele ou a carne das pessoas. O primeiro tipo de espinho são os espinhos "verdes" mencionados no texto sob estudo. Os outros ("os que estão ardendo") são chamados de חָרוֹן, "secos", ou "tostados e endurecidos". O salmista profético afirmou que "o Deus que julga na terra tomará e destruirá como por um vendaval tempestuoso cada um deles, tanto os verdes como os secos", como Tremellius traduz muito corretamente a palavra no original hebraico. [...] O texto do versículo fica assim: "Antes de eles sentirem os seus espinhos ou as pontadas dos seus espinhos, ó espinheiros, Ele tomará cada um de vocês como por um vendaval, tanto os verdes quanto os secos". "Antes de eles", quer dizer, os justos que vocês odeiam e perseguem, "sentirem", ou seja, eles terem um pleno sentimento e entendimento dos espinhos ou das pontadas dos espinhos, ou seja, da agudeza, violência e dano que estão no coração e mãos de cada um de vocês, pois cada um da sua turma e congregação é um espinho doloroso e uma pontada afiada do espinheiro maldito, aguçadamente disposto e curvado para causar dano com maldade e violência ao povo e igreja de Deus. "O Deus que julga na terra [como expressa as últimas palavras do versículo 11] tomará e destruirá como por um vendaval tempestuoso [em outras palavras, espalhará e destruirá tempestuosamente] cada um deles, tanto os verdes como os secos [em outras palavras, todos os membros desse grupo, os perseguidores jovens, noviços e esganados, mas não tão fortes a ponto de ferir, como também os perseguidores velhos e secos, que estão endurecidos pela maldade longamente praticada, e em termos de poder e política são fortes para causar dano]." — *Rápido sermão de George Walker pregado na honorável Câmara dos Comuns, 1644*

v. 10: "O justo se alegrará quando vir a vingança". Quando o justo vê a vingança e se alegra, não é por maldade, mas por benevolência. Ele espera que os ímpios pelo castigo se emendem, amando a justiça de Deus acima da aparência dos homens. O justo não fica descontente com o castigo dos ímpios, porque sabe que isso procede do Senhor. Também não deseja que os ímpios sejam absolvidos da penalidade, porque com justiça merecem ser punidos. — *Nicholas Gibbens, 1602*

v. 10: "O justo se alegrará quando vir a vingança". Não é que o justo fique alegre com a vingança meramente por ser prejudicial e lesiva ou por causar sofrimento à pessoa. Ele se alegra quando vê a vingança de Deus como cumprimento das ameaças do Senhor contra o pecado do homem e como evidência da própria santidade divina (Sl 64.9,10). — *Joseph Caryl*

v. 10: "Lavará os seus pés no sangue do ímpio", isto é, o justo fica consolado e sente-se encorajado ao ver o Senhor defender a sua causa contra os adversários. — *Joseph Caryl*

v. 10: "Lavará os seus pés no sangue do ímpio". Como poderíamos dizer acerca do sobrevivente vitorioso de um conflito que perambula pelo campo de batalha. — *Religious Tract Society's Notes [Notas da Sociedade de Folhetos Religiosos]*

v. 10: "O justo se alegrará quando vir a vingança". Quando os anjos executam os juízos de Deus nos pecadores, os santos veem muita coisa. Veem tema para ter medo e tema para louvar. Tema para ter medo: o poder, a ira e o ódio de Deus são manifestos nesses juízos contra o pecado e os pecadores. Tema para louvar: os justos são livrados e a justiça é feita. Quando os ímpios são tomados pelo golpe divino, pela mão da justiça, e Deus recebe a glória da sua justiça, o justo se alegra. Mas isso é tudo? Não, ele "lavará os seus pés no sangue do ímpio", em outras palavras, por este juízo feito ele teme e corrige-se. É uma metáfora tirada dos hábitos daquela região, quando as pessoas saíam descalças ou com sandálias e contraíam muita sujeira, costumavam lavar e limpar os pés ao entrar em casa. Quando o piedoso vê a mão de Deus sobre os ímpios, teme e julga-se pelos seus pecados, purga a consciência e os afetos, e reverencia o Deus que feriu os ímpios pelos pecados dos quais ele mesmo em parte é culpado. Waldus, homem de destaque em Lyons, vendo uma pessoa ser morta na sua presença, lavou as mãos no sangue dela. Logo em seguida, deu esmolas aos pobres, instruiu a família no verdadeiro conhecimento de Deus e exortou a todos que o procuravam ao arrependimento e santidade de vida. — *William Greenhill, 1591-1677*

v. 10: Não há dúvida de que, à vista de Sodoma, Gomorra, Admá e Zeboim destruídas, os anjos viram motivo para alegrarem-se e cantarem: "Aleluia". A maldade foi assolada. A terra foi aliviada de um fardo. A justiça, a justiça de Deus, foi altamente exaltada. O amor às outras criaturas foi exibido ao livrá-las da vizinhança das contaminações infernais. Segundo os mesmos princípios (indo, porém, ainda mais profundamente na mente do Pai e concordando mais plenamente com a sua justiça), o próprio Senhor Jesus e cada um dos seus seguidores bradará: "Aleluia"

(Ap 19.3), diante dos exércitos arruinados do Anticristo. "O justo se alegrará quando vir a vingança; lavará os seus pés no sangue do ímpio." Ele receberá refrigério ao término da jornada (Jo 13.5; Lc 7.44; Gn 18.4), limpará todo o pó do caminho e acabará com o cansaço ao entrar nessa alegria estranha e divina, pois o pecado foi destruído, a justiça foi glorificada, a Lei foi engrandecida, a vingança foi feita por causa do insulto cometido contra a divindade e do triunfo do Santo sobre o profano. Não é só no tempo em que essa alegria começar. É também o motivo e a causa da delícia extasiante daquele dia. — *Andrew A. Bonar, 1859*

v. 10: "O justo se alegrará quando vir a vingança; lavará os seus pés no sangue do ímpio". Temos de fazer uma distinção ampla e vital entre *desejo de satisfazer a vingança pessoal* e *zelo de defender a glória de Deus*. "A glória de Deus" inclui necessariamente o bem real do ofensor e o bem-estar da sociedade. O desejo de vingança sempre é errado. O desejo de punição pode ser louvável no mais elevado grau. Por motivos pessoais só posso desejar vingar-me do malfeitor. Mas por motivos igualmente proveitosos e nobres posso desejar puni-lo. — *R. A. Bertram, "The Imprecatory Psalms" [Os Salmos Imprecatórios], 1867*

v. 11: "Então, dirá o homem: Deveras há uma recompensa para o justo; deveras há um Deus que julga na terra". Essas palavras não serão ditas só por um homem ou só por um homem em particular, mas pelos homens em geral — pelo homem em oposição a Deus. A partícula hebraica traduzida por "deveras" significa, na verdade, "somente", e denota que isso e nada mais que isso é verdade. — *Joseph Addison Alexander*

v. 11: "Então, dirá o homem: Deveras há uma recompensa para o justo; deveras há um Deus que julga na terra". Há algo digno de nota sobre a ligação deste versículo com o contexto. Está implícito na primeira palavra "então", que liga esse versículo com as partes anteriores do salmo e mostra que é uma dedução a elas. O quê? Deus tão de repente, "como por um redemoinho", destruiu esses juízes maus que dominavam o seu povo? Fez esses "leões" se derreterem como a "lesma"? Firmou as juntas do seu povo que, pouco antes, estavam tremendo e batendo uma na outra, como se eles tivessem sido tão pobres e miseráveis, abandonados e desprezados, sem que nenhum olho tivesse pena deles? Ou como se tivessem estado em uma cesta de juncos com Moisés no mar, sem piloto para guiá-los, e até mesmo prontos a clamar com os discípulos: "Mestre, não te importa que pereçamos?" (Mc 4.38). Depois, mandou a calmaria e os levou ao porto para onde iam? Transformou os bramidos como dragões e o palavrório como grous, sob os chicotes e ditados de mestres tirânicos, em uma canção de alegria e triunfo? Desmontou da nuvem em que durante certo tempo Ele se envolvera, de modo que dava a impressão de não ver as opressões cometidas contra o seu povo? Escute! Não interveio Deus para salvar o povo, quebrando-lhes o jugo como nos dias de Midiã e beijando-os? "Então, dirá o homem: Deveras há uma recompensa para o justo; deveras há um Deus que julga na terra." Observe: Embora as passagens da providência de Deus pareçam tão esquisitas e rudes, como se fossem destrutivas para a igreja e propensas a tirar os olhos da sua própria glória, o nosso Deus as usará no final para que venham a ter uma tendência vantajosa em prol da demonstração da sua honra e do nosso bem. — *John Hinckley, 1657*

v. 11: Alguns julgamentos de Deus são um baixio ou lugar raso pelo qual os cordeiros podem vadear, cada criança pode ler o significado e "o homem", todo homem comum, pode dizer: "Deveras há uma recompensa para o justo; deveras há um Deus que julga na terra". — *Joseph Caryl*

v. 11: Esse julgamento não se refere ao julgamento por vir que ocorrerá no último dia, quando haverá uma convenção geral de vivos e mortos diante do terrível

Tribunal do Senhor. Esse é o mais verdadeiro *affore tempus*, porque haverá um tempo em que Deus fará o seu giro na terra de maneira solene, de forma que "dirá o homem: Deveras há uma recompensa para o justo; deveras há um Deus que julga na terra", mas esse não é o escopo deste lugar. O verbo está no tempo presente, ὁ κρίνων, "que agora julga" ou "que agora está julgando" a terra e os seus habitantes. Então, devemos entender que se refere a um julgamento deste lado, o julgamento do Grande Dia. Portanto, Deus julga a terra ou na terra por três modos de ação.

Primeiro, por ordenança providencial e disposição sábia de todos os assuntos de todas as criaturas.

Segundo, por alívio aos oprimidos e defesa da causa dos inocentes.

Terceiro, pela derrota e assolação dos malfeitores. — *John Hinckley*

SUGESTÕES AOS PREGADORES

v. 3. (1) Os efeitos naturais do pecado original são vistos nos primeiros sofrimentos e na morte. (2) Os efeitos morais do pecado original são vistos na primeira vez que o pecado é cometido. (3) A primeira depravação é evidenciada na culpa consciente de contar mentiras. — *George Rogers*

v. 3. "Alienam-se os ímpios desde a madre." O pandemônio interior ou o calendário do crime do coração.

v. 4. "Têm veneno semelhante ao veneno da serpente." Uma geração de serpentes. — Sermão de *Thomas Adams*

v. 4. O pecado como veneno. Os venenos podem ser atraentes na cor e no gosto, de ação lenta ou rápida, de efeito doloroso, definhador, soporífero ou enlouquecedor. Em todos os casos são mortais.

v. 5. O encantador de serpentes: (1) Ele encanta com persuasão moral, promessas e ameaças. (2) Ele encanta com sabedoria, determinação, simpatia e argumentação. (3) Ele encanta em vão; a vontade é contrária. Por conseguinte, a necessidade da graça divina e do evangelho.

v. 8. O caminho semelhante à lesma dos descrentes. O pecado destrói os bens, a saúde, o tempo, a influência e a vida dos descrentes.

v. 11. Casos notáveis dos julgamentos de Deus e os resultados.

SALMO 59

TÍTULO

"Mictão de Davi." Este é o quinto salmo de Davi intitulado *Salmo de Ouro* ou *Salmo do Segredo.* O povo escolhido de Deus tem muitos como este.

"Para o cantor-mor." É estranho que os fatos dolorosos da vida de Davi acabassem enriquecendo o repertório da coletânea nacional de baladas. De um solo ácido e pouco generoso brotam as flores carregadas de mel da salmodia. Tivesse ele nunca sido perseguido cruelmente por Saul, Israel e a Igreja de Deus em épocas posteriores teriam ficado sem esse cântico. A música do santuário tem não pequena dívida para com as provações dos santos. A aflição é o afinador das harpas dos cantores santificados.

"Sobre Al-Tachete." Este é o terceiro salmo "Não destruas". Aquele a quem Deus guarda, Satanás não pode destruir. O Senhor pode guardar a vida dos seus profetas usando até mesmo corvos que, por natureza, lhes picariam os olhos. Davi sempre tinha um amigo para ajudá-lo quando o caso era peculiarmente perigoso, e esse amigo era da casa do inimigo. Neste caso, era Mical, filha de Saul, como em ocasiões anteriores fora Jônatas, filho de Saul.

"Quando Saul lhes mandou que guardassem a sua casa para o matarem." Muitos esforços têm sido feitos para atribuir os salmos a outros autores e a outras circunstâncias que os determinados pelos títulos, pois hoje é comum denotar erudição discordar de tudo que antes era aceito. Talvez, em alguns anos, os antigos títulos venham a ser tão reverenciados quanto hoje são rejeitados. Há trabalhos inúteis sobre esse assunto e sobre muitos outros temas entre os pretensos "intelectuais" das universidades. Não estamos ávidos em mostrar prontidão a conjeturas. Estamos satisfeitos em ler este salmo sob a luz da circunstância aqui citada. Não é inadequada a qualquer versículo, e, em alguns, as palavras são muito apropriadas à ocasião especificada.

DIVISÃO

Nos versículos 1 e 2, Davi ora. Nos versículos 3 e 4, ele reclama das aflições e, no versículo 5, ora novamente. Neste ponto, ele insere um *selá* e termina uma parte do cântico. Nos versículos 6 e 7, ele repete a reclamação. Nos versículos 8 a 10, declara confiança em Deus e, nos versículos 11 a 13, eleva o coração em oração, terminando outra parte do salmo com outro *selá*. Depois, nos versículos 14 e 15, ora de novo e, em seguida, nos versículos 16 e 17, se põe a cantar.

EXPOSIÇÃO

1 *Livra-me, meu Deus, dos meus inimigos; defende-me daqueles que se levantam contra mim.*
2 *Livra-me dos que praticam a iniquidade e salva-me dos homens sanguinários,*

1. *"Livra-me, meu Deus, dos meus inimigos."* Eles estavam em torno da casa sob os auspícios da autoridade e tinham força igual para exercê-la. Tinham de capturá-lo morto ou vivo, com saúde ou doente, para ser levado ao massacre. Não havia bravura militar que o ajudasse a arrebentar o cordão de guarda dos homens armados, nem havia eloquência que detivesse a mão do perseguidor sangrento. Foi apanhado como pássaro na rede, e nenhum amigo estava por perto para libertá-lo. Ao contrário do famoso estorninho, ele não clamou: "Não posso sair", mas a fé proferiu outra canção totalmente diferente. A incredulidade teria sugerido que a oração foi um desperdício de saliva, mas não era o que pensava o homem bom, porque ele a torna o seu recurso exclusivo. Brada por livramento e deixa com o seu Deus o modo e meio de operar.

"Defende-me daqueles que se levantam contra mim." Saul era rei e, portanto, se assentava em lugares altos, e usava toda a autoridade para esmagar Davi. O perseguido pede ao Senhor para também colocá-lo no alto, só que em outro sentido. Ele pede para ser erguido, como em uma torre alta, para ficar fora do alcance do adversário. Note que ele coloca o título "meu Deus" em oposição ao termo "meus inimigos". Este é o método certo de eficazmente deter e apagar os dardos inflamados do inimigo com o escudo da fé. Deus é o nosso Deus. Portanto, livramento e defesa são nossos.

2. *"Livra-me dos que praticam a iniquidade."* Saul estava tratando Davi muito injustamente. Estava, além disso, seguindo um curso tirânico e injusto para com os outros. Por isso, Davi ora mais fervorosamente para ser guardado dele. Os homens maus ocupavam posições de poder no tribunal e eram ferramentas para pronto uso do tirano. Por isso, Davi também ora para ser guardado destes. Podemos orar inquestionavelmente para sermos guardados de homens ruins em uma causa ruim. Quando uma casa é assaltada por ladrões, o bom dono da casa toca a campainha de alarme. Nesses versículos, ouvimos o alarme soar ruidosamente quatro vezes: "Livra-me", "defende-me", "livra-me", "salva-me". Saul tinha mais motivo para temer do que Davi, pois a invencível arma de oração estava sendo usada contra aquele, e os céus estavam sendo conclamados para dar-lhe combate.

"E salva-me dos homens sanguinários." Quando Davi se lembra quantas vezes Saul tinha procurado assassiná-lo, ele sabe o que esperar dele e das pessoas e apaniguados do rei que o protegiam. Davi apresenta o inimigo nas suas verdadeiras características diante de Deus. A sede de sangue do inimigo é razão justa para a interposição do justo Deus, pois o Senhor detesta todo aquele que se delicia com sangue.

3 *pois eis que armam ciladas à minha alma; os fortes se ajuntam contra mim, sem transgressão minha ou pecado meu, ó Senhor.*
4 *Eles correm e se preparam, sem culpa minha; desperta para me ajudares e olha.*

3. *"Pois eis que armam ciladas à minha alma."* Eles estavam de emboscada para tirar a vida do homem bom. Sabedor desse desígnio, ele clamou a Deus para ser salvo. Como animais selvagens, eles se agachavam e esperavam para dar o bote fatal. Mas a vítima usava métodos eficazes para confundi-los, pois ele dispôs o assunto perante o Senhor. Enquanto o inimigo jaz à espera na postura de animal, nós esperamos na presença de Deus na postura de oração, pois Deus espera para ser benevolente a nós e terrível aos nossos inimigos.

"Os fortes se ajuntam contra mim." Ninguém faltava na reunião de tropas quando o objetivo era assassinar o santo. Gostavam muito desse divertimento para ficar de fora. Os soldados que deveriam estar lutando em defesa do país, estavam perseguindo um dos seus pacatos cidadãos. O monarca gigantesco está gastando todas as forças militares para matar um seguidor fiel.

"Sem transgressão minha ou pecado meu, ó Senhor." Ele argumenta com Jeová, dizendo que não cometera nenhum mal. O seu único erro foi que ele era muito valoroso e muito benevolente, e, além disso, era o escolhido do Senhor. Por isso, o rei invejoso não ia descansar até ter lavado as mãos no sangue do rival muito popular. Sempre achamos extremamente vantajoso sermos inocentes. Se a nossa inocência não nos for favorável perante os tribunais terrenos, sempre será o melhor argumento no tribunal da consciência e uma consolação constante quando estivermos sob perseguição. Note a repetição da sua declaração de integridade. Davi está seguro da sua inocência. Ele ousa repetir o argumento.

4. *"Eles correm e se preparam, sem culpa minha."* São todos vivos e ativos, prontos a derramar sangue. Preparam e usam as melhores táticas. Sitiam-me em casa e armam emboscadas como a algum inimigo famoso. Apresentam-se devidamente armados para a investida militar, e atacam-me com todo vigor e habilidade de um exército que está a ponto de tomar violentamente um castelo. E tudo por motivo nenhum, senão por maldade gratuita. São tão prontos a obedecer ao chefe cruel que nunca avaliam se a incumbência é boa ou não. Correm imediatamente e batalham enquanto correm. Ser atacado assim gratuitamente é uma grande aflição. Para o valente, o perigo causa pouca angústia mental comparado com a injustiça a qual é alvo. Era uma vergonha cruel e flagrante que um homem valoroso como Davi fosse perseguido como um monstro e cercado em casa como um animal selvagem na toca.

"Desperta para me ajudares e olha." Quando os outros forem dormir, mantém Tu a guarda, ó Deus. Mostra o teu poder. Desperta-te da tua inércia. Só olha na situação triste do teu servo e, com certeza, a tua mão me livrará. Vemos como era grande a fé do salmista na misericórdia do seu Senhor, porque ele se contenta que o Senhor dê apenas uma olhada no caso para que a sua compaixão ativa se mova.

5 *Tu, pois, ó Senhor, Deus dos Exércitos, Deus de Israel, desperta para visitares todas as nações: não tenhas misericórdia de nenhum dos pérfidos que praticam a iniquidade. (Selá)*

5. *"Tu"*, Tu mesmo, trabalha pessoalmente por mim, pois o caso precisa da tua intervenção. "Pois", visto que fui atacado injustamente, não posso me ajudar. "Ó Senhor", sempiterno, "Deus dos Exércitos", poderoso para salvar-me, "Deus de Israel", compromissado pela aliança para resgatar o teu servo oprimido, "desperta para visitares todas as nações", desperta a tua mente santa, libera a tua força

sagrada, castiga os gentios entre o teu Israel, os impostores que afirmam serem judeus e não são, mas mentem. E quando estiveres tratando deste assunto, faze com que todas as nações dos teus inimigos e todos os povos gentílicos que estejam no país e no estrangeiro saibam que Tu estás em circuito, julgando e castigando. É característica da oração cuidadosa e fervorosa que os títulos nela contidos atribuídos a Deus são apropriados e, por assim dizer, congruentes ao tema, e próprios para dar força ao argumento. Será que Jeová suportará ver o seu povo oprimido? O Deus dos exércitos permitirá que os inimigos exultem por derrotarem o seu servo? O Deus fiel de um povo escolhido deixará os eleitos perecerem? O nome de Deus é, até no sentido literal, uma fortaleza e torre alta para todo o seu povo. Que súplica forte há nas palavras: "Desperta para visitares"! Castiga ativamente, julga com sabedoria, castiga com força.

"Não tenhas misericórdia de nenhum dos pérfidos que praticam a iniquidade." Sê misericordioso para com eles enquanto homens, mas não enquanto transgressores. Se continuarem endurecidos no pecado, não sejas tolerante com a tirania que praticam. Tolerar o pecado dos que praticam a iniquidade significará entregar os justos para eles. Por isso, não ignores os crimes dessa gente, mas dá a devida recompensa. O salmista entende que, como lhe era tão necessária a derrota dessa tirania, também tinha de ser igualmente desejável para a multidão de piedosos que estão em situação semelhante. Nesse caso, ele está orando por todos os crentes para que sejam guardados da confraria dos pérfidos.

"Selá." Com um assunto como esse diante de nós, podemos muito bem fazer uma pausa. Quem não se sentaria em silêncio para refletir, quando todos os inimigos de Deus estão sendo castigados? Como é equivocada a opinião que odeia ouvir falar do castigo dos ímpios!

6 *Voltam à tarde; dão ganidos como cães, rodeando a cidade.*

7 *Eis que eles dão gritos com a boca; espadas estão nos seus lábios; porque dizem eles: Quem ouve?*

6. *"Voltam à tarde."* Como animais selvagens que vagam à noite, eles saem dos esconderijos para causar dano. Se repelidos sob a luz, buscam a mais congenial escuridão para realizar os desígnios. Pretendem arrombar a casa na calada da noite.

"Dão ganidos como cães, rodeando a cidade." Uivando de fome em busca da presa, movem-se furtivamente em torno das paredes e muros, rondando com passos furtivos e latindo em harmonia repulsiva. Davi compara os inimigos a cães orientais, enxotados, abandonados, repugnantes, degradados, magros e famintos, e apresenta-os uivando de decepção, porque não acham a comida que buscam. Os guardas de Saul e o rei cruel devem ter delirado e ficado violentamente enfurecidos quando, em vez de Davi, acharam na cama uma estátua coberta e um travesseiro de pele de cabra (1 Sm 19.13). Fora inútil a vigilância, pois a vítima escapara e escapara com a ajuda da filha do homem que desejava o sangue da vítima. Vão embora, cães, para os canis roer ossos, pois esse homem bom não é carne para mandíbulas suas.

7. *"Eis que eles dão gritos com a boca."* Essas criaturas barulhentas chamam tanta atenção com os seus procedimentos, que o salmista os destaca com um "eis". *Ecce Homines*, podemos não dizer, *Ecce canes!* As palavras maldosas esguicham da boca dessas pessoas como de uma fonte borbulhante. Os ímpios são volúveis na difamação. O vocabulário de termos ofensivos é copioso, sendo tão detestável quanto abundante. Torrentes de imprecações coléricas são derramadas sobre os tementes a Deus! Não precisam de provocação, pois os sentimentos em si forçam a vazão e formam as expressões.

"Espadas estão nos seus lábios." Falam punhais. As palavras furam como floretes e cortam como cutelo. Como a camada acolchoada das patas do leão esconde as garras, assim os lábios vermelhos e macios contêm palavras sangrentas.

"Porque dizem eles: Quem ouve?" São livres de toda restrição, não temem ao Deus do céu. O governo da terra está nas mãos deles. Quando os homens não têm ninguém a quem prestar contas, não há responsabilidade pelo que fazem. Quem não teme a Deus nem respeita os homens incumbe-se em tiranizar com gosto especial, e usa linguajar pertinente do tipo mais desumanamente atroz. Davi deve ter estado em apuro singular quando ouviu a conversa infame e as vanglórias horrorosas dos guardas de Saul ao redor da casa. Da mesma forma que um partidário de Carlos I, da Inglaterra, teria amaldiçoado um puritano, ou um detrator de Claverhouse teria falado mal de um membro do movimento Covenanter, os saulitas xingaram o surgido do nada a quem a majestade do rei lhes enviara para prender. Davi os chamou de cães, e com certeza formavam uma bela corja, uma cambada maldita de vira-latas. Quando perguntaram: "Quem ouve?", a resposta é *Deus ouve.* Davi sabia disso e foi isso que lhe deu coragem.

8 *Mas tu, Senhor, te rirás deles; zombarás de todos os gentios.*
9 *Por causa da sua força eu te aguardarei; pois Deus é a minha alta defesa.*
10 *O Deus da minha misericórdia virá ao meu encontro; Deus me fará ver o meu desejo sobre os meus inimigos.*

8. *"Mas tu, Senhor, te rirás deles."* Ele fala com Deus como alguém que está ao lado. Aponta para os mentirosos que estão de emboscada e fala com Deus sobre eles. Estão rindo de mim e almejando a minha destruição, mas Tu te ris deles, pois determinaste despachá-los sem a vítima e os enganaste por meio de Mical. Os maiores, mais espertos e mais maldosos inimigos da igreja não passam de objetos de ridículo para o Senhor. As suas tentativas são totalmente fúteis. Não precisam dar preocupação à nossa fé.

"Zombarás de todos os gentios." É como se Davi tivesse dito: Quem são esses que estão de emboscada? E que é o rei como mestre para eles, se Deus está do meu lado? Não apenas estes, mas se todos os gentios tivessem cercado a casa, mesmo assim o Senhor prontamente os desapontaria e me livraria. No fim das contas, ficará evidente como são completamente desprezíveis e vis todos os inimigos da causa e Reino de Deus. É valente quem vê as coisas assim hoje, quando o inimigo detém muito poder, enquanto a igreja é como alguém que está encarcerado e sitiado na própria casa.

9. *"Por causa da sua força eu te aguardarei."* O meu perseguidor é forte? Então, meu Deus, exatamente por isso me voltarei a ti e deixarei os meus problemas nas tuas mãos. É sábio acharmos na grandeza das nossas dificuldades uma razão para nos lançar ao Senhor.

E quando parece não haver chance nem mudança
Da aflição podes me livrar
A esperança acha força no desespero
E, paciente, espera em ti

"Pois Deus é a minha alta defesa", o meu lugar alto, a minha fortaleza, o lugar do meu refúgio em tempos de perigo. Se o inimigo for muito forte para eu lidar com ele, eu me retirarei ao meu castelo, onde ele não me pode alcançar.

10. *"O Deus da minha misericórdia virá ao meu encontro."* Deus que é o doador e fonte de toda bondade imerecida que já recebi, irá na minha frente e me mostrará o

caminho enquanto marcho adiante. Ele me encontrará no tempo da minha necessidade. Não terei de confrontar os meus inimigos sozinho, mas aquele cuja bondade há muito experimento e provo gentilmente iluminará o meu caminho e é o meu protetor fiel. Quantas vezes topamos com a misericórdia preventiva — a provisão dada antes da necessidade, o refúgio construído antes do perigo. Bem longe à frente, no futuro, a previdente graça celestial já se projetou e evitou toda dificuldade.

"Deus me fará ver o meu desejo sobre os meus inimigos." Observe que as palavras "o meu desejo" não constam no original. Do hebraico ficamos sabendo que Davi esperava ver os inimigos sem medo. Deus permitirá que o seu servo contemple firmemente os inimigos sem tremor. Estará calmo e despreocupado na hora do perigo. Em pouco tempo, olhará com desprezo para os mesmos inimigos e verá que foram frustrados, derrotados e destruídos. Quando o Senhor vai na frente, a vitória vem ao seu encalço. Veja Deus e você não precisará ter medo de ver os inimigos. Assim o perseguido Davi, sitiado na própria casa pelos traidores, olha somente para Deus e triunfa jubilosamente sobre os inimigos.

11 *Não os mates, para que o meu povo se não esqueça; espalha-os pelo teu poder e abate-os, ó Senhor, nosso escudo.*

12 *Pelo pecado da sua boca e pelas palavras dos seus lábios fiquem presos na sua soberba; e pelas maldições e pelas mentiras que proferem.*

13 *Consome-os na tua indignação, consome-os de modo que não existam mais, para que saibam que Deus reina em Jacó até aos confins da terra. (Selá)*

11. *"Não os mates, para que o meu povo se não esqueça."* Mostra grande fé da parte de Davi que mesmo enquanto a casa estava rodeada pelos inimigos, ele está plenamente certo de que serão derrotados e o encena tão vividamente na própria mente que, em uma petição detalhada, pede que não sejam exterminados tão logo ou tão completamente. A vitória de Deus sobre a artimanha e crueldade dos ímpios é tão fácil e tão gloriosa que dá pena terminar o conflito muito cedo. Aniquilar os conspiradores todos de uma vez era terminar o grande drama da punição muito abruptamente. Sejam os justos esbofeteados um pouco mais, e vangloriem-se e gloriem-se os opressores durante o pouco tempo que têm. Isso ajuda Israel a ser lembrado pela justiça do Senhor, e torna a parte valorosa que ficou do lado do vencedor de Deus acostumada às interferências divinas. Seria frustrante os homens bons ficarem sem detratores, visto que a virtude brilha mais intensamente pelo contraste da difamação. Os inimigos ajudam os servos de Deus a se manterem despertos. Um demônio violento e atormentador é menos temível do que um espírito sonolento e esquecido, que é dado a dormir.

"Espalha-os pelo teu poder." Assopra-os para lá e para cá, como palha ao vento. Faze com que os inimigos na guerra vivam como uma turma de vagabundos. Faze Cains deles. Sejam eles monumentos vivos do poder divino, anúncios da verdade dos céus. No mais alto grau, seja a justiça divina ilustrada neles.

"E abate-os" como a fruta podre da árvore. Dos cargos de poder, que eles desgraçam, e das posições de influência, que eles poluem, derruba-os para a humilhação. Tratava-se de um desejo justo, e se foi destemperado pela bondade de Jesus, temos de lembrar que é a oração de um soldado e o desejo de alguém que estava sofrendo injustiça e maldade de tipo descomunal.

"Ó Senhor, nosso escudo." Davi sentia que era o representante da parte religiosa de Israel. Por isso, declara "nosso escudo", falando em nome de todos os que fazem do Senhor a sua defesa. Estamos em boa companhia quando nos escondemos debaixo do escudo do Eterno. Nesse ínterim, aquele que é o escudo do seu povo é o dispersador dos inimigos.

12. *"Pelo pecado da sua boca e pelas palavras dos seus lábios fiquem presos na sua soberba."* O linguajar terrível do ateísmo e da insolência merece um troco justo. Como esperam apanhar as vítimas, assim sejam eles apanhados, emaranhados na própria rede, capturados no meio da segurança orgulhosa. Os pecados da boca são pecados reais e pecados castigáveis. Os homens não devem pensar que, quando o ódio não vai mais longe do que dizer insultos e blasfêmias, então, eles serão desculpados. Quem passa do desejo para a ação, passará da palavra para a ação e lidará com os homens de acordo. Infelizes os que perseguem com palavras, queimam e esfaqueiam com a língua, pois terão um ajuste de contas por causa das transgressões desejadas. Ainda que o orgulho não esteja evidenciado pelas roupas, mas só pelas palavras, é pecado. Ainda que a soberba perseguidora não empilhe achas de lenha em Smithfield, mas só insulte verbalmente, terá de prestar contas disso entre os bandos de inquisidores profanos.

"E pelas maldições e pelas mentiras que proferem." Os pecados, como cães de caça, caçam muitas vezes em duplas. Quem não tem vergonha de amaldiçoar diante de Deus, sente-se seguro para mentir aos homens. Todo praguejador é mentiroso. A perseguição conduz ao perjúrio. Mentem e juram. Amaldiçoam e dão uma razão mentirosa para o ódio. Estes não passarão despercebidos pelo Senhor, mas ocasionarão a recompensa. Quantas vezes as palavras arrogantes ainda estavam na boca dos ímpios quando foram surpreendidos pela providência vingadora e viram o dano ricochetear neles mesmos!

13. *"Consome-os na tua indignação, consome-os de modo que não existam mais."* Como se Davi tivesse mudado de ideia e teria levado esses indivíduos a um final imediato, ou se, poupados, teriam tido uma existência ruinosa, ele clama: "Consome-os", e redobra o clamor: "Consome-os", e ainda acrescenta uma observação: "De modo que não existam mais". A alma santa não deve tolerar os difamadores de Deus — difamadores de cuja boca verte tal imundície como Davi nessa ocasião foi obrigado a ouvir. A indignação tem de inflamar-se e clamar a Deus contra eles. Quando os homens amaldiçoam a época e o lugar em que vivem, a humanidade comum leva o justo a desejar que eles sejam eliminados. Se pudessem ser corrigidos, seria infinitamente melhor. Mas se não podem, se continuam e continuarão sendo como cães raivosos que perambulam pela cidade, que sejam então exterminados. Quem pode desejar ver tal geração perpetuada?

"Para que saibam", ou seja, saibam todas as nações *"que Deus reina em Jacó até aos confins da terra"*. Aquele cujo governo é universal estabelece a sede entre o povo escolhido. É nesse lugar em especial que ele castiga o pecado. Assim Davi faria que todos os homens vissem. Saibam as mais remotas nações que o grande Governador moral tem poder para destruir a impiedade, e não tolera a iniquidade em ninguém, em qualquer época ou em qualquer lugar. Quando o pecado é manifestadamente castigado é valiosa lição para a humanidade toda. A derrota de um Napoleão é um sermão para todos os monarcas. A morte de um Tom Paine é uma advertência para todos os infiéis. O cerco de Paris é um sermão para todas as cidades.

"Selá." Há bom motivo para descanso, quando um tema tão vasto e importante é apresentado. Assuntos solenes não devem ser atropelados. A condição do coração, enquanto contempla temas tão sublimes, não deve ser assunto de indiferença. Leitor, reflita. Pare um pouco para refletir sobre os procedimentos de Deus para com os homens.

14 *E tornem a vir à tarde e deem ganidos como cães, rodeando a cidade.*
15 *Vagueiem buscando o que comer, passem a noite sem se fartarem.*

14. *"E tornem a vir à tarde e deem ganidos como cães, rodeando a cidade."* Esse versículo é repetição do versículo 6. É como se o cantor desafiasse os inimigos e se alegrasse ao pensar na sua procura fútil, maldade, decepção, raiva, vigilância derrotada e energia desperdiçada. Ri ao pensar que a cidade toda saberia como foram enganados, e que o Israel inteiro vibraria com a história da estátua e do travesseiro de pele de cabra na cama (cf. 1 Sm 19.13). Nada mais era assunto de alegria ruidosa no Oriente do que um caso em que o espertalhão é enganado. Nada mais torna o homem objeto de derrisão do que ser logrado por uma mulher, como nesse caso Saul e os seus vis apaniguados foram logrados por Mical. O poeta guerreiro ouve na imaginação o urro de raiva no conselho dos inimigos quando descobriram que a vítima lhes escapara inteligentemente das mãos.

15. *"Vagueiem buscando o que comer."* Como cães que perderam a carcaça esperada, perambulem para cima e para baixo insatisfeitos, dando dentadas uns nos outros, desapontados demais para ficarem quietos e aceitarem os fatos facilmente.

"Passem a noite sem se fartarem." Ajam como aqueles que não podem acreditar que perderam a presa. Comportem-se como um bando de cães do Oriente, sem dono e sem casa, que rondam por aí buscando uma presa que nunca acharão. Assim os seguidores servis de Saul percorreram a cidade na vã esperança de satisfazer a maldade e servir ao seu senhor. "Com certeza", dizem eles, "nós ainda o apanharemos. Não aceitamos perdê-lo. Talvez ele esteja naquele canto ou escondido naquele esconderijo. Temos de capturá-lo. Invejamos-lhe a vida. O nosso desejo pelo seu sangue é ardente. Mais dia, menos dia acabaremos encontrando-o". Veja o desassossego dos ímpios. É algo que aumenta conforme aumenta a inimizade contra Deus. No inferno, o desassossego será um tormento infinito. Qual é o estado dos perdidos, senão a condição de um agrupamento de rebeldes ambiciosos que esposam uma causa perdida e não abrem mão dela, mas são impelidos pelas paixões violentas a enfurecer-se contra a causa de Deus, da verdade e do seu povo.

16 *Eu, porém, cantarei a tua força; pela manhã, louvarei com alegria a tua misericórdia, porquanto tu foste o meu alto refúgio e proteção no dia da minha angústia.*

17 *A ti, ó fortaleza minha, cantarei louvores; porque Deus é a minha defesa, é o Deus da minha misericórdia.*

16. *"Eu, porém, cantarei a tua força."* Os ímpios dão ganidos, mas eu canto e cantarei. A força deles é fraqueza, mas a tua é onipotência. Vejo a força deles derrotada, mas a tua é vitoriosa, e para sempre cantarei sobre ti.

"Pela manhã, louvarei com alegria a tua misericórdia." Quando esses amantes das trevas se derem conta de que a caça fugiu e os ganidos da meia-noite se extinguiram, então erguerei a voz nas alturas e louvarei a benignidade de Deus sem medo de ser perturbado. Que manhã abençoada logo raiará para os justos e que cântico terão! Filhos da manhã, vocês choram de noite, mas a alegria virá nas asas do sol nascente. Afinem as harpas agora, pois o sinal para a música eterna começar logo será dado. A manhã virá e o sol para sempre não se porá mais.

"Porquanto tu foste o meu alto refúgio." O cântico é para Deus somente. É um cântico que ninguém pode cantar senão os que experimentaram a benignidade do seu Deus. Rememorando um passado cheio de misericórdia, os santos bendirão ao Senhor de todo o coração e triunfarão nele como o lugar alto em que estão seguros.

"E proteção no dia da minha angústia." Quanto maiores as provações presentes, mais altos serão os cânticos futuros e mais intensa a nossa gratidão de alegria. Se não tivéssemos dia de angústia, onde estaria o período da retrospectiva ação

de graças? O cerco de Davi pelos sanguinários de Saul cria a oportunidade para a interposição divina e, por ela, o louvor triunfante.

17. *"A ti, ó fortaleza minha, cantarei louvores."* Que êxtase! Que monopolização de todas as emoções pelo objetivo único de louvar a Deus! A força foi vencida pela fortaleza. Não foi pela bravura do valente, mas unicamente pelo poder de Deus. Veja como o cantor se cinge da onipotência de Deus e, pela fé, declara-a sua. A música da experiência é doce, mas é tudo para Deus. Não sobre sequer uma nota perdida para o homem, para o eu ou para ajudantes humanos.

"Porque Deus é a minha defesa, é o Deus da minha misericórdia." Com plena certeza, ele reivindica posse do Infinito como proteção e segurança. Vê Deus em tudo e tudo é dele. A misericórdia surge diante dele, distinta e múltipla, porque ele sente que é indigno. A segurança está com ele, imperturbada e inconquistável, porque ele sabe que está seguro sob a guarda divina. Oh, seleta canção! A minha alma a cantaria agora em desafio de todos os cães do inferno. Fora, fora, adversários da minha alma, o Deus da minha misericórdia manterá todos vocês a distância:

Nem o leão infernal despedaçará
Aquele a quem ele designa guardar

NOTAS EXPLICATIVAS E DECLARAÇÕES IMPORTANTES

O Salmo: Este salmo com os seus termos duros tem algo sem dúvida estranho para os nossos ouvidos. Mas nunca deixemos de distinguir uns dos outros os tempos e as economias diversas, e de colocar-nos, até onde possível, em harmonia com a experiência de um coração que ardia por nada mais do que a glorificação de Deus neste mundo. Tudo que tendia a obscurecer a relação teocrática de Deus com o povo evocava na alma de Davi o mais veemente sentimento. A tirania desdenhosa com que Saul e os seus asseclas castigaram a ele, o homem de Deus, não podia deixar de ter, aos olhos de todos, a aparência de que Jeová não era mais Senhor na sua própria terra, ele que cumpria inexoravelmente as suas leis e direitos. Traição, falsidade e todo tipo de mal prevaleciam incontrolavelmente. É de admirar que, como antigamente Moisés no deserto foi provocado contra o povo de dura cerviz, assim também Davi, que já tremera diante da santidade terrível de Deus, sentiu o espírito atiçado contra os descrentes que o cercavam e, como Jó, disse: "O meu íntimo se agita sem cessar" (Jó 30.27, ARA). — *Frederick Wilhelm Krummacher, 1796-1868, Doutor em Teologia, "David, the King of Israel" [Davi, o Rei de Israel], 1867*

v. 1: "Meu Deus". O salmista se serve de dois argumentos: um era que Deus era o seu Deus; o outro era o poder e a força dos inimigos. É uma bênção ter a aliança a recorrer em todos os momentos de dificuldade e apuro. Ali sempre há um lugar para prender a âncora da esperança. "Meu Deus" é tamanho argumento que infinitamente desequilibra todas as outras coisas. Ele se compromissara em fazer o bem para o povo. É hora de Ele agir quando o inimigo se exaltar. Os inimigos da igreja nunca estão tão próximos da ruína como quando pensam que não têm mais nada a fazer senão tomar e dividir o espólio. Podemos pleitear a promessa de Deus e o poder dos inimigos. Ambos são motivos de esperança para o crente em Jesus. — *John Hill, 1711-1746, "Sermons on Several Occasions" [Sermões para Diversas Ocasiões]*

v. 1: "Daqueles que se levantam contra mim". Ele insiste na força e violência dos inimigos, com vistas a provocar na mente maior fervor no dever da oração. Descreve-os levantando-se contra ele, em cuja expressão ele alude não apenas a audácia ou ferocidade das agressões, mas a superioridade eminente do poder que possuíam.

Não obstante, pede que seja erguido aos lugares altos, por assim dizer, acima do alcance desta enxurrada altamente devastadora. — *João Calvino, 1509-1564*

v. 3: "Pois eis que armam ciladas à minha alma". Compare essa expressão com este texto: "Do que Mical, sua mulher, avisou a Davi, dizendo: Se não salvares a tua vida [alma] esta noite, amanhã te matarão" (1 Sm 19.11; ver também Sl 7.2,5). — *E. W. Hengstenberg, 1845*

v. 3: Samuel Chandler traduz esta frase "os fortes se ajuntam contra mim" por "os fortes viram-se para o lado a fim de pôr armadilhas contra mim".

v. 3: "Os fortes se ajuntam contra mim". É como se ele dissesse: "Mas eu sou fraco, sê tu, porém, a minha força e defende a minha inocência". — *Arndt*

vv. 3 e 4: Ele se confessa inocente, não em relação a Deus, mas em relação aos perseguidores. Observe:

(1) A inocência dos piedosos não os protege da malignidade dos ímpios. Os que são inofensivos como pombas são pela causa de Cristo odiados por todos os homens, como se fossem serpentes nocivas e, portanto, detestáveis.

(2) Ainda que a inocência não nos livre de dificuldades, apoia-nos grandemente e consola-nos quando nas dificuldades. O testemunho da consciência, dizendo-nos que nos comportamos bem para com os que se comportaram mal para conosco, será a nossa maior alegria no dia mau. Se estivermos conscientes de nossa inocência, poderemos com confiança humilde rogar a Deus e suplicar que Ele defenda a nossa causa prejudicada, o que Ele fará no devido tempo. — *Matthew Henry, 1662-1714*

v. 4: "Eles correm" como guerreiros armados avançando para o ataque (Sl 18.29). No original hebraico, "se preparam" (כּוּן) também significa "se estabelecem". Eles firmam a posição estabelecida, como forças militares atacando uma cidade (Jó 30.14). — *A. R. Fausset*

v. 4: "Eles correm e se preparam". O zelo e diligência dos ímpios na causa da injustiça reprovam o langor e o atraso dos santos no trabalho da fé e na labuta do amor. Na igreja de Deus nada é fonte de mais dano do que a falta de verdadeiro zelo e vivacidade. É somente quando "muitos correrão de uma parte para outra" que "a ciência se multiplicará" (Dn 12.4). — *William S. Plumer, 1867*

v. 4: "Sem culpa". No que dizia respeito a Saul, Davi era súdito fiel e genro obediente. — *Benjamin Boothroyd, 1836*

v. 4: "Desperta para me ajudares", literalmente, "desperta para me encontrares". Na hora da provação, parece que o Senhor está ausente e não observa a nossa angústia — está, por assim dizer, como Jesus na tempestade, "na popa dormindo sobre uma almofada" (Mc 4.38). Mas é só impressão. O Senhor não tosqueneja, nem dorme (Sl 121.4). Sempre está pronto para nos ajudar quando o invocamos. — *O. Prescott Hiller*

v. 4: "E olha". A expressão é de alguém que experimenta ao mesmo tempo a fé e a fraqueza da carne. Falando de Deus, é como se os seus olhos estivessem até agora fechados diante das injustiças sofridas pelo salmista, e precisassem agora ser abertos para, pela primeira vez, tomar conhecimento delas. Davi se expressa de acordo com a limitação do entendimento humano. Por outro lado, ao chamar Deus para olhar a sua causa, Davi demonstra fé ao praticamente confessar que nada estava oculto do conhecimento providencial de Deus. — *João Calvino*

v. 5: "Ó SENHOR, Deus dos Exércitos, Deus de Israel". Em tempos de dificuldades, devemos manter mais firmemente os olhos nos procedimentos de Deus que sejam mais adequados para nos fortalecer a fé, sobretudo evocando o seu poder e benevolência para Ele empregar o poder por nós. — *David Dickson, 1583-1662 v. 5:* "Senhor, Deus dos Exércitos". Jeová, Elohim, Tsebaoth, como em Salmos 80.4,19; 84.8 (cf. 2 Sm 5.10; 1 Rs 19.10,14; Sl 89.8). — *Extraído de William Kay, Doutor em Teologia, "The Psalms Translated from the Hebrew, with Notes Chiefly Exegetical" [Os Salmos Traduzidos do Hebraico, com Notas principalmente Exegéticas], 1871*

v. 5: "Senhor, Deus dos Exércitos". Alguns estudiosos opinam que esse título equivale a Deus das batalhas. Porém, a verdadeira força do epíteto é: "Soberano das estrelas, das hostes materiais do céu e dos anjos, seus habitantes". — *A. A. Hodge, "Outlines of Theology" [Esboços de Teologia], 1866*

v. 5: (1) "Deus dos Exércitos" e, portanto, capaz. (2) "Deus de Israel" e, portanto, desejoso. — *Andrew A. Bonar*

v. 6: "À tarde" ou "ao anoitecer" (ARA). A noite expressa o tempo da calamidade e necessidade, e alude aos animais selvagens que à noite são habituados a sair em busca da presa. — *Hermann Venema*

v. 6: "Dão ganidos como cães". O barulho que então ouvi jamais esquecerei. Dizer que todos os cães-pastores foram para Smithfield em dia de feira, ficaram latindo constantemente e confrontaram os ruidosos cães vira-latas que estavam em todas as carroças de Londres poderiam ter dado uma ideia do alvoroço canino que presenciei com surpresa, seria compor a mais fraca imagem da realidade. A cidade inteira ressoava com uma grande revolta. Abaixo de mim, em Tophane, acima de mim, em Istambul, mais ao longe, em Scutari, todos os sessenta mil cães que dizem ter infestado Constantinopla pareceram engajados no mais ativo extermínio uns dos outros, sem parar por um momento sequer. Os ganidos, uivos, latidos, rosnadelas e resmungos estavam todos fundidos em um único som uniforme e contínuo, como se torna o coaxar de rãs quando ouvido a distância. Por horas não houve calmaria. Fui dormir e acordei, e, com as janelas abertas, ainda dava de ouvir o mesmo tumulto incessante. Foi somente com a alvorada que algo semelhante à tranquilidade foi restabelecido. — *Albert Richard Smith, 1816-1860, "A Month in Constantinople" [Um Mês em Constantinopla], 1850*

v. 6: "Voltam à tarde; dão ganidos como cães, rodeando a cidade". Pondo os planos secretos em execução, o texto os descreve como cães famintos, que rondam a cidade na escuridão em busca da presa e vagueiam, cada um com objetivo próprio, mas em uma causa comum. Para entendermos a força total dessa metáfora, temos de lembrar que nas cidades orientais de antigamente (como nas de hoje) era costume jogar na rua toda sobra de comida — ossos, partes de carne impróprias para consumo, etc. —, que era consumida principalmente pelos cães, muitos dos quais eram mantidos, ao que parece, exatamente para esse propósito. Com essa imagem em mente, a metáfora tem grande pertinência em sua aplicação aos inimigos de Cristo.

> Todas as noites que eles voltam
> Ganem como cães
> E cercam a cidade
> — *William Hill Tucker, 1840*

vv. 6 e 7: "Voltam à tarde; dão ganidos como cães, rodeando a cidade. Eis que eles dão gritos com a boca; espadas estão nos seus lábios; porque dizem eles: Quem ouve?" Esta é uma metáfora continuada que deve ser muito bem observada. Fala de cães famintos e violentos, incapazes de matar a fome ou a sede. Descreve os homens, outrora dando ganidos como cães, procurando, apoderando-se de todas as coisas boas e devorando. Mas agora são destituídos de todas as coisas, incapazes de satisfazer a cobiça, menosprezados, miseráveis e vagantes desesperados. Foi como agiram Saul e os seus mensageiros enviados contra Davi em Naiote, em Ramá (cf. 1 Sm 19.18,19), e dá o prelúdio da desgraça que se aproximava deles. — *Hermann Venema*

vv. 6 e 7: (1) São diligentes no que fazem: "Voltam à tarde". (2) São violentos e determinados: "Dão ganidos como cães" e ameaçam fisicamente. (3) São incansáveis e obstinados no propósito: "Rodeando a cidade". (4) São petulantes e vangloriam-se do que farão comigo: "Eis que eles dão gritos com a boca". (5) As suas palavras são sangrentas: "Espadas estão nos seus lábios". — *Adam Clarke*

v. 7: "Dão gritos com a boca" é, segundo Aben Ezra, "latem como cães", ou "borbulham para fora", como a fonte borbulha água. Desta forma, expelem a maldade em grande abundância (ver Jr 6.7). A frase denota a abundância de coisas más e palavras más que saem da boca deles, o que mostra a desobediência e perversidade do coração. Assim, os inimigos de Davi gabavam-se e ameaçavam o que lhe fariam quando o achassem. Os inimigos de Jesus derramavam as suas palavras más de blasfêmia e sedição contra ele em grande abundância e sem nenhuma prova. — *John Gill*

v. 8: "Mas tu, SENHOR, te rirás deles; zombarás de todos os gentios". Deus vê e sorri, olha e ri desses gigantes. Assenta-se no céu muito acima do alcance deles. Não dá muita importância ao caso. O que mais devemos fazer, senão confiar nEle e saber que há um conselho no céu que arrojará à terra o molde de todos os conselhos contrários, como a pedra cortada da montanha fez com as quatro grandes monarquias (Dn 2.34). Ainda que os ímpios, no orgulho do coração, persigam os pobres, deem gritos com a boca (v. 7) e procurem assassinar duplamente os inocentes — por difamação e por prática mortal —, Deus ouve e zomba dessa loucura, pois com a maior facilidade arruinará todos os seus propósitos. Não somente isso, mas a própria crueldade dos inimigos instigará Deus a agir assim sem demora. Os santos se saem bem com a insolência e afronta dos inimigos, cuja ruína é acelerada por causa disso. E de certa forma, Deus fará o mais cedo possível em prol do seu povo, para que o inimigo não se exalte (Sl 140.8). — *Abraham Wright, 1661*

v. 8: "Zombarás de todos os gentios". O final do versículo faz menção a todas as nações (cf. ARA) para dar a entender que, embora igualem o mundo inteiro em termos numéricos, não passarão de mero escárnio com toda a sua influência e recursos. Ou as palavras no original hebraico podem ser traduzidas assim: "*Ainda que* zombes de todos os gentios". Uma coisa é óbvia: Davi ridiculariza a jactância vã dos inimigos, que pensaram não haver empreendimento grande demais que não fosse realizado pela sua quantidade. — *João Calvino*

vv. 8 e 9: "Mas tu, Senhor, ris deles; Tu zombas de todo gentio. Sua força! Em relação a ti vigiarei, Pois Deus é o meu forte alto". — *Tradução de William Kay*

v. 9: "Por causa da sua força eu te aguardarei". Este é, ao que parece, o significado mais próximo do que o salmista quis dizer quando redigiu as palavras em uma frase só: "Eu porei em custódia a força dele contigo". Ele dava a entender que por mais exageradamente Saul se vangloriasse na sua força, Davi descansaria satisfeito na certeza de que havia uma providência divina secreta que lhe conteria as ações. Temos de aprender a ver que todos os homens estão subordinados desta maneira, e conceber que a sua força e empreendimentos são dependentes da vontade soberana de Deus. Em minha opinião, esta versão é a melhor: "A força dele está contigo, eu esperarei". As palavras são paralelas com as do final do salmo, onde não há dúvida de que se trata do caso nominativo: "A ti, ó fortaleza minha, cantarei louvores" (v. 17). — *João Calvino*

v. 9: "Por causa da sua força eu te aguardarei". A "sua força" é grande, humanamente falando, mas o que é aos olhos da fé? Na Septuaginta consta τὸ κράτος μου (= *uzzi*), e a maioria das versões antigas a acompanha (o contraste é determinado nos versículos 16 e 17). — *William Kay*

v. 9: "Eu te aguardarei", literalmente, "eu manterei guarda por ti", aludindo ao título: "Quando Saul lhes mandou que guardassem a sua casa para o matarem". Davi mantém guarda diante de Deus, contra a guarda que mantinham para matá-lo. — *A. R. Fausset*

v. 9: Quantas vezes o crente se acha fraco e quantas vezes percebe que o inimigo é forte. Contudo, isso lhe é indiferente, pois ele não tem nada mais a fazer do que pôr a fé em ação e esperar até que Deus opere. "Por causa da sua força [quer dizer, da força do inimigo] eu te aguardarei", disse ele para o Senhor, "pois Deus é a minha alta defesa". — *David Dickson*

v. 10: "O Deus da minha misericórdia virá ao meu encontro". Os santos cantam acerca do amor de Cristo! Cantam que esse amor não se move por mérito, e que desdém todo salário e preço, mas nos ama porque Deus nos ama! (Dt 7.8). Cante o amor maravilhoso de Deus, e o encontro desse amor de Cristo: "O Deus da minha misericórdia virá ao meu encontro".

(1) O encontro do seu amor por Deus: "Nós o amamos porque ele nos amou primeiro" (1 Jo 4.19).

(2) O encontro dos nossos pecados, como no caso de Paulo: "E, indo no caminho, aconteceu que, chegando perto de Damasco, subitamente o cercou um resplendor de luz do céu" (At 9.3).

(3) O encontro das nossas calamidades: "Apressem-se ao nosso encontro as tuas misericórdias" (Sl 79.8, ARA).

(4) O encontro dos nossos esforços: "O Deus da minha misericórdia virá ao meu encontro". — *John Spalding, "Synaxis Sacra" [A Santa Ceia do Senhor], 1703*

v. 10: "O Deus da minha misericórdia virá ao meu encontro". O salmista estava certo da misericórdia baseado nestas razões: Ele sabia que estava guardado, porque Deus era o seu Deus e o Deus da sua misericórdia. Certos estudiosos traduzem "virá ao meu encontro" por "veio ao meu encontro". Outros por "vem ao meu encontro". E outros seguem como está no texto: "virá ao meu encontro". Cada um desses sentidos é sumamente doce e amplo. Consideremos o primeiro sentido: "veio ao meu encontro". Indica que o salmista jamais esteve em qualquer dificuldade, tentação ou medo, que Deus já não estivesse anteriormente com ele, sempre tendo a misericórdia pronta para servi-lo. Dera-a no devido tempo, e quando ele menos a esperava e estava menos preparado para ela. Consideremos o segundo sentido: "vem ao meu encontro". Revela o fundamento da confiança do salmista quando todas as aparências tinham acabado. É como se ele tivesse dito: "Deus é de uma só opinião. Os seus pensamentos são pensamentos de paz e não de mal. Ele pode variar de providência, mas o coração é o mesmo como sempre. Por que eu deveria temer? Por que não esperar e alegrar-me? O meu Deus é um Deus experimentado, ele está trabalhando por mim agora mesmo. Ele previne os meus medos, e prevenirá a minha queda". Consideremos o terceiro sentido: "virá ao meu encontro", e o significado é a mesma coisa. "Deus vê todos os desígnios dos meus inimigos, e ele está pronto para eles. A minha oração foi ouvida, e estou certo de que o livramento virá, embora eu não saiba quando".

O meu propósito sob a influência do Espírito é olhar o meu e o seu coração para mostrar a você as maravilhas da providência e graça que Deus, como o Deus da nossa misericórdia, fez acontecerem diante de nós. Discursando com essas palavras, investigarei em que aspecto Deus é o Deus das misericórdias do seu povo. Inclui três sentidos.

(1) Indica que toda misericórdia que está na natureza de Deus é para os santos. Esta é uma grande palavra: "O Deus de toda a graça" (1 Pe 5.10). Deus tem em si todos os tipos de graça para os santos. Ele tem a graça que perdoa, que vivifica, que fortalece, que consola e que guarda. A sua misericórdia é misericórdia rica, misericórdia abundante, misericórdia inesgotável, misericórdia certa. As riquezas do homem são a sua glória. Deus se gloria na misericórdia. É a sua delícia. Nela ele descansa. Nós também, porque há uma plenitude inconcebível e infinita de misericórdia em Deus: "Em ti está o manancial da vida" (Sl 36.9). Deus distribui e reparte essa misericórdia para que a concebamos melhor. Por isso, ele é chamado pelo apóstolo Paulo de "o Pai das misericórdias e o Deus de toda consolação" (2 Co 1.3). Deus não é o autor, mas o Pai das nossas misericórdias para mostrar como ela é dada livremente. São as suas entranhas. Ele se agrada delas, como o pai se agrada dos próprios filhos. Medite longamente sobre este nome, pois é doce: *o Pai das misericórdias.* Em meu texto, Davi se agarra a toda essa misericórdia e se apodera dela como a sua própria misericórdia: "O Deus da minha misericórdia virá ao meu encontro".

(2) Indica que há uma porção de misericórdia disposta, segundo o propósito de Deus, para cada crente. Trata-se de uma porção de misericórdia que ele pode chamar de sua. É o que alguns estudiosos entendem ser o que Jesus quis dizer para Paulo em 2 Coríntios 12.9: "A minha graça te basta", ou seja, tu descobrirás que a graça que reparti para ti é suficiente. No meu eterno conselho, eu soube do que tu precisarias. Fiz provisão antecipada. Tomei cuidado para que tenhas bastante.

(3) Indica que Deus se encarregou de manter essa porção da sua misericórdia à disposição do seu povo. Seja no que for, alma, é certo você confiar nEle. Todo crente pode dirigir-se a Deus, como o Deus de toda misericórdia de que ele precisa. — *Condensado do sermão de John Hill*

v. 10: "Deus me fará ver o meu desejo sobre os meus inimigos". As palavras "o meu desejo" não fazem parte do original hebraico e ficaria melhor se fossem omitidas. O sentido é este: Deus permitirá que eu veja calmamente os meus inimigos. Foi assim que Jesus olhou os que o assassinaram. Estêvão teve permissão de fazer o mesmo quando eles "rangiam os dentes contra ele": "Então, todos os que estavam assentados no conselho, fixando os olhos nele, viram o seu rosto como o rosto de um anjo" (At 7.54; 6.15). — *Christopher Wordsworth, 1868*

v. 11: "Não os mates", para que sejam uma pedra de amolar para a fé dos outros, como os espartanos (mencionados em "Apotegmas", de Plutarco) recusaram permitir a destruição de uma cidade vizinha que costumava evocar os exércitos, dizendo: "Não destruam a pedra de amolar dos nossos jovens". — *Andrew A. Bonar*

v. 11: "Não os mates":

> Vivam de forma odiosa e por muito tempo
> Parasitas sorridentes, brilhantes e detestáveis.
> — *William Shakespeare, 1564-1616*

v. 11: "Não os mates, para que o meu povo se não esqueça; espalha-os pelo teu poder e abate-os, ó Senhor, nosso escudo". Os inimigos têm de servir de monumentos da justiça divina, não menos na desgraça permanente da sua estirpe do que pela sua própria destruição súbita. Paralelo a esse versículo e aos versículos 6 e 14 está a maldição que Davi profere para Joabe em 2 Samuel 3.29: "Fique-se sobre a cabeça de Joabe e sobre toda a casa de seu pai, e nunca da casa de Joabe falte quem tenha fluxo, nem quem seja leproso, nem quem se atenha a bordão, nem quem caia à espada, nem quem necessite de pão". Há também a ameaça do homem de Deus a Eli, em 1 Samuel 2.36, onde, depois de anunciar a morte violenta dos próprios malfeitores, correspondendo ao versículo 13 daqui, diz: "E será que todo aquele que ficar de resto da tua casa virá a inclinar-se diante dele [do novo sumo sacerdote], por uma moeda de prata e por um bocado de pão, e dirá: Rogo-te que me admitas a algum ministério sacerdotal, para que possa comer um pedaço de pão". Desde o começo, os expositores cristãos chamam a atenção para o fato de que a essência do nosso versículo, como também dos versículos 6 e 14, teve cumprimento com os judeus. "Eles foram espalhados para todas as terras, e têm de ir e ficar diante dos olhos de todos os cristãos como testemunhas vivas de que crucificaram o verdadeiro Messias e Salvador do mundo. De forma que se você vir um judeu, lembre desta palavra" (Arndt). — *E. W. Hengstenberg*

v. 11: "Não os mates", ou seja, de repente. "Espalha-os". Vemos que ele tem uma relação com o castigo de Caim, a quem Deus não matou, mas tornou peregrino todos os dias da sua vida para espetáculo e exemplo dos julgamentos divinos (Gn 4.12). Outros estudiosos traduzem "espalha-os" por "sacode-os", ou seja, o grau de honra e glória que têm. — *John Diodati, 1576-1649*

v. 12: "Pelo pecado da sua boca e pelas palavras dos seus lábios fiquem presos na sua soberba; e pelas maldições e pelas mentiras que proferem". Os perseguidores não atingiram os objetivos estabelecidos contra o justo, mas o orgulho, a vanglória, a mentira, a difamação, a maldição contra o temente a Deus formam cantiga suficiente para que a danação e a ira os descubram. — *David Dickson*

v.12: "Pelas palavras dos seus lábios". A frase "palavra dos lábios" é usada para referir-se a loquacidade vazia e ostentação. É o oposto de uma palavra que é sólida e fundamentada em fatos. Ocorre também em 2 Reis 18.20: "Dizes tu (porém palavra de lábios é)", e em Provérbios 14.23: "Em todo trabalho há proveito, mas a palavra dos lábios só encaminha para a pobreza". — *Hermann Venema*

v. 13: "Consome-os", enfaticamente, "na tua indignação, consome-os de modo que não existam mais", o que à primeira vista é contrário ao primeiro desejo: "Não os mates" (v. 12). Não se trata disso, porque ele não está falando da vida, como que querendo que ela fosse consumida para que não permanecessem vivos. Deseja unicamente que sejam consumidos o poder, a realeza, o governo que possuem. Desta forma, as palavras são uma explanação do segundo desejo: "Abate-os" (v. 11). Ele queria que fossem abatidos e consumidos na força, dignidade, governo, prosperidade, bens que os tornavam orgulhosos, para que nunca mais pudessem se opor a Deus, ferir o seu povo, pisotear a religião e a igreja. Queria que vivessem. — *William Nicholson, 1671*

v. 13: "Consome-os". Ouço falar de tristes acontecimentos na Polônia, onde aldeias estão sendo incendiadas, homens de bem estão sendo deportados para a Sibéria às centenas, mulheres estão sendo açoitadas. Quando olho para o mercado de Varsóvia, onde uma mulher, quase nua, é flagelada publicamente, e vejo o cruel Mouravieff sorrir quando o sangue jorra dos ombros açoitados, não negarei que me senti muito tentado a dizer: "Feliz o homem cuja bala em luta justa esvaziar essa posição de governo!" Sou sanguinário? Sou vingativo? Você me condena por este meu sentimento? — *R. A. Bertram*

v. 13: "De modo que não existam mais". Pela palavra, וְאֵינֵמוֹ, "de modo que não existam mais", podemos entender em geral um estado vil e miserável ou até mesmo destruição total. Devemos aceitar o primeiro sentido, como está claro pelo contexto, contudo não pela exclusão do segundo sentido, visto que uma situação miserável, como uma doença, acaba terminando em destruição. É claro que de forma alguma devemos entender "não existam mais" com o sentido de *ninguém* ficar desgraçado, ser atormentado e menosprezado (cf. Jr 31.15). — *Hermann Venema*

v. 13: "Selá". Embora Deus seja em todas as palavras sim e o Amém (cf. 2 Co 1.20), ao fixar o selo "selá" a essa doutrina, Ele confirma a sua vontade de querer todas essas coisas mais bem entendidas e mais profundamente gravadas na mente. Se os ímpios continuarem perseguindo o justo, "selá", com certeza Deus os ridicularizará, "selá", com certeza Deus lhes sacudirá os ossos, lhes despedaçará as melhores ações e lhes descobrirá a impureza, "selá", com certeza a mão de Deus pesará sobre eles e não discernirão que se trata da mão divina até que sejam consumidos. Enfim, "selá", com certeza, verdadeiramente, amém, esta é uma verdade fiel e infalível, vive o Senhor que assim será. — *Abraham Wright*

v. 14: "Cães". É a influência do cristianismo estender a lei da bondade aos mais baixos animais, ou há algo na natureza dos cães do norte e dos homens do norte que tornam os cães de outras regiões do mundo, e todas as associações feitas a eles, tão completamente diferentes do que são no Oriente? Imagine a estátua de um santo do Oriente com os pés sobre um cachorro, como, por exemplo, a estátua de William, o Silencioso, o heróico Príncipe de Orange, representando-o com os pés sobre o fiel *spaniel* que lhe salvou a vida na noite do ataque das tropas espanholas, ou em tantas estátuas de cavaleiros esculpidos dos tempos medievais! A própria presença de tal estátua, aos olhos orientais, é a maior profanação que um inimigo poderia infligir em um recinto sagrado. Como são sumamente desdenhosos na Bíblia e tão inaplicáveis para os cães de outras partes do mundo os termos empregados para descrever os hábitos caninos: "Deem ganidos como cães, rodeando a cidade. Vagueiem buscando o que comer, passem a noite sem se fartarem" (vv. 14 e 15). "Fora os cães" (Ap 22.15). Que semelhança há entre tal descrição e a solene dignidade de um terra-nova, a expressão sagaz e arguta de um *terrier*, os olhos saudosos e quase humanos dos *spaniels*? Aqui em Tiro, como na maioria das cidades orientais, as conhecidas palavras evocam todo o seu verdadeiro e forçoso significado. Os cães ferozes, famintos e sem dono que "perambulam pelas cidades (de Alexandria, por exemplo), reúnem-se em bandos como os chacais, rondam por todo canto em busca de carne deteriorada e rosnam se não ficam satisfeitos". Ou diz respeito aos desterrados famintos, como os cães de Tiro, que rondam "fora" da cidade. A estes podemos aplicar as definições bíblicas altamente desfavoráveis que todo ocidental refuta com indignação em prol das criaturas leais, fiéis e pacientes, que ao lado de nossas casas vigiam como sentinelas, guardam os nossos rebanhos como pastores e nos recebem com alegria extasiante quando chegamos em casa, preferindo, às vezes, morrer do que abandonar a sepultura do seu dono. — *Extraído de "Wanderings over Bible Lands and Seas" [Perambulações em Terras e Mares Bíblicos], 1862*

v. 14: Os que se arrependem dos pecados quando estão em dificuldade, gemem como pombas (cf. Is 59.11). Aqueles cujo coração endurece quando estão em dificuldade, dão "ganidos como cães". — *Matthew Henry*

v. 15: "Vagueiem buscando o que comer, passem a noite sem se fartarem". Uma situação miserável e indigente e, portanto, insatisfeita e exaustiva será a sorte dos ímpios. Esta é maior praga mundana que pode cair em alguém — muito apetite sem bens ou posses para satisfazê-la. — *Henry Hammond, 1605-1660*

v. 15: “Passem a noite sem se fartarem” (“E, se não se fartam, então, rosnam”, ARA). O homem satisfeito, se não tem o que quer, não reclama, não discute com a providência, nem se irrita consigo mesmo. Mas aqueles cujo deus é o seu ventre, se este não estiver cheio e o apetite for satisfeito, brigam com Deus e consigo mesmos. Não é a pobreza, mas o descontentamento que torna o homem infeliz. — *Matthew Henry*

v. 15: “Vagueiem buscando o que comer, passem a noite sem se fartarem”. Uma fome canina é merecidamente a praga para eles, cujo pecado se semelha ao caráter desse animal imundo. Leitor, preocupe-se em evitar tais pecados e em cultivar um espírito devocionalmente vivo e atuante, para que, em vez de você ter parte onde há lamento, choro e rangido de dentes, você cante para sempre ao Deus da sua misericórdia. — *Benjamin Boothroyd*

v. 16: “Eu, porém, cantarei a tua força; pela manhã, louvarei com alegria a tua misericórdia, porquanto tu foste o meu alto refúgio e proteção no dia da minha angústia”. Não ignoremos o contraste com a situação miserável dos ímpios indicada pelos pronomes הֵמָּה, “eles”, no versículo 15 (pronome oculto), e וַאֲנִי, “eu, porém” (v. 16), os quais estão em antítese exata. Não deixemos passar também outros contrastes: a “noite”, mencionada no versículo 15, e a “manhã” (v. 16) acontecendo agora, em relação ao tempo de dificuldade e ao tempo de felicidade. O rosnar semelhante ao cão dos ímpios (v. 15, ARA) e o cantar com som alegre de Davi. Enfim, não ignoremos outros particulares que dão também aos estados diversos mais diferença. — *Hermann Venema*

v. 16: Cantabo e *exaltabo*, “cantarei” e “louvarei com alegria”. Aqui o poder de Deus é *somente cantado*, ao passo que a sua misericórdia é *louvada com alegria*, como se a sua misericórdia fosse mais digna de exaltação do que o seu poder, e a misericórdia alcançasse os próprios céus e o poder até às nuvens (Sl 36.5). — *Extraído de um sermão pregado por Humphrey Sydenham intitulado “The Well-Toned Cymbal” [O Címbalo Bem Afinado], 1637*

v. 17: “A ti, ó fortaleza [força, ARA] minha, cantarei louvores”. Antes ele dissera que a “força” do seu inimigo estava com Deus (v. 9), mas agora ele afirma a mesma coisa acerca dos seus. A expressão, porém, que admite dois significados, ele aplica elegantemente a si mesmo em sentido diferente. Deus tem a força dos ímpios nas mãos para restringi-la e contê-la, e mostrar que todo poder que ostentam é vão e enganador. Por outro lado, Ele sustenta e fortalece o seu povo contra a possibilidade de cair, suprindo-lhe de força. — *João Calvino*

v. 17: “A ti, ó fortaleza [força, ARA] minha” é frase que está em oposição à “força” do inimigo (v. 9). “A tua força” (v. 16; “teu poder”, NTLH) é a mesma palavra hebraica traduzida por “fortaleza [força, ARA] minha” (v. 17). Há, no hebraico, um elegante jogo de palavras nos sons semelhantes, entre אֶשְׁמֹרָה, “eu te aguardarei” (v. 9), e אֲזַמֵּרָה, “cantarei” (v. 17). — *A. R. Fausset*

v. 17: “A ti, ó fortaleza [força, ARA] minha, cantarei louvores”. Antes, por causa da força de Saul, o meu aguardo foi dirigido a ti (v. 9). Agora, por causa da tua força a mim concedida, o meu cântico de louvores também será dirigido somente a ti. — *Martin Geier, 1614-1681*

v. 17: “Fortaleza... misericórdia”. Davi junta muito bem esses dois atributos: “fortaleza” e “misericórdia”. Tire a fortaleza dele e ele não pode proteger. Remova-lhe a misericórdia e ele não quererá proteger. Os dois atributos têm de estar juntos naquele que ele defenderá: *poder* para que ele possa, *misericórdia* para que ele queira. Caso contrário, é inútil esperar ajuda divina. Davi descobriu que Deus é ambos atributos e por ambos atributos ele o exalta. — *William Nicholson*

SUGESTÕES AOS PREGADORES

v. 1. "Livra-me, meu Deus, dos meus inimigos." (1) Livra-me da tentação, sustém-me na tentação, limpa-me do resultado da tentação. (2) O mundo, a carne, o Diabo e principalmente o pecado são os nossos inimigos. (3) Não podemos nos livrar sozinhos, mas o Senhor por providência e graça pode nos salvar.

v. 2. "Livra-me dos que praticam a iniquidade." Livra-me: (1) De ser tentado pelas promessas deles. (2) De ser intimidado pelas ameaças deles. (3) De ser corrompido pelo ensino deles. (4) De ser influenciado pelo exemplo deles. (5) De ser prejudicado pela difamação deles. (6) De ser impedido de ser útil pela oposição deles.

v. 3. "Pois eis que armam ciladas à minha alma". As sutilezas de Satanás: (1) Ele fica atento a lugares, tempos, estados e modos para nos atacar. (2) Ele apresenta erros na doutrina, prática e espírito para nos apanhar: "Porque não ignoramos os seus ardis" (2 Co 2.11). Ou a emboscada diabólica é descoberta pela vigilância e derrotada pela fé.

v. 4. A atividade dos ímpios é repreensão para os bons: (1) A atividade: "Correm". (2) A unanimidade: "Eles correm". (3) O cuidado: Eles "se preparam". (4) A prontidão: "Sem culpa minha".

v. 5. "Ó SENHOR, Deus dos Exércitos, Deus de Israel." Esse título fornece um tópico admirável.

v. 9. A grandeza da dificuldade é motivo para oração e fé.

v. 10. "O Deus da minha misericórdia virá ao meu encontro." A ardente presteza divina em abençoar.

v. 11. A permanência dos nossos inimigos é ordenança salutar de Deus, pois visa prevenir um mal ao qual somos muito propensos.

v. 13. "Para que saibam que Deus reina em Jacó até aos confins da terra." Deus como o Deus da igreja, o seu governo como tal, conhecido em toda a história humana.

v. 16. O corista celestial: (1) A sua canção é agradável em contraste com o ultraje das outras canções: "Eu, porém". (2) A sua canção trata de assuntos que terrificam os outros: "A tua força". (3) A sua canção fica mais sobressalente durante os temas de ternura: "A tua misericórdia". (4) A sua canção tem ocasiões certas: "Pela manhã". (5) A sua canção é afinada pela experiência: "Porquanto tu foste". (6) A sua canção é toda para a glória de Deus: "A tua força", "a tua misericórdia", "tu foste".

v. 17. (1) Uma doutrina: Deus é a fortaleza do seu povo. (2) Uma apropriação: Deus é a minha fortaleza. (3) Uma decisão: A canção de gratidão para o passado, a fé para o presente, a esperança para o futuro, de bênçãos para a eternidade.

SALMO 60

TÍTULO

Este título é longo, mas nos ajuda muito para comentar o salmo.

"Mictão de Davi, de doutrina." Davi obedeceu ao preceito de ensinar os filhos de Israel. Registrou os atos poderosos do Senhor para que fossem repetidos aos ouvidos das gerações futuras. Segredos de ouro devem ser contados dos telhados das casas. Essas coisas não eram para ser feitas em um canto e não deveriam ser enterradas em silêncio. Aprendamos com alegria o que a inspiração ensina de forma tão bela.

"Para o cantor-mor, sobre Susã-Edute", ou de acordo com a melodia *O Lírio do Testemunho* (cf. AEC; NTLH; NVI). O Salmo 45 foi composto de acordo com a melodia *Os Lírios*, e apresentou o guerreiro real na sua beleza saindo para a guerra. No Salmo 60, vemos o guerreiro dividindo o espólio e testificando da glória de Deus. As melodias têm nomes estranhos, mas este é o resultado do fato de que não sabemos o que estava na mente do compositor, de outra forma seriam comovedoramente apropriadas. Talvez a música ou os instrumentos tenham mais a ver com o título do que o próprio salmo. Mas há a menção frequente de rosas e lírios em canções de guerra, levando alguém a lembrar-se da *Canção dos Huguenotes*, de Macaulay, embora talvez erremos em mencionar versos tão carnais:

> Agora pelos lábios daquelas que amais, gentis senhores da França,
> Lutem pelos lírios de ouro agora, avancem neles com a lança.

"Quando pelejou com os siros da Mesopotâmia, e com os siros de Zobá." As tribos siras se uniram para vencer Israel, mas foram fragorosamente derrotadas.

"E quando Joabe, voltando." Ele estava militarmente engajado em outra região, e os inimigos de Israel tiraram proveito dessa ausência. Contudo, quando voltou com Abisai, o destino da guerra mudou.

"Feriu no vale do Sal a doze mil dos edomitas." De acordo com o texto de 1 Crônicas 18.12, o número de mortos foi maior, mas esse enunciado fala de uma parte memorável do conflito. A batalha deve ter sido terrível, mas os resultados foram realmente decisivos, pois o poder militar do inimigo foi totalmente desintegrado. O Senhor merece mesmo um cântico do seu servo.

DIVISÃO

O cântico consiste adequadamente em três partes: a queixa (vv. 1 a 3), a alegria (vv. 4 a 8), a devoção (vv. 9 a 12). Fiz a divisão conforme mudou o sentimento de Davi.

EXPOSIÇÃO

1 *Ó Deus, tu nos rejeitaste, tu nos espalhaste, tu tens estado indignado; oh! Volta-te para nós!*
2 *Abalaste a terra e a fendeste; sara as suas fendas, pois ela treme.*
3 *Fizeste ver ao teu povo duras coisas; fizeste-nos beber o vinho da perturbação.*

1. Antes dos dias de Saul, Israel estava em péssima situação política. Durante o seu governo, sofreu abalos internos e terminou o reinado no desastre tirânico em Gilboa. Davi recebeu um trono instável, perturbado pelo duplo mal da facção domiciliar e da invasão estrangeira. Determinou o mal imediatamente na fonte verdadeira e começou pela origem. A sua política era devocional, a qual, no fim das contas, é a mais sábia e a mais profunda. Sabia que o desgosto do Senhor trouxera calamidade para a nação e, para que esse desgosto acabasse, pôs-se a orar fervorosamente.

"Ó Deus, tu nos rejeitaste." Tu nos trataste como coisas asquerosas e ofensivas para sermos rejeitados, como pessoas más e pobres para sermos evitados com desprezo, como ramos secos e inúteis para sermos podados da árvore que eles desfiguram. Ser rejeitado por Deus é a pior calamidade que pode acontecer a uma pessoa ou nação. A pior forma dessa calamidade é quando a pessoa não está ciente dessa rejeição e lhe é indiferente. Quando a rejeição divina causa tristeza e arrependimento, será apenas parcial e temporária. Quando a alma rejeitada deseja ardentemente o seu Deus, não se trata de verdadeira rejeição.

"Tu nos espalhaste." Davi vê claramente os frutos da ira divina. Ele determina a batalha dos guerreiros de Israel, o esfacelamento do poder nacional, a divisão no organismo político à mão de Deus. Seja quem fosse o agente secundário desses desastres, ele vê a mão do Senhor como a principal causa deflagradora, e pleiteia com o Senhor a respeito do assunto. Israel era como uma cidade com uma brecha aberta no muro, porque o seu Deus estava irado com ela. Devemos considerar esses dois primeiros versículos, com a sua deprimente confissão, como grandes realces ao poder da fé que, nos versículos posteriores, alegra-se com dias melhores, pois o Senhor graciosamente voltou ao seu povo.

"Tu tens estado indignado." Este é o segredo das nossas desgraças. Tivéssemos nós te agradado, Tu terias nos agradado. Mas como procedemos contrários a ti, Tu procedes contrário a nós.

"Oh! Volta-te para nós!" Perdoa o pecado e olha novamente para nós de modo favorável. Vira-nos para ti e vira Tu para nós. Em tempos passados, a tua face estava voltada para o teu povo. Agrada-te em olhar de novo para nós com o teu favor e graça. Alguns estudiosos interpretam essas palavras assim: "Tu voltarás para nós", e as interpretam por leve diferença, cujo método aceitamos, pois a oração sincera traz bênçãos em tão pouco tempo que não é presunção considerá-las como

já recebidas. Havia mais necessidade da volta de Deus para o seu povo do que as tropas de Judá serem valorosas, ou Joabe e os comandantes serem sábios. Deus conosco é melhor do que fortes batalhões. Deus desgostoso conosco é mais terrível do que todos os edomitas marchando contra nós no vale do Sal, ou todos os demônios opondo-se à igreja. Se o Senhor voltar-se para nós, o que nos importará os siros da Mesopotâmia, ou os siros de Zobá, ou a morte, ou o inferno? Mas se Ele retirar a sua presença, trememos com a queda de uma folha.

2. *"Abalaste a terra."* As coisas estavam tão inseguras quanto a terra sólida fora feita para tremer. Nada era estável. Os sacerdotes foram assassinados por Saul. Os piores homens foram colocados em cargos de liderança. O poderio militar fora esmigalhado pelos filisteus. A autoridade civil se tornara desprezível por meio de insurreições e competições intestinas.

"E a fendeste." Como a terra se fende e se abre em rachaduras durante terremotos violentos, assim o reino foi rasgado por conflitos e calamidades.

"Sara as suas fendas." Como a casa durante o terremoto é abalada, e as paredes apresentam fissuras que se abrem em rachaduras ameaçadoras, assim sucedeu com o reino.

"Pois ela treme." Cambaleia e está quase caindo. Se não for logo escorada e consertada, cairá em completa ruína. Israel fora tão longe que só a interferência de Deus evitaria a sua completa ruína. Quantas vezes vemos igrejas nessa situação, e como é adequada a oração sob estudo, a qual se serve da necessidade extrema como argumento para pedir ajuda. A mesma coisa podemos dizer de nossa devoção a Deus. Às vezes é tão tentada que, como uma casa sacudida por violento terremoto, está prestes a desmoronar estrondosamente e ninguém senão o Senhor pode reparar as brechas para salvar-nos da destruição completa.

3. *"Fizeste ver ao teu povo duras coisas."* O povo fora acumulado de sofrimentos, e o salmista determina essas providências rigorosas à principal origem. Nada acontecera por acaso, mas tudo ocorrera por desígnio divino e com um propósito. Contudo, todas essas coisas foram duras para Israel. O salmista afirma que eles ainda eram o povo do Senhor, embora no versículo 1 ele tivesse dito: "Tu nos rejeitaste". A linguagem de queixa é em geral confusa, e a fé em tempos de dificuldade logo contradiz as declarações desanimadoras da carne.

"Fizeste-nos beber o vinho da perturbação." As aflições nos deixaram bêbedos de vinho forte e amargo. Estamos estupefatos, perplexos e extasiados. Os passos vacilam e cambaleamos como aqueles que estão prestes de cair. O Médico dos médicos dá aos pacientes doses fortes de remédio para expurgar as muitas doenças congênitas. Males surpreendentes trazem consigo resultados surpreendentes. As uvas do vinhedo do pecado produzem um vinho que enche de angústia os mais endurecidos quando a justiça os compele a beber a taça. Há uma forte bebida de angústia de alma que uma taça deixa até os justos cambaleantes e excessivamente tristes quase à morte. Quando a aflição se torna tão habitual a ponto de ser a nossa bebida e tomar o lugar das alegrias, tornando-se o nosso único vinho, estamos de fato em maus lençóis.

4 *Deste um estandarte aos que te temem, para o arvorarem no alto pela causa da verdade. (Selá)*

5 *Para que os teus amados sejam livres, salva-nos com a tua destra e ouve-nos;*

4. Nesse ponto, a melodia muda. O Senhor chamou de volta para si os seus servos, e os comissionou para o serviço, apresentando-os com um estandarte a ser usado nas guerras.

"Deste um estandarte aos que te temem." As aflições os levaram a mostrar um santo temor e, estando então adequados para receber o favor do Senhor, deu-lhes um estandarte ou bandeira, que seria tanto um ponto de encontro para os exércitos, uma prova de que ele os enviara para lutar, quanto uma garantia de vitória. Em geral, os homens mais valorosos são encarregados de cuidar da bandeira. É certo que os que mais temem a Deus têm menos medo do homem do que os demais. O Senhor nos deu o estandarte do evangelho. Vivamos para preservá-lo e, se necessário, morramos para defendê-lo. O direito para combater por Deus e a razão para esperar sucesso estão no fato de que a fé foi uma vez entregue aos santos, e isso pelo próprio Deus.

"Para o arvorarem no alto pela causa da verdade." As bandeiras são para o vento, o sol, a batalha. Israel podia sair para a guerra com bravura, porque um estandarte sagrado era mantido no alto à frente deles. Anunciar o evangelho é um dever sagrado; envergonhar-se dele é um pecado mortal. A verdade de Deus estava envolvida no triunfo dos exércitos de Davi. O Senhor lhes prometera vitória. Não devemos ser hesitantes na proclamação do evangelho, pois tão certo quanto Deus é a verdade, Ele dará sucesso à própria palavra. Pela causa da verdade e porque o verdadeiro Deus está do nosso lado, imitemos nos atuais dias de guerra os guerreiros de Israel e desfraldemos a bandeira ao vento com alegria confiante. Os sinais tenebrosos dos males presentes ou futuros não devem nos desanimar. Se o Senhor queria nos destruir, não nos teria dado o evangelho. O próprio fato de que Ele se revelou em Cristo Jesus envolve a certeza da vitória. *Magna est veritas et praevalebit.*

Duras coisas puseste sobre nós
E nos fizeste beber o vinho mais amargo
Mas ainda arvoramos a tua bandeira
E mantemos no alto a tua verdade divina.

A nossa coragem não vacila, embora a noite
Nenhuma luz terrena consegue vencer
Pois logo tu te levantarás em poder
E fazes dos nossos capturadores cativos.

"Selá." Há tanto no fato de a bandeira ser dada aos exércitos de Israel, tanta esperança, dever, consolo, que é adequado haver uma pausa. O sentido a justifica e as notas musicais mais alegres necessitam dela.

5. *"Para que os teus amados sejam livres."* Um dos amados do Senhor era Davi, cujo nome significa "querido" ou "amado". Havia em Israel um remanescente de acordo com a eleição da graça, que era o amado do Senhor. Por causa dele, o Senhor fez grandes maravilhas e tinha um cuidado especial em todos os atos poderosos que fazia. Os amados de Deus são a semente interior, por amor dos quais Ele protege a nação inteira como a casca em relação ao cerne vital. Este é o principal desígnio da providência: "Para que os teus amados sejam livres". Se não fosse por causa deles, Ele não daria a bandeira nem enviaria a vitória.

"Salva-nos com a tua destra e ouve-nos." Salva-nos imediatamente, antes que a oração termine. O caso é desesperador a menos que haja salvação imediata. Não esperes, ó Senhor, eu ter terminado de suplicar. Salva primeiro e ouve depois. A salvação tem de ser um direito real e eminente, como só a mão onipotente de Deus unida com a sua destra sabedoria pode alcançar. A angústia urgente leva os homens a rogar com insistência e ousadia. Pela fé, podemos pedir e esperar que a nossa necessidade seja a oportunidade de Deus. Livramentos especiais e memoráveis ocorrerão quando calamidades medonhas forem iminentes. Este é um suplicante

em lugar de muitos, exatamente como no caso da intercessão de nosso Senhor pelos santos. Ele, o Davi do Senhor, roga pelos demais amados, amados e aceitos nele o Amado-Chefe. Ele busca salvação como se fosse para ele, mas os olhos estão sempre em todos os que são um com ele no amor do Pai. Quando a interferência divina é necessária para o salvamento dos eleitos, ela tem de ocorrer, pois a primeira e maior necessidade da providência é a honra de Deus e a salvação dos escolhidos. Este é o destino pré-determinado, o centro do decreto inalterável, o pensamento íntimo do Jeová imutável.

6 *Deus disse na sua santidade: Eu me regozijarei, repartirei a Siquém e medirei o vale de Sucote.*
7 *Meu é Gileade e meu é Manassés; Efraim é a força da minha cabeça; Judá é o meu legislador.*
8 *Moabe é a minha bacia de lavar; sobre Edom lançarei o meu sapato; sobre a Filístia jubilarei.*

6. *"Deus disse na sua santidade."* A fé nunca é mais feliz do que quando se recosta na promessa de Deus. Ela se firma contra todas as circunstâncias desanimadoras. Digam o que quiserem as providências externas, a voz de um Deus fiel abafa todo som das lágrimas. Deus prometera vitória para Israel e reino para Davi. A santidade de Deus garantia o cumprimento da aliança. Por isso, o rei falou com confiança. A terra santa fora assegurada para as tribos por meio da promessa feita a Abraão, e a concessão divina era uma autorização plenamente suficiente para a crença de que os exércitos de Israel teriam êxito na batalha. Os crentes fazem bom uso disso e banem as dúvidas, enquanto as promessas permanecem.

"Eu me regozijarei" ou *"eu triunfarei"* (cf. NTLH; NVI). A fé não considera a promessa como ficção, mas fato. Por isso, absorve a promessa com alegria e por ela obtém vitória. "Deus falou; eu me alegrarei" é um lema adequado para todo soldado da cruz.

"Repartirei a Siquém." Como vencedor, Davi dividiria o território conquistado entre aqueles a quem Deus dera por sorte. Siquém era uma região importante do país que ainda não havia se rendido ao seu governo. Mas ele sabia que, com a ajuda do Senhor, isso aconteceria — o que de fato aconteceu. A fé divide o espólio, está segura do que Deus prometeu e toma posse imediatamente.

"E medirei o vale de Sucote." Como o leste, assim o oeste do rio Jordão seria dividido para as pessoas certas. Os inimigos seriam expulsos e os limites do domínio estabelecidos. Onde Jacó armara tenda, os herdeiros legítimos deveriam cultivar o solo. Quando Deus fala, a futuridade divina, o nosso "eu irei", não se torna palavras arrogantes ou vazias, mas é o eco adequado do decreto do Senhor. Crente, levante-se e tome posse das misericórdias da aliança: "Repartirei a Siquém e medirei o vale de Sucote". Não permita que as dúvidas e legalismos cananeus o mantenham fora da herança da graça. Viva à altura dos seus privilégios, aproprie-se do bem que Deus proveu para você.

7. *"Meu é Gileade e meu é Manassés."* Davi reivindica a terra inteira por causa da promessa. Menciona duas outras grandes regiões do país, evidentemente deliciando-se em inspecionar a terra formosa que o Senhor lhe dera. Todas as coisas são nossas, quer as presentes quer as futuras. Não é uma porção pequena que pertence ao crente. Portanto, que ele não pense pequeno. Não há inimigo que sonegue da verdadeira fé o que Deus deu a ela, pois a graça a fortalece para arrancá-lo do inimigo. A vida é minha, a morte é minha, porque Cristo é meu.

"Efraim é a força da minha cabeça." Todo o poderio militar da tribo valorosa estava sob as ordens de Davi, o que o fez louvar a Deus. Deus submeterá ao cumprimento

dos seus propósitos toda valentia e bravura dos homens. A igreja pode clamar: "A proeza dos exércitos é minha", pois Deus anula todas as realizações desses exércitos para o progresso da sua causa.

"Judá é o meu legislador." O poder civil se concentrava em Judá. Sendo dessa tribo, o rei promulgava as leis do seu meio. Não conhecemos legislador, exceto o Rei que saiu de Judá. Não damos atenção a todas as reivindicações de Roma, ou Oxford, ou dos conselhos dos homens. Somos livres de todos os governos eclesiásticos, salvo o de Cristo. Mas prestamos obediência alegre a ele: "Judá é o meu legislador". Em meio às agitações civis é muito importante coisa ter uma legislação boa e sadia, era um bálsamo para a ferida de Israel, é a nossa alegria na igreja de Cristo.

8. Tendo olhado para a nação com satisfação, o rei-herói olha agora para o estrangeiro com exultação.

"Moabe", tão prejudicial para mim nos anos anteriores, *"é a minha bacia de lavar"*. A bacia na qual a água cai quando é derramada de uma jarra para os meus pés. Um mero recipiente para conter a água suja depois que os meus pés foram lavados. Outrora Moabe sujou Israel, de acordo com os conselhos de Balaão, filho de Beor, mas já não será mais capaz de cometer tal baixeza. Moabe será uma bacia de lavar para aqueles a quem ele procurou sujar. Quando os ímpios são vistos no mal, fruto e castigo do pecado, os santos são incentivados à purificação. É contrário ao que desejam e à natureza das coisas, mas a fé encontra mel no leão e uma bacia de lavar no Moabe imundo. Davi trata os inimigos como insignificantes e indignos de atenção. Considera uma nação inteira nada mais nada menos do que uma bacia para lavar os pés do seu reino.

"Sobre Edom lançarei o meu sapato." Como o homem quando toma banho lança os sapatos para o lado, assim ele obtém o domínio sobre os descendentes do arrogante Esaú tão facilmente quanto o homem lança o sapato. Talvez ele tenha lançado o sapato como hoje em dia o homem lança a luva para desafiar os que ousam disputar-lhe o domínio. Ele não precisou sacar a espada para ferir o agora incapacitado e totalmente desesperado adversário, pois se ele ousar revoltar-se basta lançar-lhe o chinelo que ele tremerá. Facilmente somos vencedores quando a Onipotência mostra o caminho. Chegará o dia em que a igreja com igual facilidade sujeitará a China e a Etiópia ao cetro do Filho de Davi. Todo crente também pode, pela fé, vencer todas as dificuldades e reinar com aquele que nos fez reis e sacerdotes. "E eles o venceram pelo sangue do Cordeiro", ainda se dirá sobre todos os que descansam no poder de Jesus (Ap 12.11).

"Sobre a Filístia jubilarei." Fique tão vencida a Filístia a ponto de alegrar-se com as minhas vitórias sobre os meus outros inimigos. Ou ele quis dizer: Eu, que feri o teu defensor, por fim te deixei tão derrotado que tu nunca poderás jubilar sobre Israel. Mas se tu precisas de vitória, tu tens de seres comigo e não contra mim. Ou quem sabe se trata de um desafio escarnecedor, uma ironia? Ó orgulhosa Filístia, onde está a tua vanglória? De que valem agora os teus olhares arrogantes e conquistas prometidas? Assim ousemos desafiar o último inimigo: "Onde está, ó morte, o teu aguilhão? Onde está, ó inferno, a tua vitória?" (1 Co 15.55). É tão totalmente desesperadora a causa do inferno que quando o Senhor sai para a batalha, até a mais fraca filha de Sião pode sacudir a cabeça ao inimigo e rir com desdém. Esta é a glória da fé! Não há um grão de vanglória nela. As suas jactâncias santas ninguém pode impedir. Quando o Senhor fala a promessa, imediatamente nos regozijamos e nos gloriamos nela.

9 *Quem me conduzirá à cidade forte? Quem me guiará até Edom?*

10 *Não serás tu, ó Deus, que nos tinhas rejeitado? Tu, ó Deus, que não saíste com os nossos exércitos?*

9. Até aqui, as fortalezas interiores de Edom não haviam sido conquistadas. Os bandos invasores foram mortos no vale do Sal, e Davi desejava avançar as conquistas até Petra, a cidade cujos edifícios foram esculpidos nas pedras e considerada inexpugnável.

"Quem me conduzirá à cidade forte?" Era quase inacessível, e por isso a pergunta de Davi. Quando alcançamos grande sucesso, o feito serve de estímulo para maiores empreendimentos, mas não deve se tornar motivo para autoconfiança. Temos de olhar para o forte em busca de força tanto no fim da campanha quanto no começo.

"Quem me guiará até Edom?" Nas alturas, entre as estrelas, ficava a cidade de pedra, mas Deus podia guiar o seu servo até ali. Não há altura da graça que seja elevada demais para nós, quando o Senhor é o nosso líder, mas temos de tomar cuidado para não tentarmos fazer coisas altas movidos por autossuficiência. Ainda mais alto é muito bom quando se trata de clamor, mas temos de olhar ao mais alto de todos em busca de orientação. Joabe não pôde levar Davi para Edom. Os veteranos de guerra do vale do Sal não puderam forçar a passagem, por mais que tentassem, mas Davi buscou a ajuda do Senhor. As nações pagãs ainda serão vencidas. A cidade das sete colinas ainda tem de ouvir o evangelho. Quem dará à igreja o poder para isso? A resposta não está longe.

10. *"Não serás tu, ó Deus, que nos tinhas rejeitado?"* Sim, o Deus castigador é a nossa única esperança. Ele ainda nos ama. Por um pequeno momento, ele deixa, mas com grande misericórdia, ele recolhe o seu povo (cf. Is 54.7). Forte para ferir, ele também é forte para salvar. Provou para nós que temos necessidade dele, mostrando-nos que, sem ele, somos pobres criaturas. Revelará agora a glória da sua ajuda, fazendo grandes operações em prol de uma nobre questão.

"Tu, ó Deus, que não saíste com os nossos exércitos?" Tu és mesmo Deus, e a ti a fé se apega. Ainda que tu nos mates, em ti confiamos e buscaremos a tua ajuda misericordiosa.

11 *Dá-nos auxílio na angústia, porque vão é o socorro do homem.*
12 *Em Deus faremos proezas; porque ele é que pisará os nossos inimigos.*

11. *"Dá-nos auxílio na angústia."* Ajuda-nos a vencer os desastres da guerra civil e da invasão estrangeira. Salva-nos de mais incursões de fora e de mais divisões de dentro. Tu, Senhor, opera esses livramentos, "porque vão é o socorro do homem". Aprendemos às duras penas a absoluta impotência de exércitos, reis e nações sem a tua ajuda. Os nossos estandartes arrastados na lama mostram comprovadamente a nossa fraqueza sem ti, mas o estandarte mantido no alto, à nossa frente, testemunhará a nossa bravura agora que vieste para o nosso salvamento. Como as palavras desse versículo se ajustam agradavelmente ao provado povo de Deus como um brado súbito e frequente. Sabemos como são verdadeiras.

12. *"Em Deus faremos proezas."* De Deus procede todo o poder, e tudo que fazemos bem é feito pela operação divina. Mas ainda temos, como soldados do grande Rei, de lutar e lutar com bravura. A operação divina não é argumento para a inação humana, mas, antes, é o melhor incentivo para o esforço corajoso. Ajudados no passado, também seremos ajudados no futuro. Estando certos disso, decidimos nos portar como homens.

"Porque ele é que pisará os nossos inimigos." Dele procede o poder, a Ele será dada a honra. Como a palha na eira debaixo das patas dos bois, assim andamos sobre os nossos inimigos desgraçados. Mas serão antes os pés de Deus que os comprimem do que os nossos. A mão divina entrará em ação contra eles para derrubá-los e mantê-los em sujeição. No caso dos cristãos, há muito encorajamento para uma

decisão semelhante à que consta na primeira frase do versículo: "Em Deus faremos proezas". Não ficaremos envergonhados com as cores da bandeira, amedrontados por causa dos inimigos ou vacilantes em nossa causa. O Senhor está conosco. A Onipotência nos sustenta. Não hesitaremos, nem nos atreveremos a acovardar-nos. Que o nosso Rei, o verdadeiro Davi, venha reivindicar a terra, pois o reino é do Senhor e Ele é o governador entre as nações.

NOTAS EXPLICATIVAS E DECLARAÇÕES IMPORTANTES

O Título: Há certas dificuldades relacionadas ao título desse salmo quando o comparamos com o conteúdo. Depois de tal inscrição, esperamos naturalmente alegria, congratulação e louvor pela vitória. Mas o salmista irrompe em lamentações e reclamações amargas. A composição muda, quando ele chega ao versículo 3, onde começa a sentir confiança e emprega o linguajar de exultação e triunfo. A melhor maneira de remover essa discrepância é observar que esse salmo foi escrito depois das batalhas mencionadas no título. O autor não se restringe a esses eventos sem tomar um escopo mais amplo, de modo a abranger a condição aflitiva tanto de Israel quanto de Judá durante a parte final da vida de Saul e os primeiros anos do reinado de Davi. Nos anos finais de Saul, os filisteus obtiveram superioridade política sobre ele até finalmente destruí-lo com o seu exército. Subsequentemente a esses fatos, a nação toda ficou em situação muito transtornada e agitada, irrompendo das disputas entre os partidários da família de Saul e os que permaneceram fiéis a Davi. As nações que habitavam as regiões adjacentes a Canaã eram em todo tempo hostis aos judeus, e aproveitavam toda oportunidade para atacá-los e prejudicá-los. Mas quando Davi obteve sucesso em unir a nação inteira sob a sua autoridade, ele procedeu a vingar os danos e insultos que haviam sido infligidos aos seus compatriotas pelos filisteus, edomitas, moabitas e siros (ou sírios). Deus se agradou em dar-lhe sucesso notável em seus empreendimentos. Portanto, ele combinou todas essas dinâmicas e tornou-as o tema do salmo. — *William Walford*

O Título: "Susã-Edute". *Os lírios do testemunho* significa que esse salmo tem por tema principal algo muito belo e alegre na lei, ou seja, as palavras de promessa citadas no começo de versículo 6, de acordo com as quais a terra de Canaã pertencia aos israelitas e nas quais estão firmadas a confiança expressa nos versículos 6 a 8, com relação ao direito de propriedade sobre a terra e a sua posse. Essa promessa, sem citar as muitas outras passagens que ocorrem nos cinco livros de Moisés e tão cedo quanto nos dizeres dos patriarcas, está contida em Gênesis 49 e Deuteronômio 32. Isso mostra evidentemente o valor e importância que a promessa tinha, sobretudo a sua lembrança nesse momento da história de Israel. — *T. C. Barth, "Bible Manuel" [Manual Bíblico], 1865*

O Título: O outro único edute ou "testemunho" no Saltério é o Salmo 80, que faz menção por nome das tribos de Efraim, Benjamim e Manassés, e é testemunha contra essas tribos por abandonarem o Pastor de Israel, que os tirara e trouxera da terra do Egito. — *Joseph Francis Thrupp, Mestre em Ciências Humanas, "An Introduction to the Study and Use of the Psalms" [Uma Introdução ao Estudo e Uso dos Salmos], 1860*

O Título: "Siros da Mesopotâmia", ou Arã Naaraim (cf. NVI). O nome *Arã* corresponde à Síria no sentido mais amplo e vago do termo, sendo acoplado a outros nomes para designar regiões particulares daquele grande país. Inclui a Mesopotâmia, que é um termo da geografia física em vez da geografia política, e denota o espaço entre os rios Tigre e Eufrates, correspondendo, no texto sob estudo, à Síria-Mesopotâmia ou Síria dos Dois Rios. O rei desse país era tributário ao rei da Síria-Zobá, como fala o relato da segunda guerra sira (ou síria) de Davi (2 Sm 10.16,19). — *Joseph Addison Alexander*

O Título: "Quando pelejou com os siros da Mesopotâmia, e com os siros de Zobá". O insulto feito por Hanum, rei dos amonitas, aos embaixadores de Davi deflagrou uma guerra séria. Hanum contratou mercenários da Síria para reforçar o exército, e Joabe e Abisai, seu irmão, generais de Davi, lhes fizeram guerra. Joabe, contrapondo-se aos siros, ganhou o primeiro entrave, e os amonitas, vendo os aliados derrotados, bateram em retirada para a sua cidade. Mas essa derrota provocou grande coalizão, congregando todos os povos entre o Jordão e o Eufrates. Davi, porém, marchou destemidamente contra eles à frente do exército. Derrotou todos os inimigos, fazendo-se senhor dos pequenos reinos siros de Damasco, Zobá e Hamate e dominando os siros do Oriente, que sofreram a derrota final no vale do Sal. — *François Lenormant e E. Chevallier, "A Manual of the Ancient History of the East" [Um Manual da História Antiga do Oriente], 1869*

O Título: "E quando Joabe, voltando, feriu no vale do Sal a doze mil dos edomitas". Compare esses dizeres com 2 Samuel 8.13, que diz: "Davi ganhou nome, voltando ele de ferir os siros no vale do Sal, a saber, a dezoito mil", e com 1 Crônicas 18.12, que fala que essa mesma proeza foi feita por Abisai. Resposta: Uma coisa é atribuir a vitória à honra do rei, que era a causa, outra coisa é a menção desses grandes generais, por quem a proeza foi feita. Davi, sob as ordens de Deus, tem de receber a honra do feito, para engrandecimento do seu nome, sendo colocado como tipo de Cristo, que receberá toda a glória daquele dia, seja qual for a conquista que ele obtenha pelos instrumentos desse serviço aqui, os quais são igualmente tipificados nos exércitos de Davi, cujos chefes eram Joabe e Abisai. Por esses, Davi obteve grande vitória sobre Hadadezer. Voltando dessa batalha, Joabe achou o irmão Abisai guerreando "no vale do Sal" contra dezoito mil edomitas ou sírios ou siros (são todos a mesma coisa). O Todo-Poderoso tanto considerou a bravura de Abisai, que atribui a matança toda para ele, porque foi o primeiro nessa guerra. Desse ponto em diante, na volta da matança anterior, Joabe assumiu a liderança e engajou-se na batalha para ajudar o irmão Abisai (era prática comum entre eles: embora dividissem o exército, não dividiam o coração). Se os inimigos eram muito fortes, um ajudava o outro (1 Cr 19.12). Desses dezoito mil atribuídos a Davi e Abisai, Joabe matou doze mil. Foi em memória desse serviço que o salmo foi composto. Mostra, primeiramente, o apuro em que estavam, pois à primeira vista não obteriam a vitória. Depois, aplica a proeza ao Reino de Cristo. E, por fim, designa toda honra da conquista a Deus. Em outras palavras: Em Deus essa proeza foi feita, pois foi ele que pisou os nossos inimigos (v. 12). — *William Streat, "The Dividing of the Hoof" [A Divisão do Casco], 1654*

O Título: "No vale do Sal". A cadeia de montanhas do Usdum mostra mais distintamente a sua formação peculiar. O corpo principal da montanha é uma massa sólida de sal de pedra. [...] À primeira vista, quase não acreditamos no que víamos, até nos aproximar várias vezes dos despenhadeiros e quebrar uns pedaços para nos satisfazer, tanto pelo toque quanto pelo gosto. O sal, quando exposto assim, fica mais ou menos estriado pela chuva. Enquanto avançávamos, grandes pedaços e blocos, desprendidos de cima, jaziam como pedras ao longo da costa ou ficavam caídos como escombros. As próprias pedras sob os nossos pés eram totalmente de sal. [...] A posição dessa montanha, na extremidade sul do mar, permite-nos atribuir o lugar ao "vale do Sal" mencionado na Bíblia, onde os hebreus sob as ordens de Davi e, mais tarde, sob as ordens do rei Amazias, obtiveram vitórias decisivas sobre Edom. Esse vale é o Gor, que fica ao sul do mar Morto, adjacente à montanha de sal. Separa os antigos territórios de Judá e Edom. — *Edward Robinson, "Biblical Researches in Palestine" [Pesquisas Bíblicas na Palestina], 1867*

O Título: O registro histórico menciona dezoito mil mortos e aqui somente "doze mil". O número maior inclui o menor. A discrepância pode ser explicada supondo que o título contém a quantidade de mortos por uma divisão do exército, ou que doze mil homens foram mortos na batalha e os demais fugiram. Ou pode ser erro de copista. Todo estudioso confessa que, às vezes, há séria dificuldade envolvendo números no Antigo Testamento. Nesse texto, Calvino tem "dois e vinte mil", a versão comum "doze mil", ao passo que o original diz "dois dez mil", que de certo modo significaria *vinte mil*, ou seja, duas dezenas de milhares. Hammond atribui o número aos homens mortos em diferentes batalhas, evitando assim a dificuldade. — *William S. Plumer*

v. 1: "Ó Deus, tu nos rejeitaste". A palavra hebraica significa "ser/estar sujo", "ser/estar rançoso", "ser/estar ofensivo"; daí, tratar algo como se fosse/estivesse sujo ou rançoso ou ofensivo; "repelir", "rejeitar", "lançar fora". É linguajar forte, que significa que Deus os trata como se eles lhe fossem repugnantes ou ofensivos. — *Albert Barnes, 1798-1870*

v. 2: "Sara as suas fendas, pois ela treme". Oram para que a cura seja feita com a maior rapidez, porque havia perigo na demora. O reino já estava acossado por pesada calamidade e à beira da ruína, que é o significado da palavra מָטָה, cuja origem está na inclinação extremamente forte e palpitante para um lado do movimento de uma alavanca. É aplicado aos que estão inclinando-se tanto para um lado que estão a ponto de cair. Expressa, figurativamente, uma situação mais perigosa, em que a pessoa está prestes a ser destruída. — *Hermann Venema*

v. 2: "Sara as suas fendas". Até Israel está sujeito a "fendas". Assim era com o Israel típico e literal, o reino de Davi. Assim pode ser com o Israel místico e espiritual, o Reino de Cristo, a Igreja de Deus na terra. Há "fendas" de fora e "fendas" de dentro. Inverterei a ordem. De fora, por perseguições abertas; de dentro, por divisões intestinas. Desses dois lados, a Igreja de Deus em todas as épocas teve experiências suficientes. Consideremos os tempos primitivos, durante a infância da igreja. Por mais sã e íntegra que a igreja fosse, foi fendida! Fendida por perseguições estrangeiras e por divisões intestinas. Destes dois modos, a igreja durante os tempos dos apóstolos foi fendida, atormentada por inimigos de fora que a perseguiam. — *John Brinsley, 1600-1665, "The Healing of Israel's Breaches" [A Cura das Fendas de Israel]*

v. 2: "Pois ela treme", ou seja, o prognóstico é nada mais do que ruína e queda, a menos que a terra seja prontamente escorada e as "fendas" consertadas e saradas. Era como Davi via a doença de Israel. Por isso, estava profundamente perturbado, tão avidamente desejoso da cura. A referência, como imaginam os intérpretes, é às divisões intestinas, as guerras civis entre as duas casas de Saul e Davi, depois da morte de Saul. A terra, ou seja, a terra de Israel (como a versão Caldaica explica) tremeu e se sacudiu, ficando fendida e rachada (como significa a palavra no original hebraico). Até a terra, às vezes, é rachada por violentos terremotos, ficando com espantosas fendas, brechas, abismos e precipícios. Assim o reino foi dividido por comoções civis, os nobres e comuns tomando partido — alguns apoiando Davi, alguns apoiando Isbosete. — *John Brinsley*

v. 3: "Fizeste ver ao teu povo duras coisas". Deus com certeza ara a própria terra, seja o que for que ocorra com as sobras, e capina o próprio jardim, ainda que o resto do mundo fique desolado. — *John Trapp, 1611-1669*

v. 3: "Fizeste-nos beber o vinho da perturbação", ou da obsessão ou confusão, como os homens bebem vinho. É como Hupfeld explica a construção, recorrendo a Salmos 80.5: "Tu os sustentas com pão de lágrimas e lhes dás a beber lágrimas em abundância"; 1 Reis 22.27: "Sustentai-o com o pão de angústia e com a água de amargura" (וּמַיִם לַחַץ); e Isaías 30.20: "Bem vos dará o Senhor pão de angústia e água de aperto". Mas há outra explicação para a justaposição, pois o segundo substantivo pode ser um predicado que define o primeiro com mais exatidão: "Fizeste-nos beber o vinho [que não é vinho, mas] perturbação". — *J. J. Stewart Perowne*

v. 3: "O vinho da perturbação", "vinho intoxicante". No original hebraico, "vinho do cambaleio", quer dizer, que causa cambaleio ou, em outras palavras, que intoxica. Alguns estudiosos traduzem por "vinho do estupor", "vinho estupefaciente". Símaco prefere "vinho da agitação", que é o sentido que adotei sendo também o que consta na versão Siríaca. — *Benjamim Boothroyd*

v. 4: "Deste um estandarte aos que te temem". Talvez a entrega de uma bandeira fosse estimada, nos tempos antigos, uma obrigação para proteção. O salmista considerou o fato sob essa luz, quando, em uma vitória obtida sobre os siros e os edomitas, depois que a situação política de Israel estivera em má situação, ele disse: "Fizeste ver ao teu povo duras coisas; fizeste-nos beber o vinho da perturbação. Deste um estandarte aos que te temem" (vv. 3 e 4). Em outras palavras, embora por um tempo entregaste Israel nas mãos dos inimigos, agora lhes dás a certeza de que os recebes sob a tua proteção. — *Thomas Harmer, 1715-1788, "Observations on Divers Passages of Scripture" [Observações sobre Diversas Passagens Bíblicas]*

v. 4: "Deste um estandarte aos que te temem, para o arvorarem no alto pela causa da verdade". Deste-nos pela recente vitória, depois de nossa situação de baixa, um estandarte (ou bandeira) de triunfo para erguer (segundo o original hebraico), por causa da tua fidelidade à tua promessa. Aqui, a "verdade" corresponde à "santidade" de Deus (v. 6). Assim que os soldados veem a bandeira arvorada no alto, reúnem-se em torno dela com confiança. Mas quando ela está abaixada, os ânimos e esperanças caem. A bandeira é garantia de segurança e ponto de encontro para os que lutam sob ela. — *A. R. Fausset*

v. 4: "Deste um estandarte aos que te temem, para o arvorarem no alto pela causa da verdade". O salmista compara o livramento, que o Senhor dá ao seu povo, a uma bandeira de alta excelência, que serve de sinal àquele que está prostrado na miséria que se levante, com referência talvez a Números 21.8: "E disse o SENHOR a Moisés: Faze uma serpente ardente e põe-na sobre uma haste; e será que viverá todo mordido que olhar para ela". De qualquer modo, a passagem na qual a serpente é símbolo do poder curativo de Deus, serve para ilustrar a passagem sob estudo (cf. "sara as suas fendas", v. 2). — *E. W. Hengstenberg*

v. 4: "Um estandarte" ("bandeira", NTLH), que é sinal ou instrumento:

(1) De união. Esse povo, que posteriormente foi dividido sob várias bandeiras, agora tu reúnes e unes sob uma bandeira, a saber, sob o meu governo.

(2) De batalha. Deste-nos um exército e poder para nos opor aos inimigos. Tivemos a nossa bandeira para levantar contra a deles.

(3) De triunfo. Não perdemos a nossa bandeira, mas ganhamos a deles e a levantamos em triunfo (cf. Sl 20.5). — *Matthew Pool, 1624-1679*

v. 6: "Deus disse na sua santidade", quer dizer, por Samuel ele prometeu que, como ele é Deus santo e fiel à sua palavra, eu serei o rei de todo o Israel. Agora ele cumpriu a promessa (2 Sm 5). Ainda que Calvino não considere a promessa como já cumprida, o curso da história deixa claro que Davi era agora o rei sobre as regiões das quais ele fala aqui.

"Repartirei a Siquém", como região sujeita a mim. Quando Josué tinha a terra sob sujeição, repartiu-a entre o povo. Assim Davi, que é rei sobre todas as regiões da terra, repartiu aos seus seguidores as determinadas regiões que lhes pertenciam por herança, das quais felizmente alguns tinham sido expelidos nos dias do reinado de Isbosete. Ou pode ser que algumas famílias no tempo dessas guerras foram totalmente extintas. Assim o rei teve poder livre para dispor das terras, distribuindo-as entre os seus homens e tomando uma parte para si. — *John Mayer, 1651*

v. 6: "Deus disse na sua santidade", quer dizer, Ele distribuiu da sua palavra desde o céu, a habitação da sua santidade e da sua glória. Ou quer dizer que ele com certeza a falou, não havendo nada mais que santidade na sua palavra (esta é a força das palavras). Tendo recebido essa palavra, Davi se mantém seguro de que, como Siquém, Sucote, Gileade, Manassés, Efraim e Judá se submeteriam de boa vontade a ele e lhe prestariam obediência, assim também lhe seriam subjugados Moabe, Edom e Filístia, que eram os seus inimigos confessos. Ele esperava conquistar e triunfar sobre eles, colocá-los nas mais baixas posições, como vassalos, porque Deus o decretara e falara na sua santidade. *Deus falou a palavra*, diz ele, *então será feito. Sim, está feito.* Por isso, Davi declarou: *Tudo é meu. Gileade é meu. Manassés é meu. Moabe e Edom são meus*, tão logo Deus falara a palavra. — *Joseph Caryl*

v. 6: "Repartirei a Siquém". É como se ele tivesse dito: Não procurarei ter a minha parte medida pelos outros, mas a repartirei, medirei a mim mesmo e serei o seu dono e possuidor certo. — *Thomas Wilcocks, 1536*

v. 6: "Repartirei a Siquém e medirei o vale de Sucote". De Siquém e do vale de Sucote ou tendas, assim chamado porque Jacó armara tendas para alimentar o gado dentro delas (ver Gn 33.17,18). Por estes se quer dizer Samaria. O fato de Davi reparti-los e distribuí-los é uma frase que expressa o domínio que ele tem sobre eles, sendo parte do poder real para dividir a província em cidades e regiões, e colocar juízes e magistrados nelas. A estes, a adição de Gileade (que contém toda a região de Basã, etc., do outro lado do Jordão) e a menção de Manassés e Efraim visam, como por tantas partes, denotar o reino de Israel ou as dez tribos. O fato de serem de Davi e da força da sua cabeça aponta que o seu Deus é sobre eles. Quando fala de fazer uso da força deles para as guerras dele diz respeito à defesa ou aumento dos domínios. "Judá [מְחוֹקְקִי] é o meu legislador" (v. 7) é como se referisse à profecia de Jacó sobre o cetro e legislador que não apartarão de Judá (Gn 49.10), denotando que é a tribo da linhagem do rei. Assim, o significado é o reino de Judá (sob o qual se subentende Benjamim), o qual Davi também possuía. — *Henry Hammond*

v. 6: "Sucote". Se as opiniões anteriores estiverem corretas, podemos confiar no resultado de que o atual *Sakut* representa o nome e local do antigo Sucote. [...] Passamos obliquamente ao longo do declive do norte da mesma ampla elevação, onde o solo estava coberto unicamente de uma densa safra de cardos. À direita, havia uma região de terreno mais baixo, ao qual descemos gradualmente. Estava cheio de relva, aveias selvagens e cardos, com um espinheiro ocasional. A terra era igual a das regiões baixas de Ohio. A relva, entremesclada com margaridas altas e aveias selvagens, alcançava o dorso dos cavalos, enquanto os cardos, às vezes, ultrapassavam a cabeça dos cavaleiros. Tudo estava seco agora. Em alguns lugares, era difícil avançar por causa do crescimento exuberante. Por fim, chegamos à causa da fertilidade: um límpido riacho que serpenteava a região mais baixa. Cruzamos o riacho e, de novo, passamos obliquamente ao longo de outra elevação igual, coberta, como antes, só de cardos. Encontramos um barril de óleo antigo, muito grande, formado de uma pedra única. Evidentemente foi trazido para cá, e indica que havia oliveiras nessas regiões. Achamos a nascente do riacho, chamada Ain el-Beida, uma fonte grande e boa cercada por jardins de pepinos e regava extensa área. Estávamos na ponta da parte mais alta do Gor, onde cumes baixos e elevações se projetavam do pé das montanhas ocidentais e formavam uma planície ou planalto contínuo, que é bem regada, arável e muito extensivamente usada para cultivar trigo. A área mais a leste, que havíamos acabado de cruzar, estendia-se até a margem alta do vale mais baixo do Jordão. É menos elevada, mais geralmente nivelada, embora seja atravessada por elevações baixas entre os cursos de água e tenha poucas lavouras. Os habitantes de Tubas são divididos em três grupos hostis. Levam as suas divisões para a agricultura no Gor. Um grupo cultiva as terras em Ain el-Beida, onde estávamos agora; o outro, ao redor de Ain Mak-huz, mais ao norte; e o terceiro, em Ridgá, Sacute e mais ao sul. Os habitantes de Teiasir também cultivam as terras ao sul do vádi de Mali, cujas águas são usadas para irrigação. Dizem que toda a região ao norte do vádi de Mali era cultivada pelo governo de um dos xeiques da família de Jenar, que vivia em Jeba e circunvizinhanças. Por ele, o cultivo se espalhou para as outras aldeias. — *Edward Robinson, "Biblical Researches in Palestine" [Pesquisas Bíblicas na Palestina], 1867*

vv. 6 e 7: Os lugares principais e importantes onde o grupo sedicioso fixou residência e domicílio eram os que o salmista mencionou nos versículos 6 e 7, ou seja, "Siquém", uma cidade da tribo de Efraim, "Sucote", uma cidade da tribo de Gade, "Gileade" e "Manassés", as regiões fronteiriças da terra de Canaã, do outro lado do rio Jordão. Esses eram alguns dos principais lugares que tomaram partido de Isbosete enquanto ele vivia, como lemos em 2 Samuel 2. Ao que parece, eles mantiveram-se leais à casa de Saul mesmo depois que ele morreu, não reconhecendo Davi como rei. — *John Brinsley*

v. 7: "Meu é Gileade e meu é Manassés", quer dizer, eu me apossarei deles e reinarei sobre eles, não como conquistador sobre escravos, mas como soberano sobre súditos, como um pai sobre filhos, possuindo e reconhecendo-os como meus. Eles são a minha herança e serão o meu povo, os meus súditos. — *John Brinsley*

v. 7: "Efraim é a força da minha cabeça". A forte e bélica tribo de Efraim estando para o estado o que o capacete é para os soldados na batalha. Ou, talvez, a alusão seja a Deuteronômio 33.17: "Ele tem a glória do primogênito do seu boi, e as suas pontas são pontas de unicórnio; com elas ferirá os povos". — *J. J. Stewart Perowne*

v. 7: "Judá é [ou será] o meu legislador", ou seja, todos os seus súditos são colocados sob o domínio de uma Cabeça, um governador, que lhes dará leis de acordo com as quais devem ser regidos ou governados, cujo poder e autoridade pertenciam à tribo de Judá, de acordo com a profecia de Jacó (Gn 49.10), à qual o salmista alude aqui. Não havia modo ou meio de unir as pessoas, de levá-las a formar um corpo, senão colocá-las sob o comando de uma cabeça, um legislador, por cujas leis fossem regidas e governadas. Hoje, na igreja e nas questões religiosas, essa Cabeça é Cristo, o chamado "Leão da tribo de Judá" (Ap 5.5). Ele é o Legislador da igreja e assim seja. Ele é o único meio de gerar unidade santa e religiosa, e de levar para casa as ovelhas desgarradas e desviadas. — *John Brinsley*

v. 7: "Judá é o meu legislador". Nenhum governo permaneceria se não estivesse residente em Judá. — *João Calvino*

v. 8: "Moabe é a minha bacia de lavar". Indica que Moabe será reduzido à escravidão, pois era trabalho de escravo apresentar a bacia de lavar ao seu senhor. Para os gregos, πλύνειν τινά, "lavar alguém com água" era um termo de gíria, que significava "ridicularizar", "abusar" ou "bater". Por conseguinte, o termo *bacia de lavar* era aplicado ao sujeito de tal tratamento. Aristófanes disse: "Você parece que não está no seu juízo perfeito, pois faz de mim uma bacia de lavar na presença de muitas pessoas". — *Thomas S. Millington, "The Testimony of the Heathen to the Truths of Holy Writ" [O Testemunho dos Pagãos das Verdades do Escrito Santo], 1863*

v. 8: "Sobre Edom lançarei o meu sapato". Quando, mantendo em vista a ideia de lavar os pés, a pessoa lança os sapatos que tirou para alguém a fim de que os guarde ou limpe (הִשְׁלִיךְ com עַל e também com אֶל, 1 Reis 19.19, é "lançar para alguém"), o indivíduo a quem pertence fazer essa função tem de ser um escravo da mais baixa qualidade. — *E. W. Hengstenberg*

v. 8: "Sobre Edom lançarei o meu sapato". Essa frase denota desprezo, como se ele tivesse dito: Olho para eles como dignos apenas de limpar e escovar os meus sapatos. Ou secundariamente, denota conquista, como se ele tivesse dito: Ando por Edom e o subjugarei. — *Joseph Caryl*

v. 8: "Sobre Edom lançarei o meu sapato". Por extensão, a emissão ou projeção do sapato sobre o pescoço da pessoa ou sobre o seu país, significa nada mais que vencer, sujeitar, dominar, pôr sob poder, possuir e submeter à vileza essa pessoa e esse país. A própria acepção comum da palavra *possessão,* no sentido gramatical, significa isso, pois a etimologia de *possessio* é nada mais que *pedum positio* (literalmente, cajado do imposto). Essa maneira de falar tem alusão à lei positiva registrada em Deuteronômio 25.6-10, pois a letra da lei é que se o parente não se casasse com a viúva do irmão para suscitar nome ao irmão, a viúva lhe descalçaria o sapato e lhe cuspiria no rosto, e assim ele perderia o direito e interesse de tais possessões pertinentes à mulher em relação ao marido. A casa de tal homem era chamada de *domus discalceati,* quer dizer, "a casa do descalçado" (Dt 25.10). A prática dessa lei está registrada no livro de Rute, no caso das terras de Elimeleque, entre Boaz e o parente remidor, em relação à viúva Rute, que tinha seus interesses por força do marido na dita terra. Além disso, o uso frequente dessa frase no livro de Deus torna o significado das palavras tão claro quanto o dia. Em outro texto, lemos o rei cantando os seus triunfos: "[...] caíram debaixo dos meus pés" (Sl 18.38). O Senhor determina: "Salvo Calebe, filho de Jefoné; ele a verá, e a terra que pisou darei a ele" (Deuteronômio 1.36). O Senhor adverte os israelitas: "Não vos entremetais com eles, porque vos não darei da sua terra, nem ainda a pisada da planta de um pé; porquanto a Esaú tenho dado a montanha de Seir por herança" (Dt 2.5). — *William Loe, "A Sermon Before the King at Theobalds" [Sermão Pregado na Presença do Rei no Palácio de Theobalds], intitulado "The King's Shoe, Made and Ordained to Trample On, and to Tread Down Enemies" [O Sapato do Rei, Feito e Ordenado para Pisar e Esmagar com os Pés os Inimigos], 1623*

v. 8: "Sobre Edom lançarei o meu sapato". Turno, tendo matado Palas, "subiu no cadáver e o comprimiu com os pés". — *Virgílio*

v. 8: Sobre os filisteus, Davi diz: "Sobre a Filístia jubilarei". Em prol de um significado mais coerente, eu traduziria por "a Filístia é minha para eu me gloriar". — *Hermann Venema*

v. 8: "Sobre a Filístia jubilarei". Não triunfem os nossos adversários sobre as nossas fendas: "Não jubiles contra mim, ó inimigo meu". Ou se eles jubilarem, que triunfem então: "Triunfa, Filístia, por causa de mim [ou sobre mim]". — *John Brinsley*

vv. 8 a 10: "Moabe é a minha bacia de lavar; sobre Edom lançarei o meu sapato; sobre a Filístia jubilarei". Moabe a leste, Edom ao sul e Filístia a oeste (o norte não é mencionado, porque o estandarte de Davi já fora vitorioso ali). — *Augustus F. Tholuck, 1856*

v. 9: "Quem me guiará até Edom?" A entrada de Petra é feita por uma passagem estreita entre penhascos altos, formada pelo canal de um regato. Esse desfiladeiro mede três quilômetros de extensão. Em alguns pontos, as pedras salientes aproximam-se tanto umas das outras que só dois cavaleiros podem passar lado a lado. — *Dr. Tweedie, "Ruined Cities of the East" [Cidades Arruinadas do Oriente], 1859*

v. 9: O crente, quando promete para si mesmo grandes coisas, não deve se esquecer das dificuldades da oposição, com as quais deparará, e da própria inabilidade em superar as dificuldades. Tem de estar ciente de ambas, confiando muito em Deus em busca de ajuda e meios para vencer. Quando Davi levou em conta a força das cidades muradas do rei-inimigo, ele disse: "Quem me conduzirá à cidade forte? Quem me guiará até Edom? Não serás tu, ó Deus"? — *David Dickson*

v. 11: "Porque vão é o socorro do homem". Como tinham recentemente experimentado com Saul, um rei da escolha deles, mas incapaz de livrá-los dos filisteus orgulhosos. — *John Trapp*

v. 11: Quando o sentimento e a razão encontram fundamento nas questões, não há lugar para a fé e a esperança. A abundância da ajuda humana não põe a graça à prova, mas a força da fé está na ausência deles todos. O homem é mais forte quando fica de pé sozinho do que, quando criança, ficava de pé por agarrar-se, ou, quando idoso, ficará de pé por apoiar-se em uma bengala. A fé e a esperança são dois pés que nos servem melhor quando estamos firmados unicamente na Rocha de Sião. — *William Struther, 1633*

v. 12: "Em Deus faremos proezas; porque ele é que pisará os nossos inimigos". Na guerra, estes dois elementos devem estar unidos e, na verdade, estar unidos em todas as ações: Ele e nós; Deus e o homem.

(1) "Em Deus faremos proezas", porque Deus não ajuda os desleixados, ou covardes, ou negligentes.

(2) Contudo, tendo feito essa parte, o trabalho é de Deus: "Ele é que pisará", o golpe e a vitória não são atribuídos a nós, mas a ele. — *Adam Clarke*

SUGESTÕES AOS PREGADORES

v. 1. Oração de uma igreja em má situação: (1) Queixa: (a) Saída do Espírito de Deus. (b) Espalhamento. (2) Causa: (a) Algo que desagrada a Deus. (b) Relaxo ou pecado. (b) Assunto para exame de consciência. (3) Cura: (a) A volta do Senhor para nós e a nossa volta para Ele. (b) Nas versões atuais é uma oração, mas na Septuaginta é uma expressão de fé: "Tu te voltarás para nós".

v. 2. (1) A perturbação. (b) A oração. (c) O argumento. — *George Rogers*

v. 3. (1) Deus aflige o seu povo severamente. (2) Deus tem boas razões para afligir o seu povo severamente.

v. 3. "O vinho da perturbação." É um purgante, um fortificante. Pecado perturbador seguido por: (1) Castigos perturbadores. (2) Descobertas de corrupção, da espiritualidade da lei, do terror da ira divina. (3) Depressões, tentações e conflitos perturbadores.

v. 4. O estandarte do evangelho: (1) Por que um estandarte? (a) É ponto de reunião. (b) É motivo para lutar. (2) Quem dá o estandarte: Tu. (3) Para quem Ele dá o estandarte: "Aos que te temem". (4) O que será feito com o estandarte: "Para o arvorarem no alto". (5) Pela causa de quê: "Pela causa da verdade". A verdade promove a verdade.

v. 5. A salvação dos eleitos ("os teus amados") requer: (1) Um Deus livrador: "Sejam livres". (2) Um Deus salvador: "Salva-nos". (3) Um Deus poderoso: "A tua destra". (4) Um Deus que ouve a oração: "Ouve-nos".

v. 5. "Salva-nos... e ouve-nos". A ordem extraordinária dessas palavras mostra que a salvação de Deus precede a oração do homem: (1) No propósito de Deus. (2) Nas primeiras obras da graça. (3) Muitas vezes nas provações. (4) Sobretudo nas fortes tentações.

v. 6. (1) A santa promessa de Deus. (2) A razão para a alegria. (3) A razão para tomar posse do bem ousadamente prometido.

v. 7. "Meu é Gileade e meu é Manassés." Como e em que aspecto esse mundo é dos cristãos.

v. 7. "Judá é o meu legislador." Os crentes não possuem outra lei senão a que vem de Cristo.

v. 8. "Moabe é a minha bacia de lavar." O que fazer para tornar os pecadores servis à nossa santificação. Os pecados e castigos dos pecadores nos servem de advertência. Título sugestivo: "Moabe é a minha bacia de lavar", in: "Spurgeon's Sermons" [Sermões de Spurgeon], n. 983.

v. 9. A questão dos ganhadores de almas: (1) O alvo do ataque: A cidade forte do coração do homem, que está barricada pela depravação, ignorância, preconceito, costume. (2) O principal objetivo: Penetrar e tomar a fortaleza para Jesus. (3) A grande investigação: Eloquência, aprendizagem, inteligência não podem forçar a porta, mas há Alguém que pode.

v. 12. A operação divina é motivo para a atividade humana.

SALMO 61

TÍTULO

Salmo de Davi para o cantor-mor, sobre Neguinote. O original hebraico indica que os hinos e o instrumento musical eram de Davi. Ele escreveu os versos e ele mesmo os musicou com o instrumento de cordas, cujo som ele tanto amava. Já comentamos salmos intitulados de *mictão*, mas neste, mesmo que o nome de ouro esteja faltando, veremos que o significado é muito precioso. Já vimos o título deste salmo nos Salmos 4, 6, 54 e 55. Aqui, porém, a diferença é que a palavra está no singular. O salmo em si é muito pessoal e bem adaptado para a prática devocional particular de um único indivíduo.

ASSUNTO

Este salmo é uma pérola. É pequeno, mas precioso. Deu palavras para muitos enlutados, quando a mente não conseguia verbalizar os sentimentos. Foi evidentemente composto por Davi depois que ele subiu ao trono (v. 6). O versículo 2 nos leva a crer que foi escrito durante o exílio forçado do salmista do tabernáculo, que era a morada visível de Deus. Se foi, é adequado propor o período da rebelião de Absalão como a data da autoria davídica, e Delitzsch está correto em intitulá-lo de *Oração e Ação de Graças de um Rei Expulso no Caminho de Volta ao Trono.*

DIVISÃO

Poderíamos dividir os versículos de acordo com o sentido, mas é preferível seguir o próprio arranjo do autor e fazer uma interrupção na ocorrência única da palavra *selá*.

EXPOSIÇÃO

1 *Ouve, ó Deus, o meu clamor; atende à minha oração.*
2 *Desde o fim da terra clamo a ti, por estar abatido o meu coração. Leva-me para a rocha que é mais alta do que eu,*

3 *pois tens sido o meu refúgio e uma torre forte contra o inimigo.*
4 *Habitarei no teu tabernáculo para sempre; abrigar-me-ei no oculto das tuas asas. (Selá)*

1. *"Ouve, ó Deus, o meu clamor."* Davi estava em terrível apuro. Gritou, ergueu a voz bem alto. Não ficou, porém, contente com a expressão da necessidade. Dar vazão às tristezas não lhe foi suficiente. Quer a audiência dos céus e o socorro manifesto. Os fariseus descansam nas orações; os verdadeiros crentes ficam ávidos pela resposta às orações. Os ritualistas podem se satisfazer quando dizem ou cantam as ladainhas e as coletas, mas os filhos vivos de Deus nunca descansam até que as súplicas tenham entrado nos ouvidos do Senhor Deus dos Exércitos.

"Atende à minha oração." Dá a tua consideração e resposta tal que a tua sabedoria julgue adequada. Quando chega a hora de clamarmos, não duvidemos de que seremos ouvidos por Deus. O nosso Pai celestial não fica insensível diante dos clamores dos seus próprios filhos. Que pensamento consolador é saber que o Senhor ouve a toda hora o clamor do seu povo e nunca se esquece das orações que lhe fazem. Se tudo o mais não o comover, o fôlego gasto em oração nunca é em vão!

2. *"Desde o fim da terra clamo a ti."* Ele foi banido do lugar que concentrava o seu prazer e, ao mesmo tempo, a mente estava em condição depressiva e melancólica. De fato e figurativamente, ele era um pária, mas não deixa de orar. Pelo contrário, acha na situação razão para clamores mais altos e mais inoportunos. Estar ausente do lugar de culto a Deus era antigamente motivo de tristeza dolorida para os santos. Olhavam para o tabernáculo como o centro do universo e consideravam-se estar no fim do mundo quando não podiam mais frequentar o santuário sagrado. O coração ficava intensamente triste como em terra estrangeira quando eram banidos das solenidades santas. Contudo, até eles sabiam muito bem que não há lugar inadequado para a oração. O mundo pode acabar, mas a devoção não tem fim. No crepúsculo da criação, podemos invocar o Senhor, pois mesmo então ele nos ouve. Não há lugar triste demais, nem situação deplorável demais. Quer seja no fim do mundo ou no fim da vida, a oração é igualmente acessível. Em certas circunstâncias, orar requer decisão. É o que o salmista expressa quando diz: "clamo". Foi uma decisão sábia, pois tivesse deixado de orar ele teria se tornado vítima do desespero. Há um fim para o homem quando ele dá um fim para a oração. Observe que Davi nunca sonhou em buscar outro Deus. Nunca imaginou que o domínio do Senhor fosse local. Estava no fim da terra prometida, mas sabia que ainda estava no território do grande Rei. É somente a ele que ele faz súplicas.

"Por estar abatido o meu coração." As ondas enormes das dificuldades vieram sobre mim e me levaram ao fundo, cobrindo-me não só a cabeça, mas também o coração. É difícil orar quando o coração está se afogando, contudo os homens, pela graça, suplicam melhor nestas circunstâncias. A tribulação nos leva a Deus e traz Deus para nós. Os maiores triunfos da fé são alcançados nas mais ferrenhas provações. Tudo está tudo em cima de mim. A aflição está totalmente em cima de mim. Envolve-me como nuvem. Engole-me como mar. Fecha-me dentro de densas trevas. Todavia, Deus está perto, perto o suficiente para ouvir a minha voz. Chamarei a ele. Não são palavras valorosas? Note como o salmista fala com o Senhor, como se soubesse que estava sendo ouvindo em seu clamor a ele. A oração movida pela angústia é semelhante a chamar um amigo distante. A fé íntima tem no coração conversas silenciosamente sussurrantes com o Senhor, a alguém que seguramente é a nossa ajuda muito presente.

"Leva-me para a rocha que é mais alta do que eu." Vejo-te como o meu refúgio seguro e forte, mas infelizmente estou confuso e não te acho. Sou fraco e não consigo subir em ti. És tão firme, guia-me. És tão alto, eleva-me. Há uma mina de significados nesta curta oração. Ao longo da costa rochosa do litoral norte da Inglaterra, vidas são perdidas, porque as pedras são inacessíveis ao marinheiro náufrago. Certo ministro evangélico de uma das cidadezinhas litorânea talhou com

imensa dificuldade degraus da costa a uma caverna grande que escavou no íngreme penhasco calcário. Desde então, muitos marinheiros têm sido salvos. Escalam a rocha outrora inacessível e safam-se. Tivemos, porém, notícias recentes dizendo que os degraus se desgastaram pela ação erosiva das tempestades, e que pobres marinheiros têm perecido miseravelmente olhando o refúgio que não puderam alcançar, pois estava muito alto para eles. Há quem sugira cravar escoras de ferro e pendurar uma escada de corrente para que os marinheiros náufragos cheguem às cavernas na rocha. A ilustração é auto-interpretativa. A experiência nos leva a entender muito bem este versículo, pois era o que aconteceu conosco quando estávamos em tal assombro de alma por causa do pecado. Embora soubéssemos que o Senhor Jesus é uma salvação segura para os pecadores, não podíamos ir a ele por causa das muitas dúvidas e maus pressentimentos. Um Salvador nos teria sido inútil se o Espírito Santo não nos tivesse conduzido suavemente a ele e nos capacitado a descansar nele. Hoje sentimos que não só queremos uma rocha, mas desejamos ser levados a ela. Em vista disso, tratamos com muita brandura as orações um tanto quanto incrédulas dos crentes despertados, pois no seu estado de confusão não podemos esperar que de um momento para o outro deem clamores de fé total. O descrente deve crer imediatamente em Jesus, mas é legítimo o crente pedir ser levado a Jesus. O Espírito Santo efetua tal condução, e o faz mesmo que o coração esteja à beira do desespero.

Como a salvação de Deus está em posição infinitamente mais alta do que nós. Somos baixos e rastejantes, mas a salvação ergue-se como um rochedo alto acima de nós. Esta é a sua glória. O nosso prazer é quando subimos na rocha e afirmamos nosso interesse nela. Mas enquanto estamos tremulamente subindo, a glória e sublimidade da salvação nos escandaliza e percebemos que somos muito indignos de participarmos dela. Por conseguinte, somos levados a clamar por graça sobre graça, vendo como somos dependemos de tudo, não só do Salvador, mas do poder para crer nele.

3. *"Pois tens sido o meu refúgio."* Observe como o salmista ecoa as mudanças: Se Deus tem sido, então eu serei (vv. 3-6). A experiência é a pajem da fé. Reunimos argumentos do passado para a confiança do presente. Muitas e muitas vezes as perseguições de Saul e os perigos da batalha ameaçaram a vida de Davi, e só por milagre ele escapou. Contudo ele ainda estava vivo e ileso. É do que ele se lembra e lhe enche de esperança.

"E uma torre forte contra o inimigo." Davi habitava como em um forte inconquistável, porque estava envolto pela onipotência. É imensamente agradável lembrarmos as benignidades do Senhor que nos fez em dias anteriores, porque ele é imutável. Portanto, continuará guardando-nos de todo o mal.

4. "Habitarei no teu tabernáculo para sempre." Permite-me voltar logo para os teus átrios, e nada conseguirá me expulsar dali novamente. Mesmo agora, em meu banimento, o meu coração está lá. Sempre continuarei cultuando a ti em espírito onde quer que a minha sorte me lance. Talvez a palavra "tabernáculo" tenha aqui o significado de local da residência de Deus. Neste caso, o sentido é: Habitarei com o Senhor, desfrutando da sua hospitalidade sagrada e proteção segura.

Ali encontro descanso certo
Enquanto os outros entram e saem
Não mais como estranho ou convidado
Mas como filho em casa

Quem comunga com Deus sempre está em casa. A onipresença divina envolve a pessoa conscientemente. A fé vê ao redor o palácio do Rei, no qual entra com segurança exultante e prazer transbordante. Felizes os servos que servem em recinto fechado, pois não saem da presença do Rei. Os rachadores de lenha e os buscadores de água nas tendas de Jeová são mais dignos de inveja do que os príncipes que se revoltam nos pavilhões dos reis. O melhor de tudo é que a nossa residência com Deus não é por um período limitado de tempo, mas por muito tempo — sim, pelos séculos dos séculos, para sempre e pela eternidade. Este é o nosso mais alto e mais divino privilégio: "Habitarei no teu tabernáculo para sempre".

"Abrigar-me-ei no oculto das tuas asas." O cantor usa muitas vezes esta ilustração. É muito melhor repetir uma imagem hábil e instrutiva do que, em prol da novidade, revirar a criação em busca de metáforas pobres e cansativas. Os pintinhos embaixo da galinha estão seguros, confortáveis e felizes! Como estão quentinhos pelo aconchego da mãe! Como são macias as suas plumagens! A condescendência divina permite que apliquemos o quadro a nós mesmos. Que bênção instrutiva e consoladora! Para termos mais confiança, não podemos ser muito implícitos. Um abrigo como esse nos convida ao mais permanente descanso.

"Selá." Quando chegamos a este ponto, podemos, sim, descansar. Até a harpa fica eloquentemente silenciosa quando a paz profunda e densa enche o coração, e a tristeza chorosa pega num sono tranquilo.

5 *Pois tu, ó Deus, ouviste os meus votos; deste-me a herança dos que temem o teu nome.*
6 *Prolongarás os dias do rei; e os seus anos serão como muitas gerações.*
7 *Ele permanecerá diante de Deus para sempre; prepara-lhe misericórdia e verdade que o preservem.*
8 *Assim, cantarei salmos ao teu nome perpetuamente, para pagar os meus votos de dia em dia.*

5. *"Pois tu, ó Deus, ouviste os meus votos."* As provas da fidelidade divina têm de ser mantidas na memória e mencionadas para a honra do Senhor. A oração do versículo 1 recebe resposta certa por causa da experiência do versículo 5, visto que lidamos com um Deus imutável. É correto juntar "votos" às orações quando são legítimos, bem-ponderados e verdadeiramente para a glória de Deus. É grande misericórdia da parte de Deus dar atenção a votos e promessas de criaturas incrédulas e enganosas como nós. O que lhe prometemos já lhe é devido. Todavia, ele concede aceitar os votos como se não fôssemos os seus servos tanto quanto os seus livres suplicantes que poderiam dar ou reter como bem quiséssemos.

"Deste-me a herança dos que temem o teu nome." Somos feitos herdeiros, co--herdeiros com todos os santos, participantes da mesma porção. Alegremo-nos e deleitemo-nos com isso. Se sofremos, é a herança dos santos. Se somos perseguidos, estamos na pobreza ou em tentação são situações contidas nos títulos de propriedade da herança dos eleitos. Aqueles com quem temos de almoçar estejamos contentes em jantar com eles. Temos a mesma herança que o Primogênito, o que mais podemos querer? Os santos temem o nome de Deus. São adoradores reverentes. Respeitam profundamente a autoridade do Senhor. Têm medo de pecar contra ele. Sentem a própria insignificância à vista do Infinito. Compartilhar com tais homens, ser tratado por Deus com o mesmo favor que ele dá para eles é motivo ação de graças infinita. Todos os privilégios de todos os santos também são o privilégio de cada um.

6. *"Prolongarás os dias do rei"*, ou melhor, *"dias aos dias do Rei tu acrescentarás"*. A morte ameaçou, mas Deus guardou o seu amado. Davi, tendo em vista os muitos perigos pelos quais passou, desfrutou um reinado longo e próspero.

"E os seus anos serão como muitas gerações." Viveu e viu geração após geração. Nos descendentes, viveu como rei por um período muito longo. A sua dinastia continuou por muitas gerações. Em Cristo Jesus, a sua semente e filho, Davi reina espiritualmente para sempre. Aquele que começou ao pé da rocha, meio afogado e quase morto, é levado ao ápice e canta como sacerdote no tabernáculo, rei que reina para sempre com Deus e profeta que prediz coisas boas por vir (v. 7). Veja o poder enaltecedor da fé e da oração. Não há ninguém que esteja em tão baixa situação que ainda não possa ser conduzido para o alto.

7. *"Ele permanecerá diante de Deus para sempre."* Embora seja verdade acerca de Davi em certo sentido modificado, preferimos entender que se refere ao Senhor Jesus como o descendente linear de Davi e o representante da descendência da realeza davídica. Jesus está entronizado diante de Deus na eternidade. Esta é a nossa segurança, dignidade e delícia. Reinamos nele; nele somos feitos assentar nas regiões celestiais. A reivindicação pessoal de Davi para assentar-se no trono para sempre é apenas um presságio do privilégio revelado de todos os verdadeiros crentes.

"Prepara-lhe misericórdia e verdade que o preservem." Como os homens clamam: "Longa vida ao rei", assim saudamos com aclamação o nosso entronizado Emanuel e clamamos: "Que a misericórdia e a verdade o guardem". O amor eterno e a fidelidade imutável são os guarda-costas do trono de Jesus. São os provedores e guardadores de todos os que nele são feitos reis e sacerdotes para Deus. Não podemos proteger a nós mesmos, e nada menos do que a misericórdia e a verdade divina podem nos proteger. E estes atributos divinos podem e nos protegerão, pois nem o menor do povo de Deus sofrerá a morte.

8. *"Assim, cantarei salmos ao teu nome perpetuamente."* Porque a oração foi respondida, o meu cântico será perpétuo. Porque Jesus está assentado para sempre à tua destra, o meu cântico será aceitável. Porque sou preservado nele, o meu cântico será agradecido. Davi dera expressão vocal à oração por um clamor. Agora, dará expressão vocal ao louvor por um cântico. Tem de haver um paralelo entre as nossas súplicas e os nossos agradecimentos. Não devemos pular a oração, nem vacilar no louvor. O voto para celebrar o nome divino "perpetuamente" não é uma extravagância hiperbólica, mas a graça e glória nos capacitará a cumpri-lo ao pé da letra.

"Para pagar os meus votos de dia em dia." A Deus que acrescenta dias aos nossos dias dedicaremos todos os nossos dias. Fazemos votos que louvaremos perpetuamente, e desejamos louvá-lo sem interrupção. Cultuamos a Deus *de die in diem*, "de dia em dia", de um dia ao outro, indo em frente sempre conforme os dias vão avançando. Não pedimos férias desta missão divina. Não fazemos pausa nesta atividade sagrada. Deus cumpre diariamente as suas promessas, cumpramos diariamente os nossos votos. Ele cumpre a sua parte no trato, não esqueçamos da nossa. Bendito seja o nome do Senhor desde agora e para sempre.

NOTAS EXPLICATIVAS E DECLARAÇÕES IMPORTANTES

O Título: Podemos entender que a palavra *N^{e}gînâ* (singular de *N^{e}gînôt*) é sinônimo de *kinnôr*, "harpa", ou seja, instrumento de oito cordas, tocado com arco ou plectro. — *John Jebb*

v. 1: "Ouve, ó Deus, o meu clamor; atende à minha oração". Tomás de Aquino disse que alguns estudiosos entendem as palavras assim: *Intende ad cantica mea*, "atende às minhas canções". Esta interpretação é segura, pois a palavra hebraica, רָנָּה (*rānâ*), que significa "gritar" ou "berrar de alegria", denota que as orações dos santos são como canções agradáveis e cantigas deliciosas aos ouvidos de Deus. Não há alegria, nem música que nos seja tão prazerosa quanto as orações dos santos são aprazíveis a Deus (Ct 2.14; Sl 141.2). — *Thomas Brooks, 1608-1680*

v. 1: "O meu clamor". Há um texto em Jó que fala desaprovadoramente dos "hipócritas de coração", porque, "agrilhoados por Deus, não clamam por socorro" (Jó 36.13, ARA). Gosto de saber que o filho castigado de Deus não precisa se fazer de forte, mas deve, sob a vara, sentir e clamar, sem um único pensamento rebelde. — *Mary B. M. Duncan, 1825-1865*

vv. 1 e 2: Um clamor chama outro: "Ouve [...] o meu clamor", "atende à minha oração" (contudo nenhuma palavra é mencionada). "Desde o fim da terra clamo a ti" (v. 2). Ele havia clamado, então clamará repetidas vezes. Como as ondas da tentação de vez em quando lhe calavam a boca e o interrompiam, agora ele vez ou outra espiava por sobre as águas para tomar fôlego e clamar: "Leva-me [ou guia--me, ou carrega-me] para a rocha que é mais alta do que eu". — *Thomas Cobbet, 1608-1686, "Prayer" [Oração]*

v. 2: "Desde o fim da terra." Estas palavras podem ser entendidas de dois modos: *naturalmente*, é alusão a homens que estão muito longe e fora do âmbito de serem ajudados, socorridos e consolados; e, se me permito dizer, *eclesiasticamente*, com referência ao templo de Deus, que ficava *"in medio terrae"*, "no meio e centro da terra", onde Deus manifestava e dava provas da sua presença e favor gracioso. É como se ele tivesse dito: "Estou no fim do mundo. Longe de sinais, evidências ou manifestações do amor e favor de Deus, como também de ajuda e assistência externa. — *John Owen, 1616-1683*

v. 2: "O fim da terra." Que lugar era este "fim da terra", ao qual o escritor do salmo alude? Sabemos que o centro do afeto e devoção dos israelitas piedosos era a "cidade santa, Jerusalém, para onde as tribos subiam, as tribos do Senhor, a fim de testemunhar de Israel e dar graças ao nome do Senhor". Para os judeus, o país do qual esta cidade era a capital, era o mundo. Era o mundo dentro do mundo, a terra dentro da terra. Para os judeus, o restante do globo era um desperdício, um lugar fora do mundo, um território extraterrestre, fora dos limites estabelecidos pelo Deus Todo-poderoso. Nas Santas Escrituras, o que é chamado de mundo ou terra, significa muitas vezes apenas a parte que era a herança do povo escolhido. [...] "O fim da terra", conforme referido pelo salmista, significa qualquer lugar de ausência física do templo, onde a deidade tinha tomado domicílio especial, ou qualquer lugar de onde os afetos espirituais do salmista não podiam alcançar o templo. Conforme referido por nós, a expressão significa a distância que sentimos de Deus, pois como Deus é o centro da vida, esperança, amor e alegria, a distância dele, em qualquer grau, é o antípoda da alma, uma região de esterilidade e escuridão. É a Islândia do espírito do homem. — *Alfred Bowen Evans, 1852*

v. 2: "Clamo a ti." Há nesta expressão o empenho em aproximar-se de Deus, como você faz quando chama alguém que você vê a distância e tem medo de que se afaste ainda mais de você. É grande obra de fé clamar a Deus, a distância, quando você está com medo de que na próxima vez ele esteja fora de vista. Clamar ao Senhor indica que está se retirando ou partindo. — *John Owen*

v. 2: "Clamo." Pouco importa o quanto a oração seja abrupta, é a representação do nosso coração. Foi o que Davi fez. Onde ele ora? No banimento. Quando? Quando o espírito está "abatido". Como ele ora? Ele clama. Assim Ana orou em um estado de espírito contido. Não esqueça de que a resignação é obra do Espírito de Deus. Portanto, você tem de clamar antes de ser resignado. — *John Singleton, 1706, "The Morning Exercises" [Os Exercícios Matutinos]*

v. 2: "Clamo". O clamor é substituto do falar. É também a expressão de ardor. — *William Jay, 1769-1853*

v. 2: "Por estar abatido o meu coração." Os problemas são de diversos tipos: provocadores, atormentadores, complicados e avassaladores. Seja qual forma eles assumem, são problemas, e fazem parte do desgaste da vida. [...] Os problemas avassaladores são tamanhos a ponto de abater o homem, da mesma forma que as fortes ondas do oceano sobrepujam e submergem as areias. São problemas que, por assim dizer, mantêm uma luta de vida e morte conosco. São dificuldades que nos deixariam em ruínas abandonadas. São sofrimentos que entram em conflito conosco na flor da nossa juventude, que se engalfinham conosco por nossa saúde e força, e ameaçam nos conquistar por força bruta, pouco importando a bravura com que combatemos. São problemas assim que o salmista conhecia. — *Philip Bennett Power, "'I Wills' of the Psalms" [Os "Eu Vous" dos Salmos], 1861*

v. 2: "Coração." Este texto fala que o coração está abatido ou, conforme pode ser traduzido, "coberto em excesso". Está sufocado, incapaz de desempenhar suas funções com ação própria, impossibilitado de bombear sangue para as mãos e pés a fim de que tenham a necessária vitalidade e poder para executarem os movimentos necessários. Quando a ação do coração é paralisada, mesmo temporariamente, passa para todas as partes uma insensibilidade que envia vibrações frias por cada membro. Satanás sabe disso. Por isso, todos os seus procedimentos são procedimentos relacionados ao coração, esforços para paralisar a própria fonte de vida. É exatamente o que experimentamos. Sentimos a morte parcialmente em nós. Percebemos um entorpecimento progressivo do coração, uma diminuição gradativa na velocidade das batidas, um encerramento gradual e um peso que o aperta. Este era o processo de abatimento do coração do salmista. — *Philip Bennett Power*

v. 2: "Leva-me para a rocha que é mais alta do que eu." A "torre forte" (v. 3) é, no Salmo 18.2, uma "torre alta" (NVI; "alto refúgio", ARC). A "rocha" que no Salmo 18.2 é um "rochedo", aqui é uma rocha alta, uma "rocha que é mais alta do que eu". Há uma maneira de subirmos nas mais altas torres: usando uma escada de mão. É como vencemos os altos muros das torres. Esta torre e rocha eram muito altas para o próprio Davi subir. Por isso, ele utiliza uma escada de mão. "Leva-me para a rocha" e para a torre que são mais altas do que eu. "Ouve, ó Deus, o meu clamor; atende à minha oração" (v. 1). Ele torna a oração uma escada de mão para subir na rocha e na torre que, caso contrário, teriam sido muito altas para ele. Recebe a segurança e livramento que, não fora pela oração a Deus, lhe teriam sido impossíveis de obter. — *Jeremiah Dyke, 1620*

v. 2: "Leva-me para a rocha que é mais alta do que eu." As palavras são muito extraordinárias. Dão-nos a ideia de um homem sofrendo naufrágio. O navio no qual navegava afundou. O náufrago foi agarrado pelo oceano poderoso, e está esbofeteando as ondas, lutando pela vida, desejando ar ardentemente, a ponto de quase entregar tudo a perder. De repente, vê uma rocha que se ergue diante dele. Se ao menos pudesse encontrar uma base para apoiar os pés e subir ao topo, as ondas não o alcançariam e ele estaria seguro. A oração em nosso texto é o clamor daquele pobre infeliz que pede ajuda. Está tão esgotado e exausto, que não pode alcançar a pedra sozinho. Grita bem alto pela mão amiga de alguém mais forte do que ele, ou por uma corda que lhe fosse arremessada por aqueles que já estão seguros na rocha, para que por esta ou outra ajuda ele conseguisse salvar-se. "Leva-me para a rocha", grita o infeliz que está morrendo. "Leva-me, guia-me, dirige-me a ela, porque estou muito exausto e esgotado para alcançar. Estou quase morrendo. Estou a ponto de afundar para não ser mais visto para sempre, se não houver ninguém que me ajude." Assim ele clama por alguém que o salve de afogar-se e o coloque na "rocha". Mas que rocha? Ele sabe que a menos que a rocha seja alta, ele não estará em segurança, ainda que esteja em cima dela. "A rocha", diz ele, "tem de ser mais alta do que eu, ou as ondas me alcançarão e me derrubarão ao mar novamente". Não é uma rocha, cujo topo se mostre acima do mar com altura não maior que a do homem, que salvará a vida do marinheiro náufrago. Uma rocha assim pode ser alvissareira, mas não oferece ajuda para os sofredores. É uma rocha que deixa a pessoa cair de volta ao mar destrutivo, em vez de mantê-la firme em segurança. "Leva-me para a rocha", ou como está na versão do Livro de Oração: "Põe-me na rocha que é mais alta do que eu!" (cf. NVI). [...] Tendo-nos mostrado o perigo do pecado, o texto não nos deixa sem consolação. Mostra-nos a segurança do refúgio. Já comentamos que a oração de Davi, como homem náufrago, era para que fosse levado e posto na rocha que é mais alta do que ele. A expressão denota muitas coisas. A rocha que é mais alta do que ele tem de ser mais alta do que qualquer homem, pois Davi era monarca poderoso. Com isso, ele dá a entender que o refúgio que ele buscava tinha de ser mais do que o "braço de carne" podia dispor. Tinha de ser divino. — *Condensado de um sermão pregado por Fountain Elwin, 1842*

v. 2: É mais a imagem de alguém colhido pela maré, que corre para ficar fora do alcance, mas que a cada passo percebe que está chegando mais perto. Ele ouve o rugido bravio, a areia solta que afunda debaixo dos pés a cada pisada dada. Mais alguns passos e as ondas o envolverão completamente. O desespero abateu-lhe o coração.

Até que, nas profundezas da agonia, ele vê uma ponta de rocha sobressaindo acima das ondas. *Se eu alcançá-la, estarei salvo*, pensa ele. Então ocorre o grito, o berro de agonia àquele que é poderoso para salvar: "Leva-me para a rocha que é mais alta do que eu". É o clamor do pecador ao Salvador do pecador! — *Barton Bouchier, Mestre em Ciências Humanas, "Manna in the Heart" [Maná no Coração], ou "Daily Comments on the Book of Psalms" [Comentários Diários sobre o Livro dos Salmos], 1855*

v. 2: "Leva-me para a rocha." Para estarmos sobre a rocha e desfrutarmos do fato, teremos de depender da mão de alguém. Essa mão pode fazer tudo por nós, até nos piores tempos. Quando formos encobertos pelas ondas salgadas que nos agridem os olhos, sacudindo o cérebro de modo a impossibilitar talvez o pensamento, muito menos fazer esforços contínuos, há uma mão que pode nos levar, nos tirar das águas, firmar os nossos pés na rocha. Será que já experimentamos o poder e a ternura dessa mão? Pode ser que, no caso do leitor, as ondas, quando se apoderaram da vítima, viram-na sobrenaturalmente arrancada delas para que fosse posta na rocha, imóvel entre todas as águas e apta entre todas as tempestades! — *Philip Bennett Power*

v. 2: "A rocha que é mais alta do que eu." A rocha da nossa salvação é mais alta do que nós. Esta é a apresentação da deidade de Cristo, a Rocha, pois neste atributo ele é mais alto do que nós. A menos que ele fosse mais alto, visto que ele é Deus, não poderia ser Salvador, pois ele é "Deus justo e Salvador" (Is 45.21). Um ser não mais alto do que nós ou apenas um pouco mais alto, como os anjos (porque somos "pouco menor do que" eles, Sl 8.5), embora servisse para nos ensinar, ou nos exortar, ou nos consolar, nunca poderia nos salvar. A vítima está nas mãos do poderoso, e só o Todo-poderoso é mais poderoso. Mas uma rocha não só é alta, mas profunda, não só se ergue acima das ondas, mas a base está fixa no leito do oceano: "Porventura, alcançarás os caminhos de Deus ou chegarás à perfeição do Todo-poderoso? Como as alturas dos céus é a sua sabedoria; que poderás tu fazer? Mais profunda é ela do que o inferno; que poderás tu saber? Mais comprida é a sua medida do que a terra; e mais larga do que o mar" (Jó 11.7-9). Esta é a humanidade daquele que é a Rocha, a humanidade pela qual ele desceu às profundezas, como também navegou triunfalmente sobre a superfície das águas. São as profundezas, sobre as quais Davi, falando por experiência, falou profeticamente sobre si. São as profundezas da nossa queda e degradação — a humanidade na qual ele desceu à sepultura, aos recessos do estado intermediário, e "pregou aos espíritos em prisão" (1 Pe 3.19). Esta é a nossa rocha, profunda e alta, a rocha da nossa salvação, para a qual aqueles cujos pecados os colocaram no "fim da terra", desejam ser levados para que achem um lugar de posição segura. Não temam os que sentem a amargura da distância de Deus, porque eles serão levados para perto dele. A costa para a qual eles são levados pode estar desolada, mas imediatamente em frente está o Paraíso de Deus. Nuvens e escuridão podem se juntar à base desta rocha da segurança, mas o sol eterno brilha no seu topo. — *Alfred Bowen Evans*

v. 2: "Mais alta." Um refúgio tem de ser *locus excelsissimus*. As suas casas baixas logo serão erguidas. Jesus Cristo é um lugar alto. Ele é tão alto quanto o céu. Ele é a escada de Jacó que liga a terra ao céu (Gn 28.12). Ele é alto demais para os homens, alto demais para os demônios. Não há ser criado que consiga subir estas paredes altas. — *Ralph Robinson, 1614-1655, "Christ All and in All" [Cristo Tudo e em Tudo]*

v. 4: "Habitarei no teu tabernáculo." Alguns estudiosos traduzem por: "Morará na tua tenda [ou pavilhão real]", tornando uma metáfora militar. Aqueles que estão na tenda do rei estão em maior segurança. Este sentido se ajusta bem com as palavras que complementam o versículo: "Abrigar-me-ei no oculto das tuas asas". — *John Trapp*

v. 4: "No oculto das tuas asas." Para quem entrasse no Santo dos Santos do tabernáculo, o objeto que mais se destacaria seriam as asas estendidas sobre o propiciatório. Debaixo desse abrigo e acima do propiciatório, Davi habitaria em plena e silenciosa confiança. — *C. H. S.*

v. 5: "Pois tu, ó Deus, ouviste os meus votos." Por essa época, tomei a consciência de que há um Deus que ouve e responde as orações. — *John Newton,* 1725-1807, *no seu diário*

v. 5: "Pois tu, ó Deus, ouviste os meus votos", quer dizer, as orações de Davi, que sempre eram feitas com votos. De fato, a oração que não contém votos é vazia. A oração é para que Deus dê misericórdia a você? Se for sincera, você fará votos de louvá-lo por isso e de servi-lo com isso. É para que ele guarde você de pecar? A menos que você entre em acordo com Deus, você fará votos como também orará a respeito. — *William Gurnall, 1617-1679*

v. 5: "A herança." A vida eterna é chamada de herança. Teodoreto observa: "A verdadeira herança é a vida eterna, acerca da qual Cristo disse para as ovelhas à sua direita: 'Vinde, benditos de meu Pai, possuí por herança o Reino que vos está preparado desde a fundação do mundo' (Mt 25.34). Esta herança o Senhor dá para aqueles isso o temem". Em Efésios 1.14, o Espírito é chamado de "o penhor da nossa herança". Em Colossenses 1.12, o apóstolo os exorta: "Dando graças ao Pai, que nos fez idôneos para participar da herança dos santos na luz". Sobre este versículo, temos o comentário de ouro de Crisóstomo, reiterado por Teofilacto. Ele chama de *herança* para mostrar que nenhum homem obtém o reino por boas obras, pois nenhum homem vive de forma a ser digno do reino, mas tudo é pela graça de Deus. Portanto, ele diz: "Quando fizerdes tudo o que vos for mandado, dizei: Somos servos inúteis, porque fizemos somente o que devíamos fazer" (Lc 17.10). — *John Casper Suicer,* 1*620-1684, "Thesaurus" [Dicionário de Sinônimos], 1728*

v. 6: "Prolongarás os dias do rei; e os seus anos serão como muitas gerações." Não podemos considerar que Davi usou estas palavras de congratulação com referência exclusiva a si. É verdade que ele viveu no auge dos anos dourados e morreu cheio de dias, deixando o reino estabelecido e nas mãos do filho que o sucedeu. Mas ele não excedeu o período da vida humana, cuja maior parte foi gasta em perigos continuados e ansiedades constantes. Não há dúvida de que a série de anos e até de séculos dos quais ele fala, estende-se prospectivamente à vinda de Cristo. Foi para a própria condição do reino, como observei muitas vezes, que Deus os mantivesse como povo sob o comando de um chefe, ou, quando espalhados, ele os unisse novamente. A mesma sucessão ainda subsiste em referência a nós. No fim dos tempos, Cristo tem de ser visto como vivendo nos crentes. É a isto que Isaías alude quando diz: "Quem contará o tempo da sua vida?" (Is 53.8). Com estas palavras, ele prediz que a igreja passará por todas as épocas e séculos, a despeito do incessante perigo de destruição, à qual está exposta pelos ataques dos inimigos e pelas muitas tempestades que a assolam. Portanto, Davi está predizendo a sucessão ininterrupta do reino até ao tempo de Cristo. — *João Calvino*

v. 6: "Os dias do rei; e os seus anos." Davi fala propositadamente dos dias do "rei" em vez de falar dos seus próprios dias, como esperaríamos pelo que acabara de dizer. A sua intenção é mostrar que ele considerou a promessa do domínio eterno como algo não relacionado pessoalmente a ele, mas à família — a família real de Davi. — *E. W. Hengstenberg*

v. 7: "Prepara-lhe misericórdia." Tendo declarado em seu favor o propósito de Deus para com ele em relação à salvação eterna, "ele [Davi] permanecerá diante de Deus para sempre". Com isso, ele quer dizer o que terá de passar nesta vida e o que será necessário para guardá-lo até ao fim e, portanto, "para sempre", acrescentando logo após, à guisa de oração: "Prepara-lhe misericórdia e verdade que o preservem". É como se ele tivesse dito: Tenho ainda uma longa jornada a fazer e muitos perigos a passar, mas a tua promessa é que eu permanecerei diante de ti para sempre. Senhor, tu armazenaste provisões e de antemão preparaste abundância de misericórdia e verdade para preservar-me durante o tempo por vir. — *Thomas Goodwin, 1600-1679*

v. 8: "Assim, cantarei salmos ao teu nome perpetuamente, para pagar os meus votos de dia em dia". Os que são tementes a Deus são tiranizados e fustigados na igreja ou congregação com esta finalidade: Quando forem perseguidos, que clamem. Quando clamarem, que sejam ouvidos. E quando forem ouvidos, que louvem e glorifiquem a Deus. — *Agostinho*, 353-429

SUGESTÕES AOS PREGADORES

O Salmo. O futuro progressivo: (1) Clamarei. (2) "Habitarei no teu tabernáculo." (3) Confiarei. (4) "Cantarei salmos."

v. 1. Respostas à oração a serem buscadas fervorosamente: (1) O que impede as respostas à oração? (2) Qual é o nosso dever quando as respostas à oração são negadas? (3) Em que encorajamentos temos de crer para que a demora das respostas à oração seja apenas temporária.

v. 2. "Leva-me": (1) Mostra-me o caminho: revela Jesus. (2) Capacita-me a andar nesse caminho: opera a fé em mim. (3) Ergue-me onde, nesse caminho, eu não possa andar: faze por mim o que está além das minhas forças.

v. 2. "Mais alta do que eu." Jesus é maior do que os nossos mais elevados esforços, realizações, desejos, expectativas e concepções.

v. 2. Título sugestivo: "Deus, a Rocha dos Santos". — *John Owen*, "Two Sermons" (Dois Sermões), in: *Works* (Obras), vol. 9, pp. 237-256

v. 2. O clamor e o desejo do coração: (1) O reconhecimento de que há um lugar seguro. (2) Esse lugar é colocado diante de nós de forma abundantemente suficiente, assim que nos damos conta da nossa fraqueza pessoal. (3) A natureza do refúgio e a posição do crente ao servir-se dele: o lugar de refúgio é *a rocha* e a posição do crente é *sobre a rocha*. — *Philip Bennett Power*

vv. 2 e 3. (1) Como Davi oraria? "Clamo a ti." (2) Onde Davi oraria? "Desde o fim da terra." (3) Quando Davi oraria? "Por estar abatido o meu coração." (4) Pelo que Davi oraria? "Leva-me para a rocha que é mais alta do que eu" (v. 2). (5) De onde Davi obteria forças para orar? "Pois tens sido o meu refúgio e uma torre forte contra o inimigo" (v. 3). — *William Jay*

v. 3. (1) "O meu refúgio" da chuva da dificuldade, da tempestade da perseguição, da enchente da tentação satânica, do ardor da ira divina, do ataque da morte. A arca de Noé, o monte de Ló, a porta marcada pelo sangue do cordeiro no Egito, a cidade de refúgio, a caverna de Adulão. (2) "Uma torre forte" é permanente em si mesma, inconquistável para os inimigos, segura para os ocupantes.

vv. 4 e 7. (1) O meu privilégio: "Habitarei no teu tabernáculo para sempre; abrigar-me-ei no oculto das tuas asas" (v. 4). (2) A razão para o privilégio: "Ele permanecerá diante de Deus para sempre; prepara-lhe misericórdia e verdade que o preservem" (v. 7).

v. 4. "Habitarei no teu tabernáculo para sempre": (1) Onde o sacerdote apresenta o sacrifício. (2) Onde a lei foi colocada na arca como símbolo de cumprimento. (3) Onde a luz do castiçal do Espírito brilha. (4) Onde o maná está guardado. (5) Onde a glória está sobre o propiciatório. (6) Onde nenhum inimigo pode entrar. (7) Onde comungo com o Deus da aliança.

v. 5. "Deste-me a herança dos que temem o teu nome." Investigar se recebemos ou não o que os santos receberam.

vv. 5 e 8. (1) Votos ouvidos no céu. (2) Votos para serem cumpridos cuidadosamente na terra.

v. 5. "Deste-me a herança dos que temem o teu nome": (1) Os que temem a Deus têm uma herança. (2) Esta herança é dada. (3) Estejamos certos de que temos a herança. — *William Jay*

v. 6. (1) O nosso Rei. (2) A existência eterna do nosso Rei. (3) A nossa alegria pessoal no fato. (4) A nossa alegria para os nossos descendentes.

SALMO 62

TÍTULO

Salmo de Davi. Mesmo que não houvesse esta assinatura do poeta-rei, saberíamos com certeza absoluta pela evidência interna que só ele teria escrito estas estrofes. São verdadeiramente davídicas. Por causa do uso sêxtuplo da palavra hebraica *ac*, "somente" ou "só", somos propensos a chamá-lo de *O Salmo do Somente*.

Para o cantor-mor, sobre Jedutum. Este é o segundo salmo dedicado a Jedutum ou Etã. O primeiro foi o Salmo 39, o qual em muitos aspectos é quase idêntico a este. No original, o Salmo 39 apresenta quatro vezes a palavra hebraica *ac* ("somente" ou "só"), ao passo que o Salmo 62 mostra seis ocorrências: versículos 1, 2, 4, 5, 6 e 9 (ARA). Encontraremos ainda mais dois salmos semelhantemente designados a Jedutum: Salmo 77 e 89. Os filhos de Jedutum eram, de acordo com 1 Crônicas 16.42, porteiros. Os que servem bem dão os melhores cantores, e os que ocupam as mais altas posições no coral não devem se envergonhar de atender as portas da casa do Senhor.

DIVISÃO

O salmista marcou a divisão com pausas, inserindo a palavra *selá* ao término dos versículos 4 e 8. A sua verdadeira e exclusiva confiança em Deus ri com desdém de todos os inimigos. Quando o salmo foi composto não era necessário informar a dificuldade por que Davi passava, visto que a verdadeira fé está sempre em voga e normalmente sob provação. Além disso, os sentimentos aqui proferidos são condizentes com as situações muito frequentes na vida do crente. Por isso, foi desnecessário destacar um incidente histórico para explicá-las.

EXPOSIÇÃO

1 *A minha alma espera somente em Deus; dele vem a minha salvação.*

2 *Só ele é a minha rocha e a minha salvação; é a minha defesa; não serei grandemente abalado.*
3 *Até quando maquinareis o mal contra um homem? Sereis mortos todos vós, sereis como uma parede encurvada e uma sebe pouco segura.*
4 *Eles somente consultam como o hão de derribar da sua excelência; deleitam-se em mentiras; com a boca bendizem, mas, no seu interior, maldizem. (Selá)*

1. *"Somente"*, ou "só", "verdadeiramente", "realmente". A tradução "somente" é o sentido mais importante aqui. Somente a fé verdadeira descansa em Deus somente. A confiança que confia parcialmente no Senhor é confiança vã. Se optarmos pela tradução "verdadeiramente", teremos uma lembrança notável do uso frequentemente duplo que o Senhor Jesus fez deste advérbio ("na verdade, na verdade").

"A minha alma espera somente em Deus." O meu ser interior se aproxima em obediência reverente a Deus. Não sou hipócrita ou mero fazedor de pose. Esperar em Deus e por Deus é a posição habitual da fé. Esperar verdadeiramente nele é sinceridade. Esperar somente nele é castidade espiritual. No original hebraico é, literalmente: "Somente a Deus é a minha alma silêncio". Somente a presença de Deus podia causar temor reverente no coração levando-o à quietude, submissão, descanso e aquiescência. Quando este estado era sentido, nem uma palavra ou pensamento rebelde quebrava o silêncio tranquilo. O provérbio que diz que "a palavra é prata, o silêncio é ouro", é mais do que verdadeiro. Não há eloquência no mundo que chegue à metade do que significa o silêncio paciente dos filhos de Deus. É obra eminente da graça abater a vontade e dominar os sentimentos a tal ponto que a mente fique inteiramente diante do Senhor, como o mar ao vento, pronto para ser movido pelo sopro da boca, mas livre de toda emoção interior e auto-causada, como também livre de todo o poder de ser movida por algo que não seja a vontade divina. Devemos ser cera para o Senhor, mas diamante para todas as outras forças.

"Dele vem a minha salvação." O homem bom domina a alma com paciência até que a libertação venha. A fé pode ouvir os passos da salvação aproximando-se, porque ela aprendeu a ficar quieta. De forma alguma a salvação nos vem de fonte inferior. Esperemos somente pela verdadeira fonte e evitemos o crime detestável de designar à criatura o que pertence só ao Criador. Se esperar em Deus é adoração, então esperar na criatura é idolatria. Se esperar somente em Deus é verdadeira fé, então associar um braço de carne com ele é incredulidade petulante.

2. *"Só ele é a minha rocha e a minha salvação."* Às vezes, uma metáfora é mais cheia de significados e mais sugestiva do que a linguagem literal. Por isso, o uso da figura da rocha, cuja menção por si só já desperta lembranças gratas na memória do salmista. Não foram poucas as vezes que Davi se escondeu em cavernas rochosas. Ele compara o seu Deus a um refúgio seguro, e declara que ele é a sua única e verdadeira proteção, todo-suficiente em si mesmo e nunca imperfeito. Ao mesmo tempo, à guisa de nos mostrar que o que ele escreveu não era mero sentimento poético, mas realidade santa, a palavra literal "salvação" está acoplada à expressão figurativa. Não é ficção que o nosso Deus é o nosso refúgio, pois nada no mundo é mais aderente aos fatos.

"É a minha defesa", a minha altura, a minha plataforma alta, o meu forte alto. Esta é outra e mais ousada ilustração. O crente experimentado não só habita em Deus como em uma rocha cavernosa, mas também permanece nele ousadamente como um soldado em uma torre arrojada ou castelo imponente.

"Não serei grandemente abalado." A fraqueza pessoal do salmista poderia deixá-lo um tanto quanto abalado, mas a fé entraria em ação para frustrar abalos maiores. Também não seria lançado de um lado para outro. "Abalado", mas não afastado. Agitado como um navio ancorado balança com a maré, mas não é afundado pela tempestade. Quando o homem sabe com certeza que o Senhor é a sua salvação, ele não se abate muito. Haveria a necessidade de todos os demônios do inferno para alarmar o coração que sabe que Deus é a sua salvação.

3. *"Até quando maquinareis o mal contra um homem?"* Sempre é melhor começar com Deus para depois confrontar os inimigos. Acerte as coisas com o céu, e então você pode lutar contra a terra e o inferno. Davi repreende os inimigos insensatos. Admira-se por perseverarem obstinadamente na maldade, depois de tantos fracassos e com a derrota certa diante deles. Diz a eles que o desígnio que propõem é fantasioso, o qual nunca conseguirão realizar por mais sagazes que sejam as maquinações. É de admirar que os homens continuem sem titubear em comportamentos inúteis e pecaminosos. Perseverar na graça é dificuldade tão grande a ponto de tornar-se uma impossibilidade, não fosse pela ajuda divina. A persistência daqueles que se opõem ao povo de Deus é tão estranha que podemos adverti-los e dizer: Até quando vocês continuarão mostrando a maldade? O texto indica que a covardia de muitos vinha sobre um homem. Não há ninguém menos provável de agir com justiça e valorosamente do que quem se opõe ao povo de Deus por causa da justiça. Satanás não pôde entrar em combate justo com Jó, pois teve de chamar os sabeus e os caldeus, e mesmo assim precisou servir-se dos raios e ventos para completar o primeiro ataque. Se ele ou os seus filhos tivessem vergonha, teriam ficado envergonhados com a maneira covarde e vil com que empreenderam guerra contra a semente da mulher. Dez mil para um não lhes pareceu vantagem muito má. Não há sequer uma gota de sangue cavalheiresco nas veias.

"Sereis mortos todos vós." As suas ferramentas afiadas cortarão os seus dedos. Os que utilizam a espada, perecerão pela espada. Por mais que os bandos dos maus sejam muitos ou cruéis, não escaparão da justa punição dos céus. O grande Legislador será rigoroso em exigir o sangue dos homens de sangue, e recompensar com a morte os que buscam a morte dos outros.

"Sereis como uma parede encurvada e uma sebe pouco segura." Os orgulhosos perseguidores ufanam-se e enchem-se de orgulho, mas não passam de uma parede inclinada prestes a desabar e virar ruína. Inclinam-se à frente para agarrar a presa, mas são como uma sebe maleável que verga até a terra na qual logo ficará estendida por completo. Esperam que os homens se curvem diante deles e tremam de medo na sua presença. Mas os homens encorajados pela fé não veem nada neles digno de honra. Pelo contrário, identificam muitas e muitas coisas a menosprezar. Nunca faz bem termos opinião favorável sobre os descrentes. Seja qual for a posição que detenham, estão próximos da destruição, cambaleando até caírem. Seremos sábios em manter distância, pois ninguém se beneficia em estar perto de uma parede solta. Se não nos esmagar com o próprio peso, pode nos sufocar com o pó.

William Kay, de Calcutá, julga que esta tradução é mais correta: "Até quando pressionareis um homem para poder esmagá-lo de vez, como uma parede tombada, uma cerca caída?" Seguimos, porém, a tradução tradicional por conter um significado bom e proveitoso. Ambos os sentidos podem ser mesclados nas nossas meditações, pois se os inimigos de Davi bateram nele a ponto de lançá-lo ao chão como uma parede inclinada, ele, por sua vez, previu que pela justiça equitativa eles mesmos serão derrubados como uma cerca velha, desconjuntada, entortada e flexível.

4. *"Eles somente consultam como o hão de derribar da sua excelência."* As excelências dos justos são desprezíveis aos ímpios e o principal alvo da fúria. A elevação que Deus dá aos piedosos na providência ou na reputação, também é motivo de inveja do tipo mais vil. Empenham-se em fazê-los cair de nível. Observe a concentração de maldade em um único *somente*, colocado em contraste com a confiança exclusiva do gracioso no seu Senhor. Se os ímpios pudessem ao menos arruinar a obra da graça em nós, eles ficariam contentes. Esmigalhar o nosso caráter, destruir a nossa influência são o tema da consulta entre eles.

"Deleitam-se em mentiras", por conseguinte, odeiam a verdade e os que são verdadeiros. Pela falsidade, esforçam-se em maquinar a derrota para eles. Mentir já é bastante ruim, mas deleitar-se em mentir é uma das marcas mais negras da infâmia. "Com a boca bendizem, mas, no seu interior, maldizem." A lisonja sempre foi uma arma predileta dos inimigos dos homens bons. Amaldiçoam cruelmente quando lhes

convém. Nesse ínterim, enquanto atende aos seus propósitos, mascaram a raiva, e com palavras suaves fingem abençoar os quem eles de boa vontade rasgariam em pedaços. Felizmente, Davi tinha muita experiência no silêncio, pois em se tratando de enganadores ardilosos não há outra resposta segura.

"Selá." Faça uma pausa para considerar com surpresa a animosidade fútil dos profanos e a segurança perfeita daqueles que descansam no Senhor.

5 *Ó minha alma, espera somente em Deus, porque dele vem a minha esperança.*
6 *Só ele é a minha rocha e a minha salvação; é a minha defesa; não serei abalado.*
7 *Em Deus está a minha salvação e a minha glória; a rocha da minha fortaleza e o meu refúgio estão em Deus.*
8 *Confiai nele, ó povo, em todos os tempos; derramai perante ele o vosso coração; Deus é o nosso refúgio. (Selá)*

5. *"Ó minha alma, espera somente em Deus."* Quando já tivermos experimentado uma virtude, ainda é necessário que nos comprometamos em continuar na prática. A alma é propensa a ser arrastada do ancoradouro, ou é prontamente tentada a acrescentar outro tipo de confiança à única base exclusiva e segura de confiança. Temos de nos incentivar a manter a posição santa que assumimos no princípio. Silencia, ó minha alma! Submeta-te com inteireza, confia com determinação, espera com paciência. Não permitas que nenhuma das maquinações, consultas, lisonjas ou maldições dos inimigos te façam quebrar a paz do Rei. Sê como a ovelha diante dos tosquiadores, e como o teu Senhor, conquista pela resistência passiva da paciência vitoriosa. Tu alcançarás isto quando estiveres intimamente convencido da presença de Deus e quando esperares só e unicamente nele. Fé genuína é fé impávida. A fé que tem olhos simples vê-se segura, mas se os olhos estiverem escurecidos por duas confianças, ela é cega e inútil.

"Porque dele vem a minha esperança." Esperamos de Deus, porque cremos nele. A esperança é derivada da oração e da fé, sendo reconhecida pelo Senhor como graça aceitável. Desejemos nada mais do que seria certo Deus dar, pois então a nossa esperança virá inteiramente de Deus. No que tange às coisas verdadeiramente boas, não olhemos a causas secundas, mas somente ao Senhor, pois então, novamente, a nossa esperança virá inteiramente dele. As vãs esperanças dos mundanos não vêm. Prometem, mas não há cumprimento. As nossas esperanças estão a caminho e, no tempo certo, chegarão para satisfazer as nossas expectativas. Feliz o homem que confessa que tudo que tem, tudo que deseja e tudo que espera encontram-se no seu Deus.

6. *"Só ele é a minha rocha e a minha salvação."* Só e sem outra ajuda, Deus é a fundação e a finalização da minha segurança. Nunca é demais ouvirmos o toque do grande sino *só*. Esse toque é o toque da morte de todas as confianças carnais. Esse toque leva-nos a lançar-nos nos braços abertos de Deus.

"É a minha defesa." Não só o meu defensor, mas a minha verdadeira proteção. Estou seguro, porque ele é fiel.

"Não serei abalado", sequer um milímetro. Veja como a confiança de Davi aumenta. No versículo 2, um advérbio qualificou a sua tranquilidade; aqui, ela é absoluta. Ele confronta a ira dos adversários. Não se abalará nem um pouquinho, nem terá o menor medo. A fé viva aumenta. A experiência desenvolve os músculos espirituais dos santos, e dá força varonil que a nossa infância religiosa ainda não alcançou.

7. *"Em Deus está a minha salvação e a minha glória."* Em que devemos nos gloriar senão naquele que nos salva? Entreguemos a nossa honra com aquele que guarda a nossa alma. Ter tudo em Deus e gloriar-nos neste fato é uma das marcas indubitáveis da alma iluminada. "A rocha da minha fortaleza e o meu refúgio estão em Deus." O salmista multiplica títulos, porque ele renderia muita honra ao Senhor, a quem colocara em prova e comprovara ser um Deus fiel sob muitos aspectos. A ignorância precisa apenas de algumas poucas palavras, mas quando a experiência

traz uma riqueza de conhecimento, precisamos de expressões variadas que sirvam de cofres do nosso tesouro. Deus, que é a nossa rocha quando buscamos refúgio, também é a nossa rocha *forte* quando permanecemos firmes e desafiamos o inimigo. Devemos louvá-lo por estas duas características. Observe que o salmista rubrica cada nome que ele alegremente dá ao seu Deus — a minha esperança, a minha rocha, a minha salvação, a minha defesa, a minha salvação (novamente), a minha glória, a minha fortaleza, o meu refúgio (vv. 5-7). Ele não se contenta em saber que o Senhor é todas estas coisas. Ele exercita a fé para com ele e reclama o direito que tem a ele em cada característica. O que são para mim as minas do Peru ou da Golconda se eu não tiver participação nelas? É a palavra meu/minha que põe o mel na colmeia. Se em nossa experiência ainda não experimentamos o Senhor sob qualquer um destes títulos consoladores, temos de buscar graça para que venhamos a ser participantes dessa doçura. As abelhas de um modo ou de outro penetram as flores para coletar o néctar. Deve ser difícil elas entrarem nos cálices fechados e nas bolsas sem abertura das flores favoritas do jardim, contudo as coletoras de mel acham ou abrem passagem. Neste aspecto, elas nos ensinam, pois em cada delicioso nome, atributo e ofício do Deus da aliança, a nossa fé perseverante acha uma passagem de entrada para, de cada um, extrair o mel.

8. *"Confiai nele, ó povo, em todos os tempos."* A fé é um dever permanente, um privilégio perpétuo. Confiemos quando vemos, como também quando estamos totalmente no escuro. A adversidade é a época certa para a fé, mas a prosperidade não é época menos adequada. Deus merece a nossa confiança em todos os tempos. Temos de confiar nele a toda hora. Um dia sem colocar a confiança em Deus é um dia de ira, mesmo que seja um dia de alegria. Confiem, santos, naquele de quem o mundo se desvia.

"Derramai perante ele o vosso coração." Vocês a quem o amor de Deus foi revelado, revelem-se a ele. O coração divino está fixo em vocês, desnudem o coração a ele. Virem o recipiente da alma de cabeça para baixo na presença secreta dele e despejem como água os seus íntimos pensamentos, desejos, tristezas e pecados. Não escondam nada dele, pois vocês *não podem* esconder nada. Desabafem a alma ao Senhor. Seja ele o seu único padre-confessor, porque somente ele pode perdoar quando ouve a confissão. Guardar para si as angústias é acumular desgraças. O fluxo de angústia e dor se avolumará e causará devastações se for represado. Deem livre curso para que continue fluindo sem criar alarme. Precisamos de compaixão, e se descarregarmos o coração aos pés de Jesus, obteremos compaixão tão prática quanto sincera, tão consoladora quanto enobrecedora. O escritor das *Westminster Assembly's Annotations* [Anotações da Assembleia de Westminster] foi feliz ao observar que é tendência da nossa natureza pecaminosa morder a língua para esconder a dor na rabugice. A alma graciosa vence esta tendência e profere a tristeza na presença do Senhor.

"Deus é o nosso refúgio." Seja o que for que Deus seja para os outros, nele o seu povo tem uma herança peculiar. Ele é "nosso", ou seja, para nós ele é indubitavelmente o refúgio. Esta é a melhor razão para recorrermos a ele sempre que a tristeza nos pesar no peito. A oração é o dever peculiar daqueles a quem o Senhor se revela especialmente como defesa particular.

"Selá." Pausa preciosa! Silêncio oportuno! As ovelhas se deitam com satisfação quando um pasto como este está diante delas.

9 *Certamente que os homens de classe baixa são vaidade, e os homens de ordem elevada são mentira; pesados em balanças, eles juntos são mais leves do que a vaidade.*

10 *Não confieis na opressão, nem vos desvaneçais na rapina; se as vossas riquezas aumentam, não ponhais nelas o coração.*

11 *Uma coisa disse Deus, duas vezes a ouvi: que o poder pertence a Deus.*

12 *A ti também, Senhor, pertence a misericórdia; pois retribuirás a cada um segundo a sua obra.*

9. *"Certamente que os homens de classe baixa são vaidade."* A palavra *somente* ocorre novamente neste versículo: "Somente vaidade são os homens plebeus" (ARA). Os homens de classe baixa são só vaidade, nada mais. São numerosos e entusiásticos, mas não são confiáveis. São inconstantes como as ondas do mar, prontos para serem dirigidos para lá e para cá por todo e qualquer vento. Hoje clamam: "Hosana", amanhã: "Crucifica-o" (Mc 11.9; 15.13). A instabilidade do aplauso popular é proverbial. Como construir uma casa com fumaça é quem se consola com a adulação da multidão. O primeiro filho de Adão chamava-se Abel, que significa "vaidade". Aqui ficamos sabendo que todos os filhos de Adão são Abeis. Seria bom se todos os homens fossem assim em caráter como também em nome. Mas infelizmente, neste aspecto, muitos são Cains.

"E os homens de ordem elevada são mentira." Isso é pior. Ganhamos pouco pondo a confiança na aristocracia. Não são um pingo melhores do que a democracia. Não somente isso, mas são até piores, porque esperamos algo deles, mas não obtemos nada. Então não podemos confiar na elite? Não podemos pôr a confiança nos instruídos, nobres e inteligentes? É exatamente por isto que são mentira. Prometem muito e, no fim, quando precisamos deles, oferecem nada mais do que decepção. Como é miserável o pobre homem que põe a confiança em príncipes. Quanto mais confiamos em Deus, mais percebemos o absoluto vazio de todas as outras confianças.

"Pesados em balanças, eles juntos são mais leves do que a vaidade." Avalie-os com correção. Não os julgue pela quantidade nem pela aparência, mas pelo peso, e não mais enganarão você. Delibera com calma, pondera com tranquilidade, e o veredicto será o que a inspiração registra aqui. Mais vãos do que a própria vaidade são todos os tipos de confiança humana. Os grandes e os ímpios são igualmente indignos de nossa confiança. Uma pena tem um pequeno peso na balança, mas a vaidade não tem nenhum, e a confiança da criatura tem menos ainda. Não obstante, é a obsessão universal que o gênero humano prefira o braço de carne ao poder do Criador invisível mas todo-poderoso. Até os próprios filhos de Deus são muito propensos em serem apanhados por esta loucura.

10. *"Não confieis na opressão, nem vos desvaneçais na rapina."* Riquezas adquiridas de forma ilícita são a confiança dos tolos, pois a peste da morte está nelas. Estão cheias de cancro e fedem por causa da maldição de Deus. Pisar os pobres e silenciar os clamores por justiça são o prazer de muitos tiranos prepotentes, que imaginam arrogantemente que podem desafiar Deus e os homens. Estas são palavras de advertência para eles. Será bom que atendam a advertência, pois o Juiz de toda terra chamará os homens para prestarem contas da opressão contra os inocentes e da rapina contra os pobres. A opressão e a rapina podem ser efetuados legalmente nos tribunais da terra, mas nenhuma interpretação distorcida da lei, nenhum truque e evasão terá valia no tribunal do céu.

"Se as vossas riquezas aumentam, não ponhais nelas o coração." Se elas aumentam de maneira honesta e providencial, em resultado de trabalho assíduo ou sucesso comercial, não faça muita conta da situação. Não fique indevidamente eufórico, nem coloque o amor na carteira de dinheiro. Dobrar o espírito imortal à contemplação constante de posses efêmeras é loucura extrema. Os que dizem que o Senhor é a sua glória devem gloriarem-se com terra amarela? A efígie e inscrição de César os privarão da comunhão com aquele que é a imagem do Deus invisível? Como não devemos confiar nos homens, também não devemos confiar no dinheiro. Lucro e fama são tanto quanto a espuma do mar. Toda a riqueza e honra que o mundo oferece seria muito fraca para suportar a felicidade da alma imortal.

11. *"Uma coisa disse Deus."* Deus é tão imutável que não precisa falar duas vezes, como se tivesse mudado. É tão infalível, que uma declaração basta, pois ele não pode errar. É tão onipotente, que uma única palavra atinge todos os seus desígnios. Falamos muito e não dizemos nada. Deus fala uma vez e profere verdades eternas. Todos os nossos discursos podem morrer no som. Mas ele fala e está feito. Ordena e não cede.

"Duas vezes a ouvi." A nossa alma meditativa deveria ouvir o eco da voz de Deus repetidas vezes. O que ele fala uma vez em revelação, sempre deveríamos estar ouvindo. A criação e a providência ecoam a voz de Deus permanentemente. "Quem tem ouvidos para ouvir ouça" (Mt 11.15). Temos dois ouvidos para que possamos ouvir atentamente. Os espirituais têm ouvidos internos com os quais realmente ouvem. Ouve duas vezes no melhor sentido quem ouve com o coração como também com os ouvidos.

"Que o poder pertence a Deus." Ele é a fonte do poder e nele o poder habita verdadeiramente. Devemos ouvir sempre esta voz de Deus para que não venhamos a pôr a confiança em seres criados em quem não há poder, visto que todo poder está em Deus. Que excelente razão para a fé! Nunca é imprudente descansar no braço todo-poderoso. De todas as dificuldades, ele pode nos livrar, debaixo de todos os fardos, ele pode nos sustentar, ao passo que os homens acabam nos desapontando e frustrando. Ouça a nossa alma o trovão da voz de Jeová quando ele reivindicar todo o poder, e daqui em diante esperemos somente em Deus!

12. *"A ti também, Senhor, pertence a misericórdia."* Este terno atributo adocica o grandioso pensamento do poder divino. A força divina não nos esmagará, mas será usada para o nosso bem. Deus é tão cheio de misericórdia que a ele pertence, como se toda a misericórdia do universo procedesse de Deus e ainda fosse reivindicada por ele como sua possessão. A sua misericórdia, como o seu poder, dura para sempre e sempre está presente nele, pronta para ser revelada.

"Pois retribuirás a cada um segundo a sua obra." Parece mais justiça do que misericórdia. Se entendermos que significa que Deus recompensa graciosamente os pobres pelas obras imperfeitas que fazem, vemos nisto exibição clara de misericórdia. Não significa também que de acordo com a obra que ele nos atribui é a força é que ele nos fornece? Ele não é um mestre severo. Ele não manda que façamos tijolos sem nos fornecer palha, mas nos dá força igual ao nosso dia. Em qualquer um dos significados temos poder e misericórdia misturadas, e dupla razão para esperar somente em Deus. Os homens não nos ajudam nem nos recompensam. Deus nos ajuda e nos recompensa. Nele o poder e a graça são eternamente residentes. A nossa fé deve esperar com paciência e aguardar em silêncio, porque com certeza veremos a salvação de Deus. *Soli Deo gloria*, "glória somente a Deus", toda a glória seja dada só a Deus.

NOTAS EXPLICATIVAS E DECLARAÇÕES IMPORTANTES

Salmos 62 e 63: Comparação entre "somente", ou seja, *único*, e "de madrugada", ou seja, *primeiro*. Os Salmos 62 e 63 contêm uma doce e lucrativa lição para nos ensinar. O coração sempre é propenso a dividir a confiança entre Deus e a criatura. Isto nunca dá certo. Temos de esperar *somente* em Deus. *Só* ele tem de ser a nossa "rocha", a nossa "salvação e a nossa "defesa". Somos muitas vezes tentados a buscar *primeiro* o braço de carne e depois, quando isso fracassa, buscamos a Deus. Isto também não resolve. Ele tem de ser o nosso *primeiro* como também o nosso *único* recurso. "Ó Deus, tu és o meu Deus; de madrugada te buscarei" (Sl 63.1). Este é o modo em que o coração sempre deve tratar o Deus santo. Esta é a lição do Salmo 63. Quando tivermos aprendido a bem-aventurança de buscar *somente* a Deus, com certeza o buscaremos *primeiro*. — *Charles Mackintosh, "Things New and Old" [Coisas Novas e Velhas], 1858*

O Salmo: Não há ao longo do salmo uma única palavra (e esta é rara ocorrência) em que o profeta expressa *medo* ou *abalo*. Não há também oração, embora, em outras ocasiões, quando em perigo, ele nunca deixe de orar. [...] O profeta acha-se notavelmente bem suprido em relação à parte da devoção que consiste em πληροφορία, a plena certeza e perfeição da fé. Por isso, designou criar um monumento deste estado de espírito, com a finalidade de estimular o leitor ao mesmo fim. — *Moses Amyrant*, 1596-1664

O Salmo: Atanásio comenta sobre este salmo: "Contra todos os ataques ao teu corpo, teu estado, tua alma, tua fama, este salmo diz tentações, tribulações, maquinações, difamações". — *John Donne, 1573-1631*

v. 1: "Somente". A partícula hebraica pode ser traduzida por "somente", como partícula restritiva, ou por "certamente", como partícula afirmativa. Os tradutores a traduzem diversamente. Se for traduzida por "somente", o significado é que Deus é exclusivamente o objeto de confiança. Se for traduzida por "certamente", significa que esta verdade, que Deus é a salvação do salmista, foi percebida por ele com a mais viva convicção, com a mais santa certeza. A primeira linha do versículo traduzida literalmente fica assim: "Somente a Deus a minha alma é silêncio". — *J. J. Stewart Perowne*

v. 1: "A minha alma espera somente em Deus; dele vem a minha salvação". A alma espera no uso de recursos para a resposta de oração, para o cumprimento de promessas e para a libertação de inimigos, e de todos os problemas. Ou a alma "está silenciosa" (como diz o Targum), não quanto a orar, mas quanto a murmurar, esperando com paciência e silêncio pela salvação até que chegue o tempo de o Senhor dá-la, e estando sujeita a ele (como dizem a Septuaginta, a Vulgata Latina, a versão Arábica e versão Etiópica), resignada à vontade divina e paciente debaixo da sua mão de aflição. Denota uma espera silenciosa e paciente no Senhor, e não meramente atividade física nas ordenanças externas, mas um estado de espírito interior, uma espera da alma no Senhor, e isso em verdade e realidade, em oposição à mera forma e aparência. — *John Gill*

v. 1: "A minha alma espera somente em Deus", ou como está no original hebraico: A minha alma está silenciosa. De fato, esperar em Deus por livramento em estado aflitivo consiste em grande parte ficar em silêncio santo. É muita misericórdia na aflição ter posse dos sentidos físicos para não ficar delirando, mas ficar quieto e calado, e muito mais ter o coração silencioso e paciente, pois o coração fica tão logo aquecido em destempero quanto a cabeça. O que a esponja é para o canhão, quando está quente por disparos frequentes, é a esperança para a alma nas aflições multiplicadas. Esfria o espírito e o acalma, de forma a não irromper em pensamentos ou palavras desnorteadas contra Deus [ver também o v. 5]. — *William Gurnall*

v. 1: "Espera". A esperança é nada mais do que a expectativa e a confiança alongadas. — *John Trapp*

v. 1: "A minha alma espera somente em Deus". É como se ele tivesse dito: Para mim, como homem, Deus pôs em sujeição todos os seres criados. Para mim, como rei, ele sujeitou todos os judeus, os filisteus, os moabitas, os sírios, os idumeus, os amonitas e outras tribos. Tendo-me tirado dos apriscos de ovelhas, ele me adornou com uma coroa e um cetro nestes trinta anos, e estendeu o meu reino até ao mar e ao grande rio Eufrates. Não é sem razão, então, que eu me sujeite somente a Deus nesta aflição em que Absalão deseja esmagar-me, especialmente tendo em vista que ele revela a libertação preparada para mim e somente dele eu a espero. — *Thomas Le Blanc, 1599-1669, "Psalmorum Davidicorum Analysis"*

v. 1: "Espera" ("espera silenciosa", ARA). A palavra hebraica usada é דּוּמִיָּה (*dûmiyyâ*), que quer dizer, "silencioso", "solícito", "descansa", "espera", "reflete" e "observa". Devemos estar sujeitos a Deus:

(1) Como discípulos silenciosos na presença do mestre. [...] Seja o que for que Deus permita me acontecer, estejamos calados diante dele e de coração admiraremos, suportando as reprimendas e recebendo o ensino. [...]

(2) Como criaturas silenciosas na presença do Criador. [...] "Ai daquele que contende com o seu Criador" (Is 45.9).

(3) Como o barro nas mãos do oleiro, pronto para a forma na qual ele deseja nos formar. [...] "Eis que, como o barro na mão do oleiro, assim sois vós na minha mão, ó casa de Israel" (Jr 18.6).

(4) Como a criada à sua senhora, observando-lhe o desejo, até mesmo nas questões mais servis. [...]

(5) Como a esposa ao marido (*sponsa sponso*), que no seu amor é solícita e cuidadosa em fazer tudo que pode para agradá-lo. "O meu amado é meu", e: "Eu sou do meu amado" (Ct 2.16; 6.3). — *Thomas Le Blanc*

v. 1: Depois de quase toda oração silenciosa e meditação santa na presença divina, temos a consciência de que havia ouvidos que nos ouvia e um coração que recebia os nossos suspiros. O efeito de um colóquio silencioso com Deus é tão calmante! Houve um tempo em que meditei muito nestas palavras de Lutero:

Suporta, tolera e sê silencioso
Não contes aos homens os teus problemas
Na dificuldade não te rendas ao desânimo
Deus pode nos livrar a qualquer hora

Meditei porque percebi que foi muito agradável o extravasamento da aflição no coração de um amigo. Ao mesmo tempo, aquele que fala muito dos seus problemas aos homens é propenso a falar pouco deles a Deus. Por outro lado, aquele que experimenta o alívio bendito que emana da conversação silenciosa com o Eterno, perde grande parte do desejo de receber compaixão dos companheiros. Parece-me agora que divulgar muito a nossa angústia diante dos homens só serve para torná-la maior e roubar-lhe o sabor. Daí o provérbio: "Falar dos problemas aumenta-os". Pelo contrário, se na angústia projetarmos ter um estado de espírito tranquilo e mantê-lo sempre à vista de Deus, esperando obedientemente pelo socorro, de acordo com as palavras do salmista: "A minha alma espera somente em Deus; dele vem a minha salvação", a angústia nem aumenta de tamanho nem fica mais profunda. Fica na superfície do coração como a névoa matutina que o sol, assim que subir, dissipa em nuvens de luz. — *Augustus F. Tholuck, "Hours of Christian Devotion" [Momentos da Devoção Cristã], 1870*

v. 1: A mente natural sempre é propensa a argumentar, quando deveríamos crer, estar em ação, quando deveríamos ficar quietos, fazer as coisas do nosso jeito, quando deveríamos seguir firmemente as ordens de Deus, por mais contrárias que fossem ao nosso entendimento. [...] O que acontece quando nos antecipamos a Deus desta maneira, seguindo o nosso próprio caminho? Sentimos, em muitos casos, culpa na consciência. Mas se não sentimos, debilitamos a fé em vez de aumentá-la. Toda vez que conseguimos livramentos de acordo com as nossas forças, achamos cada vez mais difícil confiar em Deus, até que afinal nos entregamos totalmente à nossa razão caída natural, e a incredulidade prevalece. Como é diferente quando o crente é capacitado a esperar no tempo certo de Deus e olhar somente para ele em busca de ajuda e livramento! Quando a ajuda chega, depois de muitos períodos de oração e depois de muitos exercícios de fé e paciência, como é agradável e como é recompensador para a alma receber imediatamente por confiar em Deus e esperar pacientemente pelo livramento. Querido leitor cristão, se você nunca andou por este caminho da obediência, comece agora e você saberá por experiência a doçura da alegria que vem em resultado disto. — *George Müller, "A Narrative of Some of the Lord's Dealings" [Uma Narrativa de Alguns dos Procedimentos de Deus], 1856*

v. 2: "Não serei grandemente abalado". A graça faz o coração bater devagar por todas as coisas, exceto por Deus. O homem mortificado é como o mar sem vento, o qual não flui nem reflui. O homem mortificado canta, mas não é jocoso. Chora, mas não é triste. É zeloso na causa de Deus, mas é de espírito contido. Não é tão ansioso por qualquer coisa, mas pode abrir mão de qualquer coisa por Deus. Ah! poucos agem assim, mas agem com zelo. — *Alexander Carmichael, "The Believer's Mortification of Sin" [A Mortificação do Pecado feita pelo Crente], 1677*

v. 3: "Até quando maquinareis o mal contra um homem? Sereis mortos todos vós, sereis como uma parede encurvada e uma sebe pouco segura".

Até quando atacareis um homem?
Até quando o esmagareis todo
Como se ele fosse uma parede inclinada
Uma cerca quase caída?
— *W. French e G. Skinner, 1842*

v. 3: "Contra um homem". Esta é seguramente uma expressão poética, pois foi contra Davi, o orador, contra quem as nações vizinhas fizeram guerra e os próprios súditos se rebelaram. Da mesma forma, Jesus fala sobre si muitas vezes sob o título de Filho do Homem, na terceira pessoa. Paulo também usa o mesmo recurso (2 Co 12.2): Οἶδα ἄνθρωπον, "Conheço um homem", ou seja, indubitavelmente ele mesmo. — *Henry Hammond*

v. 3: "Sereis como uma parede encurvada e uma sebe pouco segura". Jesus não os golpeou. Tão-somente perguntou aos assassinos a quem eles buscavam e eles caíram para trás, prostrados ao chão (Jo 18.4-6), de forma que os que perseguem impiedosamente o piedoso são devida e habilmente comparados a uma parede solta e trêmula. Assim que os golpes da ira e julgamento de Deus são provocados e acendidos contra eles, ficam tão trementes e desconsolados que os tomariam como os maiores amigos os que logo os despachassem do mundo. Como Jesus disse competentemente sobre eles, eles pediriam que os montes caíssem sobre eles (Lc 23.29,30). — *John Hooper, 1495-1555*

v. 3: "Sereis como uma parede encurvada". Por causa de pesadas chuvas e inundações, além de fundações mal feitas, é muito comum ver paredes fora de prumo. Algumas estão tão tortas que não dá de acreditar que ainda estão de pé. "Pobre velho Raman. Ouvi dizer que ele está muito doente." "Está, a parede está se inclinando." "Fora, gente baixa! Vocês são uma parede arruinada." "Pela opressão do chefe, o povo daquela aldeia é como uma parede arruinada." — *Joseph Roberts, "Oriental Illustrations" [Ilustrações Orientais]*

v. 3: "Sereis como uma parede encurvada". Uma parede, quando mal construída, abaúla-se no centro, dando a aparência de ser quase duas vezes a largura verdadeira. Mas, como é oca por dentro, logo cai em ruínas. Os ímpios, de certa forma, dilatam-se com orgulho e, nas suas consultas, assumem a aparência mais formidável. Mas Davi prediz que eles serão levados à destruição inesperada e absoluta, como uma parede mal construída e oca por dentro, que cai com estrondo súbito e é quebrada pelo próprio peso em mil pedaços. — *João Calvino*

v. 4: "Eles somente consultam como o hão de derribar da sua excelência; deleitam-se em mentiras; com a boca bendizem, mas, no seu interior, maldizem". "Verdadeiramente" sou aquele que se "eles consultarem como me hão de derribar da minha excelência, eles se deleitarão em mentiras, bendirão com a boca e amaldiçoarão intimamente". Em outras palavras, o que eu disse sobre os mundanos, que se vangloriam do homem que cai em ruína, desejo que vocês saibam que o mesmo destino nunca me acontecerá, pois confio em Deus. Neste caso, o assunto se encerra. — *Hermann Venema*

v. 4: "Excelência" em vez de *elevação*. A figura do versículo precedente continua neste. — *"Religious Tract Society's Notes" [Notas da Sociedade de Folhetos Religiosos]*

v. 5: "Ó minha alma, espera somente em Deus". Não confia em Deus de modo algum quem não confia somente nele. Aquele que fica com um pé na rocha e outro na areia movediça afundará e perecerá, tão certamente quanto aquele que coloca ambos os pés na areia movediça. Davi sabia disso e por isso exige insistentemente que a sua alma (pois o seu assunto dizia respeito mais às coisas interiores) confie somente em Deus (ver v. 1). — *John Trapp*

v. 5: "Dele vem a minha esperança". É como se ele tivesse dito que Deus nunca frustrará a espera paciente dos santos. Indubitavelmente, o meu silêncio terá a devida recompensa. Eu me conterei e não farei aquela falsa afobação que só retardará a minha libertação. — *João Calvino*

v. 5: "Dele vem a minha esperança". Em uma narrativa da viagem de alguns dos primeiros missionários que saíram de Hermannsburg (Alemanha) para a África do Sul, temos registrado o seguinte incidente: Depois de uma longa calmaria, um irmão orou ao Senhor por ventos favoráveis: "Senhor, tu dás aos que te temem o desejo do seu coração e os ajudas. Ajuda-nos agora para que saiamos desta calmaria. Ajuda-nos em nossa viagem, tu que cavalgas nas asas do vento". Ficou tão contente com esta palavra do Senhor que se levantou e disse no coração: "Agora já tenho aquilo pelo qual orei". Depois da oração, um membro da tripulação dirigiu-se ao piloto e disse, meio escarnecendo, meio sério: "Então teremos vento. Não ouviu a oração? Mas não parece que teremos!" Assim disse e meia hora depois veio rajada de vento tão forte que as ondas quebravam em cima do navio. — *William Fleming Stevenson, "Praying and Working" [Orando e Trabalhando], 1862*

v. 5: "Ó minha alma, espera somente em Deus, porque dele vem a minha esperança". Evita muito trabalho desnecessário e proporciona grande satisfação aquele que se aproxima de Deus somente. Lidar só com os homens, sem considerar Deus, é trabalho sem fim e sem fruto. Se temos conselho a pedir, ajuda ou benefício a obter, ou aprovação a buscar, não há finalidade com os homens. Para cada pessoa temos de ter razões e motivos diversos. O que agrada uma ofende vinte. Cada cabeça, uma sentença. Ninguém consegue agradar a todos ou ajustar-se a tantas opiniões diferentes, pois há muitos estados de espírito. Contudo, é mais fácil aceitar opiniões variadas do que ser aceitável nelas. — *William Struther*

v. 6 e 7: Duas vezes neste salmo Davi repete: "Só ele é a minha rocha e a minha salvação; é a minha defesa" (vv. 2,6), acrescentando no versículo 7: "a minha glória" e "o meu refúgio". Se ele for o meu refúgio, que inimigo me perseguirá? Se ele for a minha defesa, que tentação me atingirá? Se ele for a minha rocha, que tempestade me fará tremer? Se ele for a minha salvação, que melancolia deve prostrará? Se ele for a minha glória, que calúnia me difamará? — *John Donne*

v. 6 e 7: "Só ele é a minha rocha e a minha salvação; é a minha defesa; não serei abalado. Em Deus está a minha salvação e a minha glória; a rocha da minha fortaleza e o meu refúgio estão em Deus". A alma dos crentes se volta prontamente ao Deus em quem confia. Deus afastou-se um momento para admoestar os descrentes, mas como a pomba de Noé, ele voltou à arca. Observe como Davi repete as expressões desta santa confiança, com muita e agradável variedade de expressão, para denotar o consolo que lhe ia no coração. Leitor, faça a si mesmo estas perguntas: Estas opiniões de Cristo são as suas opiniões? Você o conhece nesses atributos relacionados à aliança? Jesus é a sua rocha, salvação, defesa, glória e refúgio? — *Robert Hawker, Doutor em Teologia, 1753-1827*

v. 6 e 7: "Só ele é a minha rocha e a minha salvação; é a minha defesa; não serei abalado. Em Deus está a minha salvação e a minha glória; a rocha da minha fortaleza e o meu refúgio estão em Deus". Estes versículos apresentam vários nomes de Deus para que cada crente tome para si o nome que mais lhe ministre consolo. Aquele que é perseguido por determinada tentação, toma posse de Deus como *refúgio* e santuário. Aquele que é esbofeteado por Satanás, ferido pela própria concupiscência, recebe Deus como *defesa* e objetivo. Aquele que é abalado por perplexidades no entendimento ou dúvidas na consciência, apodera-se de Deus como *rocha* e âncora. Aquele que tem ciúme e suspeita desconfiada da misericórdia livre e plena de Deus, apossa-se de Deus como *salvação.* Aquele que anda na inglória e desprezo do mundo, contempla Deus como *glória.* Qualquer uma destas noções basta para o homem, mas Deus é todas elas e todas as outras que cada crente possa pensar para todo homem. — *Abraham Wright*

v. 7: "Em Deus está a minha salvação e a minha glória". Havia nos escudos dos gregos a pintura de Netuno, e nos escudos dos troianos, a pintura de Minerva, porque neles eles punham a confiança e sob a sua proteção julgavam-se seguros. [...] Jesus é a insígnia dos nossos escudos. É frequente Davi dizer que Deus é a sua proteção. No original hebraico, a palavra é *magen*, que quer dizer, "escudo", "proteção", "amparo", "broquel", como por exemplo no Salmo 18.2,30. — *Thomas Le Blanc*

v. 8: "Confiai nele, ó povo". Confiar em Deus é lançar o nosso fardo sobre o Senhor, quando estiver muito pesado para o nosso ombro (Sl 55.22). É habitar "no esconderijo do Altíssimo" quando não sabemos onde descansar a cabeça na terra (Sl 91.1). É atentar para o Criador e olhar para o Santo de Israel (Is 17.7). É encostar e apoiar-se no nosso Amado (Ct 8.5; Is 36.6). É conservar a mente, quando atacada, firme no Senhor, nosso Deus (Is 26.3). Em uma palavra, confiar em Deus é o sublime ato ou exercício da fé por meio do qual a alma, olhando para Deus e lançando-se na sua bondade, poder, promessa, fidelidade e providência, é elevada acima dos medos e desânimos carnais, acima das dúvidas e inquietações desconcertantes, ou para a obtenção e prosseguimento no que é bom ou para a prevenção ou remoção do é mau. [...] "Confiai nele, ó povo, em todos os tempos." Este dever santo nunca está fora de época. É o que significa עֵת, a palavra original para "tempo". De fato, o nosso Salvador disse: "Ainda não é chegado o meu tempo", ou seja, ainda não chegou o meu tempo de manifestar-me como o Deus que opera maravilhas (Jo 7.6). Mas em relação a confiar em Deus todos os tempos são designados e aceitáveis. O sábio nos fala: "Há tempo para todo o propósito debaixo do céu" (Ec 3.1). Há tempo para matar e curar, plantar e arrancar, chorar e rir, ganhar e perder, nascer e morrer. Em todos estes tempos confiar em Deus não é, como neve no tempo da colheita, impróprio, mas apropriado e necessário. Pode haver um tempo em que Deus não será achado, mas não há tempo em que não se deve confiar nele. *Nullum tempus occurrit regi*, diz a lei. Deixe-me acrescentar: *nee fiducae*, e é sã divindade. O tempo para confiar em Deus não passou. Mas mais expressamente, há algumas ocasiões especiais e momentos certos para a confiança.

(1) O tempo da prosperidade. Quando estamos sob os raios quentes do sol do meio-dia, quando lavamos os passos na manteiga e os pés no óleo, quando a candeia do Senhor brilha em nosso tabernáculo, quando ele fez forte a nossa montanha (Jó 29.6; Sl 18.28; 30.7), é o tempo para confiar, mas não em nossa montanha (pois é uma montanha de gelo que logo pode dissolver-se), mas em nosso Deus. Os futuros dias tranquilos são tentações à segurança, mas para os santos são tempos de confiança. [...]

(2) O tempo da adversidade. É também tempo oportuno para confiar quando não temos pão para comer, senão cuidado, vinho para beber, senão aflição e surpresa, água para beber, senão lágrimas. Este não é tempo para afligir-se, murmurar, desanimar, desesperar-se, mas para confiar. Na tempestade, o crente pensa que é oportuno lançar âncora para cima. Foi o que fez o bom Josafá: "Ah! Deus nosso, [...] não sabemos nós o que faremos; porém os nossos olhos estão postos em ti" (2 Crônicas 20.12). Assim disse Davi: "No dia em que eu temer, hei de confiar em ti" (Sl 56.3). Tempos de dificuldade são tempos próprios para confiar, quer a dificuldade seja espiritual ou temporal. [...]

"Em todos os tempos."

(1) Quando temos de confiar? A que horas? Em todos os tempos, *omni hora*, "em todas as horas", como diz a versão Siríaca. Como o verdadeiro amigo deve amar, assim o crente deve confiar "em todo o tempo" (Pv 17.17).

(2) Qual é a duração dessa confiança? Até quanto? "Continuamente e para sempre" (Sl 44.8, ARA). Durante toda a nossa vida. Todos os dias do tempo designado, os Jós de Deus devem não só esperar, mas confiar até que os dias mudem. Sim, "perpetuamente" (Is 26.4). Não somente isto, mas "para sempre, eternamente" (Sl 52.8). — *Thomas Lye, Mestre em Ciências Humanas, 1621-1684, "The Morning Exercises at Cripplegate" [Os Exercícios Matinais em Cripplegate]*

v. 8: "Confiai nele, ó povo, em todos os tempos; derramai perante ele o vosso coração". De acordo com o nosso amor, é a nossa fé e confiança em Deus. De acordo com a nossa confiança, tal é a nossa liberdade ao trono da graça. Confie nele e derrame o coração na presença dele. Derrame-o, como água, em lágrimas de alegria. Quando a pedra no coração é derretida pela misericórdia, os olhos vertem água como fonte de lágrimas. Os homens bons têm espírito derretidos. É um ramo da aliança e um fruto da efusão do Espírito da graça. Os entendidos em química afirmam que não há solvente tão poderoso quanto as substâncias sulforosas e oleosas para derreter os minerais mais duros. Claro que não há nada como o óleo da misericórdia que seja tão potente solvente para o coração de ferro. — *Samuel Lee, 1625-1691*

v. 8: "Em todos os tempos". Eu poderia mencionar as muitas vezes em que devemos confiar no Senhor, mas elas estão inclusas nesta pequena palavra "todos". É uma palavra preciosa: "Confiai nele, ó povo, em todos os tempos". Quando você estiver cheio de medo, você levará a ele a pequena palavra "todos" e dirá: Não tenho nada que me encoraje a ir a ti senão esta pequena palavra preciosa: *todos*. — *John Berridge, 1716-1793*

v. 8: "Derramai perante ele o vosso coração". A palavra "derramai" significa claramente que o coração está cheio de aflição e perto de receosamente esvaziar-se diante do Senhor. O que diz ele a você? "Venha e derrame todos os teus problemas diante de mim". Ele nunca se cansa de ouvir as reclamações do seu povo. Portanto, vá e não retenha nada. Conte-lhe tudo o que fere você e derrame todas as suas reclamações no seio misericordioso dele. Esta é uma palavra preciosa: "Derramai perante ele o vosso coração". Faça dele o seu conselheiro e amigo. Não há como agradá-lo mais do que quando o seu coração confia inteiramente nele. Diga-lhe, se desejar, que você foi muito tolo ao procurar alívio neste ou naquele amigo e não achou nada. Mas que agora você se chega a ele, que lhe ordena: Derrama perante mim o teu coração. — *John Berridge*

v. 8: "Derramai perante ele o vosso coração". Derrame como água. Não como leite, cuja cor permanece. Não como vinho, cujo sabor permanece. Não como mel, cujo gosto permanece. Mas como água, a qual, quando derramada, nada permanece. Derrame o pecado do coração para que nenhuma cor permaneça nas características externas, nenhum sabor nas palavras, nenhum gosto nos afetos. "Desarraigarei da Babilônia o nome, e os resíduos, e o filho, e o neto, diz o Senhor" (Is 14.22). Assim Hugo. Mas se você teme que não permaneça nada no coração ao ser derramado, tome o coração inteiro, lance-o diante dos olhos do Senhor e sacrifique-o a ele para que ele crie um coração novo em você. — *Thomas Le Blanc*

v. 9: Outras doutrinas, instruções morais ou civis, podem nos ser entregues possivelmente, provavelmente, verossimilmente e crivelmente, em condições e modificações iguais, mas esta de nosso texto é segura, indubitável, inegável e incontestável: "Certamente que os homens de classe baixa são vaidade, e os homens de ordem elevada são mentira; pesados em balanças, eles juntos são mais leves do que a vaidade". De qualquer forma, quando os dois são comparados um com o outro, admite discurso e discussão, se são os homens de alta posição ou de baixa posição que mais violam as leis de Deus, quer dizer, se é a prosperidade ou a adversidade que torna os homens mais insolentes ao pecado. Mas quando são comparados, não um com o outro, mas ambos com Deus, esta asseveração *certamente* atinge a ambos: "Certamente que os homens de classe baixa são vaidade, e os homens de ordem elevada são mentira". Embora dê motivos para os homens de posições, fortunas e lugares medianos pensarem que a mediocridade proporcione garantia e estabelecimento, não é o que ocorre neste caso, pois (como certamente ainda) serão "pesados em balanças, eles juntos", não todos os de baixa posição e todos os de alta posição, ou todos os ricos e todos os pobres, mas todos, de todas as condições "são mais leves do que a vaidade". Tudo isso destrói, não extingue, não aniquila o sentimento no homem de ter esperança, confiança e crença em algo, mas retifica esta esperança, confiança e crença e o dirige ao objetivo certo. Não confia na carne, mas nas coisas espirituais. Não curvarmos a esperança para baixo, aos espíritos infernais, em busca de ajuda em bruxas, nem a abortamos para cima para buscar ajuda em santos ou anjos, mas a fixamos naquele que está mais próximo de nós do que a nossa própria alma — o nosso Deus santo, benevolente e poderoso, que neste salmo nos é apresentado por tantos nomes de afirmação e confiança: "a minha esperança", "a minha rocha", "a minha salvação", "a minha defesa", "a minha glória", "minha fortaleza" e "o meu refúgio" e os demais. [...]

"Os homens de ordem elevada são mentira." O Espírito Santo achou por bem variar esta frase e não chamar os homens de ordem elevada de vaidade, mas de mentira. Os pobres, na condição de homens de classe baixa, não prometem ajuda, não alimentam os homens com esperança. Portanto, não se pode dizer que mentem. Nos ricos, na condição de homens de ordem elevada, que são de poder, há a promessa tácita, a garantia natural e inerente de proteção e ajuda que deles emanam. O magistrado não pode dizer que nunca me prometeu justiça, nunca me prometeu proteção, pois ao assumir o cargo, ele me fez essas promessas. Não posso dizer que nunca prometi servir a minha paróquia, pois na minha emposse fiz-lhes essa promessa. Se não a sirvo sou uma mentira. A palavra hebraica *chasab* (a qual é traduzida por "mentira") é usada muitas vezes nas Escrituras para designar aquele que é falho no dever que deveria executar: "Serás como um jardim regado e como um manancial", diz Deus em Isaías 58.11, *cujus aquae non mentiuntur*, ou seja, "cujas águas nunca mentem", quer dizer, nunca secam, nunca faltam. Quando os homens de ordem elevada não executam os deveres relacionados ao cargo, são uma mentira de fabricação própria. Quando os exalto calorosamente no cargo que detêm, lisonjeio-os, mimo-os, atribuo mais a eles, espero mais deles, confio mais neles do que devo, então são uma mentira de minha fabricação. [...] "Pesados em balanças, eles juntos são mais leves do que a vaidade." Vaidade é nada, mas há uma condição pior do que nada: A confiança em coisas ou pessoas deste mundo. Mas a pior de todas é a confiança em nós mesmos, pois acabará nos levando ao estado em que gostaríamos de ser nada, mas não poderemos. Falta comentar a palavra "balanças" que está nosso texto. Todas estas pessoas são postas juntas em balanças. No outro prato da balança também há algo, em cuja comparação tudo neste mundo é muito leve. Deus não deixa a nossa grande e nobre faculdade e sentimento de esperança, confiança e crença sem algo no qual se orientem e se corrijam. Não deixa, pois é para isso que ele se propõe. As palavras imediatamente anteriores ao versículo são: "Deus é o nosso refúgio" (v. 8), e, em comparação a ele, serem "pesados em balanças, eles juntos são mais leves do que a vaidade". — *John Donne*

v. 9: "Certamente que os homens de classe baixa são vaidade".

Quem sobre o rebanho desejaria reinar
Fantástico, inconstante, feroz e vão!
Vão como a folha no rio
Inconstante como um sonho incerto
Fantástico como o humor da mulher
Feroz como o sangue febril da loucura
Tu monstro de muitas cabeças
Com quem serias o teu rei!
— *Walter Scott, 1771-1832*

v. 9: "Certamente que os homens de classe baixa são vaidade", ou os filhos de Adão, os filhos do homem terreno, os filhos do Adão caído. Um dos seus filhos imediatos chamava-se Abel (em heb., *hebel*), que significa "vaidade". Esta é característica verdadeira acerca de todos os seus filhos, mas aqui representa apenas um tipo deles. São esses os pobres e baixos no mundo, o "povo", como a frase é traduzida em Isaías 2.9. Estes estão sujeitos à vaidade pecadora. Os seus pensamentos são vãos, os seus sentimentos são vãos, as suas mentes são vãs, os seus relacionamentos são vãos, pecadores, tolos, enganadores e inconstantes. — *John Gill v. 9:* "Os homens [...] são mentira". A mentira ativa diz respeito a eles enganarem os outros. A mentira passiva diz respeito a eles serem enganados pelos outros. Aqueles que são ativos na mentira, são em geral e muito merecidamente mais vítimas da mentira passiva ou alimentados com mentiras. — *Joseph Caryl*

v. 9: "Mais leves do que a vaidade". Se houvesse alguém dentre os homens imortais não sujeito ao pecado ou mudança, a quem fosse impossível alguém vencer e fosse forte como um anjo, tal pessoa poderia ser algo. Mas considerando que cada um é homem, pecador, mortal, fraco, sujeito a doenças e morte, exposto a sofrimentos e dor, como faraó, mesmo dentre os animais mais insignificantes e sujeito a tantas desgraças que é impossível contar, a conclusão válida teria de ser: "O homem não é nada". — *Arndt*

v. 10: "Não confieis na opressão, nem vos desvaneçais na rapina". Esta extorsão e roubo ("opressão" e "rapina") são cometidos de duas maneiras — contra Deus e contra os homens. Aquele que põe a confiança de salvação em qualquer outro, senão em Deus, não só perde a salvação, mas também rouba de Deus a glória. Assim, Deus manifesta a extorsão tanto quanto há nesse indivíduo. Como os ímpios fizeram entre os judeus, que disseram que enquanto honravam e confiavam na Rainha dos Céus, todas as coisas prosperavam e iam bem. Mas que quando deram ouvidos aos verdadeiros pregadores da palavra de Deus, tudo piorou e foram fustigados pela fome e pela guerra (Os 2; Jr 44.17,18). Aquele também que põe a esperança e confiança na aprendizagem ou doutrina junto com a palavra de Deus, não só cai em erro e perde a verdade, mas também, no que depender dele, rouba do livro de Deus a suficiente verdade e veracidade, e as atribui ao livro dos decretos dos homens, que é tão extorsivo a Deus e ao seu livro quanto se possa pensar ou fazer. Em tal roubo, ou rapina, ou antes sacrilégio, ninguém deveria pôr a confiança, como disse o profeta. — *John Hooper*

v. 10: "Nem vos desvaneçais na rapina". O quê? Deus queria que os homens fossem sérios na rapina ou roubo? Nada disso. O significado é este: não confie em uma coisa nula. Se você roubar, oprimir, enganar ou extorquir os outros, você confia em uma coisa vã, em uma coisa que não existe, em uma coisa que nunca fará bem a você. Não haverá conduta, nem posse em algo que veio desta maneira. Quando você pensa em adquirir riquezas por meio de procedimentos extorsivos ou através de logros elaborados, você se desvanece na rapina. — *Joseph Caryl*

v. 10: "Se as vossas riquezas aumentam, não ponhais nelas o coração". Gostamos de riquezas, claro, e por isso passamos muito tempo pensando em adquiri-los e mantê-los. Se a pessoa tem riquezas ou aumento de riquezas, não é ilícito pensar nelas (embora devêssemos evitar tanto quanto possível, pois os pensamentos e a inclinação da alma sempre devem estar em Deus). O que o salmista proíbe é a fixação do nosso coração.

É como se ele tivesse dito: Não deixe que os pensamentos fiquem ou permaneçam aqui. As riquezas são coisas passageiras, por isso devem ser alvo de pensamentos passageiros. "Não ponhais nelas o coração", porque logo elas se desestabilizam. Samuel falou com Saul na mesma linguagem acerca de uma concernência mundana, quando ele saiu para procurar as jumentas do seu pai: "Não ocupes o teu coração com elas" (1 Sm 9.20).

É como se Saul estivesse sobrecarregado com estes pensamentos: "O que aconteceu com as jumentas do meu pai? Ou o que farei pelas jumentas do meu pai?" "Não se preocupe com elas", disse Samuel, "maiores coisas dizem respeito a ti". — *Joseph Caryl*

v. 10: "Se as vossas riquezas aumentam, não ponhais nelas o coração". Consideremos o que o texto quer dizer por "riquezas". Há quem imagine que o significado é óbvio. Na verdade, há milhares destes equívocos, e muitos deles bastante inocentes. Certa pessoa de destaque ouvindo um sermão pregado sobre este assunto vários anos atrás, entre surpresa e indignação, irrompeu em voz alta: "Por que ele fala sobre riquezas aqui? Não há ninguém rico em Whitehaven, senão *sir* James L...r". É verdade que não havia ninguém senão ele que ganhava quarenta mil libras por ano e tinha alguns milhões de libras em dinheiro vivo. Mas um homem pode ser rico não ganhando nem cem libras por ano e não tendo sequer mil libras em dinheiro vivo. Quem quer que tenha comida para comer e roupa para vestir, com algo mais, é rico. Quem tem as coisas necessárias e comodidades da vida para si e a família, e um pouco para dividir com aqueles que não têm, é propriamente rico, a menos que seja avaro e amante do dinheiro, alguém que junta o que pode e o que deve dar aos pobres. Neste caso, ele ainda é pobre, ainda que tenha milhões no banco. É o mais pobre dos homens, pois

Os mendigos de sorte comum deploram
Os pobres ricos são enfaticamente pobres

Quem pode convencer o rico que põe o coração nas riquezas? Por mais de meio século tenho falado sobre este assunto com a maior clareza e simplicidade. Mas com que pouco efeito! Duvido que em todo esse tempo eu tenha convencido cinquenta avaros da sua cobiça. Quando o amante do dinheiro é descrito de forma tão clara e pintado nas mais fortes cores, quem o aplica para si? A quem Deus e todos que o conhecem dizem: "Tu és este homem"? (2 Sm12.7). Se ele falar com alguém dos presentes: Não tape os ouvidos!, responda como Zaqueu: "Senhor, eis que eu dou aos pobres metade dos meus bens; e, se em alguma coisa tenho defraudado alguém, o restituo quadruplicado" (Lucas 19.8). Ele não quis dizer que fez em tempos passados, mas que determinou fazer assim dali em diante. Você, amante do dinheiro, peço e insisto na presença de Deus no seguinte: "Vai e faze da mesma maneira" (Lc 10.37; 1 Tm 5.21, NTLH).

Tenho uma mensagem de Deus para vocês, ricos, quer ouçam ou deixem de ouvir. As riquezas aumentaram para vocês, sob risco da sua alma: "Não ponhais nelas o coração". Sejam gratos a ele que deu a vocês esse talento, tanto poder de fazer o bem. Não se atrevam a alegrar-se com elas, senão com temor e tremor. *Cave ne inhoereas*, diz o piedoso Thomas à Kempis, *ne capiaris et pereas*, que significa: "Tome cuidado para você não se apegar a elas, a fim de que você não fique emaranhado e pereça". Não façam delas o seu objetivo, o seu principal prazer, a sua felicidade, o seu deus! Certifiquem-se de não esperar felicidade no dinheiro, nem outra que seja comprável com ele. Cuidem para não satisfazer "a concupiscência da carne, a concupiscência dos olhos e a soberba da vida" (1 Jo 2.16). — Sermão de *John Wesley, 1703-1791, intitulado "On the Danger of Increasing Riches" [Sobre o Perigo do Aumento das Riquezas]*

v. 10: "Se as vossas riquezas aumentam, não ponhais nelas o coração". "A concupiscência das riquezas", diz Valeriano, "provoca com seu estímulo o coração dos homens, como os bois aram a terra continuamente". Falando sobre Isaías, Hugo (cerca de 1120) afirma: "Quanto mais profundamente as riquezas forem semeadas no coração pelo amor, mais profundamente elas perfurarão pela aflição". — *Thomas Le Blanc*

v. 10: "Se as vossas riquezas aumentam" (יָנוּב), literalmente, "germinar para fora", "brotar", "surgir" de comum acordo em comparação com as riquezas adquiridas por "opressão" e "rapina". — *A. R. Fausset*

v. 10: "Se as vossas riquezas aumentam, não ponhais nelas o coração". As riquezas têm em si incerteza e falsidade. As riquezas nunca foram verdades aos que confiaram nelas, pois sempre comprovaram ser "uma mentira na minha mão direita" (Is 44.20). Por isso são chamadas de "vaidades vãs [ou mentirosas]" (Jn 2.8), e comparadas a pássaros que se sentam na terra do homem e, com o menor medo, levantavam voo e fogem. As riquezas têm "asas", diz Salomão, e caso não tenham, elas farão para si asas (Pv 23.5, ARA). Embora tenham asas que não chegam ao tamanho do pequenino pardal para com elas voar para você, fazem para si asas grandes da águia para com elas fugir de você. Quantos cujas riquezas os serviram como a jumenta de Absalão serviu o seu dono, pois ela o deixou bruscamente e abandonou na maior necessidade, pendurado entre o céu e a terra, como se tivesse sido rejeitado por ambos! Uma faísca pode pô-las em fuga, um ladrão pode roubá-las, um servo mau pode desviá-las e furtá-las. Há piratas ou naufrágios no mar, ladrões ou maus pagadores na terra. Existem cem modos de mandá-las embora. São como as maçãs de Sodoma, que são bonitas por fora, mas podres por dentro — doces ilusões, meros esquemas ou imaginações matemáticas do cérebro humano (1 Co 7.31). As aparências e vazios mostram algo de bom, mas sem a realidade ou consistência sólida. *Nec vera, nec vestra.* São escorregadias no que tange à verdade, não sendo menos em relação à prosperidade e bens, porque as riquezas são pássaros alados, especialistas em voar de homem em homem (como os pássaros de árvore em árvore), fugindo sempre do seu dono. Trata-se de doída decepção e triste engodo. Mas o coração é mais enganoso, visto que enganará você com estas riquezas enganosas. *A quo aliquid tale est, illud est magis tale*, ou seja, "elas são assim, porque o coração é assim". — *Christopher Love, 1618-1651, "A Chrystal Mirrour or Christian Looking--glass" [Um Espelho de Cristal ou Espelho Cristão], 1679*

v. 10: "Não ponhais nelas o coração". A palavra שִׁית significa, propriamente, "pôr", "colocar", "organizar em uma ordem firme e fixa". É usada especialmente para referir-se à colocação firme e adequada das pedras de fundação de um edifício. [...] Portanto, pôr o coração nas riquezas é fixar a mente nelas com firmeza e atenção. É dá-la completamente a elas com todas as suas faculdades e, ao mesmo tempo, ficar cheio de confiança e arrogância, como Schultens observa. — *Hermann Venema*

vv. 10 a 12: A nossa estimativa do homem depende da nossa estimativa de Deus. Davi sabe que se os homens de baixa e alta posição forem separados da fonte primitiva de todo bem, não pesam nada e são menos do que nada. As riquezas não são nada, sobretudo as adquiridas de forma ilícita (v. 10). As pessoas não devem ficar orgulhosas quando as riquezas aumentam. Mas o curso natural das coisas é que, na proporção em que as dádivas de Deus são ricas, as pessoas confiam mais nas dádivas do que no rico Doador. Mas o santo Davi tem melhor instrução. Repetidas vezes ele ouviu a voz divina na alma dizendo "que o poder pertence a Deus" (v. 11; cf. Jó 33.14, que diz: "Antes, Deus fala uma e duas vezes; porém ninguém atenta para isso"). Este Deus poderoso é misericordioso. Pode qualquer mérito estar ligado às nossas pobres obras? Não obstante, o Senhor retribuirá a cada piedoso segundo a sua imperfeita obra piedosa (v. 12). — *Augustus F. Tholuck*

v. 11: "Uma coisa disse Deus, duas vezes a ouvi: que o poder pertence a Deus". Nada pode fixar a nossa confiança em Deus, exceto a impressão poderosa da sua palavra. "Duas vezes a ouvi." Como ele a ouviu "duas vezes"? Uma vez, pela voz da criação, e outra vez, pela voz do governo. A misericórdia foi ouvida no governo depois que o homem pecara, mas não na criação. Nós, porém, ouvimos duas vezes sobre o poder de Deus: uma vez o ouvimos na criação, e outra vez mais gloriosamente na obra da redenção, em que foram unidos o seu o poder e misericórdia. Ou: "Uma coisa disse Deus, duas vezes a ouvi: que o poder pertence a Deus", quer dizer, é uma verdade muito certa e indubitável: que o poder é essencial à natureza divina. A repetição de uma coisa confirma a sua certeza. A misericórdia também é essencial, mas o poder é mais, porque não há ato de misericórdia que possa ser exercido sem poder. Ou embora Deus falasse apenas uma vez, Davi ouviu duas ou mais vezes, quer dizer, ele refletiu e considerou devidamente como se Deus tivesse falado uma vez. Neste sentido, o crente ouve duas vezes o que Deus falou apenas uma vez. Ou, duas vezes, quer dizer, muitas vezes, porque o que Deus falara uma vez, fora repetido e insistido muitas vezes, e explicado e confirmado a ele por repetidas evidências experimentais da certeza da coisa. Ele recebera o mesmo cada vez mais profundamente no coração e obtivera impressões mais firmes por pensamentos repetidos e insistentes. — *William Wisheart, 1657-1727, "Theologia" [Teologia] ou "Discourses of God" [Discursos sobre Deus]*

v. 11: "Uma coisa disse Deus, duas vezes a ouvi: que o poder pertence a Deus". Ele fez com que essa coisa fosse conhecida irrevogavelmente e com grande solenidade, de forma que não era necessário repeti-la. Entre os romanos, se diz que qualquer coisa é feita *uma vez*, a qual há não há necessidade de repetir ou que não tem retorno. Entre os hebreus e os povos do Oriente também, pois אַחַת significa "é de uma vez", como vemos em 1 Samuel 26.8: "Deus te entregou, hoje, nas mãos a teu inimigo; deixa-mo, pois, agora, encravar com a lança *de uma vez* na terra, e não o ferirei segunda vez" (grifos meus; ver Schultens), e também no Salmo 89.35: "*Uma vez* jurei por minha santidade (não mentirei a Davi)" (grifos meus). Mas qual é a força de ouvir duas vezes? Podemos entender a expressão de vários modos. No sentido geral, ouvir duas vezes significa ouvir muitas vezes ou frequentemente. Temos, então, este sentido: Deus falou apenas uma vez, mas tenho observado em minha experiência que a sua declaração é verdadeira. — *Hermann Venema*

v. 11: "Uma coisa disse Deus, duas vezes a ouvi". A explicação está nos autores latinos com a frase: *Semel atque iterum*. É habitual todos os escritores usarem um número certo para denotar incerteza, sobretudo entre os poetas. Por exemplo, encontramos em Horácio: *Felice ter et amplius*. — *John Tillotson, 1630-1694*

v. 11: "Uma coisa disse Deus, duas vezes a ouvi: que o poder pertence a Deus". Há várias traduções e interpretações destas palavras. A que me parece mais pertinente é esta: Ouvi uma vez o que foi falado duas vezes de uma vez, quer dizer, ouvi de imediato e ouvi com fé. Assim que a palavra me veio, eu a recebi e a recebi não só com os ouvidos, mas também com o coração. É um maneira abençoada de ouvir. Podemos dizer que quem ouve a palavra assim, na primeira vez que é falada, ouve duas vezes o que Deus disse uma vez. — *Joseph Caryl*

v. 11: "O poder pertence a Deus". Creia no poder grandioso de Deus. Consideremos o seguinte.

(1) É difícil crer no poder de Deus. Mas como? Esta divindade não é natural: que Deus é todo-poderoso? Que necessidade há, então, de insistir para as pessoas crerem? Há muita necessidade, porque é algo que somos propensos a questionar em casos de dificuldade. Por que oramos com alegria quando vemos grande probabilidade de uma coisa, mas desanimamos na oração quando o caso é contrário? Por que dizemos em tempos de tribulação: As coisas nunca mais vão melhorar?

(2) A firme convicção no poder de Deus é de grande interesse e pertinência na religião. A fé nunca é posta de lato até que a alma questiona o poder de Deus: "Ele não perdoa, ele não salva". Quando chega a esse ponto, a alma não consegue resistir. De forma que a vida e vigor da fé está muito ligada à convicção do poder de Deus. É um dos primeiros passos em toda religião. Consta no início do credo: "Creio em Deus Pai, Todo-poderoso". Quem crê neste primeiro artigo crerá mais facilmente em todos os demais.

(3) Deus fica muito descontente, até com os seus próprios filhos, quando lhe questionam o poder. Por isso, Deus fala assim com Moisés: "Seria, pois, encurtada a mão do SENHOR?" (Nm 11.23). É como se ele tivesse dito: "O quê, Moisés? Tu pensas que o meu poder se exauriu ou se enfraqueceu? Que ideia indigna!" pelo mesmo motivo, Jesus reprovou Marta muito incisivamente: "Não te hei dito que, se creres, verás a glória de Deus?" (Jo 11.40). Deus é muito terno da glória do seu poder e castiga severamente os seus filhos queridos quando vacilam na fé sobre este assunto. É o que vemos com Zacarias que, por questionar o poder de Deus, foi imediatamente ferido de mudez (Lc 1.18-20). Sejamos extremamente atenciosos em ter a fé confirmada na convicção do poder todo-poderoso de Deus. Para esta finalidade, reflitamos nas declarações verbais feitas a respeito nas Santas Escrituras. Consideremos e refinemos as manifestações que ele nos deu, tanto no presente quanto no passado. Oremos muito para que Deus nos fortaleça e aumente a fé. — *William Wisheart*

vv. 11 e 12: "Uma coisa disse Deus, duas vezes a ouvi: que o poder pertence a Deus. A ti também, Senhor, pertence a misericórdia; pois retribuirás a cada um segundo a sua obra". Exceto por algumas versões antigas, quase toda versão, tradução e comentário, diz Adam Clarke, erra no sentido e significado deste versículo. Para o versículo 11, Clarke oferece a seguinte tradução: "Uma vez Deus falou; estas duas coisas ouvi". Mas quais são as duas coisas que o salmista tinha ouvido? (1) כִּי עֹז לֵאלֹהִים, "que a força é do Senhor", quer dizer, ele é a origem do poder. (2) וּלְךָ־אֲדֹנָי חָסֶד, "e a ti, Senhor, é a misericórdia", quer dizer, ele é a fonte da misericórdia. Estas são as duas principais verdades que a lei, a revelação inteira de Deus, declara em cada página. Ele é o Todo-poderoso. Ele é o mais Misericordioso. Daí a conclusão, o Deus poderoso, justo e santo, o muito misericordioso e compassivo Senhor logo "julgará o mundo e retribuirá ao homem de acordo com as suas obras". É difícil explicar, acrescenta Clarke, como este significado bonito não foi visto por quase todo intérprete. Mas estes versículos contêm uma das verdades mais instrutivas da Bíblia. — *William Carpenter, "An Explanation of Scripture Difficulties" [Uma Explicação das Dificuldades da Bíblia], 1828*

vv. 11 e 12: "Uma coisa disse Deus, duas vezes a ouvi: que o poder pertence a Deus. A ti também, Senhor, pertence a misericórdia; pois retribuirás a cada um segundo a sua obra". Confesso que fico imaginando por que é tão constante acharmos na Bíblia os escritores inspirados colocarem juntos palavras relacionadas à misericórdia, poder, grandeza e terribilidade. É o que encontramos, por exemplo, na oração de Neemias: "Ah! Senhor, Deus dos céus, Deus grande e terrível, que guardas o concerto e a benignidade para com aqueles que te amam e guardam os teus mandamentos!" (Ne 1.5). E também na oração solene de Daniel: "Ah! Senhor! Deus grande e tremendo, que guardas o concerto e a misericórdia para com os que te amam e guardam os teus mandamentos" (Dn 9.4). Assim as ideias de misericórdia, grandeza e terribilidade estão constantemente unidas. — *Thomas Goodwin*

v. 12: "A ti também, Senhor, pertence a misericórdia". Algo mais é necessário para nos atrair à dependência em Deus do que o mero "poder" e capacidade para nos ajudar. Tem de haver também a firme persuasão da prontidão e presteza da vontade para fazer o que ele tem poder para fazer. É o que temos no outro atributo aqui apresentado: a misericórdia. [...] "A ti", a ti somente e a nenhum outro. A misericórdia mais terna entre as criaturas não é absolutamente nada em comparação com a misericórdia divina. Essa misericórdia pertence "a ti" como prerrogativa da tua excelência peculiar. A misericórdia é uma joia peculiar da sua coroa. Ou: "tua, Senhor, é a misericórdia". Nada entre as criaturas é digno do nome *misericórdia*, senão os que são dele. Nada é digno de ser chamado assim, senão o que é próprio e peculiar a Deus. Ou: "contigo está a misericórdia", como expressa outro texto (Sl 130.4,7). Está com ele, quer dizer, é inseparável da sua natureza. Ele é misericordioso de modo peculiar a ele, "o Pai das misericórdias" (2 Co 1.3). — *William Wisheart*

v. 12: "Pois retribuirás a cada um segundo a sua obra", quer dizer, julgamento para os ímpios e misericórdia para os justos, onde o intérprete da versão Siríaca dá a boa significação: *Est gratia Dei ut reddat homini secunda opera bona, quia merces bonorum operum est ex gratia*, que quer dizer: "É a misericórdia de Deus colocar o amor naqueles que guardam os mandamentos (Êx 20.6). — *John Trapp*

v. 12: "Pois retribuirás a cada um segundo a sua obra". Aprenda a admirar a graça de Deus em recompensar as obras que você faz. Já é muito ele as aceitar. O que é, então, ele as recompensar? Já é muito ele não condenar você por causa delas, visto que todas estão contaminadas e têm algo de pecaminoso apegado a elas. O que é, então, ele as coroar? Você admiraria a generosidade e munificência do homem que lhe desse um reino por ter levado uma palha aos pés dele, ou lhe desse cem mil libras para pagar o centavo que você devia? Quanto mais, então, você adoraria a rica graça e transcendente generosidade de Deus em recompensar tais serviços vis em grande parte, colocando uma coroa de glória na cabeça como recompensa pelas obras que você dificilmente acha lugar em seu coração para chamar de boas! Um dia você se envergonhará ao ver o tanto que é honrado pelo que você se envergonha e está ciente de que não merecia nada. Você ficará admirado, então, ao ver que Deus recompensa você por fazer o que era seu dever fazer e o que era a obra dele em você, dando-lhe graça e coroando essa graça, capacitando-o a fazer coisas aceitáveis a ele e, depois, recompensando-o por você tê-las feito. — *Edward Veal, 1708, "The Morning Exercises" [Os Exercícios Matutinos]*

SUGESTÕES AOS PREGADORES

v. 1. (1) O que ele fez? Esperou em Deus. Creu, foi paciente, ficou resignadamente calado, foi obediente. (2) A quem ele o fez? Ao seu Deus, que é verdadeiro, soberano e benevolente. (3) Como ele o fez? Com a alma, verdadeiramente e somente. (4) O que veio disto? Salvação presente, pessoal e eterna.

v. 2. Deus, a rocha. Davi fala de Deus como alto e forte: (1) Uma rocha sobre a qual ele se punha. (2) Uma rocha de defesa e refúgio. (3) Uma rocha de habitação (Salmo 71.3, em heb.). (4) Uma rocha a ser louvada (Salmo 95.1; ver concordância para obter mais sugestões). ["Cristo, a Pedra", sermão pregado sobre 1 Coríntios 10.4 por Ralph Robinson, "Christ All and In All" [Cristo Tudo e em Todos].]

v. 2. "Só ele é a minha rocha e a minha salvação." Título sugestivo: "Só Deus é a Salvação do seu Povo", in: "Spurgeon's Sermons" (Sermões de Spurgeon), n.º 80.

vv. 2 e 6. "Não serei grandemente abalado" e "não serei abalado". Aumento na fé: (1) Como é produzido. (2) Como é conservado. (3) Como é evidenciado.

v. 4. (1) Em que consiste a excelência do crente? (2) Quem o derribaria? (3) Por que o derribaria? (4) Como procuraria derribá-lo?

v. 4. "Deleitam-se em mentiras." Quem as inventam, ou as espalham, ou riem delas, ou prontamente acreditam nelas. Os romanistas, os metidos a santos, os presunçosos, os perseguidores, os zelosos no erro.

v. 5. "Ó minha alma, espera somente em Deus." Título sugestivo: "Esperando Somente em Deus", in: "Spurgeon's Sermons" (Sermões de Spurgeon), n. 144.

v. 5. "Porque dele vem a minha esperança." Grandes esperanças de um grande Deus, por causa de (1) grandes promessas, (2) grandes providências (3) e grandes antegozos.

v. 5. "Porque dele vem a minha esperança." (1) O que esperamos de Deus? (2) Por que esperamos de Deus? (3) Quando esperamos de Deus?

v. 8. "Confiai nele, ó povo, em todos os tempos." Como viver pela fé na providência divina? – Sermão de *Thomas Lye*, in: "Morning Exercises" [Exercícios Matinais]

v. 8. "Confiai nele, ó povo, em todos os tempos." Toda a confiança, de todos os santos, em todos os tempos.

v. 8. "Confiai nele, ó povo, em todos os tempos." Tempos em que esta exortação é mais necessária: (1) Em tempos de prosperidade. (2) Em tempos de abandono de amigos. (3) Em tempos de calúnia. (4) Em tempos de pobreza. (5) Em tempos de pecado consciente. (6) Em tempos de castigo. (7) Em tempos de morte.

v. 8. "Derramai perante ele o vosso coração." Esta orientação nos ensina a nos conduzir claramente com Deus quando abrimos o coração na presença dele. Então, sem dúvida, acharemos descanso. — *Thomas Wilcocks*

v. 8. "Deus é o nosso refúgio." A segurança peculiar do povo peculiar.

v. 10. (1) Males normalmente associados ao amor às riquezas: Idolatria, cobiça, ansiedade, preocupação, maldade, esquecimento relacionado a Deus e à verdade espiritual, descaso à caridade, dureza de coração, tendência à injustiça. (2) Meios para fugir deste pecado sedutor.

v. 11. (1) Como Deus fala: *Uma vez*, de forma clara, poderosa, imutável. (2) Como devemos ouvir: *Duas vezes*, de forma contínua, com o coração como também com os ouvidos, atentamente na prática, no espírito como também na letra.

vv. 11 e 12. A união constante do poder e da misericórdia na linguagem bíblica.

SALMO 63

TÍTULO

Salmo de Davi, quando estava no deserto de Judá. Este salmo foi escrito provavelmente quando Davi estava fugindo de Absalão. É certo que na época em que o escreveu, ele era rei (v. 11) e era perseguido impiedosamente por aqueles que procuravam matá-lo. Davi não deixou de cantar por estar no deserto, nem se entregou à ociosidade desleixada repetindo salmos compostos para outras ocasiões. Pelo contrário, foi cuidadoso em tornar o culto adequado às circunstâncias. Apresentou ao seu Deus um hino do deserto quando estava no deserto. Não havia deserto no coração, embora houvesse deserto ao redor. É inexorável que seremos lançados a situações difíceis e escabrosas antes de partimos da terra. Em tais ocasiões, permaneça conosco o Eterno Consolador e nos faça bendizer ao Senhor a toda hora, tornando o lugar solitário em templo para Jeová.

O termo destacável do salmo é "de madrugada". Quanto mais macia a cama, mais difícil é nos levantar nos momentos de maior aconchego. Mas quando o conforto acaba e a cama fica dura, quanto mais cedo nos levantarmos para buscar o Senhor, mais teremos pelo que agradecer ao deserto.

DIVISÃO

Nos primeiros oito versículos, o escritor expressa o desejo santo por Deus e a confiança nele. Nos restantes três versículos, ele profetiza a derrota de todos os seus inimigos. O salmo é peculiarmente apropriado para a cama de enfermidade ou a ausência forçada do culto público.

EXPOSIÇÃO

1 *Ó Deus, tu és o meu Deus; de madrugada te buscarei; a minha alma tem sede de ti; a minha carne te deseja muito em uma terra seca e cansada, onde não há água,*

2 *para ver a tua fortaleza e a tua glória, como te vi no santuário.*
3 *Porque a tua benignidade é melhor do que a vida; os meus lábios te louvarão.*
4 *Assim, eu te bendirei enquanto viver; em teu nome levantarei as minhas mãos.*
5 *A minha alma se fartará, como de tutano e de gordura; e a minha boca te louvará com alegres lábios,*
6 *quando me lembrar de ti na minha cama e meditar em ti nas vigílias da noite.*
7 *Porque tu tens sido o meu auxílio; jubiloso cantarei refugiado à sombra das tuas asas.*
8 *A minha alma te segue de perto; a tua destra me sustenta.*

1. *"Ó Deus, tu és o meu Deus"*, ou, ó Deus, tu és o meu Poderoso (cf. ARA). O último salmo deixou o eco do *poder* soando nos nossos ouvidos, o qual é retomado aqui. A forte confiança pede que o poeta fugitivo confesse lealdade ao único Deus vivo. A fé firme habilita-o a proclamar que Deus é dele. Ele não tem dúvida de que possui o seu Deus. Por que os outros crentes deveriam ter? As palavras claras e diretas desta frase inicial são muito mais pertinentes aos cristãos do que as expressões tímidas e duvidosas tão habituais entre os adeptos. Como é doce tal linguagem! Existe outra palavra comparável a estas em termos de prazer? *Meu Deus*. Podem os anjos dizer mais?

"De madrugada te buscarei." Posse cria desejo. A plena garantia não é obstáculo à diligência, mas a mola propulsora. Como posso buscar o Deus de outro homem? Mas é com ardente desejo que busco aquele que sei que é meu. Observe a avidez implícita no tempo mencionado. Ele não esperará pelo meio-dia ou pelo frescor do anoitecer. Levanta-se ainda de madrugada para encontrar-se com o seu Deus. A comunhão com Deus é tão agradável que o frio matinal é esquecido e o conforto da cama menosprezado. A manhã é o tempo de orvalho e frescor, e o salmista o consagra à oração e comunhão devocional. Os melhores homens logo cedo se põem de joelhos. O termo "de madrugada" tem o sentido não só de manhã cedo, mas de avidez e instantaneidade. Aquele que verdadeiramente deseja Deus o deseja agora. Os desejos santos estão entre as mais fortes influências que provocam a natureza interior. Por conseguinte, a próxima frase: "A minha alma tem sede de ti". A sede é um desejo insaciável por aquilo que é um dos elementos mais essenciais da vida. Não lhe cabe racionalização, esquecimento, menosprezo, superação por indiferença estoica. A sede será saciada. O homem rende-se ao seu poder. A mesma coisa se dá com o desejo divino que a graça de Deus cria nos regenerados. Só o próprio Deus pode satisfazer a apetência da alma avivada pelo Espírito Santo.

"A minha carne te deseja muito." Com as palavras "alma" e "carne", ele denota o ser inteiro. A carne, no sentido que o Novo Testamento dá, nunca deseja o Senhor. Pelo contrário, cobiça contra o Espírito. Davi está se referindo à afinidade que às vezes é gerada na constituição física pelas veementes emoções da alma. A natureza física normalmente puxa para outra direção. Mas quando o espírito está ardente, ele pode forçá-la a entregar-se ao poder que há no outro lado. Quando o deserto causou em Davi cansaço, desconforto e sede, a carne clamou em uníssono com o desejo da alma.

"Em uma terra seca e cansada, onde não há água." Um lugar cansado e um coração cansado tornam a presença de Deus mais desejável. Se não há nada aqui embaixo e nada interiormente para nos alegrar, é muita misericórdia podermos olhar para cima e achar tudo de que precisamos. Quantas vezes os crentes na sua experiência atravessam esta "terra seca e cansada", onde as alegrias espirituais são coisas do passado! Também é verdade que a única verdadeira necessidade que afirmam ter durante essa situação é a presença do seu Deus! Podemos suportar com serenidade a ausência dos confortos externos, quando andamos com Deus. A multiplicação mais pródiga dessas coisas não ajuda em nada quando ele se retira. Desejemos, então, somente por Deus. Sejam todos os desejos unidos em um. Busquemos primeiro o Reino de Deus, e as demais coisas nos serão acrescentadas (cf. Mt 6.33).

2. *"Para ver a tua fortaleza e a tua glória, como te vi no santuário."* Ele não desejava ver o santuário tanto quanto o seu Deus. Pelo véu das cerimônias ele via o Invisível. Muitas vezes o coração ficara alegre pela comunhão com Deus através das ordenanças externas. Por isso, agora, com todas as forças, ele anseia pela volta desta grande bênção, visto que, para o cristão, a mais pesada e intensa de todas as tristezas da terra é perder a presença consciente do Deus da aliança. Ele se lembra e menciona os dois atributos que lhe deixaram mais impressionado quando ele estivera extasiado em adoração no lugar santo. No Salmo 62, a mente discorrera sobre essa fortaleza e glória, e a doçura dessa contemplação está nitidamente no coração agora no deserto. São estes atributos que ele deseja rever agora que está no banimento. Trata-se de pensamento precioso que a fortaleza e glória divinas não estejam limitadas em sua manifestação a determinados lugares ou cidades. São atributos que serão ouvidos acima do rugido do mar, vistos entre os clarões da tempestade, sentidos na floresta e na pradaria e desfrutados onde quer que haja um coração que deseje e tenha sede de vê-los. A nossa miséria é que temos tão pouca sede destas coisas sublimes e tanta das ninharias zombeteiras do tempo e do sentimento. Na verdade, sempre estamos em terra seca e cansada, pois aqui não é o nosso descanso. É de admirar que os crentes não tenham cada vez mais sede da porção que está além do rio, onde não terão mais fome, nem sede, mas verão a face do seu Deus e terão o nome escrito na testa. Davi não tinha sede de água ou outra coisa terrena, mas só das manifestações espirituais. Ver a Deus era bastante para ele, e nada menos do que isso lhe contentaria. Que grandioso amigo ele é, pois o simples fato de vê-lo já é consolação. Oh, minha alma, imita o salmista e permita que todos os teus desejos subam para o bem mais alto, desejando aqui ver a Deus e não tendo maior alegria por toda a eternidade.

3. *"Porque a tua benignidade é melhor do que a vida."* Esta é uma razão para o texto precedente, como também para o texto subsequente. A vida é querida, mas o amor de Deus é mais querido. Habitar com Deus é melhor do que a vida no que tem de melhor. Viver em paz, em um palácio, com saúde, com honra, com riqueza, com prazer, sim, mil vidas como esta não são iguais à vida eterna que há no sorriso do Senhor. Nele verdadeiramente vivemos, nos movemos e existimos (At 17.28). A retirada da luz do semblante divino é como a sombra da morte para nós. Por conseguinte, não podemos deixar de desejar a aparição graciosa do Senhor. Para muitos, a vida é um bem duvidoso, mas a benignidade é um benefício incontestável. A vida é passageira, mas a misericórdia é perpétua. A vida é compartilhada pelos animais irracionais, mas a benignidade do Senhor é a porção peculiar dos eleitos.

"Os meus lábios te louvarão." Abertamente, de forma que a tua glória venha a ser conhecida, falarei da tua bondade. Mesmo quando o coração mais deseja do que desfruta, ainda assim devemos continuar engrandecendo o Altíssimo, pois o seu amor é verdadeiramente precioso. Mesmo que, por ora, suceda que não estejamos nos alegrando com o fato, não devemos fazer com que os nossos louvores a Deus dependam da recepção pessoal e presente das bênçãos. Seria mero egoísmo. Até os publicanos e pecadores têm uma palavra boa para aqueles cujas mãos estejam enriquecendo-os de dádivas. O verdadeiro crente é aquele que bendiz ao Senhor mesmo quando este lhe toma as bênçãos ou lhe esconde a face.

4. *"Assim, eu te bendirei enquanto viver."* Como eu te bendigo agora, assim sempre te bendirei. Ou antes, à medida que fores revelando a tua benignidade para mim, eu por minha vez continuarei te exaltando. Enquanto vivermos, amaremos. Se não virmos motivo de alegria em nossa situação, sempre acharemos razão para nos alegrar no Senhor. Se nenhum dos outros povos bendiz Deus, o seu povo bendiz. A natureza divina, por ser Deus infinitamente bom, é argumento suficiente para o nosso louvor enquanto existirmos.

"Em teu nome levantarei as minhas mãos." As mãos foram levantadas para adorar, igualmente na alegria, na gratidão, na labuta, na confiança. Em todos estes sentidos, erguemos as mãos unicamente no nome de Jeová. As mãos não devem

abaixar quando Deus se aproxima em amor. O nome de Jesus fez os paralíticos saltarem como cervos e os tristes aplaudirem com as mãos de alegria.

5. *"A minha alma se fartará, como de tutano e de gordura."* Embora impossibilitado de banquetear-se no sacrifício em teu altar, mesmo aqui no deserto a minha alma se encherá das alegrias espirituais e terá satisfação plena e dobrada. Há no amor de Deus uma riqueza, uma suntuosidade, uma abundância de alegria que enche a alma, comparável ao mais rico alimento com que o corpo pode ser nutrido. Os hebreus gostavam de gordura mais do que nós, e a mais alta ideia de provisão festiva está englobada nestas duas palavras: tutano e gordura. O salmista fala que a alma esperançosa em Deus e cheia do favor divino é como se alimentasse do melhor do melhor, das finas iguarias do banquete de rei.

"E a minha boca te louvará com alegres lábios." Mais alegria, mais louvor. Quando a boca está cheia de misericórdia, também deve estar cheia de gratidão. Quando Deus nos dá o tutano do seu amor, temos de apresentar a ele o tutano do nosso coração. Demos ao Senhor o louvor vocal como também a adoração mental. Os outros veem as nossas misericórdias, que ouçam também os nossos agradecimentos.

6. *"Quando me lembrar de ti na minha cama."* Deitado e acordado, o homem bom recorreu à meditação e então começou a cantar. Teve um banquete à noite e uma canção à noite. Transformou o dormitório em oratório, consagrou o travesseiro, pois o louvor previu o lugar sobre o qual está escrito: "Ali não haverá mais noite" (Ap 22.5). Talvez o deserto o ajudou a manter-se acordado. Neste caso, todos os séculos de todas as épocas lhe são devedores por este hino delicioso. Se os cuidados do dia nos tentam nos esquecer de Deus, é bom que a quietude da noite nos leve a nos lembrar dele. Vemos melhor no escuro se virmos Deus melhor.

"E meditar em ti nas vigílias da noite." Manter o culto sagrado no meu coração como os sacerdotes e levitas o celebravam no santuário. Talvez Davi tivesse se unido outrora com os que assistiam "na Casa do SENHOR todas as noites" (Sl 134.1), e agora que não podia estar com eles pessoalmente, ele se lembra das horas que passaram juntos e se unem com os coristas em espírito, bendizendo ao Senhor como eles faziam. Além disso, pode ser que o rei ouviu as vozes dos sentinelas quando trocavam de guarda, e cada vez ele voltava com solenidade renovada às meditações no seu Deus. A noite é congenial, nos seu silêncio e escuridão, para a alma que esqueceria o mundo e se elevaria a uma esfera mais alta. A dedicação absorta no mais sagrado de todos os temas faz com que as horas, que seriam cansativas, passem muito depressa. Faz também com que a cama dura e solitária proporcione o mais prazeroso repouso — repouso mais reparador do que o próprio sono. Lemos de camas de marfim, mas camas de devoção são muito melhores. Alguns se divertem à noite, mas não são a décima parte tão felizes quanto os que meditam em Deus.

7. *"Porque tu tens sido o meu auxílio."* A meditação lhe refrescara a memória e lhe fizera lembrar-se das libertações do passado. Seria bom se lêssemos mais vezes os nossos diários, observando especialmente a mão do Senhor quando nos ajudou nos sofrimentos, necessidades, labutas ou apuros. Este é excelente uso da memória: abastecer-nos de provas da fidelidade do Senhor e levar-nos progressivamente a uma confiança cada vez maior nele.

"Jubiloso cantarei refugiado à sombra das tuas asas." Até a sombra de Deus é doce para o crente. Debaixo das asas de águia de Jeová, nós nos escondemos de todo o temor, e o fazemos de forma natural e sem perda de tempo, porque anteriormente experimentamos e provamos o seu amor e poder. Não só estamos seguros, mas felizes em Deus. Cantamos refugiados como também repousados.

8. *"A minha alma te segue de perto"* ou cola-se a ti (cf. ARA). Seguimos ao Senhor de pertinho, porque somos um com ele. Quem nos separará do seu amor? Se não pudermos andar com ele com passadas iguais, pelo menos o seguiremos com toda a força que ele nos der, desejando ardentemente alcançá-lo e permanecer na sua comunhão. Quando os mestres seguem o mundo arduamente, logo caem no fosso, mas jamais buscam com essa gana a comunhão com o Senhor.

"A tua destra me sustenta." Se não fosse por ela, ele não teria seguido o Senhor com constância, nem mesmo o desejado. O poder divino, tema tão insistentemente discorrido neste e nos salmos precedentes, é mencionado como a origem da dedicação que o dá homem a Deus. Como somos fortes quando o Senhor Deus trabalha em nós pela sua destra, e como ficamos totalmente desamparados se ele retém o auxílio!

9 *Mas aqueles que procuram a minha vida para a destruírem irão para as profundezas da terra.*
10 *Cairão à espada, serão uma ração para as raposas.*
11 *Mas o rei se regozijará em Deus; qualquer que por ele jurar se gloriará; porque se tapará a boca dos que falam mentira.*

9. Como Davi tão avidamente procurara a Deus, assim havia homens de outra classe que, com a mesma avidez, procuravam o sangue do rei. É acerca destes que ele fala: "Mas aqueles que procuram a minha vida para a destruírem". Almejavam-lhe a vida, a honra, a prosperidade, as quais queriam não meramente prejudicar, mas totalmente destruir. O diabo é destruidor, e toda a sua semente tem gana de causar o mesmo dano. Como ele se destruiu pelos próprios dispositivos astuciosos, o mesmo ocorrerá com os seus seguidores. Os destruidores serão destruídos. Os que perseguem as almas serão eles mesmos as vítimas.

"Irão para as profundezas da terra." Cairão nas covas que eles cavaram para os outros. Os assassinos serão assassinados, e a sepultura os cobrirá. O inferno que na sua maldição invocaram para os outros, fechará a boca sobre eles. Todo ataque objetivado contra os tementes a Deus recairá nos perseguidores. Quem ataca o crente coloca um prego no próprio caixão.

10. *"Cairão à espada."* Foi o que aconteceu com os inimigos de Davi. Aqueles que se servem da espada pela espada perecerão. Os homens de sangue sentirão a própria vida esguichando deles, quando para eles o dia mau chegar e eles forem dados a sentir em pessoa os horrores da morte.

"Serão uma ração para as raposas." Sendo muito vis para servirem de comida aos leões, as raposas vasculharão com o faro os cadáveres do exército e os chacais farão festança com as carcaças. Insepultos e desonrados serão alimento para os cães de guerra. Não foram poucas as vezes em que os maldosos tiveram um fim tão medonho a ponto de serem evidentemente o prêmio da justiça retribuidora. Embora o grande julgamento esteja reservado para o outro mundo, mesmo agora, nas sessões comuns do tribunal da providência, a justiça empunha a espada vingadora aos olhos de todas as pessoas.

11. *"Mas o rei se regozijará em Deus."* Os usurpadores desaparecerão, mas o rei prosperará. Essa prosperidade será reconhecida publicamente como dádiva de Deus. O ungido do Senhor não deixará de oferecer ações de graças com alegria. O trono firmado e confirmado reconhecerá o domínio superior do Rei dos reis. O regozijo estará somente em Deus. Quando os súditos cantarem: *Io triumphe*, ele os corrigirá, ordenando que cantem: *Te Deum.*

"Qualquer que por ele jurar se gloriará." Os seguidores fiéis terão motivo para o triunfo. Jamais terão vergonha do juramento de lealdade prestada. Ou "por ele jurar" significa fidelidade a Deus e culto prestado a ele. Os gentios juram pelos seus deuses, e os israelitas invocam Jeová para testemunhar o que ele assevera. Aqueles que confessaram o Senhor como o seu Deus têm motivo para gloriarem-se quando ele foi o defensor da causa justa do rei e o destruidor dos traidores.

"Porque se tapará a boca dos que falam mentira." E quanto mais cedo melhor. Se a vergonha, ou o medo, ou a razão não tapá-la, então a pá cheia de terra do sacristão a tapará. Os mentirosos são um demônio humano. São a maldição dos homens e amaldiçoados por Deus, que compreensivamente disse: "A todos os mentirosos, a sua parte será no lago que arde com fogo e enxofre, o que é a segunda morte" (Ap

21.8). Veja a diferença entre a boca que louva a Deus e a boca que forja mentiras. A primeira nunca será tapada, pois cantará para sempre. A segunda ficará muda no tribunal de Deus.

Senhor, buscamos a ti e a tua verdade. Livra-nos de toda maldade e calúnia, e revela-te a nós. Em nome de Jesus. Amém.

NOTAS EXPLICATIVAS E DECLARAÇÕES IMPORTANTES

O Título: "Salmo de Davi, quando estava no deserto de Judá". Mesmo em Canaã, uma terra frutífera e com numerosos povos, havia desertos. [...] O mesmo ocorrerá no mundo, na igreja, mas não no céu. [...] Todas as necessidades e dificuldades de um deserto não devem nos fazer desafinar na entoação dos cânticos sacros. É nosso dever e interesse manter a comunhão alegre com Deus. Há salmos próprios para o deserto. Temos motivo para agradecer a Deus, pois estamos no deserto de Judá e não no deserto do pecado. — *Matthew Henry*

O Título: O "deserto de Judá" é o deserto todo a leste da tribo de Judá. Limita-se ao norte pela tribo de Benjamim, estendendo-se ao sul até à extremidade sudoeste do mar Morto. A oeste, o limite é o mar Morto e o rio Jordão, e a leste, são as montanhas de Judá. — *E. W. Hengstenberg*

O Título: O termo "deserto" (מִדְבָּר, em oposição a עֲרָבָה, "estepe") era o nome dado a uma região que não era regularmente cultivada nem habitada, mas usada para pastagem (derivado de דָּבַר, "dirigir", "conduzir" gado). Em geral, não havia árvores e a água era escassa, mas não totalmente destituída de vegetação. — *J. P. Lange*, 1864

O Título: Agar viu Deus no deserto e chamou um poço pelo nome derivado daquela visão, "Laai-Roi" (Gn 16.13,14). Moisés viu Deus no deserto (Êx 3.1-4). Elias viu Deus no deserto (1 Rs 19.4-18). Davi viu Deus no deserto. A igreja cristã verá Deus no deserto (Ap 12.6-14). Toda alma devota que ama ver a Deus na sua casa, receberá refrigério pelas visões de Deus no deserto da solidão, tristeza, doença e morte. — *Christopher Wordsworth*

O Salmo: Este é inquestionavelmente um dos salmos mais belos e comovedores do Saltério. Acerca dele, John Donne diz: "Como o livro dos Salmos é *oleum effusum* (como a esposa fala do nome de Cristo, Ct 1.3), um unguento derramado em todos os tipos de feridas, um oleado que alivia todos os ferimentos, um bálsamo que examina todas as contusões, assim há certos salmos que são salmos imperiais, que regem todos os nossos sentimentos e se estendem a todas as ocasiões — salmos católicos e universais que se aplicam a todas as necessidades. Este é um destes, cuja composição se enquadra com o termo *apostólico*, um salmo que a igreja deveria cantar todos os dias. De forma correspondente, Crisóstomo testemunha 'que foi decretado e ordenado pelos pais primitivos que não deveria passar um dia sem o canto público deste salmo'." — *J. J. Stewart Perowne*

O Salmo: Clauss descreve habilmente este salmo, quando diz que é "uma confissão preciosa da alma que tem sede de Deus e da sua graça, achando-se avivada pela comunhão íntima com ele e que sabe também entregar a sorte externa nas mãos dele". A lição é que a consciência da comunhão com Deus nas dificuldades é o penhor seguro da libertação. Esta é fonte peculiar de consolação, que está aberta para o sofredor no salmo. A Bíblia de Berleb diz que é um salmo "que procede de um espírito realmente sincero. Era o salmo predileto de M. Schade, o famoso pregador de Berlim, o qual ele orava diariamente com tamanha seriedade e apropriação para si, que era impossível ouvi-lo sem emocionar-se". — *E. W. Hengstenberg*

v. 1: "Ó Deus, tu és o meu Deus; de madrugada te buscarei [ou, eu te buscarei diligentemente, como pedras preciosas de comerciantes que são de maior valor]; a minha alma tem sede de ti". Ele não diz que a sua alma tem sede de água, mas que ela tem sede de Deus. Não diz que a sua alma tem sede do sangue dos inimigos, mas que ela tem sede de Deus. Não diz que a sua alma tem sede de ser liberto deste deserto seco e estéril, mas que ela tem sede de Deus "em uma terra seca e cansada, onde não há água". Não diz que a sua alma tem sede da coroa, do reino, mas que ela tem sede de Deus, que a sua carne deseja muito Deus. Estas palavras são uma metáfora extraordinária, extraída das mulheres com filhos, para denotar o sentimento sincero, ardente e forte dele por Deus. — *Thomas Brooks*

v. 1: "Ó Deus". Esta é uma palavra séria. Sempre devemos usar a compaixão como uma máxima. — *Matthew Henry*

v. 1: "Meu Deus", em hebraico, são as mesmas palavras com as quais o Senhor clamou na cruz ao Pai perto da hora nona: "Deus meu, Deus meu, por que me desamparaste?" (Mt 27.46). No original hebraico, este salmo começa com *Elohim, Eli. Elohim* é plural e *Eli* é singular para expressar o mistério da trindade, o mistério da unidade, a subsistência distinta das (três) hipóstases e da sua consubstancialidade. — *Psalterium Quin. Fabri stapulensis, 1513*

v. 1: "Ó Deus, tu és o meu Deus". Em Davi, temos exemplo notável de alguém sensível, terno e autocrítico, que vive em comunhão contínua com Deus, mas, ao mesmo tempo, é extremamente sensível das reivindicações do regime civil e religioso de Israel, além de estar externamente dedicado a um amplo círculo de deveres públicos exigentes. Neste salmo, as desgraças públicas o forçam a apoiar-se no poder central da vida do seu espírito. Sob as circunstâncias atuais, a coroa, o palácio, a dignidade, o coração do povo, o amor do filho a quem ele amava, como sabemos, com tamanha ternura passageira, foram-lhe confiscados. O salmista está sozinho com Deus. Na hora de desolação, ele olha do deserto para o céu. "Ó Deus", clama ele, "tu és o meu Deus". No original hebraico, não há a repetição da palavra traduzida por "Deus". Em Elohim, a verdadeira ideia da raiz é temor e reverência, ao passo que a forma adjetival denota permanência. Em Eli, a segunda palavra empregada, a ideia etimológica é de poder e força. Poderíamos parafrasear assim: "Ó tu Terribilíssimo, minha Força ou meu Deus-Forte és tu". Mas a segunda palavra, Eli, é em si mesma nada menos que uma revelação separada de um aspecto inteiro do Ser de Deus. É usada como nome próprio e distinto de Deus. Os sufixos pronominais para a segunda e terceira pessoas, como observou Gesenius, jamais são usados novamente com o nome El, ao passo que Eli, a primeira pessoa, ocorre muito frequentemente só no Saltério. Todos nos lembramos deste fato nas palavras proferidas por nosso Senhor na cruz, as quais ele tomou da versão Siríaca do Salmo 22. A palavra desvela uma verdade desconhecida fora do recinto da revelação. Ensina que o Todo-poderoso e Eterno se dá na plenitude do seu Ser para a alma que o busca. O paganismo nos rituais das deidades domésticas e locais, dos ídolos domésticos, dos θεοὶ ἐπιχωρίοι, confirmam por estas superstições o profundo anseio do coração humano pelo amor individualista de um poder mais sublime. Conhecer o verdadeiro Deus era saber que tal apetência era satisfeita. "Meu Deus." A palavra não representa uma impressão, ou desejo, ou conceito humano, mas um aspecto, uma verdade, uma necessidade da natureza divina. O homem pode se dar por partes. Pode dar um pouco do pensamento, do coração, do empenho ao homem irmão. Em outras palavras, o homem pode ser imperfeito nos atos como é imperfeito e finito na natureza. Mas quando Deus, o Ser perfeito, ama a criatura das suas mãos, não pode dividir a ele o amor. Tem de forçosamente amar com a toda a direitura, força e intensidade do seu Ser, porque ele é Deus e, portanto, incapaz de ação parcial e imperfeita. Tem de dar-se à alma individual com completude tão absoluta como se não houvesse outro ser além dela. O homem, por seu lado, sabe que este presente que Deus dá de si mesmo é inteiro assim. Portanto, não em espírito tacanho de egotismo ambicioso, mas como que a entender e representar o fato literal, ele clama: "Meu Deus". Esta palavra entra muita profunda e extensivamente na composição dos nomes hebraicos. Os homens gostam de enfatizar a relação maravilhosa do Criador com a vida pessoal deles que é tão notavelmente manifestada. Quando Deus tinha amado "o mundo de tal maneira que deu o seu Filho unigênito, para que todo aquele que nele crê não pereça, mas tenha a vida eterna" (Jo 3.16), encontramos Paulo escrevendo aos crentes gálatas como se somente a sua alma tivesse sido resgatada pelo sacrifício do Calvário: "O qual me amou e se entregou a si mesmo por mim" (Gl 2.20). — *Henry Parry Liddon, "Some Words for God: Being Sermons Preached before the University of Oxford, 1863-1865" [Algumas Mensagens por Deus: Sermões Pregados na Universidade de Oxford, 1863-1865]*

v. 1: "Ó Deus, tu és o meu Deus". Há muito mais nestas palavras do que os homens do mundo estão cientes. Dizer: "Ó Deus, tu és o meu Deus", nesta correlação e conjunção, mostra que há mais em relação à excelência e que há mais também relação à dificuldade. Não é coisa estéril dizer estas palavras e não é coisa fácil não dizê-las. Confere muito benefício e requer muita graça, que pertence a elas, em verdade e realidade. O benefício, primeiro, é muito grande, e em efeito todas as outras coisas. Dizer que Deus é nosso é dizer que o mundo é nosso e muito mais. É nos dar direito a tudo que pode nos ser requerido ou conveniente. Tudo que possamos desejar ou necessitar está envolto estas palavras: "Tu és o meu Deus". Mas é questão de dificuldade (como essas coisas que são excelentes são). São palavras que não são tão facilmente ditas como o mundo imagina e pensa ser. São fáceis para a boca, mas não são fáceis para o coração. É fácil ter a fantasia de dizê-las, mas não é fácil ter a fé para dizê-las. Acarreta certo tipo de sofrimento com elas e não são alcançadas, pois a mente humana se afasta delas. Há dois estados e condições nos quais é muito difícil dizer: "Ó Deus, tu és o meu Deus". Um é o estado da natureza e não regeneração, e o outro é o estado da deserção e do escondimento da face de Deus em relação à alma. — *Thomas Horton, 1673*

v. 1: "De madrugada te buscarei". As relações de Deus com o seu povo não são títulos vazios e sem sentido, mas trazem consigo certa atividade, tanto dele para com eles como também, na devida proporção, deles para com ele. Aqueles a quem Deus é Deus, ele concede favores especiais. E aqueles cujo Deus é Deus, eles o retribuem com serviços especiais. É o que verificamos ao longo da Bíblia, como diz Davi em outro salmo: "Tu és o meu Deus, e eu te louvarei; tu és o meu Deus, e eu te exaltarei" (Sl 118.28). E o mesmo neste: "Ó Deus, tu és o meu Deus; de madrugada te buscarei". Da mesma forma que os servos de Deus reivindicam ter interesse nele, eles também lhe prestam dever. O texto não só é expressão de fé, mas também de obediência. É como devemos considerá-lo. — *Thomas Horton*

v. 1: "De madrugada", de manhã cedo, antes de todas as coisas, Deus tem de ser buscado, caso contrário ele é buscado em vão. É como o maná, que a menos que fosse coletado de manhã cedo, dissolvia-se. — *Simon de Muis, 1587-1644*

v. 1: "A minha alma tem sede de ti". Ah, se Cristo viesse, se aproximasse de mim e me concedesse olhar para ele! Olhar é o privilégio dos pobres, visto que eles podem, à toa e de graça, olhar o sol. Eu teria a vida de rei, se não tivesse outra coisa a fazer pela eternidade senão ver e olhar o meu formoso Senhor Jesus. Suponha que eu fosse barrado na adorável entrada do céu, eu ficaria eternamente contente em olhar por um buraco da porta para ver a face do meu queridíssimo e belíssimo Senhor. *Ó grande Rei, por que ficas à distância? Por que permaneces além das montanhas? Ó benquisto, por que afliges uma pobre alma com demoras? Um longo tempo fora da tua presença gloriosa é duas mortes e dois infernos para mim. Temos de nos encontrar.* Tenho de vê-lo. Não posso viver sem ele. A fome e desejo por Cristo ocasionou tamanha necessidade de desfrutar Cristo que, custe-me o que custar, não posso deixar de assegurar a Cristo que não vivo sem ele, porque não posso dominar nem comandar o amor de Cristo. — *Samuel Rutherford, 1600-1661*

v. 1: "A minha carne", quer dizer, o meu suscetível apetite físico, que tem sede, almeja ardentemente consolação, que a recebe da abundância da consolação espiritual para a alma. Este significado me agrada muito. Deus dá "as fontes superiores e as fontes inferiores" (Js 15.19). Rebeca, depois de oferecer água do seu cântaro para Eliezer, servo de Abraão, acrescentou: "Tirarei também água para os teus camelos, até que acabem de beber" (Gn 24.19). Jacó cavou um poço perto de Sicar, mais tarde chamado de Samaria, e como disse a mulher samaritana: "Jacó, o nosso pai, que nos deu o poço, bebendo ele próprio dele, e os seus filhos, e o seu gado" (Jo 4.12). Quando Moisés feriu a rocha duas vezes com a vara, "saíram muitas águas; e bebeu a congregação e os seus animais" (Nm 20.11). Assim com esta consolação Deus satisfaz a nossa natureza mais alta e a mais baixa. — *Thomas Le Blanc*

v. 1: "A minha carne te deseja". O verbo כָּמַהּ é usado somente neste lugar. Por isso, o significado é um tanto quanto incerto, mas recebemos luz do dialeto árabe. No Léxico de Golius significa *caligavit oculus, alteratus colore, et mente debilitatus fuit*, que quer dizer "os olhos se escureceram, a cor mudou e a mente se enfraqueceu". Conforme o salmista o usou, o verbo denota a intensidade extrema do fervor do desejo, como se quase lhe prejudicasse a visão, lhe alterasse a própria cor do corpo e até lhe comprometesse o entendimento. Estes são sintomas, às vezes, de desejos ardentes e insatisfeitos. — *Samuel Chandler, 1693-1766*

v. 1: "Em uma [...] seca". Aqui temos de ler כְּאֶרֶץ (*k^e'erets*) em vez de בְּאֶרֶץ (*b^e'erets*), pois é "*como* esta" e não "*nesta*" (que não tem força), até como esta região seca, cansada e sem água. Assim estou para te ver no santuário, para contemplar o teu poder e glória. — *Benjamim Weiss, "New Translation of the Book of Psalms, with Critical Notes" [Nova Tradução do Livro dos Salmos, com Notas Críticas], 1858*

Weiss tem a autoridade de vários manuscritos para fazer essa asseveração, mas ele raramente erra no sentido de tão pouco dogmatismo. — *C. H. S.*

vv. 1 e 2: "Ó Deus, tu és o meu Deus". Ele o abraça na primeira palavra, como costumamos fazer amigos no primeiro encontro. "De madrugada te buscarei", diz ele, "a minha alma tem sede de ti; a minha carne [quer dizer, eu mesmo] te deseja muito em uma terra seca e cansada, onde não há água". É lógico que Davi tinha uma atividade extraordinária para fazer a Deus agora, como segue: "Para ver a tua fortaleza e a tua glória, como te vi no santuário" (v. 2), onde Deus o encontrara e se manifestara a ele. [...] O simples fato de ver um amigo alegra o homem: "Como o ferro com o ferro se aguça, assim o homem afia o rosto do seu amigo" (Pv 27.17). A alegria é afiada somente pela harmonia de espírito. É característica do povo de Deus buscar a face de Deus, quer dizer, a ele mesmo, pois assim é considerada a sua face: "Não terás outros deuses diante de mim", ou seja, diante da minha face (Êx 20.1), quer dizer, tu terás a mim ou tu terás a ninguém mais senão a mim. A comunhão pessoal com Deus é o alvo das nossas bênçãos. Como a razão e suas relações tornam as pessoas sociáveis umas com as outras, assim a natureza divina nos torna sociável com o próprio Deus. A vida pela qual vivemos não passa de um instrumento, um recipiente para trazer Deus para nós. — *Thomas Goodwin*

v. 2: "Para ver a tua fortaleza e a tua glória, como te vi no santuário".

(1) É ou deveria ser o desejo de todo cristão ver e desfrutar cada vez mais da glória de Deus.

(2) Os cristãos devem buscar a realização deste desígnio através da frequência devota e diligente ao culto no santuário. Como o caráter de Deus é manifestado no santuário para os crentes? (a) Pelo ministério da reconciliação, ou seja, pela exibição da verdade do evangelho. (b) Os crentes crescem no conhecimento do caráter divino no santuário, observando e sentindo a aplicação dessas grandes doutrinas à alma dos homens, pelo poder e influência do Espírito Santo.

(3) Os efeitos resultantes aos crentes na sua história e experiência por causa de um conhecimento crescente do poder e glória de Deus. Os efeitos deste conhecimento são grandes e múltiplos. (a) Os crentes, por novas exibições da glória divina, ficam desencantados da fascinação do mundo. (b) Outro efeito resultante de os crentes conhecerem cada vez mais a Deus e de verem a glória divina é que a mente fica livre dos embaraços aos quais às vezes é presa pelo aspecto da providência. (c) Ao verem o poder e glória divinos no santuário, os crentes têm a força renovada para prosseguirem na jornada cristã. (d) Uma visão da glória divina crucifica as

concupiscências dos crentes e dá um fim às corrupções do coração. (e) Novas visões do poder e glória divinos nutrem a humildade do crente. (f) Estas visões da glória divina no santuário armam os crentes para o conflito com o último inimigo.

Observações conclusivas:

(1) É característico de todo homem bom estar devotamente preso às solenidades do culto público.

(2) O objetivo de todo homem bom em ir ao santuário é definido e distinto. — *John Angell James, 1785-1859*

v. 2: "Como te vi no santuário". Tratar com rituais e não tratar com Deus. Ter a ver com rituais e não ter a ver com Deus. Infelizmente, os tais são seios secos e útero abortivo, que nunca geram os frutos da santidade. Os rituais sem Deus são como ossos que não têm tutano, conchas sem núcleo. Ouvir será em vão. Orar será em vão. Não haverá movimento do Espírito, nem resposta audível, nem advertência ao coração, nem refrigério para a alma, nem encontro com Deus. — *William Strong, 1654, "Saint's Communion" [A Comunhão dos Santos]*

v. 2: A glória de Deus está no firmamento, em todas as criaturas, porém mais especial e completamente na igreja: "E no seu templo cada um diz: Glória!" (Sl 29.9). No templo a glória é muito visível, estimulante e provocativa, fazendo com que cada ser fale. No mundo, poucos reparam, mas no templo toda pessoa a vê e fala sobre ela. Deus se revela ao mundo e é tão glorioso. Jesus se revela à igreja e é tão glorioso. Isto fez nascer em Davi o desejo de estar no santuário quando ele estava no deserto. Para quê? "Para ver a tua fortaleza e a tua glória." Não podia Davi vê-las nos céus, nas montanhas, nos belos cedros e em outras obras de Deus? Sim, mas não como no santuário. Então diz claramente: "Para ver a tua fortaleza e a tua glória, como te vi no santuário". Lá ele viu Deus muito diferentemente em relação aos outros lugares. Lá ele viu o rei no trono e na glória. — *William Greenhill*

v. 3: "Porque a tua benignidade é melhor do que a vida", ou "melhor do que as vidas", como está no original hebraico (*ḥayyîm*). O favor divino é melhor do que a vida. É melhor do que a vida com todas as rendas, com todos os pertences, como fama, riqueza, prazer, aplauso. É melhor do que muitas vidas reunidas. Agora você sabe que alto valor os homens dão à vida. Sangram, suam, vomitam, purgam, desfazem-se de uma propriedade, de um membro, de vários membros para preservar a vida. Como ele clamou: "Dá-me uma deformidade, um tormento, uma miséria, mas poupa-me a vida". A vida é muita querida e preciosa para o homem, contudo a alma deserta computa a volta do favor divino para ela acima da vida, acima até de muitas vidas. Muitos se cansam desta vida, como mostram a Bíblia e a história, mas ninguém jamais se cansou do amor e favor de Deus. Ninguém jamais valorizou tanto o sol como aquele que há muito ficou em um calabouço escuro. — *Thomas Brooks*

v. 3: "Porque a tua benignidade é melhor do que a vida". O amor à vida é uma armadilha tão frequente e perniciosa que o sentimento do amor de Deus tem de livrar-nos desse emaranhado. O que é tão desejável como a vida, se o homem não tem lugar no coração para Deus? Esta é a maior bênção temporal, não havendo nada que a exceda, senão o favor do Deus da nossa vida. É realmente insuperável. Que comparação há entre o fôlego das nossas narinas e o favor do Deus eterno? Qualquer coisa mais do que há entre a rica luz perpétua e o pobre vapor desvanecedor (cf. Is 60.19 com Tg 4.14). Quem, então, não odiaria a própria vida que perdura em dúvida continuamente e da qual não há garantia, quando ele sabe que o Deus vivo é a sua porção certa? Quem não entregaria livremente e se desfaria de dez mil vidas iguais, uma depois da outra (caso as tivesse), para que a ira de Deus se acenda apenas um pouco? — *Timothy Cruso, 1657-1697*

v. 3: "Porque a tua benignidade é melhor do que a vida". Que vida? Aquela que os homens escolheram. Um escolheu uma vida no comércio, outro uma vida no campo, outro uma vida na usura, outro uma vida no exército. Um dedica-se a determinado tipo de vida, outro a outro. Os tipos de vida são diversos, mas melhor é vida de Deus do que a nossa. Melhor é a vida que Deus dá aos regenerados do que a vida que os perversos escolhem. Há uma vida dada por Deus que deve ser preferida a todos os tipos de vida que no mundo possamos escolher. — *Agostinho*

v. 3: "A vida" é um bem impuro. É um bem que está implícito e envolto em abundância de males. Há muitas cruzes, dificuldades e calamidades às quais a vida do homem está sujeita. Ainda que haja certo conforto nesta vida, esse conforto é muito atribulado e não genuíno. Mas a benignidade de Deus é boa e nada mais que boa. Como está escrito sobre a bênção, a benignidade do Senhor não acrescenta dores, nem é inconveniente, nem há nada de ruim nela (cf. Pv 10.22). — *Thomas Horton*

v. 3: "Os meus lábios te louvarão". É possível alguém amar e não elogiar ou falar do objeto amado? Se você tiver um falcão ou cão de caça do qual gosta, você falará coisas boas dele. Pode haver amor a Cristo, quando ele raramente ou nunca é falado, nem o seu amor mencionado ou elogiado aos outros para que não tenham amor por ele? Quando perguntaram à esposa: "Que é o teu amado mais do que outro amado"?, ela o destaca com muitas qualidades adornantes e conclui, dizendo: "Ele é totalmente desejável" (Ct 5.9,16). "Porque a tua benignidade", disse Davi, "é melhor do que a vida; os meus lábios te louvarão". É condizente com esta vida de amor, sempre estar falando sobre assuntos mundanos ou, na melhor das hipóteses, notícias, tanto nos dias da semana quanto nos fins de semana, deitado ou sentado, em boa companhia ou em companhia má, em casa ou em viagem? Sabe o quê? Será importante razão para você desejar viver, a fim de que você faça o Senhor Jesus conhecido aos seus filhos, amigos e conhecidos. Assim, nos séculos futuros, o nome e a lembrança de Jesus serão um cheiro suave de geração em geração (Sl 71.18). Especialmente, se antes da conversão você envenenava os outros por meio de palavras vãs e corruptas, depois da conversão você procurará persuadir o coração dos outros por meio de uma comunicação saborosa cheia de graça, doçura e sabedoria e de palavras santas. O que o Senhor ensinou a você é o que você falará aos outros, por causa daquele a quem você ama. — *Thomas Sheppard, 1605-1649, "The Sound Believer" [O Crente Salutar]*

vv. 3 a 6: Davi exalta a benignidade como uma rainha acima de tudo o mais, até das mais preciosas bênçãos dadas a ele, "porque a tua benignidade é melhor do que a vida [está acima da vida]". Ao redor do trono dela, ele coloca sete membros físicos e faculdades mentais, como os sete principais anjos, [...] que estavam na presença do Senhor, para que a elogiem e a admirem. São os lábios, a língua, as mãos, a vontade, a boca, a memória e o intelecto. Davi exalta a benignidade de Deus, em primeiro lugar com os lábios: "Os meus lábios te louvarão" (v. 3). Em segundo lugar, com a língua: "Assim, eu te bendirei enquanto viver" (v. 4). Em terceiro lugar, com as mãos: "Em teu nome levantarei as minhas mãos". Em quarto lugar, com a vontade: "A minha alma se fartará, como de tutano e de gordura" (v. 5). Em quinto lugar, com a boca: "E a minha boca te louvará com alegres lábios". Em sexto lugar, com a memória: "Quando me lembrar de ti na minha cama" (v. 6). Em sétimo e último lugar, com o intelecto: "E meditar em ti nas vigílias da noite". — *Thomas Le Blanc*

v. 4: "Assim, eu te bendirei". Há duas maneiras especialmente nas quais Deus é bendito pelas suas criaturas. Uma é objetivamente, por via de representação, e a outra é significativamente, por via de publicação. De acordo com o primeiro sentido, todas as criaturas o bendizem: "Os céus manifestam a glória de Deus e o firmamento anuncia a obra das suas mãos" (Sl 19.1); "Louvai-o, sol e lua; [...] fogo e saraiva, neve e vapores" (Sl 148.3,7,8). Todos estes o bendizem assim. Mas de acordo com o segundo sentido, ele é bendito apenas por anjos e homens, os quais têm de bendizê-lo com tanto maior intensidade: "Todas as tuas obras te louvarão, ó Senhor, e os teus santos te bendirão. Falarão da glória do teu reino e relatarão o teu poder" (Sl 145.10,11). — *Thomas Horton*

v. 4: "Levantarei as minhas mãos". A prática de levantar as mãos em oração aos céus, a suposta residência do objeto ao qual a oração é enviada, era antigamente usada por crentes, como mostram várias passagens no Antigo testamento, e descrentes, de acordo com numerosos exemplos registrados nos escritores clássicos. John Parkhurst, considerando a *mão* como o principal órgão ou instrumento do poder e operações humanos e supondo que a palavra era usada muito extensivamente pelos hebreus para referir-se a poder, agência, domínio, ajuda e semelhantes, considera o levantamento das mãos humanas na oração como confissão emblemática de poder e pedido de ajuda aos seus respectivos deuses. Não é, porém, o gesto natural e espontâneo da súplica sincera? — *Richard Mant*

v. 5: "A minha alma se fartará, como de tutano e de gordura". A minha alma ficará satisfeita como se eu tivesse recebido tudo o que está indicado pelos ricos pedaços do sacrifício pacífico. — *Andrew A. Bonar*, em comentário sobre Levítico 3.9,10

v. 5: "A minha alma se fartará, como de tutano e de gordura", como diz no original hebraico, quer dizer, a minha alma ficará saturada de conforto, será cheia até à borda de prazer e deleite, na recordação e satisfação de Deus em minha cama (ou em minhas camas, no plural, como diz em hebraico). Davi teve muitas camas duras e muitos alojamentos desconfortáveis, enquanto estava no deserto. Sucedeu muitas vezes que ele tinha nada mais que o chão duro por cama, pedras por travesseiros, sebes por cortinas e o céu por pálio. Contudo, nesta condição, Deus era para ele mais doce do que o tutano e a gordura. Embora a cama nunca tivesse sido tão dura, em Deus ele tinha plena satisfação e total felicidade (Jr 31.14; Fp 4.9). — *Thomas Brooks*

v. 5: "A minha alma se fartará, como de tutano e de gordura; e a minha boca te louvará com alegres lábios". É o que há em um Deus gracioso e em comunhão com ele, que dá satisfação abundante para a alma (Sl 36.8; 65.4). É o que há em uma alma graciosa, que tem satisfação abundante em Deus e em comunhão com ele. — *Matthew Henry*

v. 5: O Conhecimento santificado disse: Há uma plenitude infinita em Cristo, a plenitude de uma fonte. Disse a fé: Tudo isso é para mim, porque ele é o meu marido. Então a Oração disse: Se tudo isso é teu, irei e buscarei para ti. E a Gratidão disse: Devolverei louvores a Deus por isso (e isso é melhor do que o recebimento de misericórdias): "A minha alma se fartará, como de tutano e de gordura; e a minha boca te louvará com alegres lábios". — *Matthew Lawrence, "The Use and Practice of Faith" [O Uso e a Prática da Fé], 1657*

v. 5: Nas palavras que escolhi como tema do discurso, o salmista expressa a expectativa humilde de ter a alma banqueteada no santuário.

(1) Em primeiro lugar, pretendo mostrar como o Senhor satisfaz a alma dos homens como com tutano e gordura. Em geral, observamos que ele dá essa satisfação condescendendo estar em comunhão com eles. Este é o banquete que o nosso Senhor promete a todo pecador que abre o coração para recebê-lo: "Eis que estou à porta e bato; se alguém ouvir a minha voz e abrir a porta, entrarei em sua casa e com ele cearei, e ele, comigo" (Ap 3.20). Este também era o banquete ao qual a esposa de Cristo foi aceita, quando ela disse: "Levou-me à sala do banquete, e o seu estandarte em mim era o amor" (Ct 2.4). Mais particularmente:

(a) O Senhor satisfaz a alma do seu povo como com tutano e gordura, banqueteando-a com a carne e o sangue de Jesus Cristo. O Filho de Deus encarnou-se, derramou o seu sangue e cumpriu toda a justiça para que ele fosse comida para a nossa alma: "E o Verbo se fez carne e habitou entre nós" (Jo 1.14). E na sua pessoa encarnada, ele é para nós o pão vivo, o pão que dá vida espiritual e eterna para a nossa alma, impedindo-a eficazmente de perecer. [...]

(b) O Senhor satisfaz a alma do seu povo como com tutano e gordura, mostrando-lhe a glória na face de Cristo. Por este modo, o salmista Davi desejava e esperava ter a alma banqueteada, como nos informa o versículo 2: "Para ver a tua fortaleza e a tua glória, como te vi no santuário". [...] A visão salvífica da glória de Deus em nosso Emanuel é inexprimivelmente consolável. É um banquete para a alma, e produtiva de alegria indizível e cheia de glória. [...]

(c) O Senhor satisfaz a alma do seu povo como com tutano e gordura, derramando nela o seu amor. Este era outro modo pelo qual Davi esperava ter a alma banqueteada. Ele havia sentido a doçura do amor divino, provado que o Senhor era benevolente. Sabia por experiência feliz que a benignidade do Senhor era mais doce do que todas as consolações da vida. Esperava ser abençoado com mais uma experiência do amor de Deus, uma experiência que lhe aquecesse o coração e lhe fornecesse tema de um novo cântico de louvor a Deus. Era assim que ele esperava ser satisfeito como com tutano e gordura. Então, declara no versículo 3: "Porque a tua benignidade é melhor do que a vida; os meus lábios te louvarão". [...]

(d) O Senhor satisfaz a alma do seu povo como com tutano e gordura, quando a banqueteia com promessas ligadas à nova aliança. Ele nos dera grandíssimas e preciosas promessas. Promessas que estão cheias de toda a plenitude de Deus e que estão todas em Cristo, o sim e o amém para a glória de Deus (cf. 2 Pe 1.4; 2 Co 1.20). Estas promessas nos estão apresentadas no evangelho para que possamos tomá-las pela fé. Mas é tão grande a loucura dos homens que eles excluem-se destas palavras da graça e julgam-se indignos da vida eterna. Tal loucura é natural até para o povo de Deus. [...] Mas quando a rocha de Israel, em um dia de poder, fala destas promessas para eles, eles não as rejeitam mais, mas de coração as recebem em Cristo e alegremente banqueteiam-se nelas. Então, acham as palavras do Senhor e as comem. A sua palavra é a alegria e regozijo dos corações. [...]

(e) O Senhor satisfaz a alma do seu povo como com tutano e gordura, enchendo-a do Espírito. Estamos esfomeados enquanto estamos no estado natural, enquanto não temos o Espírito (cf. Jd 19), pois assim também não temos Jesus. Mas quando o Senhor põe o seu Espírito em nós, a nossa alma faminta começa a banquetear-se, pois este Espírito santificado nos mostra as coisas de Cristo e as aplica em nós. É deste modo que comemos a sua carne e bebemos o seu sangue. E depois que o Espírito Santo é dado assim, ele jamais é tirado. [...] É a promessa do nosso Redentor que, se alguém crer nele, "rios de água viva correrão do seu ventre" e "isso disse ele do Espírito, que haviam de receber os que nele cressem" (Jo 7.38,39).

(f) O Senhor satisfaz a alma do seu povo como com tutano e gordura, quando ele reaviva as antigas experiências da sua bondade. Não é incomum, ele, por assim dizer, dar um novo banquete com uma velha experiência. [...]

(2) Em segundo lugar, pretendo mostrar a razão que os crentes têm para concluir que a alma será satisfeita com as ordenanças do culto divino.

(a) Os crentes tiram essa conclusão racionalmente com a bondade divina.

(b) Os crentes fundamentam essa esperança na encarnação, humilhação e morte de Cristo.

(c) A plenitude colocada em Cristo também é bom fundamento para tal esperança.

(d) Pelas promessas divinas, os crentes concluem que a alma será satisfeita, como com tutano e gordura.

(e) Os crentes tiram essa conclusão pelo fato de serem abençoados com o apetite espiritual.

(f) As experiências anteriores de terem sido satisfeitos pelo Senhor encorajam os crentes a esperar que ele os satisfaça novamente, como com tutano e gordura. — *Extraído de um esboço de sermão pregado por John Fraser, 1745-1818*

v. 5:

Sempre satisfeitos, mas sempre famintos
O que têm, ainda desejam
Nunca experimentam o fastio da saciação
Nem o tormento medonho da fome
Ainda tendo fome, comem e comendo
Ainda requerem a comida sagrada
— *Pedro Damião, 988-1072*

vv. 5 e 6: Davi teve guloseimas e festas celestiais à noite, enquanto os olhos dos outros estavam fechados e não viram o corcel que foi enviado dos céus para o refrigério espiritual. As meditações solitárias lhe trouxeram mais consolo e conforto do que a criação inteira poderia lhe oferecer: "Quando me lembrar de ti na minha cama e meditar em ti nas vigílias da noite, [...] a minha alma se fartará, como de tutano e de gordura" (vv. 5 e 6, com ordem invertida). A comunhão com Deus em secreto é o céu na terra. Que comida se compara com o maná escondido? Há pessoas que têm banquetes excelentes no quarto de oração. O pão que os santos comem em segredo, quão agradável é! Ah! que estranho pode imaginar a alegria, a melodia, que até as lágrimas secretas dos santos causam! Os crentes acham ricas minas de prata e ouro em lugares solitários. Buscam joias preciosas de buracos secretos, do fundo do oceano, onde não há nenhum habitante. Os naturalistas observam que os peixes mais saborosos estão nos lugares escondidos. Os santos têm doce alegria e refrigério em segredo. Têm uma comida para comer que o mundo não conhece (cf. Jo 4.32). A figueira, a oliveira e a videira não deixariam a sua doçura, mosto e alegria para serem reis sobre as outras árvores (Jz 9.11-13). Aqueles que sabem o que é desfrutar Deus em segredo, não deixariam ou perderiam de ser reis ou chefes sobre o mundo inteiro. — *George Swinnock*

v. 6: "Quando me lembrar de ti na minha cama e meditar em ti nas vigílias da noite". Com esta tradução, o versículo 6 fica conectado com o versículo 5. Mas a divisão das estrofes torna a seguinte tradução preferível, a qual, além disso, remove a necessidade de acrescentar a conjunção "e": "Sempre que me lembro de ti na minha cama, medito em ti nas vigílias da noite" (cf. EAC; NVI). Lembrar de ti em minha cama me absorve tanto, que não posso parar de pensar de modo a cair no esquecimento do sono. Fico meditando em ti em todas as vigílias da noite (cf. Sl 119.55,148; 1.2).

No original hebraico, é "camas" (plural), provavelmente aludindo ao fato de que na vida incerta no exílio, ele raramente dormia muitas noites seguidas na mesma cama, mas por medo de adversários dormia em lugares diferentes. Havia três vigílias da noite: a primeira vigília (Lm 2.19, "vigília da meia-noite"), a vigília do meio (Jz 7.19, "vigília da meia-noite"), a terceira ou quarta vigília (Êx 14.24; 1 Sm 11.11, "vigília da manhã"). No Novo Testamento, prevalece o uso romano de quatro vigílias. — *A. R. Fausset*

v. 6: "Quando me lembrar... e meditar". A meditação em qualquer coisa tem mais doçura em si do que a mera lembrança. A memória é a arca para conter a verdade, mas a meditação é o paladar para alimentar-se dela. A memória é como a arca na qual o maná foi guardado. A meditação é como o ato de Israel alimentar-se do maná. Quando Davi começou a meditar em Deus, foi-lhe saboroso como o tutano. Há tanta diferença entre uma verdade lembrada e uma verdade meditada, quanto há entre um fortificante no copo e um fortificante tomado. — *John Wells, 1668, "Sabbath Holiness" [A Santidade do Sábado]*

v. 6: "Na minha cama". Podemos considerar a cama como lugar para lembrar-nos de Deus, segundo certa noção dividida em três partes:

(1) Como lugar de escolha. Na cama, lugar de escolha, em vez de estar em outro lugar, é onde tenho a minha liberdade. Quando Davi tinha em mente lembrar-se de Deus, ele escolhia a cama como o lugar mais apropriado e agradável para isso. Em caso de cansaço excessivo ou doença física contraída (eis algo dito acidentalmente na Bíblia), é ocasião própria falar com o nosso coração sobre a nossa cama. Pode suceder que a cama seja o melhor lugar para um dever como este (Sl 4.4).

(2) Como lugar de necessidade. Em minha cama, pelo menos, quando não posso em outro lugar por me haver restrições. Davi, quando (como agora era o caso) estava impedido de comparecer às ordenanças públicas, quer por doença ou outro impedimento de força maior, não se esquecia de Deus. Lembrava-se dele mesmo que fosse na cama.

(3) Como lugar de indiferença, quer dizer, lá como também em qualquer outro lugar. Não só me lembrarei de ti quando me levantar, quando assumo o dever de lembrar-me de ti, mas também na cama. Aproveitarei a ocasião e oportunidade para lembrar-me de ti na cama. Entrego-me a ti, quando me deito, e invoco e confesso a ti assim que me acordo. — *Thomas Horton*

v. 6: Havia no tabernáculo "vigílias da noite" ou turnos para louvar a Deus (Sl 134.1), durante os quais Davi, quando tinha liberdade, se juntava com os levitas. Agora que ele não podia estar com eles, ele observava as vigílias com eles e se imaginava entre eles. — *Matthew Henry*

v. 7: "Porque tu tens sido". O modo mais seguro e mais íntimo de nos manter fiéis a Deus é considerar o que ele já fez por nós. Este foi o método utilizado por Davi. Foi assim, diz ele, que Deus agiu para comigo no passado. Portanto, é assim que olharei para ele. A língua na qual Deus falou com o homem, o hebraico, não tem tempo presente. Eles não formam os verbos como fazem as línguas ocidentais, no tempo presente, mas começam com aquilo que é passado. Deus nos leva no seu idioma, no seu falar, no que é passado, naquilo que ele já fez. Não há como não ter segurança melhor para o presente nem para o futuro do que as anteriores misericórdias de Deus mostradas para nós. — *Abraham Wright*

v. 7: "Porque tu tens sido o meu auxílio". Desta palavra — que Deus em sido o meu *auxilio* —, estimo que temos duas noções. Primeiro, que Deus não deixa tudo comigo, pois vem ao meu socorro e me auxilia. Depois, que Deus deixa algo para mim. Ele é o meu auxílio, mas deixa algo para eu fazer com ele e por meio do seu auxílio. A segurança para o futuro acerca da consideração daquilo que já passou não está apenas em que Deus me livrou, mas também em que ele me livrou por via de um auxílio, e auxílio sempre presume esforço e cooperação da parte daquele que é auxiliado. Deus não me elegeu como ajudante, nem me criou, nem me salvou, nem me converteu por via de auxiliar-me. Só ele fez tudo isso e não há utilidade para mim nesses processos. Deus infunde a primeira graça, o primeiro método, somente como doador, pois inteiramente é tudo ele que faz. Mas infunde a graça subsequente como ajudante. Por isso, as chamamos de graças auxiliadoras, graças ajudadoras, e sempre as recebemos quando nos esforçamos em usar a primeira graça. — *John Donne*

v. 7: "Porque tu tens sido o meu auxílio".

(1) Nos deveres. Deus auxilia os crentes neste ponto. Não há nada que Deus requeira do seu povo que façam sozinho, pois ele os ajuda a fazer. Ele não é como os capatazes egípcios que requeriam tijolos, mas não davam palha para fazê-los.

(2) Nas lutas. Deus também auxilia os crentes neste ponto. Como quando o israelita e o egípcio lutavam, Moisés interveio e auxiliou o israelita (Êx 2.12). O mesmo faz Deus neste caso conosco. Quando estamos lutando e guerreando contra Satanás, que é nosso inimigo espiritual, o Senhor está perto para nos auxiliar. Este fato nos encoraja ainda mais em nossa resistência e oposição. Temos um ajudante poderoso para nos defender e ombrear a nossa disputa.

(3) Nas aflições. Deus auxilia os crentes neste ponto, ou seja, a levar pacientemente a cruz que ele coloca sobre eles. Ele leva parte dela com eles nos sofrimentos. Em todas as aflições deles, ele é afligido, como às vezes ele o expressa. Ele não põe sobre eles mais do que ele os auxilia e os capacita a suportar. (a) Ele os auxilia *antes*, por via da prevenção. (b) Ele os auxilia *durante*, por via do apoio. (c) Ele os auxilia *depois*, por via de salvamento, redenção e libertação. — *Thomas Horton*

v. 7: "O meu auxílio". Deus tem sido não só o meu auxiliador, mas o meu auxílio. Não podemos auxiliar a nós mesmos, nem há criatura que possa nos ser útil. Só Deus. — *Matthew Henry*

v. 7: "O meu auxílio". Há mais encorajamento na menor bênção dada a nós do que na maior bênção dada a um estranho. Por conta disso, afirmamos com absoluta certeza que uma biblioteca de livros biográficos e de livros relativos exclusivamente aos justos não contribui para a segurança dos crentes tanto quanto os documentos que a própria memória fornece para eles. Devemos, então, nos dedicar ao estudo dessas memórias, quer sejam ricas ou pobres. Façamos o mesmo que Davi fez. Indubitavelmente, ele conhecia muito bem as histórias de Noé, Abraão, Jacó, José, Moisés. Os registros destes eminentes servos de Deus eram registros de livramentos surpreendentes, de promessas divinas cumpridas e de necessidades humanas satisfeitas. Não obstante, quando estava no deserto, Davi não recorreu a estes registros em busca de encorajamento. A sua exclamação foi: "Porque tu tens sido o meu auxílio; jubiloso cantarei refugiado à sombra das tuas asas". — *Henry Melvill*, 1798-1871

v. 7: "Jubiloso cantarei". Como pássaro, abrigado na abundante folhagem do calor do sol, canta canções alegres, assim Davi celebra cânticos de louvor à sombra das asas de Deus. — *Augustus F. Tholuck*

v. 8: "A minha alma te segue de perto". Estas são palavras de um homem bom na pior situação. Quando ele perdia a proximidade com Deus, ele ficava inquieto até recuperá-la e a seguia de perto com todas as forças. São também palavras do homem bom na melhor situação, pois quando ele conhece e desfruta Deus, mais quer conhecer e desfrutar. Mas especialmente, são palavras de uma alma aflita e investigadora, que não se deixa cair debaixo do fardo, mas busca ardentemente a libertação, apoiada pela esperança de obtê-la. Por isso, há o complemento: "A tua destra me sustenta". [...] Farei considerações sobre o que está implícito no fato de a alma seguir Deus de perto e depois analisarei as razões para este procedimento.

(1) Seguir a Deus de perto:

(a) Supõe um conhecimento prévio dele. Um bem desconhecido, por mais que seja desejável, não pode ser objeto de desejo. Por conseguinte, Deus brilhar no coração, é dar a luz do conhecimento da glória de Deus na face de Jesus Cristo, como base de todos os exercícios da graça, sobretudo como fonte de todos os desejos fervorosos por ele.

(b) Expressa desejos ardentes e intensos. Não consiste em desejos frios e débeis, mas em desejos insaciáveis pela comunhão com Deus e em conformidade com a sua vontade.

(c) Indica esforço laborioso: A minha alma segue a Deus, a minha alma segue a Deus de perto. Nem a terra nem o céu é meramente o objetivo da minha busca, mas o próprio Deus. Os desejos da alma verdadeiramente renovada não são lerdos e ineficazes. Conduzem-na ao uso de todos os meios designados e ao exercício de empenhos extremos até que o objetivo seja atingido.

(d) Mostra perseverança na busca. *Seguir* indica isto e *seguir de perto* indica isto mais fortemente. É como se o salmista tivesse dito: Deus se afasta? Eu o procurarei. Ele retém a bênção? Eu lutarei com ele até que eu a obtenha. Ele muito esperou para ser gracioso para comigo. Agora eu esperarei até que ele o seja.

(2) Investigarei a razão por que Davi seguiu a Deus de perto:

(a) Culpa e angústia seguiam Davi de perto.

(b) Os inimigos de Davi também o seguiam de perto. Era como Satanás o perseguia, levando-o repetidamente a tropeçar e cair.

(c) Davi tinha seguido outras coisas de perto e em vão.

(d) Podemos acrescentar os atrativos poderosos da graça divina. — Condensado do sermão de *Benjamim Beddome*, 1717-1795, *"The Christian's Pursuit" [A Busca dos Cristãos], in: "Short Discourses" [Curtos Discursos], 1809*

v. 8: "A minha alma te segue de perto". דָּבְקָה אַחֲרֶיךָ. O sentido primário de דָּבַק é *agglutinavit*, "colar junto", de onde significa, figurativamente, "associar", "aderir", "apegar", "estar unido com" e, particularmente, "estar unido firmemente com afeto forte". "Portanto, deixará o varão o seu pai e a sua mãe [וְדָבַק בְּאִשְׁתּוֹ] e apegar-se-á à sua mulher", é, literalmente, *será unido de perto e compactado com a sua esposa, com o mais permanente afeto* (Gn 2.24). O salmista quer dizer, então, que a sua alma se apegou a Deus com o mais terno afeto e que desejava oferecer sacrifícios de louvor no santuário. — *Samuel Chandler*

v. 8: "A minha alma te segue de perto". דָּבְקָה, *adhaesit, adherescit anima mea post te,* que significa: A minha alma se apega a ti, como coisas que dependem de outras. A raiz hebraica é de tão grande frequência na Bíblia a ponto de ser tema de investigação entre os críticos. Diz respeito à postura do espírito de Davi e mostra que está perto de Deus. É tão dependente de Deus a ponto de não haver nada que o desgrude dele. A sutileza de Satanás, a crueldade de Saul, a própria perda e indenização pessoal não têm a mínima força ou destreza para cortar em pedaços ou desamarrar o nó górdio desta unidade. O apego do espírito de Davi era uma cola do espírito do Senhor. O casamento do feitio do Senhor é completamente incapaz do rompimento do Diabo.

Não admira que as palavras de Davi revelem tanta dedicação a Deus, visto que com o mesmo fôlego elas dizem que ele é sustentado por Deus: "A tua destra me sustenta", diz ele. — *Alexander Pringle, "A Stay in Trouble" [A Permanência nas Dificuldades], ou "The Saint's Rest in the Evil Day" [O Descanso dos Santos no Dia Mau], 1657*

v. 8: "A minha alma te segue de perto". No original hebraico é נַפְשִׁי אַחֲרֶיךָ, "a minha alma se apega a ti". É como se ele tivesse dito: Vai, guia-me, meu Deus! Vê como eu te sigo bem de perto com a maior proximidade que posso. Sigo pelo rastro. Não deixo abrir espaço, mas acompanho as tuas passadas, passo a passo, apoiando-me nos teus braços eternos, que estão sob mim, e seguindo a tua manudução. — *John Gibbon, "The Morning Exercises" [Os Exercícios Matinais], 1661*

v. 8: "A minha alma te segue de perto". O que significa a alma seguir e seguir Deus de perto? Claro que o significado é muito mais do que uma propensão débil e inerte: "O desejo do preguiçoso o mata, porque as suas mãos recusam-se a trabalhar" (Pv 21.25). Evidencia intensidade de interesse que aviva e desperta o homem para a vida e seriedade, que junto com isso atrai a alma, que o reconcilia com todo esforço e sacrifício necessário, por mais que seja difícil. Exorta-o a perseverar, sejam quais forem as dificuldades ou percalços que ele encontre pelo caminho. Às vezes, a distância é longa, o progresso é colina acima, o caminho é acidentado, o tempo é hostil e os inimigos, tendo a chance, nos empurram para trás. Às vezes, perdemos a visão e perguntamos aos que encontramos: "Vistes aquele a quem ama a minha alma?" (Ct 3.3). Quando o avistamos novamente, ele está avançando conforme avançamos. Se apressamos e nos aproximamos dele, ele olha para trás com desagrado e diz que recuemos. Os exercícios e sentimentos dos cristãos na vida divina os capacitam a explicar estas alusões. Quem entre eles já não se sentiu, como os judeus, angustiado "neste caminho"? (Nm 21.4). Quem já não se assemelhou aos partidários de Gideão: "Cansados, mas ainda perseguindo"? (Jz 8.4). Quem já não disse: "A minha alma te segue de perto"? — *William Jay*

vv. 9 e 10: Se o desejo divino do salmista era inextinguível, também era a fé. Na parte final do salmo, ele prediz com plena certeza a destruição cabal dos inimigos. Nem as denúncias deixaram de ter a precisão certa do cumprimento, mesmo na batalha pela qual o livramento foi efetuado. Os exércitos encontraram-se no bosque de Efraim, junto ao Jordão. "Naquele mesmo dia, houve ali uma grande derrota de vinte mil. [...] E foram mais os do povo que consumiu o bosque do que os que a espada consumiu" (2 Sm 18.7). Assim as palavras de Davi concernentes às "profundezas da terra", "espada" e "raposas", não eram palavras ociosas. As armadilhas da floresta, as espadas dos perseguidores do rei e os animais selvagens que tinham feito tocas, todos foram eficazes na sua função. O destino do exército rebelde foi compartilhado pelo líder que, enroscado nos galhos grossos do carvalho, teve o coração perfurado por Joabe e foi morto pelos servos do general, não recebeu honras funerárias mais do que ser lançado "no bosque, numa grande cova" e ter "sobre ele um mui grande montão de pedras". — *Joseph Francis Thrupp, "An Introduction to the Study and Use of the Psalms" [Uma Introdução ao Estudo e Uso dos Salmos], 1860*

v. 10: "Cairão". O termo é comumente é aplicado a água (2 Sm 14.14; Lm 3.49). Mas aqui, pela menção imediata da "espada", está restrito ao derramamento de sangue. Por estar na terceira pessoa do plural, no sentido ativo, deve segundo o idioma hebraico ser interpretado no sentido passivo: Eles derramarão pela mão da espada, ou seja, eles serão derramados pela espada, sendo *a mão da espada* nada mais do que o fio da espada. — *Henry Hammond*

v. 10: "Serão uma ração para as raposas". Os animais foram dados aos homens por alimento, mas aqui os homens são dados aos animais por presa. É cena lamentável ver a mais vil de todas as criaturas banquetearem-se vorazmente com a carne dos mais nobres, e ilimitadamente arrastarem e despedaçarem o porta-joias que continha a mais rica joia do mundo. Não é contra a lei da natureza que os homens se tornem alimento de animais. Mas o alimento de tais animais não é carne putrefata, imprópria para o alimento do homem? Sem dúvida, mas a natureza consente com este tipo de castigo a crimes antinaturais. É consoante à razão que a lei da natureza seja quebrada no castigo daqueles que a quebraram no pecado. Faz sentido que aqueles que devoraram os homens como animais sejam devorados pelos animais como homens. É racional que aqueles que com as mãos ofereceram violência antinatural ao soberano sofram o mesmo pelas garras e dentes de animais selvagens, seus escravos. É sensato que aqueles que durante a vida levam uma raposa no peito, sejam na morte sepultados na barriga de uma raposa.

Agostinho, expondo esta profecia de Cristo, propõe uma razão especial deste julgamento de Deus, pelo qual os judeus foram condenados às raposas. Os judeus, disse ele, mataram Jesus para que não perdessem a nação. Mas, na verdade, perderam a nação porque mataram Jesus. Por recusarem o Cordeiro e escolherem Herodes, a raposa, foram, então, pela justa retribuição do Todo-poderoso, destinados às raposas como ração. Apesar desta alusão de Agostinho às raposas em especial, Jansenius e outros expositores estendem esta concessão do meu texto a todos os animais e aves selvagens, que são, por assim dizer, impacientes com a raposa e têm plenos poderes e liberdade para apoderar-se dos cadáveres do exército de traidores de Deus e da sua nação. Mas as raposas têm este nome, porque eram prolíferas nas regiões onde as provisões lhes eram abundantes, pois Sansão em pouco tempo e facilmente capturou trezentas. — *Daniel Featley, Doutor em Teologia, 1582-1645, "Clavis Mystica" [Glossário Místico], 1636*

v. 10: "Serão uma ração para as raposas". Se o corpo do ser humano fosse para ser abandonado ao chão, os chacais certamente lhe deixariam poucos traços. Na guerra de antigamente, esses animais faziam grande festança nos campos de batalha depois que os exércitos vencedores se retiravam. É a esta tendência dos chacais que Davi se refere. Como homem de guerra que lutara em muitos campos de batalha, ele vira as carcaças dos mortos mutilados por estes rondantes noturnos. — *J. G. Wood*

v. 10: Que tremenda destruição Davi pronuncia para os que procuram destruir a alma dos jutos: "Serão uma ração para as raposas", ou seja, para os chacais, como suponho ser o significado. Estes animais sinistros, culpados e miseráveis, quando pressionados pela fome, juntam-se em bandos entre as sepulturas, uivam de raiva e lutam como demônios em orgias noturnas. Mas é no campo de batalha que fazem a grande carnificina folienta. Que jamais me passe pela cabeça, nem mesmo em sonho, que um dos meus queridos caiu pela espada e está agora estirado ao chão para ser despedaçado, roído e arrastado para lá e para cá por estes uivadores horrorosos. — *W. M. Thomson, Doutor em Teologia, "The Land and the Book" [A Terra e o Livro], 1861*

v. 11: "Qualquer que por ele jurar se gloriará", ou seja, para Davi, qualquer pessoa que entrar em acordo com ele e fizer juramento de lealdade a ele, se gloriará no sucesso. Ou as palavras "que por ele jurar" quer dizer jurar pelo santo nome de Deus e não por ídolo (Dt 6.15). Significa, então, que todas as pessoas boas que fazem confissão sincera e aberta do nome de Deus, se gloriarão em Deus e se gloriarão no progresso de Davi: "Os que te temem alegraram-se quando me viram" (Sl 119.74).

Aqueles que de coração esposam a causa de Cristo, por fim se gloriarão na vitória: "Se sofrermos, também com ele reinaremos" (2 Tm 2.11). — *Matthew Henry*

SUGESTÕES AOS PREGADORES

v. 1. "Ó Deus, tu és o meu Deus." Enquanto os ateus dizem "Não há Deus", e os pagãos cultuam muitos deuses, os verdadeiros crentes dizem: "Ó Deus, tu és o meu Deus". Ele é Deus: (1) Por escolha. (2) Por aliança. (3) Por confissão.

v. 1. "De madrugada te buscarei". Buscar a Deus "de madrugada", ou seja, cedo: (1) Cedo em relação à vida. (2) Cedo em relação à diligência. (3) Cedo em relação ao fervor. (4) Cedo em relação a tempos ou continuação. — *Alexander Shanks*

v. 1. "De madrugada te buscarei". Buscar de madrugada, ou seja, cedo. Aquilo que é desejado será buscado intensamente: (1) A alma é resoluta: "Buscarei". (2) A alma é prática: "Buscarei". (3) A alma é pronta: "De madrugada". (4) A alma é perseverante: Seja esta a decisão e ação tanto do salvo quanto do não-salvo. — *G. J. K.*

v. 3. (1) A decisão do amor: "Os meus lábios te louvarão". (a) Louvar. É congenial à natureza renovada. Não tem prazer em murmurar, repreender ou ralhar. Expressa estima, gratidão, felicidade e afeto. (b) Louvar a Deus. (c) Louvar a Deus de modo prático: "Os meus lábios". Falar bem com ele. Falar bem dele. Falar bem da sua sabedoria, justiça, amor e graça. (d) Louvar a Deus continuamente: "Eu te bendirei enquanto viver" (v. 4). (2) A razão do amor: "Porque a tua benignidade". O amor tem de louvar a Deus: (a) Porque deve a ele a existência: "Nós o amamos porque ele nos amou primeiro" (1 Jo 4.19). (b) Porque é alimentado por ele: "O amor de Deus está derramado em nosso coração pelo Espírito Santo que nos foi dado" (Rm 5.5). (c) Porque as expressões do amor de Deus demandam louvor. "Benignidade" aos necessitados, desamparados e perdidos. "Benignidade" que não fere a nossa natureza. "Melhor do que a vida", quer sejam o princípio, os prazeres ou as atividades da vida. — *G. J. K.*

v. 3. "A tua benignidade é melhor do que a vida": (1) Amor desfrutado com a vida. (2) Amor comparado com a vida. (3) Amor preferido à vida. — *G. J. K.*

vv. 5 e 6. (1) O vaso vazio se enche: (a) Como? Pela meditação. (b) Com o quê? Com a bondade de Deus, como de tutano e de gordura. (c) Até que ponto? Até fartar-se. (2) O vaso cheio transborda: "A minha boca te louvará com alegres lábios". A alma transborda de louvor e louvor alegre. — *G. J. K.*

vv. 5 e 6. Descreva a natureza e mostre a estreita ligação que há entre: (1) O trabalho do crente e (2) o divertimento do crente. — *J. S. Bruce*

v. 6. (1) Deveres importantes excessivamente negligenciados: Lembrar-se de Deus e meditar nele. (2) Ocasiões favoráveis ao alcance de todos: "Na minha cama" e "nas vigílias da noite". — *J. S. Bruce*

v. 7. Uma decisão bem fundamentada: (1) Sobre o que é baseada. (2) Como é expressada. — *J. S. Bruce*

v. 8. (1) A busca da alma. Ela segue a Deus: (a) Com desejo. (b) Com ação. (c) Com seriedade. (d) Com pressa. (e) De perto. (2) O sustento da alma. "A tua destra me sustenta", que é o braço da força. Fazendo e sustentando. — *G. J. K.*

v. 8. "Poderoso caçador diante da face do Senhor" (Gn 10.9): (1) O alvo da busca: "Te". (2) O modo da busca: "De perto". (3) Os perigos encontrados. — *J. S. Bruce*

v. 8. "A tua destra me sustenta." A mão direita de Deus sustenta os crentes de três modos: (1) No que diz respeito aos pecados, para que não caiam por causa deles. (2) No que diz respeito aos sofrimentos, para que não desanimem durante eles. (3) No que diz respeito aos deveres, para que não deixem de cumpri-los. — *William Jay*

vv. 9 e 10. (1) Os inimigos dos cristãos: (a) Espíritos maus. (b) Homens maus. (c) Hábitos maus. (2) A intenção dos inimigos dos cristãos: Destruir-lhes a alma. (3) A queda dos inimigos dos cristãos: (a) É certa. (b) É vergonhosa. (c) É destrutiva. (4) O futuro dos inimigos dos cristãos: O inferno está reservado para eles. — *G. J. K.*

v. 11. Três tópicos: (1) A alegria do rei. (2) O juramento de lealdade. (3) O discurso dos maus.

SALMO 64

TÍTULO

Salmo de Davi. A vida de Davi era formada de conflitos. É muito raro ele concluir um salmo sem ter mencionado os inimigos. Neste caso, os seus pensamentos estão inteiramente ocupados com oração contra eles.

Para o cantor-mor. O regente do coral, até segunda ordem, ficou carregado de executar este cântico. Seria bom se os regentes de coral de todas as igrejas apreciassem devidamente o dever sacro segundo a pertinente solenidade, pois não é pouca coisa a chamada para reger os hinos para o povo de Deus cantar. A responsabilidade de forma alguma é pequena.

DIVISÃO

Dos versículos 1 a 6, Davi descreve a crueldade e astúcia dos inimigos. E dos versículos 7 a 10, ele profetiza-lhes a derrota.

EXPOSIÇÃO

1 *Ouve, ó Deus, a minha voz na minha oração; livra a minha vida do horror do inimigo.*
2 *Esconde-me do secreto conselho dos maus e do tumulto dos que praticam a iniquidade,*
3 *os quais afiaram a sua língua como espadas; e armaram, por suas flechas, palavras amargas,*
4 *para de lugares ocultos atirarem sobre o que é reto; disparam sobre ele repentinamente e não temem.*
5 *Firmam-se em mau intento; falam de armar laços secretamente e dizem: Quem nos verá?*
6 *Fazem indagações maliciosas, inquirem tudo o que se pode inquirir; até o íntimo de cada um e o profundo coração.*

1. *"Ouve, ó Deus, a minha voz na minha oração."* Sempre ajuda a devoção se usarmos a voz e falarmos de forma audível. Mas até

a oração mental tem voz para Deus, a qual ele ouve. Não lemos que Moisés tenha falado com a boca junto ao mar Vermelho, mas o Senhor lhe disse: "Por que clamas a mim?" (Êx 14.15). Orações não ouvidas na terra podem estar entre as mais bem ouvidas no céu. É nosso dever observar quantas vezes Davi recorria constantemente à oração. Era o seu machado de guerra, uma volumosa e pesada arma de guerra. Usava-a sob todas as circunstâncias prementes, quer de pecado interior ou de ira exterior, invasão estrangeira ou rebelião civil. Agiremos sabiamente se fizermos da oração a Deus o nosso primeiro e melhor recurso em que confiamos em todas as horas de necessidade.

"Livra a minha vida do horror do inimigo." Protege-me do dano e do horror do dano. Ou podemos interpretar como expressão de garantia de que ele faria assim: Tu me guardas do horror do inimigo. Em todos os nossos sacrifícios de oração devemos oferecer o sal da fé.

2. *"Esconde-me do secreto conselho dos maus."* Esconde-me das armadilhas escondidas. Frustra-lhes os conselhos. Sejam os seus segredos conhecidos pela tua providência secreta, as suas deliberações da maldade pelos teus conselhos de amor.

"E do tumulto dos que praticam a iniquidade." Quando os seus conselhos secretos irromperem em tumultos clamorosos, sê tu ainda quem me protege. Quando pensarem mal, que os teus pensamentos divinos os arruínem. Quando fizerem o mal, que as tuas justiças poderosas os derrotem. Seja como for, coloca-me fora do alcance das suas mãos cruéis e longe da vista dos seus maus-olhados. É bom vencer os inimigos maldosos, mas é ainda melhor ser escondido de todo conflito com eles, ficando protegido de entreveros. O Senhor sabe dar paz ao seu povo, e quando quer dar quietude, ele é competidor muito mais habilidoso do que todos os perturbadores, podendo igualmente derrotar os enredos extremamente confidenciais e as hostilidades descaradamente públicas.

3. *"Os quais afiaram a sua língua como espadas."* A difamação sempre é a principal arma dos inimigos do bom, e grande é o cuidado dos maus em usá-la com eficiência. Como os guerreiros afiam as espadas para dar-lhes um fio que penetre profundamente e fira irremediavelmente, assim os inescrupulosos inventam falsidades que têm o objetivo de causar dor, apunhalar a reputação, matar a honra dos justos. O que há que a língua má não diga? Existe alguma desgraça que ela não labutará em infligir?

"E armaram, por suas flechas, palavras amargas." Arremessam bem longe as calúnias, como os flecheiros atiram setas envenenadas. Preparam cuidadosamente e com força os seus enunciados como arcos curvados, e depois, com pontaria fria e deliberada, disparam as flechas que embeberam na amargura. O propósito único é atormentar, infligir angústia, destruir. Insulto, sarcasmo, desafio escarnecedor, apelido eram práticas comuns entre os orientais, que os faziam como um tipo de arte. Se nestas regiões ocidentais de costumes mais requintados formos menos afeitos ao uso de linguagem ofensiva, ainda há que se temer que o veneno menos aparente da língua inflija dor não menos pungente. Em todos os casos, corramos ao Senhor em busca de ajuda. Davi tinha apenas o único recurso da oração contra as armas duplas dos maus. Para a defesa contra a espada ou a flecha, ele usou a defesa única da fé em Deus.

4. *"Para de lugares ocultos atirarem sobre o que é reto."* Ficam de emboscada, com arcos retesados prontos para acertar com flechas covardes o homem reto. A conduta sincera e veraz não garante livramento dos ataques da difamação. O diabo atirou no nosso Senhor, e claro que ele tem um dardo inflamado reservado para nós. Jesus foi absolutamente perfeito, nós o somos apenas em sentido relativo. Por isso, há combustível para os dardos inflamados pegarem fogo. Observe a maldade dos maus. Não aceitam combate justo. Evitam o campo aberto. Escondem-se nos arbustos, ficando de emboscada contra quem não está familiarizado com o engano a ponto de suspeitar de deslealdade e é muito varonil para imitar modos desprezíveis de guerra.

"Disparam sobre ele repentinamente e não temem." Ao segredo acrescentam subitaneidade. Não dão à vítima que de nada desconfia a menor chance de defender-se. Lançam-se sobre ela como o animal selvagem salta sobre a presa. Executam os planos tão cautelosamente que não temem ser descobertos. Temos visto na vida diária a seta da calúnia que fere a vítima dolorosamente. Ainda não conseguimos descobrir o lugar do qual a arma foi atirada, nem saber quais mãos forjaram a ponta da flecha ou a tingiram com o veneno. Será possível a justiça inventar uma punição suficientemente severa e adequada para o caso do covarde que suja o meu bom nome e permanece no encobrimento? O mentiroso franco é um anjo comparado com este demônio. Víboras e najas são inofensivas e amáveis em comparação a tal réptil. O próprio diabo se ruboriza por ser o pai de tão vil descendente.

5. *"Firmam-se em mau intento."* Os bons ficam muitas vezes desanimados e não raro desencorajam-se mutuamente, mas os filhos das trevas são sábios na sua geração e mantêm o ânimo constante. Cada um tem uma palavra de consolo a dizer ao patife como ele. Qualquer coisa pela qual eles possam fortalecer as mãos uns dos outros no desígnio que lhes seja comum, a isso recorrem. Têm o coração completamente focado no trabalho sujo.

"Falam de armar laços secretamente." Quando se reúnem, contam e recontam os diversos esquemas ardilosos, de forma a conseguirem algum esquema inédito e magistral. Conhecem o benefício da cooperação e não são econômicos nesse procedimento. Colocam as experiências em um fundo comum e ensinam uns aos outros novos métodos.

"E dizem: Quem nos verá?" Mascaram com tanta aplicação os ataques de modo a dificultar em extremo a descoberta. As armadilhas estão muito bem ocultas e eles mesmo cuidadosamente escondidos para serem descobertos. Assim pensam, mas se esquecem dos olhos que tudo veem e das mãos que tudo descobrem, os quais sempre estão perto deles. Grandes tramas são em geral revelados. Como na Conspiração da Pólvora,* sempre há em algum ponto um desarranjo ou outro. Entre os conspiradores, a própria verdade tem um aliado, ou as pedras do campo clamam contra eles. Os cristãos não devem ficar presos por medo de conspirações jesuíticas cuidadosamente elaboradas, "pois contra Jacó não vale encantamento, nem adivinhação contra Israel" (Nm 23.23). Os apetrechos da armadilha foram quebrados, as flechas do arco foram rachadas, as conspirações dos maus foram anuladas. Portanto, não temam, ó vacilantes, pois o Senhor está à sua direita e vocês não serão feridos pelo inimigo.

6. *"Fazem indagações maliciosas."* Diligentemente consideram, imaginam, inventam, conspiram e procuram esquemas maldosos para expressar a malícia. Não são vilões comuns, mas exploradores da maldade, tramadores da iniquidade e maquinadores do mal. É muito triste que para arruinar um homem bom os mal-intencionados mostrem tanta avidez quanto se estivessem caçando um tesouro. A inquisição poderia exibir os instrumentos de tortura, que revelam tanta habilidade

---

* **N. do T.:** A "Conspiração da pólvora" [*Gunpowder Plot*] foi um movimento para assassinar o rei protestante Jaime I, da Inglaterra, e todos os membros do Parlamento durante uma sessão em 1605. Os católicos, por estarem insatisfeitos com a repressão empreendida contra eles pelo rei, objetivaram explodir o Parlamento inglês durante uma sessão, na qual estariam presentes o rei e todos os parlamentares, utilizando trinta e seis barris de pólvora, colocados sob o prédio do Parlamento. Os conspiradores, porém, notaram que o ato levaria à morte muitos inocentes e defensores da causa católica. Portanto, enviaram avisos para que se mantivessem afastados do edifício do Parlamento no dia do ataque. Para infelicidade dos conspiradores, um dos avisos chegou aos ouvidos do rei, que ordenou uma revista. Assim encontraram Guy Fawkes, que guardava a pólvora. Este foi preso e torturado até revelar o nome dos outros conspiradores. Foi condenado a morrer na forca por traição e tentativa de assassinato. Os outros participantes revelados por Fawkes também foram executados.

quanto a maquinaria de nossas atuais exibições. Os lugares importantes da história, que mais manifestam a habilidade da mente humana, são aqueles em que a vingança promove a diplomacia e usa a intriga para contornar propósitos diabólicos.

"Inquirem tudo o que se pode inquirir." O desígnio é aperfeiçoado, consumado e colocado em pleno funcionamento. Clamam "Eureca". Procuram e acham métodos seguros de vingança. São primorosos os refinamentos da malícia! A perícia do inferno fornece inspiração a artistas que criam o engano. A terra e os lugares debaixo dela são saqueados para servir de matéria-prima a equipamentos militares, e habilidades extremas transformam tudo que consideram.

"Até o íntimo de cada um e o profundo coração." Não há inteligência superficial com eles, senão sagacidade aguçada pela prática e ódio apurado. Os ímpios têm a arte para avançarem lentamente, agradarem visando a ruína, lisonjearem para que assim que puderem devorem, dobrarem os joelhos para que no fim esmaguem com os pés. Aqueles que lidam com a semente da serpente têm a boa necessidade da sabedoria, a qual é de cima.

Os componentes da geração de víboras torcem e distorcem, enrolam e ziguezagueiam, contudo sempre estão firmes no propósito e percorrem o caminho mais curto para cumpri-lo, quando perambulam em todas as direções. Como isto é perigoso para a situação dos crentes e como são prontamente derrotados, caso fiquem por conta própria. Esta é a reclamação da razão e o gemido da incredulidade. Quando a fé chega, vemos que mesmo em tudo isso os santos ainda são guardados, porque estão todos nas mãos de Deus.

7 *Mas Deus disparará sobre eles uma seta, e de repente ficarão feridos.*
8 *Assim, eles farão com que a sua língua se volte contra si mesmos; todos aqueles que os virem, fugirão.*
9 *E todos os homens temerão e anunciarão a obra de Deus; e considerarão prudentemente os seus feitos.*
10 *O justo se alegrará no Senhor e confiará nele; e todos os retos de coração se regozijarão.*

7. *"Mas Deus disparará sobre eles uma seta."* Já que dispararam, então serão alvo de disparos. Um arqueiro melhor do que eles fixará o alvo certo no coração deles. Basta uma das setas, porque ele nunca erra o alvo. O Senhor vira o jogo em relação aos adversários, e os derrota com as próprias armas deles.

"E de repente ficarão feridos." Estavam procurando pegar o santo de surpresa, mas são eles que são apanhados de repente. Desejaram infligir feridas mortais, mas são eles que são atingidos com feridas que ninguém pode curar. Enquanto estavam entesando o arco, o grande Deus já tinha o seu preparado. Disparou a flecha quando menos esperavam este magnânimo mensageiro da justiça: "Minha é a vingança; eu recompensarei, diz o Senhor" (Rm 12.19). Os justos não precisam aprender as artes da autodefesa ou do ataque, pois a vingança está em melhores mãos do que as deles.

8. *"Assim, eles farão com que a sua língua se volte contra si mesmos".* A difamação retrocederá até eles. As maldições proferidas voltarão para ficar. A língua lhes cortará a garganta. Foi espada, arco e flecha. Tudo retornará contra eles, tornando inquestionavelmente claro para eles a punição total.

"Todos aqueles que os virem, fugirão." Com medo deles e da derrota sofrida, os antigos amigos lhes darão distância para que não pereçam com eles. Quem se preocupa em chegar perto de Herodes quando os vermes estão comendo-o? Quem deseja estar no mesmo carro de faraó quando as ondas rugem ao redor? Aqueles que se aglomeravam ao redor do perseguidor poderoso e o bajulavam aos seus pés, estão entre os primeiros a abandoná-los no dia da ira. Ai até vocês, mentirosos! Quem desejará ser companheiro de vocês no fervente lago de fogo?

9. *"E todos os homens temerão."* Ficarão cheios de pavor por causa dos justos juízos de Deus, como os cananeus ficaram com a destruição de faraó no mar Vermelho.

Aqueles que teriam sido ousados no pecado ficarão tremendo e reverentemente amedrontados diante do justo Juiz.

"E anunciarão a obra de Deus." Será o assunto das conversas. A derrota que Deus infligirá sobre os maus será tão notável, tão contundente, tão terrível, que será falada por todos os grupos de pessoas. Pecaram secretamente, mas o castigo será dado sob a face do sol.

"E considerarão prudentemente os seus feitos." Os juízos de Deus são tão claros e manifestos que não há como os homens interpretá-los erroneamente. Basta pensarem um pouco para deles extraírem o verdadeiro ensino. Alguns juízos divinos são muito profundos, mas no caso dos perseguidores maldosos o assunto é bastante simples. Até os mais ignorante os entendem.

10. *"O justo se alegrará no Senhor."* Admirando a justiça divina e consentindo plenamente em suas exibições, eles também se alegrarão com o salvamento da inocência ainda ferida. Essa alegria não será egoísta ou sensual, mas totalmente em referência ao Senhor.

"E confiará nele." A observação que os justos fazem da providência lhes aumentará a fé, visto que aquele que cumpre as ameaças não se esquecerá das promessas.

"E todos os retos de coração se regozijarão." A vitória dos oprimidos será a vitória de todos os retos. O exército dos eleitos se regozijará com o triunfo da virtude. Enquanto os estranhos têm medo, os filhos estão alegres por causa do poder e da justiça do Pai. Aquilo que alarma o mal, alegria o bem.

Senhor Deus da misericórdia, conceda que sejamos guardados de todos os nossos inimigos e salvos no teu Filho com uma salvação eterna.

NOTAS EXPLICATIVAS E DECLARAÇÕES IMPORTANTES

O Salmo: R. Obadiah aplica este salmo a Hamã e Mardoqueu. O inimigo é Hamã, o homem reto em quem atiram é Mardoqueu. Hamã entrou em conluio com os amigos para armar armadilhas contra Mardoqueu e procurar diligentemente ocasiões contra ele e o seu povo, o que resultou na própria destruição de Hamã. O antigo Midrash dos judeus aplica o salmo a Daniel, quando foi lançado na cova dos leões. Jarchi propõe que Davi, pelo espírito de profecia, previu o fato e orou por ele que era da sua semente. Tudo no salmo, segundo ele, se ajusta muito bem a esse relato. Daniel é o homem reto em quem atiram. O inimigo são os príncipes da corte de Dario, que fizeram indagações maliciosas contra ele, entraram em acordo para armar armadilhas contra ele e ganhar vantagem sobre ele, o que por fim lhes causou a própria ruína. Mas o salmo pertence literalmente a Davi, por quem foi composto. — *John Gill*

O Salmo: É um brado dos eleitos de Deus, quando perseguidos pela causa da justiça, ao seu Libertador e Vingador certo. O princípio geral declarado é muito claro. O salmo se ajusta, como declaração experimental, aos lábios da fé cristã sempre que for levado a entrar em contato com as forças malignas do príncipe deste mundo, de modo a sofrer aflição pela causa do evangelho. Expressa a situação e esperança de alguém posto em perigo por amor da verdade. Não precisamos destacar que certa parte deste salmo aplica-se perfeitamente àquele que era a própria Verdade sofredora nos dias da sua aflição, quando, perfurado no espírito por palavras mentirosas, suportou a contradição dos pecadores contra si mesmo (cf. Hebreus 12.3). — *Arthur Pridham, "Notes and Reflections on the Psalms" [Notas e Reflexões sobre os Salmos], 1869*

v. 1: "Livra a minha vida". No original hebraico é "vidas" (plural), assim expressado por causa das muitas faculdades, operações, ciclos e artigos de primeira necessidade da vida. — *John Trapp*

v. 3: "Os quais afiaram a sua língua como espadas". O verbo no original hebraico significa, diz Parkhurst, "afiar", "aguçar", "amolar", que é ação executada por reiterado movimento ou fricção. Por bela metáfora, é aplicado à língua má. O verbo também é traduzido por "vibrar", como é certo que a serpente faz com a língua. — *Richard Mant*

v. 3: "Os quais afiaram a sua língua como espadas; e armaram, por suas flechas, palavras amargas". A engenhosidade do homem é maravilhosamente atarefada e exercitada em duas coisas: inventar armas de guerra destrutivas e inventar métodos de arruinar os homens através de palavras más. Temos listas de armamentos militares nos registros militares. Mas dificilmente podemos catalogar as diversas formas de palavras abusivas. Os faladores de palavras abusivas têm setas afiadas, farpadas, imersas em veneno. Têm "espadas, espadas inflamadas, espadas de dois gumes, espadas desembainhadas, espadas desembainhadas com ódio, com as quais cortam, ferem e matam o bom nome do próximo". Os pecados da língua são comumente muito cruéis. Quando a difamação é secreta, como na maioria das vezes é, você não consegue se defender dos ataques. Os seus cânones são infernais. Um deles é: "Se a mentira serve melhor do que a verdade, minta". Outro é: "Continue espalhando palavras difamatórias. Algumas delas pegarão". — *William S. Plumer*

vv. 3 e 4: "Os quais afiaram a sua língua como espadas; e armaram, por suas flechas, palavras amargas, para de lugares ocultos atirarem sobre o que é reto; disparam sobre ele repentinamente e não temem". Vimos no Museu de Veneza um instrumento com o qual um dos antigos tiranos italianos atirava agulhas envenenadas aos alvos da sua malignidade temerária. Pensamos em fofoqueiros, caluniadores e difamadores secretos, e desejamos que as suas artimanhas ardilosas e danosas acabem de vez. As armas das insinuações, indiferenças e sussurros parecem que são tão insignificantes quanto agulhas. Mas o veneno que instilam é mortal para a reputação de muitos. — *C. H. Spurgeon*, "Feathers for Arrows" [Penas por Flechas], ou "Illustrations for Preachers and Teachers" [Ilustrações para Pregadores e Professores]

vv. 3 e 4: "Os quais afiaram a sua língua como espadas; e armaram, por suas flechas, palavras amargas, para de lugares ocultos atirarem sobre o que é reto; disparam sobre ele repentinamente e não temem". Davi, por triste experiência, compara a língua má e insultante a três armas fatais: navalha, espada e flecha. *Navalha:* A navalha rapa todo cabelo pequeno. Assim a língua insultante não só toma vantagem de todo pecado hediondo cometido pelos outros, mas também dos pecadilhos, as pequeninas fraquezas que os outros mais bem qualificados nem ao menos discernem. *Espada:* A espada fere. Assim a língua dos difamadores penetra profundamente no crédito e reputação dos irmãos. Contudo, a espada causa dano só ao que está ao alcance da mão, não atingindo o que está longe. *Flecha:* A flecha fere à distância. Os difamadores não só fazem mal às pessoas da congregação ou da cidade onde vivem, mas também às que estão longe. O quanto, então, interessa a todo homem andar discretamente. Não dar motivo de difamação, não se fazer de escárnio para os tolos do mundo. Mas se nos difamarem (como certamente farão), que seja por sermos prestativos e zelosos nos caminhos de Deus e não no pecado, para que assim a difamação caia na cabeça deles e as palavras escandalosas cortem a garganta deles. — *Jeremiah Burroughs, 1599-1646*

vv. 2, 3, 7 e 8: As armas mais danosas dos maus são as palavras, "palavras amargas". Mas a Palavra é a principal arma do Espírito Santo. Como com esta espada o grande Capitão derrotou o tentador no deserto, assim derrotamos "os que praticam a iniquidade" com a verdadeira espada de Jerusalém. — *J. L. K.*

v. 4: "Para de lugares ocultos atirarem". Os maus atiraram setas em segredo ao que é reto. Depois, "dizem: Quem nos verá?" (v. 5). Assim Satanás lança a tentação tão secretamente, que dificilmente levanta suspeita de que ele tenha algo a ver com o fato. Às vezes, usa a língua da esposa para encarregar-se do serviço. Outras vezes, fica às costas do marido, amigo, empregado, não sendo visto o tempo todo em que é ele que está em ação. Quem teria pensado em achar um diabo em Pedro tentando o Mestre, ou suspeitasse que Abraão seria o seu instrumento para entregar a esposa amada às mãos de um pecado? Mas foi o que aconteceu. Por vezes, ele está tão escondido, que se apropria do arco de Deus para atirar as setas, e o pobre cristão fica ofendido, pensando que é Deus que o repreende e que está irado, quando é o diabo que o tenta a pensar assim, pois ele só está imitando a voz de Deus. — *William Gurnall*

v. 5: "Firmam-se em mau intento; falam de armar laços secretamente e dizem: Quem nos verá?" É sinal de que a maldade é extrema no coração dos homens, quando eles são muito diligentes em achar motivo contra o próximo. O amor prefere não ver ou ouvir falar sobre os erros das pessoas. Mas se isso ocorre ou tem de ocorrer, o amor ocupa-se em curar e corrigi-las o máximo que puder. — *John Milward, —1684, "The Morning Exercises" [Os Exercícios Matinais]*

v. 7: "Uma seta, e de repente". Foi o que aconteceu com o rei Acabe e o rico tolo (1 Rs 22.34,35; Lc 12.16-20). Enquanto ele estava sentado alisando-se como pássaro em um galho, a morte o apanhou de repente pelas penas, atirou nele, que, mortalmente ferido, caiu (ver 1 Ts 5.3). — *John Trapp*

v. 8: "Assim, eles farão com que a sua língua se volte contra si mesmos".

Nestes casos
Ainda temos aqui juízos para que ensinemos
Instruções sangrentas que, sendo ensinadas, retornem
Para infestar o inventor. Esta justiça imparcial
Recomenda os ingredientes do nosso cálice envenenado
Para os nossos próprios lábios
— *William Shakespeare*

v. 8: "Assim, eles farão com que a sua língua se volte contra si mesmos", quer dizer, as suas próprias palavras serão trazidas como testemunho contra eles e os condenarão. Disse o apóstolo: "A língua é um pequeno membro" (Tg 3.5). Embora um membro leve, volta-se pesado, tão pesado quanto chumbo. Seria melhor que a casa se voltasse contra o homem do que, neste sentido, a língua se voltasse contra ele. Há pessoas que foram pressionadas até à morte, porque mantiveram a boca fechada e ficaram caladas diante do juiz. Mas muitas mais foram pressionadas até à morte pela liberdade pecaminosa ou, antes, pela licenciosidade de palavras. Este comportamento as levou a juízo e as lançou em julgamento. [...] É estranho que a volta da língua contra o homem lhe oprima o corpo e os bens. Mais ainda é o peso da língua do homem voltar-se contra ele, esmigalhando-o. — *Joseph Caryl*

v. 8: "Assim, eles farão com que a sua língua se volte contra si mesmos". As setas das palavras ociosas, embora atiradas para longe da vista e talvez totalmente esquecidas, se voltarão contra a cabeça de quem entesou o arco. Palavras são ventos, diz o povo. Mas são ventos tão fortes que levam a alma ao porto seguro, se forem palavras santas, saudáveis, agradáveis, espirituais e tendentes à edificação, ou a fazem afundar no mar Morto, no golfo sem fundo da miséria eterna, se forem palavras ociosas, profanas, superficiais e improdutivas. — *Edward Reyner, 1600-1670,* "Rules for the Government of the Tongue" [Regras para o Domínio da Língua]

v. 10: "O justo se alegrará no SENHOR e confiará nele", quer dizer, se o justo falhar na confiança e não dar a Deus a honra confiando nele, contudo estas obras maravilhosas de Deus (das quais ele fala no salmo) operam a esperança. — *Joseph Caryl*

v. 10: "Todos os retos de coração". A palavra hebraica no texto é *fashar,* que significa *rectitudinem* e *planitiem,* que por sua vez quer dizer "caminho reto", "caminho direto", pois o caminho do diabo é circular ("de rodear a terra", Jó 1.7), mas o caminho dos anjos aos céus pela escada de Jacó era reto, um caminho direto (Gn 28.12). Significa, então, um caminho tão direto e reto quanto plano, liso e estável. É um caminho que de tanto ser percorrido virou uma estrada. É um caminho que os pais e a igreja já trilharam. Não se trata de uma descoberta feita por curiosidade ou ousadia, por aventura nossa ou aceitação dos outros, de novas doutrinas e opiniões. As pessoas a quem Deus propôs serem participantes das suas recompensas são, primeiro, *recti* (quer dizer, pessoas retas e sinceras), e depois, *recti corde*, ou seja, esta qualificação, esta retidão e sinceridade devem estar no coração. Todos os retos de coração terão esta qualificação. Nesta terra, o homem não pode dar um passo em linha reta e direta. A própria terra, sendo redonda, faz com que todo passo que damos seja necessariamente um segmento, um arco de círculo. Ainda que nenhum trecho do círculo seja uma linha reta, se considerarmos certa porção, aliás, se considerarmos o círculo inteiro, não há canto, nem ângulo. Não há como termos uma retitude perfeita neste mundo. Em toda chamada há tentações inevitáveis. Não podemos fazer um círculo de uma linha reta (é impossível à fragilidade humana), mas podemos passar sem ângulos e cantos, quer dizer, sem disfarces na religião, sem apego à astúcia e falsidade e sem logro nas ações civis. A bússola é instrumento necessário ao navio. O serviço que ela presta leva o navio em segurança ao destino desejado. No entanto, toda bússola tem certas variações. Não marca reta e diretamente o norte, nem é a estrela que chamamos de estrela polar, ou pela qual sabemos que é o Polo Norte, o verdadeiro Polo Norte. Nós a chamamos assim, nos servimos dela e tiramos conclusões por ela, como se assim fosse, porque é a estrela mais próxima do Polo Norte. Aquele que se chega o mais próximo da retidão que a fraqueza permitir, é homem reto, ainda que haja algum viés. — *John Donne*

v. 10: "Todos os retos de coração se regozijarão". O salmo começou na primeira pessoa do singular: "Ouve, ó Deus, a minha voz" (v. 1), mas termina abarcando todos os justos. Quem se preocupa muito com a própria salvação é pessoa do mais verdadeiro e mais amplo amor aos outros. Ao passo que quem fala mais altruisticamente em religião é geralmente mais egoísta. Não há método mais eficiente de beneficiar os outros do que sermos seriamente dedicados a nós mesmos, para que sejamos guardados do pecado. O nosso exemplo por si só é útil e a nossa devoção espiritual, dando poder ao testemunho, aumenta o valor de toda repreensão, exortação ou encorajamento que proferimos. O nosso pecado é ou será o problema da igreja, e o modo de fazer todos os retos de alegrarem é sermos nós mesmos retos. — *C. H. S.*

v. 10: "[Os retos] se regozijarão". Esta recompensa é expressa no original hebraico pela palavra *halal*, à qual os tradutores que compuseram o Livro de Oração Comum apresentaram o significado de *alegria*, pois assim traduziram: "[Os retos] se alegrarão". O mesmo entenderam os tradutores depois deles: "[Os retos] se regozijarão", ainda que alguns tenham entendido que signifique *glória*, traduzindo, então, por "se gloriarão" (cf. NTLH; ARA). Mas há uma tradução anterior a todas estas três, a qual diz que o significado da palavra é *louvor*, colocando-a na voz passiva: "[Os retos] serão louvados" (cf. AEC; NVI). É verdade que a palavra *jithhalelu*, no original hebraico, denota, aliás, requer essa interpretação, ou seja, que não se trata de louvor que darão a Deus, mas de louvor que receberão por terem servido a Deus com um coração reto. Não é que louvarão a Deus por terem servido assim, mas que homens piedosos os louvarão por terem servido assim. Toda esta conotação surge naturalmente da raiz hebraica, pois a raiz da palavra é *lucere, splendere*, que significa brilhar aos olhos dos homens e gerar neles uma admiração santa e reverente. Foi esse louvor que Jesus deu a João Batista, quando disse: "Ele era a candeia que ardia e alumiava" (Jo 5.34). Significa, por uma vida exemplar, santa e boa, fazer os outros estimarem o valor certo da santidade e darem o devido respeito aos homens santos. [...] "[Os retos] se gloriarão." Esta glória não diminui nem a nossa consolação aumenta, pois Deus coloca a recompensa no futuro. Se os retos ainda não se gloriaram, certamente se gloriarão. Se já se gloriam, essa glória não acabará, pois ainda se gloriarão e se gloriarão para sempre. — *John Donne*

SUGESTÕES AOS PREGADORES

v. 1. (1) A conservação da vida desejada: (a) O desejo expresso. (b) O livramento qualificado: da morte violenta, do horror do inimigo. (2) A conservação da vida pedida: (a) Para o auto-aperfeiçoamento. (b) Para a utilidade. (c) Para a glória divina. — *George Rogers*

v. 2. "Esconde-me do secreto conselho dos maus." Aplicado a Satanás. (1) O perigo considerado: (a) O inimigo: Ele é ímpio, poderoso, maldoso, experiente. (b) O conselho do inimigo: Ele tenta com astúcia e deliberação. (c) O segredo: Ele pode estar provocando os outros contra mim ou semeando o mal em mim. (2) O livramento suplicado: "Esconde-me": (a) Guarda-me de ser tentado. (b) Guarda-me do mal quando eu for tentado. (c) Faz-me passar incólume por toda tentação. (d) Enquanto isso, permite-me estar no teu lugar secreto. (3) A consolação da fé: (a) Deus guarda os que lhe pedem. (b) O nosso inimigo é o inimigo de Deus. (c) Deus já nos guardou. (d) Pertencemos a Deus. (f) A honra de Deus está envolvida.

v. 3. "Palavras amargas." Excelente tema tanto em referência aos pecadores quanto aos santos.

v. 3. A afiação da língua: (1) Novas falhas descobertas. (2) Maus motivos imputados. (3) Exageros inventados. (4) Mentiras forjadas. (5) Insinuações sugeridas. (6) Velhas difamações ressuscitadas. (7) Antigos ódios antigos reacendidos.

v. 5. Os encorajamentos mútuos entre os pecadores é uma reprimenda para os confessos crentes que desanimam uns aos outros.

v. 6. "Fazem indagações maliciosas, inquirem tudo o que se pode inquirir." Os que procuram defeitos: (1) A motivação. (2) O caráter. (3) As aspirações. (4) O castigo.

v. 9. (1) O assunto sob consideração: Os maus são julgados: (a) Como julgamentos. (b) Como julgamentos provenientes de Deus: "A obra de Deus" e "os seus feitos". (2) A consideração do assunto: (a) Os julgamentos de Deus objetivam ser considerados pelas pessoas. (b) Os julgamentos de Deus serão considerados "prudentemente". (3) O resultado desta consideração: (a) Temor a Deus: "Temerão". (b) Louvor a Deus: "Anunciarão". — *George Rogers*

v. 10. (1) Os crentes: (a) O que são em comparação aos outros, que são justos e justificados. (b) O que os crentes são em si mesmos: "retos de coração", não perfeitos, mas sinceros. (2) O privilégio dos crentes: (a) Em meio às tribulações, alegram-se em Deus. (b) Em meio aos perigos, confiam em Deus. — *George Rogers*

vv. 9 e 10. (1) A obra de Deus e alguns dos seus feitos. (2) O efeito da obra de Deus nos homens em geral: "Todos os homens temerão e anunciarão a obra de Deus; e considerarão prudentemente os seus feitos". (3) O dever especial resultante da obra e do efeito da obra de Deus: incumbência aos homens bons: "O justo se alegrará no SENHOR e confiará nele; e todos os retos de coração se regozijarão". — *H. Dove*

SALMO 65

TÍTULO

Este título é bem parecido com muitos que já estudamos.

Salmo e cântico de Davi. No original hebraico é *Shur* e *Mizmor*, uma combinação de salmo e cântico que pode ser mais bem descrito pelo termo "Poema Lírico". Neste caso, o salmo pode ser falado ou cantado, sendo igualmente satisfatório. Já tivemos dois salmos destes, os Salmos 30 e 48, e com este temos o primeiro de uma pequena série de quatro salmos sequenciais.

Era adequado que depois de salmos petitórios e anelantes viessem hinos de louvor.

Para o cantor-mor. O salmo é entregue aos cuidados do supervisor geral de cânticos. Quando a pessoa faz bem o seu trabalho, não adianta chamar outra em busca de novidade.

ASSUNTO

Davi canta sobre a glória de Deus na igreja e nos campos da natureza, pois esta é uma canção que fala da graça e providência. Pode ser que o propósito era comemorar uma safra notavelmente abundante, ou compor um hino da colheita para ser cantado em outras épocas.

Pelo visto, foi escrito depois que uma rebelião violenta foi sufocada (v. 7), e os inimigos estrangeiros foram derrotados por vitória extraordinária (v. 8). Trata-se de um dos hinos mais prazerosos em qualquer idioma.

DIVISÃO

Veremos nos primeiros quatro versículos o modo de aproximação a Deus. Depois, nos versículos 5 a 8, contemplaremos o Senhor em resposta à oração, executando maravilhas pelas quais ele é louvado. Por fim, nos versículos 9 a 13, cantaremos o hino especial da colheita.

EXPOSIÇÃO

1 *A ti, ó Deus, espera o louvor em Sião, e a ti se pagará o voto.*
2 *Ó tu que ouves as orações! A ti virá toda a carne.*
3 *Prevalecem as iniquidades contra mim; mas tu perdoas as nossas transgressões.*
4 *Bem-aventurado aquele a quem tu escolhes e fazes chegar a ti, para que habite em teus átrios; nós seremos satisfeitos da bondade da tua casa e do teu santo templo.*

1. *"A ti, ó Deus, espera o louvor em Sião."* Enquanto a Babilônia cultua o anticristo, Sião permanece fiel ao seu Rei, levando a ele, e somente a ele, o perpétuo sacrifício de adoração. Aqueles que viram em Sião o sangue da aspersão e sabem que pertencem à igreja dos primogênitos, não conseguem pensar nela sem apresentar humildemente louvores ao Deus de Sião. As suas misericórdias são muito numerosas e preciosas para serem esquecidas. Os louvores dos santos esperam pelo sinal do Senhor divino para que, quando ele mostrar a face, eles imediatamente irrompam em louvores. Como um grupo de músicos que se reúne para dar as boas-vindas e honrar ao príncipe e esperam até que ele faça a aparição, assim reservamos os nossos melhores louvores até que o Senhor se manifeste na assembleia dos santos — na verdade, até que ele desça do céu no dia da sua vinda. O louvor também espera como criado ou cortesão nos salões da realeza — a gratidão é humilde e obediente. O louvor atende aos prazeres do Senhor e continua bendizendo-o, quer ele mostre ou não sinais de favor vigente. O louvor não se cansa com pouca coisa, pois durante toda a noite continua cantando na esperança certa de que a manhã vem. Continuaremos esperando, afinando as harpas, entre as lágrimas da terra, pois quando a hora da vinda chegar e o Rei aparecer na sua glória as melodias que entoaremos serão maravilhosas. Podemos traduzir a passagem por "o louvor se cala por ti". É tranquilo, calmo e pronto para adorar-te na quietude. Pode significar também que o nosso louvor não passa de silêncio comparado com a tua dignidade, ó Deus. Ou em silêncio solene nós te adoramos, porque o nosso louvor é indigno de ser proferido. Aceita, então, o nosso silêncio como louvor. Ou ficamos tão absortos em louvar-te que emudecemos para todas as outras coisas. Não temos língua para outra coisa senão para ti. Talvez o poeta tenha mais bem expressado o pensamento do salmista, quando disse:

Confere às nossas canções uma reverência sagrada
E o louvor fica silencioso em nossas línguas

Claro que quando a alma está mais cheia de temor reverente e cultual, está pelo menos satisfeita com as próprias expressões e percebe mais intensamente como são inadequadas todas as canções mortais para proclamar a bondade divina. Uma igreja, prostrada em adoração silenciosa pelo sentimento profundo da misericórdia divina, oferece louvor mais verdadeiro do que as mais doces vozes acompanhadas por instrumentos de metal e de corda. Contudo, não devemos desprezar a música vocal, pois este hino sagrado foi composto para ser cantado. Faz bem antes de cantar colocar a alma em atitude de espera e estar humildemente cônscio de que os nossos melhores louvores não passam de silêncio em comparação com a glória do Senhor.

"E a ti se pagará o voto." Talvez um voto especial feito durante o tempo da seca e perigo político. As nações e igrejas devem ser honestas e prontas em cumprir as promessas feitas ao Senhor, pois ele não se deixa escarnecer impunemente. O mesmo também devem fazer os indivíduos. Não nos esqueçamos dos nossos votos, nem os paguemos para sermos vistos pelos homens — mas somente a Deus devemos cumpri-los, com a intenção sincera de que ele os aceitará. Todos os crentes entraram em aliança quando se converteram, e a renovaram quando foram batizados, reuniram-se na igreja e chegaram à mesa do Senhor. Mas alguns

crentes estão sob votos especiais que fizeram durante circunstâncias peculiares. Estes devem ser pia e pontualmente pagos. Sejamos muito cautelosos na hora de fazer a promessa e muito pontuais na hora de cumpri-la. Um voto não cumprido arde na consciência como ferro quente. Votos de serviço, de doação, de louvor ou o que quer que seja não é algo insignificante. No dia do louvor de gratidão devem, sem falta, ser cumpridos da melhor forma que pudermos.

2. *"Ó tu que ouves as orações!"* Este é o teu nome, a tua natureza, a tua glória. Deus não só ouviu, mas está ouvindo a oração agora e sempre terá de ouvir a oração, visto que ele é um ser imutável e nunca muda nos seus atributos. Que título delicioso para o Deus e Pai de nosso Senhor Jesus Cristo! Toda oração certa e sincera é tão seguramente ouvida quanto oferecida. Aqui o salmista usa o pronome pessoal "tu", e pedimos gentilmente que o leitor note a frequência com que ocorre as palavras "tu", "ti", "teu", "tua", "teus", "tuas" neste hino. É evidente que Davi cria em um Deus pessoal e não cultuava uma mera ideia ou abstração.

"A ti virá toda a carne." Isto incentivará os homens de todas as nações a tornarem-se suplicantes ao único Deus que comprova a sua deidade por responder aos que lhe buscam a face. São carne e, portanto, fracos. Por serem frágeis e pecadores, necessitam orar. Tu és o Deus de que eles precisam, pois és tocado com compaixão e te dignas em ouvir os clamores da pobre carne e sangue. Muitos se chegam agora a ti com fé humilde e são cheios de bens, mas muitos mais serão atraídos a ti pela fascinação do teu amor e, no fim, a terra inteira se curvará aos teus pés. Chegar-se a Deus é a vida da verdadeira religião. Aproximamo-nos chorando na conversão, esperando na súplica, alegrando-nos no louvor e tendo prazer no serviço. Os falsos deuses no devido tempo perderão os seus iludidos seguidores, pois quando o homem é iluminado deixa de ser enganado. Cada um que recebe o verdadeiro Deus é encorajado pelo próprio sucesso a também convencer os outros a recebê-lo, e assim o reino de Deus vem aos homens e os homens vêm a ele.

3. *"Prevalecem as iniquidades contra mim."* Os outros me acusam e me caluniam. Além disso, os meus próprios pecados se levantam e me atacariam durante o meu estado de confusão, não fosse a lembrança da expiação que cobre cada uma das minhas iniquidades. Os nossos pecados, não fosse pela graça, prevaleceriam contra nós no tribunal da justiça divina, no tribunal da consciência e na batalha da vida. Infeliz o homem que menospreza estes inimigos e pior ainda é aquele que os considera amigos! Está mais bem instruído quem sabe o poder mortal que eles têm, e corre em busca de refúgio com aquele que perdoa as iniquidades.

"Mas tu perdoas as nossas transgressões." Tu as cobres todas, pois providenciaste uma propiciação que cobre, um propiciatório que cobre completamente a tua lei. Note a palavra "nossas". A fé de um penitente que fala por si na primeira frase, aqui abrange a todos os crentes em Sião. Ele tem tanta certeza da abrangência do amor perdoador, que leva todos os santos a cantar a bênção. Que consolo saber que as iniquidades que prevalecem contra nós, não prevalecem contra Deus. Elas nos manteriam longe de Deus, mas ele as atira para longe da presença dele e nossa. São fortes demais para nós, mas não para o nosso Redentor, que é poderoso e todo-poderoso para salvar. É digno de nota que como o sacerdote se lavava na pia de cobre antes de sacrificar, assim Davi nos leva a obter a purificação dos pecados antes de entrarmos no serviço da música. Quando tivermos lavado as nossas vestes e as alvejado no sangue do Cordeiro, então cantaremos de modo a sermos aceitos: "Digno é o Cordeiro, que foi morto" (Ap 5.12).

4. *"Bem-aventurado aquele a quem tu escolhes e fazes chegar a ti."* Depois da purificação vem a bênção, a qual é verdadeiramente muito rica. Abrange a eleição, a chamada eficaz, o acesso, a aceitação e a filiação. Primeiro, somos escolhidos por Deus, de acordo com a sua vontade. Isto por si só já é uma bem-aventurança. Depois, tendo em vista que não podemos, nem iremos a Deus por nós mesmos, ele trabalha graciosamente em nós e nos atrai poderosamente. Vence a nossa repugnância e remove a nossa incapacidade pelas operações poderosas da sua graça transformadora. Esta

também não é pequena bem-aventurança. Além disso, pela atração divina, somos aproximados pelo sangue do seu Filho e colocados perto pelo seu Espírito, em íntima comunhão, de forma a termos acesso com ousadia e não sermos mais como os que estão longe pelas obras más. Esta também é uma bem-aventurança inigualável. Para rematar, não nos aproximamos correndo o perigo de sermos medonhamente mortos, como aconteceu com Nadabe e Abiú. Aproximamo--nos na qualidade de eleitos e aceitos para nos tornar habitantes da casa divina. Esta é a maior das bem-aventuranças, muito acima da imaginação. E habitando na casa somos tratados como filhos, pois o servo não fica para sempre em casa, mas o filho fica para sempre (cf. João 8.35). Veja que ato de amor e bem-aventurança o Pai nos concedeu: habitar na sua casa e jamais sair dela. Bem-aventurados os que habitam em casa com Deus. Que o escritor e o leitor estejam entre os tais.

"Para que habite em teus átrios." Aceitação leva a permanência: Deus não faz uma escolha temporária, ou dá e toma. Os seus dons e chamada são sem arrependimento. Quem for admitido nos átrios de Deus habitará ali para sempre.

Não será mais um estranho ou convidado
Mas como um filho em casa

Permanência gera preciosidade. Bênçãos terminantes são apenas meio-bênçãos. Habitar nos átrios do grande Rei é ser enobrecido. Habitar nos átrios para sempre é estar no paraíso. Esta é a porção de todo aquele que Deus escolheu e fez aproximar--se dele, ainda que outrora as iniquidades prevaleciam contra ele.

5 *Com coisas tremendas de justiça nos responderás, ó Deus da nossa salvação; tu és a esperança de todas as extremidades da terra e daqueles que estão longe sobre o mar;*
6 *o que pela sua força consolida os montes, cingido de fortaleza;*
7 *o que aplaca o ruído dos mares, o ruído das suas ondas e o tumulto das nações.*
8 *E os que habitam nos confins da terra temem os teus sinais; tu fazes alegres as saídas da manhã e da tarde.*

5. *"Com coisas tremendas de justiça nos responderás, ó Deus da nossa salvação."* O memorial de Deus é que ele ouve a oração, e a sua glória é que ele a responde de modo a inspirar temor no coração do seu povo. Os santos, no começo do salmo, ofereceram louvores em silêncio reverente. Agora, no mesmo espírito respeitoso, recebem respostas às orações. A alusão direta é, sem dúvida, à derrota que o Senhor obteve contra os inimigos do seu povo de modo calculado a incutir terror em todos os observadores. Os juízos divinos em sua justiça severa foram projetados a provocar medo entre amigos e inimigos. Quem não temeria um Deus cujos golpes são tão esmagadoramente potentes? Nem sempre sabemos o que estamos pedindo quando oramos. Quando a resposta vem, a verdadeira resposta, é possível que fiquemos terrificados. Buscamos santificação e encontramos provação. Pedimos mais fé e recebemos mais aflição. Oramos pela expansão do evangelho e a perseguição nos espalha. Não obstante, é bom continuarmos pedindo, pois nada que o Senhor nos concede em amor pode nos causar dano. Coisas tremendas ou terríveis se mostrarão coisas abençoadas, quando são respostas à oração.

Veja neste versículo como a justiça e a salvação estão juntas, as coisas tremendas ou terríveis com as respostas graciosas. Onde senão em Jesus esses atributos poderiam estar mesclados? O Deus que salva pode responder as orações de modo a pôr a incredulidade em agitação. Mas quando a fé avista o Salvador, ela lembra que "as coisas não são o que parecem", e ela tem bom ânimo. Aquele que é terrível também é o nosso refúgio contra o terror quando o contemplamos no Amado.

"Tu és a esperança de todas as extremidades da terra." Os habitantes das mais longínquas ilhas confiam em Deus. Os que estão extremamente longe de Sião ainda

confiam no Jeová que vive para sempre. Até os que habitam em países gelados ou tórridos, onde a natureza veste os seus terrores variados, e os que veem as terríveis maravilhas das profundezas, fogem dos terrores de Deus e colocam a confiança no Deus dos terrores. O seu braço é forte para ferir, mas também é forte para salvar.

"E daqueles que estão longe sobre o mar." Ambos os elementos têm os seus grupos eleitos de crentes. Se a terra deu a Moisés anciãos, o mar deu a Jesus apóstolos. Noé, quando tudo era oceano, estava tão tranquilo com Deus quanto Abraão na tenda. Todos os homens são igualmente dependentes de Deus. O navegante está em geral plenamente consciente disso, mas, na realidade, não está mais consciente do que o lavrador, nem o lavrador mais do que qualquer outro trabalhador. Não há lugar para a autoconfiança na terra ou no mar, visto que Deus é a única verdadeira confiança para os homens na terra ou no mar. A fé é uma planta de crescimento universal. É uma árvore da vida na terra e uma planta de renome no mar. Bendito seja Deus, pois aquele que em qualquer lugar exercitar a fé nele descobrirá que ele é ágil e forte para responder as orações. A lembrança desta verdade aumenta a nossa devoção, quando nos aproximamos do Senhor nosso Deus.

6. *"O que pela sua força consolida os montes."* Deus, por assim dizer, fixou os montes nos seus encaixes e os guardou de caírem por terremoto ou tempestade. Os mais firmes devem a estabilidade a ele. Os filósofos da escola de esquecer Deus ficam muito ocupados com as suas leis revolucionárias para pensar no Revolucionário. As teorias sobre ação vulcânica, movimento das geleiras e outras dinâmicas são usadas como trancas e ferrolhos para excluir o Senhor do seu próprio mundo. O nosso poeta tem outra opinião. Ele vê a mão de Deus fixar os Alpes e os Andes nas suas respectivas bases, e por isso canta em louvor a ele. Seja eu sempre um simplório anti-filosófico como Davi, pois ele era mais aparentado a Salomão do que os teoristas da atualidade.

"Cingido de fortaleza." É o Senhor que faz. Ele lança uma cinta de força em volta dos montes, que assim permanecem fixos, seguros, cingidos, amurados e protegidos pelo poder divino. A poesia é profunda e naturalmente sugestiva a alguém familiarizado com a paisagem montesa. Por todos os lados o poder de Deus se mostra. Sublimidade, grandeza volumosa e força estupenda estão ao redor. Deus está presente, pois é o autor e origem de tudo.

Aprendamos que se nós, fracos como somos, desejamos ser verdadeiramente firmados, temos de ir ao forte em busca de força. Sem ele, os montes eternos se esfarelariam, quanto mais os nossos planos, projetos e labores virariam pó. Descanse, crente, onde os montes encontram as suas bases, a saber, no poder indiminuído do Senhor Deus.

7. *"O que aplaca o ruído dos mares."* O sopro suave do Senhor acalma o mar deixando-o como um espelho, e transforma as ondas gigantescas em meras ondulações. É o que Deus faz. As calmas são do Deus da paz. Não é necessário que esperemos um furacão quando é anunciado que ele chegou. Outrora ele passeava pelo jardim do Éden no frescor do dia. Mesmo hoje ele está descansando, pois o grande sétimo dia ainda não terminou, e ele é "o mesmo Senhor da paz" que sempre nos dá "paz de toda maneira" (2 Ts 3.16). Que os marinheiros glorifiquem ao Deus que governa as ondas.

"O ruído das suas ondas." Cada brigão distinto em meio à baderna da tempestade é aquietado pela voz divina.

"E o tumulto das nações." As nações são tão difíceis de governar quanto o próprio mar. São tão espasmódicas, traiçoeiras, inquietas e furiosas. Não toleram restrições nem são contidas por leis. O rei Canuto não enfrentou mar mais perigoso por causa das altas ondas do que muitos reis e imperadores enfrentaram quando o povo virou uma multidão de baderneiros por cansar-se dos que o governavam. Somente Deus é o Rei das nações. O mar lhe obedece, e mesmo as nações mais tumultuosas são mantidas sob absoluto controle por ele. A sociedade humana deve a existência ao

poder continuado de Deus. As emoções más têm a garantia certa da dissolução imediata. A inveja, a cobiça e a crueldade criariam anarquia amanhã, se Deus não as frustrasse. Prova clara disso tivemos na revolução francesa em suas diversas etapas. Glória seja dada a Deus que mantém a estrutura básica da ordem social, e detém os maus, que de bom grado destruiriam todas as coisas. Os filhos de Deus em tempos de dificuldade devem correr imediatamente para aquele que acalma os mares, pois nada lhe é difícil demais.

8. *"E os que habitam nos confins da terra temem os teus sinais."* Os sinais da presença de Deus não são poucos, nem limitados a determinada região. Zembla os vê tanto quanto Sião. Há na Terra do Fogo como também na Terra Santa. Às vezes, estes sinais são fenômenos terríveis da natureza como terremoto, peste, tornado ou tempestade. Quando estes são vistos, até as pessoas mais bárbaras tremem diante de Deus. Outras vezes, são obras terríveis da providência como a destruição de Sodoma e a ruína de faraó. O rumor destes juízos viaja às mais longínquas extremidades da terra, impressionando todas as pessoas com um temor e tremor por um Deus justo e santo assim. Bendizemos a Deus, pois não ficamos com medo, mas nos alegramos com esses sinais. Com temor solene e reverente, ficamos alegres quando vemos os seus atos poderosos. Tememos, mas não de medo servil.

"Tu fazes alegres as saídas da manhã e da tarde." O leste e o oeste se alegram com os favores de Deus concedidos aos que naquelas regiões habitam. As horas da manhã são luminosas de esperança, e os momentos da tarde agradáveis de gratidão. Quer o sol se levante ou se ponha, bendizemos a Deus e nos alegramos às portas do dia. Quando a bela manhã enrubesce com o amanhecer róseo, nós nos alegramos. Quando a tarde tranquila sorri serenamente, nós ainda estamos nos alegrando. Não cremos que o orvalho chore a morte do dia. Só vemos joias dadas pelo dia que parte para que o sucessor as colha da terra. A fé, quando vê Deus, circula o dia com alegria. Não pode jejuar, porque o noivo está com ela. Noite e dia são a mesma coisa para ela, pois o mesmo Deus os fez e os abençoou. Ela não teria alegria se Deus não a fizesse alegre. Mas, santificado seja o nome do Senhor, ele nunca deixa de fazer alegria para aqueles que têm alegria nele.

9 *Tu visitas a terra e a refrescas; tu a enriqueces grandemente com o rio de Deus, que está cheio de água; tu lhe dás o trigo, quando assim a tens preparada;*

10 *tu enches de água os seus sulcos, regulando a sua altura; tu a amoleces com a muita chuva; tu abençoas as suas novidades;*

11 *tu coroas o ano da tua bondade, e as tuas veredas destilam gordura;*

12 *destilam sobre os pastos do deserto, e os outeiros cingem-se de alegria.*

13 *Os campos cobrem-se de rebanhos, e os vales vestem-se de trigo; por isso, eles se regozijam e cantam.*

9. *"Tu visitas a terra e a refrescas."* As visitas de Deus sempre deixam uma bênção, e isto é mais do que se pode dizer de todo visitante. Quando o Senhor sai em visitações de misericórdia, ele tem abundância de coisas necessárias para todas as criaturas necessitadas.

O texto o descreve percorrendo a terra, como um jardineiro inspeciona o jardim, e regando toda planta que precisa — não em pequenas quantidades, mas até que a terra fique embebida e impregnada de rica provisão refrescante. Ó Senhor, visita desta maneira a tua igreja e a minha pobre, tostada e murcha devoção. Faz com que a tua graça transborde as minhas graças. Refresca-me, pois não há outra planta do teu jardim que mais precise disso.

O meu ser está ressequido, e não há melhora
Que a minha estúpida agricultura ocasione
Que a tua graça sem cessar
Goteje de acima

"Tu a enriqueces grandemente." Milhões de dinheiro não enriquecem o gênero humano tanto quanto as chuvas. A terra é enriquecida pela chuva, e depois entrega as riquezas aos homens. Mas Deus é o doador primeiro de tudo. Como são verdadeiramente ricos os que são enriquecidos pela graça. Esta é a grande riqueza.

"Com o rio de Deus, que está cheio de água." Os rios da terra logo se secam, e todos os recursos humanos, sendo finitos, são passiveis de falhas. A provisão de Deus para o fornecimento de chuva é inesgotável. Não há fundura nem margens no seu rio. O aguaceiro vertido das nuvens ontem pode ser acompanhado por outro amanhã, pois nem assim as águas acima do firmamento faltarão. Como isto é verdadeiro no reino da graça, onde "o rio de Deus [...] está cheio de água" e "todos nós recebemos também da sua plenitude, com graça sobre graça" (Jo 1.16). Os antigos falaram nas fábulas a respeito de Pactolo, cujas areias eram de ouro.* Mas o rio de Deus, o qual é de cima e do qual a chuva se derrama, é muito mais enriquecedor. Afinal de contas, a riqueza dos homens está principalmente na safra dos campos, sem a qual até o ouro não teria valor algum.

"Tu lhe dás o trigo." O trigo é separado especialmente para ser o alimento do homem. Em suas várias espécies, é provisão divina para a nutrição da raça humana, sendo verdadeiramente chamado de pão. Há no comércio "farinha de trigo preparada", mas Deus já preparou o trigo muito antes que o homem o tocasse. Tão certo quanto o maná era preparado por Deus para as tribos, assim o trigo é feito e enviado por Deus para o nosso sustento diário. Qual é a diferença se colhemos trigo ou maná? E que importa se o trigo vem de cima e o maná de baixo? Deus está presente em baixo tanto quanto em acima. É imensamente admirável que o alimento subisse do pó quanto caísse do céu.

"Quando assim a tens preparada." Quando tudo está preparado para a produção de trigo, o Senhor dá o toque final e os grãos ficam acessíveis. Nem mesmo quando todo o material está preparado, o trigo é aperfeiçoado sem a operação contínua e aperfeiçoadora do Altíssimo. Bendito seja o grande Dono da casa. Ele não permite que a colheita malogre. Ele sustenta as miríades de seres que proliferam a terra com pão de ano em ano. Além disso, concede alimento divino para os remidos: "Deu mantimento aos que o temem; lembrar-se-á sempre do seu concerto" (Sl 111.5).

10. *"Tu enches de água os seus sulcos, regulando a sua altura"* ("regando-lhe os sulcos, aplanando-lhe as leivas", ARA). As leivas e os sulcos são encharcados. As leivas são abatidas e niveladas, e os sulcos ficam como canais completamente inundados.

"Tu a amoleces com a muita chuva." A seca transformou os torrões de terra em ferro, mas as copiosas chuvas amolecem e soltam o solo.

"Tu abençoas as suas novidades." A vegetação estimulada pela umidade fica viçosa, as sementes germinam e produzem brotos verdes, e o cheiro é do campo que o Senhor abençoou. Todos estes detalhes nos dão uma imagem das operações do Espírito Santo abatendo altos pensamentos, enchendo os nossos desejos humildes, amolecendo a alma e fazendo com que toda coisa santa aumente e se espalhe.

11. *"Tu coroas o ano da tua bondade."* A colheita é a demonstração mais clara da generosidade divina e a coroa do ano. O próprio Senhor conduz a cerimônia de coroação, e põe o coronal de ouro na cabeça do ano. Ou podemos entender que a expressão significa que o amor de Deus envolve o ano como faz uma coroa. Cada mês tem as suas pedras preciosas e cada dia a sua pérola. A bondade incessante cinge o tempo com um cinto de amor. A providência de Deus nas suas visitações forma um circuito completo e circunda o ano.

* N. do T.: Pactolo, pequeno rio da Lídia cujas areias passaram a conter ouro desde que nele se banhou o rei Midas para livrar-se da graça de ter tudo o que tocava transformado no metal. O rei Creso devia a sua imensa riqueza a esse rio.

"E as tuas veredas destilam gordura." Os passos de Deus, quando visita a terra com chuva, gera fertilidade. Dizem que a vegetação não crescia mais onde os pés dos cavalos das hordas da Tartária tinham pisado. Ao contrário desse efeito, podemos localizar a marcha de Jeová, o Fertilizador, pela abundância que ele cria. No que diz respeito a colheitas espirituais, temos de olhar para ele, porque só ele pode dar "tempos do refrigério" e banquetes de Pentecostes (At 3.19).

12. *"Destilam sobre os pastos do deserto."* Não é somente onde os homens estão que descem as chuvas, mas também nos lugares solitários onde é o habitat dos animais selvagens. O generoso Senhor faz a chuva refrescante cair nessas regiões. Dez mil oásis sorriem quando passa o Senhor da misericórdia. Os pássaros, as cabras selvagens e os ágeis antílopes alegram-se quando bebem das poças e lagoas recentemente enchidas do céu. Deus visita em amor a alma mais solitária e sozinha.

"E os outeiros cingem-se de alegria." Por todos os lados, as eminências topográficas revestem-se de alegria. Logo definham sob os efeitos da seca, mas depois de um período de chuvas riem novamente com verdor.

13. *"Os campos cobrem-se de rebanhos."* A roupa dos homens veste primeiro os campos. Os pastos ficam cobertos totalmente de numerosos rebanhos quando o pasto é abundante.

"E os vales vestem-se de trigo." As terras para cultivo como também para pasto tornam-se produtivas. As nuvens de Deus, como corvos, trazem-nos pão e carne. Rebanhos pastando e plantações ondulantes são igualmente dádivas do Protetor dos homens, e por ambos devemos render louvores. A tosquia de ovelhas e a colheita das plantações devem ser santidade ao Senhor.

"Por isso, eles se regozijam." A generosidade de Deus faz a terra vocalizar louvores e com ouvidos abertos eleva um brado de alegria. O gado expressa os louvores divinos mugindo e as farfalhantes espigas de grãos cantam uma doce e suave melodia ao Senhor.

As florestas curvam-se, as plantações acenam para ele
Murmurem canções suaves ao coração do ceifeiro
Enquanto ele vai para casa sob a lua alegre
Os montes mais uma vez bradam
As pedras musgosas retêm o som
Os vales elevam o brado amplo e responsivo
Pois o grande Pastor reina
E o seu reino duradouro ainda virá

"E cantam." A voz da natureza é articulada para Deus. Não é só um grito, mas uma canção. Os sons da criação animada são bem ordenados, visto que combinam com as ondulações igualmente bem afinadas das águas e os sussurros do vento. A natureza não tem discórdia. As músicas são bastante melodiosas e o coral é bem harmonioso. Tudo, absolutamente tudo é para o Senhor. O mundo é um hino para o Eterno, e bem-aventurado é aquele que, ouvindo-o, junta-se à cantoria e torna-se componente no grandioso coral.

NOTAS EXPLICATIVAS E DECLARAÇÕES IMPORTANTES

O Título: Do Salmo 65 em diante, encontramo-nos no meio de uma série de salmos que, com um arranjo variado das palavras, têm no título tanto a palavra מִזְמוֹר quanto שִׁיר (Sl 65—68). As duas palavras hebraicas significam *salmo-cântico*. Esta série, como se dá universalmente, está organizada de acordo com a associação de lemas proeminentes. Lemos no Salmo 65.1: "A ti se pagará o voto", e no Salmo 66.13: "Pagar-te-ei os meus votos". Temos no Salmo 66.20: "Bendito seja Deus", e no Salmo 67.7: "Deus nos abençoará". Além de os Salmos 66 e 67 terem esta característica em comum, o לַמְנַצֵּחַ, que ocorre cinquenta e cinco vezes no Saltério, é acompanhado pelo nome do poeta em todas as ocorrências, com a exceção destes dois salmos anônimos. O *selá* frequentemente recorrente em ambos os salmos também indica que foram compostos para acompanhamento musical. — *Franz Delitzsch*, 1869

O Título: "Um Salmo de Jeremias e Ezequiel." O salmo é atribuído a eles, não como autores, mas porque se supõem que eles o repetiram muitas vezes no início da volta do cativeiro babilônico, para nos ensinar que essas coisas devem ser especialmente cantadas respeitantes à restauração feliz, sobre a qual estes profetas estavam habituados a cantar. Mas este título não consta no texto hebraico, nem nas traduções, mas apenas em certas versões. Jeremias não foi levado cativo para a Babilônia (ver Jr 39.11). Além disso, tanto ele quanto Ezequiel morreram antes da volta do cativeiro. — *"Pool's Synopsis" [Sinopse de Pool]*

O Salmo: O salmo menciona o autor, mas não a data da composição. Fazendo, porém, um exame do conteúdo, mostra ter sido composto como cântico para o "Dia da Expiação" e para a "Festa dos Tabernáculos", que vinha imediatamente depois (Nm 29.7,12). Os pecados do ano eram cobertos e, por um culto especial de expiação, fazia-se completa purificação do santuário. Por essa época, os labores do ano eram também concluídos e a produção recolhida. Assim, os israelitas podiam olhar a bondade de Deus para com eles em toda a sua extensão. Este salmo foi escrito para servir de adequada expressão dos seus sentimentos. Começa com uma referência ao silêncio que reinava no santuário, à quietude densa, inquebrável e solene que vigorava nas suas dependências. Enquanto isso, do lado de fora do santuário, o povo em profunda humilhação esperava em expectativa silenciosa a volta do sumo sacerdote da presença imediata de Deus (Lv 16.17). Em seguida, expõe uma declaração da bem-aventurança daqueles que são aceitos por Deus e recebidos na comunhão daquele que é tão indescritivelmente grande. Conclui com uma descrição dos processos pelos quais o Todo-poderoso preparou a terra para produzir a provisão de um ano para o seu povo. — *Dalman Hapstone, "The Ancient Psalms in appropriate Metres, with Notes" [Os Salmos Antigos em Métrica Apropriada, com Notas], 1867*

O Salmo: Este é um salmo de gratidão para ser cantado no templo durante uma festividade pública, na qual os sacrifícios oferecidos tinham de ser os jurados durante a seca longa e demorada (vv. 1,2). À gratidão pela chuva graciosa e pela esperança de uma safra abundante (vv. 9-14), é adicionada a gratidão pelo livramento extraordinário ocorrido durante um tempo de angústia e comoção que afetou todas as nações da região (vv. 7,8). Assim, o salmo se torna um cântico de louvor a Jeová como o Deus da história e o Deus da natureza também. — Extraído de *Four Friends [Quatro Amigos], "The Psalms Chronologically Arranged" Os Salmos Cronologicamente Organizados], 1867*

O Salmo: Este é um salmo fascinante. Vindo depois do anteriormente triste, é como a luz da manhã após a escuridão da noite. Há um frescor orvalhado. Vemos, do versículo 9 ao 13, uma agradável sequência de cenas paisagísticas que lembram o encanto da primavera. É verdadeiramente uma descrição, em figuras da natureza, do estado feliz do espírito do homem resultante do "oriente [que] do alto nos visitou" (Lc 1.78). — *O. Prescott Hiller*

v. 1: "A ti, ó Deus, espera o louvor em Sião". Ao crente, às vezes, lhe faltam palavras para exaltar a Deus, e ele, por assim dizer, para a meio caminho. Os pensamentos são vencidos. Desta forma, o louvor espera ou fica em silêncio para com Deus. Cala-se para outras coisas e espera ser empregado para ele. A alma é colocada muitas vezes em situações confusas para clamar pela graça de Deus, quando então deseja palavras que expressem a grandeza divina e correspondam à elevação dos pensamentos. O coração compõe uma canção de louvor, mas não consegue afiná-la. O salmista é detido, por assim dizer, pela admiração (que é o *silentium intellectus*), para que a mente não suba mais. Cai de admiração. Por conseguinte, alguns crentes concluem que Deus é mais exaltado com menos palavras. — *Alexander Carmichael*

v. 1: "A ti, ó Deus, espera o louvor". A misericórdia ainda não veio e nós a esperamos. Enquanto tu estás preparando a misericórdia, estamos preparando o louvor. — *Edward Leigh*, 1602-3-1671, *"Annotations on the Five Poetical Books of the Old Testament" (Anotações sobre os Cinco Livros Poéticos do Antigo Testamento), 1657*

v. 1: "A ti, ó Deus, espera o louvor". O louvor espera *a ti*, como servo, cujo dever é fazer o que tu ordenas. Ou o louvor espera *por ti*, pois está pronto a ser oferecido nos teus átrios pelos favores especiais. Penso que há referência ao serviço diário no qual Deus era louvado. — *Benjamim Boothroyd*

v. 1: "A ti, ó Deus, espera o louvor". *Te decet hymnus*, como consta na Vulgata Latina. A ti, ó Deus, pertence os nossos hinos, os nossos salmos, os nossos louvores, as nossas aclamações de alegria. De acordo com isso, traduzimos assim: "O louvor espera por ti, ó Deus". Mas se seguirmos conforme o original hebraico, deve ser *tibi silentium laus est*, "o teu louvor, ó Deus, consiste em silêncio". Louva a Deus melhor quem fala menos sobre Deus, sobre a sua essência misteriosa, sobre a sua vontade oculta e propósitos secretos. — *Abraham Wright*

v. 1: "A ti, ó Deus, espera o louvor", ou: "A ti é o silêncio e o louvor". — *Piscator*

v. 1: "A ti, ó Deus, espera o louvor". Podemos traduzir o original hebraico assim: "O louvor se cala por ti". É como se o salmista santo tivesse dito: Deus, espero silenciosamente pela hora de louvar-te. A minha alma não está em alvoroço, porque tu permaneces. Não estou murmurando, mas encordoando a harpa e afinando o meu instrumento com muita paciência e confiança, a fim de que eu esteja pronto para tocar quando as alegres novas da minha libertação chegarem. — *William Gurnall*

v. 1: "A ti, ó Deus, espera o louvor", ou: "A ti pertence o silêncio-louvor". Louvor sem tumulto (Alexander). Disse alguém: "O mais intenso sentimento é o mais tranquilo, pois está comprimido pela repressão". Falando sobre a oração, Thomas Hooker declara: "O próprio silêncio que a nossa indignidade impõe em nós faz petições por nós, e isso confiando na graça divina. Olhando para dentro, somos acometidos de mudez. Olhando para cima, falamos e prevalecemos". Samuel Horsley oferece esta tradução: "Em ti está o descanso da oração". — *Andrew A. Bonar*

v. 1: "A ti, ó Deus, espera o louvor". A interpretação da versão Caldaica diz que o nosso louvor não é suficientemente digno de louvar a Deus. Os próprios louvores dos anjos são estimados em nada diante dele. Esta é a tradução: "Diante de ti, ó Deus, cuja a Majestade habita em Sião, o louvor dos anjos é considerado como silêncio". [...] A versão de Jerônimo é a seguinte: "A ti o silêncio é louvor, ó Deus, em Sião". Ateneu afirma que o silêncio é uma coisa divina. Thomas à Kempis chama o silêncio de nutrição da devoção. — *Thomas Le Blanc*

v. 1: "A ti, ó Deus, espera o louvor". Consta na versão da American Bible Union [União Bíblica Americana]: "A ti pertence a submissão, o louvor, ó Deus, em Sião". Tu tens o direito à submissão em tempos de tristeza e ao louvor em tempos de alegria. — *Thomas J. Conant, "The Psalms with Occasional Notes" [Os Salmos com Notas Ocasionais], 1871*

v. 1: "O voto". O voto é uma promessa voluntária e deliberada feita a Deus em ocasiões extraordinárias. "É uma promessa religiosa feita a Deus de maneira santa", conforme define Stephanus Szegedinus Pannonius, escritor moderno. É, segundo Bucanus, uma "promessa santa e religiosa avisada e livremente feita a Deus, a respeito de algo a fazer ou a omitir que parece agradá-lo". Abstenho-me da definição dada por Tomás de Aquino. Se estas definições que ofereço não satisfazem, então veja as palavras de Peter Martyr (1500-1562), homem de reputação e famoso na nação inglesa nos dias de Eduardo VI, de saudosa memória: "É uma promessa santa, pela qual nos prendemos a oferecer algo a Deus". Há mais uma figura de renome que apresenta uma definição de voto. Trata-se de alguém cuja opinião, cultura e santidade perfumam o nome. Estou falando do douto William Perkins (1558-1602), que em *Cases of Conscience* (Casos de Consciência) escreveu: "O voto é uma promessa feita a Deus acerca de coisas lícitas e possíveis". — *Henry Hurst, 1629-1696, "The Morning Exercises" [Os Exercícios Matinais], 1690*

v. 1: "A ti se pagará o voto". A referência é a votos ou promessas que as pessoas tinham feito em virtude dos juízos manifestos de Deus e das provas da sua bondade. Esses votos elas estavam agora prontas para cumprir em expressões de louvor. — *Albert Barnes*

v. 2: "Ó tu que ouves as orações! A ti virá toda a carne". Este é um dos títulos de honra: ele é Deus que ouve as orações. É título tão verdadeiramente atribuído a ele como a misericórdia ou a justiça. Ele ouve todas as orações, pois "a ti virá toda a carne". Nunca rejeita nada que mereça o nome de oração, por mais fraco, por mais indigno que seja o suplicante. "Toda a carne." E, a fé pode dizer, ele rejeitará somente a minha oração? Ele é "rico para com todos os que o invocam" (Rm10.12), é "abundante em benignidade para com todos os que te invocam" (Sl 86.5), é "galardoador dos que o buscam" (Hb 11.6). Temos de crer nisso tão certamente quanto cremos que Deus é. Tão certo quanto Deus é o verdadeiro Deus é certo que ninguém que o busca diligentemente sai sem recompensa. Ele recompensa todos os que o buscam, pois *indefinita in materia necessaria aequipollet universali.* E se ouve a todos, por que não a mim? Você pode duvidar que ele é Deus tanto quanto duvidar que ele não recompensará, nem ouvirá a oração. Conclui o apóstolo: "E, se algum de vós tem falta de sabedoria, peça-a a Deus, que a todos dá liberalmente e não o lança em rosto; e ser-lhe-á dada" (Tg 1.5). — *David Clarkson, 1621-1686*

v. 2: "Ó tu que ouves as orações! A ti virá toda a carne". De que vale a oração, se ela não for ouvida? Mas o povo de Deus não precisa colocá-la de lado por esse motivo, pois o texto nos ensina duas coisas com relação ao assunto.

(1) É um título confortador atribuído a Deus, com o consentimento unânime de todos os filhos de Sião, os quais são pessoas que oram: "Ó tu que ouves as orações!" Ele fala com o *Deus em Sião* ou o *Deus de Sião*, que está na linguagem do Novo Testamento, o *Deus em Cristo*. O Deus absoluto trovejou com os pecadores desde o monte Sinai. Não pode haver relacionamento confortador entre Deus e eles, pela lei. Mas em Sião, desde o propiciatório, em Cristo, ele ouve as orações. Fazem as suas súplicas a ele e ele graciosamente as ouve. A fé que têm é tamanha que o louvor espera pelo Deus que ouve as orações.

(2) O efeito do perfume deste título de Deus se espalha pelo mundo afora: "A ti virá toda a carne", não só os judeus, mas os gentios. Os pobres gentios que por muito tempo suplicavam em vão a ajuda dos ídolos, ouvindo e crendo que Deus ouve as orações, agora se unirão a ele e lhe farão os pedidos. Juntar-se-ão junto à porta, onde pelo evangelho entendem que os mendigos são bem mais servidos. "Virão até mesmo a ti", como diz o original hebraico. Virão até mesmo ao teu trono, ao teu trono da graça, até mesmo a ti através do Mediador. [...]

As considerações apresentadas a seguir deixam claro que Deus ouve e ouvirá as orações do seu povo.

(1) Todo aquele que nasce de Deus tem o instinto sobrenatural da oração (Gl 4.6). É tão natural para eles entrarem em oração, quando a graça de Deus lhes toca o coração, quanto é para os bebês chorarem, quando nascem no mundo ou desejam mamar (Zc 12.10, comparado com Atos 9.11, onde, na narrativa da conversão de Paulo, diz particularmente: "Eis que ele está orando"). Por conseguinte, a mudança salvífica na alma ocorre sob o auspício deste instinto (Jr 3.4,19).

(2) A intercessão de Cristo (Rm 8.34). Faz parte da obra de intercessão de Cristo apresentar as orações do seu povo ao Pai (Ap 8.4) e tomar conta das causas contidas nas súplicas (1 Jo 2.1).

(3) A promessa da aliança, por meio da qual a fidelidade de Deus é empenhada pela audição da oração, como vemos em Mateus 7.7 (ver também Is 65.24).

(4) Os muitos encorajamentos dados na Palavra ao povo de Deus para que levem os seus casos ao Senhor através da oração. Convida-os a irem ao trono da graça

com as suas petições para que, assim, ele atenda às suas necessidades (Ct 2.14). Envia-lhes aflições para forçá-los a ir (Os 5.15). Dá-lhes razão para esperarem ser satisfeitos (Sl 50.15), por mais dificultoso que o caso seja para eles (Is 41.17). Mostra-lhes que por mais que a provação se estenda, enquanto estiverem orando e não desfalecerem terão êxito no final (Lc 18.8).

(5) A natureza graciosa de Deus, com as afetuosas relações nas quais ele se prende ao povo (Êx 22.27). Ele não quer poder e capacidade para cumprir os desejos santos do seu povo. É cheio de graça e não reterá nenhum bem de que realmente precisem. Tem as entranhas de um pai para compadecer-se deles e as entranhas de uma mãe ao filho que amamenta. Possui a mais tenra compaixão deles em todas as aflições. Quem toca neles toca na menina do seu olho. Nunca recusa-lhes um pedido, exceto para o bem deles (Rm 8.28).

(6) As experiências que os santos de todas as épocas tiveram em resposta às orações. A fé nisto os leva a Deus na conversão, como indica o texto. Os que creem não ficam desapontados.

(7) O sossego e alívio que a oração proporciona aos santos, enquanto a resposta da oração ainda não chegou (Sl 138.3). — *Thomas Boston, 1676-1732*

v. 2: "Ó tu que ouves as orações!" Façamos as seguintes observações:

(1) Deus, sem fazer distinção de pessoas, ouve as orações de todos aqueles que oram com devoção, quer sejam judeus ou gentios (At 10.34,35). [...] Infere-se, então, como consequência necessária, que toda a carne deve vir a ele.

(2) Vir a Deus não é apenas equivalente a dizer *aproximar-se de Deus, adorar a Deus, invocar a Deus* e *adorar a Deus*, mas vir a Sião com a finalidade de adorar a Deus. O texto acabou de dizer que Deus deve ser louvado em Sião, e a isto a frase *vir a Deus* tem de referir-se. Também por esta causa, אֶל não é usado, mas, sim, עַד, cuja força própria é "diretamente a Deus" ou ao lugar da habitação de Deus para prestar adoração a Deus. — *Hermann Venema*

v. 2: "A ti virá toda a carne". A Cristo "virá toda a carne".

(1) Toda a carne significa todos os pecadores e homens carnais. Jesus mesmo disse: "Eu não vim para chamar os justos, mas os pecadores" (Mt 9.13). Antigamente, quando as pessoas se aproximavam do sacerdote grego para receber o sacrifício, ele costumava exclamar: "Quem vem lá?", e a resposta era: "Muitos e bons". Mas Deus recebe publicanos e pecadores, convida-os para o banquete e come com eles, pois a finalidade é libertá-los do pecado: "E toda carne verá a salvação de Deus" (Lc 3.6).

(2) Toda a carne também significa a carne inteira, ou seja, o corpo todo. Todos os sentidos e membros do corpo virão a Deus para que possam lhe prestar tributo como Rei. — *Thomas Le Blanc*

v. 2: "Toda a carne". A palavra "carne" diz respeito ao homem na sua fraqueza e necessidade. — *J. J. Stewart Perowne*

v. 3: "Prevalecem as iniquidades contra mim". Há duas maneiras nas quais as iniquidades prevalecem contra os cristãos. A primeira está no sentido crescente da culpa. A segunda está no poder da ação. Esta prevalência não pode ser total, pois o pecado não terá domínio sobre eles. Pode, contudo, ser ocasional e parcial. Há duas maneiras, de acordo com a Bíblia, nas quais Deus purifica as nossas transgressões. Elas sempre estão juntas. Uma é pela misericórdia perdoadora. Davi ora: "Purifica-me com hissopo, e ficarei puro" (Sl 51.7), e sabemos que "o sangue de Jesus Cristo [...] nos purifica de todo pecado" (1 Jo 1.7). A outra é pela graça santificadora: "Espalharei água pura sobre vós, e ficareis purificados" (Ez 36.25). Esta é obra de Deus tanto quanto a primeira. Ele subjuga as nossas iniquidades como também as perdoa. — *William Jay*

v. 3: "As iniquidades", literalmente, "palavras de iniquidades", pois certos expositores consideram que se trata de frase pleonástica referente a iniquidades. É mais provável, porém, que a frase significa a culpa ou acusação da iniquidade. — *Joseph Addison Alexander v. 3:* "Prevalecem as iniquidades contra mim". As ações da iniquidade prevalecem contra nós, na medida em que são fortes e poderosas demais para as negarmos ou refutarmos. Elas nos sujeitam às exigências das penalidades que o pecado merece. Por conseguinte, não resta outro refúgio senão a misericórdia e a graça de Deus, o Juiz (ver Sl 143.2; 130.3,4). — *Hermann Venema*

v. 3: "Mas tu perdoas as nossas transgressões". No original hebraico está: "Tu as esconderás". Alude ao propiciatório que era coberto com as asas dos querubins. Assim os pecados do piedoso, quando se arrepende, são cobertos com as asas da misericórdia e do favor. — *Thomas Watson, 1660*

v. 3: "Tu perdoas" ou "tu cobres" as nossas transgressões. O pronome é enfático, como a expressar a certeza de que Deus e somente Deus pode fazer isto. — *J. J. Stewart Perowne*

v. 3: Os santos profetas e escritores da Bíblia não têm base de esperança de perdão de pecado, exceto os que são comuns aos mais maldosos do povo de Deus. Davi, na sua confissão, apresenta-se por si só, agravando ainda mais o próprio pecado: "Prevalecem as iniquidades contra mim", disse ele. Mas na esperança de perdão, ele junta-se ao restante do povo de Deus, dizendo: "Mas tu perdoas as nossas transgressões". — *David Dickson*

vv. 3 e 4: Alma, tu és molestada com muitas concupiscências que te infestam e obstruem a tua relação com o céu. Tu reclamas com Deus a perda que sofres por causa delas. Será presunção esperar alívio de Deus, que ele te salvará dessas coisas, que tu podes servi-lo sem medo, que ele é o teu Senhor vassalo? Tens os santos por precedentes. Quem, quando estava em combate com as suas corrupções e até foi derrotado por elas, exerceu a fé em Deus e esperou a ruína dos inimigos que, então, os infestava? "Prevalecem as iniquidades contra mim", com o que ele quer dizer os próprios pecados. Mas veja a fé que ele tem. Ao mesmo tempo que elas prevalecem contra ele, ele vê Deus destruindo-as, como mostram as palavras a seguir: "Mas tu perdoas as nossas transgressões". Veja, pobre cristão, que pensa que nunca conseguirá livrar-se do pecado, que o Davi santo tem fé não só para ele, mas também para todos os crentes, de cujo número suponho que você faça parte. Observe a razão que ele tem para a confiança, tirada do ato eletivo de Deus: "Bem-aventurado aquele a quem tu escolhes e fazes chegar a ti, para que habite em teus átrios". É como se ele tivesse dito: Claro que Deus não os deixará ficar sob o poder do pecado ou em falta de socorro da graça aqueles que ele aproxima de si. Este é o próprio argumento de Jesus contra Satanás a favor do povo santo: "O Senhor disse a Satanás: O Senhor te repreende, ó Satanás" (Zc 3.2). — *William Gurnall*

v. 4: "Bem-aventurado aquele a quem tu escolhes". As bem-aventuranças do Saltério avançam em espiritualidade e indicam crescimento. A primeira bem-aventurança abençoa o leitor piedoso da palavra (Sl 1.1). A segunda descreve o filho perdoado (Sl 32.1). A terceira bendiz a fé (Sl 34.8; 40.4). A quarta elogia o crente ativo e generoso, abundante em atos de caridade (Sl 41.1). E esta última, subindo ao topo da origem de todas as bem-aventuranças, abençoa o eleito de Deus. — *C. H. S.*

v. 4: "Aquele a quem tu escolhes". Jesus, a quem Deus escolheu e de quem disse: "Este é o meu Filho amado, em quem me comprazo" (Mt 3.17), é realmente "sobre todos, Deus bendito eternamente" (Rm 9.5). Mas nele os eleitos também são benditos. Por causa dele, não por nossa causa, fomos escolhidos. Nele, não em nós, somos recebidos por Deus, sendo aceitos no Amado. Portanto, nele somos benditos. Ele é a nossa bênção. Com esse sumo sacerdote que ascendeu ao Lugar Santo e penetrou no véu, entramos na casa de Deus. Aprendemos a habitar nesse lugar. Estamos cheios das suas alegrias espirituais. Participamos dos seus santos mistérios e sacramentos da graça e do amor. — Extraído de "A Plain Commentary on the Book of Psalms" (Um Comentário Simples sobre o Livro dos Salmos), 1859

v. 4: "Nós seremos satisfeitos da bondade da tua casa e do teu santo templo". Seremos tão cheios, que não se poderá dizer que algo esteja faltando. Não teremos motivo para procurar algo em outro lugar. O que pode estar faltando na casa daquele que fez tudo, que é o dono de tudo, que será tudo em todos, em quem está um tesouro inesgotável de bens? Sobre ele está escrito no Salmo 103.5: "Quem enche a tua boca de bens", e no Salmo 17.15: "Eu me satisfarei da tua semelhança quando acordar". — *Robert Bellarmine, 1542-1621*

v. 4: "Satisfeitos da bondade da tua casa". Esta é referência aos sacrifícios que eram dedicados a Deus, dos quais as pessoas santificadas também participavam. — *Hermann Venema*

v. 5: "Com coisas tremendas de justiça nos responderás". A razão por que ele responde desta maneira é que o que Deus faz para o povo, juntando uma coisa com a outra, ainda é adequado para a crucificação da carne. E o que é mais terrível do que essa morte? Oramos por coisas agradáveis, conforme imaginamos, mas como somos carne somos também espírito. A carne ainda tem parte em cada oração. O que pedimos é, em parte, carnal, e no que diz respeito ao assunto pedimos, em parte, o que não sabemos. A resposta como vem de Deus, tomada em conjunto, é espiritual, que é uma coisa crucificadora para a carne pecaminosa. Por conseguinte, vem em todo o terror. [...] Você ora por perdão. Isso é uma coisa agradável, ainda que devidamente entendida não é agradável para a carne. Mortifica a corrupção, quebranta o coração, engaja-se a uma vida santa. Toda resposta que Deus nos der, de uma forma ou de outra, de imediato ou por fim, tenderá a ser assim. Deus costuma dar coisas boas aos seus filhos, como também a si mesmo, e mostra-lhes a glória celestial no que foi criado e feito. [...] Deus é terrível para a carne pecaminosa. Assim que ele se manifesta, ela morre. Ainda que Jacó vencesse Deus na oração, ele, por sua vez, foi vencido, como mostra o toque na coxa que lhe deslocou a juntura, onde foi o ponto de maior tensão da luta. Quando somos fracos, então somos fortes, porque à medida que Deus se revela, nós morremos para nós mesmos e vivemos nele. — *William Carter*, em um rápido sermão intitulado *"Light in Darkness" [Luz nas Trevas], 1648*

v. 5: "Com coisas tremendas de justiça nos responderás, ó Deus da nossa salvação". Os juízos de Deus são estas *terribilia*, coisas terríveis e tremendas. Ele é fiel na aliança. Ele, através destes juízos terríveis e tremendos, responderá, quer dizer, satisfará a nossa expectativa. Este é um sentido prático das palavras. Mas a palavra hebraica que traduzimos por "justiça" é *tzadok*, e *tzadok* não é fidelidade, mas santidade. Estas "coisas tremendas" são coisas reverentes. É como Tremellius traduz e traduz bem: *Per res reverendas*, "através de coisas reverendas", coisas às quais pertencem à reverência, tu "nos responderás". Assim, o sentido é que o "Deus da nossa salvação" (quer dizer, o Deus que trabalha na igreja cristã) nos chama à santidade, à justiça, através de coisas terríveis e tremendas. Não são terríveis e tremendas no modo e natureza da vingança, mas terríveis e tremendas, quer dizer, estupendas, reverendas e misteriosas, de forma a não tornarmos a religião algo muito simples, mas sempre cumprirmos todos os atos e exercícios da religião com reverência, com temor e tremor, e fazermos a diferença entre ações religiosas e ações seculares. — *John Donne*

v. 5: "Com coisas tremendas de justiça nos responderás, ó Deus da nossa salvação". A salvação que Deus dá para a igreja e povo com coisas tremendas é da justiça. O significado da declaração é este: Deus, em todos os livramentos dados ao seu povo com coisas tremendas, manifesta a sua justiça. Nada ele faz senão o que é de acordo com a retidão e a justiça. Para deixar claro, consideremos que a justiça se mostra em duas partes. Temos a justiça da sua palavra, que é a justiça da sua fidelidade, e a justiça das suas obras ou os seus atos justos de justiça. Deus manifesta ambas as partes na salvação do seu povo com coisas tremendas. — *John Bewick, 1644*

v. 5: A quem foi dito: Tu "nos responderás"? Foi a *nós*, que somos habitantes de Sião, que somos feitos seu povo e verdadeiramente te adoramos. Além disso, foi a *nós*, que estamos em contato com inimigos que provocam desavenças contra nós e querem o nosso mal. Por fim, foi a *nós*, que objetivamos e buscamos a estabilidade do Reino e da Igreja, e de todo tipo de felicidade e segurança. Com tais coisas tu nos responderás, ou seja, foi dito para o nosso proveito e benefício, e de acordo com os nossos votos. Portanto, defende a nossa causa, decide a nosso favor e satisfaz os nossos desejos. Desta forma, torna-nos felizes e estabelece-nos, vencendo e confundindo os nossos inimigos. — *Hermann Venema*

v. 5: "Tu és a esperança de todas as extremidades da terra". Como Deus pode ser a esperança de todas as extremidades da terra, se ele não reinar e constantemente trabalhar? A estabilidade dos montes não é atribuída a certas leis geológicas, mas ao poder de Deus (v. 6). O ruído dos mares não é acalmado por leis sem um agente poderoso, mas pela influência imediata do todo-poderoso Regente. As leis humanas também podem ser um meio de conter a perseguição, mas é só um meio. É Deus que aquieta o tumulto das nações (v. 7). É Deus que faz as saídas da manhã e da tarde cantarem de alegria (v. 8). As Escrituras, vendo as obras que Deus faz pelos meios, nunca perdem de vista o próprio Deus. Deus visita e abastece a terra de água. Deus prepara o trigo (v. 9). Sem o poder imediato de Deus, as leis da natureza não produzem efeito. Como é consolador e correspondente às expectativas esta visão da providência divina em comparação com a de uma filosofia ateísta, que nos proíbe de voltar mais do que ao poder de certas leis físicas. Todavia, admitamos, tais leis foram realmente estabelecidas no princípio por Deus, mas que hoje podem exercer as suas funções sem ele. — *Alexander Carson, 1776-1844*

v. 5: "Todas as extremidades da terra". Deus é, em si, potencialmente "a esperança de todas as extremidades da terra". Daqui por diante, todos o reconhecerão como a sua esperança (Sl 22.27,28), do que a ida da rainha de Sabá a Salomão "dos confins da terra" é um tipo (Mt 12.42). — *A. R. Fausset*

v. 5: "E daqueles que estão longe sobre o mar". Temos de buscar a Deus usando as palavras deste salmo, visto que ele está na praia e vê os nossos perigos. Ele nos faz — a nós que somos lançados no mar turbulento — manter a esperança confiante por sua causa. Permite-nos ficar entre a Cila e o redemoinho de Caribdis, a curso mediano, escapando do perigo por um lado com o navio incólume e a carga intacta, e chegando ao porto. — *John Lorinus*, 1569-1634, extraído de *Agostinho*

vv. 5 a 8: A provisão divina de água para a terra é obviamente simbólica da descida do Espírito Santo depois da ascensão de Jesus. Quando, no grande dia de Pentecostes, os judeus "religiosos, de todas as nações que estão debaixo do céu", ouviram os apóstolos falando em diversas línguas sobre as obras maravilhosas de Deus (At 2.5,11), foi um testemunho de que Deus estava começando espiritualmente a fazer "alegres as saídas da manhã e da tarde" (v. 8).

Foi a Deus, "que aplaca o ruído dos mares, o ruído das suas ondas e o tumulto das nações" (v. 7), que os apóstolos recorreram em oração depois do primeiro conflito com as autoridades judaicas, o primeiro combate da comunidade cristã primeva com os poderes deste mundo. As palavras do salmo: "Ó Deus da nossa salvação; tu és a esperança de todas as extremidades da terra e daqueles que estão longe sobre o mar" (v. 5), estão refletidas nas palavras iniciais da oração que fizeram naquela ocasião: "Senhor, tu és o que fizeste o céu, e a terra, e o mar, e tudo o que neles há" (At 4.24). Se, quando oraram, "moveu-se o lugar em que estavam reunidos; e todos foram cheios do Espírito Santo" (At 4.31), não foi sinal ocioso de que "com coisas tremendas de justiça" (v. 5) eles estavam recebendo a resposta das orações ao Deus da sua salvação. Estas são, logicamente, meras ilustrações da harmonia interna da Bíblia, mas nem por isso estão privadas de valor. — *Joseph Francis Thrupp*

v. 6: "Consolida os montes". É pela tua força que os montes são elevados e pelo teu poder que são cingidos e preservados. O salmista está afirmando que as montanhas foram formadas e colocadas nos seus devidos lugares pelas mãos poderosas de Deus. Está mostrando que por meio de, por assim dizer, uma cinta, Deus as consolida para que não sejam divididas, caiam ou desfaçam-se. A imagem é muito imponente. As montanhas foram rodeadas com uma cinta pelo poder divino. — *Adam Clarke*

v. 8: "Tu fazes alegres as saídas da manhã e da tarde", quer dizer, tu fazes os homens alegrarem-se, ficam alegres e alegram-se nas saídas da manhã. E nas saídas da tarde, os homens também alegram-se, pois é quando descansam da fadiga causada pela labuta do dia. Também podemos expor assim: Tu fazes alegres os homens que vivem nas saídas da manhã e nas saídas da noite. É como se tivesse sido dito: Tu fazes alegres os povos do oriente e os povos do ocidente, todos os povos de leste a oeste. E aquilo que faz alegres todos os povos é, naturalmente, é a subida da luz para eles, no leste, e a ida da luz para eles, no oeste. — *Joseph Caryl*

v. 8: "Tu fazes alegres as saídas da manhã e da tarde". Por mais opostas que sejam a luz e a escuridão entre si e por mais inviolável que seja a divisão entre elas (Gn 1.4), ambas são igualmente bem-vindas para o mundo na sua devida estação. É difícil dizer qual é a que mais nos beneficia: a luz da manhã, que favorece os negócios do dia, ou a sombra da noite, que favorece o repouso da noite. O guarda deseja ardentemente pela manhã? Assim o assalariado deseja ardentemente pela noite. Certos expositores entendem que se refere respectivamente ao sacrifício da manhã e ao sacrifício da noite, nos quais o bom povo grandemente se alegrava e nos quais Deus constantemente era honrado. Tu as fazes cantar, assim entendemos a palavra no original hebraico, pois em todas as manhãs e em todas as noites os levitas entoavam canções de louvor. Era esse o dever diário requerido. Temos de cuidar do nosso culto devocional particular e familiar, para que ambos sejam os mais indispensáveis das atividades diárias e os mais prazerosos das satisfações diárias. Se, desta maneira, mantivermos a nossa comunhão com Deus, as saídas da manhã e da noite serão verdadeiramente alegres. — *Matthew Henry*

v. 8: "E os que habitam nos confins da terra temem os teus sinais; tu fazes alegres as saídas da manhã e da tarde". Lirano, Dionísio Cartusiano, Cajetano e Plácido Parmense (que segue os passos de Cajetano, embora não o mencione) entendem que a primeira frase se refere à maravilha de toda a humanidade diante das obras maravilhosas de Deus na terra e no mar. Explicam que a segunda frase diz respeito aos sacrifícios que eram costumeiramente oferecidos de manhã e de tarde. Afirmam que Deus fez estes aceitáveis a ele e deliciosos aos que os ofereciam, sobretudo depois do retorno do cativeiro babilônico. No começo do salmo, os sacrifícios estão indicados pelo "louvor" e "voto" (v. 1), como vimos. A história de Esdras registra que o povo que voltou do cativeiro oferecia ao Senhor sacrifícios de manhã e de tarde (Ed 3.3). Fala também que aqueles que se aproximavam, quando entravam, e os outros que já tinham ofertado, quando saíam, davam louvores a Deus. Por conseguinte, o salmo fala sobre as saídas da manhã e da noite, quer dizer, quando aqueles que louvavam a Deus saíam depois de terem sacrificado, Deus se comprazia, recebia o prazer do louvor e seria grato ao ofertante. — *John Lorinus*

v. 8: Figurativamente, "as saídas da manhã" ou do amanhecer são a luz da graça que desponta no início da conversão. E "as saídas [...] da tarde" são a pura luz da graça na hora da morte. — *Thomas Le Blanc*

v. 9: "Tu visitas a terra e a refrescas; tu a enriqueces grandemente com o rio de Deus, que está cheio de água; tu lhe dás o trigo, quando assim a tens preparada". Como são belas as palavras do poeta inspirado, lidas neste mês de colheita, quase três mil anos depois que foram escritas! Por quase três mil anos desde que o poeta real examinou as planícies da Judeia cobertas com a generosidade de Deus e irrompeu no magnífico hino de louvor, a terra tem girado no seu curso e a mão de Deus abençoado a ela e a todos os seus filhos com períodos bons para plantar e para colher, com alegria e abundância. A própria firmeza da liberalidade do Todo--poderoso, fluindo como oceano grandioso pelo vasto infinito do universo, faz as suas criaturas esquecerem-se de pasmarem admiravelmente diante das maravilhas divinas e de sentirem a verdadeira gratidão por causa da sua bondade imensurável. O sol se levanta e se põe com constância tão certa. As estações vêm e vão com todas as suas mudanças em verdade tão inimitável que consideramos corriqueiro o que é espantoso além da imaginação e bom além da mais ampla expansão do mais nobre coração humano.

O pobre homem, com meia-dúzia de filhos, labuta e frequentemente morre sob o vão labor de ganhar pão para eles. Deus alimenta a sua família de miríades incontáveis que povoam a superfície de todos os mundos inumeráveis, e ninguém passa necessidade, senão por estupidez própria ou pela crueldade dos companheiros. Deus verte luz de sóis inumeráveis em planetas de alegria inumeráveis. Rega-os em todos lugares no momento mais adequado. Faz amadurecer os alimentos de globos e de nações, e lhes dá tempo bom para armazená-los. E de século em século, entre as suas criaturas infindas de formas e características infindas, na beleza, alegria e magnificência da natureza, ele entoa através da criação a canção gloriosa da sua própria alegria divina, na imortalidade da sua juventude, na onipotência da sua natureza, na eternidade da sua paciência e na imensidade abundante do seu amor. O que uma família depende do divino braço sustentador? A vida e a alma de séculos infinitos e de mundos não contados!

O fracasso de um momento do seu poder, da sua vigilância, ou da sua vontade em fazer o bem bastaria para que ocorresse uma varredura de morte e aniquilamento pelo universo! As estrelas cambaleariam, os planetas expirariam e as nações pereceriam! Mas de século em século não ocorre tal catástrofe, mesmo em meio de crimes nacionais e do ateísmo que nega a mão que o fez e o alimenta. A vida sempre brota com novo poder. Os alimentos surgem copiosamente para sustentá-la. Partindo do trono invisível de Deus, a felicidade e a alegria se derramam sobre todas as coisas como a poesia da existência que ele deu. Se ocorrem épocas de carência ou de insucesso, são como advertências ao homem orgulhoso e tirânico. A produção de batatas é atingida duramente para que a nação não seja oprimida para sempre. A safra cai para que as leis da avareza antinatural humana seja estraçalhadas. Depois, novamente, o sol brilha, a chuva cai e a terra se alegra com a beleza renovada e a fartura redobrada. — *William Howitt, "The Year-Book of the Country" [O Almanaque do País], 1850*

v. 9: "Tu visitas a terra". Deus vem com a entrada de cada estação. Em alguns aspectos, durante o inverno, Deus é como um homem em viagem a um país distante. A escuridão, esterilidade e frieza sugerem ausência da parte de Deus. A primavera é a volta dessa viagem. A grande mudança envolve alegremente o murmúrio: Deus "não está longe de cada um de nós" (At 17.27). Em dias mais longos, em atmosfera mais quente e em terra reavivada, Deus vem para nós. Estas coisas não são inevitáveis, mas providenciais. Há causas segundas, mas acima de todas estas está a Causa Primeira, que é inteligente, amorosa e livre. Deus rege sobre todas as coisas, em todas as coisas e acima de todas as coisas. Não é deslocado ou suplantado pelas forças e agências que ele emprega. Não é absorvido pelo cuidado de outros mundos. Não é indiferente à terra. A superintendência e providência pessoais não estão abaixo da sua dignidade ou lhe são de qualquer forma desagradáveis. Como Criador, Doador da Vida e Pai, "tu visitas a terra e a refrescas". — *Samuel Martin, "Rain upon the Mown Grass, and other Sermons" [Chuva no Campo Ceifado e Outros Sermões], 1871*

v. 9: "Tu visitas a terra e a refrescas; tu a enriqueces grandemente com o rio de Deus, que está cheio de água; tu lhe dás o trigo, quando assim a tens preparada ". O salmista está predizendo o derramamento gracioso do Espírito Santo, e a conversão das nações da terra a Cristo. — *Orígenes*

v. 9: "Tu visitas a terra e a refrescas; tu a enriqueces grandemente com o rio de Deus, que está cheio de água". Os chefes da teologia hebraica atribuem a Deus quatro chaves, as quais ele nunca entrega a anjo ou serafim. De acordo com eles, a primeira destas é a chave da chuva. Jó 28.26 fala que Deus "prescreveu uma lei para a chuva", e um pouco antes, no mesmo livro, que ele "prende as águas em densas nuvens" (Jó 26.8). — *Thomas Le Blanc*

v. 9: "Com o rio de Deus, que está cheio de água". Esta é uma descrição figurativa das nuvens. — *Edward Leigh*

v. 9: "O rio de Deus" em contraposição aos rios da terra. Estes podem falhar, mas os recursos divinos são inesgotáveis. — *Joseph Addison Alexander*

v. 9: "O rio de Deus". A paráfrase da versão Caldaica diz: "Da fonte de Deus que está nos céus, a qual está cheia de pancadas de chuvas de bênçãos, tu preparas os seus campos de trigo". — *John Lorinus*

v. 9: "Tu lhe dás o trigo, quando assim a tens preparada". A versão da American Bible Union (União Bíblica Americana) diz: "Tu lhe dás o grão, quando assim tens preparada a terra". "Assim", isto é, com este desígnio e para este fim. No original hebraico diz: "Quando assim a tens preparada", referindo-se à "terra", que em hebraico é feminino, ao passo que "grão" é masculino. O significado fica mais claro repetindo a palavra *terra* no lugar do pronome "a". — *Thomas J. Conant*

v. 9: "Tu lhe dás o trigo, quando assim a tens preparada". O trigo é a dádiva especial de Deus para o homem. Há várias ideias interessantes e instrutivas ligadas a esta declaração. Todas as outras plantas das quais nos servimos como alimento são impróprias para este propósito em sua condição natural. É necessário haver o desenvolvimento das qualidades nutritivas. As características e formas têm de mudar até certo ponto através do processo de cultivo gradual. Não há uma única planta útil que nasce nos jardins e campos, pois em seu estado normal ou selvagem as plantas são totalmente impróprias para consumo. Ao homem foi deixado descobrir, de forma lenta e dolorosa, como converter estas rudezas da natureza em legumes nutritivos. Mas não é o que ocorre com o trigo. Desde o começo é uma produção anormal. Temos razão para crer que Deus o deu a Adão no mesmo estado perfeito de preparação para consumo humano em que encontramos em nossos dias. Foi feito expressamente para homem e dado diretamente nas suas mãos. "Eis", diz o Criador, "que vos tenho dado toda erva que dá semente e que está sobre a face de toda a terra" (Gn 1.29), quer dizer, todas as plantas cereais como aveia, trigo, cevada, arroz, milho, cuja característica peculiar é produzir semente.

Há outra prova de que o trigo foi criado para uso humano. É o fato de que nunca se acha no estado não-cultivado. As espécies primitivas das quais todas as outras plantas comestíveis derivaram ainda se acham em estado natural nesta ou em outras partes do mundo. A beterraba e o repolho ainda aparecem em estado silvestre nas regiões litorâneas. A maçã silvestre e a ameixeira brava, os pais agrestes das deliciosas maçãs e ameixas, ainda surgem entre as árvores da floresta. Mas onde estão as espécies originais do trigo? Onde estão as vegetações silvestres que, de acordo com certos autores, os processos cumulativos da agricultura executados por séculos sucessivos desenvolveram em aveia, trigo e cevada? Muito tem sido escrito e muitos experimentos têm sido feitos para determinar a origem natural destes cereais, mas até agora todo esforço se mostrou fútil. Há repetidos relatos que informam que milho e trigo foram achados em estado silvestre em certas regiões da Pérsia e nas estepes da Tartária, aparentemente longe da influência de cultivo. Mas, quando testados por meio de dados botânicos, tais relatos mostraram-se, todas as vezes, infundados. Sempre se conheceu o trigo como planta cultivada.

A história e a observação provam que o trigo não nasce espontaneamente. Nunca é, como as outras plantas, autossemeado e autodifundido. Se os homens não lhe fizerem caso, desaparece rapidamente e fica extinto. Não retorna, como todas as outras variedades de plantas cultivadas, a uma condição natural. Torna-se inútil como alimento e perece totalmente, sendo constitucionalmente impróprio para manter a luta pela existência com a vegetação aborígine da terra. Tudo isso prova que o trigo foi produzido milagrosamente. Em outras palavras, foi dado diretamente por Deus aos homens na mesma condição anormal em que aparece agora, pois a natureza nunca poderia tê-lo desenvolvido ou preservado. As mitologias de todas as nações antigas afirmam confiantemente que teve uma origem sobrenatural. Os gregos e romanos acreditavam que o trigo foi presente da deusa Ceres, que ensinou o filho Triptólemo a cultivá-lo e distribuí-lo por toda a terra. Da palavra *Ceres*, toda a espécie de plantas recebeu o nome de *cereal*. Só expressamos a mesma verdade quando dizemos a ele, a quem estes pagãos sem saber adoravam: "Tu lhe dás o trigo, quando assim a tens preparada".

Permita-me apresentar mais uma prova do desígnio especial, que nos capacitará a reconhecer a mão de Deus nesta misericórdia. O trigo é difundido universalmente. É quase a única espécie de planta que dá em todos os lugares, em quase todo tipo de solo, em quase qualquer situação. De uma forma ou de outra adaptado às diversas modificações das condições climáticas e físicas que ocorrem em diferentes regiões, espalha-se em uma área da superfície da terra tão extensa quanto a ocupação da raça humana. [...]

O arroz cresce em países tropicais, onde ocorrem chuvas e inundações periódicas, seguidas por calor excessivo, e fornece o principal item de dieta para a maior parte da raça humana. O trigo não viceja em climas quentes, mas prospera por toda zona temperada, em várias faixas de elevação, e é admiravelmente adaptado ao desejo de comunidades altamente civilizadas. O milho se espalha em imensa área geográfica do novo mundo, onde é conhecido desde tempos imemoriais, e formava um dos principais elementos da dieta daquela civilização indígena, o que surpreendeu os espanhóis no México e no Peru. A cevada é cultivada nas regiões da Europa e da Ásia, onde o solo e o clima não são adaptáveis ao trigo, ao passo que a aveia e o centeio estendem-se até ao extremo norte, e só desaparecem dessas desoladas regiões árticas, onde o homem não consegue existir nas suas funções sociais. Através destas extraordinárias adaptações de diferentes variedades de grãos, contendo os mesmos ingredientes essenciais para diferentes solos e climas, a providência forneceu o alimento indispensável para o sustento da raça humana ao longo de todo o globo habitável, a fim de todas as nações, tribos e línguas possam se alegrar juntas, como uma grande família, com a alegria da colheita. — *Hugh Macmillan, "Bible Teachings in Nature" [Ensinos Bíblicos na Natureza], 1868*

vv. 9 a 13: "Tu visitas a terra e a refrescas; tu a enriqueces grandemente com o rio de Deus, que está cheio de água; tu lhe dás o trigo, quando assim a tens preparada; tu enches de água os seus sulcos, regulando a sua altura; tu a amoleces com a muita chuva; tu abençoas as suas novidades; tu coroas o ano da tua bondade, e as tuas veredas destilam gordura; destilam sobre os pastos do deserto, e os outeiros cingem-se de alegria. Os campos cobrem-se de rebanhos, e os vales vestem-se de trigo; por isso, eles se regozijam e cantam". Não conheço outro quadro da vida rural que, em qualquer medida, aproxime-se da descrição primorosa aqui apresentada. Trata-se de narrativa descritiva que todo coração reconhece de chofre como plenamente verdadeira à natureza em todas as suas ramificações. No curto espaço de cinco versículos, temos a cena vividamente descrita. Fala primeiro sobre a preparação do solo, a provisão de semente de grãos para o semeador, a chuva na estação própria, as primeiras e as últimas chuvas, que regam os sulcos, aplanam as leivas e fazem a semente germinar, brotar, crescer e florescer. Depois, menciona o coroamento do ano nas semanas designadas à colheita, e a alegria do coração dos homens diante de Deus segundo a alegria por causa da colheita, as próprias trilhas vertendo gordura e os vales bradando e cantando de alegria. O recolhimento da colheita também é uma época de alegria para nós. Mas gostaria que os lavradores e ceifeiros atribuíssem piamente tudo a Deus, como fez o salmista: *Tu* regas a terra. *Tu* enriqueces a terra copiosamente. *Tu* preparas o cereal. *Tu* regas os sulcos. *Tu* aplanas as leivas. *Tu* amoleces a terra com chuviscos. *Tu* abençoas a produção da terra. *Tu* coroas o ano da tua bondade (v. 9-11, ARA). Não há uma palavra sequer do homem, da habilidade do homem ou da labuta do homem. Não há ao menos um pensamento do homem. Como é diferente daquele cujas terras produziram abundantemente e cujo único pensamento era: "Direi à minha alma: alma, tens em depósito muitos bens, para muitos anos; descansa, come, bebe e folga" (Lc 12.19). — *Barton Bouchier v. 10:* A chuva tem *característica molificante*. Quando a terra fica como ferro sob os nossos pés por causa de secas longas ou geadas severas, umas boas chuvaradas a deixam permeáveis e macias. Davi, falando da terra, disse: "Tu enches de água os seus sulcos". Jesus Cristo tem a virtude do amolecimento. Às vezes, o coração fica endurecido pela falsidade do pecado. [...] Se Jesus deixar cair apenas algumas gotas do céu, a mais dura pederneira da congregação será transformada em fonte de água [...] A chuva tem *virtude frutificadora*. Todo o trabalho do lavrador não dá em nada se as primeiras ou as últimas chuvas não ocorrerem. O salmista estabelece esta virtude da chuva nos versículos 9 a 13. A falta de chuva traz fome na terra. [...] Se Jesus não fizer chover, não haverá frutos. Mas se Jesus fizer cair o orvalho, os pastos ficarão verdes. Todos os labores e esforços do lavrador espiritual não darão em nada se a chuva não vier de Jesus. Se lhe agrada fazer chover, o eunuco não pode dizer: "Eis que eu sou uma árvore seca" (Is 56.3). Ainda que o coração esteja seco como estava a vara de Arão, se Jesus fizer chover, ambos produzirão flores, brotarão renovos e darão amêndoas. [...] A chuva tem *virtude recriadora*. Causa alegria e satisfação no coração dos homens, e gera certo tipo de vivacidade nos seres animados. Os pássaros gorjeiam, os animais do campo alegram-se no seu estado e situação. Há certo tipo de alegria nas mais inanimadas criaturas. O salmista fala sobre isso: "Os campos cobrem-se de rebanhos, e os vales vestem-se de trigo; por isso, eles se regozijam e cantam" (v. 13). Quando chega a chuva depois de uma seca longa, todas as criaturas deste mundo entoam uma melodia. Jesus Cristo tem a virtude do encorajamento. Ele enche a alma de alegria quando ele entra na alma. O coração que estava morto, inerte e abatido torna-se alegre e jovial quando estas chuvas caem sobre ele. Quando Jesus Cristo entra na alma, ele leva alegria para a alma: "Todos se alegrarão perante ti, como se alegram na ceifa e como exultam quando se repartem os despojos" (Is 9.3). — *Ralph Robinson*

v. 10: "Tu enches de água os seus sulcos, regulando a sua altura; tu a amoleces com a muita chuva; tu abençoas as suas novidades". Tu és o grande e exímio Lavrador, que cultiva a terra muito mais e muito melhor do que os agricultores. Nada mais fazem do que quebrar o solo, arar e semear, e depois o deixa. Mas Deus sempre tem de estar cuidando da terra com chuva e calor. Tem de fazer de tudo para que a terra produza e prospere. Enquanto isso, os agricultores ficam em casa dormindo. — *Martinho Lutero, 1483-1546*

v. 11: "Tu coroas o ano da tua bondade". No *Bridgewater Treatise [Tratado de Bridgewater], William Whewell (1795)* observa a evidência do desígnio no transcurso do ano. Embora não possamos considerar que seja um comentário direto sobre o texto, permito-me transcrevê-lo aqui. Talvez desperte uma linha de pensamento, e torne mais evidente a bondade de Deus na mudança das estações.

"Se não ocorressem mudanças ao longo do ano, as operações do mundo botânico ficariam em total desordem, as funções das plantas entrariam em completo desarranjo e o reino vegetal estaria envolvido em decadência instantânea e extinção acelerada. Há inumeráveis indicações que comprovam o fato. Muitas árvores frutíferas, por exemplo, exigem que o ano tenha a extensão atual. Se o verão e o outono fossem muito mais curtos, os frutos não amadureceriam. Se estas estações fossem mais longas, a árvore daria nova produção de flores, que acabaria sendo destruída no inverno. Se o ano fosse duas vezes mais extenso do que é atualmente, uma segunda safra de frutos não amadureceria, por falta de, entre outras coisas, uma estação imediata de descanso e consolidação, como o inverno é. As florestas, de certa forma, precisam de todas as estações do ano para serem perfeitas. Precisam da primavera, do verão e do outono para o desenvolvimento das folhas e a consequente formação da seiva e da madeira. Precisam do inverno para o endurecimento e solidificação da substância assim formada. [...]

"A subida dos nutrientes, a formação da seiva, o desdobramento das folhas, a abertura das flores, a fecundação dos frutos, o amadurecimento da semente e a deposição própria para a reprodução de uma planta nova são processos operativos que requerem certa porção de tempo. Não podem ser comprimidos em um espaço menor do que um ano, ou pelo menos não podem ser muito abreviados. Por outro lado, se o inverno fosse muito mais longo, muitas sementes não germinariam na volta da primavera. Sementes que ficaram guardadas por muito tempo exigem estimulantes para que sejam férteis. Se a duração das estações levasse muito tempo para mudar, os processos da vida vegetal seriam interrompidos, ficariam desordenados, agiriam destemperados. Por exemplo, o que sucederia com o calendário da vida vegetal, se o ano fosse alongado ou encurtado em seis meses? Em um caso, as datas nunca chegariam, e os processos vegetais que as marcam seriam suplantados. Em outro, as estações ficariam sem datas, e estes períodos seriam empregados de forma danosa e, sem dúvida, altamente destrutiva para as plantas. Teríamos não só um ano de confusão, mas, caso fosse repetido e continuado, um ano de morte. [...]

"Podemos aplicar o mesmo tipo de argumento à criação animal. O acasalamento, a ninhada, a chocagem, a emplumagem e o vôo de pássaros ocupam, cada um, o seu tempo peculiar do ano, os quais, junto com um período próprio de descanso, perfazem os doze meses do ano. As transformações da maioria dos insetos têm referência semelhante às estações, o seu progresso e duração. Falando sobre os animais, diz o escritor Alexander Fleming: 'Em todas as espécies [exceto a humana], há um período particular do ano em que os sistemas reprodutivos exercem as suas energias. A estação do amor e o período da gestação são organizados de forma que os filhotes sejam gerados na ocasião em que as condições de temperatura sejam as mais adequadas ao início da vida'. Não nos cabe analisar os detalhes desses provimentos, por mais belos e extraordinários que sejam. Mas a prevalência da importante lei da periodicidade nas funções vitais dos seres organizados permite-nos fazer considerações pertinentes à astronomia. Constatamos que essa constituição periódica deriva a prática da natureza periódica dos movimentos dos planetas em torno do sol, e que a duração desses ciclos na existência de plantas e animais tem ligação com os elementos arbitrários do sistema solar. Essa ligação, advogamos, é inexplicável e ininteligível, exceto se em nossas concepções aceitarmos um Autor inteligente, da mesma forma que o universo orgânico e inorgânico".

v. 11: "Tu coroas o ano da tua bondade". Deus cercou este ano com a sua bondade, "circundou-o e fechou-o" de todos os lados. Assim traduzimos a mesma palavra no Salmo 5.12: "Circundá-lo-ás [ou coroá-lo-ás] da tua benevolência como de um escudo". Ele nos deu mostras da sua bondade em todas as coisas que nos concernem, de forma que seja para que lado nos voltemos, encontramos sinais do favor divino. Cada parte do ano foi enriquecida com as bênçãos dos céus, e nenhuma brecha foi deixada para a entrada de qualquer julgamento devastador. — *Matthew Henry*

v. 11: "Tu coroas o ano". Uma colheita completa e abundante é a coroa do ano, a qual provém da bondade imerecida de Deus. Este é o diadema da terra. עִטַּרְתָּ (*'iṭṭartā*), "tu circundas" como com um diadema. Trata-se de uma expressão mais elegante para mostrar o avanço do sol pelos doze signos do zodíaco, produzindo as estações do ano e dando suficiência de luz e calor alternadamente a todos os lugares na superfície do globo, pela declinação norte e sul (chegando a 23°28' nos solstícios) em cada lado do equador. Uma imagem mais bonita não poderia ter sido escolhida. A própria aparência do espaço, designado o zodíaco em um globo celestial, demonstra com que propriedade a ideia de um círculo ou diadema foi concebida por este poeta inimitável. — *Adam Clarke*

v. 11: "Tu coroas". Uma coroa matizada e bela, colocada na cabeça pelas mãos do grande Criador, representa primorosamente as relvas, os frutos e as flores produzidos pela terra. — *Samuel Burder*

v. 11: "Tu coroas o ano da tua bondade, e as tuas veredas destilam gordura". Coroar o ano da bondade é erguê-lo ao mais alto grau e ápice de prosperidade, felicidade e glória. Coroar — encher, tornar glorioso e alegre — o ano da bondade de Deus é o tempo em que ele revela a sua mais sublime bondade. O ano é coroado, quando os efeitos desta bondade se mostram na grandiosa balança e trazem muita glória e alegria. Foi a ocasião em que ele brilhou, as nuvens destilaram gordura e todas as regiões da terra ficaram cheias de fertilidade. [...] As veredas de Deus são as nuvens. Antes chamadas de rio de Deus (ver Sl 104.3), agora são os caminhos nos quais o próprio Deus se move e de onde, desde o lugar da chuva, desde o rio de Deus, flui a própria gordura ou a abundância copiosa de tudo o que é mais doce e melhor. — *Hermann Venema*

v. 11: "As tuas veredas destilam gordura". Quando o conquistador viaja pelas nações, as suas veredas destilam sangue. Fogo e vapor de fumaça estão no seu rastro. Lágrimas, gemidos e suspiros lhe assistem. Mas onde o Senhor viaja, as suas veredas destilam gordura. Quando os reis de antigamente jornadeavam pelos seus domínios, causavam escassez onde quer que permanecessem, pois os cortesãos gananciosos que se aglomeravam no acampamento devoravam todas as coisas como gafanhotos, e eram tão ambiciosamente vorazes quanto larvas e lagartas. Mas onde o grande Rei dos reis jornadeia, ele enriquece a terra, pois as suas veredas destilam gordura. Por ousada metáfora hebraica, as nuvens são representadas como os carros de Deus: "Faz das nuvens o seu carro" (Sl 104.3). Quando o Senhor Jeová cavalga sobre os céus na grandeza do seu poder e, com a sua alteza, sobre as mais altas nuvens (Dt 33.26), as chuvas caem sobre as terras e, assim, os rastros das rodas do carro de Jeová são marcados pela gordura que alegra a terra. Feliz, feliz o povo que adora um Deus como esse, cuja vinda sempre é a vinda da bondade e da graça para as suas criaturas. — *C. H. S.*

v. 11: "Veredas". Estas veredas são propriamente os rastros feitos pelas rodas do carro. — *Henry Ainsworth*

v. 12: "Deserto". Por *deserto*, o leitor não deve entender que seja sempre uma região completamente descampada, árida e infrutífera, mas um lugar raramente ou nunca semeado ou cultivado. Embora não produza safra de grãos ou frutos, dispõe de ervagem mais ou menos suficiente para a pastagem de gado, com fontes ou córregos de água, ainda que mais esparsamente espalhados que em outros lugares. — *Thomas Shaw, 1692-1751*

v. 13: "Os campos cobrem-se de rebanhos". Esta frase não pode ser considerada como linguagem poética comum. É peculiarmente bela e apropriada, quando levamos em conta os numerosos rebanhos que pululam as planícies da Síria e Canaã. Nos países do Oriente, as ovelhas são muito mais fecundas do que nós. Derivam o nome da sua grande fertilidade, produzindo, como dizem que fazem, "a milhares e a dezenas de milhares em nossas ruas" (Sl 144.13). Formavam parte não desprezível da riqueza do Oriente. — *James Anderson, 1646, "Editorial Note to Calvin" [Nota Editorial para Calvino], in loc.*

v. 13: "Os campos cobrem-se de rebanhos, e os vales vestem-se de trigo; por isso, eles se regozijam e cantam". Os montes não cultivados eram cheios de arbustos e cobertos de relvas, salpicados de numerosos rebanhos. Os vales eram amplos e tomados de rica plantação de trigo. Os campos eram cheios de ceifeiros e catadores no meio das plantações, com jumentos e camelos recebendo as cargas de feixes de espigas e alimentando-se sem focinheiras, despreocupados em meio aos grãos maduros. — *Edward Robinson*

v. 13: Parece estranho que Davi primeiro falasse que eles "se regozijam" ("exultam de alegria", ARA) e depois acrescentasse a expressão mais fraca, que eles "cantam", interpondo a partícula intensificadora אַף (*'ap*), ficando assim: Eles se regozijam, SIM, eles também cantam. O verbo no original hebraico admite ser colocado no futuro: *eles cantarão*. Denota continuação de alegria. Mostra que eles se alegrariam não só por um ano, mas pela sucessão infinita das estações. Permito-me acrescentar o que é do conhecimento comum, que em hebraico a ordem da expressão é frequentemente invertida deste modo. — *João Calvino*

v. 13: "E cantam". Cantam ardentemente, que é o verdadeiro significado de אַף. Primariamente, significa "calor" ou "quentura", daí conota "ardor", "zanga", "raiva", que, por sua vez, conota "as narinas" por ser o suposto lugar deste sentimento. — *John Mason Good, 1764-1827*

SUGESTÕES AOS PREGADORES

v. 1. A conveniência, lugar, uso e poder do silêncio nos cultos.

v. 1. As limitações, vantagens e obrigações dos votos.

v. 2. "Ó tu que ouves as orações!" Ouvir e atender as orações é: (1) Prerrogativa do Senhor. (2) Prática habitual do Senhor. (3) Prazer do Senhor. (4) Natureza do Senhor. (5) Glória do Senhor. — *David Dickson*

v. 3. (1) A confissão humilde. Os pecados prevalecem contra nós: (a) Quando? Quando estamos desatentos ou caímos em tentação, mesmo depois dos mais sacros serviços. (b) Como? Pela nossa corrupção inata, constituição natural, subitaneidade de tentação, descaso à provisão da graça e falta de comunhão. (b) Em quem? No melhor dos homens. Davi disse: "Contra mim". Prestemos atenção a este aviso (2) A confiança tranquilizadora. O pecado é perdoado: (a) Por Deus: "Tu". (b) Por expiação: Cobrindo tudo. (c) Com eficácia: "Perdoas". (d) Com abrangência: "As nossas transgressões".

v. 3. (1) Exclamação de angústia. A minha alma foi sitiada: "Prevalecem as iniquidades contra mim". (2) Exclamação de alívio. A minha alma foi salva: "Tu perdoas as nossas transgressões". — *E. G. Gange*

v. 4. A aproximação a Deus é o fundamento da felicidade humana. Esta doutrina se mostra por completo quando levamos em conta os três principais ingredientes da verdadeira felicidade: (1) A expectativa do mais nobre objetivo: satisfazer todas as faculdades do entendimento. (2) O amor do bem supremo: responder as extremas tendências da vontade. (3) O doce e perpétuo sentimento e garantia do amor de um Amigo Todo-poderoso, que nos livrará de todos os males que a nossa natureza possa temer e nos dará todo o bem que uma criatura sábia e inocente possa desejar. Deste modo, toda competência humana é empregada nas mais sublimes e agradáveis atividades e recreações. — *Isaac Watts*

v. 4. Eleição, chamada eficaz, acesso, adoção, perseverança final, satisfação. Este versículo é um tratado da divindade em miniatura: "Bem-aventurado aquele a quem tu escolhes e fazes chegar a ti, para que habite em teus átrios; nós seremos satisfeitos da bondade da tua casa e do teu santo templo".

v. 5. Trate a primeira frase de modo experimental e mostre: (1) Como as orações pela nossa santificação são respondidas pelas nossas provações. (2) Como as orações pela glória de Deus são respondidas pelas nossas perseguições. (3) Como as orações pela salvação de nossos bebês são respondidas pela morte deles. (4) Como as orações pelo bem dos outros são respondidas pelas doenças deles.

v. 7. O Senhor é: (1) O doador da paz. (2) O criador da paz. (3) O conservador da paz.

v. 8. Os sinais da presença de Deus: (1) Os sinais que causam temor. (2) Os sinais que inspiram alegria.

v. 8. "Tu fazes alegres as saídas da manhã e da tarde." As alegrias peculiares da manhã e da tarde.

v. 9. "O rio de Deus." O tratado de John Bunyan intitulado "A Água da Vida" é pertinente ao tema.

v. 9. As visitações divinas e as suas consequências.

vv. 9 a 13. O Sermão da Colheita: (1) A bondade geral de Deus: "Tu visitas a terra e a refrescas; tu a enriqueces grandemente" (v. 9). Ele visita a terra na mudança das estações: "Tempo de plantar e tempo de arrancar o que se plantou" (Eclesiastes 3.2). (2) A grandeza dos recursos de Deus: "O rio de Deus [...] está cheio de água" (v. 9). Não é como o ribeiro de Querite, de cujas águas Elias bebia, mas com o passar dos dias se secou (1 Reis 17.5-7). (3) A variedade das beneficiações de Deus: "Trigo", "água", "tu abençoas as suas novidades" (vv. 9,10). (4) A perpetuidade das bênçãos de Deus: "Tu coroas o ano..." (vv. 11-13). — *E. G. Gange*

v. 10. A graça divina como a chuva: (1) Em si mesma. (2) Em sua abundância. (3) Em seus efeitos no coração e na natureza, caindo sobre as leivas e os sulcos, amolecendo a terra (cf. ARA). (4) Em seus resultados frutíferos (ver o excerto de *Ralph Robinson, in loc.*).

v. 10. "Tu abençoas as suas novidades." Título sugestivo: *"A Fonte no Coração", in: "Spurgeon's Sermons" [Sermões de Spurgeon[, n. 675.*

v. 11. Título sugestivo: *"Gratidão e Oração", in: "Spurgeon's Sermons" [Sermões de Spurgeon], n. 532.*

v. 12. "Destilam sobre os pastos do deserto": (1) A nossa residência: "O deserto". (2) A nossa provisão espiritual: "Os pastos". (3) O nosso frescor divino: "Destilam".

v. 12. Causas de alegria para igrejas pequenas: (1) Deus se lembra das igrejas pequenas. (2) Deus edifica as igrejas pequenas. (3) Deus aumenta as igrejas pequenas. (4) Deus alimenta as igrejas pequenas. (5) Deus reaviva as igrejas pequenas.

v. 13. A canção da natureza e os ouvidos que a ouvem.

SALMO 66

TÍTULO

Cântico e Salmo ou *Cântico ou Salmo*. Pode ser falado ou cantado. É um poema maravilhoso, se for apenas lido, mas devidamente musicado, devia ter sido uma das mais nobres melodias ouvida pelo povo judeu. Desconhecemos o autor. Entretanto, não vemos motivo para duvidar de que tenha sido escrito pelo rei Davi. O estilo é davídico e não contém nada inadequado à época. É verdade que menciona a "casa" de Deus (v. 13), mas o tabernáculo era intitulado com essa designação bem como o templo.

Para o cantor-mor. Tinha de ser uma pessoa de extrema habilidade para ser digna de cantar um salmo como este. A melhor música do mundo fica honrada pelo casamento com tais expressões.

ASSUNTO

O tema é o louvor. Os tópicos da canção são as grandes obras do Senhor, os seus benefícios graciosos, os seus livramentos fiéis e todos os seus procedimentos para com o povo, concluindo com um testemunho pessoal da bondade especial recebida pelo próprio profeta-bardo.

DIVISÃO

Os versículos 1 a 4 são um tipo de hino introdutório, que conclama todas as nações a louvar a Deus e que dita a elas as palavras de uma canção adequada. Os versículos 5 a 7 convidam os observadores a virem e verem ("vinde e vede") as obras do Senhor, chamando a atenção ao mar Vermelho e, talvez, à travessia do rio Jordão. Isto sugere a posição similar do povo aflito que é descrita e o seu resultado feliz que é predito nos versículos 8 a 12. O cantor, então, passa a fazer observações sobre a sua vida pessoal e confessa as obrigações devidas ao Senhor (vv. 13-15). Por fim, em um arroubo veemente para as pessoas virem e ouvirem ("vinde e ouvi"), ele declara com gratidão o favor especial que recebeu do Senhor (vv. 16-20).

EXPOSIÇÃO

1 *Louvai a Deus com brados de júbilo, todas as terras.*
2 *Cantai a glória do seu nome; dai glória ao seu louvor.*
3 *Dizei a Deus: Quão terrível és tu nas tuas obras! Pela grandeza do teu poder se submeterão a ti os teus inimigos.*
4 *Toda a terra te adorará, e te cantará louvores, e cantará o teu nome. (Selá)*

1. *"Louvai a Deus com brados de júbilo." Em Sião,* onde os santos mais instruídos eram acostumados à meditação profunda, a canção a Deus era silenciosa e aceita por Ele. Mas nas grandes reuniões populares, um brado alegre era mais apropriado e natural, sendo igualmente aceitável. Se o louvor tem de ser difundido, tem de ser vocal. Sons exultantes mexem com a alma e causam um contágio santo de agradecimento. Os compositores de músicas congregacionais precisam cuidar para que a melodia seja alegre. Não precisamos de brados tanto quanto de brados de júbilo. Temos de louvar a Deus com a voz, e com ela o coração deve acompanhar em santa exultação. Todos os louvores de todas as nações devem ser dados ao Senhor. Feliz o dia em que nenhum brado será apresentado a Krishna ou a Buda, pois toda a terra adorará o Criador.

"Todas as terras." Todas as nações gentias, que até agora não conheciam a Jeová, unanimemente alegram-se junto com a terra inteira diante de Deus. As línguas da terra são muitas, mas os louvores são um, dirigidos única e exclusivamente a Deus.

2. *"Cantai a glória do seu nome."* O brado deve ser modulado com a melodia e compasso, e posto na forma de cântico, porque adoramos o Deus da ordem e harmonia. A honra de Deus é o nosso tema, e honrá-lo é o nosso objetivo quando cantamos. Dar glória a Deus não passa de restaurar a Ele o que lhe pertence. É nossa glória dar a Deus glória. Toda a nossa verdadeira glória deve ser designada a Deus, pois se trata da sua glória. O lema de todo verdadeiro crente é: "Toda a adoração é feita somente a Deus". O nome, a natureza e a pessoa de Deus são dignos da mais elevada honra.

"Dai glória ao seu louvor." Não permita que o seu louvor seja pobre e medíocre. Eleve-o com grandeza e solenidade diante de Deus. Não imitemos nesta dispensação do Espírito a pompa dos festivais antigos, mas coloquemos todo o coração e santa reverência em nossa adoração para que seja a melhor que possamos fazer. A adoração do coração e a alegria espiritual dão mais glória ao louvor do que vestes, incenso e música.

3. *"Dizei a Deus."* Dê todos os seus louvores a ele. A devoção, a menos que seja dirigida resolutamente ao Senhor, não é melhor do que o assobio do vento.

"Quão terrível és tu nas tuas obras!" A mente é, em geral, cativada primeiro pelos atributos que causam temor e tremor. Mesmo quando o coração passa a amar a Deus e descansar nEle, há um aumento de adoração quando a alma fica reverentemente atemorizada pela exibição extraordinária da mais terrível das características divinas. Considerando os terremotos que sacodem continentes, os furacões que devastam nações, as pestes que desolam cidades e outras grandes e surpreendentes exibições das operações divinas, os homens têm razão em dizer: "Que tremendos são os teus feitos!" (ARA).

Até que vejamos Deus em Cristo, o terrível toma conta de tudo que entendemos dEle. "Pela grandeza do teu poder se submeterão a ti os teus inimigos", mas, como o original hebraico indica claramente, será uma submissão falsa e forçada. O poder faz o homem ajoelhar-se, mas só o amor ganha o coração. Faraó disse que deixaria Israel ir, mas mentiu para Deus. Submeteu-se em palavras, mas não em atos. Dezenas de milhares de pessoas, na terra e no inferno, estão prestando esta homenagem constrangida ao Todo-Poderoso. Submetem-se só porque não podem fugir da obrigação. Não se trata de lealdade, mas do poder de Deus que as mantém sujeitas ao ilimitado domínio divino.

4. *"Toda a terra te adorará, e te cantará louvores."* Mesmo hoje, todos os homens têm de prostrar-se diante de ti, mas chegará o dia em que eles o farão com alegria. À adoração por medo será acoplada o cântico por amor. Que mudança será quando os cânticos tomarem o lugar dos choros, e a música pôr para fora a miséria!

"E cantará o teu nome." A natureza e obras de Deus serão o tema da canção universal da terra. Deus mesmo será o objeto de culto alegre da raça humana emancipada. A adoração aceitável não só louva a Deus como o Senhor misterioso, mas é prestada perfumadamente por certa medida de conhecimento do seu nome ou caráter. Deus não será adorado como um Deus desconhecido, nem foi dito ao seu povo: "Vós adorais o que não sabeis" (Jo 4.22). Que o conhecimento do Senhor logo tome conta da terra para que a universalidade da adoração inteligente seja possível. Essa situação perfeita era evidentemente esperada pelo escritor do salmo. De fato, ao longo dos escritos do Antigo Testamento, há indícios da futura expansão geral do culto a Deus. Foi ignorância teimosa e fanatismo pertinaz os judeus se enfurecerem contra a pregação do evangelho aos gentios. O judaísmo pervertido pode ser exclusivo, mas a religião de Moisés, Davi e Isaías não.

"Selá." Esta é uma pequena pausa para meditação santa inserida logo após tão grande profecia. O enlevo espiritual do coração também é uma direção apropriada. Não há meditação mais alegre do que a estimulada pela esperança de um mundo reconciliado com o Criador.

5 *Vinde e vede as obras de Deus; é terrível nos seus feitos para com os filhos dos homens.*
6 *Converteu o mar em terra seca; passaram o rio a pé; ali nos alegramos nele.*
7 *Ele domina eternamente pelo seu poder; os seus olhos estão sobre as nações; não se exaltem os rebeldes. (Selá)*

5. *"Vinde e vede as obras de Deus."* Os acontecimentos gloriosos, como a divisão do mar Vermelho e a ruína de faraó, são maravilhas permanentes. Ao longo do tempo, uma voz convoca a respeito deles: "Vinde e vede". Até mesmo no fim de todas as coisas, as obras maravilhosas de Deus feitas no mar Vermelho ainda serão tema de meditação e louvor, pois, junto ao mar de vidro misturado com fogo, estarão os exércitos triunfais do céu cantando o cântico de Moisés, servo de Deus, e o cântico do Cordeiro (Ap 15.2,3). Sempre tem sido o tema preferido dos bardos inspirados, pois a escolha é muito natural.

"É terrível nos seus feitos para com os filhos dos homens." Para a defesa da igreja e a derrota dos inimigos, Ele executa proezas maravilhosas e fere o poderoso com o medo. Tu, inimigo, por que te vanglorias? Não fales mais com tanto orgulho. Lembra-te das pragas que abateram a vontade de Faraó, do afundamento dos carros do Egito no mar Vermelho, da destruição de Ogue e Siom, do espalhamento dos cananeus diante das tribos israelitas. Este mesmo Deus ainda vive e será adorado com reverência tremente.

6. *"Converteu o mar em terra seca."* Não foi milagre pequeno dividir um caminho por esse mar, e torná-lo adequado para o tráfico de uma nação. Quem fez isso pode fazer qualquer coisa e só pode ser Deus, o objeto digno de adoração. Os cristãos concluem que não há obstáculo na viagem rumo ao céu que os impeça, porque o mar não pôde impedir Israel. Até mesmo a morte será como a vida, e o mar será a terra seca, quando a presença de Deus for sentida.

"Passaram o rio a pé." As tribos de Israel passaram pelo rio a pé enxuto, pois o Jordão teve medo delas.

"O que te afligiu, ó poderoso mar?
Por que rolastes as tuas ondas por medo?
O que fez a tua correnteza, ó Jordão, fugir
E expor o leito profundo?

Ó terra, diante do Senhor, o Deus
De Jacó, trema ainda;
Que torna o deserto em jardim regado,
A pedra em ribeiro fluente."

"Ali nos alegramos nele." Ainda hoje participamos dessa alegria antiga. A cena está tão viva diante de nós que parece que estivemos lá em pessoa, cantando ao Senhor porque ele triunfou gloriosamente. A fé se lança totalmente nas alegrias passadas dos santos e as percebe por si do mesmo modo em que ela se projeta nas felicidades futuras, tornando-se a substância das coisas que se esperam. Observemos que a alegria de Israel estava no seu Deus, e é onde a nossa deve estar. Não é tanto o que Ele fez como o que Ele é que deve gerar em nós uma alegria santa: "Este é o meu Deus; portanto, lhe farei uma habitação; ele é o Deus de meu pai; por isso, o exaltarei" (Êx 15.2).

7. *"Ele domina eternamente pelo seu poder."* Ele não morreu ou abdicou, nem sofreu derrota. A façanha realizada no mar Vermelho é irreduzível. O domínio divino dura por toda a eternidade.

"Os seus olhos estão sobre as nações." Como Ele olhou da nuvem para os egípcios e os aniquilou, assim Ele divisa os inimigos e observa-lhes as conspirações. As suas mãos ainda regem e os seus olhos ainda observam, pois as mãos não ficaram fracas, nem os olhos cegos. Vê os povos e tribos como um monte de gafanhotos e, com um olhar, capta todos os seus caminhos. Inspeciona tudo e não ignora nada.

"Não se exaltem os rebeldes." Os mais orgulhosos não têm motivo de orgulho. Pudessem se ver como Deus os vê, eles se humilhariam. Quando a rebelião faz o peito inchar e esperar confiantemente pelo sucesso, é razão suficiente para acalmarmos os nossos temores o fato de que o Dominador onipotente é também um Observador onisciente. Oh rebeldes orgulhosos, não esqueçam que o Senhor aponta as flechas para as águias que voam altaneiramente e as derruba dos ninhos que fazem entre as estrelas: "Depôs dos tronos os poderosos e elevou os humildes" (Lc 1.52). Depois de inspecionarem o mar Vermelho e o rio Jordão, rebeldes, se eles tivessem juízo, não teriam mais ânimo para a batalha, mas teriam se humilhado aos pés do Conquistador.

"Selá." Outra pausa. Reserve um tempo para humilhar-se diante do trono do Eterno.

8 *Bendizei, povos, ao nosso Deus e fazei ouvir a voz do seu louvor;*
9 *ao que sustenta com vida a nossa alma e não consente que resvalem os nossos os pés.*
10 *Pois tu, ó Deus, nos provaste; tu nos afinaste como se afina a prata.*
11 *Tu nos meteste na rede; afligiste os nossos lombos.*
12 *Fizeste com que os homens cavalgassem sobre a nossa cabeça; passamos pelo fogo e pela água; mas trouxeste-nos a um lugar de abundância.*

8. *"Bendizei, povos, ao nosso Deus."* Vocês, semente escolhida, peculiarmente amados, devem bendizer o Deus da aliança, pois as outras nações não o têm. Vocês devem liderar os cânticos, porque Ele é peculiarmente o seu Deus. Vocês foram os primeiros visitados pelo amor divino. Devem, portanto, ser os primeiros nos louvores.

"E fazei ouvir a voz do seu louvor." Seja quem for que cante com respiração contida, você, por sua vez, sempre deve dar plena voz e volume às canções de louvor. Force os ouvidos pouco dispostos a ouvir os louvores que você dá ao Deus da aliança. Faça com que as rochas, as montanhas, a terra, o mar, o céu ecoem com os brados de alegria que você der.

9. *"Ao que sustenta com vida a nossa alma."* A qualquer momento, o sustento da vida e, sobretudo, da vida da alma, é excelente motivo para a gratidão. Mas muito mais quando somos chamados a passar por provações extremas, as quais por si esmagariam o nosso ser. Bendito seja Deus que, tendo posto a nossa alma

em posse da vida, agradou-se de sustentar a vida dada pelo céu, guardando-a do poder destruidor do inimigo.

"E não consente que resvalem os nossos pés." Este é outro benefício igualmente precioso. Se Deus nos capacitou a sustentar a vida e a manter a posição, somos compelidos a dar-lhe duplo louvor. Viver e permanecer é condição que os santos desfrutam através da graça divina. Imortais e firmes são aqueles a quem Deus sustenta. Satanás é envergonhado, pois em vez de matar os santos, como esperava, ele nem mesmo consegue confundi-los. Deus é poderoso para fazer com que os mais fracos fiquem firmes, e Ele o fará.

10. *"Pois tu, ó Deus, nos provaste."* Ele provou Israel com duras provações. Davi passou por provações. Todos os santos têm de ir à casa da provação. Deus teve um Filho sem pecado, mas nunca teve um filho sem provação. Por que reclamar se estamos sujeitos à regra que é comum a todos os membros da família — regra que tanto os tem beneficiado? O próprio Senhor nos prova, quem então questionará a sabedoria e o amor que são demonstrados na operação? Chegará o dia em que, como neste caso, comporemos hinos das nossas tribulações e cantaremos com mais prazer ainda, pois a nossa boca foi purificada com plantas amargas.

"Tu nos afinaste como se afina a prata." As provas são minuciosas, repetidas, severas e completas. O mesmo resultado ocorre como no caso do metal precioso, pois a escória e o estanho são consumidos, e o mineral puro é revelado. Levando em conta que a provação é santificadora, algo que nos é desejável, por que não nos submeter às provações com total resignação?

11. *"Tu nos meteste na rede."* Antigamente, era comum o povo de Deus ficar preso ao poder dos inimigos, como peixes ou pássaros capturados na rede. Parecia não haver meio de fuga. O único consolo era que Deus os levara a essa situação, mas sequer isto estava prontamente disponível, visto que sabiam que foi com ira que Ele os levara como castigo pelas transgressões. Os israelitas no Egito eram como um pássaro na rede do passarinheiro.

"Afligiste os nossos lombos." Foram pressionados até a angústia pelos fardos e sofrimentos. A carga não estava somente nas costas, pois os apuros e pesos da adversidade faziam pressão e compressão nos lombos. O povo de Deus e a aflição são companheiros chegados. Como no Egito todo israelita era um carregador de cargas, assim é todo crente enquanto estiver nesta terra estrangeira. Como Israel clamou a Deus por causa da sofrida escravidão, o mesmo também fazem os santos. É muito difícil lembrar e aceitar que Deus nos aflige. Se não nos esquecêssemos deste fato, nos submeteríamos mais pacientemente à pressão que agora nos causa tanta dor. Virá o tempo em que, por cada grama do presente fardo, receberemos um peso eterno de glória acima de toda comparação.

12. *"Fizeste com que os homens cavalgassem sobre a nossa cabeça."* Eles nos atacaram, nos oprimiram e nos trataram como o lodo das ruas. Cavalgando em cavalos imponentes, na sua arrogância, eles, que eram vis, trataram o povo de Deus como se estes fossem os piores da raça humana. Até usaram os cativos como animais de carga, e montaram sobre a cabeça deles, como o original hebraico dá a entender. Nada é ruim demais para os servos de Deus quando caem nas mãos de perseguidores orgulhosos.

"Passamos pelo fogo e pela água." Os israelitas suportaram muitas e variadas provações no Egito, e estas ainda são a porção dos santos. O fogo dos fornos de olaria e as águas do rio Nilo fizeram o pior para destruir a raça eleita. O tirano os atormentou com trabalho duro e infanticídio, mas Israel passou por ambas as provações incólume. Com o mesmo resultado, a igreja de Deus sempre tem sobrevivido e sobreviverá a todas as artimanhas e crueldades do homem. Fogo e água são impiedosos e vorazes, mas uma ordem divina lhes detém a fúria e proíbe que estes ou qualquer outro agente acabem totalmente com a semente escolhida. Muitos herdeiros do céu tiveram a experiência medonha da tribulação. O fogo pelo qual passaram era mais terrível do que aquilo que carboniza os ossos, pois era um

fogo que se alimentava do tutano do espírito e queimava até o cerne do coração. As inundações da aflição eram mais temíveis do que o mar impiedoso, porque entravam na alma e carregavam a natureza interior para baixo, às profundezas horríveis, as quais não podiam ser imaginadas sem causar tremor. Mas até agora, cada santo tem sido mais do que vencedor e, como tem sido, assim será. O fogo não é aceso de modo a queimar a semente da mulher, nem o dragão consegue vomitar uma inundação de água que baste para afogá-la.

"Mas trouxeste-nos a um lugar de abundância." Um resultado feliz para uma história triste. Canaã era realmente um território vasto e domínio real para as tribos outrora escravizadas. Deus, que as levara ao Egito também as levou à terra que mana leite e mel. Segundo os propósitos de Deus, o Egito estava na rota para Canaã. O caminho para o céu passa pela tribulação.

"O caminho da tristeza e somente esse caminho,
Leva para a terra onde a tristeza é desconhecida,"

Como é rico o lugar do crente! E como duplamente ele sabe que é assim em contraste com a escravidão anterior! Quais e quantas canções bastarão para externar a nossa alegria e gratidão por tal libertação gloriosa e tal herança abundante? Contudo, mais nos espera. A profundidade das aflições não é proporcional à altura das alegrias. Para a nossa vergonha, teremos o dobro e mais do que o dobro. Como José, subiremos da prisão para o palácio. Como Mardoqueu, escaparemos da forca preparada pela malignidade para cavalgarmos no cavalo branco e trajarmos as vestes reais designadas pela benignidade. Em vez de rede, receberemos liberdade. Em vez de fardo nos lombos, teremos uma coroa na cabeça. Em vez de homens cavalgando sobre nós, regeremos sobre as nações. O fogo não nos provará mais, porque estaremos em glória no mar de vidro misturado com fogo. A água não nos causará dano, pois não haverá mais mar. Quanto esplendor neste fim luminoso de uma história escura. Glória seja dada àquele que viu no mal aparente o verdadeiro caminho para o bem real. Com paciência suportamos a escuridão atual, pois a manhã radiosa vem. Sobre os montes, a fé vê a alvorada, sob cuja luz entraremos no lugar de abundância.

13 *Entrarei em tua casa com holocaustos; pagar-te-ei os meus votos,*
14 *que haviam pronunciado os meus lábios, e dissera a minha boca, quando eu estava na angústia.*
15 *Oferecer-te-ei holocaustos de animais nédios, com odorante fumaça de carneiros; oferecerei novilhos com cabritos. (Selá)*

13. *"Entrarei."* O filho de Deus está plenamente ciente do débito pessoal que tem com a graça, pois percebe que precisa entoar um cântico próprio. Junta-se na ação de graças comum, mas visto que a melhor forma de culto público não se ajusta exatamente a cada caso em particular, ele toma providências para não se esquecer das misericórdias especiais recebidas: registra-as por punho próprio e canta sobre elas com os próprios lábios.

"Entrarei em tua casa com holocaustos", que são os sacrifícios habituais dos tementes a Deus. Nem o coração grato ousa chegar-se a Deus sem uma vítima em louvor de gratidão. Sobre esta como também sobre todas as outras formas de culto, podemos dizer: "O sangue é a vida" que nele está (Dt 12.23). Leitor, jamais tente aproximar-se de Deus sem Jesus, o holocausto divinamente prometido, dado e aceito.

"Pagar-te-ei os meus votos." Ele não compareceria diante do Senhor de mãos vazias, mas, ao mesmo tempo, não se gabaria do que ofereceu, visto que tudo que tinha era por causa dos votos feitos. Afinal de contas, as nossas maiores dádivas não passam de pagamentos. Quando dermos tudo, temos de confessar: Senhor, "tudo vem de ti, e da tua mão to damos" (1 Cr 29.14). Sejamos lentos para fazer votos, mas

prontos para cumpri-los. Quando formos livrados da dificuldade e pudermos subir à casa do Senhor mais uma vez, aproveitemos a ocasião imediata para cumprir as promessas. Como poderemos esperar sermos ajudados em outra dificuldade, se nos mostramos infiéis a acordos voluntariamente aceitos nas horas de necessidade?

14. *"Que haviam pronunciado os meus lábios"*, ou veementemente declarado, ou deixado escapar, como dizemos na linguagem comum. Os votos lhe foram arrancados. A angústia extrema arrombou a porta dos lábios, forçando a saída súbita do voto como um forro forte de água retida por muito tempo que finalmente acha uma vazão. Como estávamos tão ansiosos em votar, devemos ser igualmente sérios em cumprir. Muitos votos correm tão rapidamente nas palavras, que depois claudica nas ações.

"E dissera a minha boca." Ele fizera a promessa pública e não tinha desejo de voltar no que dissera. Quem é honesto sempre está pronto a reconhecer a dívida.

"Quando eu estava na angústia." A dificuldade sugeriu o voto. Deus, em resposta ao voto, removeu a dificuldade. Agora o devoto deseja pagar a promessa. O homem faz bem em lembrar-se de que estava na angústia. Os orgulhosos são hábeis em falar como se o caminho para eles sempre tivesse sido plano, como se nenhuma pessoa vil tivesse ousado enlamear-lhes a nobreza e sequer uma gota de chuva tivesse se aventurado a respingar no seu esplendor. Estes mesmos novos-ricos eram antigamente de espíritos e condição tão baixos que teriam ficado muito alegres com a ajuda desses que agora eles menosprezam.

Até mesmo o grande César, cuja aparência fazia o mundo temer, tinha dificuldades, angústias e fraquezas como os outros homens, de forma que o inimigo disse com crueldade: "Quando ele teve a convulsão, observei como ele tremeu". A enfermeira conhece as fraquezas do homem forte e vigoroso. A esposa do arrogante pode dizer: "Eu ouvi quando ele gemeu. Vi quando a cor fugiu dos seus lábios covardes". Todos os homens têm problemas, mas não agem da mesma maneira em relação às mesmas dificuldades. Os profanos se entregam a xingar e os piedosos a orar. Sabemos que os bons e os maus recorrerem à prática de fazer votos, mas um mente para Deus e o outro respeita conscienciosamente a palavra divina.

15. *"Oferecer-te-ei holocaustos de animais nédios."* O bom dá o melhor para Deus. Não apresenta no altar uma cabra esfomeada, mas bois bem nutridos em pastos verdejantes subirão na fumaça do fogo sagrado. Quem é avarento com Deus é, verdadeiramente, um infeliz. Poucos delineiam coisas liberais, mas esses poucos acham rica recompensa agindo assim.

"Com odorante fumaça de carneiros." A fumaça de carneiros ardentes também subirá do altar. Ele oferece a força e juventude dos rebanhos e manadas. De tudo que temos, demos ao Senhor a sua parte, e que os artigos sejam os mais seletos da nossa escolha. Não era desperdício queimar a gordura no altar de Jeová, nem foi derramar o unguento precioso na cabeça de Jesus. Dádivas grandes e ofertas abundantes não são para a igreja de Deus diminuição dos bens do ofertante. Esses dinheiros são postos a bons juros e colocados onde não podem ser roubados por ladrões nem corroídos pela ferrugem.

"Oferecerei novilhos com cabritos." Um sacrifício perfeito, completando o círculo de ofertas, mostra o amor intenso que lhe ardia no coração. Devemos glorificar ao Senhor com o grande e o pequeno. Não desconsideremos nenhuma das suas ordens. Não omitamos os novilhos ou os cabritos. Vemos nestes três versículos a gratidão em ação, não satisfeita somente com palavras, mas provando a sinceridade própria pelos atos do sacrifício obediente.

"Selá." É muito pertinente que interrompamos o cântico enquanto a fumaça das vítimas sobe aos céus. Os holocaustos ocupam o lugar dos louvores enquanto meditamos no sacrifício do Calvário infinitamente maior.

16 *Vinde e ouvi, todos os que temeis a Deus, e eu contarei o que ele tem feito à minha alma.*

17 *A ele clamei com a minha boca, e ele foi exaltado pela minha língua.*
18 *Se eu atender à iniquidade no meu coração, o Senhor não me ouvirá;*
19 *mas, na verdade, Deus me ouviu; atendeu à voz da minha oração.*
20 *Bendito seja Deus, que não rejeitou a minha oração, nem desviou de mim a sua misericórdia.*

16. *"Vinde e ouvi."* No versículo 5, eles foram convidados a vir e ver. A audição é a visão da fé. A misericórdia nos chega pela porta dos ouvidos: "Ouvi, e a vossa alma viverá" (Is 55.3). Viram como Deus era terrível, mas ouviram como ele era gracioso.

"Todos os que temeis a Deus." Era uma audiência adequada, pois o homem bom estava a ponto de relatar experiências pessoais. É bom selecionarmos os nossos ouvintes quando o tema da conversa for assuntos particulares. Somos proibidos de lançar pérolas aos porcos. Não precisamos encher a mente de pessoas levianas com assuntos para chacota. É sábio falarmos de assuntos espirituais pessoais em lugares onde sejam entendidos e não onde serão ridicularizados. Todos os tementes a Deus podem nos ouvir, mas longe daqui estejam os profanos.

"E eu contarei o que ele tem feito à minha alma." Contarei e recontarei as misericórdias de Deus tidas de mim, da minha alma, do melhor de mim, do meu eu mais verdadeiro. Todos os cristãos experientes têm de dar testemunho, a fim de que o relato incentive os mais jovens e os mais fracos a pôr a confiança no Senhor. Declarar os feitos dos homens é desnecessário. São por demais triviais, e, além disso, há muito alarde nas ações espalhafatosas dos homens. Mas declarar as obras graciosas de Deus é, em muitos aspectos, instrutivo, consolador, inspirativo e benéfico. Cada um deve falar do que vive, pois a testemunha pessoal é a mais certa e a mais convincente. A experiência contada de segunda mão é como repolho requentado. Falta-lhe o aroma do benefício havido em primeira mão. A falsa modéstia não deve conter o crente grato de falar do que ele fez, ou, antes, do que Deus fez para com ele, pois é algo devido justamente a Deus. Também não deve evitar o uso individual da primeira pessoa, que é a maneira mais correta de detalhar os caminhos do amor do Senhor. Não sejamos egoístas, a não ser quando dermos testemunho do que Deus tem feito por nós.

17. *"A ele clamei com a minha boca, e ele foi exaltado pela minha língua."* É bom quando a oração e o louvor estão juntos, como os cavalos atados ao carro de faraó. Alguns clamam e não cantam. Outros cantam e não clamam. Mas ambas as práticas juntas é melhor. Considerando que as respostas do Senhor vêm muitas vezes imediatamente aos pedidos e até mesmo os surpreendem, cabe a nós então fazer com que os nossos louvores de gratidão acompanhem as nossas orações humildes. Observe que o salmista clamou e falou. O Senhor expulsou dos seus filhos o demônio da mudez, e os que são menos fluentes de língua são frequentemente mais eloquentes de coração.

18. *"Se eu atender à iniquidade no meu coração."* Se, tendo visto a iniquidade no meu coração, eu continuo olhando para ela sem sentir aversão. Se eu a aprecio, tendo um olhar direto de amor por ela, a desculpo e a disfarço, "o Senhor não me ouvirá". Como pode? Posso desejar que ele seja conivente com o meu pecado e me aceite, enquanto deliberadamente me agarro a algum caminho mau? Não há nada que mais impeça a oração do que a iniquidade ancorada no peito. Como aconteceu com Caim, assim acontece conosco, o pecado jaz à porta e bloqueia a passagem. Se você ouvir o diabo, Deus não ouvirá você. Se você recusar ouvir os mandamentos de Deus, ele recusará ouvir as suas orações. A petição imperfeita Deus ouvirá por amor a Cristo, mas não a que for intencionalmente má escrita pela mão do traidor. Se Deus aceitasse as nossas devoções, enquanto estivéssemos nos deliciando no pecado, seria o mesmo que ele se fazer de Deus dos hipócritas, que é um nome mais adequado para Satanás do que para o Santo de Israel.

19. *"Mas, na verdade, Deus me ouviu."* Este é sinal certo de que o suplicante não era amante secreto do pecado. A resposta à oração era outra garantia de que o

coração era sincero diante do Senhor. Veja como o salmista está seguro de que foi ouvido. Para ele não é uma esperança, conjetura ou imaginação, pois ele o autentica com um "na verdade". Fatos são coisas abençoadas quando revelam que o coração de Deus é amoroso e que o nosso coração é sincero.

"Atendeu à voz da minha oração." Ele deu total atenção para considerar os meus clamores, interpretou-os, aceitou-os e respondeu a eles. Desta forma, mostrou a sua graça e também a minha retidão de coração. O amor ao pecado é uma nódoa pestilenta, uma marca condenatória, um sinal mortal, mas as orações que evidentemente subsistem e prevalecem com Deus, brotam claramente de um coração que é livre do galanteio com o mal. Cuide, leitor, para que a sua alma esteja livre de toda aliança com a iniquidade, de toda tolerância ao desejo ardente e secreto ou pecado oculto.

20. *"Bendito seja Deus."* Honrado e amado seja o seu nome.

"Que não rejeitou a minha oração, nem desviou de mim a sua misericórdia." Ele não retirou o seu amor nem a minha liberdade de orar. Não rejeitou a minha oração nem a mim. A sua misericórdia e os meus clamores ainda se correspondem satisfatoriamente. O salmo termina com o seu tema fundamental. O louvor em tudo e por todas as coisas é o sentido e desígnio do salmo. O Senhor nos capacita a entrar nos louvores. Amém.

NOTAS EXPLICATIVAS E DECLARAÇÕES IMPORTANTES

O Salmo: Dizem que no dia da Páscoa a igreja grega recita este salmo. A Bíblia grega o chama de *Salmo da Ressurreição,* e entendemos que se refere, em sentido profético, à regeneração do mundo pela conversão dos gentios. — *Daniel Cresswell,* 1776-1844

v. 1: "Louvai a Deus com brados de júbilo, todas as terras". No original hebraico é "toda a terra" (cf. ARA). Jubile com grande alegria, como o povo fez com a volta da arca, de forma que a terra estremeceu (cf. 1 Sm 4.5). Deus mostrará que é o Deus não só dos judeus, mas também dos gentios. Os judeus bradarão *Cristo,* como os gentios *Jesus.* Os gentios dirão *Pai,* como os judeus *Aba.* E como houve grande alegria em Samaria quando o evangelho foi recebido (At 8.8), assim haverá em todas as outras partes da terra. — *John Trapp*

v. 1: "Todas as terras". Com estas palavras, observemos que não canta louvores bem quem deseja cantar só. — *Thomas Le Blanc*

v. 2: "Cantai a glória do seu nome". Outro significado é "dar a glória" ou "colocar a glória", quer dizer, a sua glória à glória dele. Esteja plenamente certo de que, quando você o louva, redunda na sua própria glória. Considere, então, como a sua própria glória. Louve-o de tal modo que todos os seus louvores sejam dados para glorificar a Deus. Ou faça com que a sua glória siga esta direção para que ele seja louvado. Não deseje a glória da bem-aventurança eterna, a menos para o louvor de Deus, como os espíritos santificados naquele templo não fazem nada mais que dizer glória a Deus e cantar o hino da glória sem fim: "Santo, Santo, Santo". — *John Lorinus*

v. 3: "Dizei". *Dicite,* "dizer", diz Davi, deleitem-se em falar de Deus. *Dicite,* "dizer algo". Exigia mais do que pensar em Deus. A análise, a meditação, a reflexão, a ponderação em Deus e nas coisas divinas têm lugar e tempo certo. Mas é mais do que isso, mais do que admiração. Todas estas coisas podem terminar em êxtase, tolice e imaginação inútil e frívola. — *John Donne*

v. 3: "A Deus". A Deus e não em relação a Deus, como interpretam alguns expositores. "Ao próprio Deus", aos seus louvores e com a mente elevada a Deus, como está no versículo 4: "Te cantará". Gejerus também observa corretamente que a fala seguinte é dirigida a Deus. Além disso, é ao *nosso* Deus, como diz o versículo 8: "Bendizei, povos, ao nosso Deus". Ele é chamado Deus definitivamente, porque só ele é o verdadeiro Deus. — *Hermann Venema v. 3:* "Quão terrível". Tome da Bíblia as doutrinas terríveis e da providência os atos terríveis, e o sistema sob o qual Deus nos colocou se enfraqueceria. — *William S. Plumer*

v. 3: "Se submeterão a ti os teus inimigos". Acerca disto, a primeira consideração é que *o próprio Deus tem inimigos*. Portanto, como esperaríamos, ou melhor, por que desejaríamos não tê-los? Deus beneficiou-se, quer dizer, glorificou-se nos inimigos. Podemos nos beneficiar, quer dizer, ter vantagem no caminho para nos glorificar pelo exercício da nossa paciência e da paciência dos inimigos. Aqueles a quem Deus mais fez, os anjos, depois se tornaram inimigos. Não se atormente, se aqueles a quem você mais ama mais odeiem você mortalmente. [...] O próprio Deus tem inimigos. Diz o texto que os inimigos se submeterão a Deus. Você tem consolo, embora tenha inimigos também. Mas o maior consolo é que Deus chama os seus inimigos dele. *Nolite tangere Christos meus*, "Não toqueis nos meus ungidos" (Sl 105.15), diz Deus a respeito de todos os santos. Quando alguém toca os santos, está tocando em Jesus, pois eles são a "menina do olho" de Jesus (Sl 17.8). O nosso Salvador Jesus nunca repreendeu para se defender. Nunca disse: Por que me açoitas? Por que cospes em mim? Por que me crucificas? Enquanto a raiva das pessoas estivesse dirigida a ele, ele não abria a boca. Quando Saulo estendeu a violência para a igreja, para os servos de Deus, então Jesus Cristo o abordou: "Saulo, Saulo, por que me persegues?" (Atos 9.4). [...] Esta é uma união santa, defensiva e ofensiva. Deus não só nos protegerá dos outros, mas lutará por nós contra eles. Os nossos inimigos são os inimigos dele. — *Condensado de John Donne*

v. 3: "Se submeterão a ti os teus inimigos", literalmente, "jazerão diante de ti". Foi exatamente o que aconteceu com faraó e os egípcios. Prometeram repetidas vezes deixar o povo ir, quando a mão do Senhor estava sobre eles, e eles muitas vezes falsificaram a palavra. — *Adam Clarke*

v. 3: "Pela grandeza do teu poder se submeterão a ti os teus inimigos". Em tempos de aflição, todo hipócrita — todo zé-povinho — está pronto a apresentar-se diante de Deus fazendo uma confissão superficial. Em geral, a submissão a Deus em situação como esta não é pela verdade. Por conseguinte, está escrito: "Pela grandeza do teu poder se submeterão a ti os teus inimigos". No original hebraico é: "Jazerão diante de ti os teus inimigos", que é como traduziram Arias Montanus e mais alguns outros expositores. Desta forma, destacaram que a submissão forçada a Deus raramente é verdadeira. — *Jeremiah Burroughs*

v. 3: "Quão terrível és tu nas tuas obras! Pela grandeza do teu poder se submeterão a ti os teus inimigos". Os terremotos na Nova Inglaterra ocasionaram um tipo de pânico religioso. Certo escritor, que era então um dos ministros de Boston, nos informa que imediatamente depois do grande terremoto, como foi chamado, um grande número de congregantes o abordou para expressar o desejo de unir-se à igreja. Mas, conversando com eles, não achou evidência de melhora nas suas visões ou sentimentos religiosos e de convicção de pecados. Em suma, nada, a não ser um tipo de medo supersticioso, deflagrado pela crença de que o fim do mundo estava perto. Todas as respostas que deram mostraram que eles não tinham encontrado Deus, ainda que tivessem visto a grandeza do seu poder no terremoto. — *Edward Payson, 1783-1827, Doutor em Teologia*

v. 5: "Vinde e vede as obras de Deus". Esta é uma censura indireta feita contra a falta de consideração quase universal, que leva os homens a esquecerem-se dos louvores de Deus. — *João Calvino*

v. 5: "Vinde e vede" é o convite que a igreja sempre faz ao mundo. Foi como Jesus disse aos dois discípulos de João Batista: "Vinde e vede", e Filipe a Natanael: "Vem e vê" (Jo 1.39,46). As maravilhas de Deus serão vistas por todos. Vê-las é o primeiro passo para crer no seu autor divino. — *A. R. Fausset*

v. 6: "Converteu o mar em terra seca". O salmista se refere à passagem pelo mar Vermelho e pelo rio Jordão. Não fala sobre os fatos que ocorreram e foram concluídos em determinado período de tempo, mas como algo que acontece em todas as épocas. A orientação que Deus dá ao seu povo é uma constante secagem do mar e do rio, e a alegria em seus atos poderosos sempre é o recebimento de novos materiais. — *E. W. Hengstenberg*

v. 6: "Ali nos alegramos nele". Onde essas coisas foram feitas, ali nós alegramos nele. Não demos crédito a nós, como se estes atos fossem nossos, mas nos alegramos e nos gloriamos em Deus, louvando-o, como podemos ver em Êxodo 15 e Josué 3. O profeta usa o futuro em relação ao passado, a menos que, talvez, ele quisesse indicar que estes milagres seriam acompanhados por muitos outros maiores, dos quais eram só tipos e figuras. Um milagre muito maior é os homens atravessarem o mar amargo desta vida e cruzarem o rio da mortalidade, o qual nunca deixa de correr e engolfa e afoga tantos. Contudo, os homens chegam incólumes e vivos à terra da promessa eterna, onde se alegram no próprio Deus, vendo-o face a face. Este milagre grandioso é tantas vezes realizado por Deus que muitos passam por este mar como se fosse terra seca e cruzam este rio com pés secos. Isto quer dizer que eles não têm dificuldade em desprezar todas as coisas temporais, quer sejam boas ou quer sejam ruins. Não estão presos às coisas boas, nem temem as coisas más deste mundo, de modo que chegarão em segurança à Jerusalém divina, onde se alegrarão nele, não em esperança, mas em plena posse por toda a eternidade. — *Robert Bellarmine*

v. 7: "Os seus olhos estão sobre as nações". O significado da raiz da palavra צָפָה é αὐγάζειν, "brilhar", e metonimicamente, "examinar com olhos luminosos", "inspecionar com olhos penetrantes", e daí, "ver" ou o bom ou o mal, como em Provérbios 15.3: "Os olhos do Senhor estão em todo lugar, contemplando os maus e os bons". Aqui é tomado em sentido adverso, e significa "vigiar de uma torre de vigia", "ameaçar de um lugar alto". "O ímpio espreita o justo" (Sl 37.32), e "o espera a espada" (Jó 15.22), quer dizer, a espada é lançada sobre a cabeça do ímpio, como se o ameaçasse da torre de vigia de Deus. Mas, ao mesmo tempo, também há referência a Deus olhar da coluna de fogo e de nuvem o exercito de faraó no mar Vermelho (Êx 14.24). — *Hermann Venema*

v. 7: "Os seus olhos estão sobre as nações". Esta declaração deveria deter muita iniquidade. Pode a consciência humana fácil e prazerosamente deixar de fazer aquilo que ele sabe que é do conhecimento de Deus, quando é odioso aos olhos da santidade divina e torna a ação odiosa para ele? Disse o patriarca: "Ou não vê ele os meus caminhos e não conta todos os meus passos?" (Jó 31.4). [...] A análise deste atributo deveria nos fazer humilhar. Como ficaria triste quem conhecesse todos os anjos nos céus e todos os homens na terra, e visse devidamente todos os pecados que cometem com todos os agravantes! Mas o que é o conhecimento criado diante do repreendedor conhecimento infinito e justo? Ele conhece as nossas ações, as quais são numerosas, e os nossos pensamentos, os quais são milhões. Vê todas as bênçãos que recebemos dele, todos os danos que lhe causamos. Sabe precisamente a sua generosidade e a nossa ingratidão. Conhece toda a idolatria, blasfêmia e inimizade secreta no coração de cada homem contra ele. Identifica todas as opressões tirânicas, as concupiscências escondidas, as omissões de deveres necessários, as violações de preceitos claros, cada imaginação tola em todas as suas circunstâncias e tudo inteiramente na mais plena anatomia. Constata cada bagatela de indignidade e maldade em cada circunstância. [...] Esta consideração não deveria nos levar a derramar o nosso coração em humilhação diante dele, e nos fazer pedir ardentemente a sua clemência e o seu perdão? — *Stephen Charnock, 1628-1680*

v. 9: "Ao que sustenta com vida a nossa alma". As obras da criação no princípio e o sustento de tudo pelo seu poder e providência são reunidos como obras de igual maravilha, dadas à criação em comum (Hb 1.2,3). Da mesma forma, verificamos que a regeneração e a perseverança foram unidas como a soma de todas as outras obras nesta vida. O apóstolo reuniu estas duas expressões: "nos gerou de novo" e "estais guardados na virtude de Deus, para a salvação" (1 Pe 1.3,5). Judas também: "chamados" e "conservados por Jesus Cristo" (Jd 1). "Bendito seja o Deus", disse Pedro, "que, segundo a sua grande misericórdia, nos gerou de novo" (1 Pe 1.3). E: "Bendizei, povos, ao nosso Deus, [...] ao que sustenta com vida a nossa alma", diz o salmista (vv. 8 e 9). Se examinarmos minuciosamente as palavras do apóstolo e do salmista, veremos que ambos bendizem a Deus ao mesmo tempo. Na carta de Pedro está: Bendito seja Deus, pois "nos gerou de novo" e também estamos "guardados na virtude de Deus". No salmo, ambos os aspectos estão compreendidos nestas duas palavras:

(1) "Ao que põe vida na nossa alma" (conforme o original hebraico), quer dizer, Deus pôs vida na nossa alma no princípio, como fez com Adão quando o criou alma vivente.

(2) Depois, ele "sustenta" a nossa alma, quer dizer, prolonga a nossa alma nesta vida. Assim os tradutores também traduzem, de acordo com o escopo do salmista. "Bendizei [...] ao nosso Deus", disse o salmista (v. 8), por estas duas palavras. — *Thomas Goodwin*

v. 9: "Ao que sustenta com vida a nossa alma". É verdade que tudo que temos está nas mãos de Deus. Ele mantém a nossa vida nas suas mãos e a tem nas mãos de maneira especial. Embora a alma perdure, a vida pode não perdurar. Há a alma, quando não há a vida. A vida é aquilo que é a união da alma e do corpo. "Ao que sustenta com vida a nossa alma", quer dizer, Deus mantém a alma e o corpo juntos. É como Daniel descreve Deus para Belsazar: "A Deus, em cuja mão está a tua vida e todos os teus caminhos, a ele não glorificaste" (Dn 5.23). O fôlego de vida dos príncipes está na mão de Deus, e a mesma mão retira o fôlego de vida dos piores indivíduos. Saber disso nos consola em tempos de perigo e tempos de morte. Se a mão do homem se levantar para tirar a nossa vida, lembremo-nos de que a nossa vida está guardada na mão de Deus. Como Deus disse a Satanás a respeito de Jó: "Eis que ele está na tua mão; poupa, porém, a sua vida" (Jó 2.6), assim Deus ainda diz sobre os miseráveis e malditos, que são como membros de Satanás. O corpo de fulano está na sua mão, as propriedades de sicrano estão na sua mão, mas poupe a vida deles. — *Joseph Caryl*

v. 9: "Ao que sustenta com vida a nossa alma". Esta é uma expressão elegante e enfática, que só é entendida observando a força exata das palavras originais hebraicas. A *alma* é a *vida*, como bem sabemos. A palavra שִׂים é "colocar", "colocar em", "pressionar em", "apertar em". A palavra חַיִּים quer dizer "ligações", "fixações conjuntas". Por conseguinte, o significado é as faculdades e poderes pelos quais a natureza é unida e firmada. — *Hermann Venema*

v. 9: "Ao que sustenta com vida a nossa alma". Deus sustenta a nossa alma em vida para que ela não desapareça gradualmente. Se ela ficar continuamente em nossas mãos, é capaz de escorregar pelos dedos. — *Matthew Henry*

v. 9: "Não consente que resvalem os nossos pés". É grande misericórdia sermos guardados de tomarmos atitudes desesperadoras em tempos de tristes calamidades, sermos ajudados a carregar cargas a fim de não cairmos sob o peso delas e sermos impedidos de negar a Deus ou à sua verdade em tempos de perseguição. — *David Dickson*

v. 10: "Pois tu, ó Deus, nos provaste". Não sabemos o que o trigo produzirá até que chegue ao mangual, nem o que a uva produzirá até que chegue ao lagar. A graça está oculta na natureza, como a água doce nas pétalas das rosas. O fogo da aflição faz com que a graça se revele.

"Tu nos afinaste como se afina a prata." Os maus também são provados (Ap 3.10), mas mostram que são prata reprovada (Jr 6.28), ou na melhor das hipóteses, ouro de alquimista que não suporta o sétimo fogo, como Jó suportou (Jó 23.10). — *John Trapp*

v. 10: "Como se afina a prata". Convencido do uso frequente desta ilustração, que há algo mais que mera instrução normativa nos processos de análise e purificação da prata, angariei alguns poucos fatos sobre a matéria. A história comum do refinador que vê a própria imagem na prata fundida enquanto ela está no fogo, tem nos encantado tanto que não olhamos mais nada. Contudo, com estudo mais cuidadoso, muito mais podemos extrair da figura.

Ensaiar a prata requer grande cuidado pessoal do operador. "O princípio de afinar o ouro e a prata é teoricamente muito simples, mas na prática é necessária grande experiência para assegurar a precisão. Não há ramo de atividade que exija atenção mais pessoal e indivisa. O resultado fica sujeito à influência de tantas contingências, que não há ensaiador de minérios, zeloso da própria reputação, que delegue os principais processos a alguém que não seja igualmente qualificado como ele. Além do resultado determinável pelo peso, há descontos e compensações a serem feitos, que são conhecidos somente por um ensaiador experiente. Se estes detalhes fossem desconsiderados, como ocorreria com o mero aprendiz, o relatório ficaria longe da verdade" (Enciclopédia Britânica). Na versão de Pagnini consta: "Tu nos derreteste soprando sobre nós". Nos monumentos do Egito, vemos artífices com o maçarico operando com pequenos fogos, com abas para limitar e refletir o calor. O trabalhador está evidentemente prestando atenção pessoal, o que também está evidente em Malaquias 3.3: "E assentar-se-á, afinando e purificando a prata".

Ensaiar a prata requer um forno habilidosamente construído. A descrição deste forno só cansaria a paciência do leitor, mas é claramente obra de especialista no ramo. Até mesmo a prova da nossa fé é muito mais preciosa do que o ouro que perece e é provado pelo fogo (cf. 1 Pe 1.7). Ele nos refinou, mas não como a prata. Ele não nos entregaria a isso. O forno da aflição é muito mais habilidosamente organizado que isso.

Ensaiar a prata requer que o calor seja milimetricamente regulado. "Durante a operação, a atenção do ensaiador de minérios deve estar focada no calor do forno, que não deve estar muito quente nem muito frio. Se estiver muito quente, porções diminutas de prata serão levadas com o chumbo, arruinando a refinação. Além disso, por estarem os poros da copela mais abertos, ocorrerá maior absorção, havendo a tendência de perda por essa causa. Uma indicação de excesso de calor no forno é a subida veloz e perpendicular de vapores ao teto do abafador. Na descrição de como melhorar o forno destacamos o modo de conferir e controlar essa regulagem. Quando há vapores descendo ao fundo do abafador, significa que o forno está muito frio. Se for deixado assim, ficará comprovado que a copelação foi feita imperfeitamente, e a prata não estará completamente livre da escória (Enciclopédia Britânica).

O ensaiador repete os processos de refinamento. Em geral, cada peça é refinada duas vezes ou mais, de forma a garantir a máxima pureza. Sabemos que a prata é refinada sete vezes, e os santos por muitas e diversas provações alcançam o descanso prometido. — *C. H. S.*

v. 11: "Tu nos meteste na rede". Os nossos inimigos nos perseguem (como os animais selvagens são caçados pelo caçador) até às mais dolorosas situações difíceis (1 Sm 13.6). Usam-nos como bestas de carga e põem cargas pesadas sobre nós, as quais nos amarram às costas.

"Afligiste os nossos lombos." *Coarctationem in lumbis.* Ficamos não só tolhidos, como que em uma rede, mas acorrentados, como com cadeias, como se tivéssemos nas mãos do carcereiro ou do carrasco. — *John Trapp*

v. 12: "Fizeste com que os homens cavalgassem sobre a nossa cabeça". Os agentes são os homens. O homem é uma criatura sociável vivente, e deveria se relacionar com o homem em amor e tranquilidade. O homem deveria apoiar o homem. Está ele se tornando um destruidor? Ele deveria ajudá-lo e sustentá-lo. Ele cavalga sobre ele e o pisa com os pés? Ó apostasia, não só da religião, mas até mesmo da humanidade! Disse Sêneca: *Quid homini inimicissimum? Homo.* O maior perigo que o homem corre vem de onde menos deveria vir — do próprio homem. *Caetera animantia,* disse

Plínio, *in suo genere, probe degunt*, etc. Leões não lutam com leões. Serpentes não gastam o veneno em serpentes. Mas o homem é o principal subornador de danos à própria espécie. [...]

(1) Os homens cavalgam. Por que precisam montar em animais aqueles que têm pés suficientemente maldosos para nos pisotear? Eles têm "o pé dos soberbos" (Sl 36.11), do qual Davi orou para ser livre. Têm calcanhar presunçoso que ousam erguer contra Deus. Por isso, têm um dedo do pé tirânico para rejeitar o homem abatido. Não precisam de cavalos e mulas para poderem chutar com o pé da malícia vingativa (Sl 32.9).

(2) Sobre nós. O caminho que trafegam é bastante largo, pois é o caminho do diabo. Não precisam atingir o pobre, porque há suficiente espaço para passar. Não é necessário cavalgar sobre nós. Seria mais valoroso eles colidirem com campeões que não lhes darão passagem. Nunca disputamos o caminho deles. Eles o têm sem a nossa inveja, sem a nossa compaixão. Por que, então, cavalgam sobre nós?

(3) Sobre a nossa cabeça. Não basta ao orgulho eles cavalgarem? Não basta à maldade eles cavalgarem sobre nós? Precisam ter prazer na crueldade sangrenta para cavalgar sobre a nossa cabeça? A quebra de braços e pernas, os nossos membros inferiores, não lhes satisfará a indignação? Não basta atormentar a nossa força, escarnecer da nossa inocência, pilhar as nossas propriedades? Precisam ter sede do nosso sangue e da nossa vida? *Quo tendit saeva libido?*, que significa "até onde vai a loucura deles?" Mas não devemos nos prender à letra. Esta é uma gradação mística ou metafórica da crueldade dessas pessoas. A equitação é orgulhosa. A equitação sobre nós é maldosa. A equitação sobre a nossa cabeça é opressão sangrenta. — *Thomas Adams*

v. 12: "Fizeste com que os homens cavalgassem sobre a nossa cabeça". Houve um tempo em que os Bonners e os açougueiros cavalgaram sobre o rosto dos santos de Deus, regando a terra com sangue. Cada gota desse sangue gerou um novo crente. — *Thomas Adams*

v. 12: "Fizeste com que os homens cavalgassem sobre a nossa cabeça". Este versículo é semelhante ao mar, tão tempestuoso no princípio, que encobriu o barco com as ondas, mas a repreensão de Cristo aquietou tudo, seguindo-se grande calma (Mt 8.24). Estes são Ninrodes cruéis que cavalgam sobre a cabeça dos inocentes, como cavalgariam em terras devolutas. São passagens perigosas pelo fogo e pela água. Contudo, a tempestade logo termina, ou antes, os passageiros logo desembarcam em terra. "Mas trouxeste-nos a um lugar de abundância", de forma que esta melodia da música ou salmodia de Davi consiste em duas notas: uma triste e a outra alegre. Uma é um toque de angústia, a outra de alívio. Estas notas nos dirigem a fazer observações sobre a miséria e a misericórdia, sobre a miséria grave e a misericórdia graciosa. Há desolação e consolação em um versículo: uma tristeza profunda, como ficar sob os pés de animais, e uma libertação feliz, pois "trouxeste-nos a um lugar de abundância". Em ambas estas melodias Deus tem o seu toque. Ele é o mais importante neste concerto. Ele entra como ator e como autor. Como ator na perseguição e como autor na libertação: "Fizeste" e "trouxeste". Em um, ele é trabalhador que causa, e no outro, a causa do trabalho exclusivo. Em um, ele é unido à companhia, e no outro, ele trabalha só. Em um, ele é um dedo, e no outro, a mão. Temos de começar com miséria para que venha a misericórdia. Se não houvesse dificuldade, não saberíamos o valor da libertação. A paixão dos santos é determinada pela descrição amável e ponderosa, ainda que muito dolorosa. Já no início do versículo está escrito que Deus fez: "Fizeste com que..." Com isto, algum libertino ímpio pode querer limpar a sua impureza na pureza de Deus, advogando derivação autêntica — a autorização do Senhor — para a infâmia feita contra os santos: "Foi Deus que causou isto". Respondemos, para a justificação da verdade, que Deus ordena e manda toda perseguição que se abate sobre os seus filhos, sem desconto para o instrumento usado na ocorrência. Deus trabalha na própria ação com os outros, e não segundo a mesma maneira. Na aflição de Jó houve três agentes: Deus, Satanás e os sabeus. O diabo trabalhou no corpo de Jó e os sabeus nos bens. Contudo, Jó confessa um terceiro agente: "O Senhor o deu e o Senhor o tomou" (Jó 1.21). Aqui, neste salmo, os opressores pisoteiam o piedoso, e dizem que Deus o causou. Ele causa a aflição para provar (segundo os versículos 10 e 11: "Tu, ó Deus, nos provaste; tu nos afinaste... Tu nos meteste... afligiste"). Eles trabalham para cometer maldade. Deus não pode ser acusado, nem eles desculpados. — *Thomas Adams*

v. 12: "Fizeste com que os homens cavalgassem sobre a nossa cabeça". Jerônimo traduz assim: "Tu puseste homens sobre a nossa cabeça", embora o substantivo hebraico (אֱנוֹשׁ) esteja no singular, a própria palavra denota "homem obscuro", "homem ímpio", que é mencionado com indignidade, mas que deveria cair no esquecimento. O substantivo singular é entendido coletivamente, como também a palavra רֹאשֵׁנוּ, com o afixo. Tais eram os idólatras egípcios e babilônios a quem os hebreus serviam. "Colocar alguém sobre a cabeça de outrem", ou, como significa a palavra hebraica הִרְכַּבְתָּ, "montar", "cavalgar", "ser superior a", "subjugar a si mesmo e sujeitar" e "sentar-se em e insultar", da mesma maneira que o cavaleiro domina com a rédea, esporeia e chicoteia o animal que monta. — *John Lorinus*

v. 12: "Cavalgassem sobre a nossa cabeça". Esta é alusão a animais de carga, particularmente a camelos, sobre cuja cabeça o cavaleiro quase se senta para dominá-lo como lhe agrada. — *Thomas Fenton, "Annotations on the Book of Job, and the Psalms" [Anotações sobre o Livro de Jó e sobre os Salmos], 1732*

v. 12: "Passamos pelo fogo e pela água". Os filhos de Israel, quando escaparam do mar Vermelho e viram os inimigos egípcios mortos, pensaram que tudo estava absolutamente seguro. Por isso, cantaram *Epicinia*, canções de alegria pela vitória. Mas o que aconteceu logo em seguida? O Senhor levantou outros inimigos contra eles, das próprias entranhas deles, as quais, por assim dizer, estavam com fome, e esta os feriu mais dolorosamente, pensaram, do que os egípcios. Mas este inimigo foi o último? Não. Depois da fome veio a sede, que os fez murmurar tanto quanto a fome. Depois da sede vieram as serpentes ardentes, o fogo, a peste, os amalequitas, os midianitas — e o que mais? É o que tem acontecido com a igreja durante o tempo da lei e também durante o tempo de Cristo, como podemos facilmente afirmar a seu respeito, leitor. Nada tem sido melhor com os outros membros da igreja. Eles também têm sido conformados ao corpo e à Cabeça. Quantas e quantas provações Abraão suportou! O mesmo aconteceu com Jacó, com José, com os patriarcas, com os profetas. E todos que viverem piedosamente em Cristo Jesus, ainda que no fim a tristeza se torne em alegria, primeiro terão de chorar e padecer. Ainda que no fim sejam levados a um lugar de abundância, primeiro terão de passar pelo fogo e pela água. — *Miles Smith, 1624*

v. 12: "Passamos pelo fogo e pela água". Houve muitíssimos perigos, não só de variedade, mas também de tipos contrários entre si: "Passamos pelo fogo e pela água", os quais isoladamente e por si só denotam males extremos. Ou pela água: "Livra-me, ó Deus, pois as águas entraram até à minha alma. Atolei-me em profundo lamaçal, onde se não pode estar em pé; entrei na profundeza das águas, onde a corrente me leva" (Sl 69.1,2). Ou pelo fogo: "E porei a minha face contra eles; eles sairão do fogo, mas o fogo os consumirá; e sabereis que eu sou o Senhor, quando tiver posto a minha face contra eles" (Ez 15.7). Mas quando por ambos sucessivamente, um depois do outro, denota acúmulo de aflições ou provações. É, por exemplo, como lemos em Isaías 43.2, na promessa que Deus fez ao povo em tais condições: "Quando passares pelas águas, estarei contigo, e, quando pelos rios, eles não te submergirão; quando passares pelo fogo, não te queimarás, nem a chama arderá em ti". Note que o salmista confirma o cumprimento da promessa registrada em Isaías. Deus estava com os três jovens quando eles andaram pela fornalha ardente, segundo as próprias palavras de Isaías. Ele também estava com os filhos de Israel quando eles passaram pelas águas do mar Vermelho. — *Thomas Goodwin*

v. 12: "Passamos pelo fogo e pela água". É referência provável à provação pelo fogo e pela água, a qual é muitíssima antiga. Quando perguntaram quem tinha enterrado o corpo de Polínico:

Todos negaram
Oferecendo como prova de inocência pegar
O aço ardente, andar pelo fogo e fazer
O juramento solene de desconhecerem o fato
— *Sófocles*

— Extraído de *Thomas S. Millington*, "The Testimony of the Heathen to the Truths of Holy Writ" [O Testemunho dos Pagãos das Verdades do Escrito Santo], 1863

v. 12: "Pelo fogo e pela água". A lei judaica requeria fogo e água para purificação de espólio de guerra, em artigos que suportassem a ação: "Toda coisa que pode suportar o fogo fareis passar pelo fogo, para que fique limpa; todavia, se expiará com a água da separação; mas tudo que não pode suportar o fogo, o fareis passar pela água" (Nm 31.23). Os santos de Deus estão, portanto, sujeitos a ambas as provações. — *C. H. S.*

v. 12: "Mas trouxeste-nos a um lugar de abundância". Cada palavra é agradavelmente significativa e amplia a misericórdia de Deus por nós. Quatro são especialmente hábeis à observação capaz: (1) O livrador, (2) o livramento (3), os livrados, e (4) a felicidade ou bem-aventurado progresso dos livrados. Assim, há no livrador, *aliquid celsitudinis:* "[tu]", no livramento, *certitudinis:* "trouxeste", nos livrados, *solitudinis:* "nos", e na felicidade, *plenitudinis:* "a um lugar de abundância". Há altura, profundidade, segurança e plenitude. O livrador é grande, o livramento é certo, a angústia é dolorosa e a exaltação é gloriosa. Há ainda uma primeira palavra que, como chave, destranca a porta de ouro da misericórdia, um *veruntamen:* "mas". Esta é a *vox respirationis,* o ofego que busca a própria vida de consolo. "Mas trouxeste-nos a um lugar de abundância". Estávamos temerosamente em risco de extermínio nas mãos dos inimigos. Montaram e pisaram sobre nós, e fizeram-nos passar por perplexidades severas, "mas trouxeste-nos a um lugar de abundância". Se tivesse havido um ponto ou período final para a nossa desgraça, se esses golfos de perseguição tivessem nos engolido totalmente e toda a nossa fonte de consolo tivesse sido abafada e extinguida, poderíamos ter clamado: *Periit spes nostra*, sim, *periit salus nostra*, ou seja, "a nossa esperança, a nossa ajuda quase se acabou totalmente". Ele teria escarnecido de nós, quando disse: "Tende bom ânimo" (Mt 14.27). Este mesmo "mas" é como um remo feliz, que desvia o nosso navio das pedras do desespero e o atraca no porto da consolação. — *Thomas Adams*

v. 12: "Passamos pelo fogo e pela água; mas trouxeste-nos a um lugar de abundância".

(1) A saída das dificuldades é feliz. Estamos no fogo e na água, mas eles não nos consomem. Passamos pelo fogo e pela água, e não perecemos nas chamas ou nas inundações. Quaisquer que sejam as dificuldades dos santos, bendito seja Deus, há uma saída.

(2) A entrada para um estado melhor é muito mais feliz. "Trouxeste-nos a um lugar de abundância", a um lugar bem regado, porque a palavra é: "Como o jardim do Senhor" (Isaías 51.3), portanto, é lugar frutífero. — *Matthew Henry*

v. 12: "Mas trouxeste-nos a um lugar de abundância". Tu, ó Deus, com a tentação deste o escape.

(1) Tu provaste e trouxeste.

(2) Tu puseste a dificuldade e a tiraste. Tu nos deste ampla recompensa, pois nos trouxeste a um lugar regado, agradável, adorável, fértil e rico, a uma situação feliz, a uma condição florescente de coisas, de forma que tu nos fizeste esquecer de todas as nossas dificuldades. — *William Nicholson (1671), "David's Harp Strung and Tuned" [A Harpa Tocada e Afinada de Davi]*

v. 12: "Um lugar de abundância". A mão de Deus os conduziu para o fogo e a água da aflição, pelos quais eles passaram. Mas quem os conduziu para fora? O salmista responde nas próximas palavras: "Trouxeste-nos a um lugar de abundância" ou "a um lugar regado". Estavam no fogo e na água. *Fogo* é o extremo do calor e da seca. *Água* é o extremo da umidade e da frieza. *Um lugar regado* denota o temperamento que combina calor e frio, seca e umidade. Portanto, representa elegantemente a situação confortável e feliz, na qual a boa mão de Deus os trouxera, fato expresso significativamente no texto por “um lugar de abundância”. Esses lugares vicejam muito em fertilidade e, portanto, em riqueza, que não são nem muito quentes nem muito frios, nem muito secos nem muito úmidos. — *Joseph Caryl*

v. 13: “Entrarei em tua casa com holocaustos; pagar-te-ei os meus votos”. Vemos todas as partes deste cântico, o concerto ou a harmonia de tudo está louvando a Deus. Vemos o *quo loco:* “em tua casa”, o *quo modo:* “com holocaustos”, o *quo animo:* “pagar-te-ei os meus votos”. — *Thomas Adams*

v. 13: “Holocaustos”. Por nós mesmos, estejamos certos de que o melhor sacrifício que podemos dar a Deus é a obediência. Não é um animal morto, mas uma alma viva. O Senhor não tem prazer no sangue de seres irracionais. É a mente, a vida, a alma, a obediência que ele requer: “Eis que o obedecer é melhor do que o sacrificar” (1 Sm 15.22). Sejam estes o nosso holocausto, a nossa oferta queimada: o corpo e a mente santificados e entregues ao Senhor (Rm 12.1,2). Primeiro, entregue o coração: “Dá-me, filho meu, o teu coração” (Pv 23.26). Não basta o coração? Não, a mão também: “Lavai-vos, purificai-vos” (Isaías 1.16). Não basta a mão? Não, o pé também: “Retira o teu pé do mal” (Pv 4.27). Não basta o pé? Não, os lábios também: “Guarda a porta dos meus lábios” (Sl 141.3). Não bastam os lábios? Não, a língua também: “Guarda a tua língua do mal” (Sl 34.13). Não basta a língua? Não, os ouvidos também: “Quem tem ouvidos ouça o que o Espírito diz às igrejas” (Ap 2.7). Não bastam os ouvidos? Não, os olhos também: “Os meus olhos estão continuamente no Senhor” (Sl 25.15).

Não basta tudo isso? Não, o corpo e o espírito também: “Porque fostes comprados por bom preço; glorificai, pois, a Deus no vosso corpo e no vosso espírito, os quais pertencem a Deus” (1 Co 6.20). Quando os olhos detestarem os objetos luxuriosos, os ouvidos as calúnias, os pés os caminhos errantes, as mãos a injustiça e a violência, a língua a lisonja e a blasfêmia, o coração o orgulho e a hipocrisia, então este será o seu holocausto, a sua oferta queimada por inteiro. — *Thomas Adams*

vv. 13 e 15: Com os holocaustos, vemos a aproximação do salmista ao altar com o sacrifício comum e geral, e em seguida, vemo-lo pagando os votos. Constatamos que ele levou as ofertas pacíficas consigo (v. 13). Depois, ele diz novamente junto ao altar: “Oferecer-te-ei holocaustos de animais nédios”. Esta é a oferta geral, trazida do melhor dos rebanhos e manadas. Então é a vez das ofertas pacíficas: “Com odorante fumaça [קְטֹרֶת, “fumaça fumegante”] de carneiros; oferecerei novilhos com cabritos” (v. 15). Tendo levado as ofertas, não tem pressa nenhuma de ir embora, pois o coração está cheio e satisfeito.

Antes, porém, de sair do santuário, ele expressa palavras de uma alma em paz com Deus (vv. 16 a 20). Este é, verdadeiramente, alguém a quem o mesmo Deus de paz santificou em tudo, cujo espírito, alma e corpo são plenamente conservados irrepreensíveis para a vinda de nosso Senhor Jesus Cristo (1 Ts 5.23). — *Andrew A. Bonar*

vv. 13 a 15: Ele conta quais foram os votos que ele prometeu nas dificuldades, e diz que prometeu os mais ricos sacrifícios de gado que poderiam ser feitos de acordo com a lei. Eram três: carneiros, novilhos e cabritos. Entre os carneiros incluíam-se os cordeiros, entre os novilhos as vacas e entre os cabritos as cabras. — *Robert Bellarmine*

v. 14: “Que haviam pronunciado os meus lábios”, no original hebraico, “que haviam aberto”, isto é, aquilo que proferi, *diductis labiis*, “com lábios bem abertos”. *Videmus qualiter vota nuncupari soleant*, disse Francis Vatablus. Aqui vemos que tipo de votos eram costumeiramente feitos, quando os judeus estavam sob aflição premente. Mas assim que eram livrados, muitos esquivavam-se imediatamente a respeito do cumprimento. — *John Trapp v. 14:* "Que haviam pronunciado os meus lábios". Há menção expressa aos lábios abertos para indicar que os votos foram feitos com grande veemência de espírito e em estado de necessidade e aperto, de forma que os lábios irromperam e foram amplamente abertos. A raiz hebraica é פָּצָה, que contém a ideia de "abrir qualquer coisa com violência", "irromper", "romper", como consta na expressão latina, *rumpere labia.* — *Hermann Venema*

v. 15: "Oferecer-te-ei". Tu terás o melhor do rebanho e do aprisco. — *Adam Clarke*

v. 15: "Animais nédios". Não entrarei de mãos vazias em tua casa e também não levarei a ti um presente mesquinho, mas oferecerei sacrifícios de todos os tipos e os melhores e mais seletos de cada tipo. — *Symon Patrick*, 1626-1707

v. 15: "Novilhos com cabritos", quer dizer, sustentarei com liberalidade cada parte do culto e serviço no tabernáculo. — *Thomas Scott*

v. 16: "Vinde e ouvi, todos os que temeis a Deus". Uma razão para os santos tantas vezes convidarem os que temem a Deus a reunirem-se com eles é porque os santos veem e sabem o grande bem que receberão por aqueles que temem a Deus. Os filhos das trevas são muito sábios na sua geração no que tange a desejar mais familiaridade e conhecimento com pessoas que imaginam que sejam mais benéficas e vantajosas para eles, e fingir muita amizade em situações em que há esperança de maior proveito. Não devem os santos, os filhos da luz, na mesma situação querer e desejar a sociedade com aqueles que temem a Deus, porque veem o grande benefício que obterão por eles? Não admira que a companhia dos que temem a Deus seja tão requisitada, visto que é inteiramente vantajosa e prestativa. Não admira que eles recebam muitos convites, visto que são convidados pelos quais algo ainda é adquirido.

De fato, entre todos os que vivem, os que temem a Deus são os mais úteis e enriquecedores. — *Samuel Heskins, "Soul Mercies Precious in the Eyes of Saints . . . Set Forth in a Little Treatise on Psalm 66:16" [Misericórdias da Alma Preciosas aos Olhos dos Santos... Apresentadas em um Pequeno Tratado sobre o Salmo 66.16], 1654*

v. 16: "Todos os que temeis a Deus". São somente estes que ouvirão de boa mente. Os outros não podem ou não se importam. "E eu contarei o que ele tem feito à minha alma." Comunico a você os segredos e experiências da minha alma. Não há bem pequeno a ser obtido através de tais declarações. Thomas Bilney (1495-1531), percebendo que Hugh Latimer (1480-1555) era zeloso sem conhecimento, visitou-o no seu gabinete para que ele, por amor a Deus, ouvisse Bilney fazer a confissão. "Ouvi", disse Latimer, "e, para dizer a verdade, por essa confissão aprendi mais do que pelos muitos anos anteriores. Assim, desse tempo em diante, comecei a dar atenção à palavra de Deus e abandonar os doutores de faculdade e suas loucuras". — *John Trapp*

v. 16: "Os que temeis a Deus". Observe o convite feito só aos "que temem a Deus", porque "o temor do Senhor é o princípio da ciência" (Pv 1.7). Ele solta os pés para vir, abre os ouvidos para ouvir. Por isso, aquele que não teme a Deus será chamado em vão, quer para vir, quer para ouvir. — *Robert Bellarmine*

v. 16: "Eu contarei". Considere o propósito que os crentes devem propor no desempenho deste dever ["de comunicar as experiências cristãs"]. O principal alvo que eles devem ter em vista quando contam as experiências é a glória desse Deus que os trata com tanta generosidade. Devem com certeza exaltar o Senhor por ser fiel e bondoso para com eles. Devem contar para que o nome do Senhor seja engrandecido, para que os pecadores saibam que Deus é fiel à sua palavra e que ele não só se compromete em ser o "socorro bem presente na angústia" (Sl 46.1), mas que ele realmente age assim. Eles sabem que os inimigos de Deus são propensos a acusá-lo de não cuidar do seu povo, por causa das provações e aflições pelas quais eles passam. Por isso, em objeção à acusação, eles contam o que descobriram por experiência própria, que em muita fidelidade ele aflige os que lhe são mais queridos. E com que resplendor a glória de Deus brilha, quando os seus filhos estão prontos a confessar que ele nunca os chamou para cumprir qualquer dever senão quando a graça era suficiente para eles, que ele nunca pôs a mão neles em qualquer exercício aflitivo, mas ele, ao mesmo tempo, lhes abasteceu com todas as provisões de que necessitavam? Digo que os cristãos se levantem, em ocasiões próprias, e deem testemunho pessoal da fidelidade e bondade de Deus, pois eles têm a tendência de fazer do nome do Senhor a torre forte para eles, gloriosa no meio da terra. [...] Não coramos e nos envergonhamos de ter tanto assunto para conversar no mundo e tão pouco para falar sobre o que Deus tem feito por nossa alma? É sinal muito ruim para nós, em nossos dias, que em geral as coisas de Deus são adiadas, ao passo que os assuntos do dia-a-dia, ou as circunstâncias da vida, ou outras coisas, talvez, de natureza mais insignificante são os temas gerais da nossa conversa. O que digo? Temos vergonha de assuntos mais nobres e mais interessantes? É mau sinal se sentimos vergonha, se achamos desnecessário falar disso aos nossos irmãos. O que acha? Suponha que dois crentes sejam deixados em uma terra estrangeira onde não entendam a língua, nem os costumes dos habitantes, e sejam tratados por eles com repreensão e crueldade. Acha que não estimariam a maior felicidade se pudessem desabafar um com o outro, e comunicar as aflições e dificuldades? E acha que não é a mesma coisa, enquanto estamos em um mundo como este, em uma terra estranha e a certa distância da casa do nosso Pai? Não gostaríamos de conversar uns com os outros? Claro que sim. Que as nossas conversas não sejam apenas no céu, mas acerca das coisas espirituais e celestiais. — *Samuel Wilson, 1703-1750, "Sermons on Various Subjects" [Sermões sobre Vários Assuntos]*

v. 16: "Eu contarei". Depois de sermos livrados das terríveis apreensões da ira de Deus, é nosso dever sermos publicamente gratos. É para a glória daquele que nos sara falar sobre as feridas hediondas que outrora nos doíam, e sobre a bondosa mão que nos salvou quando estávamos no fundo do poço. É para a glória daquele que nos dirige falar sobre as pedras, as areias e muitos outros perigos e calamidades ameaçadoras que ele, pela sua sábia direção, nos fez desviar. Vendo-nos sãos e salvos em terra firme pode fazer com que as pessoas que estão sendo afligidas e acossadas pelas tempestades, voltem-se para Deus em busca de ajuda, pois ele pode e está pronto para salvar a elas como também a nós. Devemos, como soldados, quando a guerra tediosa acabar, relatar com prazer os nossos combates, os nossos medos, os nossos perigos. Contemos as nossas experiências para cristãos duvidosos e problemáticos e para aqueles que ainda não estão passando e nem passaram por tais provações longas e severas como nós. — *Timothy Rogers, 1660-1729, "A Discourse on Trouble of Mind" [Um Discurso sobre as Aflições]*

v. 17: "A ele clamei com a minha boca, e ele foi exaltado pela minha língua". Podemos traduzir este versículo assim: "Clamei a ele com a minha boca, e a sua exaltação estava debaixo da minha língua", quer dizer, eu estava analisando e meditando como poderia engrandecer e exaltar o nome de Deus, e dar glória ao seu louvor. Pensamentos santos estão debaixo da língua quando estamos em preparação para dá-los. — *Joseph Caryl*

v. 17: "Ele foi exaltado pela minha língua". É prova de que a oração procedeu de motivos indignos, quando as bênçãos que a sucedem não são reconhecidas com tanto fervor quanto quando foram originalmente imploradas. Todos os dez leprosos clamaram por misericórdia e todos a obtiveram, mas somente um voltou para agradecer. — *John Morison, 1829*

v. 17: "Ele foi exaltado pela minha língua", literalmente, "uma exaltação [dele estava] debaixo da minha língua", dando a entender plenitude de louvor (Sl 10.7). Imaginamos que há um depósito de louvor debaixo da língua, de onde uma porção pode ser tirada a qualquer hora e em todas as ocasiões. O sentido é: Mal clamei a ele quando, livrando-me, ele me deu abundante razão para exaltá-lo (cf. Sl 34.6). — *A. R. Fausset*

v. 17: "Pela minha língua". Estejam em sua língua, debaixo da sua língua e em cima da sua língua os louvores de Deus, para que brilhem diante de todos os homens e para que vejam que o seu coração é bom. Há um peixe chamado *lucerna** cuja língua brilha, da qual leva o nome. Nas profundezas do mar, a luz proveniente da língua o denuncia. Se o seu coração tiver uma língua que brilha com os louvores de Deus, ela se denunciará o suficiente para mostrar de que tipo que é. Daí a razão do antigo ditado: "Fala para que eu possa te ver". — *Thomas Le Blanc*

v. 18: "Se eu atender à iniquidade no meu coração, o Senhor não me ouvirá". A própria suposição de que "se eu atender à iniquidade no meu coração, o Senhor não me ouvirá", mostra a possibilidade de este ser o estado até mesmo dos crentes. Há forte razão para temer que é deste modo que as orações lhes são impedidas e as súplicas permanecem sem resposta. Não é também difícil de imaginar como os crentes podem ser responsabilizados com a pertinente iniquidade no coração, mesmo em meio de toda a solenidade de entrar na presença imediata de Deus e diretamente abordá-lo na linguagem da oração e súplica.

É possível que eles se coloquem em tal situação, em estado de espírito pouco abaixo do adequado, para ocuparem-se neste exercício santo. O mundo, de uma forma ou de outra, pode sob as atuais circunstâncias ter o predomínio no coração dos crentes. Pode ter havido tanta formalidade nas confissões e tanta indiferença nas súplicas que quando o exercício terminou, não podem declarar com honestidade o que realmente queriam dizer com o que confessaram ou o que ardentemente desejavam pelo qual oraram. O cristão, é verdade, não deve se contentar em permanecer em um estado como este. Quando acorda, como mais cedo ou mais tarde ocorrerá, não há como não se lembrar disso com humilhação e vergonha. Mas tememos que há períodos em que os crentes de vontade própria fazem uma abordagem muito próxima desse estado. Qual é, então, a verdadeira interpretação das orações oferecidas em tal momento? O significado é que há algo que eles, por enquanto, preferem ao que estão pedindo formalmente a Deus. Embora as bênçãos que pedem sejam por certo tempo retidas, há a devida compensação no prazer das coisas mundanas que, por ora, lhes dominam os sentimentos. E, na realidade, eles não escolheriam ter naquele momento essa comunicação abundante de influência espiritual dispensada para eles, como lhes dariam esses objetos mundanos menos valiosos na estimação deles a ponto de mudar a direção dos sentimentos para as coisas espirituais. [...]

O cristão, às vezes, recorre à oração para pedir a palavra de Deus sobre algum assunto pouco claro acerca da verdade divina, ou para buscar orientação sobre algum ponto duvidoso de dever. Mas, em vez de estar razoavelmente preparado para exercer o bom senso, na esperança de que, com o exercício, as considerações que estão ao lado da verdade fiquem óbvias e convincentes ao entendimento, ele permite que inclinações pessoais influenciem e induzam o bom senso em direção ao erro ou em favor da linha de conduta que ele deseja seguir, de forma que quando ele pede uma palavra é na esperança de que a sua opinião prévia seja confirmada, e quando ele busca orientação é sobre um ponto no qual ele já estava decidido. [...] Outro caso é, temo, por demais comum, e no qual o crente pode ser ainda mais diretamente responsabilizado com a pertinente iniquidade no coração. É possível que haja no coração ou na vida algo que ele esteja ciente de que não está totalmente como deveria estar — algum apego às coisas desta vida que ele não pode justificar facilmente ou algum ponto de conformidade com as máximas e práticas do mundo que ele acha difícil de reconciliar com o princípio cristão. Todo o esforço que estes de vez em quando lhe custam pode ser apenas o empenho engenhoso da sua parte em retê-los sem fazer violência direta à consciência — uma laboriosa reunião de argumentos importantes para, por meio deles, mostrar como podem ser defendidos ou de que modo podem ser licitamente aceitos, enquanto que a verdadeira e simples razão para aceitá-los, isto é, o amor do mundo, é mantido o tempo todo fora de

---

* Certo revisor nos condena por citar uma falsa história da natureza, mas o leitor inteligente não se deixará enganar a esse ponto. (N. do E. da edição original em inglês.)

vista. Como prova experimental de como todos estes argumentos são fracos e inconclusivos, e, ao mesmo tempo, de como ele está relutante em renunciar os seus objetos preferidos, pode ser que ele esteja ciente de que confessando os pecados ele os omite da enumeração, muito mais porque ele os ignoraria de boa vontade do que porque ele está convencido de que eles não precisam estar lá. Ele percebe que não pode e não ousa torná-los o assunto imediato de comunhão solene e deliberada com Deus. Depois de todas as suas defesas engenhosas e multiplicadas, por fim ele se reconcilia com eles, só deixando de agitar a pergunta se são lícitas ou não. — *Robert Gordon, Doutor em Teologia, 1825*

v. 18: "Se eu atender à iniquidade no meu coração, o Senhor não me ouvirá". Por quais razões o atendimento ou amor do homem ao pecado no seu coração impede que as orações sejam ouvidas por Deus?

(1) A primeira razão é que, neste caso, ele não pode orar pelo Espírito. Todas as orações que são ouvidas por Deus são inspiradas pelo seu próprio Espírito em nós (Rm 8.26). Sem a intercessão de Cristo, as nossas orações não são ouvidas. Semelhantemente, sem a intercessão do Espírito não podemos orar.

(2) A segunda razão é que, na medida em que o homem atende à iniquidade no coração, ele não pode orar com fé, quer dizer, ele não pode construir uma confiança racional na promessa de que Deus o ouvirá. A fé sempre respeita a promessa, e a promessa de aceitação só é feita para os retos. Portanto, quando os homens apreciam o amor ao pecado no coração, eles ou não entendem as promessas, e, então, oram sem entender, ou as entendem, mas as usam de maneira errada, e, assim, oram com presunção. Em qualquer caso, é fraca a base para esperarem ser ouvidos. [...]

(3) A terceira razão é que, enquanto estamos atendendo à iniquidade no coração, não podemos orar com fervor. Esta atitude, depois da sinceridade, é a grande qualificação da oração, à qual Deus anexou uma promessa de aceitação: "O reino dos céus é tomado por esforço, e os que se esforçam se apoderam dele" (Mt 11.12, ARA); "Pedi, e dar-se-vos-á; buscai e encontrareis; batei, e abrir-se-vos-á. Porque aquele que pede recebe; e o que busca encontra; e, ao que bate, se abre" (Mt 7.7,8). Só os que buscam têm a certeza de encontrar, e aos que batem, a certeza de entrar. Todas estas expressões denotam veemência e importunidade. A causa da veemência, em nossa busca de qualquer bem, é o amor que temos por esse bem. Proporcional ao afeto que mantemos a qualquer coisa é a ardência do desejo e a diligência da busca. Enquanto o amor ao pecado está dominando o nosso coração, o amor às coisas espirituais é chocho, lerdo e inativo, e as orações por elas não podem ser diferentes disso. Ó falácia miserável em que a alma se coloca! Ao mesmo tempo, ama o pecado e ora contra ele. Suplica graça com o desejo de não ser bem-sucedido. É como um pai que confessa que, antes da conversão, ele orava por castidade com a reserva secreta de que Deus não lhe concedesse a oração. São estas as misteriosas e complicadas condutas traiçoeiras pelas quais o amor ao pecado fará com que a alma se engane e se iluda. Com langor e tibieza, a alma orará por misericórdias espirituais, enquanto a consciência mente em cada petição! A alma, neste caso, não pode orar com sinceridade contra o pecado. Luta contra o pecado, mas não com a esperança ou intenção de vencer. São como namorados que disputam um contra o outro com o desejo de perder. Enquanto estivermos atendendo à iniquidade, como é possível atendermos às coisas espirituais, que são o único objetivo lícito das nossas orações? E se não estivermos atendendo às coisas espirituais, como podemos ser fervorosos com Deus para que ele no-las dê? E se não há fervor da nossa parte, não admira que não haja resposta da parte de Deus. — *Robert South, 1633-1716*

v. 18: "Se eu atender à iniquidade no meu coração, o Senhor não me ouvirá". Ainda que o tema da oração dos santos esteja fundamentado na palavra, se o fim ao qual objetivam não estiver devidamente alinhado, é uma porta à qual a oração será detida: "Pedis e não recebeis, porque pedis mal, para o gastardes em vossos deleites" (Tg 4.3). Considere, por exemplo, que o cristão em pleno equilíbrio espiritual objetiva a glória de Deus. Mas como o ponteiro imantado da bússola pode ser retirado do ponto ao qual a natureza o esposou, embora volte tremendo ao ponto original, assim a alma graciosa pode em um ato e pedido particular variar deste objetivo, sendo sacudida por Satanás, ou perturbada por um inimigo que está bem perto de si, a saber, a sua própria corrupção que ainda não foi mortificada. Não acha possível que o santo, em angústia de corpo e espírito, ore por saúde, de um lado, e por consolo, de outro, com atenção extremamente egoísta à própria situação e bem-estar? Claro que é possível. Como também é possível orar por capacidade e ajuda para desempenhar algum serviço eminente, com vistas a receber crédito e aplauso, e orar por uma criança com desejo por demais exagerado desenfreado para que a honra da casa se desenvolva em torno dele. É o que entendemos como sentido parcial da expressão: "Se eu atender à iniquidade no meu coração, o Senhor não me ouvirá". Desejar saúde, paz e reputação não é iniquidade quando estas estão dentro dos limites que Deus estabeleceu. Contudo, quando se elevam a tamanha altura a ponto de ficarem no mesmo nível ou acima da glória de Deus, são uma grande abominação. Aquilo que em primeira ou segunda instância é alimento saudável, seria rematado veneno em quarta ou quinta. Cristão, catequize-se antes de orar: Ó minha alma, o que te envias nesta missão? Tem consciência do que tu oras, e logo tu conhecerás a mente de Deus para seres bem-sucedido. Defenda a glória de Deus, e logo tu conhecerás a mente de Deus para seres bem-sucedido. — *William Gurnall*

v. 18: "Se eu atender à iniquidade no meu coração, o Senhor não me ouvirá".

(1) Atende à iniquidade no coração quem a pratica secretamente, quem está sob o impedimento do mundo e não possui o habitual temor do Deus onisciente, o examinador de todos os corações e de cujos olhos não há cobertura de densas trevas nas quais os obreiros da iniquidade possam se esconder (Jr 23.24).

(2) Atende à iniquidade no coração quem acolhe e entrega-se ao desejo do pecado, embora no curso da providência ele seja impedido de cometê-lo. Estou convencido de que os exemplos não são raros, de homens que se alimentam dos desejos pecaminosos mesmo quando, por falta de oportunidade, por medo das pessoas ou por alguma restrição parcial de consciência, não ousam pô-los em execução.

(3) Atende à iniquidade no coração quem medita nos pecados antigos com prazer ou sem a sincera humilhação de espírito. Talvez a nossa verdadeira disposição ao pecado e ao dever seja revelada pelo estado de espírito depois tanto quanto durante a ação. A força e subitaneidade da tentação podem trair o homem bom até mesmo na comissão do pecado. A relutância do coração e o poder da corrupção interior podem tornar o dever penoso e ocasionar muitos defeitos no desempenho. Mas todo verdadeiro crente se lembra dos pecados antigos com sincera contrição de espírito e um profundo sentimento de indignidade diante de Deus. O cumprimento do dever, por mais difícil que tenha sido na ocasião, proporciona-lhe o mais extremo prazer na reflexão. Para muitos, é o oposto. Lembram-se dos pecados sem tristeza, falam sobre eles sem vergonha e, às vezes, até mesmo com uma mistura de arrogância e vanglória. Nunca os ouviu recordarem as loucuras do passado e falarem sobre elas com tamanho prazer que mais parece que estão renovando o prazer do que lastimando o pecado? Mesmo supondo que tais pessoas abandonaram a prática desses pecados, se podem rememorá-los com satisfação interior, a aparente melhora de comportamento deve-se a outra causa que não a renovação do coração.

(4) Atende à iniquidade no coração quem olha os pecados dos outros com aprovação, ou quem, na verdade, os vê sem aflição. O pecado é algo tão abominável, tão desonroso a Deus e tão destrutivo à alma humana que não há verdadeiro cristão que o confesse sem sentir dor. É por isso que a Bíblia informa tantas vezes que é característica do servo de Deus afligir-se pelos pecados dos outros (Sl 119.136,158).

(5) Atende à iniquidade no coração quem reluta em oferecer-se à provação e não aceita verdadeiramente que Deus o examine e o prove. Aquele que recusa ser provado e reluta a praticar o auto-exame, dá mostras de forte e vigoroso apego ao pecado. Esta atitude provém do medo secreto de que haja alguma descoberta desagradável ou a constatação de alguma concupiscência, a qual ele não quer

abandonar. [...] Há muitos que, embora vivam na prática do pecado e atendam à iniquidade no coração, continuam atendendo externamente às ordenanças da instituição divina, e, de tempos em tempos, apegam-se aos selos da aliança de Deus. Mas serão eles aceitos por ele?

Não. Ele considera tal procedimento um escárnio profano, uma usurpação sacrílega (Sl 50.16,17). Terão eles consolação com isso? Não, exceto na medida em que no justo juízo ele permite que eles sejam enganados. E são enganados e são os mais infelizes aqueles que ficam muito tempo iludidos (Sl50.21). Terão eles benefício com isto? Não. Em vez de aplacarem-lhe a ira, provocam-lhe a vingança. Em vez de terem o entendimento aclarado, ficam com os olhos cegos. Em vez de santificar-lhes a natureza, endurece-lhes o coração. Leia esta descrição daqueles que são favorecidos com privilégios externos e gloriam-se neles: João 12.39,40. De forma que nada é mais essencial a uma aproximação aceitável a Deus nos deveres da adoração em geral, e particularmente para receber os selos da aliança, do que uma separação completa e universal de todo o pecado conhecido (Jó 11.13,14). — *Sermão de John Witherspoon, 1722-1749, intitulado "The Petitions of the Insincere Unavailing" [As Petições dos Inúteis Insinceros]*

vv. 18 a 20: Senhor, encontrei Davi fazendo um silogismo, de modo e de figura, duas proposições que ele aperfeiçoou. "Se eu atender à iniquidade no meu coração, o Senhor não me ouvirá; mas, na verdade, Deus me ouviu; atendeu à voz da minha oração". Eu esperava que Davi concluísse assim: "Portanto, eu não atendo à iniquidade no meu coração", mas longe disso, ele concluiu: "Bendito seja Deus, que não rejeitou a minha oração, nem desviou de mim a sua misericórdia". Assim Davi me engana, mas não me ofende. Eu contava que ele aplaudisse a coroa sozinho, e ele a põe na cabeça de Deus. Aprenderei esta lógica excelente, porque gosto mais dos silogismos de Davi do os de Aristóteles. Sejam quais forem as premissas, torno a glória de Deus a conclusão. — *Thomas Fuller*, 1608-1661

SUGESTÕES AOS PREGADORES

v. 3. O aspecto terrível nas obras da natureza e providência de Deus.

v. 4. (1) Quem? "Toda a terra": (a) Tudo coletivamente, todas as classes e tribos. (b) Tudo numericamente. (c) Tudo harmoniosamente. (2) O quê? "Adorará" e "cantará": Primeiro (a) a humilhação, e depois (b) a exultação. (3) Quando? Os verbos no futuro denotam: (a) Futuridade. (b) Certeza. Deus falou, portanto todas as coisas tendem ao que ele falou. — *George Rogers*

v. 5. Eis um tema: (1) Para estudo geral: "As obras de Deus". (2) Para estudo particular: "Os seus feitos para com os filhos dos homens": (a) Estes são muito maravilhosos. (b) Nestes temos mais interesse.

v. 6. Grandes dificuldades, inesperadamente vencidas, tornam-se tema de alegria.

v. 6. "Ali nos alegramos nele." A nossa participação nos antigos livramentos da igreja.

v. 7. A soberania ("ele domina [...] pelo seu poder"), a imutabilidade ("eternamente") e a onisciência ("os seus olhos estão sobre as nações") são inimigos dos rebeldes orgulhosos.

v. 8. "Fazei ouvir a voz do seu louvor." É difícil, necessário e possível fazer com que o evangelho seja ouvido. Modos e meios de conseguir esse objetivo.

vv. 8 e 9. (1) Louvor: (a) A Deus. (b) Ao nosso Deus. (2) Louvor pela conservação: (a) Da vida natural. (b) Da vida espiritual. (3) Louvor através dos "povos": (a) Por conta própria. (b) Por conta dos outros. Ou: (a) Individualmente. (b) Unidamente. — *George Rogers*

v. 9. Perseverança é assunto de gratidão: (1) A manutenção da vida interna. (2) A integridade do caráter exterior.

v. 10. A prova dos santos.

v. 10. (1) O desígnio das aflições: (a) Provar. (b) Reprovar. (2) A ilustração deste desígnio: "Como se afina a prata". (3) O resultado do desígnio.

vv. 11 e 12. Devemos reconhecer a mão de Deus: (1) Em nossas provações: "Tu nos meteste na rede". (2) Em nossas aflições físicas: "Afligiste os nossos lombos". (3) Em nossas perseguições: "Fizeste com que os homens cavalgassem sobre a nossa cabeça". (4) Em nossas libertações: "Trouxeste-nos a um lugar de abundância". — *George Rogers*

v. 12. Fogo e água. As provações são várias: (1) Revelam males diferentes. (2) Testam todas as partes do ser humano. (3) Educam graças diversas. (4) Tornam amadas muitas promessas. (5) Ilustram os atributos divinos. (6) Oferecem extenso conhecimento. (7) Geram capacidade para as alegrias do céu.

v. 12. "Fizeste com que os homens cavalgassem sobre a nossa cabeça." A ira despertada pela opressão. — *Sermão de Thomas Adams*

v. 12. "Trouxeste-nos a um lugar de abundância." (1) Um lugar abundante, livre de penúria. (2) Um lugar agradável, isento de tristeza. (3) Um lugar seguro, desprovido de perigos e angústias. — *Daniel Wilcocks*

v. 12. "Trouxeste-nos a um lugar de abundância." A vitória da paciência com o término da maldade. — *Sermão de Thomas Adams*

v. 12. "Trouxeste-nos a um lugar de abundância." A riqueza da alma que Deus provou e livrou. Entre outras riquezas, a alma tem: (1) A riqueza da experiência. (2) A riqueza das graças fortalecidas. (3) A riqueza da fé confirmada. (4) A riqueza da compaixão pelos outros.

v. 13. A casa de Deus ou o lugar dos louvores. — *Sermão de Thomas Adams*

vv. 13 a 15. (1) Decisões tomadas (versículo 13): (a) Qual? Oferecer louvor. (b) Pelo quê? Pelo livramento. (c) Onde? Na casa de Deus. (2) Decisões proferidas (versículo 14): (a) A Deus. (b) Diante dos homens. (3) Decisões cumpridas (versículo 14): (a) Em reconhecimento público. (b) Em gratidão sincera. (c) Em mais frequência à casa de Deus. (d) Em autodedicação renovada. (e) Em maior liberalidade. — *George Rogers*

v. 16. (1) O que Deus tem feito à alma de todo cristão? (2) Por que o cristão deseja contar o que Deus tem feito à sua alma? (3) Por que o cristão deseja fazer esse relato somente aos que temem a Deus? (a) Porque só eles entendem tal relato. (b) Porque só eles crerão verdadeiramente em tal relato. (c) Porque só eles ouvirão com interesse ou se juntarão a ele em louvar o Benfeitor. — *Edward Payson*

v. 16. O ensino religioso deve ser: (1) Simples: "Eu contarei". (2) Sério: "Vinde e ouvi". (3) Oportuno: "Todos os que". (4) Seletivo: "Temeis a Deus". (5) Experimental: "O que ele tem feito".

v. 17. (1) As duas principais partes da devoção: Oração e louvor. (2) O grau: (a) Na oração, clamar. (b) No louvor, exaltar. (3) A ordem: (a) Primeiro, a oração. (b) Depois, o louvor. O que é ganho pela oração é usado no louvor.

vv. 18 e 19. (1) O teste admitido. (2) O teste aplicado. (3) O teste aprovado.

v. 19. O fato de que Deus ouviu a oração.

v. 20. A misericórdia de Deus: (1) Em aceitar a oração. (2) Em inclinar-se à oração. (3) Em ouvir a oração.

SALMO 67

TÍTULO

Salmo e cântico. Solenidade e vivacidade estão juntas aqui. Um salmo é um cântico, mas nem todos os cânticos são salmos. Este é tanto um quanto o outro.

Para o cantor-mor. Quem era ele, não importa, e quem somos nós também é de pouca importância, contanto que o Senhor seja glorificado.

Sobre Neguinote ou *com instrumentos de corda.* Este é o quinto salmo com este título, e, sem dúvida, como os demais, foi composto para ser cantado com o acompanhamento de "harpistas que tocam harpa com as suas harpas". Não diz quem é o autor, e seria petulante quem tentasse provar que Davi não o escreveu. Teríamos sérias dificuldades se resolvêssemos procurar outro autor a quem atribuir estas composições poéticas anônimas que estão lado a lado com as designadas a Davi e trazem denotada semelhança a elas.

EXPOSIÇÃO

1 *Deus tenha misericórdia de nós e nos abençoe; e faça resplandecer o seu rosto sobre nós. (Selá)*

2 *Para que se conheça na terra o teu caminho, e em todas as nações a tua salvação.*

3 *Louvem-te a ti, ó Deus, os povos; louvem-te os povos todos.*

4 *Alegrem-se e regozijem-se as nações, pois julgarás os povos com equidade, e governarás as nações sobre a terra. (Selá)*

5 *Louvem-te a ti, ó Deus, os povos, louvem-te os povos todos.*

6 *Então, a terra dará o seu fruto; e Deus, o nosso Deus, nos abençoará.*

7 *Deus nos abençoará, e todas as extremidades da terra o temerão.*

1. *"Deus tenha misericórdia de nós e nos abençoe; e faça resplandecer o seu rosto sobre nós."* Este é um refrão adequado para a bênção do sumo sacerdote em nome do Senhor, conforme

está registrada em Números 6.24,25: "O Senhor te abençoe e te guarde; o Senhor faça resplandecer o seu rosto sobre ti e tenha misericórdia de ti". Já de início, começa com um clamor por misericórdia. O perdão de pecados sempre é o primeiro elo na cadeia de misericórdias que experimentamos. A misericórdia é um atributo fundamental em nossa salvação. Os melhores santos e os piores pecadores podem unir-se nesta petição. É dirigida ao Deus da misericórdia, por aqueles que sentem a necessidade de misericórdia, e indica a morte de todas as esperanças ou reivindicações legítimas de mérito. Em seguida, a igreja implora a bênção: "E nos abençoe", que é uma oração muito abrangente e de longo alcance. Quando bendizemos a Deus, fazemos muito pouco, pois as nossas bênçãos são apenas palavras, mas quando Deus abençoa, ele nos enriquece realmente, porque as suas bênçãos são dádivas e ações. Mas a bênção não é tudo que o povo almeja. Os santos desejam a consciência pessoal do favor divino e oram pelo sorriso do rosto de Deus: "E faça resplandecer o seu rosto sobre nós". Estas três petições incluem tudo de que precisamos agora e sempre.

Podemos considerar este versículo como a oração de Israel e, espiritualmente, da igreja. O salmo mostra a maior caridade, a qual começa em casa. A igreja toda, cada igreja e cada pequeno grupo podem orar corretamente: "E nos abençoe". Seria, porém, muito errado deixar que a nossa caridade terminasse onde começou, como fazem alguns. O nosso amor tem de fazer longas marchas e as nossas orações têm de ter ampla abrangência, pois temos de englobar o mundo inteiro com as intercessões.

"Selá." Elevem o coração, elevem a voz. É necessária uma melodia mais alta, um tom mais suave.

2. *"Para que se conheça na terra o teu caminho."* Como as chuvas que primeiro caem nas montanhas para depois descerem em rios para os vales, assim a bênção do Altíssimo desce para o mundo através da igreja. Somos abençoados em benefício dos outros como também em benefício próprio. Deus trata os crentes com misericórdia. Por isso, eles fazem esse caminho, ou seja, esse procedimento divino conhecido em todo lugar, tornando o nome do Senhor famoso na terra. Desconhecer Deus é o grande inimigo do gênero humano. Os testemunhos dos santos, experimentais e gratos, vencem este inimigo mortal. Deus tem um modo e método fixo de distribuir misericórdia aos homens, e é dever e privilégio da igreja reavivada tornar esse "caminho" conhecido em todos os lugares.

"E em todas as nações a tua salvação." No lugar de "salvação", certa antiga tradução inglesa traz as palavras "saúde salvadora". Entretanto, como não são palavras provenientes do Espírito mas de tradutores, precisamos deixá-las de lado. A palavra hebraica é *salvação* e nada mais. Todas as nações precisam de salvação, mas muitas não a conhecem, desejam ou buscam. A nossa oração e labuta devem ser que o conhecimento da salvação fique tão universal quanto a luz do sol. Apesar das noções deprimentes de alguns, apegamo-nos à convicção de que o reino de Cristo abrangerá o globo habitável inteiro, e que toda a carne verá a salvação de Deus. É por esta meta gloriosa que agonizamos em oração.

3. *"Louvem-te a ti, ó Deus, os povos."* Faze com que confessem a tua bondade e te agradeçam de todo o coração. Façam as nações isto e o façam continuamente, sendo ensinadas nos teus caminhos graciosos.

"Louvem-te os povos todos." Leve todo homem a música, todo cidadão o cântico, todo camponês o louvor, todo príncipe o salmo. Todos devem favores a ti. Agradecer-te trará benefícios a todos e o louvor de todos te glorificará grandemente. Portanto, ó Senhor, dá a todos os homens a graça para adorar a tua graça, a bondade para ver a tua bondade. O que na tradução foi expresso como oração, pode ser lido como profecia, se seguirmos o original hebraico.

4. *"Alegrem-se e regozijem-se as nações"*, ou exultem e triunfem. Quando os homens conhecem o caminho de Deus e veem a salvação divina, recebem no coração muita felicidade. Nada gera alegria mais certa, imediata e permanente do que a salvação de Deus. As nações jamais estarão alegres até que sigam a liderança do grande Pastor. Podem mudar de sistema de governo — de monarquia para república, de

república para comuna —, que ainda reterão a infelicidade até que se curvem diante do Senhor te todos. Que expressão maravilhosa é cantar de alegria (cf. "cantem de alegria, NTLH; NVI; "exultem, ARA; "regozijem-se", ARC). Há quem cante por costume, ou por exibição, ou por dever, ou por divertimento. Mas cantar de coração, porque a alegria transbordante tem de encontrar vazão, é, de fato, cantar. Nações inteiras cantarão de coração, quando Jesus, no poder da sua graça, reinar sobre elas. Já ouvimos centenas e até milhares de pessoas cantando no mesmo coral. Mas que glorioso será ouvir nações inteiras erguendo a voz, como o ruído de muitas águas e como grandes trovões. Quando começará a época de cantar? Quando será que gemidos e murmúrios serão trocados por hinos santos e melodias joviais?

"Pois julgarás os povos com equidade." O erro por parte de governadores é fonte frutífera da aflição nacional, mas onde o Senhor reina, a justiça é suprema. Ele não faz mal a ninguém. As suas leis são a própria justiça. Corrige todas as injustiças e liberta todos os que estão oprimidos. A justiça no trono é motivo justo para a exultação nacional.

"E governarás as nações sobre a terra." Ele as conduzirá como o pastor o rebanho, e pela sua graça elas o seguirão de boa vontade. Então haverá paz, abundância e prosperidade. É grande a condescendência da parte de Deus tornar-se o Pastor das nações e governá-las para serem beneficiadas. É crime medonho quando alguém que conhece a salvação de Deus, desvia-se e diz ao Senhor: "Retira-te de nós" (Jó 22.17). É razão para recearmos que a nossa nação não caia nesta condenação. Que Deus nos livre.

"Selá." Antes de repetir o coro, o tom é aumentado novamente, para que plena força seja dada ao início da canção e ao acompanhamento das harpas.

Cordas e vozes, mãos e corações
Têm sua parte no concerto
Tudo que tem fôlego, adore ao Senhor
Louve-o, louve-o eternamente!

5. *"Louvem-te a ti, ó Deus, os povos, louvem-te os povos todos."* Estas palavras não são repetição vã, mas é um coro digno de ser cantado muitas e muitas vezes. O grande tema do salmo é a participação dos gentios no culto de adoração ao Senhor. O salmista está cheio de louvores. Mal sabe conter ou expressar a alegria.

6. *"Então, a terra dará o seu fruto."* O pecado pôs uma maldição na terra e só a graça pode removê-la. Nos governos tirânicos, a terra fica improdutiva. Até a terra que mana leite e mel ficou quase um deserto durante o governo turco. Mas, quando os princípios da verdadeira religião elevarem o gênero humano e o domínio de Jesus for reconhecido universalmente, a ciência da agricultura será aperfeiçoada, os homens serão encorajados ao trabalho no campo, a indústria banirá a penúria e a terra será restaurada a muito mais do que sua melhor condição de fertilidade. Lemos que o Senhor converte "a terra frutífera, em terreno salgado, pela maldade dos que nela habitam" (Sl 107.34). A observação confirma a verdade da ameaça divina. Mas até mesmo durante a vigência da lei havia a promessa: "O Senhor, teu Deus, te dará abundância em toda obra das tuas mãos, no fruto do teu ventre, e no fruto dos teus animais, e no fruto da tua terra para bem" (Dt 30.9). Claro que há relação íntima certamente entre o mal moral e o mal físico, e entre o bem espiritual e o bem físico. Alexander nota que, no original hebraico, o tempo verbal está no passado. Diante disso, ele conclui que é contrário às regras gramaticais hebraicas colocar estes verbos no futuro. Na minha opinião, porém, o profeta-bardo, ouvindo as nações louvarem ao Senhor, fala da abundante safra como já consequentemente realizada. Na suposição de que todos os povos louvam ao Senhor, a terra rendeu fartas colheitas. Colocar os verbos hebraicos no futuro é a tradução mais clara.

"E Deus, o nosso Deus, nos abençoará." Ele fará com que a fartura na terra seja uma bênção real. Os homens verão nas dádivas recebidas a mão do mesmo Deus a

quem Israel antigamente cultuava, e Israel, especialmente, se alegrará na bênção e exultará no seu Deus. Só amamos a Deus corretamente quando o conhecemos como o nosso Deus, e quanto mais o amamos mais desejamos ser assegurados de que ele é nosso. Existe nome mais querido que possamos lhe dar do que "o meu Deus"? No Cântico dos Cânticos, a esposa não tem canção mais doce a cantar do que "o meu amado é meu, e eu sou dele" (Ct 2.16). Todo judeu que crê sente alegria santa ao pensar que as nações serão abençoadas pelo Deus de Abraão. Mas todo gentio que crê também se alegra ao lembrar que o mundo inteiro ainda adorará o Deus e Pai de nosso Senhor e Salvador Jesus Cristo, que é o nosso Pai e o nosso Deus.

7. *"Deus nos abençoará."* A oração do primeiro versículo é a canção do último. A essência da mesma frase ocorre duas vezes, mostrando que a benção do Senhor é verdadeiramente múltipla. Ele abençoa e abençoa e abençoa vezes sem conta. Como são inumeráveis as beatitudes divinas! Como são seletas as bênçãos de Deus! Estas são a herança peculiar dos eleitos. Ele é o Salvador de todos os homens, mas sobretudo dos que creem. Temos neste versículo uma canção para entoar durante todo o futuro. Deus nos abençoará e é esta a nossa firme confiança. Pode ser que ele nos fira, ou nos prive de bens, ou até mesmo nos mate, mas ele tem de nos abençoar. Ele não pode deixar de fazer o bem aos eleitos.

"E todas as extremidades da terra o temerão." As regiões distantes temerão. Os confins da terra acabarão com a idolatria e cultuarão a Deus. Todas as tribos, sem exceção, terão temor reverente do Deus de Israel. O desconhecimento será retirado, a insolência derrotada, a injustiça banida, a idolatria detestada e o amor, a luz, a vida e a liberdade do Senhor estarão sobre todos, o próprio Senhor que é o Rei dos reis e o Senhor dos senhores. Amém e Amém.

NOTAS EXPLICATIVAS E DECLARAÇÕES IMPORTANTES

O Salmo: Como estão admiravelmente equilibradas as partes desta canção missionária! O povo de Deus almeja ver todas as nações participando dos mesmos privilégios, "para que eu veja o bem de teus escolhidos, para que eu me alegre com a alegria do teu povo" (Sl 106.5). Os crentes desejam ouvir todas as nacionalidades dando graças ao Senhor e santificando o seu nome. Querem ver a face da terra, que o pecado tanto escureceu, sorrindo com o resplendor de um segundo Éden. Não se trata de um sentimento insosso. O desejo é expresso de modo a conectá-lo com o pensamento de dever e responsabilidade. Mas como eles esperam que os tempos felizes venham? Em primeiro lugar, confiam na divulgação geral do conhecimento do caminho de Deus e na ampla propagação da verdade relativa ao caminho de salvação. Com isso em vista, clamam por um tempo de avivamento da presença do Deus, e se animam nesta oração das condições da bênção divinamente designada. É como se tivessem dito: "Não ordenaste tu que os filhos de Arão pusessem o teu nome sobre nós e dissessem: 'O SENHOR te abençoe e te guarde; o SENHOR faça resplandecer o seu rosto sobre ti e tenha misericórdia de ti'? Lembra-te da tua palavra firme. Deus tenha misericórdia de nós e nos abençoe, e faça resplandecer o teu rosto sobre nós. Sejamos assim abençoados e nós, por nossa vez, seremos uma bênção. Todas as famílias da terra conhecerão, por nós, a tua salvação". Esta é a esperança da igreja. E quem dirá que é irracional? Se um pequeno grupo de cem e vinte discípulos que se reuniram no cenáculo em Jerusalém, todos os quais de condição humilde e talentos modestos, foram capacitados pelo batismo do Espírito Santo com tamanho poder, que, em trezentos anos desbancaram o paganismo do império, não precisamos temer em afirmar que, para a evangelização do mundo nada mais é necessário senão que as igrejas da cristandade sejam batizadas com um novo derramamento do mesmo Espírito de poder. — *William Binnie, 1870*

O Salmo: Há sete estrofes. Vemos duas vezes três estrofes de duas linhas cada, tendo uma estrofe de três linhas no meio, a qual forma o gancho ou lantejoula do septeto. Trata-se de circunstância notavelmente apropriada ao fato de certos expositores antigos chamarem o salmo de o "Pai-Nosso do Antigo Testamento". — *Franz Delitzsch*

v.1: "Deus tenha misericórdia de nós e nos abençoe; e faça resplandecer o seu rosto sobre nós". Deus perdoa e depois dá. Até que ele seja misericordioso em perdoar os nossos pecados por Cristo Jesus, ele não pode nos abençoar ou ser bondoso para conosco, pecadores. Todos os nossos prazeres são bênçãos em barras de ouro, até que a graça do evangelho e a misericórdia do perdão os cunhem e os tornem em moeda corrente. Deus não pode nem mesmo produzir boa vontade em nós, até que Cristo faça a paz por nós: "Glória a Deus nas alturas, paz na terra, boa vontade para com os homens!" (Lc 2.14). E que alegria o pecador pode ter, ainda que soubesse que um reino lhe pertencesse, se não for com a boa vontade de Deus? — *William Gurnall*

v. 1: Hugo (cerca de 1120) atribui as palavras "Deus tenha misericórdia de nós" aos penitentes, "nos abençoe", aos iniciados na vida cristã, e "faça resplandecer o seu rosto sobre nós", aos que alcançaram ou foram santificados. O primeiro grupo busca o perdão, o segundo busca a paz justificadora e o terceiro busca a edificação e a graça da contemplação. — *John Lorinus*

vv. 1 e 2: Junte a última frase do versículo 1 com a primeira do versículo 2 ("Faça resplandecer o seu rosto sobre nós. Para que se conheça na terra o teu caminho"), e observe que Deus fez resplandecer o seu rosto sobre Moisés e lhe fez conhecido o seu caminho. "Fez notórios os seus caminhos a Moisés e os seus feitos, aos filhos de Israel" (Sl 103.7), como se as pessoas pudessem ver só as ações do Senhor, mas o seu caminho, os seus planos, os seus segredos só são revelados àqueles em quem a luz do rosto de Deus tinha resplandecido. — *C. H. S.*

v. 2: "Para que se conheça na terra o teu caminho, e em todas as nações a tua salvação". O salmista supõe que há certas regras ou princípios segundo os quais Deus dá bênçãos aos homens. A sua oração é para que essas regras e princípios sejam conhecidos em todos os lugares da terra. — *Albert Barnes*

v. 2: "Para que se conheça na terra o teu caminho, e em todas as nações a tua salvação". Pela natureza, pouco sabemos de Deus e nada de Jesus ou do caminho da salvação por meio dele. Os olhos da criatura precisam ser abertos para que ela veja o caminho da vida, e depois, pela fé, entre no caminho. Deus não costuma levar almas ao céu como passageiros de um navio, que estão fechados no convés e não veem nada durante o caminho em que estão navegando ao porto. Neste caso, poderia ter sido poupada a oração que o salmista, inspirado por Deus, fez em favor dos gentios cegos: "Para que se conheça na terra o teu caminho, e em todas as nações a tua salvação". A fé não é um consentimento vazio, com compromisso e dependência a Cristo. Também não é um consentimento cego, sem conhecimento. Se você continuar nessa ignorância brutal e não saber nem mesmo quem é Jesus, o que ele fez para a salvação dos pobres pecadores e o que você tem de fazer para atrair a atenção dele, você está muito longe de crer. Se na sua alma o dia não raiou, muito menos se levantou, pela fé, na sua alma o Sol da justiça. — *William Gurnall*

v. 2: "Para que se conheça na terra o teu caminho, e em todas as nações a tua salvação". Os judeus pecadores e obstinados, na incredulidade, verão e odiarão. Verão e ficarão enfurecidos com a salvação dos gentios. Mas vejamos e conheçamos nós, quer dizer, amemos. É comum que "conhecer" seja usado no sentido de *amar*, como nas passagens: "As minhas ovelhas ouvem a minha voz, e eu conheço-as, e elas me seguem" (Jo 10.27), quer dizer, eu amo as minhas ovelhas e elas me amam. [...] Há uma transição súbita da terceira para a segunda pessoa, a fim de que, ao falar sobre Deus, ele não diga "o caminho *dele*" ou "a salvação *dele*", mas "o teu caminho" e "a tua salvação", estabelecendo a veemência do suplicante ardente e a graça de Deus, conforme ele se revela ao suplicante enquanto ele ainda está fazendo as orações. — *Reicherspergensis Praepositus Gerhohus, 1093-1169*

v. 2: "Para que se conheça na terra o teu caminho, e em todas as nações a tua salvação". Como luz, a participação da luz de Deus é comunicativa. Não devemos orar somente por nós mesmos, mas por todos os outros, para que o caminho de Deus seja conhecido na terra e a sua salvação em todas as nações. "O teu caminho", quer dizer, *a tua vontade*. A vontade de Deus tem de ser conhecida na terra, para que seja feita tanto na terra como no céu. A menos que conheçamos a vontade do nosso Mestre, como a faremos? Por conseguinte, primeiro oremos com Davi: "Alegrem-se e regozijem-se as nações, pois julgarás os povos com equidade, e governarás as nações sobre a terra" (v. 4), e depois: "Louvem-te os povos todos" (v. 3). "O teu caminho", quer dizer, *a tua palavra*. A vontade de Deus está revelada na sua palavra, e a sua palavra é o seu caminho no qual temos de andar, não virando nem para a direita nem para a esquerda. "O teu caminho", quer dizer, *as tuas obras*, como Davi disse em outro salmo: "Todas as veredas do SENHOR são misericórdia e verdade" (Sl 25.10). Ou como Agostinho, Jerônimo, hilário e outros expositores afirmam adequadamente: "O teu caminho", quer dizer, *o teu Cristo*, e "a tua salvação", quer dizer, *o teu Jesus*, visto que o nosso Salvador disse: "Eu sou o caminho. [...] Ninguém vem ao Pai senão por mim" (Jo 14.6). Portanto, "que se conheça na terra o teu Filho, e em todas as nações o teu Jesus". — *John Boys, 1560-1643*

v. 3: "Louvem-te a ti, ó Deus, os povos". Observe a prazerosa ordem feita pelo Espírito bendito: primeiro, misericórdia, depois, conhecimento e, por último, louvor a Deus. Não podemos ver o semblante de Deus, a menos que ele seja misericordioso conosco. E não podemos louvá-lo, a menos que o seu caminho seja conhecido na terra. A sua misericórdia cria conhecimento, e o seu conhecimento, louvor. — *John Boys*

v. 3: "Louvem-te a ti, ó Deus, os povos; louvem-te os povos todos". E depois? "Então, a terra dará o seu fruto; e Deus, o nosso Deus, nos abençoará" (v. 6). As nossas bênçãos aumentam, quanto mais louvamos a Deus pelas que já recebemos. Quanto mais evaporação sobe, mais chuva desce. O que os rios recebem, despejam, e tudo deságua no mar. Há um constante e circular curso do mar ao mar. O mesmo há entre Deus e nós. Quanto mais o louvamos, mais as bênçãos descem sobre nós. E quanto mais bênçãos descem, mais o louvamos, de forma que não bendizemos a Deus tanto quanto nos abençoamos. Quando a água do poço está baixa, derramamos pequena quantidade de água na bomba, não para aumentar a água do poço, mas para trazer mais água para nós. — *Thomas Manton, 1620-1677*

v. 3: "Louvem-te a ti, ó Deus, os povos; louvem-te os povos todos". Este versículo é sumamente enfático.

(1) Em primeiro lugar, por causa de uma apóstrofe a Deus nos pronomes "te" e "ti". É como se ele dissesse: Louvem-te os povos a ti e não a deuses estranhos, pois tu és o único Deus verdadeiro.

(2) Em segundo lugar, porque não está escrito: *Louvemos*-te a ti, ó Deus, mas: Louvem-te a ti *os povos*, e: Louvem-te os povos *todos*. Trata-se da expressão do desejo do coração temente a Deus. É o desejo extremosamente amoroso de que Deus seja louvado e glorificado ao longo de todas as terras e por todos os povos da terra.

(3) Em terceiro lugar, pela iteração na qual a mesma partícula é repetida neste e no versículo 5 não menos que quatro vezes, como se nunca fosse demais repisar no tema do dever de louvar. Não bastou ter dito uma vez. É delicioso repetir outras vezes. — *Wolfgang Musculus, 1497-1563*

v. 4: "Pois julgarás os povos com equidade, e governarás as nações sobre a terra". O salmista parece estar se contradizendo, pois se a misericórdia faz os homens alegrarem-se, então o julgamento faz os homens tremerem. A resposta é que todos os que conhecem os caminhos do Senhor e se alegram na força da sua salvação, todos os que tiveram assegurado e selado o perdão dos pecados, não temem essa terrível sessão de tribunal, porque sabem que o juiz é o seu advogado. Ou como explicou Jerônimo, alegrem-se todas as nações, porque Deus julga com justiça, sendo o Deus dos gentios como também dos judeus (At 10.34). Ou "regozijem-se as nações", porque Deus governa todas as nações. Considerando que até então elas vagavam nas imaginações irreais do coração de maneira aleatória e por atalhos, agora são dirigidas pelo Espírito da verdade a andar no caminho de Deus que conduz à Jerusalém celestial. Agora conhecerão Jesus, o caminho, a verdade e a vida. É frequente *julgar* ser usado no sentido de *governar* (1 Sm 7.15; 2 Co 1.10). Assim, o próprio Davi se explica: "Julgarás", quer dizer, "governarás as nações". — *John Boys*

v. 4: "Governarás". Tu as conduzirás e as guiarás como o pastor o rebanho. — *Benjamim Boothroyd*

v. 4: "E governarás as nações", ou "e guias as nações" (NVI). Hoje Deus predomina as nações nos seus caminhos, mas claro que elas são guiadas por outro guia. Há uma rédea nas mandíbulas que as faz errar. São seguras e sacudidas na "peneira de vaidade" (Is 30.28), até que venha aquele a quem o governo pertence. — *Arthur Pridham*

vv. 5 e 6: "Louvem-te a ti, ó Deus, os povos, louvem-te os povos todos". E depois? "Então, a terra dará o seu fruto; e Deus, o nosso Deus, nos abençoará". A nossa ingratidão é a causa da infrutuosidade da terra. Enquanto o homem estiver bendizendo a Deus por suas misericórdias, Ele estará abençoando o homem com as suas misericórdias. — *William Secker, "The Nonsuch Professor" [O Professor Incomparável], 1660*

v. 6: "Então, a terra dará o seu fruto". O aumento de riqueza é o resultado natural do aumento de devoção e inteligência. Há certas qualidades essenciais à prosperidade temporal. São a diligência, a economia, a moderação. Estas são qualidades geradas pela devoção. [...] Nem é expectativa irracional que o nosso globo, sob o reinado da justiça, produza todas as vantagens temporais das quais é capaz. A ciência, favorecida pela devoção, pode melhorar grandemente a fertilidade da terra. A engenhosidade mecânica abrevia ainda mais o trabalho humano e aumenta o bem-estar humano. As grandes invenções e descobertas da ciência, pelas quais o trabalho é minorado e o bem-estar aumentado, são produtos de mentes cristãs. [...] Podemos, então, duvidar que na era a qual aguardamos ansiosamente o trabalho deixará de ser um fardo? Podemos acreditar que a vida das classes trabalhadoras continuará sendo um círculo incessante de labuta e aflição — toda mão estendendo-se ou para obter algo de que precisa ou para repelir algo que teme? A Bíblia prediz a mitigação da maldição. Nas descobertas da ciência e nas invenções da mecânica, vemos os meios pelos quais a predição se realizará. Este cumprimento ainda pode estar no futuro distante, mas se não nos ressentimos dos anos que o carvalho leva para crescer, a glória a ser revelada é certamente digna de um processo tão gradual. — *William Reid, "Things to Come Practically Considered" [Coisas Futuras Consideradas de modo Prático], 1871*

v. 6: "Deus, o nosso Deus, nos abençoará". Que expressão arrebatadora é esta: "Deus, o nosso Deus, nos abençoará", e esta: "O teu Deus, a tua glória" (Is 60.19). Com o interesse em Deus está o interesse na sua glória e bem-aventurança, que é tanto mais querido e mais valioso para eles do que o interesse que eles tenham. A sua glória do seu Deus. Eles serão abençoados por Deus, o seu Deus: "Bebe a água da tua cisterna" (Pv5.15). Como é terna a retidão! O filho do outro homem é cândido, gracioso e atraente, e isto pode ser motivo de inveja. Mas o meu próprio filho é assim, e isto é uma alegria. Li sobre a vida de Gaston J. B. Baron de Renti (1649), nobre devoto da França, que, tendo recebido uma carta de um amigo na qual havia estas palavras: *Deus meus et omnia* ("o meu Deus e o meu tudo"), respondeu--lhe, dizendo: "Não sei qual foi a sua intenção ao pôr na carta estas palavras: *Deus meus et omnia* ('O meu Deus e o meu tudo'), senão convidar-me a devolver o mesmo a você e a todas as criaturas: 'O meu Deus e o meu tudo; o meu Deus e o meu tudo; o meu Deus e o meu tudo'. Se, talvez, você toma estas palavras por lema e as usa para expressar como o seu coração está cheio delas, pensa que é possível eu me calar diante de tal convite e não expressar os meus sentimentos a respeito? Saiba, então, que ele é *o meu Deus e o meu tudo*. E se duvida, eu o repetirei cem vezes mais. Nada mais acrescentarei, pois todas as demais coisas são supérfluas a quem está verdadeiramente permeado com *o meu Deus e o meu tudo*. Portanto, deixo-o neste estado feliz de júbilo e peço-lhe que ore para que Deus me dê o sentido literal dessas palavras". E será que pensamos que "o meu Deus e o meu tudo" ou "o meu Deus e a minha glória" terá perdido sua ênfase no céu? Ou achamos que tem menos significado para os crentes despertados? Estas coisas concordam, então, em relação ao objeto.

É muito excelente, até mesmo divino, inteiro, permanente e deles. Como não poderia deixar de satisfazer? — *John Howe, 1630-1705, "The Blessedness of the Righteous" [A Bem-aventurança dos Justos]*

v. 6: "Deus, o nosso Deus". Como era inexprimível o prazer interior com o qual, supomos, essas palavras foram proferidas. Que feliz relevância! Foi como se a intenção fosse dizer: A própria bênção seria menos significativa, não tivesse um sabor como este, não fosse proveniente do nosso próprio Deus. Portanto, não só se permita, mas se empenhe em olhar para Deus a fim de que você se deleite nele por estar nele, o excelentíssimo, e também por ele ser seu. Saiba que você não só tem a permissão, mas a obrigação de olhar, aceitar e alegrar-se nele como tal. — *John Howe*

vv. 6 e 7: "Então, a terra dará o seu fruto [ou "a sua colheita", NTLH; NVI]; e Deus, o nosso Deus, nos abençoará. Deus nos abençoará, e todas as extremidades da terra o temerão". A promessa diz respeito diretamente à fertilidade visível da terra renovada no tempo da restauração de Israel, mas inclui uma referência mais ampla a coisas mais elevadas. A verdadeira colheita dada por qualquer uma das obras de Deus é o rendimento do louvor prestado ao seu nome santo. Esta é a promessa que passo a expor. No sentido mais amplo, a criação está hoje sujeita à vaidade, por causa do pecado do homem (cf. Rm 8.20). Mas no reino de Cristo, esta maldição será removida, e todas as obras de Deus darão a seu completa colheita — um genuíno tributo de honra e louvor ao seu nome. Façamos as seguintes considerações.

(1) A preparação para a colheita. Qual é o método? Qual é o modo de realizar? De onde procede? O salmo está repleto de instruções.

(a) A fonte. A fonte da colheita é a livre misericórdia de Deus. O salmo começa: "Deus tenha misericórdia de nós e nos abençoe" (v. 1a). Sejam quais forem os detalhes e etapas da obra de redenção, tudo deve ser determinado a esta fonte original: a soberana graça e misericórdia do nosso Deus. [...] A misericórdia eterna, livre, imutável e inesgotável de nosso Deus, revelada pelo seu querido Filho Jesus Cristo, é a principal fonte da gloriosa colheita aqui predita. [...]

(b) A ordem. A ordem na qual a colheita é dada: A salvação é dada primeiro para o judeu e, depois, para o grego. A oração no salmo é: "Faça resplandecer o seu rosto sobre nós. Para que se conheça na terra o teu caminho, e em todas as nações a tua salvação" (vv. 1b e 2). O plano divino foi primeiro escolher o povo para, então, abençoá-lo e fazer dele uma bênção, como vemos em Abraão, o pai dos crentes. É pela igreja que Deus abençoa o mundo. [...] O mesmo princípio é verdadeiro em todo avivamento da pura religião. [...] Mas toda essa ordem da misericórdia divina ainda tem de ser vista mais completamente no que está diante de nós, ou seja, na restauração de Israel e nos efeitos causados no mundo em geral. [...]

(c) O precursor. O precursor imediato da colheita é a volta do nosso Senhor, a vinda de Cristo desde o céu para julgar a terra e reinar sobre todas as nações. O salmo chama todas as nações para alegrarem-se nesse evento: "Alegrem-se e regozijem-se as nações, pois julgarás os povos com equidade, e governarás as nações sobre a terra" (v. 4). [...] O mundo almeja e almejará cada vez mais pelo governo justo. O Senhor promete satisfazer este desejo natural do coração humano, embora tenha de vingar-se dos inimigos rebeldes. Mesmo na vinda do Senhor para julgar, a bondade por fim tanto triunfará que as nações se alegrarão e cantarão de alegria. [...] É o Senhor julgando os povos e governando as nações, e todos os povos o louvam, que prepara direta e imediatamente para a bem-aventurança prometida. "Então, a terra dará o seu fruto" (v. 6a). [...]

(2) A colheita em si. A colheita tem muitos aspectos. Vejamos esses aspectos em um clímax de benefícios.

(a) A fertilidade natural. A primeira sentença de maldição, esterilidade, espinhos e cardos foi pronunciada na queda de Adão e renovada no assassinato de Caim. Foi, ao que parece, parcialmente suspensa depois do dilúvio. [...] Mesmo hoje, dois terços do mundo são oceano, improdutivos para a colheita. A metade do terço restante, talvez mais, é quase deserta, e do restante final, a maior parte é muito mal aproveitada para cultivo. Há espaço, mesmo na parte final, para fazer uma vasta plantação, quando a terra toda poderia se tornar como o jardim do Senhor.

(b) A redenção da arte. Hoje em dia, as atividades, aptidões e descobertas são grandes e maravilhosas. São, porém, voltadas principalmente à autossuficiência e vaidade humana, dando pouco fruto para a glória de Deus e mais benefício para o homem. Mas no período predito neste salmo, toda criatura, quando redimida para uso dos homens, também será reformado para a glória de Deus. [...]

(c) A redenção da ciência.

(d) A colheita da sociedade. A sociedade dará o seu fruto a Deus. [...] Hoje, o homem vive sem Deus no mundo, ainda que haja fartura de provas abundantes da sabedoria e amor divino. [...] Que mudança quando todo círculo social será uma comunhão de santos e todos inclinados a um grande propósito, a glória divina e a bem-aventurança uns dos outros.

(e) A sociedade da alma. A alma dará o seu fruto. A terra é apenas a figura do coração humano, um solo sempre fértil para o bem ou para o mal. É o que o apóstolo, na epístola aos Hebreus, fala: "Porque a terra que embebe a chuva que muitas vezes cai sobre ela e produz erva proveitosa para aqueles por quem é lavrada recebe a bênção de Deus; mas a que produz espinhos e abrolhos é reprovada e perto está da maldição; o seu fim é ser queimada. Mas de vós, ó amados, esperamos coisas melhores e coisas que acompanham a salvação, ainda que assim falamos" (Hb 6.7-9). Então, os espinhos e abrolhos de uma geração perversa e torcida cessarão. [...] Os frutos da justiça abundarão da raça humana para a glória de Deus. Muito louvor, muito zelo, muita reverência, muita humildade distinguirão os servos de Deus. A fé, a esperança e o amor estarão no seu mais pleno exercício. Jesus será tudo e em todos, e todo poder será consagrado a ele. Este é o melhor fruto que a terra dará a Deus.

(f) A numerosidade dos verdadeiros servos de Deus. O grande número dos verdadeiros servos de Deus que se entregarão a ele é outra parte desta bem-aventurança. [...]

(g) A perpetuidade da colheita. A perpetuidade da colheita é outro aspecto que será acrescentado a esta glória. Este fato está de acordo com a promessa feita ao "Maravilhoso Conselheiro, Deus Forte, Pai da Eternidade, Príncipe da Paz" (Is 9.6).

(3) A bênção de Deus que coroará a colheita. — Condensado do sermão de *Edward Bickersteth, 1784-1850, "Bloomsbury Lent Lectures" [Conferências de Quaresma em Bloomsbury], 1848*

vv. 6 e 7: "Então, a terra dará o seu fruto; e Deus, o nosso Deus, nos abençoará. Deus nos abençoará, e todas as extremidades da terra o temerão". As bênçãos de Deus têm dois lados, pois são bênçãos temporais e bênçãos espirituais, bênçãos peculiares aos judeus e bênçãos adequadas aos cristãos. Ó Senhor, não recuso as bênçãos temporais que te agradas me enviar. Eu as receberei com humilde gratidão como presentes da tua bondade. Mas te peço especialmente as bênçãos espirituais, e que tu me trates antes como cristão do que como judeu. — *Pasquier Quesnel,* 1634-1719, *"Les Psaumes de David avec des Reflexions Morales" [Os Salmos de Davi com algumas Reflexões Morais]*

v. 7: "Deus nos abençoará, e todas as extremidades da terra o temerão". Repare como a alegria em Deus e o temor de Deus são combinados. A alegria exclui a tristeza e a ansiedade da desconfiança, mas o temor bane o desprezo e a falsa segurança. É o que diz o Salmo 2.11: "Servi ao Senhor com temor e alegrai-vos com tremor". — *Wolfgang Musculus*

SUGESTÕES AOS PREGADORES

v. 1. (1) Aqui está a misericórdia em Deus Pai. (2) Aqui está a bênção como fruto dessa misericórdia em Deus Filho. (3) Aqui está a experiência dessa bênção nas consolações do Espírito Santo.

v. 1. A necessidade de buscarmos bênçãos para nós mesmos.

vv. 1 e 2. A prosperidade da igreja em terras nacionais e a esperança para missões em terras estrangeiras.

v. 2. (1) O caminho de Deus concernente à terra: (a) Um caminho de misericórdia. (b) Um caminho de bênção. (c) Um caminho de consolo. (2) O conhecimento desse caminho: (a) Através de meios externos. (b) Através de ensinos interiores. (3) O efeito desse conhecimento: A salvação entre todas as nações.

v. 2. Qual é a verdadeira salvação dos homens?

v. 3. O louvor a Deus visto: (1) Como desejo de todo coração regenerado. (2) Como oração. (3) Como profecia.

v. 4. (1) O governo de Deus no mundo: O mundo não está entregue a si mesmo. (2) A alegria do mundo com o governo de Deus: "Alegrem-se e regozijem-se as nações". (3) A razão da alegria do mundo: "Julgarás os povos com equidade": (a) Por Deus ser fiel às próprias leis. (b) Por Deus ser fiel às promessas de misericórdia.

vv. 5 a 7. (1) A oração (v. 5). (2) A promessa (v. 6): (a) De bens temporais. (b) De bens espirituais. (3) A profecia (v. 7).

vv. 6 e 7. Título sugestivo: *"A Cantoria da Esperança", in: "Spurgeon's Sermons" [Sermões de Spurgeon], n. 819.*

v. 7. (1) Deus para os homens: "Deus nos abençoará". (2) Os homens para Deus: Eles "o temerão".

SALMO 68

TÍTULO

Salmo e cântico de Davi para o cantor-mor, ou *Salmo ou Cântico de Davi para o cantor-mor*. Já falamos bastante sobre este título quando comentamos os Salmos 65 e 66. Este cântico foi obviamente composto para ser cantado durante o transporte da arca. Não há que duvidar que foi recitado quando Davi a levou com alegria santa da casa de Obede-Edom para o lugar preparado no monte Sião. É um hino que fala ao coração. Os integrantes do movimento Covenanter e a cavalaria de Cromwell usaram os primeiros versículos muitas vezes como canção de guerra. O salmo descreve adequadamente o caminho do Senhor Jesus entre os santos e a ascensão à glória. O salmo é ao mesmo tempo muitíssimo excelente e difícil. Em algumas estrofes, a obscuridade é totalmente impenetrável. Bem fala certo crítico alemão que este salmo é um Titã extremamente difícil de dominar. O nosso escasso conhecimento não nos serviu para nada. Por isso, tivemos de seguir um Guia mais seguro. Esperamos, porém, que os nossos pensamentos não se mostrem improdutivos.

DIVISÃO

Com as palavras dos versículos 1 e 2, a arca é levantada e a procissão começa a andar. Os versículos 3 a 6 exortam os piedosos na reunião a entoar as canções de alegria e apresentam argumentos para incentivá-los na alegria. Então, cantam a marcha gloriosa de Jeová no deserto (vv. 7-10) e celebram as suas vitórias na guerra (vv. 11-14). Os brados de alegria ficam mais altos quando avistam Sião e levam a arca morro acima (vv. 15-19). No cume do monte, os sacerdotes cantam um hino que fala sobre a bondade e justiça do Senhor, a segurança dos amigos e a ruína dos inimigos (vv. 20-23). Enquanto isso, a procissão continua subindo e aglomerando-se em cima do monte (vv. 24-27). O poeta prevê um tempo de conquistas mais abrangentes (vv. 28-31), e conclui com um arroubo nobre de cânticos a Jeová (vv. 32-35).

EXPOSIÇÃO

1 *Levante-se Deus, e sejam dissipados os seus inimigos; fugirão de diante dele os que o aborrecem.*
2 *Como se impele a fumaça, assim tu os impeles; como a cera se derrete diante do fogo, assim pereçam os ímpios diante de Deus.*

1. *"Levante-se Deus."* Com palavras semelhantes, Moisés falava quando a nuvem se levantava e a arca era transportada (Nm 10.35,36). A arca teria sido um péssimo líder se o Senhor não tivesse estado presente com o símbolo. Antes de nos movermos, sempre temos de ver o Senhor liderar o caminho. As palavras dão a entender que o Senhor esteve por algum tempo parado, permitindo que os inimigos se enfurecessem, mas retendo o poder. Israel pede que o Senhor se levante, como em outros textos pede que ele desperte, cinja a espada e outras expressões semelhantes. Nós também podemos clamar importunamente ao Senhor para que ele desnude o braço e defenda a própria *causa*.

"E sejam dissipados os seus inimigos." O nosso glorioso Capitão da vanguarda abre caminho prontamente, por mais que muitos procurem obstruí-lo. Ele tem de levantar-se e eles fugirem, pois nos dias de outrora facilmente derrotou os inimigos, e o mesmo fará durante todas as eras que vierem. O pecado, a morte e o inferno conhecem o terror do braço santo. Os exércitos foram desbaratados com a ação do braço do Senhor. Os nossos inimigos são os seus inimigos, e nisto está a confiança da nossa vitória.

"Fugirão de diante dele os que o aborrecem." Aborrecer ou odiar o Deus infinitamente bom é infame, e o pior castigo não é suficientemente severo. Ter raiva de Deus é impotente. Os mais orgulhosos inimigos não podem causar-lhe dano. Desmedidamente apavorados, fugirão antes que as coisas cheguem às vias de fato. Muito antes que o exército de Israel entre na batalha, os que odeiam a Deus fugirão diante daquele que é o Defensor dos escolhidos. Ele vem, vê e vence. Como esta oração é apropriada para o início de um avivamento! Mostra claramente o verdadeiro modo de conduzir um avivamento: o Senhor lidera o caminho, o povo o segue e os inimigos fogem.

2. *"Como se impele a fumaça, assim tu os impeles."* O vento facilmente repele a fumaça, remove-a completamente, não deixando o menor vestígio. Do mesmo modo, Senhor, faze com os inimigos do teu povo. Eles fumegam de orgulho, escurecem o céu com a maldade que praticam, elevam-se cada vez mais na arrogância, contaminam onde quer que prevaleçam. Senhor, que o teu sopro, o teu Espírito, a tua providência os façam desaparecer para sempre da caminhada do teu povo. O ceticismo filosófico é tão inconsistente e tão poluente quanto a fumaça. Que o Senhor livre a Igreja do fedor desagradável dessa fumaça.

"Como a cera se derrete diante do fogo, assim pereçam os ímpios diante de Deus." A cera em estado natural é dura, mas quando aquecida, como fica macia. Os maus são arrogantes até que entrem em contato com o Senhor, quando então desfalecem de medo. O coração derrete como cera quando sentem o poder da ira divina. A cera também queima e evapora. A vela é totalmente consumida pela chama. Semelhantemente, todo o poder orgulhoso dos opositores do evangelho vivará em nada. Roma, como as velas dos seus altares, se dissolverá, e com igual certeza a infidelidade desaparecerá. Os israelitas viram, na arca, Deus no propiciatório — poder em conexão com propiciação — e alegraram-se na onipotência de tal manifestação. Esta é muito mais claramente a confiança da igreja do Novo Testamento, porque vemos Jesus, a expiação designada, vestido de glória e majestade, e diante do seu avanço toda oposição se derrete como neve ao sol. O prazer do Senhor prosperará nas suas mãos. Quando ele vem pelo seu Espírito Santo, a conquista aparece. Mas quando ele surgir em pessoa, os inimigos perecerão totalmente.

3 *Mas alegrem-se os justos, e se regozijem na presença de Deus, e folguem de alegria.*
4 *Cantai a Deus, cantai louvores ao seu nome; louvai aquele que vai sobre os céus,*
pois o seu nome é JEOVÁ; exultai diante dele.
5 *Pai de órfãos e juiz de viúvas é Deus no seu lugar santo.*
6 *Deus faz que o solitário viva em família; liberta aqueles que estão presos em*
grilhões; mas os rebeldes habitam em terra seca.

3. *"Mas alegrem-se os justos."* A presença de Deus no trono da graça é fonte transbordante de prazer para os piedosos. Não deixem de beber dos rios que foram feitos para alegrá-los.

"E se regozijem na presença de Deus." Os cortesãos do Deus feliz devem trajar as vestes de alegria, pois na sua presença há abundância de alegria. Essa presença, que é medo e morte para os maus, é desejo e delícia para os santos.

"E folguem de alegria." Dancem com toda força, como fez Davi, por pura alegria. Nenhum limite deve ser estabelecido para a alegria no Senhor. "Outra vez digo: regozijai-vos", diz o apóstolo, como se ele quisesse que acrescentássemos alegria à alegria sem medida ou pausa (Fp 4.4). Quando vemos Deus brilhando propiciamente de cima do propiciatório na pessoa do nosso Emanuel, o nosso coração salta de exultação, se realmente estivermos entre os justificados segundo a sua justiça e os santificados pelo seu Espírito. Avante, exército do Deus vivo, com brados de abundante triunfo, pois Jesus vai na vanguarda.

4. *"Cantai a Deus, cantai louvores ao seu nome."* No compasso, afinados, com ordem e cuidado, exaltem o caráter e as ações de Deus, o Deus do seu povo. Cantem muitas e muitas vezes. Sejam todos os louvores, com decisão que vem do coração, dirigidos a ele. Não cantem por ostentação, mas por devoção. Não cantem para serem ouvidos pelos homens, mas para serem ouvidos por Deus. Não cantem à congregação, mas "a Deus".

"Louvai aquele que vai sobre os céus, pois o seu nome é Jeová." Lembrem-se do seu nome grandioso, incompreensível e terrível. Reflitam sobre a sua autoexistência e domínio absoluto. Subam ao ponto mais alto da reverência alegre para cultuá-lo. Os céus o veem cavalgando sobre as nuvens durante a tempestade, e a terra o vê marchando sobre as planícies com majestade. O original hebraico dá a entender: "Aplanai um caminho para aquele que marcha pelo deserto", em alusão às peregrinações das tribos pelo deserto. As marchas de Deus foram na imensidão do deserto vazio. Ele mostrou a sua divindade e eterno poder quando sustentou, dirigiu e protegeu os enormes exércitos que tirara do Egito. Era o que a arca trazia à lembrança e sugeria como tema para canção. Em certas traduções antigas, em vez de JEOVÁ consta o nome JÁ. Não é uma abreviação do nome. Trata-se de uma palavra intensificada, que contém a essência do título mais longo e respeitável. Esta particularidade só ocorre aqui neste versículo.

"Exultai diante dele." Na presença daquele que marchou tão gloriosamente à frente da nação dos eleitos, é mais do que adequado que todas as pessoas demonstrem um prazer santo. Precisamos evitar o tédio em nossos cultos. Os hinos devem estar carregados de solenidade, mas não pesados de tristeza. Os anjos estão mais pertos do trono do que nós, e o seu mais intenso temor reverente é consoante com a mais pura alegria. A sensação que temos da grandeza divina não deve ministrar terror mas alegria para a alma. Exultemos na presença dele.

Sejam o nosso desejo e oração que neste mundo de deserto um caminho seja preparado para o Deus da graça. "Preparai o caminho do SENHOR; endireitai no ermo vereda a nosso Deus" (Is 40.3), é o brado dos arautos do evangelho, ao qual todos devemos diligentemente objetivar obedecer, pois quando o Deus do propiciatório vem, bênçãos inumeráveis são dadas aos filhos dos homens.

5. *"Pai de órfãos e juiz de viúvas é Deus no seu lugar santo."* No deserto, o povo era como uma nação de órfãos, mas Deus era mais do que um pai para eles. Tendo em vista que a geração que saiu do Egito foi se extinguindo pouco a pouco, havia

muitas viúvas e órfãos no acampamento. Contudo, não passavam necessidade nem eram injustiçados, pois as leis justas e os administradores justos a quem Deus nomeara, cuidavam muito bem dos interesses dos necessitados. O tabernáculo era o Palácio da Justiça. A arca era o trono do grande Rei. Esta situação era grande motivo de alegria para Israel, que era governado por Alguém que não permitia que os pobres e necessitados fossem oprimidos. Até hoje e para sempre, Deus é e será o guardião peculiar dos indefesos. Ele é o diretor-geral dos orfanatos, o protetor das viúvas. Ele é tão glorioso que cavalga sobre os céus, mas ao mesmo tempo tão compassivo que atende os pobres da terra. A igreja deve ser prestimosa em apreciar aqueles que aqui são destacados como encargo especial de Jeová. De certo ponto de vista prático, não está ele dizendo: "Apascenta os meus cordeiros"? (Jo 21.15). Que maravilhoso encargo! Teremos o privilégio de fazer deste um dos nossos mais estimados objetivos de vida. O leitor é advertido a não citar erroneamente este versículo. É comum alterá-lo para "marido de viúvas", mas a Bíblia achou melhor deixar como Deus fez.

6. *"Deus faz que o solitário viva em família."* O povo de Israel foi repartido e espalhado pela terra do Egito. Os laços familiares foram desconsiderados e os afetos esmagados. Mas quando escapou de faraó, o povo foi juntado novamente e todas as associações afetuosas da vida familiar foram restabelecidas. Foi grande a alegria.

"Liberta aqueles que estão presos em grilhões." Os mais oprimidos no Egito foram acorrentados e presos, mas o Libertador divino os colocou em perfeita liberdade. Aquele que outrora fez isto continua fazendo hoje a sua obra graciosa. O coração solitário, convencido do pecado e deixado sozinho a lamentar, é recebido na família do Primogênito. O espírito acorrentado é liberto e a prisão demolida, quando o pecado é perdoado. Por tudo isso, Deus tem de ser grandemente exaltado, porque foi ele que o fez, e engrandecido a glória da sua graça.

"Mas os rebeldes habitam em terra seca." Se alguém considera o governo de Jeová irritante, é porque o espírito de rebeldia está reagindo contra o poder de Deus. Israel não encontrou um deserto seco, pois saiu água da rocha ferida. Mesmo estando em Canaã, os homens foram consumidos pela escassez, porque rejeitaram submeterem-se ao Deus da aliança. Ainda que Deus se revelava no propiciatório, alguns homens persistiam na rebelião. Portanto, não há por que admirar-se se eles não encontravam paz, nem consolo, nem alegria, mesmo quando havia abundância de tudo isso. A justiça é a lei do reino de Deus. Por conseguinte, não há provisão para os injustos entregarem-se aos seus desejos maus. Uma terra perfeita ou até mesmo o céu seria uma terra seca aos que só querem beber das águas do pecado. Acerca da mais apreciada e gratificante das ordenanças sagradas, estes rebeldes tolos reclamam: Que coisa chata! E sobre o ministério que busca e alimenta as almas, queixam-se da "tolice de pregar". Quando o homem tem o coração rebelde, para ele tudo à sua volta não passa de uma terra seca.

7 *Ó Deus! Quando saías adiante do teu povo, quando caminhavas pelo deserto, (Selá)*
8 *a terra abalava-se, e os céus destilavam perante a face de Deus; o próprio Sinai tremeu na presença de Deus, do Deus de Israel.*
9 *Tu, ó Deus, mandaste a chuva em abundância e confortaste a tua herança, quando estava cansada.*
10 *Nela habitava o teu rebanho; tu, ó Deus, proveste o pobre da tua bondade.*

7. *"Ó Deus! Quando saías adiante do teu povo."* Que associação agradavelmente adequada, *tu* e *o teu povo* — tu à frente e o teu povo seguindo! O Senhor ia adiante e, portanto, ou o mar Vermelho ou a areia ardente ficava no caminho, pouco importava. A coluna de nuvem e a coluna de fogo sempre os conduziam pelo caminho certo.

"Quando caminhavas pelo deserto." Ele era o Comandante supremo de Israel, de quem recebiam todas as ordens. A caminhada, portanto, era dele. A região sombria contemplou a marcha imponente do Senhor. Podemos falar, se desejarmos,

das "peregrinações dos filhos de Israel", mas não pensemos que eram andanças a esmo e sem propósito. Tratavam-se, na realidade, de uma marcha bem organizada e devidamente considerada.

"Selá." Este nos parece ser um lugar estranho para fazer uma pausa ou dar uma instrução musical, mas é melhor interromper uma frase do que deteriorar um louvor. O sentido está prestes a ficar superlativamente majestoso e, então, o *selá* indica o fato para os instrumentistas e cantores, a fim de que, com a pertinente solenidade, desempenhem a suas respectivas partes. Nunca é inoportuno lembrar a congregação de que o culto a Deus tem de ser apresentado com reflexão e de todo o coração.

8. *"A terra abalava-se."* Sob os passos sublimes do Senhor tremia o chão sólido. "E os céus destilavam perante a face de Deus." Como se estivessem se curvado diante do seu Deus, as nuvens desceram e "algumas gotas escuras de chuva infiltraram-se amplamente".

"O próprio Sinai tremeu na presença de Deus." Moisés nos informa que "todo o monte tremia grandemente" (Êx 19.18). A montanha, tão solitária e alta, curvou-se perante o Deus manifestado.

"Do Deus de Israel." O único Deus vivo e verdadeiro, a quem Israel cultuava, escolhera esta nação para ser sua acima de todas as demais nações da terra. Esta passagem é tão sublime, que é difícil achar outra igual. Que o coração do leitor adore o Deus perante quem os inconscientes terra e céu agem como se reconhecessem o Criador e tivessem sido comovidos por um tremor reverente.

9. *"Tu, ó Deus, mandaste a chuva em abundância."* A marcha de Deus não foi assinalada apenas por demonstrações de terror, pois bondade e generosidade também se tornaram evidentes. Semelhante chuva jamais caíra nas areias do deserto. Pão do céu e aves de asas espelharam-se ao chão por todo o acampamento. As boas dádivas se derramaram sobre os israelitas. Rios jorraram das pedras. A terra tremeu de medo, e, em resposta, o Senhor, como de uma cornucópia, sacudiu bênçãos sobre ela — conforme podemos traduzir o original hebraico.

"E confortaste a tua herança, quando estava cansada." Ao término de cada etapa, quando paravam cansados da marcha, encontravam tamanha abundância de coisas boas que os aguardavam, que eram prontamente refrescados. Os pés jamais ficaram inchados durante todos esses quarenta anos. Quando estavam exaustos, Deus não estava. Quando estavam cansados, ele não estava. Eram a sua herança escolhida e, portanto, embora para o bem deles ele permitisse que ficassem cansados, ele cuidava vigilantemente deles e considerava ternamente as suas angústias. De certa forma, até hoje, os eleitos de Deus neste estado de deserto, são sujeitos a ficarem cansados e desfalecidos. Jeová, porém, que sempre é amoroso, vem com socorros oportunos para alegrar os desanimados, fortalecer os fracos e restaurar as forças dos famintos, de modo que, uma vez mais, quando as trombetas de prata soam, a igreja militante avança com passos ousados e firmes para "os restantes que deles ficaram" (Js 10.20, ARA). Por esta fidelidade, a fé do povo de Deus é confirmada e o coração firmado. Se a fadiga e a necessidade os fizer vacilar, a provisão oportuna da graça os estabelece novamente na fundação eterna.

10. *"Nela habitava o teu rebanho."* No próprio deserto, cercada como por um muro de fogo, a tua igreja escolhida encontrou morada. Ou, mais exatamente, envolvido pela chuva de livres bênçãos que caíam ao redor do acampamento, o teu rebanho descansou. A congregação dos crentes fiéis teve no Senhor o "refúgio, de geração em geração" (Sl 90.1). Onde não havia habitação de homens, Deus era a habitação do seu povo.

"Tu, ó Deus, proveste o pobre da tua bondade." Dentro do círculo de proteção havia o bastante para todos. Todos eram pobres, mas não havia mendigo em todo o acampamento, pois havia comida celestial para toda a congregação. Nós também estamos dentro da proteção circular do Altíssimo, onde encontramos a bondade preparada para nós. Embora por natureza pobres e necessitados, fomos pela graça enriquecidos. As preparações divinas no decreto, aliança, expiação, providência e

obra do Espírito, abastecem-nos de uma fartura das bênçãos do Senhor. Povo feliz somos, ainda que estejamos passando pelo deserto, porque todas as coisas são nossas na posse do favor e presença do nosso Senhor.

11 *O Senhor deu a palavra; grande era o exército dos que anunciavam as boas-novas.*
12 *Reis de exércitos fugiram à pressa; e aquela que ficava em casa repartia os despojos.*
13 *Ainda que vos deiteis entre redis, sereis como as asas de uma pomba, cobertas de prata, com as suas penas de ouro amarelo.*
14 *Quando o Onipotente ali espalhou os reis, foi como quando cai a neve em Zalmom.*

Nos próximos versículos, o tema da canção não será a marcha, mas a batalha e a vitória.

11. *"O Senhor deu a palavra."* O inimigo estava próximo, e as trombetas de prata desde a porta do tabernáculo eram a boca de Deus para avisar o acampamento. Ocorria, então, uma lufa-lufa para lá e para cá lá, à medida que a notícia geral era anunciada. *"Grande era o exército dos que anunciavam as boas-novas."* As mulheres corriam de tenda em tenda para convocar os homens para a batalha. Prontas como sempre estavam para cantar a vitória, eram igualmente ágeis para divulgar o fato de que o toque da batalha soara. As dez mil servas de Israel, como boas servas do Senhor, acordavam os dormentes, chamavam os dispersos e mandavam os valentes correndo para o combate. A igreja de hoje precisa ter o mesmo zelo para que, quando o evangelho for publicado, homens e mulheres espalhem com entusiasmo as boas-novas de grande alegria.

12. *"Reis de exércitos fugiram à pressa."* Os senhores dos exércitos fugiram diante do Senhor dos Exércitos. Tão logo a arca avançou, o inimigo bateu em retirada. Nem os líderes principescos ficaram, pois todos fugiram. A derrota foi completa, a retirada atabalhoada e desordenada. Fugiram apressados. Fugiram aturdidos. Fugiram numa confusão.

Onde estão os reis dos poderosos exércitos?
Fugiram para bem longe, fugiram para todo lugar
O triunfo e a glória adornados de troféus
As donzelas dividem nos aposentos

"E aquela que ficava em casa repartia os despojos." As mulheres que deram o chamado de guerra compartilharam o saque. Os mais fracos em Israel tiveram participação na presa. Os guerreiros garbosos lançaram o espólio aos pés das mulheres e pediram que elas se vestissem esplendorosamente, tomando cada uma "despojos de várias cores, despojos de várias cores de bordados; de várias cores bordados de ambas as bandas" (Jz 5.30). Quando o Senhor dá prosperidade ao evangelho, o menor dos santos se alegra e se sente participante das bênçãos.

13. *"Ainda que vos deiteis entre redis."* Será que ele quis dizer que as mulheres em casa, que haviam se vestido vilmente enquanto faziam os trabalhos domésticos, seriam tão vistosamente trajadas com o espólio, que seriam como pombas de asas prateadas e plumagem dourada? Estaria ele dizendo que a nação de Israel, que ficara enegrecida pelos fornos de olaria do Egito, estaria reluzente e feliz com o triunfo e a liberdade? Ou a canção significava que a arca seria trazida do lugar ruim e insatisfatório com Obede-Edom para um local de residência mais bonito e adequado? É uma passagem difícil, um osso duro para os estudiosos roerem. Se soubéssemos tudo que era conhecido quando este antigo hino foi composto, a alusão sem dúvida nos seria belamente apropriada. Mas como não sabemos, deixaremos que essa questão fique entre as coisas indecifráveis. Alexander interpreta o original hebraico assim: "Quando vós deitardes entre as fronteiras, sereis como as asas de

uma pomba..." Com isso, ele considera que o significado é: "Quando se instalar a paz, a terra desfrutará de prosperidade". Mas esta versão não nos parece mais clara do que a autorizada. De fazer muitas conjeturas não há fim, mas o sentido pode ser que, da mais baixa situação o Senhor erguerá o seu povo para a alegria, liberdade, riqueza e beleza. Os inimigos podem ter chamado os israelitas de invasores entre os apriscos, em alusão à escravidão egípcia. Podem ter zombado deles como ajudantes da cozinha de faraó. Contudo, o Senhor os defenderia, dando-lhes beleza em lugar de negridão, glória em lugar de sujeira.

"Sereis como as asas de uma pomba, cobertas de prata, com as suas penas de ouro amarelo." As asas da pomba reluzem como prata e imediatamente cintilam com o brilho do ouro puro em barra. As adoráveis cores variáveis da pomba espelham muito bem a beleza macia e resplandecente da nação, quando adornada em trajes festivos brancos e ornada com pedras preciosas, joias e ornamentos de ouro. Os santos de Deus têm estado em lugares piores que entre redis, mas agora estão assentados nos lugares celestiais em Cristo Jesus (cf. Ef 2.6).

14. *"Quando o Onipotente ali espalhou os reis, foi como quando cai a neve em Zalmom."* A vitória devia-se unicamente ao braço do Todo-poderoso. Foi ele que espalhou os soberbos que vieram contra o povo santo, e o fez tão facilmente quanto a neve é lançada dos lugares gélidos do monte Zalmom. Certo viajante informou ao escritor que em um dia frio e tempestuoso, ele viu o lado do que ele supôs ser o monte Zalmom ser varrido de repente por uma rajada de vento, de forma que a neve foi repelida ao ar, em todas as direções, como um chafariz de espinhos ou o borrifo do mar. Assim o Onipotente espalhou todos os potentados que desafiaram Israel. Se seguirmos esta tradução, a conjetura de que os ossos alvejados dos inimigos ou os mantos reais deixados para trás na fuga embranqueceram como neve o campo de batalha, é por demais forçosa para a poesia sacra. Outra opinião é que o monte Zalmom estava coberto de vegetação escura e parecia preto, mas apresentou aspecto totalmente diferente quando a neve o cobriu. Assim, por esta mudança surpreendente, da escuridão sombria à brancura reluzente, o poeta estabelece a mudança da guerra para a paz. Seja qual for o significado exato, a intenção foi caracterizar a glória e perfeição do triunfo divino sobre os maiores inimigos. Neste ponto todos os crentes se alegram.

15 *O monte de Deus é como o monte de Basã, um monte elevado como o monte de Basã.*

16 *Por que saltais, ó montes elevados? Este é o monte que Deus desejou para sua habitação, e o* Senhor *habitará nele eternamente.*

17 *Os carros de Deus são vinte milhares, milhares de milhares. O Senhor está entre eles, como em Sinai, no lugar santo.*

18 *Tu subiste ao alto, levaste cativo o cativeiro, recebeste dons para os homens e até para os rebeldes, para que o* Senhor *Deus habitasse entre eles.*

19 *Bendito seja o Senhor, que de dia em dia nos cumula de benefícios; o Deus que é a nossa salvação. (Selá)*

Neste bloco de versículos, os sacerdotes no cume do monte designado começam a exaltar o Senhor por ter escolhido Sião como local de residência.

15. *"O monte de Deus é como o monte de Basã"*, ou mais exatamente, "o monte de Deus é Basã" (ARA), que quer dizer que Basã é uma montanha elevada, de altura muito maior do que o monte Sião. De acordo com o costume hebraico, toda coisa grande ou de destaque é designada assim. Onde falamos de Garganta do Diabo, Caverna do Diabo, Poço do Diabo, a mais recomendável expressão idiomática dos hebreus fala de monte de Deus, árvores do Senhor, rio de Deus. "Um monte elevado como o monte de Basã", ou mais exatamente, "serra de elevações é o monte de Basã" (ARA). Não parece que Sião é comparado, mas contrastado com Basã. Lógico que comparativamente Sião não era um monte alto. A afirmação clara é que Basã é um monte maior, mas não tão glorioso, pois a escolha do Senhor exaltara Sião acima

das mais altas montanhas. A elevação da natureza não é nada perante o Senhor. Ele escolhe como lhe agrada, e, de acordo com o conselho da sua vontade, ele escolheu Sião e ignorou os cumes altivos e enaltecidos de Basã. É assim que ele faz com as coisas vis deste mundo e com as coisas que são menosprezadas, escolhendo-as para serem monumentos da sua graça e soberania.

16. *"Por que saltais, ó montes elevados?"* Por que vocês são movidos de inveja? Mas por mais que invejem, a escolha do Senhor é fixa. Levantem-se e até mesmo saltem no mesmo lugar, que vocês não podem alcançar a sublimidade que a presença do Senhor concedeu ao pequeno monte Moriá.

"Este é o monte que Deus desejou para sua habitação." Elohim faz de Sião a sua residência. Jeová verdadeiramente reside ali.

"E o Senhor habitará nele eternamente." Espiritualmente, o Senhor habita para sempre em Sião, a igreja eleita, e foi a glória de Sião ser tipo disso. O que eram Carmelo e Siriom, e suas elevadas alturas, em comparação a Sião, a alegria da terra! A eleição de Deus é direito de exclusividade de nobreza. São homens escolhidos a quem Deus escolheu, e essa posição é insuperavelmente honrada, pois ele a honra com a sua presença.

17. *"Os carros de Deus são vinte milhares, milhares de milhares."* As outras nações, as quais no versículo anterior foram simbolicamente chamadas de "montes elevados", gloriavam-se nos carros de guerra. Mas Sião, embora muito mais modesto, era mais forte do que todos elas, pois a onipotência de Deus estava com Sião como vinte mil carros. O Senhor dos Exércitos poderia convocar mais força militar para o campo de batalha do que todos os senhores insignificantes que se vangloriavam nos seus exércitos. Os cavalos de fogo e os carros de fogo de Deus seriam superiores aos corcéis fogosos e carros flamejantes das nações. O original hebraico é grandiosamente expressivo: "Os carros de guerra de Elohim são miríades, milhares de milhares". A opção tradutória: "até mesmo muitos milhares", também é correta. Certa antiga tradução diz: "Até mesmo milhares de anjos", mas o termo *anjos* não consta no original hebraico. Contudo, é uma bênção imaginá-los aqui, porque formam, sem dúvida, um nobre e genuíno esquadrão das miríades de exércitos de Deus. Em Deuteronômio 33.2, lemos que o Senhor vem com "dez milhares de santos", e em Hebreus 12.22, encontramos no monte Sião "muitos milhares de anjos". Reunindo os textos, os antigos tradutores deduziram *anjos*. Desta forma, a inserção do termo fica tão veraz e sinceramente explicada, que não vemos erro em usá-lo.

"O Senhor está entre eles, como em Sinai, no lugar santo", ou "é um Sinai em santidade". Deus está em Sião como o Comandante supremo dos seus incontáveis exércitos, e onde ele está, há santidade (cf. ARA). O trono da graça no monte Sião é tão santo quanto o trono da justiça no monte Sinai. As demonstrações da sua glória podem não ser tão terríveis na nova aliança quanto foram na antiga, mas são até mais maravilhosas se vistas pelos olhos espirituais. Sinai não tem excelência de glória acima de Sião, especialmente porque a luz da lei perde a importância sob o esplendor do meio-dia da graça e da verdade de Sião. Os hebreus piedosos ficaram muito felizes ao constatar que Deus estava verdadeiramente com o povo no tabernáculo e no templo como quanto estava entre os terrores do monte Horebe. Mas para nós é motivo de felicidade muito maior sermos informados de que o Senhor habita na igreja e que ele a escolheu por morada para sempre. Sejamos zelosos em manter a santidade na casa espiritual que Deus condescende em ocupar. Que o sentimento da sua presença consuma, como com chamas de fogo, todos os caminhos falsos. A presença de Deus é a força da igreja. Todo o poder é nosso quando Deus é nosso. Vinte mil carros levarão o evangelho aos confins da terra, e miríades de agências trabalharão para o seu avanço. A providência está do nosso lado, e "tem servos em todos os lugares". Não há lugar para duvidar ou desanimar nem um pouco, pois temos todos os motivos para exultar e confiar.

18. *"Tu subiste ao alto."* A arca foi levada ao cume de Sião. O próprio Deus tomou posse dos lugares altos da terra, por serem exaltados e elevadíssimos. O antítipo

da arca, o Senhor Jesus, ascendeu aos céus com as extraordinárias marcas de triunfo. O Senhor desceu e deixou o trono para lutar contra os nossos inimigos. Agora que a batalha acabou, ele volta para a glória. Hoje, ele está exaltado muito acima de todas as coisas.

"Levaste cativo o cativeiro." Multidões dos filhos dos homens são os cativos voluntários do poder do Messias. Antigamente, os grandes conquistadores levavam nações inteiras em cativeiro. Semelhantemente, Jesus tomou do território do inimigo enorme grupo de pessoas como troféu da sua graça poderosa. De acordo com o caráter gracioso do seu reinado, sucede que ser levado em cativeiro por ele é cessar o nosso cativeiro, ou o próprio cativeiro ser levado cativo. É, deveras, um glorioso resultado. O Senhor Jesus destrói os inimigos com as próprias armas deles. Mata a morte com a morte. Sepulta a sepultura. Leva cativo o cativeiro.

"Recebeste dons para os homens", ou "entre os homens" (cf. AEC). Eles pagam tributo a ti, ó Vencedor poderoso, e por todos os séculos continuarão te pagando de boa vontade, deleitando-se no teu reinado. Na interpretação de Paulo é o evangelho. Jesus recebeu "dons para os homens", dos quais ele faz plena distribuição, enriquecendo a igreja com os frutos inestimáveis da ascensão, como apóstolos, profetas, evangelistas, pastores e mestres, além de todos os dons diversos. Nele — o homem que recebeu dons para os homens — somos dotados de tesouros inestimáveis e, movidos pela gratidão, devolvemos dons a ele, sim, nós lhe damos nós mesmos, o nosso tudo (cf. Ef 4.8,11).

"E até para os rebeldes." Os rebeldes têm a permissão de tomar parte nestes dons. Vencidos pelo amor, eles são favorecidos com os benefícios peculiares aos eleitos. No original hebraico é: "até os rebeldes" (cf. NVI; ARA), ou "até dos rebeldes" (cf. AEC; NTLH), cujo significado é que os rebeldes se tornam cativos do poder do Senhor e tributários ao trono.

Grande Rei da graça, o meu coração capitula
Também serei levado em triunfo
Um cativo voluntário para o meu Senhor
Para reconhecer as conquistas da sua palavra

"Para que o Senhor Deus habitasse entre eles." No território conquistado, Jeová Elohim habitaria como Senhor de todos, abençoando com a sua proximidade condescendente aqueles que outrora eram os seus inimigos. Quando os israelitas conquistaram Canaã e capturaram o forte de Sião, então ali se achou lugar de descanso para a arca de Deus. Semelhantemente, quando as armas da graça vitoriosa conquistam o coração dos homens, o Senhor Deus, com toda a glória do seu nome, torna-os templos vivos. Além disso, a ascensão de Jesus é a razão para a descida do Senhor Deus Espírito Santo. Porque Jesus habita com Deus, Deus habita com os homens. Cristo no céu é a razão de o Espírito estar na terra. Era oportuno que o Redentor subisse para que o Consolador descesse.

19. *"Bendito seja o Senhor."* Com a menção da presença de Deus entre os homens, os cantores proferem ardente aclamação evocada pelo amor reverente, e bendizem àquele que tão abundantemente abençoa o povo.

"Que de dia em dia nos cumula de benefícios." Estas palavras contêm grande e preciosa verdade, mas não constituem doutrina. Os benefícios de Deus não são poucos nem insignificantes, mas cumulativos. Não são intermitentes, mas vêm "de dia em dia". Não são limitados a um ou dois favoritos, pois todo o Israel pode dizer que ele "nos cumula de benefícios". Delitzsch interpreta assim: "De dia em dia ele carrega o nosso fardo" (cf. AEC; NTLH; ARA), e Alexander: "Que põe uma carga em nós, o Deus poderoso é a nossa salvação". Se ele mesmo nos carrega de sofrimento, ele também nos dá forças para suportar (cf. NVI). Se os outros empenham-se em nos oprimir, não há razão para ter medo, pois o Senhor virá em salvação do seu povo. Nação feliz, pois foi conquistada por um Rei cujo jugo é suave e que guarda os seus súditos de todo temor de fardos estrangeiros que os inimigos queiram impor sobre eles.

"O Deus que é a nossa salvação." Este nome é muitíssimo cheio de glória para ele e de consolação para nós. Pouco importando a força que o inimigo tenha, seremos livrados das suas mãos, pois o próprio Deus, como Rei, empenha-se em livrar o seu povo de todo o dano. Que estrofe gloriosa! Está escuro só por causa da luz excessiva. Há muitos significados condensados em poucas palavras. O seu jugo é suave e o seu fardo é leve. Portanto, bendito seja o nome do Salvador para sempre. Saúdem-te todos, ó grandiosamente bendito Príncipe da Paz! Todos os que foram salvos por ti te adoram e te chamam de bendito.

"Selá." Os instrumentos de cordas precisam de afinação. Executaram, é verdade, uma melodia inigualável nesta canção poderosa. Mais alto e muito mais alto, músicos, aumentem o tom. Dancem diante da arca, donzelas de Israel. Toquem tamboris e cantem ao Senhor que triunfou gloriosamente.

20 *O nosso Deus é o Deus da salvação; e a Jeová, o Senhor, pertencem as saídas para escapar da morte.*
21 *Mas Deus ferirá gravemente a cabeça de seus inimigos e o crânio cabeludo do que anda em suas culpas.*
22 *Disse o Senhor: Eu os farei voltar de Basã; farei voltar o meu povo das profundezas do mar;*
23 *para que o teu pé mergulhe no sangue de teus inimigos, e nele mergulhe até a língua dos teus cães.*

20. *"O nosso Deus é o Deus da salvação."* O Todo-poderoso, que entrou em aliança conosco, é a fonte da nossa segurança e o autor dos nossos livramentos. Tão certo quanto ele é o nosso Deus, ele nos salvará. Ser dele é estar seguro.

"E a Jeová, o Senhor, pertencem as saídas para escapar da morte." Ele tem modos e recursos para salvar os seus filhos da morte. Quando não souberem mais o que fazer e não verem saída, ele tem uma porta de salvação para eles. Ninguém pode abrir as portas da sepultura, senão ele, e só passaremos por elas quando ele der a ordem. Enquanto ele estava indo em direção ao céu, ele abriu as portas para o povo passar, e eles terão saídas triunfantes para escapar da morte. Jesus, o nosso Deus, salvará o seu povo dos pecados deles e de todas as outras coisas, seja na vida, seja na morte.

21. *"Mas Deus ferirá gravemente a cabeça de seus inimigos."* O Guardador também é o Destruidor. Ele fere os inimigos no ponto alto do orgulho. A semente da mulher esmaga a cabeça da serpente. Não há defesa contra o Senhor. Ele pode, em um momento, ferir com absoluta ruína as cristas altas dos inimigos arrogantes.

"E o crânio cabeludo do que anda em suas culpas." Ele pode se gloriar na aparência e fazer dos cabelos motivo de orgulho, como fez Absalão, mas a espada do Senhor virá sobre ele e o exporá. Os pecadores obstinados descobrirão que a providência os vence a despeito de terem cabeça forte. Aquele que continua pecando trará juízos sobre si, e o adorno do orgulho pode se tornar o instrumento da própria ruína. Deus cobre a cabeça dos seus servos, mas esmaga a cabeça dos inimigos. Na segunda vinda do Senhor Jesus, os inimigos verão que os juízos divinos são além de concepção terrível.

22. Este versículo, pela inserção das palavras, *"o meu povo"*, ganha o significado que os tradutores pensaram melhor. Mas se omitirmos a palavra interpolada ficamos mais próximos do significado.

"Disse o Senhor: Eu os farei voltar de Basã; farei voltar o meu povo das profundezas do mar." Por mais que os inimigos esforcem-se em escapar, não conseguirão. Amós descreve esta declaração do Senhor: "Ainda que cavem até ao inferno, a minha mão os tirará dali; e, se subirem ao céu, dali os farei descer. E, se se esconderem no cume do Carmelo, buscá-los-ei e dali os tirarei; e, se se ocultarem aos meus olhos no fundo do mar, ali darei ordem à serpente, e ela os morderá" (Am 9.2,3). Como não há quem resista ao Deus de Israel, assim não há quem fuja dele, nem

as alturas de Basã, nem as profundezas do grande mar podem encobrir dos seus olhos a descoberta e impedir da sua mão a justiça. Os poderes do mal podem fugir aos confins extremos da terra, mas o Senhor os capturará e os trará acorrentados para adornar o triunfo.

23. *"Para que o teu pé mergulhe no sangue de teus inimigos."* A vitória será o prêmio oferecido ao povo oprimido, que a terá da forma mais total e fragorosa.

"E nele mergulhe até a língua dos teus cães." A derrota do inimigo será tamanha que os cães lamberão o sangue dele. Esta é "a alegria severa que os soldados sentem", a qual se expressa em linguagem mais natural para os ouvidos orientais. Para nós, exceto em sentido espiritual, o versículo soa cruelmente. Mas lido com um sentimento interior, verificamos que nós também desejamos a derrota absoluta e esmagadora de todo o mal, e que a injustiça e o pecado sejam objetos de profundo desprezo. Terrível é o Deus de Israel quando ele se apresenta como homem de guerra, e muito mais terrível é o Cristo de Deus quando ele desnuda o braço para ferir os inimigos. Contemple Apocalipse 19 e observe os versículos 11 a 13 e 17 a 21: "E vi o céu aberto, e eis um cavalo branco. O que estava assentado sobre ele chama-se Fiel e Verdadeiro e julga e peleja com justiça. E os seus olhos eram como chama de fogo; e sobre a sua cabeça havia muitos diademas; e tinha um nome escrito que ninguém sabia, senão ele mesmo. E estava vestido de uma veste salpicada de sangue, e o nome pelo qual se chama é a Palavra de Deus. E vi um anjo que estava no sol, e clamou com grande voz, dizendo a todas as aves que voavam pelo meio do céu: Vinde e ajuntai-vos à ceia do grande Deus, para que comais a carne dos reis, e a carne dos tribunos, e a carne dos fortes, e a carne dos cavalos e dos que sobre eles se assentam, e a carne de todos os homens, livres e servos, pequenos e grandes. E vi a besta, e os reis da terra, e os seus exércitos reunidos, para fazerem guerra àquele que estava assentado sobre o cavalo e ao seu exército. E a besta foi presa e, com ela, o falso profeta, que, diante dela, fizera os sinais com que enganou os que receberam o sinal da besta e adoraram a sua imagem. Estes dois foram lançados vivos no ardente lago de fogo e de enxofre. E os demais foram mortos com a espada que saía da boca do que estava assentado sobre o cavalo, e todas as aves se fartaram das suas carnes".

24 *Ó Deus, eles têm visto os teus caminhos; os caminhos do meu Deus, meu Rei, no santuário.*
25 *Os cantores iam adiante, os tocadores de instrumentos, atrás; entre eles, as donzelas tocando adufes.*
26 *Celebrai a Deus nas congregações; ao Senhor, desde a fonte de Israel.*
27 *Ali está o pequeno Benjamim, que domina sobre eles, os príncipes de Judá com o seu ajuntamento, os príncipes de Zebulom e os príncipes de Naftali.*

24. *"Ó Deus, eles têm visto os teus caminhos."* A canção descreveu as caminhadas do Senhor. Os amigos e inimigos viram as saídas do Senhor com a arca e o povo. Supomos que agora a procissão estava subindo o monte e entrando na área delimitada onde foi levantado o tabernáculo para a arca. Neste momento, era apropriado declarar com a canção que as tribos tinham visto o avanço progressivo e glorioso do Senhor enquanto ele guiava o povo.

"Os caminhos do meu Deus, meu Rei, no santuário." A esplêndida procissão da arca que simbolizava o trono do grande Rei estava perante os olhos dos homens e dos anjos enquanto subia para o lugar santo. O salmista salienta este fato com exultação antes de passar a descrever a procissão. A natureza e a providência são, por assim dizer, uma procissão que está a serviço do grande Senhor, nas suas visitações a deste mundo. Inverno e verão, sol e lua, tempestade e calmaria e todas as glórias variadas da natureza expandem a pompa do Rei dos reis, cujo domínio não há fim.

25. *"Os cantores iam adiante, os tocadores de instrumentos, atrás."* Esta era a ordem da marcha, pois Deus tem de ser cultuado eternamente com o devido decoro.

Primeiro, os cantores e, por último, os músicos, visto que a canção tem de guiar a música e não a música abafar o canto. No meio da banda vocal e instrumental, ou em volta deles, estavam as donzelas: "Entre eles, as donzelas tocando adufes". Certos expositores imaginam que esta ordem indica a superioridade do vocal em relação à música instrumental. Não precisamos ir tão longe com a questão, quando a simplicidade e espiritualidade do evangelho já nos ensinam essa verdade. A procissão descrita nesta canção sublime era de alegria, e todos os meios foram usados para expressar o deleite da nação no Senhor, seu Deus.

26. *"Celebrai a Deus nas congregações."* Agora o grupo reunido enaltece o Deus cuja arca eles seguiram. O louvor unido é como o composto de perfume que Arão fazia, tudo devendo ser apresentado a Deus. Ele nos abençoa; bendito seja ele.

"Ao Senhor, desde a fonte de Israel." Há uma passagem paralela a esta no cântico de Débora: "Onde se ouve o estrondo dos flecheiros, entre os lugares onde se tiram águas, ali falai das justiças do Senhor" (Jz 5.11). O lugar da arca seria fonte de refrigério para todas as tribos, e é onde tinham de celebrar os louvores a Deus. "Beba", diz a antiga inscrição, "beba, viajante cansado. Beba e ore". Podemos alterar uma palavra e dizer: beba e louve. Se o Senhor transbordar com graça, transbordemos com gratidão. Ezequiel viu águas cada vez mais volumosas saindo de debaixo do altar e jorrando de debaixo do umbral do santuário, e por onde quer que passavam davam vida (Ez 47.1-9). Que todos quantos beberem destas águas vivificantes glorifiquem "a fonte de Israel".

27. *"Ali está o pequeno Benjamim, que domina sobre eles."* A tribo era pequena, depois de ter sofrido drástica redução numérica, mas teve a honra de incluir Sião no seu território: "E de Benjamim disse: O amado do Senhor habitará seguro com ele; todo o dia o Senhor o protegerá, e ele morará entre os seus ombros" (Dt 33.12). O pequeno Benjamim fora o predileto de Jacó, e agora é a tribo designada a marchar na primeira posição na procissão e habitar mais próximo do lugar santo.

"Os príncipes de Judá com o seu ajuntamento." Judá era uma tribo grande e poderosa, mas não tinha um governador, como Benjamim, pois tinha muitos príncipes "com o seu séquito" (ARA; "com as suas tropas", NVI). "Donde é o Pastor e a Pedra de Israel" (Gn 49.24), e a tribo era uma pedreira de pedras para com elas construir as nações (o original hebraico dá a entender uma verdade assim).

"Os príncipes de Zebulom e os príncipes de Naftali." Israel estava ali, como também Judá. Não havia divisão entre o povo. O norte enviou um contingente representativo como também o sul. A longa procissão mostrava a lealdade genuína de todas as tribos ao seu Senhor e Rei. Oh dia feliz, quando todos os crentes forem um ao redor da arca do Senhor, esforçando-se nada mais do que para a glória do Deus da graça.

28 *O teu Deus ordenou a tua força; confirma, ó Deus, o que já realizaste por nós.*
29 *Por amor do teu templo em Jerusalém, os reis te trarão presentes.*
30 *Repreende as feras dos canaviais, a multidão dos touros, com os novilhos dos povos, pisando com os pés as suas peças de prata; dissipa os povos que desejam a guerra.*
31 *Embaixadores reais virão do Egito; a Etiópia cedo estenderá para Deus as suas mãos.*

O profeta põe na boca da assembleia uma canção, predizendo as futuras conquistas de Jeová.

28. *"O teu Deus ordenou a tua força."* O decreto divino promulgara a nação forte e o seu braço o executara. Na função de Comandante supremo, o Senhor fez os homens valentes entrarem em formação de batalha, e ordenou que fossem fortes no dia da batalha. Esta frase é muito rico mas curta e, quer seja aplicada a um único crente ou à igreja inteira, está cheia de consolação.

"Confirma, ó Deus, o que já realizaste por nós." Como todo o poder vem a princípio de Deus, assim a manutenção ininterrupta de poder também é dele. Nós que temos

vida devemos orar para tê-la "com abundância" (Jo 10.10). Se temos força, devemos buscar ser fortalecidos ainda mais. Contamos que Deus não deixa de abençoar a sua obra. Ele nunca deixou qualquer obra inacabada e nunca deixará. "Porque Cristo, estando nós ainda fracos, morreu a seu tempo pelos ímpios" (Rm 5.6), e agora, estando reconciliados com Deus, podemos buscá-lo para que ele aperfeiçoe o que nos concerne (cf. Sl 138.8), visto que ele nunca abandona a obra das suas mãos.

29. *"Por amor do teu templo em Jerusalém, os reis te trarão presentes."* O palácio de Deus, que se elevava acima de Jerusalém, tornou-se uma maravilha para todas as terras. Este versículo profetiza o fato, o qual se cumpriu quando o palácio de Deus passou do tabernáculo de Davi para o templo de Salomão. Era tão esplêndido o edifício que a longínqua rainha de Sabá o visitou trazendo presentes. Muitos príncipes circunvizinhos, impressionados com a riqueza e poder ali exibidos, também levaram tributos ao Deus de Israel. A igreja de Deus, quando verdadeiramente espiritual, ganha para o seu Deus a homenagem das nações. Na glória dos últimos dias esta verdade será constatada muito mais literalmente e em grande parte.

30. *"Repreende as feras dos canaviais"*, cuja tradução é correta. Fala com o Egito. Faze que o seu poder e ciúme crescentes sejam mantidos no devido lugar por uma palavra tua. Israel se lembra do velho inimigo, que já tramava o mal, o qual deflagraria no reinado de Jeroboão e requereria uma palavra reprovadora do Amigo onipotente. O anticristo também, o grande dragão vermelho, precisa que a palavra eficaz do Senhor repreenda a sua insolência.

"A multidão dos touros." Os inimigos mais ricos e mais fortes. Os touros orgulhosos, obstinados, bravos, violentos, agressivos, gordos e mugidores, que procuravam escornar a nação escolhida, precisavam da palavra de repreensão do Senhor e a tiveram. Todos os touros sagrados do Egito foram inúteis para enfrentar um "assim diz o Senhor". Os touros papistas e os éditos imperiais arremeteram-se contra a igreja do Senhor, mas não prevaleceram contra ela e jamais prevalecerão.

"Com os novilhos dos povos." Os inimigos mais pobres e mais fracos também se dispuseram em causar dano, mas a voz divina os controla. As multidões são como nada para o Senhor, quando ele sai com poder. Touros ou novilhos não passam de gado para o matadouro, quando a Onipotência se manifesta. O evangelho, como a arca, não tem nada o que temer, quer seja grande, quer seja pequeno. É uma pedra na qual todo aquele que nela tropeçar será despedaçado.

"Pisando com os pés as suas peças de prata." O pedido é para que o Senhor derrote os inimigos de Israel, até que paguem tributo em lingotes de prata. Bendita é esta repreensão, que não quebra mas curva, pois a sujeição ao Senhor dos Exércitos é liberdade e o tributo pago a ele enriquece o pagante. A tributação do pecado é infinitamente mais severa do que o tributo da religião. O dedo mindinho da concupiscência é mais pesado do que os lombos da lei. As peças de prata dadas a Deus são recolocadas com peças de ouro."Dissipa os povos que desejam a guerra." De forma que, apesar da expressão forte do versículo 23, o povo de Deus era um povo pacífico. O seu único desejo era o esmagamento das nações opressivas para que a guerra não viesse a acontecer de novo. Se para a obtenção da paz as batalhas tiverem de ser renhidas, que o sejam. Amontoem brasas de fogo na cabeça dos inimigos para que a inimizade seja esfacelada. Que "todos os que lançarem mão da espada à espada morrerão" (Mt 26.52) seja um regulamento justo para o estabelecimento da tranquilidade na terra. Que paz pode haver, enquanto os tiranos sedentos de sangue e os seus soldados obedientes forem numerosos? Fazemos esta oração com devoção e, com devoção igual, bendizemos a Deus, pois seguramente será respondida, porque "ele faz cessar as guerras até ao fim da terra; quebra o arco e corta a lança; queima os carros no fogo" (Sl 46.9).

31. "Embaixadores reais virão do Egito." Os velhos inimigos serão os novos amigos. Salomão achará uma esposa na casa de faraó. Cristo reunirá um povo dos reinos do pecado. Grandes pecadores se renderão ao cetro da graça, e grandes homens se tornarão bons homens, por irem a Deus.

"A Etiópia cedo estenderá para Deus as suas mãos." A Etiópia se apressará em fazer ofertas de paz. A rainha de Sabá virá do distante sul. O mordomo-mor de Candace perguntará sobre aquele que foi levado como a ovelha para o matadouro. A Abissínia ainda se converterá. A África buscará voluntariamente a graça, desejando e aceitando avidamente o Cristo de Deus. Pobre Etiópia, há muito que as suas mãos foram amarradas e endurecidas pela labuta cruel, mas milhões dos seus filhos encontraram na escravidão a liberdade com a qual Cristo libertou os homens. Assim, a sua cruz, como a cruz de Simão de Cirene, foi a cruz de Cristo, e Deus foi a sua salvação. Apressa, Senhor, esse dia, quando a civilização e o barbarismo da terra te adorarem, e o Egito e a Etiópia se unirem de comum e alegre acordo em cultuar-te! Esta é a confiança dos teus santos e, até mesmo, a tua promessa. Apressa esse dia, Senhor, segundo o teu devido tempo, bom Senhor.

32 *Reinos da terra, cantai a Deus, cantai louvores ao Senhor, (Selá)*
33 *àquele que vai montado sobre os céus dos céus, desde a antiguidade; eis que envia a sua voz e dá um brado veemente.*
34 *Dai a Deus fortaleza; a sua excelência, está sobre Israel e a sua fortaleza nas mais altas nuvens.*
35 *Ó Deus, tu és tremendo desde os teus santuários; o Deus de Israel é o que dá fortaleza e poder ao seu povo. Bendito seja Deus!*

32. *"Reinos da terra, cantai a Deus."* Gloriosa será a canção na qual impérios inteiros se unem. Felizes são os homens cujo Deus é alguém que é constantemente o objeto de culto feliz, pois não é assim com os demônios dos pagãos. Tão doce é a canção que só pode ser do Senhor. Um concerto secular quase parece um sacrilégio, e uma canção licenciosa é traição.

"Cantai louvores ao Senhor." Muitas e repetidas vezes Deus tem de ser engrandecido. Temos pecado por demais contra Deus, mas nunca é demais cantar a Deus.

"Selá." Façamos uma pausa de descanso, agora que as nossas contemplações alcançaram a glória milenar. Que coração recusará ser enlevado por tal prospecto?

33. *"Àquele que vai montado sobre os céus dos céus, desde a antiguidade."* Pouco antes, o salmo o descrevera nas suas manifestações terrenas, como a marchar pelo deserto. Agora, na glória celestial, o descreve como a montar nos céus das eras primevas. Muito tempo antes que este céu e esta terra fossem feitos, as mais altas moradas da deidade já estavam firmes. Antes que homens ou anjos fossem criados, o esplendor do grande Rei já era tão grande quanto agora, e os seus triunfos todo gloriosos. O nosso conhecimento alcança apenas um fragmento pequeno da vida de Deus, "cujas origens são desde os tempos antigos, desde os dias da eternidade" (Mq 5.2). A igreja judaica louva o Deus eterno, e nós nos unimos na adoração ao grande Primogênito:

Antes que o pecado nascesse ou Satanás caísse
Ele guiou o exército das estrelas da alva
Quem pode contar a tua geração?
Ou contar o número dos teus anos?

"Eis que envia a sua voz e dá um brado veemente." Ouviu-se, então, uma trovoada nos céus? Ou será que a mente do poeta voou velozmente para o tempo longínquo em que, do céu dos céus, a voz do Senhor rompeu o longo silêncio e disse: "Haja luz. E houve luz"? (Gn 1.3). Ainda hoje, a voz de Deus é poder. Este evangelho, que profere e revela a sua palavra, "é o poder de Deus para salvação de todo aquele que crê" (Rm 1.16). As nossas vozes são adequadamente convocadas a louvar àquele cuja voz falou para nos dar a existência e a graça eficaz que garante o nosso bem-estar.

34. *"Dai a Deus fortaleza."* Quando até mesmo a voz do Senhor despedaça as rochas e desarraiga os cedros, o que não pode fazer a sua mão? Se o seu dedo faz

tremer a terra, quem pode conceber o poder do seu braço? Jamais permitamos que por nossas dúvidas ou desafios ousados estejamos negando o poder que pertence a Deus. Pelo contrário, rendendo-nos a ele e confiando nele, o nosso coração confessa o seu poder. Quando somos reconciliados com Deus, a sua onipotência é um atributo sobre o qual cantamos com prazer.

"A sua excelência, está sobre Israel." A nação favorecida é protegida pela majestade divina. A sua grandeza é a bondade para eles. A sua glória é a defesa para eles.

"E a sua fortaleza nas mais altas nuvens." Ele não limita o poder aos filhos dos homens, mas o torna um pálio para cobrir os céus. A chuva, a neve, o granizo e a tempestade são a sua artilharia. Ele rege toda a natureza com majestade impressionante. Nada é alto demais a ponto de estar acima dele ou baixo demais a ponto de estar abaixo dele. Louvemo-no, então, nas mais sublimes alturas.

35. *"Ó Deus, tu és tremendo desde os teus santuários."* Tu inspiras reverência e medo. Os santos obedecem a ti com temor e tremor. Os inimigos fogem de pavor e assombro. Dos teus átrios triplos e, sobretudo, do Santo dos Santos, a tua majestade relampeja e faz os filhos dos homens prostrarem em temor.

"O Deus de Israel é o que dá fortaleza e poder ao seu povo." Nisto, tu, que és o Deus de Israel por aliança, és terrível aos inimigos fortalecendo o teu povo, de forma que um persegue mil e dois mil põem em fuga dez mil. Todo o poder dos guerreiros de Israel deriva-se do Senhor, a fonte de todo poder. Ele é forte e fortalece. Benditos são os que se servem dos recursos de Deus, pois renovarão as forças. Enquanto o auto-suficiente desanima, o Todo-suficiente sustenta o crente mais fraco.

"Bendito seja Deus!" É uma conclusão curta mas doce. Diga a nossa alma Amém para isto. Sim, mais uma vez, Amém.

Nova Tradução

Para que os leitores vejam o salmo sob os olhos de uma boa tradução, juntamos a versão feita por Franz Delitzsch.

Salmo 68 - Hino de guerra e vitória ao estilo Débora

2 Levante-se, Elohim, espalhados sejam os seus inimigos,
E os que o odeiam fujam diante da face dele.

3 Como a fumaça se repele, tu os repeles;
Como a cera se derrete diante do fogo,
Pereçam os ímpios diante de Elohim.

4 E regozijem-se os justos, exultem diante de Elohim,
E contentem-se de alegria.

5 Cantai a Elohim, tocai a harpa ao seu nome,
Preparai um caminho para aquele que cavalga ao longo das estepes;
Já é o seu nome, e exultai diante dele.

6 Pai dos órfãos e Advogado das viúvas
É Elohim na sua habitação santa.

7 Elohim faz uma família para o solitário,
Ele lidera os prisioneiros para a prosperidade;
Contudo, os rebeldes habitam em uma terra de seca.
8 Elohim, quando tu saías adiante do teu povo,
Quando tu marchavas ao longo do deserto (*Selá.*)

9 A terra tremeu,
Os céus também caíram diante de Elohim,
Aquele Sinai diante de Elohim, o Deus de Israel.

10 Com chuva abundante tu, Elohim, regaste a tua herança,
E quando estava sedenta, tu a fortaleceste.

11 As tuas criaturas se estabeleceram naquele lugar,
Tu proveste aos pobres com a tua bondade, Elohim.

12 O Senhor soará o mandato;
Há um grande exército das mulheres que anunciam a vitória.

13 Os reis dos exércitos fugirão, fugirão,
E aquela que ficou em casa dividirá o espólio.

14 Ainda que vos acampeis entre os currais de ovelhas,
As asas da pomba estão cobertas de prata
E as suas penas de ouro brilhante.

15 Quando o Todo-poderoso espalha os reis ali,
Fica alvo como a neve em Zalmom.

16 Uma montanha de Elohim é a montanha de Basã,
Uma montanha cheia de cumes é a montanha de Basã.

17 Por que olhais invejosamente, vós montanhas de muitos picos,
Para a montanha que Elohim escolheu sobre ela habitar?
Sim, Jeová habitará [ali] para sempre.

18 Os carros de guerra de Elohim são miríades, milhares de milhares,
O Senhor está entre eles, é um Sinai em santidade.

19 Tu subiste até as alturas, tu levaste cativo os cativos,
Tu recebeste dons entre os homens,
Até mesmo dos rebeldes, para que Já Elohim habitasse [ali].

20 Bendito seja o Senhor:
Dia a dia ele carrega o nosso fardo,
Ele, Deus, é a nossa salvação. (*Selá.*)

21 Ele, Deus, é para nós um Deus para os atos de libertação,
E Jeová, o Senhor, tem caminhos de escape da morte.

22 Sim, Elohim ferirá a cabeça dos seus inimigos,
O escalpo cabeludo daquele que anda arrogantemente segundo as suas transgressões.

23 O Senhor disse: Eu trarei de volta de Basã,
Eu trarei de volta das profundidades do mar,

24 Para que tu banhes o teu pé no sangue,
Para que a língua dos teus cães tenha a sua parte no inimigo.
25 Eles veem a tua procissão esplêndida, Elohim,
A procissão esplêndida do meu Deus, o meu Rei em santidade.

26 À frente iam os cantores, atrás os tocadores de instrumentos de cordas,
No meio de donzelas tocando tamboris.

27 Nos coros da congregação, bendizei Elohim,
O Senhor, vós que sois provenientes da fonte de Israel.

28 Ali está Benjamim, o mais moço, o seu regente;
Os príncipes de Judá — o seu bando diversificado,
Os príncipes de Zebulom, os príncipes de Naftali.

29 O teu Deus ordenou o teu poder supremo
Sustenta com poder, Elohim, o que tu fizeste por nós!

30 Do teu templo acima de Jerusalém
Apresentem os reis ofertas para ti.

31 Ameaça os animais selvagens da cana, as tropas de touros com os novilhos do povo,
Para que se prostrem com os lingotes de prata!
Ele espalhou os povos que se deleitam nas guerras.

32 Os magnatas saem do Egito,
A Etiópia — depressa estende as mãos para Elohim.

33 Reinos da terra, cantai a Elohim,
Louvando o Senhor com instrumentos de cordas (*Selá*.)

34 Àquele que cavalga no céu dos céus do tempo primevo
Eis que ele se fez ouvir com a sua voz, uma voz poderosa.

35 Atribuí poder a Elohim!
A sua majestade está acima de Israel,
E a sua onipotência nas alturas dos céus.

36 Terrível é Elohim desde os teus santuários;
"O Deus de Israel dá* poder e força abundante para o povo!"
Bendito seja Elohim!*

NOTAS EXPLICATIVAS E DECLARAÇÕES IMPORTANTES

O Salmo: Neste salmo, temos razão especial para condenar ou admirar a timidez ou a precaução e sensibilidade dos tradutores, pouco importando qual fator consideremos, pela maneira em que traduziram os nomes do Onipotente. Quase universalmente, traduzem os nomes por "Deus" ou "Senhor", ao passo que já se constatou que quase todos os extraordinários títulos da deidade são empregados para descrever e louvar a pessoa aqui tratada. Ele é chamado de "Elohim" (v. 1), "Adonai" (v. 11), "Shaddai" (v. 14), "Senhor" (v. 16), "Já" (v. 18) e "Al" (v. 19). Os nomes hebraicos de Deus têm, cada um, um significado distinto e peculiar. Não existe uma palavra única que baste para todos. O uso vago dos termos "Deus" e "Senhor" jamais comunica ao leitor as ideias importantes que as expressões originais, se devidamente traduzidas, transmitiriam. Perdemos, assim,

* **N. do T.:** Tradução feita pelo tradutor de *Os Tesouro de Davi* a título de sugestão. As inserções em colchetes, os grifos e a divisão numérica dos versículos são do original em inglês.

forte confirmação adicional da deidade do Messias ao abandonar o testemunho que a atribuição a ele dos títulos peculiares de Deus daria a esta grande verdade. — *R. H. Ryland*, 1853

O Salmo: O Salmo 67 inicia com uma referência à forma da bênção sacerdotal (Nm 6.24-26). Este inicia com uma referência à oração usada quando a coluna de nuvem chamava o acampamento para iniciar a marcha. Ali a presença (*panim*) de Deus derrama luz salvadora sobre o povo. Aqui os inimigos fogem dessa presença (*mippanayv*, v. 1). [...] No ritual judaico, o salmo é usado na Festa de Pentecostes, no Aniversário da Doação da Lei e na Festa das Colheitas Terminadas. [...] O fato de que não haver menos do que treze palavras hebraicas que não são achadas em outro texto bíblico indica o caráter extraordinário do salmo. Pelo visto, é necessário o dom de línguas pentecostal para que o salmo seja plenamente exposto. — *William Kay*

O Salmo: Muitos críticos estimam este salmo a efusão mais sublime da musa lírica de Davi. — *William Binnie*

O Salmo: Levando em conta a antiguidade do idioma, a descrição concisa, a expressão irônica completamente nova, forçosa e naturalmente ocasional da poesia, considero este poema como um dos monumentos mais antigos da poesia hebraica. — *Boettcher*

O Salmo: Temos de admitir que há neste salmo tantos precipícios e tantos labirintos quanto há versículos ou até mesmo palavras. Não foi impropriamente designado de a cruz dos críticos e a repreensão dos intérpretes. — *Simon de Muis*

O Salmo: O começo do salmo deixa claro que o salmista inspirado recebeu luz para ver a marcha de Israel pelo deserto, a arca da aliança indo à frente do povo até achar lugar de descanso. O salmista enche-se de louvores, quando lhe é concedido ver que Deus revelou o seu amor paternal na totalidade daquele movimento — que os seus olhos estavam sobre os órfãos, as viúvas, os solitários e os aflitos. Mas Davi também é levado pelo Espírito ao monte das Oliveiras, onde ele vê o Senhor ascendendo. Vê os carros triunfais com companhia inumerável de anjos, e em seguida vê o Senhor sendo recebido em glória como o Conquistador poderoso. Não apenas isso, mas como tendo recebido ou comprado dons para os homens, até mesmo para os rebeldes, "para que o SENHOR Deus habitasse entre eles" ou dentro deles (v. 18). "Pelo que", diz o mandamento do nosso Pai, "saí do meio deles, e apartai-vos, [...] e não toqueis nada imundo, e eu vos receberei; e eu serei para vós Pai, e vós sereis para mim filhos e filhas, diz o Senhor Todo-poderoso" (2 Co 6.17,18). A doxologia do povo de Deus é: "Bendito seja o Senhor, que de dia em dia nos cumula de benefícios" (v. 19). O nosso Mestre bendito atende dia a dia a todos os nossos desejos e faz o seu amor fluir para nós, porque ele é Deus, a nossa Salvação — selá. Que consolo isso nos dá em toda e qualquer situação! O Senhor Jesus já passou antes de nós pelo deserto. Ele se sensibiliza com o sentimento das nossas fraquezas. As viúvas, os órfãos, os solitários são objetos do seu cuidado e amor. Ele foi diante de nós para nos preparar o descanso nos céus. O trabalho foi feito. Hoje, ele vem, dia a dia, para nos carregar de bênçãos, e por fim, nos levará com segurança através da morte para a vida e glória. Ao Senhor, nosso Salvador, pertencem as questões da morte. Portanto, "onde está, ó morte, o teu aguilhão?" (1 Co 15.55). — *Ridley H. Herschell, "Strength in Weakness. Meditations on Some of the Psalms in Time of Trial" [Força na Fraqueza. Meditações em Alguns Salmos em Tempos de Provação], 1860*

v. 1: "Levante-se Deus, e sejam dissipados os seus inimigos; fugirão de diante dele os que o aborrecem". As andanças da arca (Nm 10.35,36) são um tipo da vinda de Jesus para derrotar os inimigos rebeldes. É muita alegria determinar a marcha vitoriosa do Antítipo. Como o Senhor avança poderosamente! A força de Deus estava no seu braço. A sua espada era a deidade. As suas flechas estavam farpadas com todo o poder de Jeová: "E na veste e na sua coxa tem escrito este nome: REI DOS REIS E SENHOR DOS SENHORES" (Ap 19.16). Os seus inimigos, de fato, lutaram bravamente. Não foi fácil resgatar as almas das garras de Satanás ou destruir a prisão da escuridão. O inimigo apresentou-se sem demora, trajado com a mais forte armadura, feroz no ápice da ira, astuto nas artimanhas mais mortais. Aplicou todo tipo de tentação como bateria terrificante. Mas a verdadeira Arca jamais cedeu. O adversário lambeu o pó. O furor maligno enlouqueceu no peito dos adversários. Os reis se levantaram. Os governantes entraram em conselho. Todos os enredos foram preparados. A morte infame foi planejada e executada. Mas mesmo assim a Arca continuou avançando. A cruz deu ajuda e não prejuízo. A sepultura não pôde deter. A morte não pôde derrotar. As portas do inferno abriram-se escancaradas. O Vencedor poderoso apareceu. E, como em Canaã, a arca subiu o monte Sião entre brados de triunfo, assim Jesus cavalga nas alturas. O céu dos céus o recebe. O Pai dá as boas-vindas ao Salvador vitorioso. Os exércitos angelicais adoram o Deus-homem glorioso. A oração do levantamento da arca cumpriu-se totalmente: "Levante-se Deus, e sejam dissipados os seus inimigos; fugirão de diante dele os que o aborrecem".

E agora, do trono da glória, ele alegra os seus seguidores humildes na marcha que fazem pelo deserto. As labutas, os conflitos e os temores são muitos. Parecem, de tempos em tempos, como vermes miseráveis debaixo dos pés esmagadores. Mas sobrevivem, prosperam, erguem a cabeça. Como antigamente a arca era vitória, assim hoje Jesus é vitória. Na verdade, todo filho da fé colocará o pé vencedor sobre o exército dos inimigos. Ouçam isto, adversários furiosos, e desistam. Onde estão as nações que resistiram Israel? Onde estão os faraós, os reis repletos de tropas, os Herodes, os sumos sacerdotes, os Pilatos? Não tomem parte na maldade deles, para que vocês não tomem parte no fim deles. Leia nesta palavra a proximidade da destruição: "Levante-se Deus, e sejam dissipados os seus inimigos; fugirão de diante dele os que o aborrecem".

E como nunca falhou a oração do levantamento da arca, assim também a oração do pouso da arca hoje pulula de vida: "Volta, ó Senhor" (Nm 10.36). Jesus está prestes a voltar. Os muitos milhares de Israel esperam, mas não esperam em vão, "porque ainda um poucochinho de tempo, e o que há de vir virá e não tardará" (Hb 10.37). Ó dia feliz! Ó visão triunfante! Que enlevo, que brado, que glória! O Senhor da salvação volta. Recebam-no! Deem-lhe as boas-vindas! — *Henry Law, "'Christ is All.' The Gospel of the Old Testament" [Cristo é Tudo. O Evangelho do Antigo Testamento], 1858*

v. 1: "Levante-se". Vemos a misericórdia de Deus na sua paciência com os ímpios, implícito na palavra "levante-se", porque parece que, por assim dizer, ele dorme (Sl 44.23) e não anota o que foi feito de errado. O Senhor é paciente e não quer que ninguém pereça, senão que todos os homens cheguem ao arrependimento (cf. 2 Pe 3.9). Ele foi mais longânimo em destruir uma cidade (Jericó, Js 6.4) do que em construir o mundo inteiro. Foi tardio para irar-se e pronto para perdoar, não desejando a morte do pecador, mas, antes, a sua correção. Ele não se levanta para dar castigos particulares, muito menos para fazer julgamento geral, senão depois de longo sofrimento e grande bondade. "Jerusalém, Jerusalém, [...] quantas vezes quis eu", citou o nosso Senhor, "ajuntar os teus filhos, como a galinha ajunta os seus pintos debaixo das asas, e tu não quiseste!" (Mt 23.37). — *John Boys*

v. 1: "Sejam dissipados os seus inimigos". Podemos, se desejarmos, tomar as palavras como oração ou como profecia. Como oração, expressa o desejo de serem dissipados. Como profecia, expressa a certeza de que serão dissipados. Ou podemos interpretar assim: *Surgente Domino*. "Assim que o Senhor se levantar, os inimigos serão dissipados", tornando um axioma teológico. É, então, uma proposição *aeternae veritatis*, eternamente verdadeira. É verdade na primeira era do mundo e verdade na última era do mundo, e será verdade até ao fim do mundo. Podemos fazer dessa verdade a nossa oração: *que eles sejam destruídos*, ou a nossa profecia: *eles serão destruídos. Summa votorum est, non ex incerto poscentis, sed ex cognitione scientiaque sperantis*, disse Hilário. Trata-se de uma oração que não procede de um coração duvidoso e vacilante, como se Deus, às vezes, abandonasse a igreja e, às vezes, falhasse e a entregasse à vontade dos inimigos.

Está fundamentada em determinado conhecimento e certeza infalível de que ele se levantará e não se calará para vingar-se do inimigo. Há um tipo de presságio e profecia na oração. Se orarmos como devemos, ele promete conceder o pedido, que é a mais certa garantia que a profeta pode nos dar. "Levante-se Deus" e Deus se levantará. A diferença está apenas no tempo verbal. Os hebreus usam comumente um pelo outro. [...]

Nesta oração, ou profecia, ou conclusão vemos, por espelho em enigma, a providência de Deus em relação ao seu povo, e o destino e destruição fatal dos ímpios. Ou podemos imaginar Deus assentado nos céus, olhando para baixo, aos filhos dos homens, e rindo desdenhosamente de todos os desígnios dos inimigos. O seu *exsurgat*, o seu levantamento, como uma tempestade para espalhá-los e como um fogo para dissipá-los. Estes dois, *exsurgat* e *dissipabuntur*, o levantamento de Deus e a destruição dos inimigos, dividem o texto e apresentam diante dos nossos olhos duas partes ou lados que, por assim dizer, estão em oposição principal. Ainda que o *exsurgat* seja antes que o *dissipabuntur*, o levantamento de Deus antes da dissipação dos inimigos, deve haver algumas pessoas para despertar Deus e acordá-lo antes que ele se levante para dissipar. Consideraremos, então, segundo requer a própria ordem da natureza, primeiro as pessoas que estão destacadas por três títulos, como por tantas marcas e sinais na testa. São eles:

(1) Inimigos.

(2) Aborrecedores de Deus.

(3) Ímpios.

Mas Deus, levantando-se desta maneira, está mais especificamente contra o fato do que contra a pessoa, e contra a pessoa somente por causa do fato. Investigando e examinando, descobrimos que está envolto e secretamente escondido no *dissipabuntur*, no castigo dessas pessoas, pois a dissipação dá a entender a reunião, como a geração em relação à corrupção. O que moveu Deus a levantar-se é que os inimigos, aqueles que o aborreciam, os ímpios se reuniram para entrar em conselho contra Deus e a igreja, como até hoje vemos. Reúnem-se para caírem diante de Deus com toda a humildade a fim de que ele se levante e os dissipe. Trata-se do *nunc opportunitatis*, o tempo próprio e designado para Deus levantar-se. Na frase está implícito um tipo de pausa e deliberação, como se Deus nem sempre estivesse de pé e pronto para executar juízo. Desta forma, ele manifesta:

(1) A sua paciência com os ímpios. Nem sempre ele está de pé, por assim dizer, para destruir os inimigos.

(2) A sua justiça que, por fim, vem, embora não tão imediatamente quanto os homens, na desgraça, esperam.

(3) A sua misericórdia pelos seus filhos, embora por certo tempo pareça que está dormindo e não ouvindo a voz das suas queixas. Mas, por fim, ele se levanta para ajudá-los. Por último, consideremos o resultado ou objetivo deste levantamento de Deus: É para a destruição dos inimigos, aqui destacado para a nossa observação em quatro expressões em tantas quantas cores:

(1) *Dissipabuntur*, eles serão dissipados.

(2) *Fugient*, eles fugirão.

(3) *Deficient*, eles desaparecerão como fumaça.

(4) *Liquefient*, eles se derreterão como cera.

Todas estas se encontram e se concentram em *peribunt*, eles perecerão diante de Deus (vv. 1,2). — *Anthony Faringdon*, 1596-1658

vv. 1 a 3: Quer a igreja judaica tenha compreendido ou não o pleno significado das predições, é absolutamente certo que os seus membros foram ensinados mais de uma vez a orar com fervor pelo segundo advento de Jesus. Gostaria de chamar a sua atenção a uma destas orações, sobre a qual farei as seguintes considerações.

(1) A oração da igreja judaica pelo segundo advento de Cristo. O salmista, movido pelo Espírito de Deus, adota as palavras usadas por Moisés no deserto, quando

a arca, na qual Deus habitava entre os querubins, era levantada para partir em viagem. Lemos em Números 10.35,36: "Era, pois, que, partindo a arca, Moisés dizia: Levanta-te, Senhor, e dissipados sejam os teus inimigos, e fujam diante de ti os aborrecedores. E, pousando ela, dizia: Volta, ó Senhor, para os muitos milhares de Israel". Mas as peregrinações de Israel já haviam terminado e a arca do Senhor já havia achado lugar de descanso. O povo de Deus estava na terra prometida aos pais. Os inimigos foram conquistados. A arca não saía mais à frente com os exércitos de Israel. Na oração, portanto, o profeta não está aludindo à remoção da arca. O contexto do salmo e as expressões usadas nos levam para muito longe dos dias de Davi e nos referem a tempos ainda futuros. Davi ora pelo retorno daquele de quem a arca era tipo, cujo advento glorioso ele viu pelo espírito de profecia. As palavras do texto contêm uma oração pelo segundo advento do Senhor Jesus Cristo. Esta oração ainda não foi respondida em toda a sua extensão. O Senhor tem muitas vezes interferido a favor do seu povo ou despertado os ímpios ao arrependimento. Mas estas interferências são temporárias, e o mundo é entregue de volta ao governo da providência divina. Deus sempre tem dado sinais suficientes para mostrar ao mundo o que ele fará quando o dia da ira chegar. [...] Mas o mundo e a igreja ainda estão cheios de maldade e sofrem por causa do pecado. Os aborrecedores do Senhor não fogem de diante dele, mas, antes, ousam abrir a boca para blasfemar. Os ímpios não têm perecido na presença de Deus. [...] Este levantamento, pelo qual o salmista ora, está ligado com a restauração de Israel, o estabelecimento da paz universal e a conversão de todas as nações (vv. 22, 29, 30, 31).

(2) O dever da igreja cristã em unir-se na oração pelo segundo advento de Cristo. Como membros da igreja cristã, confessamos a fé continuamente na segunda vinda de Cristo, e pode ser que às vezes meditemos na sua manifestação gloriosa. Mas será que, como Davi, temos adotado este como um dos assuntos que nos levam ao trono da graça? [...] A nossa fé nunca nos fez tomar as palavras do texto e dizer: "Levante-se Deus, e sejam dissipados os seus inimigos; fugirão de diante dele os que o aborrecem"? Isto me leva, em segundo lugar, a destacar o nosso dever em nos unir na petição do salmista. Se fosse uma oração adequada somente ao caso particular de Davi, não haveria a obrigação de nos unir a ela. Mas é uma oração pela igreja universal, por todo aquele que ama o Salvador e deseja ver "o Rei na sua formosura" (Is 33.17), por todo aquele que chora pelo estado em que o mundo e a igreja estão. É uma oração muitas vezes repetida nas santas escrituras do Antigo Testamento ensinada pelo nosso Senhor, hoje oferecida pelos santos na presença de Deus, e com a qual as santas escrituras do Novo Testamento finalizam. [...]

É surpreendente que o Senhor nos mostrou só uma oração feita pelos santos que morreram, e que o pedido fosse pelo mesmo efeito. Com a abertura do quinto selo, o Senhor se agradou em nos dar uma visão do estado daqueles que morreram como mártires. João diz: "Vi debaixo do altar as almas dos que foram mortos por amor da palavra de Deus e por amor do testemunho que deram. E clamavam com grande voz, dizendo: Até quando, ó verdadeiro e santo Dominador, não julgas e vingas o nosso sangue dos que habitam sobre a terra?" (Ap 6.9,10). Embora retirados desta cena de aflição e sofrimento, protegidos de todos os ataques dos ímpios e no gozo da presença de Deus, a felicidade ainda não está completa. Ainda há assunto para oração e súplica. Ainda almejam o dia em que o Senhor se levantará para julgar e dar um fim ao triunfo dos ímpios. O Novo Testamento também finaliza com esta oração. [...] Não podemos duvidar de que é o nosso dever nos unir em uma oração que o Espírito Santo ditou, a qual o nosso Senhor designou, a qual os santos no céu fazem e a qual o discípulo amado ofereceu. A natureza da oração apresenta outro argumento para reforçar este dever. Somos compelidos a orar pelas coisas que promovem a honra de Cristo e a felicidade eterna do seu povo. Mas a honra de Cristo jamais será completa, nem o povo ficará feliz, nem os justos se regozijarão e folgarão de alegria, até que Deus se levante e os inimigos sejam dissipados. — *Alexander M'Caul,* Doutor em Teologia, *"Plain Sermons on Subjects Practical and Prophetic" [Sermões Claros sobre Assuntos Práticos e Proféticos], 1840*

v. 2: "Como se impele a fumaça, assim tu os impeles; como a cera se derrete diante do fogo, assim pereçam os ímpios diante de Deus". O salmista faz duas ilustrações interessantes para ressaltar como é fácil Deus destruir as maquinações dos inimigos, comparando-as à fumaça que desaparece quando levada pelo vento e à cera que se derrete diante do fogo. Consideramos incrível que essa frente extraordinária de oposição desapareça em um momento. Mas o Espírito se serve deste método para repreender o pavor da nossa mente carnal e para nos ensinar que não há essa força em nossos inimigos como supomos que há. Nós é que permitimos que a fumaça nos encubra os olhos e que a massa sólida de resistência que eles apresentam nos enganem, fazendo-nos esquecer da verdade de que as próprias montanhas se derretem na presença do Senhor. — *João Calvino*

v. 2: "Como se impele a fumaça, assim tu os impeles". "O fim deles foi amargo como a fumaça", disse certo professor idoso. "O que o senhor quer dizer, mestre?", perguntou-lhe um dos jovens discípulos. "Eu estava pensando no fim da injustiça", respondeu o professor, "e de quantas vezes eu, como o salmista, tive inveja deles enquanto estavam na prosperidade. A vida que tinham era tão luminosa e ardente que pensei que eles se assemelhavam às chamas de uma fogueira alegre em uma noite de inverno. Mas, enquanto eu os observava, desapareceram de repente como a chama que esmorece e vira em fumaça negra e amarga. Então parei de invejá-los. Não confie, meu discípulo, só na aparência do brilho. Observe também o fim, para que você não seja enganado". — *Hubert Bower, "Parables and Similitudes of the Christian Life" [Parábolas e Similitudes da Vida Cristã], 1871*

v. 3: "Mas alegrem-se os justos". Os ímpios fogem da presença de Deus, visto que ela lhes inspira terror. Os justos, por outro lado, alegram-se na presença do Senhor, porque nada lhes dá mais prazer do que pensar que Deus está perto deles. — *João Calvino*

v. 4: "Louvai aquele que vai sobre os céus". Ou como Símaco, Jerônimo, Bispo Lowth, James Merrick e outros estudiosos traduzem: "Preparai o caminho para aquele que vai pelos desertos" (cf. NTLH), עֲרָבוֹת (*'ărābôt*), ou seja, aquele que cavalgou no querubim pelo deserto, em alusão clara à passagem da arca. — Extraído de *Samuel Bagster, "The Comprehensive Bible" [A Bíblia Compreensiva]*

v. 4: "Vai". Dito, talvez, em alusão ao querubim no qual Jeová montava (Sl 18.10), o próprio Deus sendo o líder e o capitão do seu povo, cavalgando como se fosse à frente, como um capitão terreno conduz o exército, montando em um cavalo de guerra. — *J. J. Stewart Perowne*

v. 4: "Sobre os céus". Em geral, as versões antigas traduzem בָּעֲרָבוֹת por *super occasus* ou *super occasum*. O significado correto e geral é "deserto" ou "solidão", e não há autoridade que apoie a tradução "céus", exceto a dos rabinos que, na verdade, é pequena ou nenhuma, e da paráfrase da versão Caldaica, que é esta: עַל כּוּרְסֵיהּ יְקָרֵיהּ בַּעֲרָבוֹת, *super thronam gloriae ejus in nono coelo*, que significa "aquele que se assenta no trono da sua glória no nono céu". O salmista alude, como entendo, à passagem dos israelitas pelo deserto a caminho da terra prometida, e, nos versículos seguintes, descreve muitas das principais circunstâncias relacionadas ao evento. Deus cavalga, ou seja, é levado pelos desertos, como a arca da sua presença foi levada pelos desertos e acompanhou os israelitas em todas as etapas durante o tempo em que neles permaneceram e peregrinaram. — *Samuel Chandler*

v. 4: "Cantai a Deus, cantai louvores ao seu nome; louvai aquele que vai sobre os céus, pois o seu nome é JEOVÁ; exultai diante dele". Deus sempre vai à frente do seu povo pelos desertos do sofrimento e da necessidade. Nos desertos da dificuldade, eles encontram nele um verdadeiro líder. — *E. W. Hengstenberg v. 4:* "O seu nome é Jeová". Em certas traduções antigas, consta o nome Já em vez de Jeová. *Já*, como a concentração de *Jeová*, é termo mais enfático (Stier). Nessas traduções antigas, o termo ocorre pela primeira vez em Êxodo 15.2. — *Frederic Fysh, "A Lyrical Literal Version of the Psalms" [Uma Versão Literal Lírica dos Salmos], 1850*

v. 5: "Pai de órfãos". Diz Hilário que, em sentido espiritual, os *órfãos*, cujo pai é Deus, são os que renunciaram o pai diabo, e aqueles a quem Cristo, na sua ascensão, enviou outro Consolador, de acordo com a promessa: "Não vos deixarei órfãos" (Jo 14.18). — *John Lorinus*

v. 5: "Pai de órfãos e juiz de viúvas é Deus no seu lugar santo". Tiago não está se referindo a este versículo? É que temos os *órfãos*, as *viúvas* e, depois, a *santidade* do Deus a quem servimos (Tg 1.27). — *Andrew A. Bonar*

v. 5: "Deus no seu lugar santo". Embora o Senhor seja infinito e incompreendido em todo lugar, ele designou um lugar de encontro onde, segundo a sua própria ordenação, o seu povo o achará, a saber, a assembleia dos santos, o templo santo que prenuncia a encarnação de Cristo, que hoje está nos céus, encarnado e assentando à mão direita de Deus, em quem habita a divindade. É aqui, é aqui que encontramos Deus. — *David Dickson*

v. 6: "Deus faz que o solitário viva em família". Podemos interpretar que se refere à fertilidade e aumento da igreja com novos convertidos, na dispensação do evangelho, provenientes de gentios que antes estavam solitários ou sós, sem Deus e sem Cristo, estranhos à comunidade de Israel. Mas, sendo chamados e convertidos pelo ministério da palavra, foram trazidos e colocados na igreja ou família do evangelho. [...] A igreja do evangelho, como uma família, tem um dono, que é Cristo, o Filho e Primogênito, de cujo nome é chamada. É onde estão os santos de diversas idades, alturas e situações sociais. Alguns são pais, outros jovens e alguns crianças. É onde estão as provisões adequadas para eles e atendentes para lhes dar a porção de comida no devido tempo, que são os ministros da palavra. É onde estão as leis e regras, pelas quais eles são orientados e regidos. É onde tudo é mantido no mais absoluto e bom decoro. — *John Gill*

v. 8: "Do Deus de Israel". Sinai era o lugar não só de Deus, mas também do Deus da aliança do povo de Israel. Foi do monte Sinai que a lei foi proclamada, e a aliança estabelecida entre Deus e o povo. — *Hermann Venema*

v. 9: "Tu, ó Deus, mandaste a chuva em abundância e confortaste a tua herança, quando estava cansada". No original hebraico, o "tu" é enfático. Significa: "A tua herança, até mesmo quando estava cansada [ou seja, exaurida], tu a confortaste [ou confirmaste, ou fortaleceste]". Tu que somente podias fortalecer alguém, exaurido, assim fizeste para com o teu povo. — *A. R. Fausset*

v. 9: "A chuva em abundância". As palavras hebraicas traduzidas por "chuva em abundância", são literalmente "chuva de liberdades". Concordo com os intérpretes que pensam que o salmista alude à bênção, que veio no exercício do favor livre, e a Deus que, da sua própria bondade espontânea, satisfez todos os desejos do povo. Outros intérpretes traduzem por "chuva desejável", outros ainda por "chuva que cai sem violência" ou "chuva leve". Mas nenhuma destas opções tradutórias é qualificada. Outros traduzem por "chuva copiosa" ou "chuva abundante". Mas já declarei qual é a tradução cujo significado goza a minha preferência. — *João Calvino*

v. 9: "A chuva em abundância", ou "a chuva graciosa" (cf. NTLH), ou seja, a chuva de maná. — *Edmund Law, 1703-1787,* citado por *Richard Warner, in loc., 1828*

v. 9: "A chuva". Há uma fonte, diz Cirilo (315-386), que rega o paraíso de Deus, e a chuva que cai no mundo todo é a mesma. É branca na flor do espinheiro, vermelha na rosa, roxa no jacinto, diversa em tipos diversos e toda em todos. Contudo, em essência é a mesma e do mesmo tipo. [...] Assim também é o Espírito Santo. Ele é o mesmo e não divisível, contudo para cada um ele divide graça segundo lhe apraz. — *Thomas Le Blanc*

v. 9: "A chuva em abundância". O teu amor é como chuva! A nossa retribuição por esse amor não passa de uma gota de orvalho, e essa gota de orvalho está manchada pelo pecado. — *James Harrington Evans, 1785-1849*

v. 10: "O teu rebanho" ou congregação ("grei", ARA). As palavras são seletas e expressivas. Dirigindo-se a Deus, (o poeta) intencional e enfaticamente chama o povo de Israel de חַיָּתְךָ, "a tua congregação unida", em contraste com as diversas divisões e dissensões ocorridas anteriormente, para dar a entender que agora o povo fora soldado entre si, formado em sociedade e unido ao mesmo tempo. O povo fora bem organizado e constituído como sociedade de Deus, na qual as suas leis prosperavam e tinham a propensão de serem observadas. — *Hermann Venema*

v. 10: "O teu rebanho" ou congregação ("grei", ARA), ou "as tuas criaturas vivas", חַיָּתְךָ, τὰ ζῷά (Septuaginta), *animalia* (Vulgata Latina), é provável referência ao imenso número de codornizes que foram milagrosamente levadas para o acampamento dos israelitas e que, de certo modo, habitaram ali. — Nota extraída de *Samuel Bagster, "The Comprehensive Bible" [A Bíblia Compreensiva]*

v. 10: "O teu rebanho" ou congregação ("grei", ARA), ou "as tuas criaturas vivas". É o lugar desolado onde só habitavam animais selvagens, mas agora, pelas chuvas de maná (v. 9), pôde sustentar uma multidão de outras criaturas vivas domesticáveis, até mesmo homens com todos os seus rebanhos e manadas. — *Henry Hammond*

v. 10: "Nela habitava o teu rebanho", ou mais exatamente: "Para teu mantimento (maná e codornizes), eles habitam no meio dela". — *Edmund Law*

v. 10: "Nela habitava o teu rebanho", ou "para o teu mantimento, eles habitavam entre ele". A ambiguidade da palavra חַיָּה ocasiona várias traduções desta frase. Parkhurst considera que o sentido do radical de חָיָה é "ser vigoroso", "ser forte". Por conseguinte, o substantivo denota "vigor", "força", um grupo de homens (2 Sm 23.13), e também aquilo que dá força, o meio de sustento ou comida (Jz 6.4; 17.10; cf. Ne 9.6). Os tradutores tomaram o termo hebraico no primeiro sentido. Eu tomo no segundo, porque o contexto exige e porque חַיָּה sempre se refere a grupo de homens, como soldados que estão decididamente engajados em algum tipo de guerra. Por conseguinte, o que em 2 Samuel 23.13 é chamado de "multidão de filisteus", em 1 Crônicas 11.15 é chamado de "arraial dos filisteus". E por último, também porque a versão comum não tem antecedente, ao qual בָּהּ, "nela" ou "entre ela", possa se referir. Mas esta versão tem um antecedente no substantivo *mantimento* ("para o teu *mantimento*, eles habitavam entre *ele*"). Penso, então, que a referência diz respeito não só ao maná, mas às codornizes que Deus trouxe com abundância ao acampamento (Êx 16.13; Números 11.31). Desta forma, "tu, ó Deus, proveste o pobre da tua bondade". — *Benjamim Boothroyd*

v. 10: "Tu, ó Deus, proveste o pobre da tua bondade". É da bondade de Deus e não da bondade do pobre. O necessitado é o pobre, porque foi enfraquecido para que pudesse ser aperfeiçoado. Ele confessa que foi desprovido de sustento para que pudesse ser enchido outra vez. — *Agostinho*

v. 11: "O Senhor deu a palavra; grande era o exército dos que anunciavam as boas-novas". Quando os inimigos da igreja são vencidos, descobrimos que Deus tem muitos pregadores feitos para ensinar os seus louvores. [...] As palavras no original hebraico são muito significativas e ressaltam duas coisas.

Em primeiro lugar, é a palavra "exército" em: "Grande era o exército dos que anunciavam as boas-novas [ou seja, exército de pregadores]". Um exército de pregadores é algo estupendo. É grandioso ter sete ou oito bons pregadores em um grande exército. Mas ter um exército inteiro de pregadores é glorioso.

Em segundo lugar, diz respeito à amabilidade deste exército de pregadores. Temos de entender a palavra נֶפֶשׁ, "alma", como se dá no texto de Eclesiastes: "As palavras [ou livro] do pregador" (Ec 1.1), as quais, estando no gênero feminino, denotam *nepesh*. É como se ele tivesse dito, segundo coloca Vatablus: "As palavras ou livro daquele que tem alma ou coração de pregador", ou "as palavras da alma ou coração do pregador". Portanto, onde diz: "Grande era o exército de pregadores", a palavra em hebraico está no gênero feminino. É como se ele tivesse dito: "Grande é o exército de almas pregadoras, cujo coração interior pregará sobre as obras do Senhor. Agora, meus irmãos, se já é muito ter um exército que prega, quanto maior será se este exército pregar com coração e alma sobre os louvores de Deus. Ó tremenda bênção! E assim será quando os inimigos de Deus forem destruídos. Concluindo, visto que Deus não perderá todos esses sermões pregados acerca dos seus próprios louvores, os inimigos da igreja serão, no devido tempo, dissipados. — *William Bridge, 1600-1670, "The True Soldier's Convoy" [A Escolta do Verdadeiro Soldado], 1640*

v. 11: "O Senhor deu a palavra; grande era o exército dos que anunciavam as boas-novas". É por causa da palavra, designação e poder de Deus que qualquer pessoa pode ser induzida ou capacitada a pregar o evangelho. — *John Newton*, "Messiah" *[Messias]*

vv.11 e 12: "O Senhor deu a palavra; grande era o exército dos que anunciavam as boas-novas. Reis de exércitos fugiram à pressa; e aquela que ficava em casa repartia os despojos". Este relato das vitórias de Israel são aplicáveis às vitórias obtidas pelo Redentor exaltado, quando os inimigos da salvação do homem foram derrotados pela ressurreição de Cristo, e as nações pagãs foram compelidas a confessar o poder de Cristo. Esta grande vitória foi notificada primeiro pelas mulheres aos discípulos. — Extraído de *Sra. Thomson, "A Practical Illustration of the Psalms" [Uma Ilustração Prática ao Livro dos Salmos], in: Family Commentary on the New Testament [Comentário da Família para o Novo Testamento], 1826*

vv. 11 e 12: "O Senhor deu a palavra; grande era o exército dos que anunciavam as boas-novas. Reis de exércitos fugiram à pressa; e aquela que ficava em casa repartia os despojos". O Senhor deu a palavra na ascensão para uma multidão de discípulos que a anunciou. Foi desta maneira que reis de exércitos foram postos em fuga. Os discípulos conquistaram pela palavra. Não há outro modo semelhante para derrotar os reis e os seus exércitos. — *William Strong*

vv. 11 a 14:

O Senhor deu a palavra!
Uma grande companhia de mulheres anuncia as Boas-Novas!
Reis com os seus exércitos fogem — fogem!
E aquelas que moram em casa dividem o espólio!
Embora estejam perto de lareiras
Tornam-se como asas de pomba revestidas de prata
E como as pontas das asas revestidas de ouro amarelo
Quando o Todo-poderoso espalha os reis
Brilham ali como neve em Zalmom

"Aquelas que moram em casa dividem o espólio", ou seja, as mulheres. Elas são mencionadas nos seus hábitos de vida feitos no recesso do lar, como cotidianamente fazem em países orientais. "Embora estejam perto de lareiras", ou seja, fazem costumeiramente os mais baixos afazeres domésticos. Portanto, as vestes que usam são simples e desgastadas. As "lareiras", ou seja, segundo o hebraico, os "restos", as "sobras" (de caldeiras). "Tornam-se", ou seja, enfeitam-se com o espólio do inimigo. "Brilham... como neve", ou seja, segundo o hebraico, cada mulher é pura como a neve. "Ali", ou seja, no espólio distribuído entre elas. — Tradução e Notas de *W. French e G. Skinner*

v. 12: "Reis de exércitos fugiram à pressa". No original hebraico é "eles fugiram, eles fugiram", "eles fugiram é duplamente". Por quê? Significa que fugiram muito apressadamente, fugiram confusamente e fugiram por todos os lados. Fugiram, fugiram, o que ressalta a grandeza da fuga. — *William Bridge*

v. 12: "Reis de exércitos fugiram". Os "exércitos" são exércitos numerosos e bem aparelhados, adiante dos quais os reis pagãos saem para a batalha contra o povo de Deus. A expressão incomum, "reis de exércitos", soa uma antítese ironicamente pejorativa do costumeiro "Senhor dos Exércitos". — *Boettcher*, citado por *Franz Delitzsch*

v. 12: "Aquela que ficava em casa", quer dizer, todos os não-combatentes, afirma Kimchi. Ou as mulheres também (as *domi portae*) saíram para saquear. Os dias do evangelho pululam com muitas matronas religiosas e virgens santas. É fácil observar que o Novo Testamento fornece mais quantidade de boas mulheres do que o Antigo Testamento. — *John Trapp*

v. 12: "Repartia os despojos". Não meramente, como diz Hupfeld, "recebia a sua parte do espólio", mas, antes, "distribuía entre as filhas, as servas, etc., a parte do espólio", que o marido trouxe para casa. — *J. J. Stewart Perowne*

v. 13: "Ainda que vos deiteis entre redis, sereis como as asas de uma pomba, cobertas de prata, com as suas penas de ouro amarelo". Não seria proveitoso nem possível apresentar ao leitor todas as conjeturas com que os estudiosos ilustraram ou obscureceram esta passagem. O meu objetivo é fazer uma seleção, não, talvez, do que se chamaria de seleção judiciosa, mas um tipo de seleção por amostragem, contendo espécimes de interpretações. Henry Hammond, que é autoridade muito alta, seleciona as que são as melhores sugestões. Apresentamos, então, a essência da sua exposição. Solomon Jarchi e outros estudiosos veem na palavra a ideia de limites, fronteiras, estradas e caminhos que servem de divisão de terras. Isto explica a divergência da Septuaginta no significado de porções e heranças. As fronteiras eram normalmente montões de pedras, tijolos quebrados e entulho, dando outros significados possíveis. Mas pedras, tijolos, etc., eram usados para apoiar panelas na arte culinária ao ar livre dos povos do oriente, por onde chegamos ao significado de "entre as fogueiras do acampamento" (NVI; cf. AEC). Como Jó "assentou-se no meio da cinza" e tomou "um pedaço de telha para raspar com ele as feridas" (Jó 2.8), vemos que assentar-se no meio do entulho era evidente imagem da situação mais deprimente e esquálida. Nas "asas de uma pomba", Hammond vê alusão às asas querúbicas douradas que cobriram a arca, por meio da qual a presença de Deus era manifesta ao povo e a prosperidade garantida. A explicação do todo é a seguinte: "Os israelitas, que foram oprimidos e que por muito tempo ficaram em situação triste, negra, necessitada e menosprezada, estavam agora avançando em toda prosperidade, esplendor e glória (como foi notável no fato de saírem dos fornos do Egito, com as joias e riquezas dos egípcios, e depois, mais ilustrativamente, no fato de desfrutar de Canaã). Os idólatras bárbaros que foram levados à situação mais baixa e desprezível do que qualquer criatura, pois adoraram a madeira, a pedra, etc., e se entregaram às mais vis concupiscências, bem como a um sentimento perverso (Rm 1.28), foram, no reino de Cristo, promovidos dessa condição detestável para o serviço de Cristo e prática de todas as virtudes cristãs: o amor, a mansidão, etc., que são as maiores belezas interiores no mundo". — *C. H. S.*

v. 13: "Ainda que vos deiteis entre redis, sereis como as asas de uma pomba, cobertas de prata, com as suas penas de ouro amarelo", quer dizer, ainda que vocês labutem e descansem entre os fornos de fazer tijolos que havia no Egito (cf. "entre as fogueiras", AEC; "entre as fogueiras do acampamento", NVI) — um povo pobre, escravizado e oprimido —, vocês subirão pouco a pouco em termos de dignidade, prosperidade e esplendor. Vocês serão como uma pomba que, contaminada pela sujeira, fica desordenada e abatida, mas lavando-se em água corrente e aparando a plumagem, gradualmente recupera a serenidade de espírito, a pureza da cor e a riqueza e elegância variada da aparência. — *William Greenfield*, in: *Samuel Bagster, "The Comprehensive Bible" [A Bíblia Compreensiva]*

v. 13: "Ainda que vos deiteis entre redis", ou "entre duas fileiras de pedras" (entendamos "fogueiras", cf. AEC; NVI), como em acampamentos e em outros lugares, que até hoje são colocadas e dispostas de modo a fazer fogo entre elas para por ele cozinhar os alimentos, fixando ou pendurando em cima panelas, chaleiras, etc. Ou "entre pingadeiras", ou "entre panelas". O sentido de todas estas opções de tradução é este: Ainda que vocês sejam lançados ou postos na maior escravidão ou na mais vil situação (como no Egito), completamente sujos de fumaça e de fuligem, como ficam os cozinheiros e ajudantes de cozinha, Deus pela sua bênção graciosa fará vocês brilharem como uma vistosa pomba voadora, que reluz como se fosse de prata e de ouro. — *Theodore Haak, "Translation of the Dutch Annotations, as ordered by the Synod of Dort, in 1618"* [Tradução das Anotações Holandesas, conforme ordenado pelo Sínodo de Dort, em 1618], Londres, 1657

v. 13: "Ainda que vos deiteis entre redis". Ainda que vocês tenham sido tratados pelos egípcios como uma companhia de pastores desprezíveis, e fossem considerados uma abominação por eles (cf. Gênesis 46.34). — *William Green, "The Book of Psalms; A New Translation, with Introductions and Notes" [O Livro dos Salmos; Uma Nova Tradução, com Introduções e Notas], 1762*

v. 13: "Ainda que vos deiteis entre redis". Em alemão, "ainda que vos deiteis longe de casa", ou seja, ainda que vocês assim, em profunda paz, se deitem entre currais de ovelhas. — *T. C. Barth*

v. 13: "Ainda que vos deiteis entre redis", ou "por que repousais entre as cercas dos apriscos?" (ARA). É um protesto veemente e cortante (cf. NTLH). Vocês se deitarão à vontade, na quietude da vida pastoral, como a pomba com plumagem imaculada no ninho tranquilo, enquanto os seus irmãos estão no tumulto e no pó do conflito? Ver Juízes 5.16 (de onde esta insinuação é tomada), 17. — *Thomas J. Conant*

v. 13: "Ainda que vos deiteis entre redis, sereis como as asas de uma pomba, cobertas de prata, com as suas penas de ouro amarelo". Temos uma palavra no original hebraico cuja tradução é especialmente complicada. É a palavra שְׁפַתָּיִם (*sh[e]pattāyim*). Trata-se de uma palavra de significados e traduções diversas, ocasionando múltiplas interpretações. Significa "fronteiras" ou "limites", ou "sortes" ou "heranças", ou ainda "panelas" ou "fogueiras".

(1) Certos expositores traduzem a palavra por "duas fronteiras" ou "dois limites" (a palavra é de número relativo a dois). Fica com o sentido de duas fronteiras, limites ou costas dos inimigos prontos para afligir, atormentar e infestá-los de cada lado. Ou duas fronteiras ou confins do país, onde eles se fortaleceram contra os inimigos. Este sentido é adotado por alguns escritores antigos. É uma das interpretações que Ainsworth dá, embora não a primeira. Mas esta versão é muito inadequada para o texto, pois destrói a elegância e pertinência da oposição entre as duas metáforas, representando as diferentes condições de Israel, antes e durante o reinado de Davi.

(2) Outros expositores traduzem a palavra por "duas sortes" ou "duas heranças". É o que faz a Septuaginta, ἀνὰ μέσον τῶν κλήρων, que quer dizer "entre as sortes" ou "entre as heranças", pois antigamente as heranças, como em Canaã, eram distribuídas por sortes. Hierom segue este sentido, traduzindo por *Si dormiatis inter medios cleros*, e explicando assim: "Quando tu creres nos dois Testamentos, em ambos acharás o Espírito Santo. E ainda que haja certa beleza, mesmo de acordo com a letra, saber o que tu lês, a força de toda graça está no sentido. O ornamento exterior das palavras se mostra pela palavra *prata*, mas os mistérios mais secretos estão contidos nas dádivas ocultas do *ouro*. De forma que, para ele, as duas sortes são os dois Testamentos. A *pomba* é o Espírito Santo. As *asas cobertas de prata* são a letra exterior dos Testamentos, as *penas de ouro amarelo*, o seu sentido interior, espiritual e misterioso". Mas esta é mais uma proposta alegórica engenhosa do que uma exposição perspicaz e sólida. Agostinho também expõe as palavras do versículo muito semelhantemente, mas de modo totalmente insatisfatório. Os antigos pais nem sempre são os melhores expositores.

(3) Mas a maioria dos expositores traduz a palavra por "panelas" ou "fogueiras". Assim: "Ainda que vos deites entre as panelas (ou entre as fogueiras, ou entre os duas fileiras ou carreiras, ou seja, de pedras para pendurar panelas no acampamento ou campo), sereis como as asas de uma pomba, cobertas (ou enfeitadas) de prata, com as suas penas de ouro amarelo-esverdeado" (cf. AEC; NVI). Nestas palavras, eles observam uma metáfora dupla:

(a) A descrição de Israel deitar-se, ou seja, estar entre panelas, como ajudante de cozinha entre panelas, chaleiras ou caldeirões no acampamento ou campo de guerra, e ficar enegrecido, sujo, manchado de fuligem e feio, denota a condição miserável, baixa, vil, suja, feia e desprezível de Israel durante as aflições e angústias extremas passadas no Egito, no deserto, em Canaã e no período dos juízes.

(b) A descrição de Israel ser como as asas de uma pomba (cujo voo de fuga é muito veloz), de cor da prata brilhante e do ouro belo, representa a fuga e libertação de todas as aflições, que enegrecem, mancham de fuligem e enfeiam, para o estado contrário, belo, próspero e feliz do reinado de Davi, sobretudo, de Jesus Cristo, o verdadeiro Davi. A negridão denota extrema angústia, aflição e miséria. As asas da pomba conotam a fuga. A cor branco-prateada e belo-dourada indica prosperidade e felicidade.

As metáforas são elegantemente contrárias uma à outra e expõem, muito significativamente, as condições diversas de Israel. Primeiro, por ter estado entre as fogueiras das intensas aflições nos antigos tempos. Depois, tendo assegurado a libertação e garantido dias melhores, foi como uma pomba de asas de prata e de penas de ouro, cheia de beleza, graça, prosperidade e felicidade. É desta forma que R. David Kimchi, Pagnin, João Calvino, Simon de Muis, Foord, Henry Ainsworth e outros estudiosos *expõem estas palavras. — Extraído de um sermão de Francis Roberts intitulado "The Checquer-Work of God's Providences, Towards His Own People, made up of Blacks and Whites" [A Obra Enxadrezada das Providências de Deus para com o Seu Povo Composto por Negros e Brancos], 1657*

v. 13: "Ainda que vos deiteis entre redis, sereis como as asas de uma pomba, cobertas de prata, com as suas penas de ouro amarelo". M. L. Whately, no livro "Ragged Life in Egypt" [A Vida Rota no Egito], descrevendo algumas cenas testemunhadas dos tetos planos das casas no Cairo, afirma, entre outras coisas interessantes: "Os telhados quase sempre estão em desordem, sujos e cheios de detritos. Se Hasna, a vendedora de *geeleh*, não arranjasse uma folha de palmeira para, de vez em quando, varrer e limpar, o telhado com certeza ruiria pelo acúmulo de lixo. Mas uma coisa nunca era limpa: os montes de cacos de cerâmica, jarros e panelas quebrados, que nesta e em outras casas são empilhados em algum canto. Há uma observação curiosa a esse respeito. Pouco antes do pôr-do-sol, numerosos pombos saem repentinamente de detrás dos jarros quebrados e outros cacarecos, onde ficaram dormindo no calor do dia ou bicando aqui e ali em busca de comida. Arremessam-se para cima e voam velozmente, fazendo círculos grandes, as asas estendidas capturando o brilho radiante dos raios inclinados do sol, de forma que se assemelham a 'ouro amarelo' brilhante. Depois, quando fazem a volta e são vistos contra a luz, parece que se transformaram em prata fundida, a maioria dos quais ganhando uma coloração bem branca ou, então, ficando muito luminosamente coloridos. Pode parecer fantástico, mas o efeito da luz nestas regiões é difícil de descrever a quem não a viu. E todos os dias, nessa mesma hora da tarde, vemos o voo circulante das pombas e observamos o mesmo aspecto. Era bonito ver estes pássaros, saindo limpos e imaculados, como as pombas sempre fazem, do pó e sujeira nos quais tinham se escondido, e planando no alto do céu, quase longe da vista, entre as nuvens brilhantes do pôr do sol. Assim o crente, que deixa para trás as corrupções do mundo e se torna luz pelo Sol da justiça que lhe iluminou a alma, sobe cada vez mais e fica cada vez mais perto da luz, até que, perdido de vista pelos que ficaram para trás, ele passa para o desconhecido brilho do céu!" — *Srta. M. L. Whately, "Ragged Life in Egypt" [A Vida Rota no Egito] v. 13:* "Ainda que vos deiteis entre redis, sereis como as asas de uma pomba, cobertas de prata, com as suas penas de ouro amarelo". A "prata" e o "ouro amarelo" são as cores variáveis da plumagem da pomba. Richard Mant traduz o versículo assim:

De cujas asas uma luz prateada ilumina
E raios de ouro verde incidem sobre as plumagens polidas!

Para ilustrar a variedade de traduções, adicionamos esta de John Keble (1792-1866):

As suas plumagens incrustadas de brilho prateado
As pontas das suas asas de ouro puro e claro

Pessoalmente, tive motivos para observar o brilho das asas da pomba, pois, passando diante da janela do meu gabinete, esse pássaro me levava a imaginar que alguma luz incomum relampejara pelo céu. Seja como for, era uma luz moderada e prateada. Quanto à diversidade de cores da plumagem dos pássaros, Philip Henry Gosse, depois de fazer citações de "Sonnerat's Voyage in New Guinea" (Viagem de Sonnerat na Nova Guiné), escreve: "Com relação às cores metálicas brilhantes do epímaco e outros pássaros, o viajante aproveita a ocasião para observar o efeito discreto produzido pelo ângulo diferente em que a luz incide nas penas. A cor verde-esmeralda, por exemplo, irradia raios das duas cores primárias que a compõem — às vezes, azul-verde, às vezes, ouro-verde —, ao passo que, sob certa luz, desaparece toda cor, surgindo aos nossos olhos um preto aveludado". Para mim, esta é a explicação mais natural e completa da linguagem poética empregada neste versículo. — *C. H. S.*

v. 14: "Zalmom" ou "Salmom" (cf. NTLH), literalmente *Tsalmôn*, צַלְמוֹן, é um monte arborizado perto de Siquém (Juízes 9.48). Os intérpretes discutem se os dois textos se referem ao mesmo monte. Certos intérpretes entendem צַלְמוֹן no significado etimológico de escuridão, = צֶלֶם. Martinho Lutero traduz a frase assim: *So wird es helle wo es dunkel ist*, ou seja, "assim é luminoso onde é escuro", interpretando como uma referência messiânica. Henrich Ewald adota tradução muito semelhante. A maioria dos intérpretes, porém, retém o nome como nome próprio, mas varia grandemente na explicação da passagem. E. W. Hengstenberg pensa que a frase "neva em Zalmom" seja equivalente a "há um brilho onde havia escuridão", e explica que o monte, originalmente escuro por causa das árvores, agora está branco em virtude da neve. Louis de Dieu (1590-1642) supõe que seja uma comparação: "Tsalmon está branco de ossos dos reis mortos, como de neve". Outros intérpretes opinam que é uma mera nota sobre o tempo: "Era inverno, e havia neve em Tsalmon" (J. G. von Herder, 1744-1803). Este é o sentido que Hupfeld adota, explicando que a declaração é feita em tom de zombaria, com referência aos que ficaram em casa detidos pela neve do inverno. Segundo ele, a passagem (vv. 12-14) é um fragmento de uma canção antiga, celebrando algumas das primeiras conquistas de Israel em Canaã e zombando daqueles que, por preguiça ou medo, recuaram diante do combate. É assim que ele traduz:

Os reis dos exércitos, fujam, fujam
E a dona de casa divide o espólio!
Vocês se deitarão entre os currais?
Penas de pomba enfeitadas de prata
E as suas asas de ouro amarelo!
Quando o Todo-poderoso espalhou ali os reis
Estava nevando em Tsalmon

— William Lindsay Alexander, "A Cyclopaedia of Biblical Literature" [Uma Enciclopédia de Literatura Bíblica], 1866

v. 14: "Quando o Onipotente ali espalhou os reis, foi como quando cai a neve em Zalmom". Podemos colocar o verbo na segunda pessoa do singular: "Tu, ó Deus!, o fizeste belo e branco como o monte Zalmom com neve". O leitor pode adotar qualquer outra construção e o significado será o mesmo. É evidente que Davi ainda está insistindo na ilustração da brancura de prata que ele previamente fizera. O país ficou, por assim dizer, enegrecido ou sujo pela confusão hostil que ali ocorrera. Agora, ele declara que o país recuperara a bela aparência, assemelhando-se ao monte Zalmom, que era bem conhecido por quase sempre estar coberto de neve. Outros estudiosos pensam que Zalmom não é o nome de um lugar, mas um apelativo que significa "sombra escura". Eu reteria a interpretação comumente aceita. Ao mesmo tempo, penso que pode ter havido certa alusão à etimologia. O termo é derivado da palavra צֶלֶם (*tselem*), que significa "sombra", e o monte Zalmom fora assim chamado por causa da sua negridão. Isto torna a comparação mais surpreendente, pois dá a entender que, como a neve tinha embranquecido esta montanha negra, assim o país tinha retomado a beleza anterior e assumido um aspecto de alegria, quando Deus dispersou a escuridão que ali se instalara durante o ataque dos inimigos. — *João Calvino*

v. 14: "Foi como quando cai a neve em Zalmom", quer dizer, esta tua herança, o teu povo peculiar, pareceu tão luminoso e glorioso à vista das nações vizinhas, como o pico coberto de neve do monte Zalmom brilha pela reflexão dos raios solares. — *Thomas Fenton*

v. 14: "Foi como quando cai a neve em Zalmom". A expressão aqui usada denota que tudo era tão brilhante e alegre à mente do povo de Deus, como era o monte Zalmom aos olhos deles quando brilhava por causa da neve. Como a neve é muito menos comum e fica por tempo muito menor na Judeia do que na Inglaterra, não é surpreendente que seja muito mais admirada. De forma apropriada, o filho de Siraque fala a esse respeito com certo enlevo: "A beleza da sua alvura arrebata os olhos e, quando ela cai, o coração se extasia" (Eclesiástico 43.20, Bíblia da CNBB). — *Samuel Burder*

v. 14: "Zalmom". Stanley conjetura que Zalmom é outro nome do monte Ebal. Situava-se perto de Siquém (cf. Jz 9.48), mas é quase impossível identificá-lo, pois Mills, o hábil e laborioso autor de "Nablus and the Modern Samaritans" (Nablus e os Samaritanos dos Dias de Hoje), não encontrou ninguém que conhecesse o nome Zalmom, nem descobriu alguma tradição a respeito ou qualquer menção na literatura samaritana. A palavra significa "sombra", e talvez possa ser popularmente aceito como idêntico ao nome "A Floresta Negra". — *C. H. S.*

v. 15: "O monte de Basã". A grandeza geográfica do mundo tem de contribuir para a grandeza espiritual da igreja. Aqui, "o monte de Deus" é um símbolo dos reinos do mundo (Sl 65.6), que são grandes somente por causa da graça de Deus. Uma grande montanha nos faz lembrar do poder criativo de Deus. Por conseguinte, "o monte de Elohim" (o nome geral de Deus como Criador) se coloca em contraste com o monte, no qual o Senhor (Jeová) habitará eternamente (v. 16). Situa-se no norte, na região leste do rio Jordão, ou na terra de Hermom, no reino de Ogue, que foi o inimigo mais tremendo que Israel encontrou na marcha em direção a Canaã. "O monte de Basã é o cume coberto de neve mais alto que há no Anti-Líbano ou Hermom, o limite extremo de Basã. Havia certa característica peculiar relacionada à sua posição na fronteira entre a Judeia e o mundo gentio, ao empregá-lo como símbolo do poder mundial (v. 22; Sl 42.6; 89.12)" (E. W. Hengstenberg). O nome original de Hermom era Siom, que significa "alto", "sublime" (Dt 4.48), e, aliado sonoramente a Sião, indica o contraste entre os montes do mundo e o monte do Senhor. — *A. R. Fausset*

vv. 15 e 16: "O monte de Deus é como o monte de Basã, um monte elevado como o monte de Basã. Por que saltais, ó montes elevados? Este é o monte que Deus desejou para sua habitação, e o SENHOR habitará nele eternamente".

Uma montanha de Deus é o monte de Basã
Uma montanha de cumes é o monte de Basã
Por que vocês estão irritadas, montanhas pontiagudas?
Em que montanha Deus deseja morar? Sim, Jeová morará nela para sempre
— Versão de *Frederic Fysh*

v. 16: "Por que saltais, ó montes elevados?" É como se ele tivesse dito: "Por que vocês saltam, como de alegria e para mostrar as suas vantagens naturais sobre Sião?" Ou: "Por que vocês saltam para insultar Sião, e se comparar e se igualar a ele em honra?" É um tipo de linguagem poética. Outros estudiosos traduzem assim: "Por que vocês olham, como se estivessem encantados de admiração?" (cf. ARA). — *John Diodati*

v. 16: "Este é o monte que Deus desejou para sua habitação". O monte Sião é baixo, pequeno e estéril. É a eleição de Deus que faz a diferença, como fez a diferença a vara de Arão em relação às demais varas e ainda faz a diferença a igreja em relação ao resto do mundo. O Cordeiro Cristo está sobre o monte Sião (Ap 14.1). — *John Trapp*

v. 17: "Os carros de Deus são vinte milhares, milhares de milhares". Quais são estes "carros de Deus"? Não mediremos palavras para responder. Olhe em volta e veja os inumeráveis carros e anjos aqui mencionados, pois tantas criaturas você ver são tantos anjos e carros de Deus que você verá. Todas as criaturas são o exército de Deus. Todas elas são os carros em que ele anda, quer você veja ou não: "O Senhor está entre eles, como em Sinai, no lugar santo". A glória do Senhor enche todas as suas criaturas (tivéssemos nós olhos abertos e veríamos). Todas estão à suas ordens, e não há criatura que não faça o que ele quer. Irmãos, como é glorioso e bendito que, olhando em volta, vemos quantas criaturas visíveis e invisíveis há em favor da nossa alma, pois agora as vemos como carros de fogo e cavaleiros de fogo para a nossa defesa, proteção e conservação! Por outro lado, "horrenda coisa é cair nas mãos do Deus vivo" (Hb 10.31), que tem todos estes carros e cavaleiros às suas ordens para fazer o que ele quer e para vingar-se daqueles que o negligenciam, o odeiam e se opõem a ele. — *John Everard, "Militia Coelestis or The Heavenly Host" [A Milícia Celestial ou o Exército Celestial], 1653*

v. 17: "Os carros de Deus são vinte milhares, milhares de milhares. O Senhor está entre eles, como em Sinai, no lugar santo".

E carros vinte mil, por mim contados
Do trem do Eterno vindos, o ladeiam:
Sobre o cristal, no safirino trono
Que os querubins coas asas erguem, firmam
Brilhante fende a vastidão do espaço
— *John Milton*, 1608-1674, "Paraíso Perdido"

v. 17: "Vinte milhares", ou, antes, duas dezenas de milhares, רִבֹּתַיִם, singular רִבּוֹ, pois רִבּוֹת só aqui está no dual, o número infinito duplicado. "Milhares de milhares", literalmente, "milhares de repetição", ou seja, "muitos milhares" (Bythner, Gesenius), pois a palavra שִׁנְאָן só ocorre aqui, sendo derivada de שָׁנָה, "repetir". A palavra *anjos*, que aparece em certas traduções antigas, foi adicionada pelas referências no versículo ao "Sinai" (cf. Dt 33.2, "dez milhares de santos") e "carros" (רֶכֶב), sendo coletivamente usado por aqueles que andavam neles, como ocorre frequentemente em outros textos. — *William de Burgh*, 1860

v. 18: "Tu subiste ao alto, levaste cativo o cativeiro, recebeste dons para os homens e até para os rebeldes, para que o Senhor Deus habitasse entre eles". Certos expositores opinam que se refere às saídas de Deus em benefício do povo de Israel, liderando-o à vitória, levando cativo os inimigos e enriquecendo-o de espólios. Supondo que a interpretação esteja correta, somos autorizados a considerar como referência principal a Cristo, pois foi assim que o apóstolo aplicou o texto (Ef 4.8).

O apóstolo não só aplicou o texto a Cristo, mas provou que é aplicável. O seu argumento é: "Ora, isto — ele subiu — que é, senão que também, antes, tinha descido às partes mais baixas da terra? Aquele que desceu é também o mesmo que subiu acima de todos os céus, para cumprir todas as coisas" (Ef 4.9,10). O cativeiro que ele levou cativo eram os nossos inimigos espirituais que tinham nos levado cativo — Satanás, a morte —, e, tendo obtido a vitória, ele passa a dividir o espólio. São os "dons para os homens" em ambos os textos. É de onde vêm as ordenanças, os ministros, etc. Houve um cumprimento glorioso imediatamente após a ascensão, em uma rica profusão de dons e graças para a igreja. Aqui é "recebeste", e em Efésios é "deu". Ele recebeu para poder dar. Recebeu o espólio para poder distribuí-lo. Mas como desejo examinar devidamente a passagem em estudo, gostaria de chamar a sua atenção para duas coisas em meu exame.

I. As grandes bênçãos do ministério cristão.

(1) Os ministros são recebidos para vocês e dados para vocês por Cristo. Como homens e como pecadores, os ministros não são nada e não desejam ser valorizados. Mas como dons de Cristo, convém a vocês valorizá-los.

(a) Se vocês amam a Cristo, vocês valorizarão os ministros, por eles serem o dom de Cristo — um dom designado a suprir a ausência de Cristo em certa função. Ele foi para o céu ("subiste"), mas ele dá servos para vocês. Daqui a pouco vocês esperam estar com ele, mas, por enquanto, vocês são como ovelhas no deserto. Por isso, ele dá pastores para vocês.

(b) Se vocês temem a Deus, vocês terão medo de tratar mal os pastores, visto que eles são o dom de Cristo. Deus feriu Israel por menosprezar Moisés. Ele é "o meu servo" (Nm 12.8).

(2) Os ministros não só são dados para vocês, mas recebidos para vocês das mãos do Deus Pai, como bênção da aliança, entre as outras bênçãos espirituais que há nos lugares celestiais em Cristo. Sob este ponto de vista, considerem que Cristo não recebeu nada das mãos do Pai, senão aquilo que mais lhe custou e estimava — a vida. Ou se a alusão é à divisão do espólio, ele o recebeu como o conquistador recebe o espólio das mãos do inimigo. Os ministros eram um daqueles que, como vocês, foram um tição tirado do fogo. Cristo os tomou dos inimigos para dá-los a vocês. Desta forma, valorizo muito o dom: "Isto eu recebi dos amorreus".

(3) Considerem a indignidade para vocês receberam tal bênção. Vocês são homens, meros homens, e ainda mais, homens "rebeldes" que haviam se unido a Satanás. E vocês tomarão parte do espólio? Não é hábito dividir o espólio entre os rebeldes. [...] Os homens que o mataram tiveram estes dons dados a eles. Devemos todos fazer o mesmo. Alguns de vocês, é provável, eram pessoas de caráter vil e devasso, mas vocês foram salvos. [...]

(4) O objetivo: "Para que o SENHOR Deus habitasse entre eles". "Mas verdadeiramente habitará Deus com os homens na terra?" (2 Cr 6.18). Deus não tinha habitado com o mundo, nem no mundo, enquanto o pecado dominava. Mas a mediação de Cristo serviu para provocar essa habitação. "Verdadeiramente habitará Deus com os homens"? Habitará. Como? Por meio das ordenanças e dos ministros. A igreja de Cristo é a casa de Deus. Onde alguém constrói uma casa é sinal de que ele pretende morar ali. Que bênção para a cidade, para a nação, Deus construir uma casa ali. É por isto que podemos esperar que os meios sejam abençoados para a conversão dos nossos filhos e amigos, e para a edificação dos crentes.

II. O destaque de alguns deveres correspondentes como resposta a estes privilégios.

(1) Frequentem de modo constante e diligente a casa de Deus. Se a casa de Deus é a habitação de Deus, façam dela a sua casa, o seu lar. Se Deus lhes dá pastores, receba-os e estime-os com gratidão. Ele não faz assim em todas as cidades.

(2) Contribuam com alegria para o sustento da casa de Deus. Cristo deu para vocês com liberalidade. Portanto, deem para ele com liberalidade. Considerem não como dom — um presente —, mas como dívida, e não como algo que vocês fazem aos pastores, mas a Cristo.

(3) Sigam as coisas que servem para a paz (cf. Rm 14.19), com a qual a presença e a bênção de Deus estão relacionadas.

(4) Evitem as coisas que tendem a levar o Senhor a retirar os dons e deixar de habitar entre vocês. — Esboço de um sermão de *Andrew Fuller*, 1754-1815, pregado na Igreja em Moulton, na ordenação do irmão (subsequentemente doutor) Carey, em 1 de agosto de 1787

v. 18: "Tu subiste ao alto, levaste cativo o cativeiro, recebeste dons para os homens e até para os rebeldes, para que o Senhor Deus habitasse entre eles". Mas quem é esse de quem está escrito que subiu ao alto? Confesso que o Salmo 68, onde estas palavras constam primeiramente, têm de ser entendidas de modo literal. Não devemos entendê-las como palavras de triunfo pela matança do exército de Senaqueribe, que ocorreu no tempo do rei Ezequias (como os judeus fabulosamente sonham), pois o próprio título do salmo o atribui a Davi, refutando suficientemente a ideia. Também não devemos entender que o texto alude a alguma das vitórias que Davi obteve contra os inimigos fronteiriços, quais sejam, os amonitas, os moabitas, os idumeus e os filisteus (como certos estudiosos opinam). As palavras do texto dizem respeito à grandiosa e gloriosa pompa que foi feita e demonstrada quando o rei Davi, com extrema alegria e triunfo, levou a arca da aliança para o monte Sião. Portanto, as palavras: "Tu subiste ao alto", significam que a arca, que outrora estivera em um lugar obscuro e era transportada de lugar em lugar, agora foi ascendida e assentada em um lugar muito ilustre e proeminente, até mesmo no palácio do rei. As palavras: "Levaste cativo o cativeiro", significam que os inimigos que outrora saquearam e destruíram diversas nações, agora, sendo derrotados pelo rei Davi, foram levados cativo neste triunfo. Este era o costume daqueles tempos, como Plutarco excelentemente relata sobre a vida de Paulus Emilius. As outras palavras: "Recebeste dons para os homens", referem-se ao espólio que foi oferecido voluntariamente por termo de paz e levado triunfalmente neste espetáculo pomposo para a sua maior solenidade. Depois, como era hábito entre os comandantes quando triunfavam (*bellica laudatis dona dedisse viris*, ou seja, "dar presentes bélicos aos homens merecedores"), foram dados dons aos homens, de diversas maneiras, como mostrou Sigônio. Afirmo também que, misticamente, este salmo é ἐπινίκιον, ou seja, uma "canção de triunfo" escrita pelo rei Davi na previsão de Jesus Cristo ressurgir dos mortos, ascender ao céu com grande alegria e triunfo e enviar o Espírito Santo para os apóstolos e os discípulos. E, tendo vencido todos os inimigos, reúne pelo ministério dos pregadores, as igrejas e o povo escolhido, e, assim, guia-os e defende-os nesta vida até que ele os receba na glória eterna. — *Griffith Williams*, 1636

v. 18: "Levaste cativo o cativeiro". A expressão é enfática. Ele conquistou e venceu triunfalmente todos os poderes que nos mantinham em cativeiro, de forma que o próprio cativeiro foi levado cativo. O espírito e a força do cativeiro foram destruídos. O seu povo, quando libertado por ele e agora andando nos caminhos santos, não tem o que temer daqueles de quem era cativo. Da mesma forma que o vencedor não tem o que temer de um prisioneiro acorrentado. A essência da frase não é diferente desta frase do apóstolo Paulo: "Tragada foi a morte na vitória" (1 Co 15.54). — *John Newton*

v. 18: "Levaste cativo o cativeiro, recebeste dons para os homens e até para os rebeldes, para que o Senhor Deus habitasse entre eles". A antiga profecia de Davi foi cumprida no sopé do monte das Oliveiras. Levar "cativo o cativeiro" significa que Jesus venceu os principados, as potestades, o diabo, o pecado, a morte e o inferno. Significa que ele os privou de instrumentos com os quais eles escravizavam os homens. Não só silenciou os canhões do Gibraltar espiritual, mas tomou o rochedo, a fortaleza, tudo. Não só silenciou as ameias horríveis e destrutivas dos poderosos inimigos espiritual e compactamente unidos, mas derrubou as torres, arrasou os castelos e tomou as chaves dos calabouços. Daqui em diante e para sempre ele é o Mestre. Ao mesmo tempo, ele também salvou o seu povo. Onde, ó Jesus, está o exército do qual tu és o Capitão? "Aqui! Todos os nomes estão escritos nas pedras preciosas no peitoral que uso como sumo sacerdote." Imediatamente após ter saído da sepultura, ele começou a distribuir dons. Distribuiu-os o tempo todo até chegar à casa do Pai. Especialmente depois que entrou no céu dos céus, ele derramou dons aos homens, como um vencedor poderoso carregado de tesouros para enriquecer e adornar os seus seguidores e povo. Eram dons de misericórdia. Eram dons para os rebeldes, para aqueles que lançaram as armas aos seus pés em submissão penitente, "para que o Senhor Deus habitasse entre eles". O apóstolo mostra que uma porção destes dons são dons de ministério. Por conseguinte, sempre que Deus condescende em habitar entre um povo e uma nação, ele dá o seu ministério para esse povo e essa nação. Envia-lhes o evangelho pela boca dos seus servos fiéis. Estabelece ali a sua casa, bem como a mesa e o castiçal. Depois, no seu Espírito, habita ali e abençoa a sua herança. — *Christmas Evans, 1766-1838*

v. 18: "Tu subiste ao alto, levaste cativo o cativeiro, recebeste dons para os homens". O apóstolo Paulo não cita literalmente as palavras do salmo, mas de acordo com o sentido (Ef 4.8). A frase: "Recebeste dons", quando aplicada à glorificação de Cristo, só pode ser com a finalidade de distribuição. Por conseguinte, o apóstolo a cita neste sentido: "Deu dons aos homens". Podemos traduzir esta frase hebraica assim: "Tu recebeste dons na natureza humana", ou assim: "Tu recebeste dons por causa do homem" (ver Gn 18.28; 2 Rs 14.6). O apóstolo usa as palavras no sentido do propósito pelo qual os dons eram recebidos, não havendo contradição entre o salmista e o apóstolo. As dificuldades desta citação desaparecem quando as examinamos de perto. O Antigo e o Novo Testamentos estão em perfeita harmonia. Ernst Fried Karl Rosenmüller (1798-1835) expõe o Salmo 18, e nunca menciona o nome de Cristo. Os neologistas não veem nenhum Messias em geral no Antigo Testamento. Para estes, pois, Efésios 4.8, se fossem um pouco modestos, apresentaria um tremendo obstáculo. Paulo afirma que o salmo pertence a Cristo. Eles afirmam que ele está enganado e que ele o perverteu (De Wette) e destruiu o seu significado. Afirmam que *lamarom*, "ao alto", se refere às alturas do monte Sião, e Paulo diz que é o céu. Quem está com a razão? Veja o uso bíblico da palavra em Salmo 7.7; 18.16; 93.4; 102.19; Jeremias 25.30; Isaías 37.23. Estas passagens conectam a palavra com as mansões celestiais, e justificam a aplicação do apóstolo. — *William Graham, "Lectures on St. Paul's Epistle to the Ephesians" [Conferências sobre a Epístola de Paulo aos Efésios], 1870*

v. 18: Assim que Jesus foi empossado no trono, ele espalha riquezas e dá dons. Ele dá dons ou o dom dos dons, o dom do Espírito Santo. "Se tu conheceras o dom de Deus", disse Jesus à mulher samaritana (Jo 4.10). Esse dom era a água da vida, e essa água da vida era o Espírito, como João, que conhecia melhor a sua mente, deu a interpretação: "E isso disse ele do Espírito" (Jo 7.39). Ó minha alma, reflita sobre este magnífico dom de Cristo! Esse dom só passou a existir quando Deus deu o seu Filho: "Deus amou o mundo de tal maneira que deu o seu Filho" (Jo 3.16). Jesus amou o mundo de tal maneira que deu o seu Espírito. Mas, ó minha alma, reflita especialmente sobre a quem este Espírito foi dado. A aplicação do dom é o próprio cerne da meditação. "Um filho se nos deu", disse o profeta (Is 9.6), e o "Espírito Santo [...] nos foi dado", disse o apóstolo (Rm 5.5). E, acima de tudo, reflita, ó minha alma, sobre as razões deste dom em referência a você mesma. Não era para fazer de você um templo e receptáculo do Espírito Santo? Pense um pouco mais sobre isso! Admire, ó minha alma, o amor condescendente, glorioso e indizível de Cristo a esse respeito! Foi por amor infinito que ele entrou em nossa natureza quando foi encarnado. Mas foi mais, ele entrou no nosso coração pelo Espírito Santo. Então, ele aproximou-se de nós. Mas, como se isso não bastasse, agora ele aproxima-se mais, pois agora ele se une à nossa pessoa. Agora, ele vem e habita na nossa alma pelo Espírito Santo. — *Isaac Ambrose, 1592-1674 v. 18:* "Recebeste dons para os homens". A gloriosa ascensão de Deus do monte Sinai, depois de dar a lei, foi uma representação da sua ascensão "acima de todos os céus, para cumprir todas as coisas" (Ef 4.10). E como Deus, então, levou "cativo o cativeiro" na destruição de faraó e os egípcios, que por muito tempo mantivera o povo do Senhor em cativeiro e sob cruel escravidão, assim, agora, tratou o Senhor Jesus na destruição e cativeiro de Satanás e de todos os principados e potestades (Cl 2.15). A única diferença é que no salmo diz que ele *recebeu* dons para os homens, ao passo que na carta diz que ele *deu* dons aos homens (Ef 4.8). Não há o menor mistério escondido. Embora Jesus seja Deus e seja tão gloriosamente representado no salmo, há a indicação de que ele deveria fazer o que é mencionado aqui na condição em que fosse capaz de receber de outrem, como, de fato, ele fez (ver At 2.33). A frase no original hebraico mais do que indica: לָקַחְתָּ מַתָּנוֹת בָּאָדָם, "Tu recebeste dons em Adão" — no homem ou na natureza humana. Além disso, לָקַח significa tanto "dar" quanto "receber", sobretudo quando alguma coisa é recebida para ser dada. Cristo recebeu este dom na natureza humana para dá-lo aos outros. Mas para qual finalidade foi este teatro glorioso, por assim dizer, preparado e todos os preparativos foram feitos, sendo todos os homens chamados para prepará-lo? Foi para estabelecer a grandeza do dom que ele daria e a glória da obra que ele faria — prover a igreja com ministros e ministros com dons para o desempenho da função e deveres. Chegará o dia em que haverá mais glória, mais excelência em dar um ministro pobre para uma congregação, provendo-o dos pertinentes dons espirituais para o desempenho dos seus deveres, do que em empossar pomposamente mil papas, cardeais ou bispos. Os piores homens na observância de uns poucos ritos e cerimônias exteriores podem fazer o último, mas só Jesus pode fazer o primeiro. Foi para esta finalidade que ele subiu ao alto. — *John Owen*

v. 18: "Tu subiste ao alto, levaste cativo o cativeiro, recebeste dons para os homens e até para os rebeldes, para que o Senhor Deus habitasse entre eles". Tendo em vista que esta passagem foi aplicada por Paulo em sentido mais espiritual a Cristo (Ef 4.8), é necessário mostrar como isto concorda com o significado e escopo do salmista. Podemos estabelecer como verdade indisputável que Davi, reinando sobre o antigo povo de Deus, representou o começo do reinado eterno de Cristo. Isto é algo evidente a todos que se lembram da promessa feita a ele de uma sucessão permanente, a qual recebeu a autenticação na pessoa de Cristo. Como Deus ilustrou o seu poder em Davi, exaltando-o com vistas a livrar o povo, assim ele engrandeceu o seu nome no Filho unigênito. Façamos uma análise mais particular sobre o modo em que os paralelos ocorrem. Cristo, antes de ser exaltado, esvaziou-se da sua glória, tendo não só assumido a forma de servo, mas se humilhado até à morte de cruz. Para mostrar como a figura foi cumprida com exatidão, Paulo observa que o que Davi previra se cumprira na pessoa de Cristo, quando foi lançado às regiões mais baixas da terra na repreensão e infâmia às quais ele foi sujeito, antes de subir à mão direita do Pai (Sl 22.7). Ao pensarmos na ascensão, não podemos limitar a nossa visão ao corpo de Cristo. A nossa atenção tem de ser focada no resultado e consequências da ascensão, quando sujeitou ao seu governo o céu e a terra. Aqueles que outrora eram os seus inimigos inveterados, ele os compeliu à submissão e os tornou tributários. Este foi o efeito da palavra do evangelho, levar os homens a renunciar o orgulho e a obstinação, para derrubar todo pensamento alto que exalte a si mesmo, e submeter os sentimentos e as emoções dos homens à obediência a Cristo. Quanto aos demônios e homens réprobos que são instigados à rebelião e revolta por malícia obstinada, ele os mantém presos por controle secreto e os impede de executar a destruição planejada. Até aqui o paralelo é perfeito. Mesmo quando Paulo fala de Cristo ter dado dons aos homens não há verdadeira inconsistência com o que é declarado aqui, embora ele tenha alterado as palavras por ter seguido a versão grega em prestimosidade ao leitor não esclarecido. Não foi a Deus mesmo que ele enriqueceu com o espólio do inimigo, mas ao povo. Nem Cristo busca ou precisa promover o próprio progresso, mas fez os inimigos tributários para adornar a igreja com o espólio. Da união íntima que subsiste entre a cabeça e os membros, dizer que Deus manifesto na carne recebeu dons dos cativos é o mesmo que dizer que ele os distribuiu para a igreja. O que está escrito no final do versículo não é menos aplicável a Cristo. Ele obteve as vitórias para que Deus habitasse entre nós. Embora tenha subido ao céu, não foi para ficar distante de nós, mas, como diz Paulo, "para encher todas as coisas" (Ef 4.10, ARA). Pela ascensão ao céu, a glória da divindade foi muito mais ilustrativamente manifestada. Ainda que já não esteja presente conosco na carne, a nossa alma recebe a nutrição espiritual do seu corpo e do seu sangue, e descobrimos, a despeito da distância geográfica, que a sua carne verdadeiramente é comida e o seu sangue verdadeiramente é bebida (Jo 6.55). — *João Calvino*

v. 18: "Recebeste dons para os homens". No original hebraico é בָּאָדָם, "no homem", "na natureza humana", diz Adam Clarke, "e Deus, manifesto em carne humana, habita entre os mortais". "Os dons que Jesus Cristo distribui ao homem ele os recebeu no homem, em e pela virtude da encarnação. É porque ele se fez homem que se pode dizer: 'Para que o Senhor Deus habitasse entre eles', pois Jesus foi chamado Emanuel, 'Deus conosco', por causa da encarnação". — *"Editorial Note to Calvin" [Nota Editorial a Calvino], in loc.*

v. 18: "E até para os rebeldes". Receei também que esta fosse a marca que o Senhor fixou em Caim, até mesmo temor e tremor ininterrupto sob a pesada carga de culpa que pusera sobre si pelo sangue do irmão Abel. Por isso, me torci, me retorci e me encolhi sob o encargo que estava sobre mim, o qual também tanto me oprimia que eu não podia ficar de pé, nem andar, nem me deitar, nem descansar, nem me aquietar. Contudo, esta declaração do salmista às vezes me vinha à mente: *Ele recebeu dons para os rebeldes*. "Os rebeldes", pensei. Ora, com certeza são os que outrora estavam sujeitos ao príncipe, até mesmo aqueles que, depois de terem jurado submissão ao seu governo, pegaram em armas contra ele. Esta, pensei, é a minha condição. Outrora eu o amei, o temi, o servi. Mas hoje sou rebelde. Eu o traí. Eu disse que ele podia ir embora, se quisesse. Mas ele tem dons para os rebeldes. Então, por que não para mim? — *John Bunyan*, 1628-1688, *"Grace Abounding" [Graça Abundante]*

v. 18: "E até para os rebeldes, para que o Senhor Deus habitasse entre eles". Tu não consideraste a desobediência anterior, mas, mesmo vendo-os contradizer, tu continuas fazendo-lhes o bem, até que tu faças deles "o teu próprio domicílio" (οἰκητήριον). — *Teodoreto*, 393-457

v. 18: "E até para os rebeldes, para que o Senhor Deus habitasse entre eles". A versão Caldaica traz: "Nos rebeldes, que se tornam prosélitos e voltam por arrependimento, habita o shequiná da glória do Senhor Deus".

v. 19: "Bendito seja o Senhor, que de dia em dia nos cumula de benefícios; o Deus que é a nossa salvação". Acredito que o doce cantor de Israel aumenta o tom à emulação do coral celestial na melodia dos *aleluias*. Permita-me dizer que agora que ele canta no céu naquele abençoado consórcio de espíritos gloriosos, a sua cantoria não pode ser melhor do que a que ele cantou na terra, e na qual estamos a ponto de ter a nossa parte neste momento. Prepare, peço, os ouvidos para a canção de Davi e o coração e a língua para a sua própria. Primeiro, nesta melodia angelical, os seus pensamentos não podem deixar de observar o contraponto e a base. O contraponto da congratulação: "Bendito seja o Senhor", na qual há aplauso e excitação: aplauso dado à bondade de Deus e excitação dos outros para dar o aplauso. A base tem três aspectos: Do que Deus é em si mesmo: "o Deus" e "o Senhor"; do que Deus é e faz para nós: "que de dia em dia nos cumula de benefícios"; do que ele é em si mesmo e para nós: "o Deus que é a nossa salvação". Este último aspecto, como uma pedra preciosa, deflagra o nítido contraste: "A Jeová, o Senhor, pertencem as saídas para escapar da morte" (v. 20). Assim, no primeiro aspecto é para o seu benefício, no segundo, para o nosso benefício e no terceiro, para o seu e o nosso benefício; como Deus, como Senhor, como benfeitor; como Salvador e libertador. "Bendito seja o

Senhor." Não é difícil observar que os aleluias de Davi são mais do que as hosanas, ou seja, os agradecimentos são mais do que os pedidos. Muitas vezes ele louva a Deus quando não pede nada. Raramente pede a bênção, pela qual já não eleva a alma em gratidão antecipada. Também não é diferente do refrão universal de todas as suas cantorias celestiais: "Bendito seja o Senhor". "Louvado" (como consta em certas traduções) é muito pouco. Honra é mais do que louvor. Bênção é mais do que honra. Também não é por nada que esta palavra בָּרַךְ, "abençoar", é derivada de בֶּרֶךְ, "joelho", pois os joelhos são dobrados para abençoar. O pregoeiro diante de José proclamava: "Ajoelhai", pedindo a honra dos joelhos de todos os observadores (Gn 41.43). Todo reconhecimento mínimo e trivial de valor é um louvor. Bendizer é uma melodia superior a agradecer, pois que leva consigo toda a força do coração em certo tipo de êxtase divina. Louvar é questão de elogiar. Bendizer é questão de devotar. A regra do apóstolo é: *o menor é abençoado pelo maior*, Abraão, rei de Salém (Hb 7.7). O encargo do profeta é: *o maior deve ser bendito pelo menor*, na verdade, o maior pelo menor, Deus pelo homem. Temos aqui concordância e equilíbrio perfeitos. Bendizer é um ato que exige reciprocidade. Deus abençoa o homem e o homem bendiz Deus. Deus abençoa o homem imperativamente e o homem bendiz Deus optativamente. Deus abençoa o homem nos atos de misericórdia e o homem bendiz Deus nos pensamentos, nas expressões de gratidão. Deus abençoa o homem quando faz coisas boas e alegres para ele. O homem bendiz Deus quando confessa como ele é bom, gracioso, glorioso. Desta forma, a bênção é tomada inteiramente no reconhecimento e na celebração. Em uma, reconhecemos a generosidade de Deus demonstrada a nós. Na outra, nós o glorificamos vocal e realmente por essa generosidade. Perceba, então, que Deus tem em alta conta os sentimentos e ações das suas pobres, tolas e rastejantes criaturas. Neles, ele nos dá poder para bendizê-lo e considera uma honra ser bendito por nós. Davi se admira por Deus condescender em abençoar o homem. Quanto mais devemos nos admirar pela misericórdia de Deus, que condescende em ser bendito pelo homem que é um verme, um átomo, um nada? O apóstolo fala que com a língua benzemos a Deus (Tg 3.9), e o salmista pede que seja como serviço de preciosa aceitação: "Bendito seja o Senhor". Se até mesmo nós, homens, não nos alimentamos (como o camaleão) de sentimentos de gratidão, nem nos engordamos com louvores, quanto menos o Criador. Ó Deus, sabemos muito bem que o que quer que os homens ou anjos façam ou não, tu não podes deixar de ser infinitamente bendito em ti mesmo. Antes que houvesse qualquer criatura, tu já desfrutavas igualmente do teu ser bendito desde toda a eternidade. O que pode esta névoa inútil e solta de carne aumentar ou diminuir da tua infinidade? Tu, que te curvas para ver o que está nos céus e na terra (Sl 113.6), também te curvas para aceitar o sopro fraco dos nossos louvores que te são enviados da terra para o céu. De que forma isto encoraja as promessas e esforços da nossa gratidão sincera para vê-los graciosamente aceitos? Se os homens se interessassem por boas palavras e por bons desejos e quitassem as nossas dívidas por gratidão, quem seria devedor? Mas este pagamento barato ocorre com o Deus da misericórdia. Se ele nos honra na medida em que é bendito por nós, vamos, então, honrá-lo na medida em que o bendizemos. — *Joseph Hall, 1574-1656, "A Sermon of Public Thanksgiving for the Wonderful Mitigation of the Late Mortality" [Um Sermão de Ação de Graças Pública pela Mitigação Maravilhosa da Falecida Mortalidade], 1625*

v. 19: "Bendito seja o Senhor". Não é pouco fora do comum ver os santos tão encarregados e sobrecarregados com o dever de cantar louvores a ele, de modo que:

(1) Eles são forçados a soltar-se com o excesso de louvor e oferecer-lhe louvores, e até mesmo deixá-los, por assim dizer, como os acharam e não acrescentar nada mais, para que não entornem os louvores de Deus. Mas, como diz Apocalipse 5.12: "Digno é o Cordeiro, que foi morto, de receber o poder, e riquezas, e sabedoria, e força, e honra, e glória, e ações de graças", embora eu não seja digno ou apto de dá-los a ele.

(2) Eles falam uma língua mal falada e frases incompletas nas canções, quando estão intensamente cumulados do profundo sentimento do amor de Deus, como:

"Bendito seja o Senhor, que de dia em dia nos cumula de benefícios". No original hebraico, não há nada mais que "bendito seja o Senhor, que nos cumula". — *John Spalding*, "Synaxis Sacra" *[A Santa Ceia do Senhor], 1703*

v. 19: "Que de dia em dia nos cumula de benefícios". Ainda que alguns tenham mais do que outros, cada um tem a sua carga tanto quanto possa levar. Todos os navios não suportam carga igual. Por isso, Deus, para evitar que emborquemos, nos cumula tanto quanto seja mais seguro para nos levar ao céu, o porto desejado. — *Ezekiel Hopkins, 1633-1690*

v. 19: "Que de dia em dia nos cumula de benefícios". O amor-próprio do homem é tão grande que não há valor interior que atraia os louvores de Deus do que a beneficência exterior. Quando você se valoriza, todos falam bem de você — quanto mais quando você os valoriza! Aqui Deus também nos ganha. Não para desconcertá-lo com o exame da variedade de sentimentos com os quais observei este salmo acima de todos os outros salmos de Davi, peço que me acompanhe em uma classificação em quatro partes da generosidade divina.

(1) Os "benefícios". A palavra não consta no original hebraico, mas está necessariamente implícita no sentido. Há acúmulos que o homem pode receber de Deus. São favores, preceitos e castigos. Mas há outros acúmulos que estão fora da estrada da congratulação. Quando não há o que esperar senão juízos, eis aqui benefícios.

(2) Esses benefícios não nos são frugalmente dados, pois o acúmulo é total: Ele "nos cumula de benefícios".

(3) A quem ele cumula, senão a nós? Não pessoas dignas e merecedoras, mas a *nós*, סוֹרְרִים, "rebeldes".

(4) Deus não nos dá um donativo e nada mais (como os raros banquetes dos sovinas costumam ser abundantes), mas יוֹם יוֹם, "sucessivamente", "incansavelmente", "perpetuamente". Um favor já seria demais, mas são "benefícios". Uma pequena quantidade já seria muito, mas é um acúmulo. Uma vez já seria muitas vezes, mas é uma dádiva diária. Então, preste um pouco mais de atenção neste exagero de beneficência dividido em três partes. A medida: um acúmulo de benefícios. O beneficiário: o indigno *nos*. O tempo, de dia em dia: "Que de dia em dia nos cumula de benefícios". Por onde começaremos a inspecionar este vasto acúmulo de misericórdias? Já não é muito ele nos dar o mundo para viver, a vida para desfrutar, o ar para respirar, a terra para andar, o fogo para nos aquecer, a água para nos refrescar e nos limpar, a roupa para nos vestir, a comida para nos nutrir, o sono para nos restaurar as forças, a casa para nos abrigar, a diversidade de criaturas para nos servir e nos alegrar? Este conjunto já seria um acúmulo extremamente justo. Se acrescentarmos estes benefícios: a civilidade da educação, o afeto dos amigos, a suficiência dos bens, os graus de honra, a honestidade ou dignidade da profissão, o favor das autoridades, o sucesso nos empreendimentos, os confortos domésticos, a paz externa, a boa reputação, a guarda dos perigos, o livramento dos males, constataremos que o acúmulo foi muito bem recomposto. Se chegarmos mais perto e acrescentarmos a devida proporção do corpo, a integridade dos membros, a perfeição dos sentidos, a força da natureza, a mediocridade da saúde, a satisfação do apetite, o vigor da digestão, a temperança saudável das estações, a liberdade dos cuidados, veremos que este curso tem de ser realçado ainda mais. Se não pararmos e acrescentarmos mais estes benefícios: a ordem, o poder e o exercício das faculdades mentais, enriquecidas com a sabedoria, a perícia, a aprendizagem e a experiência expressadas por uma elocução elegante, e juntarmos a todas estas as coisas que dizem respeito aos bens, ao corpo e à mente, como o eixo da alma não deixará de rachar sob o acúmulo destes favores? Mas, se do que Deus tem feito para nós como homens, olharmos para o que ele tem feito para nós como cristãos — que ele nos abraça com um amor eterno, nos regenera, nos vivifica pelo seu Espírito, nos alimenta pela sua palavra e sacramentos, nos adorna com os seus méritos, nos compra com o seu sangue, tornando-se vil para nos tornar gloriosos e maldição para

nos investir da bem-aventurança (em suma, que ele tem dado a si mesmo para nós, que ele tem dado o seu Filho para nós), perceberemos a altura, a profundidade e a largura das ricas misericórdias do nosso Deus! Como é ilimitado, imensamente alto e abismal o acúmulo dos benefícios divinos, cuja imensidão vai do centro da terra à extensão ilimitada do próprio céu empíreo! "Louvem ao Senhor pela sua bondade e pelas suas maravilhas para com os filhos dos homens!" (Sl 107.8). — *Joseph Hall*

v. 20: "O nosso Deus é o Deus da salvação", que é da libertação, da libertação externa, "e a Jeová, o Senhor, pertencem as saídas para escapar da morte", quer dizer, Deus, segundo a sua guarda, tem todas as saídas que nos levam a escapar da morte. Ele tem a chave da porta para escaparmos da morte. Quando o homem está no vale da sombra da morte, por onde ele sairá? Onde está a saída para ele? Em nenhum lugar, diz o homem, ele não escapará. Mas Deus tem todas as saídas. Quando os homens pensam que nos prenderam nas garras da morte, ele pode abri-las e nos libertar. A ele "pertencem as saídas para escapar da morte". É a alusão a alguém que guarda uma saída, ou uma passagem, ou uma porta. Deus é um guarda fiel, bem como um guarda amigável, que abrirá a porta para a saída ou o escape do seu povo quando clamam a ele. — *Joseph Caryl*

v. 20: "A Jeová, o Senhor, pertencem as saídas para escapar da morte". Toda construção fica de pé pelo benefício da fundação que a sustenta e a apoia, dos botaréus que a circundam e a contêm, e das vigas que a ligam e a unem. A fundação não deixa a construção afundar. Os botaréus não deixam a construção inclinar. As vigas não deixam a construção rachar. O corpo do nosso edifício está na primeira parte do versículo: Aquele que é "o nosso Deus é o Deus da salvação", *ad salutes*, "das salvações", no plural, conforme está no original hebraico. O Deus que nos dá salvação espiritual também nos dá salvação temporal. Mas deste edifício, a fundação, os botaréus e as vigas estão na segunda parte do versículo, que constitui o nosso texto, e nas três acepções das palavras defendidas pelos expositores: "E a Jeová, o Senhor, pertencem as saídas para escapar da morte".

(1) A fundação do edifício (que "o nosso Deus é o Deus da salvação") foi colocada aqui: que "a Jeová, o Senhor, pertencem as saídas para escapar da morte", quer dizer, está no seu poder nos dar uma saída e livramento, mesmo quando estivermos nas garras da morte e à beira do remoinho, que é a sepultura. Nesta acepção, este *exitus mortis*, "a saída [para escapar] da morte", é *liberatio a morte*, "a libertação [para escapar] da morte". Esta é a acepção mais óbvia e mais comum destas palavras, baseada na qual foi feita esta tradução: "as saídas para escapar da morte".

(2) Os botaréus que circundam e contêm o edifício: que, aquele que é "o nosso Deus é o Deus da salvação", é levantado assim: "A Jeová, o Senhor, pertencem as saídas para escapar da morte", quer dizer, a disposição e maneira da nossa morte, o tipo de saída e transmigração que teremos deste mundo, quer seja preparada ou súbita, quer seja violenta ou natural, quer seja em nosso perfeito juízo ou abalada e perturbada por doença. Não há condenação a ser dissuadida a esse respeito, nem julgamento a ser feito a esse respeito. Seja de que forma morramos, "preciosa é à vista do Senhor a morte dos seus santos" (Sl 116.15), e com ele estão as saídas para escapar da morte, os modos da nossa partida desta vida estão nas mãos dele. Neste sentido das palavras, este *exitus mortis*, "a saída [para escapar] da morte", é *liberatio in morte*, "a libertação [para escapar] na morte". Não é que Deus nos livrará de morrer, mas que ele cuidará de nós na hora da morte, seja de que tipo for a nossa passagem. Este sentido e acepção das palavras, a estrutura e partes interconectadas naturais fazem bem e nos governam de maneira significativa.

(3) As vigas do edifício: que, aquele que é "o nosso Deus é o Deus" de toda "salvação", consiste nisto: a este Deus "pertencem as saídas para escapar da morte", quer dizer, que este Deus Senhor, tendo ligado e unido ambas as naturezas em uma, e sendo Deus, tendo também entrado neste mundo, em nossa carne, não poderia ter outro meio para nos salvar, nem ter outra saída deste mundo, nem voltar para

a glória anterior, senão através da morte. Neste sentido, este *exitus mortis*, "a saída [para escapar] da morte", é *liberatio per mortem*, "a libertação através da morte", pela morte deste Deus nosso Senhor, Cristo Jesus. Esta é a acepção das palavras defendida por Agostinho e por muitos outros personagens que o seguiram. Em todas estas três linhas olharemos estas palavras. Primeiro, como o Deus do poder, o Pai todo-poderoso, salva os seus servos das garras da morte. Depois, como o Deus da misericórdia, o Filho glorioso, nos salvou tomando sobre si a saída para escapar da morte. E por último (entre estas duas), como o Deus da consolação, o Espírito Santo, nos salva de todo o desconsolo pelas suas benditas impressões em nosso interior, de modo que seja que tipo de morte esteja ordenada para nós, este *exitus mortis* será *introitus in vitam*, ou seja, a nossa saída na morte será uma entrada na vida eterna. Estas três considerações, o nosso livramento *a morte*, *in morte* e *per mortem*, isto é, "da morte", "na morte" e "pela morte", exercerão proficuamente todas as funções relacionadas à fundação, aos botaréus e às vigas deste nosso edifício, que "o nosso Deus é o Deus da salvação", porque a este "JEOVÁ, o Senhor, pertencem as saídas para escapar da morte". — *John Donne*

v. 20: "As saídas para escapar da morte", quer dizer, a saída ou escape da morte, tanto na ressurreição quanto nos diversos perigos da nossa vida presente. — *Thomas Le Blanc*

v. 20: "Saídas para escapar da morte". O original hebraico não sustenta a tradução "saídas da morte", pois ל nunca tem a força de "de". Por isso, a expressão, como Henry Hammond observa, tem de significar as pragas e juízos infligidos por Deus nos inimigos impenitentes, como afogamento no mar, matança pela espada, os quais foram o modo de Deus castigar e aniquilar os egípcios e os cananeus. Desta forma, as duas partes do versículo são antitéticos. A primeira fala de Deus como *salvador* e a segunda, como *castigador*. Sob este aspecto, o versículo é correspondente ao precedente. — *George Phillips, "The Psalms in Hebrew: with a Critical, Exegetical and Philological Commentary" [Os Salmos em Hebraico: com Comentário Crítico, Exegético e Filológico], 1846*

v. 21: "O crânio cabeludo", quer dizer, até mesmo os inimigos mais medonhos, que com o semblante horrível, deformado por cabelos compridos, causariam terror e pavor no coração dos observadores. — *Edward Leigh*

v. 21: "Crânio cabeludo". Era costume entre alguns dos antigos habitantes da Arábia deixar o cabelo crescer exuberantemente no topo da cabeça e raspar totalmente os lados da cabeça. — *Francis Hare*, 1740

v. 22: "Farei voltar o meu povo". Em lugar das palavras *o meu povo* (como muitos intérpretes acrescentam), o versículo precedente e o seguinte provam que o verdadeiro sentido é: *os inimigos* (cf. NTLH, NVI, ARA). Basã ficava a leste da Judeia, e o mar a oeste, de forma que o significado do texto é que Deus faria voltar os inimigos de todos os rincões para serem mortos pelo povo do Senhor. — *Benjamim Boothroyd*

v. 23: "Para que o teu pé mergulhe no sangue de teus inimigos, e nele mergulhe até a língua dos teus cães". O sangue dos teus inimigos, derramado com tanta abundância que os teus cães se enrolarão nele e o beberão, será o mar no qual tu passarás e o mar vermelho sem uma figura. E proporcionalmente, serão as destruições deflagradas sobre os inimigos de Cristo e dos cristãos na era do Messias. — *Henry Hammond*

vv. 26 a 28: "Celebrai a Deus nas congregações; ao SENHOR, desde a fonte de Israel. Ali está o pequeno Benjamim, que domina sobre eles, os príncipes de Judá com o seu ajuntamento, os príncipes de Zebulom e os príncipes de Naftali. O teu Deus ordenou a tua força; confirma, ó Deus, o que já realizaste por nós". Este salmo foi cantado, é provável, durante o transporte da arca para a Cidade de Davi (Nm 10). Agora a arca encontrara repouso e as tribos se reuniam três vezes por ano em Jerusalém, o lugar que Deus escolhera. O texto é uma descrição viva do culto de adoração das tribos.

(1) Observações para expor a passagem.

(a) Israel mantinha as suas congregações menores em serviço ativo todo dia de sábado, e as congregações nacionais, três vezes por ano. O assunto em todas as congregações era celebrar a Deus (v. 26).

(b) Este assunto tinha de ser tratado por todo o Israel, começando pela fonte principal e passando por todas as vertentes. Deus abençoou Israel. Bendiga Israel a Deus.

(c) Todas as tribos tinham de comparecer. Quatro são mencionadas em nome de todas, como que habitando os confins da terra. A união de todas elas era fonte de alegria. Outrora, foram divididas por guerras civis, mas agora se congregavam (v. 27).

(d) As tribos que são nomeadas tinham cada uma algo particular relacionado ao comparecimento. O pequeno Benjamim (ver Jz 21) quase fora uma tribo faltante em Israel, mas agora aparece com o seu regente. Judá estivera em guerra com Benjamim. Saul era de Benjamim e Davi era de Judá. Contudo, eles alegremente puseram de lado as suas antipatias para cultuar a Deus. Zebulom e Naftali eram tribos distantes. Contudo, estavam presentes! Vieram de regiões escuras, mas estavam presentes (cf. Is 9.1,2).

(e) Os príncipes e o povo estavam todos juntos.

(f) Presumiam que eram fortes, mas foram lembrados que o que tinham de força era advindo da ordem de Deus (v. 28). A união e o sucesso, como também o grau de justiça que havia entre eles e que os exaltavam como nação, eram provenientes de Deus. Eles não são tão fortes a ponto de não precisarem de fortalecimento. São dirigidos a orar como também a louvar: "Confirma, ó Deus, o que já realizaste por nós" (v. 28).

(2) Aplicação do assunto. Há duas coisas exemplificadas: a diligência e a união fraterna. Há três coisas recomendadas: o louvor unido, o agradecimento unido, que, pelo que eles são, eles estão em dívida com Deus, e a oração unida em busca das misericórdias futuras. Cada um destes itens oferece uma norma para nós.

(a) O culto a Deus tem de ser frequentado com diligência. Há os príncipes de Zebulom e de Naftali. Eles tinham de viajar aproximadamente trezentos e vinte quilômetros três vezes por ano de ida mais a volta, ou seja, mil novecentos e vinte quilômetros por ano, quase trinta e sete quilômetros por semana. Aqueles que descuidam do culto a Deus por pequenas dificuldades mostram que não têm o coração inteiro no empreendimento, e, quando comparecem, não podem esperar serem abençoados: "E me desprezais, diz o Senhor dos Exércitos" (Ml 1.13, ARA). Aqueles cujo coração está inteiramente no empreendimento colhem grandes bênçãos. Deus abençoou os israelitas nas viagens, como também quando estavam presentes: "A chuva também enche os tanques" (Sl 84.6), e, por conseguinte, os cristãos. Há uma promessa peculiar para os que o buscam de madrugada.

(b) O culto a Deus tem de ser frequentado com amor fraterno. Todas as tribos têm de subir juntas. É a lei do amor que ordena o culto social. Precisamos uns dos outros para nos estimular: "Engrandecei ao Senhor comigo, e juntos exaltemos o seu nome" (Sl 34.3). Deus nos fez de forma a sermos grandemente influenciados uns pelos outros, tanto para o bem quanto para o mal. Cabe principalmente a nós cultivar tal espírito. Para isto, temos de valorizar o comportamento afetuoso em nosso relacionamento social comum — suportar, ter paciência e perdoar. Sejam quais forem as diferenças que possamos ter, não permitamos que elas impeçam o nosso culto e adoração. As tribos, como vimos, tinham as suas diferenças. Contudo, todas estavam presentes. Quando todo o Israel se reuniu em Hebrom para ungir Davi rei, o que teríamos dito se algumas tivessem deixado de ir porque outras foram?

(c) O nosso assunto, quando reunidos, tem de ser bendizer a Deus em nossas congregações. É uma atividade agradável e prazerosa. Israel tinha razões e fortes razões, mas os cristãos têm mais. Agradeçam-lhe pelo seu dom indizível. Bendigam-lhe pelos recursos da graça e pelas esperanças da glória. Bendigam-lhe, pois é "ele que perdoa todas as tuas iniquidades e sara todas as tuas enfermidades" (Sl 103.3). Este é um empreendimento próprio para o céu. Supunha-se que as lágrimas daquele que pranteia na casa de Deus contaminavam o altar. Podemos prantear por causa do pecado, mas o espírito petulante, descontente e ingrato ainda contamina o altar de Deus.

(d) Outra parte do nosso assunto, quando reunidos, é juntar ao agradecimento o fato de que, seja o que formos, tudo devemos unicamente a Deus: "O teu Deus ordenou a tua força" (v. 28). Possuímos certa medida de força em termos individuais e sociais. Você é forte na fé, na esperança, no zelo? É nele que você é forte. Somos fortes como sociedade? É Deus que nos acrescenta pessoas como um rebanho. É ele que nos mantém em união, nos dá sucesso e tudo o mais.

(e) Outra parte do nosso assunto, quando reunidos, é juntar à oração a busca das misericórdias futuras. Não somos tão fortes, quer como indivíduo quer como sociedade, de modo a não haver lugar para aumento. Este é o próprio objetivo da oração. Deus realizou uma grande obra por nós na regeneração. Deus tem realizado muito por nós como igreja, dando-nos aumento, respeito e lugar na terra. Oremos para que cada bênção seja aumentada, ou, nas palavras do texto: "Confirma, ó Deus, o que já realizaste por nós" (v. 28). Haverá alguém que seja alheio a tudo isso? — *Andrew Fuller*

v. 27: "Benjamim... Judá... Zebulom... Naftali". As duas tribos reais: Benjamim, da qual saiu o primeiro rei, e Judá, da qual saiu o segundo. As duas tribos cultas: Zebulom e Naftali. Podemos observar que, por fim, todos os potentados e homens cultos do mundo serão submetidos ao reino do Messias. — *Henry Hammond*

v. 27: "Benjamim... Judá... Zebulom... Naftali". As mesmas tribos são proeminentes no Novo Testamento, como as primeiras na ordem de batalha da igreja contra o mundo. Paulo, "o menor dos apóstolos" (1 Co 15.8-10), era originalmente Saulo, da tribo de Benjamim (Fp 3.5). Jesus, "o Leão da tribo de Judá" (Ap 5.5), os irmãos Tiago e João, o outro Tiago, Tadeu e Simão eram da tribo de Judá, sendo que os demais apóstolos eram da Galileia, ou seja, das tribos de Naftali e Zebulom (Mt 4.13). — *A. R. Fausset*

v. 27: "Que domina sobre eles". O príncipe daquela tribo. A versão grega diz: "em um êxtase", considerando que o hebraico רֹדֵם é derivado de רָדַם, embora não seja achado em outro texto desta forma. Ainda que palavras raras e usadas apenas uma vez, as épocas verificadas neste e em outros salmos são diferentes. Estas coisas aplicadas à época de Jesus e mais adiante são muito místicas. Benjamim, o menor, foi colocado em primeiro lugar. Na Jerusalém celestial, o primeiro fundamento é jaspe (Ap 21.19), que, no peitoral de Arão, era a última pedra preciosa na qual o nome *Benjamim* estava gravado (Êx 28.10,20,21). Nesta tribo, Paulo se destacou como príncipe de Deus, embora fosse o menor dos apóstolos (1 Co 15.8-10) e tivesse se convertido em um transe ou êxtase (Atos 9.3,4). Foi em êxtase que ele e outros apóstolos viram os mistérios do reino de Cristo. — *Henry Ainsworth*

v. 27: "Com o seu ajuntamento", ou "com a sua pedra", o Messias, que saiu da tribo de Judá (Gn 49.24; Sl 118.22). — *John Gill*

vv. 27 e 28: "Ali está o pequeno Benjamim, que domina sobre eles, os príncipes de Judá com o seu ajuntamento, os príncipes de Zebulom e os príncipes de Naftali. O teu Deus ordenou a tua força; confirma, ó Deus, o que já realizaste por nós". Aqui estão presentes todas as doze tribos de Israel com os seus respectivos regentes para conduzir a arca de Deus ao monte no qual Deus se agradou em habitar. Ainda que nem todas as tribos sejam mencionadas, as que são citadas incluem as demais, visto que Zebulom e Naftali são as tribos mais distantes e Judá e Benjamim as mais próximas de Sião. A tribo de Benjamim era uma família que ficou menor por causa do extraordinário despovoamento que lhe ocorreu, do qual jamais se recuperou totalmente (Jz 20.43-48; 1 Cr 12.29). — *Edward Garrard Marsh, "The Book of Psalms Translated into English Verse, with Practical and Explanatory Notes" [O Livro dos Salmos Traduzido em Versos em Inglês, com Notas Práticas e Explicativas], 1832*

v. 28: "O teu Deus ordenou a tua força". Estas palavras estimulantes são singularmente apropriadas para a ocasião em que foram compostas. Durante muitos anos, a arca de Deus fora guardada em casas particulares. Davi armara uma tenda para acondicioná-la provisoriamente, pois pretendia fazer um santuário melhor. Com o objetivo de depositar a arca no santuário temporário, ele reúne trinta mil homens escolhidos de Israel e, com estes e uma multidão de pessoas, dirige-se à casa na qual a arca estava. O povo prestava o serviço da música e canção, de forma que "Davi e toda a casa de Israel alegravam-se perante o Senhor, com toda sorte de instrumentos de madeira de faia, com harpas, e com saltérios, e com tamboris, e com pandeiros, e com címbalos" (2 Sm 6.5). A rotura de Uzá atrasou a restauração da arca três meses. Mas Davi voltou à carga e, com alegria, holocaustos, ofertas pacíficas, festejos, danças e ao som das trombetas, trouxe a arca do Senhor e a colocou no devido lugar no tabernáculo que levantara para isso. Davi providenciou um lugar sagrado para a arca do seu Deus, e o seu Deus lhe ordenou a força. Trinta mil homens escolhidos participaram do evento, além de uma multidão de pessoas, e eles deveriam ter permanecido em casa? A ocasião era digna de comparecimento, e o seu Deus lhes ordenou a força. Havia cantores exímios e instrumentistas habilidosos em Israel, e eles deveriam ter ficado calados? O evento requeria louvor, e o seu Deus lhes ordenou a força. Havia gado em muitos montes de Canaã, e nenhum sacrifício deveria ser feito? A ocasião exigia sacrifícios, e o Deus de Israel ordenou-lhes a força. Havia um monte em Canaã de localização perfeita e de associação histórica rica. A arca de Deus podia ser levada para esse monte, e se podia, devia, pois o Deus de Israel ordenou a força de Israel. Havia doze tribos em Israel que podiam se unir para buscar a arca de Deus. Portanto, nenhuma deveria abster-se de participar, pois o seu Deus ordenou-lhes a força. "A tua força" é o melhor de você. É tudo que está dentro de você. É tudo o que você pode fazer, ser e tornar-se. É tudo o que você tem — "duas pequenas moedas" (Mc 12.42), se estas forem o seu tudo, ou "um vaso de alabastro, com unguento de nardo puro, de muito preço" (Mc 14.3), se isto estiver dentro das suas posses. [...] Pelo que Deus é em si mesmo, pelo que Deus é para nós, pela lei do coração, pela lei oral e escrita, pelo seu novo reino de amor e por todos os seus benefícios: "O teu Deus ordenou a tua força". Ele fala desde o princípio e desde o fim dos tempos, do meio do caos e dos novos céus e nova terra, de Betel e do Getsêmani, do Sinai e do Calvário. Ele diz para todos nós: "Dá-me, filho meu, o teu coração", consagra a mim o teu melhor e dedica a mim a tua força (Pv 23.26). — *Samuel Martin*

v. 30: "Repreende as feras dos canaviais". A versão está correta. A maioria dos críticos modernos considera que a fera aqui em vista é o leão, que habitualmente faz a cova entre canaviais ou no matagal. Leões inumeráveis perambulam entre os juncos e pelos bosques, às margens dos rios da Mesopotâmia. O rio Jordão era infestado de leões (Jr 4.7; 49.19). Por conseguinte, as feras dos canaviais podem ser referência aos reis sírios que sempre estavam em guerra com Davi. — *Benjamim Boothroyd*

v. 30: "Repreende as feras dos canaviais, a multidão dos touros, com os novilhos dos povos, pisando com os pés as suas peças de prata; dissipa os povos que desejam a guerra". O texto descreve enigmaticamente o rei idólatra do Egito habitando, como crocodilo, entre os canaviais do Nilo. Com ele, apresenta também os "touros" e os "novilhos" que eram os deuses do povo do Egito, diante dos quais eles sempre dançavam em suas festanças supersticiosas. "Sufoca estes insultos contra a tua majestade. Não acabes apenas com a superstição do Egito, mas também com toda a sua pompa de guerra, para que os gentios se convertam a ti e os ídolos sejam totalmente eliminados". — *Edward Garrard Marsh*

v. 30: "Repreende as feras dos canaviais, a multidão dos touros, com os novilhos dos povos, pisando com os pés as suas peças de prata; dissipa os povos que desejam a guerra". Quando os inimigos de Deus se levantam contra a igreja, está na hora de a igreja prostrar-se diante de Deus para suplicar-lhe ajuda contra esses inimigos.

Orações santas são mais poderosas do que espadas profanas. — *Thomas Wall, "A Comment on the Times" [Um Comentário sobre os Tempos], 1657*

v. 30: "Repreende as feras dos canaviais, a multidão dos touros, com os novilhos dos povos, pisando com os pés as suas peças de prata; dissipa os povos que desejam a guerra". As palavras contêm, primeiro, uma declaração dos inimigos de Deus e, depois, uma imprecação contra esses inimigos. Os inimigos organizam-se em quatro formações.

(1) A tropa dos lanceiros ou (como consta na tradução) "as feras dos canaviais".

(2) "A multidão dos touros."

(3) "Os novilhos dos povos."

(4) Os homens que gostam de guerra ou os "que desejam a guerra".

A imprecação também é em duas partes. A primeira é mais suave. É apenas para repreender os lanceiros, e com certa limitação: "Até que elas se curvem e te ofereçam a sua prata" (NTLH; cf. AEC; NVI). A segunda parte diz respeito aos que gostam de guerra, sendo, por isso, tratados com mais severidade: "Dissipa os povos que desejam a guerra". [...] A igreja de Deus nunca quis inimigos e nunca quererá. "Os ímpios, diz o meu Deus, não têm paz" (Is 57.21). Os piedosos, dizem os ímpios, não terão paz. Os ímpios não terão a paz que Deus pode dar. Os piedosos não terão a paz que os ímpios podem tirar. — *Thomas Wall*

v. 30: "Repreende as feras dos canaviais, a multidão dos touros, com os novilhos dos povos, pisando com os pés as suas peças de prata; dissipa os povos que desejam a guerra". Identificamos escrupulosidade, inveja, ignorância e ambição ou orgulho. Segundo estas qualidades, cada animal citado no texto age animosamente contra a igreja: A escrupulosidade expõe "as feras dos canaviais", a inveja, "os touros", a ignorância, "os novilhos", e o orgulho, os homens "que desejam a guerra". — *Thomas Wall*[**]

v. 31: "Etiópia". É fato e sabido pelo leitor instruído que, no Antigo Testamento, os nomes "Etiópia" e "etíope" são tradução do próprio nome hebraico "Cuxe". O nome, "Cuxe", quando aplicado desta forma na Bíblia, não pertence invariavelmente ao nativo africano, mas ao asiático, Etiópia ou Arábia. — *Charles Forster, "The Historical Geography of Arabia" [A Geografia Histórica da Arábia], 1844*

v. 33: "E dá um brado veemente", ou "uma voz de força". É uma voz forte e poderosa, como a do evangelho quando acompanhada pelo poder e Espírito de Deus. É uma voz que sacode e desperta a alma. É uma voz que corta e quebranta o coração. É uma voz que vivifica e ilumina. É uma voz que ressuscita os pecadores mortos, dá vida para eles e, ao entrarem nessa vida, dá luz às mentes escuras. É uma voz que encanta e fascina a alma. É uma voz que faz a alma aproximar-se de Cristo, mobiliza-lhe os afetos para ele e a enche de delícia e prazer indizível. — *John Gill*

v. 33: "Àquele que vai montado sobre os céus dos céus". Aquele que administra os céus dirige o seu curso e influência. Ele formou todos os corpos celestes, determinou o movimento para cada um deles, proporcionou o conteúdo sólido para terem a órbita na qual revolverem, e para as outras orbes do mesmo sistema. Como o cavaleiro habilidoso maneja o cavalo, assim Deus faz com o sol, a lua, as planetas e todos os astros do céu. — *William Greenfield,* in: *Samuel Bagster, "The Comprehensive Bible" [A Bíblia Compreensiva]*

v. 33: "Àquele que vai montado sobre os céus dos céus, desde a antiguidade; eis que envia a sua voz e dá um brado veemente". Os louvores da igreja são cantados àquele que, depois dos sofrimentos passados aqui na terra, ascendeu para reassumir o antigo trono, muito acima de todos os céus. Àquele que, desde então, fala com o

** Este exemplo de espiritualização pode agir antes como baliza do que como exemplo. O autor era um excelente teólogo, mas neste sermão ele mais dá asas à imaginação do que usa o bom senso.

mundo através do seu glorioso evangelho, forte e poderoso, como trovão, em seus efeitos no coração dos homens (ver Sl 29.1-11). O poder da voz de Jesus, quando ele estava na terra, mostrou-se pelos efeitos causados, quando ele disse: "Jovem: [...] Levanta-te", "Lázaro, vem para fora", "Cala-te, aquieta-te" (Lc 7.14; Jo 11.43; Mc 4.39). E ainda se mostrará outra vez, quando "todos os que estão nos sepulcros ouvirão a sua voz. E [...] sairão" (Jo 5.28,29). — *George Horne, 1730-1792*

v. 34: "A sua fortaleza nas mais altas nuvens". Isto se refere aos fenômenos do trovão e do raio, pois todas as nações observam que o fluido elétrico é um agente irresistível e destruidor — acaba com a vida, despedaça torres e castelos, esfacela os mais fortes carvalhos e fragmenta as mais sólidas pedras. As mais esclarecidas nações acertadamente consideraram estes fenômenos como uma manifestação especial do poder e soberania de Deus. — *William Greenfield, in: Samuel Bagster, "The Comprehensive Bible" [A Bíblia Compreensiva]*

SUGESTÕES AOS PREGADORES

vv. 1 e 2. (1) A igreja de Deus sempre teve e sempre terá inimigos e aborrecedores. É por isso que, contra estes, o salmista se arma e arma a igreja com esta oração. (2) Os inimigos da igreja são inimigos de Deus. Os aborrecedores da igreja são aborrecedores de Deus: "Os seus inimigos" e "os que o aborrecem". (3) Deus às vezes parece estar dormindo ou parado, e por certo tempo deixa os inimigos e aborrecedores fazerem o que quiserem. É o que também está implícito quando dizemos a alguém: "Levante-se", pois ou está dormindo ou parado. (4) Há a hora certa quando Deus se levantará. (5) A hora de Deus se levantar é a hora de os inimigos serem dissipados e os aborrecedores fugirem. (6) O dever do povo de Deus é orar para que ele se levante quando parece que ele está deitado, e exaltá-lo em louvores quando ele se levantar para salvá-los e remi-los. Estas palavras são uma oração e uma exultação, visto que são usadas tanto por Moisés quanto por Davi. — Rápido sermão de *Thomas Case* pregado na honorável Câmara dos Comuns, intitulado "God's Rising, His Enemies' Scattering" [Deus se Levanta e os Inimigos se Espalham], 1644

vv. 1 a 3. Oração pela Segunda Vinda de Jesus. — *Alexander M'Caul*

v. 4. (1) O nome que inspira o cântico: "Jeová": (a) Autoexistente. (b) Imutável. (c) Eterno. (2) O cântico inspirado por esse nome: (a) De exultação. (b) De confiança. (c) De alegria. — *George Rogers*

v. 5. O direito que as viúvas e os órfãos têm de serem assistidos pela igreja de Deus baseia-se na relação de Deus com eles e no fato de Deus habitar na igreja.

v. 6. Comparação das igrejas com as famílias. (Ver resumo de *John Gill.*)

v. 6. (1) Dois males curáveis: "solitário", "aqueles que estão presos em grilhões". (2) Duas bênçãos ricas: "viva em família", "liberta". (3) Um mal monstruoso e as suas terríveis consequências: "os rebeldes habitam em terra seca".

vv. 7 e 8. (1) Deus tem o seu tempo para livrar o seu povo das dificuldades: "Quando saías adiante do teu povo, quando caminhavas pelo deserto". (2) O livramento de Deus é completo: "A terra abalava-se, e os céus destilavam perante a face de Deus; o próprio Sinai tremeu na presença de Deus". Todas as coisas abrem caminho diante dele. (3) O livramento de Deus é maior por causa da demora: (a) É assim por si mesmo. (b) É mais valorizado, como no caso de Jó, Abraão, Israel no mar Vermelho, Daniel, os três amigos de Daniel e muitos outros. — *George Rogers*

vv. 7 a 9. (1) A presença de Deus na igreja: (a) A sua primazia: "adiante". (b) Como Deus da aliança de Israel. (c) Como ativo e tornando ativo. (d) A sua regra interior: eles seguem. (e) O seu desígnio exterior: eles marcham para a guerra. (2) As gloriosas consequências: (a) Os mais impassíveis tremem. (b) Os altivos se curvam. (c) As dificuldades acabam: "Sinai". (d) As bênçãos proliferam. (e) A igreja é reavivada.

v. 9. I. A misericórdia de Deus é comparada à chuva: (1) Vêm direta do céu e não dos ministros. (2) É pura e não misturada. (3) Ninguém tem o monopólio dela.

(4) Não há substituto para ela. (5) É dada soberanamente no que diz respeito ao: (a) Tempo, (b) lugar, (c) modo e (d) medida. (6) Opera com eficácia (Is 55.10). (7) A oração a obtém. II. Há momentos e lugares para a chuva cair: (1) Na casa de Deus. (2) Nos recursos da graça. (3) Na oração. (4) Na aflição. (5) Quando os santos estão cansados: (a) por trabalho, (b) por doença, (c) por falta de sucesso. (6) Pelo Espírito Santo que conforta o coração. III. A chuva tem o objetivo de confortar o povo de Deus. IV. A chuva é desejada agora.

v. 9. (1) A igreja é a herança de Deus: (a) Escolhida. (b) Comprada. (c) Adquirida. (2) A herança de Deus fica, às vezes, cansada. (3) Quando a herança de Deus fica cansada, ele a conforta. — *George Rogers*

v. 10. "Tu, ó Deus, proveste o pobre da tua bondade." Bondade especial, para um povo especial, preparado especialmente.

v. 10. "Tu, ó Deus, proveste o pobre da tua bondade." O texto fala sobre os pobres, porque: (1) Eles são a maior massa da humanidade. Seja o que for que os orgulhosos pensem, aos olhos da razão, política e revelação, eles são, sem dúvida, a parte mais importante, útil e necessária. (2) Eles seriam mais peculiarmente afetados por carência. (3) Os que têm uma vida humilde e difícil devem ser incentivados a depender de Deus. (4) A nossa atenção tem de ser dirigida para eles pelo exemplo divino. — *William Jay*

v. 11. A divindade do evangelho. Os diversos modos e agentes para o seu anúncio.

vv. 11 e 12. (1) A palavra dada: "O Senhor deu a palavra". (2) A palavra anunciada: "Grande era o exército dos que anunciavam as boas-novas". (3) A palavra obedecida: "Reis de exércitos fugiram à pressa; e aquela que ficava em casa repartia os despojos". As coisas eram assim nos tempos do Antigo Testamento, quando o Senhor deu a palavra para Josué, para Gideão, para Davi e outros, e desbaratou exércitos e "reis de exércitos". As coisas eram assim nos tempos apostólicos, quando a palavra da reconciliação foi dada. Hoje, as coisas ainda são assim, e no futuro, serão ainda mais evidentemente. — *George Rogers*

v. 12. "Aquela que ficava em casa repartia os despojos." É a igreja na redenção que, como esposa, fica em casa e cuida dos deveres domésticos. Os despojos são a obra gloriosa e acabada do seu Senhor, que ela reparte.

v. 13. (1) O contraste: (a) Em vez de humilhação, exaltação. (b) Em vez de contaminação, pureza. (c) Em vez de inércia, atividade. (d) Em vez de deformidade, beleza. (2) A aplicação: (a) À penitência e perdão. (b) À depravação e regeneração. (c) À aflição e recuperação. (d) À deserção e consolação. (e) À morte e glória. — *George Rogers*

v. 14. (1) Onde as maiores batalhas da terra são travadas: "espalhou", "ali", ou seja, em Sião. "Ali quebrou as flechas do arco; o escudo, e a espada, e a guerra" (Sl 76.3). (2) Por quem? Pelo "Onipotente". (3) Quando? Em resposta à fé e oração do povo. (4) Como? (a) Sem fazer barulho, silenciosamente, "como quando cai a neve". (b) Sem ter a ajuda humana: como neve não pisada pelo homem. (c) Sem haver violência: como fica totalmente descorada a neve não pisada pelo homem. — *George Rogers*

vv. 15 e 16. (1) A superioridade do monte Sião: (a) Em termos de fertilidade em relação ao monte de Basã, fala dos prazeres terrenos. (b) Em termos de glória em relação aos outros montes, fala das alturas humanas da cultura e do poder. (2) A razão da superioridade do monte Sião: (a) É o lugar da escolha de Deus. (b) É o lugar do prazer de Deus. (c) É o lugar da habitação de Deus. (d) É o lugar da permanência de Deus para sempre. — *George Rogers*

v. 16. (1) A igreja é a habitação de Deus: (a) Foi eleita desde os tempos antigos. (b) É favorecida para todo o sempre. (c) Proporciona descanso como um lar para Deus. (d) Recebe honra para si. (2) A igreja, portanto, é invejada pelos outros: (a) Eles sentem que a própria grandeza foi sobrepujada. (b) Eles saltam de raiva. (c) Eles são irracionais por comportarem-se assim.

vv. 17 e 18. (1) A comparação entre Sião e Sinai: (a) O mesmo Deus está em ambos os montes: "O Senhor está entre eles". (b) Os mesmos servidores: "Os carros". (2) O contraste: (a) Deus desceu no Sinai; Deus subiu de perto de Sião. (b) No Sinai, Deus pôs um jugo neles; em Sião, Deus levou cativo o cativeiro. (c) No Sinai, Deus exigiu obediência; em Sião, Deus dá dons. (d) No Sinai, Deus falou de modo a causar medo e pavor; em Sião, Deus recebe dons para os rebeldes. (e) No Sinai, Deus apareceu por breve tempo; em Sião, Deus habita para sempre. — *George Rogers*

v. 18. (1) A ascensão de Cristo. (2) As vitórias de Cristo. (3) Os dons que Cristo recebeu para os homens. (4) O grande objetivo para o qual Cristo os dá. — *John Newton*

v. 18. "Para que o Senhor Deus habitasse entre eles." É razão de devota admiração que Deus habite entre os homens, quando contemplamos a imensidade, sublimidade, independência, santidade e soberania divina. Contudo, ele habita. (1) Pela vinda de Cristo ao mundo. (2) Pela residência do Espírito Santo no coração. (3) Pela presença de Deus nas igrejas. — *William Staughton*, Doutor em Teologia, 1770-1829

v. 19. (1) O acúmulo de benefícios. (2) O acúmulo de obrigações. (3) O acúmulo de louvores devido.

v. 19. (1) A salvação não deve ser esquecida em meio às misericórdias diárias. (2) As misericórdias diárias não devem ser esquecidas em meio ao prazer da salvação. — *George Rogers*

v. 20. A morte nas mãos de Deus: (1) As saídas para escapar da morte. (2) As entradas para cair na morte. (3) A saída para escapar da morte no além. (4) A porta que, quando fechada, nos tranca para sempre na morte.

v. 20. (1) O que Deus é para o povo: (a) É a salvação do povo. (b) É a porção do povo: "O nosso Deus". (2) O que Deus será para o povo: Com eles: (a) Até à morte. (b) Na morte. (c) Depois da morte. — *George Rogers*

v. 21. Deus vencerá o poder, o orgulho, a sabedoria e a própria vida do mal.

v. 21. (1) Para onde o povo de Deus pode ser levado. (2) A certeza da volta do povo de Deus. (3) As razões para o povo de Deus ter essa certeza.

vv. 24 a 26. A procissão permitida no santuário: (1) A ordem sistemática da doutrina. (2) O andar santo dos crentes. (3) As bandeiras da alegria. (4) A música das devoções. (5) Os brados para o Rei.

v. 25. "Entre eles, as donzelas tocando adufes." O trabalho para as mulheres santas na igreja.

v. 27. (1) A variedade do cântico: (a) A tribo régia de Benjamim no tempo de Saul. (b) A tribo principesca de Judá, visto que Davi era o príncipe regente no tempo de Saul. (c) A tribo literária de Zebulom: "De [...] Zebulom desceram os legisladores, passando com o cajado do escriba" (Jz 5.14). (d) A tribo eloquente de Naftali: "Naftali [...] dá palavras formosas" (Gn 49.21). (2) A harmonia do cântico. Unam-se todos para louvar ao Senhor, a fonte de Israel: "Era o número deles milhões de milhões e milhares de milhares" (Ap 5.11). — *George Rogers*

vv. 30 e 31. (1) Obstáculos ao progresso da verdade divina: (a) A idolatria. Adoração ao crocodilo: "as feras dos canaviais" ("juncos", Septuaginta; cf. AEC; NVI), aos touros e novilhos, como no Egito. (b) A cobiça. (c) A guerra. (2) Os meios para a remoção dos obstáculos: (a) A oração. (b) A repreensão e dissipação: "Repreende", "dissipa". (3) As consequências desta remoção: "Embaixadores reais virão do Egito; a Etiópia cedo estenderá para Deus as suas mãos" (v. 31).

v. 35. (1) Consideremos o zelo de Deus pelo seu povo em relação à sua santidade nos três "santuários": (a) No pátio exterior da nossa confissão. (b) No lugar santo do nosso sacerdócio. (c) No santo dos santos com o seu Filho. (2) Consideremos a terribilidade de Deus para com os seus inimigos, segundo está inferido por esses "santuários".

v. 35. "Bendito seja Deus!" Um texto breve, mas muito sugestivo.

SALMO 69

TÍTULO

Salmo de Davi. Se alguém perguntasse: "De quem diz isto o profeta? De si mesmo ou de algum outro?" (cf. At 8.34), responderíamos: "De si mesmo *e* de algum outro". Quem é esse outro não demoraríamos a descobrir. É só o Crucificado que pode dizer: "Na minha sede me deram a beber vinagre" (v. 21). As suas pegadas por toda esta canção triste foram destacadas pelo Espírito Santo no Novo Testamento. Por isso, sabemos e estamos certos de que o Filho do Homem está aqui. Contudo, é intenção do Espírito, enquanto nos dá tipos de pessoa, mostrar a semelhança do primogênito que existe nos herdeiros da salvação e expor as disparidades entre o melhor dos filhos dos homens e o Filho de Deus, visto que há versículos que não ousamos aplicar ao nosso Senhor. Quase sentimos um calafrio quando vemos os nossos irmãos tentando fazer isso, por exemplo, com o versículo 5. Notamos, especialmente, a diferença entre Davi e o Filho de Davi nas imprecações de um contra os inimigos e nas orações do outro a favor deles. Iniciamos a exposição deste salmo com muito tremor reverente, porque percebemos que estamos entrando com o nosso grande Sumo Sacerdote no lugar santíssimo.

Para o cantor-mor, sobre Sosanim. Esta é a segunda vez que temos um salmo intitulado "sobre Sosanim", ou seja, "sobre os lírios" (cf. "De acordo com a melodia Os Lírios", NVI). No Salmo 45, eram lírios dourados, que exalavam o doce cheiro da mirra, aloés e cássia, e vicejavam nos formosos jardins que cercavam os palácios de marfim. Neste, temos o lírio entre espinhos, o lírio do vale, belo e bonito, florescendo no jardim do Getsêmani.

DIVISÃO

Este salmo é formado por duas divisões de 18 versículos cada. Estas, por sua vez, são divididas em três subdivisões. Na primeira divisão, o sofredor apresenta a sua queixa perante Deus (vv. 1-4). Depois, alega que o seu zelo por Deus é a causa dos sofrimentos

(vv. 5-12). Este argumento o encoraja a suplicar por ajuda e livramento (vv. 13-18). Na segunda divisão do salmo, ele detalha a conduta prejudicial dos adversários (vv. 19-21), exige que sejam castigados (vv. 22-28), e, em seguida, volta à oração, na feliz expectativa da interposição divina e os seus resultados (vv. 29-36).

EXPOSIÇÃO

1 *Livra-me, ó Deus, pois as águas entraram até à minha alma.*
2 *Atolei-me em profundo lamaçal, onde se não pode estar em pé; entrei na profundeza das águas, onde a corrente me leva.*
3 *Estou cansado de clamar; secou-se-me a garganta; os meus olhos desfalecem esperando o meu Deus.*
4 *Aqueles que me aborrecem sem causa são mais do que os cabelos da minha cabeça; aqueles que procuram destruir-me sendo injustamente meus inimigos, são poderosos; então, restituí o que não furtei.*

1. *"Livra-me, ó Deus"*, ou "Salva-me, ó Deus" (ARA). "Salvou os outros e a si mesmo não pode salvar-se" (Mt 27.42). "Oferecendo, com grande clamor e lágrimas, orações e súplicas ao que o podia livrar da morte, foi ouvido quanto ao que temia" (Hb 5.7). Assim Davi orara e aqui o seu Filho e Senhor profere o mesmo brado. Este é o segundo salmo que começa com "Salva-me, ó Deus" (ARA). O primeiro (Sl 54) é apenas um curto resumo desta longa queixa. É digno de nota que a cena de aflição do Salmo 69 fosse apresentada imediatamente depois do exultante hino de ascensão cantado no Salmo 68. Este fato só ressalta que a glória e o sofrimento do nosso Redentor bendito estão intimamente entrelaçados. A cabeça que agora está coroada de glória é a mesma que usou a coroa de espinhos. Aquele a quem oramos: "Salva-me, ó Deus", é exatamente a mesma pessoa que clamou: "Salva-me, ó Deus".

"Pois as águas entraram até à minha alma." Sofrimento extremo, abundante e mortal penetrara a sua natureza interior. A angústia física não é a primeira queixa. Ele não começa com o fel que lhe amargou os lábios, mas com as fortes aflições que lhe arrombaram o coração. Todas as águas do mar em volta do navio são menos temíveis do que aqueles que conseguem entrar no porão de carga. "O espírito abatido, quem o pode suportar?" (Pv 18.14, ARA).

Neste versículo, vemos o nosso Senhor diante de nós como um Jonas, clamando: "As águas me cercaram até à alma" (Jn 2.5). Ele estava negociando para nós nas grandes águas, sob as ordens do Pai. O vento tempestuoso estava erguendo as ondas, e ele desceu às profundezas até que a alma se fundiu por causa do sofrimento. Em tudo isso ele foi semelhante a nós e pode nos socorrer, quando nós, como Pedro, começando a afundar, clamarmos a ele: "Senhor, salva-nos, que perecemos" (Mt 8.25; cf. Hb 2.17,18).

2. *"Atolei-me em profundo lamaçal."* Na água, podemos nadar, mas na lama e lodo todo esforço é desesperador. O lamaçal suga a vítima.

"Onde se não pode estar em pé." Tudo cedia debaixo do Sofredor. Ele não conseguia achar lugar para apoiar o pé — este é um destino pior do que o afogamento. Aqui o nosso Senhor descreve a natureza pegajosa e aderente das aflições do seu coração. Ele "começou a entristecer-se e a angustiar-se muito" (Mt 26.37). O pecado é como lama por seu caráter sujo e impuro. A alma santa do Salvador deve ter detestado até mesmo o contato com o pecado, algo que era necessário para a expiação. A natureza pura e sensível atolou-se no pecado, pois não era algo que fazia parte do seu meio. Ele não era como nós nascido e aclimatado a este grande pântano escuro. Aqui o nosso Redentor se tornou outro Jeremias, sobre quem está registrado que os inimigos o lançaram em um calabouço, no qual "não havia água, senão lama; e atolou-se Jeremias na lama" (Jr 38.6). Que os nossos corações sintam as emoções, tanto de contrição quanto de gratidão, quando vemos nesta símile a humilhação extrema por que passou o nosso Senhor.

"Entrei na profundeza das águas, onde a corrente me leva." O sofrimento reúne mais força ainda. Ele é como alguém lançado ao mar, onde as águas encobrem a cabeça. Primeiro, os sofrimentos foram interiores, depois, ao redor e, agora, acima dele. O nosso Senhor não era um sentimental medroso. As aflições eram reais. Embora as suportasse com valentia, eram terríveis até mesmo para ele. Os sofrimentos eram diferentes dos outros em termos de intensidade. As águas eram tantas que lhe encharcou a alma. O lamaçal era o lamaçal do próprio abismo. A corrente era profunda e superabundante. Para nós a promessa é: "Quando [passares] pelos rios, eles não te submergirão" (Is 43.2), mas esta palavra de consolação não foi concedida a ele. Alma minha, o teu Bem-amado suportou tudo isso por ti. As muitas águas não puderam apagar esse amor, nem a corrente de inundações afogá-lo (cf. Ct 8.7). Por causa disto, tu tens o magnífico benefício da garantia da aliança: "Isso será para mim como as águas de Noé; pois jurei que as águas de Noé não inundariam mais a terra; assim jurei que não me irarei mais contra ti, nem te repreenderei" (Is 54.9). Ele deteve a corrente da ira do Onipotente para que pudéssemos descansar para sempre no amor de Jeová.

3. "Estou cansado de clamar." Não *de* clamar, mas *por* clamar, *com respeito a* clamar. Ele orara até que suou grandes gotas de sangue, e bem pode o cansaço físico intervir.

"Secou-se-me a garganta", ou seja, ela está ardendo e inflamada. Súplica longuíssima com fervor severamente constante tinha lhe abrasado a garganta abrasada como com chamas de fogo. Poucos, muito poucos, santos seguem o seu Senhor em oração semelhante. Somos, a que se temer, mais propensos a ficar roucos de tanto falar frivolidades com as pessoas do que de clamar a Deus. A nossa natureza pecaminosa exige mais oração do que poderia necessitar a humanidade perfeita de Jesus. As suas orações deveriam nos envergonhar a ponto de nos levar a intensificar as nossas. As súplicas do nosso Senhor foram salgadas com fogo, tinham o calor da agonia. Por conseguinte, debilitaram-lhe o organismo físico e fizeram dele um "homem de dores, experimentado nos trabalhos" (Is 53.3).

"Os meus olhos desfalecem esperando o meu Deus." Durante a angústia mais medonha ele não desejava nada mais que o seu Deus. Em suma, era tudo o que ele desejava. A maioria de nós sabe o que é vigiar e esperar. Sabemos algo de olhos inchados quando a esperança é adiada por muito tempo. Mas em tudo Jesus tem a primazia. Não há olhos que tenham ficado mais inchados do que os dele ou por uma causa tão intensa e absorta. Não existe pintor que possa pintar esses olhos. O pincel falha em tracejar todas as características desse semblante formoso e ao mesmo tempo totalmente desfigurado. A tela mente quando se aventura a retratar esses olhos que eram fontes de lágrimas. Ele sabia como orar e como vigiar, e desejava que aprendêssemos a fazer o mesmo. Há tempos em que devemos orar até a garganta secar, e vigiar até os olhos incharem. Só assim podemos ter comunhão com ele nos seus sofrimentos (cf. Fp 3.10, ARA). O quê? Nem uma hora pudemos vigiar com ele? (cf. Mt 26.40). A carne recua? Ó carne cruel por ser tão generosa consigo mesma e tão mesquinha com o seu Senhor!

4. *"Aqueles que me aborrecem."* É pecado surpreendente que os homens aborrecessem aquele que é totalmente desejável (cf. Ct 5.16). A surpresa é ressaltada pelo complemento: "sem causa", pois não havia razão para este ódio e inimizade sem sentido. Ele não blasfemou de Deus, nem ofendeu os homens. Como disse Samuel: "A quem tomei o boi? A quem tomei o jumento? A quem defraudei? A quem tenho oprimido"? (1 Sm 12.3). As mesmas coisas Jesus podia alegar. Além disso, ele não nos fizera nenhum malefício, mas só nos dera benefícios incontáveis e inestimáveis. Ele estava coberto de razão quando questionou: "Por qual dessas obras me apedrejais?" (Jo 10.32). Contudo, da manjedoura à cruz, começando com Herodes e não terminando com Judas, ele teve inimigos inumeráveis. Acerca dos inimigos, ele afirmou com razão: Eles "são mais do que os cabelos da minha cabeça". Os civis e os militares, os laicos e os clérigos, os doutores e os bêbedos,

os príncipes e as pessoas comuns se indispõem com o ungido do Senhor. "Este é o herdeiro; vinde, matemo-lo e apoderemo-nos da sua herança" (Mt 21.38), foi a decisão unânime de todos os lavradores da vinha judaica, enquanto os gentios fora dos muros do jardim forneciam os instrumentos para assassiná-lo, cometendo, de fato, a ação. Os exércitos da terra e do inferno, coligados, formaram enormes legiões de antagonistas, nenhum dos quais tinha o menor motivo para odiá-lo.

"Aqueles que procuram destruir-me sendo injustamente meus inimigos, são poderosos." Já era ruim o fato de serem muitos, mas o pior é que eles eram poderosos. Todas as forças eclesiásticas e militares do país puseram-se em ordem de batalha contra ele. O poder do Sinédrio, a turba e as legiões romanas se combinaram em uníssono para esta destruição absoluta: "Tira da terra um tal homem, porque não convém que viva!" (At 22.22), foi o brado dos inimigos ferozes. Os adversários de Davi estavam no trono, enquanto ele se escondia em cavernas. Os inimigos do nosso Senhor eram os grandes da terra, enquanto ele, de quem "o mundo não era digno", era o "opróbrio dos homens e desprezado do povo" (Hb 11.38; Sl 22.6).

"Então, restituí o que não furtei." Embora inocente, foi tratado como culpado. Embora Davi não tivesse parte nas maquinações contra Saul, ele foi responsabilizado por elas. Com referência ao nosso Senhor, podemos dizer com propriedade que ele restitui o que não furta, porque ele devolve à honra ferida de Deus a recompensa, e ao homem a felicidade perdida, embora o insulto de um e a queda do outro não façam parte, em qualquer sentido, das suas ações. Em geral, quando o rei peca o povo sofre, mas aqui o provérbio foi invertido — as ovelhas se extraviam, e as suas perambulações são culpa do Pastor.

5 *Tu, ó Deus, bem conheces a minha insipiência; e os meus pecados não te são encobertos.*
6 *Não sejam envergonhados por minha causa aqueles que esperam em ti, ó Senhor, Senhor dos Exércitos; não sejam confundidos por minha causa aqueles que te buscam, ó Deus de Israel.*
7 *Porque por amor de ti tenho suportado afronta; a confusão cobriu o meu rosto.*
8 *Tenho-me tornado como um estranho para com os meus irmãos, e um desconhecido para com os filhos de minha mãe.*
9 *Pois o zelo da tua casa me devorou, e as afrontas dos que te afrontam caíram sobre mim.*
10 *Chorei, e castiguei com jejum a minha alma, mas até isto se me tornou em afrontas.*
11 *Pus, por veste, um pano de saco e me fiz um provérbio para eles.*
12 *Aqueles que se assentam à porta falam contra mim; sou a canção dos bebedores de bebida forte.*

5. *"Tu, ó Deus, bem conheces a minha insipiência."* Davi poderia ter dito isso, mas não o Senhor de Davi, a menos que entendamos como súplica a Deus em busca de livramento da insipiência ou estultícia que os homens lhe imputaram quando disseram que ele estava louco. O que era estultícia para os homens era suprema sabedoria diante de Deus. Quantas vezes podemos usar estas palavras no sentido natural! Se não fôssemos tão estultos a ponto de não vermos a nossa própria estultícia, esta confissão estaria frequentemente em nossos lábios. Quando percebemos que fomos estultos, não devemos deixar de orar, mas, antes, sermos mais insistentes e fervorosos nessa prática. Os estultos tiveram a boa necessidade de procurar conselho com o infinitamente sábio.

"E os meus pecados não te são encobertos." Os meus pecados não podem ser encobertos com folhas de figueira cosidas por mim. Só a cobertura que tu me dás pode esconder a nudez deles e a minha. Deveria ser fácil confessar os peados, quando sabemos que tudo já é conhecido. A oração que não tem confissão de pecados agrada o orgulho farisaico, mas jamais ocasiona justificação. Aqueles que nunca viram os pecados sob a luz da onisciência de Deus não podem apelar para essa onisciência

como prova de devoção. Quem pode dizer: "Bem conheces a minha insipiência", é o mesmo que pode acrescentar: Mas "tu sabes que eu te amo" (Jo 21.17).

6. *"Não sejam envergonhados por minha causa aqueles que esperam em ti, ó Senhor, Senhor dos Exércitos."* Se ele fosse abandonado, os outros que estavam andando no mesmo caminho de fé ficariam desanimados e desapontados. Os não crentes sempre estão prontos a pegar a qualquer coisa que transforme a fé humilde em algo ridículo. Por isso, ó Deus de todos os exércitos de Israel, não deixes que o meu caso leve o inimigo a blasfemar — esta é a essência do versículo. O nosso Senhor bendito sempre demonstrou terna preocupação pelo povo, e jamais permitiria que a sua opressão de espírito se tornasse fonte de desânimo para eles.

"Não sejam confundidos por minha causa aqueles que te buscam, ó Deus de Israel." Ele apelou ao Senhor dos Exércitos que pelo seu poder o ajudasse. Agora, apela ao Deus de Israel que pela sua fidelidade à aliança fosse salvá-lo. Se o capitão do exército fracassar, o que acontecerá com as tropas e pequenos destacamentos? Se Davi fugir, o que farão os seus seguidores? Se o rei dos crentes não tiver a fé recompensada, como os fracos permanecerão firmes no caminho? O comportamento do nosso Senhor durante as mais acentuadas agonias não é motivo de vergonha para nós. Ele chorou, porque era homem, mas não murmurou, porque era homem sem pecado. Clamou: "Meu Pai, se é possível, passa de mim este cálice", porque era humano, mas acrescentou: "Todavia, não seja como eu quero, mas como tu queres", porque a sua humanidade era sem mancha de rebelião (Mt 26.39). Nas agruras da tribulação não lhe escapou nenhuma lamúria, porque não havia lamúria no coração. O Senhor dos mártires deu o testemunho de boa confissão. Ele foi fortalecido na hora do perigo e saiu mais do que vencedor, como também sairemos nós, se conservarmos firme a confiança até ao fim.

7. *"Porque por amor de ti tenho suportado afronta."* Porque dispôs-se a fazer a vontade do Pai e a ensinar a sua verdade, o povo ficou furioso. Porque declarou-se ser o Filho de Deus, o sacerdócio enfureceu-se. Não podendo achar nenhum erro nele, foram forçados a inventar uma acusação mentirosa antes de começarem o simulacro de julgamento. O ponto da disputa era que Deus estava com ele e ele com Deus, enquanto os escribas e fariseus só buscavam a própria honra. A afronta sempre é muito mordaz para o íntegro, e deve ter atingido com força severamente intensa alguém de caráter tão imaculado como o nosso Senhor. Não obstante, veja como ele se volta ao seu Deus e se consola no fato de que está suportando tudo por amor do Pai. Consolo igual pertence a todos os santos que são perseguidos e falsamente acusados.

"A confusão cobriu o meu rosto." É comum homens condenados à morte terem o rosto coberto quando são arrastados do tribunal do juiz, como aconteceu com o mau Hamã em Ester 7.8. Segundo o costume, cobriram o nosso Senhor primeiro com um véu de acusação ultrajante, e depois o levaram com violência para ser crucificado. Além disso, eles o fizeram passar pela provação de zombarias cruéis, emporcalharam-lhe o rosto com cuspe e o cobriram de contusões, de forma que o "Ecce Homo" de Pilatos chamou a atenção do mundo para um espetáculo sem precedentes de aflição e vergonha. O desnudamento na cruz também encheu a face do Redentor de rubor recatado, ao ficar pendurado e nu ao olhar cruel de uma multidão obscena. Ah, Senhor bendito, foi a nossa vergonha que tu aceitaste suportar! Não há algo que mais mereça ser repreendido e menosprezado do que o pecado, e eis que, quando tu foste feito pecado por nós, tu foste chamado para suportar maus-tratos e desprezo. Bendito seja o teu nome, tudo terminou agora, mas devemos a ti mais do que o coração pode conceber por tua surpreendente condescendência de amor.

8. *"Tenho-me tornado como um estranho para com os meus irmãos."* Os judeus, os seus irmãos de raça, o rejeitaram, a sua família, os seus irmãos de sangue, ficaram ofendidos com ele, e os seus discípulos, os seus irmãos de espírito, o abandonaram e fugiram. Um deles o vendeu, e um dos outros o negou com

juramentos e praguejamentos. Ai, meu Senhor, que dores devem ter golpeado o teu coração amoroso ao ser abandonado assim por aqueles que deveriam ter te amado, defendido e, se necessário, morrido por ti.

"E um desconhecido para com os filhos de minha mãe." Estes eram os parentes mais próximos. Os filhos de um pai com muitas esposas sentiriam o vínculo de consanguinidade, mas de forma vaga, ao passo que os filhos da mesma mãe possuem o elo do amor. Os mais próximos e mais queridos do nosso Senhor tiveram vergonha de reconhecê-lo parente. Os irmãos de Davi o invejavam e falavam mal dele. Semelhantemente, os parentes de nascença do nosso Senhor tinham ciúmes dele, e os seus mais bem amados seguidores, na hora da agonia, tiveram medo de serem conhecidos como alguém que tivesse alguma ligação com ele. Estas eram setas afiadas dos poderosos na alma de Jesus, o mais terno dos amigos. Que nenhum de nós jamais aja como se fosse um estranho para com ele. Que jamais o tratemos como se ele fosse um desconhecido para nós. Antes, decidamos ser crucificados com ele, e que a graça torne a decisão em fato.

9. *"Pois o zelo da tua casa me devorou."* O fervor ardente, como a chama de uma vela, alimentou-se da sua força e a consumiu. O coração, como espada afiada, furou a bainha. Há homens que são consumidos pela depravação, outros pela cobiça e uma terceira classe pelo orgulho. Mas a paixão mestre do nosso grande líder era a glória de Deus, o ciúme pelo seu nome e o amor pela família divina. O zelo por Deus é tão pouco compreendido pelos homens do mundo que sempre atrai oposição daqueles que são inspirados por ele. Serão com certeza acusados de motivos sinistros, ou de hipocrisia, ou de estar fora do juízo. Quando o zelo nos devora, os descrentes procuram nos devorar também. Foi o que preeminentemente aconteceu com o nosso Senhor, porque o seu ciúme santo era preeminente. Com mais que uma brasa viva de serafim ele ardeu e se consumiu com grande calor emotivo.

"E as afrontas dos que te afrontam caíram sobre mim." Aqueles que habitualmente blasfemavam de Deus agora me amaldiçoam. Tornei-me o alvo para as setas apontadas ao próprio Senhor. Desta forma, o Grande Mediador foi, sob este aspecto, substituto de Deus como também do homem. Ele recebeu as repreensões objetivadas para um, como também os pecados cometidos pelo outro.

10. *"Chorei, e castiguei com jejum a minha alma, mas até isto se me tornou em afrontas."* Tendo decidido odiá-lo, tudo o que ele fazia constituía mais outro motivo para afrontá-lo. Se comia e bebia como os outros, era então glutão e beberrão. Se chorava e se castigava com jejum, estava então endemoninhado e era louco. Nada é mais cruel do que o preconceito, cujos olhos alteram tudo pelo instrumento com o qual olha, e cuja língua critica tudo indiscriminadamente. O nosso Salvador chorou muito em segredo pelos nossos pecados, e sem dúvida, os castigos particulares da alma em nosso favor foram muito frequentes. Montes solitários e lugares desérticos viram agonias repetidas, as quais, se eles pudessem revelá-las, nos surpreenderia deveras. A emaciação que estes exercícios forjaram em nosso Senhor fizeram com que tivesse a aparência de quase cinquenta anos quando tinha pouco mais de trinta. Aquilo que era para a sua honra foi usado como tema de afronta contra ele.

11. *"Pus, por veste, um pano de saco."* Foi o que Davi fez literalmente, mas não temos razão para acreditar que Jesus tenha feito. Em sentido espiritual, ele, como alguém cheio de aflição, sempre estava usando um pano de saco.

"E me fiz um provérbio para eles." Ele foi ridicularizado como "homem de dores" e citado como "experimentado no sofrimento" (Is 53.3, NVI). Ele poderia ter dito: "Aqui eu e o sofrimento nos sentamos". Aquilo que deveria ter-lhe ganho compaixão só lhe trouxe mais desprezo e desprezo mais geral. Entrelaçar o nome de alguém em um provérbio de zombaria é a mais alta amplitude da malícia, e insultar-lhe os atos devocionais é acrescentar profanação à crueldade.

12. *"Aqueles que se assentam à porta falam contra mim."* Os fofoqueiros ordinários que se juntam às portas da cidade para jogar conversa fora fazem de mim o tema

das fofocas. Os comerciantes que ali se reúnem para negociar esquecem-se das mercadorias para caluniar de mim. Até os mendigos, enquanto esperam às portas das casas pelas esmolas, contribuem com a sua parte de insultos ao montão da infâmia.

"Sou a canção dos bebedores de bebida forte." Os não crentes não conhecem piada mais engraçada do que aquela em que o nome dos santos é infamado. O sabor da difamação é picante, e dá prazer aos vinho dos farristas. O caráter do homem de Nazaré estava tão acima da avaliação dos homens de força para misturar bebida forte, estava tão fora do seu costume e tão acima dos seus pensamentos, que não admira que lhes parecesse ridículo, e portanto, bem adaptado para criar risada entre um copo e outro de bebida. Os santos são sempre tema preferido para as sátiras. "Hudibras", poema narrativo heroico-cômico escrito por Samuel Butler no século XVII, deveu a popularidade mais à caçoada anti-religiosa do que à habilidade intrínseca. Até hoje, os bares ridicularizam as igrejas, e à mesa dos bares se assentam os escarnecedores. Que maravilhosa condescendência é que aquele que é adorado pelos anjos condescenda em ser a canção dos bêbedos! Que surpreendente pecado é que aquele a quem os serafins adoram com o rosto coberto seja um provérbio desdenhoso entre os homens mais viciosos.

O apelido pejorativo da multidão efêmera
O escárnio do rei, a canção do bêbedo

13 *Eu, porém, faço a minha oração a ti, SENHOR, num tempo aceitável; ó Deus, ouve-me segundo a grandeza da tua misericórdia, segundo a verdade da tua salvação.*
14 *Tira-me do lamaçal e não me deixes atolar; seja eu livre dos que me aborrecem e das profundezas das águas.*
15 *Não me leve a corrente das águas e não me sorva o abismo, nem o poço cerre a sua boca sobre mim.*
16 *Ouve-me, SENHOR, pois boa é a tua misericórdia; olha para mim segundo a tua muitíssima piedade.*
17 *E não escondas o teu rosto do teu servo, porque estou angustiado; ouve-me depressa.*
18 *Aproxima-te da minha alma, e resgata-a; livra-me por causa dos meus inimigos.*

13. *"Eu, porém, faço a minha oração a ti, Senhor."* Ele se voltou a Jeová em oração por ser a coisa mais natural para o piedoso fazer na angústia. A quem o filho deve se voltar senão ao pai? Ele não lhes respondeu. Como ovelha muda perante os tosquiadores, ele não lhes disse nada, mas abriu a boca ao Senhor, seu Deus, porque ele ouviria e livraria. A oração nunca está fora de moda. Presta-nos bons serviços durante o dia mau.

"Num tempo aceitável." Era um tempo de rejeição com o homem, mas de aceitação com Deus. O pecado reinava na terra, mas a graça reinava no céu. Há para cada um de nós um tempo de aceitação. Ai de nós se deixarmos esse tempo passar sem aproveitá-lo. O tempo de Deus tem de ser o nosso tempo, ou sucederá que, quando o tempo acabar, procuraremos em vão lugar de arrependimento. As orações do nosso Senhor eram oportunas e sempre recebidas com aceitação.

"Ó Deus, ouve-me segundo a grandeza da tua misericórdia." Se até o Perfeito apelou para a rica misericórdia de Deus, quanto mais devemos nós. Para a aflição não há atributo mais doce do que a misericórdia. Quando os sofrimentos se multiplicam, a multidão de misericórdia é altamente estimada. Quando os inimigos forem mais do que os cabelos da nossa cabeça, ainda assim serão passíveis de numeração. As misericórdias de Deus, porém, são totalmente inumeráveis. Nunca nos esqueçamos de que cada uma delas é um argumento forte e disponível nas mãos da fé.

"Segundo a verdade da tua salvação." A fidelidade de Jeová é mais outro forte argumento. A sua salvação não é ficção, zombaria, coisa variável. Por isso, o pedido é para que ele a manifeste, e faça todos os homens verem como ele é fiel à promessa. O nosso Senhor está nos ensinando a arte sagrada de lutar em oração, e fortalecendo a

nossa causa com argumentos. Está, também, nos mostrando que a natureza de Deus é o grande tesouro de fortes razões que nos serão mais preponderantes na súplica.

14. *"Tira-me do lamaçal e não me deixes atolar."* Ele transforma em oração as mesmas palavras da queixa. É bom, se, quando nos queixarmos, não sentirmos nem dizermos qualquer coisa que temêssemos proferir diante do Senhor como oração. Temos permissão para pedir livramento das dificuldades como também força para passar por elas. Ambas as petições estão aqui combinadas. Como é estranho ouvir tais palavras do Senhor da glória.

"Seja eu livre dos que me aborrecem e das profundezas das águas." Ele pede que Deus o livre dos inimigos e das aflições que eles lhe causaram. Deus pode nos ajudar de todos os modos. Portanto, podemos apresentar uma variedade de pedidos sem medo de exceder a nossa liberdade de pedir ou a sua capacidade de responder.

15. *"Não me leve a corrente das águas."* Ele continua recapitulando os termos do lamento. Ele está disposto a suportar o sofrimento, mas pede graça para não ser vencido por ele. Ele foi ouvido quanto ao que temia.

"E não me sorva o abismo." Como Jonas saiu das profundezas do mar, assim também me deixes sair do abismo da aflição. Este foi outro ponto em que o nosso Senhor foi ouvido, e nós também seremos. A própria morte tem de nos vomitar.

"Nem o poço cerre a sua boca sobre mim." Quando uma grande pedra era rolada em cima do poço ou cova usado como calabouço, o prisioneiro ficava completamente preso e esquecido como os presos nas masmorras da Bastilha. Este é um quadro perfeito do estado de um homem enterrado vivo na aflição e deixado sem meios de saída. É contra esta situação que o grande sofredor suplicou e foi ouvido. Ele foi batizado na agonia, mas não se afogou nela. A sepultura o encerrou, mas antes que ela pudesse fechar a boca sobre ele, ele arrebentara a prisão. Dizem que a verdade está em um poço, mas com certeza é um poço aberto, pois ela circula amplamente com poder. O nosso grande Substituto no poço da aflição e da morte ainda era o Conquistador da morte e do inferno. Como é apropriado usarmos esta oração. Merecemos ser levados pela corrente das águas, sorvidos em nossos pecados e encerrados no inferno. Apelemos, então, aos méritos do nosso Salvador, para que estas coisas não aconteçam conosco.

16. *"Ouve-me, Senhor."* Não recuses o teu Filho suplicante. É ao Deus da aliança, o Jeová eterno, que ele suplica com fortes clamores.

"Pois boa é a tua misericórdia." Pela grandeza do teu amor tenha piedade do teu aflito. Sempre é um apoio para a alma enfatizar a preeminência e excelência da misericórdia do Senhor. As almas infelizes têm recebido muito conforto e encorajamento pela análise exaustiva da grandiosa palavra "misericórdia". Entra em sua composição duas das coisas mais doces e fragrantes, devidamente adequadas para inspirar ânimo ao desanimado e fazer o coração triste cantar de alegria.

"Olha para mim segundo a tua muitíssima piedade." Se o Senhor ao menos dirigir os olhos da piedade e as mãos do poder, o espírito do pranteador revive. É o fel de amargura estar sem o sorriso consolador de Deus. No caso do nosso Senhor, a sua aflição culminou no "lemá sabactâni", e o seu grito mais amargo foi aquele em que ele lamentou um Deus ausente. Observe como ele volta a enfatizar a ternura divina e toca de novo a nota de abundância: "A riqueza das tuas misericórdias" (ARA).

17. *"E não escondas o teu rosto do teu servo."* O bom servo deseja a luz do semblante do seu senhor. O *servus servorum*, que também era o *rex regium* não suportaria perder a presença do seu Deus. Quanto mais ele amava o Pai, mais severamente sentia o seu rosto escondido.

"Porque estou angustiado." Detém o teu vento áspero no dia do teu vento oriental. Não adiciones tristeza sobre tristeza. Se existe uma situação em que o homem precisa da presença confortadora de Deus é quando ele está em angústia. Estar angustiado é razão para estar em demanda com um Deus misericordioso, pela qual ele não nos abandonará. Podemos orar para que a nossa fuga não aconteça no inverno, e para que Deus não acrescente o abandono espiritual a todas as nossas outras tribulações.

"Ouve-me depressa." O caso era urgente, a demora era perigosa e mortal. O nosso Senhor era a perfeição da paciência, contudo clamou urgentemente por misericórdia imediata. Com este fato, ele nos dá a liberdade para fazer o mesmo, contanto que acrescentemos: "Todavia, não seja como eu quero, mas como tu queres" (Mt 26.39).

18. *"Aproxima-te da minha alma."* A maior aproximação de Deus é tudo de que o sofredor precisa. Um sorriso do céu acalmará a raiva do inferno.

"E resgata-a." Será redenção para mim se tu me confortares. Esta é oração profundamente espiritual e imensamente apropriada para a alma abandonada. É na comunhão renovada que a redenção é realizada.

"Livra-me por causa dos meus inimigos", para que, vangloriando-se, não blasfemem do teu nome e ostentem que tu não podes salvar aqueles que põem a confiança em ti. Jesus, ao condescender usar tais súplicas, atende o pedido dos discípulos: "Senhor, ensina-nos a orar" (Lc 11.1).

19 *Bem conheces a minha afronta, e a minha vergonha, e a minha confusão; diante de ti estão todos os meus adversários.*
20 *Afrontas me quebrantaram o coração, e estou fraquíssimo; esperei por alguém que tivesse compaixão, mas não houve nenhum; e por consoladores, mas não os achei.*
21 *Deram-me fel por mantimento, e na minha sede me deram a beber vinagre.*

Esta é uma triste recapitulação dos sofrimentos, com referência mais especial às pessoas ligadas a essa situação aflitiva.

19. *"Bem conheces a minha afronta, e a minha vergonha, e a minha confusão."* Não é novidade ou segredo, pois a situação tem-se arrastado por muito tempo. Tu, ó Deus, tens visto e, para ti, ver o inocente sofrer é garantia de ajuda. Aqui há três palavras amontoadas para expressar que o Redentor sentia vivamente o desprezo de que era alvo e ressaltar a certeza de que toda forma de malvadez maliciosa era observada pelo Senhor.

"Diante de ti estão todos os meus adversários." Todos os grupos perversos e ruidosos estão agora presentes aos teus olhos: Judas e a sua traição, Herodes e a sua astúcia, Caifás e a sua deliberação, Pilatos e a sua vacilação, bem como os judeus, os sacerdotes, o povo, os regentes — a todos, tu vês e julgarás.

20. *"Afrontas me quebrantaram o coração."* Não há martelo como a afronta. O nosso Senhor morreu de coração quebrado, e foram as afrontas que fizeram a ação. Intenso sofrimento mental surge da difamação e, no caso da natureza sensível do imaculado Filho do Homem, bastou para dilacerar-lhe o coração até que quebrasse. "Então explodiu o seu forte coração" (Shakespeare).

"E estou fraquíssimo." A calúnia e o insulto o curvaram até ao pó. Ele estava profundamente triste. Nos quatro evangelhos, a angústia do nosso Senhor no jardim do Getsêmani é expressa por muitas e energéticas palavras. Cada termo mostra que a agonia foi muito acima de grande medida. Ele estava cheio de sofrimentos, como um copo que está cheio à borda.

"Esperei por alguém que tivesse compaixão, mas não houve nenhum." "Abandonado na sua extrema necessidade por aqueles a quem a sua generosidade alimentou" (John Dryden). Não havia ninguém para dizer-lhe uma palavra bondosa, ou derramar uma lágrima simpatizante. Entre dez mil inimigos não houve nenhum que ficasse sensibilizado pelo espetáculo da sua desgraça. Não houve nenhum com coração capaz de demonstrar sentimento humanitário para com ele.

"E por consoladores, mas não os achei." Os seus discípulos queridos tinham buscado a própria segurança e deixado o Senhor sozinho. O doente precisa de consolação, e o perseguido precisa de solidariedade. Mas o nosso bendito Fiador (Hb 7.22) não achou nada disso naquela noite escura e dolorosa quando era a hora do poder das trevas (Lc 22.53). Um espírito como o do nosso Senhor sente intensamente

o abandono dos amigos amados em quem confiava, e anseia por verdadeira simpatia. É o que podemos ver na história do Getsêmani:

De um lado para outro ele muito correu
Buscando alguma ajuda do homem
Ou desejando que, pelo menos, se condoessem
Era tudo que podiam — a sua alma torturada

O que quer que ele buscasse, não encontrou
O nosso Capitão lutou a batalha sozinho
Quando o chefe foi levado a batalhar
Nesse momento todos os soldados fugiram

21. *"Deram-me fel por mantimento."* Este foi o único refresco que a crueldade lhe preparara. Outros encontram prazer na comida, mas do paladar fizeram mais uma modalidade de sofrimento para ele.

"E na minha sede me deram a beber vinagre." Uma bebida para criminosos foi oferecida ao nosso Senhor inocente, um gole amargo para o nosso Mestre moribundo. Triste diversão teve a terra pelo seu Rei e Salvador. Quantas vezes os nossos pecados encheram o cálice de fel para o nosso Redentor? Enquanto culpamos os judeus, não deixemos de desculpar a nós mesmos.

22 *Torne-se a sua mesa diante dele em laço e, para sua inteira recompensa, em ruína.*
23 *Escureçam-se-lhes os olhos, para que não vejam, e faze com que os seus lombos tremam constantemente.*
24 *Derrama sobre eles a tua indignação, e prenda-os o ardor da tua ira.*
25 *Fique desolado o seu palácio; e não haja quem habite nas suas tendas.*
26 *Pois perseguem a quem afligiste e conversam sobre a dor daqueles a quem feriste.*
27 *Acrescenta iniquidade à iniquidade deles, e não entrem na tua justiça.*
28 *Sejam riscados do livro da vida e não sejam inscritos com os justos.*

Deste ponto em diante, Davi e o nosso Senhor separam-se por algum tempo, se aceitarmos a tradução da nossa versão. O espírito severo da lei respira imprecações, enquanto o coração terno de Jesus oferece orações pelos assassinos. Contudo, vendo o todo destes versículos como predições, então certamente se referem ao nosso Senhor, porque encontramos certas porções citadas desta maneira pelo apóstolo Paulo em Romanos 11.9,10, e pelo próprio Cristo em Mateus 23.38.

22. *"Torne-se a sua mesa diante dele em laço."* Na mesa armaram laços, e lá os acharão. Dos banquetes não ofereciam nada mais que amargura para a vítima inocente, e agora os banquetes lhes serão a ruína. É muito fácil as providências diárias da misericórdia se tornarem tentações para pecar. Como os pássaros e animais são apanhados em uma armadilha por meio de iscas para o apetite, assim os homens são completamente enganados pelas comidas e bebidas. Os que menosprezam as fontes superiores da graça, verão que as fontes inferiores do bem-estar mundano são veneno. A mesa, porém, não é usada só para refeição, mas também para conversa, negociação, deliberação, diversão e observância religiosa. Para os que são inimigos do Senhor Jesus, a mesa pode, em todos estes aspectos, se tornar em laço. Esta primeira praga é terrível, e a segunda não fica para trás.

"E, para sua inteira recompensa, em ruína." Esta versão, se seguirmos o original de perto, e a versão de Paulo em Romanos são uma repetição da frase anterior. Mas não erraremos se dissermos que, para os que rejeitam a Cristo, mesmo as coisas que são projetadas para operar o bem espiritual e eterno, tornam-se oportunidades para pecados ainda maiores. Eles rejeitam a Cristo, e estão condenados por não crerem nele. Tropeçam nesta pedra, e são despedaçados por ela. Miseráveis são

aqueles que não só têm uma maldição nas bênçãos comuns, mas também nas oportunidades espirituais de salvação.

A quem óleo e bálsamo matam, que pomada pode curar?
Esta segunda praga excede a primeira.

23. *"Escureçam-se-lhes os olhos, para que não vejam."* Vaguearão em escuridão que pode ser sentida. Amam a escuridão em lugar da luz, portanto, na escuridão habitarão. A cegueira judicial caiu sobre Israel depois que mataram o nosso Senhor e perseguiram os apóstolos. Foram cegos pela luz que não aceitaram. Olhos que não veem beleza no Senhor Jesus, mas flamejam ira nele, ficam cada vez mais cegos, até que a morte espiritual leva à morte eterna.

"E faze com que os seus lombos tremam constantemente." A consciência ficará tão constrangida que tremerão continuamente de medo. As costas se curvarão à terra (como certos intérpretes entendem) com avareza rastejante, e a força será totalmente paralisada, de forma que não poderão andar com firmeza, mas cambalearão a cada passo. Note como a influência da incredulidade é horripilante, degradante e debilitante. Note também a retaliação da justiça. Os que não verão deixarão de ver. Os que não andariam em retidão serão incapazes de andar assim.

24. *"Derrama sobre eles a tua indignação."* Que penalidade é severa demais para os que rejeitam o Senhor encarnado, e recusam obedecer aos mandamentos da sua misericórdia? Merecem ser inundados com ira, e serão. Sobre todos os que se rebelam contra o Salvador, Cristo, o Senhor, a ira de Deus cai até ao fim (1 Ts 2.16). A indignação de Deus não é insignificante. A ira de um Ser santo, justo, onipotente e infinito está acima de todas as coisas a serem temidas. Até mesmo uma gota de ira consome, mas tê-la derramada sobre nós é inconcebivelmente terrível. Ó Deus, "quem conhece o poder da tua ira?" (Sl 90.11).

"E prenda-os o ardor da tua ira." Agarra-os, apanha-os, apodera-te deles. Se fugirem, sejam perseguidos e capturados. Sejam presos pelos calcanhares na cela dos condenados para que não possam escapar da execução. É o que acontecerá com todos os que são decididamente impenitentes — algo muito justo. Deus não permite que o insultem impunemente. O seu Filho, o nosso sempre gracioso Salvador, o melhor dom do amor infinito, não deixará impune o desprezo e ridicularização feitos contra ele. Aqueles que menosprezavam a lei de Moisés morriam sem misericórdia, mas qual será o "maior castigo" reservado para aqueles que pisaram o Filho de Deus? (Hb 10.28,29).

25. *"Fique desolado o seu palácio; e não haja quem habite nas suas tendas."* O significado pode ser que a posteridade será cortada, e a habitação que ocupam ficará em ruínas. Ou, conforme a citação feita pelo nosso Senhor, diz respeito ao templo que foi abandonado pelo ocupante divino e tornou-se uma desolação. O que ocorre em grande escala com famílias e nações cumpre-se muitas vezes em indivíduos, como sucedeu visivelmente com Judas, a quem Pedro relacionou esta profecia: "Porque no Livro dos Salmos está escrito: Fique deserta a sua habitação, e não haja quem nela habite" (At 1.20). A proclamação feroz de Nabucodonosor: "Todo povo, nação e língua que disser blasfêmia contra o Deus de Sadraque, Mesaque e Abede-Nego seja despedaçado, e as suas casas sejam feitas um monturo" (Dn 3.29), é apenas uma antecipação daquela hora pavorosa quando os inimigos do Senhor serão despedaçados e destruídos da terra.

26. *"Pois perseguem a quem afligiste."* São cruéis quando deveriam ser compassíveis. Quando uma calamidade atinge alguém segundo a providência de Deus, os amigos se reúnem para condoerem-se com ele. Mas estes infelizes caçam os feridos e atormentam os doentes. Os corações impiedosos inventam novas desgraças para aquele que é "ferido de Deus e oprimido" (Is 53.4).

"E conversam sobre a dor daqueles a quem feriste." Expõem as feridas com as línguas afiadas. Satirizam o pranteador, desdenham-lhe as dificuldades e caçoam-

lhe as aflições. Apontaram para as feridas do Salvador, olharam e o fitaram, e então proferiram acusações vergonhosas contra ele. É desta maneira que o mundo ainda trata os membros de Cristo. "Denunciai", dizem eles, "e o denunciaremos!" (Jr 20.10). Se o piedoso cair de nível de vida em termos de bens, como ficam contentes em fazer de tudo para que fique com nada, ao mesmo tempo em que falam em todos os lugares contra ele. Deus toma nota de tudo isso, e o visitará nos inimigos dos filhos do piedoso. O Senhor pode permitir que os impiedosos ajam como vara para os santos, mas ele jamais deixará de defender os eleitos. "Porque assim diz o Senhor Jeová: Quanto mais, se eu enviar os meus quatro maus juízos, a espada, e a fome, e as nocivas alimárias, e a peste, contra Jerusalém para arrancar dela homens e animais?" (Ez 14.21).

27. *"Acrescenta iniquidade à iniquidade deles."* Os incrédulos acrescentam pecado ao pecado, e portanto, castigo ao castigo. De todas, esta é a mais severa imprecação ou profecia. É muito justo os homens serem abandonados para encher a medida da sua iniquidade, mas, mesmo assim, não deixa de ser terribilíssimo.

"E não entrem na tua justiça." Se recusam e resistem ao teu evangelho, deixa que se excluam dele.

Aquele que não faz quando pode
Quando faria ele não terá não

Aqueles que escolhem o mal já fizeram a escolha. Os homens que odeiam a misericórdia divina não a terão forçadamente, mas (a menos que a graça soberana se interponha) serão abandonados para agravar a culpa e assegurar a destruição.

28. *"Sejam riscados do livro da vida."* Embora no seu conceito tenham se inscrito entre o povo de Deus e induzido os outros a considerá-los segundo esse caráter, eles serão desmascarados e os nomes removidos do registro. Alistados com honra, serão apagados com vergonha. A morte obliterará toda a lembrança deles. Não serão mais estimados, nem mesmo por quem lhes prestava homenagens. Judas primeiro, e Pilatos, Herodes e Caifás, todos no devido tempo foram rapidamente exterminados da existência. Os nomes só permanecem como exemplo proverbial, mas não são registrados entre os honrados que vivem depois da partida.

"E não sejam inscritos com os justos." Esta frase é paralela à anterior. Este fato mostra que o significado interno de ser riscado do livro da vida é tornar evidente que o nome nunca foi escrito lá. Na cópia imperfeita do livro da vida de Deus, o homem terá de fazer muitas retificações, tanto para inserir quanto para excluir. Mas, como diante do Senhor, o registro é para sempre fixo e inalterável. Cuidado, ó homem, para não menosprezar Cristo e o seu povo, a fim de que a tua alma não deixe de participar da justiça de Deus, sem a qual os homens já estão condenados.

29 *Eu, porém, estou aflito e triste; ponha-me a tua salvação, ó Deus, num alto retiro.*
30 *Louvarei o nome de Deus com cântico e engrandecê-lo-ei com ação de graças.*
31 *Isto será mais agradável ao Senhor do que o boi ou bezerro que tem pontas e unhas.*
32 *Os mansos verão isto e se agradarão; o vosso coração viverá, pois que buscais a Deus.*
33 *Porque o Senhor ouve os necessitados e não despreza os seus cativos.*
34 *Louvem-no os céus e a terra, os mares e tudo quanto neles se move.*
35 *Porque Deus salvará a Sião e edificará as cidades de Judá, para que habitem ali e a possuam.*
36 *E herdá-la-á a semente de seus servos, e os que amam o seu nome habitarão nela.*

Terminaram as imprecações, as profecias e as queixas. Agora começa um tipo de oração mais suave, intercalada com arroubos de cânticos de gratidão e previsões de encorajamento do bem promissor.

29. *"Eu, porém, estou aflito e triste."* O salmista estava muito aflito, mas a fé estava em Deus. Os pobres de espírito e os que choram são bem-aventurados segundo o evangelho, de forma que aqui há dupla razão para o Senhor favorecer o suplicante. Jamais houve um homem que foi mais afligido e entristecido do que Jesus de Nazaré. Contudo, o seu clamor desde as profundezas foi ouvido, e ele foi enaltecido à mais alta glória.

"Ponha-me a tua salvação, ó Deus, num alto retiro." Como o nosso grande Mestre foi completamente respondido no seu caso, porque ele não só escapou pessoalmente dos seus inimigos, mas tornou-se o autor da salvação eterna a todos que lhe obedecem, e isto continua glorificando-o cada vez mais. Vocês que estão aflitos e tristes, ergam a cabeça, pois como sucedeu com o seu Senhor assim sucederá com vocês. Hoje vocês são pisados como o lodo das ruas, mas em breve vocês andarão nos lugares altos da terra. E mesmo agora vocês foram ressuscitados juntamente com Jesus e foram feitos assentar junto nos lugares celestiais, em Cristo Jesus (Ef 2.6).

30. *"Louvarei o nome de Deus com cântico."* Aquele que cantou depois da Páscoa, ainda canta com mais alegria depois da ressurreição e ascensão. Ele é, verdadeiramente, "o doce cantor de Israel". Ele rege as melodias eternas, e todos os seus santos se unem no coral.

"E engrandecê-lo-ei com ação de graças." Como o nosso Redentor estava certo da vitória final, visto que ele promete entoar uma canção mesmo enquanto ainda estava na fornalha. Em nós também, a fé prevê o resultado feliz de toda a aflição, e mesmo agora nos faz começar a música de gratidão, cujo volume irá aumentando para sempre, um mundo sem fim. Que brilho claro depois da chuva temos neste e nos versículos subsequentes. A escuridão é passada, e a luz da glória ilumina como o sol. Toda honra é dada a ele a quem toda oração foi apresentada. Só ele podia livrar e livrou, portanto, só a ele seja o louvor.

31. *"Isto será mais agradável ao Senhor do que o boi ou bezerro que tem pontas e unhas."* Não há sacrifício tão aceitável a Deus, que é Espírito, quanto o sacrifício espiritual. Ele aceitou bois durante uma dispensação sombria e simbólica. Mas nessas ofertas, por si consideradas, ele não tinha prazer: "Comerei eu carne de touros? Ou beberei sangue de bodes?" (Sl 50.13). Aqui ele põe desonra nas meras ofertas externas ao falar dos chifres e unhas, as partes não comestíveis da vítima. No *opus operatum*, sobre o qual os nossos ritualistas tanto pensam, o Senhor assopra. Os chifres e cascos não são nada para ele, embora para os ritualistas judeus eram pontos importantes e temas para exame crítico. Os nossos rabinos modernos são igualmente tão precisos no que diz respeito à mistura da água com o vinho, ao cozimento do pão da ceia, ao corte da roupa e ao desempenho da genuflexão em direção ao lugar certo da bússola. Ó tolos e tardos de coração para perceber tudo o que o Senhor declarou. "Oferece a Deus sacrifício de louvor" (Sl 50.14) é a instrução perpétua do verdadeiro manual da adoração. A profundidade da aflição na qual o suplicante fora mergulhado dera-lhe todas as mais ricas experiências do poder e graça divina na sua salvação, e o qualificou a cantar mais docemente o "cântico de amor" (cf. título do Sl 45). Tal música sempre é extremamente aceitável ao Jeová infinito.

32. *"Os mansos verão isto e se agradarão."* O coração grato sempre está com o olhar atento aos novos convertidos. O salmista jubiloso discerne o fato com alegria, para que quem esteja oprimido e humilhado, ao observar o modo como o Senhor precede com os seus servos, seja encorajado a buscar um final igual para as próprias tribulações. A consolação constante dos mansos é a experiência do seu Senhor, pois como ele é assim somos nós neste mundo. Além disso, a sua vitória garantiu a nossa. Temos, portanto, a mais sólida razão para nos alegrar (cf. ARA). Isto deu satisfação ao nosso grande líder quando previu os consolos que fluiriam para nós provenientes do seu conflito e vitória.

"O vosso coração viverá, pois que buscais a Deus." Garantia similar é dada no Salmo 22, o qual é muito parecido com este. Teria sido inútil buscar se as vitórias de Jesus não tivessem removido os obstáculos e aberto a porta da esperança. Mas,

tendo em vista que o Pioneiro do caminho subiu antes de nós e o Rei foi à frente de nós, a nossa esperança é uma esperança viva, a nossa fé é uma fé viva, o nosso amor é um amor vivo e a nossa natureza renovada está cheia de uma vitalidade que desafia as mãos frias da morte, não conseguindo esmorecê-la.

33. *"Porque o Senhor ouve os necessitados."* Os exemplos de Davi, do Senhor de Davi e de dezenas de milhares de santos são prova disso. Os monarcas das nações são surdos aos necessitados, mas o Soberano do Universo tem ouvidos aguçados aos pobres. Ninguém foi mais humilhado do que o Nazareno, mas veja como ele foi altamente exaltado. Seja qual for a profundidade que desçamos, o Deus que ouve as orações pode nos fazer subir de novo.

"E não despreza os seus cativos." Os necessitados têm a liberdade, mas os cativos estão presos. Contudo, são cativos de Deus e, por isso, cativos da esperança. O prisioneiro no calabouço é o mais baixo e menos estimado dos homens, mas o Senhor não vê como o homem vê. Ele visitou os que estão presos em grilhões, e proclama uma soltura de presos para os seus aflitos. Deus não menospreza nenhum homem, e nenhuma oração que seja honesta e sincera. Distinções de posição não são nada para ele. Aos necessitados é pregado o evangelho, e os cativos são soltos pela graça divina. Apressem-se todos os pobres e necessitados em buscar a face do Senhor e em render-lhe o amor.

34. *"Louvem-no os céus e a terra, os mares e tudo quanto neles se move."* A doxologia de um coração fervoroso. O escritor tinha sondado as profundezas e ascendido às alturas. Portanto, convoca a gama geral da criação para bendizer ao Senhor. O nosso Bem-amado nos estimula a todos à adoração de gratidão: quem entre nós se calará? O amor de Deus por Cristo manifesta o bem a todas as formas de vida. A exaltação do Cabeça beneficia os membros e a todos os que estejam pelo menos ligados a ele. Já que a própria criação também será liberta da escravidão pela obra de Cristo, que todos os que têm vida e movimento glorifiquem ao Senhor. Glória seja dada a ti, ó Senhor, pelo penhor seguro e todo-inclusivo da vitória do nosso Fiador. Vemos nisto a exaltação de todos os teus aflitos e tristes, e com isso o nosso coração se agrada e se alegra.

35. *"Porque Deus salvará a Sião e edificará as cidades de Judá."* O pobre e caído Israel terá parte na misericórdia do Senhor. Mas, acima de tudo, a igreja, tão querida ao coração do Noivo glorioso, será reavivada e fortalecida. Os santos de antigamente amavam Sião com tanta ternura que mesmo na angústia eles não se esqueciam dela. Já nos primeiros raios de luz que os visitavam, eles entregavam-se a interceder pelos crentes. Veja exemplos notáveis deste fato nos textos que já passaram sob os nossos olhos: Salmo 5.11; 19.7; 22.23; 51.18. Nestes tempos modernos, é para nós motivo de esperança feliz que dias melhores estejam vindo para o povo escolhido de Deus, pelos quais sempre oramos. Ó Sião, ainda que outras lembranças se dissipem, não nos esquecemos de ti.

"Para que habitem ali e a possuam." Sejam quais forem os cativeiros que ocorram ou o que as desolações causem, a terra de Canaã pertence a Israel por concerto de sal, e eles com certeza a retomarão. Este será um sinal para nós que, pela expiação do Cristo de Deus, todos os pobres de espírito desfrutarão das misericórdias prometidas no concerto da graça. As misericórdias seguras de Davi serão a herança de toda a semente.

36. *"E herdá-la-á a semente de seus servos."* Nesta ilustração, a qual não ouso considerar mero símile, pois entendo que traz em si um significado literal, exponho para nós o enriquecimento dos santos, que é consequente ao sofrimento do seu Senhor. A conclusão do salmo lembra fortemente a conclusão do Salmo 22. A semente fica perto do coração do Salvador, e a grande preocupação da sua alma desinteressada é que desfrutem de todo o bem prometido. É porque são servos do seu Pai, que ele se alegra no bem-estar deles.

"E os que amam o seu nome habitarão nela." Ele objetiva a glória do Pai, pois é para o louvor dele que os que o amam alcancem e para sempre desfrutem da

felicidade extrema. Assim o salmo, que começou nas águas fundas, termina na cidade que tem fundamentos. Como a mudança é graciosa. Aleluia.

NOTAS EXPLICATIVAS E DECLARAÇÕES IMPORTANTES

O Título: "Salmo de Davi para o cantor-mor, sobre Sosanim". "Sosanim", ou "sobre os lírios", indica a beleza do assunto tratado. — *E. W. Hengstenberg*

O Salmo: O assunto do salmo é uma pessoa ideal, que representa a classe dos sofredores religiosos. O único indivíduo em quem as características se combinam é Jesus. Porém, a confissão do versículo 5 deixa claro que ele não é o assunto exclusivo ou até mesmo imediato. Não há outro salmo, exceto o 22, que seja mais evidentemente aplicado a ele no Novo Testamento. — *Joseph Addison Alexander*

O Salmo: Este salmo é considerado como salmo messiânico. Não há porção das escrituras do Antigo Testamento mais vezes citada no Novo Testamento, com a exceção do Salmo 22. Quando Jesus expulsa os compradores e vendedores do templo (Jo 2.17), os discípulos se lembram das palavras da primeira frase do versículo 9. Quando está escrito que os inimigos de Jesus o aborreciam sem causa (Jo 15.25), o evangelista considera como cumprimento das Escrituras. A referência é ao versículo 4 deste salmo, embora também possa ser ao Salmo 25.19. Paulo se refere às palavras deste salmo, mais precisamente à segunda frase do versículo 9: "As afrontas dos que te afrontam caíram sobre mim", a Jesus e à afronta que ele suportou por amor a Deus. No versículo 12, temos um prenúncio do escárnio que os soldados no pretório fizeram ao nosso Senhor (Mt 27.27-30). No versículo 21, os atos de dar vinagre e fel têm o seu equivalente nas cenas da crucificação: Mateus 27.34. Em João 19.28, há alusão provável ao versículo 21 deste Salmo e ao Salmo 22.15. Atos 1.20 fala que a maldição do versículo 25 deste Salmo cumpriu-se no caso de Judas Iscariotes, ainda que, como algumas palavras do salmo estão no plural, a citação tenha sido feita evidentemente com certa liberdade. De acordo com Romanos 11.9,10, a rejeição de Israel pode ser mais bem descrita nas palavras dos versículos 22 e 23. — *J. J. Stewart Perowne*

O Salmo: Este salmo segue em surpreendente ligação com o precedente e em contraste com a glória do reino. Os dois foram comparados à transfiguração no monte, onde, depois da manifestação de Jesus em glória, ali também apareceram Moisés e Elias, que falaram da morte de Jesus, a qual aconteceria em Jerusalém. A previsão mais clara da glória futura não deve afastar a certeza de que é por muita tribulação que temos de entrar no reino. — *W. Wilson*, 1860

O Salmo: Este é o quarto salmo que declara longamente a paixão e ressurreição do nosso Senhor. Ao longo do salmo todo Cristo fala pessoalmente. Ora ao Pai por livramento, porque ele sofreu pelos judeus, sem causa, muitas aflições e perseguições. Suplica pelos seus membros para que a esperança dos crentes, fundamentada na ressurreição, não seja desapontada. Pelo poder da sua presciência, anuncia os eventos futuros que sobreviriam aos inimigos. — *Magnus Aurelius Cassiodorus*, cerca de 468-560

O Salmo: Neste salmo Jesus fala por inteiro. Agora na sua pessoa, agora clamando com a voz dos seus membros a Deus, seu Pai. — *Reicherspergensis Praepositus Gerhohus*

v. 1: "Livra-me, ó Deus". Para que a distância nunca seja tão grande, ele decide clamar ao Senhor. Se ele ao menos mantiver a cabeça pouco acima do nível das águas, o Senhor ouvirá ele clamar. Alguém poderia pensar que o desânimo que ele sentia tornava inútil ele clamar. As águas entraram-lhe até à alma. Ele estava na profundeza das águas, onde a corrente o levava. Atolou-se no profundo lamaçal onde não dava pé (ou seja, ele estava no fundo e afundando rapidamente no lodo), e estava cansado de clamar (vv. 1-3). Contudo, os versículos 6 e 13 dizem que ele persistia em fazer a sua oração ao Senhor. Assim que retoma o fôlego, dirige novas súplicas ao Senhor. Ainda que os homens ou demônios fossem proibidos de orar, como a multidão proibiu o pobre cego de clamar por Jesus, o salmista, como suplicante inoportuno, "clamava cada vez mais: Filho de Davi, tem misericórdia de mim!" (Mc 10.47,48). — *Thomas Cobbet*

v. 1: "As águas entraram até à minha alma". O que significa *entrar até a alma*? Com certeza, nada diferente disso: Oprimiram-lhe o espírito, e, por assim dizer, penetraram-lhe na consciência, despertando medo e confusão por causa dos seus pecados, que no momento puseram-lhe a fé e a esperança em desordem, de forma que por certo tempo ele não podia ver o fim maravilhoso da aflição, mas era como alguém debaixo da água, coberto de medos, conforme indica o versículo seguinte: "Atolei-me em profundo lamaçal, onde se não pode estar em pé" (v. 2). Ele se compara a alguém em um pântano sem ter onde firmar o pé. Observe de onde as dificuldades surgem e o lugar em que as águas entraram: "Tu, ó Deus, bem conheces a minha insipiência; e os meus pecados não te são encobertos" (v. 5). Este homem santo sentia culpa, que muito o perturbava na aflição, porque via os pecados de frente e experimentava certo desprazer de Deus nas dificuldades pelas quais passava. Foi o que o deixou tão amargurado na descida. Mas assim que se humilhou confessando os pecados e viu o caminho livre entre o céu e ele, de modo a crer no perdão dos pecados e a esperar por boas novas da parte de Deus, ele volta a ter bom ânimo e canta na própria aflição onde antes se atolara. — *William Gurnall*

v. 2: "Atolei-me em profundo lamaçal". Estava dando um passeio tranquilo ao longo das margens [do rio Nilo], quando cheguei a um trecho de terreno tão macio e lamacento que tive de parar, visto que o pé afundava a cada passo que eu dava. [...] Estando atolado, chamei o capitão para me apanhar e me levar a bordo do navio. Um dos homens foi enviado em um pequeno barco. Mas o rio, próximo da margem ocidental, estava tão raso que ele não pôde fazer o barco chegar perto da margem. Por conseguinte, como é habitual em tais casos, ele saltou ao mar para me buscar e me levar às costas até ao barco. Porém, assim que saltou, ouvi o seu grito. Virei-me para ver por quê, quando vi que ele se debatia na lama. Ele estava afundando como se estivesse em uma areia movediça. Quanto mais se debatia, mais rápido e mais profundamente afundava. Os seus companheiros no navio não eram estúpidos nem foram lerdos. Imediatamente identificaram o dilema em que ele estava, e dois deles lançaram-se na água e nadaram até ao barco. Quase me sufoquei de terror, e respirei, ou, antes, ofeguei com dificuldade. "Será que encontrarão o pobre companheiro?", falei comigo mesmo. "Se não, ele foi engolido vivo!" Agora chegaram ao barco! Agora com o barco estão perto do lugar onde o companheiro afundou! E agora, louvado seja Deus, ele se segura firmemente no barco. O ato de segurar-se no lado do barco o salvou da morte! Mas isto só aconteceu depois de ele ter afundado até ao leito do rio! Vendo-o em segurança, respirei mais livremente. Sinto que agora, embora só esteja relatando o fato, a emoção causou uma ação amplificada e dolorosa do coração. Como pensei sobre o pobre Davi! Será que ele testemunhou literalmente uma cena semelhante a esta, quando, falando dos sentimentos da sua alma, ele disse espiritualmente: "Atolei-me em profundo lamaçal, onde se não pode estar em pé; entrei na profundeza das águas, onde a corrente me leva"? Que estado de agonia! Contudo, muitos dos meus leitores, tenho certeza, jamais testemunharam literalmente esta cena para saberem espiritualmente algo sobre ela, como Davi, quer ele tivesse visto com os olhos físicos ou não. Bem pôde ele, na luta da sua alma, exclamar: "Tira-me do lamaçal e não me deixes atolar" (v. 14). Permita-me segurar firmemente na arca e ser puxado com segurança à bordo! Exatamente no momento certo, imediatamente antes que os braços (direi eu os braços da fé?) do pobre marinheiro fossem inúteis, engolidos, a libertação veio. — *John Gadsby, "My Wanderings" [Minhas Perambulações], 1862*

v. 2: "Atolei-me... onde se não pode estar em pé". Vi realmente que havia motivo de alegria para os que se seguraram em Jesus. Mas, quanto a mim, eu me excluíra pelas minhas transgressões e não deixara apoio para firmar os pés, nem lugar para segurar com as mãos entre todos amparos e suportes na preciosa palavra da vida.

Sentia-me verdadeiramente afundar em um golfo, como uma casa cuja fundação foi destruída. Nesta condição, comparei-me ao caso de um menino que caíra em um poço de moinho que, embora pudesse movimentar-se para revolver-se e esparramar-se na água, por não conseguir encontrar apoio para as mãos nem para os pés, morreu, por fim, nessa situação. — *John Bunyan*

v. 2: "Lamaçal". Se o abismo estiver cheio só de água, um bom nadador ainda tem a esperança de subir à superfície. — *Berleb. Bible* [Bíblia Berleb.]

v. 2: "Onde a corrente me leva". A súplica, na verdade, é esta: Senhor, estou prestes a me afogar. Se tu já salvaste um pobre servo teu que estava perecendo, salva-me. As minhas dificuldades e provações são muito intensas para mim. Estou a ponto de afundar a cabeça e os ouvidos nelas. Por isso, Senhor, estende a tua mão graciosa e sustenta a minha cabeça acima da água, para que, caso contrário, eu não morra. Especialmente se tais sofrimentos continuarem, a continuação da minha súplica permanece. — *Thomas Cobbet*

v. 2: "A corrente me leva". A palavra *corrente* nestes dois versículos é a famosa contra-senha que os efraimitas não conseguiam pronunciar corretamente (Jz 12.6). Ocorre novamente em Isaías 27.12: "As correntes do rio". — *J. J. Stewart Perowne*

v. 3: "Estou cansado de clamar". A palavra יָגַע, significa, propriamente, "bocejar", "ofegar", daí, "ficar cansado". [...] Mas "ofegar de clamar" não é tanto ficar cansado por causa da grande intensidade empregada, mas enquanto o clamor dura e enquanto a pessoa está no ato, denota sucumbir debaixo do fardo da calamidade perigosa e vergonhosa. — *Hermann Venema*

v. 3: "Estou cansado de clamar; secou-se-me a garganta; os meus olhos desfalecem esperando o meu Deus". Ele clamara a Deus por causa dos caminhos do homem. Ele clamara ao homem por causa dos caminhos de Deus. Desde o começo, ele não cessara de ensinar até que disse na cruz: "Tenho sede" (Jo 19.28). Os seus olhos desfaleceram e a carne ficou debilitada e cansada por causa dos sofrimentos ao longo da longa paixão da sua vida na terra. Ele estivera esperando na pobreza, insulto, traição, açoite e dor até que clamou: "Deus meu, Deus meu, por que me desamparaste?" (Mt 27.46). — Extraído de *"A Plain Commentary on the Book of Psalms" [Um Comentário Simples sobre o Livro dos Salmos]*

v. 3: "Estou cansado de clamar; secou-se-me a garganta; os meus olhos desfalecem esperando o meu Deus". Davi leva a oração como o correio, que é levado por três cavalos ofegantes: o coração, a garganta, os olhos. [...] *Objeção.* Mas não tenho clamado de um modo ou de outro, comumente ou arruinadamente. *Resposta.* Olhando para o céu, erguendo os olhos, ele prefere a oração também nos livros de Deus: "Eu faço a minha oração e espero a tua resposta" (Sl 5.3, NTLH). "Os meus olhos desfalecem esperando o meu Deus" (v. 3). Porque, em primeiro lugar, a oração é o derramamento da alma para Deus, e a fé sairá aos olhos em vez de outra porta ou saída. Os afetos, na maioria das vezes, começam na janela, quando a porta está fechada, como a fumaça que sai pela janela, quando a chaminé está trancada. Estêvão olhou para o céu (At 7.55). Enviou uma oração, um olhar ávido, lastimoso e faminto a Jesus, da janela, a saída mais próxima, para contar que um pobre amigo estava subindo até ele. Porque, em segundo lugar, se eu estivesse no inferno, eu não desejaria nada mais do que enviar um olhar ao céu. Há muitos olhares de amor dos santos que estão diante do trono no seio de Cristo. A tremulação dos seus olhos na oração não passam despercebidos por Cristo. Caso contrário, o olhar de Estêvão e o olhar de Davi não teriam sido registrados há tantas centenas de anos no Testamento escrito de Cristo. — *Samuel Rutherford, "The Trial and Triumph of Faith" [A Provação e Vitória da Fé]*

v. 3: "Clamar". Enquanto isso, vemos como os santos, nas vicissitudes da vida, mesmo quando são inocentes, não são insensíveis e duros. Não menosprezam os perigos ameaçadores. Ficam ansiosos, choram e pranteiam durante as provações. — *Wolfgang Musculus v. 3:* "Os meus olhos desfalecem". Ó olhar lastimoso, olhar desfalecente! Foi por esse olhar que Jesus, vendo a multidão, subiu ao monte para dar os ensinamentos do Novo Testamento (Mt 5.1,2). Foi por esse olhar que Jesus, vendo Pedro e André, chamou-os (Mt 4.18,19). Foi por esse olhar que Jesus, olhando o homem que estava sentado na alfândega, chamou-o e fez dele um evangelista (Mt 9.9). Foi por esse olhar que Jesus, vendo a cidade, chorou sobre ela (Lc 19.41). [...] Com esses olhos, tu olhaste Simão, quando disseste: "Tu és Simão, filho de Jonas; tu serás chamado Cefas" (Jo 1.42). Com esses olhos, tu vistes a mulher que era pecadora, a quem tu disseste: "A tua fé te salvou; vai-te em paz" (Lc 7.50). Olha para nós com esses olhos e nunca os desvies de nossas orações ininterruptas. — *Reicherspergensis Praepositus Gerhohus*

v. 3: "Esperando o meu Deus". Chegará a hora em que os nossos olhos desfalecerão e se fecharão. Mas, mesmo então, esperemos pelo nosso Deus. Sobre este aspecto, morramos a morte do justo que morreu por nós, e seja o nosso fim como o dele (cf. Nm 23.10). — *George Horne*

v. 4: "Sem causa". No sofrimento, não se perturbe, pois a injustiça que nos sofrimentos é cometida ao inocente, não é colocada na culpa do sofredor, mas naquele que inflige o sofrimento. [...] É conhecido por todos o que Tertuliano relata sobre Sócrates, quando a sua esposa o conheceu depois da condenação e o abordou com lágrimas de uma mulher: "Tu foste injustamente condenado, Sócrates". E a resposta foi: "E tu terias me condenado justamente?" — *John Lorinus*

v. 4: "Então, restituí o que não furtei". Foi a grande e bendita obra de nosso Senhor Jesus aqui na terra restituir o que ele não furtou. No tratamento deste tema, farei algumas observações.

I. O que foi furtado e de quem?

(1) Houve glória furtada de Deus. Não a sua glória essencial, nem a perfeição do seu ser, pois isso não pode ser furtado. Mas a glória que brilha no governo moral das suas criaturas e a glória que somos obrigado a dar-lhe.

(2) Houve também justiça, santidade e felicidade furtadas do homem: (a) Houve a perda de justiça ao pecador culpado. (b) Houve a perda de santidade ao pecador contaminado. (c) Houve a perda de felicidade ao pecador miserável.

II. Em que fica claro que Jesus não furtou essas coisas nem de Deus, nem do homem.

(1) Está claro, no que diz respeito a Deus, que Jesus nunca furtou-lhe alguma glória, pois ele nunca fez nada que fosse desonroso ou ofensiva a Deus (Jo 8.29; Is 50.5; Lc 1.35).

(2) Também está claro, no que diz respeito ao homem, que Jesus não lhe furtou a justiça, a santidade ou a felicidade. Ele não foi a fonte de culpa, contaminação e miséria, como fora o primeiro Adão, mas foi o contrário.

(3) A Bíblia fala de Jesus ser tirado, mas não por si mesmo (Dn 9.26; 1 Pe 3.18; Is 53.4,5).

(4) A inocência de Jesus era evidente nos próprios sofrimentos: "Embora não achassem alguma causa de morte, pediram a Pilatos que ele fosse morto" (At 13.28).

III. Como Jesus restituiu essas coisas que ele não furtou? Em geral, pela obediência ativa e passiva.

(1) O fato de Jesus fazer a vontade de Deus, da maneira como ele a fez, foi a maior honra a Deus que jamais se fez ou poderia ter sido feita.

(2) O fato de Jesus sofrer segundo a vontade de Deus engrandeceu consideravelmente a glória de Deus, a qual fora prejudicada pelo pecado do homem (Hb 5.8; Jo 17.4; 13.31).

(3) O fato de Jesus prover a justificação dos pecadores pela obediência que ele cumpriu (Rm 5.8).

(4) O fato de Jesus comunicar essa graça que também é necessária para a nossa santificação.

(5) O fato de Jesus ter ganhado para nós uma bem-aventurança que vigora neste mundo.

(6) O fato de Jesus ter obtido para nós uma bem-aventurança mais completa e absoluta no mundo por vir.

IV. Por que Jesus tomou para si o trabalho de restituir o que ele não furtou?

(1) Porque era um trabalho necessário, um trabalho que devia ser feito para que Jesus fosse o Salvador.

(2) Porque era um trabalho impossível para a mera criatura fazer. Se Jesus não tivesse feito, não poderia ter sido feito por outra pessoa. Só ele poderia fazê-lo. — Extraído de um sermão de *Timothy Cruso*

v. 4: "Então, restituí o que não furtei". Ernst Fried Karl Rosenmüller observa que esta é uma frase proverbial que denota um homem inocente injustamente tratado. De acordo com a lei, se um homem roubasse e matasse ou vendesse um boi, pelo boi, ele tinha de restituir cinco bois. Se fosse uma ovelha, pela ovelha, ele tinha de restituir quatro ovelhas. Se o boi ou a ovelha fossem achados vivos, por cada um, ele tinha de restituir dois. Por conseguinte, obrigar um homem restituir, quando ele não tinha furtado nada, era a maior injustiça (Êx 22.1-5). Henry Ainsworth observa que embora seja tomado por todas as incriminações injustas, das quais Davi e Jesus eram inocentes, verificou-se especialmente em Jesus que, "sendo em forma de Deus, não teve por usurpação ser igual a Deus" (Fp 2.6). Todavia, por dar testemunho de si mesmo de ser o Filho de Deus, ele foi morto pelos judeus (Jo 19.7). — *Benjamim Boothroyd*

v. 4: "Então, restituí o que não furtei". O diabo furtou arrogando no céu o que não era dele, quando ele ostentou que era como o Altíssimo. Por isso, ele paga uma pena justa. [...] Adão também furtou o que não era dele, quando, pela tentação do diabo: "E sereis como Deus" (Gn 3.5), ele buscou ser semelhante a Deus, aproveitando-se do engano sofrido pela mulher. Mas o Senhor Jesus "não teve por usurpação ser igual a Deus" (Fp 2.6). [...] Mesmo assim, os seus inimigos disseram: "Deve morrer [crucificado], porque se fez Filho de Deus" (Jo 19.7). — *Reicherspergensis Praepositus Gerhohus*

v. 4: "Então, restituí o que não furtei". Que versículo maravilhoso! Em meio a toda oposição e contradição dos pecadores contra ele, Jesus manifestou o caráter pelo qual Jeová o indicara para a igreja através do profeta: "E levantarás os fundamentos de geração em geração, e chamar-te-ão reparador das roturas e restaurador de veredas para morar" (Is 58.12). Mas o que foi que Jesus restituiu? Tudo o que foi perdido. Adão, pelo pecado, fizera de tudo para furtar a glória de Deus, e com ela, a própria glória e felicidade. Ele roubara de Deus a glória, da lei de Deus o devido, de si mesmo a imagem de Deus e de Deus o favor. O pecado trouxera a morte — a morte espiritual e a morte eterna. Ele e todos os seus descendentes ficaram tremulamente expostos à desgraça perpétua. Todas estas coisas e muito mais Jesus restituiu. Como Fiador do homem e Representante do homem, sendo a isso chamado pela autoridade de Jeová, o Senhor Jesus restituiu a Deus a glória e ao homem a imagem do favor de Deus. Tendo destruído o pecado, a morte, o inferno e a sepultura, ele restituiu aos remidos um paraíso melhor do que a nossa natureza tinha perdido! Salve! Ó tu, bendito Restituidor de todos os nossos privilégios há muito perdidos. — *Robert Hawker*

v. 5: "Tu, ó Deus, bem conheces". O conhecimento de Deus é de duplo uso para os piedosos. O primeiro uso é, como observamos neste texto, consolar os inocentes. O segundo uso é torná-los circunspetos, visto que todos os seus pensamentos, palavras e ações estão sob o olhar de Deus. — *Wolfgang Musculus*

v. 5: "Tu, ó Deus, bem conheces a minha insipiência; e os meus pecados não te são encobertos", quer dizer, não sou pecador. Este versículo não é uma confissão de pecado, mas um protesto de inocência. O escritor sustenta que é sofredor, não por causa dos seus pecados, mas por causa da sua devoção (ver v. 7). — *George R. Noyes, "A New Translation of the Book of Psalms, with Notes" [Uma Nova Tradução do Livro dos Salmos, com Notas], 1846*

v. 5: "Os meus pecados não te são encobertos". Os pecados daqueles por quem Jesus morreu, sendo imputados a ele, tornaram-se dele aos olhos da lei em tal sentido a ponto de responsabilizá-lo por eles. Mas as Escrituras, sendo observadas, enquanto falam que ele "foi ferido pelas nossas transgressões e moído pelas nossas iniquidades" (Is 53.5), e que levou "ele mesmo em seu corpo os nossos pecados sobre o madeiro" (1 Pe 2.24), como que com medo de usar outra forma de expressão que parecesse até mesmo desacreditar-lhe a pureza imaculada, nunca fala dos pecados daqueles por quem ele morreu como se fossem pecados dele. — *James Anderson, "Editorial Note to Calvin" [Nota Editorial para Calvino], in loc.*

v. 5: "Os meus pecados não te são encobertos". Não como o primeiro Adão, eu, o segundo Adão, não encubro a mim mesmo ou aos meus pecados, sobretudo dos teus olhos, ó Deus. Mas levantado na cruz que sofri sem a saída para os pecados de tal modo que desejo que os meus pecados sejam evidentes a todas as criaturas no céu, na terra e no inferno — os meus pecados que, quando se referem à minha pessoa, são assinalados sem mancha e, quando pertencem ao povo que crê em mim, são apagados pelo meu sangue. — *Reicherspergensis Praepositus Gerhohus*

v. 6: "Não sejam envergonhados por minha causa aqueles que esperam em ti, ó Senhor, Senhor dos Exércitos; não sejam confundidos por minha causa aqueles que te buscam, ó Deus de Israel". O versículo está dizendo que a menos que a conduta e o comportamento do piedoso contribuam para o bem-estar de todos os demais piedosos, de algum modo tendem ao descrédito do piedoso. Sendo assim, quando erram ou não se portam corretamente, e levando em conta que todos correm esse risco, tem de haver esforço comovente e penoso para que não façam assim. Os professores ficam envergonhados do colega que não anda corretamente. Ficam envergonhados de já terem estado em companhia ou terem comunhão com ele. Ficam envergonhados que esse colega já defendeu tal causa, e que semelhante coisa acontecesse com um professor defensor dessa causa. Além disso, são confundidos por ele na esperança de eles mesmos perseverarem. Correm perigo de serem um descrédito para todos os piedosos, porque, dizem, parece que o Senhor não concedeu a promessa categórica sobre a maneira de perseverarem até ao fim. Ainda resta muita corrupção neles o suficiente para destruir todo o estoque de graça, se não buscarem renovadas influências imediatamente. — *William Guthrie, 1620-1655*

v. 6: "Envergonhados por minha causa". Oro para que eles não sejam confundidos por inimigos externos com os seus ilimitados insultos e repreensões, por serem adoradores de um Deus crucificado e morto, e por serem, eles mesmos, homens mortos que estão apodrecendo diante da sepultura, como se o bom nome tivesse acabado. Antes, fiquem os meus inimigos, que não desejam que eu viva, aterrorizados pelo meu semblante angelical e caiam como mortos. — *Reicherspergensis Praepositus Gerhohus*

v. 6: "Por minha causa". בִּי, mais exatamente, "em mim". Nestas palavras, a voz do Fiador da paz do povo é claramente audível. A oração do Sofredor tem a resposta no testemunho declarativo que agora forma a base do evangelho: "E quem nela crer não será confundido" (1 Pe 2.6). — *Arthur Pridham*

v. 6: "Não sejam envergonhados por minha causa aqueles que esperam em ti, ó Senhor, Senhor dos Exércitos". Porque eu, por causa deles, sob as tuas ordens, suporto a vergonha que eles deveriam suportar, tira-a, Senhor, deles, porque tu a puseste em mim. É o que está dito explicitamente no versículo 7: "Porque por amor de ti tenho suportado afronta; a confusão cobriu o meu rosto". — *Thomas Goodwin*

v. 7: "A confusão cobriu o meu rosto". É a grande dúvida se a vergonha ou a morte é o maior mal. Houve aqueles que escolheram a morte e apagaram a desonra com sangue. Assim Saul matou-se em vez de cair nas mãos dos filisteus, que o teriam insultado e escarnecido dele como fizeram com Sansão. Semelhantemente, o rei Zedequias preferiu perder o país, a vida e tudo do que entregar-se aos judeus, os seus súditos, para ser escarnecido por eles (Jr 38.19). [...] A confusão de rosto é uma das maiores desgraças que o próprio inferno nos apresenta. Não há nada que a natureza nobre mais deteste do que a vergonha, pois a honra é uma faísca da imagem de Deus. Quanto mais da imagem de Deus está em uma pessoa, mais ela detesta a vergonha, que é uma humilhação. Portanto, quanto maior e mais nobre de espírito a pessoa for, mais ela evita a vergonha. Para a pessoa de espírito baixo e vil, a vergonha realmente não é nada. Mas para a pessoa de espírito grande, como Davi, não há nada mais doloroso do que ter a glória transformada em vergonha (Sl 4.2). Quanto mais glória a pessoa perde, maior é a vergonha. Como Jesus deve ter sofrido, porque tendo de satisfazer a Deus na questão da honra, foi humilhado pelo pecado do homem. Além de todos os outros castigos, sofreu mais pela vergonha. Dizem também que é um dos maiores castigos no inferno. Jesus, quando assumiu as outras fraquezas da nossa natureza, tornou-o possível em outras coisas — por exemplo, fome, sono, suplício, brutalidade, desprezo, bem como desgraça e vergonha. Ele levou essas fraquezas como também o medo. Embora tivesse força para suportar e menosprezar tudo isso (como o autor da carta aos Hebreus fala), ninguém sentiu mais do que ele. Como a sensibilidade do temperamento do seu corpo o tornou mais sensível a sofrimentos do que qualquer homem, assim a grandeza do seu espírito o tornou mais consciente do mal da vergonha do que qualquer homem. Semelhantemente, o amor e candura infinita do seu espírito pelo gênero humano o capacitaram a receber com aflição responsável as crueldades e injúrias que colocaram sobre ele. — *Thomas Goodwin*

v. 8: "Um estranho para com os meus irmãos". A menos que esta aversão dos seus irmãos doesse, ele não teria reclamado. E não teria doído a menos que ele tivesse sentido um afeto especial por eles. — *Wolfgang Musculus*

v. 8: No Oriente, onde a poligamia predomina, o marido é um déspota severo e insensível. O harém é um grupo de escravas trêmulas. Os filhos, enquanto considerarem o pai comum com indiferença ou terror, agarram-se à própria mãe com o mais amoroso afeto, como a única parte, o único pai em quem sentem interesse. Por conseguinte, em muito se agravou a aflição de Davi o fato de ter-se tornado "um desconhecido para com os filhos de minha mãe". A inimizade dos outros filhos do seu pai, os filhos das outras esposas do seu pai, causava-lhe menos preocupação. — *William Greenfield*, in: *Samuel Bagster, "The Comprehensive Bible" [A Bíblia Compreensiva]*

v. 9: "O zelo da tua casa me devorou". Quem se lembra de que a Bíblia fala de uma "paz [...] que excede todo o entendimento" e de uma "alegria indizível e cheia de glória" (Fp 4.7; 1 Pe 1.8, ARA), terá maior propensão a lamentar o estado deplorável do próprio sentimento do que suspeitar do decoro de sentimentos mais racionais e bíblicos, meramente porque atingem um patamar jamais alcançado. Os Oráculos Sagrados não dão margem à suposição de que sentimentos devotos têm de ser condenados como visionários e entusiásticos meramente por causa da excitação e intensidade; contanto que sejam do tipo certo e emanem de fontes legítimas, nunca nos ensinam a suspeitar que podem ser levados muito longe. Davi dançou diante do Senhor com todas as forças, e quando o repreenderam por degradar-se aos olhos do povo por entregar-se em tal frenesi, ele respondeu: "E ainda mais do que isto me envilecerei" (2 Sm 6.16,20-22). Não discutiremos que os objetos que interessam o coração na religião são infinitamente mais duráveis e importantes do que todos os outros. Então, por que julgaríamos irracional sermos afetados por eles em medida um tanto quanto adequada ao seu valor? — *Robert Hall, 1764-1831*

v. 9: "O zelo da tua casa me devorou". Consideremos os exemplos dos santos de antigamente, que pela força tomaram o céu. Davi interrompeu o sono para meditar (Sl 119.148). A sua violência pelos céus foi consumida no zelo: "O meu zelo me consumiu" (Sl 119.139). Paulo avançava (ἐπεκτεινόμενος) para as coisas que estavam diante dele (Fp 3.13). A palavra grega significa "esticar o pescoço para fora", uma metáfora tirada dos corredores que forçam todos os membros físicos e avançam para agarrar o prêmio. Lemos de Ana, a profetisa, que ela "não se afastava do templo, servindo a Deus em jejuns e orações, de noite e de dia" (Lc 2.37). Como Calvino era laborioso na vinha do Senhor! Quando os amigos o convenceram para o bem da sua saúde a diminuir um pouco os seus esforços, ele disse: "Vocês querem que o Senhor me encontre ocioso quando ele voltar?" Lutero passava três horas por dia em oração. Dizem sobre o santo Bradford que a sua vida era pregar, ler e orar. Alegro-me, disse o bispo Jewel, que o meu corpo esteja se desgastando nos labores da minha santa chamada. Como eram violentos os mártires santos! Usavam correntes como ornamentos, agarravam sofrimentos como coroas e aceitavam labaredas de fogo com tanta alegria como Elias quando embarcou no carro de fogo que veio buscá-lo para levá-lo ao céu. Que venham os colares de puas, as fogueiras, as rodas do suplício e toda sorte de torturas para que assim eu possa ganhar a Cristo, disse Inácio. Estas almas piedosas resistiram até ao sangue (Hb 12.4). Estes exemplos devem provocar em nós o mesmo zelo! Então, escrevamos depois deles os nossos exemplos legítimos. — *Thomas Watson*

v. 9: "O zelo da tua casa me devorou". O zelo na verdadeira religião e pela verdadeira religião é uma coisa louvável. Davi era zeloso? Pode, então, se tornar um espírito de realeza. Cristo era o nosso Salvador zeloso? Pode, então, se tornar um espírito de valentia. Se bem que o zelo é pela graça com a maioria dos homens que se senta quieto, e o amor está no descanso tranquilo. Não é desgraça para o espírito generoso que está regenerado ter o zelo da casa de Deus a devorá-lo. É uma difamação chamá-lo de louco. Não era o zeloso Davi mais sábio que os seus mestres, que os seus inimigos, que os mais velhos? Os indiferentes dizem que é fúria. O Espírito de Deus chama de "brasa viva" (Is 6.6), que tem as chamas mais veementes. Por que chamar de zelo a imputação de indiscrição, precipitação, puritanismo ou obstinação? Davi era precipitado? Não, tratava-se de fervor na religião. Jesus era indiscreto? Não, tratava-se da sabedoria do Pai. Festo chamou Paulo de louco, e o disse em voz alta, quando na verdade ele estava falando "palavras de verdade e de um são juízo" (At 26.24,25). Os parentes de Jesus pensaram que ele estava "fora de si" (Mc 3.21). Era o julgamento de tais homens fleumáticos uma depreciação ao zelo do nosso Salvador? Não, era um elogio. Para desarraigar o mal e para estabelecer o bem a casa de Deus é uma coisa boa (Gl 4.18). — Sermão de *Thomas Wilson* pregado na honorável Câmara dos Comuns, intitulado *"David's Zeale for Zion" [O Zelo de Davi por Sião], 1641*

v. 9: "O zelo", "as afrontas". A graça nunca sobe a tão alto nível quanto em tempos de perseguição. Tempos de sofrimento são tempos de colheita para o cristão. Darei exemplos dessa graça advinda do zelo. Lembro-me de que Peter du Moulin (1600-1684), falando dos protestantes franceses, disse: "Quando os papistas nos feriram por ler a Bíblia, ardemos de zelo para lê-la. Mas agora que a perseguição terminou, as nossas Bíblias são como almanaques velhos". Todas as repreensões, censuras, ameaças, oposições e perseguições que o cristão encontra no caminho da santidade, elevam o zelo e a coragem a um patamar maior. A ridicularização que Davi sofreu de Mical inflamou e aumentou o seu zelo: "E ainda mais do que isto me envilecerei" (2 Sm 6.20-22). Como o fogo no inverno queima mais ardentemente por um αντιπεριστασις, ou seja, por causa da frieza do ar, assim no inverno da aflição e perseguição o fogo divino, o zelo do cristão, queima tanto mais ardentemente e as labaredas ardem tanto mais veemente e fortemente. Em tempos de maior aflição e perseguição em prol da santidade, o cristão tem, em primeiro lugar, um bom capitão para conduzi-lo e encorajá-lo. Em segundo lugar, tem uma causa justa para motivá-lo e incentivá-lo. Em terceiro lugar, tem um Deus gracioso para ajudá-lo e socorrê-lo. Em quarto lugar, tem um céu glorioso para recebê-lo e recompensá-lo. E certamente, estas coisas só podem despertá-lo e inflamá-lo fortemente durante a maior oposição e perseguição. Estas coisas o impedirão de temer, bajular, desfalecer, desistir ou fugir no dia tempestuoso.

Estas coisas farão o seu rosto duro como o diamante, como Deus prometeu ao profeta (Ez 3.7-9; Jó 41.24). O diamante é a pedra mais dura que há, pois é mais dura que a pederneira, mais dura que a mó de baixo. Os naturalistas [Plínio] observam que a dureza desta pedra é indizível. O fogo não pode queimá-la, nem o calor pode passar por ela, nem o martelo pode quebrá-la, nem a água pode dissolvê-la. Os gregos a chamam de inflexível por causa da sua inflexibilidade. Em todas as tormentas, o diamante não recua, não encolhe, não teme, não muda de tom. Sejam os tempos como forem, o diamante ainda é o mesmo. Em tempos de perseguição, uma boa causa, um bom Deus e uma boa consciência tornarão o cristão como o diamante, o tornarão invencível e inalterável. Quando alguém desejou saber que tipo de homem Basílio era, foi-lhe apresentado em um sonho, diz a história, uma coluna de fogo com este lema: *Talis est Basilius*, "Basílio é um dos tais". Ele é em fogo aceso para Deus. As perseguições farão do cristão um fogo aceso para Deus. — *Thomas Brooks*

v. 9: "Me devorou". O verbo hebraico significa não só "comer", "devorar", mas "corroer" ou "consumir", separando as partes umas das outras, como o fogo. Em hebraico, o significado da raiz da palavra "zelo" é "comer para dentro", "corroer, como fogo". Na Bíblia hebraica, a palavra, diz John Parkhurst, é geralmente aplicada às emoções fervorosas ou ardentes da constituição humana, cujos efeitos bem conhecidos são semelhantes aos do fogo, que corrói e consume. Por conseguinte, os poetas antigos e modernos abundam com descrições destas emoções ardentes e consumidoras retiradas do fogo e seus efeitos. — *Richard Mant*

v. 9: "Me devorou" ("me consumiu", ARA). É comum dizer que quem é zeloso na religião ou ardente nas emoções está se consumindo. "O velho Muttoo determinou sair de casa para sempre. Ele tem de andar descalço até ao rio Ganges para a salvação da alma. O seu zelo o consumiu. — *Joseph Roberts, "Oriental Illustrations of the Sacred Scriptures" [Ilustrações Orientais das Escrituras Sagradas]*

v. 9: "As afrontas dos que te afrontam caíram sobre mim". Devemos, se possível, lutar para remover todas as afrontas de Cristo, e tomá-las sobre nós, para que, em vez de Cristo, nós é que sejamos cuspidos e desdenhados. O discurso de Ambrósio foi ousado: "Ele desejou que, se fosse do agrado de Deus, todos os adversários da igreja se voltassem contra ele, e que eles saciassem a sede de sangue com o sangue dele". Este é o verdadeiro coração cristão. Portanto, se é para o nosso próprio bem e se temos algo pelo qual Cristo é afrontado, devemos nos dispor a nos sacrificar para que Cristo não seja afrontado. É como Jonas que, quando soube que o motivo da tempestade era ele, disse: "Lançai-me ao mar" (Jn 1.12). Semelhantemente, Nazianzeno, quando a discussão elevou-se em torno dele, disse: "Lancem-me ao mar. Prefiro perder a questão do que o nome de Cristo sofra por minha causa". — *Jeremiah Burroughs*

v. 10: "Chorei, e castiguei com jejum a minha alma, mas até isto se me tornou em afrontas". Note que aqui a virtude é considerada vício, a verdade, blasfêmia, a sabedoria, tolice. Note que o pacificador do mundo é considerado sedicioso, o cumpridor da lei, transgressor da lei, o nosso Salvador, pecador, o nosso Deus, diabo. Ó pobre coração preocupado! Por que lamurias fracamente por qualquer dano ou abuso que te são feitos? Deus não te trata nem um pouco diferente neste mundo do que tratou o seu único Filho, que se comprometeu contigo nesta poção de sofrimento. Ele não só tomou um gole, mas bebeu dela todo. Não só é um consolo, mas uma glória sermos participantes e co-sofredores com Cristo, que se deleitou em ver em nós algo da sua representação. Os cães não latem para quem eles conhecem e com quem estão acostumados. Mas contra estranhos latem normalmente. Nem sempre latem por ferimento que sentem ou temem, mas comumente por natureza ou costume depravado. Como é que tu, ó alma, podes ser alguém estranho para o mundo, se ele não te perturba, se ele não te afronta? — *Sir John Hayward, 1560-1627, "The Sanctuary of a Troubled Soule" [O Santuário da Alma Preocupada]*

v. 10: "Chorei, e castiguei com jejum a minha alma, mas até isto se me tornou em afrontas". Não há nada cujo significado é tão claro, mas que pode ser mal interpretado. — *Simon Patrick*

vv. 10 e 11: "Chorei, e castiguei com jejum a minha alma, mas até isto se me tornou em afrontas. Pus, por veste, um pano de saco e me fiz um provérbio para eles". Está claro em Marcos 5.39,40, que Jesus foi zombado e ridicularizado, pois, quando ele disse: "A menina não está morta, mas dorme", eles "riam-se dele". E quando ele falou da necessidade de dar esmolas, lemos: "E os fariseus, que eram avarentos, ouviam todas essas coisas e zombavam dele" (Lc 16.14). Na paixão, ele foi zombado pelos soldados, por Herodes, pelos sumos sacerdotes e muitos outros. — *Robert Bellarmine*

v. 11: "Pus, por veste, um pano de saco". Embora em nenhum lugar lemos que Jesus pôs um pano de saco em qualquer ocasião, não é improvável que ele o tenha feito. A frase pode estar dizendo apenas que ele chorou e pranteou em certos momentos, como fazem as pessoas quando vestem pano de saco. Além disso, como a roupa comum do seu precursor era veste de pêlos de camelo e um cinto de couro (Mt 3.4), é muito provável que as suas roupas fossem muito simples, próprias à condição social, pois, embora ele fosse rico, por nossa causa se fez pobre (2 Co 8.9). "E me fiz um provérbio para eles", um apelido pejorativo, de forma que, quando viam alguém usando pano de saco ou em trajes de pouco valor, diziam: "Vejam, essa pessoa parece Jesus de Nazaré". — *John Gill*

v. 11: "E me fiz um provérbio". Duas coisas estão normalmente implícitas quando se diz que um homem é um provérbio ou apelido pejorativo. Primeiro, que ele é de posição social muito baixa. Certos homens são de condição tão elevada que a língua do povo comum não ousa ficar acima deles. Onde a cerca é baixa todo mundo pula. Segundo, que ele está em situação desprezível. Ser um provérbio traz a ideia de desgraça. Aquele que é muito falado, neste sentido, é mal falado. Quem está assim nas conversas do povo está bastante arruinado na opinião dos homens. [...] Por conseguinte, observe que os grandes sofredores em muitas coisas deste mundo são o assunto comum das conversas e o tema frequente das desgraças. Os males que poucos homens sentiram ou viram, todos os homens falam. Os grandes problemas, sobretudo se forem os problemas de grandes homens, são transformados em canções e a poesia cumpre a sua parte nos mais tristes desastres. [...] O santo Davi recebeu dos homens esta medida no dia dos seus problemas: "Chorei, e castiguei com jejum a minha alma, mas até isto se me tornou em afrontas. Pus, por veste, um pano de saco e me fiz um provérbio [apelido pejorativo] para eles" (vv. 10, 11). No versículo seguinte, ele fala em detalhes quem fez isto: "Aqueles que se assentam à porta [ou seja, os grandes] falam contra mim; sou a canção dos bebedores de bebida forte [ou seja, pessoas comuns]" (v. 12). — *Joseph Caryl*

v. 12: "Aqueles que se assentam à porta", ou seja, como é geralmente interpretado, os juízes ou os principais políticos, pois a porta das cidades era o lugar da administração judicial. Mas segundo a interpretação de Hilário, são aqueles que se assentam à porta para mendigar. Esta interpretação é mais provável, pois está mais de acordo com o desígnio do salmista e combina com os "bebedores" mencionados na frase seguinte. — *Samuel Burder*

v. 12: "Aqueles que se assentam à porta". São os magistrados à porta, literalmente, "os assessores à porta", "os juízes que se sentam para determinar causas". — *John Mason Good*

v. 12: "Sou a canção dos bebedores". O andar santo é a canção dos bebedores, como aconteceu com Davi. E essa precisão e exatidão de andar é comum. O mundo não suporta as conversas ardentes e brilhantes dos santos. São tão sarcasticamente reprovados por eles que, como os pagãos, amaldiçoam o sol porque o seu brilho os queima. Não é algo novo. A semente da serpente sempre persegue a semente da mulher. "Aquele que era gerado segundo a carne perseguia o que o era segundo o

Espírito, assim é também, agora", disse o apóstolo Paulo (Gl 4.29). E assim é também, agora, podemos repetir. Ismael zombava de Isaque, e ainda hoje não é assim? Ou se não é pecado tão atrevido quanto era antigamente, é porque o tempo — e não o coração dos pecadores — mudou. Ainda os difamam. Ainda ficam esperando que vacilem: "Denunciai, e o denunciaremos!" (Jr 20.10). — *John Murcot*, 1657

v. 12: "Sou a canção dos bebedores". Quando os magistrados desaprovam a verdadeira religião, então ela se torna em tema de zombaria para os marotos e os desprezíveis que não respeitam limites, e em tema de conversa informal à mesa dos bêbados. A vergonha da cruz é mais dolorosa do que as suas outras dificuldades. Esta é a quarta vez que a vergonha da cruz é apresentada a Deus nestes quatro últimos versículos: "Sou a canção dos bebedores", depois de queixar-se de ter se tornado em afrontas e de ter sido feito um provérbio. — *David Dickson*

v. 12: "A canção dos bebedores". Há um bar ou alegria profana em beber, gargalhar e festejar. Em vez de outro menestrel, Davi tinha de ser a canção dos bebedores. Os filisteus não podiam se alegrar, a menos que Sansão fosse feito o bobo da corte (Jz 16.25). "A menos que ridicularizem e zombem dos caminhos e servos de Deus", disse Greenham, "os tolos não sabem se alegrar". Portanto, o diabo se alegra com eles por simpatia. Mas o quê? Alegrar-se sem abusar do anfitrião? Alguém pagará caro por isso, quando o ajuste de contas for pedido, ou, mais exatamente, quando forem chamados para prestar contas. Então se afastarão das suas rodas de alegria, e descobrirão que isto estava muito longe de ser a "consolação do Espírito Santo" (At 9.31), em que e por meio de que o bom Espírito e nosso Consolador foi entristecido e a santidade escarnecida e zombada. — *Anthony Tuckney, 1599-1670, "A Good Day Well Improved" [Um Bom Dia Bem Melhorado]*

v. 13: "Eu, porém, faço a minha oração a ti, SENHOR". A frase no original hebraico está cheia de ênfase. "Eu, porém, faço a minha oração a ti", quer dizer, assim sou eu no todo, esta é a minha principal ocupação, como diz o Salmo 109.4: "Mas eu faço oração". "Eu, porém, [...] a [...] oração", quer dizer, este foi o meu empreendimento. Este sempre foi o meu único refúgio. Este é a minha ajuda e solução atual. — *Hermann Venema*

v. 13: "Num tempo aceitável". Nem todos os tempos são iguais. Nem sempre somos aceitos à mesma proporção e com a mesma facilidade. Como ele nem sempre repreende, assim ele nem sempre agrada. Podemos bater e bate, e, mesmo assim, ficar sem nada por um tempo. Às vezes batemos por tanto tempo que os joelhos ficam tremendo de fraqueza, os olhos ficam pesados, bem como pesados de expectativa, e o coração prestes a despedaçar-se, enquanto ninguém ouve ou ninguém se importa. Devíamos ter orado antes ou feito a nossa oração em um momento mais propício. [...] O profeta Davi fala claramente de "um tempo aceitável" para fazermos as nossas orações. E "se ouvirdes hoje a sua voz", no salmo, parafraseado pelo apóstolo, "durante o tempo que se chama Hoje" (Hb 3.7,13), mostra que há um dia ou dias fixos em que Deus ouve, nos quais ele se coloca, por assim dizer, com toda a prontidão para nos ouvir e nos ajudar — um tempo de aceitação. E você sabe o que é que torna o tempo aceitável? Há apenas duas possibilidades: ou Deus está com boa ou agradável disposição para nós, ou nós é que estamos com boa e agradável disposição para ele. Se nos achegarmos a ele em qualquer uma destas possibilidades, estaremos no tempo favorável e seremos, com certeza, aceitos. — *Mark Frank*, 1613-1664

v. 13: "Eu, porém, faço a minha oração a ti, SENHOR, num tempo aceitável; ó Deus, ouve-me segundo a grandeza da tua misericórdia, segundo a verdade da tua salvação".

Quanto mais pesada a cruz, mais fervorosa a oração
As ervas amassadas são mais fragrantes
Se o céu e o vento sempre estivessem bons
O marinheiro não olharia para a estrela
E os salmos de Davi nunca teriam sido cantados

Se a aflição nunca tivesse espremido o seu coração
— *Do alemão*

v. 15: "Não me leve a corrente das águas e não me sorva o abismo, nem o poço cerre a sua boca sobre mim". A fé em Deus dá esperança em sermos ajudados. Já é a metade da libertação antes que a libertação completa venha. Agora que o salmista está com a cabeça acima da água, ele não está com tanto medo quanto estava quando começou o salmo. — *David Dickson*

v. 15: "O poço". De acordo com Arthur Penrhyn Stanley, a palavra hebraica *beer* aqui usada, sempre tem o sentido de "cova", exceto neste e em outros três textos. Quando o poço já não dava plena provisão de água, era usado como prisão, sem ter o cuidado de tirar o lodo que ficava ao fundo. No Apêndice do livro "Sinai and Palestine" (Sinai e Palestina, 1864), Stanley também fala que o poço "tem uma margem larga de alvenaria em volta da boca do poço, onde punham uma pedra para fechar a abertura". O ato de rolar esta pedra em cima da boca do poço era *cerrar a boca do poço*. Para os devidos efeitos, o pobre prisioneiro era enterrado vivo. — *C. H. S.*

v. 17: "E não escondas o teu rosto do teu servo, porque estou angustiado". O servo reto, ainda que angustiado por causa de Deus e carecendo do consolo de Deus, não mudará de Mestre, nem perderá a esperança de receber as bênçãos. — *David Dickson*

v. 17: "E não escondas o teu rosto do teu servo". O sentido próprio da palavra סְתֵּר dá o significado à frase: "Não vendes o teu rosto do teu servo". Nisto há referência ao rei que, para evitar aproximação promíscua à sua câmara, estende um véu à frente e recebe à sua presença só o ministro de alta confiança (cf. Sl 31.20). O rosto de Deus é a sua majestade e a sua presença graciosa e aprovadora. O servo de Deus é o seu ministro que desfruta do acesso íntimo. Deus esconder o seu rosto do seu servo é impedir a entrada na sua presença. Portanto, cabe ao servo de Deus ser tratado de maneira extensamente diferente. — *Hermann Venema*

v. 17: "Do teu servo". Não escondas, diz ele, do teu servo. É como se tivesse dito: É o que sou, eu sou o teu servo. Cabe ao Senhor cuidar do seu servo, caso este esteja em perigo por causa daquele. Neste mesmo versículo, ele diz que está em apuros. No versículo 18, ele declara que está em risco de morte. — *Wolfgang Musculus*

v. 19: "Bem conheces a minha afronta, e a minha vergonha, e a minha confusão". É muita consolação sabermos que Deus toma nota das nossas afrontas, vergonhas e confusões. Era este o consolo do salmista. Se o homem sofre afronta, desgraça e preocupação pelos amigos, enquanto está longe deles, ele diz: Se os meus amigos soubessem que sofro e sofro por eles, isso já me consolaria. Se o fato de saber que sabem já é um consolo, muito mais quando forem tido em conta os próprios sofrimentos. Jesus sabe de todos os sofrimentos de cada crente. Portanto, não diga: Sou um pobre coitado. Quem toma nota dos meus sofrimentos? O céu toma nota dos seus sofrimentos. Jesus toma nota deles melhor do que você. — *Jeremiah Burroughs*

v. 20: "Afrontas me quebrantaram o coração". Todos sabem muito bem que as emoções e paixões mentais afetam o funcionamento do coração, provocando palpitação, desfalecimento e outras alterações. A maioria das autoridades médicas que escreveu sobre doenças cardíacas declara que as emoções e paixões, quando em avassalador excesso, produzem ocasionalmente ainda que raramente dilaceração ou ruptura das paredes do coração. Os poetas até aludem a este efeito como um fato estabelecido.

A dor que não fala
Murmura o coração sobrecarregado e ocasiona falência

Mas se o coração humano sempre for rasgado e rompido pela mera quantidade de agonia mental que suportar, com certeza podemos até argumentar *a priori* que foi o que aconteceu com o nosso Redentor, quando, durante as horas escuras e terríveis na cruz, ele, "fazendo-se maldição por nós" (Gl 3.13), "tomou sobre si as nossas enfermidades e as nossas dores" (Is 53.4), e sofreu pelo pecado, a maldição de Deus e do homem, cheio de angústia e agora cheio "de tristeza até à morte" (Mt 26.38). Há argumentos teológicos como também médicos em favor da opinião de que Cristo, na realidade, morreu de rompimento do coração. Se as várias profecias maravilhosas e predições minuciosas nos Salmos 22 e 69 relativas às circunstâncias ligadas à morte de Cristo forem devidamente consideradas como literalmente verdadeiras, por exemplo: "Traspassaram-me as mãos e os pés", "repartem entre si as minhas vestes e lançam sortes sobre a minha túnica" (Sl 22.16,18), por que deveríamos considerar meramente metafóricas e não literalmente verdadeiras também as declarações nos mesmos salmos: "Afrontas me quebrantaram o coração" (Sl 69.20), "o meu coração é como cera e derreteu-se dentro de mim" (Sl 22.14)? — *Sir James Young Simpson*, 1811-1870, em *"Treatise on the Physical Cause of the Death of Christ" [Tratado sobre a Causa Física da Morte de Cristo], de William Stroud*

v. 20: "Esperei por alguém que tivesse compaixão, mas não houve nenhum". Mesmo sob circunstâncias comuns ansiamos por simpatia. Sem isto, o coração se contrai, desfalece e se fecha como uma flor em atmosfera inclemente, mas volta a abrir entre os sons de franqueza e as cenas de amor. Quando estamos em dificuldades, este desejo é proporcionalmente ainda mais premente. Quando o coração triste sente que está só é tomado por aflição maior do que a natureza pode suportar. Um olhar de simpatia ajuda mais do que o presente de riquezas incontáveis. Um olhar de amor, mesmo de uma criancinha que expressa compaixão por nós, ou uma palavra simples de um amigo simples, às vezes basta para firmar o espírito a novos empreendimentos e quase acorda a vida das garras da morte. — *Charles Stanford, "Central Truths" [Verdades Centrais], 1859*

v. 21: "Deram-me fel por mantimento, e na minha sede me deram a beber vinagre". Estes são os consolos frequentemente dados pelo mundo para a alma aflita e abandonada. — *George Horne*

v. 21: "Fel" e "vinagre" estão juntos para denotar os tipos de comida e bebida mais desagradáveis ao sabor. A paixão do nosso Senhor foi ordenada providencialmente de modo a proporcionar coincidência notável com este versículo. Os romanos eram acostumados a dar vinho azedo, com infusão de mirra, aos condenados na cruz, com a finalidade de atenuar a dor. Esta prática foi seguida no caso do nosso Salvador (Mc 15.23). Mesmo que o ato por si mesmo não fosse cruel, formava parte do grande processo de perseguição assassina. Da parte da tropa romana, pode ter sido um ato de bondade. Mas considerado como ato dos judeus incrédulos, era dar fel e vinagre a alguém vencido pela angústia. Mateus, de acordo com o seu método, apresenta-o como autenticação desta passagem (Mt 27.34). Ele não contradiz o relato de Marcos, anteriormente citado, mas somente indica que o vinho e a mirra assim oferecidos tinham de ser considerados idênticos ao fel e vinagre desta predição. Para evitar que a coincidência não fosse percebida, o nosso Senhor, antes de morrer, queixou-se de sede, e vinagre lhe foi dado. — *Joseph Addison Alexander*

v. 21: "Fel por mantimento". Tendo em vista que a vida de pecado começou por comer, em vez de prestar a devida obediência a Deus, o Redentor dos pecadores desejou ser obediente até a morte, e morte de cruz. Ele terminou a vida em cumprimento da profecia com o gosto amargo de fel e vinagre, para que nós, vendo o começo da nossa perdição e o fim da nossa redenção, nos sentíssemos suficientemente remidos e perfeitamente curados. — *Fra Thome de Jesu*, 1582, *"The Sufferings of Jesus" [Os Sofrimentos de Jesus]*

v. 21: "Vinagre". Os comentaristas observaram a qualidade refrescante do vinagre oriental. Não repetirei o que dizem, mas perguntarei por que o salmista profeticamente se queixa de lhe darem vinagre para beber naquela sede mortal, a qual, em outro salmo, ele a descreve pelo apego da língua ao paladar (Sl 22.15), se é tão refrescante?

Não podemos pôr em dúvida a qualidade refrescante do vinagre. Mas será que não podemos responder que, além do fel que ele menciona e o qual não devemos esquecer, o vinagre em si, refrescante como é, só era usado pelas pessoas mais simples? Quando em sua sede é dado vinagre a um personagem da realeza — vinagre que é o refresco dos escravos, dos prisioneiros miseráveis —, em vez do refresco próprio para príncipes, ele é grandemente desonrado e pode, com razão, queixar-se de ter sido amargamente insultado ou representar esses insultos por meio desta imagem.

Os "vinhos doces", como traduziram os antigos tradutores orientais da Septuaginta, eram apreciados principalmente em ambientes formais. Onde consta a versão "muito vinho real, segundo o estado do rei" (Et 1.7), eles traduzem por "muito vinho doce, que o próprio rei bebia". Talvez esse detalhe estivesse em vista. Os soldados ofereceram vinagre para o nosso Senhor (vinho que ficou muito azedo), em contraste com o vinho doce que os príncipes estavam acostumados a beber, pois Lucas fala que eles fizeram isso para zombar: "E também os soldados escarneciam dele, chegando-se a ele, e apresentando-lhe vinagre" (Lc 23.36). Sabemos que o vinho medicinal era administrado aos criminosos judeus para atenuar a sensibilidade à dor, quando estavam prestes a morrer. Mas deram vinagre ao nosso Senhor em um ato de escárnio — em escárnio (como fizeram as outras coisas) por ter dito que era rei. A força disto não aparece, se não lembramos que a qualidade dos vinhos bebidos antigamente por príncipes, que, ao que parece, eram do tipo doce. — *Thomas Harmer*

v. 22: "Torne-se a sua mesa diante dele em laço e, para sua inteira recompensa, em ruína". As maldições neste versículo e nos seguintes só são revoltantes quando considerados como expressão de egoísmo maligno. Se proferidos por Deus, não chocam a sensibilidade dos leitores, e nem devem, quando considerados como o linguajar de uma pessoa ideal que representa a classe dos sofredores justos, e sobretudo, daquele que, embora tivesse orado pelos assassinos enquanto estava morrendo (Lc 23.34), pouco antes aplicara as palavras desta mesma passagem aos judeus incrédulos (Mt 23.38), como fez Paulo tempos mais tarde (Rm 11.9,10). A doutrina geral da punição providencial, longe de estar limitada ao Antigo Testamento, é ensinada claramente em muitas das parábolas proferidas pelo nosso Salvador (ver Mt 21.41; 22.7; 24.51). — *Joseph Addison Alexander*

v. 22: "Torne-se a sua mesa diante dele em laço". De modo figurado, "a sua mesa" denota a prosperidade, a abundância de todas as coisas. Representa paz e segurança, como no Salmo 33.5; Jó 26.16. Descreve também amizade mútua, uma mistura de mentes e planos. O emblema e sinal a esse respeito estão habitualmente juntos (Sl 41.10; Dn 11.27). — *Hermann Venema*

v. 22: "Torne-se a sua mesa diante dele em laço e, para sua inteira recompensa, em ruína". Alguém foi feliz quando disse: *Licitis perimus omnes*, etc., ou seja, "a ruína geralmente surge pelo uso de coisas legais", havendo mais perigo onde menos se suspeita. Em todos os nossos consolos, há um fruto proibido que parece bonito à visão e doce ao paladar, mas que não deve ser tocado. — *Henry Wilkinson*, 1675, *"Morning Exercises" [Exercícios Matinais]*

v. 22: "Torne-se a sua mesa diante dele em laço". Na parábola da grande ceia, muitos se desculparam de seguir a Jesus Cristo: uns tinham comprado terras, alguns tinham se casado e outros tinham comprado juntas de bois, e não podiam ir (Lc 14.18-20), quer dizer, o grande amor do mundo os impedira. Os prazeres legítimos, de servos, se tornaram os seus ídolos. Eles os adoravam mais do que a Deus, e não os deixariam para irem a Deus. É o que está registrado para a repreensão deles. Vemos nisso o poder do eu do homem mundano, e o perigo que lhe sobrevém pelo abuso das coisas legítimas. Como é que é? Para você, a esposa é mais querida do que o Salvador? A sua alma prefere mais as terras e bois do que a salvação? Tome cuidado para que o seu bem-estar não se torne, primeiro, em laço e, depois, em maldição. Valorizar o bem-estar em demasia é provocar aquele que o deu para tomá-lo de volta. Vá e siga aquele que dá a vida eterna para a alma. — *William Penn*, 1644-1718, *"No Cross, No Crown" [Sem Cruz, Sem Coroa]*

v. 22: "Torne-se a sua mesa diante dele em laço", quer dizer, por recompensa pela desumanidade e crueldade para comigo. Michaelis mostra a exatidão com que estas combinações se cumpriram na história do assédio final de Jerusalém pelos romanos. Muitos milhares de judeus tinham se reunido na cidade para comer o cordeiro pascal, quando Tito inesperadamente os atacou. Neste assédio, pereceu miseravelmente a maior parte dos habitantes de Jerusalém. — *William Walford*

vv. 22 e 23: "Torne-se a sua mesa diante dele em laço e, para sua inteira recompensa, em ruína. Escureçam-se-lhes os olhos, para que não vejam, e faze com que os seus lombos tremam constantemente". Observe a recompensa divina dada aos judeus. Eles deram fel e vinagre como comida e bebida para Jesus; a comida e bebida espiritual deles se tornaram em laço para eles. Os olhos de Jesus foram vendados; os olhos dos judeus foram escurecidos. Os lombos de Jesus foram açoitados; os lombos dos judeus foram feitos com que tremessem. — *Christopher Wordsworth*

vv. 23 a 28: O salmista denuncia dez pragas ou efeitos da ira de Deus que sobreviriam sobre os judeus por causa da maldade deles. — *David Dickson*

v. 24: "Derrama". Observe o que é denotado por *derramar*. Em primeiro lugar, a facilidade com que Deus pode, sem esforço, destruir os inimigos, tão facilmente quanto inclinar um frasco cheio de líquido para derramá-lo. Em segundo lugar, denota a abundância da ira. Em terceiro lugar, que a ira é súbita, esmagadora e inevitável. Quando a ira cai, a pessoa tem de tomar cuidado. Quando é derramada, esmaga o desatencioso. — *Thomas Le Blanc*

v. 25: "Fique desolado", ou seja, por Deus tê-los tirado com justiça dentre os homens, "o seu palácio", ou seja, não só o lugar onde moram, mas até os cargos e as funções, "e não haja", ou seja, da semente e posteridade deles, "quem habite nas suas tendas", ou seja, onde estão morando. Ele dá a entender que ele os faria morrer sem deixar herdeiro ou descendência. — *Thomas Wilcocks*

v. 25: "Não haja quem habite nas suas tendas". Depois que o próprio templo foi tomado ou, antes, virou em cinzas, o remanescente miserável do povo judeu implorou a Tito que ele lhes permitisse passar pelas brechas dos muros com as esposas e filhos para fugirem ao deserto — pedido que ele indignadamente recusou (Josefo). de forma que, literalmente, "não houve habitante nas suas tendas. — *John Mason Good*

v. 26: Quando a desgraça de Davi merecia compaixão, a boca suja de Simei acusou-o de maldição. É disso que Davi se queixou: "Pois perseguem a quem afligiste e conversam sobre a dor daqueles a quem feriste". A escolha dessa oportunidade dobrou o ressentimento maldoso de Simei. Em outra ocasião, as palavras teriam ferido, mas agora estavam prontas para matar. A flecha atirada contra o vento dificilmente acerta aprumadamente, mas quando a favor do vento, crava profundamente. Enquanto o inimigo está de pé, ele pode aparar os golpes, mas assim que está caído de costas, está à nossa mercê. Como é de espírito vil a pessoa que saqueia as riquezas de pessoas que caíram. As crianças pequenas têm tanto valor e justiça a ponto de chamar de covarde quem golpeia o adversário quando este está caído. Insultar aqueles a quem Deus humilhou e tirar sangue das costas que ainda estão marcadas pelos açoites do Criador são o mesmo que o assassinato de uma língua virulenta. Nem será coisa rara no dia do juízo os amaldiçoadores serem acusados de assassinato. Eles matariam se tivessem coragem. Matam até onde podem. Eu seria relutante em confiar nas mãos de quem excomunga alguém com os lábios. Balaão logo teria conseguido a morte de todo o Israel, se ou a língua ou a espada pudessem ter-lhe concretizado a vontade. — *Thomas Adams*

v. 26: "Conversam sobre a dor daqueles a quem feriste". O próprio ato de falar e desabafar palavras más para prejudicar a causa e a verdade de Jesus, e a verdadeira santidade dos santos, sobretudo quando estão passando por sofrimentos, aflições ou seja o que for, é alta provocação da ira de Deus. — *David Dickson*

v. 26: "Pois perseguem a quem afligiste e conversam sobre a dor daqueles a quem feriste". Seria desejável que o arrependimento do penitente, quando ferido pela convicção do pecado, nunca o sujeitasse ao desprezo e escárnio daqueles que pensamos serem cristãos. — *George Horne*

v. 27: "Acrescenta iniquidade à iniquidade deles". Este é o castigo do pecado que Deus devolve aos seios que o nutrem, pois, tendo em vista que amaram a maldição, que ela lhes sobrevenha (Sl 109.17). Por isso, Davi (embora não estivessem nele o *precantis votum*, mas o *prophetantis vaticinium*, ele não desejou que assim fosse, mas sabia que assim seria) diz: "Acrescenta iniquidade à iniquidade deles". Deus não faz isto por infusão da maldade, mas por subtração do seu Espírito. Ele é a *causa deficiens, non efficiens*, como o recuo do sol em relação a nós causa escuridão, assim a privação da graça cria a prevalência da impiedade. Não está nele o *peccatum, sed judicium*, ou seja, "não o pecado, mas o juízo". Quando ele nos deixa por nossa conta, não admira que caiamos em pecados horrendos e prodigiosos. *Peccatum est malum in se: effectum prioris mali, et causa subsequentis: est et supplicium, et causa supplicii*, que significa: "O pecado é mau em si mesmo, o efeito do mal anterior, a causa do futuro: é tanto o castigo quanto a causa do castigo". No depósito das pragas de Deus não há maior castigo. Com os outros castigos, o corpo sente dor e a alma geme. Por conseguinte, os pecados se multiplicam sem limites para que as pragas sejam sem fim. É o caráter doloroso das aflições que nos irrita, ao passo que é o caráter hediondo delas que irrita a Deus. As duas características atuam e toleram ao mesmo tempo. É tanto um pecado ativo quanto um pecado passivo. O castigo que sofrem é (neles) pecado e o pecado que fazem é (de Deus) um castigo. — *Thomas Adams*

v. 27: "Acrescenta iniquidade à iniquidade deles". Ou, como diz o original hebraico, perversidade, trate a perversidade deles com perversidade. Aja em seus juízos tão tortuosamente para com eles como eles trataram você tortuosamente. Eles obterão à guisa de castigo o que deram à guisa de opressão. — *Adam Clarke*

v. 27: "Acrescenta iniquidade à iniquidade deles". O pecado, levado muito longe, torna-se o seu próprio castigo. Se o comilão voraz for obrigado a sentar-se a uma mesa farta pouco depois de ter enchido o estômago, ele considerará um suplício intolerável. Se o bêbedo for forçado a embebedar-se com aqueles que podem beber mais do que ele, ele será um fardo para si mesmo e um desprezo para os colegas de bebida! Se o preguiçoso foi confinado a ficar três dias na cama, ele ficará enfastiado da cama! O ocioso fica muito mais cansado da ociosidade do que o trabalhador do trabalho! — *Samuel Annesley*, 1620-1696, *"Morning Exercises" [Exercícios Matinais]*

v. 28: "Sejam riscados do livro da vida". Todos os israelitas que saíram do Egito estavam registrados em um inventário de pessoas chamado de "registros da casa de Israel" (Ez 13.9) e "o livro da vida". Os que morriam eram excluídos quando os nomes eram registrados mais uma vez a cada ano. Desta forma, eram consignados ao esquecimento (Pv 10.7). Portanto, o livro da vida era usado como representação do livro de Deus para a predestinação à vida eterna (Sl 139.16; Êx 32.32; Sl 87.6; Dn 12.1; Fp 4.3; Ap 17.8; 13.8; 21.27; Lc 10.20). O livro da vida, do ponto de vista humano, contém o registro dos nomes que têm um nome para viver, mas que estão mortos, estando registrados só pela chamada externa ou na sua própria opinião e na dos outros. Mas do ponto de vista divino contém só os que são eleitos para a vida. O primeiro pode ser apagado, como aconteceu com

Judas (Ap 3.5; Mt 13.12; 25.29; 7.23; Êx 32.33), o último jamais (Ap 20.12,15; Jo 10.28,29; At 13.48). — *A. R. Fausset*

v. 28: "Sejam riscados do livro da vida e não sejam inscritos com os justos". Este versículo alude à antiga prática judaica de registrar os nomes dos integrantes de toda divisão ou tribo do povo, em um volume algo semelhante ao tratado sobre leis dos anglo-saxões (ver Lc 2.1). Os nomes dos que morriam eram riscados ou apagados, não aparecendo mais na lista dos viventes. No Salmo 139.16, esse livro é atribuído a Deus. O ato de riscar Moisés do livro de Deus é uma expressão figurativa que designa privá-lo da vida (Êx 32.32). — *Richard Warner*

v. 28: "Sejam riscados do livro da vida e não sejam inscritos com os justos". Temos algumas perguntas: Estar escrito no céu é garantia infalível de salvação? O nome registrado pode vir a ser riscado? A verdade é que ninguém que inscrito no céu jamais pode se perder. Contudo, há quem objete esta declaração baseando-se neste versículo. Por conseguinte, deduzem que alguns nomes registrados podem mais tarde ser apagados. Mas esta opinião lança uma dupla aspersão no próprio Deus. Ou torna Deus ignorante das coisas futuras, como se ele não previsse o fim dos eleitos e dos condenados, e tivesse se enganado quando decretou alguns para a salvação, os quais, na verdade, não serão salvos. Ou afirma que o seu decreto é mutável, excluindo aqueles nos seus pecados a quem ele outrora escolhera. Destes dois erros Paulo o defende: "O fundamento de Deus fica firme, tendo este selo: O Senhor conhece os que são seus" (2 Tm 2.19). Primeiro, "o Senhor conhece os que são seus". Esta afirmação não seria verdade se a presciência de Deus pudesse ser iludida. Depois, "o fundamento de Deus fica firme". Mas não seria um firme fundamento, se aqueles que ele decretara serem dele sucedesse, depois, não serem dele. A própria conclusão da verdade é esta: *impossibilis est deletio*, quer dizer, aqueles que estão "inscritos nos céus" (Hb 12.23) jamais podem ir para o inferno. Para dirimir toda dúvida contrária, selecionarei, entre muitas, três argumentações caracteristicamente distintas.

(1) Segundo Nicholas de Lyra (1270-1340), podemos dizer que alguém foi inscrito nos céus *simpliciter* e *secundum quid*. Há aquele que foi simplesmente inscrito nos céus, *in quantum praedestinatus ad vitam*, porque foi eleito para a vida e jamais pode ser riscado. Há também aquele que foi inscrito segundo certa natureza e este pode ser riscado, porque foi escrito *non secundum Dei praescientiam, sed secundum praesentem justitiam*, ou seja, não de acordo com o decreto anterior de Deus, mas de acordo com a sua justiça atual. Assim dizemos que foram riscados, não em relação ao conhecimento de Deus, porque ele sabe que eles nunca foram inscritos lá, mas de acordo com a sua condição atual, pois se apostataram da graça para pecar.

(2) Tomás de Aquino expõe que alguns são riscados *non secundum rei veritatem, sed hominum opinionem*, ou seja, "não de acordo com a verdade da coisa, mas de acordo com a opinião dos homens". É comum a Bíblia dizer que uma coisa foi feita *quando innotescat fieri*, ou seja, "quando foi declarada que foi feita". Os hipócritas simulam a santidade exterior, de forma que as pessoas em amor julgam que eles estão inscritos nos céus. Mas quando essas estrelas brilhantes parecem mais como *ignes fatui*, "meteoros tolos", e caem do firmamento da igreja, então dizemos que eles foram riscados. Os que foram inscritos *ex existentia*, por um ser perfeito, nunca se perdem. Mas os que foram inscritos *ex apparentia*, por uma aparência dissimilada, podem. Alguns, Deus inscreve *in se ut simpliciter habituri vitam*, ou seja, "para que eles simplesmente tenham vida em si mesmos, embora não de si mesmos". Outros, ele inscreve *ut habeant non in se, sed in sua causa*, ou seja, "sobre cuja queda se diz que eles foram riscados".

(3) Agostinho afirma que não devemos considerar as coisas assim, que Deus primeiro inscreve ou escreve e depois risca. Se Pilatos disse: *Quod scripsi, scripsi*, ou seja, "o que escrevi escrevi" e ficará como está (cf. Jo 19.22), então não pode Deus dizer: *Quod scripsi, expungam*, ou seja, "o que escrevi riscarei" e não ficará como está? Eles foram inscritos, então, *secundum spem ipsorum, qui ibi se scriptos putabant*, ou seja, "de acordo com a esperança presumida de que os nomes estavam lá", e serão riscados *quando ipsis ipsis constet illos non ibi fuisse*, ou seja, "quando

lhes for manifesto que os seus nomes nunca tiveram tal honra de inscrição". O próprio salmo no qual fundamentam a objeção fortalece esta ideia: "Sejam riscados do livro da vida e não sejam inscritos com os justos". De forma que ser riscado do livro é, na verdade, nunca ter sido escrito lá. Ser apagado é apenas uma declaração de que não foi inscrito. — *Thomas Adams*

v. 32: "O vosso coração viverá, pois que buscais a Deus". Intrinsecamente considerados, são os pobres de espírito e verdadeiramente humildes que vivem das esmolas de Deus e estão diariamente às suas portas para o atendimento das necessidades e para a comunhão com a sua bondade graciosa. Desta forma, eles prosperam bem neste negócio. — *David Dickson*

v. 32: "O vosso coração viverá". O texto afirma que o coração ou a alma vive, converte-se ou volta, quando é consolada e curada das dores e aflições. É o que podemos dizer de Jacó, que, quando as boas notícias lhe foram trazidas, "reviveu o espírito" dele (Gn 45.27). [...] Por outro lado, quando Nabal ouviu as más notícias, a Bíblia registra que "se amorteceu nele o seu coração, e ficou ele como pedra" (1 Sm 25.37). — *John Lorinus*

v. 33: "O Senhor ouve os necessitados". A consolação é muito maior quando o texto registra que "o Senhor ouve os necessitados", do que se tivesse sido registrado que ele ouviu o necessitado Davi. — *Wolfgang Musculus*

SUGESTÕES AOS PREGADORES

v. 1. As nossas provações são como águas: (1) Devem ser mantidas do lado de fora do coração. (2) Há, porém, vazamentos que as deixam entrar. (3) Tome nota quando o porão estiver se enchendo. (4) Use bombas e busque ajuda.

vv. 2 e 3. O pecador consciente do seu estado, incapaz de esperar, tomado de medo, não acha consolo na oração, nem é visitado pela consolação divina. Oriente-o e console-o.

v. 3. Temos aqui: (1) Fé no meio da dificuldade: "O meu Deus". (2) Esperança no meio do desapontamento: "Os meus olhos desfalecem esperando o meu Deus". (3) Oração no meio do desânimo: "Estou cansado de clamar"; "secou-se-me a garganta". Ou, então, há: (1) A oração sem oração: "Estou cansado de clamar; secou-se-me a garganta". (2) A esperança sem esperança: "Os meus olhos desfalecem esperando o meu Deus". — *George Rogers*

v. 4. Jesus, como Restaurador, o cristão o imita no mesmo ofício. O cristianismo é o poder que fará isto pela raça humana no devido tempo.

v. 5. A nossa insipiência ou estultice: (1) Onde ela geralmente aparece. (2) Como ela se mostra nas pessoas. (3) O que a ocasiona. (4) Quais são as providências divinas para enfrentá-la.

v. 5. (1) O conhecimento que Deus tem do pecado é um induzimento ao arrependimento: (a) Porque é estultice tentar esconder o pecado dele. (b) Porque é impossível confessar todos os nossos pecados a ele. (2) O conhecimento que Deus tem do pecado é um encorajamento para a espera do perdão: (a) Porque, no pleno conhecimento do pecado, ele se declarou misericordioso e pronto para perdoar. (b) Porque ele fez provisão para o perdão, não de acordo com o nosso conhecimento do pecado, mas de acordo com o dele. — *George Rogers*

vv. 8 e 9. (1) Uma provação dolorosa. (2) Uma razão nobre para a provação: por causa de Cristo. (3) Apoios consoladores para passar pela provação.

v. 9. (1) O objeto do zelo: "a tua casa", a tua Sião, a tua igreja. (2) O grau do zelo: "me devorou". O nosso Senhor foi devorado pelo próprio zelo. Paulo também: "E, ainda que seja oferecido por libação sobre o sacrifício e serviço da vossa fé, folgo e me regozijo com todos vós" (Fp 2.17). (3) A manifestação do zelo: "as afrontas dos que te afrontam", da tua justiça, da tua lei, do teu governo moral, da tua benignidade: "Levando ele mesmo em seu corpo os nossos pecados sobre o madeiro, para que, mortos para os pecados, pudéssemos viver para a justiça; e pelas suas feridas fostes sarados" (1 Pe 2.24). — *George Rogers*

vv. 10 a 12. Uma profecia: (1) Das lágrimas do Salvador: "Chorei". (2) Do jejum do Salvador: "Castiguei com jejum a minha alma". (3) Das afrontas sofridas pelo Salvador: "Mas até isto se me tornou em afrontas". (4) Da humilhação do Salvador: "Pus, por veste, um pano de saco". (5) Da distorção das palavras do Salvador: "E me fiz um provérbio para eles". Por exemplo, quando ele disse: "Derribai este templo, e em três dias o levantarei", pensaram que estivesse se referindo ao templo de Herodes, quando na verdade "ele falava do templo do seu corpo" (Jo 2.19-21; cf. Mt 26.61; Mc 14.58). (6) Da oposição sofrida pelos fariseus e pelos principais: "Aqueles que se assentam à porta falam contra mim". (7) Do desprezo sofrido pelos mais baixos do povo: "Sou a canção dos bebedores de bebida forte". — *George Rogers*

v. 11. Declarações proverbiais de caráter zombeteiro.

v. 13. "Um tempo aceitável." O tempo aceitável é enquanto a vida dura normalmente e, sobretudo, quando estamos arrependidos, sentimos a nossa necessidade, somos inoportunos, damos toda a glória a Deus, temos fé na promessa de Deus e esperamos uma resposta graciosa.

v. 13. "A grandeza da tua misericórdia." É vista nas profusas tolerâncias antes da conversão, nos incontáveis perdões, nas inumeráveis dádivas, nas ricas promessas, nas frequentes visitas e nos abundantes livramentos. De todas estas coisas quem pode contar a milésima parte?

v. 13. "A verdade da tua salvação." Este é um tópico instrutivo: a sua realização, certeza, perfeição, eternidade ilustram a sua verdade sob vários aspectos.

vv. 14 a 16. (1) A profundidade da qual a oração pode subir. (a) A altura à qual a oração pode chegar. Jonas, quando estava no fundo do mar, disse: "E subiu a ti a minha oração, no teu santo templo" (Jn 2.7, ARA). — *George Rogers*

v. 15. "Não me sorva o abismo, nem o poço cerre a sua boca sobre mim." Este é um tremendo mal: (1) O nosso merecimento desse mal. (2) A nossa esperança contra esse mal. (3) O nosso medo desse mal. (4) As razões que nos guardam desse mal.

v. 17. (1) Oração: "Não escondas o teu rosto". (2) Pessoa: "Do teu servo". (3) Argumento: "Porque estou angustiado". (4) Pressão: "Ouve-me depressa".

v. 19. (1) Deus conhece: (a) O que o seu povo sofre. (b) Quanto o seu povo sofre. (c) Quanto tempo o seu povo sofre. (d) De quem o seu povo sofre. (c) Para que o seu povo sofre. (2) O povo de Deus tem consolação neste conhecimento: (a) Que Deus permite o sofrimento. (b) Que Deus reparte o sofrimento. (c) Que Deus tem propósito no sofrimento. (d) Que quando o propósito é cumprido, Deus retira o sofrimento. — *George Rogers*

v. 20. O coração quebrantado do Salvador. Corações partidos, como os sentimentais, são causados por orgulho desapontado, penitência, perseguição, simpatia.

v. 21. O procedimento dos homens em relação a Jesus ao longo da vida era pagar-lhe o mal por todo o bem que fizera e quando o bem teria merecido o retorno inevitável.

v. 22. A mesa é um laço: (1) O excesso de banquetes. (2) O relaxamento da linguagem. (3) A falta de princípios nas reuniões. (4) A superstição na religião.

v. 23. (1) A maldição judicial que cai sobre alguns dos desprezadores de Cristo. (2) O entendimento dos desprezadores não percebe a verdade. (3) Os desprezadores tremem, porque não conseguem receber o consolo fortalecedor.

v. 29. (1) A humilhação que precede a exaltação: (a) É profunda: "Eu, porém, estou aflito e triste". (b) É confessada: "Eu, porém, estou..." (2) A exaltação que sucede a humilhação: (a) É divina: "A tua salvação, ó Deus". "Ainda que o Senhor é excelso, atenta para o humilde" (Sl 138.6). (b) É completa, pois Deus não faz nada pela metade: "A tua salvação, ó Deus, [é] num alto retiro". (c) É suprema: "Ponha--me [...] num alto retiro". — *George Rogers*

vv. 30 e 31. (1) O efeito do livramento no povo de Deus: enche-o de louvor e ação de graças (v. 30). (2) O efeito em relação a Deus: ele se agrada mais disso do que de outras ofertas (v. 31). "Aquele que oferece sacrifício de louvor me glorificará" (Sl 50.23). — *George Rogers*

v. 32. (1) A alegria do coração do homem bom está na experiência dos outros. (2) A vida do coração do homem bom está em Deus.

v. 33. (1) O que o povo de Deus é na própria avaliação: são "necessitados" e "cativos". (2). O que o povo de Deus é na avaliação divina: são notados, ouvidos e não desprezados.

v. 34. "Louvem-no [...] os mares": Como Deus é, deve ser e será louvado pelos mares.

v. 35. Salvação, edificação, conservação, paz, plena garantia.

vv. 35 e 36. Observe a sequência: "Salvação", "edificação", "habitação e posse", "herdade", "amor e habitação".

v. 36. (1) A prova segura da graça: "Amam o seu nome". (2) A bênção dada. (3) A característica duradoura da bênção: "Habitarão".

v. 36. (1) A herança: "Herdá-la-á". Reinamos com Cristo na terra e, depois, no céu. (2) O título: (a) Legal: "A semente de seus servos" — Abraão, Jacó, Davi — o Senhor e Filho de Davi. (b) Moral: "Os que amam o seu nome". — *George Rogers*

v. 36. (1) A herança do concerto. (2) A quem ela pertence. (3) A certeza de que a obterão. (4) A perpetuidade de que a possuirão.

SALMO 70

TÍTULO

Salmo de Davi para o cantor-mor. Até a este ponto do título, ele corresponde ao título do Salmo 40, do qual é uma cópia com variações. Parece que Davi escreveu o salmo por extenso e depois fez este resumo, alterando-o para adequar-se à ocasião. É um anexo congruente ao Salmo 69 e um prefácio apropriado ao Salmo 71.

Para lembrança. Este é o memorial do pobre. Davi pessoalmente pleiteia com Deus para que não seja esquecido, mas também ouvimos ecos do Senhor de Davi. Mesmo que pareça que o Senhor nos esqueceu, não devemos esquecê-lo. Este salmo memorial age como elo de ligação entre os dois salmos de expostulação suplicatória, e forma com eles uma preciosa tríade de cânticos.

EXPOSIÇÃO

[O leitor é convidado a ler a *Exposição* e *Notas Explicativas e Declarações Importantes* pertinentes ao Salmo 40, vv. 13 a 17.]

1 *Apressa-te, ó Deus, em me livrar;* S*ENHOR*, *apressa-te em ajudar-me.*

2 *Fiquem envergonhados e confundidos os que procuram a minha alma; tornem atrás e confundam-se os que me desejam mal.*

3 *Voltem as costas cobertos de vergonha os que dizem: Ah! Ah!*

4 *Folguem e alegrem-se em ti todos os que te buscam; e aqueles que amam a tua salvação digam continuamente: Engrandecido seja Deus.*

5 *Eu, porém, estou aflito e necessitado; apressa-te por mim, ó Deus; tu és o meu auxílio e o meu libertador;* S*ENHOR*, *não te detenhas!*

Este é o segundo salmo que é repetição de outro. O primeiro foi o Salmo 53, que é uma reprise do Salmo 14.

1. *"Apressa-te, ó Deus, em me livrar; Senhor, apressa-te em ajudar-me."* Este salmo difere do Salmo 40 já nas primeiras palavras, pois o Salmo 40.13 começa com "Digna-te", e este, nesta versão,

de forma mais urgente, com "Apressa-te". No original hebraico começa com um clamor abrupto e entrecortado: "Ó Deus, livra-me; ó Senhor, ajuda-me depressa". Não nos é proibido, nas horas de angústia medonha, pedir que Deus se apresse em vir nos salvar. A única outra diferença entre o versículo 1 deste Salmo e o versículo 13 do Salmo 40 é a colocação de *Elohim* no início do versículo em vez de *Jeová*. Não sabemos qual a razão desta mudança. Talvez as suposições dos críticos estejam corretas, mas talvez não. Já que temos as palavras deste salmo duas vezes ao pé da letra, estejam elas duplamente conosco em espírito. É mais do que apropriado que clamemos a Deus dia a dia em busca de livramento e ajuda. A nossa fragilidade e os nossos muitos perigos fazem disso uma necessidade constante.

2. *"Fiquem envergonhados e confundidos os que procuram a minha alma; tornem atrás e confundam-se os que me desejam mal."* Neste versículo, as palavras "à uma" e "para destruí-la", que ocorrem no Salmo 40.14, estão omitidas. Quem está com pressa não usa mais palavra do que seja realmente necessário. Os inimigos desejaram envergonhar-lhe a fé, e ele pede com fervor que eles sejam desapontados e cobertos de confusão. É o que realmente acontecerá. Se não em breve, será naquele dia pavoroso em que os ímpios despertarão para a vergonha e desprezo perpétuos. "Fiquem", "procuram", "alma" e "querem" são somente variações dos tradutores em relação ao Salmo 40.14. {Quando os homens empenham-se em fazer as pessoas retornarem do caminho certo, a represália de Deus é empurrá-los do ponto ao qual miram.

3. *"Voltem as costas."* Este é um termo mais suave do que o usado no Salmo 40.15, onde ele clama: "Confundidos sejam". Será que o passar dos anos amadureceu e abrandou o espírito do salmista? *Voltar as costas*, porém, pode vir a ser a mesma coisa que *ser confundido*. A maldade desapontada é muito mais semelhante à desolação do que se pode imaginar.

"Cobertos de vergonha os que dizem: Ah! Ah!" Tentaram envergonhar o piedoso, mas foram eles que acabaram e sempre acabarão sendo envergonhados. Como os homens gostam de insultos! Mesmo que sejam "Ah! Ah!", interjeições sem sentido, mais semelhantes a gritos de animais do que a palavras de humanos, pouco importa, contanto que sejam um meio para ridicularizar e atormentar a vítima. Não se preocupem, pois os inimigos de Cristo e do seu povo receberão o devido salário pelo trabalho feito. Serão pagos na mesma moeda. Gostavam de zombar, então serão zombados. Tornar-se-ão um provérbio e um apelido pejorativo para sempre.

4. A ira contra os inimigos não deve nos fazer esquecer dos amigos, pois é melhor salvar um único cidadão de Sião do que matar mil inimigos.

"Folguem e alegrem-se em ti todos os que te buscam." Todos os verdadeiros adoradores, mesmo que estejam nas fileiras dos buscadores humildes, terão motivo para alegrarem-se. Ainda que a busca tenha começado na escuridão, ela trará luz consigo.

"E aqueles que amam a tua salvação digam continuamente: Engrandecido seja Deus." Aqueles que provaram a graça divina e, portanto, uniram-se a ela, são um povo um tanto quanto mais avançado. Estes não só terão alegria, mas a anunciarão com constância e perseverança santa e chamarão os homens para glorificar a Deus. A doxologia: "Engrandecido seja o Senhor", é infinitamente mais valorosa e enobrecedora do que o latido dos cães: "Ah!, Ah!"

5. *"Eu, porém, estou aflito e necessitado."* Argumento extremamente semelhante ao que consta no salmo precedente (v. 29). Pelo visto, é o argumento predileto dos santos experimentados. Evidentemente, a nossa pobreza é a nossa riqueza, ao mesmo tempo que a nossa fraqueza é a nossa força. Aprendamos bem este mistério.

"Apressa-te por mim, ó Deus" é o que está escrito em vez de "mas o Senhor cuida de mim" (Sl 40.17). Há uma razão para a mudança, visto que é frequente o tema fundamental do salmo ditar a conclusão. O Salmo 40 canta os pensamentos de Deus e termina com esse tom. Mas o tema peculiar do Salmo 70 é "apressa-te" e, por isso, termina assim: "Tu és o meu auxílio e o meu libertador". É o meu auxílio

nas dificuldades e o meu libertador delas. "SENHOR, não te detenhas!" Temos aqui o nome "SENHOR" em vez de "ó meu Deus" (Sl 40.17). Somos justificados por usar os vários nomes de Deus, pois cada um tem a sua própria beleza e majestade. Temos de reverenciar cada nome pelo seu uso santo como também pela privação de tomá-lo em vão.

Atrevo-me a concluir esta exposição recapitulativa com um hino original, sugerido pelo lema do salmo: "Apressa-te".

Apressa-te, ó Deus, em abençoar a minha alma!
Tu és o meu auxílio e o meu libertador
Apressa-te, porque estou em angústia profunda
O meu caso é urgente; ajuda-me agora

Apressa-te, ó Deus! Apressa-te em salvar!
Pois o tempo é curto e a morte está perto
Apressa-te antes que eu esteja na minha sepultura
E jaza com os perdidos para sempre

Apressa-te, porque estou aflito e necessitado
E Satanás escarnece das minhas orações e lágrimas
Ó Deus, não sejas lento na misericórdia
Mas arranca-me dos meus medos horrendos

Apressa-te, ó Deus, e ouvi os meus clamores
Então, com as almas que buscam a tua face
E com os que prezam a tua salvação
Engrandecerei a tua graça inigualável

NOTAS EXPLICATIVAS E DECLARAÇÕES IMPORTANTES

O Salmo: Francke aplica este salmo ao estado da igreja cristã depois da ressurreição e exaltação de Cristo, e põe as palavras na boca dos crentes daquele tempo. Pela mesma razão de transferir a linguagem adaptada a Cristo do Salmo 40 ao crente deste salmo não precisamos hesitar em tomar ambos os salmos em nossos lábios como palavras da igreja em todas as épocas. Não posso deixar de reafirmar a minha opinião de que os salmos foram intencionalmente dispostos na ordem em que os temos hoje, feita com toda a probabilidade, pelo menos parcialmente, na ocasião em que foram entregues para uso público. É com certeza uma conjetura ousada feita por William Walford, de que a repetição deste salmo surgiu de algum erro cometido pelas pessoas por quem os salmos foram coletados e organizados, depois da volta do cativeiro na Babilônia. — *W. Wilson*

v. 2: "Fiquem envergonhados", ou seja, na opinião e presença dos homens diante de quem eles pensam obter grande glória, unindo-se contra mim, "e confundidos", ou seja, entre si e nos seus próprios entendimentos. — *Thomas Wilcocks*

v. 3: "Ah! Ah!" Na descrição dos seus inimigos humanos, o nosso Salvador os apresenta dizendo a ele: "Ah! Ah!" Estas exclamações são ebulições de insolência exultante. Só podem escapar dos lábios de quem são arrogantes e cruéis, bem como insensíveis à sutileza e decoro de comportamento. Indubitavelmente, seriam as expressões prediletas da ralé rude, que acompanhou o traidor na sua campanha ignóbil contra o Amor Encarnado, da inclemente turba aristocrática, que entregou o Apóstolo do Céu ao escárnio de um julgamento eclesiástico, e da multidão mais geral, mais excitada e mais rancorosa, que insultuosamente o acompanhou até à cruz, escarneceu dele, abanou a cabeça contra ele e o xingou, enquanto ele de maneira humilde, mas majestosa, estava pendurado no madeiro maldito. Os ouvidos do Salvador presciente captou, sem dúvida, o murmúrio distante de todas as exclamações violentas e selvagens com que os inimigos estavam prestes a lacerar os ares. Entre estes brados insensíveis e irônicos, ele não pôde deixar de sentir o fio cortante e envenenado do grito malévolo e hilariante: "Ah! Ah!" Ó milagre da misericórdia! Ele que merecia os aleluias de um universo inteligente e as hosanas especiais de todos os filhos dos homens teve de, primeiro, prever e, depois, suportar da boca dos mesmos rebeldes a quem ele veio abençoar e salvar, os insultos maldosos de "Ah! Ah!" — *James Frame, 1869*

v. 4: "Aqueles que amam a tua salvação". Eles amam a salvação por causa dela mesma. Eles a amam por causa daquele que a obteve pela obediência até à morte. Eles a amam por causa do Espírito Santo que os moveu a buscar e aceitá-la. Eles a amam por causa da própria alma, a qual não podem deixar de amar, e porque, sem a salvação, seriam os páreas mais miseráveis do universo. Não admira que sob a luz da importância intrínseca e das relações intrínsecas da salvação, eles fossem aqueles que amam a salvação de Deus. Todos os homens são amantes como também buscadores, pois para todos os homens amam. Alguns amam o dinheiro mais do que a salvação de Deus. Outros amam o prazer, até mesmo os prazeres do pecado, mais do que a salvação de Deus. E outros amam a agitação e o comércio mais do que a salvação de Deus. Mas visto que a marca do material, do temporal e do evanescente está em todos estes objetos terrenos do amor dos homens, os amigos de Jesus colocam acima de todos eles, como o objeto mais digno de consideração e aceitação, a salvação de Deus. — *James Frame*

v. 4: "Engrandecido seja Deus". Não só "engrandecido seja o Senhor", mas também "constantemente" (Sl 40.16). Quando você estava se desviando e se afastando dele, ele lembrou você: "Engrandecido seja o Senhor". Ele inspirou você com a confissão de pecados. Então, você confessou e ele deu o perdão para você: "Engrandecido seja o Senhor". [...] Agora, você começa a progredir. Você foi justificado. Você chegou a um tipo de excelência de virtude. Não é conveniente que você também seja algum dia engrandecido? Não! "Digam constantemente [...]: Engrandecido seja o Senhor". Você é pecador, seja ele engrandecido para que ele chame. Você confessa, seja ele engrandecido para que ele perdoe. Agora você vive justamente, seja ele engrandecido para que ele dirija. Você persevera até ao fim, seja ele engrandecido para que ele glorifique. Seja o Senhor, então, continuamente engrandecido. Digam-no os justos, digam-no para que o busquem. Todo aquele que não o disser, não o busca. [...] "Engrandecido seja o Senhor." Mas você nunca será engrandecido? Você não o será em nenhuma parte? Nele havia algo, em mim não havia nada. Mas se nele é tudo o que sou, seja ele engrandecido, não eu. Mas, e quanto a estes? "Eu sou pobre e necessitado" (Sl 40.17). Ele é rico. Ele é abastado. Ele não precisa de nada. Veja a minha luz. Veja de onde sou iluminado, porque clamo: "Porque tu acenderás a minha candeia; o Senhor, meu Deus, alumiará as minhas trevas. O Senhor solta os encarcerados; o Senhor abre os olhos aos cegos; o Senhor levanta os abatidos; o Senhor ama os justos; o Senhor guarda os estrangeiros" (Sl 18.28; 146.7-9). E quanto a você? "Eu sou pobre e necessitado." Sou como um órfão, a minha alma é como uma viúva empobrecida e desolada. Busco ajuda. Confesso continuamente a minha fraqueza: "Eu sou pobre e necessitado". Houve perdão para os meus pecados, agora começo a obedecer aos mandamentos de Deus. Mesmo assim, ainda "sou pobre e necessitado". Por que ainda sou pobre e necessitado? Porque "vejo nos meus membros outra lei que batalha contra a lei do meu entendimento" (Rm 7.23). Por que sou pobre e necessitado? Porque "bem-aventurados os que têm fome e sede de justiça" (Mt 5.6). Ainda tenho fome, ainda tenho sede. — *Agostinho*

v. 5: "Eu, porém, estou aflito e necessitado", ou "eu sou pobre e necessitado" (ARA). Ele, sendo rico, por amor de nós se fez pobre, para que, pela sua pobreza, enriquecêssemos (2 Co 8.9). Na plenitude da sua graça ele entrara voluntariamente, por amor de nós, em um estado no qual ele teve a experiência — e a experiência mais amarga — da falta de meios de alegria. [...] Mas a palavra hebraica aqui traduzida por "pobre" (ARA) é traduzida em outros textos e versões por "aflito". De várias maneiras ele foi aflito. Ele foi "desprezado e o mais indigno entre os homens, homem de dores, experimentado nos trabalhos" (Is 53.3). Ele foi afrontado e as afrontas lhe quebraram o coração (Sl 69.20). — *James Frame*

v. 5: "Eu, porém, estou aflito e necessitado", ou "eu sou pobre e necessitado" (ARA). O significado destas palavras, na minha opinião, são os castigos severos e provas de fogo que vêm de Deus Pai, as tentações e ataques cruéis de Satanás, o inimigo caído e asqueroso, as perseguições e inquietações infligidas pelas mãos de homens irracionais e ímpios e (mas destes a seguir Jesus está isento) as corrupções interiores, os movimentos licenciosos, as emoções inconstantes e as contaminações originais trazidas do útero materno, junto com a inaptidão e incapacidade da alma e do corpo com a alegria e constância para percorrer os caminhos retos e justos dos mandamentos de Deus. Muitos destes tornaram a Cabeça, todos estes (e mais também) os membros pobres e necessitados. — *John Barlow*, 1618

v. 5: "SENHOR, não te detenhas!" A oração por ele, como a oração pelos inimigos e pelos amigos, foi respondida. O Senhor não se deteve. Antes que vinte e quatro horas tivessem passado, o espírito salvador estava no paraíso e o ladrão crucificado estava com ele. Que mudança! Pela manhã, ele foi condenado no julgamento terreno, condenado à morte e pregado à rude cruz. E antes que a noite escurecesse o monte Calvário, ele já estava se aconchegando no seio de Deus e se tornara o grande centro de atração e admiração para todas as inteligências santas do universo. Pela manhã, ele foi conduzido para fora pela porta da Jerusalém de baixo, cercado por uma multidão irreverente, cujo apupo lhe retinia nos ouvidos. Mas antes que a noite caísse, ele já tinha passado pela porta da Jerusalém de cima, andado pelas ruas de ouro, ouvido hinos angelicais elevarem-se sublimemente pela cúpula do céu e enchido de alegria o coração de Deus. — *James Frame*

v. 5: "Tu és o meu auxílio e o meu libertador" "Auxílio" em todas as boas obras, e "libertador" de todos os males. "SENHOR, não te detenhas!" é o grito de cada pecador. — *Dionísio, o Cartuxo*, 1471, citado no comentário de *John Mason Neale e R. F. Littledale*, 1860

SUGESTÕES AOS PREGADORES

v. 1. (1) O motivo da oração: (a) Aflição. (b) Impotência. (2) O assunto da oração: (a) Livramento. (b) Ajuda. (3) A importunidade da oração: O tempo do livramento pode ser a resposta à oração, como também o próprio livramento.

v. 1. (1) Tempos em que a oração urgente é admissível, louvável ou errada. (2) Razões para esperar uma resposta rápida. (3) Consolações se a demora acontecer.

v. 2. (1) Há os que procuram machucar a nossa alma. (2) Temos de nos opor a eles e não nos demorar ou ceder. (3) A nossa melhor arma é a oração a Deus. (4) A sua derrota está descrita aqui.

v. 3. (1) Quem são esses que dizem: "Bem-feito! Bem-feito!"? (ARA). (2) A qual senhor eles servem? (3) Quais serão as suas pagas?

v. 4. Alegria para os buscadores e serviço para os descobridores.

v. 4. "Aqueles que amam a tua salvação digam continuamente: Engrandecido seja Deus": (1) O caráter. (2) A declaração. (3) O desejo.

v. 5. (1) Quem precisa de ajuda? (2) Quem dá ajuda? (3) O que a ajuda obtém? Livramento. (4) Qual oração isso sugere?

v. 5. (1) Confissão de estado: "Eu, porém, estou aflito e necessitado". (2) Confissão de fé: "Tu és o meu auxílio e o meu libertador". (3) Súplica de interesse: "Apressa-te por mim, ó Deus", "SENHOR, não te detenhas!"

SALMO 71

TÍTULO

Não há título para o salmo. Por conseguinte, certos expositores conjeturam que o Salmo 70 era um prelúdio que foi separado deste. Imaginações com estas não têm valor para nós. Já estudamos cinco salmos sem título, os quais, mesmo assim, são tão completos quantos os que o têm.

Temos aqui *A Oração do Crente Idoso* que, com santa confiança de fé e fortalecido por longa e extraordinária experiência, luta em oração contra os inimigos e pede mais bênçãos. Já antevendo a resposta graciosa, ele promete magnificar o Senhor sumamente.

DIVISÃO

Os primeiros quatro versículos são o clamor da fé em busca de ajuda. Os quatro versículos seguintes são um testemunho da experiência. Dos versículos 9 a 13, o santo ancião luta em oração contra os inimigos e, depois, nos versículos 14 a 16, alegra-se na esperança. Nos versículos 17 e 18, ele volta à oração e, nos versículos 19 a 21, repete a esperança confiante que lhe alegrou a alma. Conclui com a promessa de ser profícuo em ação de graças (vv. 22-24). Do começo ao fim, podemos considerar este salmo como a expressão da fé que luta, mas não vacila.

EXPOSIÇÃO

1 *Em ti, Senhor, confio; nunca seja eu confundido.*

2 *Livra-me na tua justiça e faze que eu escape; inclina os teus ouvidos para mim e salva-me.*

3 *Sê tu a minha habitação forte, à qual possa recorrer continuamente; deste um mandamento que me salva, pois tu és a minha rocha e a minha fortaleza.*

4 *Livra-me, meu Deus, das mãos do ímpio, das mãos do homem injusto e cruel,*

1. *"Em ti, SENHOR, confio."* Jeová merece a nossa confiança. Confiemos nele inteiramente. A cada dia temos de vigiar contra toda forma de confiança no braço de carne, e a cada hora colocar a fé no Deus sempre fiel. Descansemos em Deus não só como o homem que se firma na rocha, mas confiemos nele como o homem que se esconde em uma caverna. Quanto mais íntimos estamos com o Senhor, mais firme deve ser a nossa confiança nele. Deus conhece a nossa fé, mas gosta de nos ouvir declará-la. Por conseguinte, o salmista não só confia no Senhor, mas lhe diz que está confiando assim.

"Nunca seja eu confundido." Enquanto o mundo existir, estejas tu ao meu lado. Para sempre e sempre sê fiel aos teus servos. Se me abandonares, os homens ridicularizarão da minha religião, e que resposta lhes darei? A confusão me silenciará, e a tua causa será envergonhada. Este versículo é um bom começo de oração. Quem começa com confiança terminará com alegria.

2. *"Livra-me na tua justiça e faze que eu escape."* Sê fiel, ó Deus, à tua palavra. É justo da tua parte cumprires as promessas que tu fizeste aos teus servos. Confiei em ti, e tu não serás injusto em esquecer-te da minha fé. Fui apanhado em uma rede, mas liberta-me da maldade dos meus perseguidores.

"Inclina os teus ouvidos para mim e salva-me." Condescende-te à minha fragilidade e ouvi os meus sussurros lânguidos. Sê gracioso para com as minhas fraquezas e favorece-me. Peço salvação. Escuta os meus pedidos e salva-me. Como alguém ferido e deixado como morto pelos inimigos, preciso que tu te agaches para tratar das minhas feridas. Estas misericórdias são pedidas no argumento da fé, e não podem, portanto, serem negadas.

3. *"Sê tu a minha habitação forte."* Permita-me entrar em ti e sentir-me em casa como alguém no próprio lar. Depois, deixa-me ficar em ti como minha casa permanente. Tendo em vista que os inimigos me perturbam, preciso de uma habitação estruturada e protegida para sustentar o assédio e resistir aos ataques dos exércitos. Defenda-me a tua onipotência e seja como uma fortaleza para mim. Temos aqui um homem fraco, mas que está em uma habitação forte. A sua segurança descansa na torre na qual ele se esconde, e não corre perigo por ele ser pessoalmente frágil.

"À qual possa recorrer continuamente." O castelo é fechado imediatamente contra todos os adversários. Não podem arrombar os portões. A ponte levadiça está levantada. A porta corrediça está abaixada, cujas pontas de ferro estão cravadas no chão. Contudo, há uma porta secreta pela qual os amigos do grande Senhor podem entrar a qualquer hora do dia ou da noite, tanto quanto quiserem. Nunca é errado orar. As portas da misericórdia permanecem amplamente abertas e amplamente abertas ficarão até que, por fim, o Senhor da casa se levantar para fechá-las. Os crentes têm em Deus a sua habitação, forte e acessível, a qual é para eles o remédio eficaz contra todos os males da vida mortal.

"Deste um mandamento que me salva." A natureza é encarregada de ser gentil com os servos de Deus. A providência é incumbida de trabalhar para o bem deles. As forças do mundo invisível são chamadas como guardiãs deles. Davi ordenou que todas as tropas poupassem o jovem Absalão, mas ele foi morto. O mandamento de Deus é de eficácia muito maior, pois obriga a obediência e garante o cumprimento. A destruição não pode nos destruir. A fome não pode nos fazer passar fome. Rimos de ambas, porquanto o mandato de Deus nos protege. Não há pedra do campo que nos faça tropeçar, porquanto os anjos nos sustentam com as mãos. Não há animais do campo que nos devore, porquanto o Deus de Davi nos livra da sua ferocidade, ou o Deus de Daniel coloca neles medo de nós.

"Pois tu és a minha rocha e a minha fortaleza." Em Deus temos toda a segurança que a natureza dá à rocha e a habilidade que constrói a fortaleza. Ele é o Protetor perfeito do seu povo. A imutabilidade é representada pela rocha e a onipotência pela fortaleza. Feliz aquele que pode usar o pronome pessoal "meu/minha" não só uma vez, mas tantas quantas os muitos aspectos do Senhor tornem desejáveis. Ele é uma habitação forte? Então direi que ele é a *minha* habitação forte, e ele será a

minha rocha, a *minha* fortaleza (v. 3), o *meu* Deus (v. 4), a *minha* esperança, a *minha* confiança (v. 5), o *meu* louvor (versículo 6). Todos os meus serão dele e todos os dele serão meus. Era por isso que o salmista estava convencido de que Deus dera o mandamento para salvá-lo, isto é, porque ele o capacitara a exercitar uma fé que é calma e toma posse.

4. *"Livra-me, meu Deus, das mãos do ímpio."* Deus está do nosso lado. Os nossos inimigos também são os dele, porque eles são ímpios. Portanto, o Senhor com certeza livrará os seus confederados, e não permitirá que o mal triunfe sobre o justo. Quem faz uma oração como esta aos céus, causa mais dano aos inimigos do que se tivesse usado uma bateria de canhões Armstrong.

"Das mãos do homem injusto e cruel." Sendo ímpios para com Deus, são injustos aos homens e cruéis nas perseguições do piedoso. Duas mãos são mencionadas aqui: elas agarram e esmagam; golpeiam e matariam se Deus não evitasse. Tivessem os inimigos tantas mãos quantos os Centímanos, apenas o dedo de Deus já seria páreo para eles.

5 *pois tu és a minha esperança,* Senhor *Deus; tu és a minha confiança desde a minha mocidade.*
6 *Por ti tenho sido sustentado desde o ventre; tu és aquele que me tiraste do ventre de minha mãe; o meu louvor será para ti constantemente.*
7 *Sou como um prodígio para muitos, mas tu és o meu refúgio forte.*
8 *Encha-se a minha boca do teu louvor e da tua glória todo o dia.*

5. *"Pois tu és a minha esperança, Senhor Deus."* Deus, que nos dá a graça para nele esperarmos, realiza indubitavelmente a nossa esperança. Por isso, podemos fazer esse argumento na oração. O seu nome é "Senhor, Esperança de Israel!" (Jr 17.13). Visto que ele não pode ser uma esperança falsa ou malograda, podemos esperar ver a nossa confiança justificada.

"Tu és a minha confiança desde a minha mocidade." Davi tinha mostrado fé através de façanhas extraordinárias quando era jovem e sadio. Era para ele uma lembrança consoladora, e ele estava convencido de que o Deus da sua mocidade não o abandonaria na velhice. São altamente abençoados aqueles que, como Davi, Samuel, Josias, Timóteo e outros, podem dizer: "Tu és a minha confiança desde a minha mocidade".

6. *"Por ti tenho sido sustentado desde o ventre."* Antes que tivesse entendimento para entender o poder que o guardava, ele já era sustentado por esse poder. Deus nos conhece antes mesmo de conhecermos o que quer que seja. Os eleitos de antigamente já estavam ao seio de Deus antes que fossem postos aos seios da mãe. Quando a fraqueza infantil não tinha pés suficientemente fortes para sustentar-se, o Senhor sustentava. Fazemos bem em refletir sobre a bondade divina recebida na infância, pois ela está cheia de motivos de gratidão.

"Tu és aquele que me tiraste do ventre de minha mãe." Antes mesmo da vida consciente, o cuidado de Deus já estava atuando no escolhido. O nascimento é um mistério da misericórdia, e Deus está com a mãe e o bebê. Se os casamentos são registrados no céu, então podemos estar certos de que os nascimentos também são. As mulheres santas fazem bem em bendizer a Deus pela sua misericórdia para com elas na perigosa hora da natureza. Mas todo aquele que é nascido de mulher tem motivo igual para agradecer. Aquela cuja vida é preservada deve agradecer, bem como aquele cuja vida é dada.

"O meu louvor será para ti constantemente." Quando a bondade é recebida incessantemente, o louvor deve ser oferecido incessantemente. Deus é o círculo no qual o louvor deve começar, continuar e eternamente orbitar, visto que nele vivemos, nos movemos e existimos (cf. At 17.28).

7. *"Sou como um prodígio para muitos."* "Para mil olhos sou uma marca e olhar de pasmo." Os santos são homens prodigiosos. O seu lado negro é sombrio

a ponto de causar espanto, ao passo que o seu lado bom é glorioso a ponto de causar surpresa. O crente é um mistério, um enigma que confunde os que não são espirituais. É um monstro em guerra com os prazeres da carne, os quais são exatamente iguais a todos os outros homens. É um prodígio, incompreensível ao julgamento dos não crentes. É uma maravilha que olham, temem e, logo, desdenhosamente zombam. Poucos nos entendem, muitos ficam surpresos conosco.

"Mas tu és o meu refúgio forte." Esta é a explicação para o enigma. Se somos fortes, é em Deus. Se estamos em segurança, é porque o nosso refúgio nos abriga. Se estamos tranquilos, é em virtude de ter a nossa alma achado descanso em Deus. Quando a fé é compreendida e a razão da confiança vista, o crente deixa de ser um prodígio. E a maravilha está em que tanta incredulidade ainda permaneça entre os filhos dos homens.

8. *"Encha-se a minha boca do teu louvor e da tua glória todo o dia."* Que bocado abençoado! O homem nunca fica enjoado ainda que o sabor fique o dia todo na boca. O pão de Deus sempre está em nossa boca, assim deve o louvor estar. Ele nos enche de bem; enchemo-nos também de gratidão. Desta forma, não haverá lugar para murmurações ou calúnias. Portanto, juntemo-nos com o santo Davi neste desejo sagrado.

9 *Não me rejeites no tempo da velhice; não me desampares, quando se for acabando a minha força.*

10 *Porque os meus inimigos falam contra mim, e os que espiam a minha alma consultam juntos,*

11 *dizendo: Deus o desamparou; persegui-o e prendei-o, pois não há quem o livre.*

12 *Ó Deus, não te alongues de mim; meu Deus, apressa-te em ajudar-me.*

13 *Sejam confundidos e consumidos os que são adversários da minha alma; cubram-se de opróbrio e de confusão aqueles que procuram o meu mal.*

9. *"Não me rejeites no tempo da velhice."* Davi não estava cansado do seu Senhor. O seu único medo era que o seu Senhor se cansasse dele. O senhor amalequita na história bíblica abandonou o servo egípcio para morrer de fome quando este ficou velho e doente (1 Sm 30.11-13). Mas não é o que o Senhor dos santos faz. Mesmo que os nossos cabelos embranqueçam, ele nos sustenta e nos leva. Ai de nós, se fôssemos abandonados pelo nosso Deus, como muitos cortesões foram pelos príncipes! A velhice nos rouba a beleza pessoal e nos priva de força para o serviço ativo, mas não nos abaixa no amor e favor de Deus. A nação ingrata deixa os seus estropiados defensores morrem de fome com um salário de miséria, mas os pensionistas do céu são satisfeitos com coisas boas.

"Não me desampares, quando se for acabando a minha força." Sê paciente comigo e suporta as minhas fraquezas. Ser abandonado por Deus é o pior de todos os males concebíveis, e se o crente puder ficar livre desse medo doloroso, ele se contenta. O coração santificado não precisa ter medo a esse respeito.

10. *"Porque os meus inimigos falam contra mim."* Os cães uivam ao redor do leão agonizante. Quando o braço de Davi podia castigar os inimigos, eles ainda eram suficientemente descarados para caluniá-lo. Agora que está fraco, ele teme que venham a tomar demasiada liberdade para com ele. O texto dá entender que os inimigos tinham dito que Deus o abandonaria. Portanto, está extremamente desejoso que os fiéis procedimentos de Deus os desmintam.

"E os que espiam a minha alma consultam juntos." O salmista tinha inimigos, os quais eram muito maus. Buscando acabar totalmente com ele, eram muito perseverantes e imensamente calmos na espionagem. A isto adicionavam astúcia, pois punham-se em emboscada para pegá-lo de surpresa e apanhá-lo em desvantagem. Tudo isso faziam com extrema unanimidade e deliberação, não estragando o plano por falta de prudência, nem arruinando a realização por falta de unidade. O Senhor nosso Deus é o nosso único e todo-suficiente refúgio contra toda forma de perseguição.

11. *"Dizendo: Deus o desamparou."* Ó insulto amargo! Não há flecha pior em todas as aljavas do inferno. O nosso Senhor foi alvo dessa seta farpada, e não é de admirar se os discípulos também. Fosse a exclamação verdadeira, teria sido realmente o pior dia para nós. Mas, glória seja dada a Deus, é uma mentira descarada.

"Persegui-o e prendei-o." Soltem os cães de caça para persegui-lo, prendê-lo e atormentá-lo, "pois não há quem o livre". Acabem com ele, porque ele não tem amigos. Não há perigo em insultá-lo, pois não virá ninguém para salvá-lo. Ó ostentações covardes de inimigos fanfarrões! Como vocês ferem a alma do crente! Só quando a fé do crente clama ao seu Senhor é ele capaz de suportar tamanha crueldade.

12. *"Ó Deus, não te alongues de mim."* A proximidade a Deus é a nossa segurança consciente. A criança no escuro é confortada por estar agarrando a mão do pai.

"Meu Deus, apressa-te em ajudar-me." Chamar Deus de nosso, como tendo entrado em aliança conosco, é forte argumento na oração e grande firmeza para a fé. O grito "apressa-te" ocorre muitas vezes nesta porção dos salmos, e foi evocada pela dolorosa pressão da aflição. Tristezas cruciantes logo acabam com orações adiadas.

13. *"Sejam confundidos e consumidos os que são adversários da minha alma."* Tudo isso acontecerá com eles para verem que o teu servo foi guardado. A inveja e a maldade, quando desapontadas, os encherão de amargura que lhes consumirá a alma. A derrota dos seus planos os deixará perplexos. Ficarão confundidos enquanto investigam a razão para a ruína. Os homens a quem procuram destruir parecem tão fracos e a causa que advogam tão desprezível, que ficarão extremamente assombrados quando constatarem que não só sobreviveram a todo antagonismo, mas até mesmo o sobrepujaram. Como faraó deve ter ficado confuso quando Israel se multiplicava, apesar dos esforços que fazia para exterminar a raça. Como os escribas e fariseus devem ter-se consumido de raiva quando viram o evangelho se espalhar de nação em nação pelos mesmos métodos que eles usaram para destruí-lo.

"Cubram-se de opróbrio e de confusão aqueles que procuram o meu mal." Ele veria que a vergonha deles se tornaria visível aos olhos de todas as pessoas, pois ficariam ruborizados como um manto vermelho. Eles teriam feito do crente motivo de riso e ridículo, caso o seu Deus o tivesse abandonado. Portanto, tornem-se a incredulidade e o ateísmo em zombaria pública nas pessoas que os advogam.

14 *Mas eu esperarei continuamente e te louvarei cada vez mais.*
15 *A minha boca relatará as bênçãos da tua justiça e da tua salvação todo o dia, posto que não conheça o seu número.*
16 *Sairei na força do Senhor Deus; farei menção da tua justiça, e só dela.*

A fé santa do santo perseguido destaca-se nestes três versículos.

14. *"Mas eu esperarei continuamente."* Quando eu não puder me alegrar no que tenho, esperarei o que será meu e ainda me alegrarei. A esperança não deixará de existir em uma terra desértica e de cantar em um galho carregado de neve. Não há data e nem lugar inadequados para a esperança. Com a exceção única do inferno, a esperança é moradora de todas as regiões. Sempre podemos esperar, porque sempre temos motivos para esperar. Sempre esperaremos, porque é uma consolação permanente.

"E te louvarei cada vez mais." Ele não foi negligente na ação de graças. Na realidade, não havia ninguém mais diligente do que ele. Contudo, não se contentando com todos os louvores já dados, prometeu se tornar um adorador cada vez mais grato. Quando coisas boas forem ininterruptas e progressivas para conosco, estamos no caminho certo. Não sejamos avaros em fazer o bem, mas tenhamos por lema ser "cada vez mais". Ainda que não desdenhemos *descansar e ser grato*, não podemos descansar na gratidão. "Superior", grita a águia, enquanto sobe em direção ao sol. Mais alto e ainda mais alto também é o nosso alvo, enquanto planamos nas alturas durante o desempenho do dever e devoção. É nossa esperança ininterrupta sermos cada vez mais capacitados em glorificar ao Senhor.

15. *"A minha boca relatará as bênçãos da tua justiça e da tua salvação todo o dia."* Devemos dar testemunho à medida em que a experiência nos habilita, e não reter dos outros o que provamos e lidamos. A fidelidade de Deus em nos salvar, nos livrar das mãos dos inimigos e cumprir as promessas tem de ser proclamada em todos lugares por quem a experimentou na própria história. Como é gloriosamente evidente a justiça no plano divino de redenção! Este deveria ser o assunto constante das nossas conversas. O diabo se enfurece contra o sacrifício substitutivo, e os propagadores de toda forma de erro fazem deste o ponto principal de ataque. Seja, então, o nosso alvo amar a doutrina e anunciar as novas de alegria a todos os lados e a toda hora. A boca não tem melhor utilidade do que quando é empregada para relatar a justiça de Deus revelada na salvação dos crentes em Jesus. O pregador que se limitar a este tema jamais precisará procurar outro. É a *medulla theologiae*, a própria essência e substância da verdade revelada. O leitor tem estado calado neste assunto seleto? Insisto, então, que você anuncie o que desfruta interiormente. Não faz bem quem guarda para si essas novas de alegria.

"Posto que não conheça o seu número." Ele experimentara a doçura, a segurança, a glória e a verdade das bênçãos da justiça e da salvação, mas quanto à total enumeração da sua plenitude, variedade e suficiência, ele percebia que não podia chegar à altura do grande argumento. Senhor, o que eu não puder enumerar, crerei, e quando uma verdade ultrapassar enumeração, eu a levarei à admiração. Quando Davi falou dos inimigos, disse que eram mais do que os cabelos da sua cabeça (Sl 69.4). Tinha, então, uma ideia da quantidade, determinando um algarismo satisfatório para dali começar a contar. Mas no caso das misericórdias do Senhor relacionadas à aliança, ele declara que não conhece o número e não se arrisca a fazer qualquer tipo de comparação. Às criaturas pertencem número e limite, a Deus e à sua graça não. Podemos ficar falando o dia todo sobre a grande salvação de Deus, pois o tema é totalmente inesgotável.

16. *"Sairei na força do Senhor Deus."* Os tradutores nos dão um bom sentido, mas não o significado correto para este lugar, o qual é: "Irei com os atos poderosos do Senhor Jeová" (cf. NVI). Ele entraria nesses atos pelo estudo maravilhado, e depois, por onde quer que fosse, ele continuaria relatando-os repetidamente. Sempre deve ser um convidado bem-vindo quem nos conta os atos poderosos do Senhor e nos ajuda a confiar nele. Podemos usar esta versão como determinação em todos os nossos esforços e empenhos. Baseados na nossa força sempre fracassaremos. Mas quando ouvirmos a voz que diz: "Vai nesta tua força" (Jz 6.14), podemos avançar sem medo. Ainda que o próprio inferno esteja no caminho, o crente perseverará no caminho do dever, clamando: "Sairei na força do SENHOR Deus; farei menção da tua justiça, e só dela".

A justiça do homem não é digna de ser mencionada — trapos da imundícia ficam melhor escondidos. Nem há justiça debaixo do céu ou no céu comparável à divina. Como o próprio Deus enche todo o espaço, e é, então, o único Deus, não deixando lugar para outro, assim a justiça de Deus, em Cristo Jesus, enche a alma do crente, e ele considera todas as outras coisas como refugo e esterco, para que possa ganhar a Cristo e ser achado nele, não tendo a justiça que vem da lei, "mas a que vem pela fé em Cristo, a saber, a justiça que vem de Deus, pela fé" (Fp 3.8,9). De que adianta falar de qualquer outra justiça com um homem que está morrendo? E todos os homens estão morrendo. Que exaltem, então, a inocência natural do homem, a dignidade da raça, a pureza dos filósofos, o encanto dos selvagens incivilizados, o poder dos sacramentos e a infalibilidade dos pontífices. Mas esta é a firme determinação do verdadeiro crente: "Farei menção da tua justiça, e só dela". Seja para sempre dedicada a ti, meu Senhor, esta língua pobre e indigna, cuja glória será te glorificar.

17 *Ensinaste-me, ó Deus, desde a minha mocidade; e até aqui tenho anunciado as tuas maravilhas.*

18 *Agora, também, quando estou velho e de cabelos brancos, não me desampares, ó Deus, até que tenha anunciado a tua força a esta geração, e o teu poder a todos os vindouros.*

17. *"Ensinaste-me, ó Deus, desde a minha mocidade."* Era consolador para o salmista lembrar-se de que desde os primórdios da juventude ele fora discípulo do Senhor. Ninguém é jovem demais para ser ensinado por Deus, e aqueles que desde pequeno assim começam tornam-se os mais proficientes estudiosos.

"E até aqui tenho anunciado as tuas maravilhas." Ele aprendera a contar o que sabia. Era um professor-aluno. Ainda continuava aprendendo e ensinando, e não renunciou o primeiro mestre. Este fato também lhe era consolador, o qual não poderá ser desfrutado por quem se deixou ser seduzidos da escola do evangelho para as faculdades da filosofia e cepticismo. Precisamos muito hoje de um conservantismo sagrado, pois os homens estão abandonando as velhas luzes pelas novas. Disponhamo-nos a aprender e ensinar as maravilhas do amor redentor, até que descubramos algo mais nobre ou mais satisfatório para a alma. Por isso, esperamos que as pessoas de cabelo grisalho de nossa convivência estejam no mesmo caminho que andamos desde a nossa mocidade imberbe.

18. *"Agora, também, quando estou velho e de cabelos brancos, não me desampares, ó Deus."* Há algo de enternecedor olhar os cabelos embranquecidos com a neve de muitos invernos. O soldado velho e fiel recebe a consideração do rei. O servo venerável é amado pelo seu senhor. Quando as nossas fraquezas se multiplicam, esperamos com confiança maiores privilégios no mundo da graça que compensem a gama de estreitamento no campo da natureza. Nada fará Deus desamparar aqueles que não o desampararam. O nosso medo é que ele nos desampare, mas a sua promessa beija esse medo, silenciando-o.

"Até que tenha anunciado a tua força a esta geração." Ele almejava continuar testemunhando até completar sua parte. Por respeitar os jovens e as crianças, e saber como era tremendamente importante educá-los no temor de Deus, desejava ardentemente que ficassem familiarizados com o poder de Deus para apoiar o seu povo, a fim de que também fossem levados a andar pela fé. Ele confiara no braço do Todo-poderoso e podia falar por experiência sobre a sua onipotência. O seu desejo era fazer isso antes que a vida chegasse ao fim.

"E o teu poder a todos os vindouros." Ele deixaria um registro para as gerações futuras lerem. Julgou que o poder do Senhor era tão digno de louvor que faria os séculos retinirem de louvor até que o tempo deixasse de existir. É por esta causa que os crentes vivem e devem cuidar para laborar com zelo na realização desta obra mui digna e necessária. Bem-aventurado os que na mocidade começam a proclamar o nome do Senhor, e não cessam até que a última hora traga a última palavra para o Mestre divino.

19 *Também a tua justiça, ó Deus, está muito alta, pois fizeste grandes coisas; ó Deus, quem é semelhante a ti?*
20 *Tu, que me tens feito ver muitos males e angústias, me darás ainda a vida e me tirarás dos abismos da terra.*
21 *Aumentarás a minha grandeza e de novo me consolarás.*

19. *"Também a tua justiça, ó Deus, está muito alta."* São muito sublimes, insondáveis, exaltados e gloriosos o caráter santo de Deus e o seu modo de tornar os homens justos. O seu plano de justiça levanta os homens das portas do inferno para as mansões do céu. É um evangelho de alta doutrina, dá altas experiências, conduz a altas práticas e termina em alta felicidade.

"Pois fizeste grandes coisas." As façanhas dos outros são mero brinquedo de criança em comparação com as tuas, não sendo dignas de serem mencionadas na mesma faixa etária. Criação, providência e redenção são obras inigualáveis e nada

pode se comparar com elas. "Ó Deus, quem é semelhante a ti?" Como as tuas obras são tão transcendentes, assim tu és. Não há quem seja igual a ti ou nem mesmo parecido. As tuas obras e, sobretudo, os teus planos de justificar os pecadores pela justiça que tu proveste não têm iguais ou que sejam parecidas. A adoração é um estado de espírito adequado para o crente. Quando se aproxima de Deus, ele entra em uma região onde tudo é infinitamente sublime. Milagres de amor abundam por todos os lados, e maravilhas de justiça e graça misturam-se. Quem viaja pelos altos Alpes sente-se assombrosamente impressionado por estar entre sublimidades surpreendentes. Muito mais quando inspecionamos as alturas e profundidades da misericórdia e santidade do Senhor: "Ó Deus, quem é semelhante a ti?"

20. *"Tu, que me tens feito ver muitos males e angústias, me darás ainda a vida."* Esta é a conclusão da fé sobre a grandeza infinita do Senhor. Ele foi forte para atacar; também será forte para salvar. Mostrou-me muitas provações pesadas e severas; também me mostrará muitas e preciosas misericórdias. Quase me matou; também me reavivará. Embora eu estivesse quase morto e enterrado, ele me dará uma ressurreição, "e me tirarás dos abismos da terra". Por mais fundo que o Senhor nos permita descer, ele fixa um limite para a descida e, no devido tempo, nos leva para cima outra vez. Mesmo quando formos abaixados à sepultura, a misericórdia é que não desceremos mais do que isso, mas voltaremos pelo mesmo caminho e subiremos a regiões melhores. Tudo isso, porque o Senhor é sempre poderoso para salvar. Um Deus pequeno nos desapontaria, mas não o onipotente Jeová. É seguro confiar nele, visto que ele sustenta as colunas do céu e da terra.

21. *"Aumentarás a minha grandeza."* Como rei, Davi cresceu em influência e poder. Deus fez grandes coisas para ele e por ele, e esta é toda a grandeza que os crentes desejam. Podemos ter fé em Deus, como estas palavras patenteiam.

"E de novo me consolarás." Como fomos rodeados por aflições, assim seremos rodeados por consolações. De cima e de todos os lados, a luz virá para dispersar a nossa antiga escuridão. A mudança será, realmente, grande, quando o Senhor voltar para nos consolar.

22 *Também eu te louvarei com o saltério, bem como à tua verdade, ó meu Deus; cantar-te-ei com a harpa, ó Santo de Israel.*

23 *Os meus lábios exultarão quando eu te cantar, assim como a minha alma que tu remiste.*

24 *A minha língua falará da tua justiça todo o dia; pois estão confundidos e envergonhados aqueles que procuram o meu mal.*

Este é o voto final de louvor.

22. *"Também eu te louvarei com o saltério."* Amor tão maravilhoso requer o mais doce louvor. Davi daria a sua melhor música, vocal e instrumental, para o Melhor dos Mestres. A harpa não ficaria calada, nem a voz.

"Bem como à tua verdade, ó meu Deus." Este sempre é um atributo muito fascinante, qual seja, a verdade ou fidelidade do Deus da aliança. Neste descansamos e deste extraímos correntes das mais ricas consolações. As suas promessas são certas, o seu amor imutável, a sua veracidade indisputável. Que santo não o louvará quando se lembra disto?

"Cantar-te-ei com a harpa, ó Santo de Israel." Este é um nome novo e, por assim dizer, um novo cântico. O Santo de Israel é um nome ao mesmo tempo sublime e afetuoso, cheio de ensino. Determinemos, por todos os meios em nosso poder, honrá-lo.

23. *"Os meus lábios exultarão quando eu te cantar."* Não me será um enfado louvá-lo. Será uma recreação prazerosa, um consolo agradável, uma alegria deliciosa. A essência do cântico jaz na alegria santa do cantor.

"Assim como a minha alma que tu remiste." A canção da alma é a alma da canção. Até que sejam redimidos, os homens são como instrumentos desafinados. Mas assim que o sangue precioso os liberta, estão aptos para glorificar ao Senhor que

os comprou. O nosso ser comprado por preço é razão mais do que suficiente para nos dedicar a cultuar intensamente o Deus, nosso Salvador.

24. *"A minha língua falará da tua justiça todo o dia."* Falarei comigo e contigo, meu Deus, e com os meus semelhantes. O meu tema será o teu modo de justificar os pecadores, a manifestação gloriosa da tua justiça e graça em teu Filho querido. Este assunto muito estimulante e nunca exaustivo sempre estará comigo, do nascer ao pôr do sol. Os outros falam dos seus amados e queridos, então eles terão de ouvir falar do meu. Serei um falador incessante, enquanto este tema estiver em meu coração, pois em todas as conversas este assunto estará em voga.

"Pois estão confundidos e envergonhados aqueles que procuram o meu mal." Como em muitos outros salmos, as estrofes finais falam como fato realizado o que nos versículos anteriores só foi pedido. A fé crê que tem o que pede e ela o tem. Ela é a substância das coisas esperadas — a substância tão real e tangível, que põe imediatamente a alma feliz a cantar. O pecado, Satanás e o mundo já estão derrotados e a vitória é nossa.

O pecado, Satanás, a morte parecem
Atormentar e horrorizar
Mas visto que o Senhor gracioso está perto
Para trás irão e cairão

Nós os enfrentaremos cara a cara
Pela vitória bendita de Jesus
Marcharemos no triunfo da sua graça
Para a frente vamos ao nosso descanso

NOTAS EXPLICATIVAS E DECLARAÇÕES IMPORTANTES

O Salmo: Este salmo, que no hebraico não tem título, na Septuaginta recebe este título: "Por Davi, dos filhos de Jonadabe e dos que primeiro foram feitos prisioneiros". Se há alguma autoridade neste título, temos de propor que este foi um salmo escrito particularmente por Davi, que foi usado, quando adaptado às circunstâncias da sua condição, pelos recabitas que descenderam de Jonadabe (Jr 35.1-19) e pelos judeus que foram levados pelos caldeus como cativos para a Babilônia. Seja como for, parece provável que Davi foi o autor deste salmo, e que ele o escreveu em avançada idade, pouco tempo antes de morrer. A linha de argumentação, que continua no salmo seguinte e encerra o Livro II, talvez tenha referência a este fato. Alguns pais interpretam o salmo misticamente em relação à igreja na sua maturidade e tribulações nos fins dos tempos. — Extraído de *"A Plain Commentary on the Book of Psalms" [Um Comentário Simples sobre o Livro dos Salmos]*

O Salmo: Estou ciente de que o salmo é anônimo, por cuja razão muitos críticos recentes o referem a algum escritor posterior ao tempo de Davi. Mas estou satisfeito com os argumentos suficientes aduzidos por Hermann Venema e E. W. Hengstenberg para reter a opinião de Calvino e expositores mais antigos de que o autor é Davi e é o cântico melancólico da sua velhice. Mostra-nos a alma do velho santo, pela recordação da grande transgressão cometida e pela multidão de problemas que esse pecado lhe encheu todos os demais anos da vida. Contudo, ele acha consolo em retornar aos dias felizes da infância, sobretudo, à confiança irrevogável que lhe foi permitido ter em Deus. Os pensamentos e sentimentos expressos lembram os que investem de interesse solene e afetuoso a Segunda Epístola a Timóteo, que embalsama os pensamentos moribundos do grande apóstolo. Como Paulo, Davi faz um retrospectiva dos procedimentos de Deus para com ele desde o princípio. Na verdade, declara com o apóstolo em seus últimos dias de vida: "Não me envergonho, porque eu sei em quem tenho crido e estou certo de que é poderoso para guardar o meu depósito até àquele

Dia" (2 Tm 1.12). Há apenas esta diferença extraordinária entre os dois, pois enquanto Paulo reuniu confirmação da sua fé pela experiência de trinta anos andando com o seu Senhor, a experiência de Davi estendeu-se por mais de duas vezes tantos de anos. Começou já na infância. — *William Binnie*

O Salmo: Alguém perguntará como Jesus poderia usar as palavras dos versículos 9 e 18, visto que tratam da fragilidade da idade avançada. A resposta a esta dificuldade é que ele usa as expressões em solidariedade aos seus seguidores, e, no seu caso, denota o estado equivalente à velhice. A sua velhice ocorreu antes que tivesse alcançado trinta e três anos, como João 8.57 dá a entender, pois homens estropiados envelhecem rápido demais. Pelo visto, John Barclay (1734-1798) dá o sentido certo nas seguintes palavras:

Envelhecido e fraco, com dor e aflição
Antes que a metade dos anos estivesse completada

Além disso, as palavras dos versículos citados significam: "Não me abandones de agora em diante, mesmo que eu viva até os meus cabelos ficarem brancos". Esta é uma opinião que transmite consolação preciosa aos idosos, que podem estar inclinados a dizer que Jesus não entendia suficientemente os sentimentos deles, pois nunca experimentou a decepcionante fraqueza da idade, a debilidade, a caducidade, as enfermidades físicas que tanto tentam o espírito. Mas este salmo nos mostra que ele passou por essa fase da nossa peregrinação, gastou-se e consumiu-se em sua constituição física e sentimentos, vivendo tanto em tão curto tempo. Os membros idosos da igreja acham a doce compreensão de Jesus exalada em Isaías 46.3,4. Aqui eles quase o veem aprendendo a lição de modo humano, quando ele se curva sob o peso das nossas fragilidades. Por esta e outras razões, este salmo era especialmente estimado por Robert Blair, um dos nossos antepassados piedosos. Ele o chamava de "seu salmo". — *Andrew A. Bonar*

v. 1: "Em ti, SENHOR, confio; nunca seja eu confundido". É como se ele dissesse: Ó Senhor, não permitas que os que põem a confiança em ti sejam confundidos e considerados motivo de riso. Pus toda a minha esperança em ti, e tu és o Deus que, por causa da tua bondade e verdade, nunca desamparas os que esperam em ti. Se tu deixares que eu seja confundido, os inimigos triunfem e a minha esperança seja colocada em vão em ti, certamente esta vergonha recairá no teu próprio nome. [...] Aprendamos com este texto a sermos mais cuidadosos quanto ao que pode acontecer com o nome de Deus através de nós, do que com o nosso nome, quer pelo que façamos ou deixamos de fazer. A atitude receosa do profeta visa assegurar que ele não seja confundido por causa da esperança posta em Deus, embora isso não estivesse no seu poder, nem ele pudesse evitá-lo. [...] É necessário, primeiro, que sejamos dos que esperam em Deus, e, depois, que esta devoção do nosso coração não seja limitada a nós mesmos, mas seja conhecida a todos os que entram em contato conosco, até mesmo pelos nossos oponentes e inimigos. De outra forma, não nos é possível temer este tipo de confusão temido pelo profeta, quando ninguém sabe que a nossa esperança foi posta em Deus. Nenhum artista fica confundido, se nunca compartilha a boa opinião com os seus semelhantes. A nenhum doente podemos dizer: "Médico, cura-te a ti mesmo" (Lc 4.23), se a reputação em termos de habilidade médica nunca foi alta. Também não podemos dizer: "Eles esperaram em Deus. Então, que ele os salve se quiser", se acerca dos quais nunca se soube que puseram a esperança em Deus. Portanto, este cuidado só pertence àqueles cuja esperança está no Senhor. Sobre os demais tal cuidado inexiste. — *Wolfgang Musculus*

v. 1: "Em ti, SENHOR, confio". É um bom começo e uma recomendação às nossas orações, quando podemos declarar que a nossa fé e a nossa confiança estão somente em Deus. — *Edward Walter, "A Help to the Profitable Reading of the Psalms" [Uma Ajuda à Leitura Proveitosa dos Salmos], 1854 v. 2:* "Livra-me na tua justiça" e "inclina os teus ouvidos". Seja a minha libertação fruto da tua promessa e da minha oração, pois assim será muito mais doce. — *John Trapp*

v. 2: "Na tua justiça". Neste texto, a justiça de Deus é a virtude pela qual ele cumpre as promessas — vinga os danos e recompensa a devoção —, a qual em outros textos é chamada de veracidade. Fundamentado nesta perfeição, Davi clama, não porque fosse inocente diante de Deus, mas porque Deus se comprometera com ele pelas promessas, como se ele fosse, na presença dos homens que o perseguiam, inocente e justo. É, então, digno de ser livrado desta calamidade última e terrível na qual ele caíra por Absalão, visto que Deus assim agira para com ele. — *Hermann Venema*

v. 2: "Tua justiça", não a minha. Ele sabia que estava sendo castigado pelo pecado cometido contra Urias. Não pleiteia mérito próprio. — *Simon de Muis*

v. 2: "Inclina os teus ouvidos para mim". Tendo em vista que estou tão ferido que não posso enviar a ti, ó Altíssimo, o meu clamor, "inclina os teus ouvidos para mim", porquanto jazo meio-morto, deixado pelos ladrões que me feriram e me saquearam. — *Reicherspergensis Praepositus Gerhohus*

v. 3: "À qual possa recorrer continuamente". Desejava ele, então, sempre se refugiar nele? As nossas necessidades, o nosso trabalho, o nosso perigo exigem que tomemos esse procedimento constantemente. Somos ordenados a orar sem cessar. E se, ainda que admitamos e sintamos a obrigação, somos renovados no espírito da nossa mente, não o lamentamos. Amando-o, como também dependendo dele, acharemos bom nos aproximar de Deus e nos deleitar no Todo-poderoso. Nunca o acharemos inacessível, quando o quisermos. Há um caminho para a nossa "habitação forte" e conhecemos o caminho. Há uma porta e temos a chave. Não há sentinela que nos detenha. A habitação é nossa, e quem ousa nos proibir o acesso a todos os alojamentos e dependências? Os reis, por mais que se disponham, nem sempre são acessíveis. Devido à numerosidade de direitos, à limitação de poderes e à importância da manutenção do senso de dignidade, eles só são acessíveis a determinados tempos e mediante formalidades imponentes. Mas o Rei dos reis nos permite ir com ousadia ao trono da graça. Ele nos ordena que, em todas as coisas, pela oração e súplica, façamos os nossos pedidos a ele. Jamais seremos inoportunos ou a nossa ida ininterrupta o cansará. — *William Jay*

v. 3: "Deste um mandamento que me salva". Examinemos as palavras. Ele atribui à palavra e mandamento de Deus uma virtude salvadora, à qual nenhum poder na terra, ninguém no inferno, nem a própria morte pode resistir. Somente, diz ele, dá o mandamento para que eu seja salvo, e, em um momento, serei completamente salvo. — *Wolfgang Musculus*

v. 4: O "homem [...] cruel" é, literalmente, o homem fermentado, fermentado de ódio contra a verdade e de inimizade a Deus. É opositor violento ao povo de Deus. Primeira Coríntios 5.8 nos adverte contra "o fermento da maldade e da malícia", que, conforme a figura, penetra no caráter natural do não descrente, contaminando-lhe tudo, até as faculdades e emoções. — *W. Wilson*

v. 5: "Tu és a minha esperança". Não só é a nossa esperança *nele*, mas *ele mesmo* é a nossa esperança. "De Deus, nosso Salvador, e do Senhor Jesus Cristo", diz Paulo, "esperança nossa" (1 Tm 1.1). Há uma profundidade mais funda e mais próxima: "As riquezas da glória deste mistério", diz o apóstolo, "é Cristo em vós, esperança da glória" (Cl 1.27). O próprio Cristo é a nossa esperança, como o seu único Autor. Cristo é a nossa esperança, como o seu consumador. Cristo, que é o começo e o fim, é também a nossa esperança durante o caminho entre ambos, porque ele disse: "Cristo em vós, esperança da glória". Cada anseio do nosso coração, cada raio de esperança que vislumbra em nós, cada toque que vibra por nós, cada voz que sussurra no nosso coração interior as coisas boas colocadas em depósito para nós, se amarmos a Deus, são a luz de Cristo que nos ilumina, o toque de Cristo que nos levanta para a nova vida, a voz de Cristo: "O que vem a mim de maneira nenhuma o lançarei fora" (Jo

6.37). É Cristo em nós, a esperança da glória, atraindo-nos, pelo seu Espírito que habita em nós, a ele, a nossa esperança. A nossa esperança não é a glória do céu, nem a alegria, nem a paz, nem o descanso da labuta, nem a satisfação dos desejos, nem o doce contentamento da alma, nem o entendimento de todos os mistérios e de todo o conhecimento, nem ainda uma única torrente de delícia, mas é Cristo, nosso Deus, a esperança da glória. Nada que Deus possa criar é o que esperamos. Nada que Deus possa nos dar dele mesmo, nem glória, nem bênção, nem beleza, nem majestade, nem riqueza. O que esperamos é o próprio Deus Redentor, o seu amor, a sua bênção, a alegria do próprio Senhor que tanto nos amou para ser a nossa alegria e a nossa porção eternamente. — *Edward Bouverie Pusey, 1800-1882*

v. 5: "Desde a minha mocidade". Lembrar e confessar a Deus na juventude serão a grande satisfação na velhice. Ó que alegria haverá em consequência da devoção vivida na juventude! Até Sêneca, um pagão, disse: "A juventude bem vivida é o maior consolo da velhice". Davi podia lutar confiantemente com Deus em oração para ser livre da mão do ímpio: "Pois", disse ele, "tu és a minha esperança, Senhor Deus; tu és a minha confiança desde a minha mocidade. Não me rejeites no tempo da velhice; não me desampares, quando se for acabando a minha força" (vv. 5 e 9; ver também vv. 17 e 18). Um senhor inventivo não virará um escravo caduco. Quando o procônsul propôs que Policarpo negasse a Cristo e jurasse lealdade ao imperador, ele respondeu: "Servi a Cristo por oitenta e seis anos, e ele nunca me prejudicou uma vez sequer, e agora o negarei?" Jacó disse: "Deus me sustentou durante a minha vida até este dia. Ele tem sido bom comigo em todos os meus dias e confio que ele cuidará de mim até o fim, e agora lhe darei as costas?" (cf. Gn 48.15). Onde arranjarei um senhor como esse? Só "tu tens as palavras da vida eterna" (Jo 6.68). Aquele que foi o sustento da minha mocidade, será o esteio da minha velhice. Ouso arriscar a minha alma na sua promessa, pois até aqui ele, pela sua providência, tem cuidado de mim. "Como era nos dias da minha mocidade, quando o segredo de Deus estava sobre a minha tenda. Quando fazia resplandecer a sua candeia sobre a minha cabeça, e eu, com a sua luz, caminhava pelas trevas" (Jó 29.4,3). *Ainda que agora "se escureçam o sol, e a luz, e a lua, e as estrelas" neste meu horizonte natural, "o Senhor é a minha luz e a minha salvação; a quem temerei?" De fato, "ainda que eu andasse pelo vale da sombra da morte, não temeria mal algum, porque tu estás comigo; a tua vara e o teu cajado me consolam" (Ec 12.2; Sl 27.1; 23.4). Tenho inumeráveis experiências da sua graça e presença. Oh, os dias da misericórdia que tive muitos anos atrás! Um bom homem disse: "O que consegui na mocidade nem pelo mundo intero conseguirei agora". — *Oliver Heywood, 1629-1702*

v. 6: "Por ti tenho sido sustentado desde o ventre; tu és aquele que me tiraste do ventre de minha mãe; o meu louvor será para ti constantemente". O salmista não reconhece, como a maioria dos homens, a mão de Deus só quando, de maneira extraordinária, torna-se evidente na vida, pois os seus olhos da fé consideram as obras comuns de Deus como milagres. Para ele, a sua transferência do ventre da mãe para a luz do dia é um tema de louvor (Sl 22.9,10). E não é um milagre a conservação do embrião em seus limites estreitos? Não é sinal — simultâneo ao crescimento do homem à existência — de nossa experiência após a vida que temos um Deus que nos tira da morte para a luz? (cf. Sl 68.20). A razão de acharmos tão pouco para louvar não está no fato de não termos olhos para os milagres diários de Deus? O salmista tem olhos para os milagres diários do Senhor. Por isso, a sua boca está cheia diariamente dos louvores do Senhor. — *Augustus F. Tholuck*

v. 6: "Por ti tenho sido sustentado desde o ventre; tu és aquele que me tiraste do ventre de minha mãe; o meu louvor será para ti constantemente". Bendito seja Deus por eu ter nascido. — *Thomas Halyburton, 1674-1712*

---

* **N. do T.:** A sequência dos versículos citados foi originalmente trocada pelo comentarista.

v. 6: "Por ti tenho sido sustentado desde o ventre; tu és aquele que me tiraste do ventre de minha mãe; o meu louvor será para ti constantemente". Este versículo corresponde ao precedente, a não ser pelo fato de Davi ir mais longe. Ele não só celebra a bondade de Deus experimentada desde a infância, mas também as provas dessa bondade, as quais ele previamente recebera ao nascer. Uma confissão quase semelhante consta no Salmo 22.9,10, onde ele glorifica o poder maravilhoso e a bondade inestimável de Deus na geração dos homens, cujo modo de proceder seria completamente incrível, não fosse o fato de estarmos bastante familiarizados com isso. Se ficamos admirados com a parte da história do dilúvio em que Moisés declara que Noé e a sua casa viveram dez meses entre o incômodo ofensivo produzido por tantas criaturas vivas, quando ele não podia inalar o fôlego de vida (Gn 7.13), não temos razão igual para nos admirar que a criança, fechada no útero da mãe, possa viver em uma condição que sufocaria o homem mais forte em meia hora? Vemos assim que damos pouca importância aos milagres que Deus faz por estarmos acostumados com eles. O Espírito tem razão em reprovar esta ingratidão, recomendando à nossa consideração este exemplo memorável da graça de Deus mostrada em nosso nascimento e geração. Quando nascemos no mundo, embora a mãe exerça a sua função e a parteira possa estar presente, além de muitas outras pessoas que prestem ajudas variadas, não fosse Deus, por assim dizer, ter posto a mão debaixo de nós e nos recebido no seu seio, o que seria de nós? Que esperança haveria da continuação da nossa vida? De fato, não fosse por isso, o nosso próprio nascimento seria uma entrada para mil mortes. Portanto, Deus está absolutamente certo quando diz que nos tirou do ventre da nossa mãe. A isto corresponde a parte final do versículo: "O meu louvor será para ti constantemente", com o que o salmista quer dizer que ele fora suprido abundantemente de assunto para louvar a Deus sem interrupção. — *João Calvino*

v. 7: "Sou como um prodígio para muitos". A palavra hebraica traduzida por "prodígio" seria, talvez, mais bem expressa por "portento". Denota qualquer coisa incomum e maravilhosa, e admite um significado duplo. Certos intérpretes são de opinião de que aqui toma o sentido mais favorável, e que o salmista se descreve como alguém que foi considerado por muitos como um prodígio da bondade de Deus. Mas o caráter do salmo é contra este significado, que não é mal expresso por Green: "Eu me tornei alvo de olhares pasmados para a multidão". — *Alexander Geddes, 1737-1802*

v. 7: "Sou como um prodígio para muitos, mas tu és o meu refúgio forte". Por vários motivos, o convertido pode ser objeto de surpresa entre os contemporâneos. Pode surgir da circunstância da conversão, datada do período tardio da vida, quando a longa continuação em estado de impenitência torna quase certo que ele persista nisso até ao fim. É uma maravilha ver o curso do ser humano ser completamente alterado em um período tardio da vida e observá-lo mover-se para uma direção totalmente diferente, influenciado por princípios diferentes. Ou, tomando o exemplo de outro convertido, o caráter que ele mostra fundamentado na grande mudança está em contraste tão nítido e continuado aos antigos hábitos de vida, a ponto de tornar difícil reconhecer no cristão de hoje o pecador de ontem: "Está também Saul entre os profetas?" (1 Sm 10.11). Ou, em mais um exemplo, os meios divinamente empregados para efetuar a conversão são, ao que parece, tão desproporcionais à magnitude do resultado a ponto de colocar o próprio resultado sob suspeita e dúvida. Todo homem piedoso, como o velho Ananias, pode hesitar em aceitar relacionar-se com o perseguidor ou o libertino de notoriedade infeliz, exceto ao discernir claramente que ele se tornou uma nova criatura em Cristo Jesus e que os velhos hábitos acabaram. Ao mesmo tempo, os antigos amigos não crentes sentem-se humilhados por terem sido renunciados como companheiros e são suficientemente maldosos para espalhar falsos relatos concernentes ao seu caráter e motivos. "Acham estranho", diz o apóstolo, "não correrdes com eles no mesmo desenfreamento de dissolução, blasfemando de vós" (1 Pe 4.4). Contudo, para tal convertido, o seu Deus é um sol e escudo — um escudo contra os dardos da difamação cruel e um refúgio contra todas as tempestades da perseguição. Em todos os casos semelhantes, a linguagem do salmista fica particularmente apropriada: "Sou como um prodígio para muitos, mas tu és o meu refúgio forte". — *John Leifchild, 1860*

v. 7: "Um prodígio". O Messias não atraiu o olhar admirado da humanidade. Ele prendeu a atenção, provocou surpresa, mas não era surpresa de admiração. Alguns, cujos olhos Deus abrira, viram realmente em certa medida que havia verdadeira grandeza em meio a toda essa maldade aparente. Eles viram "a sua glória, como a glória do Unigênito do Pai, cheio de graça e de verdade" (Jo 1.14), uma glória que turvou todo o brilho da criação. Mas a grande maioria dos que o viram ficou estupefato com ele. A aparência, sobretudo quando contrastada com a reivindicação ao messiado, os chocou. O camponês galileu, o carpinteiro nazareno, o filho de José, sustentando que Deus era o seu Pai, declarando-se "o pão da vida" e "a luz do mundo", e afirmando que os destinos da eternidade dependiam de receber ou rejeitar a ele e à sua mensagem, provocou no seio da grande maioria dos compatriotas uma emoção que era mistura de assombro e indignação com desprezo e horror. Ele era "um prodígio", uma maravilha para muitos.

Uma mescla de piedade e desprezo com desgosto e maravilha emocionou o seio duro do governador romano, quando ele o trouxe para fora usando a veste de falsa realeza e a coroa torturante e exclamou: "Eis aqui o homem" (Jo 19.4,5). Até os seus amigos ficaram confusos, embora essa surpresa fosse de caráter diferente. A cena final, ainda que nos pareça ter sido claramente prevista, atingiu-os como um raio. Foram dominados pelo assombro, como também pela tristeza. Que surpresa estupefata assentou-se no semblante deles quando ele anunciou: "Em verdade vos digo que um de vós me há de trair" (Mt 26.21). Como o espanto deve ter aumentado nas cenas sucessivas do jardim do Getsêmani, do palácio do sumo sacerdote e do tribunal de Pilatos até que, por fim, o viram, em quem esperavam que remisse Israel (Lc 24.21), pregado a uma cruz como um escravo criminoso e perverso — execrado pelo homem e desamparado por Deus! Então, o assombro atingiu o ápice: eles ficaram surpresos com ele. — *John Brown, "The Sufferings and Glories of the Messiah" [Os Sofrimentos e Glórias do Messia], 1853*

v. 8: "Encha-se a minha boca do teu louvor". Encha-se a minha boca tanto do teu louvor, que do fundo do coração até aos lábios da minha boca — tendo a plenitude da tua graça, ó Deus, infundida no meu coração e difundida pelos meus lábios —, eu te glorifique lealmente. Assim não serei como as pessoas sobre quem tu disseste: "Este povo se aproxima de mim e, com a boca e com os lábios, me honra, mas o seu coração se afasta para longe de mim," (Is 29.13). — *Reicherspergensis Praepositus Gerhohus*

v. 9: "Não me rejeites no tempo da velhice; não me desampares, quando se for acabando a minha força", pois é agora que mais preciso de ti. A rosa branca logo apodrece, assim a cabeça branca logo entra em decomposição. *Saepe nigrum cor est, caput album.* Satanás rapina o velho Salomão, Asa, Ló e outros, os quais, quando jovens, ele nunca conseguiu enganar a esse ponto.

Os pagãos fazem bem em nos advertir a cuidar da idade avançada, visto que ela não vem só, mas é infestada por muitas doenças tanto do corpo quanto da mente. Davi sabia disso e, então, orou como está aqui: "Não me rejeites no tempo da velhice; não me desampares, quando se for acabando a minha força". Ele é um raro homem velho que pode dizer como Calebe disse: "E, agora, eis que o SENHOR me conservou em vida" (Js 14.10,14). — *John Trapp*

v. 9: "Não me rejeites no tempo da velhice; não me desampares, quando se for acabando a minha força". Não é antinatural ou impróprio para o homem, que vê a velhice sobrevindo-lhe, orar por graça especial e força especial, a fim de que seja capacitado a enfrentar o que ele não pode evitar e o que ele não pode deixar de temer. Logo, quem pode olhar as enfermidades da velhice vindo sobre ele senão com sentimentos tristes e reflexivos? Quem deseja ser velho? Quem pode olhar uma pessoa andando a passos miúdos pelos muitos anos vividos, tendo o corpo desgastado pelas enfermidades, um homem cuja visão e audição acabaram, um homem que está sozinho entre as sepulturas de todos os amigos que teve na juventude, um homem que é um fardo para si mesmo e para o mundo, um homem que alcançou, como disse Shakespeare, a "Última cena de todas que termina a história estranha e significativa", a cena da

Segunda infantilidade e mero olvido
Sem dentes, sem olhos, sem paladar, sem nada

A cena, quando a pessoa pode dizer:

Vivi bastante; o meu modo de vida
Virou uma folha seca e amarela
E aquilo que deveria acompanhar a velhice
Como a honra, o amor, a obediência, multidões de amigos
Não devo procurar ter

Quem pode pensar tudo isso e não orar por graça especial para si, a fim de viver até esses dias de fraqueza e enfermidade? E quem, em vista de tais fraquezas, não vê como é adequado buscar o favor de Deus tido nos anos da mocidade? — *Albert Barnes*

v. 9: "Não me rejeites no tempo da velhice; não me desampares, quando se for acabando a minha força". Davi, ciente das ações nobres que pela assistência de Deus ele realizara na mocidade, pede-lhe que não abandone o seu servo agora, na velhice, quando é perseguido por um filho rebelde. As fraquezas e dificuldades peculiares a essa etapa da vida tornam necessária que esta petição seja feita por todos nós, antes que sejamos colhidos por ela. A igreja tem muitos motivos para fazer o mesmo, agora que ela está avançada em anos, quando a fé definha, o amor esfria e as enfermidades da velhice espiritual estão se instalando rapidamente. — *George Horne*

v. 9: "Não me rejeites". Deus rejeitara o antecessor, Saul, e as coisas mostravam-lhe que ele pretendia rejeitá-lo agora. O seu povo também parecia disposto, pela associação com Absalão, a rejeitá-lo. Daí, a força da petição. — *Andrew Fuller*

v. 9: "Não me desampares, quando se for acabando a minha força". Cristo também não abandona a igreja nos últimos dias da sua idade, quando a fraqueza da fé fica mais prevalecente. — *W. Wilson*

v. 9: "Não me desampares, quando se for acabando a minha força". 28 de junho. Faço, nesta data, oitenta e seis anos e constato que envelheci: (1) A visão diminuiu, de forma que não posso ler letras pequenas, a menos sob luz forte. (2) A força enfraqueceu, de forma que caminho muito mais lentamente do que há alguns anos. (3) A memória de nomes de pessoas ou de lugares se apagou. Tenho de parar um pouco para lembrar. Do que devo ter medo é, se eu me afligir pelo amanhã, que o meu corpo sobrecarregue a minha mente e crie ou teimosia, pela diminuição do entendimento, ou rabugice, pelo aumento das enfermidades físicas. Mas tu responderás por mim, Senhor meu Deus. — *John Wesley*

v. 11: Todos os tipos de sofrimento são ofensivos ao pior dos maus juízos de mentes malévolas. Os sofrimentos de Cristo produziram esta zombaria censuradora: "Confiou em Deus; livre-o agora, se o ama" (Mt 27.43). Os problemas de Davi levaram os adversários a concluir: "Deus o desamparou; persegui-o e prendei-o, pois não há quem o livre" (v. 11). Mas em dificuldades desta natureza, nas quais há especialmente reclamações assustadoras contra elas, os homens são mais inclinados a ser categóricos nos julgamentos descaridosos relativo a elas, porque a dificuldade em si é um tanto quanto rara e propensa a gerar impressões horrorosas. Além disso, a vazão que as partes afligidas dão pela lamentação do seu estado, na esperança de ter alívio, é considerada apenas como testemunho contra eles e ecos incontestáveis dos seus verdadeiros sentimentos. — *Richard Gilpin, 1625-1700, "Daemonologia Sacra"* ou *"A Treatise of Satan's Temptations" [Um Tratado sobre as Tentações de Satanás]. [In: Nichol's Series of Puritan Divines [Nichol, Série de Teólogos Puritanos].*

v. 13: "Sejam confundidos e consumidos os que são adversários da minha alma; cubram-se de opróbrio e de confusão aqueles que procuram o meu mal". Aqueles que eram tão maus que nunca esperaram qualquer coisa boa de mim, sejam confundidos pela evidência das bênçãos que manifestadamente caem sobre mim. Consumam-se, sendo-lhes tiradas as razões dos maus-tratos que fazem, como uma fogueira se apaga quando a lenha é tirada. — *Reicherspergensis Praepositus Gerhohus*

v. 13: "Sejam confundidos e consumidos os que são adversários da minha alma; cubram-se de opróbrio e de confusão aqueles que procuram o meu mal". Pela lei da retaliação (*talio*), ele poderia ter dito: "Sejas tu um adversário contra a alma deles e procura feri-los". Mas não há o menor indício disso: o seu único desejo é que eles sejam confundidos e consumidos para que sejam cobertos de desgraça e vergonha. Ele não busca nada além da frustração das tentativas dos adversários a fim de que eles sejam envergonhados e não tenham motivo para ostentar que eles se saíram vitoriosos. — *Wolfgang Musculus*

v. 13: "Sejam confundidos" ("sejam envergonhados", ARA). A vergonha surge de decepções totais. Se a esperança demorada causa vergonha, então muito mais a esperança destruída (cf. Pv 13.12). Quando o homem vê as esperanças totalmente acabadas, de forma que já não alcança de modo algum a coisa à qual ele buscava, a vergonha toma conta dele fortemente. — *Joseph Caryl*

v. 13: "Os que são adversários da minha alma". Os que o odiavam com ódio diabólico, como o diabo odeia a alma dos homens e tem o nome *satanás* derivado da palavra hebraica aqui usada. Todos os homens maus são *satanás*, cheios de inimizade contra Deus e todos os homens bons. Eram assim os inimigos de Davi, rancorosos e maldosos, nada satisfazendo-lhes senão a vida dele. — *John Gill*

v. 14: "Mas eu esperarei continuamente". Eis que, ó Senhor, eu oro a ti e sou consolado. Foi o que a esperança me ensinou. Estou alegre, porque em ti confiei, nunca serei confundido. O Problema voltou, equipado com esplendoroso arranjo militar, fortalecido em todos os pontos com espadas e lanças, e com grande clamor sitiou a minha cidade. O estrondo dos cavaleiros me terrificou e, parando diante dos portões, o problema comandou silêncio para falar ruidosamente: "Vejam o homem que confiou em Deus, e que disse: 'Não serei confundido para sempre', e que tomou a esperança por consolação". Quando observou que ruborizei com estas palavras, aproximou-se mais e disse: "Onde estão as promessas que eram a tua confiança? Onde está a consolação? Onde está a libertação? De que te serviram as tuas lágrimas? Que ajuda as tuas orações te trouxeram do céu? Tu clamaste e ninguém respondeu. Tu choraste e quem ficou comovido com compaixão por ti? Tu invocaste a Deus e ele ficou calado. Tu oraste a ele e ele se escondeu de ti. Não veio voz nem som. [...] Levanta-te e corre para buscar ajuda do homem, para que ele te liberte da prisão". Com estas palavras, surgiu tamanho estrondo de armas no acampamento, tamanho alarido de homens e tamanho toque de trombetas que quase desanimei. Não fosse a minha Esperança amada ter me trazido ajuda, o Problema teria me agarrado e me levado em cadeias para o seu lugar. A Esperança veio para mim, radiante de brilho celeste e, sorrindo, disse: "Soldado de Cristo, como está o teu coração? O que é esta luta em tua mente?" Com estas palavras, fiquei envergonhado. "Não temas", disse ela, "o mal não te capturará. Tu nunca perecerás. Eis que estou contigo para te livrar. Não esqueças o que está escrito no Salmo 14.1: 'Disseram os néscios no seu coração: Não há Deus'. Como um desses néscios o Problema falou. Jamais ele poderá te convencer de que não há Deus, ou que Deus não exerce providência em todas as coisas". — *Girolamo Savonarola*, 1452-1498

v. 14: "Mas eu esperarei continuamente e te louvarei cada vez mais", literalmente, "contribuirei", "aumentarei", "acumularei", "adicionarei a todos os teus louvores". A todos os louvores que até agora proferi para ti, continuarei adicionando outros ainda. — *Joseph Addison Alexander*

v. 14: "Eu esperarei continuamente". Mas o que ele esperava? Ele esperava aquilo pelo que orou no versículo 9, ou seja, a conservação da prosperidade, a presença e ajuda de Deus até ao próprio fim da vida. Por isso, adiciona "continuamente", ou seja, perpetuamente, no tempo da velhice — *usque ad mortem*. — *Hermann Venema*

v. 14: "Mas eu esperarei continuamente e te louvarei cada vez mais". Como não há fim para a benignidade do Senhor, assim não deve haver fim para a nossa gratidão. A esperança do cristão o capacita a ser grato, até mesmo durante os tempos sombrios da aflição. — *Sra. Thomson*

v. 15: A "justiça" de Deus aqui mencionada não só inclui a justiça da sua natureza e a retidão dos seus procedimentos, mas igualmente a justiça eterna que o seu Filho trouxe para a nossa justificação. A justiça e a salvação de Deus estão juntas aqui. Portanto, que o homem nem pense em separá-las ou espere receber a salvação sem a justiça. — *Sra. Thomson*

v. 15: "Posto que não conheça o seu número". Davi começou a usar aritmética no versículo 14 com a soma: "E te louvarei *cada vez mais*", mas foi completamente vencido nesta primeira regra da matemática sacra. O cálculo lhe falha, pois a mera enumeração das misericórdias do Senhor lhe desarmou a mente. Ele reconhece a incapacidade. Calcula ou pelo tempo, ou pelo lugar, ou pelo valor, mas a salvação de Deus desconcerta todas as formas de cômputo. — *C. H. S.*

v. 16: "Sairei". Devemos entender que a palavra *sair* aqui tem o sentido de sair para lutar contra os inimigos. É o que, segundo ele, ele fará, não confiando em si mesmo, mas no poder do Senhor, com o coração inflamado pela lembrança da justiça de Deus. É o que vemos em outro texto: "Uns confiam em carros, e outros, em cavalos, mas nós faremos menção do nome do Senhor, nosso Deus" (Sl 20.7). — *Wolfgang Musculus*

v. 16: "Sairei na força do Senhor". O ministro sai concretizando esta força e dependendo dela. Nesta força, ele sai pelo caminho da comunhão com Deus, pelos campos do conflito, na privacidade da vida doméstica e em todas as andanças da vida ativa. A sua ostentação está na justiça de Cristo. Ele a menciona a Deus, como a razão da confiança, a si mesmo, como a fonte dos consolos, aos outros, como a esperança de salvação. — Parte principal do sermão pregado por *James Sherman*, 1862. Este foi o primeiro sermão que ele pregou depois de instalar-se na Capela de Surrey. Quatro de setembro de 1836.

v. 16: "Sairei na força do Senhor Deus". O poder de Deus é expresso no plural (cf. NVI) para mostrar a sua grandeza, que é como uma guarnição militar para o crente. — *John Gill*

v. 16: "Sairei na força do Senhor Deus". A frase "sairei na [ou com a] força do Senhor Deus", não nos ensina que ele sairia por meio dessa força, através da ajuda e assistência dada, como muitos estudiosos propuseram. Em primeiro lugar, porque a palavra é usada com o sentido dos ilustres e poderosos feitos de Deus. Em segundo lugar, porque denota o tema do louvor. É "sairei com a força do Senhor Deus", como deveria ser a tradução. [...] É sair como que equipado com os feitos poderosos de Deus, como que envolto com eles como a substância do louvor. — *Hermann Venema*

v. 17: "Ensinaste-me, ó Deus, desde a minha mocidade". De onde foi que Davi entendeu "mais [...] do que os velhos"? (Salmo 119.100). Ele teve um Pai para ensiná-lo. Deus era o seu instrutor. Muitos filhos de Deus reclamam de ignorância e estupidez. Lembrem-se: o seu Pai é quem educa vocês. Ele promete dar a vocês o Espírito da verdade, o qual os guiará em toda a verdade (João 16.13). Deus não só instrui o entendimento, mas inclina a vontade. Não só nos ensina o que fazer, mas nos capacita a fazer: "Farei que andeis nos meus estatutos" (Ez 36.27). Que privilégio glorioso é termos a estrela da palavra apontando-nos para Cristo e a magnetita do Espírito tracejando! — *Thomas Watson*

v. 17: "Ensinaste-me, ó Deus, desde a minha mocidade". Se você me perguntar quais foram os modos pelos quais Davi foi ensinado, eu lhe perguntaria quais não foram. [...] Deus o ensinou pelo cajado de pastor e pela vara e cetro de rei. Ele o ensinou pelos gritos da multidão: "Saul feriu os seus milhares, porém Davi, os seus dez milhares" (1 Sm 18.7). Ele o ensinou da mesma maneira, se não mais, pelo desprezo que recebeu na corte dos filisteus. Ele o ensinou pelas flechas de Jônatas apontadas na amizade. Ele o ensinou pela lança de Saul apontada contra a sua vida. Ele o ensinou pela falta de fidelidade de Abiatar e pela falta de fidelidade até mesmo do fiel Joabe. Ele o ensinou pela fidelidade de Abisai e pela fidelidade de Mefibosete. Ele o ensinou, permita-me acrescentar, pela rebelião de Absalão e pelo egoísmo de Adonias. Todos estes foram meios pelos quais o Senhor ensinou o seu servo. Estejamos certos de que estamos sendo ensinados por ele, pois não há nada na nossa vida pelo qual ele não possa nos ensinar: pelos consolos e pelas cruzes, pelas feridas e pelas curas, pelo que ele dá e pelo que ele tira. Ele desensina os seus filhos para poder ensiná-los. Ele mostra a nossa tolice para poder nos tornar sábios. Ele nos tira a vã confiança para poder nos dar força. Ele nos faz saber que não somos nada para ele poder nos mostrar que temos tudo no Senhor — em Jesus, o seu Amado. — *James Harrington Evans*

v. 17: "Ensinaste-me, ó Deus, desde a minha mocidade". A juventude precisa de um mestre que adote a virtude. Sêneca diz: "A virtude é uma coisa difícil para a juventude, pois requer um regente e guia. Os vícios são obtidos sem mestre". Como ele era propenso aos vícios na adolescência e juventude, vemos no Salmo 25.7: "Não te lembres dos pecados da minha mocidade nem das minhas transgressões". Jerônimo, na Epístola a Nepociano, diz: "Como o fogo em lenha verde fica abafado, assim a sabedoria na mocidade, impedida pelas tentações e concupiscências, não mostra o seu brilho, a menos por trabalho duro, aplicação fixa e oração, os incentivos da mocidade são repelidos interiormente". Por conseguinte é que quase todas as nações fornecem professores bons e sábios para os jovens. Entre os espartanos, a pessoa era escolhida pelos magistrados e senadores para ser παιδονόμος, ou seja, "reitor dos meninos". [...] Em Atenas, havia doze homens chamados *sophronistae*, os quais eram eleitos pelo voto de todas as tribos para moderar os modos da mocidade. [...] Deus é o professor dos seus servos. Platão diz: οἰδέν εἶναι θειότερον, ou seja, "não há nada mais divino do que a educação das crianças". Sobre Deus Pai ou sobre a trindade, Ana, a mãe de Samuel, diz: "O SENHOR é o Deus da sabedoria [*Scientiarum*, Vulgata Latina]" (1 Sm 2.3), quer dizer, como consta na versão Caldaica: "Ele sabe de todas as coisas". [...] Sócrates diz que ele é "a mente do universo". Sem ele, então, todos são loucos. Mas com ele e por ele, em um único momento, todos ficam sábios. Fílon, no tratado sobre o sacrifício de Caim e Abel, diz: "Os professores não podem encher a mente dos alunos como se estivessem derramando água em um recipiente. Mas quando Deus, a fonte da sabedoria, comunica conhecimento à raça humana, ele o faz sem demora, em um piscar de olhos. [...] 'A sua unção vos ensina todas as coisas' (1 Jo 2.27)". — *Thomas Le Blanc*

v. 17: "Desde a minha mocidade". É uma "coroa de honra" ficar velho andando no "caminho da justiça"? (Pv 16.31). Logo, você começa a ser piedoso, para que, sendo habitante deste mundo, você tenha esta coroa colocada na cabeça quando envelhecer. Não é melhor ser planta da casa de Deus do que erva daninha no monturo? (cf. Sl 128.3). Os que são ímpios não passam de ervas daninhas em um monturo, mas você que é piedoso é como uma planta no pomar de Deus (cf. Ct 4.13). No último capítulo de Romanos, versículo 7, verificamos que Andrônico e Júnia são elogiados porque estavam em Cristo antes de Paulo: Eles "foram antes de mim em Cristo". É honroso estar em Cristo antes dos outros. É algo honroso quando você é jovem, e então, andando nos caminhos da piedade ao longo de toda a juventude, você prossegue na fase adulta até ficar velho. — *Jeremiah Burroughs*

v. 17: "As tuas maravilhas". Observe que ele chama a bênção da ajuda divina, recebida tantas vezes durante a aflição, de *maravilhas.* Por esta expressão, ele mostra, primeiro, os perigos dolorosos aos quais ele fora lançado. Depois, como ele fora, pela mão de Deus, arrebatado dessa situação penosa, ao contrário da expectativa dos homens maus. Deus é maravilhoso entre os santos. A este fim tendem as adversidades dos santos, para que nelas eles mostrem as obras maravilhosas de Deus. — *Wolfgang Musculus*

vv. 17 e 18: "Ensinaste-me, ó Deus, desde a minha mocidade; e até aqui tenho anunciado as tuas maravilhas. Agora, também, quando estou velho e de cabelos brancos, não me desampares, ó Deus, até que tenha anunciado a tua força a esta geração, e o teu poder a todos os vindouros". Podemos apelar pela fé em Cristo, como tudo em nossa justificação, à integridade do nosso coração e caminho nos anteriores andares diante de Deus e a serviço de Deus (ver também Is 38.3; Sl 119.10). O próprio Senhor torna em si motivo para mostrar misericórdia ao seu povo (Is 63.8; Jr 2.2). Só temos de usar este argumento mais rara e frugalmente, de modo abnegado, com fé na justiça de Cristo, que foi feito a nossa justiça. — *Thomas Cobbet*

v. 18: "Agora, também, quando estou velho e de cabelos brancos, não me desampares, ó Deus". Deus exalta a graça perdoadora mais a alguns e a graça santificadora aos demais. Ele é o Deus da graça. Os navios que estiveram no mar em viagens longas, três ou quatro anos fora, experimentaram climas quentes e frios, cruzaram a linha equinocial vezes sem conta e passaram por muitas dificuldades e grandes tempestades. Contudo, continuaram ativos no mar de modo que, como eles dizem, quando se encontram no mar perto do porto, eles se felicitam uns aos outros tremendamente. É o que os discípulos idosos devem fazer, pois Deus tem mantido a graça viva na alma deles. Eu lhe perguntaria quantos milhares de navios você já viu zarpar diante dos olhos? Quantos que já "fizeram naufrágio na fé", tendo rejeitado "a boa consciência", como fala o apóstolo? (1 Tm 1.19.) Este e aquele credo religioso que caiu neste e naquele erro condenável ou em falsas opiniões e ensinos, ainda que todos de menor gravidade. Outros que foram agarrados nas areias movediças das promoções mundanas e muitos que se despedaçaram nas rochas, mas você, em meio a tudo isso, foi guardado. Isto é motivo para você bendizer este seu Deus, o Deus da graça, ainda mais. Agora, permita-me tocar em seu coração. Não é você um crente velho, como carvalhos velhos e ocos, que estão nos bosques entre os que se dizem crentes, guardam a opinião do seu credo e cumprem as ordenações? A chuva que lhes embebe a terra, como dizem as palavras do apóstolo, não serve para outro fim senão para fazê-los apodrecer, e eles perto estão da maldição (Hb 6.6,7). Ou você tem frutos verdes que ainda estão amadurecendo, como afetos ativos e vivos para com Deus e Cristo, e a fé e o amor, como eram no princípio e mais abundantes? Ó bendito seja Deus, você está tão perto do porto. Eleve o coração, pois a sua redenção se aproxima. E eleve também a confiança, pois "o Deus de toda a graça, que em Cristo Jesus vos chamou à sua eterna glória" (1 Pe 5.10), guardará você para a redenção e em breve se apoderará de você disto. — *Thomas Goodwin*

v. 18: "Não me desampares, ó Deus, até que tenha anunciado a tua força a esta geração, e o teu poder a todos os vindouros". A apostasia na velhice é temerosa. Aquele que está quase no topo de uma torre, escorregando, tem a maior queda. O paciente quase recuperado fica mais mortalmente doente se tiver uma recaída. Houve estrelas arrastadas do céu pela cauda do dragão (Ap 12.4). Teria sido melhor nunca terem subido tão alto. O lugar onde os israelitas caíram naquela grande loucura com as filhas de Moabe foi na planície, tendo a Terra Santa como paisagem. Viram a herança, mais ficaram aquém dela. É tão terrível para os velhos caírem perto da entrada do céu, como foi para o velho Eli cair na indulgência (1 Sm 2.12-17), o velho Judá cair no incesto (Gn 38.13-18), o velho Davi adulterar com Bate-Seba, o velho Asa confiar mais nos médicos do que em Deus (2 Cr 16.12) e o velho Salomão edificar os lugares altos. Alguns andaram como querubins no meio das pedras afogueadas, contudo como profanos foram expulsos do monte de Deus (Ez 28.14,16). Assim o marinheiro singra por todos os mares e sofre naufrágio no porto. O trigo promete uma colheita abundante no talo, mas produz espigas encolhidas. Você possui árvores carregadas de flores, contudo, na estação esperada, não há fruto. A comédia que mantém em alta muitas cenas, mas acaba indevidamente no último ato, não arranca aplauso. "Lembrai-vos da mulher de Ló" (Lc 17.32). Pense nessa estátua de sal como algo para temperar e amadurecer você. — *Thomas Adams*

v. 18: "Até que tenha anunciado a tua força a esta geração, e o teu poder a todos os vindouros". Será que há melhores pregadores das obras de Deus do que pais grisalhos no círculo dos filhos ou avós no círculo dos netos? — *Augustus F. Tholuck*

v. 18: "Agora, também, quando estou velho e de cabelos brancos, não me desampares, ó Deus, até que tenha anunciado a tua força a esta geração, e o teu poder a todos os vindouros".

Com anos oprimido, com tristezas exaurido
Abatido, atormentado, doente, abandonado
A ti, ó Deus, oro
A ti elevo as minhas mãos mirradas
A ti elevo estes olhos desfalecentes
Oh, não me rejeites!

A tua misericórdia ouviu a minha oração infantil
O teu amor, com o cuidado de mãe
Sustentou os meus dias infantis
A tua bondade assistiu a minha juventude maturativa
Formou o meu coração para amar a tua verdade
E encheu os meus lábios de louvor

Ó Salvador! A tua graça diminuiu?
Os anos afetam a mente eterna?
Ou o tempo destrói o teu amor?
Mil eras passam à tua vista
E todos os longos e cansativos voos do tempo
Acabam-se como o ontem

Mesmo na velhice e na dor, o teu nome
Ainda inflamará o meu coração desfalecido
E dobrará os meus joelhos hesitantes
Este peito ainda sente o fogo
Estas mãos trêmulas e lira abandonada
Ainda têm uma melodia para ti!

Ainda que entrecortada, desafinada, travada, ó Senhor
Esta voz, enlevada, registrará
A tua bondade, provada por tanto tempo
Até que, diminuindo lentamente, com calma se consuma
Os seus murmúrios fracos se dissolvam
Na canção dos serafins
— *Sir Robert Grant, 1806-1840*

v. 19: "Ó Deus, quem é semelhante a ti?" Quer por grandeza ou bondade, por poder ou misericórdia, por justiça, verdade e fidelidade, pelas perfeições da sua natureza ou pelas obras das suas mãos, seja ele louvado, reverenciado e adorado como ele é. — *John Gill*

v. 19: "Quem é semelhante a ti?" מִי כָמוֹךָ (*mî kāmôkā*). Deus é único, quem pode se assemelhar a ele? Ele é eterno, pois não pode haver nada antes dele e nem pode haver nada depois. Na unidade e trindade infinita, ele é o Ser eterno, ilimitado, impartível, incompreensível, inefável e não composto, cuja essência está oculta de todas as inteligências criadas e cujas deliberações não podem ser sondadas pelas criaturas que ele mesmo formou com as próprias mãos. "Quem é semelhante a ti?" é a declaração que provoca admiração, espanto, louvor e adoração dos anjos e dos homens por toda a eternidade. — *Adam Clarke*

v. 20: "Tu [...] me darás ainda a vida". Aqui Jerônimo triunfa sobre os judeus, desafiando-os quando estas palavras foram verificadas em Davi, pois ele morreu mas não ressuscitou. Portanto, acerca dele, temos de expô-las como fazemos no Salmo 16.10: "Não deixarás a minha alma no inferno". Quanto aos "abismos da terra" (v. 20) é expressão que corresponde a estas palavras: "Ora, isto — ele subiu — que é, senão que também, antes, tinha descido às partes mais baixas da terra?" (Ef 4.9). Contudo, isto também pode ser aplicado a Davi, sendo figuradamente entendido como um discurso igual ao de Ana em 1 Samuel 2.1-10. — *John Mayer*

v. 20: "Tu [...] me tirarás dos abismos da terra". Esta é alusão a homens que infelizmente caem em um poço de água fundo. O significado é: Tu me tirarás do perigo extremo no qual fui lançado e no qual perecerei se tu não me ajudares. — *Thomas Fenton*

v. 21: "Aumentarás a minha grandeza e de novo me consolarás". Grandeza que aumenta com consolo, e consolo que aumenta com grandeza. Esta associação é muito rara. — *George Rogers*

v. 22: "Com o saltério... com a harpa". Havia um significado típico nestes instrumentos. Por conta disso, são não só rejeitados, mas condenados pelo grupo total dos teólogos protestantes, como por exemplo, por Zuínglio, Calvino, Pedro Mártir, Zépero, Paroeus, Willet, Ainsworth, Ames, Calderwood e Cotton. Estes testificam unanimemente contra tais instrumentos. A maioria desses teólogos afirma categoricamente que eles fazem parte da pedagogia legal ab-rogada. Desta forma, fazemos bem em revogar o uso do incenso, velas, sacrifícios, luas novas, circuncisão e todas as outras sombras da lei. Mas o próprio Aquino também, ainda que fosse um escolástico papista, pleiteia contra eles pela mesma razão, *quia aliquid figurabant*, e disse, a igreja dos seus dias não os usa, *ne videatur judaizare*, para que não pareçam estar judaizando. — *Samuel Mather, 1626-1671, "The Figures or Types of the Old Testament" (As Figuras ou Tipos do Antigo Testamento)*

v. 22: "O saltério... a harpa". Suponha que cantar com instrumentos não era algo característico, mas só uma solenidade externa de adoração, adequada ao bem-estar dos sentimentos externos de filhos de menor idade, como eram os israelitas no tempo do Antigo Testamento (Gl 4.1-3). Mas agora, na idade adulta dos herdeiros do Novo Testamento, essas solenidades pomposas externas cessaram e nenhuma adoração externa foi reservada, a não ser para exibir simplicidade e gravidade. Hoje também nenhuma voz deve ser ouvida na igreja de Cristo, senão aquela que tem significado e é edificante por sua significação (1 Co 14.10,11,26), parâmetros em que a voz dos instrumentos não se encaixa. — *John Cotton*, 1585-1652

v. 22: "Santo de Israel". Este nome de Deus ocorre nos salmos apenas em mais dois outros lugares: Salmo 78.41 e 89.18. Estes dois salmos são, de acordo com Delitzsch, mais antigos do que este. Em Isaías, este nome de Deus ocorre trinta vezes, em Habacuque uma vez, em Jeremias (que pode ter copiado de Isaías) duas vezes (Jr 50.29; 51.5). — *J. J. Stewart Perowne v. 23:* "Os meus lábios... a minha alma". Os hipócritas louvam a Deus apenas com os "lábios", mas Davi junta a alma aos lábios. — *William Nicholson*

v. 23: Note como a ideia de *grandeza* se repete neste trecho. Grandes coisas feitas (v.19), grandes dificuldades mostradas (v. 20), a grandeza aumentada (v. 21) e a consequente grande alegria (v. 23). Em um grande Deus, que faz grandes coisas, é grandemente adequada a alegria. — *C. H. S.*

SUGESTÕES AOS PREGADORES

O Salmo. Argumentos usados para induzir o Senhor a ouvir, tirados: (1) Da sua justiça e equidade: "Livra-me na tua justiça" (v. 2). (2) Da sua palavra e promessa: "Deste um mandamento que me salva" (v. 3). (3) Do seu poder: "Tu és a minha rocha e a minha fortaleza" (v. 3). (4) Da sua relação com ele: "A minha esperança" (v. 5), o "meu Deus" (vv. 4, 12 e 22). (5) Das qualidades dos seus adversários: Eles eram ímpios, homem injustos e cruéis (v. 4). (6) Da sua confiança: "Tu és a minha esperança" (v. 5). (7) Da sua providência graciosa: "Por ti tenho sido sustentado desde o ventre; tu és aquele que me tiraste do ventre de minha mãe" (v. 6). (8) Do seu coração grato: "O meu louvor será para ti constantemente" (v. 6). (9) Ele não tinha ninguém em quem confiar, senão Deus: "Tu és o meu refúgio forte" (v. 7). — *Adam Clarke*

v. 1. (1) A fé é um ato vigente. (2) A fé é um ato pessoal. (3) A fé trata apenas com Deus. (4) A fé sabe o que ela é. (5) A fé mata o medo pela oração.

v. 2. Um apelo: (1) Ao poder de Deus: "Livra-me". (2) À fidelidade de Deus: "Na tua justiça". (3) À providência de Deus: "Faze que eu escape". (4) À condescendência de Deus: "Inclina os teus ouvidos para mim". (5) À misericórdia de Deus: "Salva-me".

v. 2. "Faze que eu escape": (1) De quem? (2) Do quê? (3) Como? (4) Por qual poder? (5) Para que fim?

v. 3. "Sê tu a minha habitação forte, à qual possa recorrer continuamente." O crente permanece em Deus e recorre a ele continuamente.

v. 3. "Deste um mandamento que me salva." Um mandamento: (1) Baseado na promessa divina. (2) Revestido de poder divino. (3) Dirigido a todas as agências necessárias. (4) Cumpridor de todas as exigências.

v. 4. (1) Quando Deus é por nós, o ímpio é contra nós. (2) Quando o ímpio é contra nós, Deus é por nós.

v. 5. Deus é a essência da esperança e da fé.

v. 7. "Sou como um prodígio para muitos" é declaração que pode ser ajustada: (1) Ao Salvador. (2) Aos santos. Ele é um prodígio em referência: (a) Ao que ele foi outrora. (b) Ao que ele é agora. (c) Ao que ele será daqui por diante. (3) O pecador é "um prodígio para muitos", uma maravilha para três mundos: (a) Aos anjos. (b) Aos santos. (3) Aos demônios e almas perdidas. — *Warwell Fenn*, 1830

v. 7. Consideremos o texto com respeito a Davi, a Cristo e ao cristão. (1) Com respeito a Davi, ele era um prodígio: (a) Como homem. (b) Como rei. (c) Como servo de Deus. (2) Com respeito a Cristo, ele era um prodígio: (a) Na sua pessoa. (b) Na sua vida. (c) Nos seus milagres. (d) No seu ensino. (e) Nos seus sofrimentos. (f) Na sua ascensão e glória mediadora. (3) Com respeito ao cristão, ele é um prodígio: (a) Para si mesmo. (b) Para o mundo. (c) Para os espíritos malignos. (d) Para os anjos celestiais. — *John Cawood*, 1830

v. 8. (1) De quê? Ser cheio de quê? De murmurações? Dúvidas? Medos? Não! De "louvor". (2) De quem? Do meu próprio louvor? Do louvor dos homens? Não! "Do teu louvor." "Da tua glória." (3) Quando? "Todo o dia": (a) O dia inteiro. (b) Diariamente; uma boa preparação para o céu.

v. 9. Há certas circunstâncias peculiares à velhice que tornam esta bênção — o favor e a presença de Deus — necessária: (1) A velhice é uma época da vida em que há pouco prazer natural, como reconheceu Barzilai (2 Sm 19.35). (2) A velhice é uma época da vida em que sabemos que as dificuldades da vida aumentam. (3) A velhice é uma época da vida em que as dificuldades da vida não só aumentam, mas ficam menos toleráveis. (4) A velhice é uma época da vida que exige respeito das pessoas, fato que se dá entre crianças obedientes e todos os cristãos sérios. Mas sabemos que a velhice é desprezada. É o que ocorre especialmente quando a pessoa é pobre e dependente. É também o que ocorre quando as pessoas públicas perdem a vivacidade da juventude e o brilho dos talentos. — *Andrew Fuller*

v. 9. Há: (1) Medo misturado com fé: (a) Natural na velhice. (b) Sugerido pelo costume do mundo. (2) Fé misturada com medo: "Não me rejeites no tempo da velhice": (a) A velhice não é pecado. (b) A velhice é uma coroa de glória, se for achada.

vv. 11 e 12. (1) Duas grandes mentiras: "Porque os meus inimigos falam contra mim, e os que espiam a minha alma consultam juntos" (v. 11). (2) Duas doces orações: "Ó Deus, não te alongues de mim; meu Deus, apressa-te em ajudar-me" (v. 12).

vv. 13 e 14. (1) O que os ímpios ganham opondo-se aos justos: "Sejam confundidos e consumidos os que são adversários da minha alma; cubram-se de opróbrio e de confusão aqueles que procuram o meu mal" (v. 13). (2) O que os justos ganham sendo opostos por eles: "Mas eu esperarei continuamente e te louvarei cada vez mais" (v. 14).

v. 14. Título sugestivo: "Cada vez mais", in: "Spurgeon's Sermons" (Sermões de Spurgeon), n.º 998.

v. 15. (1) A determinação declarada: (a) Relatar os casos da fidelidade divina nos seus livramentos: "A minha boca relatará as bênçãos da tua justiça e da tua salvação". (b) Relatar esses casos publicamente: "A minha boca relatará". (c) Constantemente: "Todo o dia". (2) A razão citada: "Posto que não conheça o seu número". Como diz certo hino antigo: "A eternidade é curta demais para declarar todos os teus louvores". Então, começarei declarando agora e não pararei de declarar.

v. 16. (1) A decisão: "Sairei". (2) A restrição: "Na força do Senhor Deus; farei menção da tua justiça, e só dela".

v. 17. "Ensinaste-me, ó Deus." I. Ninguém senão Deus pode nos ensinar pela experiência, e as lições que ele ensina sempre são úteis e importantes. A todos os seus estudiosos, ele ensina: (1) A se conhecerem a si mesmos. Mostra-lhes a depravação, a pobreza e a escravidão. (2) A lei. Mostra-lhes a pureza, as reivindicações e as penalidades da lei. (3) O evangelho. Mostra-lhes a plenitude, a liberdade e a sensibilidade do evangelho. (4) A conhecerem a ele: (a) Como um Deus reconciliado. (b) Como um Pai e amigo fiel. II. O ensino é acompanhado por poder e autoridade, pois conhecemos o ensino divino pelos seus efeitos. Sempre produz: (1) Humildade — eles se sentam aos pés de Deus. (2) Dependência a Deus. (3) Aversão ao pecado. (4) Amor a Deus como mestre. (5) Obediência às lições ensinadas. (6) Sede por mais resultados. (7) Leva-nos diariamente a Jesus. — *James Smith*

v. 18. O testemunho peculiar da velhice piedosa: (1) Em que se baseia. (2) Para quem se dirige. (3) O que esperar disto.

v. 19. Alguém pode elaborar um sermão instrutivo sobre o tema "as coisas altas de Deus".

v. 20. (1) O benefício futuro das aflições presentes: "Daqui em diante", disse Eneias aos companheiros naufragados, "nos será um deleite pensar nestas coisas". (2) O benefício presente das misericórdias futuras: "Glória a ti por toda a graça que eu ainda não experimentei", como diz certo hino antigo.

v. 22. Um tema perfeito para compor uma canção: A "tua verdade", que pode ser ou uma verdade doutrinária ou o atributo da fidelidade, a sua manifestação na história e na nossa experiência.

vv. 22 e 23. (1) A alma da música. Não no instrumento ou na voz, mas na alma: "Mas também cantarei com o entendimento" (1 Co 14.15), "salmodiando ao Senhor no vosso coração" (Ef 5.19). (2) A música da alma. A "alma que tu remiste" (v. 23). A redenção é a música da alma que outrora estava perdida. É a sua única canção no céu.

v. 24. Como tornar edificante e útil a conversa em família.

SALMO 72

TÍTULO

Salmo de Salomão. Entre *Salmo de Salomão* ou *Salmo por Salomão* (*por* no sentido de *a favor de*) os melhores linguistas hebraicos preferem a segunda tradução. Contudo, não há base que apoie suficientemente esta opção tradutória. O título declara com todas as letras que Salomão é o autor do salmo, ainda que o versículo 20 dê a entender que Davi o proferiu em oração antes de morrer. Com certa reserva, propomos que a essência e tema do salmo são de Davi, mas que ele estava muito perto do fim da vida para escrever as palavras ou dar-lhes a forma sálmica. Por isso, Salomão pegou o cântico do seu pai moribundo, adaptou-o em versículos agradáveis e, sem roubar do seu pai, tornou o salmo seu. É, conjeturamos, a *Oração de Davi*, mas o *Salmo de Salomão*. Jesus está aqui, sem dúvida, na glória do seu reinado, tanto como está agora quanto como será revelado na glória do último dia.

DIVISÃO

Seguimos a divisão proposta por Alexander. "Uma descrição inflamada do reino do Messias como um reinado justo (vv. 1 a 7), universal (vv. 8 a 11), beneficente (vv. 12 a 14) e perpétuo (vv. 15 a 17). A esta descrição são adicionados uma doxologia (vv. 18 e 19) e um pós-escrito (v. 20)".

EXPOSIÇÃO

1 *Ó Deus, dá ao rei os teus juízos e a tua justiça, ao filho do rei.*
2 *Ele julgará o teu povo com justiça e os teus pobres com juízo.*
3 *Os montes trarão paz ao povo, e os outeiros, justiça.*
4 *Julgará os aflitos do povo, salvará os filhos do necessitado e quebrantará o opressor.*
5 *Temer-te-ão enquanto durar o sol e a lua, de geração em geração.*
6 *Ele descerá como a chuva sobre a erva ceifada, como os chuveiros que umedecem a terra.*
7 *Nos seus dias florescerá o justo, e abundância de paz haverá enquanto durar a lua.*

1. *"Ó Deus, dá ao rei os teus juízos."* O direito de reinar foi transmitido por descendência de Davi para Salomão, mas não apenas por esse meio. Israel era uma teocracia, e os reis não passavam de vice-reis do grande Rei. Daí, a oração para que o novo rei fosse empossado por direito divino e depois capacitado de sabedoria divina. O nosso Rei glorioso em Sião tem todo o julgamento entregue a ele. Ele rege em nome de Deus sobre todas as terras. Ele é o rei "Dei Gratia" como também por força de herança.

"E a tua justiça, ao filho do rei." Salomão era rei e filho de rei, como também é o nosso Senhor. Ele tem poder e autoridade em si mesmo, bem como dignidade real lhe dada do Pai. Ele é o rei justo. Em uma palavra, ele é "o Senhor, Justiça Nossa" (Jr 23.6). Estamos esperando até que ele seja manifestado entre os homens como o Juiz justíssimo. Apresse o Senhor no seu próprio tempo o dia tão longamente esperado. Hoje guerras e conflitos ocorrem até mesmo no próprio Israel, mas em breve a dispensação mudará, e Davi, o tipo de Jesus em guerra com os nossos inimigos, será substituído por Salomão, o príncipe da paz.

2. *"Ele julgará o teu povo com justiça."* Revestido de autoridade divina, ele a usará em prol da nação favorita, a quem ele se mostrará forte, para que não sejam julgados mal, caluniados ou de qualquer forma tratados maldosamente. A sua sentença silenciará os acusadores e recompensará os santos com a verdadeira posição na qualidade de aceitos do Senhor. Que consolação é sentir que ninguém sofrerá injustiça no reino de Cristo. Ele se assenta no grande trono branco, sem a mancha de uma única ação injusta ou até mesmo de engano de julgamento. As reputações estão suficientemente seguras com ele.

"E os teus pobres com juízo." A verdadeira sabedoria é manifesta em todas as decisões do Rei de Sião. Nem sempre entendemos as suas ações, mas sempre são certas. É muito frequente a parcialidade ser mostrada aos ricos e grandes, mas o Rei da última e melhor das monarquias administra justiça imparcial para o deleite dos pobres e desprezados. Este versículo menciona os pobres e o rei lado a lado. A soberania de Deus é um tema delicioso para os pobres de espírito. Amam ver o Senhor exaltado, e não disputam com ele o exercício das prerrogativas da coroa. É a riqueza fictícia que procura esconder a verdadeira pobreza, que faz os homens criticarem o Senhor reinante. Mas o profundo sentimento da necessidade espiritual prepara o coração para adorar o Rei Redentor lealmente. Por outro lado, o Rei tem o deleite especial no coração humilhado dos arrependidos e exerce todo o poder e sabedoria a favor deles, exatamente como José reinou no Egito para o bem-estar dos irmãos.

3. *"Os montes trarão paz ao povo."* Antigamente, era para os montes que corriam os bandos de ladrões que infestavam o país. Hoje, os fortes lá erigidos são os guardiães da terra, e os guardas anunciam por toda parte as novas de que nenhum inimigo é visto. Onde Jesus está há paz duradoura, intensa, eterna. Até as coisas que outrora eram o nosso medo, perdem todo o terror quando Jesus é reconhecido como o monarca do coração. A própria morte, esse monte de trevas, perde toda escuridão. As provações e aflições, quando o Senhor está conosco, produzem em nós um aumento em vez de uma diminuição de paz.

"E os outeiros, justiça." Tendo em vista que o reinado do monarca é justo, todo outeiro parecia revestido de paz. A injustiça tornou a Palestina em deserto. Se os mulçumanos e beduínos fossem embora, a terra voltaria a sorrir, pois até em sentido literal, a justiça é o fertilizante do solo, e os homens são diligentes em plantar e colher quando têm a perspectiva de comer o fruto dos seus labores. Em sentido espiritual, a paz é dada ao coração pela justiça de Cristo. Todas as faculdades e emoções da alma estão cheias de uma calma santa, quando o caminho da salvação, pela justiça divina, é revelado. Então saímos com alegria e somos conduzidos com paz. Os montes e outeiros irrompem diante de nós em cânticos.

4. *"Julgará os aflitos do povo."* Ele lhes fará justiça e, bendito seja o seu nome, mais do que justiça, porque ele se deliciará em fazer-lhes o bem.

"Salvará os filhos do necessitado." Pobres e desamparados, eles eram burros de carga para outros e indigentes para si mesmos, mas o Rei seria o seu protetor. Bem-aventurados os pobres e necessitados de Deus. Eles estão seguros sob as asas do Príncipe da Paz, porque os salvará de todos os inimigos.

"E quebrantará o opressor." Ele é forte para atacar os inimigos do seu povo. Os opressores eram grandes quebrantadores, mas o tempo da vingança virá e eles serão, por sua vez, quebrantados. O pecado, Satanás e todos os nossos inimigos devem ser esmagados pela vara de ferro do Rei Jesus. Não temos, então, motivo para temer, senão razão abundante para cantar:

Saúdem todos o poder do nome de Jesus!
Prostrem-se os anjos
Tragam o diadema real
E coroai-o Senhor de todos

É muito melhor ser pobre do que ser opressor, pois o necessitado e os seus filhos têm um defensor no Salomão celestial, que direciona todos os seus ataques aos arrogantes e não descansa até que eles sejam totalmente destruídos.

5. *"Temer-te-ão enquanto durar o sol e a lua."* E fazem bem em temer. Essa justiça ganha o respeito alegre dos pobres e espirituais e causa desânimo na alma dos opressores injustos, de forma que todas as nações, boas e ruins, ficam cheias de temor respeitoso. Onde Jesus reina com poder, os homens têm de prestar homenagem de algum tipo. Além disso, o seu reino não é um castelo de cartas ou dinastia de dias. É tão duradouro quanto as luzes do céu. Os dias e as noites cessarão antes que ele abdique o trono. Nem o sol nem a lua já revelaram alguma falha no seu brilho, nem há sinal de decrepitude no reino de Jesus. Pelo contrário, ainda está na juventude e é evidentemente o poder futuro, o sol nascente. Quisera Deus que novo vigor fosse dado a todos os seus cidadãos para dilatar de uma vez as conquistas do Emanuel até às mais longínquas partes da terra.

"De geração em geração" permanecerá o trono do Redentor. A humanidade não desgastará a religião do Deus encarnado. Não há infidelidade que a enfraqueça, nem superstição que a sufoque. Levantar-se-á imortal do que parecia a sua sepultura. Como um verdadeiro fênix, ressurgirá das cinzas! Enquanto houver homens na terra, Jesus terá um trono entre eles. Em vez de pais serão os filhos. Cada geração terá uma regeneração em seu meio, a despeito do que o diabo fizer. Mesmo hoje temos diante de nós os símbolos do poder eterno de Jesus, visto que ele ascendeu ao trono mil oitocentos anos atrás, o seu domínio não foi transtornado, ainda que os mais poderosos impérios tenham passado como os sonhos da noite. Vemos na praia do tempo as destruições de césares, os restos mortais dos mongóis e os últimos remanescentes dos otomanos. Carlos Magno, Maximiliano, Napoleão, como passaram rapidamente como sombras diante de nós! Foram e já não são, mas Jesus é para sempre. Quanto às casas de Hohenzollern, Guelph ou Hapsburg, eles têm o seu tempo, mas o tempo do Filho de Davi permanece continuamente pelos séculos dos séculos.

6. *"Ele descerá como a chuva sobre a erva ceifada."* São bênçãos do seu domínio honrado! Os grandes conquistadores que foram os açoites da humanidade caíram como chuva de enxofre e fogo de Sodoma, transformando terras férteis em desertos. Mas ele com poder brando e bondoso refresca suavemente os cansados e feridos entre os homens, e os faz ressurgir em novidade de vida. Pastos ceifados à foice ou tosquiados pelos dentes do gado deixam, por assim dizer, muitos talos de relva vertendo seiva, mas quando a chuva cai é um verdadeiro bálsamo para todas essas feridas e renova o verdor e a beleza do campo. Esta é imagem perfeita das visitações e bênçãos da "consolação de Israel" (Lc 2.25). Minha alma, como é bom para ti seres humilhada e até mesmo, como os prados, desfolhada e pisada pelo gado, pois então o Senhor terá respeito por ti. Ele se lembrará da tua miséria, e

com o seu mais precioso amor, te restaurará a uma glória maior do que a anterior. Bem-vindo, Jesus, o verdadeiro *Bien-aime*, o Bem-amado, tu és muito mais do que Tito jamais foi — o deleite da humanidade.

"Como os chuveiros que umedecem a terra." Cada gota cristalina de chuva fala da misericórdia celestial que não se esquece das planícies tostadas. Jesus é totalmente graça, tudo que ele faz é amor e a sua presença entre os homens é alegria. Precisamos pregar mais sobre ele, pois não há chuveiro que refresque as nações como ele. Discursos filosóficos amuam os homens como chuveiros de pó, mas o evangelho satisfaz adequadamente a humanidade caída e, durante o seu domínio fecundante, a felicidade viceja. Desce, ó Senhor, em minha alma, e o meu coração florescerá com os teus louvores:

Ele descerá com suavidade e luz
Como gotas espalhadas em campos férteis
E a seu tempo quem ama os retos
Viceja livremente e produz a colheita da doce paz

7. *"Nos seus dias florescerá o justo."* Durante as upas mortais dos ímpios nenhum princípio honesto é desenvolvido, e os homens bons mal conseguem viver. Mas quando a verdade e a retidão estão no trono, o melhor dos homens prospera muitíssimo. O rei justo é o protetor e produtor de súditos justos. Ninguém prospera no reinado de Nero, senão os que são monstros como ele. Os iguais gostam e atraem os iguais. No reinado de Jesus, o espiritual encontra um abrigo feliz.

"E abundância de paz haverá enquanto durar a lua." Onde Jesus reina, ele é conhecido como o verdadeiro Melquisedeque, rei da justiça e da paz. A paz fundamentada no direito é seguramente duradoura, pois nenhuma outra o será. Muitas denominadas santas alianças vieram ao chão antes que muitas luas lhes enchessem os chifres, porque a artimanha formava a liga, o perjúrio a estabelecia e a opressão era o desígnio. Mas quando Jesus proclamar a grande trégua de Deus, ele ordenará paz perpétua, e os homens não aprenderão mais a guerra. A paz que Jesus traz não é superficial ou efêmera. É abundante em sua profundidade e duração. Saúdem todos os corações e vozes o Rei das nações: o bom, o grande, o justo, o bendito Jesus.

8 *Dominará de mar a mar, e desde o rio até às extremidades da terra.*
9 *Aqueles que habitam no deserto se inclinarão ante ele, e os seus inimigos lamberão o pó.*
10 *Os reis de Társis e das ilhas trarão presentes; os reis de Sabá e de Sebá oferecerão dons.*
11 *E todos os reis se prostrarão perante ele; todas as nações o servirão.*

8. *"Dominará de mar a mar."* Ampla expansão caracterizará o domínio do Messias. Só os confins da terra servirão de fronteiras para o seu território. Até ao mais distante Thule será estendido o poder do seu cetro. Do Pacífico ao Atlântico e do Atlântico ao Pacífico estará o Senhor, e os mares que cercam cada polo da terra estarão sob a sua regência. Todos os outros governos estarão subordinados a dele. Ele não tomará conhecimento de rival ou antagonista. Os homens falam do imperador de todas as rússias, mas Jesus será o Regente de toda a humanidade.

"E desde o rio até às extremidades da terra." Comece onde você estiver, por qualquer rio que escolher, que não fará diferença, pois o reino do Messias se estenderá até aos limites mais extremos do globo. Como o reino de Salomão abrangeu toda a terra prometida, não deixando território inconquistado, assim o Filho de Davi reinará em todas as terras dadas a ele na melhor aliança, não deixando nação a lastimar sob o reinado da tirania do príncipe das trevas. Uma passagem como esta nos encoraja a esperar o reinado universal do Salvador, quer isto ocorra antes ou depois do advento

pessoal — ponto de debate que deixamos para os outros. Neste salmo, pelo menos, vemos um monarca pessoal, que é a figura central e o foco de toda a glória. Não vemos o seu servo, mas ele mesmo possuindo o domínio e administrando o governo. Pronomes pessoais referentes ao nosso grande Rei ocorrem constantemente neste salmo: *Ele* tem o domínio (v. 8), os reis se prostram perante *ele* e *o* servem (v. 11), porque *ele* livra (v. 12), *ele* se compadece e *ele* salva (v. 13), *ele* vive e todos os dias *ele* é bendito (v. 15).

9. *"Aqueles que habitam no deserto se inclinarão ante ele."* Invencíveis pelas armas, eles serão vencidos pelo amor. Selvagens e sem lei como foram, com alegria usarão o suave jugo dele. Então os desertos se alegrarão, se regozijarão e florescerão como a rosa.

"E os seus inimigos lamberão o pó." Se não serão amigos, serão totalmente arruinados e humilhados. Já que o pó será o alimento da serpente, então a semente da serpente será enchida de pó. A reverência entre os orientais é feita da maneira mais abjeta, e verdadeiramente não há sinal humilhante demais para denotar a derrota e subjugação absoluta dos inimigos do Messias. As línguas que criticam o Redentor merecem lamber o pó. Os que não se inclinam com alegria ante um príncipe tão rico e magnífico merecem ser arremessados e derrubados por terra. O pó é bom demais para eles, visto que pisotearam o sangue de Cristo.

10. *"Os reis de Társis e das ilhas trarão presentes."* O comércio se tornará subserviente para cumprir os propósitos do governo mediador. Príncipes ligados ao comércio, de longe e de perto, farão com alegria contribuições das suas riquezas ao trono dele. Lugares junto ao mar são bons centros para a divulgação do evangelho. Os marinheiros são arautos sérios e zelosos da cruz. Társis de antigamente ficava tão longe que, para a mente oriental, estava perdida em seu distanciamento, dando a impressão de estar no fim do mundo. Mesmo tão longe quanto a imaginação possa viajar, o Filho de Davi reina. Por todo o mar azul o seu cetro será estirado. Os Penhascos Brancos da Grã Bretanha já o reconhecem. As pedras preciosas do Mar do Sul brilham por ele. Até o coração da Islândia está quente de amor por ele. Madagáscar salta para recebê-lo. Se há ilhas dos mares equatoriais cujas especiarias ainda não lhe foram apresentadas, ainda dali ele recebe um tributo de glória. Ele fez muitas ilhotas tornarem-se Ilhas Santas e, por conseguinte, verdadeiramente Formosas.

"Os reis de Sabá e de Sebá oferecerão dons." A agricultura e a pastagem contribuirão com a sua parte. Príncipes estrangeiros de regiões interiores, ainda inexploradas, reconhecerão a monarquia ampla e universal do Rei dos reis. Serão prontos em prestar-lhe o tributo reverente. Trarão ofertas religiosas, pois o seu Rei é o seu Deus. Então a Arábia Feliz (o Iêmen) será realmente feliz e as Ilhas Afortunadas serão mais do que afortunadas. Note que a verdadeira religião leva ao ato generoso de dar. Não somos tributados nos domínios de Cristo, mas temos prazer em oferecer-lhe livremente presentes. Será um grande dia quando os reis fizerem assim. A viúva pobre há muito está à frente deles. Já é hora de segui-la. Os súditos não deixariam de imitar o exemplo da realeza. Esta oferta voluntária é totalmente de Cristo e o desejo pleno da igreja. Não querem coletas forçadas e penhoras. Que todos os homens deem de livre vontade, os reis como também os plebeus. Infelizmente, a regra é os reis darem para a igreja a propriedade dos súditos, e a igreja miserável recebe este roubo como holocausto — uma oferta queimada. Não será assim quando Jesus assumir o trono de forma mais pública e clara.

11. *"E todos os reis se prostrarão perante ele."* Prestarão a devida reverência pessoalmente, por mais poderosos que sejam. Pouco importando o alto nível do escalão a que pertençam, a antiguidade da dinastia ou a grande distância dos reinos, eles de boa vontade o aceitarão como o seu Deus imperial.

"Todas as nações o servirão." Os povos serão tão obedientes quanto os governadores. A extensão do domínio mediador é fixado por dois *todos* de grande alcance e projeção: *todos* os reis e *todas* as nações. Ainda não vemos todas as coisas

colocadas sob o seu domínio, mas visto que vemos Jesus coroado de glória e honra no céu, não temos a menor dúvida quanto à sua monarquia universal na terra. Não se imaginará que um Alexandre ou um César tivesse um domínio mais extenso do que o Filho de Deus. Todo joelho se dobrará diante dele e toda língua confessará que Jesus Cristo é Senhor, para glória de Deus Pai (Rm 14.11; Fp 2.11). Apressa, Senhor, esse dia no teu próprio tempo.

12 *Porque ele livrará ao necessitado quando clamar, como também ao aflito e ao que não tem quem o ajude.*
13 *Compadecer-se-á do pobre e do aflito e salvará a alma dos necessitados.*
14 *Libertará a sua alma do engano e da violência, e precioso será o seu sangue aos olhos dele.*

12. *"Porque ele livrará ao necessitado."* Esta é excelente razão para os homens submeterem-se ao Senhor Jesus Cristo. Não é porque têm medo do poder avassalador, mas porque foram conquistados pelo seu governo justo e condescendente. Quem não temeria um Príncipe tão bom, que faz do necessitado o seu cuidado peculiar e empenha-se em dar-lhe livramento em tempos de necessidade?

"Quando clamar." Ele permite ficarem tão necessitados a ponto de serem dirigidos a clamar amargamente por ajuda, quando então os ouve e vem para ajudá-los. O choro do filho toca o coração da mãe e do pai, e o nosso Rei é o Pai do seu povo. Se não pudermos fazer nada mais do que clamar bastará trazer a onipotência para a nossa ajuda. O clamor é a língua nativa da alma espiritualmente necessitada. Não faz conta de palavras bonitas e frases rebuscadas, e leva a choros e gemidos. Toma posse, de fato, da mais potente de todas as armas, pois o céu sempre se rende a essa artilharia.

"Como também ao aflito e ao que não tem quem o ajude." Diz o provérbio: "Deus ajuda quem se ajuda", mas é muito mais verdade que Jesus ajuda quem não pode se ajudar e nem encontra ajuda em outras pessoas. Todos os desamparados estão sob os cuidados especiais do compassivo Rei de Sião. Não demorem, pois, a colocarem-se em relações amistosas com ele. Busquem-no, porque ele está buscando-os.

13. *"Compadecer-se-á do pobre e do aflito."* Manifestar-lhes-á a sua compaixão. Não permitirá que as provações acabem com eles. A vara da correção agirá com suavidade. Será frugal nas repreensões, e não economizará as consolações.

"E salvará a alma dos necessitados." É dele o domínio das almas, um império espiritual e não mundano. Os necessitados, ou seja, os conscientemente indignos e fracos, verão que ele lhes dará a salvação. Jesus não chama os justos, mas os pecadores ao arrependimento. Não empreende o trabalho supérfluo de ajudar os orgulhosos fariseus a ventilar a própria vaidade, mas tem cuidado dos pobres publicanos, cujos olhos não ousam erguer aos céus por causa do pecado sentido. Devemos anelar estar entre estes necessitados, a quem o grande Rei favorece tão altamente.

14. *"Libertará a sua alma do engano e da violência."* Estas duas coisas são as armas com as quais os pobres são assaltados. Empregam a lei e nenhuma lei para depená-los. A raposa e o leão se combinam contra os cordeiros de Cristo, mas o Pastor os derrotará e salvará as indefesas das garras deles. A alma perseguida pelas tentações da artimanha satânica e pelas provocações da maldade diabólica fará bem em correr ao trono de Jesus em busca de abrigo.

"E precioso será o seu sangue aos olhos dele." Ele não lançará os súditos em guerras desnecessárias, como fazem os tiranos, mas se servirá de todos os expedientes para preservar os mais humildes. Os conquistadores consideram milhares de vidas como itens sem importância. Deixam os campos avermelhados de sangue coagulado, como se sangue fosse água e carne não passasse de adubo para plantações. Mas Jesus, embora tenha dado o próprio sangue, é muito cuidadoso do sangue dos seus servos. Se tiverem de morrer por ele como mártires, ele ama a memória deles e considera a vida deles como coisas preciosas.

15 *E viverá, e se lhe dará do ouro de Sabá, e continuamente se fará por ele oração, e todos os dias o bendirão.*
16 *Haverá um punhado de trigo na terra sobre os cumes dos montes; o seu fruto se moverá como o Líbano, e os da cidade florescerão como a erva da terra.*
17 *O seu nome permanecerá eternamente; o seu nome se irá propagando de pais a filhos, enquanto o sol durar; e os homens serão abençoados nele; todas as nações lhe chamarão bem-aventurado.*

15. *"E viverá." Vive le Roi!* Viva o Rei! Ó Rei, vive para sempre! Ele foi morto, mas ressuscitou e vive para sempre.

"E se lhe dará do ouro de Sabá." Tratam-se de presentes da coroação do tipo mais rico, alegremente apresentados diante do trono. Com que alegria nós lhe daríamos tudo o que temos e somos, e consideraríamos o tributo algo demasiadamente pequeno. Alegremo-nos, pois a causa de Cristo não parará por falta de fundos. A prata e o ouro lhe pertencem. Caso não sejam encontrados em casa, as terras longínquas se apressarão em suprir o déficit. Quisera Deus tivéssemos mais fé e mais generosidade.

"E continuamente se fará por ele oração." Estejam sobre a sua cabeça todas as petições. O desejo de todo o seu povo é que a causa do Rei prospere. Por isso, fazem oração de hora em hora: "Venha o teu Reino" (Mt 6.10). Oração *por* Jesus é uma ideia extremamente agradável, algo que devemos fazer com amor constantemente, pois a igreja é o corpo de Cristo e a verdade é o seu cetro. Oramos por ele quando intercedemos por aqueles. As palavras hebraicas deste trecho do versículo também podem ser entendidas assim: "através dele", pois é por Cristo como nosso Mediador que a oração entra no céu e prevalece. "Perseverai em oração" (Cl 4.2) ainda é o preceito que vigora no reino do Messias, e implica que o Senhor continuará abençoando.

"E todos os dias o bendirão." Como ele se mostra perpetuamente digno de receber honra, assim ele será incessantemente louvado:

Por ele se farão orações constantes
E louvores amontoam-se para coroar-lhe a cabeça
O seu nome, como cheiro suave, subirá
Com o sacrifício de cada manhã

16. *"Haverá um punhado de trigo na terra sobre os cumes dos montes."* De começos pequenos surgirão grandes resultados. Um mero punhado em um lugar naturalmente infértil produzirá uma colheita inigualável. Que bênção que há em um punhado: "Se o SENHOR dos Exércitos nos não deixara algum remanescente, já como Sodoma seríamos e semelhantes a Gomorra" (Is 1.9), mas hoje o crente é uma semente viva e se multiplicará na terra.

"O seu fruto se moverá como o Líbano." A colheita será tão grande que o vento produzirá um sussurro por meio dela e um som parecido com os cedros do Líbano:

Como o Líbano, arejado por vento suave
Farfalha a colheita dourada por todo o lugar

A igreja de Deus não é coisa de segunda categoria. O começo é pequeno, mas o aumento é do tipo mais surpreendente. Como o Líbano é distinto e célebre, assim é a igreja.

"E os da cidade florescerão como a erva da terra." Esta é outra figura. Os súditos de Cristo serão tão abundantes quanto as folhas da grama, que brotam de repente como o verdor oriental depois de uma chuva forte. Não precisamos ter receio pela causa da verdade na terra. Está em boas mãos, onde o prazer do Senhor, sem dúvida, prosperará. "Não temas, ó pequeno rebanho, porque a vosso Pai agradou dar-vos o Reino" (Lc 12.32). Quando estas palavras, que abrem tal panorama de delícia, se cumprirão no meio da terra?

17. *"O seu nome permanecerá eternamente."* Em seu poder de salvação, como ponto de encontro dos crentes e por ser renomado e glorificado, o seu nome permanecerá o mesmo para sempre.

"O seu nome se irá propagando de pais a filhos, enquanto o sol durar." Enquanto o tempo for medido por dias, Jesus será glorioso entre os homens.

"E os homens serão abençoados nele." Haverá motivo para toda essa honra, porque ele verdadeiramente será o benfeitor da raça humana. Ele próprio será a maior bênção da terra. Quando os homens desejarem abençoar as pessoas, eles abençoarão no nome dele.

"Todas as nações lhe chamarão bem-aventurado." As nações ecoarão com gratidão as bênçãos dele recebidas, e desejarão que seja feliz aquele que as fez felizes. Não só algumas nações glorificarão o Senhor, mas todas elas. Não haverá nação que permaneça no paganismo. Todas elas terão prazer em honrar o Senhor.

18 *Bendito seja o Senhor Deus, o Deus de Israel, que só ele faz maravilhas.*
19 *E bendito seja para sempre o seu nome glorioso; e encha-se toda a terra da sua glória. Amém e amém!*
20 *Findam aqui as orações de Davi, filho de Jessé.*

18 e 19. *"Bendito seja o Senhor Deus, o Deus de Israel, que só ele faz maravilhas. E bendito seja para sempre o seu nome glorioso; e encha-se toda a terra da sua glória. Amém e amém!"* Como Pasquier Quesnel observa muito bem, estes versículos explicam a si mesmos. Requerem antes gratidão profunda e sentimento do coração do que o exercício do entendimento. Devem ser usados preferencialmente na adoração do que na exposição. É e sempre será o apogeu dos nossos desejos e o clímax das nossas orações ver Jesus exaltado como o Rei dos reis e o Senhor dos senhores. Ele faz grandes maravilhas que nenhum outro pode igualar, deixando todos os outros bem para trás, de forma que só ele permanece como a única e exclusiva pessoa que executa feitos maravilhosos. Mas ainda restam maravilhas iguais, pelas quais esperamos com alegre expectativa. Ele é o Deus bendito e o seu nome será bendito. O seu nome é glorioso e esta glória encherá a terra toda. Para um fim tão brilhante o nosso coração anela diariamente, e dizemos: "Amém e Amém!"

20. *"Findam aqui as orações de Davi, filho de Jessé."* O que mais ele poderia pedir? Ele escalou até ao cume do monte de Deus. Não há mais nada que ele deseje. Com estas palavras ainda na boca, ele está contente em morrer. Ele se dispa da própria realeza e se torna apenas o "filho de Jessé", muito feliz em diminuir-se até virar nada ante o Messias coroado. Diante dos seus olhos crentes, o reinado de Jesus, como o sol, iluminou tudo ao redor, e nisso a alma santa do homem segundo o coração de Deus exultou e cantou o seu *Nunc dimittis*: "Agora, Senhor, podes despedir em paz o teu servo, segundo a tua palavra, pois já os meus olhos viram a tua salvação" (Lc 2.29,30). Nós também deixaremos de fazer pedidos se nos for concedido ver o dia do Senhor. O nosso espírito feliz não terá, então, nada mais a fazer do que para sempre louvar o Senhor nosso Deus.

NOTAS EXPLICATIVAS E DECLARAÇÕES IMPORTANTES

O Título: "De Salomão". Farei uma analogia em três partes entre Cristo e Salomão.

(1) A sabedoria pessoal de Salomão (1 Rs 4.29,30), igualmente Cristo: "Em quem estão escondidos todos os tesouros da sabedoria e da ciência" (Cl 2.3).

(2) A gloriosa paz e prosperidade do reino de Salomão. O reino foi instalado pacificamente na sua mão (1 Cr 22.9; 4.24,25). Ele dedicou-se ao trabalho de construir o templo, como Cristo a igreja. Igualmente Cristo (Is 9.6), pois ele é o Príncipe da Paz, o grande Pacificador (Ef 2.14).

(3) O casamento de Salomão com a filha de faraó. Certos estudiosos observam que a filha de faraó nunca o seduziu, nem há menção alguma sobre os ídolos

egípcios (1 Rs 11.5,7). Nos outros casamentos com estrangeiras, ele pecou, mas este é mencionado à guisa de exceção especial (1 Rs 11.1). Porque ela era prosélito, não havia pecado em casar-se com ela. O amor entre ela e Salomão é um tipo do amor entre Cristo e a igreja. Igualmente Cristo tomou a nós, gentios, para ser o seu cônjuge (Sl 45). — *Samuel Mather, "The Figures or Types of the Old Testament" [As Figuras ou Tipos do Antigo Testamento]*

O Salmo: O Salmo 72 contém a descrição de um rei exaltado e das bênçãos do seu reinado. Estas bênçãos são de tal natureza que provam que o assunto do salmo é uma pessoa divina.

(1) O seu reino é perpétuo.

(2) O seu reino é universal.

(3) O seu reino assegura paz perfeita com Deus e boa vontade entre os homens.

(4) Todos os homens serão levados a submeterem-se a ele pelo amor.

(5) Nele serão benditas todas as nações da terra, ou seja, como aprendemos claramente em Gálatas 3.16, é nele que todas as bênçãos da redenção virão sobre o mundo. O tema do salmo é, então, o Redentor do mundo. — *Charles Hodge, "Teologia Sistemática", 1871*

O Salmo: Este salmo foi escrito por um rei, é dedicado a um rei e tem em vista principalmente aquele que é "o Rei dos reis". — *Joseph Caryl, em um sermão intitulado "David's Prayer for Salomon" [A Oração de Davi por Salomão]*

O Salmo: Dois salmos trazem o nome *Salomão* no título: um deles é o Salmo 127 e o outro é o Salmo 72, no qual os traços do seu estilo são inequívocos. Uma interpretação errônea da nota anexada ao final do salmo: "Findam aqui as orações de Davi, filho de Jessé", levou a maioria dos comentaristas antigos a atribuir o salmo a Davi e propor que é uma oração feita na sua velhice "*por* [no sentido de *a favor de*] Salomão", como o príncipe pacífico que lhe sucederia no trono. Porém, há muito que sabemos que a nota em questão diz respeito ao todo da porção precedente do Saltério, grande parte do qual foi escrito por Asafe e os filhos de Corá. Não há dúvida de que o título só pode ser traduzido por "*de* Salomão". São tão claros os indícios da escrita salomônica que Calvino — cuja sagacidade neste tipo de crítica jamais foi superada, ainda que se visse obrigado, pela nota ao término do salmo, a atribuir a essência do salmo a Davi — sentiu o toque de Salomão tão intensamente que rejeitou a conjetura de que a oração era do pai, mas depois foi colocada na forma lírica pelo filho. Este não é o lugar apropriado para fazermos uma exposição detalhada. Contentar-me-ei, então, a observar que, propriamente dito, o salmo não é "*por* [no sentido de *a favor de*] Salomão". Se diz respeito a ele e ao seu reinado pacífico, refere-se apenas a eles no que tange a serem tipos da Pessoa e do Reino do Príncipe da Paz. O salmo, do princípio ao fim, não só pode ser aplicado a Cristo, mas grande parte do qual é impossível de ser devidamente aplicado a qualquer outra pessoa. — *William Binnie*

O Salmo: Este é o quarto dos salmos que predizem as duas naturezas de Jesus. Este salmo nos admoesta a crermos em Jesus como Deus perfeito e Homem e Rei perfeitos. — *Pedro Lombardo, 1100-1164, "Saltério"*

O Salmo: Segundo o tipo de Salomão (a quem o salmo está endereçado), o Messias é "o Rei" de quem este salmo trata. Acerca disso, temos o consentimento não só dos mais eminentes teólogos da atualidade e dos pais da igreja primitiva, mas também dos antigos e mais destacados expositores judeus, bem como da mais conclusiva evidência interna do próprio salmo. E segundo um novo tipo, o reino nos é apresentado em um novo aspecto, em nítido contraste com o seu caráter conforme foi pressagiado por seu outro grande tipo, o davídico, pois o caráter do reinado de Davi foi a conquista. Ele era "homem de guerra" (1 Cr 28.1-3), o instrumento designado para sujeitar os inimigos de Israel, o povo de Deus, por quem receberam a posse imperturbada da terra prometida. Mas o caráter do reinado de Salomão era a paz, que era o significado do seu nome, sucedendo ao trono depois que todos os inimigos foram conquistados e governando o reino que as guerras de Davi estabelecera (1 Rs 2.12). Os dois tipos, respectivamente, de Cristo como ele ainda se manifestará na sua próxima aparição. Primeiramente, revelado como Davi, como se vê na visão daquele evento: "E vi o céu aberto, e eis um cavalo branco. O que estava assentado sobre ele chama-se Fiel e Verdadeiro e julga e peleja com justiça" (Ap 19.11), subjugando a confederação anticristã (Ap 19.19-21), como já predito no Salmo 2 sobre esta mesma confederação: "Tu os esmigalharás com uma vara de ferro; tu os despedaçarás como a um vaso de oleiro" (Sl 2.9). E depois, revelado como Salomão, assumindo o trono e estendendo as bênçãos do seu reinado de paz até aos confins da terra. Davi no Salmo 2 e Salomão no Salmo 72. — *William de Burgh*

O Salmo: O leitor é lembrado do hino de James Montgomery, que começa assim: "Saudai ao Ungido do Senhor". Trata-se de uma versificação muito bela deste salmo e se encontra em "Our Own Hymn Book", n. 353.

v. 1: "Ó Deus, dá ao rei os teus juízos". Direito e autoridade para executar julgamento e fazer justiça. O Pai deu todo o juízo ao Filho (Jo 5.22). — *John Fry*, 1842

v. 1: "Rei... filho do rei". Não entendo com a generalidade dos intérpretes, que por "rei" e "filho do rei" Davi quis dizer ele mesmo e o seu filho. Na minha opinião, diz respeito apenas a Salomão, a quem ambos os títulos concorda, pois ele era *filho* de Davi e foi ungido *rei* por ele durante a sua vida. — *Samuel Chandler*

v. 1: "Rei... filho do rei". Vemos que o nosso Senhor aqui é chamado de מֶלֶךְ e בֶּן־מֶלֶךְ, sendo ele mesmo rei e também filho de rei. Ambos os nomes dizem respeito à sua origem humana, tendo descendido da linhagem de Davi, como também à sua origem divina, pois o Pai do universo pode, é claro, ser devidamente chamado de Rei. Em concordância com esta designação, achamos nas moedas turcas a inscrição: Sultão, filho de Sultão. — *George Phillips*

v. 1: "Os teus juízos". De quem ele busca estes juízos? Ó Deus, diz ele, dá-os. Portanto, é a dádiva de Deus que os reis julguem acertadamente e observem a justiça. Além disso, ele não diz simplesmente: Ó Deus, dá os juízos ao rei e a justiça ao filho do rei, mas os *teus* juízos e a *tua* justiça. Concede-lhes esta graça: aquilo que é justo aos teus olhos que eles possam julgar. O mundo tem os seus próprios juízos e a sua própria justiça, mas trata de tal modo que a verdadeira justiça fica mais oprimida do que aprovada. Não são assim os juízos e a justiça de Deus. — *Wolfgang Musculus*

v. 3: "Os montes trarão paz ao povo, e os outeiros, justiça". Aqueles que aplicam este salmo a Salomão expõem o dístico assim: "Que os montes íngremes na fronteira, fortemente guarnecidos, protejam a terra de invasões hostis. E os outeiros, limpados de ladrões que nas épocas rudes acostumavam povoá-los, sejam sob o governo do rei mencionado neste salmo os lugares tranquilos de camponeses úteis e civilizados". Este sentido não está mal expressado na tradução de James Merrick:

A paz do cume do monte coberto de fortaleza
Descendo, abençoe as planícies abaixo
E a justiça de cada célula rochosa
Expila a violência e a fraude

Mas muito pouco do salmo é aplicável a Salomão e a maior parte pertence tão exclusivamente ao Messias que penso que estes montes e outeiros aludem à natureza da terra da Judeia. O sentido geral é que, nos tempos do grande rei, os habitantes daquela região montanhosa viverão em condições de paz e tranquilidade. O alvo do texto é a situação feliz do Israel natural, restaurado nos últimos dias ao favor de Deus e à posse pacífica da terra. A forte confirmação deste sentido é que a "justiça" foi mencionada como meio da paz que será desfrutada. — *Samuel Horsley*

v. 3: "Os montes trarão paz ao povo". Era e ainda é comum no oriente anunciar boas ou más notícias dos topos dos montes e outros pontos geograficamente salientes. Por este meio, os atos de justiça eram comunicados rapidamente às regiões mais remotas do país. Quando Salomão decidiu a controvérsia entre as duas meretrizes, a decisão foi prontamente conhecida por toda a nação (ver 1 Rs 3.28). — *Alexander Geddes*

v. 3: "Os montes trarão paz". A referência é à fertilidade do solo que hoje é mostrada de modo extraordinário quando os cumes dos montes, que sofrem de esterilidade incorrigível ou produzem a uma taxa extremamente inferior em relação aos vales, rendem colheitas de todos os tipos com abundância. Por esta figura, ele quer dizer que esta felicidade do seu reino não será a porção de uns poucos, mas abundará em todos os lugares e para todos os povos, de todas as situações econômicas e de todas as idades. Nenhum canto da terra, afirma ele, ficará sem esta fertilidade. — *D. H. Mollerus, 1639*

v. 3: "Os montes trarão paz". Esteja certo de que você terá paz quando os montes trouxerem paz. Quando esses montes, que até agora eram montes de vítimas e outeiros de ladrões, forem uma habitação tranquila. Quando a paz não estiver confinada entre os muros das cidades ou cercada pelos bastiões, mas os campos e as estradas estiverem abertos, as montanhas e as colinas renderem frutos abundantemente. Quando debaixo de todo arbusto e de toda árvore verde, você encontrar a paz. Quando os trabalhadores rurais e os montanheses tirarem o sustento dela. Quando comerem e se satisfazerem, deitarem e ninguém os amedrontar, então a bênção será universal. Este é o trabalho da justiça. — *Joseph Caryl*

v. 3: "Os montes" e "os outeiros" não são citados como os lugares mais infrutíferos da terra, algo que na Palestina eles realmente não eram (cf. Dt 33.15; Sl 147.8: "[Ele] faz produzir erva sobre os montes"; Sl 65.12). Também não são citados porque o que está sobre eles pode ser visto em todos os lugares e de todos os lados (Augustus F. Tholuck; cf. Jl 3.18: "Os montes destilarão mosto, e dos outeiros manará leite"; Is 55.12). Mas são citados por serem os mais proeminentes pontos e ornamentos do país. Com esta representação, são bem adequados para expressar o pensamento de que o país será enchido de paz em todos os lugares. — *E. W. Hengstenberg*

v. 4: "Os filhos do necessitado". A frase *os filhos dos aflitos* é colocada no lugar de *os aflitos*, uma expressão idiomática bastante comum no hebraico. Há uma forma semelhante da expressão usada às vezes pelos gregos, como quando eles dizem υἱοὺς ἰατρῶν, "os filhos dos médicos" no lugar de *os médicos*. — *João Calvino*

v. 5: "Temer-te-ão enquanto durar o sol e a lua, de geração em geração".

A glória sublime da família flaviana permanecerá
Perdurando como o sol e as estrelas
— *Marcial (Livro IX, Epígrafe 7)*

v. 6: "Ele descerá como a chuva sobre a erva ceifada, como os chuveiros que umedecem a terra". Estas palavras são ditas e prometidas acerca de Cristo, e servem para nos ensinar que Cristo vindo à igreja e ao povo, pela influência graciosa do Espírito Santo, é muito útil e refrescante para a alma, como chuveiros de chuva para a terra seca ou erva recentemente cortada que a faz brotar novamente. A alma sem Cristo é como terra seca. Sem a umidade da graça salvadora o coração fica duro. Nem varas, nem misericórdias, nem sermões lhe causam impressão. Por quê? Porque ela está sem Cristo, a fonte da graça e influências espirituais. Antes da queda, a alma do homem era como um jardim bem regado, bonito, verde e fragrante. Mas ao apostar-se de Deus, em Adão, nossa primeira cabeça, as fontes da graça e santidade secaram-se totalmente na alma. Não há cura desta seca senão pela união da alma com outra cabeça, a saber, Cristo, o nosso segundo Adão, que recebeu o Espírito sem medida para uso de todos os membros. Quando pela fé somos unidos com Cristo, nossa Cabeça das influências, a terra seca é transformada em fonte de águas. Cristo desce como a chuva pelo Espírito de regeneração e traz a fonte da graça para a alma.

Ele é o primeiro e imediato receptáculo do Espírito Santo e de todas as influências regeneradoras e santificadoras, e é, pela sua plenitude, que devemos pela fé recebê-las. Quando a qualquer hora a fonte da graça é suspensa na alma pelo pecado ou incredulidade, a terra se seca, as plantas murcham e as coisas que permanecem ficam a ponto de morrer. Então, a alma precisa olhar para Jesus Cristo a fim de que ele venha com novos chuveiros para a terra sedenta e plantas podres.

(1) Como a chuva é a dádiva livre de Deus para a terra seca, caindo livre e fácil para pobres e ricos, pequenos e grandes, não lhes custando nada, assim Cristo com as suas bênçãos é a dádiva livre de Deus para um mundo seco e que está morrendo. Por isto, devemos ser continuamente gratos.

(2) Como nada não pode parar a queda da chuva, assim nada pode impedir as influências graciosas de Cristo, quando designa despertar, convencer ou amolecer um coração duro. Quando esses chuveiros caem sobre os pecadores, o mais obstinada vontade tem de render-se e clamar: Senhor, o que tu queres que eu faça?

(3) Como a chuva é muito necessária e adequada para a terra seca, para as várias plantas que ela produz e também para as diferentes partes de toda planta ou árvore — como a raiz, o tronco, os ramos, as folhas, as flores e os frutos —, assim Cristo é absolutamente necessário e a sua influência muito adequada para a alma de todas as pessoas, para todas as suas faculdades — o entendimento, a vontade, a memória e os sentimentos —, e para todas as suas diferentes graças — a fé, o amor, o arrependimento —, a fim de arraigar, estabelecer, fortalecer, confirmar, avivar, aumentar, estimar e guardá-los.

(4) Como a chuva cai de diversos modos sobre a terra, às vezes com ventos frios, tempestades, trovões e raios, e outras vezes com tranquilidade e calor, assim Cristo vem aos pecadores, às vezes com convicções acentuadas e terrores legais, e outras vezes com convites e promessas atraentes.

(5) Como são agradáveis os efeitos da chuva nas plantas murchas, tornando-as verdes, brilhantes, vivas, fortes, fragrantes e bonitas! Assim os efeitos das influências de Cristo são muito desejáveis para as almas desfalecidas, a fim de iluminar, estimular, confirmar, fortalecer, consolar, engrandecer, motivar, satisfazer, transformar e embelezá-las. Um chuveiro de Cristo logo faria a igreja, ainda que murcha, voltar a ser verde e bela, enviando um cheiro como de um campo que o Senhor abençoou. Semelhantemente, algumas gotas deste chuveiro, caindo sobre as desalentadas graças dos comunicantes, logo os tornaria vigorosos e vivos em anunciar a morte do Salvador à mesa da Santa Ceia. — *John Willison, 1680-1750*

v. 6: "Ele descerá como a chuva sobre a erva ceifada, como os chuveiros que umedecem a terra". Não há imagem mais viva de condição florescente do que o que nos é transmitida por estas palavras. A erva que é castigada pelo calor do sol, antes de a terra estar bem preparada pelas chuvas, é fraca, mole e de aparência lânguida. Mas quando o brilho claro sucede os chuveiros suaves da primavera, o campo alcança a sua melhor força e fica mais formosamente ordenado do que Salomão em toda a sua glória. — *Thomas Sherlock, 1678-1761*

v. 6: "Ele descerá como a chuva sobre a erva ceifada, como os chuveiros que umedecem a terra". יֵרֵד. Há uma descida de Cristo em quatro partes mencionadas pela Bíblia.

(1) A sua encarnação, a manifestação na carne.

(2) A sua humilhação em termos de condição. Ele não só assumiu a carne humana, mas todas as fraquezas naturais da nossa carne.

(3) A sua sujeição à morte.

(4) As destilações da sua graça e bênçãos espirituais na igreja. — *Ralph Robinson*

v. 6: "Ele descerá como a chuva sobre a erva ceifada". Alguns estudiosos traduzem por "como o orvalho sobre a lã". Trata-se da lã misteriosa de Gideão que, ao ser exposta ao ar, ficou primeiramente cheia do orvalho do céu, enquanto a terra ao redor ficou totalmente seca, e depois ficou seca enquanto a terra ficou molhada (Jz 6.37-40). Representa-nos, de acordo com os antigos teólogos, que o orvalho da graça do céu foi derramado sobre a Judeia na ocasião em que todo o restante do mundo permaneceu em esterilidade e ignorância de Deus. Mas que agora, por estranha alteração, esta mesma Judeia está em seca e esquecimento de Deus, ao passo que, pelo contrário, todas as outras nações da terra estão inundadas com o orvalho da graça celestial. — *Pasquier Quesnel*

v. 6: "Sobre a erva ceifada". A palavra hebraica usada aqui tem um significado duplo. Significa o tosão de lã tosquiada e também a grama recentemente cortada. Este ocasiona leituras diversas. Alguns expositores entendem assim: "Ele descerá como a chuva sobre um tosão de lã", como optou a Septuaginta. Os que seguem esta interpretação tornam o texto uma alusão ao orvalho que caiu sobre o velo de lã de Gideão, enquanto a terra ao redor ficou seca, e novamente, quando caiu sobre a terra, ao passo que a lã ficou seca (Jz 6.37-39). Outros expositores entendem que é de acordo com esta tradução: "Ele descerá como a chuva sobre a erva ceifada". Esta opção me parece estar mais de acordo com o significado do Espírito Santo, sobretudo por causa da frase seguinte, a qual é acrescentada à guisa de explicação: "Como os chuveiros que umedecem a terra". "Como os chuveiros", רְבִיבִים. Chuva e chuveiros só diferem em termos de menos e mais quantidade. *Chuva* significa chuveiros menores e *chuveiros* significam chuva maior (Dt 32.2). A chuva que desaba em multidão de gotas chama-se chuveiro. "Que umedecem a terra." A palavra זַרְזִיף (*zarzîp*), que é traduzida por "umedecem", é usada somente neste texto em toda a Bíblia. Significa "molhar por dispersão", "molhar através de gotas". Os chuveiros são espalhados em gotas por toda parte da face da terra, de modo muito regular e artificial. Jó disse que Deus "abriu para a inundação um leito" (Jó 38.25). A chuva vem da nuvem espirrada pelas gotas, de maneira que todas as suas partes têm o seu quinhão. — *Ralph Robinson*

v. 6: "A erva ceifada", literalmente, "aquilo que é tosquiado", quer seja lã ou erva. No primeiro sentido, ocorre em Juízes 6.37, gozando da preferência dos tradutores mais antigos (Aq., ἐπὶ κουράν, Septuaginta e outras, ἐπὶ πόκον, Jerônimo e Vulgata Latina, *in vellus*), provavelmente com a ideia de que o reinado do monarca seria acompanhado por sinais notáveis do favor e bênçãos de Deus, como o orvalho sobre a lã de Gideão. No segundo sentido, a palavra consta em Amós 7.1. Este é indiscutivelmente o significado aqui, como mostra o paralelo. A erva ceifada é mencionada particularmente, porque as raízes da erva ficariam mais expostas ao calor do verão depois que completada a colheita, e o efeito seria muito surpreendente no rebento das novas folhas verdes depois do chuveiro. — *J. J. Stewart Perowne*

v. 7: "O justo... paz". Você pergunta o que ele é individualmente? A resposta é: "Rei da Justiça", um ser que ama a justiça, trabalha a justiça, promove a justiça, obtém a justiça, concede a justiça àqueles a quem salva, sendo perfeitamente sem pecado e o inimigo e revogador de todos os pecados. Você pergunta o que ele é praticamente e em relação ao efeito do seu reinado? A resposta é: "Rei da Paz", um soberano cujo reino é abrigo para todos os miseráveis, um esconderijo para todos os perseguidos, um lugar de descanso para todos os cansados, um lar para todos os destituídos e um refúgio para todos os perdidos. — *Charles Stanford*

v. 7: "Abundância de paz", literalmente, "multidão de paz", quer dizer, as coisas que produzem a paz ou que indicam a paz não serão poucas, mas numerosas. Abundarão por todos os lugares. Serão achadas em cidades, aldeias e casas particulares, na administração calma e justa dos assuntos de Estado, nas colheitas abundantes, na inteligência, na educação e na indústria imperturbável, na proteção estendida aos direitos de todos. — *Albert Barnes*

v. 7: "Enquanto durar a lua". Estas palavras não querem dizer necessariamente que a lua jamais deixará de existir. A ideia comumente defendida da aniquilação do firmamento estrelado não tem fundamentação bíblica. Esta ideia causa influência perniciosa na mente humana, já que leva os homens a depreciar aquilo que em caráter fenomenal traz o selo e a chancela da glória divina. — *Frederic Fysh v. 8:* "Desde o rio". Há muitos intérpretes modernos que com a menção do "rio", isto é, o rio Eufrates, nesta frase do versículo, pensam que devemos entender que o texto cita as fronteiras da terra da Palestina. Desta forma, o país se estende do mar Vermelho ao mar da Síria, normalmente chamados de mar dos Filisteus e mar Grande, e do rio Eufrates ao Grande Deserto que situa-se atrás da Palestina e do Egito. Estes são os limites do território israelita: o primeiro, do sul ao oeste, o último, do norte ao leste (Gn 15.18). Mas, nesta passagem, não há dúvida de que o "rio", a saber, o rio Eufrates está indicando o limite extremo da terra a leste. Em uma descrição altamente poética e magnífica, como temos neste cântico acerca de um rei exaltado acima de todos os outros, nada pode ser concebido mais impróprio do que dizer que os domínios de tal rei deveriam ser fixados pelos limites da Palestina. — *Ernst Fried Karl Rosenmüller, "The Biblical Cabinet" [O Gabinete Bíblico], vol. XXXII*

v. 9: "Aqueles que habitam no deserto se inclinarão ante ele, e os seus inimigos lamberão o pó". Isto equivale a dizer que os árabes selvagens, os quais os maiores conquistadores nunca puderam subjugar, "se inclinarão ante ele" ou se tornarão os seus vassalos. Não somente isso, mas "os seus inimigos" e, por conseguinte, estes árabes entre os demais "lamberão o pó" ou lhe farão a corte com as mais miseráveis submissões. — Observações de *Thomas Harmer*

v. 9: "Os seus inimigos lamberão o pó". Mantenha em mente que em muitas nações era costume que, quando as pessoas aproximavam-se do rei, elas beijavam a terra e prostravam-se de corpo inteiro perante ele. Este era especialmente o costume por toda a Ásia. Ninguém tinha a permissão de dirigir-se aos reis persas, a menos que se prostrasse no chão e beijasse os passos do rei, como registra de Xenofonte. — *Thomas Le Blanc*

vv. 9 e 10: "Deserto", "Társis", "Sebá". As nações mais incivilizadas, as mais distantes e as mais opulentas prestarão homenagens a ele. — *Augustus F. Tholuck*

vv. 9 a 11: "Aqueles que habitam no deserto se inclinarão ante ele, e os seus inimigos lamberão o pó". Eles se humilharão debaixo da poderosa mão de Cristo. Eles o aceitarão e o receberão como Senhor. Eles o temerão e o reverenciarão como Rei. Eles se cobrirão de véu e se inclinarão diante do cetro. Colocarão a si mesmos e a tudo que tiverem sob as ordens de Cristo. Eles se darão à exaltação e entronização de Cristo.

"Os reis de Társis e das ilhas trarão presentes; os reis de Sabá e de Sebá oferecerão dons." Consagrarão as habilidades a serviço de Cristo. Transferirão bens para a manutenção da igreja de Cristo. Ministrarão para a preservação e engrandecimento do reino de Cristo.

"E todos os reis se prostrarão perante ele; todas as nações o servirão." Todos o adorarão e o servirão como Rei. Todos o exaltarão e o honrarão como súditos, o soberano celestial. Todas as pessoas, das mais altas às mais baixas, têm de servir o Senhor Jesus e ocupar-se em dar glória ao seu louvor (cf. Sl 66.2). A graça opera a obediência no coração dos príncipes, como também no coração dos mendigos. O sol, como também as estrelas fizeram mesura a José na sua visão. Reis, como também os subalternos fazem mesura a Cristo no seu reino e evangelho. — *Alexander Grosse,* 1654, *"Sweet and Soule-Perswading Inducements leading unto Christ" [Induzimentos Doces e Persuasivos à Alma que levam a Cristo], 1632*

v. 10: "Társis" era uma cidade antiga, célebre, opulenta, culta e comercial, que comerciava no mediterrâneo e com os portos marítimos da Síria, sobretudo Tiro e Jaffa, e provavelmente com os portos que ficavam no extremo oeste daquele mar. Havia antigamente alguma cidade nestas regiões correspondente com estes fatos claramente apurados? Havia. Tartessos na Espanha, conhecida como colônia fenícia — fato que por si só explicaria a sua estreita conexão com a Palestina e as narrativas bíblicas.

Quanto à localização exata de Tartessis (esta é a escrita original), as autoridades não estão de acordo, visto que a cidade deixara de existir quando a geografia começou a receber atenção. Mas ficava perto do Estreito de Gibraltar e da foz do rio Guadalquivir, por conseguinte, não muito longe da famosa Granada dos dias mais recentes. O leitor, porém, tem de ampliar a sua noção além da mera cidade que, por maior que fosse, dificilmente corresponderia com as ideias de magnitude, afluência e poder que a Bíblia dá a entender. O nome, que é de origem fenícia, denota o distrito sudoeste da Espanha, incluindo as diversas colônias que Tiro plantou naquele país, sendo assim equivalente ao que poderíamos chamar da Espanha fenícia. Não estamos convencidos, porém, de que a costa oposta da África não estivesse incluída, de forma que a palavra denotaria o habitante da Palestina, as regiões ocidentais extremas do mundo. — *J. R. Beard, "A Cyclopaedia of Biblical Literature" [Uma Enciclopédia de Literatura Bíblica], 1866*

v. 10: "As ilhas", אִיִּים, é palavra que nos Salmos só ocorre mais uma vez, no Salmo 97.1, onde é invariavelmente traduzida. A palavra, porém, denota terra habitável em oposição à água (cf. Gn 10.5, a primeira ocorrência, com Is 42.15), e daí "*terra marítima*, quer o litoral do continente ou a ilha" (Gesenius), especialmente os países banhados pelo mediterrâneo e as costas remotas a oeste da Palestina. É o que se dá na profecia paralela: Isaías 60.9 e 11.11; 41.1,2; 42.10-12; 49.1. Por conseguinte, "*as ilhas* aguardarão a sua doutrina" (Is 42.4) é exposto em Mateus 12.21: "E, no seu nome, *os gentios* esperarão". — *William de Burgh*

v. 10: "Sabá... Sebá". São, ao que parece, duas nações que vivem na mesma região, a saber, a Arábia do Sul (atual Iêmen). Uma destas descendeu de Cuxe, filho de Cam, e a outra de Joctã, descendente de Sem. Estes dois povos eram de interesses antagônicos, apesar da semelhança dos nomes, mas as divisões seriam sanadas e em união eles ofereceriam tributo ao grande Rei. Há um provérbio árabe que diz: "divididos como os sabeus", mas Jesus os une. "Os geógrafos gregos juntam a Abissínia com o Iêmen, na Arábia, e invariavelmente apresentam os abissínios como uma raça árabe ou sabeia. Os viajantes modernos também concordam unanimemente em reconhecer o gênero árabe entre as populações abissínias não pertencentes à linhagem africana". O historiador grego Agatárcides deixa claro que as nações sabeias eram ricas. "Os sabeus", escreve ele, "têm em casa um número incrível de vasos e utensílios de todos os tipos, de ouro e de prata, camas e tripés de prata, e toda mobília de riqueza surpreendente. Os edifícios têm pórticos com colunas revestidas de ouro ou encimadas por capitéis de prata. Nos frisos, ornamentos e vigamento das portas, eles colocam pratos de ouro incrustados de pedras preciosas. Gastam imensas somas de dinheiro para adornar estes edifícios, empregando ouro, prata, marfim, pedras preciosas e materiais do mais elevado valor". Adquiriram grandes riquezas comerciando com a Índia e a África, visto que a sua península situava-se entre essas duas regiões. Se a descrição que Lenormant e Chevallier fazem do comércio dos sabeus estiver correta, então os dons mencionados no versículo serão riquíssimos. "Os principais artigos importados da Índia eram ouro, estanho, pedras preciosas, marfim, sândalo, especiarias, pimenta, canela e algodão. Além destes, os armazéns da Arábia do Sul recebiam produtos da costa oposta da África, obtidos pelos sabeus no ativo comércio feito ao longo da costa que mantinham com esta terra não tão distante, onde Mosyton (atual Ras Abourgabeh) era o porto principal. Os produtos, além das especiarias que deram nome àquela costa, eram ébano, pena de avestruz e mais ouro e marfim. Com a adição dos produtos provenientes da terra da Arábia do Sul, incenso, mirra, láudano, pedras preciosas, como ônix e ágata, ultimamente, babosa da ilha de Socotorá e pérola das pescas no golfo de Ormuz, teremos a lista dos artigos incluídos no comércio deste país com o Egito e com os países asiáticos que fazem fronteira com o mediterrâneo. Ao mesmo tempo, analisando a lista, podemos fazer uma ideia de como deve ter sido grande a importância e atividade de tal tráfico".

Tendo em vista que o povo de Deus é geralmente pobre, com certeza chegará o tempo em que os mais ricos dos ricos considerarão a maior alegria pôr os seus tesouros aos pés de Jesus. — *C. H. S.*

v. 12: "Porque ele livrará ao necessitado quando clamar". Não há necessidade de mediador entre ele e os súditos, pois ele ouve os necessitados quando clamam. Aquele que não tem nada dentro de si ou fora de si para recomendá-lo a Cristo, para o ajudar, auxiliar, aliviar ou consolar no céu ou na terra, não é menosprezado por Cristo, mas livrado de quem ele teme. — *David Dickson*

v. 13: "Compadecer-se-á", mais corretamente, "consolará o pobre e necessitado e salvará a alma", ou "preservará (ou guardará) a vida do necessitado". — *William Henry Alexander, "The Book of Praises: being the Book of Psalms... with Notes Original and Selected" [O Livro dos Louvores: sendo o Livro dos Salmos... com Notas Originais e Seletas], 1867*

v. 13: "E salvará a alma dos necessitados". Cipião dizia que ele preferiria salvar um único cidadão a matar mil inimigos. Todos os príncipes deveriam ter esta mentalidade para com os súditos. Mas este afeto e amor mostram-se à altura da mais sublime excelência e poder no peito de Cristo. Tão ardente é o seu amor pelos seus, que ele não permite que nem um pereça, mas os leva à plena salvação e, opondo-se a demônios e tiranos que procuram destruir a alma, ele coage-lhes a fúria e confunde-lhes a raiva. — *D. H. Mollerus*

v. 14: "E precioso será o seu sangue aos olhos dele". Os angolanos tanto desprezavam os escravos que davam até vinte e dois por um cachorro magro. [...] Mas Jesus prefere a alma de um dos seus servos do que o mundo inteiro, visto que ele morreu para que ela fosse mais apta para entrar na felicidade eterna. Por quebrar uma taça, os romanos lançavam o escravo no tanque para ser devorado pelas enguias. Mas o Filho de Deus desceu do céu à terra para livrar a humanidade, os seus servos vis, ingratos e incrédulos, dos ataques da serpente, como a lã dourada, e salvá-los, como Jonas da baleia. Não é o sangue deles precioso aos olhos dele? — *Thomas Le Blanc*

v. 15: "E viverá", no original hebraico: "Assim ele viverá", ou seja, o pobre. — *Charles Carter, 1869*

v. 15: "E viverá". Esta é referência clara à coroação de reis em altas aclamações: *Longa vida ao Rei!* e à concessão dos habituais dons e presentes, como está claro em 2 Sm 16.16; 1 Rs 1.39; 1 Sm 10.27; 2 Cr 17.5. — *Hermann Venema*

v. 15: "E viverá". Alexandre, o Grande, prestes a morrer, confessou que era um homem frágil e fraco. "Vejam! Eu", disse ele, "estou morrendo, aquele a quem vocês chamaram falsamente de deus". Mas Jesus provou que era Deus quando, pela morte, venceu e, posso dizer, matou a morte. — *Thomas Le Blanc*

v. 15: "E viverá". É grande consolação para os soldados postos em perigo entre muitas formas de morte que o seu rei viva. Por isso, um dos chefes desses guerreiros, consolando-se, disse: "Eu sei que o meu Redentor vive, e que por fim se levantará sobre a terra" (Jó 19.25). Grande é a consolação dos que morrem que aquele por quem ou em quem eles morrem viverá eternamente. Com quem, se morrermos, também viveremos novamente e participaremos igualmente das suas riquezas com ele, pois verdadeiramente rico é o nosso Salomão, "em quem estão escondidos todos os tesouros da sabedoria e da ciência" de Deus (Cl 2.8). — *Reicherspergensis Praepositus Gerhohus*

v. 15: "Continuamente se fará por ele oração, e todos os dias o bendirão". O versículo poderia ter sido traduzido assim: "Continuamente se fará *através dele* oração, e todos os dias o bendirão". A palavra hebraica é traduzida por *bendizer* ("bendirão") ao falar-se de um ato de adoração a Deus. A palavra hebraica traduzida por *por* é, às vezes, usada no sentido de *através de*, como em Josué 2.15: "pela janela". Se mantivermos a tradução "por ele", no sentido de *a favor dele*, então devemos entender que diz respeito aos santos que oram pelo cumprimento das promessas do Pai, feitas ao Filho na aliança da redenção, para que o seu reino venha, o seu nome seja glorificado, ele veja a sua semente, receba a plena recompensa pelos seus sofrimentos e receba o gozo que lhe estava proposto. — *Jonathan Edwards, 1703-1758 v. 15:* "Continuamente se fará por ele oração, e todos os dias o bendirão". Em todos os países conquistados há duas coisas que marcavam a sujeição do povo: (1) O dinheiro era timbrado com o nome do conquistador. (2) O povo era obrigado a orar por ele nos atos de adoração pública. — *Adam Clarke*

v. 16: "Haverá um punhado de trigo na terra sobre os cumes dos montes". Não só ao solo faltaria profundidade, mas a própria semente seria facilmente levada pelo vento dos céus ou carregada pela chuva copiosa para a base embaixo. — *Peter Grant, 1867*

v. 16: "Haverá um punhado de trigo na terra sobre os cumes dos montes". Mediante análise abalizada, estou convencido de que o sentido exato da palavra פַּס, ou פִּסָּה, é "porção" ou "pedaço". É usada da mesma maneira que usamos as mesmas palavras em expressões como "uma porção de trigo", "um pouco de cevada", "um pedaço de milho". — *Samuel Horsley*

v. 16: "Um punhado de trigo". É claro que você deve estar acostumado a ver comerciantes de trigo carregando pequenos sacos contendo um punhado de trigo, os quais exibem como amostras do que têm à venda. Agora, permita-me pedir que cada um de vocês levem consigo sacos pequenos com este trigo precioso do evangelho. Quando escrever uma carta, coloque uma palavra de Cristo. Esta pode ser uma semente que germinará. [...] Fale uma palavra de Cristo onde quer que você for. Esta pode ser uma semente que produzirá muitos frutos. Deixe um folheto no balcão da loja que você for ou na casa que você visitar. Este pode ser uma semente produtiva de colheita abundante. A situação mais difícil, o monte mais íngreme, o local em que há a menor esperança de frutos produtivos tem de ser o primeiro lugar de ataque. Quanto mais trabalho for necessário, mais será dado na distribuição das sementes. — *James Sherman*

v. 16: "O seu fruto se moverá como o Líbano". Quando a espiga é abundante e farta, produz caule tão grande e forte que, com o movimento do vento, move-se como os cedros. — *Joseph Hall*

v. 16: "O seu fruto se moverá como o Líbano", quer dizer, se moverá de um lado para outro com o vento, como os altos cedros do Líbano. Isto implica que o trigo será alto e exuberante. — *W. French e G. Skinner*

v. 16: "O seu fruto se moverá como o Líbano". Nem *mover-se* nem *ondular* transmite a força plena do verbo hebraico רָעַשׁ, que dá a entender a ideia adicional de um barulho forte, como faz o vento por entre os cedros do Líbano. Esta comparação é certamente mais natural e óbvia do que a de certos intérpretes que opinam tratar-se de safra de grãos ou restolhais do próprio Líbano. Isto seria meramente comparar uma colheita com outra, sem falar que, em outro texto, tal alusão jamais foi feita ao monte, ainda que as planícies e vales circunjacentes fossem produtivos. — *Joseph Addison Alexander*

v. 16: "Como o Líbano". Pelo emprego de habilidade e labor, eles fizeram uma terra rochosa ficar fértil. Para aproveitar as águas, construíram um canal extremamente sinuoso nos declives ou as represaram nos vales por meio de diques. Escoraram a terra que estava prestes a despencar utilizando terraços e muros. Quase todos os montes que são assim preservados apresentam a aparência de escadaria em caracol ou de anfiteatro, cada fileira da qual sendo uma fila de videiras ou amoreiras. Contei em um declive até cem ou cem e vinte fileiras do fundo do vale ao topo do monte. Esqueci, por um momento, que eu estava na Turquia. — *Conde de Volney, 1755-1820*

v. 16: "Como o Líbano". Para entendermos as imagens tomadas do monte Líbano, é necessário observar que há a descrição de quatro barreiras de montes, uma subindo sobre a outra. A primeira e mais baixa é rica em grãos e frutas. A segunda é estéril, estando coberta somente de espinhos, pedras e pederneiras. A terceira, ainda que mais alta, é abençoada com uma fonte perpétua. As árvores sempre são verdes. Há pomares inumeráveis carregados de frutas, e forma um verdadeiro paraíso terrestre.

Onde frutos e flores vicejam
Em doçura social, no mesmo ramo

A quarta barreira ou cume mais alto de todos é a região de neve eterna. Agora ficou claro que a imagem registrada no Salmo 72 vem do primeiro destes cumes do Líbano, onde (seguindo o antigo modo de cultivo) os monges do Líbano, porque eram os principais cultivadores de terra terraplenada, cultivavam habilidosamente cada partícula de terra produtiva. Nas expressivas palavras de Burckhardt, "cada centímetro de terra é cultivada", de forma que não há imagem mais singularmente expressiva do cultivo universal que ocorrerá durante o reinado do Messias, do que dizer que "o seu fruto se moverá como o Líbano". Se entendermos que o salmista fala figuradamente, que paisagem moral poderia ser pintada mais ricamente do que quando ele dá a entender que os montes estéreis do nosso mundo, que no momento não dão frutos para Deus, serão cultivados naquele dia de forma tão habilidosa e tão completa, que os frutos ondularão como os campos de trigo terraplenados ou se moverão como as amoreiras suspensas nas alturas terraplenadas do Líbano. — *Robert Murray McCheyne, 1813-1843*

v. 16: "Como a erva da terra". As características peculiares da erva, que se adapta especialmente para o serviço do homem, são a aparente humildade e completude de alegria. A humildade, no que tange a ter sido criada apenas para os mais baixos serviços — designada para ser pisada e servir de alimento. A alegria, no que tange a exultar sob todos os tipos de violência e sofrimento. Você rola sobre ela e no dia seguinte está mais forte. Você a ceifa e ela multiplica brotos, como se agradecesse. Você anda sobre ela e ela só exala o mais rico aroma. Chega a primavera e ela se alegra com toda a terra, brilhando com matizadas labaredas de flores, ondulando na profundeza macia da força frutífera. Chega o inverno e, embora não desdenhe as companheiras plantas por continuar crescendo, não chora nem lamenta por ficar sem cor e folhas como elas. É sempre verde e fica cada vez mais brilhante e mais alegre com a geada. — *John Ruskin, 1810*

v. 17: "O seu nome permanecerá eternamente". *Yinnon:* O Kethiv, *yanin*, seria: "produzirá nova progênie" ou "dará novos brotos". Renan estava longe de querer fazer um comentário sobre este versículo, quando disse acerca do Senhor Jesus: "Son culte se rajeunira sans cesse" ("o seu culto se rejuvenescerá sem cessar"). Contudo, não seria fácil achar ilustração mais convincente do significado da palavra hebraica *yanin*. — *William Kay*

v. 17: "O seu nome se irá propagando de pais a filhos, enquanto o sol durar". A tradução e sentido que Gussetius dá são, parece-me, as melhores de todas: "O seu nome gerará ou procriará filhos diante do sol", ou seja, o seu nome pregado, como o evangelho, que é o seu nome (At 9.15), será o meio de gerar muitos filhos e filhas aberta e publicamente debaixo do sol e onde quer que isso ocorra. — *John Gill*

v. 17: "Todas as nações lhe chamarão bem-aventurado". Há quem diga inadvertidamente que o Antigo Testamento é de espírito estreito e exclusivo, ao passo que o Novo Testamento é de espírito amplo e universal. Trata-se de um engano. O Antigo e o Novo Testamento são unânimes nesta questão. Muitos são chamados, mas poucos escolhidos. Esta é doutrina comum do Novo como também do Antigo Testamento. Ambos são igualmente universais em proclamar o evangelho a todos. O concerto com Adão e com Noé ainda é válido e seguro para todos que se voltam a Deus. Está escrito categoricamente que a chamada de Abrão é um meio de estender bênçãos para todas as famílias dos homens. O Novo Testamento não aponta a nada mais que isto. Meramente aclama a chegada da realização do mesmo propósito gracioso. — *James G. Murphy, "A Critical and Exegetical Commentary on the Book of Genesis" [Um Comentário Crítico e Exegético sobre o Livro de Gênesis], 1863*

v. 19: "Amém e amém!" O rabino Jeudá, o Santo, disse: "Aquele que diz *amém* neste mundo é digno de dizê-lo no mundo por vir. É por isso que Davi profere *amém* duas vezes neste salmo, para mostrar que um *amém* pertence a este mundo e o outro ao que há de vir. Aquele que diz *amém* com devoção é maior do que aquele que profere as orações, porque as orações são a carta e o amém é o selo. O escriba escreve as cartas e o príncipe somente as sela". — *John Mason Neale e R. F. Littledale*

v. 19: "Amém e amém!" A palavra traduzida por "amém" em Mateus 16.28 é ἀληθῶς, que em Lucas 9.27 foi traduzida por "em verdade". O nosso Salvador tem esta frase peculiar a ele: "Amém, amém" (ou seja, "em verdade, em verdade", Jo 5.25), para dar confirmação à doutrina e chamar a nossa atenção e fé, ou para mostrar não só que a verdade está sendo falada, mas que está sendo falada por aquele que é a própria verdade. [...] Não há necessidade de comentário explicativo para os homens da grande sinagoga, ou de cânon para ordenar o homem envergonhar-se, quando é a emoção natural que dita o sentimento. Quando o coração é fervoroso na oração com afeto anelante e ardente, um duplo *amém* sai naturalmente de nós como o leite do seio da mãe que amamenta o lactente. A palavra hebraica *amém* é derivada de אָמַן (*'āman*), que significa "alimentar", "amamentar", como se, por assim dizer, não for a mãe, é a ama-seca fiel da viva devoção. A concordância às repetições é essencial para a oração, não fazendo sentido publicamente senão por um *amém*. — *Thomas Woodcock, 1695, "The Morning Exercises" [Os Exercícios Matutinos]*

v. 19: "Amém" é uma palavra curta, mas maravilhosamente prenhe, repleta de significados e cheia de espírito. É uma palavra que sela todas as verdades de Deus e sela toda promessa particular de Deus. Nunca brota da alma, a menos que primeiro haja o poder grandioso proveniente do céu que agarre as faculdades da alma e as vença, para então fazer a alma dizer: "Amém". Há tamanha insurreição dentro do coração e rebelião inata contra a verdade bendita de Deus que a menos que Deus, pelo seu braço forte, derrube o coração, este nunca dirá nem poderá dizer: "Amém". — *Richard Sibbes, 1577-1635*

v. 20: "Findam aqui as orações de Davi, filho de Jessé". Este anúncio traz consigo a indicação de que outros salmos hão de se seguir. Teria sido supérfluo, se não tivessem de se seguir salmos trazendo no cabeçalho o nome de Davi. Diante disso, temos de destacar que traz o caráter de um enigma, pois os outros salmos mantinham outras relações que as dadas nos primeiros dois livros do Saltério. Atingiremos perfeita clareza e certeza observando que todos os salmos de Davi foram inseridos nos últimos dois livros como partes integrantes dos ciclos posteriores. A subscrição ao término do Livro II deve ter tido o desígnio de classificar os salmos de Davi, separado os salmos livres dos ligados a certas relações, os salmos espalhados dos consecutivos. Análogo em certa medida está a subscrição: "Acabaram-se as palavras de Jó", registrada em Jó 31.40, a qual não é contradita pelo fato de Jó aparecer falando novamente nos capítulos 40 e 42. Mais exatamente, devemos considerá-la útil para nos dar um entendimento correto desta conclusão formal. — *E. W. Hengstenberg*

v. 20: Na conclusão deste salmo, as cópias hebraicas trazem a frase: "Findam aqui as orações de Davi, filho de Jessé". Mas como há outros salmos de Davi depois destas palavras, temos de entender que a nota significa: *Findam aqui este livro das orações de Davi*, ou: *Findam aqui a coletânea de hinos compostos pelo próprio Davi*, sendo que as adições feitas posteriormente contêm outros hinos de Davi, de Asafe e de outros compositores e, por último, de Esdras. — *Daniel Cresswell*

v. 20: "Findam aqui as orações de Davi, filho de Jessé". Contanto que não se leve em conta a divisão em cinco livros do Saltério, esta nota só tem deixado os comentaristas perplexos. Agostinho e o seu mestre, Ambrósio de Milão, encontrando-a no Saltério entre os Salmos 72 e 73, consideraram-na parte do título do Salmo 73 e torturaram a engenhosidade para adivinhar o significado. Calvino viu que a nota é retrospectiva, mas, não tendo observado a posição ao término do Livro II, pensou que pertencia exclusivamente ao salmo imediatamente precedente e entendeu que significava que o salmo embalsama as últimas orações do velho rei. Mas ele deixou de reconciliar esta interpretação com dois fatos óbvios: que o título do salmo o atribui a Salomão e que um salmo bem diferente é reservado em outro lugar como "estas são as últimas palavras de Davi" (2 Sm 23.1). Esta perplexidade do grande reformador é em geral compartilhada pelos comentaristas mais antigos. Mas nos livramos imediatamente desta dificuldade, apenas observando a posição da nota em questão. Ela está colocada depois de uma doxologia que marca o fim do Livro II. Portanto, não tem referência especial ao Salmo 72. Ou diz respeito ao Livro II, ou, mais provavelmente, aos Livros I e II. — *William Binnie*

v. 20: "Findam aqui as orações de Davi, filho de Jessé", em comparação com o título do Salmo 86: "Oração de Davi". Como pode estar escrito que as orações de Davi findaram, quando houve mais? Resposta: O fim que Davi deu em compor salmos, orações e louvores é uma coisa, mas dar um fim cabal às orações é outra. Muitas opiniões diversas têm sido dadas para reconciliar esta aparente discrepância. Alguns estudiosos entendem que aqui findam as orações que ele fez por Salomão. Uns acham que aqui findam as orações que ele fez nos dias da aflição. Outros, transformando a palavra hebraica *tepillahs* em *tehillahs*, opinam que aqui findam os louvores que ele fez, não as orações. Outros defendem que aqui findam as orações de Davi, pois as demais que se seguem são de Asafe. Outros advogam que este salmo foi o último, e os demais foram póstumos, tendo sido encontrados depois da morte do salmista. Outros cogitam que as palavras funcionam como a frase que consta no último versículo de Jó capítulo 31: "Acabaram-se as palavras de Jó", mesmo que depois ele tenha declarado algumas palavras, mas não muitas. Mas a explicação mais lógica é esta: "Findam aqui as orações de Davi, filho de Jessé", quer dizer, aqui elas são aperfeiçoadas. Se alguém futuramente perguntar o que ou onde está o fim para o qual todos os salmos foram compostos, diga-lhes que está aqui neste salmo, tendo sido colocado no meio de todos. Como o centro no meio de um círculo, onde todas as retas se encontram, todos os salmos terminam aqui, pois é só um tratado profético sobre o reino de Cristo estipulado para a vida, e é dedicado a Salomão, porque aqui há sabedoria. Pode ser que outros homens tiveram outros fins, mas o filho de Jessé não teve outro fim no mundo senão especificar o reino de Cristo compondo salmos. — *William Streat, "The Dividing of the Hoof" [A Divisão do Casco], 1654*

v. 20: "Filho de Jessé". É sinal de verdadeira humildade e amor sincero a Deus nos humilhar e confessar a nossa condição baixa, na qual Deus nos achou quando provou o seu amor por nós, para que assim pudéssemos louvar as riquezas da bondade e graça de Deus por nós mostradas aqui em Davi. — *David Dickson*

v. 20: "Findam". O sentido é que Davi, filho de Jessé, não tinha nada mais pelo que orar ou desejar, além das grandes coisas descritas no salmo. Nada é mais animador do que esta conclusão. Tendo descrito as bênçãos do reino do Messias, ele encerra o todo com esta magnífica doxologia:

Bendito seja o Senhor Deus,
o Deus de Israel, que só ele faz maravilhas.
E bendito seja para sempre o seu nome glorioso;
e encha-se toda a terra da sua glória.
Amém e amém!
Findam aqui as orações de Davi, filho de Jessé.
— *Samuel Horsley*

SUGESTÕES AOS PREGADORES

O Salmo. Marque ao longo do salmo as mudanças baseadas nestes dois parâmetros: (1) Ele *mais* o verbo no futuro. (2) Eles *mais* o verbo no futuro.

v. 1. A oração da antiga igreja tem agora o seu cumprimento: (1) Os títulos do nosso Senhor: (a) Rei, por natureza divina. (b) Filho do rei, por ambas as naturezas. Assim, vemos o seu poder inato e derivado. (2) A autoridade do nosso Senhor: "Juízos": (a) Para reger o povo. (b) Para reger o mundo em benefício do povo. (c) Para julgar a humanidade. (d) Para julgar os demônios. (3) O caráter do nosso Senhor. Ele é justo para recompensar e punir, bem como justo para com Deus e o homem. (4) A nossa oração de lealdade. Ela pede o seu reinado sobre nós e o universo.

v. 2. O reino de Jesus na igreja: (1) Os súditos: (a) "O teu povo", os eleitos, os chamados. (b) "Os teus pobres", por convicção e consciência do pecado. (2) O rei, ele, único, verdadeiramente, constantemente. (3) O reinado — justo, imparcial, brando, prudente. Lição. Deseje este reino.

v. 3. Os montes: (1) Do decreto divino. (2) Da verdade imutável. (3) Do poder onipotente. (4) Da graça eterna. Estes montes de Deus são a segurança da paz.

v. 4. O Rei dos aflitos ou os benefícios derivados pelos aflitos do reinado de Jesus.

v. 5. A perpetuidade do evangelho: (1) Razões para isso. (2) Coisas que a ameaçam. (3) Lições derivadas.

v. 6. O campo, o chuveiro, o resultado. Este versículo é facilmente desdobrado em diversos modos.

v. 7. (1) Os justos florescem mais em uma estação do que em outra. (2) Os justos florescem mais quando Jesus está com eles: "Nos seus dias". (3) O resultado do crescimento dos justos é proporcionalmente abundante: "E abundância de paz". — *George Rogers*

v. 7. "Abundância de paz": (1) Propostas abundantes de paz. (2) Redenção abundante que faz a paz. (3) Perdão abundante que confere a paz. (4) Influências abundantes do Espírito que selam a paz. (5) Promessas abundantes que garantem a paz. (6) Amor abundante que difunde a paz.

v. 8. A expansão universal do evangelho. Outras teorias quanto à destruição futura e à revelação da sua má influência, enquanto o benefício e a certeza desta verdade são confirmados.

v. 9. "E os seus inimigos lamberão o pó." O fim ignóbil dos inimigos de Cristo.

v. 10. Nas finanças cristãs, os presentes e dons trazidos e oferecidos a Jesus são voluntários e abundantes.

v. 12. O cuidado peculiar que Jesus tem pelos necessitados e aflitos.

v. 12. (1) Os personagens lastimáveis. (2) A condição miserável: "aflito", "não tem quem o ajude". (3) Recurso natural: "clamar". (4) Interferência gloriosa.

v. 14. A esperança do mártir na vida e o consolo na morte. — *George Rogers*

v. 14. "E precioso será o seu sangue aos olhos dele." O sangue do mártir: (1) É visto por Deus quando derramado. (2) É lembrado por Deus. (3) É honrado por ser um benefício para a igreja. (4) É especialmente recompensado no céu.

v. 15. "Continuamente se fará por ele oração." Oremos por Jesus Cristo. Em virtude do interesse que ele tem em certas coisas, o que é feito para eles é feito para ele, pois é assim que ele considera. Portanto, oramos por ele quando oramos pelos seus ministros, pelas suas ordenanças, pelo seu evangelho, pela sua igreja — em suma, pela sua causa. Mas pelo que devemos orar a favor dele? (1) Pelo grau dos seus recursos, para que sempre haja suficiência de instrumentos adequados e capazes para fazer a obra. (2) Pela liberdade da sua administração, para que tudo que opõe ou impede o seu progresso seja removido. (3) Pela difusão dos seus princípios, para que se tornem gerais e universais. (4) Pelo aumento da sua glória como também pela sua amplitude. — *William Jay*

v. 15. Oração por Jesus, um tópico sugestivo. Louvor diário, um dever cristão.

v. 15. Um Salvador vivo, um povo doador — a ligação entre os dois. Ou Cristo na igreja: (1) Enche o caixa. (2) Promove a reunião de oração. (3) Santifica o serviço de música.

v. 16. (1) Uma descrição feliz do evangelho: é "um punhado de trigo". (2) Os lugares onde o evangelho é semeado. (3) Os efeitos gloriosos que o evangelho, quando assim semeado, produz no mundo. — *James Sherman*

v. 16. (1) O começo. (2) A notoriedade. (3) O crescimento. (4) O resultado.

v. 16. (1) O quê? "Trigo." (2) Quanto? "Um punhado." (3) Onde? "Na terra sobre os cumes dos montes." (4) Crescerá? "O seu fruto se moverá como o Líbano." (5) E depois? "Os da cidade florescerão como a erva da terra."

v. 17. (1) Cristo glorificado na igreja: "Os homens serão abençoados nele". (2) Glorificado no mundo: "Todas as nações lhe chamarão bem-aventurado". (3) Glorificado no mundo por vir: "Permanecerá", "se ira propagando". (4) Glorificado para sempre. — *George Rogers*

vv. 17 a 19. Quatro felicidades do homem expressas pelas seguintes palavras: "Abençoados", "bem-aventurado" (v. 17), "bendito" (v. 18) e "bendito" (v. 19), cada uma delas com o seu respectivo significado e ordem.

vv. 18 e 19. Podemos analisar as frases destes versículos fazendo a seguinte divisão: (1) O objeto do louvor. (2) O assunto do louvor. (3) A duração do louvor. (4) A extensão do louvor. (5) O eco do louvor: "Amém e amém!" — *George Rogers*

v. 18. As "maravilhas" são as obras sem paralelo que o Senhor faz segundo a sua providência e graça.

v. 20. A oração: (1) Deve ser frequente: "As orações". (2) Deve ser individual: "De Davi". (3) Deve começar bem cedo: "Filho de Jessé". (4) Deve ser continuada até que não seja mais necessária: "Findam aqui".

AQUI TERMINA O LIVRO II DE SALMOS

SALMO 73

TÍTULO

Salmo de Asafe. Esse é o segundo salmo atribuído a Asafe e o primeiro de onze salmos consecutivos que levam o nome deste cantor eminente (Sl 73 — 89). Certos comentaristas não estão certos de que Asafe os escreveu, mas tendem a acreditar que Davi foi o autor e Asafe a pessoa a quem foram dedicados, para que ele os cantasse quando, por sua vez, ele se tornasse o cantor-mor. Mas ainda que o nosso coração se volte para a mesma direção, temos de nos ater aos fatos.

Em 2 Crônicas 29.30, descobrimos que o rei Ezequias ordenou que os levitas cantassem "as palavras de Davi e de Asafe, o vidente", e em Neemias 12.46, vemos que Davi e Asafe são mencionados juntos em oposição aos "chefes dos cantores", agindo, ao que parece, como co-autores da salmodia. Portanto, temos de admitir que Asafe é o autor de alguns, se não de todos os doze salmos atribuídos a ele. Muitas vezes uma estrela grande que aos olhos de observadores comuns parece que é apenas uma, mostra-se, sob inspeção mais minuciosa, que é de caráter binário. É o que se dá aqui: os salmos de Davi são os de Asafe também. O grande sol de Davi tem um satélite na lua de Asafe. Lendo as notas escritas para o Salmo 50, o leitor colherá um pouco mais a respeito deste homem de Deus.

ASSUNTO

Curiosamente, este Salmo 73 corresponde em assunto ao Salmo 37, fato que ajudará a memória dos jovens observando os números invertidos.

O tema é a velha pedra de tropeço para os homens bons, a qual os amigos de Jó não conseguiram transpor, a saber, a prosperidade dos homens maus e os problemas dos homens espirituais. Os filósofos já quebraram a cabeça com esta questão, ao passo que para os crentes é uma tentação frequente.

DIVISÃO

No versículo 1, o salmista declara a confiança em Deus e, por assim dizer, firma os pés em uma rocha enquanto narra o conflito interior. Dos versículos 2 a 14, ele expõe a tentação. Depois, dos versículos 15 a 17, ele está desconcertado quanto ao modo de agir até que, por fim, encontra uma solução para o dilema. Em seguida, descreve com temor respeitoso o destino dos ímpios (vv. 18 a 20), condena a própria loucura e adora a graça de Deus (vv. 21-24) e conclui, renovando a submissão ao seu Deus, a quem aceita mais uma vez como a sua porção e deleite (vv. 25-28).

EXPOSIÇÃO

1 *Verdadeiramente, bom é Deus para com Israel, para com os limpos de coração.*

1. *"Verdadeiramente, bom é Deus para com Israel"*, ou mais corretamente, "*somente* Deus é bom para com Israel". Só ele é bom, nada mais que bom para os afiliados à sua aliança. Ele não pode agir com injustiça ou com maldade para com eles. A sua bondade para com eles é indisputável e pura.

"Para com os limpos de coração." Estes são o verdadeiro Israel, não os cerimonialmente limpos, mas os realmente limpos. Os que são limpos por dentro, são puros no motivo principal e vital da ação. Para estes ele é e tem de ser a própria bondade. O escritor não duvida disso, mas a estabelece como firme crença. É bom termos certeza do que sabemos, pois nos será âncora segura e boa quando formos fustigados pelas tempestades misteriosas que surgem das coisas que não entendemos. Seja qual for a verdade sobre as coisas misteriosas e inescrutáveis, há certezas em algum lugar. A experiência coloca alguns fatos tangíveis dentro da nossa compressão.

Agarremo-nos, pois, a estes e não seremos arrastados pelos furacões da infidelidade que ainda vêm do deserto, os quais, como vendaval, dão nos quatro cantos da nossa casa para derrubá-la. Meu Deus, por mais desorientado e confuso que eu esteja, nunca permitas que eu pense mal de ti. Se eu não te entendo, nunca permitas que eu deixe de crer em ti. Tem de ser assim, não pode ser diferente. Tu és bom àqueles a quem tu fizeste bom, e o coração daqueles a quem tu regeneraste, tu não o entregas aos seus inimigos.

2 *Quanto a mim, os meus pés quase que se desviaram; pouco faltou para que escorregassem os meus passos.*
3 *Pois eu tinha inveja dos soberbos, ao ver a prosperidade dos ímpios.*
4 *Porque não há apertos na sua morte, mas firme está a sua força.*
5 *Não se acham em trabalhos como outra gente, nem são afligidos como outros homens.*
6 *Pelo que a soberba os cerca como um colar; vestem-se de violência como de um adorno.*
7 *Os olhos deles estão inchados de gordura; superabundam as imaginações do seu coração.*
8 *São corrompidos e tratam maliciosamente de opressão; falam arrogantemente.*
9 *Erguem a sua boca contra os céus, e a sua língua percorre a terra.*
10 *Pelo que o seu povo volta aqui, e águas de copo cheio se lhes espremem.*
11 *E dizem: Como o sabe Deus? Ou: Há conhecimento no Altíssimo?*
12 *Eis que estes são ímpios; e, todavia, estão sempre em segurança, e se lhes aumentam as riquezas.*
13 *Na verdade que em vão tenho purificado o meu coração e lavado as minhas mãos na inocência.*
14 *Pois todo o dia tenho sido afligido e castigado cada manhã.*

2. Neste ponto, começa a narrativa de uma grande batalha na alma, uma maratona espiritual, um campo duro e bem disputado, no qual os quase derrotados tornam-se no fim completamente vitoriosos.

"Quanto a mim." Ele se contrasta com o seu Deus que sempre é bom. Admite que lhe falta pessoalmente o bem, e por isso também se compara com o limpo de coração, passando a confessar a própria impureza. O Senhor é bom para os seus santos, e "quanto a mim", sou um deles? Posso esperar participar da sua graça? Posso, participo dela. Entretanto, exerço um papel indigno, muito diferente de quem é verdadeiramente puro de coração.

"Os meus pés quase que se desviaram." Erros do coração e da cabeça logo afetam a conduta. Há estreita ligação entre o coração e os pés. Asafe mal podia ficar de pé, a sua probidade se esvaía, os joelhos se dobravam como um muro que caía. Quando os homens duvidam da justiça de Deus, a própria integridade deles começa a vacilar.

"Pouco faltou para que escorregassem os meus passos." Asafe não conseguia progredir na estrada boa, porque os seus pés resvalavam como os de alguém que anda sobre um lençol de gelo. Encontrava debilitado para toda ação prática e em grande perigo de pecado efetivo, estando, deste modo, prestes a sofrer uma queda infame. Como é importante vigiarmos o homem interior, visto que causa forte efeito no caráter exterior. A confissão neste caso é, como deveria ser, muito clara e explícita.

3. *"Pois eu tinha inveja dos soberbos."* Os "soberbos", pela ostentação, provocam inveja dos outros, e aqueles cuja mente não está firme espiritualmente são infetados por esta doença danificadora. Já é lamentável que um herdeiro do céu tenha de confessar que "tinha inveja", mas pior ainda é ele ter de dizer que "tinha inveja dos soberbos". Contudo, receamos que esta confissão é deveras pertinente para a maioria de nós. Certos intérpretes traduzem "soberbos" por "tolos". *Tolo* é o título genérico de todos os ímpios. Eles são mais tolos do que todos os tolos, pois tem de ser muito tolo quem inveja os tolos.

"Ao ver a prosperidade dos ímpios." Os seus olhos estavam demasiadamente fixos em uma coisa. Ele via as coisas do presente e esquecia as coisas do futuro. Via a aparência exterior e negligenciava o desconforto da alma. Quem inveja a gordura do boi quando se lembra do matadouro? Não obstante, há crentes fracos e aflitos que são extremamente tentados a invejar a abundância temporária do pecador não crente. Considerando todos os fatos, vemos que Dives tinha mais motivo para invejar Lázaro do que Lázaro para invejar Dives.

4. *"Porque não há apertos na sua morte."* Esta afirmação é mencionada como a principal maravilha, pois em geral esperamos que na solene questão da morte apareça uma diferença e os ímpios entrem evidentemente em apuros. Ainda prevalece a noção de que uma morte tranquila e sem sofrimento significa um futuro feliz. O salmista observara que o inverso é a verdade. Os indiferentes tornam-se emocionalmente insensíveis, e continuam presunçosamente seguros de si mesmos até o último instante de vida. Alguns se apavoram com a aproximação do juízo, mas a maioria recebe a forte ilusão de acreditar numa mentira. Com os remédios do cirurgião e a própria infidelidade ou a falsa paz, eles planam para a eternidade sem luta. Já vimos homens espirituais presos a dúvidas e acorrentados a ansiedades que surgem por terem ciúme santo. Mas os não crentes desconhecem tais apertos. Não se importam com Deus nem com o Diabo.

"Mas firme está a sua força." Não dão a mínima para a morte. São descarados e insolentes, e vomitam blasfêmias hostis até mesmo no leito de morte. Estes fatos podem ocasionar tristeza e surpresa entre os crentes, mas certamente não deveria suscitar inveja, pois, neste caso, o mais terrível conflito interior tem de ser infinitamente preferido à mais profunda calma que a presunção audaciosa possa gerar. Morram os justos como morrerem, e seja o meu fim como o deles.

5. *"Não se acham em trabalhos como outra gente."* Os ímpios prósperos escapam das labutas mortais que afligem a massa da humanidade. Ganham o pão sem cuidado e o vinho sem restrição. Não precisam investigar: "De onde ganharemos pão para os nossos filhos ou roupa para os nossos pequeninos?" As dificuldades domésticas e pessoais comuns não os molestam.

"Nem são afligidos como outros homens." Tribulações violentas não surgem para acossá-los. Não sentem dor sob a ação da vara divina. Enquanto muitos santos ficam pobres e sofrem aflições, os pecadores prósperos não passam por nada disso. São piores do que os outros homens, mas estão em melhor situação. Fizeram pouquíssimos investimentos, mas obtiveram os maiores ganhos. Merecem o lugar mais quente do inferno, mas têm o ninho mais quentinho. Tudo isso está claro para os olhos da fé, que desvenda o enigma. Contudo, para os ofuscados olhos da razão parece um enigma indecifrável. Já que não terão nada no futuro, então que tenham o que puderem no presente. Afinal de contas, eles só possuem o que é de valor secundário, e o fato de possuírem essas coisas visa nos ensinar a dar pouco valor às coisas passageiras. Se os bens terrenos fossem de muito valor, o Senhor não teria dado tanto disso para os que têm menos do seu amor.

6. *"Pelo que a soberba os cerca como um colar."* Consideram-se tão grandes como se fossem vereadores da Nova Jerusalém. Não querem outro ornamento que não a própria arrogância. Não há joalheiro que possa adorná-los suficientemente. Usam o próprio orgulho como um ornamento melhor do que uma corrente de ouro.

"Vestem-se de violência como de um adorno." Adornam-se segundo a sua insolência orgulhosa. Usam as vestimentas características do Diabo, e gostam do resultado. Assim que você os vê, você percebe que se deve abrir espaço para eles, pois, a despeito dos sentimentos e direitos dos outros, querem fazer as coisas a seu modo para alcançarem os próprios objetivos. Vangloriam-se, tiranizam e amedrontam, como se tivessem tirado licença para serem arrogantes com toda a humanidade.

7. *"Os olhos deles estão inchados de gordura."* Em casos de obesidade, os olhos parecem ficar encerrados na gordura, mas às vezes protraem. Seja como for, o semblante muda, perde a forma humana e se assimila ao de porcos engordados. Neste caso, o rosto é o indicador do homem. O homem tem mais do que lhe basta. Está enchido, saturado e fartado de riquezas, contudo é um dos ímpios a quem Deus aborrece.

"Superabundam as imaginações do seu coração." Os desejos lhes são satisfeitos e muito mais. A própria ganância lhes é excedida. Pedem água e o mundo lhes dá leite. Pedem centenas e milhares se esbanjam aos seus pés. O coração é desmedidamente glutônico, contudo, no caso de certos milionários não crentes que se igualaram a Sardanapalo tanto na luxúria quanto no luxo, parece que os seus desejos os excederam e os alimentos lhes ultrapassaram o apetite.

8. *"São corrompidos."* Estão podres acima da terra. O coração e a vida depravaram-se.

"E tratam maliciosamente de opressão." O cheiro desagradável da sepultura sobe pela boca ao falarem. A natureza da alma revela-se na fala. Escolhem a opressão por assunto, e não só a defendem, mas a promovem, gloriam-se nela e de bom grado a tornariam a regra geral entre todas as nações. "Quem são os pobres? Para que existem? Para quê, senão para a labuta e o trabalho de escravo a fim de que os homens cultos e de boa família possam se divertir?

Fora com os humildes a tagarelar sobre direitos! Um grupo de demagogos manhosos está provocando-os, porque ganham a vida fazendo agitação. Faça-os trabalhar como cavalos e alimente-os como cachorros. E se ousarem reclamar, envie-os para a prisão ou deixe-os morrer no asilo de pobres." Ainda há muito desta conversa maldosa por aí. Embora as classes trabalhadoras tenham as suas falhas, e muitas delas gravíssimas e seriíssimas, há um bando de homens que habitualmente falam deles como se fossem uma ordem inferior de animais. Deus perdoe os infelizes que assim falam.

"Falam arrogantemente." A sua cabeça empinada, como chaminés altas, vomita fumaça preta. A arrogância flui deles, o linguajar é colossal, a grandiloquência é ridícula. São os sabichões em todos os assuntos. Falam como juízes no tribunal e esperam que o mundo todo os reverencie.

9. *"Erguem a sua boca contra os céus."* Contra o próprio Deus miram blasfêmias. Alguém, ouvindo-os, pensaria que eles eram semideuses e mantinham a cabeça

acima das nuvens, porque falam com os outros homens como se estivessem em um patamar sublime peculiar a eles. Contudo, poderiam deixar Deus em paz, pois o orgulho bastará para torná-los inimigos sem precisar desafiá-lo.

"E a sua língua percorre a terra." De forma vagarosa e constante, viajam pelo mundo para achar vítimas para a difamação e abuso. A sua língua ronda em todo canto e não poupa ninguém. Aparentam ser críticos universais, mas na verdade são saltimbancos perpétuos. Como a serpente, não vão a parte alguma sem deixar o rastro de lodo para trás. Se houvesse outro jardim do Éden a ser achado, a sua inocência e beleza não o guardariam do rastro imundo dessa gente. Eles próprios são, desmedidamente, merecedores de toda honra, ao passo que todo o resto da humanidade, exceto alguns dos seus parasitas, são canalhas, tolos, hipócritas ou pior. Quando a língua destes homens sai para passear, infelizes os que estiverem no seu caminho, porque empurram todos os viajantes para a sarjeta. É completamente impossível evitá-la, pois ela faz as suas perambulações em ambos os hemisférios, viajando tanto por terra quanto por mar. A cidade não está livre dela e a vila é sua vítima. Atocaia os homens na estrada do rei, mas pode persegui-los pelo interior também. O chicote que ela usa tem pontas compridas, e atinge todos os cantos.

10. *"Pelo que o seu povo volta aqui."* O povo de Deus é dirigido a correr para o trono da graça em busca de abrigo. A língua dos cães vai buscar as ovelhas para o Pastor. Os santos vão repetidamente ao seu Senhor, carregados de queixas por causa das perseguições que suportam destes homens soberbos e destituídos da graça.

"E águas de copo cheio se lhes espremem." Ainda que amados de Deus, eles têm sorver o copo amargo. Os seus problemas são tantos quanto os bens da prosperidade dos ímpios. Dói-lhes muito verem os inimigos de Deus tão alto e eles tão baixo. Contudo, o Senhor não altera a sua dispensação, pois ainda continua castigando os seus filhos e favorecendo os seus inimigos. O copo de remédio não é para os rebeldes, mas para aqueles a quem Jeová Rafá ama.

11. *"E dizem: Como o sabe Deus?"* Assim os não crentes se atrevem a falar. Vangloriam-se que as opressões e perseguições passam despercebidas do céu. Se há um Deus, não está ele muito ocupado com outros assuntos para saber o que acontece no mundo? Desta forma se consolam quando o juízo é anunciado. Firmando-se orgulhosamente no próprio conhecimento, ainda ousam perguntar: "Há conhecimento no Altíssimo?" Não há dúvida de que foram acertadamente chamados de tolos (ver comentário sobre o v. 3, acima). Um Deus que não sabe? Este é um solecismo de linguagem, uma loucura de pensamento. Porém, esta é a loucura que os teístas destituídos da graça cometem atualmente. Por nome são teístas, porque a infidelidade declarada é vergonhosa, mas na prática são ateístas acima de qualquer suspeita.

Por mais que me esforçasse, não pude aceitar a tradução de muitos expositores, a qual faz este versículo dizer respeito aos santos provados e atordoados (cf. ARA). Não posso conceber que palavras como estas saiam dos seus lábios, mesmo sob a mais deprimente confusão.

12. *"Eis que estes são ímpios; e, todavia, estão sempre em segurança."* Eis! Vejam! Olhem! Considerem! Este é o enigma posicionado! O ponto crucial da providência! A pedra de tropeço da fé! Aqui os injustos são recompensados e favorecidos, e não por um dia ou por uma hora, mas eternamente. Da juventude em diante, estes homens, que merecem a perdição, deleitam-se na segurança da prosperidade. Merecem ser presos em correntes e correntes são penduradas no pescoço. São merecedores de serem perseguidos pelo mundo, todavia o mundo se torna totalmente deles. O pobre e obtuso sentimento grita: Vejam! Maravilhem-se, admirem-se e façam este enquadramento com a justiça providencial, se puderem.

"E se lhes aumentam as riquezas" ou as forças. A riqueza e a saúde são o seu dote. Não há dívidas incobráveis e bancarrotas pesando-lhes sobre os ombros, mas o roubo e a usura amontoam-se em seus bens. O dinheiro chama dinheiro,

peças de ouro voam em bandos. Os ricos ficam mais ricos, os soberbos ficam mais soberbos. Senhor, como é isso? Os teus pobres servos, que ficam cada vez mais pobres e gemem sob os fardos, param para investigar os teus caminhos misteriosos.

13. *"Na verdade que em vão tenho purificado o meu coração."* Pobre Asafe! Ele questiona o valor da santidade, quando o salário é pago com a moeda da aflição. Foi em vão ele ter sido sincero. Não ganhou vantagem alguma com a pureza, pois os imundos de coração são exaltados e alimentados com a gordura da terra. Assim tolamente os mais sábios homens argumentam, quando a fé está tirando um cochilo. Asafe era vidente, mas não via quando a razão o deixava na escuridão. Até os videntes têm de ter a luz solar da verdade revelada para por ela verem, ou ficam tateando no escuro como cegos. Na presença de circunstâncias temporais, os puros de coração têm a impressão de terem se limpado completamente em vão, mas não devemos julgar pela visão dos olhos.

"E lavado as minhas mãos na inocência." Asafe fora tão cuidadoso com as mãos quanto com o coração. Guardara a sua vida exterior como também a vida interior. Era-lhe um pensamento amargo constatar que tudo isso fora em vão e que o deixara em situação até mesmo pior que os mundanos de mãos impuras e coração negro. Com certeza, o caráter horrível da conclusão deve ter ajudado a tornar tudo insustentável. Não podia ser assim enquanto Deus fosse Deus. Cheirava por demais uma mentira para ser tolerada por muito tempo pela alma do homem bom. Por conseguinte, em um ou dois versículos, veremos a sua mente virar para outra direção.

14. *"Pois todo o dia tenho sido afligido."* Ele era fustigado duramente do momento que acordava ao instante que ia para a cama. As aflições não só eram continuadas, mas renovavam-se com o início de cada dia: "E castigado cada manhã". Este era um nítido contraste com a sorte dos não crentes. Havia coroas para os réprobos e cruzes para os eleitos. Estranho que os santos gemessem e os pecadores cantassem. Descanso era dado para os perturbadores, mas a paz era negada para os pacificadores. O vidente abatido afundou-se na meditação e perdeu-se no estado de perplexidade. Os assuntos da humanidade pareciam-lhe estar em uma mixórdia terrível. Como um regente justo podia permitir que as coisas ficassem assim de cabeça para baixo e o andamento natural da justiça fosse abalado?

Assim, o caso foi apresentado da maneira mais clara, no qual muitos cristãos reconhecem a própria experiência. Já tentamos desatar nós como esses e tristemente já fatigamos os dedos e quebramos os dentes. A nossa sabedoria foi comprada a alto preço, mas a compramos. Daqui em diante, deixaremos de nos irritar por causa dos malfeitores, pois o Senhor nos mostrará qual será o fim deles.

15 *Se eu dissesse: Também falarei assim; eis que ofenderia a geração de teus filhos.*
16 *Quando pensava em compreender isto, fiquei sobremodo perturbado;*
17 *até que entrei no santuário de Deus; então, entendi eu o fim deles.*

15. *"Se eu dissesse: Também falarei assim."* Nem sempre é sábio externar os pensamentos. Se permanecerem retidos, só prejudicarão. Mas, uma vez proferidos, o dano pode ser muito maior. De tal homem como o salmista, o desabafo que o seu descontentamento sugeria teria sido um golpe pesado e causado desânimo profundo em toda a irmandade. Por isso, não ousou chegar a tal resolução, mas fez uma pausa e decidiria não declarar os sentimentos. Fez bem, pois no seu caso, a reanálise de opinião era, sem dúvida, a melhor opção.

"Eis que ofenderia a geração de teus filhos." Eu os escandalizaria, os afligiria e, talvez, faria com que também pecassem. Temos de olhar para as consequências das nossas palavras em todos, sobretudo na igreja de Deus. "Ai daquele homem por quem o escândalo vem!" (Mt 18.7). Palavras irrefletidas, indigestas e inconsideradas são responsáveis por muito ressentimento e transtorno nas igrejas. Quisera Deus que, como Asafe, os homens controlassem a língua. Quando suspeitamos de estar errado, é melhor ficar calado. Não há prejuízos em ficarmos quieto, e pode haver

dano sério se divulgarmos as nossas opiniões apressadamente formadas. Fazer os filhos de Deus sofrer agindo hipocritamente e traindo a verdade é um pecado tão odioso, que se a consciência dos traficantes de heresia não estivesse cauterizada, eles não seriam tão loquazes e insinceros como são em divulgar as suas novidades. Expressões que dão a impressão que o Senhor age injustamente ou duramente, sobretudo se saem da boca de homens de caráter conhecido e experimentado, são tão perigosas quanto tição entre restolho. São usadas para propósitos blasfemos pelas pessoas mal-intencionadas. Os medrosos e trêmulos serão com certeza abalados e terão motivo para angústia de alma ainda mais profunda.

16. *"Quando pensava em compreender isto, fiquei sobremodo perturbado."* O pensamento de escandalizar a família de Deus era algo insuportável para ele, mas os seus pensamentos interiores ferviam e fermentavam, causando angústia intolerável. Falar poderia ter aliviado um problema, mas, como teria criado outro, ele reprimiu tão perigosa solução. Entretanto, isto não acabou com as primeiras dores, que ficaram cada vez piores e ameaçavam tomar conta dele totalmente. Uma aflição sufocada é difícil de suportar. O triunfo da consciência, que nos força a manter o lobo escondido em baixo da roupa, não o impede de roer os nossos órgãos vitais. O fogo suprimido nos ossos devasta mais cruelmente do que se pudesse ganhar vazão pela boca. Aqueles que conhecem o dilema de Asafe terão pena dele como de ninguém mais.

17. *"Até que entrei no santuário de Deus."* A sua mente entrou na eternidade onde Deus habita como se entrasse em um lugar santo. Ele trocou as coisas racionais pelas coisas invisíveis. O seu coração contemplou dentro do véu. Ele ficou onde o Deus santíssimo estava. Assim mudou de opinião, e a aparente desordem solucionou-se harmoniosamente. Os movimentos dos planetas parecem muito discordantes do ponto de vista deste mundo, que é em si um planeta. Mostram-se tão "progressivos, retrógrados e imobilizados". Mas se fixássemos o nosso observatório no sol, que é o centro do sistema, perceberíamos todos os planetas movendo-se em círculo perfeito em volta da cabeça da grande família solar.

"Então, entendi eu o fim deles." Ele vira tão pouco para poder julgar. Uma visão mais ampla mudou-lhe o juízo. Com os olhos iluminados da mente ele viu o futuro dos ímpios, e a alma parou de debater-se sobre a felicidade da sua situação. Agora a inveja já não lhe corroía o coração, mas um horror santo lhe enchia a alma pela destruição iminente a que estavam sujeitos e pela culpa real que tinham. Horroriza-se em ser tratado da mesma maneira que os pecadores soberbos, a quem até há pouco ele considerava com admiração.

18 *Certamente, tu os puseste em lugares escorregadios; tu os lanças em destruição.*

19 *Como caem na desolação, quase num momento! Ficam totalmente consumidos de terrores.*

20 *Como faz com um sonho o que acorda, assim, ó Senhor, quando acordares, desprezarás a aparência deles.*

A tristeza do salmista culminara, não no fato que os não crentes prosperavam, mas que Deus coordenara as coisas desta maneira. Se tivesse acontecido por mero acaso, ele teria investigado, mas não reclamado. Todavia, como o coordenador de todas as coisas poderia dispensar as suas bênçãos temporais assim, era a pergunta inquietante. Aqui, apropriadamente, ele vê que a mão divina colocou estes homens de propósito em circunstâncias de prosperidade e eminência, não com a intenção de abençoá-los, mas bem o contrário.

18. *"Certamente, tu os puseste em lugares escorregadios."* A posição era perigosa. Por isso, Deus não colocou os amigos ali, mas só os inimigos. Ele escolheu, segundo o seu amor infinito, um lugar mais áspero, porém mais seguro para os amados.

"Tu os lanças em destruição." A mesma mão que os conduziu até à rocha Tarpeiana, os lançou dali abaixo. Foram elevados por determinação judicial para a

mais plena execução do seu destino. O castigo eterno será ainda mais terrível em contraste com a anterior prosperidade dos que estão se amadurecendo para esse desenlace. Tomado como um todo, o caso dos não crentes é totalmente horrível. A alegria mundana em vez de diminuir o horror, na verdade torna o efeito mais terrível, exatamente como o clarão do relâmpago entre a tempestade não ilumina, mas intensifica a densa escuridão que cai ao redor. A subida à forca fatal de Hamã foi um ingrediente essencial no terror da sentença do rei: "Enforcai-o nela" (Et 7.9). Se os ímpios não tivessem sido elevados tão alto, eles não poderiam ter caído tão baixo.

19. *"Como caem na desolação, quase num momento!"* Esta é uma exclamação de santa admiração pela subitaneidade e perfeição da ruína dos pecadores. A queda é abrupta; sem aviso, sem escape, sem esperança de restauração futura! Apesar das correntes de ouro no pescoço e das roupas finas e caras, a morte não se detém por etiqueta ou boas maneiras, mas os arrebata com violência. A justiça inflexível e não corrompida pelas riquezas os lança na destruição.

"Ficam totalmente consumidos de terrores." Não ficam com raiz nem com ramo. Deixam de existir entre os filhos dos homens e, no outro mundo, não resta nada da glória anterior. Como árvores explodidas, atingidas por raio, são monumentos de vingança. Como as ruínas da Babilônia, eles revelam, pela extensão da destruição, os juízos do Senhor contra todos os que indevidamente exaltam a si mesmos. A glória momentânea dos destituídos da graça se apaga em um momento e a imponência se consome em um instante.

20. *"Como faz com um sonho o que acorda, assim, ó Senhor, quando acordares, desprezarás a aparência deles."* Eles devem a existência e prosperidade à paciência de Deus, a qual o salmista compara a um sono. Mas, como o sonho desaparece tão logo o homem acorda, assim no momento em que o Senhor começar a exercer justiça e chamar os homens à sua presença, a pompa e prosperidade dos transgressores orgulhosos se dissolverão. Quando Deus despertar para julgar, os que o desprezaram serão desprezados. Eles já "são o tecido de que são feitos os sonhos" (Shakespeare), mas depois o tecido irreal não deixará para trás uma destruição. Que se vangloriem no pouco tempo que lhes é dado, pobres filhos de sonhos quiméricos. Logo já não estarão aqui. Quando o dia raiar e o Senhor despertar do sono como um valente poderoso, eles desaparecerão. Quem se importa com as riquezas da terra dos sonhos? Quem senão os tolos e soberbos? Senhor, não nos entregues à tolice que deseja riquezas irreais, mas ensina-nos sempre a tua sabedoria.

21 *Assim, o meu coração se azedou, e sinto picadas nos meus rins.*
22 *Assim, me embruteci e nada sabia; era como animal perante ti.*
23 *Todavia, estou de contínuo contigo; tu me seguraste pela mão direita.*
24 *Guiar-me-ás com o teu conselho e, depois, me receberás em glória.*

21. Aqui, o poeta santo revisa a luta interior e passa a censurar-se pela imensa tolice. A dor fora intensa. Ele diz: "Assim, o meu coração se azedou" (tradução apoiada por Alexander). Foi uma tristeza muito grande, uma que lhe penetrou o íntimo do ser. O espírito amargurou-se. Julgara-se de modo severo, acre e ríspido. Tornara-se atrabiliário, cheio de negro mau humor, melancolia e cólera. Envenenara a própria vida no manancial, e tornara todas as correntes amargas como o fel.

"E sinto picadas nos meus rins." Tinha tanta dor como alguém acometido por doença renal. Picara-se com muitos sofrimentos. Os seus duros pensamentos eram como muitos cálculos nos rins. Estava totalmente desolado e acabrunhado, e tudo pelas próprias reflexões. Ó filosofia miserável, que estira a mente no suplício da roda e a fratura no sofrimento! Ó fé bendita, que afugenta os inquisidores e liberta os cativos!

22. *"Assim, me embruteci."* Embora fosse um santo de Deus, ele agira como se fora um dos brutos e tolos a quem Deus aborrece. Tivesse ele pelo menos não os invejado? Mas o que é isso senão aspirar ser como eles? Os mais sábios dos

homens têm em si mesmos suficiente brutalidade e tolice para arruiná-los, não fosse a prevenção da graça.

"E nada sabia." Ele agira como se não soubesse de nada, falara como um idiota, proferira a mesma conversa fiada do bruto e estúpido. Não soube como expressar suficientemente o senso da própria fatuidade.

"Era como animal perante ti." Até na presença de Deus ele fora bruto e pior que um animal. Como o boi que herbívoro tem apenas esta vida e avalia as coisas assim somente por esse padrão e pelo prazer sensual que elas proporcionam, assim o salmista julgou a felicidade por esta vida mortal, pelas aparências externas e pelos prazeres carnais. Assim renunciou, por certo tempo, a dignidade de espírito imortal e, como mero animal, julgou pela vista dos olhos. Sejamos relutantes em chamar o homem inspirado de animal, mas aqui, foi a penitência que o fez chamar-se assim. Segundo o original hebraico, ele usa a palavra no plural, à guisa de ênfase, como se ele fosse o pior dos animais. Era prova de verdadeira sabedoria estar tão profundamente cônscio da própria tolice. Vemos como os homens bons lamentam amargamente as perambulações mentais. Não se desculpam, mas expõem os pecados no pelourinho e os desprezam da forma mais vil. A graça detesta a própria aparência do mal!

23. *"Todavia, estou de contínuo contigo."* Ele não abandonara a fé, embora confessasse a própria tolice. O pecado pode nos afligir e entristecer, contudo podemos estar em comunhão com Deus. É o pecado amado e deliciado que nos separa do Senhor, mas quando de coração lamentamos o pecado, o Senhor não se retira de nós. Que contraste entre este e o versículo anterior! Ele é como um animal, mas ainda está de contínuo com Deus. A nossa natureza dupla, como sempre causa conflito, é um paradoxo contínuo. A carne nos alia com os animais e o espírito nos afilia com Deus.

"Tu me seguraste pela mão direita." Com carinho tu me abraças, com honra me enobreces, com poder me sustentas. Ele quase caíra, mas sempre foi sustentado. Era um enigma para si, como fora uma maravilha para muitos. Este versículo contém as duas preciosas misericórdias da comunhão e do sustento. Como ambas foram dadas para alguém que confessou ser bruto e animal, assim também podemos esperar desfrutá-las.

24. *"Guiar-me-ás com o teu conselho."* Chega de fazer as coisas do meu jeito e de achar um caminho por entre um emaranhado de razões. Ele entregou não só o ponto em debate, mas toda a intenção de debater. Ele segura a mão do grande Pai, pedindo para ser guiado e concordando em seguir. Os nossos erros são uma bênção, quando nos levam a essa situação. O fim da nossa sabedoria é o início de sermos sábios. Com ELE está o conselho, e quando nos achegamos a ele, somos com certeza guiados corretamente.

"E, depois." Depois! Palavra abençoada. Podemos alegremente suportar o presente, quando prevemos o futuro. O que agora está à nossa volta é de pouca consequência em comparação com o depois.

"Me receberás em glória." Leva-me para o teu esplendor de alegria. O teu conselho me guiará a este final inigualável. Glória eu terei, e tu mesmo me receberás nela. Como não se viu mais Enoque, porque Deus o tomara (Gn 5.24), assim todos os santos serão tomados — recebidos na glória.

25 *A quem tenho eu no céu senão a ti? E na terra não há quem eu deseje além de ti.*
26 *A minha carne e o meu coração desfalecem; mas Deus é a fortaleza do meu coração e a minha porção para sempre.*
27 *Pois eis que os que se alongam de ti perecerão; tu tens destruído todos aqueles que, apostatando, se desviam de ti.*
28 *Mas, para mim, bom é aproximar-me de Deus; pus a minha confiança no SENHOR Deus, para anunciar todas as tuas obras.*

25. *"A quem tenho eu no céu senão a ti?"* Assim, ele se afasta do resplendor que o fascinou para voltar-se ao verdadeiro ouro que era o seu real tesouro. Agora ele

sabia que o seu Deus lhe era melhor do que toda riqueza, saúde, honra e paz, que ele tanto invejara nos mundanos. O seu Deus não só era melhor do que todos na terra, mas mais excelente do que todos no céu. Ele ordena que todas as outras coisas vão embora para que ele possa ser enchido com o seu Deus.

"E na terra não há quem eu deseje além de ti." Nunca mais ele deixaria os pensamentos andarem a esmo, nem permitira que outras coisas os tentassem a vaguear. Daqui em diante, o Eterno lhe seria o seu tudo em todas as coisas.

26. *"A minha carne e o meu coração desfalecem."* Eles já lhe tinham abandonado e quase caíra. Na hora da morte o abandonariam e, se confiasse neles, o abandonariam imediatamente.

"Mas Deus é a fortaleza do meu coração e a minha porção para sempre." O seu Deus não o abandonaria, quer como proteção quer como alegria. O seu coração seria mantido pelo amor divino e enchido eternamente de glória divina. Depois de ter sido propelido para longe em alto-mar, Asafe acaba lançando âncora no antigo porto. Faremos bem em seguir o seu exemplo. Nada é mais desejável do que Deus. Desejemos, pois, somente a ele. Todas as outras coisas passarão. Permaneça o nosso coração nele, o único que permanece para sempre.

27. *"Pois eis que os que se alongam de ti perecerão."* Precisamos estar perto de Deus para viver, pois estar longe dele pelas obras más é morte.

"Tu tens destruído todos aqueles que, apostatando, se desviam de ti." Se desejamos ser servos do Senhor, temos de manter em mente que ele é um Deus ciumento e requer castidade espiritual de todo o seu povo. As violações dos votos matrimoniais são extremamente afrontosas. Todos os pecados contra Deus têm o mesmo fundamento e são visitados com os castigos mais medonhos. Os próprios pagãos, por estarem longe de Deus, perecem no devido tempo. Mas aqueles que, confessando que são o povo do Senhor, agirem infielmente ao que confessam, ficarão sob condenação ativa e serão esmagados pela ira divina. Temos exemplos disso na história de Israel. Que jamais criemos novos exemplos em nossa própria experiência.

28. *"Mas, para mim, bom é aproximar-me de Deus."* Tivesse agido assim no princípio, ele não teria sido submerso na aflição. Ele escapou do dilema quando aproximou-se de Deus, e se permanecesse nessa ação, não voltaria a cairia no mesmo mal. Quanto mais perto estivermos de Deus, menos seremos afetados pelas atrações e distrações da terra. O acesso ao lugar santíssimo é um grande privilégio e cura para uma multidão de males. É bom para todos os santos. É bom para mim em particular. Sempre é bom e sempre me será bom aproximar-me do bem maior, a fonte de todos os bens, o próprio Deus.

"Pus a minha confiança no Senhor Deus." Ele enfatiza o nome glorioso do Senhor Jeová, e o declara como a base da fé. Fé é sabedoria. É a chave dos enigmas, o fio dos mistérios, a dica dos labirintos e a estrela polar dos mares sem direção. Confie e você saberá.

"Para anunciar todas as tuas obras." Aquele que crê, entenderá e, então, poderá ensinar. Asafe hesitou em expressar as suas más conjeturas e suposições, mas não foi tímido em proclamar o bom assunto. Os caminhos de Deus são mais admirados, quanto mais forem conhecidos. Quem está pronto para crer na bondade de Deus sempre terá nova bondade para crer, e quem está disposto a declarar as obras de Deus nunca ficará calado por falta de maravilhas a declarar.

NOTAS EXPLICATIVAS E DECLARAÇÕES IMPORTANTES

O Salmo: O Salmo 73 é um registro muito surpreendente da luta mental que um judeu eminentemente piedoso sofreu, quando contemplou as respectivas condições dos justos e dos ímpios. Recém saído do conflito, ele inicia o salmo um tanto quanto abruptamente com a enunciação confiante da verdade, cuja vitória sobre a dúvida agora o tornara muito inteligentemente certo de que, "verdadeiramente, bom é Deus para com Israel, para com os limpos de coração" (v. 1). Em seguida, ele passa a relatar o choque mais fatal que a sua fé recebera, quando contrastou a prosperidade dos ímpios, os quais, ainda que orgulhosamente desdenhem Deus e os homens, prosperam no mundo e aumentam as riquezas, com a sua própria sorte, a qual, ainda que tivesse purificado o coração e lavado as mãos na inocência, todo o dia fora "afligido e castigado cada manhã" (vv. 2-14). O lugar onde as dúvidas foram afastadas e a fé cambaleando restabelecida foi o "santuário de Deus" (v. 17). O próprio Deus foi o Professor. O que, então, ele ensinou? Por quais considerações divinamente feitas o salmista teve a confiança renovada? Seja qual for a tradução correta do versículo 4, se é "não há apertos [que se dirigem à] sua morte", ou "não há apertos [até à] sua morte", ou seja, para eles, a vida inteira até ao último minuto é um curso invariável de felicidade, este versículo nos comunica a estimativa equivocada do salmista acerca da prosperidade dos ímpios, antes de ter entrado no santuário de Deus. A verdadeira estimativa, à qual ele chegou depois, acha-se nos versículos 18 a 20. Agora, admitindo (o que, a propósito, é um pouco difícil de crer, já que a destruição temporal, súbita e terrível de todos ou mesmo dos mais prósperos não pode ser comprovada) que o fim destes homens "significa só e sempre o seu fim neste mundo, chegamos à conclusão de que, no caso dos ímpios, este salmo não ensina de forma clara e inegável que o castigo os espera depois da morte. Mas só ensina que, tendo em vista a condição deles, é necessário, a fim de defender a justiça de Deus, tomar toda a carreira deles e colocar a grande prosperidade deles em contraste com os reveses e destruição súbitos e terríveis que eles raramente encontram. Mas voltando-se para o outro lado da comparação, o caso dos justos, não encontramos o pensamento de que, como a prosperidade dos ímpios é apenas a preparação para a ruína, que quanto mais alta a torre, maior é a queda, assim a adversidade dos piedosos é a introdução para a riqueza e honra mundana. Este pensamento não é estranho aos escritores do Antigo Testamento. "Os malfeitores serão desarraigados", escreve um deles, "mas aqueles que esperam no SENHOR herdarão a terra. Pois ainda um pouco, e o ímpio não existirá; olharás para o seu lugar, e não aparecerá. Mas os mansos herdarão a terra e se deleitarão na abundância de paz" (Sl 37.9-11). Mas não é tanto quanto é indicado aqui. Os castigos diários podem continuar, a carne e o coração podem falhar, mas Deus ainda é bom para Israel. Eles são a porção, o guia e a ajuda deles enquanto viverem, e ele os levará à sua presença gloriosa quando morrerem. "Todavia, estou de contínuo contigo; tu me seguraste pela mão direita. Guiar-me-ás com o teu conselho e, depois, me receberás em glória" (vv. 23,24). O Novo Testamento não tem nada mais alto ou mais espiritual que isto. A referência da última frase à felicidade depois da morte é, acredito, geralmente reconhecida pelos comentaristas judeus. Eles a deixaram à lisura dos expositores cristãos duvidar ou negá-la. — *Thomas Thomason Perowne, "The Essential Coherence of the Old and New Testament" [A Coerência Essencial do Antigo e Novo Testamento], 1858*

O Salmo: No Salmo 73, a alma olha para fora e argumenta sobre o que vê, ou seja, a maldade é próspera e a justiça é sofredora. Qual é a conclusão? "Em vão tenho purificado o meu coração", de tanto ficar olhando para fora. No Salmo 77, a alma olha para dentro e argumenta o que acha. Qual é a conclusão? "Esqueceu-se Deus de ter misericórdia?" (Sl 77.9), de tanto ficar olhando para dentro. Para onde, então, você deve olhar? Olhe para cima, diretamente para cima, e creia no que vê. Qual será a conclusão? Você entenderá o "fim" dos homens (Sl 73.17) e localizará o "caminho" de Deus (Sl 77.13). — *Extraído de "Things New and Old, a Monthly Magazine" [Coisas Novas e Velhas, uma Revista Mensal], 1858-1865*

O Salmo: Neste salmo, o salmista (Asafe) relata a grande dificuldade que existiu na sua mente ao fazer considerações sobre os ímpios. Observa: "Quanto a mim, os meus pés quase que se desviaram; pouco faltou para que escorregassem os meus passos. Pois eu tinha inveja dos soberbos, ao ver a prosperidade dos ímpios" (vv. 2,3). Nos versículos 4 e seguintes, informa-nos qual foi a tentação sofrida por causa dos ímpios. Em primeiro lugar, observou ele, eles eram prósperos e todas as coisas lhes iam bem. Observou-lhes o comportamento na prosperidade, o uso que faziam dela e que Deus, a despeito de tal abuso, continuava dando-lhes prosperidade. Em seguida, conta-nos por qual meio ele foi ajudado a sair desta dificuldade, a saber, entrando no santuário (vv. 16,17), e passa a informar-nos quais foram as considerações que o ajudaram, a saber:

(1) A consideração do fim desgraçado dos ímpios. Ainda que prosperem atualmente, terão um fim terrível (vv. 18-20).

(2) A consideração do fim abençoado dos santos. Ainda que os santos, enquanto vivem, sejam afligidos, terão um fim feliz (vv. 21-24).

(3) A consideração de que os piedosos têm uma porção muito melhor do que os ímpios, mesmo que não tenham outra porção senão mas Deus (vv. 25,26). Embora os ímpios tenham prosperidade e não tenham problemas como os outros homens, os justos, ainda que tenham aflição, estão em estado infinitamente melhor, porque têm Deus por porção. Não precisam desejar nada mais, pois quem tem Deus tem tudo. Desta forma, o salmista declara o sentido e entendimento que ele tinha das coisas: "A quem tenho eu no céu senão a ti? E na terra não há quem eu deseje além de ti" (v. 25). No versículo 24, o salmista observa como os santos são felizes em Deus, quando estão neste mundo e também quando são levados para o outro. São abençoados em Deus neste mundo, pois ele os guia pelo seu conselho, e quando são tirados por ele deste mundo, eles ainda continuam felizes, pois ele os recebe em glória. Foi o que o levou a declarar que ele não desejava nenhuma outra porção, ou neste mundo ou no por vir, ou no céu ou na terra. — *Jonathan Edwards*

v. 1: "Verdadeiramente". É somente uma partícula, mas até as menores limalhas de ouro são recolhidas. Pequenas pérolas são de grande valor. E esta partícula não é de pouca utilidade, sendo corretamente aplicada e melhorada. Em primeiro lugar, consideremos (como foi traduzida) como nota de asseveração: "Verdadeiramente". É uma palavra de fé, oposta ao sentido do salmista e injeções de Satanás. Seja qual for o sentido que o salmista veja ou sinta, seja o que for que Satanás insinue e diga, a fé preciosa ainda afirma com confiança: "Verdadeiramente, bom é Deus". Ele não só é bom em palavras, mas em ações também. Não só aparentemente bom, mas certamente bom. Em segundo lugar, consideremos como partícula adversativa: "Contudo", como consta em uma antiga tradução. Ainsworth traduz assim: "Mas seguramente", colocando o primeiro e o segundo sentidos juntos. Dá este sentido: Por piores que sejam as coisas no mundo, por pior que suceda com a igreja e o povo de Deus entre os homens, contudo Deus é bom para Israel. Em terceiro lugar, certos estudiosos concebem que a palavra significa *admiração*, dando este sentido: "Oh, como bom é Deus para Israel". Onde as expressões e entendimentos falham, o salmista vê as providências de Deus com admiração: Oh, como maravilhosamente, como transcendentemente bom é Deus para Israel!

Este "contudo" (como imagino) tem uma referência tripla para o corpo do salmo. Como observam os intérpretes, embora as palavras estejam no começo da frase, sugerem a conclusão do conflito do salmista. Parece que o salmista começo um pouco abruptamente: "Contudo, Deus é bom". Mas tendo enchido os pensamentos tolices e medos, e vendo-se agora em condição segura tanto para o presente quanto para o futuro, ele está cheio de confiança e consolo. Aquilo que era o mais forte e o mais importante no seu coração sai por primeiro: "Contudo, Deus é bom".

(1) Este "contudo" se relaciona com os seus sofrimentos: "Todo o dia tenho sido afligido e castigado cada manhã" (v. 14). Apesar da variedade e frequência dos sofrimentos dos santos, "contudo, Deus é bom". Ainda que a tristeza os saúde todas as manhãs assim que despertam e a dificuldade os assista à noite na cama, "contudo, Deus é bom". Mesmo que as muitas e terrível tentações armem baterias e façam brechas no espírito deles, "contudo, Deus é bom para Israel".

(2) Este "contudo" se reflete nos seus pecados, nas preocupações e questionamentos do seu coração destemperado (vv. 2,3,21). Mesmo que os movimentos pecadores se rebelem na alma contra as sábias administrações de Deus, "contudo, Deus é

bom". Mesmo que haja bate-bocas tolos e orgulhosos com as providências divinas e entre a desconfiança indesculpável das suas fiéis promessas, "contudo, Deus é bom". Mesmo que esteja chateado com a prosperidade dos outros e descontente com a própria adversidade, "contudo, Deus é bom". Os destemperos pecadores de Israel não fizeram o Todo-poderoso mudar o curso da sua bondade acostumada. Enquanto as corrupções forem impedidas de irromperem em escândalo, enquanto a alma estiver combatendo contra elas e for humilhada por elas (como se deu com o salmista), esta conclusão deve ser mantida: "Contudo, Deus é bom".

(3) Este "contudo" rememora os seus receios. Houvera desalento desconfiado no coração do homem bom. Para ambas as premissas (a saber, os sofrimentos e os pecados) ele chegara a esta conclusão: "Na verdade que em vão tenho purificado o meu coração e lavado as minhas mãos na inocência" (v. 13). É como se ele tivesse dito: "Fiz jejuns, guardei sábados, ouvi sermões, fiz orações, recebi sacramentos, dei esmolas, evitei pecados, resisti tentações, opus-me a concupiscências, levantei-me por Cristo e pela sua causa e servos em vão. Tudo foi em vão". Mas o seu coração adicionara uma asseveração ("verdadeiramente") a esta opinião incrédula, pois agora ele é de outra opinião: "Contudo, Deus é bom". As administrações de Deus não são de acordo com as tristes conjeturas do coração receoso do seu povo. Mesmo que eles por timidez sejam muitas vezes propensos a desesperar-se do labor santo, por considerá-lo uma completa futilidade, e do cuidado e postura conscienciosos, por considerá-los um total desperdício, "contudo, Deus é bom para Israel". — *Simeon Ash, em um sermão intitulado "God's Incomparable Goodness unto Israel" [A Bondade Incomparável de Deus para com Israel], 1647*

v. 1: Davi inicia o salmo abruptamente. Com este fato, depreendemos o que é digno de nota particular que, antes de irromper nesta linguagem, a mente estivera agitada com muitas dúvidas e sugestões contraditórias. Como batalhador valente e valoroso, ele se exercitara em lutas e tentações muito dolorosas. Mas depois de esforço longo e árduo, por fim alcançara sucesso em desvencilhar-se de todas as imaginações perversas e chegara à conclusão de que, *contudo*, Deus é gracioso para os seus servos e o guarda fiel do bem-estar deles. Estas palavras contêm um contraste tácito entre as imaginações profanas sugeridas a ele por Satanás e o testemunho em favor da verdadeira religião. Com isso, agora ele se fortalece, denunciando, por assim dizer, o julgamento da carne por dar lugar a pensamentos suspeitosos com respeito à providência de Deus. Vemos como é enfática esta exclamação do salmista. Ele não se encarrega de disputar segundo a maneira dos filósofos para discursar de acordo com um estilo de oratória estudado. Mas, como se tivesse escapado do inferno, ele proclama em alta voz e com sentimento comovido, que ele obtivera a vitória. — *João Calvino*

v. 1: "Verdadeiramente, bom é Deus para com Israel".

Mas seguramente os deuses são bons: Pensaria eu assim
Se eles me permitissem!
Mas a virtude em angústia e o vício em triunfo
Fazem os ateus da humanidade
— *John Dryden, 1631-1700*

v. 1: "Bom é Deus". Há beleza no nome atribuído pelas nações saxônias à deidade, inigualável exceto pelo nome hebraico mais reverente. Eles o chamaram de "Deus", que é literalmente "O Bom". Assim, a mesma palavra significa a deidade e a sua mais terna qualidade. — *Sharon Turner, 1768-1847*

v. 1: "Bom é Deus". Que o diabo e os seus asseclas digam o que quiserem para contradizerem, pois nunca acreditarei neles. Já disse antes e não vejo razão para inverter a declaração: "Verdadeiramente, bom é Deus". Ainda que às vezes ele esconda a face por algum tempo, ele o faz em fidelidade e amor. Há bondade nos seus açoites e amor associado nas suas varas. Bom é ele para com Israel. Observe agora ou depois: "O verdadeiro israelita, em quem não há dolo, será revigorado pelo seu Salvador". O israelita que luta com lágrimas com Deus e valoriza o amor dele acima do mundo inteiro, que não será demovido sem as bênçãos do Pai, as terá com um testemunho: "Ele segará com alegria, embora no momento esteja semeando em lágrimas. Bom é Deus para com os limpos de coração". Os hipócritas pérfidos, de fato, que dão a Deus só a língua e os lábios, o solidéu e os joelhos, mas reservam o coração e o amor para o pecado e o mundo, que têm muito de elogio, mas nada de afeto e realidade, ora pois, que esses nunca esperem, enquanto estiverem em tal estado, que provarão os consolos revivificantes dos quais tenho tratado. Enquanto estiverem administrando tal comércio, que jamais esperem ter a companhia de Deus. — *James Janeway, 1636-1674*

v. 1: "Para com os limpos de coração". A pureza de coração é a nota característica do povo de Deus. A pureza de coração nos denomina o Israel de Deus. Faz-nos realmente de Israel, mas "nem todos os que são de Israel são israelitas" (Rm 9.6). A pureza de coração é a joia que está somente nos eleitos. Como a castidade diferencia as mulheres virtuosas das meretrizes, assim os verdadeiros santos são diferenciados dos hipócritas pela pureza de coração. É como a insígnia ou liga dos nobres, que é peculiar distintivo de honra diferindo-os dos vulgos. Quando a luminosa insígnia de pureza brilha no coração dos cristãos, distingue-os dos que formalmente confessam ser cristãos. [...]

"Bom é" Deus para com os puros de coração. Todos desejamos que Deus seja bom para nós. É a oração dos doentes: "Senhor, sê bom para comigo". Mas como é que Deus é bom para com eles? De dois modos.

(1) Para os que são puros todas as coisas são santificadas: "Todas as coisas são puras para os puros" (Tt 1.15). Sendo o estado santificado, todas as relações são santificadas. Como o templo santifica o ouro e o altar santifica a oferta (Mt 23.17,19). Para os impuros nada é puro. A sua mesa é um laço e a devoção ao templo um pecado (Sl 69.22). Há uma maldição vinculada aos ímpios (Dt 28.16), mas a santidade remove a maldição e corta o vínculo: "Todas as coisas são puras para os puros".

(2) Para os que são puros de coração todas as coisas cooperam para o seu bem (Rm 8.28). As misericórdias e as tribulações se tornarão em bem para eles. As drogas mais venenosas serão remédio. A providência mais contrária prosseguirá com o desígnio da salvação para eles. Quem, então, não seria limpo de coração? — *Thomas Watson*

v. 2: "Quanto a mim", é, literalmente, "e eu", e deve ser lido com ênfase. Davi quer dizer que as tentações que lançaram afronta na honra de Deus e oprimiram a fé, atacam não só a classe comum dos homens, ou os que são dotados apenas com medida pequena do temor de Deus, mas que ele, que deveria ter aproveitado mais do que todos os outros da escola de Deus, sofrera a sua própria cota de tentações. Ao colocar-se como exemplo, desejou ele mais efetivamente despertar-nos e incitar-nos a dar mais atenção a nós mesmos. — *João Calvino*

v. 2: Saibam aqueles que temem a Deus e começam a olhar para o lado, para as coisas do mundo, que até para eles será difícil resistir na fé e no temor de Deus no tempo da provação. Lembrem-se do exemplo de Davi, que era homem que passava muito tempo relacionando-se com o céu. Entretanto, olhando apenas por um momento para a aparência luminosa do mundo, esteve muito perto de desviar-se, os pés quase resvalaram, os passos estiveram a ponto de tropeçar. — *Edward Elton, 1620*

v. 2: Ele fala que os seus "pés quase que se desviaram". A palavra hebraica significa "curvar-se" ou "dobrar-se debaixo de alguém". "Pouco faltou para que escorregassem os meus passos", ou "extravasassem", "não se mantivessem [dentro dos seus] verdadeiros limites", mas como água derramada e não confinada, que corre para os lados. Embora estas expressões sejam metafóricas e aparentemente obscuras e nebulosas, representam claramente esta verdade: O entendimento se desencaminhou, o juízo se corrompeu, os afetos se desordenaram, se tumultuaram e se culparam por tão grande emoção. E isto as consequências (v. 22, no qual ele se reconhece ignorante, tolo e bruto) comprovam suficientemente. O entendimento e o juízo suportam bem a comparação aos "pés", pois como um, nos movimentos, apoia o corpo, assim o outro, nas ações humanas e em todos os empreendimentos, sustenta a alma. Os afetos também são como caminhos e passos. Como aqueles em relação aos pés, assim estão estes em relação às pegadas e expressões do juízo e da mente. — *Edward Parry, "David Restored" [Davi Restaurado], 1660*

v. 2: "Quase que se desviaram". Há de se observar que o profeta disse que os seus pés *quase* se desviaram, e não completamente. Esta é a demonstração maravilhosa da presença, providência, força, proteção e cuidado que o Deus Todo-poderoso tem pelo homem. Mesmo que sejamos tentados e levados até ao ponto de cometer e causar dano, contudo, ele fica conosco e nos guarda para que a tentação não nos vença. — *John Hooper*

vv. 2-14: Mas a prosperidade dos ímpios e injustos, tanto na vida pública quanto na particular, os quais, não tendo na realidade uma vida feliz, na opinião comum julga-se que a tenham, são elogiados impropriamente nas obras poéticas e em todos os tipos de livros. Isto pode levar você, e não estou surpreso com o seu erro, à crença de que os deuses não querem nada com os assuntos dos homens. Estes assuntos perturbam você. Sendo desviado por pensamentos vãos e, contudo, não podendo pensar mal dos deuses, você chegou a esse atual estado mental para pensar que os deuses realmente existem, mas que eles menosprezam e negligenciam os assuntos humanos. — *Platão*

v. 3: "Pois eu tinha inveja dos soberbos, ao ver a prosperidade dos ímpios". Se considerarmos conosco mesmos a improbabilidade de algo ficar grande com as riquezas e com elas passar pelo fundo de uma agulha, que incomum é ficarmos supremamente felizes nesta vida e, ao mesmo tempo, sermos empossados na vida que há de vir, nos será consolador se formos piamente não prósperos como também terrível se formos prosperamente ímpios. Devemos aprender com o preceito do profeta Davi e não nos indignar por causa dos malfeitores, nem ter inveja dos que praticam a iniquidade (Sl 37.1). "A prosperidade dos loucos os destruirá", disse Salomão, e "a lâmpada dos ímpios se apagará" (Pv 1.32; 24.1,2,19,20). A prosperidade, ao que parece, é uma arma perigosa, e ninguém senão os inocentes ousam usá-la. O próprio salmista, antes que pensasse assim, começou a invejar a prosperidade dos ímpios. — *William Crouch, "The Enormous Sin of Covetousness Detected" [O Enorme Pecado da Cobiça Detectado], 1708*

v. 3: "Pois eu tinha inveja dos soberbos". Quem invejaria o malfeitor que sobe a escada e é colocado acima das demais pessoas, quando é só por pouco tempo e para ser derrubado e enforcado? É o que acontece com os ímpios que são colocados em altas posições na prosperidade, pois assim podem ser lançados mais profundamente na destruição. Seria ininteligente invejar o pasto alto e doce dos bois, quando eles estão sendo alimentados para o dia de matança. Quem teria invejado os animais de antigamente, as guirlandas e fitas com que os pagãos os adornavam quando iam sacrificá-los? Estes ornamentos externos de saúde, riqueza, satisfação e cargo honorífico, com os quais os ímpios são dotados, não podem dar felicidade, nem mudar o caráter para melhor. Seja qual for a aparência que estas coisas causem aos olhos do mundo, não passam de um monte de estrume fétido coberto de escarlata, pois são extremamente vis e repugnantes aos olhos de Deus. Como é rapidamente destruída a beleza das coisas terrenas: "O júbilo dos ímpios é breve" (Jó 20.5). Vivem em prazeres na terra por um pouco, mas Deus os põem "em lugares escorregadios", de onde logo escorregam em dor e angústia perpétua. Têm pouco tempo de alegria, mas terão uma eternidade de pranto. — *John Willison*

v. 3: "Pois eu tinha inveja dos soberbos". Bem conhecemos o gracejo irônico de Dionísio, o Jovem, tirano da Sicília, quando, depois de ter roubado o templo de

Siracusa, teve uma viagem próspera com a pilhagem. “Não veem”, diz ele aos que estavam com ele, “como os deuses favorecem o sacrílego?” Da mesma forma, a prosperidade dos ímpios é considerada como encorajamento para cometer pecado. Somos propensos a imaginar que, visto que Deus lhes concede tantas coisas boas nesta vida, eles são objetos da aprovação e favor divino. Vemos como a situação de prosperidade dessas pessoas feriu profundamente Davi, levando-o quase a pensar que não havia nada melhor para ele do que unir-se a essa companhia e seguir o curso de vida que seguem. — *João Calvino*

v. 3: “Eu tinha inveja”. Se você é tocado pela inveja ao ver a paz dos ímpios, feche os olhos. Não olhe, pois os olhos invejosos dão grande dimensão ao que contemplam. Actius Sincerus, homem de inteligência rara e grande reputação, quando na presença do rei Frederico, testemunhou uma discussão entre os médicos sobre o seria mais eficiente para aguçar a vista? Os vapores de funcho, disseram alguns. O uso de óculos, disseram outros. Uns propuseram uma coisa, outros outras. Mas eu, disse ele, respondi: a inveja. Os médicos ficaram surpresos, e fizeram a audiência dar muitas risadas. Então continuei: Não faz a inveja parecer todas as coisas maiores e mais perfeitas? E o que seria mais pertinente do que o próprio sentido da visão ser potencializado e fortalecido? — *Thomas Le Blanc*

v. 3: “A prosperidade dos ímpios”. Quando perguntaram a Sócrates o que seria atormentador para os homens bons, respondeu: “A prosperidade dos homens maus”. E o que atormentaria os homens maus? “A prosperidade dos homens bons”. — *Thomas Le Blanc*

v. 3: “Pois eu tinha inveja dos soberbos, ao ver a prosperidade dos ímpios”. Diógenes, o cínico, vendo o malvado e cruel Hárpalo prosperando no mundo, ousou em dizer que a vida longa e constante do mau Hárpalo na prosperidade era argumento a favor de que Deus abandonara o mundo e que ele não se importava que fim o mundo teria. Mas ele era pagão. Mas, com tudo isso, as luzes do santuário diminuíram, as estrelas de não pequena magnitude tremeluziram, os homens de regiões eminentes, famosos na sua geração pela religião e devoção, titubearam no julgamento ao verem a propriedade florescente dos ímpios. Foi o que fez Jó reclamar e Jeremias discutir com Deus. Davi já estava prestes a cair ao ver a prosperidade dos descrentes, ao ver que um estava na riqueza e o outro na necessidade, um era honrado e o outro menosprezado, um estava no trono e o outro no monturo. — *John Donne*

v. 4: “Porque não há apertos na sua morte, mas firme está a sua força”, quer dizer, quando morrem, morrem na força. Não se consomem com doença longa e tediosa. Vivem no prazer e morrem com conforto. Não ficam presos à cama, nem são amarrados com cordas de doenças crônicas e prolongadas. — *Joseph Caryl*

v. 4: “Porque não há apertos na sua morte, mas firme está a sua força”. Não faz parte da sua cota considerar mortes frequentes e amargas, como os justos, nem há na aflição qualquer firmeza ou permanência. Se a qualquer hora a aflição se abate sobre eles, são livrados rapidamente. Além disso, seja qual for a calamidade que se lhes ocorra, têm a força e o apoio das riquezas. Sustentados pela riqueza, parecem se esquecer das dificuldades. — *Cornelius Jansenius, 1510-1576*

v. 4: “Porque não há apertos na sua morte”. A palavra hebraica חַרְצֻב significa “faixa em que é dada nó ou amarrada”. Então, o sentido pode ser que eles não têm o que poderia obrigá-los a uma morte veloz e problemática. Por conseguinte, Castelio escreve: *non sunt necessitates quae eos enecent*, que quer dizer “não há necessidade que lhes ameace a morte”, como variedade de desordens mentais, enfermidades e doenças, esses mensageiros da morte. Áquila de Sínope traduz a palavra por οὐκ εἰσι δυσπαθείαι, “não há dores ou perturbações”. Ainsworth prefere “não há tristezas ou doenças”, e explica que eles não são obrigados à morte ou execução pela variedade de doenças ou pelo poder do dano causado pelos outros. O profeta, ao nos dizer que “firme está a sua força”, explana a frase e nos informa que estes homens maus tiveram a vida feita com linhas bem justas e consistentes, sem o perigo de desfiar ou arrebentar. Tiveram corpo vigoroso, membros fortes, órgãos vitais sãos, sem agonias ou rupturas. Viveram como os que não têm motivo para temer a morte. Quando expiraram, foi sem muita dor antecedente. Caíram como maçãs maduras da árvore. — *Edward Parry*

v. 4: Por "apertos" entendemos o fardo pesado que é habitualmente amarrado em quem é posto. Assim, por analogia, são dores aflitivas ou doenças torturantes. "Firme está a sua força", que continua vigorosa até à morte. — *Thomas Fenton*

v. 4: "Na sua morte". A morte se abate sobre eles quando estão com saúde vigorosa, pois são fortes e robustos, e não se arrastam desnecessariamente em uma existência doentia por reclamações contínuas. Certos intérpretes entendem que os apertos da morte são obstáculos, como se tivesse sido dito que eles morrem de repente, em um momento, não sendo atormentados com dores (Jó 21.13). Considera-se a mais alta felicidade para os profanos, quando, depois de desfrutarem os prazeres e a pompa da vida, descem em um momento à sepultura. Até mesmo Júlio César, um dia antes de ser morto, declarou que lhe parecia uma morte feliz morrer de repente e inesperadamente. Então, de acordo com estes intérpretes, Davi reclama que os descrentes, sem os tormentos da doença, passam para a morte através de um curso suave e tranquilo. Mas há mais verdade na opinião dos intérpretes que, lendo ambas as frases do versículo — *a sua força está firme e não há apertos na sua morte* —, julgam que eles não são arrastados à morte como cativos. Considerando que as doenças venceram a nossa força, eles são mensageiros da morte para nos advertir da nossa fragilidade. Não é em vão que são comparados a cadeias com as quais Deus nos liga ao seu jugo para que o vigor e a força não nos leve a sermos rebeldes. "Mas firme está a sua força." — *Francis Vatablus, 1545*

v. 4: "Porque não há apertos na sua morte, mas firme está a sua força". Os homens podem morrer como cordeiros e ainda ter o lugar para sempre com os bodes. — *Matthew Henry*

v. 5: "Não se acham em trabalhos como outra gente", pois Deus os entregou aos desejos dos seus corações, para que os que estão sujos fiquem ainda mais sujos. São eles como os doentes, a quem o médico sábio não proíbe nada, visto que a doença é incurável. — *Reicherspergensis Praepositus Gerhohus*

v. 5: "Outra gente". A palavra hebraica é אָדָם (*'Ādām*), que significa a raça humana inteira. — *A. R. Fausset*

v. 6: "Pelo que a soberba os cerca como um colar; vestem-se de violência como de um adorno". Um colar de pérolas não cai tão bem no pescoço dos ímpios, nem as mais ricas roupas adornam melhor as suas costas do que, na opinião deles, o pecado assenta e veste a alma. Gloriam-se na vergonha. Falando sobre Protágoras, Platão disse que ele se vangloriava de que, tendo vivido sessenta anos, passou quarenta corrompendo a mocidade. Tinham orgulho do que deveriam prantear. — *George Swinnock*

v. 6: "Vestem-se de violência como de um adorno". Os ímpios vestem-se de violência e a mostram abertamente como o manto que usam. Encontramos frase semelhante no Salmo 109.18,19, desta feita em alusão à maldição. Mas os mansos e piedosos se cobrem do oposto da violência e maldição, como vemos em Efésios 4.24; Colossenses 3.10,12,14. — *John Richardson, 1654*

v. 7: "Os olhos deles". "Pelo semblante se conhece a pessoa", disse o filho de Siraque em Eclesiástico 19.26. Os coléricos, os lascivos, os melancólicos, os astutos, etc., trazem o temperamento e a emoção governante fortemente marcados no rosto, mas mais especialmente a alma do homem se mostra nos olhos. — *George Horne*

v. 7: "Os olhos deles estão inchados de gordura". Os olhos dos outros afundam de magreza, enquanto que os seus "olhos saltam-lhes da gordura" (ARA). — *Thomas Adams v. 8:* "São corrompidos". A prosperidade cria corrupção no coração ímpio, a qual é exalada pela respiração nas conversas, e infeta e mancha a mente das pessoas. — *George Horne*

v. 8: "Tratam maliciosamente de opressão; falam arrogantemente". Com efeito, vemos que os ímpios, depois de terem por algum tempo tudo para prosperarem de acordo com o que desejam, põem de lado toda a vergonha e não se esforçam em esconder-se quando estão prestes a cometer iniquidade, mas em alta voz (ou arrogantemente) proclamam a própria maldade. "O quê?", dirão eles. "Não posso privar você de tudo o que você possui, e até mesmo cortar a sua garganta?" Os ladrões, é verdade, fazem a mesma coisa, mas depois se escondem de medo. Estes gigantes, ou antes, monstros desumanos, de quem Davi fala, pelo contrário não só imaginam que estão isentos de sujeição a qualquer lei, mas, esquecidos da própria fraqueza, espumejam de raiva, como se não houvesse distinção entre o bem e o mal, entre o certo e o errado. — *João Calvino*

v. 9: "A sua língua percorre a terra". Isto mostra a desordem ilimitada e irrestrita da língua. A terra tem numerosa descendência de homens que são de hábitos, estados e condições totalmente diferentes, os quais dão ocasião a discursos diversos e tipos diferentes de idioma. Estes homens não poupam ninguém: "A sua língua percorre a terra", não deixando nada sem ser dito. Se os homens são pobres, falam em oprimi-los e dominá-los. Se opõem-se, discursam sobre violência e eliminação. [...] Se nesta inspeção encontram-se com a verdade, eles a denigrem com mentiras e invenções caseiras. Se encontram-se com a inocência, marcam-na a ferro com falsas acusações e calúnias amargas. Se encontram-se com um governo rígido e leis boas, clamam: "Arrebentemos com esses laços e despedacemos as cordas que nos prendem". Se encontram-se com a religião, chamam-na de heresia ou superstição. Se encontram-se com a paciência, dizem que é obstinação e perversão. Se encontram-se com a igreja, não pensam em nada menos que devorá-la e proclamam: "Tomemos posse das casas de Deus". Se encontram-se com os pensamentos de uma ressurreição e de esperanças futuras, dizem: "Comamos e bebamos, que amanhã morreremos". Desta forma, nenhum canto é deixado sem ser vasculhado por essa língua abusiva que percorre a terra. [...] Podem percorrer a terra, mas erguerão a boca contra os céus. Aqui dizem, ficam firmes e resolutos, e assumem essa posição, como um alvo especial ao qual atingem. — *Edward Parry*

v. 10: "Pelo que o seu povo volta aqui". Parece impossível averiguar, com grau de precisão, o significado deste versículo ou a quem se relaciona. Certos expositores pensam que diz respeito às pessoas que recorrem à companhia dos ímpios, porque ganham vantagem temporal por eles. Outros são de opinião de que se refere ao povo de Deus, os quais, revolvendo continuamente nos pensamentos o assunto aqui tratado, isto é, a prosperidade dos ímpios, ficam profundamente angustiados e são forçados a derramar lágrimas em abundância. Mudge traduz o versículo assim: "Então venha o seu povo [o povo de Deus] diante deles, e águas em medida completa serão espremidas deles", quer dizer, se o povo de Deus caísse nas mãos dos ímpios, eles o apertariam por completo, espremeriam todo o suco do corpo dele. Mudge entende que a frase "águas em medida completa" é uma expressão proverbial. — *Samuel Burder*

v. 11: "E dizem: Como o sabe Deus? Ou: Há conhecimento no Altíssimo?" Os homens podem não descrer da divindade. Podem até mesmo crer que há um Deus, e, ainda assim, questionar a verdade das ameaças divinas. Os conceitos que os homens têm de Deus, pelos quais o modelam e moldam nas suas fantasias, adequados aos seus caprichos, que é o pensamento de que ele é como um de nós (Sl 50), são fluxos e vapores desta cova, e "o coração dos filhos dos homens está cheio de maldade" (Ec 9.3), por estas razões. Muito mais quando se levantam tão altamente como alguns que dizem: "Como o sabe Deus? Ou: Há conhecimento no Altíssimo?" Se os homens se entregam a isso, que razão imaginável há que permaneça diante deles? Zombam de todas as ameaças da Bíblia, dizendo que são espantalhos teológicos, e as desprezam, considerando-as artifícios deploráveis para manter as pessoas com medo. — *Richard Gilpin*

v. 11: "E dizem: Como o sabe Deus? Ou: Há conhecimento no Altíssimo?" Ovídio, em um dos seus versos, fala assim: *Solicitador nullos esse putare deos*, que quer dizer "Sou tentado a pensar que não há deus".

v. 14: "Pois todo o dia tenho sido afligido e castigado cada manhã". As disposições mentais doentias têm de ter uma dieta medicinal. Ser purgado na primavera e no outono dificilmente protegerá alguns da malignidade das suas indisposições mentais. O Senhor conhece a nossa estrutura, e vê o que é em geral necessário para todo temperamento. Quando ele aflige mais frequentemente, ele aflige não mais do que vê necessário. — *David Clarkson*

v. 14: Se o homem prestar atenção em seus caminhos e nos procedimentos de Deus para com ele, raramente haverá um dia em que ele receba a vara da aflição sobre nele. Mas, como por falta de cuidado e vigilância, perdemos de vista as muitas misericórdias, assim fazemos com as muitas aflições. Embora Deus não leve o homem diariamente à cama e lhe quebre os ossos, nós raramente (para não dizer nunca) passamos um dia sem repreensão e castigo. "Todo o dia tenho sido afligido", disse o salmista. [...] Tão certo ou tão logo me levanto sou fustigado, e o meu café da manhã é o pão da tristeza e a água da adversidade. [...] A nossa vida é cheia de aflições. Faz tão grande parte da habilidade cristã saber as aflições quanto as misericórdias. Saber quando Deus pesa a mão, tanto quanto saber quando ele nos cinge. É o nosso pecado negligenciar as aflições como também as misericórdias. — *Joseph Caryl*

v. 14: "Pois todo o dia tenho sido afligido e castigado cada manhã". O caminho para o céu é um caminho de aflição, perplexidade, perseguição, espremido de cruzes, como era o caminho dos israelitas no deserto ou o caminho de Jônatas e do moço que lhe levava as armas, que tinham uma penha aguda de um lado e uma penha aguda do outro. E, enquanto escalavam de gatinhas, havia pedras pedregosas abaixo deles, sarça e espinhos por todos os lados, montanhas, precipícios e promontórios acima deles. *Sic potitur caelum*, assim o céu é tomado por esforço, paciência, violência e aflição, a qual é a nossa companheira inseparável. "O caminho da cruz é a estrada para o céu", disse o mártir Bradford. E outro mártir disse: "Se há um caminho a cavalo para o céu, é pela cruz".

Dizem que a rainha Elizabeth nadou até à coroa por um mar de tristezas. Aqueles que querem ir para o céu, têm de navegar pelas portas do inferno. Aqueles que desejam título de nobreza, têm de ajoelhar-se. Aqueles que desejam entrar pela porta estreita, têm de insistir nesse caminho. "Porfiai por entrar pela porta estreita", disse o nosso Salvador (Lc 13.24). Esforce-se e empenhe-se até mesmo à agonia, como significa a palavra no original hebraico. O céu é comparado a um monte e o inferno a um buraco. Para o inferno o homem pode descer sem ajuda. O caminho para o inferno é fácil, de declive íngreme, empalhado de rosas. Mas é uma rendição a Satanás, um transcurso de pecado em pecado, de propósitos maus a práticas más, de práticas más a costumes maus e assim por diante. *Sed revocare gradum*, mas para nos voltarmos e fazermos passos retos para os nossos pés, a fim de que possamos forçar passagem pela porta estreita, *hic labor, hoc opus est, opus non pulvinaris sed pulveris*, este é trabalho de grande esforço, um dever de não pequena dificuldade. — *John Trapp*

v. 15: "Eis que ofenderia a geração de teus filhos", quer dizer, prejudico muito a igreja de Deus, que sempre tem estado sob aflições, se penso ou digo que toda a sua devoção não tem esperança, ou a esperança não tem efeito. Outros estudiosos entendem que significa: "Eis que enganaria a geração", ou seja, proponho uma falsa doutrina para eles, a qual é apta para enganá-los. Outros ainda são de opinião de que o sentido é este: "Eis aí a geração", quer dizer, a despeito de todas as aflições, é certo que só tu és um Pai para a igreja. Isso é suficiente para me fazer ter opinião favorável destas aflições. Cometi o mal e confesso que errei no meu julgamento apressado. — *John Diodati*

v. 17: "Até que entrei no santuário de Deus; então, entendi eu o fim deles". Por "santuário de Deus" alguns expositores, até mesmo entre os hebreus, entendem que são as mansões celestiais nas quais o espírito dos justos e dos anjos habitam. É como se Davi tivesse dito: Este era algo doloroso aos meus olhos, até que vim a reconhecer de fato que os homens não são criados para desenvolverem-se por pouco tempo neste mundo e para deleitarem-se indolentemente em prazeres enquanto nele estão, mas que estão aqui na condição de peregrinos, cujas aspirações, durante a peregrinação terrena, devem estar no céu. Admito prontamente que não há homem que forme um julgamento correto da providência de Deus, senão aquele que eleva a mente sobre a terra. Mas é mais simples e natural entender que a palavra "santuário" denota doutrina celestial. Como o livro da lei foi posto no santuário do qual os oráculos do céu eram obtidos, quer dizer, as declarações da vontade de Deus, e como este era o modo verdadeiro de receber instrução proveitosa, Davi, muito apropriadamente, fala em *entrar no santuário para ir à escola de Deus*, como se o significado fosse este: Até que Deus se torne o meu professor e eu aprenda pela sua palavra, e não pela minha mente, sempre que eu refletir sobre o governo do mundo, não poderei compreender, pois ficarei abaixo do esperado e não entenderei nada sobre o assunto. Portanto, quando dizem que os homens são indignos de contemplar os arranjos da providência divina, até que obtenham sabedoria em outro lugar que não em si mesmos, como poderemos atingir a sabedoria, senão submissamente recebendo o que Deus nos ensina pela sua palavra e pelo seu Espírito Santo? Pela palavra "santuário" Davi alude à maneira externa de ensinar, a qual Deus tinha designado entre o seu povo antigo. Mas junto com a palavra, ele compreende a iluminação secreta do Espírito Santo. — *João Calvino*

v. 17: "Até que entrei no santuário de Deus; então, entendi eu o fim deles". A alegria dos ímpios é imperfeita em si mesma, porque não é o que parece ou não é verdadeira. Não é ouro puro, mas misturado e adulterado com tristeza. Pode parecer bom para quem tem olhos lacrimejantes e turvos, mas não passará por artigo bom para quem tem olhos sãos. Considerem todos e pesem bem na balança do santuário, onde Davi foi buscar a balança para essa mesma finalidade, pois ele achará que está muito leve para tantos grãos. Não é interiormente como é exteriormente. Não mais do que uma parede de barro que é pintada de branco, ou uma sepultura fétida coberta com um monumento glorioso. É ὕπουλος, parece bela e serena, como a verdadeira alegria, mas é como um membro ferido que é curado rápido demais (e você sabe como Deus, pelo profeta, reclama que a ferida do seu povo foi curada superficialmente, Jr 6.14), e tem a aparência sadia como o restante do corpo. Contudo, por baixo, a ferida está ativa e se inflamando muito mais e pior, pois pelo lado de fora está tão bem. Quando a simulação, o fingimento, o pretexto e o disfarce são os mais belos, é porque a patifaria, o veneno e o mal escondido são os mais feios. — *Zachary Bogan, 1625-1659, "Meditations of the Mirth of a Christian Life" [Meditações sobre a Felicidade da Vida Cristã]*

v. 17: "Então, entendi eu". Há uma história famosa relacionada à providência ocorrida em Bradwardine, que é pertinente ao texto. Certo ermitão, que era muito tentado e estava totalmente insatisfeito com a providência de Deus, resolveu viajar de um lugar para o outro até encontrar alguém que lhe desse respostas. Um anjo na forma de homem se juntou a ele na viagem, dizendo-lhe que ele fora enviado por Deus para dirimir-lhes as dúvidas que ele tivesse sobre a providência. Na primeira noite, hospedaram-se na casa de um homem muito santo e passaram o tempo falando sobre o céu e louvando a Deus, entretendo-se com muita liberdade e alegria. Pela manhã, quando partiram, o anjo levou consigo um copo grande de ouro. À noite, chegaram à casa de outro homem santo, que os acolheu muito bem e alegrou-se em extremo com a companhia e a conversa que tiveram. O anjo, todavia, quando saiu matou uma criança no berço que era o único filho daquele homem santo, o qual por muitos anos não teve filhos, e era, então, um pai que amava muito essa criança. Na terceira noite, chegaram a outra casa, onde tiveram o mesmo entretenimento livre que antes. O chefe da família tinha um mordomo a quem ele estimava em alta conta, e falou-lhes que ele se considerava feliz por ter um servo fiel como esse. Na manhã seguinte, enviou esse mordomo com eles para acompanhá-los parte do caminho a fim de orientá-los. Quando estavam atravessando a ponte, o anjo arremessou o mordomo no rio e o afogou. Na última noite, chegaram à casa de um homem muito mau, onde tiveram entretenimento muito desfavorável. Contudo, o anjo, na manhã seguinte, deu-lhe o copo de ouro. Depois dessas coisas, o anjo perguntou ao ermitão se ele tinha entendido tudo. Respondeu que as dúvidas sobre a providência tinham aumentado e não acabado, porque ele não conseguia entender por que ele tratou tão mal os homens santos, que os receberam com tanto amor e alegria, mas deu um presente ao homem mau, que os tratou tão impropriamente. O anjo respondeu: Agora explicarei estas coisas para você. A primeira casa onde nos hospedamos era de um homem santo. Contudo, ele bebia daquele copo todas as manhãs, o qual era muito grande e o deixava um tanto quanto impróprio para os deveres santos, ainda que nem ele nem as pessoas o percebessem. Por isso, roubei o copo, visto que era melhor ele perder o copo de ouro do que a temperança. O chefe da família onde possamos na segunda noite era um homem muito dado à oração e meditação, e passava muito tempo nos deveres santos. Era muito liberal para os pobres quando não tinha filhos, mas assim que teve um filho amou-o de tal maneira e passava tanto tempo brincando com ele, que grandemente negligenciava o exercício santo que anteriormente fazia. Dava pouco para os pobres, pensando que poderia faltar para o filho. Então levei a criança para o céu para que ele servisse a Deus melhor na terra. O mordomo a quem afoguei tinha maquinado matar o seu senhor na noite seguinte. E quanto ao homem mau a quem dei o copo de ouro, já que ele não terá nada no outro mundo, dei-lhe algo neste. Mas o copo será uma armadilha para ele, porque ele ficará mais imoderado, pois "quem está sujo suje-se ainda" (Ap 22.11). A veracidade desta história não confirmo, mas a moral é muito boa. Mostra que Deus é um Pai indulgente para os santos, quando ele mais os aflige. E que quando ele exalta os maus, ele também os coloca em lugares escorregadios, pois a prosperidade é a ruína para eles (Pv 1.32). — *Thomas White, "A Treatise of the Power of Godlinesse" (Um Tratado sobre o Poder da Piedade), 1658*

v. 17: "O fim deles". A providência é muitas vezes misteriosa e fonte de perplexidade para nós. Andando em Hyde Park certo dia, vi um pedaço de papel na grama. Apanhei-o. Era parte de uma carta. O começo estava faltando e o fim não estava ali. Não pude fazer nada. Assim é providência. Você não vê o começo nem o fim, só uma parte. Quando puder ver o todo, então o mistério será desvelado. — *Thomas Jones, 1871*

v. 18: "Lugares escorregadios". A palavra no original hebraico significa "liso" como gelo ou "lustroso" como mármore polido. É proveniente de uma metáfora usada para referir-se a lisonja. Por conseguinte, Abenezra traduz assim: *In locis adulationis posuisti eos*, que significa "tu os colocaste em lugares lisonjeiros". — *Edward Parry*

v. 18: "Certamente, tu os puseste em lugares escorregadios; tu os lanças em destruição". São elevados, como o molusco pela águia, de acordo com os naturalistas, para serem lançados à terra em cima das pedras e serem devorados. A sua prosperidade mais gloriosa não passa de um arco-íris que se mostra por pouco tempo em todas as cores vistosas, para, em seguida, desaparecer. Os turcos, considerando o fim infeliz dos seus vizires, usam este provérbio: "Aquele que está no cargo mais alto não passa de uma estátua de vidro". Os ímpios andam sobre o vidro ou gelo, pois "tu os puseste em lugares escorregadios". Subitamente os pés deslizam e eles caem e quebram o pescoço. — *George Swinnock*

vv. 18,20: A casa de banquetes dos ímpios é muito escorregadia e o próprio banquete, um mero sonho. — *Thomas Adams*

v. 19: "Ficam totalmente consumidos de terrores". A destruição dos ímpios não só é súbita, mas completa. É como a quebra do vaso do oleiro, cujos fragmentos não podem ser juntados para o uso do vaso. É como o arremesso de uma mó ao mar que nunca mais subirá. E isto é feito com "terrores" por meio de julgamentos terríveis infligidos sobre eles exteriormente ou com "terrores" que lhes agarram a mente e a consciência interiormente, como na hora de calamidades temporais ou da morte, e certamente no julgamento, quando a terrível sentença será pronunciada para eles (ver Jó 27.20). — *John Gill*

v. 19: "Como caem na desolação, quase num momento! Ficam totalmente consumidos de terrores". Se você vivesse por mais tempo que qualquer homem já viveu e gastasse todo esse tempo em nada mais que prazeres (o qual ninguém jamais fez, pois encontrou cruzes, aflições ou doenças), mas no crepúsculo da vida tivesse de alojar-se nas "labaredas eternas" e no "fogo consumidor" (Is 33.14), não seriam esses prazeres responsáveis por estas labaredas eternas? Um comerciante inglês que morou em Gdansk, mas hoje está com Deus, contou esta história, a qual é verdadeira. Um amigo seu (comerciante também), por cujas razões desconheço, dirigiu-se a um convento para jantar com os monges. O entretenimento foi muito nobre. Depois de jantar e ter visto tudo, o comerciante passou a elogiar-lhes a vida confortável e tranquila. "É verdade", disse um dos monges, "viveríamos mesmo galantemente, tivéssemos alguém que fosse para o inferno por nós quando morrêssemos". — *Giles Firmin, 1617-1697, "The Real Christian or A Treatise of Effectual Calling" (O Verdadeiro Cristão ou Um Tratado sobre a Chamada Eficaz)*

v. 20: "Como faz com um sonho o que acorda". O conceito é bastante sutil, mas foi astutamente entendido por Shakespeare, que, pela boca do príncipe Plantageneta (representando, talvez, a arrogância de um rei no lugar de Deus), diz ao seu predileto:

> Sonhei tanto com esse tipo de homem
> Tão excessivamente inchado, tão velho e tão profano
> Mas ao acordar, menosprezo o meu sonho
> *Henrique IV*

Esta é a inércia da vontade e intelecto dos dormentes, que dá realidade às formas e imaginações, os próprios sentimentos e propósitos que se aglomeram na mente. É, ao que parece, a negligência e omissão do Regente Moral que faz prosperar a vida e influência dos ímpios ou inúteis. Paulo diz, em referência ao politeísmo do mundo antigo: "Não levou Deus em conta os tempos da ignorância" (At 17.30, ARA). — *C. B. Cayley, "The Psalms in Metre" (Os Salmos em Métrica), 1860*

v. 21: Há duas similitudes, pelas quais o salmista descreve a sua aflição e indignação ou zelo. Primeiro, ele diz que o seu coração transbordou como fermento: "O meu coração se azedou". Compara a emoção que surgiu nos seus pensamentos ao fermento que leveda a massa, fazendo-a crescer ou transbordar. [...] O outro símile é tirado das dores internas que os cálculos renais produzem: "Sinto picadas nos meus rins". As pessoas que tiveram essa dor sabem como é torturante. Portanto, não há necessidade de mais detalhes. Significa que a grande dor estava entrosada com indignação, e que isto se abateu sobre ele tão logo ele olhou a prosperidade dos descrentes. — *D. H. Mollerus*

v. 21: "Rins". Diante de todos os outros intestinos há os rins (כְּלָיוֹת, νεφροί), situados em ambos os lados das vértebras lombares, na parede posterior do abdômen, os quais a Bíblia menciona tantas vezes e de modo psicologicamente significativo. Oferece a experiência mais melindrosa e mais íntima de muitos tipos de associação com eles. Quando o homem está sofrendo profundamente em seu interior, ele é picado nos rins. Quando a aflição atormentadora o vence, os rins são divididos (Jó 16.13; cf. Lm 3.13). Quando se alegra em extremo, eles exultam (Pv 23.16). Quando se sente muito intensamente advertido, eles o castigam (Sl 16.7). Quando deseja muito ardentemente, eles são consumidos com o corpo (Jó 19.27). Como o Conhecedor onisciente e todo-penetrante das coisas mais secretas que o homem esconde, Deus é chamado (do Salmo 7.10 ao Apocalipse) de o Examinador dos corações e dos rins. Está escrito a respeito dos não crentes que Deus está longe dos seus rins (Jr 12.2), ou seja, que ele, retirando em si mesmo, não se permite ser percebido por eles. — *Franz Delitzsch*

v. 22: "Assim, me embruteci e nada sabia; era como animal perante ti". Não é o espírito contestador das dispensações do Senhor ruim nas raízes e frutos? As raízes são: (1) a ignorância, (2) o orgulho, este se levanta (Hb 2.4), (3) a impaciência ou falta de esperar em Deus para ver o ponto da questão (Jn 4.8), (4) o esquecimento de quem o Senhor é e quem o homem é para reclamar do Criador (Lm 3.39; Rm 9.20). E quanto aos frutos, não são nada melhores, senão bastante ruins. Os homens são propensos a cansar-se nos deveres, a livrar-se deles (v. 13; Ml 3.14) a caminho de blasfemar de Deus (Jó 2.9; Ml 3.13; Ap 16.9). — *Thomas Crane, "A Prospect of Divine Providence" (Uma Perspectiva da Divina Providência), 1672*

v. 22: "Era como animal perante ti". Permiti que a minha mente se ocupasse totalmente com coisas que se podem perceber com os sentidos, como os animais que perecem, e não olhei para o estado futuro, nem considerei ou me submeti aos desígnios sábios da providência infalível. — *Adam Clarke*

v. 22: "Era como animal perante ti". No original hebraico não há palavra de comparação. Deve ser traduzido mais exatamente por: "Eu era um animal perante ti". Sabemos que quando a palavra hebraica está no plural, dá ênfase peculiar, o que indica que se trata de um animal monstruoso ou surpreendente. É a palavra que Jó usa, a qual é interpretada por "beemote", dando a seguinte tradução: "Eu era um próprio monstro perante ti", não só um animal, mas um dos mais brutos de todos os animais, um dos mais teimosos e intratáveis de todos os animais. Penso que não há homem que possa descer mais baixo do que isto em termos de confissão humilde. Esta é uma descrição da natureza humana e do velho homem no santo regenerado, a qual não será superada. — *C. H. S.*

v. 22: Entre os muitos argumentos para provar a autoria da Escritura inspirada pelo Espírito de Deus, este não é o último nem o menos importante. Os autores dos escritos santos registram os próprios erros e os erros dos parentes mais queridos e mais próximos. Por exemplo, como Davi fala rudemente sobre si mesmo: "Assim, me embruteci e nada sabia; era como animal perante ti". E você acha que a face de Paulo parecia mais suja quando ele escreveu: "Eu era assassino, perseguidor, o maior dos pecadores"? Isto não é habitual nos escritos dos autores humanos, pois eles elogiam a si mesmos o mais que podem e, em vez de perder uma gota de aplauso, eles a lambem com a própria língua. Túlio escreve muito abundantemente sobre o bom serviço que ele fez para o estado romano, mas não diz uma palavra da sua avareza, comovente aplauso popular, orgulho, vanglória, vil descendência e coisas semelhantes. Por outro lado, bem ao contrário, Moisés descreve o pecado e castigo da sua irmã Miriã, a idolatria e superstição do seu irmão Arão e o seu próprio erro ao ferir irracionalmente a rocha, por cuja causa ele foi excluído da terra de Canaã. — *Thomas Fuller*

v. 23: "Todavia, estou de contínuo contigo", como a criança sob os cuidados do pai. E como o pai, durante o risco que corro de cair no caminho escorregadio, "tu me seguraste", o teu filho, "pela mão direita". — *George Horne*

v. 23: "Todavia, estou de contínuo contigo". Ele não diz que o Senhor está de contínuo com o seu povo, e os segura, guia e recebe. Ele diz: "O Senhor está de contínuo *comigo*. Ele *me* segura, *me* guia e *me* recebe" (cf. vv. 23,24). O homem viu, sentiu e alegrou-se no seu interesse pessoal pelo cuidado e amor de Deus. Ele fez esta (marca) no meio da aflição, com a "carne e falha de coração". E a despeito também de muitos sentimentos errados, opostos e pecadores que tinham acabado de passar, sob a convicção da sua pecaminosidade, loucura e, como ele mesmo diz, brutalidade. Oh, é uma bênção, irmãos, haver uma fé como essa. — *Charles Bradley, 1838*

v. 23: "Estou de contínuo contigo". A palavra hebraica traduzida por "de contínuo" significa corretamente "sempre", e denota que não houvera mudança ou interrupção na relação prévia das partes. Há o uso perfeitamente análogo da palavra francesa *toujours*. — *Joseph Addison Alexander*

v. 24: "Guiar-me-ás". Como progredir pelos próprios esforços em terras estrangeiras, se tivermos de depender somente dos nossos próprios recursos? É por isso que a Bíblia tanto fala sobre guias, e que o Senhor é chamado para guiar o seu povo. Eles estão em terra estranha, uma terra de covas e armadilhas, e, sem um bom guia, é certo que cairão em um ou serão pegos em outro. "Este Deus é o nosso Deus para sempre", disse o salmista. E não somente isso, mas ele condescende em ser o "nosso guia até à morte" (Sl 48.14). Pode haver um guia melhor? Quando um guia nos é bem recomendado por quem já se serviram dos seus serviços, é sábio nos colocar sem reservas nas suas mãos. Se ele diz que o caminho certo é o da direita, seria loucura dizer que estamos determinados a tomar o caminho da esquerda. — *John Gadsby*

v. 24: "Guiar-me-ás... me receberás". Depois da conversão, Deus ainda trabalha em nós. Dá não só graça, mas ajuda efetiva na obra da obediência: "Tu és o que fizeste em nós todas as nossas obras" (Is 26.12). A sua ajuda efetiva é necessária para dirigir, vivificar, fortalecer, proteger e nos defender. Em nosso caminho para o céu, precisamos não só de norma e caminho, mas de um guia. A norma é a lei de Deus, mas o guia é o Espírito de Deus. — *Thomas Manton*

v. 24: "Depois". Depois de todos os nossos esforços na labuta e dever, de todas as nossas dificuldades e aflições e de todas as nossas dúvidas e temores de nunca o receber. Depois de todos os escondimentos da sua face, das nuvens e escuridão que nos ignoraram e de todas as nossas batalhas e lutas por isso, então como será oportuna o recebimento desta recompensa: "Guiar-me-ás com o teu conselho e, depois, me receberás em glória". Ó bendito "depois", quando todo o seu trabalho tiver terminado, todas as suas dúvidas e medos tiverem acabado e todas as suas batalhas tiverem sido lutadas, então você receberá a recompensa. — *John Spalding*

v. 24: "Me receberás em glória". Mendelssohn, na livro *Beor*, percebeu a provável alusão desta frase na tradução de Enoque. De Enoque se diz: לָקַח אֹתוֹ אֱלֹהִים, "Deus para si o tomou" (Gn 5.24). Aqui no Salmo 73.24, o salmista escreve: כָּבוֹד תִּקָּחֵנִי, "me receberás em glória [ou gloriosamente]". Em outro salmo, lemos: כִּי יִקָּחֵנִי, "pois me receberá" (Sl 49.15). É difícil imaginar que as duas últimas expressões foram escritas e lidas no seu contexto pelos judeus sem fazerem referência à primeira. — *Thomas Thomason Perowne, 1858*

v. 25: "A quem tenho eu no céu senão a ti? E na terra não há quem eu deseje além de ti". Como é pequeno o número dos que mantêm o amor fixo só em Deus! Vemos como a superstição coloca ao lado de Deus muitos outros como rivais do nosso amor. Enquanto os papistas admitem em palavras que todas as coisas dependem de Deus, estão, não obstante, buscando constantemente obter ajuda desta ou de outra parte independente dele. — *João Calvino*

v. 25: "A quem tenho eu no céu senão a ti? E na terra não há quem eu deseje além de ti". Agradou a Davi e agrada a todos os santos mais do que Deus ser-lhes a salvação, quer temporal ou eterna, mais do que ele os salve. Os santos olham mais para Deus do que para tudo que é de Deus. Dizem: *Non tua, sed te,* que significa "não desejamos de ti, senão a ti" ou "nada de ti como tu". "A quem tenho eu no céu senão a ti?", disse Davi. O que são os santos, o que são os anjos para a alma sem Deus? Eis algo verdadeiro acerca de coisas como também acerca de pessoas. O que temos no céu, senão Deus? Qual é a alegria sem Deus? Qual é a glória sem Deus? O que são todas as mobílias, riquezas, iguarias e diademas do céu, sem o Deus do céu? Se Deus dissesse aos santos: "Aqui é o céu, tome-o entre vós, mas eu me retirarei", eles chorariam muitíssimo, e fariam disso um Baca, um verdadeiro vale de lágrimas. Céu não é céu a menos que tenhamos Deus. É a presença de Deus que faz o céu. A glória é estar mais perto de Deus. Como respondeu Mefibosete, quando Davi lhe contou: "Já disse eu: Tu e Ziba, reparti as terras". "Tome ele também tudo", disse Mefibosete, não considero a terra tanto quanto considero a tua presença. "Tome ele também tudo, pois já veio o rei, meu senhor, em paz à sua casa", onde posso desfrutar da tua presença (2 Sm 19.29,30). Portanto, se Deus dissesse aos santos: "Aqui é o céu, tome-o entre vós, mas eu me retirarei", eles até lhe diriam: "Não, que o mundo fique com o céu, se quiser, pois se não podemos ter a ti no céu, o céu será uma terra, ou, antes, um inferno para nós". Os santos se alegram em poder estar na presença de Deus, em poder sentar-se à mesa com ele para comer pão com ele. Em outras palavras, alegram-se em poder estar perto dele permanentemente, como foi privilégio de Mefibosete com Davi. É o que desejam e pelo que a alma tem sede. Este é o vinho que eles beberiam. "A minha alma", disse Davi no Salmo 42.2, "tem sede de Deus, do Deus vivo; quando [parece-me que o tempo é muito longo, quando] entrarei e me apresentarei ante a face de Deus?" — *Joseph Caryl*

vv. 25 e 26: Gotthold foi convidado a um entretenimento, com a esperança confirmada de que ele se reuniria com um amigo a quem amava e em cuja companhia tinha o maior prazer. Ao chegar à festa, porém, descobriu que em virtude de uma ocorrência imprevista o amigo não estaria presente. Teve muito desgosto em participar da alegria da festa. Depois, a circunstância o levou à seguinte linha de pensamento: A alma piedosa que sinceramente ama e almeja ardentemente o Senhor Jesus, passa pelo que passei ultimamente. Ela busca o Amado em todos os lugares, objetos e eventos. Se o acha, quem está mais contente? Se não o acha, quem está mais desconsolado? Ah! Senhor Jesus, tu és o melhor dos amigos. Tu és o objeto do meu amor. A minha alma te busca, o meu coração te deseja. Que me importa o mundo, com todos os prazeres, fama, poder e glória, a menos que eu te ache nele? Que me importa a iguaria mais saborosa, as mais doces bebidas e a companhia mais alegre, a menos que tu estejas presente? Que me importa tudo isso, a menos que eu possa molhar o meu bocado nas tuas feridas, adocicar a minha bebida com a tua graça e ouvir as tuas palavras agradáveis? Com efeito, meu Salvador, estivesse eu até mesmo no céu e não te achasse lá, não me pareceria ser o céu de modo algum. Portanto, Senhor Jesus, quando com lágrimas, suspiros, anseios de coração e esperança paciente eu te busco, não te escondas de mim, mas permite-me te achar, pois "a quem tenho eu no céu senão a ti? E na terra não há quem eu deseje além de ti. A minha carne e o meu coração desfalecem; mas Deus é a fortaleza do meu coração e a minha porção para sempre". — *Christian Scriver, 1629-1693*

v. 26: "A minha carne e o meu coração desfalecem; mas Deus é a fortaleza do meu coração e a minha porção para sempre". Com estas palavras faremos cinco observações.

1. A ordem invertida. Quando menciona a doença, ele começa com a carne e depois com o coração. Mas quando informa o alívio, ele começa com o coração. Com isso, observamos que *quando Deus trabalha a cura no homem (por amor), ele começa com o coração — ele o cura primeiro.* E para isso, pode haver estas razões.

(a) O pecado do coração é a causa frequente das doenças do corpo e da alma.

(b) O corpo sempre se dá melhor com a alma do que a alma com o corpo.

(c) A cura da alma é a cura mais importante.

2. A adequabilidade do remédio à doença. Força de coração por desfalecimento de coração, e uma porção abençoada por desfalecimento de carne. Observamos

que *há um remédio e alívio proporcional em Deus para todas as doenças e aflições, tanto interiores quanto exteriores. Se o coração desfalece, Deus é força. Se a carne desfalece ou o consolo acaba, Deus é a porção.*

3. O interesse do profeta. Ele chama Deus de sua porção. Observemos que *os verdadeiros israelitas têm um interesse inconteste em Deus: Ele é deles.*

4. A experiência do profeta nos piores tempos. Ele constata a verdade de que quando a força comunicada fracassa, há uma força firme em Deus. Observemos que *as experiências que os cristãos têm do Deus todo-poderoso são as mais cheias e as mais sublimes, quando o consolo criado fracassa.*

5. A experiência melhora o profeta dando-lhe sustento e consolo nas futuras provações e tentações. Observemos que a consideração que *os santos fazem da experiência com o Deus todo-poderoso em tempos de necessidade urgente é o bastante para sustentar e fortalecer-lhes o espírito contra todas as provações e tentações durante o tempo que vier.*

Assim, melhoramos o texto por via da observação, mas há duas doutrinas principais sobre as quais devemos insistir.

I. Deus é a rocha, a força e a porção do coração dos santos para sempre. Esta doutrina tem dois ramos ou duas vertentes.

1. Deus é a rocha e a fortaleza do coração dos santos. Ele não só é a fortaleza e a fortaleza do coração deles, mas a rocha da fortaleza deles (Is 17.10; Sl 62.7: צוּר, "fortaleza", a mesma palavra hebraica que é usada neste texto). Explicação. Deus é a rocha da nossa fortaleza em relação às coisas naturais e espirituais. É a fortaleza da natureza e da graça (Sl 27.1), a fortaleza da nossa vida natural e espiritual. É a fortaleza das nossas faculdades naturais: raciocínio, entendimento, sabedoria, prudência, vontade e emoção. É a fortaleza de todas as nossas graças: fé, paciência, mansidão, temperança, esperança e amor, tanto no que diz respeito a ser quanto no que tange ao exercício. É a fortaleza do nosso consolo, coragem, paz, felicidade, salvação e glória. O "Senhor Deus [é a] fortaleza da minha salvação" (Sl 140.7) em três aspectos:

(a) Deus é o autor e doador de toda a fortaleza ou força: "Deus é o que me cinge de força" (Sl 18.32); "Dai ao Senhor glória e força" (Sl 29.11; cf. Sl 138.3; 68.35).

(b) Deus é quem aumenta e aperfeiçoa a fortaleza dos santos. É Deus que fortalece e dá poder aos santos para fazer, sofrer, aguentar, reprimir, acreditar e esperar até ao fim. É por isso que em Hebreus 11.34 diz: "Da fraqueza tiraram forças" (cf. 1 Jo 2.14), e Pedro fez esta oração: "E o Deus de toda a graça, que em Cristo Jesus vos chamou à sua eterna glória, depois de haverdes padecido um pouco, ele mesmo vos aperfeiçoará, confirmará, fortificará e fortalecerá" (1 Pe 5.10).

(c) Deus é o preservador da nossa fortaleza. A nossa vida foi colocada em Deus (Colossenses 3.3). A nossa fortaleza é mantida pela força de Deus (Sl 91.1). Deus sombreia a força dos santos para que nenhuma brecha possa ser feita nela: "Jubiloso cantarei refugiado à sombra das tuas asas" (Sl 63.7).

2. Deus é a porção do coração dos santos.

II. Essa influência e alívio divino passa de Deus para os santos quando eles mais precisam. — *Samuel Blackerby*, 1673

v. 26: "A minha carne e o meu coração desfalecem; mas Deus é a fortaleza do meu coração e a minha porção para sempre". Oh, lógica estranha! A graça aprendeu a tirar conclusões fortes de premissas fracas, e felicidade da tristeza. Se o maior é: "A minha carne e o meu coração desfalecem", e o menor é: "Ainda que a figueira não floresça, nem haja fruto na vide; o produto da oliveira minta, e os campos não produzam mantimento; as ovelhas da malhada sejam arrebatadas, e nos currais não haja vacas". Contudo, a conclusão firme e inegável é: "Deus é a fortaleza do meu coração e a minha porção para sempre", ou: "Todavia, eu me alegrarei no Senhor, exultarei no Deus da minha salvação" (Hc 3.17,18). E se há mais na conclusão do que nas premissas, é o mais desejável; Deus vem até mesmo na conclusão. — *John Sheffield, "The Rising Sun" [O Sol Nascente], 1654*

v. 26: "A minha carne e o meu coração desfalecem". Os estudiosos que tomam a expressão em sentido ruim, entendem que é uma confissão dos pecados do salmista e tem relação ao combate mencionado no princípio do salmo, entre a carne e o espírito. É como se ele tivesse dito: Alimentei-me tanto de autoconvencimento que presumi processar as ações divinas no tribunal da razão humana, e, pelos olhos dos meus sentidos, julgar a vara debaixo da água torta, quando, na verdade, estava reta. Agora vejo que a carne não é juíza adequada para os assuntos da fé. Vejo que nem a minha carne e nem o meu coração podem determinar corretamente as dispensações de Deus, nem podem resistir honestamente sob as tentações de Satanás. Se Deus não me tivesse me sustentado a minha carne me teria suplantado completamente: "A minha carne e o meu coração desfalecem; mas Deus é a fortaleza do meu coração". Às vezes, a carne é considerada como a natureza corrupta (Gl 5.13). Primeiro, porque é propagada pela carne (Jo 3.6). Segundo, porque é executada pela carne (Rm 7.25). Terceiro, porque a corrupção é nutrida, fortalecida e aumentada pela carne (1 Jo 2.16). Os estudiosos que tomam as palavras do texto em sentido bom, não as fazem ir mais longe do que o início do salmo, mas só ao versículo imediatamente anterior. — *George Swinnock*

v. 26: "Deus é a fortaleza do meu coração e a minha porção para sempre". Os hebreus a carregaram, mas Deus é a fortaleza do meu coração, ou seja, um fundamento seguro, forte e firme sobre o qual construir. Ainda que os ventos soprem e as ondas batam, quando a tempestade da morte chegar, não preciso temer que a casa do meu coração caia, pois está construída em um fundamento seguro: "Deus é a fortaleza do meu coração". A criança mais forte que Deus tem não pode levantar-se sozinha. Como o lúpulo ou a hera, ela tem de ter algo para apoiar-se ou fica no chão. De todas as ocasiões, o momento que o cristão mais tem necessidade de socorro é na hora da morte. É quando ele tem de sair de todos os confortos da terra e terá indubitavelmente de enfrentar os mais violentos conflitos do inferno, sendo, então, impossível que suporte sem a ajuda extraordinária do céu. Mas o salmista tinha preparado a armadura da prova, para com ela enfrentar o último inimigo. Por mais que fosse fraco e medroso, ele ousou aventurar andar pelo saguão escuro da morte, tendo o Pai pela mão: "Ainda que eu andasse pelo vale da sombra da morte, não temeria mal algum, porque tu estás comigo; a tua vara e o teu cajado me consolam" (Sl 23.4). Nas dificuldades da minha vida e nas provações de morte, o meu coração está pronto a desfalecer. Contudo, tenho um fortificante poderoso que me alegrará na minha mais triste situação: "Deus é a fortaleza do meu coração".

"E a minha porção" é uma metáfora tirada do costume antigo entre os judeus de dividir heranças, por meio da qual cada um tinha a sua porção dividida. É como se ele tivesse dito: Deus não só é a minha fortaleza para defender-me das tempestades que me assaltam, sendo, então, a minha liberdade do mal, mas ele também é a minha porção para prover as minhas necessidades e dar-me o desfrute de todo o bem. Os outros têm a sua parte deste lado da terra da promessa, mas o autor de todas as porções é a questão da minha porção. A minha porção não está no lixo e na sucata, como está a porção deles, por mais grandes que sejam. Mas a minha porção contém aquele que os céus e o céu dos céus jamais podem conter.

Deus é a fortaleza do meu coração e a minha porção "para sempre", não por um ano, ou uma era, ou um milhão de eras, mas pela eternidade. As porções dos outros, como as rosas, quanto mais cheias florescem, mais cedo as pétalas se soltam. Eles são derrotados pelo orgulho e perdidos pela prodigalidade, de forma que por fim passam necessidade. E com certeza, a morte sempre divide as pessoas das suas porções. Mas a minha porção sempre estará cheia, sem diminuição e sem alteração. Este Deus será para sempre o meu Deus, o meu guia e a minha ajuda até a morte. A morte que dissolve tantos laços e desata tantos nós apertados, nunca separará a mim da minha porção, mas me dá posse perfeita e perpétua dela. — *George Swinnock*

v. 28: "Mas, para mim, bom é aproximar-me de Deus". Quando ele disse "bom é", ele quis dizer "melhor é". Este positivo é superlativo. É mais do que bom aproximar-me de Deus a toda hora, é melhor aproximar-nos e é extremamente perigoso não nos aproximar. "Pois eis", disse o salmista, "que os que se alongam de ti perecerão; tu tens destruído todos aqueles que, apostatando, se desviam de ti" (v. 27). É perigoso estar longe de Deus, mas é mais perigoso afastar-se dele. Todo homem está longe por natureza, mas os ímpios afastam-se ainda mais. Os primeiros perecerão, os últimos serão destruídos. Aquele que se dá bem com os seus afastamentos de Deus, dá-se muito mau. Portanto, é melhor aproximar-nos de Deus. Em todo o tempo, ele é o melhor amigo, e às vezes, o único amigo. E podemos não dizer que Deus permite e ordena os tempos maus e os afastamentos da criatura exatamente para que nos aproximemos dele? Não entrega ele o mundo a um espírito de insulto e zombaria para que ele desperte no seu povo um espírito de oração? — *Joseph Caryl*

v. 28: Em primeiro lugar, "bom é", quer dizer, põe em nós uma qualidade e disposição abençoada. Faz o homem ser como o próprio Deus. Em segundo lugar, "bom é", quer dizer, é reconfortante, pois a felicidade da criatura é estar perto do Criador. É benéfico e útil.

"Aproximar-me." Como pode o homem deixar de aproximar-se de Deus, visto que Deus enche o céu e a terra? "Para onde me irei do teu Espírito ou para onde fugirei da tua face?" (Sl 139.7). Ele sempre está presente em poder e providência em todos os lugares, mas graciosamente presente com alguns lugares pelo Espírito, sustentando, consolando, fortalecendo o coração do homem bom. A alma está *tota in toto*, ou seja, "em diversas partes por várias faculdades". Assim Deus está presente em tudo, mas de maneira diversa. Aproximamo-nos de Deus em diferentes medidas.

(1) Quando o nosso entendimento é iluminado (*intelleclus est veritatis sponsa*). Quando na oração o jovem fala discretamente sobre as coisas relativas a Deus, Jesus diz que ele não está longe do reino de Deus (Mc 12.34).

(2) Quando Deus está presente na nossa mente, de forma que a alma está presente nela naquilo que ela pensa. O oposto se dá com os ímpios, pois "todas as suas cogitações são: Não há Deus" (Sl 10.4).

(3) Quando a nossa vontade percebe que escolheu a melhor parte, a qual é tirada da escolha de apegar-se a ele, como está escrito sobre o coração de Jônatas: "A alma de Jônatas se ligou com a alma de Davi" (1 Sm 18.1).

(4) Quando os nossos afetos são levados a Deus, amando-o como o bem principal. O amor é o afeto primogênito. Cria o desejo de comunhão com Deus. Por esta razão, entra alegria nele, de forma que a alma suspira por Deus, "como o cervo brama pelas correntes das águas" (Sl 42.1).

(5) Quando especialmente a nossa alma é tocada pelo Espírito de Deus, operando a fé, incitando a dependência, confiança e fé em Deus. Por conseguinte, surge a doce comunhão. A alma nunca descansa até que descanse nele. Tem medo de romper relações com ele ou desagradá-lo, mas fica mais zelosa, resoluta, ardente de amor, firme em casos bons, determinada contra os inimigos dele. Mais ainda não é tudo, porque Deus também terá o homem exterior, para que o homem inteiro se apresente diante de Deus em palavras e em sacramentos, fale dele e com ele com reverência e, ao mesmo tempo, com a força do afeto embarcando na oração, como em um carro de fogo. Para que o homem o ouça quando falar com ele, consultando a sua vontade, buscando consolações contra as angústias, orientações contra as enfermidades.

(6) Aproximamo-nos de Deus especialmente quando o louvamos, pois esta é a obra das almas que partiram e dos anjos do céu, que continuamente estão perto dele. O profeta neste salmo diz: "Para mim, bom é". Como ele veio a saber disso? Ora, era o que ele havia acabado de descobrir pela experiência, da qual estava totalmente convencido. — *Richard Sibbes*

v. 28: "Aproximar-me de Deus". Não é um ato isolado. Não é meramente voltar-se para Deus e dizer: "Vou para ele". A expressão é "aproximar-se". Não é um ato único. É a aproximação, a ida, o andar habitual, indo cada vez mais perto enquanto estamos na terra. É uma religião habitual a qual deve ser insistida e forçada em nós. — *Montague Villiers*, 1855

v. 28: "Aproximar-me de Deus".

1. O homem deve reconciliar-se com Deus no Mediador Jesus Cristo e através dele. Até que isso seja feito, há que se dizer que o homem está longe de Deus, e há um muro de separação entre Deus e ele. É o mesmo com o conselho dado por Elifaz a Jó: "Une-te, pois, a Deus, e tem paz, e, assim, te sobrevirá o bem" (Jó 22.21). Faça as pazes com Deus, e tudo ficará bem com você.

2. É buscar ter mais comunhão e relacionamento com Deus e ter mais intimidade e familiaridade com ele. É ter mais da sua companhia santa conosco em nosso andar e relações habituais, de acordo com esta palavra: "Bem-aventurado o povo que conhece o som festivo; andará, ó SENHOR, na luz da tua face" (Sl 89.15).

3. Como está no texto em estudo, é a expressão de alguém que já se reconciliou com ele e está em boas relações com Deus. Difere um pouco do que as palavras dizem literalmente. Por isso, podemos interpretá-las assim:

(a) Dão a entender a confirmação ou certeza do nosso interesse em Deus, indicando, então, que o homem reconciliou-se com Deus. Seja quem for o autor deste salmo, mostra que ele reconciliou-se com Deus. Esta observação está anexada nas palavras: "Pus a minha confiança no SENHOR Deus, para anunciar todas as tuas obras", quer dizer, em minha alma confiei em Deus e me reconciliei com ele por meio de um mediador. É "bom", aconteça o que acontecer, sempre é bom nos aproximarmos de Deus deste modo e sermos confirmados nele.

(b) Dão a entender a nossa conformação segundo a imagem de Deus. Portanto, esta proximidade em relação a ele é o oposto do afastamento em relação a ele. É bom, diz o salmista, nos aproximarmos de Deus em nosso dever, quando tantos estão longe dele.

(c) Dão a entender pôr de lado todas as coisas do mundo para buscar um relacionamento e comunhão com Deus. É ser mais separado para a sua companhia santa e andar com ele em dependência dele, como o grande carregador de fardos, como aquele que é tudo em todos para nós. Em outras palavras, é nos aproximar de Deus. É nos reconciliar com ele e obter e confirmar essa reconciliação com ele. É observar a conformidade a ele. É estar perto dele em nosso andar e relações. É em nossa amizade, postura e comportamento sempre estar perto dele. — *William Guthrie*

v. 28: "Para mim, bom é aproximar-me de Deus". Os epicureus, diz Agostinho, são propensos a dizer: Para mim, bom é desfrutar os prazeres da carne. Os estoicos são propensos a dizer: Para mim, bom é desfrutar os prazeres da mente. O apóstolo dizia (não em palavras, mas em sentido): Para mim, bom é apegar-me com Deus. — *John Lorinus*

v. 28: "SENHOR Deus". Os nomes "Senhor Jeová" são uma combinação expressiva da soberania, auto-existência e relação de aliança que Deus tem com o seu povo. — *Joseph Addison Alexander*

SUGESTÕES AOS PREGADORES

O Salmo. Contém, na parte inicial, a provação do homem piedoso e, na parte final, a sua vitória. Temos: (1) O conflito aflitivo entre a carne e o espírito (vv. 1-15). (2) A vitória gloriosa do espírito sobre a carne (vv. 16-28). — *George Swinnock*

O Salmo. (1) A causa da perturbação mental. (2) A cura. (3) A postura do salmista depois disto. — *George Swinnock*

v. 1. O verdadeiro Israel, a grande bênção e a certeza da bênção. Ou: A proposição do texto explicada, reforçada e aplicada.

v. 1. "Verdadeiramente, bom é Deus para com Israel." Os recibos que Israel recebeu de Deus são: (1) Recibo de quantidade, o maior. (2) Recibo de variedade, o mais escolhido. (3) Recibo de qualidade, o mais doce. (4) Recibo de segurança, o mais seguro. (5) Recibo de duração, o mais duradouro. — *Simeon Ash*

v. 2. (1) Até onde o crente pode cair. (2) Até onde o crente não cairá. (3) Quais são os temores? (4) Quais são os temores que não são permissíveis?

v. 2. (1) O retrospecto dos nossos escorregões. (2) O prospecto do perigo futuro. (3) A preparação atual contra isto.

v. 4. Mortes silenciosas: os casos dos crentes e não crentes diferenciados pelas causas da quietude e da insegurança dos meros sentimentos mostrados.

v. 5. A porção dos bastardos em contraste com a porção dos filhos verdadeiros.

v. 7. Os perigos da opulência e do luxo.

v. 8. Conexão entre o coração corrupto e a língua arrogante.

v. 10. O copo dos crentes: (1) É amargo. (2) Está cheio. (3) Contém águas variadas. (4) Não passa de um copo, ou seja, é medido e limitado. (5) É o copo do povo de Deus e, por conseguinte, trabalha para o bem no mais alto grau.

v. 11. (1) A pergunta aberta dos ateus. (2) A pergunta prática dos opressores. (3) A pergunta secreta dos descuidados. (4) A pergunta débil dos santos medrosos. As razões pelas quais as perguntas nunca são feitas e as razões conclusivas que tornam as perguntas inquestionáveis.

v. 12. Este versículo propõe que as pessoas que estão ficando ricas façam questionamentos solenes.

v. 14. (1) Os castigos frequentes e até mesmo constantes dos justos. (2) A necessidade e desígnio dos castigos. (3) As consolações ligadas a tudo isso.

v. 15. (1) Como podemos causar dano para os santos. (2) Por que devemos evitar causar dano para os santos. (3) O que devemos fazer para não causar dano para os santos.

v. 17. (1) A entrada no lugar de comunhão com Deus, os privilégios e o caminho para chegar lá. (2) As lições aprendidas nesse lugar santo (o texto menciona uma). (3) A influência prática da comunhão e do ensino.

vv. 17,18. Título sugestivo: "O fim do pecador", in: *Spurgeon's Sermons* [Sermões de Spurgeon], n.º 486.

v. 18. "Tu os puseste em lugares escorregadios." Este texto dá a entender que: (1) Eles sempre foram expostos à destruição súbita e inesperada. Como aquele que anda em lugares escorregadios está a todo momento sujeito a cair, não podendo prever se no momento seguinte estará de pé ou caído, assim quando cai, cai imediatamente, sem aviso. (2) Eles estão sujeitos a caírem sozinhos, sem serem derrubados pelas mãos de outrem, como aquele que está ou anda em lugares escorregadios não precisa de nada mais que o próprio peso para lançá-lo ao chão. (3) Não há nada que mantenha os ímpios um momento sequer fora do inferno, senão a mera vontade de Deus. — *Jonathan Edwards*

v. 19. A primeira visão e sensação do inferno tidas pelo pecador orgulhoso e rico, que acaba de morrer em paz.

v. 20. O objeto desprezível: o pecador metido a santo, ou orgulhoso, ou perseguidor, ou contestador, ou rico, quando a sua alma é chamada à presença de Deus.

vv. 18 a 20. O fim dos ímpios: (1) Está perto: "Tu os puseste em lugares escorregadios". Pode acontecer a qualquer hora. (2) É judicial: "Tu os lanças em destruição". (3) É súbito: "Como caem na desolação, quase num momento!" (4) É atormentador: "Ficam totalmente consumidos de terrores". (5) É eterno: São abandonados, excluídos da mente do Senhor e desconsiderados como "um sonho o que acorda". Não há ato posterior com relação a eles, quer para a libertação ou para a aniquilação. — *George Rogers*

v. 22. A nossa loucura, ignorância e brutalidade: (1) Quando exibidas em nós. (2) Que efeito o fato deve ter sobre nós. (3) Como ilustra grandemente a graça divina.

v. 23. (1) Deus não abandona o seu povo quando ele o abandona: "Todavia, estou de contínuo contigo". (2) Deus não deixa de segurar o seu povo quando ele o deixa de segurar: "Tu me seguraste pela mão direita". — *George Rogers*

v. 24. (1) O andar de Enoque. (2) A recepção de Enoque em glória.

vv. 23 e 24. (1) O que o salmista diz acerca do presente: "Todavia, estou de contínuo contigo". (2) O que o salmista diz acerca do passado: "Tu me seguraste pela mão direita". (3) O que o salmista diz acerca do futuro: "Guiar-me-ás com o teu conselho e, depois, me receberás em glória". — *William Jay*

vv. 23 e 24. Comunhão, segurança, direção e recepção em glória são quatro privilégios gloriosos, concedidos especialmente para alguém que estava aflito, era tolo, ignorante e animal. Note os contrastes.

v. 25. Deus é a melhor porção do cristão. — *Jonathan Edwards*, "Works" [Obras], Vol. II, pp. 104-107.

v. 25. O céu e a terra são vasculhados na busca de uma alegria igual ao próprio Senhor. (O pregador deve falar sobre as alegrias e mostrar-lhes a inferioridade.)

vv. 22 a 25. (1) A confissão do salmista com relação à carne. (2) As expressões fiéis do espírito. (3) A conclusão do assunto todo. (Ver *Spurgeon's Sermons* [Sermões de Spurgeon], n.º 467.)

v. 26. (1) A queixa do salmista: "A minha carne e o meu coração desfalecem". (2) O consolo do salmista: "Mas Deus é a fortaleza do meu coração e a minha porção para sempre". Ou podemos observar: (1) A fragilidade da carne do salmista. (2) O florescimento da fé do salmista. *Doutrina 1:* A carne do homem decairá. O coração mais sublime e mais santo que o homem tenha nem sempre suportará. O profeta era magnífico e benevolente, contudo a carne lhe faltou. *Doutrina 2:* O consolo do cristão na sua situação mais triste é que Deus é a sua porção. — *George Swinnock*

v. 26. "O Desvanecimento da Carne." — *George Swinnock, "Treatise" [Tratado], in: Nichol's Puritan Series [Série Puritana de Nichol]*

v. 26. (1) Onde desfalecemos. (2) Onde não podemos desfalecer.

v. 27. (1) As condições tristes. (2) Os castigos terríveis. (3) As consolações implícitas.

v. 28. Aproximarmo-nos de Deus é a nossa sabedoria, honra, segurança, paz e riqueza. — *Extraído do sermão de Thomas Watson intitulado "The Happiness of Drawing Near to God" [A Felicidade de Aproximarmo-nos de Deus], 1669. Ver também o sermão de Richard Sibbes intitulado "The Saint's Happiness" [A Felicidade dos Santos].*

v. 28. A conclusão de Davi ou a decisão dos santos. — *Richard Sibbes.*

v. 28. (1) A linguagem da oração: "Mas, para mim, bom é aproximar-me de Deus". (2) A linguagem da fé: "Pus a minha confiança no SENHOR Deus". (3) A linguagem do louvor: "Para anunciar todas as tuas obras". — *George Rogers*

v. 28. Títulos sugestivos: "Oremos", in: *Spurgeon's Sermons* [Sermões de Spurgeon], n.os 287 e 288, e "Uma coisa indubitavelmente boa", in: *Spurgeon's Sermons* [Sermões de Spurgeon], n.º 879.

SALMO 74

TÍTULO

Masquil de Asafe. Salmo didático de Asafe. A história da igreja sofredora sempre é edificante. Quando vemos como os crentes confiaram e lutaram com Deus em tempos de angústia medonha, aprendemos como nos comportar em circunstâncias semelhantes. Aprendemos também que, quando o fogo da provação nos atinge, não foi algo estranho que nos aconteceu. Estamos seguindo o caminho trilhado pelo povo de Deus.

DIVISÃO

Dos versículos 1 a 11, o poeta declara os problemas da nação e a malvadez cometida contra as assembleias do Senhor. Depois, preconiza as antigas exibições do poder divino como a razão para o livramento presente (vv. 12 a 23). Se é um salmo profético, composto para uso em dificuldades previstas, ou se foi escrito por um Asafe mais recente, depois da invasão de Senaqueribe ou durante as guerras macabeias, é muito difícil de determinar, mas não vemos dificuldade em aceitar a primeira hipótese.

EXPOSIÇÃO

1 *Ó Deus, por que nos rejeitaste para sempre? Por que se acende a tua ira contra as ovelhas do teu pasto?*

2 *Lembra-te da tua congregação, que compraste desde a antiguidade; da tua herança que remiste, deste monte Sião, em que habitaste.*

3 *Levanta-te contra as perpétuas assolações, contra tudo o que o inimigo tem feito de mal no santuário.*

4 *Os teus inimigos bramam no meio dos lugares santos; põem neles as suas insígnias por sinais.*

5 *Parecem-se com o homem que avança com o seu machado através da espessura do arvoredo.*

6 *Eis que toda a obra entalhada quebram com machados e martelos.*

7 *Lançaram fogo ao teu santuário; profanaram, derribando-a até ao chão, a morada do teu nome.*

8 *Disseram no seu coração: Despojemo-los de uma vez. Queimaram todos os lugares santos de Deus na terra.*
9 *Já não vemos os nossos sinais, já não há profeta; nem há entre nós alguém que saiba até quando isto durará.*
10 *Até quando, ó Deus, nos afrontará o adversário? Blasfemará o inimigo o teu nome para sempre?*
11 *Por que retiras a tua mão, sim, a tua destra? Tira-a do teu seio e consome-os.*

1. *"Ó Deus, por que nos rejeitaste para sempre?"* Sermos rejeitados já é bastante difícil, mas quando tu abandonas o teu povo por tanto tempo é um mal por demais difícil de suportar. É a principal das aflições e o abismo da desgraça. Quando estamos sendo castigos, somos sábios em investigar: "Faze-me saber por que contendes comigo" (Jó 10.2). Se a aflição é demorada, devemos mais avidamente investigar o motivo. Em geral, o pecado está ao fundo de todos os escondimentos da face do Senhor. Peçamos ao Senhor que nos revele a forma especial desse pecado, para que nos arrependamos dele, o vençamos e, daqui em diante, o abandonemos. Quando a igreja está em situação de abandono, ela não deve ficar apática, mas voltar-se à mão que a castiga para humildemente investigar o motivo. Ao mesmo tempo, a investigação do texto é falha, pois indica dois enganos. Há duas perguntas que só admitem respostas negativas. Uma é: "Porventura, rejeitou Deus o seu povo?" (Rm 11.1), e a outra é: "Rejeitará o Senhor para sempre"? (Sl 77.7). Deus nunca se aborrece do seu povo a ponto de detestá-los. Mesmo quando a ira se volta contra eles, é por breve momento e com vistas ao bem eterno deles. A aflição em seu desespero faz perguntas estranhas e conjetura terrores impossíveis. É uma maravilha da graça o Senhor não ter nos deixado de lado há muito tempo como as pessoas fazem com roupas velhas e gastas. Mas se ele nos coloca de lado é para ser paciente com os escolhidos.

"Por que se acende a tua ira contra as ovelhas do teu pasto?" Elas são tuas. São objeto dos teus cuidados. São pobres, tolas e indefesas. Tem pena delas, perdoa-as e vem para salvá-las. Elas não passam de ovelhas. Não continues enfurecido com elas. É terrível quando a ira de Deus fumega, mas é por misericórdia infinita que não deflagra em chamas vorazes. É adequado pedir que o Senhor remova todo sinal da sua ira, pois para as verdadeiras ovelhas do Senhor é a coisa mais dolorosa ser objeto do desprazer divino. Entristecer o Espírito Santo não é pecado hediondo. Por outro lado, como somos frequentemente culpados desse pecado. Portanto, não admira que estejamos quase sempre debaixo de uma nuvem.

2. *"Lembra-te da tua congregação, que compraste desde a antiguidade."* Que argumento forte é a redenção. Deus, não vês a tua marca de sangue nas tuas próprias ovelhas? E mesmo assim permites que lobos repugnantes as devorem? A igreja não é uma compra recente do Senhor. Desde antes da fundação do mundo os escolhidos foram considerados resgatados pelo Cordeiro que foi morto. Será que o antigo amor acabará e o eterno propósito se frustrará? O Senhor faria com que o seu povo se lembrasse do Cordeiro pascal, das ombreiras manchadas de sangue e da derrota do Egito, mas ele se esqueceria de tudo isso? Vamos lembrá-lo, argumentar com ele. Pode ele abandonar os comprados pelo seu sangue e desertar os remidos? Pode a eleição falhar e o amor eterno deixar de fluir? Impossível. As aflições do Calvário, de cuja aliança eles são o selo, é a segurança dos santos.

"Da tua herança que remiste." Tão doce argumento merece ser repetido e aumentado. A porção do Senhor é do seu povo. Perderá ele a sua herança? A igreja é o seu reino sobre o qual ele estende a vara da soberania. Permitirá ele que as suas posses sejam arrancadas dele? A propriedade de Deus em nós é um fato cheio de consolo. O valor que ele coloca em nós, o domínio que ele estende sobre nós, a ligação que ele tem conosco são luzes para alegrar a nossa escuridão. Não há homem que perca a herança de boa vontade e não há príncipe que renuncie os seus domínios. Portanto, cremos que o Rei dos reis guardará os seus súditos e defenderá os seus direitos contra todos os intrusos.

"Deste monte Sião, em que habitaste." O Senhor fez de Sião o centro especial do culto a ele e o lugar em que ele se manifesta. Estes são mais outros argumentos a favor da preservação de Jerusalém. Deve o templo sagrado do Senhor ser profanado pelos pagãos e o trono do grande Rei ser contaminado pelos inimigos? Habita o Espírito de Deus em nosso coração, e agora o deixará para tornar-se abrigo de demônios? Santificou-nos ele por habitar em nós, e por fim desocupará o trono? De forma alguma.

É bom observar que é óbvio que este salmo foi escrito com vistas ao templo em Sião, e não ao tabernáculo que estava ali no tempo de Davi, o qual não passava de uma mera tenda. As destruições aqui lamentadas foram feitas na obra esculpida de uma estrutura significativa. Aqueles que tinham visto a glória de Deus no inigualável templo de Salomão poderiam lamentar em choro amargo o fato de ter o Senhor permitido que os inimigos causassem a ruína completa daquele edifício incomparável.

3. *"Levanta-te contra as perpétuas assolações."* A ruína causada era algo muito feio de ser visto pelo suplicante. Parecia que não havia esperança de restauração. A destruição dominava não só por um dia ou um ano, mas com força permanente. Este é outro argumento para com Deus. Será que Jeová permaneceria sentado vendo a sua terra virar um deserto e o próprio palácio uma desolação? Até que ele se levantasse e viesse, a desolação continuaria. Só a sua presença poderia curar o mal. Por isso, o salmista suplica que ele dirija os passos aceleradamente para a libertação do povo (cf. ARA).

"Contra tudo o que o inimigo tem feito de mal no santuário." Cada pedra do templo arruinado suplicava ao Senhor. Por todos os lados estavam as marcas dos destruidores ímpios, e até os lugares mais santos evidenciavam a impiedade maldosa dessa gente. Será que o Senhor permitiria isto para sempre? Não tinha ele pressa em derrotar os inimigos que o desafiavam descaradamente e lhe profanavam o trono da glória? A fé encontra argumentos até nas piores circunstâncias. Usa as pedras caídas dos palácios desolados para com elas bater nas portas dos céus, lançando-as com a sua grande máquina de oração.

4. *"Os teus inimigos bramam no meio dos lugares santos."* Onde o teu povo cantava como os anjos, estes bárbaros rugem como os animais. Quando os teus santos se reúnem para cultuar-te, estes homens cruéis os atacam com toda a fúria dos leões. Não têm respeito pelos mais solenes ajuntamentos, mas se intrometem e injetam blasfêmias nas nossas mais sagradas reuniões. Quantas vezes em tempos de perseguição ou heresia prevalecente a igreja compreende o significado de tais palavras. Que o Senhor nos poupe de tal desgraça. Quando os hipócritas abundam na igreja e poluem o culto de adoração, o caso é paralelo ao que estamos estudando. Salva-nos, Senhor, de tão severa provação.

"Põem neles as suas insígnias por sinais." Os emblemas idólatras usados na guerra foram colocados em cima do altar de Deus como sinais insultantes da vitória e do desprezo dado aos derrotados e o seu Deus. Os papistas, os arianos e a escola moderna dos neologistas estabeleceram, nos seus dias, as suas bandeiras por sinais. A superstição, a incredulidade e a sabedoria carnal empenham-se em usurpar o lugar do Cristo crucificado, para a aflição da igreja de Deus. Os inimigos de fora nos causam pequenos danos, mas os de dentro da igreja causam sérios danos. Ao derrubarem a verdade para em seu lugar colocarem a mentira, eles enganam as pessoas e levam multidões à destruição. Como os judeus sentiam um horror santo quando viam um emblema idólatra levantado no lugar santo, assim sintamos nós quando em uma igreja protestante virmos as tolices de Roma, e quando dos púlpitos, outrora ocupado por homens de Deus, ouvirmos filosofia e vã falsidade.

5. *"Parecem-se com o homem que avança com o seu machado através da espessura do arvoredo."* Outrora, os homens eram renomados por derrubar os cedros e prepará-los para a construção do templo. Agora, o machado tem outra função, e os homens ficam tão orgulhosos em destruir quanto os pais ficaram em construir. Antigamente, os pais davam vigorosos golpes contra as florestas do erro,

e esforçavam-se laboriosamente para pôr o machado à raiz das árvores do mal. Mas hoje, os filhos são muito diligentes em destruir a verdade e acabar com tudo o que os pais construíram. Quem dera que os bons velhos tempos voltassem! Quem dera que por uma hora a afiada machadinha de Lutero ou o poderoso machado de Calvino voltasse a atuar!

6. *"Eis que toda a obra entalhada quebram com machados e martelos."* Os invasores eram tão industriosos em destruir como os antigos construtores tinha sido em construir. Os belos entalhamentos foram barbaramente feitos em pedaços, pois os vândalos não tiveram misericórdia e os quebraram todos com qualquer arma que tivessem à mão. Atualmente, os homens usam machados e martelos contra o evangelho e a igreja. As verdades gloriosas, muito mais primorosas do que as mais vistosas obras entalhadas, são capciosamente contestadas e esmagadas pelos golpes da crítica moderna. As verdades que sustentam os aflitos e alegram os moribundos são duramente atingidas pelos pretensiosos godos, que seriam considerados cultos, não fossem desconhecedores dos primeiros princípios da verdade. Com o escárnio mordaz e os golpes pesados da sofisma, eles despedaçam a fé de alguns, e destruiriam, se possível, a confiança dos próprios eleitos. Os assírios, os babilônios e os romanos são tipos dos inimigos espirituais que labutam para esmagar a verdade e o povo de Deus.

7. *"Lançaram fogo ao teu santuário."* Machados e martelos não foram suficientes para o objetivo dos destruidores, pois tiveram de usar fogo. A maldade não conhece limites. Os que odeiam a Deus não poupam as armas mais cruéis. Mesmo hoje, a inimizade que há no coração humano ainda é grandíssima. Se a providência não a contivesse, os santos ainda serviriam de combustível para as chamas.

"Profanaram, derribando-a até ao chão, a morada do teu nome." Fizeram do templo um montão, e não deixaram uma pedra em cima da outra. Quando o Senhor saiu do monte Sião e os romanos o tomaram, a fúria militar levou a tropa a queimar até ao chão e a arrancar pela raiz o memorial da famosa casa do Senhor. Pudessem os poderes das trevas ter o que quisessem e um destino igual sucederia com a igreja de Cristo. "Derrubem", dizem eles, "derrubem tudo até à fundação." A contaminação da igreja é a sua destruição. Os inimigos a contaminariam até que nada da sua pureza e, por conseguinte, do seu verdadeiro ser, permanecesse. Contudo, mesmo que pudessem arruinar a causa de Cristo à vontade, não conseguiriam destruí-la, pois sobreviveria aos golpes e incêndios. O Senhor ainda os deteria como cães na coleira e, no fim, lhes frustraria todos os desígnios.

8. *"Disseram no seu coração: Despojemo-los de uma vez."* Não era apenas um mero desejo. A crueldade era sincera, entranhada, um assunto do mais profundo do coração. O extermínio era o desejo de Hamã e o objetivo de muitos outros tiranos. Nem um remanescente do povo de Deus haveria se os opressores pudessem fazer o que quisessem. A política de faraó de erradicar a nação foi um precedente para os outros, contudo os judeus sobrevivem e sobrevirão. A sarça ainda que queimasse não se consumia. Mesmo assim, a igreja de Cristo passou por batismos de sangue e fogo, que a deixaram muito mais resplandecente.

"Queimaram todos os lugares santos de Deus na terra." Os lugares santos referem--se às reuniões, e visto que as reuniões para culto eram feitas somente em um lugar, a ruína do templo era a destruição de todos os ajuntamentos santos. Com efeito, todos os lugares de reunião foram destruídos. Um dos objetivos dos perseguidores sempre foi acabar com todas as reuniões secretas de caráter religioso, como eles as denominam. Impeça-os de reunirem-se e você os espalhará, dizem os inimigos na guerra. Mas, glória a Deus, os santos não dependem de paredes. Reúnem-se pelos lados dos montes, ou debaixo das árvores, ou nas catacumbas, ou em um barco no meio do mar. Contudo, as tentativas quase têm tido sucesso e a caçada sempre é ferrenha, de modo que os crentes perambulam em solidão e as congregações solenes passam por tais circunstâncias muito rarissimamente. Quantas lágrimas e choros têm chegado em tais tempos aos ouvidos do Senhor Deus Sabaoth. Como somos

felizes por podermos nos reunir para cultuar em qualquer lugar que desejemos, sem ter ninguém a nos incomodar.

9. *"Já não vemos os nossos sinais."* Pobres israelitas! Não têm o Urim e o Tumim brilhando no peitoral do sumo sacerdote e nem o shequiná chamejando entre os querubins. A fumaça do sacrifício e a nuvem do incenso não sobem mais do monte santo. As festas solenes foram suspensas e até a circuncisão, o sinal da aliança, foi proibida pelos tiranos. Nós, também, como crentes, sabemos o que é perder a evidência e ficar tateando no escuro. Muitas vezes as nossas igrejas também perdem os símbolos da presença do Redentor e as lâmpadas permanecem sem cuidados. Triste lamentação de um povo sob a nuvem!

"Já não há profeta." A profecia foi suspensa. Os poetas ou videntes não enunciavam um salmo inspirador ou uma promessa consoladora. É ruim para o povo de Deus quando a voz do pregador do evangelho falha, e a fome pela palavra da vida se espalha pela congregação. Os ministros enviados por Deus são tão necessários para os santos como o pão cotidiano. É muito triste quando a congregação fica sem um pastor fiel. Há que se temer que, com todos os ministros que hoje existem, ainda haja carência de homens cujo coração e língua sejam tocados pelo fogo celestial.

"Nem há entre nós alguém que saiba até quando isto durará." Se houvesse alguém que predissesse o fim, poderíamos suportar o mal com certo grau de paciência. Mas quando ninguém pode ver o fim ou predizer um escape, a desgraça ganha uma aparência desesperadora e é avassaladora. Bendito seja Deus, pois ele não deixou a igreja nestes dias ficar tão deploravelmente carente de palavras de alegria. Oremos para que ele jamais permita tal situação. Desprezar a palavra é muito comum e pode fazer com que o Senhor a retire de nós. Que a sua longanimidade suporte a tensão e a sua misericórdia nos disponha ainda a palavra da vida.

10. *"Até quando, ó Deus, nos afrontará o adversário?"* Embora não saibamos até quando, tu sabes. Os tempos e as estações estão contigo. Quando as pessoas desprezam a Deus, há esperança para nós, pois pode ser que ele ouça e defenda o seu nome difamado. A maldade tem permissão total e irrestrita, e a justiça demora para chegar. Deus tem as suas razões para a demora e o seu tempo para a ação. No fim, veremos que ele não é tardio em relação às promessas como alguns homens entendem que ele é.

"Blasfemará o inimigo o teu nome para sempre?" Ele ficará blasfemando para sempre, a menos que tu lhe dê o golpe final. Nunca te defenderás e farás cessar a língua difamadora? Suportarás para sempre as zombarias do profano? Não haverá fim a todo esse sacrilégio e maldição? Sim, haverá fim, mas não logo. Há um tempo para o pecador enfurecer-se e um tempo no qual a paciência é paciente com ele. Mas depois há um tempo e então, ah, então!

11. *"Por que retiras a tua mão, sim, a tua destra?"* Para que esta inação, esta indiferença para com a tua própria honra e a segurança do teu povo? Como é petulante o suplicante! Está ele errado? Não, na verdade, nós que somos frios, distantes e desatentos na oração é que estamos errados. Ao Reino dos céus se faz violência, e aquele que aprende esse método seguramente prevalecerá com Deus por esse meio (cf. Mt 11.12). É adequado que investiguemos por que a obra da graça avança tão lentamente, e o inimigo tem tanto poder sobre os homens. A investigação pode indicar reflexões práticas de valor ilimitado.

Por que tu do conflito retarda?
Por que as rodas do teu carro estão paradas?
Levanta-te, o reino do inferno treme
Braço do Senhor: desperta, desperta

"Tira-a do teu seio e consome-os." Símile ousado, mas os homens moribundos têm de arriscar por sua vida. Quando Deus parece cruzar os braços não devemos cruzar os nossos, mas, antes, renovar as súplicas para que ele ponha mãos à obra

novamente. Houvesse mais agonia na oração entre os cristãos, então veríamos os milagres da graça. Temos aqui um modelo de argumentação, uma própria êxtase de oração. É humilde, mas muito ousado, ardente, fervoroso e eficaz. O coração de Deus sempre é movido por tais súplicas. Quando apresentamos as nossas fortes razões, então ele apresenta as suas misericórdias seletas.

12 *Todavia, Deus é o meu Rei desde a antiguidade, operando a salvação no meio da terra.*
13 *Tu dividiste o mar pela tua força; quebrantaste a cabeça dos monstros das águas.*
14 *Fizeste em pedaços as cabeças do leviatã, e o deste por mantimento aos habitantes do deserto.*
15 *Fendeste a fonte e o ribeiro; secaste os rios impetuosos.*
16 *Teu é o dia e tua é a noite; preparaste a luz e o sol.*
17 *Estabeleceste todos os limites da terra; verão e inverno, tu os formaste.*
18 *Lembra-te disto: que o inimigo afrontou ao SENHOR, e que um povo louco blasfemou o teu nome.*
19 *Não entregues às feras a alma da tua pombinha; não te esqueças para sempre da vida dos teus aflitos.*
20 *Atenta para o teu concerto, pois os lugares tenebrosos da terra estão cheios de moradas de crueldade.*
21 *Oh! Não volte envergonhado o oprimido; louvem o teu nome o aflito e o necessitado.*
22 *Levanta-te, ó Deus, pleiteia a tua própria causa; lembra-te da afronta que o louco te faz cada dia.*
23 *Não te esqueças dos gritos dos teus inimigos; o tumulto daqueles que se levantam contra ti aumenta continuamente.*

Tendo exposto o triste caso perante o Senhor, agora o pleiteante passa a apresentar outra série de argumentos em prol da ajuda divina. Os argumentos baseiam-se nas antigas maravilhas da graça do Senhor e nas ações de poder, implorando a repetição das mesmas obras divinas.

12. *"Todavia, Deus é o meu Rei desde a antiguidade."* Como é consoladora esta confissão! Israel em lealdade santa reconhece o seu Rei, e reivindica que desde muito tempo é possessão dele. Fundamentado nisso, deriva argumento em prol da defesa e livramento. Se o Senhor for mesmo o monarca exclusivo do nosso ser, ele no seu amor enviará os seus exércitos para nos defender. Se desde a eternidade ele nos reivindicou possessão sua, então ele nos guardará do inimigo insultante.

"Operando a salvação no meio da terra." Desde o mais remoto período da história de Israel, o Senhor tem operado muitos salvamentos para Israel, especialmente no mar Vermelho, o próprio centro do mundo ficou surpreso com as maravilhas divinas de libertação. Hoje, todo crente pode apelar para as antigas ações do Senhor, a obra do Calvário, a derrota do pecado, da morte e do inferno. Aquele que outrora operou a nossa salvação, não nos abandonará agora. Cada milagre da graça já feito nos assegura que aquele que começou a livrar continuará redimindo-nos de todo o mal. As ações divinas foram públicas e operadas em direta oposição aos inimigos. Não eram ilusão ou simulacro. Portanto, em todos os nossos perigos buscamos a ajuda verdadeira e manifesta, e com certeza a receberemos.

13. *"Tu dividiste o mar pela tua força."* O poder infinito dividiu o mar Vermelho em dois. Israel se deliciou em exercitar este famoso ato do Senhor.

"Quebrantaste a cabeça dos monstros das águas." Os monstros há muito acostumados com o fundo dos mares viram-se erguidos e secos. Criaturas enormes das cavernas dos mares e das grutas dos corais foram privadas do seu elemento vital, e ficaram com a cabeça esmagada no leito dos estreitos secos dos mares. Ali também o velho dragão faraó foi totalmente despedaçado, e o próprio Egito teve a cabeça do seu poder e pompa quebrada por um golpe fortíssimo. Exatamente assim foi o antigo dragão despedaçado por aquele que veio esmagar a cabeça da serpente.

Agora, o mar da ira não corre mais diante de nós. Passamos a pé enxuto. A nossa fé para o presente é reavivada pelas alegres recordações do passado.

14. *"Fizeste em pedaços as cabeças do leviatã."* É o Senhor que fez tudo. O poderoso dragão do Egito foi completamente destruído, e as suas cabeças orgulhosas feitas em pedaços. O nosso Senhor Jesus é o verdadeiro Hércules. Os monstros com cem cabeças foram esmagados sob os seus pés. Derrotou totalmente a hidra infernal.

"E o deste por mantimento aos habitantes do deserto." Não só os animais selvagens se alimentaram das carcaças dos egípcios, mas os moradores ao longo das margens tiraram os corpos e se enriqueceram com o espólio. Israel também se enriqueceu com as relíquias dos adversários afogados. Quantas vezes as grandes aflições contribuem para o nosso bem duradouro. O leviatã, que teria nos devorado, é ele mesmo devorado, e do monstro tiramos doçura. Não nos entreguemos ao medo. Os demônios de múltiplas cabeças serão esmagados, as dificuldades monstruosas superadas e todas as coisas contribuirão para o nosso bem duradouro.

15. *"Fendeste a fonte e o ribeiro."* O rio Jordão foi dividido pelo poder de Jeová. O Senhor é poderoso para repetir os milagres. O que ele fez com o mar, pode fazer com o rio. As dificuldades menores serão removidas como também as maiores. Talvez a fonte diga respeito à rocha ferida, que da sua fissura verteram águas perpétuas. Assim, o Senhor abre para nós fontes de águas no deserto.

"Secaste os rios impetuosos." Os rios permanentes, e não os transitórios da terra, foram secos por certo tempo. O próprio Jordão, sendo o que é, ficou seco por um período. Observe os verbos repetidamente declinados na segunda pessoa do singular ("tu") desde o versículo 13. O cântico é totalmente para Deus, e a oração é dirigida exclusivamente para ele. O argumento é que aquele que fez tais maravilhas se agradaria em repetir os atos agora que surgira uma emergência.

16. *"Teu é o dia e tua é a noite."* Tu não és restrito por tempos e estações. A nossa prosperidade vem de ti, e a nossa adversidade é ordenada por ti. Tu reinas na escuridão, e um vislumbre dos teus olhos acende o dia. Senhor, não te demores em cumprir a tua palavra, mas levanta-te para ajudar o teu povo.

"Preparaste a luz e o sol." A luz e o portador de luz são teus. A nossa ajuda e o instrumento dessa ajuda estão nas tuas mãos. Não há limite ao teu poder. Agrada-te em exibi-lo para alegrar o teu povo. Desenvolve as tuas sagradas preparações de misericórdia. Dize: "Haja luz", e a luz dispersará as nossas trevas imediatamente.

17. *"Estabeleceste todos os limites da terra."* Terra e mar recebem os limites de ti. Continentes e ilhas são mapeadas por tuas mãos. Observe novamente como tudo é atribuído à agência divina pela declinação dos verbos na segunda pessoa do singular ("tu"). Não há uma palavra sequer sobre as leis naturais e as forças originais, pois o salmista vê o Senhor operando por todas elas. Será bom quando todas as nossas *logias* ficarem impregnadas pela *teologia*, e virmos o Criador em ação em meio ao seu universo. O argumento do texto é que aquele que limita o mar pode conter os inimigos. Aquele que guarda as fronteiras da terra seca também pode proteger os escolhidos.

"Verão e inverno, tu os formaste." Faze voltar para nós, bom Senhor, os dias de verão que são brilhantes de alegria. Sabemos que todas as mudanças da vida vêm de ti. Já sentimos os rigores do teu inverno. Concede-nos agora o brilho feliz do sorriso do teu verão. O Deus da natureza é o Deus da graça. Pela mudança das estações podemos argumentar que a tristeza não tem o propósito de permanecer o ano todo. As flores da esperança ainda florescerão e os frutos corados da alegria amadurecerão.

18. *"Lembra-te disto: que o inimigo afrontou ao Senhor."* Falaram contra ti, o eternamente glorioso Criador de todas as coisas. Atacaram a tua honra e até te desafiaram. São palavras argumentativamente duras. Fazem-nos lembrar de Josué e Ezequias nas suas intercessões: "E, então, que farás ao teu grande nome?" (Js 7.9). "Bem pode ser que o Senhor, teu Deus, ouça todas as palavras de Rabsaqué, a quem enviou [...] para afrontar o Deus vivo" (2 Rs 19.4). Jeová

é um Deus ciumento, e seguramente glorificará o próprio nome. É onde a nossa esperança encontra ponto de apoio.

"E que um povo louco blasfemou o teu nome." O argumento aqui é a maldade dos inimigos. Os pecadores são loucos. E têm os loucos permissão para insultar o Senhor e oprimir o seu povo? Os abjetos amaldiçoarão o Senhor e o desafiarão descaradamente? Quando o erro fica muito petulante significa que o seu dia está perto e que a sua queda é certa. A arrogância pressagia a maturidade do mal, sendo o próximo passo a podridão. Em vez de ficarmos inquietos quando os homens maus ficam piores e mais audaciosos, podemos racionalmente ter esperança, pois a hora do julgamento dessa gente está evidentemente próxima.

19. *"Não entregues às feras a alma da tua pombinha."* A tua pobre igreja é fraca e indefesa como uma pombinha. Ainda assim, os adversários não podem tocá-la sem a tua permissão. Não permitas que a devorem, nem a disponhas às presas impiedosas dos inimigos. Ela é a tua pombinha, a tua rola, a tua favorecida, não a lances aos inimigos. Sê misericordioso e guarda os fracos. Este é um argumento que cada um de nós pode fazer com a boa esperança de sermos bem-sucedidos, pois o Senhor é muito misericordioso e cheio de compaixão.

"Não te esqueças para sempre da vida dos teus aflitos." Eles te buscam para tudo, porque são muito pobres. São os teus pobres e há uma multidão deles reunida por ti mesmo. Não te demores por muito tempo. Não te pareças estranho para com eles, mas permite que essa pobreza seja um apelo para ti. Volta-te para eles e visita os teus aflitos. Em tais argumentos também podemos nos unir pessoalmente, quando em qualquer tempo formos severamente provados e a presença do Senhor estiver escondida de nós.

20. *"Atenta para o teu concerto."* Esta é a chave mestra que abre a porta dos céus. Deus não é homem para que minta. Não quebrará o seu concerto, nem alterará o que tiver saído dos seus lábios. O Senhor prometera abençoar a semente de Abraão e fazer dela uma bênção. Aqui apelam para essa palavra antiga, assim como também podemos apelar para o concerto feito com o Senhor Jesus para todos os crentes. Que grandiosa palavra! Leitor, você sabe clamar: "Atenta para o teu concerto"?

"Pois os lugares tenebrosos da terra estão cheios de moradas de crueldade." A escuridão é a melhor hora para os animais de rapina, e a ignorância o habitat natural da crueldade. O mundo está em certa medida no escuro, e, por conseguinte, há em todos os lugares inimigos cruéis do povo do Senhor. Mas em alguns lugares caiu uma noite sétupla de superstição e incredulidade, onde a raiva contra os santos chega às raias da loucura. Não declarou o Senhor que toda a terra se encherá da glória divina? Mas como será se ele sempre permite que a crueldade se revolte em lugares tenebrosos? É claro que ele tem de levantar-se para acabar com os dias do erro, a era da opressão. Este versículo é uma oração missionária extremamente reveladora.

21. *"Oh! Não volte envergonhado o oprimido."* Embora quebrados e esmagados, recorrem a ti com confiança. Não permitas que sejam desapontados, pois então terão vergonha da esperança depositada.

"Louvem o teu nome o aflito e o necessitado." Através da pronta resposta aos clamores, alegra-lhes o coração, pois então renderão a ti os mais alegres cânticos. Não é o desejo do Senhor permitir que os que confiam nele sejam envergonhados. A sua palavra é: "E invoca-me no dia da angústia; eu te livrarei, e tu me glorificarás" (Sl 50.15).

22. *"Levanta-te, ó Deus, pleiteia a tua própria causa."* Responde os insultos dos profanos por argumentos que aniquilem a blasfêmia e o blasfemador. Os julgamentos de Deus são respostas terríveis aos desafios dos inimigos. Quando ele esmigalha os impérios e golpeia certeiramente os perseguidores, ele está pleiteando a própria causa como ninguém a poderia ter defendido. Quem dera que o próprio Senhor viesse ao campo de batalha. Faz muito tempo que o combate tem balançado de um lado para o outro. Basta um dos seus olhares, uma palavra dos seus lábios para que as bandeiras da vitória sejam levantadas ao vento.

"Lembra-te da afronta que o louco te faz cada dia." O salmista implora que o Senhor se lembre que ele mesmo foi afrontado e o foi por um mero homem — um louco. Implora também que se lembre que as afrontas loucas são incessantes e repetidas a cada novo dia. É ato corajoso quando a fé arranca argumentos da própria boca do dragão e tira das blasfêmias dos loucos argumentos para com Deus.

23. *"Não te esqueças dos gritos dos teus inimigos."* Grande guerreiro, deixa que o escárnio dos inimigos te provoque à luta. Eles te desafiam. Aceita o desafio da batalha e golpeia-os com a tua mão terrível. Se os gritos dos teus filhos são baixos demais para serem ouvidos, sê servido de notar as vozes altas dos teus inimigos, e silencia as profanações para sempre.

"O tumulto daqueles que se levantam contra ti aumenta continuamente." Os profanos clamam contra ti e o teu povo. As blasfêmias são altas e incessantes. Desafiam a ti, a ti mesmo, e, pelo fato de não contestares, riem de ti com desdém. Vão de mal a pior, de pior a pior. A fúria que sentem se avoluma como os trovões de uma tempestade que se aproxima. O que mais farão? Que infâmia lançarão contra ti e os teus? Deus, suportarás esta situação para sempre? Não tens consideração pela tua honra, nem respeito pela tua glória?

Grande parte deste salmo me passou pela mente enquanto observava as idolatrias de Roma[1] e lembrava da perseguição sangrenta movida contra os santos. Senhor, até quanto esperarás para livrar-te desses infelizes profanos, os padres, e lançarás a meretriz da Babilônia no fosso da corrupção? Jamais cesse a tua igreja de pleitear contigo até que o julgamento seja executado e o Senhor vingado do Anticristo.

NOTAS EXPLICATIVAS E DECLARAÇÕES IMPORTANTES

O Salmo: Há uma singularidade neste salmo que faz lembrar fortemente o Salmo 44. Não há menção de pecado nacional ou pessoal, nem alusão ao procedimento justo do Senhor no castigo dado, nem súplica por perdão e absolvição. Ao mesmo tempo, não dá de duvidar que o escritor do salmo, seja ele quem for, deve ter sentido tão intensamente quanto Jeremias, Ezequiel, Daniel ou outro profeta do cativeiro, os pecados e iniquidades que trouxeram todo esse mal doloroso sobre eles. Contudo, ainda que haja repreensão, não há reclamação. Ainda que haja lamentação, não há murmuração. Há muito mais o grito de um filho severamente surrado, que quer saber o motivo e está aflitíssimo, porque o rosto do pai está virado de desgosto e a mão do pai é tão pesada sobre o filho do seu amor. Ou, como quase poderíamos dizer, é como o clamor de um dos martirizados que estão debaixo do altar, que questiona o Senhor por ser continuamente tolerante em ver a sua herança ser pisoteada pelos pés dos saqueadores e opressores, e exclama: "Até quando, Senhor, até quando?" Não obstante, é o apelo de alguém que era sofredor, que gemia sob a pressão das calamidades: "Ó Deus, por que nos rejeitaste para sempre? Já não vemos os nossos sinais, já não há profeta; nem há entre nós alguém que saiba até quando isto durará" (vv. 1,9). — *Barton Bouchier*

O Salmo: A peculiaridade deste salmo é marcada pelo uso frequente de נֶצַח, "para sempre" (vv. 1,10,19). — *E. W. Hengstenberg*

v. 1: Este salmo e particularmente estas palavras contêm a triste lamentação da igreja quanto à profundidade da aflição, juntamente com as sérias reprimendas feitas a Deus sobre a causa. Há duas coisas que a igreja nestas palavras pleiteiam com Deus.

(1) A grandeza da aflição. Havia três coisas na aflição que a tornavam muito pesada para a igreja.

(a) A raiz da aflição, que era a ira de Deus: "Por que se acende a tua ira contra as ovelhas do teu pasto?" (v. 1).

---

[1] **N. do T.:** O autor estava visitando Roma em novembro e dezembro de 1871, enquanto esta parte de *Tesouros de Davi* estava em desenvolvimento.

(b) A altura da aflição. Deus estava não só irado, mas aceso na sua ira.

(c) O comprimento da aflição. Era tão longa que parecia que Deus os rejeitara "para sempre": "Ó Deus, por que nos rejeitaste para sempre?" (v. 1).

(2) A proximidade da relação. "Contra as ovelhas do teu pasto". É como se tivessem dito: Senhor, se tivesses feito isto contra os teus inimigos, não seria de estranhar. Se tivesses derramado a tua ira nos vasos da ira, não teria sido muito. Mas sacaste a espada "contra as ovelhas do teu pasto"? Não seria de admirar se tu tomasses as ovelhas gordas e fortes para julgá-las. Mas assim fizeste com as tuas ovelhas?

Há algumas doutrinas que posso derivar destas palavras. Primeira doutrina: O povo de Deus são as suas ovelhas. Segunda doutrina: Deus pode ficar extremamente irado com o seu povo, com as suas próprias ovelhas. Terceira doutrina: Quando Deus fica irado com o seu povo, cabe a eles investigar cuidadosamente a causa. Quarta doutrina: Quando o povo de Deus está passando por aflições, eles têm de prestar mais atenção e ficar muito mais abalados com a ira da qual procedem. Quinta doutrina: Quando o povo de Deus está passando por aflições ficam ou devem ficar mais abalados pela ira do que pela dor. É disso que a igreja reclama, não de tanta dor, mas que Deus esteja descontente e irado. É o que mais os abala. Sexta doutrina: O povo de Deus são propensos a ter pensamentos equivocados sobre Deus, quando estão passando por aflições dolorosas. Deus estava irado com o seu povo e o coração deles os fez errar, pensando que Deus tinha rejeitado o seu povo. Sétima doutrina: Deus pode ficar irado com o seu povo tão intensamente e por tanto tempo, que ao julgar dos sentidos parece que foram rejeitados para sempre. Oitava doutrina: Embora o povo de Deus possa não murmurar contra os procedimentos divinos, pode humildemente repreendê-lo quanto à causa. — *Joseph Alleine, 1633-1668*

v. 1: "Por que se acende a tua ira contra as ovelhas do teu pasto?" A ira é um fogo. Quando os homens e outras criaturas se enfurecem, parece que sai fumaça das narinas. Falando sobre os residentes da antiga Tebas, Xenofonte disse que quando eles ficavam bravos saía fogo ao respirarem. Esta aparência é falada a respeito de Deus, de acordo com a maneira dos homens. — *John Trapp*

v. 1: "As ovelhas do teu pasto". Não há animal mais tolo do que a ovelha: simples, frágil, gentil, dócil, paciente, fértil, tímida, domesticada, burra, útil. O uso do nome *ovelha* indica que é urgente a necessidade que eles têm da ajuda divina e que é extremamente conveniente que o Altíssimo tome para si a causa deles. — *John Lorinus*

v. 2: "Lembra-te da tua congregação". Não é sem razão que eles não digam: Lembra-te de *nós*, mas: Lembra-te da *tua congregação*. A ênfase não está em *nós*, mas em *tu*. Também não é porque a congregação começou a ser tua agora, pois tu a "compraste desde a antiguidade", a "tua herança que remiste". Semelhantemente, este "monte Sião" não é no qual estamos, mas "em que habitaste". Eles não tinham nada que poderiam levar perante um Deus irado com maior confiança do que a antiga benevolência mostrada aos pais nos dias de outrora. — *Wolfgang Musculus*

v. 2: "Da tua herança que remiste", ou "que remiste para ser a tribo da tua herança" (ARA). A expressão *tribo da herança* (שֵׁבֶט נַחֲלָה) significa a vara com que a herança é medida. A expressão שֵׁבֶט = קְנֵה הַמִּדָּה, é a "vara do agrimensor de terras" (Ez 40.3), e é usada como גּוֹרָל, "sorte", que é a *porção*, que é a *herança* em si. — *E. W. Hengstenberg*

v. 2: "Tua herança". Significa a nação que, por meio de todas as sucessões, Deus tem propriedade e direito peculiar. — *Henry Hammond*

v. 2: "Remiste", ou seja, o povo comprado, restaurando-o quando for alienado e cair nas mãos dos outros. É como um *goel*, ou parente próximo que resgata o irmão levado em cativeiro e recupera a herança que foi vendida. — *Hermann Venema*

v. 3: "Levanta-te", ou "dirige os teus passos" (ARA), ou seja, "os teus martelos", ou seja, "os teus golpes", dando o seguinte sentido: "Abata" o inimigo para as "perpétuas assolações". Desta forma, os "passos" são usados no lugar de "pisar" (Is 26.6). É como foi traduzido para o grego, mudando a metáfora e traduzindo-a por "as tuas mãos", que também são instrumentos para golpear. Outro sentido de "dirige os teus passos" (ARA) seria: Vem depressa ver as "perpétuas assolações", que o inimigo tem feito. — *Henry Ainsworth*

v. 3: "Levanta-te contra as perpétuas assolações". Abu Walid traduz assim: "Pisa duro sobre os teus inimigos". O árabe judeu prefere assim: "Mostra o teu castigo", acrescentando em nota ao pé da página que *dirigir os passos*, ou seja, *levantar os pés* indica castigo, sendo que *trazer à força* é em geral expresso por *pisar sob os pés*. — *Henry Hammond*

v. 3: "Levanta-te contra as perpétuas assolações", ou "dirige os teus passos para as perpétuas ruínas" (ARA). A estas "assolações" ou "ruínas" procuram que Deus dirija os passos, quer dizer, que ele se aproxime. Em Gênesis 29.1, ocorre a frase *pôr-se a pé*. Aqui a expressão é muito mais acentuada *dirigir os passos*, e tem o sentido de "aproximação rápida, impetuosa, majestosa e poderosa". É como o valente que bate no chão os passos pesados e avança rapidamente a passadas que fazem barulho. — *Hermann Venema*

v. 3: "No santuário". As cidades, províncias e fazendas foram assoladas. Os vinhedos e olivais foram cortados sem um golpe de defesa. Os meios de sustento foram arrancados sem resistência. Contudo, não é do que estão falando. Não é porque coisas deste tipo não causem aflição, ou porque os santos não fiquem tomados por um sentimento de perda. É porque essas coisas que ameaçavam extinguir a religião e o culto a Deus elevavam-se, com tristeza intolerável, muito acima do sentimento que todas essas desgraças provocavam. — *Wolfgang Musculus*

v. 4: "Os teus inimigos bramam no meio dos lugares santos". A palavra שָׁאַג é usada especialmente para referir-se ao rugido do leão. [...] Neste texto, podemos estender corretamente a aplicação do verbo, referindo-o a palavras ruidosas, quer de alegria ou de orgulho, e blasfemas proferidas contra Deus e calamitosas para o seu povo (v. 10), que respiram terror e ameaças por meio de éditos. Podemos aplicá-las também a palavras rudes e insensatas, como as pronunciadas na adoração idólatra ou nas orações e canções irrefletidas. Como em Isaías 52.5, o significado é "uivar". — *Hermann Venema*

v. 4: "No meio dos lugares santos; põem neles as suas insígnias por sinais". O significado é que o inimigo, tendo abolido os sinais do verdadeiro Deus, do seu povo e da religião, como a circuncisão, as festas, os sacrifícios, as outras ordenanças da religião e outras marcas de liberdade, colocaram os seus próprios sinais idólatras, como os sinais da sua autoridade e religião. — *Hermann Venema*

vv. 4 a 7: [Perseguição promovida por Antíoco em 168 a.C.] Os atenienses marcharam para Jerusalém, onde, com a ajuda da guarnição, ele proibiu e suprimiu toda observância da religião judaica, forçou as pessoas a profanar o sábado, comer carne de porco e outros alimentos impuros, e proibiu expressamente o rito nacional da circuncisão. O templo foi dedicado a Júpiter Olimpo. A estátua dessa deidade foi erguida em parte do altar do holocausto e sacrifícios foram devidamente oferecidos. [...] Como último insulto, as festas em honra a Baco, cuja licenciosidade, como era célebre nas eras recentes da Grécia, chocou a virtude severa dos romanos mais velhos, tomaram o lugar da Festa Nacional dos Tabernáculos. Os judeus relutantes foram forçados a unir-se a essas orgias revoltosas e a trazer sobre si a hera, a insígnia do Deus. Muito perto estavam a nação judaica e o culto ao Senhor do total extermínio. — *Henry Hart Milman, 1791-1868, "A History of the Jews" [Uma História dos judeus][Perseguição promovida por Tito.]* E agora os romanos, com a fuga dos sediciosos para a cidade e a queima da própria casa santa e de todos os edifícios que estavam por perto, levaram as suas insígnias ao templo e as fixaram do outro lado da porta oriental. Ali fizeram sacrifícios a elas e ali constituíram Tito imperador, com as maiores aclamações de alegria. — *Flávio Josefo*, 37-93

v. 5: "Parecem-se com o homem que avança com o seu machado através da espessura do arvoredo". O templo que foi construído às custas de tanta riqueza, adornado com tão grande elegância e esplendor e concluído com dedicação incansável e habilidade perfeita, não foi poupado das mãos bárbaras, mas completamente destruído. Este fato realça a crueldade do inimigo. Há uma símile nestes versículos. Os inimigos despedaçando com grande violência e derrubando os altares e vigas do templo, são comparados aos lenhadores que, com machado nas mãos, cortam as árvores fortes da floresta. — *D. H. Mollerus*

v. 5: "Parecem-se com o homem que avança com o seu machado através da espessura do arvoredo". Quer dizer, eram muito renomados os trabalhadores que, sob as ordens de Hirão, derrubaram os volumosos cedros e faias das densas florestas de Tiro para a construção do teu templo, e assim fizeram um serviço aceitável a ti. — *Thomas Fenton*

v. 6: "Toda a obra entalhada". Até os invasores bárbaros são propensos a poupar os edifícios mais esplêndidos em prol da arte. Demétrio, quando se apossou de um quadro pintado por Protógenes nos arrabaldes de Rodes, recebeu o pedido dos habitantes de Rodes para ser cuidadoso com a arte, a fim de não arranhar a pintura. Respondeu que antes queimaria as estátuas do seu pai do que estragar tão grande obra de arte. Portanto, a ferocidade destes inimigos excede a brutalidade dos outros, porque derrubaram implacavelmente um edifício esculpido e adornado com a maior habilidade. — *D. H. Mollerus*

v. 6: "A obra entalhada". O termo hebraico פִּתּוּחִים (*pittûḥîm*) é usado em 1 Reis 6.29, em referência às "esculturas e [...] entalhes de querubins, e de palmas, e de flores abertas" que estavam nas paredes do templo. — *William Kay*

v. 6: "Com machados e martelos". Certo intérprete culto observou que as palavras no original traduzidas por "com machados e martelos", não são hebraicas, mas siríacas. Estas palavras foram usadas de propósito para indicar o tempo e as pessoas por quem a ação foi feita. — *Arthur Jackson, 1593-1666*

v. 8: "Os lugares santos de Deus". É a opinião de Spencer, Vitringa e dos estudiosos em geral, que a instituição das sinagogas ("os lugares santos") para culto originou-se pela leitura pública da lei depois que Esdras reuniu os livros sagrados, e que, por conseguinte, não havia esse lugar de reunião solene (ou seja, a sinagoga) antes do cativeiro babilônico. Alguns judeus expressam a forte convicção de que este é o fato, e que as Escrituras não indicam a existência desses lugares santos antes daquele tempo. Sabemos, porém, que um dos grandes hebraístas da atualidade, Alexander M'Caul, inclina-se à opinião de uma origem mais antiga do que a geralmente aceita. Citamos as suas palavras: "A existência desses lugares santos antes do cativeiro babilônico têm sido muito debatida. A maioria dos escritores, fundamentando-se no silêncio do Antigo Testamento, é de opinião de que eles originaram-se na Babilônia, e que depois da restauração oratórios semelhantes foram abertos na terra de Israel. Por conseguinte, alguns deduzem que o Salmo 74, que no versículo 8 diz: 'Queimaram todos os lugares santos [sinagogas] de Deus na terra', foi escrito nos tempos pós-babilônicos. Contudo, o argumento baseado no silêncio é longe de ser conclusivo. A tradução de מוֹעֲדֵי por *sinagogas*, no versículo citado, pode levar racionalmente a uma tradução semelhante em outras passagens que foram reconhecidamente escritas antes do cativeiro. As circunstâncias, caráter e necessidades dos israelitas, muitos dos quais estavam geograficamente longe do templo, provam indisputadamente que entre as cidades e aldeias havia uma localidade onde eles se reuniam nos sábados, luas novas e outros dias solenes, com a finalidade de receberem ensinos sobre a lei e fazerem orações públicas. Essa localidade, ainda que diferente das organizações subsequentes, foi a origem da sinagoga. Como essas reuniões eram feitas antes do cativeiro é questão hoje impossível de determinar". — *F. A. Cox, 1852*

v. 8: "Os lugares santos". Humphrey Prideaux (1648-1724) afirma que os judeus não tinham sinagogas ("lugares santos") antes do cativeiro babilônico. Para o principal serviço da sinagoga, que, segundo ele, é a leitura da lei para o povo, não havia livro da lei para ser lido, o que denota que também não havia sinagoga. Mas muitos textos da Bíblia nos informam que era raro o livro da lei em toda a Judeia antes do cativeiro babilônico. Quando Josafá enviou mestres por todo o Judá para ensinar o povo na lei de Deus, tinham consigo um livro da lei (2 Cr 17.9), o qual não precisavam levar, caso houvesse cópia da lei nas cidades para as quais foram, pois se houvesse sinagoga com certeza haveria cópia da lei. E quando Hilquias achou a lei no templo (2 Rs 22.8), nem ele nem o rei Josias teria ficado tão surpreso com o fato, fossem os livros da lei comuns naqueles dias. Esse comportamento nessa ocasião prova suficientemente que eles nunca o tinham visto antes, algo que não poderia ter acontecido, caso houvesse cópias do livro da lei entre o povo. E se naquela época não havia cópias do livro da lei entre o povo, também com certeza não havia sinagoga, onde se reuniriam para ouvir a leitura do livro da lei. Diante disso, ele conclui que só houve sinagoga entre os judeus depois do cativeiro babilônico. — *Alexander Cruden, 1701-1770, "Concordance" (Concordância)*

v. 8: "Os lugares santos". A afirmação dos que são a favor da origem macabeia do salmo, que estas palavras descrevem a destruição das sinagogas ("os lugares santos"), é confrontada pela observação de que em todos os relatos copiosos que temos sobre os fatos ocorridos nessa época, nada é falado sobre semelhante ato de destruição. — *E. W. Hengstenberg*

v. 8: "Os lugares santos de Deus". Não encontramos no Antigo Testamento nada que indique que havia reuniões de culto em sinagogas ("lugares santos"). Altares temporários, bosques e lugares altos eram usados igualmente pelos judeus santos e pecadores para culto a Deus e a ídolos. O único exemplo pré-exílico que dá a entender que os devotos em Israel tinham o hábito de recorrer aos líderes piedosos em busca de bênção e ensino em ocasiões declaradas, está em 2 Reis 4.23, onde o marido da sunamita pergunta: "Por que vais a ele [Eliseu] hoje? Não é lua nova nem sábado". Contudo, 2 Reis 22.8, 2 Crônicas 34.14, além de outros textos, testemunham indubitavelmente contra a existência de lugares de culto durante o período monárquico. É durante o exílio, enquanto o culto no templo estava suspenso, que encontramos prova indubitável das reuniões sistemáticas em dias de jejum para devoção e ensino (Zc 7.3-5; 8.19). As reuniões religiosas também eram feitas nos sábados e dias de jejum para ensinar os exilados sobre a lei divina e admoestá-los a obedecer aos preceitos divinos (Ed 10.1-9; Ne 8.1-3; 9.1-3; 13.1-3). Estas reuniões, mantidas perto do templo e em outras localidades, foram a origem da sinagoga, e o lugar no qual o povo se reunia foi denominado de *a casa da assembleia*. Daí também a sinagoga no próprio templo. [...] Em pouco tempo, estas sinagogas se tornaram muito populares, de forma que quando o salmista descreve o culto nos dias dos Macabeus declara que os muitos lugares de reunião de Deus ("os lugares santos de Deus", ou "as sinagogas de Deus", como é a tradução correta) foram destruídos. — *Christian D. Ginsburg, "Cyclopaedia of Biblical Literature" [Enciclopédia de Literatura Bíblica], 1863*

v. 8: "Queimaram todos os lugares santos de Deus na terra". O sentido é este: Os invasores caldeus aboliram todas as solenidades na terra. Tomaram o sacrifício diário e acabaram com as festas e banquetes do nosso ritual santo. Compare com Lamentações 2.6: "E arrancou a sua cabana com violência, como se fosse a de uma horta; destruiu a sua congregação [o seu *moed*]; o Senhor, em Sião, pôs em esquecimento a solenidade e o sábado". — *Christopher Wordsworth*

v. 9: "Já não vemos os nossos sinais". É como se tivessem dito: Antigamente, Deus era acostumado a nos dar sinais e símbolos, e até operava milagres entre nós ou enviava um profeta para nos ensinar e nos aconselhar o que fazer. Tínhamos quem nos dizia: "Até quando?", quer dizer, até quando durarão as nossas dificuldades?

E quando elas terão fim? Mas agora estamos em dificuldade, e não há quem nos diga por quanto tempo. Agora, estamos jogados pelo mundo para nos virar da melhor maneira que pudermos. O Senhor não nos aconselha o que fazer, nem dá a sua opinião sobre qual melhor ação a tomar ou como proceder. Esta era a situação deplorável dos israelitas por ter Deus escondido deles o rosto. — *Joseph Caryl*

v. 9: "Já não vemos os nossos sinais". Estes sinais, que o salmista lamentou que já não via, eram certas marcas exteriores do favor especial de Deus, certos testemunhos da presença divina, certos memoriais que indicavam que Deus estava com eles para abençoá-los. Havia cinco coisas no templo de Salomão destruído por Nabucodonosor que não estavam no segundo templo que foi erguido depois do cativeiro babilônico. Faltavam cinco memoriais ou símbolos da presença especial de Deus. Eram (1) a arca da aliança, (2) o fogo dos céus no altar de bronze, (3) o shequiná ou nuvem que pousava no propiciatório, (4) o Urim e o Tumim, que estavam no peitoral do sumo sacerdote, e (5) o espírito de profecia. É verdade que houve os profetas, Ageu, Zacarias e Malaquias durante e logo após a restauração, mas o espírito de profecia cessou com Malaquias e só reapareceu com João Batista, o precursor do Senhor Jesus. [...] A lamentação da igreja era que ela não via os sinais pertinentes a ela. Hoje, a igreja do Deus vivo, a família regenerada de Sião, tem muitas razões para extravasar a mesma reclamação melancólica. Os sinais dos favores, marcas e testemunhos de Deus na obra da graça operada nas almas estão tão distantes da vista, tão enterradas na obscuridade, tão envoltas nas nuvens da escuridão que a família viva é forçada, por sentimento de alma, a tomar para si a linguagem da lamentação aqui expressada e dizer: "Já não vemos os nossos sinais". — *Joseph C. Philpot, 1862-1869*

v. 9: "Os nossos sinais". Os sinais comuns que mostram que Israel é o povo peculiar de Deus são a páscoa (Êx 12.13), o sábado (Êx 31.13), o templo, o altar e os sacrifícios. Os sinais extraordinários são os milagres de Deus operados a favor do seu povo (Sl 78.43). — *A. R. Fausset*

v. 9: "Já não há profeta". No que diz respeito a nós, observemos o que não está dito. Não estão eles dizendo que já não havia líder forte ou de poderio militar que pudesse livrá-los do adversário, mas que já não havia profeta. E mesmo quando havia profetas entre eles, eram desprezíveis aos olhos de todos, maltratados pelos homens maus e mortos. — *Wolfgang Musculus*

v. 10: "Blasfemará o inimigo o teu nome para sempre?" O pecador nunca deixa o pecado até que o pecado o deixa primeiro. Não desse a morte um fim ao pecado do homem, ele nunca cessaria de pecar. Esta declaração pode ser ilustrada por uma similitude. Um grupo de jogadores resolveu ficar jogando a noite toda, e, por conseguinte, sentaram-se à mesa de xadrez ou de outros jogos. A vela, por acidente ou inesperadamente, apagou-se. Com isso, foram forçados a abandonar os jogos e ir para a cama no escuro. Tivesse a vela durado a noite toda, teriam jogado a noite toda. É o que acontece com todos os pecadores em relação ao pecado. Não apagasse a morte a vela da vida, o pecador permaneceria pecando. Se o pecador vivesse para sempre, ele pecaria para sempre. Portanto, Deus é justo em castigar o pecador para sempre aos tormentos infernais. Todo pecador impenitente pecaria ao longo dos dias da eternidade, se pudesse viver nos dias da eternidade. "Até quando, ó Deus, nos afrontará o adversário? Blasfemará o inimigo o teu nome para sempre?" *Para sempre e eternamente* ou *para sempre e muito mais*, como o hebraico gosta de exagerar, como se o pecador, o blasfemador, tivesse fixado um período de duração mais longo que a eternidade para pecar. O salmista implicitamente diz: Senhor, se tu deixares que sempre façam o que quiserem, certamente blasfemarão do teu nome para sempre e sempre. Li que o crocodilo não sabe *maximum quod sic*, sempre cresce cada vez mais e nunca chega a certo ponto de monstruosidade enquanto vive: *quamdiu vivit crescit*. Todo pecador acostumado, se sempre fizer o que quiser, será tal monstro, ficando perpetuamente cada vez pior. — *Thomas Brooks v. 12:* "Todavia, Deus é o meu Rei desde a antiguidade, operando a salvação no meio da terra". Aprendamos com este versículo como pensar em nosso Deus. Primeiro, ele é o nosso Rei. Encorajemo-nos a orar em busca da sua ajuda contra os não crentes e a nos colocar em completa submissão à sua vontade e governo. Segundo, ele não é um Deus novo, mas o Ancião de Dias. A salvação não só foi operada por ele no meio do seu povo, mas também no meio da terra. A salvação foi operada por ele até mesmo entre aqueles por quem ele não é reconhecido. Que este significado atinja a raiz de toda a confiança em outros deuses ou em outras pessoas. — *Wolfgang Musculus*

v. 13: "Tu dividiste o mar pela tua força; quebrantaste a cabeça dos monstros das águas". Tu, Senhor, fizeste firme o mar corrente para que houvesse um caminho para os nossos pais passarem. E nessas mesmas águas pelas quais conduziste os teus remidos, derrotaste totalmente os exércitos do Egito, que eram como monstros em termos de ferocidade, pois procuravam devorar o teu povo. — *Cornelius Jansenius*

v. 14: "Fizeste em pedaços as cabeças do leviatã, e o deste por mantimento aos habitantes do deserto". O texto fala do exército de faraó que Deus destruiu no mar Vermelho. Isto significa que a destruição dos egípcios foi uma garantia do cumprimento da promessa que Deus fez de expulsar os cananeus da terra prometida e dar-lhes posse dela. Tiveram de passar por muitos sofrimentos no deserto, mas Deus lhes deu esta misericórdia como alimento, não para o corpo, mas para a fé, enquanto estavam no deserto. Desta forma, as primeiras grandes e gloriosas promessas foram cumpridas. As primeiras misericórdias são alimento que Deus dá para a fé do seu povo, até que ele tenha cumprido devidamente tudo o que prometeu para a igreja. — *William Strong*

v. 14: "Leviatã" ("crocodilo", ARA). Os lexicógrafos árabes (citados por Samuel Bochart) afirmam que *faraó*, na língua egípcia, significa "crocodilo". John Parkhurst observa que no livro *Physica Sacra*, de Johann Jacob Schenchzer, há a menção de uma medalha, de um lado, com a cabeça de Júlio César, e do outro, com um crocodilo e a inscrição: *Aegypto Capta*, que significa "Egito levado". Auguste Mariette descobriu em Carnaque uma estela monumental de Tutmés, na qual o rei diz sobre si mesmo:

Violento como o enorme crocodilo, fiz com que vissem a glória do meu Deus
O terrível Senhor das águas, do qual ninguém ousa sequer aproximar-se

v. 14: "Fizeste em pedaços as cabeças do leviatã, e o deste por mantimento aos habitantes do deserto". "Leviatã" é um nome dado não só ao crocodilo, mas também à baleia e outros grandes peixes. Muitos escritores conscientes propõem que o Zum, povo que habitava o deserto, seja os *ichthyophagi* ou "comedores de peixes", os quais, de acordo com autores antigos, ocupavam parte do litoral do mar Vermelho. O salmista está falando da travessia de Israel pelas águas desse povo. É fato singular que Diódoro, que viveu aproximadamente duzentos anos atrás, menciona uma tradição prevalecente entre esse mesmo povo. No tempo dos seus antepassados remotos, houve um refluxo extraordinário de água, que secou o canal do golfo e fez aparecer o fundo de aparência verde, enquanto o volume de água corria em direção oposta. Quase não dá de duvidar o que esse povo estranho tinha por "mantimento" e vários outros propósitos: esse peixe grande, que poderia ter ficado à praia ao término do milagre. A maioria dos escritores dá a este texto um sentido figurativo, mas não é motivo para também não ser entendido literalmente, visto que esse modo de falar é comum na Bíblia. Quer entendamos de uma forma ou de outra, os pagãos confirmam a justeza e força do texto. Se pelo termo "leviatã" entendermos que o significado é o Egito e pelo termo "cabeças", os estados menos importantes nos quais esse país foi dividido, as tradições da Índia e do Oriente nos informam que tais designações eram bem compreendidas e, portanto, devidamente aplicáveis. — *Autor anônimo, "Biblical and Theological Gleanings" [Coletâneas Bíblicas e Teológicas], de William O'Neill, 1854*

v. 14: "Mantimento aos habitantes do deserto". O significado exato pode ser que quando os monstros marinhos foram lançados à praia serviram de alimento para os habitantes do mar Vermelho. Semelhantemente, o poder do simbólico dragão do Egito, quando foi destruído no mar Vermelho, tornou-se alimento para a fé de Israel e até forneceu provisão para a jornada no deserto através do espólio que foi lançado pela maré. — *C. H. S.*

v. 15: "Ribeiro". Quando Deus dividiu o rio Jordão dividiu não só as águas comumente pertencentes ao rio ou as águas provenientes da nascente, mas também as águas advindas das grandes chuvas que caem um pouco antes da colheita. Desta forma, Deus fendeu a "fonte", ou seja, as águas da fonte, e o "ribeiro". — *Jonathan Edwards*

v. 16: "Teu é o dia e tua é a noite; preparaste a luz e o sol".

Ah! Não fiques triste, querida
E não fiques triste, peço-te
Considera o ano como um todo, meu bem
Não há mais noite do que dia

E Deus é Deus, querida minha
Da noite como também do dia
E sentimos e sabemos que podemos ir
Para onde quer que ele nos guie

Um Deus da noite, meu bem
Da noite da morte tão severa
A porta que leva para fora da vida, boa esposa
É a porta que leva para ele

— Extraído de *"In the Sere and Yellow Leaf" [Na Folha Seca e Amarela], in: The Circling Year [O Ano Circulante], 1871*

v. 16: "Dia... noite". Estas mudanças ocorrem de acordo com uma lei fixa. O dia e a noite são ordenanças do céu sobre a terra para o crescimento da vida terrena. Se pudéssemos determinar a claridade e a escuridão em cada seguidor de Deus, veríamos que a distribuição foi feita com sabedoria equitativa. É um trabalho muito complexo, mas esteja certo de que há ordem em tudo. A mão que rege o mundo em sua órbita, fazendo-o cumprir o seu curso por meio de luz e sombra, governa a nossa vida para uma finalidade mais alta do que a terrena. Há uma característica da lei apresentada para a nossa orientação. É a lei da alternância. É dia e noite e, louvemos ao Senhor, também é no devido tempo noite e dia. Cada um tem o seu tempo e uso. — *John Ker, 1869*

v. 16: "Preparaste a luz". Só recentemente podemos ter uma ideia do poder da luz como agente na economia do globo. As descobertas do actinismo estão entre as mais interessantes e maravilhosas da ciência natural. A descoberta de que "nenhuma substância pode ser exposta aos raios solares sem sofrer uma mudança química", não é menos importante em seus efeitos do que a descoberta da lei da gravidade. Os raios solares são uma das mais poderosas de todas as agências da natureza. Mágicos como são, separam as mais fortes afinidades químicas. São os autores da cor e os criadores de miríades de combinações, todas as quais tendem à harmonia do mundo. Não devemos nos esquecer da influência moral da luz. Estamos cientes da diferença racional produzida em nossa natureza moral por um dia ensolarado ou um dia nublado. A luz dá o sabor e o tom ao espírito humano. A luz dá ânimo e alegria à alma. A luz enche as câmaras da mente com ideias. *Luz é Vida.* O mais simples inseto não vive sem luz. Até as espécies cegas recebem nos órgãos que não têm propriedades visuais a garantia das operações benignas da luz. *Luz é Ordem.* Sob as ordens e comandos da luz a separação acontece, equilibrando a escuridão e a luz nos seus graus distintos. *Luz é Beleza.* A luz está na refulgência da lua, na cintilo frio das estrelas, no inigualável conjunto de cores da camada tênue da bolha de sabão. Está ao mesmo tempo no brinquedo da criança e na ferramenta do sábio. Está no rico grupo de matizes da madrepérola ou nos raios deslumbrantes e ricos das plumagens dos pássaros. *Luz é Pureza.* As formas causam irritação pelo vislumbre dos feixes claros e constantes da luz, atraindo em torno de delas asco e repugnância e tornando-se lugares da sujeira e vergonha. *Luz é Crescimento.* A luz está onde sabemos que a natureza prossegue no trabalho de dar vida e vigor. Dá vitalidade à seiva, remove as obstruções do caminho das agências de crescimento, ao mesmo em que, com a sua ausência, as formas ficam atrofiadas, ásperas e debilitadas. *Luz é Saúde.* Conforme a luz arremessa os seus pontos claros e brilhantes para lá e para cá, traz em sua trilha as bênçãos da elasticidade e energia, que dão a plenitude da existência — a saúde perfeita para as formas em expansão. Há uma consistência excelente, quando a Bíblia faz a luz conter, por assim dizer, as sementes de todas as coisas e quando o prelúdio de toda a criação vem à existência nessas palavras: "E disse Deus: Haja luz" (Gn 1.3).

Este é o papel que a luz desempenha na história do mundo. É usada pelo poder moral para tornar-se a criadora da influência moral. Que longa série de criações decorreu antes que as causas morais operassem nas questões do globo! Mas aquele, cuja natureza e nome é Luz, deu à luz a sua existência e obra distinta. A palavra criativa "haja luz", falou direito com as energias morais que tinham de ser induzidas pela criação da luz. É verdade que a luz veio antes de todas as coisas e tornou-se a causa das consequências morais. Mas então, surgindo da mão divina, arremessou os seus raios benevolentes. Foi Deus que lhe deu a comissão divina de causar a divisão entre a luz e as trevas. Foi Deus que a fez fonte do conhecimento e do dia. Foi Deus que lhe deu a faculdade de tornar-se, por sua vez, criadora e causadora de vida e beleza para uma miríade de sementes e formas de encanto. — *E. Paxton Hood, 1860*

v. 16: "A luz e o sol". Em minha juventude, fiquei consideravelmente abalado pela objeção há muito existente que Moisés registrou que a luz foi criada antes do sol. Como os livros ensinavam e alguns ainda declaram fantasiosamente, não poderia ter havido luz sem este corpo luminoso. Mas não querendo fazer opções sobre ponto tão importante que atacassem a minha fé com afirmações gerais, procurei descobrir se um investigador da natureza da luz havia percebido distinções nas qualidades ou operações da luz que a constituíssem um fluido ou matéria independente do sol. Não foi fácil encontrar trabalhos publicados antes do ano de 1791 por estudiosos da natureza sobre essa matéria, visto que muito pouca atenção fora dada à questão. Vi, por fim, o fato afirmado por Henckel, alemão da velha escola, pouco valorizado nos seus dias. Mas, logo depois, alguns dos seus experimentos foram publicados na Inglaterra que confirmaram a hipótese. Desde então, tem sido meu ponto de atenção favorito. Não há verdade filosófica que possa ser mais claramente averiguada do que a luz tem existência distinta, separada e independente do sol. Esta é confirmação extraordinária do registro mosaico, que expressamente distingue a existência e operação da luz da ação solar, e da sua radiação que está relacionada com os seus raios e presença. Moisés coloca um intervalo de três dias entre a criação da luz e o aparecimento e posicionamento do sol e da lua. A luz estava operando por leis e agências próprias, sem o sol e independentemente da sua agência peculiar, do primeiro ao quarto dia da criação da terra. Mas a partir do momento em que o sol foi colocado na sua posição central e os raios foram designados a agir na terra, sempre têm executado a maioria das operações benéficas e essenciais para o curso geral das coisas. — *Sharon Turner, "The Sacred History of the World" [A História Sagrada do Mundo]*

v. 17: "Estabeleceste todos os limites da terra". A distribuição de mar e terra ao longo da superfície do globo é igualmente da mais alta importância para a condição existente da vida orgânica. Se o oceano fosse consideravelmente menor, ou se a Ásia e a América estivessem concentradas dentro da zona dos trópicos, as marés, as correntes oceânicas e o fenômeno meteorológico, dos quais a existência do reino vegetal e animal depende, estariam tão profundamente modificados, que é extremamente duvidoso que o homem tivesse existido e absolutamente certo que ele nunca teria atingido um grau alto de civilização. O progresso humano depende da configuração do globo, fato que leva-nos necessariamente à conclusão de que esse progresso e configuração são o trabalho harmonioso do próprio Poder grandioso e que, desde toda a eternidade, um plano divino e imutável tem presidido os destinos do planeta. É quase supérfluo mostrar que os contornos e ondulações irregulares do litoral, as numerosas ilhas espalhadas pela superfície das águas, os promontórios entrando bastante no domínio do mar e os golfos mergulhando profundamente no seio da terra, contribuíram grandemente para a civilização da raça humana multiplicando os seus pontos de contato com o oceano, a grande rodovia das nações. — *Georg Hartwig, 1813-1880, "The Harmonies of Nature" [As Harmonias da Natureza], 1866*

v. 17: "Estabeleceste todos os limites da terra". Considere a forma da terra. Sabemos que é globular e de forma quase como de laranja. Por que Deus escolheu essa forma? Escolheu para que pudesse ser habitada por seres vivos em toda a superfície. Para essa finalidade, toda parte do globo tem de ter luz e calor suficiente, o vento tem de ter circulação livre e a água tem de estar difundida por todas as partes da terra. A rotundidade da terra foi mais bem calculada para promover estas utilidades, pois a forma redonda admite luz e calor sem os quais não haveria vida por toda parte do globo. As revoluções do dia e da noite, as mudanças na temperatura do ar, calor,.frio, secura ou umidade, não aconteceriam sem esta forma. Fosse a terra quadrada, cônica, hexágona ou de outra forma angular, quais seriam as consequências? A maior parte da terra ficaria submersa em água, enquanto o restante padeceria com a seca. Alguns países seriam arrasados por tempestades, enquanto outros ficariam privados da circulação saudável do vento. Tenho nova razão para admirar a sabedoria suprema, quando reflito na massa enorme que compõe o mundo. Fosse a terra mais macia ou mais esponjosa do que é, e os homens e animais afundariam. Fosse mais dura e menos penetrável, e resistiria o labor dos trabalhadores braçais e perderia a capacidade de produzir e alimentar a multidão de plantas, ervas, raízes e flores que brotam do seu seio. Há estratos regulares e distintos na terra. Alguns são de rocha, outros de metal e minerais. Há numerosas e evidentes vantagens resultantes destes em favor do gênero humano. Os estratos de cascalhos, depositados profundamente na terra, não purificam e até certo ponto filtram a água, deixando-a doce e própria para consumo? A superfície da terra oferece um panorama variado. Há admirável mistura de planícies e vales, de colinas pequenas e montanhas. O homem tem de ser cego para não ver o propósito sábio do grande Autor da natureza, por diversificar desta maneira a superfície da terra. Fosse a terra completamente plana, quanta beleza perderia. Além disso, a variedade de vales e montanhas é muito favorável para a saúde das criaturas vivas, e, não houvessem morros, a terra seria menos povoada de homens e animais. Haveria menos plantas, ervas medicinais e árvores. Ficaríamos privados de metais e minerais. Os vapores não se condensariam, nem teríamos fontes ou rios. Não deveríamos, então, reconhecer que o plano da terra, a sua forma, construção interna e externa foram regulados de acordo com as mais sábias leis, as quais todas combinam para o prazer e felicidade do gênero humano? Tu, Autor supremo da natureza, fizeste todas as coisas muito bem! Seja para onde for que eu volte os olhos, se penetro a estrutura interior do globo que tu designaste para eu habitar, ou se examino a superfície terrena, descubro marcas de sabedoria profunda e bondade infinita em todos os lugares. — *Christopher Christian Sturm, 1750-1786 v. 17:* "Verão e inverno, tu os formaste". *Plasmasti ea.* Agora que tu fizeste tudo isso e muito mais pelo gênero humano em geral, serás tu falho para com a tua igreja? — *John Trapp*

v. 17: "Inverno". Como que fatigado com tantos cuidados, a natureza agora descansa. Este descanso, porém, é apenas para reunir novas forças para serem empregadas novamente para o bem do mundo. Mas mesmo este descanso, que a natureza desfruta no inverno, é uma atividade secreta. Uma nova criação está sendo preparada em silêncio. As disposições necessárias já estão sendo feitas para que a terra desolada recupere as produções que ela perdeu. Os cereais que nos servirão de alimento, já brotam. As fibras das plantas que adornarão os campos e jardins começam insensivelmente a abrir. Ó meu Criador beneficente! Aqui encontro outra razão para adorar a tua sabedoria e poder. O repouso que a natureza tem é tão digno de entrar no plano da tua providência sábia quanto a atividade que ela mostra na primavera e no verão. Tu combinaste sabiamente as diversas revoluções da terra, dividiste igualmente o seu descanso e labor. É da tua vontade que cada dia varie as cenas da natureza, do modo que seja mais apropriado para a perfeição do todo. Perdoa, Deus, a minha temeridade, se tenho sido tão estúpido a ponto de criticar qualquer coisa no governo do mundo. Estou mais do que convencido de que todos os planos da tua providência, ainda que pareçam extraordinários para a minha fraca razão, estão repletos de sabedoria e bondade. —*Christopher Christian Sturm*

v. 19: "Não entregues às feras a alma da tua pombinha". Por mais fraca que seja a igreja e por muitos e fortes que sejam os inimigos, estes não a podem devorar. O Senhor livra a igreja das mãos dos inimigos. Contra esse mal, a igreja encontrou base de confiança para orar: "Não entregues às feras a alma da tua pombinha", pois ele deu à igreja asas e também um refúgio secreto, como dá a entender a comparação, se também agrada a ele dar a ela o usufruto. — *David Dickson*

v. 19: "Não entregues às feras a alma da tua pombinha; não te esqueças para sempre da vida dos teus aflitos". Com esta forma de súplica, o povo de Deus é ensinado a regular e aguçar as orações, tornando-as mais vigorosas, ou seja, negando ter habilidade ou suficiência em si mesmos, intitulando-se uma congregação de pombas pobres, tolas e fracas, de modo algum capazes de enfrentar um exército de inimigos bestiais, espertos, astuciosos, sangrentos e vociferantes. O povo de Deus faz uso deste argumento: "Por ti, o órfão alcançará misericórdia" (Os 14.3). — *John Langley, 1644*

v. 19: "A alma da tua pombinha". Eles se comparam a uma pombinha, cuja natureza a conduz, por mais que seja aflita, a não entregar-se à impaciência ruidosa, mas a lamentar em segredo. Assim, o povo aflito de Israel era incapaz de fazer qualquer coisa, senão externar os suspiros e gemidos a Deus. — *Wolfgang Musculus*

v. 19: "Tua pombinha". O povo de Deus é um povo inofensivo e inocente, completamente incapaz e insuficiente de ajudar-se contra os inimigos, que são numerosos, cruéis e bárbaros. Por conseguinte, são assemelhados a ovelhas e pombas, chamados na Palavra de órfãos, inocentes, pequeninos, meninos, pobres, símplices e necessitados. São homens presos ao bom comportamento, não podendo abrigar tanto quanto um pensamento ruim contra quem quer que seja. São chamados a sofrer, não a cometer injustiça. Juliano zombou deles exatamente neste ponto. Davam-lhes uma bofetada no rosto e dizia-lhes que o Mestre os ensinou a oferecer a outra face. Os soldados tiravam-lhes a túnica e depois os lembravam que também tinham de entregar a capa. Por seu próprio temperamento, julgam os outros, podendo ser facilmente enganados e apanhados em armadilha. Gedalias, homem sincero, não acreditou nas palavras de Joanã pertinentes à conspiração do falso Ismael contra ele. Não somente não acreditou, mas até mesmo ficou indignado com Joanã. Contudo, este procedimento lhe custou a vida (Jr 40.13-16; 41.1,2). O famoso almirante da França, Jasper Coligny, embora tivesse informação e inteligência de diversos setores do além-mar, que a corte pretendia causar-lhe dano e que não havia segurança nas promessas e acordos, ainda que feitos com juramentos, lançou-se ao leão, que o acalmou com uma pata e o despedaçou com a outra. Sendo assim, eles se expõem abertamente ao ódio de muitos adversários. [...]

Alguém pensaria que estas pombinhas ganhariam antes o amor de todos que se aproximassem delas do que o ódio, visto que são pessoas quietas e pacíficas. No monte do Senhor, não se faz dano (Is 11.9), mas elas são difamadas por muitos. Porque não são como eles (1 Pe 4.4), porque não pertencem ao grupo deles (Jo 15.19), porque a sua pessoa e sacrifícios são mais aceitáveis a Deus do que a pessoa e sacrifícios deles (Gn 4.4), porque os repreendem pelos maus caminhos deles (Jo 3.20), porque são, em sua maioria, pobres e simples, não fazem bom prognóstico dos assuntos mundanos, não são políticos exímios, são como os *pauperes Lugdunensis*, os pobres de Lyons da França, sendo, então, expostos a feras e leões (Mt 1.25), porque choram pelos próprios pecados e dos outros, disputam até mesmo com as pombinhas por causa do seu tom triste. Zombarão das irmãs chorosas e dos homens que inclinam a cabeça como um junco. Mas visto que o junco não cresce sem lodo e lama, por que ele não deve inclinar a cabeça? — *John Langley*

v. 19: "Tua pombinha". Podemos ilustrar esta expressão pelo costume antigo e moderno de criar pombas como pássaros de estimação (ver Teócrito 5.96; Virgílio, "Écloga" 3.5.68,69), e do cuidado para protegê-los de animais que sejam perigosos para eles. — *James Merrick, 1720-1769*

v. 19: "Tua pombinha". As pombas de todas as espécies, quer selvagens ou domesticadas, são protegidas igualmente pelos habitantes do Egito. Não as matam e nunca as comem. Desejando saber o motivo desta abstinência entre esse povo que possui tão pouco na maior parte dos seus empreendimentos, descobri que era por honra da humanidade. É uma consequência do respeito à hospitalidade que os árabes têm em tão alta conta e do qual comunicam algumas nuanças às pessoas que habitam entre eles. Na opinião deles, seria uma violação desta hospitalidade não poupar esses pássaros, que habitam entre eles com plena confiança e onde se tornam recebedores hábeis, mas inúteis de amor e ternura. O próprio agricultor, que vê nas plantações uma presa para os voos das pombas que descem nos campos, não as molesta nem as mata, mas permite se que multipliquem à vontade. — *C. N. S. de M. Sonnini, 1775-1811*

v. 19: "Não te esqueças para sempre da vida dos teus aflitos ["pobres", KJV]". São "teus" pobres por discriminação. Pode haver uma distância maior entre pobres e pobres do que há entre pobres e ricos. Há muitos "regimentos andrajosos" e "congregações dos pobres", aos quais o Senhor esquecerá para sempre, mas os *seus* pobres serão salvos. Estes pobres são de dois tipos: pobres em relação a riquezas e bens exteriores e pobres em relação a amigos ou ajuda exterior. O rico, especialmente o rico crente, pode estar em situação de pobreza, necessidade e abandono, precisando de amparo e proteção. Deus salva os seus pobres em ambas as conotações, tanto os que não têm amigos quanto os que não têm bens. — *Joseph Caryl*

v. 20: "Atenta para o teu concerto". A palavra "atenta", no seu significado original em hebraico, implica em fixar os olhos em um objeto ao qual o homem deseja olhar. Daí, por metáfora, é transferido aos olhos da mente, significando a reflexão e consideração sérias sobre algo. A Bíblia diz que Deus não tem em conta os tempos da ignorância, ou seja, não os considera (At 17.30). Aqui, o povo de Deus olha para ele como se ele não tivesse em conta o seu concerto, não olhando nem para eles e nem para as desgraças nas quais estão. O salmista deseja que Deus tome conhecimento deste fato para o livramento do seu povo. — *Sermão de Francis Taylor pregado diante da Câmara dos Comuns intitulado "God's Covenant the Churches Plea" [O Apelo das Igrejas ao Concerto de Deus], 1645*

v. 20: "Atenta para o teu concerto". Estas palavras pressionam o Senhor mais do que as primeiros. Trata-se da luta íntima, por assim dizer, com ele nas palavras de Jacó: "Não te deixarei ir, se me não abençoares" (Gn 32.26). Este é o lançamento da âncora mestra na tempestade, pois agarra-se à fidelidade, verdade e bondade paternal de Deus. Se não estão em concerto com Deus, podem receber esta acusação: "Vocês violaram a minha santa lei, acenderam a minha ira contra vocês pelos seus caminhos perversos. Portanto, não os ajudarei, mas os abandonarei". Mas agora as almas que estão em concerto com Deus não serão desamparadas (falamos com todo o respeito), mas clamarão: Senhor, ainda que as nossas iniquidades testemunhem contra nós, "atenta para o teu concerto". Por outro lado, cuidem para andar retamente na presença do Senhor. [...] Com que face alguém pode dizer: "Senhor, atenta para o teu concerto", quando ele mesmo lança para trás de si o concerto feito e não pode dizer com o profeta Davi: "[Atento] eu para todos os teus mandamentos"? (Sl 119.6). Como pode você dizer: "Não me entregues à vontade dos meus adversários" (Sl 27.12), que são exteriores, quando você não tem medo de ser entregue às suas concupiscências e desejos vis e bestiais que são interiores? Hipócrita, primeiro esforce-se em subjugar os monstros que estão dentro de você, para então ter um caminho plano e aberto para subjugar os inimigos que estão à roda de você. — *John Langley*

v. 20: "Atenta para o teu concerto". As pessoas e pregadores que recusam-se a pensar e falar das misericórdias evangélicas e da salvação gratuita, as quais estão garantidas por concerto, privam a si e aos outros das muitas consolações gloriosas da palavra de Deus. Não era este o comportamento do salmista inspirado. — *William S. Plumer*

v. 20: "Atenta para o teu concerto, pois os lugares tenebrosos da terra estão cheios de moradas de crueldade". Às vezes, quando são oprimidos pelos não crentes, o povo de Deus tem a impressão de que Deus não faz caso do concerto. Por isso, Asafe se queixa. Depois da declaração de que Deus era o Pastor de Israel, estando, assim, em concerto com o seu povo e, por conseguinte, os tirara maravilhosamente do Egito e os fizera crescer grandiosamente na terra de Canaã, o salmista atribui a desgraça por que passam ao descaso de Deus. Podemos levantar muitas razões para esta postura indelicada dos crentes para com Deus.

(1) Porque a desgraça em que estão os cega. Os cegos quando são feridos suspeitam duramente de toda pessoa que se aproxima deles.

(2) O amor-próprio nos faz suspeitar de nós mesmos, quanto mais do próprio Deus. Nos bons tempos, os crentes consideram-se culpados, mas nas adversidades, lançam críticas em Deus que é inocente. Somos todos filhos de Adão e Eva. Quando Eva comera o fruto proibido, ela tacitamente põe a culpa em Deus: "A serpente me enganou, e eu comi" (Gn 3.13). Não tivesses tu criado a serpente sagaz, eu não teria quebrado os teus mandamentos. Adão põe a culpa abertamente em Deus: "A mulher que me deste por companheira, ela me deu da árvore, e comi" (Gn 3.12). Não tivesses tu me dado essa companheira para me induzir ao erro, eu teria permanecido inocente. Da mesma forma nós, a sua posteridade, fazemos quando estamos em dificuldades, suspeitamos que Deus quebrou o concerto e não nós. Assim, a ama-seca culpa a pedra quando é a criança que tropeçou pela própria negligência.

(3) Em tempos de necessidade, suspeitamos comumente de quem mais pode nos ajudar. O doente, se corre risco de vida, não suspeita dos vizinhos ignorantes, mas do médico hábil. Aquele que está com os bens na justiça, quando a sentença é contra ele, suspeita do advogado ou do juiz. Sabemos que Deus é quem mais pode nos ajudar. A nossa corrupção nos faz suspeitar mais dele, se as dificuldades continuam.

(4) Suspeitamos mais de quem, segundo pensamos, temos mais razão para nos ajudar em nossas desgraças e não ajudam. Se o criado precisa de comida ou roupa, ele não reclama com os outros criados, mas com o patrão, que por contrato é obrigado a lhe prover essas necessidades. Se o filho é enganado pelos criados, ele não põe a culpa nos irmãos, mas no pai, que pelos laços de família é obrigado tomar conta dele. Assim, nós, estando em concerto com Deus, não nos preocupamos muito se as pessoas nos decepcionam, mas reclamamos pesadamente se Deus parece que não cuida de nós. — *Francis Taylor*

v. 20: Na oração, o salmista faz Deus olhar o concerto por meio deste argumento: "Pois os lugares tenebrosos da terra estão cheios de moradas de crueldade", ou seja, de homens cruéis, ou de homens tão cheios de crueldade que merecem ser chamados de *crueldade* do que de *cruéis*. Este tipo de homem habita e ocupa todos os lugares onde a luz da verdade santa não brilha. Se aqueles que não têm a luz em si ou o verdadeiro conhecimento de Deus entre eles, estão, por este meio, preparados para a ação de toda a forma de maldade, quanto mais estão preparados para a ação de qualquer maldade os que lhes foram arrancada a luz e estão em lugares tenebrosos da sua própria imaginação? O profeta Oseias mostra que onde não há conhecimento de Deus em uma terra, por falta de recursos, não há verdade, nem benignidade (quer dizer, não há ninguém exercitado) naquela terra, senão a prevalência exclusiva da opressão, do engano e da falsidade (Os 4.1,2). Quanto mais é assim, onde não há conhecimento de Deus em uma terra, por causa do desprezo dos recursos e da rebelião contra a luz? Que maldade não farão eles na escuridão, pois apagaram a luz para não verem o que fazem. — *Joseph Caryl*

v. 20: "Pois os lugares tenebrosos da terra estão cheios de moradas de crueldade". Esta declaração pode ter significado literal. "Os lugares tenebrosos da terra", pensam certos expositores, descrevem primeiramente as cavernas, covas e bosques da terra. Na terra da Judeia há muitos desses lugares, como comprovam os viajantes. Em tempos de instabilidade social, eram as moradas frequentes de ladrões e assassinos, de onde saíam com ímpeto para molestar e matar os viajantes, saquear as aldeias pacíficas, atocaiar e saquear os comerciantes e cometer todos os tipos de crimes. Depois, voltavam impunemente para estes retiros escuros, onde riam de toda lei humana ou divina, bebiam em grandes goles e com prazer horrendo a lembrança das lágrimas das viúvas e ouviam com alegria desumana a recordação ecoante dos gemidos dos órfãos e dos gritos agudos e agonizantes dos pais. Mas que terra infestada dessa maneira seria, senão a imagem esmaecida do mundo ateu? Onde quer que o ateísmo se espalhe, há "lugares tenebrosos". É o que a Bíblia fala tantas e tantas vezes. — *John Hambleton, 1839*

v. 20: "Pois os lugares tenebrosos". É alusão, como concebem certos intérpretes, às cavernas de animais selvagens, nas quais se escondem para apoderar-se da presa (Sl 104.21,22). A estes os homens cruéis são comparados: "Põe-se nos cerrados das aldeias; nos lugares ocultos mata o inocente; os seus olhos estão ocultamente fixos sobre o pobre. Arma ciladas em esconderijos, como o leão no seu covil; arma ciladas para roubar o pobre; rouba-o colhendo-o na sua rede" (Sl 10.8,9). Os opressores e ladrões escolhem esses lugares. Outros intérpretes entendem que é alusão às prisões escuras e calabouços sem luz. É como o profeta descreve uma prisão: "Para abrir os olhos dos cegos, para tirar da prisão os presos e do cárcere, os que jazem em trevas" (Is 42.7). Assim, a Bíblia compara a dificuldade à escuridão e a prosperidade à luz, porque a escuridão é irritante e a luz é confortável: "O povo que andava em trevas viu uma grande luz" (Is 9.2). Portanto, o significado aqui são os tristes esconderijos onde o povo de Deus se escondia. Mas não eram deixados em paz, pois eram procurados, descobertos e saqueados pelos adversários. Outros intérpretes tomam as palavras "lugares tenebrosos" com o sentido de lugares escuros e vis, como no original hebraico os *homens escuros* são chamados de *homens de baixa sorte* (Pv 22.29). Portanto, pode significar que os piores homens oprimiram o povo de Deus, ou que os mais pobres e piores do povo de Deus não foram poupados. Há esse uso nos dias atuais, quando as cabanas pobres dos nossos inimigos enviaram saqueadores, e nenhum dos nossos trabalhadores rurais escaparam do saque em diversos lugares. — *Francis Taylor*

v. 20: "Crueldade". O paganismo é cruel. Não muda de caráter desde os dias em que os pais faziam as criancinhas passar pelo fogo a Moloque. Por exemplo, ainda hoje o infanticídio prevalece na China. A "lei", diz o livro de autoridade, "a lei, em outros casos tão rigorosa, não toma o menor conhecimento desse crime, nem sequer sujeita os culpados à pena devida. Todas as manhãs, antes de clarear, as carroças percorrem os bairros da cidade de Pequim para recolher as crianças mortas". Podem fazê-lo *antes de clarear*, "pois os lugares tenebrosos da terra estão cheios de moradas de crueldade". "Os missionários daquela cidade obtiveram detalhes que justificam a crença de que o número de crianças anualmente mortas (principalmente meninas) é acima de três mil." Pense nesta mesma proporção estendida ao longo do império chinês densamente povoado. Entre o mesmo povo, o suicídio também é de ocorrência frequente. Que contraste com a religião que detém a mão precipitada e diz: "Não te faças nenhum mal" (cf. At 16.28).

Passemos para a Índia, onde as chamas das pilhas funerárias, nas quais tantas viúvas foram anualmente queimadas, não se extinguiram, quando há alguns anos ficamos chocados com mais estas provas da crueldade do paganismo. Que detalhes dolorosos o nosso governo trouxe à luz com respeito aos assassinos secretos da Índia! O que você diria de uma vasta fraternidade de assassinos, formada por muitos milhares de pessoas que vêm passando de geração em geração, que se ramificou pelo país inteiro, do cabo Comorim às montanhas do Himalaia, que floresceu igualmente no governo hindu, muçulmano e britânico, e que todos os anos matou multidões de vítimas — e todas as quais sob a sanção da religião? Esse sistema assassino, dizem eles, foi ordem que receberam da deusa Kali, a qual deu a metade da raça humana para os seus devotos (ou seja, para essa metade ser assassinada), de acordo com certos costumes prescritos. — *John Hambleton*

v. 23: "Não te esqueças dos gritos dos teus inimigos; o tumulto daqueles que se levantam contra ti aumenta continuamente". Se formos forçados a concluir as nossas mais solenes e urgentes devoções e as nossas mais sérias súplicas sem ver um raio de luz brilhando no caminho, podemos nos consolar que foi assim que o salmista piedoso concluiu esta reclamação. Esperar contra esperança é o tipo mais santo de esperança. — *William S. Plumer*

SUGESTÕES AOS PREGADORES

v. 1. (1) O desprazer divino é um fato. (2) O desprazer divino é só em certa medida, mas somos muito propensos a aumentá-lo. (3) Mesmo enquanto o desprazer divino dura, a nossa relação com Deus é não afetada: "As ovelhas do teu pasto". (4) A nossa função é investigar a razão do desprazer divino e agir de acordo.

v. 1. "Por que se acende a tua ira contra as ovelhas do teu pasto?" A ira do Senhor contra o seu povo é comparada a um fogo aceso: (1) Não é um fogo consumidor. (2) Sugere medo do fogo. (3) Escurece a luz da alegria. (4) Cega os olhos da fé. (5) Restringe o fôlego da vida. (6) Enegrece a beleza das nossas consolações mundanas.

v. 2. (1) A relação do Senhor com o seu povo: (a) Eleição. (b) Redenção. (c) Habitação. 2. A oração que surge dessa relação: "Lembra-te".

v. 3. Danos à igreja: (1) A igreja tem inimigos. (2) A iniquidade na igreja é a grande arma dos inimigos. (3) Isto causa muita assolação aos santos fracos, aos interessados, à paz, à oração, à utilidade. (4) A cura para isto é a interposição de Deus.

vv. 3 e 4. O poder da oração: (1) De um lado havia: (a) Assolação: "Assolações perpétuas". (b) Profanação: "Tem feito de mal no santuário". (c) Declamação: "O inimigo tem feito de mal no santuário". (d) Demonstração: "O inimigo tem feito". (2) Do outro lado havia: (a) Súplica. (b) Isto leva Deus a salvar eficazmente e sem demora.

v. 4. "Insígnias por sinais." O ardil de Satanás é suplantar a verdade com falsificações enganosas.

v. 5. A verdadeira fama. Edificar para Deus com trabalho, ousadia, diligência, habilidade.

v. 6. Trabalho de vândalos contra a verdade de Deus.

vv. 6 e 7. Coisas temidas pela igreja: (1) Danos às doutrinas ou ordenanças: "Toda a obra entalhada quebram com machados e martelos". (2) O fogo da contenda, da divisão: "Lançaram fogo ao teu santuário". (3) A contaminação do pecado: "Profanaram".

(4) Qualquer uma destas três coisas destrói a igreja: "Derribando-a até ao chão, a morada do teu nome". A igreja deve vigiar e orar para que isto não aconteça.

v. 8. (1) O alvo dos nossos inimigos é a destruição das igrejas interioranas. (2) O mal que os inimigos causam e o nosso dever de evitar esse mal. (3) Os meios que os destruidores usam: suborno, opressão, e o nosso método apropriado para defender essas igrejas.

v. 9. "Já não vemos os nossos sinais": (1) Há tais coisas como "sinais", quer dizer, os símbolos e marcas do favor especial de Deus para com a alma. (2) Há também o ato de ver esses sinais, quando Deus Espírito Santo se agrada de brilhar neles. (3) Há um terceiro estado, no qual não há o ato de ver os sinais, pois eles estão envoltos em escuridão, obscuridade e ofuscamento. — *Joseph C. Philpot*

v. 9. Este texto nos ensina que os sinais evidentes da ira e desprazer de Deus, como a falta da sua palavra, a cessação da boca dos verdadeiros ministros, devem nos tocar até o âmago do ser. — *Thomas Wilcocks*

v. 10. Oração pelo avivamento: (1) Como Deus é repreendido. (2) Quais são os maus efeitos disso. (3) Quando podemos esperar que ele se levante.

v. 11. (1) A paciência de Deus com o homem: Ele retira a mão, sim, a destra, pois hesita em ferir. (2) A impaciência do homem com Deus: "Tira-a do teu seio e consome-os". — *George Rogers*

v. 12. (1) A soberania de Deus. (2) A antiguidade da soberania. (3) A nossa lealdade para com a soberania. (4) O caráter prático do reinado da soberania: "Operando". (5) A generosidade da operação: "Operando a salvação". (6) O lugar da operação: "No meio da terra".

v. 14. (1) A derrota deflagrada por Deus contra os nossos inimigos. (2) O benefício que essa derrota nos traz.

v. 15. A natureza maravilhosa dos suprimentos benevolentes ilustrada pela rocha que foi ferida.

v. 16. Deus igualmente presente em todas as dispensações da providência.

vv. 16 e 17. (1) O Deus da graça é o Deus da natureza: "Teu é o dia e tua é a noite; preparaste a luz e o sol. Estabeleceste todos os limites da terra; verão e inverno, tu os formaste". (2) O Deus da natureza é o Deus da graça: a sabedoria, o poder, a fidelidade são os mesmos (ver Sl 19). — *George Rogers*

v. 19. A alma do crente é comparada a uma pombinha.

v. 20. (1) O título dado às nações pagãs: "Lugares tenebrosos da terra". Não estão sem a luz da natureza, ou da razão, ou da consciência natural, ou da filosofia, como a grega ou a romana, mas sem a luz da revelação. (2) A situação das nações pagãs: "Estão cheios de moradas de crueldade". A crueldade nas relações públicas, sociais e particulares: "Sem afeição natural, irreconciliáveis, sem misericórdia" (Rm 1.31). (3) A parte das nações pagãs no concerto. Este fato é conhecido pela parte que têm nas promessas e profecias relacionadas ao concerto: "Eu te darei as nações por herança e os confins da terra por tua possessão" (Sl 2.8). (4) A oração da igreja em favor das nações pagãs: "Atenta para o teu concerto". "Envia a tua luz e a tua verdade" (Sl 43.3). A conversão do mundo ocorrerá em resposta às orações da igreja. — *George Rogers*

v. 22. Deus pleiteia a sua própria causa visitando providencialmente as nações e indivíduos, como também fazendo conversões e promovendo despertamentos extraordinários.

v. 22. (1) A glória da nossa causa: É a glória do próprio Senhor. (2) A esperança da nossa causa: Ele mesmo pleiteará a causa. (3) A esperança assim derivável da violência do homem: Ela moverá o Senhor a levantar-se.

SALMO 75

TÍTULO

Para o cantor-mor. Trata-se de é um trabalho nobre para ele, pois o clamor do último salmo está prestes de ser ouvido e o desafio dos inimigos de Israel foi tomado pelo próprio Deus. Aqui a filha virgem de Sião desdenha o inimigo e o ridiculariza. A destruição do exército de Senaqueribe é extraordinária ilustração deste cântico sagrado.

Sobre Al-Tachete. Este é outro salmo "de acordo com a melodia Não Destruas" (NVI), e o título pode ter tido o objetivo de restringir a ferocidade natural dos oprimidos ou de insultar o inimigo cruel, que é asperamente ordenado a não destruir, porque a nação sabe muito bem que ele não pode. Aqui, com fé santa, a criança de peito brinca sobre a toca da áspide e o já desmamado mete a mão na cova do basilisco (cf. Is 11.8).

Salmo e cântico de Asafe. Para ser lido ou cantado. Hino ("salmo") para Deus e canção ("cântico") para os santos. É feliz o povo que, tendo achado o poeta Milton em Davi, teve um poeta quase igual em Asafe. Mas é o povo mais feliz de todos os povos, porque estes poetas não foram inspirados pela fonte de Castália, pois beberam da "fonte de todas as bênçãos".

DIVISÃO

O hino começa com a canção de gratidão e adoração do povo (v. 1). Nos quatro versículos seguintes, o Senhor se revela reinando no mundo com justiça (vv. 2 a 5). Em seguida, vem uma voz de aviso da igreja para os inimigos (vv. 6 a 8), e uma canção de encerramento que antevê a glória devida a Deus e a derrota absoluta do inimigo (vv. 9 e 10).

EXPOSIÇÃO

1 *A ti, ó Deus, glorificamos, a ti damos louvor, pois o teu nome está perto, as tuas maravilhas o declaram.*

1. *"A ti, ó Deus, glorificamos, a ti damos louvor."* Não a nós mesmos, porque somos impotentes, mas a Elohim, que ouviu o nosso clamor e respondeu ao insulto dos nossos inimigos. Jamais deixemos de glorificar e agradecer a Deus, ou pode ser que da próxima vez as nossas orações fiquem sem resposta. Como as flores sorridentes gratamente refletem nas belas cores os componentes dos raios solares, assim a gratidão deve brotar do nosso coração segundo os sorrisos da providência de Deus.

"A ti damos louvor." Demos louvor a Deus repetidamente. Gratidão contida é ingratidão. Por bondade infinita deve haver agradecimento incomensurável. A fé promete louvores redobrados por livramentos grandemente necessários e extraordinários.

"Pois o teu nome está perto, as tuas maravilhas o declaram." Deus está perto para responder e fazer maravilhas. Adoremos, portanto, a deidade presente. Não cantamos de um Deus escondido que dorme e deixa a igreja entregue à própria sorte, mas de Deus que em nossos dias mais tenebrosos sempre está muito perto, uma ajuda muito presente nas dificuldades: "O teu nome está perto". Baal está de viagem (cf. 1 Rs18.27, ARA), mas o Senhor habita na igreja. Glória seja dada ao Senhor, cujos feitos perpétuos executados pela sua graça e majestade sempre são símbolos certos da sua presença conosco até ao fim do mundo.

2 *Quando eu ocupar o lugar determinado, julgarei retamente.*
3 *Dissolve-se a terra e todos os seus moradores, mas eu fortaleci as suas colunas. (Selá)*
4 *Disse eu aos loucos: não enlouqueçais; e aos ímpios: não levanteis a fronte;*
5 *não levanteis a fronte altiva, nem faleis com cerviz dura.*

2. *"Quando eu ocupar o lugar determinado, julgarei retamente."* Acredita-se em geral que estas palavras são de Deus, que, quando aceitar o seu povo, ocupará o lugar determinado no tribunal para julgar a causa do seu povo com justiça. O texto é traduzido por: "Eu escolho o tempo determinado" (AEC), ou por: "Eu determino o tempo" (NVI).

Deus nunca está adiantado do seu tempo
Ele nunca está atrasado demais

Ele determina o período de interposição, e quando chegar, velozes serão os seus golpes e certos os seus livramentos. Deus não envia juiz substituto, pois ele mesmo se assenta no trono. Senhor, venha o teu tempo determinado para a graça. Não te demores mais, mas pela verdade e pelo trono de Jesus entres em ação o mais depressa possível. Venha o tempo designado, Jesus, e assenta-te no teu trono para julgar o mundo com equidade.

3. *"Dissolve-se a terra e todos os seus moradores."* Quando a anarquia está em operação e os tiranos no poder, tudo está liberado, a ruína ameaça todas as coisas, as sólidas montanhas do governo derretem-se como cera. Mas mesmo então o Senhor apoia e sustenta o direito. "Mas eu fortaleci as suas colunas." Por conseguinte, não há motivo real para ter medo. Enquanto as colunas permanecerem, e têm de permanecer, pois Deus as fortalece, a casa resistirá firmemente a tempestade. No dia da aparição do Senhor ocorrerá um abalo geral, mas naquele dia o Deus do nosso concerto será o apoio seguro da nossa confiança.

Não há como cair com este apoio
Com o meu Deus eterno
Que sustenta as enormes colunas da terra
E estende os céus amplamente

"Selá." Aqui há uma pausa musical, enquanto a visão sublime passa diante dos nossos olhos. Um mundo dissolvido e um Deus imutável, que enaltece todo o seu povo acima da comoção terrível.

4. *"Disse eu aos loucos: não enlouqueçais."* O Senhor ordena que os vangloriadores não se vangloriem, e manda que os opressores furiosos retenham a loucura. Como é tranquilo ele, como são silenciosas as suas palavras, contudo, como é divina a repreensão. Se os ímpios não fossem insanos, mesmo agora ouviriam na consciência a voz pequena e suave, ordenando-lhes que cessassem o mal e reprimissem o orgulho.

"E aos ímpios: não levanteis a fronte." Ele manda que os não crentes detenham a arrogância. O chifre ("fronte") era o emblema do poder orgulhoso. Só os tolos, como animais selvagens e ferozes, o levantarão. Mas estão atacando o próprio céu, como se estivessem escorneando o próprio Todo-poderoso. Em digna majestade, ele reprova as glórias inanes dos ímpios, que descomedidamente se exaltam no dia do seu poder imaginário.

5. *"Não levanteis a fronte altiva."* Para o orgulho abundante há uma repreensão dupla. Uma palavra de Deus humilha imediatamente o altivo. Quisera Deus que todos os orgulhosos obedecessem a palavra dada aqui para eles, pois, caso não obedeçam, ele tomará medidas eficazes para assegurar a obediência. Então, tamanha aflição virá sobre eles, que lhes quebrará os chifres ("fronte") e fará a glória deles virar na lama para sempre.

"Nem faleis com cerviz dura." O descaramento perante Deus é loucura. O pescoço esticado de orgulho insolente não fica sem provocar o machado. Aqueles que levantam a cabeça bem alto, descobrirão que ela lhes será levantada ainda mais, como ocorreu com Hamã, cuja cabeça foi levantada na forca que ele mesmo preparara para o justo. Silêncio, ostentador tolo! Silêncio ou Deus fará você silenciar. Quem é você, verme, para arrogantemente contestar as leis de quem criou você e criticar a verdade divina? Fique quieto, tagarela vanglorioso, ou, para a sua eterna confusão, a vingança silenciará você.

6 *Porque nem do Oriente, nem do Ocidente, nem do deserto vem a exaltação.*
7 *Mas Deus é o juiz; a um abate e a outro exalta.*
8 *Porque na mão do Senhor há um cálice cujo vinho ferve, cheio de mistura, e dá a beber dele; certamente todos os ímpios da terra sorverão e beberão as suas fezes.*

6. *"Porque nem do Oriente, nem do Ocidente, nem do deserto vem a exaltação."* Há um Deus e uma providência, e as coisas não acontecem por acaso. Ainda que o livramento seja impossível de todos os pontos da bússola, Deus faz com que essa situação contribua para o bem do seu povo. Ainda que o julgamento não venha do nascente nem do poente do sol, nem do deserto das montanhas, ele virá, pois o Senhor reina. Os homens esquecem que todas as coisas são ordenadas no céu. Eles veem apenas a força humana e a emoção carnal, mas o Senhor invisível é muito mais real do que estas. Ele está trabalhando atrás e dentro da nuvem. Os loucos sonham que ele não existe. Contudo, está perto e a caminho trazendo na mão o cálice de vinho temperado com vingança, um gole do qual fará cambalear todos os inimigos.

7. *"Mas Deus é o juiz."* Mesmo agora ele já está julgando. O seu lugar no tribunal não está vazio. A sua autoridade não foi abdicada. O Senhor reina eternamente.

"A um abate e a outro exalta." Impérios sobem e caem ao seu comando. Um calabouço aqui e um trono ali, determina a sua vontade. A assíria se rende à Babilônia, e a Babilônia aos Medos. Os reis não passam de fantoches nas mãos divinas. Servem aos seus propósitos, quando sobem e quando caem. Certo escritor publicou um livro chamado "Boliche Histórico", nome apto para mostrar o desprezo por todos os grandes da terra. Só Deus é. Todo o poder pertence a ele. Tudo o mais é sombra, que vem e que vai, quimérica, indistinta, como um sonho.

8. *"Porque na mão do Senhor há um cálice."* O castigo dos ímpios está preparado. É o próprio Deus que o mantém de prontidão. Reuniu e preparou os mais temíveis ais, e os guarda no cálice da ira. Ridicularizaram a sua festa de amor. Portanto, serão arrastados para a mesa da justiça, onde beberão à força o devido castigo.

"Cujo vinho ferve." A tradução é terrível, é sangue por sangue, vingança espumante por maldade espumante. A própria cor da ira divina é terrível. Como não será o gosto?

"Cheio de mistura." Há no cálice o tempero da ira, da justiça e da misericórdia inflamada. As suas maldades, blasfêmias e perseguições fortaleceram o teor da substância como com drogas potentes.

Misturada, forte e altamente espumante
Esta é a ira divina

Dez mil ais estão queimando no fundo do cálice ardente, que está cheio de indignação até à borda.

"E dá a beber dele." O cálice cheio tem de ser bebido. Os ímpios não podem recusar o gole terrível, pois é o próprio Deus que dá de beber para eles. São vãos os gritos e os pedidos. Outrora podiam desafiá-lo, mas esse tempo terminou, e o tempo para revidar acabou completamente.

"Certamente todos os ímpios da terra sorverão e beberão as suas fezes." O fim amargo da ira tem de ir até ao fim. Os ímpios têm de beber sem parar para sempre, até ao fundo, onde está a borra da danação extrema. Têm de chupar esta borra e ainda escoar o cálice até à ultima gota. Oh a angústia e o sofrimento do dia da ira! Observe bem como são as coisas para todos os ímpios: Todo o inferno para todo o não crente. A escória para a ralé. As raízes amargas para os cruéis. A ira para os herdeiros da ira. A justiça é ilustre e distinta, mas sobre todo o terror espalha-se uma noite dez vezes mais escura, mais triste e sem estrela. Oh felizes os que bebem o cálice do sofrimento cristão e o cálice da salvação. Estes, ainda que agora sejam menosprezados, serão invejados pelos mesmos que os pisaram.

9 *Mas, quanto a mim, exultarei para sempre; cantarei louvores ao Deus de Jacó.*
10 *E quebrantarei todas as forças dos ímpios, mas as forças dos justos serão exaltadas.*

9. *"Mas, quanto a mim, exultarei para sempre."* Assim, os santos se ocupam com o ensaio dos louvores de Jeová, enquanto os inimigos ficam bêbedos com o vinho da ira. Eles cantarão, ao passo que os outros rugirão de agonia. Tudo é correspondentemente exato, pois o salmo anterior nos informa que essa foi a situação na terra: "Os teus inimigos bramam no meio dos lugares santos" (Sl 74.4), o lugar onde os eleitos louvam ao Senhor.

"Cantarei louvores ao Deus de Jacó." A nossa alma engrandecerá o Deus do concerto, que livrou Jacó de mil aflições. Ele guardou o concerto que fez com o patriarca e redimiu a sua semente. Portanto, espalharemos a sua fama para todo o sempre.

10. *"E quebrantarei todas as forças dos ímpios."* Tendo-lhe sido restabelecidos o poder e a liberdade, Israel volta a fazer justiça, degradando os impiedosos que tinham se gloriado no reinado da opressão. O poder e magnificência lhes serão abatidos. Naqueles dias, os homens usavam chifres (traduzido no texto por "forças") como parte da sua dignidade social, os quais, tanto literalmente quanto figurativamente, foram quebrados. Tendo em vista que Deus detesta os orgulhosos, a igreja não os tolerará mais.

"Mas as forças dos justos serão exaltadas." Em uma sociedade organizada com justiça, os homens bons são reputados grandes homens, a virtude confere o verdadeiro *status* e a graça é estimada mais do que o ouro. Sendo salvos da dominação dos injustos, os principais entre o povo eleito prometem retificar as injustiças que se insinuaram na comunidade e, de acordo com o exemplo do próprio Senhor, abater os arrogantes e elevar os humildes.

Esta ode memorável pode ser cantada em tempos de grande tristeza, quando a oração cumpriu a sua missão chegando ao trono da misericórdia e quando a fé está esperando o livramento imediato. É uma canção sobre o segundo advento, concernente à proximidade do juiz com o cálice da ira.

NOTAS EXPLICATIVAS E DECLARAÇÕES IMPORTANTES

O Título: "Al-Tachete", ou seja, "não destruas". Davi, ao que parece, usou este salmo como uma máxima durante as violentas perseguições movidas por Saul, como um lembrete para reprimir a vingança, ainda que muitas vezes estivesse no seu poder vingar-se do seu inimigo antinatural. — *F. G. Hubbard, "The Psalms Chronologically Arranged, with Historical Introductions" [Os Salmos Cronologicamente Organizados, com Introduções Históricas], Nova York, 1856*

O Salmo: Tendo em vista que estas palavras são uma verdadeira oração, ao mesmo tempo que o salmo não é composto na forma de pedido, mas de ação de graças, deve ser considerado como um oração de agradecimento, proferida de antemão e contendo petição. — *Berleb. Bible*

v. 1: "O teu nome está perto". O nome de Deus está perto, porque se tornara publicamente notório, e estava em toda mente e em toda língua. Está em oposição ao que é desconhecido e está encoberto, que a Bíblia fala que está longe (cf. Dt 30.11). — *Hermann Venema*

v. 1: O salmista dobra este dever na prática dos santos: "A ti, ó Deus, glorificamos, a ti damos louvor". Nós louvamos, nós louvamos, como se ninguém mais louvasse senão eles ou como se não eles tivessem feito nada mais que louvar. — *Sermão de Joseph Caryl pregado na Câmara dos Comuns intitulado "The Saints' Thankful Acclamation" [A Aclamação de Gratidão dos Santos]*

v. 3: "Eu fortaleci as suas colunas". Impeço que a terra caia em pedaços, como uma casa, sustentada por colunas muito fracas para suportar o seu peso, cairia. — *Daniel Cresswell*

v. 3: "Eu fortaleci as suas colunas". Aprenda a quem pertence a glória de sustentar o mundo, mantendo-lhe firmes as colunas. A providência de Deus é o verdadeiro Atlas que sustenta o mundo e o carrega aos ombros, enquanto o mundo ainda está no pecado e é pisado pelos pecadores. Tendo este glorioso vislumbre da providência mostrada deste modo, podemos dizer como eles outrora disseram: "Só o Senhor é Deus! Só o Senhor é Deus!" (1 Rs 18.39). — *Thomas Crane*

v. 3: Podemos imaginar um monarca, e especialmente um monarca oriental, no apogeu do seu poder e na arrogância do seu orgulho, lançando um olhar arrogante nas insígnias do seu poder e dizendo para si mesmo: "Eu sustento as colunas da terra". Mas ninguém poderia imaginar tal pensamento surgindo do coração ou procedendo dos lábios de Davi ou de Ezequias. Não sei quem dos filhos de Adão, frágeis e fracos em suas melhores aptidões físicas, poderia ter dito: "Dissolve-se a terra e todos os seus moradores, mas eu fortaleci as suas colunas". Não conheço ninguém, senão aquele que disse: "É-me dado todo o poder no céu e na terra" (Mt 28.18), e que, logo depois de dizer estas palavras, ascendeu ao céu para exercer essa soberania e reparar a grandiosa ruína que fora feita na terra quando Satanás triunfou no Paraíso. — *Barton Bouchier*

v. 4: "Loucos". Os não crentes são loucos espirituais. Quem tem um filho muito bonito, mas louco, os pais pouca alegria terão com ele. A Escritura vestiu o pecador com o casaco do louco. Permita-me dizer-lhe que melhor ser um louco sem a razão do que um louco sem a graça. Este é o louco do diabo (Pv 14.9). Não é louco quem recusa uma porção rica? Deus oferece Cristo e a salvação, mas o pecador recusa esta porção: "Israel não me quis" (Sl 81.11). Não é louco quem prefere uma pensão a uma herança? Não é louco quem cuida da parte mortal e descuida da parte angelical? É como se alguém pintasse as paredes da casa por cima da madeira putrefata. Não é louco quem alimenta o diabo com a própria alma? É como o imperador que alimentou o leão com um faisão. Não é louco quem arma uma armadilha contra si mesmo? (Pv 1.18). Não é louco quem maquina vergonha para a própria casa? (Hc 2.10). Não é louco quem ama a morte? (Pv 8.36). — *Thomas Watson*

v. 5: "Fronte". No hebraico, a palavra "chifre" (KJV) era usada metaforicamente com o sentido de *honra* (Sl 112.9, "força"; 132.18, "coroa"), ou *força* (Mq 4.13, "ponta"; Deuteronômio 33.17, "pontas"). Os atos de humilhar e desencorajar eram representados pela figura da quebra ou corte dos chifres, como vemos no versículo 10 deste salmo (Lm 2.3, "força"). Exaltar o chifre de alguém era dar-lhe honra e dignidade, e fazer-lhe brotar o chifre também tinha o mesmo sentido (Sl 132.17, "força"; Ez 29.21, "poder"). No versículo 5 deste Salmo, levantar o chifre altivo indica presunção. Algum tempo mais tarde, também era símbolo de reino (Zc 1.18; Dn). — *Extraído de Four Friends [Quatro Amigos], "The Psalms Chronologically Arranged" [Os Salmos Cronologicamente Organizados], 1867*

v. 5: "Não levanteis a fronte altiva, nem faleis com cerviz dura". James Bruce (1730-1794) observa que os reis abissínios têm um chifre no diadema, e que, mantendo-o erguido ou em forma projetada, faz com que pareçam que tenham o pescoço duro. Ele recorre a esta passagem como prova tanto da antiguidade do uso quanto do aspecto exterior. — *Adam Clarke*

v. 6: "Porque nem do Oriente, nem do Ocidente, nem do deserto vem a exaltação". A palavra "exaltação" é usada de modo muito expressivo no original hebraico. Significa "desejo de auto-promoção" ou "desejo de progresso pessoal", הָרִים (*hārîm*). Ensina que todos os nossos esquemas interiores e planos exteriores não avançam, a menos que estejam baseados no temor e amor de Deus. Esperamos ansiosamente melhorar as nossas circunstâncias, como ao escalar uma montanha nos animamos no esforço da subida, pensando gostosamente que nenhum olho observa os nossos esforços. Mas como "os loucos tomam sobre si a vergonha" (Pv 3.35, NVI), assim a decepção é o ganho frequente da precipitação. [...]

A palavra "Oriente" é muito expressiva no original hebraico, מִמּוֹצָא (*mimmôtsā'*), que significa "subida do sol", "saída da luz", "alvorada do dia" e "manifestação ou revelação de Deus". Damos uma olhada nas circunstâncias e, nos princípios da alvorada da juventude, com esperanças altas, energias mentais e, talvez, talentos superiores, prevemos vencer os nossos iguais e ter um curso de sucesso e prosperidade no mundo. Mas infelizmente, quantas vezes todas estas esperanças são destruídas e uma sequência de reveses nos abate o espírito.

A exaltação não vem do "Ocidente". No original hebraico é וּמִמַּעֲרָב (*ûmimma'ărāb*) e significa "obscuridade", "escuridão", "o anoitecer", "pôr do sol", por conseguinte, o Ocidente. Quando as nuvens dos anos vêm sobre nós, e as sombras escuras nos colhem de vários modos, como a perda de amigos queridos e próximos, a exaustão da vitalidade da juventude, a adequação das esperanças ao bem-estar pessoal e a redução da força física, então Deus mostra que essa exaltação não virá.

Chegamos agora ao último ponto de onde não vem a exaltação, ou seja, o Sul, מִדְבָּר (*midbar*), que significa "deserto", "lugar deserto", "o deserto árabe", por conseguinte, o Sul. Em lugares secos e solitários como o deserto arenoso pouco avanço se pode esperar. Semelhante ao intelecto humano, a menos que seja desenvolvido e melhorado pelo cuidado e educação, é estéril como o deserto para todos os sentimentos e melhoramentos santos, as emoções naturais como areia asfixia toda pequena porção de terra suscetível de desenvolvimento e fecha todas as avenidas ao pensamento e devoção. Os ímpios são como o deserto Árabe, de nenhum proveito para si ou para os outros. São como as dunas, lançados para lá e para cá, pelas próprias paixões inconstantes. Aquecidos pelos sóis da violência, teimosia e descuido, são um deserto, um desperdício, onde Deus não concede a luz do seu semblante para a exaltação. Como os judeus desobedientes de outrora, podemos dizer acerca destes homens: "Quantas vezes o provocaram no deserto e o ofenderam na solidão!" (Sl 78.40). Desenvolvamos a parte mais alta do nosso ser, e então produziremos frutos para a santidade. Não afundemos tão nobre navio, que é a alma, através de pilotagem descuidada e omissão, mas desde cedo ajustemos as velas com bom ensino para chegarmos ao porto desejado.

Tendo ilustrado os três pontos mencionados no texto, tratemos agora do ponto em que podemos procurar a exaltação ou promoção ou avanço, ou seja, o Norte. A frieza é emblemática da pureza, e a frieza é atributo do norte. Os puros de coração verão a Deus. Deus é o esplendor do norte que brilha sobre a quietude da noite da vida. Deus "dá a neve como lã e esparge a geada como cinza", e "lança o seu gelo em pedaços" (Sl 147.16,17).

Sejamos humildemente dependentes de Deus, pois seja qual for o tempo que ele decida nos recolher, a própria piedade será a nossa exaltação e verdadeira riqueza. Se as nossas ansiedades preocupações tiverem o propósito de agradá-lo, então prosperaremos, e ele nos mostrará "o rio puro da água da vida, claro como cristal, que procedia do trono de Deus e do Cordeiro" (Ap 22.1). — Condensado do sermão pregado por *Gregory Bateman*, em 16 de março de 1862, quando entrou no vicariato de Ulrome, Inglaterra

v. 6: "Porque nem do Oriente, nem do Ocidente, nem do deserto vem a exaltação". Este texto especifica três dos quatro pontos cardeais, e fala que a exaltação não vem de nenhum deles. A pergunta é: por que não fala que a exaltação não vem também do norte? Respondo: Já muito se disse que não devemos fazer perguntas curiosas sobre tais coisas, mas nos contentar que ao Espírito de Deus agradou-se dizer assim como disse e nada mais. Contudo, alguns expositores afirmam que a razão de não estar dito que a exaltação não vem do Norte, é porque na verdade vem do Norte, que, segundo dizem, está implícito na palavra hebraica referente ao *Norte*, que significa "escondido" ou "oculto". A exaltação não vem do Leste, nem do Oeste, nem do Sul, mas do Norte. Vem do Norte em certa figura ou mistério, quer dizer, vem da providência escondida ou mão secreta, que muitos não notam quando vão às partes mais longínquas do Norte. Neste mundo, Deus exalta muitos ao poder e envia-lhes grande prosperidade, não vendo nós como ou por qual meio. As causas e instrumentalidade dessa prosperidade nos são ocultas, pois estão escondidas no seio de Deus. É também verdade no sentido que se pode dizer: "Tempo bom vem do Norte". A exaltação é visível, mas o método para a exaltação é oculto. Não vemos as causas, nem os modos pelos quais a exaltação vem. Basta tocar neste discernimento fino, o qual não fere, visto que o assunto que surge dele tem o consentimento claro e está em harmonia perfeita com outros textos entendíveis da Bíblia. — *Joseph Caryl*

v. 6: "Exaltação", ou "elevação". A palavra é evidentemente enfática no salmo. É a mesma que ocorre nos versículos 4 e 5 ("levanteis"), e novamente nos versículos 7 ("exalta") e 10 ("exaltadas"). Por isso, dou a mesma tradução em todas as ocorrências. A tradução "exaltação", além de perder de vista a repetição evidentemente proposital da mesma palavra, é peculiarmente infeliz por transmitir uma ideia errada. "Elevação", no sentido hebraico, não significa "exaltação", como entendemos comumente, mas livramento de dificuldade, segurança e vitória. A imagem em particular de elevar a cabeça ou o chifre (esta ideia tomada dos animais selvagens, como os búfalos, nos quais o chifre é símbolo de força), denota coragem, força e vitória sobre os inimigos. — *J. J. Stewart Perowne*

v. 6: "Nem do deserto". O grande deserto ficava na direção sul. O texto menciona três pontos cardeais e omite o Norte. Podemos explicar esta omissão, supondo que o salmo se refira a Senaqueribe, pois o fato é que o exército assírio se aproximou de Israel vindo do Norte. Seria, portanto, natural olhar para todas as direções em busca de auxílio (cf. ARA) para repelir o invasor, menos para o norte. — *J. J. Stewart Perowne*

vv. 6 e 7: "Porque nem do Oriente, nem do Ocidente, nem do deserto vem a exaltação. Mas Deus é o juiz; a um abate e a outro exalta". "Eu tinha dito que te honraria grandemente", disse o rei de Moabe para Balaão (Nm 24.11), contudo essa honra ou exaltação terminou em desonra e morte sangrenta. Penso muitas vezes nos muitos servos do Senhor na terra, os quais são arrogantemente ignorados e desprezados na lista dos notáveis entre os homens. Com que grata e feliz surpresa eles, por fim, receberão a exaltação negada na terra, quando o seu próprio Mestre lhes disser: "Amigo, assenta-te mais para cima" (Lc 14.10). Então, quando se sentarem com Abraão, Isaque e Jacó no Reino dos céus, terão a honra ou exaltação daqueles que estiverem sentados com eles à mesa. — *Barton Bouchier*

vv. 6 a 10: Este salmo atribui a Deus a exaltação e o abatimento de nações e impérios. Ele exalta um e abate o outro, ao seu bel-prazer. Para isso, ele se serve de instrumentos, mas esses instrumentos sempre são eficientes por causa da agência dele. Quando as nações ou indivíduos são prósperos, gloriosos e poderosos, atribuem tudo a si mesmos ou à sorte. Mas é Deus quem os exaltou a essa eminência. Quando se vangloriam, ele pode humilhá-los. Nestes versículos, Deus é considerado o governador do mundo, castigando os ímpios e julgando os inimigos. As calamidades da guerra, peste e fome são ministros da providência para executar a ira. — *Alexander Carson*

v. 7: "Mas Deus é o juiz; a um abate e a outro exalta".

Aqui ele exalta os vermes negligenciados
Aos poderes imperiais e uma coroa
Já no próximo ato ele se vira
E esmaga o monarca
— *Isaac Watts, 1674-1748*

v. 8: "Porque na mão do Senhor há um cálice cujo vinho ferve [o que denota ira ardente], cheio de mistura". Esta mistura são julgamentos, pestilências e castigos. "Eis a porção do seu copo" (Salmo 11.6). Mas o que o Senhor fará com este cálice misturado? Quem tomará um gole da parte de cima, cujo teor ele não nos revela, já que fala claramente sobre a parte de baixo: "E dá a beber dele [algumas gotas são derramadas aqui e ali]; certamente todos os ímpios da terra sorverão e beberão as suas fezes"? Meu Deus, eles detestam este cálice. O estômago fica revirado. Não foram ensinados a beber até à borra. Aprenderam a beber vinho bem refinado e cintilante de vigor em copos de cristal. E agora, como beberão esse cálice? Aqueles que bebem com tanta vontade e liberdade o cálice do pecado, serão forçados, quer queiram quer não, a beber o cálice do juízo. Um ou dois goles não bastarão para cumprir a pena sentenciada. Terão de beber tudo, com borra e tudo. Terão de beber até à última gota. Contudo, jamais chegarão até à última gota. Gostavam tanto dos longos goles que agora terão um gole bastante longo. Há a eternidade no fundo do cálice. Se o cálice da aflição, que é, com efeito, o cálice da salvação, é um dia ou outro, ou por certo tempo, enjoativo para o crente, como não será insuportavelmente nauseante para o não crente, que para sempre terá de beber o cálice da ira e da morte. — *Joseph Caryl*

v. 8: "Porque na mão do Senhor há um cálice cujo vinho ferve, cheio de mistura, e dá a beber dele; certamente todos os ímpios da terra sorverão e beberão as suas fezes". Há um cálice do qual Davi deseja beber: "Tomarei o cálice da salvação" (Sl 116.13). Há "vinho" no cálice. Melhor, pois o vinho alegra o coração e dá vivacidade ao espírito. Esse vinho "ferve" ou "é vermelho". Melhor ainda, pois assim tem de ser. Este aspecto fala do brilho e boa qualidade do vinho: "Não olhes para o vinho, quando se mostra vermelho, quando resplandece no copo" (Pv 23.31). A cor aumenta o prazer. Mas agora o vinho está "cheio de mistura". Infelizmente, esta mistura estraga tudo. O vinho foi mesclado, fermentou-se e ficou intoxicante. Isso muda a condição do cálice, do vinho, da cor, de tudo. Está misturado com a ira de Deus, a maldade de Satanás, a angústia da alma, o fel do pecado, as lágrimas do desespero. "Ferve" ou "é vermelho", ou seja, é de cor sanguínea, o vinho de sangue. Mas contanto que o vinho fique no cálice, "os ímpios da terra" não precisam se intrometer com isso. Entretanto, é o Senhor que "dá a beber dele". Ele manterá a boca deles ao cálice para que o bebam. O veneno mais viscoso do mundo, o fel dos dragões e o veneno das áspides são agradáveis e salutares em comparação a esse vinho misturado. Mas que seja só um pouquinho da parte de cima do cálice, só uma provinha. Entretanto, eles terão de bebê-lo todo, até o fundo do cálice, com a borra, as fezes, as escórias, os sedimentos, tudo, até mesmo a própria imundícia da vingança. E para a sua confusão e para que nenhuma gota seja deixada, eles "sorverão" e chuparão tudo. O cálice é totalmente amargo e está cheiíssimo de tristeza, disse Agostinho. Os crentes muitas vezes provam um gole da borda do cálice e sentem a amargura, mas subitamente o cálice lhes é tirado. Contudo, os não crentes beberão até a própria borra, até a última gota de veneno. — *Thomas Adams*

v. 8: "Porque na mão do Senhor há um cálice cujo vinho ferve", vermelho de ira, no dia da ira de Deus. Está "cheio de mistura". Não foi misturado com algo bom ou doce, mas com todo tipo de mal. Deus "dá a beber dele". Em muitas ocasiões, ele o derrama no mundo, mas "certamente todos os ímpios da terra sorverão e beberão as suas fezes". Beberão não só o cálice, mas a borra do cálice, quer dizer, o pior do cálice. Em um cálice bom, quanto mais fundo mais doce, assim em um cálice ruim, quanto mais fundo, mais amargo. A borra é a pior parte, o fundo é a parte mais amarga do cálice amargo. — *Joseph Caryl*

v. 8: "Um cálice". Esta é alusão provável ao cálice da maldição, como os judeus o chamavam esse "cálice misturado de vinho" e incenso, que era dado aos criminosos condenados antes da execução para entorpecer-lhes os sentidos. — *Richard Mant*

v. 8: O "vinho ferve", ou seja, espuma (cf. ARA; NVI), quando do jarro de vinho é derramado no cálice, como está expresso na parte seguinte do versículo. "Mistura", ou seja, ervas aromáticas e outros ingredientes que foram postos no vinho para deixá-lo mais intoxicante. — *J. J. Stewart Perowne*

v. 8: O "vinho ferve". O remédio é certo para a doença, e o castigo para o pecado: *Sanguinem sitisti sanguinem vitis* (como ele disse certa vez), "você teve sede de sangue e sangue você beberá". Porque os homens se deleitam no sangue, então sangue será derramado sobre eles. Sim, o próprio sangue deles será derramado. Este é o modo da providência de Deus e o método dos seus procedimentos no mundo. Como o mundo está cheio de crueldade, assim se encherá de sangue. — *Thomas Horton*

v. 8: "Ferve". A palavra no original hebraico é חָמַר e significa "turvo", contendo alusão aos pormenores acima mencionados. O vinho fica turvo, porque é mexido com a borra e está misturado com drogas intoxicantes. — *Richard Mant*

v. 8: "Cheio de mistura". Há certos expositores que pensam que a mistura é mencionada, porque os israelitas raramente bebiam vinho puro nessas regiões de clima quente, e porque o vinho lá é mais abundante do que nas regiões mais frias do mundo. Mas o significado não é este. O vinho foi misturado com especiarias. — *Francis Vatablus*

v. 8: "Mistura". Em todas as tribulações do povo de Deus há uma mescla e tempero de amor e favor, que se mostra nelas.

(1) Há uma mistura de força e paciência para suportar as tribulações.

(2) Há uma mistura de consolo e bondade quanto às coisas em si. Deus não abandona na tribulação, pois é muitíssimo misericordioso durante ela. Como ele se agrada de exercitar os seus servos com dificuldades diversas, assim ele igualmente concede junto com elas muitas bênçãos, com as quais consola o povo.

(3) Há outra coisa que é muito observável nas tribulações do povo de Deus, que torna esta mistura completa, a saber, uma mistura de melhoramento e edificação. — *Thomas Horton*

v. 8: "Fezes".[1] Tendo em vista que o cálice de vinho espumante é a doutrina cristã que converte a alma, e com a qual os verdadeiros crentes desenvolvem-se espiritualmente com exuberância, assim "as suas fezes" são as circunstâncias

---

[1] Citamos este comentário pela sua singularidade e não pelo seu valor. É exemplo notável da força do zelo partidário. O anglicano evangélico, no ardor contra os erros ritualistas, encontra fundamentação em uma passagem bíblica que não seria habitualmente entendida ter relação com o assunto. Qualquer vara serve para enxotar um cão.

meramente externas, formais e cerimoniosas, as quais, em si mesmas, não são nada mais que as fezes e resíduos da realidade significada e da substância espiritual. Quando o texto diz que os ímpios sorverão as fezes da doutrina cristã e as beberão, somos levados a fixar a atenção na grande peculiaridade da religião farisaica. Como Deus satisfaz o seu povo com o verdadeiro frescor espiritual da genuína doutrina cristã, assim ele deixa para as pessoas não esclarecidas, que não o buscarão como deve ser buscado, as meras formalidades exteriores, as quais, de fato, pertencem necessariamente à religião, mas dela não formam nenhuma parte vital. Não passam de refugo da magnífica substância da realidade do céu. — *T. D. Gregg, 1855*

v. 8: "Todos os ímpios". Todos eles terão de beber, não omitamos o fato: "Todos os ímpios da terra". Como há uma universalidade no julgamento, assim há uma universalidade para os sofredores. Eles beberão tudo e todos terão de beber, para que assim nenhum homem se console ou se gabe com a esperança de escape. — *Thomas Horton*

v. 8: "Sorverão e beberão". É necessário e inevitável. Os ímpios da terra "beberão", quer dizer, mesmo contra a vontade, quer queiram, quer não. Claro que os ímpios são totalmente contrários a chegar a essa situação. Ficam contentes em pecar, mas não suportam ser castigados por pecarem. [...] Este cálice não passará deles, pois terão de bebê-lo, mesmo que o estômago relutante jamais aceite. Não só beberão, mas "sorverão". Deus virará o cálice na boca deles e fará com que bebam até a última gora. Não os poupará de nada que possam deixar sem engolir. [...] O próprio Senhor (se me permito dizer) estará presente para vê-los beber sem clemência ou piedade. — *Thomas Horton*

v. 8: "Um cálice cujo vinho ferve, cheio de mistura, e dá a beber dele; certamente todos os ímpios da terra sorverão e beberão as suas fezes". Quando o povo de Deus tiver bebido o vinho que ferve, os ímpios terão de sorver e beber as fezes ou borra do vinho. O cálice vai de lugar em lugar até que todos bebam dele. — *William Greenhill*

SUGESTÕES AOS PREGADORES

v. 1. O incessante louvor da igreja e o principal motivo para cultuar são a proximidade do seu Deus e a prova evidente disso nas exibições do seu poder.

v. 1. (1) Damos louvor? (2) Damos louvor. (3) Que louvor damos? (4) Quando damos louvor? (5) Demos louvor novamente.

v. 2. (1) Boas decisões recomendáveis. (2) Como devem ser tomadas? (3) Como devem ser fortalecidas? (4) Como devem ser executadas?

v. 3. O Senhor é o esteio do seu povo sob as piores circunstâncias.

v. 3. Este texto: (1) Ensina-nos que nenhuma desordem ou confusão deve nos impedir de fazer o que Deus exige de nós. (2) Ensina-nos que quanto mais as coisas estiverem desarranjadas, mais prontamente devemos nos empenhar para corrigi-las. — *Thomas Wilcocks*

v. 4. (1) Quem falou a eles? "Eu." (2) Quem eram eles? "Os loucos", "os ímpios." (3) O que tu disseste? (4) De que adiantou? Ou: A repreensão ao pecado é um dever.

v. 4. O trio profano: a impiedade, a loucura, o orgulho.

v. 5. Argumentos contra o orgulho no coração, na aparência e na fala.

vv. 6 e 7. As mudanças da providência não os enganos da sorte.

v. 7. Deus age como juiz e não arbitrariamente nos seus arranjos providenciais.

v. 8. "Na mão do SENHOR há um cálice cujo vinho ferve, cheio de mistura, e dá a beber dele": (1) No que diz respeito à preparação, considere que o cálice de vinho está "na mão do SENHOR". (2) No que diz respeito à qualificação, é o Senhor que tempera o cálice de vinho, pois estava "cheio de mistura". (3) No que diz respeito à distribuição, é o Senhor que dá a cada um a sua parte e participação no cálice de vinho misturado. — *Thomas Horton*

v. 8. O cálice da ira: (1) Onde está. (2) O que é. (3) O quanto está cheio. (4) Quem o dá. (5) Quem tem de bebê-lo.

v. 8. "Cheio de mistura." Ira de Deus, remorso, lembrança da alegria perdida, medo do futuro, recriminações, desespero, vergonha são alguns ingredientes que enchem o cálice de vinho misturado.

v. 8. "Certamente todos os ímpios da terra sorverão e beberão as suas fezes": (1) As "fezes" ou borra do cálice de vinho misturado: a ira da ira, o fel da amargura. (2) As "fezes" ou borra do povo: "todos os ímpios da terra".

v. 9. A ocupação da nossa vida: exaltar e cantar.

SALMO 76

TÍTULO

Salmo e cântico de Asafe. O estilo e assunto indicam que é a mesma mão que escreveu o salmo antecedente. É admirável organização o fato de ambos terem sido colocados em justaposição. No Salmo 75, a fé cantou as vitórias que viriam, e neste, canta os triunfos já alcançados. Este Salmo é um cântico de guerra muito exultante, um canto de triunfo para o Rei dos reis, o hino de uma nação teocrática ao seu regente divino. Não é necessário fazermos divisões em uma canção cuja unidade foi tão bem preservada.

Para o cantor-mor, sobre Neguinote. O regente do coral é instruído a executar esta canção segundo a música dos instrumentos de corda. O mestre dos harpistas foi chamado por ser instrumentista extremamente hábil, e verdadeiramente a canção é digna dos mais melodiosos sons que as cordas possam produzir.

EXPOSIÇÃO

1 *Conhecido é Deus em Judá; grande é o seu nome em Israel.*
2 *E em Salém está o seu tabernáculo, e a sua morada, em Sião.*
3 *Ali quebrou as flechas do arco; o escudo, e a espada, e a guerra. (Selá)*
4 *Tu és mais ilustre e glorioso do que os montes de presa.*
5 *Os que são ousados de coração foram despojados; dormiram o seu sono, e nenhum dos homens de força achou as próprias mãos.*
6 *À tua repreensão, ó Deus de Jacó, carros e cavalos são lançados num sono profundo.*
7 *Tu, tu és terrível! E quem subsistirá à tua vista, se te irares?*
8 *Desde os céus fizeste ouvir o teu juízo; a terra tremeu e se aquietou*
9 *quando Deus se levantou para julgar, para livrar a todos os mansos da terra. (Selá)*
10 *Porque a cólera do homem redundará em teu louvor, e o restante da cólera, tu o restringirás.*
11 *Fazei votos e pagai ao* S*ENHOR*, *vosso Deus; tragam presentes, os que estão em redor dele, àquele que é tremendo.*

12 *Ele ceifará o espírito dos príncipes: é tremendo para com os reis da terra.*

1. *"Conhecido é Deus em Judá."* Sendo desconhecido em todo o restante do mundo, Ele se revela ao seu povo por intermédio das obras da graça que faz. Deste modo, Ele não é um Deus desconhecido para o povo.

"grande é o seu nome em Israel". No caso do Senhor, ser conhecido é ser honrado. Aqueles que conhecem o nome do Senhor admiram-lhe a grandeza. Infelizmente, Judá e Israel estavam divididos politicamente. Contudo, os piedosos de ambas as nações estavam unidos em relação a Jeová, seu Deus. De fato, seja qual for a cisma que arruíne a igreja visível, os santos sempre "são um" em engrandecer ao Senhor, seu Deus. As trevas estão no mundo exterior, mas dentro do círculo dos favorecidos Jeová se revela e é cultuado por todos que o veem. O mundo não o conhece e, portanto, blasfema dEle, mas a igreja está cheia de ardor para proclamar lhe a fama até aos fins da terra.

2. *"E em Salém está o seu tabernáculo."* O Senhor habita na cidade pacífica, onde a paz foi perpetuada, porque é ali que a tenda sagrada foi armada. A igreja de Deus é o lugar onde o Senhor habita, e, para ela, Ele é o Senhor e doador da paz.

"E a sua morada, em Sião". O palácio do Senhor de Israel estava no monte escolhido. É a glória da igreja que o Redentor habite nela pelo Espírito Santo. São vãos os ataques do inimigo, porque não estão atacando só a nós, mas ao próprio Senhor. O Emanuel, Deus conosco, mora entre o seu povo, quem, então, nos fará mal?

3. *"Ali quebrou as flechas do arco."* Sem deixar a sua morada tranquila, Ele enviou a Palavra e quebrou as flechas dos inimigos antes que as atirassem. A ideia é sublime, e destaca a facilidade, perfeição e rapidez da ação divina.

"O escudo, e a espada, e a guerra." O Senhor despedaçou toda arma, ofensiva e defensiva. Dardos mortais e armaduras protetoras não serviram para nada, pois o Destruidor enviou a sua Palavra de poder. Nos conflitos espirituais desta e de todas as épocas, o mesmo se vê. Toda arma preparada contra a igreja não prosperará, e toda língua que se revoltar contra ela em juízo será condenará (cf. Is 54.17, ARA).

"Selá." É adequado que nos estendamos em tema tão comovente, e demos ao Senhor a nossa adoração agradecida. Este é o motivo da inserção da pausa musical.

4. *"Tu és mais ilustre e glorioso do que os montes de presa."* Muito mais é Jeová exaltado que todos os exércitos invasores que procuraram oprimir o povo, ainda que em termos de poder e grandeza fossem comparáveis às montanhas. A Assíria saqueara as nações até enriquecer-se com montes de espólio. Este fato era falado entre os homens como glória, mas o salmista menospreza tal fama e declara que o Senhor é muito mais ilustre. Que são as honras de guerra, senão o alardeio de assassinato? Que é a fama dos conquistadores, senão o cheiro desagradável da carnificina? Mas o Senhor é glorioso em santidade, e as suas obras terríveis são feitas com justiça pela defesa dos fracos e libertação dos escravizados. O mero poder pode ser glorioso, mas não é excelente. Quando vemos os atos poderosos do Senhor, vemos uma mistura perfeita das duas qualidades.

5. *"Os que são ousados de coração foram despojados."* Foram despojar, mas — vejam! — são eles que são despojados. Os valentes estão com a rigidez da morte, pois o anjo da peste drenou-lhes o sangue vital e o próprio coração lhes foi tirado.

"Dormiram o seu sono". O último sono foi o sono da morte.

"E nenhum dos homens de força achou as próprias mãos." Os braços estão paralisados, não podem levantar um dedo, pois o rigor da morte os endureceu. Que cena deve ter sido quando o exército de Senaqueribe foi totalmente destruído em uma noite. As mãos que estavam furiosas para acabar com Jerusalém, não podiam sequer se erguer do chão, pois os mais valorosos guerreiros estavam tão fracos quanto os paralíticos à porta do Templo. Sequer podiam abrir os olhos, pois um sono profundo selou-lhes a visão na escuridão perpétua. Deus, como tu és terrível! É assim que tu lutas por nós, e, na hora do perigo, derrotas os inimigos do Evangelho. Portanto, em ti confiaremos e não teremos medo.

6. *"À tua repreensão."* Uma Palavra realizou tudo, não havendo a menor necessidade de um único golpe.

"Ó Deus de Jacó." Deus do teu povo lutador, que, como o seu patriarca, suplantas o inimigo. Deus do concerto e da promessa foi com este atributo que tu lutaste por tua nação eleita.

"Carros e cavalos são lançados num sono profundo." Nunca mais os cavalos relincharão ou causarão medo. Não há mais o barulho do cavalgar dos cavalos e o estrondo das rodas dos carros. A cavalaria não gera mais o ruído crepitante. Os israelitas sempre tiveram medo tremendo de cavalos fogosos e carros armados de gadanhas. Por isso, o silêncio súbito do forte exército do inimigo nesta área constitui-se tema de especial alegria. Os cavalos estavam estirados ao chão e os carros imóveis, como se todo o acampamento estivesse dormindo. Assim pode o Senhor enviar um sono judicial sobre os inimigos da igreja, como uma premonição da segunda morte. E pode fazê-lo quando estão no zênite do poder e até, segundo imaginam, no próprio ato de destruir a lembrança do povo de Deus. Os Rabsaqués do mundo podem escrever cartas terríveis, mas o Senhor não responde com caneta e papel, mas com repreensões que trazem morte em toda letra.

7. *"Tu, tu és terrível!"* Nem Senaqueribe e nem Nisroque, o seu deus, mas unicamente Jeová, que com repreensão silenciosa fizera definhar todo o exército do monarca.

Temei-o, santos, e então
Não tereis nada a temer

Ter medo do homem é uma armadilha, mas ter medo de Deus é uma grande virtude, pois faz muito bem para a mente humana. Deus tem de ser temido de modo intenso, contínuo e único. Seja toda a nossa adoração exclusivamente para Ele.

"E quem subsistirá à tua vista, se te irares?" De fato, quem? Os anjos caíram quando a rebelião provocou a justiça divina. Adão perdeu o lugar no Paraíso pelo mesmo motivo. Faraó e outros monarcas orgulhosos morreram pela reprimenda do Senhor. Nem na terra nem no inferno há alguém que subsiste diante do terror da ira de Deus. Como são abençoados os que se abrigam na expiação de Jesus, e por isso, não têm motivo para temer a justa ira do Juiz de toda a terra.

8. *"Desde os céus fizeste ouvir o teu juízo."* Tão completa derrota só podia ser um juízo dos céus. Os que não viram, mas ouviram a respeito, disseram: "Isto é o dedo de Deus". Enquanto pode ajudar-se, o homem não ouve a voz do seu Senhor. Mas Deus cuida para que ela seja ouvida. Ainda ouvimos os ecos desse juízo executado no assírio arrogante, os quais ressoarão por todas as eras para o louvor da justiça divina.

"A terra tremeu e se aquietou." Todas as nações tremeram com a notícia e detiveram-se em temor humilhado. O repouso seguiu-se aos primeiros tumultos da guerra, quando o poder do opressor foi quebrado, e Deus foi reverenciado por ter dado paz aos povos. Como Jeová consegue ser ouvido prontamente! Pode ser que nos últimos dias, por meio de semelhantes milagres de poder no âmbito da graça, Ele constranja todos os habitantes da terra a darem atenção ao Evangelho e a submeterem-se ao reinado do seu Filho Todo-Glorioso. Assim seja, bom Senhor.

9. *"Quando Deus se levantou para julgar."* Os homens foram silenciados quando Ele assentou-se no tribunal e ativamente executou os decretos da justiça. Quando Deus silencia, o povo fica agitado. Quando Deus se levanta, o povo fica imóvel como uma pedra.

"Para livrar a todos os mansos da terra." O Soberano dos homens tem um cuidado especial pelos pobres e menosprezados. O seu primordial interesse é corrigir todas as injustiças. "Bem-aventurados os mansos, porque eles herdarão a terra" (Mt 5.5). Hoje, os mansos pouco têm, mas o vingador é forte e com certeza os salvará. AquEle que salva o povo é o mesmo Deus que derrota os inimigos. Ele é tão onipotente para salvar quanto para destruir. Glória seja dada ao nome seu.

"Selá." Façamos uma pausa para, em devota contemplação, adorar ao Deus de Jacó.

10. *"Porque a cólera do homem redundará em teu louvor."* A cólera ou ira não só será vencida, mas se tornará serva da tua glória. O homem que respira ameaças está tão-somente tocando a trombeta da fama eterna do Senhor. Os ventos fustigantes

muitas vezes dirigem o navio mais rapidamente para o porto. O Diabo assopra o fogo e derrete o ferro, para então o Senhor lhe dar a forma de acordo com os propósitos que estabeleceu. Enraiveçam-se os homens e os demônios quanto quiserem, pois não podem fazer nada mais que servir os propósitos divinos.

"E o restante da cólera, tu o restringirás." A maldade foi amarrada e não pode se soltar. O fogo que não pode ser usado será apagado. Certos estudiosos interpretam o texto assim: "Tu o cingirás", dando a entender que o Senhor se cinge da ira do homem como uma espada a ser usada para cumprir os desígnios divinos. Com certeza, os homens do mundo são muitas vezes uma espada na mão de Deus para fustigar os outros. O versículo claramente ensina que até o mal mais desenfreado está sob o controle do Senhor, e que, no fim, será vencido para o louvor de Deus.

11. *"Fazei votos e pagai ao Senhor, vosso Deus".* Eis algo que podemos fazer em memória de tais misericórdias e juízos. Jurar ou não é questão de escolha, mas cumprir os votos é o nosso dever sagrado. Quem defrauda a Deus, ao seu próprio Deus, é realmente um infeliz. Ele cumpre as promessas, que o seu povo não deixe de cumprir as suas. Ele é o seu Deus fiel e merece ter um povo fiel.

"Tragam presentes, os que estão em redor dele, àquele que é tremendo." Submetam-se as nações circunvizinhas ao único Deus vivo. Oferte o seu povo com vivacidade. Sejam os sacerdotes e levitas os primeiros no sacrifício sagrado. AquEle que merece ser louvado, como o nosso Deus merece, não deve ter mera homenagem verbal, mas tributo significativo. Soberano terrível, eis que me dou a ti.

12. *"Ele ceifará o espírito dos príncipes."* A coragem, habilidade e vida dos príncipes estão nas mãos de Deus. Ele pode removê-los como um jardineiro corta a muda de uma planta. Ninguém é grande nas mãos divinas. Césares e Napoleões caem sob o seu poder como os galhos da árvore sob os golpes do machado do lenhador.

"É tremendo para com os reis da terra". Porquanto os reis são terríveis para com as pessoas, Deus é terrível para com eles. Quando se opõem ao povo do Senhor, Ele trata com o povo sem dar muito trabalho. Perecerão diante do terror do braço santo, porque "o Senhor é varão de guerra; Senhor é o seu nome" (Êx 15.3). Alegrem-se perante Ele todos os que adoram o Deus de Jacó.

NOTAS EXPLICATIVAS E DECLARAÇÕES SINGULARES

O Salmo: Nenhum salmo tem o maior direito de vir imediatamente depois do Salmo 75 do que este, cujo título diz: *Ao Regente do Coral, com Acompanhamento de Instrumentos de Cordas, Salmo de Asafe, um Cântico.* Expressões semelhantes ("Deus de Jacó", Sl 75.9; 76.6; "ímpios da terra"; "mansos da terra", Sl 75.8; 76.9), e a mesma impressão ao longo do texto apontam unidade de autoria. Em outros aspectos, os dois salmos também formam uma dupla: O Salmo 75 abre o caminho para a ação divina dos juízos, vendo-a como iminente, e o Salmo 76 celebra a mesma ação, vendo-a como já acontecida. — *Franz Delitzsch*

v. 1: "Conhecido é Deus em Judá." Deus é verdadeiro e salvificamente conhecido somente no seu Filho e por meio dEle. Deus é, com efeito, obscura e vagamente conhecido, nas suas obras, como Deus de poder, na sua providência, como Deus de autoridade, sabedoria e ordem, nas suas misericórdias comuns, como Deus de generosidade, e nos seus castigos e juízos, como Deus de justiça. Mas no Cristo revelado e pregado no Evangelho, Deus é conhecido com um conhecimento claro, consolável e salvador, como o Pai da graça e singular misericórdia e benignidade. "Conhecido", disse o salmista, "é Deus em Judá: grande é o seu nome em Israel". "Em Judá", na igreja, onde estão a sua Palavra e ordenanças, onde Cristo é pregado e o mistério da salvação do homem é revelado, é Deus conhecido verdadeiramente sem erro, claramente sem obscuridade e salvificamente sem incerteza. Na igreja, é Deus conhecido como Rei na corte, pela glória e beleza que Ele ali manifesta, como mestre na escola, pela sabedoria e conhecimento que ali dispensa, como morador na casa, pelas ordens santas que Ele ali determina e pelos benevolentes reino e domínio que ali instala e mantém na alma dos seus servos, e como noivo na casa em festa, pelas iguarias espirituais que Ele ali prepara, pela manifestação clara e aberta de si mesmo e pelo amor e consolações que ali ministra aos seus amigos e convidados espirituais. "Grande é o seu nome em Israel". O poder, sabedoria, verdade, amor e bondade de Deus são muito engrandecidos e muito gloriosos na noção que eles têm, pois conhecem a Ele em Cristo Jesus. — *Alexander Grosse*

v. 1: "O seu nome". Pelo "nome" de Deus, entendemos o próprio Deus, pois em tantos quantos bons efeitos Deus se declara para a igreja, são os nomes que Ele dá para si mesmo, pelos quais é louvado. Por exemplo, quando promete para a igreja graça e misericórdia livres, a igreja lhe dá um nome e o chama de misericordioso. Quando cumpre a promessa e se declara Deus fiel para a igreja, ela lhe dá um nome e o chama de Deus verdadeiro. Quando livra a igreja dos perigos e se mostra Deus poderoso e terrível contra os inimigos, ela lhe dá um nome e o chama de Deus onipotente. E assim a igreja faz com os demais efeitos, de forma que pelo nome de Deus entendemos o próprio Deus, como Ele se faz conhecido nas suas obras maravilhosas. — *Robert Bruce, 1559-1631*

v. 1: "Grande é o seu nome em Israel." Corretamente o grande nome em Israel, quer dizer, na igreja, é o nome de Jesus, que é grande em primeiro lugar por sua eficácia, pois significa Salvador: "Porque também debaixo do céu nenhum outro nome há, dado entre os homens, pelo qual devamos ser salvos" (At 4.12). Em segundo lugar, é grande em dignidade, pois é "um nome que é sobre todo o nome" (Fp 2.9). [...] Em terceiro lugar, é grande na amplitude da sua ação: "Ó SENHOR, Senhor nosso, quão admirável é o teu nome em toda a terra" (Sl 8.1). —*Thomas Le Blanc*

v. 2: "E em Salém está o seu tabernáculo." Não é sem propósito que Jerusalém tem o título de Salém, pois mostra que o tabernáculo de Deus, apesar dos ataques dos inimigos e ser o alvo dos tumultos de guerra, permaneceu em paz. Quanto mais agora que os invasores foram derrotados, não seria a prosperidade desfrutada? – *Hermann Venema*

v. 2: "E em Salém está o seu tabernáculo." Deus Espírito Santo é o Espírito da paz, o Consolador, aquEle que selou a paz (2 Co 1.22). Esta santa Pomba traz no bico uma folha de oliveira que simboliza a paz. Hoje, a disposição pacífica evidencia algo de Deus no homem, pois Deus se agrada de habitar na sua criação. O tabernáculo de Deus está em Salém. "Salém" significa "paz" e Deus habita no espírito pacífico. — *Thomas Watson*

v. 2: "E em Salém está o seu tabernáculo, e a sua morada, em Sião." Todas as antigas traduções deixam de transmitir a força especial que há nesta passagem. Não há referência direta em palavras a qualquer habitação humana, mas à toca do Leão de Judá. A palavra סֻכּוֹ não só significa "o seu tabernáculo", mas "a sua toca", tendo esta tradução em outro texto: "Como um leão, ele saiu de sua toca" (Jr 25.38, NVI). A palavra mais vaga מְעוֹנָתוֹ que vem em seguida pode muito bem ser traduzida por "covil" ou termo equivalente (Sl 10.9). — *Simon de Muis*

vv. 2 e 3: "E em Salém está o seu tabernáculo, e a sua morada, em Sião. Ali quebrou as flechas do arco; o escudo, e a espada, e a guerra." O cuidado de Salém ou Sião está na base de todas as operações e ações poderosas de Deus entre os filhos dos homens. Toda obra poderosa de Deus feita ao longo do mundo pode ser prefaciada por estes dois versículos. O curso dos assuntos do mundo é guiado pela providência em referência ao bem de Salém. — *John Owen*

v. 3: "Ali". Observe como está escrito: "Ali quebrou", isto é, ali no Templo, na sua morada. A morada de Deus está em coerência com o Templo, como consta no versículo precedente, pois foi mencionado por último e com a maior ênfase. Lemos, na história, que a derrota de Senaquerribe ocorreu por causa da oração de Ezequias feita no Templo. Ao inteirar-se da carta de Senaquerribe e do boato de blasfêmia que circulava a seu respeito, Ezequias imediatamente dirigiu-se ao Templo, entrou e começou a oração assim: "Ó Senhor, Deus de Israel, que habitas entre os querubins". Ele invoca o nome do Senhor de acordo com a habitação de Deus no santíssimo, onde Ele ouve as orações. Este fato está registrado tanto em Isaías 37.16 quanto em 2 Reis 19.15. Muito adequadamente, em resposta à oração, este salmo diz que Deus deu a sentença no seu tabernáculo e de forma repentina. Como diz que ocorreu a execução daquela sentença, assim também diz que foi dali, isto é, daquele lugar. No versículo 8 deste salmo também está escrito que a sentença de Deus saiu dos céus: "Desde os céus fizeste ouvir o teu juízo", assim chamado, porque se tratava da sentença de Deus como juiz. Assim Ezequias orou e assim Deus ouviu, e os dois fatos ocorreram no Templo. —*Thomas Goodwin*

v. 3: "Ali". Estes homens, a saber, o rei da Assíria e os seus cúmplices, vieram para expulsar Deus do lugar da sua morada. Mas Ele levantou-se em defesa da própria casa e mostrou-lhes que não se mudaria só porque queriam. — *Robert Bruce*

v. 4: Deus não era conhecido na Babilônia, no Egito e em outras nações. O seu tabernáculo e morada não estava entre essas nações, portanto, não eram lugares gloriosos. Mas veja o que diz o versículo 4: "Tu és mais ilustre e glorioso do que os montes de presa". Tu, Judá, tu, Israel, tu, Salém, tu, Sião, que tens as misericórdias e bênçãos espirituais, és o mais glorioso que elas, seja qual for a glória que tenham. As outras nações têm torres formidáveis? Tu tens o Templo. Têm elas cidades imponentes? Tu tens Jerusalém, a cidade de Deus. Têm elas sábios? Tu tens profetas. Têm elas deuses de ouro, prata e pedras preciosas? Tu tens o Deus vivo e verdadeiro, Jeová, por teu Deus. Têm elas leis humanas que são boas? Tu tens leis divinas que se sobressaem. Têm elas excelências temporais? Tu tens excelências espirituais. Têm elas a glória do mundo? Tu tens a glória do céu. —*William Greenhill*

v. 4: "Os montes de presa." Por que são chamados de montes de presa? Há referência às tocas dos leões nos montes, de onde atacam os que passam por perto e os despedaçam. Da mesma forma, a morada de Deus foi representada acima sob o título de "tabernáculo" ou toca. Além disso, este é um epíteto místico referente às montanhas de Judá, as quais dão a entender que os inimigos que se arriscam a aproximar-se da toca estão sujeitos a serem mortos. Um exemplo terrível desse fato acabou de ser dado no caso do rei assírio, que ali foi derrotado, dilacerado e saqueado (cf. Is 31.4). — *Hermann Venema*

v. 5: "Os que são ousados de coração foram despojados." Essas palavras indicam que a consternação mental priva o juízo e poder. Os ousados de coração foram despojados, quer dizer, aqueles que em outros tempos eram sábios e corajosos, agora perderam a coragem e foram rebaixados à tolice e estupidez. — *Hermann Venema*

v. 5: "Os que são ousados de coração foram despojados." Depois que as armas foram quebradas, consta o registro do despojamento, pois é o que se dá depois que os inimigos são mortos. Esta menção não foi feita sem razão. Já que vieram despojar, então foram merecidamente despojados. — *Wolfgang Musculus*

v. 5: "Os que são ousados de coração foram despojados." Certos expositores traduzem assim: "Eles são despojados do seu coração ousado". Os ousados de coração, os fortes são despojados. Os fortes só podem ser despojados por alguém mais forte. É o que diz o bom senso, mas a tradução mais elegante é esta: "Eles são despojados do seu coração ousado", ou seja, o Senhor lhes tira o coração do peito. Homens ousados, que não temem nada, são transformados em *Magor-missabibs*, "*medo em todas as direções*". O coração robusto lhes é tirado. Estão tão longe de serem um terror para os homens, que fogem até da sombra de um homem. A coragem acabou. Não podem dar a uma criança um olhar confiante, muito menos encarar os perigos ou os inimigos. — *Joseph Caryl*

v. 5: "Dormiram o seu sono, e nenhum dos homens de força achou as próprias mãos." A força e poder do homem estão nas suas mãos. Quando ele não as acha, toda a esperança se vai. Se a espada for tirada do homem, ele fará o que puder com as mãos. Mas se ele não achar as próprias mãos. O homem que não acha as próprias mãos não terá poder para a execução dos seus desígnios como outrora tinha. — *John Owen*

v. 5: "Dormiram o seu sono, e nenhum dos homens de força achou as próprias mãos." Como se diz do homem que anda de modo claudicante ou preguiçosamente: "Ele não acerta os passos", ou do soldado que luta de modo fraco ou covardemente: "Ele não se acerta com as mãos". — *Joseph Caryl*

vv. 5 e 6: "Os que são ousados de coração foram despojados; dormiram o seu sono, e nenhum dos homens de força achou as próprias mãos. À tua repreensão, ó Deus de Jacó, carros e cavalos são lançados num sono profundo."

O anjo da morte alçou voo na rajada de vento
E tomou o fôlego do rosto dos inimigos enquanto passava
Os olhos dos que dormiam ficaram mortos e frios
E os corações que outrora batiam para sempre pararam!

Ali estão os corcéis com as narinas bem abertas
Mas por elas já não passam o fôlego do orgulho
A espuma da respiração penosa jaz branca na relva
E fria como o borrifo da rebentação nas pedras

Ali estão os cavaleiros torcidos e pálidos
Com o orvalho nas sobrancelhas e a ferrugem na cota de malha
Asas tendas estão totalmente silenciosas, as bandeiras sozinhas
As lanças sem levantar e as trombetas sem tocar
— *George Gordon, Lorde Byron, 1788-1854.*

v. 6: "São lançados num sono profundo." Observemos que o verbo aqui usado no original hebraico é o mesmo usado na narrativa do ato de Jael e da morte do orgulhoso inimigo de Israel, Sísera: "Estando ele, porém, carregado de um profundo sono" (Jz 4.21) pelo poder de Deus, que trabalhava pelas mãos de uma mulher. — *Christopher Wordsworth*

v. 7: "Tu, tu és terrível!" A ênfase na palavra "tu", redobrada, indica que é como se ele tivesse dito: Nem principados, nem poderes, nem o inferno, nem a morte, nem qualquer outra coisa, senão unicamente tu, Senhor, deves ser temido (cf. "Tu, somente, és temível", AEC). O próprio texto apresenta dois argumentos e razões que confirmam esta ideia. A primeira é extraída da ira de Deus, que decreta e adequadamente executa a vingança em todos os orgulhosos. A segunda é extraída do seu poder. Nem príncipes, nem exércitos, nem homens, nem anjos podem suportar a respiração da sua fúria: "E quem subsistirá à tua vista, se te irares?" [...] A ira de Deus é um fardo terrível, indizível, insuportável e intolerável. Cada palavra no texto tem uma ênfase especial para provar isso. "Quem subsistirá". Quem? Os anjos? Mas eles não passam de feixes ou raios de luz refratada, de modo que se Deus escondesse o rosto, eles deixariam de brilhar. Os homens? Mas a sua glória e pompa, como as cores do arco-íris, desaparecem, quando Deus expõe em ira o brilho da face santa. Os demônios? Mas se Deus ordena, eles são lançados do céu como raio. "Subsistirá à tua vista". Subsistirá. Como? Uma cana contra um cedro, um cardo no Líbano contra um cedro no Líbano, uma pena contra uma chama, um gafanhoto contra um Todo-Poderoso, uma cabeça de vidro contra uma vara de bronze? "Se te irares". Ira, enviando-a de modo a ferir como flecha. Ira, derramando-a de modo a afogar como água. Ira, acendendo-a de modo a queimar como fogo. Um fogo consumidor, mas você me diz que semelhante fogo pode ser extinto. Um fogo inextinguível, mas visto que deixa de queimar, quando lhe falta o que queimar, é, em uma palavra, um fogo eterno, que nunca acaba. É isso! Semelhante ira nunca é mostrada completamente, a não ser no castigo dos réprobos. Nunca é mostrada em nenhum castigo, a não ser no castigo que ocorre no inferno; em nenhum castigo que ocorre no inferno, a não ser no castigo eterno. — *John Cragge, "Cabinet of Spirituall Jewells" [Gabinete de Joias Espirituais], 1657*

v. 9: "Deus se levantou para julgar." Os inimigos foram julgados quando Deus se levantou. O julgamento não ocorreu quando Ele estava sentado, pois enquanto estava sentado, os inimigos estavam altivos, agitando-se na prisão, enraivecendo-se para cometer mais assassinatos, causar mais opressão e derramar mais sangue. [...] Ele fala sobre Deus segundo a maneira dos julgamentos terrenos, segundo o costume dos juízes. Primeiro, eles se sentam, processam, buscam e aconselham, e depois da consideração, decidem, e depois da decisão, levantam-se, julgam e pronunciam a sentença. O profeta fala sobre Deus segundo a mesma maneira. Sentado, e depois de estar sentado, levanta-se e pronuncia a sentença. — *Robert Bruce*

v. 9: "Para livrar a todos os mansos da terra." Vemos nesta passagem o cuidado que Deus tem com os aflitos. Quando Ele está irado com os não crentes, está irado com eles, principalmente porque oprimem os pobres e os inocentes. "Por causa da opressão dos pobres e do gemido dos necessitados, me levantarei agora, diz o Senhor" (Sl 12.5). É o que significa este texto, quando diz que Deus se levantou para julgar, para livrar todos os mansos da terra. — *Wolfgang Musculus*

v. 9: "Quando Deus se levantou para julgar, para livrar a todos os mansos da terra." Não é este o dia em que o Salvador vem reinar? O dia em que os resultados das coisas serão mais bem vistos. O dia em que todos os santos com olhos ungidos verão que todos os acontecimentos tendem à glória de Deus. O dia em que eles cantarão muito melhor que hoje.

Certamente a ira do homem te louva
Tu te cinges com o restante da ira
— *Andrew A. Bonar*

v. 10: "Porque a cólera do homem redundará em teu louvor." As perseguições tendem a corrigir as falhas dos homens bons, e a exercitar e ilustrar os seus méritos e virtudes. Por elas, os homens bons tornam-se muito melhores e mais aprovados, ao mesmo tempo em que tendem a exercitar a nossa paciência, promover a nossa devoção, comprovar o nosso zelo e fortaleza cristã, e mostrar para o mundo inteiro o amor que temos pela verdade e quanto estamos dispostos a sofrer pela honra de Deus. Até que sofram algo por ela, a verdade é muito propensa a ficar barata e ser menos estimada, mesmo pelos que são essencialmente homens bons. Tendo em vista que somos inclinados a fazer o inverso, não temos a verdade na mais alta estima, ou somos mais zelosos por ela, ou fazemos melhor uso dela que quando ela sofre oposição e é perseguida. Que benefício ou tendência mais verdadeira para a glória divina que Deus, que habitualmente tira o bem do mal, também use os opositores à verdade para despertar os seus servos, a quem Ele vê que estão ficando mais vagarosos e descuidados que deveriam, e permita que tais tentações os ataquem, para que a mente sonolenta seja estimulada a um maior amor e zelo pela verdade, e a um sentimento mais profundo dos benefícios divinos que há nela, e seja, em geral, incentivada ao desempenho mais diligente dos deveres cristãos. — *Richard Pearson, 1684*

v. 10: "A cólera do homem redundará em teu louvor." Na Septuaginta está assim: A ira do homem guardará o dia santo para ti e promoverá uma festa para ti. Deus muitas vezes se levanta no mundo nos ombros de Satanás. Quando as coisas estão complicadas e em desordem, Ele descobre o fio da meada e sabe como nos desembaraçar. Quando fazemos um mau negócio, Ele pode dispô-lo para o bem e tirar vantagem das coisas que parecem obscurecer a glória do seu nome. — *Thomas Manton*

v. 10: “A cólera do homem redundará em teu louvor.” A ira dos ímpios contra o povo de Deus é muito tributária ao louvor de Deus.

(1) A ira dos ímpios faz com que inventem muitos dispositivos sutis e estratagemas engenhosos, cuja frustração ilustra grandemente a sabedoria e o cuidado de Deus pela igreja.

(2) A ira dos ímpios os impele a fazer muitos esforços intensos e forçosos para destruir o povo de Deus, dando-lhe assim oportunidade para manifestar o seu poder em defesa dos santos.

(3) A ira dos ímpios às vezes torna-os instrumentos adequados para Deus corrigir o seu povo. Assim, Ele se defende da suspeita de ser protetor do pecado naqueles que estão mais perto dEle, e faz com que aqueles que odeiam a santidade, a promovam no seu povo, e aqueles que planejam causar o maior dano no seu povo, façam-lhes o maior bem.

(4) A ira dos ímpios proporciona ocasião para Deus manifestar o poder da sua graça, sustentando o espírito do seu povo e estando presente com a igreja, apesar de tudo o que os inimigos possam fazer.

(5) A ira dos ímpios serve grandemente para adornar os mais extraordinários empreendimentos de Deus para com o seu povo no mundo.

(6) A ira dos ímpios trabalha para manifestar a glória da justiça de Deus nos inimigos do seu povo, no dia em que Ele se levantar para defender os santos, quando estará sobre os inimigos, chicoteando-os com escorpiões e, em cada golpe, fazendo-os recordar das crueldades anteriormente cometidas. Aqui, tome isto pela raiva desumana tida contra o meu povo em tal lugar, e isto, pelo tratamento bárbaro dado a ele em tal tempo. Vemos, agora, como é bom sermos presos, surrados, torturados, queimados e serrados ao meio. Desta forma, os próprios inimigos são constrangidos a reconhecer com Adoni-Bezeque que a mão justa de Deus pesa sobre eles no dia da inquisição. — *Condensado do sermão de John Warren feito perante o Parlamento Inglês, 1656*

v. 10: “A cólera do homem.” A cólera ou ira é raiva acentuada até o mais alto grau ou explodida em chamas. “A cólera do homem” é, no original hebraico, “a ira de Adão” ou “a ira do barro”, o homem fraco e impotente, “redundará em teu louvor”, ou seja, virará em louvor e glória de Deus pela providência predominante, ainda que a intenção seja exatamente o contrário. Deus trará honra para si e cumprirá os seus desígnios santos e sábios com isso. [...] Esta expressão, “a cólera do homem”, denota a fraqueza e impotência da ira. Não passa da ira de Adão ou do barro vermelho. De que forma o Espírito de Deus fala na Bíblia desdenhosamente acerca do homem e do poder do homem? “Afastai-vos, pois, do homem cujo fôlego está no seu nariz; porque em que se deve ele estimar?” (Is 2.22). A ira do homem, quando se expande para fora dos limites extremos, só pode ir ao ponto de matar o corpo ou de quebrar a envoltura de barro na qual a alma se aloja, e depois nada mais pode fazer. — *Ebenezer Erskine, 1680-1754*

v. 10: “Em teu louvor.” Deus altera a ira do homem para o louvor da sua soberania adorável. Nunca teve o povo de Deus impressões tão maravilhosas da soberania dEle, como quando estiveram na fornalha da ira do homem, pois então ficaram mudos de silêncio. Quando os ladrões caldeus e sabeus foram liberados para saquear e deteriorar os bens de Jó, ele foi levado a ver a gloriosa soberania no fato, dizendo: “O Senhor o deu e o Senhor o tomou; bendito seja o nome do Senhor” (Jó 1.21). É em caso como este que Deus diz ao seu próprio povo: “Aquietai-vos e sabei que eu sou Deus; serei exaltado entre as nações; serei exaltado sobre a terra” (Sl 46.10). Que obra de Deus em relação à igreja e promovida pela ira dos homens?

(1) A obra reveladora de Deus. Pelo vento da ira do homem, Ele separa o precioso do vil, a palha do trigo. No dia da prosperidade da igreja, os hipócritas quietos e os crentes verdadeiros estão misturados, como a palha e o trigo dentro do celeiro. Mas o Senhor, como agricultor, abre a porta do celeiro e põe o vento da ira do homem no meio de tudo, para que o mundo saiba quem é quem. Senhores, muita palha já foi

tirada tanto dentre os ministros quanto dentre os mestres. Mas o vento e a peneira ainda tirarão muito mais antes que tudo seja feito.

(2) A obra purificadora de Deus é promovida entre os seus próprios filhos pela ira dos homens. Muitos refugos da corrupção se apegaram ao povo de Deus enquanto estavam no deserto. Agora, o Senhor aquece a fornalha da ira do homem e lança o seu povo nela, para que quando os provar faça com que saiam puros como o ouro.

(3) A obra unificadora de Deus também é promovida. Em tempos de paz e tranquilidade, as ovelhas de Cristo se espalham e se dividem entre si. Mas Deus solta os cachorros atrás delas para que o rebanho ande junto, ou como pedaços de metal jogados ao fogo, elas andem juntas em conjunto.

(4) A obra anunciadora de Deus ou a sua obra de espalhar o Evangelho é, às vezes, promovida pela ira do homem (At 8.1-5). O Evangelho, como a camomila, quanto mais é pisoteado, mais se espalha. — *Ebenezer Erskine*

v. 10: "O restante da cólera, tu o restringirás." "O restante da cólera", ou seja, o que é deixado para trás da ira dos homens, quando Deus se glorifica por ela. Mesmo depois de Deus ter derrotado os propósitos dos ímpios, e de tê-los feito com que contribuíssem para a sua glória, ainda resta muita ira. Mas o que é feito com essa sobra de ira? Deus a restringirá. A palavra no original hebraico significa "cingir-se". Contudo, Deus pode julgar adequado soltar as rédeas da providência e permitir que os ímpios desabafem a ira e inimizade, até onde estas contribuam para a glória dEle. Mas a ira restante que não contribuir para a sua glória e ganho do seu povo, Deus cingirá, para que os ímpios não a desabafem. [...] Se a ira do homem permanecer fora do que produza louvor para Deus, Ele a conterá e a represará como as águas de um moinho. Permitirá que a corrente das águas corra sobre a roda, que a faz girar e moer os grãos. Mas o restante das águas Ele faz correr por outro caminho. Assim, Deus permitirá que a corrente da ira do homem sirva para os propósitos da sua glória e para o nosso bem. Mas o restante da correnteza Ele conterá e fará ir por outro caminho.

O profeta Isaías fala que a permissão de Deus é restritiva: "O trigo é esmiuçado, mas não se trilha continuamente, nem se esmiúça com as rodas do seu carro, nem se quebra com os seus cavalos. Até isto procede do Senhor dos Exércitos, porque é maravilhoso em conselho e grande em obra" (Is 28.28,29). Tudo isso gera consolo e segurança. Não há a menor dúvida de que as chamas da ira do homem darão louvor ao Senhor, e o fogo supérfluo será apagado ou confinado, pois temos de Deus a sua Palavra de honra dada a respeito: "Porque a cólera do homem redundará em teu louvor, e o restante da cólera, tu o restringirás". — *Ebenezer Erskine*

v. 10: "Porque a cólera do homem redundará em teu louvor, e o restante da cólera, tu o restringirás." A palavra hebraica חֵמוֹת (*ḥēmôt*), "cólera", "ira", que ocorre na segunda parte do versículo, está no plural em oposição à palavra *chamoth*, que significa a "ira simples" do homem, que ocorre na primeira parte. Esta diferença mostra que há mais que ira para Deus restringir que a simples ira do homem. Há também o orgulho que precisa de igual restrição. Trata-se do orgulho do primeiro Lúcifer que pecou e, como sabemos, caiu por aspirar subir e ser como o Altíssimo. Há também outras deliberações, como outra ira e outro orgulho, além dos humanos, que Deus confunde. Há uma sabedoria que não desce do alto (não, nem sobe da terra), mas é diabólica (Tg 3.15). E a ira, o orgulho e a sabedoria dos demônios como também dos homens serão restritos por Deus, quando lhe agrada não redundá-los em louvor a Ele. Por mais que haja os enredos infernais, o nosso Senhor os confundirá. — *Extraído do sermão pregado perante a Rainha por Edward Wetenhall, Lorde, Bispo de Corke e Rosse, 1691*

v. 10: "Tu o restringirás." No original hebraico, estas palavras estão expressas em uma palavra, תַּחְגֹּר, que denota cingir ou envolver a ira por todos os lados, para que de forma alguma se solte, mas seja detida, como um cachorro na coleira, como um leão na cova, por mais ferozes que sejam. — *Extraído de outro sermão pregado por Cornelius Surges na honrável Câmara dos Comuns, em 5 de novembro de 1641*

v. 11: "Em redor dele." Esta é uma descrição do povo do Senhor, como as doze tribos estavam assentadas em volta do tabernáculo (Nm 2.2), e os vinte e quatro anciãos estavam em volta do trono de Deus (Ap 4.4). Assim a versão Caldaica esclarece: "Vós, que habitais em torno do seu santuário". — *Henry Ainsworth*

v. 12: "Ceifará." O Senhor lida com os príncipes como os homens lidam com as videiras. Um machado é forte demais para um cacho de uvas ou um galho de videira. Ceifa-os facilmente. Assim Deus, por um julgamento, ceifa facilmente o espírito dos príncipes. Não conseguem permanecer contra o menor julgamento de Deus. Quando Ele dá forças para os vermes ou qualquer outra criatura, caem. — *Sermão pregado por William Greenhill intitulado "The Axe of Root" [O Machado à Raiz]*

v. 12: O Senhor "ceifará o espírito dos príncipes". A palavra no original hebraico é "tirará", "removerá", como se tira uma flor dentre os dedos de alguém, ou como se tira um cacho de uvas da videira, ação rapidamente feita. Como é grande a incerteza que os poderosos, pela experiência infeliz, descobriram na glória externa e felicidade mundana! Que transformação um pequeno tempo causa em todas as suas honras, riquezas e prazeres! Henrique IV, o imperador vitorioso, que tinha lutado cinquenta e duas batalhas campais, caiu na pobreza antes de morrer, sendo forçado a pedir prebenda na igreja de Spier para sustentá-lo na velhice. Procópio relata que Gillimer, que era poderoso rei dos vândalos, caiu a tão baixa posição a ponto de implorar ao amigo que lhe enviasse uma esponja, um pão e uma harpa. A esponja era para enxugar as lágrimas, o pão era para sustentar a vida e a harpa era para consolar-se na miséria. Philip de Comines informa que certo duque de Exeter, embora tivesse se casado com a irmã do rei Eduardo IV, foi visto nos Países Baixos mendigando, em farrapos e descalço. Belisário, o homem mais importante do seu tempo, tendo-lhe sido os olhos arrancados, foi levado a uma situação de penúria, na qual pedia: "Uma esmola para Belisário". — *Jeremiah Burroughs*

SUGESTÕES AOS PREGADORES

v. 1: A reverência pelo nome de Deus é proporcional ao verdadeiro conhecimento que se tem desse nome.

v. 2: A relação peculiar de Deus e a igreja.

v. 2: "E em Salém está o seu tabernáculo". A igreja pacífica é o tabernáculo de Deus: (1) Os benefícios que a paz confere. (2) Os males da divisão. (3) As causas da divisão. (4) Os meios de promover a unidade.

v. 3: As glórias cristãs, ou as vitórias concedidas à igreja sobre o paganismo, a heresia e a perseguição.

v. 3: (1) Onde os inimigos são derrotados: "Ali", no campo de batalha tanto quanto na casa de Deus, como Amalaque foi derrotado por Moisés no monte e Senaqueribe foi derrotado por Ezequias no santuário. (2) "Ali" como? (a) Pela fé. (b) Pela oração: "Porque as armas da nossa milícia não são carnais, mas, sim, poderosas em Deus, para destruição das fortalezas" (2 Co 10.4). — George Rogers

v. 4: O Senhor, nossa porção, comparado com os tesouros dos impérios.

v. 4: (1) O que é o mundo comparado com a igreja: "Montes de presa": (a) Crueldade em vez de amor. (b) Violência em vez de paz. (2) O que é a igreja comparada com o mundo: (a) "Mais ilustre", porque é "mais [gloriosa]". (b) "Mais [gloriosa]", porque é "mais ilustre". Ambos são mais reais e permanentes. — George Rogers

v. 5: "dormiram o seu sono". Diversos tipos de morte ou sono para as diversas classes de homens.

v. 7: A ira de Deus. Assunto muito sugestivo.

vv. 8 e 9: (1) Os personagens descritos: "Os mansos da terra". (2) A necessidade insinuada: (a) "Para julgar". (b) "Para livrar". (3) A interposição divina: "Fizeste ouvir", "quando Deus se levantou". (4) O efeito do livramento: "A terra tremeu e se aquietou". – George Rogers

v. 10: (1) O mal permitido para o bem: "A cólera do homem redundará em teu louvor". (2) O mal restringido para o bem: "O restante da cólera, tu o restringirás". Outra opção: (1) Deferido. (2) Indeferido. — George Rogers

v. 11: (1) A quem podemos fazer votos: Não aos homens, mas a Deus. (2) Que votos podemos fazer: (a) Votos de autodedicação. (b) Votos de autosserviço. (c) Votos de autossacrifício. (3) Como cumprir os votos: "Fazei votos e pagai": (a) Por obrigação. (b) Por medo do desprazer divino. — George Rogers

v. 11: A adequação, obrigação, prazer e benefício de trazer presentes ao Senhor.

SALMO 77

TÍTULO

Salmo de Asafe. Asafe era homem de mente culta, que frequentemente tocava em tons melancólicos. Era reflexivo, contemplativo e crédulo. Este comportamento evidenciava traços de tristeza no coração, os quais acabavam refletindo nas canções. Para acompanhá-lo com entendimento, é necessário ter passado com sucesso pelas grandes águas e resistido muitos ventos fortes e atlânticos. *Para o cantor-mor, por Jedutum.* Era apropriado que outro líder da salmodia tivesse a sua vez. Nenhuma harpa deve ficar silenciosa nos átrios da casa do Senhor.

DIVISÃO

Se seguirmos o arranjo poético e dividirmos o salmo nos *selás*, veremos o atribulado homem de Deus suplicando nos versículos 1 a 3, e depois o ouviremos lamentando e argumentando nos versículos 4 a 9. Dos versículos 10 a 15, as meditações vão em direção a Deus, e, no fim versículos de 16 a 20, parece que ele vê em visão as maravilhas do mar Vermelho e as operadas ao longo da peregrinação no deserto. Neste ponto, como que perdido em êxtase, ele atabalhoadamente conclui o salmo com uma brusquidão, cujo efeito é bastante impressionante. O Espírito de Deus sabe quando parar de falar, que é mais do que fazem aqueles que, por amor a uma conclusão metódica, prolongam as palavras até ao cansaço. Talvez este salmo tenha tido o propósito de ser um prelúdio para o próximo, o que explicaria o fim súbito. O hino que estudaremos é só para crentes experientes, mas para eles será de valor extraordinário como transcrição dos seus próprios conflitos interiores.

EXPOSIÇÃO

1 *Clamei a Deus com a minha voz; a Deus levantei a minha voz, e ele inclinou para mim os ouvidos.*

2 No dia da minha angústia busquei ao Senhor; a minha mão se estendeu de noite e não cessava; a minha alma recusava ser consolada.

3 Lembrava-me de Deus e me perturbava; queixava-me, e o meu espírito desfalecia. (Selá)

1. *"Clamei a Deus com a minha voz."* Este salmo contém muita tristeza, mas estamos certos de que terminará bem, pois começa com oração, e a oração nunca é um recurso ruim. Asafe não recorreu aos homens, mas ao Senhor. Foi para Ele, não com palavras estudadas, imponentes e formais, mas com um clamor, um grito, que é a expressão natural, genuína e sincera de dor. Usou também a voz. Ainda que a expressão vocal não seja necessária para a vida de oração, é muitas vezes arrancada de nós pelo impulso dos nossos desejos. A alma, às vezes, sente-se compelida a usar a voz, por onde dá vazão livre à agonia. É um consolo ouvir o alarme tocando quando a casa é invadida por ladrões.

"A Deus levantei a minha voz." Ele voltou a suplicar. Se uma vez não bastou, ele clamaria novamente. Precisava de resposta, esperava uma e estava ansioso em tê-la logo. Por isso, clamou repetidas vezes e em voz alta, pois o som da voz reforçava o fervor.

"E ele inclinou para mim os ouvidos." A importunidade prevaleceu. A porta abriu por causa da batida insistente. O mesmo sucederá conosco na hora da provação, pois o Deus da graça nos ouvirá no devido tempo.

2. *"No dia da minha angústia busquei ao Senhor."* O dia todo, a angústia o dirigiu ao seu Deus, de forma que quando a noite chegou, ele ainda continuava na mesma busca. Deus escondera o rosto do seu servo, de modo que o primeiro cuidado do santo atribulado foi buscar a face do seu Senhor. Esta atitude ia à raiz do problema e estava removendo o principal impedimento em primeiro lugar. Suportamos mais facilmente as doenças e tribulações quando achamos Deus, pois sem Ele, elas nos esmagam totalmente.

"A minha mão se estendeu de noite e não cessava." Como de dia, também de noite o problema persistia e a oração continuava. Alguns sabem o que é ser, física e espiritualmente, forçado a usar estas palavras. O silêncio da noite não nos ofereceu repouso, a cama nos serviu de tortura, o corpo estava em tormento e o espírito em angústia. O texto mostra que a oração não cessou, visto que com mãos levantadas ele continuava buscando o socorro do seu Deus.

"A minha alma recusava ser consolada." Recusou alguns consolos por serem fracos demais para o caso, outros por serem inexatos à situação e outros ainda por serem impróprios ao sentimento. Mas o motivo principal da recusa foi a distração do foco. Recusou até consolos fundamentalmente firmes que teriam sido eficazes em aliviá-lo. Como o doente rejeita a comida mais nutritiva, assim fez ele. É impossível consolar os que recusam ser consolados. Podemos levá-los às águas da promessa, mas quem os fará beber se não quiserem? Muitas filhas do desânimo têm afastado o cálice da alegria, e muitos filhos da tristeza têm apertado as correntes em torno de si. Há tempos em que suspeitamos até de boas notícias e não permitimos que nos levem à paz, ainda que a verdade alvissareira esteja tão clara diante de nós como a estrada do Rei.

3. *"Lembrava-me de Deus e me perturbava."* Aquele que é a fonte de prazer para a fé, tornou-se objeto de medo para o coração perturbado do salmista. A justiça, a santidade, o poder e a verdade de Deus têm um lado escuro. Na verdade, todos os atributos divinos podem nos parecer sombrios se tivermos olhos maus. Até o brilho do amor divino nos cega e nos enche de suspeita horrível de não termos parte nem sorte nele. É realmente miserável aquele cujas lembranças do bendito Deus se lhe mostrem dolorosas. Contudo, o melhor dos homens conhece a fundura desse abismo.

"Queixava-me, e o meu espírito desfalecia." Meditou e refletiu, mas só intensificou a fundura do problema. As ansiedades não se aquietaram assim que foram declaradas. Antes, pelo contrário, rebateram no salmista e arremessaram-se sobre

ele como ondas violentas de um mar bravio. Não era só o corpo que doía, mas a sua mais nobre índole se contorcia de dor, a própria vida lhe parecia esmagada na terra. É em tal situação que a morte é desejada como alívio, porque a vida se torna um fardo insuportável. Sem espírito em nós para nos sustentar nas fraquezas, a situação fica desesperadora. Como o homem emaranhado em arbustos espinhentos que fica com a roupa rasgada, todo espinho se torna em lanceta, e sangramos por dez mil feridas. Ai, Senhor, meu Deus, o escritor desta exposição sabe o que o teu servo Asafe quis dizer, pois a sua alma trilha o caminho da aflição. Vales estreitos e fundos e cavernas solitárias e isoladas da alma deprimida, o meu espírito conhece muito bem a terrível tristeza!

"Selá." A canção é suave. Não se trata de dança alegre para os pés ágeis das filhas da música. Façamos uma pausa por certo tempo para que a tristeza tome fôlego entre os suspiros.

4 *Sustentaste os meus olhos vigilantes; estou tão perturbado, que não posso falar.*
5 *Considerava os dias da antiguidade, os anos dos tempos passados.*
6 *De noite chamei à lembrança o meu cântico; meditei em meu coração, e o meu espírito investigou:*
7 *Rejeitará o Senhor para sempre e não tornará a ser favorável?*
8 *Cessou para sempre a sua benignidade? Acabou-se já a promessa que veio de geração em geração?*
9 *Esqueceu-se Deus de ter misericórdia? Ou encerrou ele as suas misericórdias na sua ira? (Selá)*

4. *"Sustentaste os meus olhos vigilantes."* Os temores que os teus golpes provocaram em mim vetam que as minhas pálpebras fechem. Os meus olhos continuam vigiando como sentinelas proibidos de descansar. O sono é um ótimo consolador, mas quando abandona a pessoa triste, aprofunda-lhe a tristeza e lhe corrói a alma. Se Deus mantivesse os olhos despertos, que anódino nos daria descanso? Como somos devedores àquEle que dá o sono aos seus amados!

"Estou tão perturbado, que não posso falar." As grandes aflições são mudas. Os rios caudalosos não disputam entre os seixos como os córregos rasos que se mantêm com chuvas passageiras. As palavras faltam ao homem cujo coração lhe falta. Ele clamara a Deus, mas não podia falar com os homens. Quanta misericórdia é, pois se pudermos fazer o primeiro, não precisamos nos desesperar, ainda que o segundo esteja totalmente fora do nosso alcance. Sem sono e sem fala, Asafe foi rebaixado a grandes necessidades. Contudo, ele se refez, e o mesmo devemos fazer.

5. *"Considerava os dias da antiguidade, os anos dos tempos passados."* Se nenhum bem havia no presente, a memória saqueou o passado em busca de consolação. Ela de bom grado pediria emprestado uma luz dos altares de ontem para iluminar a escuridão de hoje. É nosso dever buscar consolo, e não nos entregar em indolência rabugenta ao desespero. No silêncio da contemplação, tópicos podem nos ocorrer que servirão de meios para nos elevar o espírito. Dificilmente há tema que mais nos console que aquele que trata dos dias antigos, dos anos dos velhos tempos, quando a fidelidade do Senhor era experimentada e provada por uma multidão do povo santo. Contudo, parece que até esta consideração gerou depressão e não prazer na alma do homem bom, porque ele contrastou a própria condição triste com tudo que era brilhante nas veneráveis experiências dos santos antigos, e assim reclamou mais. Ah, triste calamidade de uma mente afetada pela inveja para não ver nada como deveria ser visto, mas tudo como por uma nuvem de poeira.

6. *"De noite chamei à lembrança o meu cântico."* Em tempos idos, o seu espírito tinha uma canção para as horas tenebrosas, mas agora Asafe só conseguia recordar a melodia como uma lembrança que se foi. Onde está a harpa outrora tangida com simpatia ao toque dos dedos alegres? Língua minha, você esqueceu como é louvar? Você não tem outra habilidade senão entoar cânticos tristes? Ah eu, como caí

tristemente! Como é lamentável que eu, como o rouxinol que encantava as tardes, sou agora companheiro perfeito da coruja ululante.

"Meditei em meu coração." Ele não interrompeu a introspecção, porque estava decidido a ir até ao fundo da tristeza para determinar-lhe a origem. Ocupou-se firmemente com essa tarefa, falando não só com a mente, mas também com o coração interior. Era trabalho ligado ao mais profundo do seu coração. Ele não era preguiçoso, nem leviano melancólico. Estava confiante e firme, resolutamente determinado a não morrer de desespero, mas a lutar pela esperança até o último momento de vida.

"E o meu espírito investigou." Vasculhou a experiência, a memória, o intelecto, o caráter, o seu ser inteiro para achar consolo ou descobrir a razão de ter-lhe sido negado. Este homem não morrerá pelas mãos dos inimigos, visto que ainda lhe resta suficiente força de alma para lutar desta maneira.

7. *"Rejeitará o Senhor para sempre."* Este era um dos assuntos da sua investigação. Ele dolorosamente sabia que o Senhor deixava o seu povo por certo tempo, mas o medo era que o tempo poderia ser longo e não ter fim. Ansiosamente, perguntou ele, rejeitará o Senhor cabal e terminantemente aqueles que são dEle, e permitirá que sejam objetos de reprovação desdenhosa, os seus rejeitados eternos? Ele estava certo de que tal coisa não seria. Não havia exemplo nos anos antigos que o levassem a temer que tal sucedesse.

"E não tornará a ser favorável?" Deus já tinha sido favorável. Será que essa benevolência não se mostraria de novo? O sol nunca mais voltaria a levantar-se? A primavera não se seguiria ao inverno longo e triste? As perguntas surgem provocadas pelo medo, mas também são a cura do medo. É bênção ter suficiente graça para enfrentar tais perguntas, pois as respostas são patentes e eminentemente próprias para alegrar o coração.

8. *"Cessou para sempre a sua benignidade?"* Se Deus não tem mais amor pelos eleitos, será que ainda resta benignidade? Isso também secou? Não tem Ele compaixão pelos tristes?

"Acabou-se já a promessa que veio de geração em geração?" Tendo em vista que a sua Palavra está empenhada com aqueles que se comprometem com Ele, até ela ficará sem efeito? Virá a se dizer que de uma geração para a outra a Palavra do Senhor caiu ao chão, ao passo que em tempos passados Ele cumpriu o concerto com todas as gerações que o temiam? É sábio pôr a incredulidade no catecismo. Cada uma das perguntas é um dardo apontado ao coração do desespero. Assim também em nossos dias de trevas batalhamos pela própria vida.

9. *"Esqueceu-se Deus de ter misericórdia?"* El, o Poderoso, tornou-se grande em tudo, menos na misericórdia? Sabe afligir, mas não sabe preservar? Pode esquecer-se de algo? Acima de tudo, pode esquecer-se de exercer o atributo que está mais perto da sua essência, visto que Ele é amor?

"Ou encerrou ele as suas misericórdias na sua ira?" Os canais da bondade estão obstruídos, de forma que o amor não pode mais fluir por eles? As entranhas de Jeová já não se enternecem pelos próprios filhos amados? Assim, ponto após ponto, a incredulidade é mortalmente ferida e expulsa da alma. Levanta perguntas que rebatemos com perguntas. Faz-nos pensar e agir ridiculamente, amontoando desprezo sobre ela. O argumento desta passagem assume a forma de um *reductio ad absurdum*, ou seja, *uma redução ao absurdo*, uma prova obtida por contradição. Exponha a desconfiança, e você verá que ela não passa de uma monstruosa tolice.

"Selá". Descansemos um pouco, pois a batalha de perguntas precisa de uma trégua.

10 *E eu disse: isto é enfermidade minha; e logo me lembrei dos anos da destra do Altíssimo.*

11 *Lembrar-me-ei, pois, das obras do Senhor; certamente que me lembrarei das tuas maravilhas da antiguidade.*

12 *Meditarei também em todas as tuas obras e falarei dos teus feitos.*
13 *O teu caminho, ó Deus, está no santuário. Que deus é tão grande como o nosso Deus?*
14 *Tu és o Deus que fazes maravilhas; tu fizeste notória a tua força entre os povos.*
15 *Com o teu braço remiste o teu povo, os filhos de Jacó e de José. (Selá)*

10. *"E eu disse: isto é enfermidade minha."* Tendo vencido a batalha do dia, agora ele fala racionalmente e vasculha o campo com a mente mais aliviada. Confessa que a incredulidade é uma enfermidade, uma fraqueza, uma loucura, uma tolice, um pecado. Podemos também entender que o significado deste texto é: "Esta é minha tristeza designada", que a suportarei sem reclamar. Quando nos damos conta de que a aflição nos foi enviada pelo Senhor e é a porção ordenada por Ele para o nosso cálice, sossegamos e já não nos rebelamos contra o inevitável. Por que não ficaríamos contentes já que é da vontade do Senhor? O que Ele determina não cabe a nós criticar.

"E logo me lembrei dos anos da destra do Altíssimo." Boa parte destas palavras foi acrescentada pelos tradutores, para dar o sentido de que o salmista se consolaria ao lembrar-se da bondade de Deus para com ele e outras pessoas do seu povo em tempos idos. Mas o original hebraico contém apenas as palavras: *os anos da destra do Altíssimo*, e expressa a ideia de que a aflição continuada e longa, estendendo-se ao longo de vários anos, foi-lhe dada pelo soberano Senhor de todos. Faz bem quando a consideração da bondade e grandeza divina silencia toda reclamação e gera aquiescência pueril.

11. *"Lembrar-me-ei, pois, das obras do Senhor."* Alce voo, alma minha, dos tumultos atuais para as grandezas da história, para os sublimes atos de Jeová, o Senhor dos Exércitos, porque Ele é o mesmo e está pronto para defender os seus servos como nos dias de outrora.

"Certamente que me lembrarei das tuas maravilhas da antiguidade." Seja o que for que caia no esquecimento, a maravilhosa obra do Senhor operada nos tempos antigos jamais deve ser esquecida. A memória é serva justa para a fé. Quando a fé estiver passando pelos seus sete anos de fome, a memória como José no Egito lhe abre os silos.

12. *"Meditarei também em todas as tuas obras."* Que gostoso é entrar no quarto da obra da graça de Jeová, para nos deitar e ruminar, mantendo todo pensamento absorto no assunto precioso e exclusivo.

"E falarei dos teus feitos." Faz bem que o transbordamento da boca indique o bom assunto que enche o coração. A meditação enriquece a fala. É lamentável que muita da conversa dos crentes seja totalmente vazia, visto que não dedicam tempo para a contemplação. Quem medita, mas não fala o que meditou, é um avaro mental, um moinho que mói os grãos apenas para o moleiro. O tema da meditação tem de ser seleto, para que a conversa seja, então, edificante. Se meditamos em tolices e fingimos que falamos com sabedoria, essa inconsistência logo será conhecida por todos. Conversa santa após a meditação tem em si o poder de consolar a nós como também aos que nos ouvem. Daí, o seu valor na relação em que a encontramos nesta passagem.

13. *"O teu caminho, ó Deus, está no santuário"*, ou na santidade (cf. ARA). É no lugar santo que entendemos o nosso Deus e descansamos seguros de que todos os seus caminhos são retos e justos. Quando não pudermos achar o seu caminho, porque está "no meio do mar" (cf. Pv 30.19), é rica consolação o fato de podermos confiar no caminho, pois está na santidade. Temos de ter comunhão com a santidade se quisermos entender "os caminhos de Deus para com os homens". Quem deseja ser sábio tem de adorar. Os puros de coração verão a Deus, e a pura adoração é o caminho para a filosofia da providência.

"Que deus é tão grande como o nosso Deus?" NEle, o bom e o grande estão juntos. Ele sobrepuja ambas as qualidades. Nada e ninguém por um momento sequer é comparável ao Poderoso de Israel.

14. *"Tu és o Deus que fazes maravilhas."* Só tu és Todo-Poderoso. Os falsos deuses estão rodeados de simulacros de maravilhas, mas tu realmente as fazes. É tua prerrogativa peculiar operar maravilhas. Não é algo inédito ou estranho para contigo, pois está de acordo com o teu uso e praxe. Esta é outra razão para a confiança santa. Seria de admirar se não confiássemos no Deus que opera maravilhas.

"Tu fizeste notória a tua força entre os povos." Não só Israel, mas o Egito, Basã, Edom, Filístia e todas as nações viram o poder de Jeová. Não era segredo nos tempos antigos e até hoje é divulgado. A providência e a graça de Deus estão ambas recheadas de demonstrações do poder divino. No seu poder, Ele é peculiarmente notório como "poderoso para salvar" (Is 63.1). Quem não será forte na fé quando há tão forte braço sobre o qual apoiar-se? Será duvidosa a nossa confiança quando o poder de Deus está acima de toda dúvida? Alma minha, cuida para que estas considerações banem a tua desconfiança.

15. *"Com o teu braço remiste o teu povo, os filhos de Jacó e de José."* Todo o Israel, as duas tribos de José bem como as que saíram dos outros filhos de Jacó, foi tirado do Egito pela manifestação do poder divino, que aqui não é atribuído à mão, mas ao braço do Senhor, porque era a plenitude do seu poder. Os crentes antigos tinham o hábito constante de referir-se às maravilhas do mar Vermelho. Nós também podemos nos unir a eles, tomando o cuidado de adicionar o cântico do Cordeiro ao cântico de Moisés, servo de Deus (cf. Ap 15.3). O consolo derivável de tal meditação é óbvio e profuso, porque aquEle que tem sustentado o seu povo desde a casa da escravidão continuará remindo e livrando até que entremos no descanso prometido.

"Selá." Temos mais uma pausa preparatória para o arroubo final da canção.

16 *As águas te viram, ó Deus, as águas te viram, e tremeram; os abismos também se abalaram.*
17 *Grossas nuvens se desfizeram em água; os céus retumbaram; as tuas flechas correram de uma para outra parte.*
18 *A voz do teu trovão repercutiu-se nos ares; os relâmpagos alumiaram o mundo; a terra se abalou e tremeu.*
19 *Pelo mar foi teu caminho, e tuas veredas, pelas grandes águas; e as tuas pegadas não se conheceram.*
20 *Guiaste o teu povo, como a um rebanho, pela mão de Moisés e de Arão.*

16. *"As águas te viram, ó Deus, as águas te viram, e tremeram."* Como que consciente da presença do Criador, o mar estava pronto para fugir de diante da face divina. A concepção é altamente poética. O salmista tem a cena diante dos olhos da mente e a descreve gloriosamente. As águas viram o seu Deus, mas o homem se recusa a enxergá-lo. As águas tiveram temor, mas os pecadores orgulhosos são rebeldes e não temem ao Senhor.

"Os abismos também se abalaram." Os abismos ficaram profundamente amedrontados. As cavernas silenciosas do mar, bem no fundo do abismo, moveram-se aterrorizadas. Os mais baixos estreitos de mar ficaram vazios, quando as águas fugiram às pressas do seu lugar, de pavor do Deus de Israel.

17. *"Grossas nuvens se desfizeram em água."* Obedientes ao Senhor, as mais baixas regiões da atmosfera prestaram ajuda para derrotar o exército egípcio. Os carros celestiais de nuvens se apressaram em descarregar as suas chuvaradas copiosas.

"Os céus retumbaram." Das mais altas regiões aéreas trovejou a terrível artilharia do Senhor dos Exércitos. Ribombo após ribombo os céus ressoaram sobre a cabeça dos inimigos derrotados, confundindo-lhes a mente e aumentando-lhes o horror.

"As tuas flechas correram de uma para outra parte." Os raios coriscaram como flechas do arco de Deus. Velozmente, para cá e para lá, percorreram as vermelhas línguas de fogo e cintilaram nos capacetes e escudos. Ao mesmo tempo e oportunamente, fogos azuis revelavam as cavernas íntimas do mar faminto, que só estavam no aguardo

para engolir o orgulho de Mizraim. Vejam como todas as criaturas esperam no seu Deus e mostram-se fortes para derrotar os inimigos do Senhor.

18. *"A voz do teu trovão repercutiu-se nos ares."* Avançando com velocidade inconcebível e acossando tudo diante de si, a tempestade era como um carro dirigido furiosamente. Do carro de fogo ouviu-se uma voz (a tua voz, Senhor!), como quando o valente no campo de batalha incita o seu corcel e grita com ele em voz alta. O céu inteiro ressoou com a voz do Senhor.

"Os relâmpagos alumiaram o mundo." O globo inteiro reluziu sob a luz intensa dos raios de Jeová. Não havia necessidade de outra luz em meio à batalha daquela noite terrível, pois toda onda resplandecia no fulgor do fogo e o litoral iluminou-se com as chamas. Como ficou pálido o rosto dos homens naquela hora, quando tudo ao redor do fogo saltava do mar para a praia, do penhasco para o monte, da montanha para a estrela até que o universo todo ficou iluminado em honra do triunfo de Jeová.

"A terra se abalou e tremeu". Sacudiu repetidamente. Solidário com o mar, a praia firme esqueceu-se da quietude habitual e arfou de medo. Como tu és terrível, ó Deus, quando sais em majestade para humilhar os adversários arrogantes.

19. *"Pelo mar foi teu caminho".* Lá em baixo, nos estreitos secretos do fundo do mar, é a tua estrada. Quando queres, fazes do mar uma rodovia para a tua marcha gloriosa.

"E tuas veredas, pelas grandes águas." Lá, onde as ondas aumentam repentinamente e avolumam-se, tu ainda andas. És Senhor de cada onda.

"E as tuas pegadas não se conheceram." Ninguém pode seguir os teus pés ou olhos. Tu és único em tua glória, e os teus caminhos estão ocultos do entendimento mortal. Tu cumprirás os teus propósitos, mas os meios são muitas vezes ocultos. Não, não precisam esconder-se, mas são em si mesmos muito vastos e misteriosos para a compreensão humana. Glória seja dada a ti, Jeová.

20. *"Guiaste o teu povo, como a um rebanho, pela mão de Moisés e de Arão."* Que transição da tempestade para a paz, da ira para o amor. Quietamente como um rebanho, Israel foi dirigido pela agência humana que velou a glória excessiva da presença divina. O destruidor do Egito era o pastor de Israel. Expulsou de diante de si os inimigos, mas foi diante do seu povo. O céu e a terra lutaram a favor dEle contra os filhos de Cam, servindo igualmente aos interesses dos filhos de Jacó.

Assim, com alegria santa e cheio de consolação, concluímos este salmo. A canção de alguém que se esqueceu de como falar, aprendeu a cantar muito mais agradavelmente que os seus companheiros.

NOTAS EXPLICATIVAS E DECLARAÇÕES SINGULARES

O Salmo: Pouco importando quando e por quem este salmo tenha sido escrito, é claramente individual e não nacional. Toda beleza, toda ternura e profundidade de sentimento na porção inicial é totalmente destruída, se supormos que a pessoa é apresentada falando na primeira pessoa do plural. As alusões à história nacional mostram realmente que era um tempo da angústia nacional, e que o hábil cantor foi prostrado pelo fardo da época e oprimido por aflições que não tinha poder de aliviar. Mas é a sua tristeza, não a tristeza dos outros sob a qual Asafe chora e sobre a qual deixou o registro comovente. — *J. J. Stewart Perowne*

v. 1: "Clamei a Deus com a minha voz; a Deus levantei a minha voz, e ele inclinou para mim os ouvidos". No princípio do salmo, antes de falar dos seus problemas, Asafe se apressa em mostrar o remédio necessário e mais eficaz para acalmar a tristeza. Declara que não acusou Deus de crueldade ou tirania, como muitos fazem, por impaciência aflitiva ou murmurativa, ou proferiu palavras blasfemas pelas quais desonra sobreviesse a Deus, ou por entregar-se à tristeza e incredulidade, apressou a própria morte, ou encheu o ar de reclamações vãs, mas correu diretamente a Deus para sobre Ele descarregar a tristeza. A sua decisão era não se excluir da graça que Deus oferece generosamente a todos. Este é o único e seguro remédio soberano que mais eficientemente cura as aflições. — *D. H. Mollerus*

v. 1: "Clamei." Para os povos do Oriente, a palavra צָעַק apresentava a ideia de estrondo, como quando os céus emitem trovões e raios. Por conseguinte, além de outras coisas, está dizendo metaforicamente: "Clamei de tristeza". [...] Sacudido por uma tempestade de pensamentos, ele rompeu em queixa aberta e altissonante. — *Hermann Venema*

v. 1: "A Deus levantei a minha voz." No original hebraico, a repetição aqui é enfática. A ideia é que foi um clamor intenso ou fervoroso. — Albert Barnes

v. 1: "E ele inclinou para mim os ouvidos". Na segunda batida, a porta da graça abriu escancaradamente: O Senhor me ouviu. — *John Collinges, 1623-1690*

v. 2: "No dia da minha angústia busquei ao Senhor." Dias de angústia devem ser dias de oração. Nos dias de angústia intensa, sobretudo quando Deus parece que se retirou de nós, temos de buscá-lo e buscá-lo até achá-lo. No dia da angústia, Ele não procurou espairecer-se no trabalho ou no lazer para desvencilhar-se da dificuldade, mas buscou a Deus e ao seu favor e graça. Os que estão passando por angústias profundas, não devem pensar em obter alívio na diversão, mas na oração. — *Matthew Henry*

v. 2: "A minha mão se estendeu de noite." No original hebraico é: "A minha mão se derramou", quer dizer, se esticou em oração, ou ficou molhada com o choro ininterrupto. *Non fuit remissa, nec retracta in lectum.* — *John Trapp*

v. 2: "A minha mão se estendeu de noite e não cessava." Não há cura para a ferida, nem alívio para a dor, nem limpeza para a consciência, nem quietude para o espírito do homem. "Até que Deus, a quem a alma busca, se mostre como o Médico, o mal continua firme e crescente." — *David Dickson*

v. 2: "A minha alma recusava ser consolada." Deus providencia consolo satisfatório e suficiente para o seu povo. Envia-lhes consolos na mesma medida em que as circunstâncias requerem. Mas, às vezes, eles recusam ouvir a voz do Consolador. O Senhor, talvez, retira um ídolo, ou retenha a sensação da sua presença santa para que aprendam a viver pela fé, ou frustra as perspectivas mundanas que tenham, ou escreva vaidade e vacuidade em todas as suas cabaças, cisternas e prazeres. Eles entregam-se às emoções, como Jonas, ou afundam-se nas trevas do mau humor, ou permitem que o orgulho insubmisso lhes governe o espírito, ou rendem-se à tristeza extrema, como Raquel, ou caem sob o poder da tentação, ou embebem a noção de que não têm direito de serem consolados. Isso é errado, totalmente errado, terminantemente errado. Olhe para o que restou de você, para o que o Evangelho lhe apresenta, para o que o céu será para você. Mas o salmista se recuperou desta situação. Ficou convencido de que era errado. Arrependeu-se muito do seu pecado. Melhorou no espírito e na conduta. Escreveu este salmo para nos ensinar, avisar e advertir. Observe que os que têm direito a todos os consolos são, muitas vezes pela própria tolice, os que menos desfrutam deles. O povo do Senhor, na maioria das vezes, é o seu próprio atormentador. Afastam de si o cálice do consolo e dizem que são indignos dEle.

Tu, fonte de todas as bênçãos
Persegue as minhas tristezas, alegra o meu coração
Até que no céu, possuindo o teu favor
Concedas a vida, alegria e paz
— *James Smith, 1802-1862.*

v. 2: "A minha alma recusava ser consolada." Pobre de mim que somente ontem tomei conhecimento de alguns que caíram tão profundamente no golfo do desespero, que teriam jogado contra a parede todos os estimulantes espirituais que lhes fossem oferecidos. Eram fortes em argumentar contra a própria alma e resolutos contra tudo que pudesse servir-lhes de consolo e alívio. Eram muito determinados em ser contra todas as observâncias e serviços religiosos. Rejeitaram os deveres santos e peremptoriamente recusaram juntar-se aos outros no desempenho dessas tarefas. Aceitaram, por sentirem-se pecadores e estarem irados, tudo que os atingisse duramente. Repeliram os consolos necessários desta vida a ponto de arruinar a vida natural. Contudo, desta cova horrível, deste inferno na terra, Deus livrou--lhes a alma e deu-lhes tamanhas manifestações da sua graça e favor, que eles não as trocariam por mil vidas. Ó alma desesperada, observe que os outros, cujas condições eram tão ruins, se não piores que as suas, alcançaram misericórdia. Deus transformou-lhes o inferno em céu. Lembrou-se deles nessa situação de penúria e necessidade. Pacificou-lhes a consciência furiosa e aquietou-lhes a alma perturbada. Enxugou-lhes dos olhos toda lágrima. Foi um manancial de vida para o coração de cada um deles. Portanto, não desanime, ó alma desesperada, mas busque o trono da misericórdia. — *Thomas Brooks*

v. 3: "Lembrava-me de Deus e me perturbava." Se o nosso coração ou consciência nos condenar, é impossível nos lembrar de Deus sem ficarmos perturbados. Será doloroso pensar que Ele é o nosso Criador e Benfeitor, pois a lembrança virá acompanhada com a consciência da nossa ingratidão vil. Será doloroso pensar que Ele é o nosso Legislador, porque tais pensamentos lembrarão que quebramos a sua Lei. Será penoso pensar na sua santidade divina, pois se Ele é santo, tem de odiar os nossos pecados e estar irado conosco por sermos pecadores. Será doloroso pensar na sua justiça e verdade, porque estes atributos tornam necessário que Ele cumpra as suas ameaças e nos castigue pelos nossos pecados. Será doloroso pensar na sua onisciência, porque este atributo deixa-o cônscio das nossas mais secretas transgressões e impossibilita-o de escondê-las dos seus olhos. Será doloroso pensar na sua onipresença, porque a presença constante de uma testemunha invisível é desagradável para os que desejam entregar-se às inclinações pecaminosas. Será doloroso pensar no seu poder, pois é o que lhe permite restringir ou destruir, como lhe agrada. Será doloroso pensar na sua soberania, porque os pecadores sempre detestam ver-se nas mãos de um Deus soberano. Será doloroso pensar na sua eternidade e imutabilidade, porque o fato de possuir estes atributos comprova que Ele nunca alterará as ameaças que denunciou contra os pecadores e que sempre viverá para cumpri-las. Será doloroso pensar que Ele é o nosso Juiz, porque sentiremos que, como pecadores, não temos motivo para esperar uma sentença favorável dos seus lábios. Será até mesmo doloroso pensar na sua bondade perfeita e caráter excelente, porque a sua bondade nos deixa sem desculpa de nos rebelar contra Ele e faz os nossos pecados parecer excessivamente pecaminosos. — *Edward Payson*

v. 3: "Lembrava-me de Deus e me perturbava." Tudo não estava bem entre Deus e ele. Antigamente, quando Asafe se lembrava de Deus, os pensamentos detinham--se principalmente no amor e bondade divinos. Agora, estavam completamente tomados pelo seu próprio pecado e maldade. Foi o que ocasionou a angústia. Nisto reside parte das complicações ocasionadas pelo pecado. Diz a alma em si mesma: "Criatura tola, é assim que você retribui ao Senhor? É este o pago que você lhe dá por todo o amor, bondade, consolo e misericórdia já recebidos? É esta a ternura que você lhe tem? É este o amor que você lhe dá? É esta a afabilidade que você demonstra para o seu amigo? É esta a glória que você tem nEle, por ter encontrado tamanha bondade e excelência nEle e no seu amor, de que modo que ainda que todos o abandonassem, você nunca o abandonaria? Todas as promessas e todos os compromissos feitos com Deus em tempos de angústia, de acordo com as obrigações prevalecentes e as fortes impressões do seu bom Espírito em você, agora resultam nisso: que você tão tolamente o esqueça, negligencie, menospreze e rejeite? Pois muito bem, Ele se retirou de você! E agora, o que você fará? Não está nem um pouco envergonhado por desejar que Ele volte?" Eram pensamentos desta natureza que cortavam o coração de Pedro após a queda. A alma os considera cruéis como a morte e fortes como a sepultura. Ela está presa com essas correntes e não pode ser consolada (Sl 88.3-6). — *John Owen*

v. 3: "Lembrava-me de Deus e me perturbava; queixava-me, e o meu espírito desfalecia." Há momentos na vida de todos os crentes em que Deus e os seus caminhos ficam ininteligíveis. Os santos perdem-se em meditação profunda, e nada lhes resta senão gemer de desânimo. Mas o apóstolo Paulo nos revela que o Espírito Santo intercede pelos crentes com Deus, quando já não conseguem proferir os seus gemidos (Rm 8.26). — *Augustus F. Tholuck*

v. 3: "Selá". No final deste versículo ocorre a palavra "selá". Denota para o leitor ou ouvinte a miserabilidade e o desconsolo que é o homem em angústia, se Deus não estiver presente para ajudá-lo. Ocorre também como estímulo para todo homem e mulher cristã lembrar-se e invocar a Deus no dia das dificuldades. Como dizem os judeus, em qualquer lugar que aparece a palavra "selá", serve para levar o leitor ou ouvinte a observar o que foi dito antes, pois é uma palavra sempre colocada depois de declarações de grande destaque. — *John Hooper*

v. 4: "Sustentaste os meus olhos vigilantes." Você está sem sono. É uma ocorrência queixosa de corpos enfermiços e mentes reflexivas. Como é enfadonho passar a noite inteira, virando-se de um lado para o outro na cama inquieta em busca de sono, o qual quanto mais é avidamente perseguido, tanto mais longe foge! Pudesse você deixar de desejar o sono, talvez ele viesse. Agora que você implora por ele, o sono, com certa petulância, é por demais tímido e castiga você com o desejo. Aquele que governava sobre cento e vinte e sete províncias, não conseguia ordenar a vinda do descanso: "Naquela mesma noite, fugiu o sono do rei" (Et 6.1), nem poderia ser forçado ou solicitado à cama. O grande monarca babilônico, embora não lhe faltasse sono, não podia retê-lo, visto que "passou-se-lhe o seu sono" (Dn 2.1). Para o grande e sábio Salomão, não viria tanto quanto em visão, "pois nem de dia nem de noite vê o homem sono nos seus olhos" (Ec 8.16). Como não há bem terreno mais confortável para a natureza do que o descanso físico (Jr 31.26), assim não há nada cuja perda seja mais dolorosa e desalentadora. [...] Em vez de fechar as pálpebras para a chegada do sono, erga os olhos secos àquEle que dá "aos seus amados o sono" (Sl 127.2). Seja como for, é Deus que sustenta os meus olhos vigilantes. AquEle que fez os olhos, evita a chegada do sono ao corpo para o bem da alma. Não deixe os olhos despertos, sem que o coração também esteja. A esposa de Cristo diz: "Eu dormia, mas o meu coração velava" (Ct 5.2), quanto mais deveria dizer: "Os meus olhos estão despertos e o meu coração também!" Quando não puder dormir, esforce-se em ver aquEle que é invisível. Um rápido olhar dessa visão vale mais que todo o sono que os olhos possam ter. Entregue-se nas mãos de Deus para estar disposto à vontade dEle. O que é esta doce aquiescência senão descanso para a alma? Esse descanso, caso não encontre em você mesmo, você suportará com resignação e quietude a falta do sono físico. — *Joseph Hall, "Balm of Gilead" [Bálsamo de Gileade]*

v. 4: "Estou tão perturbado, que não posso falar." O salmista diz que estava tão abatido e desanimado que não tinha força para falar. Falamos sobre as pequenas aflições, mas as grandes nos deixam mudos. Nas grandes dificuldades e sustos, o espírito deixa os membros e reflui para a fonte. Os membros ficam imóveis, o corpo treme, os olhos permanecem fixos e a língua esquece a função. Por conseguinte, os poetas descrevem Níobe se transformado em pedra. A história de Psamenito, narrada por Heródoto, também é bem conhecida. Quando lhe contaram os infortúnios que os seus filhos sofreram, ele sentou-se silencioso e estupefato. Todavia, quando viu as calamidades do seu amigo, lamentou-as com lágrimas amargas. — *D. H. Mollerus*

v. 4: "Estou tão perturbado, que não posso falar." Por vezes, a angústia é tão violenta que, não encontrando vazão, estrangula-nos e vence-nos. É assim conosco em nossos problemas, como com alguém que é levemente ferido. A princípio, anda para cima e para abaixo, mas logo, não cuidando para evitar maior dano, a ferida começa a inflamar-se, ou gangrenar e lhe causa maior dor e perda. Assim é conosco muitas vezes em nossa tristeza espiritual. Quando ficamos angustiados, oramos e derramamos a alma perante o Senhor. Mas depois, as águas da nossa angústia afogam os nossos clamores e ficamos tão estupefatos, que, mesmo que tivéssemos o mundo inteiro não conseguiríamos orar, nem mesmo ter alívio, vida ou prazer nas orações. Parece que o próprio Deus não tem prazer nelas, e isso nos deixa mais tristes ainda (Sl 22.1). — *Timothy Rogers, "Discourse on Trouble of Mind" Um Discurso sobre as Aflições]*

v. 4: "Perturbado" ou "ferido." A palavra no original hebraico denota surpresa causada por um grande golpe recebido. — *John Diodati*

v. 4: "Não posso falar". As palavras não passam do corpo, vestuário, exterior da oração. Os gemidos estão mais próximos da operação do coração. Um mendigo mudo recebe esmolas às portas de Cristo, mesmo que apenas gema, quando a língua não pode pedir por ele, quanto mais, porque é mudo. *Objeção.* Não tenho tanto quanto a voz para proferir a Deus. Jesus disse: "Faze-me ouvir a tua voz" (Ct 2.14). *Resposta.* É verdade, mas outras coisas também têm uma voz ao lado da língua: "O SENHOR já ouviu a voz do meu lamento" (Sl 6.8). As lágrimas têm língua, gramática e linguagem que o nosso Pai entende. Os bebês não têm oração para o peito, senão o choro. A mãe sabe ler a fome no choro. — *Samuel Rutherford*

v. 4: "Sustentaste os meus olhos vigilantes; estou tão perturbado, que não posso falar." Se durante os tempos de desânimo a situação torna-se cada vez pior, de forma que você não consegue orar, mas fica mudo, quando está na presença santa, como Davi está dizendo aqui, então você passa a fazer sinais quando não consegue falar. Você geme, suspira, chora, soluça, *chilreia,* como Ezequias (cf. Is 38.14). Lamente-se por sua indignidade e deseje que os seus pedidos sejam feitos por Jesus a Deus para que o Pai ouça a Jesus por você. — *Thomas Goodwin*

v. 5: "Os dias da antiguidade." É indubitável que para os nossos primeiros pais a escuridão da primeira noite foi um pouco estranha. Pessoas que nunca tinham visto outra coisa senão a luz do dia, quando as sombras da noite as cercaram pela primeira vez, não deixou de causar certa apreensão. Contudo, depois de muitas noites sequenciais, viram constantemente a aurora da luz matinal raiar. A escuridão das noites foi ignorada sem medo e, com grande segurança, vista como a luz dos belos dias. Para os homens que sempre viveram na terra, quando se fizeram ao mar pela primeira vez, os ventos, as ondas e as tempestades lhes foram excessivamente terríveis. Mas depois que começaram a ficar habituados com a experiência das tempestades, o medo e o terror mudaram em resolução e coragem. É vantajoso lembrar que as coisas que mais nos irritam o espírito, não são inéditas, mas já existiram em tempos antigos. — *Extraído do sermão pregado por Robert Baylie na Câmara dos Comuns, 1643*

v. 6: "De noite chamei à lembrança o meu cântico."

(1) Uma opção tradutória: (1) "Agora, nesta noite da aflição, me lembrarei dos meus antigos cânticos". O sentido do texto é que ainda que este seja um tempo de angústia e as minhas atuais circunstâncias sejam escuras, já conheci dias mais luminosos. AquEle que me ergueu, me abateu e pode me erguer de novo. Às vezes, esta reflexão acrescenta mesmo pungência à angústia, como sucedeu com a angústia de Davi (Sl 42.4). Contudo, ocasionará mais melhorias do que aparenta (cf. versículo 11; "Receberemos o bem de Deus e não receberíamos o mal?", Jó 2.10). O caso de Jó mostra que depois das mais extensas calamidades, o Senhor pode reverter as coisas em favor daqueles que esperam nEle. As atuais dificuldades não devem nos fazer esquecer as antigas bênçãos, sobretudo quando as bênçãos sobrepujam os nossos desertos e as aflições ficam aquém dos nossos deméritos.

(2) Em outra opção, o texto pode significar: "Eu me lembrarei como pude cantar nas outras noites de aflição". É, com certeza, especialmente apropriado lembrar os

apoios e consolos concedidos durante as angústias precedentes. Eliú reclamou: "Mas ninguém diz: Onde está Deus, que me fez? Que dá salmos entre a noite?" (Jó 35.10). Davi se consolou com este pensamento: "Contudo, o Senhor mandará de dia a sua misericórdia, e de noite a sua canção estará comigo" (Sl 42.8). E o Senhor prometeu pelo profeta: "Um cântico haverá entre vós, como na noite em que se celebra uma festa santa" (Is 30.29). Não há dúvida de que Paulo e Silas se lembraram do seu cântico à noite, quando estavam presos em Filipos. O cântico serviu de encorajamento para as provações subsequentes. E muitos de vocês, meus irmãos, não podem de certa forma se lembrar dos apoios e consolos que desfrutaram nas dificuldades anteriores, e como o Senhor transformou a sombra da morte em luz da manhã? Não devem vocês confiar que aquEle que os livrou ontem também livrá-los-á hoje? AquEle que livrou em seis dificuldades não o abandonará na sétima. As nuvens tornam depois da chuva (cf. Ec 12.2), mas nem uma gota cai sem a permissão daquEle que, para ajudá-lo, cavalga sobre os céus e com alteza sobre as mais altas nuvens (cf. Dt 33.26). Você não pressentiu no princípio um fim muito diferente das dificuldades anteriores? Mas o Senhor lhe desapontou os temores e pôs um novo cântico na sua boca. Não começará agora você a confiar em Deus e triunfar nEle? Claro que você descobriu que o Senhor pode clarear os mais sombrios céus. "A luz semeia-se para o justo" (Sl 97.11), e logo será possível ver o dia eterno. Se tais cânticos são dados aos peregrinos de noite, que cânticos cantarão no mundo em que o sol jamais se porá de novo? "E ali não haverá mais noite" (Ap 22.5). — *John Ryland, 1753-1825*

v. 6: "Chamei à lembrança". Alegro-me nesta escassez de consolo, abastecendo--me no antigo depósito, como as abelhas fazem no inverno. — *John Trapp*

v. 6: "De noite... o meu cântico". O termo cânticos da noite é tão favorito no Antigo Testamento quanto o termo glória na tribulação é no Novo Testamento. É uma das coisas que provam que ambos os testamentos têm a mesma raiz e espírito. — *John Ker*

v. 6: "E o meu espírito investigou". O salmista passa a fazer um exame de consciência e uma investigação no espírito para saber por que a mão de Deus estava contra ele e por que o rosto de Deus estava escondido dele. Certos expositores entendem a frase assim: "Eu cavei no meu espírito", como Ezequiel cavou na parede (Ez 8.8), para investigar e descobrir a abominação que fez o Senhor deixá-lo na escuridão e esconder-lhe o rosto. Investigou a ferida do seu espírito, que era outro modo de curá-lo. É modo notável de curar as feridas da alma, a alma investigá-las. — *John Collinges*

v. 6: "e o meu espírito investigou". O verbo חָפַשׂ (*ḥāpaś*) significa a investigação que o homem faz, quando é obrigado a despir-se ou a erguer o que o cobre para procurar dobra por dobra. Denota fazer de tudo, mover céus e terras. — *Adam Clarke*

v. 6: "e o meu espírito investigou". Como Assuero, quando não conseguia dormir, pediu os registros e crônicas do reino, assim a alma duvidosa recorre aos registros dos céus, a Palavra de Deus nas Escrituras. Ora lê, ora olha o coração na busca de algo que corresponda aos personagens da fé na Bíblia, como o rosto no espelho reflete o rosto do homem. Davi, quando estava desorientado sobre o que pensar sobre si e havia muitas dúvidas que lhe abarrotavam a fé, a tal ponto que pensar em Deus lhe aumentava a dificuldade, não se sentou e abandonou a direção da sua vida, não levando em conta se Deus o amava ou não, mas meditou no coração e o seu espírito investigou. É o que ocorre com todo crente sincero quando está em dúvida. Não ousa ficar sentado e satisfeito com essa situação não resolvida, da mesma forma que aquele que pensa estar sentindo cheiro de fogo em casa não resolve deitar-se para dormir até ter olhado todo quarto e canto. Assegura-se de que tudo está bem para não ser despertado à noite com o alarme de incêndio nos ouvidos. A pobre alma duvidosa tem muito mais medo de despertar no meio do fogo do inferno, dado que a alma em tal estado e sob o poder da incredulidade está segura e descuidada. — *William Gurnall*

v. 6: "Investigou". Este dever requer diligência. Os atos externos da religião são fáceis. Erguer os olhos aos céus, dobrar os joelhos, ler uma oração são práticas que requerem o mero trabalho da repetição. Mas examinar o homem interior e pegar com cuidado o coração todo em pedaços para ver o que está errado são ações nada fáceis. Atos de reflexão são mais difíceis. Os olhos podem se ver tudo, exceto a si mesmos. É fácil espiar os erros dos outros, mas difícil descobrir os nossos. — *Thomas Watson*

v. 8: "Acabou-se já a promessa que veio de geração em geração?" Não permita que as aparentes impossibilidades façam você questionar a realização de quaisquer das graciosas Palavras de Deus. Mesmo que você não veja como as coisas serão cumpridas, basta Deus ter dito que fará. Não há obstrução ao livramento prometido que precise ser alvo do nosso temor. AquEle que é o Deus desta salvação e o Autor da promessa preparará o caminho para a concretização da sua obra, de forma que "todo vale se encherá, e se abaixará todo monte e outeiro" (Lc 3.5). Ainda que os vales sejam tão profundos que não vejamos o fundo, e os montes tão altos que não enxerguemos o cume, Deus sabe o que fazer para levantar um e nivelar o outro: Sou "eu, que falo em justiça [fidelidade], poderoso para salvar" (Is 63.1). Se há algo que nos impede a entrada ao reino de Cristo, é a nossa infidelidade. Mas ele virá, mesmo que não ache fé na terra (Rm 3.3). Não abandone a sua confiança, porque Deus adia o cumprimento. Embora as providências passem correndo, andem de um lado para o outro, você tem uma palavra segura e fiel em que confiar. As promessas dão, por certo tempo, a impressão de demora aparente, mas não podem ser frustradas. Não ouse abrigar tal pensamento. A existência de Deus pode falhar tanto quanto a promessa dEle. Aquilo que não vem no seu tempo, Ele apressará para vir no tempo dEle, que sempre é o tempo certo. — *Timothy Cruso*

v. 9: "Esqueceu-se Deus de ter misericórdia?" Em que sofrimentos você estava, Asafe, para que palavras tão dolorosas como estas saíssem de você? É óbvio que a provação era tão forte que o próximo tinha de ser a blasfêmia. Se esse bom Deus, de quem você em ousada fraqueza questiona o perdão, não tivesse em grande misericórdia se lembrado de você e o levado a lembrar-se dEle, aquilo que você confessa ter sido uma fraqueza, teria se revelado ser um desespero pecador. Ouso dizer a você que a palavra lavou o seu rosto com muitas lágrimas e merecia mais. Ó Deus, o que pode ser tão querido para ti quanto a glória da tua misericórdia? Não há nenhum outro dos teus atributos gloriosos que tu mais desejes apresentar aos filhos dos homens e mais abomines em seres desacreditado pela difamação humana que a tua misericórdia. Tu, Senhor, podes te esquecer do desprazer do teu povo, das nossas iniquidades e podes expulsar os nossos pecados da tua lembrança (Mq 7.18,19). Mas tu não podes te esquecer de ter misericórdia tanto quanto não podes te esquecer de ti mesmo. Meu Deus, peco contra a tua justiça a toda hora, e a tua misericórdia se interpõe para o meu perdão. Mas me impede de pecar contra a tua misericórdia, pois que argumento posso ter, quando torno o meu defensor o meu inimigo? —*Joseph Hall*

v. 9: "Esqueceu-se Deus de ter misericórdia?" A pobre criança chora, porque quer a mãe. O que farei pela minha mãe! Oh, minha mãe, minha mãe, o que farei pela minha mãe! E pode ser que a mãe está bem atrás da criança. A mãe está se escondendo só para testar o afeto da criança. Assim a pobre alma chora, porque quer Deus, e reclama: Oh, meu Pai, meu Pai! Onde está o meu Pai divino? Esqueceu-se Ele de ter misericórdia? Fechou Ele a sua bondade no desprazer, quando, o tempo todo, Deus está mais perto do que pensamos, brilhando sobre nós em "Espírito de graça e de súplicas", com choros e "gemidos inexprimíveis" (Zc 12.10; Rm 8,26). Assim a mulher benevolente, Maria Madalena, quando busca Jesus, ela investiga, chama e chora por Ele: O meu querido Salvador, o meu querido Senhor e Mestre, foi levado do sepulcro e não sei onde o puseram (cf. Jo 20.2). Ela reclama com os discípulos e se queixa com os anjos, quando Jesus se pôs ao seu lado e ouviu tudo. Não somente isso, mas quando ela virou-se e o viu, a princípio não o reconheceu. Mesmo depois de Ele falar com ela, Maria Madalena não o reconheceu, pois pensou que se tratava do jardineiro (Jo 20.15). Assim é com muitos crentes benevolentes. Embora Deus fale claramente com o coração deles pela sua Palavra, e eles falem com Deus por meio da oração e não possam dizer senão "o Espírito ajuda as nossas fraquezas" (Rm 8.26), eles reclamam a falta da sua presença, como se não houvesse nada de Deus neles. — *Matthew Lawrence*

v. 9: "Ou encerrou ele as suas misericórdias na sua ira?" A metáfora aqui é tirada de uma fonte, cuja boca foi fechada, de forma que as águas já não correm no mesmo canal. Mas, estando confinadas, irrompem e tomam outro curso. Tu tirarás a tua misericórdia dos israelitas e a darás para outro povo? — *Adam Clarke*

v. 9: "Selá." Assim estava ele indo com os seus receios sombrios e preocupações funestas, quando pela primeira vez para repentinamente com a palavra "selá". Chega. Não avance. Não queremos ouvir mais essas conjeturas da incredulidade. Então, reprovou-se: "isto é enfermidade minha" (v. 10). — *Matthew Henry*

v. 10: "Isto é enfermidade minha." A tradução é literal e significa "esta é a minha sorte e tenho de suportá-la". É um mal parcial, cuja equidade do governo de Deus não deve ser questionada. A tradução denota, talvez com cautela, outro significado, a saber, que "estes pensamentos não passam de alucinações da minha agonia". Mas devo hesitar em aceitar esta glosa. — *C. B. Cayley*

v. 10: "Enfermidade." É a fraqueza do crente pensar em si mesmo e tirar falsas conclusões (pois todas as conclusões tiradas assim são necessariamente errôneas) do que ele vê ou sente, no que diz respeito à luz na qual é contemplado e estimado da parte de Deus. Por outro lado, é a força do crente lembrar-se da destra do Altíssimo para meditar na invariável verdade e misericórdia do Deus que se entregou em santidade para a salvação certa do pecador que crê, fazendo o Filho do seu amor sofrer em nosso lugar a realidade terrível da morte penal. — *Arthur Pridham*

v. 10: A "enfermidade" é uma doença ou indisposição da alma que surge da fraqueza da graça. A "enfermidade" é quando o propósito e inclinação do coração são retos, mas falta ao homem a força para realizar esse propósito. É quando "o espírito está pronto, mas a carne é fraca" (Mt 26.41). É quando o homem pode dizer com o apóstolo: "O querer está em mim, mas não consigo realizar o bem" (Rm 7.18). É quando a propensão e inclinação da alma são retas, mas ou pela violência da corrupção ou pela força da tentação, o homem é desviado e tirado do caminho. Como a agulha da bússola do marinheiro, sabemos que, se está reta, sempre aponta o Norte, pois tende para o Pólo Norte. Mas se for sacudida e perturbada, a agulha se desvia por certo tempo, ainda que a tendência continue sendo apontar a direção Norte. Esta é uma enfermidade, uma fraqueza. — *James Nalton, 1664*

v. 10: É desnecessário declarar todas as traduções que os estudiosos dão a este versículo. É inquestionavelmente ambíguo, visto que a palavra חַלּוֹתִי pode ser derivada de raízes diferentes com significados diferentes. Derivo a palavra de חול ou חָלַל, que significa estar "em dor", como a mulher em trabalho de parto, e como está no infinitivo, traduzo assim: "O tempo da minha tristeza ou dor". O próximo termo, שְׁנוֹת, derivo de שָׁנָה, "mudar", como fazem a versão Caldaica, Ainsworth, Hammond e outros estudiosos, e eu traduzo potencialmente. Considero o todo como uma bela metáfora. O autor se considera em angústia, como a mulher em trabalho de parto, e como ela, espera que a tristeza logo vire em alegria. Ele confia no poder de Deus para efetuar tal mudança. Por conseguinte, relembra logicamente os exemplos passados do favor de Deus dados ao seu povo. — *Benjamim Boothroyd*

v. 10: "e logo me lembrei dos anos da destra do Altíssimo". A destra do Senhor tratou comigo não durante os momentos, nem as horas, nem os dias de algumas poucas e curtas aflições, mas durante os "anos" da sua destra. As longas, amplas, grandes e ilimitadas misericórdias me têm consolado. — *Thomas Adams*

v. 10: "logo me lembrei dos anos da destra do Altíssimo". As palavras no texto hebraico são *shenoth jemin gneljon*, as quais os intérpretes traduzem de diversos modos. Não aborrecerei o leitor com essas traduções por ora, mas chamarei a atenção para duas delas, as quais concebo serem as principais e mais inclusivas. Uma tradução é bem antiga e a outra é mais recente. A tradução mais antiga é esta: "A destra do Altíssimo pode mudar tudo isso". A tradução mais recente apresenta estas palavras: "Logo me lembrei dos anos da destra do Altíssimo". A principal razão desta variação é a exposição diferente da palavra hebraica *shenoth*, que pode ser traduzida por "mudar", o verbo no modo infinitivo, ou pode ser traduzida por "anos", o substantivo no plural. Foi o que ocasionou esta diferença e variedade de tradução, mas o sentido é adequado e propícia, seja qual for a opção tradutória que adotemos. De acordo com a primeira tradução, mostra-nos o poder de Deus: "A destra do Altíssimo pode mudar tudo isso". Foi em que Davi se apoiou na atual aflição. O Senhor podia mudar e alterar a situação para ele e mudar e alterar para melhor. [...] Já na segunda tradução: "Logo me lembrei dos anos da destra do Altíssimo", o verbo "me lembrei" foi retirado do versículo seguinte para dar sentido a este, pois não consta no texto. Agora, o profeta Davi fundamenta a razão do consolo na prática de Deus, como na primeira acepção ele o fundamentou no poder de Deus. Lá, do que Deus pode fazer. Aqui, do que Deus já tinha feito em tempos antigos, em eras e gerações de outrora. — *Thomas Horton*

v. 11: "Lembrar-me-ei... me lembrarei." Lembrar-me-ei e comemorarei como denota o original hebraico por intermédio de uma interpretação redobrada. — John Trapp

v. 11: "Lembrar-me-ei." A fé é uma graça que considera. Aquele que crer não se apressará (Is 28.16). Não terá pressa no seu pensar ou falar de Deus. A fé tem boa memória, e pode contar muitas histórias cristãs sobre as misericórdias antigas. Quando a comida é pouca, a fé pode entreter a alma com um prato frio e não reclama que Deus administra uma casa ruim. Davi se recuperou, mesmo quando estava caindo pelo monte da tentação: "Isto é enfermidade minha; e logo me lembrei dos anos da destra do Altíssimo. Lembrar-me-ei, pois, [...] das tuas maravilhas da antiguidade". Cristão, quando você estiver nas profundezas da aflição e Satanás tentá-lo a difamar o Senhor, como se Ele tivesse se esquecido de você, cale a boca do Inimigo com estas palavras: Não, Satanás, Deus não se esqueceu de cuidar de mim, mas eu me esqueci do que Ele tem feito por mim, caso contrário não poderia questionar o cuidado paternal que Ele tem por mim no momento. Cristão, acabe com as suas próprias lições, louve a Deus pelas misericórdias do passado e logo terá um novo cântico nos lábios para a misericórdia do presente. [...]

Encontramos, às vezes, uma pequena escritura no gabinete de alguém que o ajuda salvar-lhe os bens, por cuja falta ele fora parar na prisão. Uma pequena experiência lembrada basta para guardar a alma do desespero, que é uma prisão que o Diabo deseja prender o cristão: "Disso me recordarei no meu coração; por isso, tenho esperança" (Lm 3.21). Davi era famoso por ter esperança, e não menos eminente pelo cuidado em observar e guardar as experiências que teve da bondade de Deus. Sabia relatar os procedimentos de Deus para com ele. Foram tantas vezes o tema da sua meditação e o tema do seu discurso, que se lhe tornaram bastante familiares. Quando a esperança lhe estava confusa, bastava pressionar levemente a memória e logo o salmista se recuperava. Em seguida, repreendia-se por essa fraqueza. "E eu disse: isto é enfermidade minha; e logo me lembrei dos anos da destra do Altíssimo". O cão de caça, quando perde o rastro, volta por aonde veio para recuperá-lo. Então, parte atrás da caça com latidos bem mais altos. Cristão, quando a esperança estiver confusa e você questionar a salvação no outro mundo, olhe para trás e veja o que Deus já fez. Algumas promessas têm o dia do cumprimento na terra, ao passo que as outras temos de esperar para recebê-las no céu. O cumprimento que Deus faz de algumas promessas aqui, é uma garantia dada à nossa fé de que as outras também serão fielmente cumpridas, quando o dia chegar. Todo julgamento infligido aqui sobre os ímpios é visto como garantia daquela ira, cuja soma Deus totalizará no inferno. — *William Gurnall*

v. 11: "Das obras do SENHOR... das tuas maravilhas." O salmista não deseja fazer uma distinção entre as obras e as maravilhas de Deus. Deseja declarar que todas as obras de Deus são maravilhas. [...] Todas as obras, quer na providência ou na graça são maravilhas. Todas as obras de Deus são maravilhosas. Se considerarmos a experiência individual do cristão, do que é composta essa experiência? De maravilhas. A obra da sua conversão é maravilhosa! Preso a um curso de negligência e impiedade, ele foi graciosamente buscado e gentilmente compelido a reconciliar-se com Deus, cuja ira ele provocara. A comunicação do conhecimento é maravilhosa! A deidade e a eternidade gradualmente aumentam. A Bíblia é estudada página por página, e cada página é um volume que não há exame que exaure. A ajuda na guerra é maravilhosa! Ele é filho da corrupção, contudo habilitado a lutar contra o mundo, a carne e o Diabo, a ponto de muitas vezes colocá-los sob os pés. O consolo na aflição é maravilhoso! A tristeza se santificou de modo a ministrar para a alegria, e uma colheita de alegria foi colhido do campo que foi regado a lágrimas. O antegozo do céu é maravilhoso! Os anjos põem abaixo as coisas terrenas, e o espírito anda a passos leves e ágeis sobre o rio de cristal e as ruas de ouro. Todas as obras são maravilhosas! É maravilhoso que o Espírito contende com os homens. É maravilhoso que Deus seja paciente com os apóstatas. É maravilhoso que Deus os ame a despeito de serem profanos. É maravilhoso que Deus persista em salvá-los, apesar, por assim dizer, deles mesmos. Aqueles entre vocês que sabem algo por experiência da salvação por meio de Cristo, sabem muito bem que a obra é maravilhosa em seu início, maravilhosa em sua continuação e não precisarão de argumento para defender a transição de "obras" para "maravilhas". Será a transição dos seus próprios pensamentos e dos seus próprios sentimentos, e você nunca deixará de registrar os procedimentos de Deus em sua vida, sem deixar, como deixou o salmista, de mencionar a atribuição. Se vocês se puserem a comemorar as "obras" de Deus, verão que estarão exaltando as "maravilhas" dEle. Vocês começarão dizendo: "Lembrar-me-ei, pois, das obras do Senhor", mas terminarão exclamando: "Certamente que me lembrarei das tuas maravilhas da antiguidade". — *Henry Melvill*

v. 11: "Das tuas maravilhas." A palavra no original hebraico está no singular aqui e também no versículo 14. O mesmo ocorre no versículo 12: "As tuas obras", porque a única grande maravilha, a única grande obra na qual todas as outras estão inclusas, está diante dos seus pensamentos. — *J. J. Stewart Perowne*

v. 11: "Das tuas maravilhas." Ele falara anteriormente com os outros, mas aqui ele se dirige a Deus. É bom para a alma nos exercícios difíceis elevar-se de pensar em Deus e nas suas obras para falar diretamente com Ele. Não há sossego ou alívio até que o tratamento seja feito a Deus, até que dirijamos a face em direção a Ele e dirijamos a fala para Ele, como faz o salmista do meio do versículo 11 até ao fim do salmo. — *David Dickson*

v.13: "O teu caminho, ó Deus, está no santuário." Devemos entender que a palavra "santuário" se refira ao céu ou ao Templo. Estou preferencialmente inclinado a aceitar que a referência seja ao céu. Imagino que o significado seja que os caminhos de Deus elevam-se ao alto, acima do mundo, de forma que se quisermos conhecê--los verdadeiramente, temos de subir acima de todos os céus. Embora as obras de Deus nos sejam em parte manifestas, tudo que sabemos delas fica muito abaixo da sua imensurável altura. Além disso, observemos que ninguém desfruta o menor gozo das suas obras, senão aqueles que pela fé elevam-se até ao céu. Contudo, o ponto extremo ao qual sempre podemos ir é contemplar com admiração e reverência a sabedoria e poder ocultos de Deus, os quais, enquanto brilham nas suas obras, ultrapassam em muito os poderes limitados da nossa compreensão. — *João Calvino*

v. 13: "O teu caminho, ó Deus, está no santuário". Quer dizer, cada um dos eleitos pode e deve aprender na igreja a conduta e procedimentos da providência para com os que são de Deus. — *John Diodati*

vv. 13 e 19: "No santuário" e "pelo mar". O caminho de Deus está "no santuário", e o caminho de Deus foi "pelo mar". Há grande diferença entre estas duas coisas.

Em primeiro lugar, o caminho de Deus está no santuário, onde tudo é luz, onde tudo é claro. Não há engano ali. Não há nada, no menor grau, que cause dano ao espírito. Pelo contrário, é quando o pobre e atribulado entra no santuário e vê as coisas sob a luz de Deus, que ele entende o fim de todas as coisas — tudo que está emaranhado, cujo fim ele não vê na terra. Mas o caminho de Deus não só *está no santuário* (e quando estamos ali, tudo é luz e felicidade), mas o caminho de Deus também *é pelo mar*. Ele anda onde nem sempre encontramos as suas pegadas. Deus, como todos sabemos, se move misteriosamente por intermédio dos tempos. Há caminhos de Deus cujo propósito é nos provar. Não preciso dizer que não se trata de Deus ter prazer nas nossas tribulações. Não é como se não tivéssemos santuário aonde ir, onde não pudéssemos subir acima dele. Há muitas coisas relacionadas aos caminhos de Deus que devem ser deixadas completamente nas mãos divinas. Desta forma, o caminho de Deus não só está no santuário, mas também é pelo mar. Contudo, o que achamos mesmo em relação às suas pegadas estarem pelo mar é: "Guiaste o teu povo, como a um rebanho, pela mão de Moisés e de Arão" (v. 20). O povo foi guiado pelo mar e, depois, pelo deserto. Mas fora pelo mar. O começo dos caminhos de Deus para com o seu povo foi pelo mar, porque, do início ao fim, Deus deve ser a confiança absoluta do crente. É a primeira lição da alma, mas nunca deixa de ser ensinada. Como é bom saber que, enquanto o santuário estiver aberto para nós, o próprio Deus está mais perto e a Ele somos guiados. Como está escrito: "Porque também Cristo padeceu uma vez pelos pecados, o justo pelos injustos, para levar-nos a Deus" (1 Pe 3.18). Eis algo muito precioso, porque estamos imediatamente no santuário e fomos guiados ao próprio Deus. Ouso dizer que o próprio céu seria de pouca importância não fosse o Deus a quem somos guiados. É melhor que o livramento da provação, melhor que qualquer bênção estar na presença daquEle a quem pertencemos, que é Deus a fonte de todas as bênçãos e alegrias. O fato de sermos guiados a Ele é infinitamente precioso. Estamos no santuário, porque fomos guiados a Deus. Mas há outros caminhos de Deus fora do santuário: "pelo mar". É onde ficamos muitas vezes confusos. Se estamos ocupados com o próprio mar e com o esforço de investigar as pegadas de Deus pelo mar, elas "não se conheceram" (v. 19). Mas a confiança no próprio Deus sempre é a força da fé. Conceda-nos o Senhor a simplicidade e tranquilidade crescente no meio de tudo aquilo pelo que passamos, por amor do seu nome. — *Extraído de "Things New and Old, a Monthly Magazine" [Coisas Novas e Velhas, uma Revista Mensal], 1865*

v. 14: "Tu és o Deus que fazes maravilhas". Se ele tivesse dito: Tu és o Deus que fizeste maravilhas, estaria claro que se referia apenas aos milagres antigos. Mas por ter dito: "Tu és o Deus que fazes maravilhas", é evidente que se refere às obras maravilhosas, que Ele está fazendo hoje e não deixará de fazer até ao fim do mundo. — *Reicherspergensis Praepositus Gerhohus*

v. 15: "Os filhos de Jacó e de José". A distinção entre os filhos de Jacó e de José não é sem importância. Quando diz *filhos de Jacó ou Israel*, está se referindo aos judeus que creem, cuja descendência é determinada a Deus não só de acordo com a carne, mas também de acordo com a fé. De quem, embora José fosse um dos seus filhos, visto que foi vendido pelos irmãos e, depois de muitos sofrimentos entre tribos estrangeiras, foi elevado a alta posição, é altamente congruente distingui-lo dos filhos de Jacó. José é adequadamente considerado príncipe dos gentios à parte dos filhos de Jacó que o venderam. — *Reicherspergensis Praepositus Gerhohus*

v. 15: "os filhos de Jacó e de José". Foi José ou foi Jacó que gerou os filhos de Israel? Com certeza foi Jacó. Mas como José os alimentou, eles também são chamados pelo seu nome. — *Talmude*

v. 16: "As águas te viram, ó Deus, as águas te viram, e tremeram; os abismos também se abalaram". "As águas do mar Vermelho", diz o bispo Horne, "estão belamente representadas como dotadas de sensibilidade. É como se vissem, sentissem e ficassem confusas, até as mais baixas profundezas, na presença e poder do grande Criador, quando Ele ordenou que abrissem um caminho e formassem uma parede de cada lado, até que o povo passasse". Trata-se, na realidade, de verdadeira poesia. No ato de atribuir vida, espírito, sentimento, ação e sofrimento a objetos inanimados, não há poetas melhores que os da nação hebreia. — *Richard Mant*

v. 16: "Os abismos também se abalaram." Além das águas, o salmista menciona o abismo para mostrar que o domínio e poder de Deus alcançam não só a superfície das águas, mas também penetram até aos mais profundos abismos. Agitam e sacodem as águas desde o mais abissal leito. -- *D. H. Mollerus*

vv. 16 a 18: "As águas te viram", mas os homens não te veem. "Os abismos também se abalaram", mas os homens dizem no coração: Não há Deus. As "grossas nuvens se desfizeram em água", mas os homens não se derramam em clamores e lágrimas na presença de Deus. "Os céus retumbaram", mas os homens não perguntam: Onde está Deus, o meu Criador? "As tuas flechas correram de uma para outra parte", mas os homens por sua vez não responderam a Deus com a flecha da contrição e da súplica. "A voz do teu trovão repercutiu-se nos ares", mas os homens não ouvem os mais sonoros trovões da Lei de Deus. "Os relâmpagos alumiaram o mundo", mas a luz da verdade resplandece nas trevas e as trevas não a compreenderam (cf. Jo 1.5). "A terra se abalou e tremeu", mas o coração humano permanece impassível.

O meu coração não treme diante
Da ira e terrores de um Deus
— *George Rogers.*

vv. 16 a19: Assim que todo o exército egípcio estava no leito do mar, o mar refluiu de volta ao seu lugar e, com uma torrente levantada por tempestades de vento, abateu-se e engolfou os egípcios. A chuva também desceu dos ares com terríveis trovões e raios, além de labaredas de fogo. Raios acompanhados de trovões também foram arremessados sobre os egípcios. Não houve nada costumeiramente enviado por Deus aos homens, como indicações da ira divina, que não acontecesse neste momento, pois uma noite escura e tenebrosa os oprimiu. Assim fez todos esses homens perecerem, de forma que não restou sequer um para ser mensageiro desta calamidade para o restante dos egípcios. — *Flávio Josefo*

v. 19: "Pelo mar foi teu caminho, e tuas veredas, pelas grandes águas; e as tuas pegadas não se conheceram." Até recentemente, não se conhecia muito das correntes oceânicas, nem das influências causadas na situação de determinadas localidades e no relacionamento das pessoas entre si. Reconhecemos, hoje, que elas são o "caminho" ou as "veredas" do Criador "pelas grandes águas". Entre elas, podemos considerar a propagação das ondas da maré ao longo do globo, a duração e força de certos ventos, as variações em densidade que as águas do mar sofrem em diferentes latitudes e em diferentes profundidades, pela mudança de temperatura e quantidade de sal que contêm, e pelas alterações de hora em hora da pressão atmosférica que ocorre nos trópicos. As correntes oceânicas são quase constantes em largura, cruzando os mares em muitas direções. Grandes bandos de algas levados pelas correntes mostram, ao mesmo tempo, a velocidade e a linha de demarcação entre as águas em repouso e as águas em movimento. Há, entre os trópicos, um movimento geral do mar, de leste a oeste, chamado corrente equatorial, a qual se supõe ser ocasionada pelos ventos alísios e pelo progresso das ondas da maré. Há correntes mais estreitas que levam água morna para águas mais altas e frias a latitudes mais baixas. — *Edwin Sidney, "Conversations on the Bible and Science" [Conversas sobre a Bíblia e a Ciência], 1866*

v. 19: "Pelo mar foi teu caminho", onde nenhum homem pode atravessar, a não ser que Deus vá à frente, mas onde qualquer homem pode andar, se Deus o segurar pela mão e o guiar. — *David Dickson*

v. 19: "As tuas pegadas não se conheceram." Deus fica tantas vezes fora de vista, que não entendemos o que Ele faz ou o que está a ponto de fazer. A coluna da providência divina está muitas vezes escura para os israelitas bem como para os egípcios, de forma que o seu próprio povo não entende os enigmas até que Deus se agrade em ser o próprio intérprete e conduza o povo aos seus segredos. — *Samuel Slater, 1704, "The Morning Exercises" [Os Exercícios Matutinos]*

v. 19: "As tuas pegadas não se conheceram", quer dizer, nem sempre são conhecidas, ou não são conhecidas em todas as coisas. É verdade, não são conhecidas completamente em nada. — *Joseph Caryl*

v. 19: "As tuas pegadas não se conheceram." Em assuntos de grande consequência, que ocorreram em certas dispensações providenciais, Lutero importunava insistentemente o trono da graça em busca de conhecer a mente de Deus a respeito. Parecia-lhe ter ouvido Deus falar assim ao seu coração: "Eu não serei localizado". Referindo-se a este incidente, alguém acrescentou: "Se Deus não será localizado, então nEle se pode confiar". A religião é de pouco valor, se não permite ao homem confiar em Deus, quando este não pode ser localizado nem visto. Mas há um tempo para tudo debaixo do sol, e o Todo-Poderoso tem os seus tempos e estações. Muitas vezes, as minhas esperanças e desejos em relação à providência, assim como o meu relógio e o sol, estão à frente do tempo certo ou adiantados. Por ter sido mais rápido que a providência, sou forçado a parar e esperar ou ser dolorosamente atrasado. Este era o bom sentimento de John Flavel: "Certas providências, como as letras hebraicas, devem ser lidas de trás para diante". — *Autor não citado, "The Christian Treasury" [O Tesouro Cristão], 1849*

v. 19: Veja também as notas referentes ao versículo 13.

v. 20: "Guiaste o teu povo, como a um rebanho, pela mão de Moisés e de Arão". Deste versículo, os aflitos angariam muitas consolações. Em primeiro lugar, as melhores pessoas que há não são mais capazes de resistir às tentações que a ovelha simples pode livrar-se do arbusto espinhento que a prendeu. Em segundo lugar, o homem não tem mais habilidade de precaver-se das tentações que a pobre ovelha de evitar o arbusto espinhento, sendo guardada apenas pela diligência do pastor. Em terceiro lugar, como o pastor cuida da ovelha que ficou emaranhada no arbusto espinhento, assim Deus cuida do crente aflito. Em quarto lugar, o povo de Israel não sofreu os danos causados pela água, porque entrou no mar sob as ordens de Deus. Por meio disso, aprendemos que não há perigo que nos atinja, quando agimos sob as ordens de Deus. Todos os perigos nos abatem, quando escolhemos agir por nós mesmos, independente das ordens do nosso Senhor. É como Pedro, quando andou sobre as águas sob as ordens de Deus não sofreu dano, mas quando, em sua presunção, entrou na casa do sumo sacerdote, foi derrotado e negou Jesus. Para os israelitas, quando lutaram sob as ordens de Deus, o perigo não era nada. Mas quando lutaram por vontade própria, pereceram. Portanto, somos forçados a prestar atenção nas ordens de Deus, para que nenhum perigo nos destrua, ainda que nos cause dor. A outra doutrina é que Deus usou o ministério de Moisés e Arão no livramento do seu povo, que recebeu a ordem de não fazer nada mais do que o Senhor já havia ordenado. Por meio disso, aprendemos que, como se dá com os ministros designados de Deus, que não fazem nada mais do que Deus ordena, assim devemos imitá-los. Como disse Paulo: "Sede meus imitadores, como também eu, de Cristo" (1 Co 11.1). — *John Hooper*

v. 20: "Guiaste o teu povo, como a um rebanho." Observemos que o bom pastor guia os seus seguidores como ovelhas. Em primeiro lugar, com grande solicitude e preocupação para proteger as ovelhas dos lobos. Em segundo lugar, com consideração e bondade, pois as ovelhas são animais inofensivos. Em terceiro lugar, com exatidão sábia, pois as ovelhas se desviam facilmente e, entre todos os animais, são os mais estúpidos. — *Thomas Le Blanc*

v. 20: "Guiaste o teu povo." O nosso guiar deve ser gentil e suave, de outra forma não é *duxisti*, mas *traxisli*. Será um puxar e arrastar, mas não guiar. *Leni spiritu non dura manu*, antes sermos guiados por doce influência do que, por extrema violência externa, sermos forçados a avançar. Foi como Deus guiou o seu povo. Não a passos apressados, imagino, porque havia um ano que estavam em marcha em um caminho que poderiam ter percorrido em onze dias, como disse Moisés em Deuteronômio 1.2, nem ainda o caminho mais curto, como fala Moisés em Êxodo 13.18. Ele buscou um curso diversas vezes, como todos os governadores sábios pelo exemplo têm de fazer, que oferecesse antes segurança para guiar do que rapidez para avançar. O Espírito do Senhor guiou o seu povo, disse o profeta, como o cavalo que desce calmamente aos vales (Is 63.14), o qual não deve estar a galope, para que cavalo e cavaleiro não caiam um em cima do outro, mas deve ir com cautela. — *Lancelot Andrewes, 1555-1626*

v. 20: "Pela mão de Moisés e de Arão." Ele não diz: Moisés e Arão guiaram o povo de Israel, mas: Tu guiaste o povo e este teu povo, pela mão de Moisés e Arão. Grande era o poder destes dois homens. Não obstante, nenhum deles era o pastor das ovelhas. Cada um era servo do único, exclusivo e verdadeiro Pastor, a quem as ovelhas pertenciam exclusivamente. Nenhum deles também era o líder das ovelhas, pois o próprio Pastor estava presente e guiava o próprio rebanho, a quem estes dois agiam como servos. Há três coisas a aprendermos com esta passagem. Em primeiro lugar, as ovelhas não pertencem aos servos, mas ao verdadeiro Pastor. Em segundo lugar, o verdadeiro Pastor é o líder das suas ovelhas. Em terceiro lugar, a função de Moisés e Arão era cumprir este dever para que as ovelhas do Senhor fossem devidamente guiadas e apascentadas. Assim, é o próprio Cristo guia as ovelhas, as suas ovelhas, e para este trabalho Ele emprega o ministério dos seus servos. — *Wolfgang Musculus*

v. 20: "Guiaste o teu povo, como a um rebanho, pela mão de Moisés e de Arão." O salmista alcança o clímax da melodia e encontra alívio para a tristeza, forçando os pensamentos em outra linha e concentrando-se em todas as mais poderosas maravilhas de Deus feitas antigamente. Mas tem de concluir o cântico. Nesta intensidade de emoção, ele não se atrevia em apresentar com detalhes uma mera lição de consolo. Há ocasiões em que mesmo a fé mais santa não suporta ouvir palavras argumentativas, mas acha ponto de apoio sobre o qual firmar-se pela simples contemplação, em toda a sua grandeza nativa, das ações que Deus tem feito. — *Joseph Francis Thrupp*

SUGESTÕES AOS PREGADORES

v. 1: O benefício de usar a voz na oração feita em particular.

vv. 1, 3, 5, 10: Note o progresso do sábio para sair da angústia da alma: (1) "Clamei". (2) "Lembrava-me". (3) "Considerava". (4) "Eu disse".

v. 2: Veja "Spurgeons Sermões, não. 853". "Um Sermão para o mais Miserável de Homens".

v. 2: (1) Oração especial: "No dia da minha angústia busquei ao Senhor". (2) Oração perseverante: "A minha mão se estendeu de noite e não cessava". (3) Oração agonizante: "A minha alma recusava ser consolada", até que veio a resposta. "E, posto em agonia, orava mais intensamente" (Lc 22.44). — *George Rogers*

v. 2: "A minha alma recusava ser consolada". Quando esta atitude é sábia e quando é censurável.

v. 4: O homem bom: (1) Não descansa na cama até que a alma descanse em Deus. (2) Não fala livremente com as pessoas até Deus ter-lhe falado paz com a alma. — *George Rogers*

v. 4: Ocupação para o insone e consolação para o mudo.

vv. 5 e 6: Há quatro regras para obtermos consolo na aflição: (1) A consideração da bondade de Deus para com o seu povo de antigamente. (2) A lembrança da nossa própria experiência passada. (3) O exame de consciência. (4) O estudo diligente da Palavra de Deus. — *George Rogers*

v. 6: "Lembrança". A boa memória é muito prestativa e útil: (1) É excelente meio de conhecimento. Que sentido faz o que você lê e ouve, se você não se lembra de nada? (2) É excelente meio de fé. "Pelo qual também sois salvos, se o retiverdes tal como vo-lo tenho anunciado" (1 Co 15.2). (3) É excelente meio de consolo. Se o pobre cristão em angústia se lembrar das promessas de Deus, elas o inspirarão com nova vida. Mas quando são esquecidas, o espírito desfalece. (4) É excelente meio de gratidão. (5) É excelente meio de esperança. "A experiência [produz] a esperança" (Rm 5.4), e a memória é o armazém da experiência. (6) É excelente meio de arrependimento. Como podemos nos arrepender ou chorar pelo que já esquecemos? (7) É excelente meio de utilidade. Quando uma centelha de graça é verdadeiramente acesa no coração, logo passa a aquecer também os outros. — *Richard Steele*

v. 7: "Rejeitará o Senhor para sempre?" Colocando a pergunta sob forte luz, consideremos: (1) Acerca de quem é feita a pergunta? Acerca do Senhor. (2) Que curso de ação está em questão? A rejeição para sempre. (3) Em relação a quem a ação seria feita?

v. 8: Estas perguntas: (1) Dão a entender mudança no Jeová imutável em dois atributos gloriosos. (2) São contrárias a todas as evidências do passado. (3) Só podem ter surgido da carne e de Satanás. (4) Devem ser enfrentadas no poder do Espírito, com fé forte no Deus Eterno.

v. 10: Trata-se de confissão aplicável a muitos outros assuntos, como o medo da morte, o terror do abandono, o temor do serviço público, a suscetibilidade do descaso.

v. 10: "Enfermidade minha". Há diferentes significados para a palavra "enfermidade", os quais fornecem bons assuntos: (1) Há enfermidades que temos de suportar com paciência. (2) Há enfermidades nas quais devemos nos gloriar. (3) Há enfermidades que devemos levar em oração a Deus pela ajuda do Espírito. (4) Há enfermidades das quais devemos chorar e nos arrepender.

vv. 10 a 12: Lembre-se, medite e fale.

vv. 11 e 12: (1) Consolação derivada da lembrança do passado: "Lembrar-me-ei, pois, das obras do SENHOR; certamente que me lembrarei das tuas maravilhas da antiguidade". (2) Consolação aumentada pela meditação: "Meditarei também em todas as tuas obras". (3) Consolação fortalecida pela comunicação: "Falarei dos teus feitos". — *George Rogers*

v. 12: Temas para pensamento e tópicos para conversa: a criação, a providência, a redenção.

vv. 13 e 19: "No santuário", "pelo mar". O caminho de Deus é incompreensível, ainda que indubitavelmente certo. Na santidade de Deus está a resposta para os enigmas.

v. 14: O Taumaturgo ou o grande Executor de feitos maravilhosos.

v. 15: "E de José". A honra de nutrir os que nasceram de Deus pelos labores dos outros homens.

v.15: (1) A redenção por poder. (2) A consequência, a evidência e o servidor necessário da redenção por preço.

v. 15: (1) Os remidos: "o teu povo", "os filhos": (a) No cativeiro, ainda que fossem o povo e os filhos de Deus. (b) O povo e os filhos de Deus, ainda que estivessem no cativeiro. (2) A redenção: da escravidão egípcia. (3) O Redentor: "[Tu] com o teu braço remiste". Deus, por Cristo, o seu braço: "O meu braço me trouxe a salvação" (Is 63.5). "A quem se manifestou o braço do SENHOR?" (Is 53.1). — *George Rogers*

vv.16 a 18: (1) A homenagem da natureza ao Deus da graça. (2) A subserviência da natureza aos desígnios de Deus. — *George Rogers*

v. 19: Os caminhos de Deus para com os homens: (1) São peculiares: "pelo mar", "pelas águas". (2) São uniformes: as "pegadas" são regulares. (3) São inescrutáveis: como o caminho do navio no mar e não como o caminho da relha do arado na terra.

v. 19: O caminho de Deus é pelo mar. Nas coisas mutáveis, incontroláveis, incomensuráveis, insondáveis, terríveis e avassaladoras, o Senhor tem o poder governante.

v. 20: (1) Quem é guiado por Deus? "O teu povo". (2) Como o povo de Deus é guiado? "Como a um rebanho", sendo separado, unido e dependente. (3) Quais são os agentes empregados para guiar o povo de Deus? "Pela mão de Moisés e de Arão". O grande Pastor guia o seu povo pela mão de sub-pastores. Senhor, que todo sub-pastor mantenha os olhos firmes em ti. Amém. — *George Rogers*

v. 20: A história da igreja: (1) A igreja é um rebanho. (2) Deus guia o rebanho. (3) A instrumentalidade que Deus sempre usa para guiar o rebanho.

SALMO 78

TÍTULO

Masquil de Asafe. O poema foi corretamente intitulado de salmo instrutivo. Não é mera recapitulação de acontecimentos importantes da história de Israel, mas objetiva ser visto como parábola que representa a conduta e experiência dos crentes de todas as épocas. É prova singular da obtusidade mental de muitos professos crentes que contestam sermões e exposições sobre as partes históricas da Bíblia, como se não contivessem instrução sobre assuntos espirituais. Fossem tais pessoas verdadeiramente iluminadas pelo Espírito de Deus, e perceberiam que toda a Escritura é proveitosa e enrubesceriam diante da própria tolice em subestimar qualquer porção do volume inspirado.

DIVISÃO

A unidade é fortemente mantida ao longo do salmo. Mas, para a conveniência do leitor, notamos que os versículos 1 a 8 servem de prefácio, pois apresentam o objetivo do salmista na epopeia que está compondo. Dos versículos 9 a 41, o tema é Israel no deserto. Depois, nos versículos 42 a 52, consta uma narrativa da precedente bondade do Senhor para com o seu povo ao tirá-lo do Egito por meio de pragas e maravilhas.

A história das tribos é retomada no versículo 53 e levada até ao versículo 66, à época da transferência da arca para Sião e da mudança de liderança israelita, de Efraim para Judá, que são detalhadamente relatadas na forma de canção nos versículos 67 a 72.

EXPOSIÇÃO

1 *Escutai a minha lei, povo meu; inclinai os ouvidos às palavras da minha boca.*
2 *Abrirei a boca numa parábola; proporei enigmas da antiguidade,*
3 *os quais temos ouvido e sabido, e nossos pais no-los têm contado.*

4 *Não os encobriremos aos seus filhos, mostrando à geração futura os louvores do Senhor, assim como a sua força e as maravilhas que fez.*
5 *Porque ele estabeleceu um testemunho em Jacó, e pôs uma lei em Israel, e ordenou aos nossos pais que a fizessem conhecer a seus filhos,*
6 *para que a geração vindoura a soubesse, e os filhos que nascessem se levantassem e a contassem a seus filhos;*
7 *para que pusessem em Deus a sua esperança e se não esquecessem das obras de Deus, mas guardassem os seus mandamentos*
8 *e não fossem como seus pais, geração contumaz e rebelde, geração que não regeu o seu coração, e cujo espírito não foi fiel para com Deus.*

1. *"Escutai a minha lei, povo meu."* O bardo inspirado chama os compatriotas a prestar atenção ao ensino patriótico prestes a ser dado. Esperamos naturalmente que a nação eleita de Deus seja a primeira a escutar a sua voz. Quando Deus verbaliza a verdade e envia mensageiros treinados para declarar a Palavra com poder, é o mínimo que podemos fazer para dar-lhes ouvidos e obediência pronta do nosso coração. Deus fala e os seus filhos se recusam a ouvir? O seu ensino tem a força da Lei, demos a ela ouvidos e coração.

"Inclinai os ouvidos às palavras da minha boca." Preste bem atenção, dobre o pescoço duro, incline-se para pegar cada sílaba. Estamos neste dia, como leitores dos registros sagrados, presos a estudá-los a fundo, explorando lhes o significado e esforçando-nos para pôr em prática o que ensinam. Como o oficial do exército começa o treinamento militar exigindo *Atenção*, assim todo soldado treinado de Cristo é chamado para dar atenção às Palavras Santas. Os homens ouvem música com atenção, quanto mais devem ouvir as harmonias do Evangelho. Os homens se sentam escravizados na presença de um orador, quanto mais devem se sujeitar à eloquência do céu.

2. *"Abrirei a boca numa parábola."* Temos de fazer analogias. Deus espera que façamos ligações entre a história de Israel e a vida do crente. Israel foi posto como exemplo. As tribos e as suas jornadas são alegorias vivas traçadas pela mão da providência sapientíssima. Os que não são espirituais podem zombar de fantasias e misticismos, mas Paulo foi feliz quando disse: "O que se entende por alegoria" (Gl 4.24), e Asafe, no presente caso, falou a ponto de chamar a sua narrativa de "parábola". O significado estava claro pela citação: "Tudo isso disse Jesus por parábolas à multidão e nada lhes falava sem parábolas, para que se cumprisse o que fora dito pelo profeta, que disse: Abrirei em parábolas a boca; publicarei coisas ocultas desde a criação do mundo" (Mt 13.34,35).

"Proporei enigmas da antiguidade", enigmas dos tempos passados. A mente do poeta estava tão cheia do conhecimento antigo, que ele o extravasou em copiosa torrente de canção, visto que no fundo da enxurrada efusiva havia pérolas e pedras preciosas de verdade espirituais, aptas para enriquecer aqueles que mergulhassem até ao fundo para trazê-las à superfície. A letra da canção é preciosa, mas o sentido interior não tem preço. Levando em conta que o primeiro versículo exigiu atenção, o segundo justifica a ordem, indicando que o sentido exterior esconde um significado interior e oculto, que só os atentos perceberão.

3. *"Os quais temos ouvido e sabido, e nossos pais no-los têm contado."* A tradição prestou o mais excelente serviço ao povo de Deus nos tempos antigos, antes que a mais segura palavra da profecia se completasse e ficasse comumente acessível. O recebimento da verdade dos lábios dos outros colocava os crentes instruídos sob a obrigação solene de passar a verdade para a geração seguinte. A verdade, estimada por nós por suas ternas associações com os pais piedosos e amigos veneráveis, merece de nós os nossos melhores esforços para preservá-la e propagá-la. Os nossos pais falaram, nós ouvimos e sabemos pessoalmente o que ensinaram. Cabe a nós, por nossa vez, passá-la adiante. Bendito seja Deus, pois hoje temos o testemunho menos mutável da revelação escrita. Contudo, isso de forma alguma minora a nossa

obrigação de ensinar os nossos filhos a verdade divina pela palavra da boca. Mais exatamente, com tal ajuda divina, devemos ensiná-los muito mais inteiramente sobre as coisas de Deus. Doddridge deveu muito aos azulejos holandeses e às explicações que a sua mãe fazia das narrativas bíblicas. Quanto mais ensino parental, melhor. Os ministros e professores da Escola Dominical não têm a função de serem substitutos das lágrimas das mães e das orações dos pais.

4. *"Não os encobriremos aos seus filhos."* Não permitamos que o nosso silêncio negligente prive a descendência nossa e a dos nossos pais da verdade preciosa de Deus, pois seria verdadeiramente vergonhoso se assim fizéssemos.

"Mostrando à geração futura os louvores do Senhor." Visamos às gerações futuras e nos empenhamos em prover-lhes a educação sobre as coisas de Deus. É dever da igreja de Deus manter, no mais pleno vigor operativo, todo instrumento que objetive a educação espiritual dos jovens. É para eles que temos de visionar a igreja do futuro. Como semeamos para eles, assim colheremos. Devemos ensinar as crianças a engrandecer ao Senhor. Elas precisam estar devidamente informadas sobre as ações maravilhosas de Deus em tempos passados. Precisam saber "assim como a sua força e as maravilhas que fez". A melhor educação é a educação ligada às coisas mais excelentes. A primeira lição que a criança deve aprender tem de estar relacionada ao Deus da sua mãe. Ensine a criança o que quiser, mas se ela não aprender o temor do Senhor, ela perecerá por falta de conhecimento. A gramática é alimento insípido para a alma, caso não esteja temperada com a graça. Toda mochila escolar tem de ter uma Bíblia. O mundo só ensina sabedoria secular, pois é tudo o que sabe, mas a igreja não deve tratar assim a sua descendência. A igreja deve cuidar bem de todo Timóteo, e certificar-se de que cada criança saiba as Sagradas Letras (cf. 2 Tm 3.15). Em ambiente familiar os pais devem ler não só os registros bíblicos, mas os feitos dos mártires e reformadores, além de relatar os procedimentos do Senhor para com eles na providência e na graça. Ousamos não seguir as tradições vãs e malévolas da apóstata igreja de Roma, nem compararíamos o registro falível das melhores recordações humanas com a infalível palavra escrita, ainda que veríamos, de bom grado, as tradições orais praticadas por todo cristão em sua família e as crianças alegremente ensinadas pelas palavras das próprias mães e pais, como também pelas páginas impressas que eles muitas vezes consideram livros de deveres maçantes e difíceis. Que horas felizes e noites agradáveis as crianças têm tido aos joelhos dos pais, enquanto ouvem "gostosas histórias de antigamente". Leitor, se você tem filhos, cuide para você não ser remisso neste dever.

5. *"Porque ele estabeleceu um testemunho em Jacó."* A nação favorecida existia para o exato propósito de manter a verdade de Deus em meio à idolatria circunvizinha. Deles eram os oráculos e eles eram os protetores e guardiões da verdade.

"E pôs uma lei em Israel, e ordenou aos nossos pais que a fizessem conhecer a seus filhos." O testemunho do verdadeiro Deus tinha de ser transmitido de geração em geração pelo ensino cuidadoso das famílias subsequentes. Encontramos o mandamento para esta transmissão oral muitas vezes ao longo do Pentateuco, sendo suficiente citarmos um exemplo: Tu "as intimarás a teus filhos e delas falarás assentado em tua casa, e andando pelo caminho, e deitando-te, e levantando-te" (Dt 6.7). Leitor, se você for pai ou mãe, você tem conscienciosamente desempenhado este dever?

6. *"Para que a geração vindoura a soubesse."* Na medida em que a nossa breve vida nos permita, temos de organizar e prover a subsistência espiritual da juventude. As narrativas, mandamentos e doutrinas da Palavra de Deus não estão obsoletas. Têm o objetivo de exercer influência enquanto a raça humana existir.

"E os filhos que nascessem se levantassem e a contassem a seus filhos." O principal objetivo apontado é a transmissão. O testemunho só é dado para que possa ser passado para as gerações sucessivas.

7. *"Para que pusessem em Deus a sua esperança."* A fé vem pelo ouvir (Rm 10.17). Aqueles que conhecem o nome do Senhor porão a esperança nEle. O principal objetivo de todo ensino espiritual é exatamente levá-los a esperar em Deus.

"E se não esquecessem das obras de Deus." A graça cura as más recordações. Aqueles que logo se esquecem das obras misericordiosas do Senhor têm a necessidade do ensino. Precisam aprender a arte divina da memória santa.

"Mas guardassem os seus mandamentos." Aqueles que se esquecem das obras de Deus seguramente fracassarão nas suas. Quem não mantém o amor de Deus na memória dificilmente se lembrará da Lei. O desígnio do ensino é prático. A santidade a Deus é o fim ao que apontamos, e não o enchimento da cabeça com noções especulativas.

8. *"E não fossem como seus pais, geração contumaz e rebelde."* Havia lugar para melhoras. Pais contumazes nos seus caminhos e rebeldes contra os caminhos de Deus são tristes exemplos para os filhos. É altamente desejável que a instrução melhor produza uma raça melhor. Em certas regiões, é comum os homens reputarem o costume familiar como a, mas excelente regra. Todavia não devemos desculpar a desobediência por ser hereditária. A lepra não era menos repugnante, só porque estava há muito na família. Se os nossos pais foram rebeldes, temos de ser melhores que eles, ou então pereceremos como eles.

"Geração que não regeu o seu coração." Não tomaram a decisão pela justiça e pela verdade. Não havia neles a prontidão ou disposição de coração para receber o Salvador, e nem os julgamentos e misericórdias poderiam ligar os afetos ao seu Deus. Eram inconstantes como os ventos e variáveis como as ondas.

"E cujo espírito não foi fiel para com Deus." As tribos no deserto eram constantes apenas na inconstância. Não havia alguém fiel a Deus sob quem estar sob influência. Era realmente necessário que os descendentes fossem advertidos, para que não os imitassem cegamente na infidelidade para com Deus. Como seria maravilhoso se cada época ficasse melhor que a precedente. Mas infelizmente, vemos que o declínio é geral que o progresso. É triste constatar que, na maioria das vezes, os herdeiros dos verdadeiros santos são mais rebeldes que os pais foram quando ainda não eram nascidos de novo. Possa a leitura deste cântico patriótico e divino mover muitos a labutar pela elevação deles e da sua posteridade.

9 *Os filhos de Efraim, armados e trazendo arcos, retrocederam no dia da peleja.*
10 *Não guardaram o concerto de Deus e recusaram andar na sua lei.*
11 *E esqueceram-se das suas obras e das maravilhas que lhes fizera ver,*
12 *maravilhas que ele fez à vista de seus pais na terra do Egito, no campo de Zoã.*
13 *Dividiu o mar, e os fez passar por ele; fez com que as águas parassem como num montão.*
14 *De dia os guiou com uma nuvem, e toda a noite, com um clarão de fogo.*
15 *Fendeu as penhas no deserto e deu-lhes de beber como de grandes abismos.*
16 *Fez sair fontes da rocha e fez correr as águas como rios.*
17 *E ainda prosseguiram em pecar contra ele, provocando ao Altíssimo na solidão.*
18 *E tentaram a Deus no seu coração, pedindo carne para satisfazerem o seu apetite.*
19 *E falaram contra Deus e disseram: Poderá Deus, porventura, preparar-nos uma mesa no deserto?*
20 *Eis que feriu a penha, e águas correram dela; rebentaram ribeiros em abundância; poderá também dar-nos pão ou preparar carne para o seu povo?*
21 *Pelo que o* Senhor *os ouviu e se indignou; e acendeu um fogo contra Jacó, e furor também subiu contra Israel,*
22 *porquanto não creram em Deus, nem confiaram na sua salvação,*
23 *posto que tivesse mandado às altas nuvens, e tivesse aberto as portas dos céus,*
24 *e fizesse chover sobre eles o maná para comerem, e lhes tivesse dado do trigo do céu.*
25 *Cada um comeu o pão dos poderosos; ele lhes mandou comida com abundância.*
26 *Fez soprar o vento do Oriente nos céus e trouxe o Sul com a sua força.*
27 *E choveu sobre eles carne como pó, e aves de asas como a areia do mar.*
28 *E as fez cair no meio do seu arraial, ao redor de suas habitações.*

29 *Então, comeram e se fartaram bem; pois lhes satisfez o desejo.*
30 *Não refrearam o seu apetite. Ainda lhes estava a comida na boca,*
31 *quando a ira de Deus desceu sobre eles, e matou os mais fortes deles, e feriu os escolhidos de Israel.*
32 *Com tudo isto, ainda pecaram e não deram crédito às suas maravilhas.*
33 *Pelo que consumiu os seus dias na vaidade e os seus anos, na angústia.*
34 *Pondo-os ele à morte, então, o procuravam; e voltavam, e de madrugada buscavam a Deus.*
35 *E lembravam-se de que Deus era a sua rocha, e o Deus Altíssimo, o seu Redentor.*
36 *Todavia, lisonjeavam-no com a boca e com a língua lhe mentiam.*
37 *Porque o seu coração não era reto para com ele, nem foram fiéis ao seu concerto.*
38 *Mas ele, que é misericordioso, perdoou a sua iniquidade e não os destruiu; antes, muitas vezes desviou deles a sua cólera e não deixou despertar toda a sua ira,*
39 *porque se lembrou de que eram carne, um vento que passa e não volta.*
40 *Quantas vezes o provocaram no deserto e o ofenderam na solidão!*
41 *Voltaram atrás, e tentaram a Deus, e duvidaram do Santo de Israel.*

9. *"Os filhos de Efraim, armados e trazendo arcos, retrocederam no dia da peleja."* Bem equipada militarmente e provida com as melhores armas da época, a principal tribo fracassou na fé e na coragem e retrocedeu diante do inimigo. Houve várias ocorrências semelhantes, mas o salmista está se referindo ao fracasso geral de Efraim em chefiar as tribos na conquista de Canaã. Quantas vezes, nós também, ainda que providos com todas as armas da graça, falhos em empreender guerra vitoriosa contra o pecado, marchamos muito galantemente até a hora da prova chegar. Então, "no dia da peleja", verificamos que as nossas boas decisões e santas obrigações eram falsas. Como é vão o homem que não nasceu de novo! Prepare-o com o melhor que a natureza e a graça possam prover, e ele ainda permanece um covarde indefeso na guerra santa, enquanto não tiver uma fé leal no seu Deus.

10. *"Não guardaram o concerto de Deus."* Quebraram votos e promessas, levantaram ídolos e abandonaram o Deus vivo. Foram tirados do Egito para serem um povo separado ao Senhor, mas caíram nos pecados das outras nações e não mantiveram um testemunho puro ao Deus único e verdadeiro.

"E recusaram andar na sua lei." Entregaram-se à fornicação, idolatria e outras violações do decálogo, e estavam frequentemente em estado de rebelião contra a teocracia benigna sob a qual viviam. Comprometeram-se no monte Sinai a guardar a Lei e, depois, intencionalmente a desobedeceram, tornando-se assim transgressores do concerto.

11. *"E esqueceram-se das suas obras e das maravilhas que lhes fizera ver."* Tivessem eles se lembrado delas, teriam sido cheios de gratidão e inspirados com santa admiração. Entretanto a memória das misericórdias de Deus para com eles logo se apagou como se tivesse sido escrita sobre a água. Dificilmente uma geração retinha a sensação da presença divina no poder miraculoso, pois a descendência seguinte precisava da renovação das manifestações extraordinárias. Mesmo assim, não se satisfazia sem que tais manifestações fossem exaustivamente repetidas. Antes de condená-los, arrependamo-nos do nosso próprio esquecimento pecador e confessemos as muitas ocasiões em que nós também fomos desatenciosos das bênçãos já concedidas.

12. O Egito, aqui chamado de *"campo de Zoã"*, foi o cenário de *"maravilhas"* que foram feitas publicamente *"à vista de"* Israel. Estas coisas eram extraordinárias, em larga escala surpreendentes e indisputáveis, de forma a tornar impossível um israelita ser desleal a Jeová, o Deus de Israel.

13. *"Dividiu o mar, e os fez passar por ele."* É uma maravilha em dose dupla, pois quando as águas foram divididas, o fundo do mar teria ficado naturalmente em estado muito impróprio para a passagem de tão numeroso exército como o de Israel. Teria sido intransitável, não tivesse o Senhor preparado a estrada para o seu povo

passar. Quem mais alguma vez conduziu uma nação pelo mar? Contudo, é o que o Senhor muitíssimas vezes tem feito pelos santos em livramentos providenciais, abrindo e preparando uma estrada para eles onde nada menos que o braço Todo-poderoso poderia ter feito.

"Fez com que as águas parassem como num montão." Proibiu que sequer uma gota caísse nos eleitos. Não sentiram nem um respingo vindo das paredes cristalinas em qualquer dos lados. O fogo desce e a água elevar-se sob as ordens do Senhor de todos. A natureza das criaturas não lhes pertence intrinsecamente, mas é detida ou alterada à vontade daquEle que as criou. O Senhor pode fazer com que os males que ameaçam nos vencer suspendam temporariamente as suas ações normais, tornando-se inócuos para nós.

14. *"De dia os guiou com uma nuvem."* Deus fez tudo. Só Ele. O Senhor os trouxe para o deserto e os conduziu através dele. Não é característica do Senhor começar um trabalho e depois deixá-lo enquanto não tiver sido completado. A nuvem tanto conduzia quanto sombreava as tribos. De dia, era um amplo protetor de sol, tornando suportáveis o cruel calor do sol e o clarão da areia do deserto.

"E toda a noite, com um clarão de fogo." O cuidado do grande Pastor era tão constante que a noite inteira e todas as noites o símbolo da presença divina estava com o povo. A nuvem que de dia era sombra de noite era como um sol. Mesmo assim, a graça que esfria e tranquiliza as nossas alegrias, acalma e consola as nossas tristezas. Que misericórdia é termos essa luz de fogo conosco entre os horrores solitários do deserto da aflição. O nosso Deus tem sido tudo isso para nós, e agora seremos infiéis a Ele? Sentimos que Ele é sombra e luz, de acordo com as circunstâncias variáveis em que estejamos.

Ele é a nossa alegria na aflição
Alegrou o nosso coração quando estava triste
E, com advertências suavemente tristes
Acalmou o nosso coração quando estava alegre

Que essas experiências muitas vezes repetidas unam o nosso coração a Ele em laços cada vez mais fortes.

15. *"Fendeu as penhas no deserto."* Moisés foi o instrumento, mas o Senhor é quem fez tudo. Duas vezes Ele fez da pederneira um córrego profuso. O que Deus não pode fazer?

"E deu-lhes de beber como de grandes abismos", como se as águas esguichassem dos reservatórios secretos da terra. As correntes eram tão frescas, tão copiosas, tão constantes, que pareciam jorrar das fontes primevas da terra e saltar imediatamente do "abismo, que jaz abaixo" (Dt 33.13). Esta era a provisão divina para a necessidade urgente dos israelitas, e uma provisão como esta deveria tê-los mantido para sempre em fidelidade resoluta ao seu Deus que opera maravilhas.

16. *"Fez sair fontes da rocha e fez correr as águas como rios."* O abastecimento de água era tão farto em termos de quantidade quanto era miraculoso em termos de origem. Torrentes, em porções não ínfimas, saíram das pedras. As águas seguiam o acampamento. A provisão não durava apenas uma hora ou um dia. Tratava-se de uma maravilha da bondade. Se contemplássemos a abundância da graça divina, ficaríamos perdidos de admiração. Caudalosos rios de amor têm jorrado para nós no deserto. Infelizmente, grande Deus, a nossa retribuição não tem sido proporcionalmente abundante, antes, pelo contrário, tem sido exatamente parca.

17. *"E ainda prosseguiram em pecar contra ele."* Saindo de pecados anteriores, entravam em profundezas de males ainda maiores. Quanto mais tinham, mais ruidosamente clamavam por mais. Murmuravam, porque não tinham todo prazer que os seus apetites empanturrados desejavam. Já era bastante ruim desconfiarem de Deus por causa das coisas necessárias, mas revoltarem-se contra Ele em fúria cobiçosa por meras superfluidades era extremamente pior. A natureza da doença do

pecado sempre é passar de mal a pior. Os homens nunca se cansam de pecar, mas, antes, aumentam a velocidade na corrida da iniquidade. No caso que estudamos, a bondade de Deus foi abusada em uma razão para maior pecado. Não tivesse sido o Senhor tão bom, eles não teriam sido tão maus. Se Deus tivesse realizado apenas uns poucos milagres, eles não teriam sido tão indesculpáveis na incredulidade e tão temerários na idolatria. "Provocando ao Altíssimo na solidão". Embora estivessem em posição de dependência óbvia em Deus, viajando pelo deserto onde o solo não dava sustento, foram desairosos em provocar o Benfeitor. Uma vez, provocavam-lhe o ciúme correndo atrás de deuses falsos. Outra vez, provocavam-lhe a ira desafiando-lhe o poder, difamando-lhe o amor e rebelando-se contra a vontade divina. Ele era só generosidade de amor e todos eles eram só superfluidade de desobediência. Foram agraciados acima de todas as nações, mas não havia ninguém mais mal agradecido que eles. Para o povo, o céu gotejou o maná e eles devolveram murmúrios. As pedras lhes deram rios e eles responderam com inundações de maldade. Nisso, como em um espelho, nós nos vemos. Israel no deserto representou, como em um teatro, toda a história do comportamento dos homens para com o seu Deus.

18. *"E tentaram a Deus no seu coração."* Deus não foi tentado, porque Ele não pode ser tentado por ninguém. O fato é que agiram de modo deliberado a tentá-lo. Sempre é certo fazer esta acusação aos homens, visto que é a tendência óbvia da conduta humana. Jesus não pode morrer novamente. Contudo, muitos o crucificam mais uma vez, porque este seria o resultado legítimo do seu comportamento, caso as consequências não fossem impedidas por outras forças. Os pecadores no deserto queriam que o Senhor mudasse os seus sábios procedimentos para adaptá-los aos caprichos deles. É por isso que o texto diz que eles o tentaram.

"Pedindo carne para satisfazerem o seu apetite." Queriam que Deus se tornasse o abastecedor da ganância deles? Não havia alternativa, senão Ele ter de dar o que fosse que os seus apetites mórbidos ansiassem? O pecado começou no coração, mas logo alcançou a língua. O que a princípio desejaram silenciosamente, logo passaram a exigir ruidosamente com ameaças, indiretas e repreensões.

19. Com este versículo, aprendemos que não crer em Deus é o mesmo que difamá-lo.

"E falaram contra Deus." Mas como? A resposta é: "E disseram: Poderá Deus, porventura, preparar-nos uma mesa no deserto?" Questionar a capacidade de alguém que é nitidamente Todo-Poderoso, é falar contra Ele. Estas pessoas eram suficientemente vis para questionar. Embora o seu Deus tivesse lhes dado pão e água, Ele não podia apropriadamente pôr ou preparar uma mesa. Podia lhes dar alimento de má qualidade, porém não podia preparar um banquete devidamente servido. Foram, portanto, muito ingratos em dizer o questionamento. Como se o maná fosse um mero paliativo e a água que jorrava da rocha um expediente temporário, exigem ter uma mesa regularmente preparada, como estavam acostumados no Egito. Infelizmente, nós também brigamos com as misericórdias recebidas e ranzinzamente ansiamos por algum bem imaginário, não dando o mínimo valor às bênçãos que já desfrutamos, só porque não são exatamente como a nossa fantasia tola quer. Quem não está contente, fala contra a providência mesmo quando ela diariamente o carrega de benefícios.

20. *"Eis que feriu a penha, e águas correram dela; rebentaram ribeiros em abundância."* Eles admitem o que fizeram. Entretanto, com tolice e insolência descomedida, exigem outras provas da Onipotência divina.

"Poderá também dar-nos pão ou preparar carne para o seu povo?" Como se o maná não fosse nada, como se só a comida animal fosse o verdadeiro alimento para os homens. Tivessem eles dito: "*Não* poderá também dar-nos carne?", e o argumento teria sido racional, mas chocaram-se com a insanidade, quando, tendo visto muitas maravilhas da Onipotência, ousaram insinuar que havia coisas que estavam fora da alçada do poder divino. Não obstante, nós também os imitamos nesse comportamento insensato. Cada nova dificuldade provoca renovada incredulidade. Ainda somos

insanos e tardos de coração para crer em Deus. Esta é falta a ser lamentada com a mais intensa penitência. Por esta causa, o Senhor fica muitas vezes irado conosco e nos castiga com severidade. A incredulidade tem em si um grau de provocação do tipo mais alto.

21. *"Pelo que o Senhor os ouviu e se indignou."* Ele não era indiferente ao que diziam. Ele habitava entre eles no Santo Lugar, e, portanto, o insultaram abertamente na sua presença. Não foi algo que alguém lhe relatou, mas as próprias palavras lhe entraram diretamente nos ouvidos.

"E acendeu um fogo contra Jacó." O fogo da sua ira estava acompanhado com incêndios literais.

"E furor também subiu contra Israel." Quer os visse sob luz mais baixa ou mais alta, como Jacó ou como Israel, Deus estava irado com o seu povo. Mesmo como meros homens, eles deveriam ter crido nEle, e, como tribos eleitas, a incredulidade vil era indesculpável. O Senhor faz bem em estar indignado com insulto tão ingrato, gratuito e covarde que lhe questiona o poder.

22. *"Porquanto não creram em Deus, nem confiaram na sua salvação."* Este é o principal pecado, o notório pecado. Como Jeroboão, filho de Nebate, nisso pecou e fez Israel pecar. É mau em si mesmo e o pai dos males. Foi este pecado que excluiu Israel de Canaã e exclui miríades do céu. Deus está pronto para salvar, combinando poder com disposição, mas o homem rebelde não quer confiar no Salvador, estando, então, já condenado. O texto dá a entender que todos os outros pecados de Israel não eram nada em comparação a este. É este o ponto peculiar que o Senhor chama a atenção, a provocação especial que o enfureceu. Com isso, aprenda todo incrédulo a ter mais medo da incredulidade que de qualquer outra coisa. Se ele não é adúltero, ou ladrão, ou mentiroso, que se conscientize de que, para ser condenado, basta não confiar na salvação do seu Deus.

23. *"Posto que tivesse mandado às altas nuvens."* Esta maravilha deveria ter impossibilitado a incredulidade. Quando as nuvens se tornam silos ver tem de ser crer e as dúvidas se dissolvem.

"E tivesse aberto as portas dos céus." As grandes portas do armazém celestial foram totalmente abertas, e os pães do céu gotejaram aos montões. Quem não cresse diante de tal fato é porque estava realmente endurecido. Contudo, a nossa própria posição é bem parecida. O Senhor nos tem dado grandes livramentos, tão memoráveis quanto inegáveis. Mesmo assim, suspeitas e desconfianças nos assombram. Ele poderia ter nos trancado no inferno. Ao invés disso, abriu-nos as portas do céu. Não devemos crer nEle e engrandecê-lo por isso?

24. *"E fizesse chover sobre eles o maná para comerem."* Havia tanto maná, que os céus extravasaram com alimentos e as nuvens explodiram com provisões. Era alimento bom, próprio não para olhar, mas para comer. Podiam comer enquanto colhiam. Por mais misterioso que fosse, tanto que o chamaram de *maná*, que significa "o que é isso?", era eminentemente próprio para o consumo humano. Era abundante e próprio, bem como acessível! Não precisavam ir longe para buscar, pois estava perto e só tinham de recolhê-lo. Senhor Jesus, tu és o maná santo do céu. Como tudo isso concorda contigo! Mesmo agora, nos alimentamos de ti como o nosso alimento espiritual, e te pedimos que expulse de nós toda a incredulidade. Os nossos pais comeram maná e duvidaram. Nós nos alimentamos de ti e ficamos cheios de fé.

"E lhes tivesse dado do trigo do céu." Tudo era um presente sem dinheiro e sem preço. A comida que caía do céu e era da melhor qualidade, a ponto de ser chamada "trigo do céu", foi-lhes dada livremente. O maná era redondo, como semente de coentro. Por isso, foi corretamente chamado de "trigo". Não subia da terra, mas descia do céu. Portanto, as palavras do versículo são literalmente precisas. O ponto a ser destacado é que esta maravilha das maravilhas deixou os observadores e banqueteadores extremamente propensos a desconfiar do seu Senhor.

25. "Cada um comeu o pão dos poderosos". Os regalos dos reis foram suplantados, pois foram servidas as iguarias dos anjos ("o pão dos anjos", ARA). O pão dos

poderosos caiu sobre os fracos. Estes que são pouco menores do que os anjos deram-se bem. Não foi sobre os sacerdotes ou os príncipes que o maná caiu, mas sobre toda a nação, para cada homem, para cada mulher e para cada criança que havia no acampamento. Havia o suficiente para todos, porque "ele lhes mandou comida com abundância". Os banquetes de Deus nunca são restritos. Ele dá a melhor dieta e sempre com fartura. As provisões do Evangelho merecem todo louvor que possamos amontoar sobre elas. São liberais, generosas, cheias e extraordinárias. É Deus quem as prepara, envia e dá. Está bem alimentado aquele a quem Deus alimenta. A comida do céu é nutritiva e farta. Se nos alimentamos de Jesus, então já provamos a melhor comida que a dos anjos.

Jamais os anjos provaram
A graça redentora e o amor agonizante

Seremos sábios se comermos tudo que nos foi dado, pois Deus enviou comida não para passarmos privações nEle, mas para sermos cheios nEle. Felizes os peregrinos que no deserto receberam pão enviado diretamente do próprio palácio do Senhor nos céus. Comamos com fartura do banquete celestial e engrandeçamos a graça suficientíssima que satisfaz todas as nossas necessidades, de acordo com as riquezas divinas em glória, por Cristo Jesus.

26. *"Fez soprar o vento do Oriente nos céus."* Ele é Senhor supremo, acima do príncipe do poder dos ares. As tempestades surgem e as tormentas acossam sob as ordens divinas. Os ventos dormem até que Deus os desperte, e então, como Samuel, cada um responde: "Eis-me aqui, porque tu me chamaste" (cf. 1 Sm 3.6).

"E trouxe o Sul com a sua força." Estes ventos (do Oriente e do Sul) vinham um depois do outro e, assim, assopraram os pássaros na direção desejada. Ou então, ambos os ventos se combinaram para formar um vento Sudeste. Seja como for, cumpriram o propósito do Senhor e exemplificaram o seu poder supremo e universal. Se um vento não servir, o outro servirá. E se for necessário, ambos soprarão ao mesmo tempo. Falamos de ventos inconstantes, mas a obediência ao seu Senhor é tamanha que merecem uma palavra melhor. Se fôssemos a metade obedientes quanto os ventos, seríamos muito superiores que somos hoje.

27. *"E choveu sobre eles carne como pó."* Primeiro, choveu pão e depois carne, quando poderia ter chovido fogo e enxofre. As palavras indicam a velocidade e a abundância das codornizes que voavam baixo.

"E aves de asas como a areia do mar", não havia quem as contasse. Por extraordinária providência, se não por milagre, inumeráveis aves migratórias foram levadas a voar baixo ao redor das tendas das tribos. Era, porém, uma bênção duvidosa, muito facilmente obtida, como em geral são as riquezas superabundantes. Que o Senhor nos salve da carne que esteja temperada com a ira divina.

28. *"E as fez cair no meio do seu arraial."* Não tinham viagem a fazer. Reclamaram ruidosamente por carne que quase entrou voando pela boca deles, "ao redor de suas habitações". O fato os alegrou por um momento, mas não sabiam que a misericórdia pode ser enviada com a ira. Caso contrário, teriam tremido ao verem as coisas boas, as quais tinham desejado.

29. *"Então, comeram e se fartaram bem."* Gulosamente devoraram os pássaros até à saciedade. O Senhor mostrou que podia "preparar carne para o seu povo" (v. 20), com suficiência e fartura. Mostrou também que quando a concupiscência ganha o que deseja fica desapontada, e que, pela via do empanturramento, chega à repugnância e fastio. Primeiro a comida sacia, depois nauseia.

"Pois lhes satisfez o desejo." Ficaram fartos dos seus próprios caminhos. Comer carne era impróprio para eles, mas visto que pediram, receberam, juntamente com uma maldição. Meu Deus nega-me as minhas mais urgentes orações antes que as respondas em desgosto. Melhor a fome e sede de justiça do que ficar bem satisfeito com as iguarias do pecado.

30. *"Não refrearam o seu apetite."* O apetite aumenta com o que se alimenta. Enfada-se de muita carne, mas os homens não se cansam da concupiscência. Mudam o objeto, mas continuam desejando. Quando um pecado se mostra amargo, os homens não desistem, mas procuram outra iniquidade. Se, como Jeú, desviam--se de Baal, caem no culto aos bezerros de Betel.

"Ainda lhes estava a comida na boca", antes que a carne desejada fosse digerida, virou destruição para eles.

31. *"Quando a ira de Deus desceu sobre eles"*, antes mesmo que pudessem engolir a primeira refeição de carne. Curto foi o prazer, súbita foi a destruição. O festival terminou em funeral.

"E matou os mais fortes deles, e feriu os escolhidos de Israel." Talvez estes fossem os cabeças do motim da cobiça. Foram, então, os primeiros no castigo. A justiça de Deus não faz acepção de pessoas, pois os fortes e os valorosos caem, bem como os fracos e os maus. O que comeram na terra digeriram no inferno, como muitos têm feito desde então. Como morreram logo, embora não sentissem a ponta da espada! Como foi terrível a destruição, embora não ocorresse entre o estrondo da batalha! Alma minha, veja aqui o perigo das paixões satisfeitas. São as porteiras do inferno. Quando o povo do Senhor tem fome, Deus o ama. Lázaro é o amado de Deus, ainda que se consuma em desejar as migalhas de pão. Mas quando Deus engorda os ímpios, ele os aborrece. Dives é odiado no céu, apesar de se dar bem suntuosamente todos os dias. Jamais ousemos julgar a felicidade dos homens pela mesa que têm. É o coração o lugar que devemos olhar. O crente pobre e magro por inanição é que tem de ser mais invejado que o rico e gordo dos prediletos do mundo. Melhor ser o cachorrinho de Deus do que o queridinho do Diabo.

32. *"Com tudo isto, ainda pecaram."* Os juízos não os comoveram mais que as misericórdias. Desafiaram a ira de Deus. A morte estava no cálice da iniquidade. Mesmo assim, não o deixariam de lado, mas continuariam bebendo como se fosse uma poção saudável. Estas palavras são verdadeiramente aplicadas aos não crentes, que são afligidos, colocados em leito de enfermidade, quebrados de espírito e empobrecidos de bens, mas perseveram nos seus maus caminhos, impassíveis diante dos terrores e não influenciáveis pelas ameaças.

"E não deram crédito às suas maravilhas." A incredulidade era crônica e incurável. Os milagres tanto da misericórdia quanto do juízo eram infrutíferos. Estes acontecimentos deveriam tê-los feito parar e refletir, mas não aprendem a crer. A permanência no pecado e na incredulidade andam de mãos dadas. Tivessem crido, não teriam pecado. Não tivessem sido cegados pelo pecado, teriam crido. Há uma ação reflexa entre fé e caráter. Como o amante do pecado pode crer? Como, por outro lado, o incrédulo pode deixar de pecar? Os caminhos de Deus para conosco na providência são em si mesmos convencedores e convertedores, mas a natureza não regenerada recusa-se a ser convencida ou convertida por eles.

33. *"Pelo que consumiu os seus dias na vaidade."* À parte da fé, a vida é vaidade. Perambular para cima e para baixo no deserto foi realmente um desperdício, pois a incredulidade os excluíra da terra prometida. Era adequado que aqueles que não viveriam para responder ao propósito divino, crendo e obedecendo ao seu Deus, fossem forçados a viver em vão e a morrer antes do tempo, insatisfeitos e não abençoados. Aqueles que desperdiçam a vida no pecado, não têm motivo para questionar quando o Senhor encurtar lhes a vida, nem razão para praguejar que nunca entrarão no descanso que tinham menosprezado.

"E os seus anos, na angústia." Marchas cansativas eram a sua angústia, e não chegar a nenhum lugar de descanso era a sua vaidade. Inumeráveis sepulturas pontilhavam o caminho por onde Israel passava. Se alguém perguntasse: "Mas quem matou todos estes", a resposta tinha de ser: "Não puderam entrar por causa da sua incredulidade" (cf. Hb 3.19). Não há dúvida de que grande parte do tormento e fracasso de muitas pessoas é o resultado de serem solapadas pela incredulidade e mimadas pelas paixões más. Ninguém vive tão infrutiferamente e tão desgraçadamente

como os que permitem que o sentimento e a vista anulem a fé, e a razão e o apetite dominem o temor que tenham de Deus. Os dias passam rápido demais de acordo com o lapso comum do tempo, mas o Senhor pode fazê-los arrastar a uma velocidade mais amarga, até que sintamos que a tristeza está nos corroendo o coração da vida, e como um cancro nos devorou a existência. Assim foi o castigo do Israel rebelde. Queira o Senhor que esse não seja o nosso.

34. *"Pondo-os ele à morte, então, o procuravam."* Como vira-latas açoitados, eles lamberam os pés do seu Senhor. Obedeceram somente enquanto sentiam o chicote sobre os lombos. Duros são os corações que só a morte comove. Enquanto milhares de pessoas morriam por todos os lados, os israelitas ficavam repentinamente religiosos e bonzinhos à porta do tabernáculo, como ovelhas que correm em massa enquanto o cão pastor as dirige, mas se espalham e vagueiam assim que o pastor assobia para que ele pare.

"E voltavam, e de madrugada buscavam a Deus." Não havia o que não fizessem para demonstrar que eram zelosos. Tinham toda pressa em provar que eram leais ao Rei divino. Promessas feitas na adversidade podem não ser cumpridas na prosperidade. Quem não seria santo quando a peste está assolando? Portas, nunca antes santificadas, traziam agora a marca da cruz. Até mesmo os perversos chamam o ministro quando estão no leito de morte. Desta forma, os pecadores prestam homenagem involuntária ao poder do direito e à supremacia de Deus, mas a homenagem hipócrita é de pouco valor à vista do grande Juiz.

35. *"E lembravam-se de que Deus era a sua rocha."* Golpes certeiros despertaram--lhes a memória sonolenta. A reflexão seguiu a punição. Foram levados a ver que tinham de depender totalmente do seu Deus, pois só Ele fora para o povo abrigo, a fundação, a fonte de provisão e o amigo inalterável. O que poderia tê-los feito esquecerem-se disso? Será que o estômago estava tão cheio de carne que não tinha espaço para ruminar sobre as coisas espirituais?

"E o Deus Altíssimo, o seu Redentor." Esqueceram-se também disso. A mão alta e o braço estendido que os redimiram da escravidão egípcia tinham se dissipado da sua visão mental. Pobre homem, como prontamente você se esqueceu do seu Deus! Envergonhe-se, verme ingrato, de você não ter mais a sensação das bênçãos poucos dias depois de tê-las recebido. Será que não há nada que faça você manter em mente a misericórdia do seu Deus, senão a retirada absoluta dela?

36. *"Todavia, lisonjeavam-no com a boca."* Eram bons em serem ruins. Eram falsos de joelhos e mentirosos nas orações. A adoração verbal é extremamente abominável a Deus quando dissociada do coração. Há reis que gostam de lisonja, mas o Rei dos reis a detesta. Tendo em vista que as mais acentuadas aflições extraem dos carnais apenas uma submissão fingida a Deus, há prova positiva de que o coração é desesperadamente propenso para o mal, e que o pecado está incrustado na nossa própria natureza. Você não castiga um tigre com muitos açoites para transformá-lo em ovelha. O Demônio não pode ser expulso a chicotadas da natureza humana, ainda que outro Demônio, ou seja, a hipocrisia, possa entrar a chicoteadas. A devoção produzida pela umidade da tristeza e pelo calor do terror é de surgimento instantâneo. Tem rápido crescimento — "de madrugada buscavam a Deus" (v. 34) —, mas se trata de mero fungo insubstancial de excitação transitória.

"E com a língua lhe mentiam." O discurso sobre as coisas espirituais era hipocrisia, o louvor mero vento e a oração uma fraude. O arrependimento superficial era uma camada muito fina para esconder a ferida mortal do pecado. Isso nos ensina a não confiar muito em confissões de arrependimento ditas por moribundos ou em outras declarações, quando a base é evidentemente o medo subserviente e nada mais. Todo ladrão chorará de arrependimento se pensa que o juiz ficará comovido, a ponto de libertá-lo sem multa ou outra consequência.

37. *"Porque o seu coração não era reto para com ele."* Não havia profundidade no arrependimento. Não era obra do coração. Eram inconstantes como um cata-vento, que vira ao sabor do vento. A mente não estava firme em Deus.

"Nem foram fiéis ao seu concerto." Assim que as promessas eram feitas, eram imediatamente quebradas, como se tivessem sido feitas só por escárnio. Boas resoluções passavam-lhes no coração como as pessoas passam na hospedaria. Permanecem por algum tempo, mas depois vão embora. Hoje se interessavam pela santidade, mas amanhã se desinteressavam. Variáveis como as cores do golfinho, mudavam da reverência para a rebelião, da gratidão para o murmúrio. Um dia, davam ouro para construir um tabernáculo para Jeová, e no seguinte, arrancavam os pendentes das orelhas para fazer um bezerro de ouro. Com certeza, o coração é um camaleão. Nem Proteus fazia tantas modificações na própria forma física. Como nos acessos de calafrio sentimos calor e frio alternadamente, assim ocorre com as pessoas inconstantes na religião.

38. *"Mas ele, que é misericordioso, perdoou a sua iniquidade e não os destruiu."* Ainda que estivessem cheios de lisonja, Deus estava cheio de misericórdia, por cuja causa tinha-lhes compaixão. Não foram as lamentáveis e hipócritas pretensões que esboçavam a penitência, que o levaram a não fazer caso das provocações, mas foi a sua própria e verdadeira compaixão por eles.

"Antes, muitas vezes desviou deles a sua cólera." Quando ficava muito irado com eles, Deus retinha o desprazer. Até setenta vezes sete e Ele lhe perdoou as ofensas. Era lento, muito lento para enfurecer-se. A espada levantou-se e revolvia-se brilhantemente suspensa no ar. No entanto voltou à bainha e a nação continuou vivendo. Embora não mencionado no texto, sabemos pela história que um mediador se interpôs, o homem Moisés ficou na brecha. Exatamente assim, neste momento, o Senhor Jesus intercede pelos pecadores e desvia a ira divina. Muitas árvores estéreis não são cortadas, porque em relação a cada uma o podador da vinha exclama: "Deixa-a este ano" (cf. Lc 13.8).

"E não deixou despertar toda a sua ira." Tivesse Deus deixado e eles teriam perecido em um momento. Quando a sua ira se acende mesmo que brevemente, os homens são queimados como palha. Entretanto liberasse Ele a sua indignação, a própria terra sólida derreteria e o inferno engolfaria todo rebelde. Quem conhece o poder da tua ira, ó Senhor? (cf. Sl 90.11). Vemos a plenitude da compaixão de Deus, mas nunca vemos toda a sua ira.

39. *"Porque se lembrou de que eram carne."* Esqueceram-se de Deus, mas Ele não se esqueceu do povo. Sabia que eram feitos de material terreno, frágil e corrutível. Por isso, lidou com eles brandamente. Embora nisto não visse desculpa para o pecado, Ele o constrangeu como razão para a misericórdia. O Senhor sempre está pronto a descobrir algum argumento sobre o qual fundamentar-se para ter compaixão.

"Um vento que passa e não volta". O homem é um mero sopro que passa para nunca mais voltar. Espírito e vento são semelhantes no que diz respeito à nossa humanidade. Passam e não podem ser revocados. Como é nada a nossa vida. Quanta graça da parte do Senhor tornar a insignificância do homem um argumento para reter a sua ira.

40. *"Quantas vezes o provocaram no deserto."* Muitas e repetidas vezes se rebelaram. Eram tão constantes na provocação quanto Deus era na paciência. Em nosso caso, quem pode entender os próprios erros? (cf. Sl 109.12). Em que livro poderiam ser registradas todas as nossas rebeliões perversas? O deserto era lugar de dependência evidente, onde as tribos estariam desamparadas sem a provisão divina. Não obstante, feriram a mão que os alimentava, enquanto estava no ato de alimentá-los. Não há semelhança entre nós e eles? Não ficamos com os olhos marejados de lágrimas, enquanto, como em um espelho, vemos o nosso próprio eu?

"E o ofenderam na solidão!" As provocações causaram um efeito. Deus não era insensível a eles, pois Ele foi ofendido. A santidade não tem prazer no pecado, a justiça não tem prazer no tratamento injusto ou a verdade não tem prazer na falsidade. O que será que fizeram capaz de ofender o Deus de amor? Mas nós também agravamos o Espírito Santo, e há muito Ele teria se retirado de nós, não fosse o fato de que é Deus e não homem. Estamos no deserto solitário, onde precisamos do nosso Deus. Não façamos da solidão do deserto um descampado de pecado, ofendendo a Deus.

41. *"Voltaram atrás."* O coração deles desejou saudosamente o Egito e as panelas de carne. Voltavam para os seus velhos caminhos muitas e repetidas vezes, depois de terem sido expulsos deles a chicotadas. Cheio de curvas e voltas, nunca permaneceram no caminho reto.

"E tentaram a Deus." No que diz respeito ao que neles havia, eles o tentaram. Os caminhos de Deus eram bons, e ao desejarem alterá-los, tentaram a Deus. Antes que cressem nEle, exigiram sinais, desafiando o Senhor a fazer isto e aquilo, e agindo como se Ele pudesse ser induzido a ser-lhes o servidor das concupiscências. Que blasfêmia! De nossa parte, não tentemos Jesus para que também não sejamos destruídos pelo destruidor.

"E duvidaram do Santo de Israel." Duvidaram do poder de Deus e, assim, o limitaram. Deram ordens à sabedoria divina e, assim, também o limitaram. Esboçar um caminho para Deus é impiedade arrogante. O Santo sempre faz o que é certo. O Deus da aliança com Israel é a pura verdade. É a própria profanação dizer para Ele: Faze isto ou aquilo, pois, do contrário, não te servirei. Nem por um fio, o Deus Eterno se deixa ser conduzido pela criatura impotente. Ele é o Senhor e faz tudo como lhe parece bom.

42 *Não se lembraram do poder da sua mão, nem do dia em que os livrou do adversário;*
43 *como operou os seus sinais no Egito e as suas maravilhas no campo de Zoã;*
44 *e converteu em sangue os seus rios e as suas correntes, para que não pudessem beber.*
45 *E lhes mandou enxames de moscas que os consumiram, e rãs que os destruíram.*
46 *Deu, também, ao pulgão a sua novidade, e o seu trabalho, aos gafanhotos.*
47 *Destruiu as suas vinhas com saraiva, e os seus sicômoros, com pedrisco.*
48 *Também entregou o seu gado à saraiva, e aos coriscos, os seus rebanhos.*
49 *E atirou para o meio deles, quais mensageiros de males, o ardor da sua ira: furor, indignação e angústia.*
50 *Abriu caminho à sua ira; não poupou a alma deles à morte, nem a vida deles à pestilência.*
51 *E feriu todo primogênito no Egito, primícias da sua força nas tendas de Cam,*
52 *mas fez com que o seu povo saísse como ovelhas e os guiou pelo deserto, como a um rebanho.*
53 *E os guiou com segurança, e não temeram; mas o mar cobriu os seus inimigos.*

42. *"Não se lembraram do poder da sua mão."* Contudo, deve ter sido difícil esquecer. Demonstrações de poder divino como as que atingiram o Egito com surpresa, devem ter requerido um pouco mais que o esforço habitual para apagar da memória. O significado é que eles praticamente, em vez de verdadeiramente, se esqueceram. Quem se esquece dos benefícios naturais da gratidão, pode ser devidamente acusado de não se lembrar da obrigação.

"Nem do dia em que os livrou do adversário". Até o dia apagaram do calendário, com referência a qualquer benefício recebido ou retribuição devida. É estranha a faculdade da memória em seus olvidos como também em seus registros. O pecado perverte as faculdades mentais, fortalecendo-as somente para as coisas erradas e praticamente matando-as para os objetivos justos.

43. *"Como operou os seus sinais no Egito."* As pragas eram insígnias da presença de Jeová e provas do seu ódio contra os ídolos. Estes atos instrutivos de poder foram feitos à vista de todos, como as placas de sinalização são colocadas para serem vistas pelos que estão longe e pelos que estão perto.

"E as suas maravilhas no campo de Zoã." Os milagres foram feitos em todo o território egípcio, não apenas nas cidades, mas também nas regiões mais seletas e antigas da nação orgulhosa. Este fato os israelitas não deveriam ter esquecido, pois eram o povo favorecido para quem estas ações memoráveis foram executadas.

44. *"E converteu em sangue os seus rios."* As águas foram o instrumento da morte dos recém-nascidos de Israel. Agora agem como que denunciando o crime, pois ficam vermelhas de sangue e causam a punição dos assassinos. O rio Nilo era a vitalidade do Egito, o seu verdadeiro sangue vital. Mas, sob as ordens de Deus, tornou-se uma correnteza de maldição. Cada gota era um horror, um veneno para se beber e um terror para se ver. Deus, às vezes, permite que os homens, que eram a sua vara, façam os rios ficarem rubros de sangue coagulado. Trata-se de um julgamento severo. Mas o fato que agora analisamos é mais misterioso, geral e completo. Era uma praga de primeira magnitude.

"E as suas correntes, para que não pudessem beber." Volumes menores de água participaram da maldição, os reservatórios e canais sentiram o mal. Deus não faz nada pela metade. Todos os egípcios se orgulhavam da água doce do seu rio, mas agora tiveram de detestá-la mais do que já tinham amado. As misericórdias que recebemos logo podem se tornar desgraças se o Senhor tratar conosco em ira.

45. *"E lhes mandou enxames de moscas que os consumiram."* Criaturas pequenas tornam-se grandes atormentadoras. Quando enxameiam, podem picar um homem até ameaçar devorá-lo. Neste caso, várias espécies de insetos combateram sob a mesma bandeira. Piolhos, besouros, mosquitos, marimbondos, vespas e moscardos arremeteram em batalhões cruéis e atormentaram os pecadores do Egito sem misericórdia. As mais minúsculas pragas são as maiores. Que espada ou lança poderia lutar contra estes bandos inumeráveis? Inúteis eram a armadura do monarca e o traje da majestade, pois os pequenos canibais não eram mais tolerantes para com a carne real do que para com qualquer outra. Havia nela o mesmo sangue e o mesmo pecado. Que grande Deus é esse que pelas coisas pequenas esmaga o magnífico.

"E rãs que os destruíram." Essas criaturas pululavam em todos os lugares, quando estavam vivas, até que se sentiram prontas para morrer à vista. Quando os répteis morreram, os montões de corpos fizeram a terra feder tão nauseativamente, que uma peste era iminente. Não só a terra e o ar enviaram exércitos, mas a água também contribuiu com as suas legiões de asco. Parece que primeiro o Nilo se tornou nauseabundo e depois foi levado a sair totalmente do seu leito, rastejando-se e saltando na forma de rãs. Aqueles que contendam com o Todo-Poderoso, mal sabem que flechas estão na sua aljava. Pecados surpreendentes serão visitados com castigos surpreendentes.

46. *"Deu, também, ao pulgão a sua novidade, e o seu trabalho, aos gafanhotos."* Diferentes espécies de devoradores comeram toda árvore e relva verde. O que um não comia, o outro comia. O que os egípcios esperavam da fertilidade natural da terra e o que procuravam por esforço próprio, viram devorados diante dos próprios olhos por uma multidão insaciável, contra cujas depredações não havia defesa. Observe no texto que é o Senhor quem faz tudo: "mandou", "deu", "destruiu", "entregou", "atirou", etc. Seja qual for o agente segundo, a mão direta do Senhor Deus está em toda visitação nacional.

47. *"Destruiu as suas vinhas com saraiva."* Nunca mais o copeiro-mor espremerá uvas no copo de faraó! Os brotos verdes e frutíferos foram quebrados e a vindima falhou.

"E os seus sicômoros, com pedrisco." ou "geada" (ARA). Não era comum haver geada, mas Jeová não respeita as leis da natureza quando os homens não seguem as Leis morais divinas. O figo do sicômoro era talvez o fruto mais de muitos do que era a videira. Portanto, este julgamento visava atingir os pobres, ao passo que o anterior recaía pesadamente sobre os ricos. Observe que os céus obedecem ao seu Senhor e disponibilizam as suas reservas de granizo. Repare, também, que o clima inconstante é igualmente servil à vontade divina.

48. *"Também entregou o seu gado à saraiva."* Que granizo forte deve ter sido para abater bois e outros animais grandes. Deus normalmente protege os animais de tal destruição, mas aqui Ele retirou a proteção e os abandonou. Jamais nos abandones, ó Senhor! Certos expositores entendem que o verbo no original hebraico

é "calou", e a ideia de ser entregue a influências destrutivas está, então, diante de nós de outra forma.

"E aos coriscos, os seus rebanhos." Estando o fogo mesclado com a saraiva, correu rente ao chão e atingiu o gado menor. Que tempestade deve ter sido! Os efeitos foram muito terríveis nas plantas, mas ver os pobres animais irracionais feridos seria de partir o coração. O coração deveria ser adamantino para não ceder sob pragas como estas. Mais duro que o diamante é o coração que depois de anos se esquece de tudo que o Senhor fez e interrompe a sua lealdade a Ele.

49. *"E atirou para o meio deles [...] o ardor da sua ira: furor, indignação e angústia."* A última flecha era a mais afiada. Deixou o vinho forte da sua indignação por último. Note que o salmista empilha as palavras e faz bem. Golpe seguiu golpe, cada um mais cambaleante que o anterior, e então o golpe esmagador foi reservado para o final.

"Quais mensageiros de males." Os mensageiros do mal entraram nas casas egípcias à meia-noite e feriram os mais queridos objetos do seu amor. Os anjos foram maus para eles, embora em si mesmos fossem bons. Aqueles que para os herdeiros da salvação são os ministros da graça, são para os herdeiros da ira os executores do juízo. Quando Deus envia os anjos, eles veem. Se ordena que matem, eles não poupam. Observe que o pecado coloca todos os poderes do céu em ordem de batalha contra o homem. Não lhe resta amigo no universo, quando Deus é o seu inimigo.

50. *"Abriu caminho à sua ira."* Indo ao ponto principal mediante etapas pausadas. Atacou as suas obras, primeiro destruindo lhes as propriedades e depois entrando neles como por uma brecha aberta na parede. Demoliu todos os confortos da vida, e então avançou contra a própria vida deles. Nada permanecia no seu caminho. Abriu espaço no qual causar grandes estragos aos adversários.

"Não poupou a alma deles à morte, nem a vida deles à pestilência." Na alma deles estava a origem do pecado. Seguiu-a até à fonte para ali atacá-lo. Uma doença atroz encheu a terra de incontáveis funerais. Jeová desferiu miríades de golpes, e multidões de espíritos entraram em colapso diante dEle.

51. *"E feriu todo primogênito no Egito."* Não houve exceção. O monarca chorou pelo herdeiro no palácio como chorou o serviçal pelo herdeiro no moinho. Feririam os primogênitos do Senhor, até de Israel, então agora Ele fere o deles.

"Primícias da sua força nas tendas de Cam." Balançando a foice pelo campo, a morte ceifou as flores mais altas. As tendas de Cam tiveram cada uma a sua tristeza peculiar, e tiveram de se simpatizar com as tristezas que foram infligidas sem piedade nos habitantes de Israel. Desta forma, as maldições voltam para ficar. Os opressores são pagos na mesma moeda, sem o desconto de um centavo.

52. *"Mas fez com que o seu povo saísse como ovelhas."* O contraste é surpreendente, e jamais deve ter sido esquecido pelo povo. Os lobos foram mortos aos montões, e as ovelhas foram reunidas com cuidado e libertadas com triunfo. A situação virou. Os servos pobres tornaram-se pessoas honradas, ao passo que os opressores foram humilhados diante deles. Israel saiu em grupo compacto como um rebanho. Eram indefesos como as ovelhas, mas estavam seguros sob o pastoreio do grande Pastor. Deixaram o Egito tão facilmente quanto um rebanho passa de um pasto para o outro.

"E os guiou pelo deserto, como a um rebanho." Não conhecendo nada sobre o caminho por conhecimento ou experiência própria, foram, não obstante, guiados corretamente, porque o Deus onisciente conhecia cada grão de areia do deserto. Para o mar, pelo mar e do mar, o Senhor conduziu os escolhidos, enquanto os ex-exatores estavam por demais intimidados de espírito e despojados de poder para ousar molestá-los.

53. *"E os guiou com segurança, e não temeram."* Depois do primeiro pequeno sobressalto, bastante natural quando se viram perseguidos pelos antigos exatores, eles encheram-se de coragem e arriscaram-se ousadamente no mar e, em seguida, no deserto, onde nenhum homem morava.

"Mas o mar cobriu os seus inimigos." Foram embora, embora para sempre, para nunca mais perturbar os fugitivos. O golpe poderoso manteve efetivamente as tribos

protegidas por quarenta anos de qualquer outra tentativa de trazê-las de volta para o Egito. O Egito achou a pedra pesada demais e ficou alegre em deixá-la. Louvado seja o Senhor que desta forma livrou eficazmente a nação dos eleitos.

Que grandiosa narrativa estamos analisando. O mais habilidoso mestre do cântico sacro escolhe "Israel no Egito" como tema preferido para a sua genialidade. Toda mente que crê deixa-se ficar em cada item do procedimento maravilhoso. O fato de admirar é que a nação favorecida vive como que esquecida de tudo. No entanto, assim é a natureza humana. Ai, pobre homem! Ou, antes, ai, coração vil!

Agora, depois de uma pausa, a cadeia de eventos tem prosseguimento, cuja narrativa fora suspensa por um retrospecto. Encontramos Israel entrando na terra prometida, para ali repetir as loucuras e aumentar os pecados.

54 *E conduziu-os até ao limite do seu santuário, até este monte que a sua destra adquiriu,*
55 *e expulsou as nações de diante deles, e, dividindo suas terras, lhas deu por herança, e fez habitar em suas tendas as tribos de Israel.*
56 *Contudo, tentaram, e provocaram o Deus Altíssimo, e não guardaram os seus testemunhos.*
57 *Mas tornaram atrás e portaram-se aleivosamente como seus pais; viraram-se como um arco traiçoeiro,*
58 *pois lhe provocaram a ira com os seus altos e despertaram-lhe o zelo com as suas imagens de escultura.*
59 *Deus ouviu isto e se indignou; e sobremodo aborreceu a Israel,*
60 *pelo que desamparou o tabernáculo em Siló, a tenda que estabelecera como sua morada entre os homens,*
61 *e deu a sua força ao cativeiro, e a sua glória, à mão do inimigo,*
62 *e entregou o seu povo à espada, e encolerizou-se contra a sua herança.*
63 *Aos seus jovens, consumiu-os o fogo, e as suas donzelas não tiveram festa nupcial.*
64 *Os seus sacerdotes caíram à espada, e suas viúvas não se lamentaram.*
65 *Então, o Senhor despertou como de um sono, como um valente que o vinho excitasse.*
66 *E feriu os seus adversários, que fugiram, e os pôs em perpétuo desprezo.*

54. *"E conduziu-os até ao limite do seu santuário."* Guiou-os até à fronteira da Terra Santa, onde desejava que o tabernáculo se tornasse o símbolo permanente da sua morada entre o povo. Não os deixou a meio caminho na viagem para a herança. O seu poder e sabedoria preservaram a nação até que as palmeiras de Jericó entrassem no campo de visão do outro lado do rio.

"Até este monte que a sua destra adquiriu." Nem os abandonou então, mas continuou guiando-os até que estivessem na região em torno de Sião que viria a ser o lugar central do culto prestado a Ele. Este monte o Senhor comprara outrora pelo sacrifício de Isaque, símbolo adequado do sacrifício maior que, no devido tempo, viria a ser apresentado ali. Esse monte também foi resgatado por poder, quando a mão direita do Senhor capacitou os homens valorosos a ferir os jebuseus e a tomar o monte sagrado dos cananeus insultantes. Assim os eleitos de Deus desfrutam a proteção segura do Senhor dos exércitos, até à região fronteiriça da morte, e pelo rio, até ao monte do Senhor em glória. O povo adquirido alcançará com segurança a herança adquirida.

55. *"E expulsou as nações de diante deles"*, ou "empurrou para fora". Não só os exércitos foram derrotados, mas todos os povos foram deslocados. A iniquidade dos cananeus estava cheia. As suas depravações os fizeram apodrecer sobre a terra. Por isso, a terra comeu os seus habitantes, os vespões os atormentaram, a peste os destruiu e a espada das tribos completou a execução, para a qual a justiça do céu há muito provocada por fim os sentenciara. O Senhor foi o verdadeiro conquistador

de Canaã. Ele expulsou as nações como os homens expulsam a sujeira de casa. Desarraigou-as como o lavrador extirpa ervas daninhas.

"E, dividindo suas terras." Ele dividiu a terra das nações entre as tribos por sorte e medida, distribuindo o território dos heveus, fereseus e jebuseus a Simeão, Judá ou Efraim, conforme o caso. Entre essas nações condenadas havia não só gigantes em termos de estatura, mas também gigantes em termos de pecado. Esses monstros da iniquidade há muito tinham contaminado a terra. Estava na hora de não tolerar mais os crimes antinaturais pelos quais eram infames. Foram, então, sentenciados a perder a vida e as terras pelas mãos das tribos de Israel. A distribuição do país confiscado foi feita por designação divina. Já não era uma disputa, mas uma designação judicial das terras que tinham ficado para a coroa pelo confisco das terras dos proprietários anteriores.

"E fez habitar em suas tendas as tribos de Israel." O povo favorecido entrou em uma casa mobiliada. Encontrou a despensa abastecida, pois se alimentou do trigo que já estava nos campos, e as habitações, nas quais poderiam morar, já estavam construídas. É assim que um povo entra na sorte de outros povos. É realmente triste quando a mudança que o julgamento decreta não se revela muito para o melhor, porque os que chegam herdam os males como também os bens dos expulsos. Este caso de visitação judicial deveria ter tido influência saudável nas tribos. Mas, infelizmente, eram incorrigíveis. Não aprenderiam nem com exemplos tão próximos de casa e tão terrivelmente sugestivos.

56. *"Contudo, tentaram, e provocaram o Deus Altíssimo."* A mudança de condição não lhes alterara os modos. Deixaram os hábitos nômades, mas não a tendência para perambular longe de Deus. Embora todas as promessas divinas tivessem sido cumpridas à risca, e a terra que fluía leite e mel fosse de fato deles, tentaram ao Senhor novamente com a incredulidade e o provocaram com outros pecados. Ele não só é alto e glorioso, mas Altíssimo, na verdade, o Altíssimo, o único que merece ser tão altamente honrado. Contudo, em vez de honrá-lo, Israel o afligiu com rebelião.

"E não guardaram os seus testemunhos." Eram verdadeiros a nada mais que a deslealdade hereditária. Eram firmes em nada mais que na falsidade. Conheciam a verdade divina e a esqueceram, a vontade divina e a desobedeceram, a graça divina e a perverteram em oportunidade para maior transgressão. Leitor, você precisa de espelho? Eis aqui um que serve bem para este expositor. Não está refletindo também a sua imagem?

57. *"Mas tornaram atrás."* Voltaram para a folha usada, repetiram as mesmas ofensas, penderam para o lado como um arco malfeito, foram falsos e infiéis às melhores promessas que fizeram.

"E portaram-se aleivosamente como seus pais." Provaram que eram legítimos, ao manifestarem a infidelidade dos antepassados. Eram uma nova geração, mas não nova nação — outro povo, contudo não outro. As más inclinações são passadas por sucessão filial. O nascimento segue o progenitor. O jumento selvagem gera jumentos selvagens. Os filhotes do corvo voam para a carne putrefata. A natureza humana não melhora. As novas edições contêm todas as erratas da primeira, às vezes introduzindo novos erros.

"Viraram-se como um arco traiçoeiro", o qual não só não dispara a flecha para o alvo em linha reta, mas ricocheteia, ferindo o arqueiro e, talvez, enviando a flecha entre amigos, que ficam em sério perigo. Os israelitas se orgulhavam do arco como arma nacional. Cantavam a canção do arco. Por conseguinte, o arco traiçoeiro é tipo e símbolo da sua própria instabilidade. Deus pode tornar a glória dos homens a própria insígnia da vergonha humana. Ele desenha uma marca de ilegitimidade no brasão dos traidores.

58. *"Pois lhe provocaram a ira com os seus altos."* Este foi o primeiro erro — o culto formal ou o culto prestado a Deus diferente do que Ele ordenou. Muitos pensam levianamente sobre a questão, mas não é pecado medíocre. A tendência para outras ofensas é muito forte. O Senhor desejava que o seu lugar santo permanecesse como

o único lugar de sacrifício. Israel, em pertinaz rebelião (sem dúvida, encoberto pelo argumento de grande devoção), determinou ter muitos altares em muitos montes. Poderiam ter apenas um único Deus, mas insistiam em não se restringirem a apenas um único lugar sagrado de sacrifício. Quanto do culto prestado a Deus hoje em dia é nada mais nada menos que culto formal! Ninguém ousa afirmar que há a nomeação divina na décima parte dos ofícios, festas, cerimônias e observâncias de certas igrejas. Não há dúvida de que Deus, longe de ser honrado pelo culto que Ele não ordenou, fica imensamente enfurecido com isso.

"E despertaram-lhe o zelo com as suas imagens de escultura." Este era apenas mais um passo. Fabricaram símbolos do Deus invisível, porque almejavam algo tangível e visível ao qual pudessem mostrar reverência. Este também é o pecado gritante dos tempos atuais. Não estamos ouvindo e vendo o aumento da superstição? Imagens, quadros, crucifixos e muitas coisas visíveis são tidas em honra religiosa. Muito pior, os homens hoje em dia cultuam o que comem, e chamam de Deus o que lhes passa pela barriga, e dali vai para lugares mais escusos ainda. Com certeza, o Senhor é muito paciente. Do contrário, Ele visitaria a terra por causa desta pior e mais ignóbil forma de idolatria. Ele é um Deus zeloso, que detesta ver-se desonrado por qualquer forma de representação que possa vir das mãos do homem.

59. *"Deus ouviu isto e se indignou."* O mero relato do fato o encheu de indignação. Não o suportava, enraiveceu-se em extremo e com a mais justa razão.

"E sobremodo aborreceu a Israel." Ele expeliu o povo idólatra do seu favor, e os entregou a si mesmos e aos seus próprios recursos. Como poderia ter Ele sociedade com os ídolos? Que concórdia há entre Cristo e Belial? O pecado é em si mesmo tão ofensivo que torna o pecador ofensivo também. Ídolos de qualquer tipo são altamente aborrecedores a Deus. Cuidemos para nos manter afastados deles pela graça divina, pois é certo que a idolatria não é consistente com a verdadeira graça no coração. Se Dagom está no centro da alma, a arca de Deus não está ali. Onde o Senhor habita não se tolera imagem de ciúme. A igreja visível logo se tornará maldição visível, se ídolos forem levantados nela. Então, a foice da poda a removerá como um ramo morto de videira.

Observe que Deus não expulsou totalmente o seu povo Israel, mesmo quando grandemente os aborreceu, pois, como os versículos subsequentes nos informam, Ele voltou em misericórdia para eles. Semelhantemente, a semente de Abraão, ainda que por um tempo sob uma nuvem pesada, será reunida novamente, pois o concerto de sal não será quebrado. Quanto à semente espiritual, o Senhor não a tem menosprezado nem aborrecido. São o seu tesouro peculiar e estão juntos do seu coração para sempre.

60. *"Pelo que desamparou o tabernáculo em Siló, a tenda que estabelecera como sua morada entre os homens."* A glória divina não se revelaria mais em Siló. Ele a abandonou para tornar-se uma ruína completa. À porta dessa tenda foram cometidos pecados vergonhosos, e ao redor haviam sido adorados ídolos. Por isso, a glória partiu, e o termo *icabô* foi soado como palavra de terror em relação a Siló e a tribo de Efraim. Assim, o castiçal pode ser removido ainda que a vela não esteja apagada. Igrejas em erro tornam-se igrejas em apostasia, mas a verdadeira igreja ainda permanece. Se Siló for profanado, Sião será consagrado. Contudo, sempre é uma advertência solene para todas as assembleias dos santos, admoestando-as a andar humildemente com o seu Deus, quando lemos palavras como as do profeta Jeremias: "Não vos fieis em palavras falsas, dizendo: Templo do Senhor, templo do Senhor, templo do Senhor é este. Mas ide agora ao meu lugar, que estava em Siló, onde, no princípio, fiz habitar o meu nome, e vede o que lhe fiz, por causa da maldade do meu povo de Israel" (Jr 7.4,12). Cuidemos para que, como a arca nunca mais voltou para Siló depois de ter sido capturada pelos filisteus, assim o Evangelho sendo tirado de nós em juízo, nunca mais seja restaurado para a mesma igreja.

61. *"E deu a sua força ao cativeiro."* A arca foi capturada pelos filisteus no campo de batalha, só porque o Senhor para o castigo de Israel decidiu entregá-la nas mãos

dos inimigos. Caso contrário, não teriam nenhum poder contra ela. O símbolo da presença divina é chamado poeticamente de "a sua força". De fato, a presença do Senhor é a sua força entre o povo. Foi um dia tenebroso quando o trono da misericórdia foi removido, os querubins alçaram voo e o paládio de Israel levado.

"E a sua glória, à mão do inimigo". A arca era o lugar da glória revelada de Deus. Os inimigos exultaram grandemente quando a levaram para as suas cidades. Não havia nada que mostrasse mais claramente o desprazer divino. Parecia dizer que Jeová preferiria habitar entre adversários declarados a entre tão falso povo como Israel. Suportaria antes os insultos da Filístia do que as infidelidades de Efraim. Tratava-se de derrocada pavorosa para a nação favorecida, e foi acompanhada por juízos medonhos de natureza extremamente apavorante. Quando Deus se retira, tudo acaba. Não há calamidade que iguale a retirada da presença divina de um povo. Ó Israel, como você chegou ao fundo do poço! Quem ajudará você agora que o seu Deus o deixou?

62. *"E entregou o seu povo à espada."* Caíram no campo de batalha, porque deixaram de ser ajudados pela força divina. A espada era afiada, porém mais afiada ainda foi a causa que a fez ser desembainhada.

"E encolerizou-se contra a sua herança." Ainda eram dEle. Duas vezes são chamados assim neste versículo. Contudo, a consideração por eles não evitou que os castigasse, até mesmo com vara de ferro. Quando o amor é mais fervoroso, o zelo é mais cruel. O pecado não é tolerado naqueles que são pessoas perto de Deus.

63. *"Aos seus jovens, consumiu-os o fogo."* Como o fogo matou literalmente Nadabe e Abiú, assim o fogo da ira divina caiu sobre os filhos de Eli, que contaminaram o santuário do Senhor, e fogo igual, na forma de guerra, consumiu a flor do povo.

"E as suas donzelas não tiveram festa nupcial". Nenhuma canção nupcial foi cantada. A noiva não tinha noivo. A lâmina da espada cortara os laços matrimoniais e deixara solteiros aqueles que teriam sido exaltados em canções de congratulação. Israel foi muito humilhado. Não encontrava maridos para as servas. Por isso, o seu estado não foi reposto. Não havia crianças agrupadas em redor de joelhos parentais. A nação falhara em sua tarefa solene de ensinar os jovens no temor de Jeová. Portanto, foi um julgamento justo que a própria geração de uma posteridade estivesse em risco de extermínio.

64. *"Os seus sacerdotes caíram à espada."* Hofni e Fineias foram mortos. Estavam entre os principais no pecado e, por isso, pereceram com os demais. O sacerdócio não é abrigo para transgressores. O peitoral adornado com pedras preciosas não é armadura contra as flechas do juízo.

"E suas viúvas não se lamentaram." As aflições pessoais foram engolfadas pela angústia maior nacional, porque a arca de Deus fora levada. Como as moças não tinham ânimo para a canção matrimonial, assim as viúvas não tinham espírito sequer para proferir a lamúria fúnebre. Os mortos foram enterrados em grande número e também às pressas para haver o cumprimento dos habituais ritos de lamentação. Este foi o ponto mais baixo da derrocada. A partir daqui, as coisas terão uma reviravolta da graça.

65. *"Então, o Senhor despertou como de um sono."* Justamente inativo, Ele permitira o inimigo triunfar, a arca ser capturada e o povo ser morto. Mas agora Deus se desperta com o coração cheio de piedade pelos escolhidos e de fúria contra o inimigo insultante. Ai de você, Filístia, pois agora sentirá o peso da mão direita do Senhor! Despertando-se e avançando como um homem que tomara um tônico revigorante, o Senhor é "como um valente que o vinho excitasse". Forte e cheio de energia, o Senhor lançou-se contra os inimigos e os fez cambalear sob golpes inumeráveis. De cidade em cidade, a arca agiu como vingança em vez de troféu. Em todo lugar, os falsos deuses caíram indefesos perante ela.

66. *"E feriu os seus adversários, que fugiram."* As hemorroidas os deixaram burlescos, e as numerosas derrotas os fizeram ainda mais truanescos. Fugiram, mas foram capturados e feridos na volta para a desgraça.

"E os pôs em perpétuo desprezo". Os povos do Oriente não são muito sofisticados. Há razão para supor que, para muitos, hemorroidas era assunto insultuoso para os filisteus, como também foram as derrotas frequentes sofridas diante de Israel até que, por fim, foram esmagados irremediavelmente. Nunca mais os filisteus voltaram a existir como nação formada.

67 *Além disto, rejeitou a tenda de José e não elegeu a tribo de Efraim.*
68 *Antes, elegeu a tribo de Judá, o monte Sião, que ele amava.*
69 *E edificou o seu santuário como aos lugares elevados, como a terra que fundou para sempre.*
70 *Também elegeu a Davi, seu servo, e o tirou dos apriscos das ovelhas.*
71 *De após as ovelhas pejadas o trouxe, para apascentar a Jacó, seu povo, e a Israel, sua herança.*
72 *Assim, os apascentou, segundo a integridade do seu coração, e os guiou com a perícia de suas mãos.*

67. *"Além disto, rejeitou a tenda de José."* Deus tinha honrado Efraim, pois Josué, o grande conquistador, e Gideão, o grande juiz, pertenciam a esta tribo, em cujo território estava Siló, o lugar da arca e do santuário. Mas agora o Senhor mudaria tudo e estabeleceria outras regras. Já não entregaria os assuntos à liderança de Efraim, visto que esta tribo fora provada e achada em falta.

"E não elegeu a tribo de Efraim". Acharam-se nos efraimitas pecado, loucura e instabilidade. Portanto, foram rejeitados como impróprios para a liderança.

68. *"Antes, elegeu a tribo de Judá."* Para fazer outra tentativa com a nação, esta tribo foi eleita para o cargo de supremacia. Este fato estava de acordo com a profecia de Jacó dada pouco antes de morrer. O nosso Senhor descende de Judá e é Ele a quem os seus irmãos louvarão.

"O monte Sião, que ele amava." O tabernáculo e a arca foram levados para Sião durante o reinado de Davi. Nenhuma honra foi deixada para os efraimitas teimosos. Foi neste monte que o pai dos crentes ofereceu o seu único filho, e ali, em dias futuros, estariam os grandes ajuntamentos da sua semente escolhida. É por isso que diz que Sião é amado por Deus.

69. *"E edificou o seu santuário como aos lugares elevados."* O tabernáculo foi colocado no alto. Era espiritualmente como o monte da beleza. A verdadeira religião era exaltada na terra. Para a santidade, era um templo, e para a majestade, era um palácio.

"Como a terra que fundou para sempre." Viam-se estabilidade bem como magnificência no templo e, da mesma forma, na igreja de Deus. O profeta viu em visão ambos os aspectos.

70. *"Também elegeu a Davi, seu servo."* Foi uma eleição de tipo soberanamente da graça, e operou de forma prática quando tornou o homem eleito um disposto servo do Senhor. Não foi eleito porque era servo, mas para que pudesse ser. Davi sempre estimou da mais elevada honra o fato de ser eleito e servo de Deus.

"E o tirou dos apriscos das ovelhas". Fora pastor de ovelhas, e esta era a escola mais certa para pastores de homens. Não há profissão humilde que exclui o homem das honras que a eleição do Senhor confere. O Senhor não vê como vê o homem. Ele se agrada em abençoar os que são de baixa condição social.

71. *"De após as ovelhas pejadas o trouxe, para apascentar a Jacó, seu povo, e a Israel, sua herança."* Exercendo o cuidado e desempenhando a arte dos que vigiam os cordeirinhos, Davi ia atrás das ovelhas em suas vagueações. A ternura e paciência assim adquiridas tenderam ao desenvolvimento de características muito adequadas em um rei. Para o homem assim preparado, o cargo e dignidade que Deus lhe designara vieram no devido tempo, sendo-lhe permitido usá-los meritoriamente. É maravilhosa a frequência com que a sabedoria divina organiza os primeiros anos obscuros da vida do eleito, de modo a tornarem-se escola preparatória para um futuro mais ativo e nobre.

72. *"Assim, os apascentou, segundo a integridade do seu coração."* Davi era reto diante de Deus, e em seu coração nunca se desviou do culto obediente a Jeová. Independente de suas faltas ele era genuinamente sincero na lealdade e submissão ao superior rei de Israel. Apascentou para Deus com coração honesto.

"E os guiou com a perícia de suas mãos". Era rei sagaz, e o salmista engrandece ao Senhor por tê-lo nomeado. No reinado de Davi, o reino judaico subiu pela primeira vez à posição de honra entre as nações e exerceu influência sobre as nações vizinhas. Concluindo o salmo que descreve condições variadas da nação eleita, ficamos alegres que termine tão pacificamente, tendo silenciado todos os barulhos de tumultos ou de ritos pecadores. Depois de longa viagem em mar tempestuoso, a arca do estado judaico repousou no Ararate, durante um reinado sábio e nobre, para não mais ser levada para cá e para lá pelas correntezas e ventos fortes. Desde o começo, o salmista teve a intenção de fazer deste versículo a última estrofe. Nós também ficamos felizes em terminar todas as nossas canções de amor com o reinado do ungido do Senhor. Só nos resta perguntar com ansiedade, quando virá? Quando terminaremos estas peregrinações pelo deserto, estas rebeliões e punições, e entraremos no descanso de um reino estabelecido, com o Senhor Jesus reinando como "o Príncipe da casa de Davi"?

Assim finalizamos esta parábola prolongada. Tenhamos nós em nossa parábola menos pecado e mais graça em relação ao que a história de Israel mostrou. Possamos nós finalizá-la sob a orientação firme e segura do "grande Pastor das ovelhas". Amém.

NOTAS EXPLICATIVAS E DECLARAÇÕES IMPORTANTES

O Salmo: Este salmo foi ocasionado pela remoção do santuário de Siló para a tribo de Judá, e pela transferência coincidente da preeminência em Israel da primeira para a última tribo, como claramente evidenciadas pelo estabelecimento de Davi como o cabeça da igreja e da nação. Embora esta fosse a execução do propósito de Deus, o escritor mostra que também procedeu do julgamento divino em Efraim, sob cuja liderança o povo manifestara o mesmo caráter pecador e rebelde que distinguira os seus antepassados no Egito. — *B. M. Smith, "The Critical and Explanatory Pocket Bible" [A Bíblia de Bolso Crítica e Explicativa], 1867*

v. 1: "Escutai a minha lei, povo meu; inclinai os ouvidos". Inclinar os ouvidos não denota qualquer tipo comum de ouvir. Mas diz respeito ao discípulo entregar-se às palavras do seu mestre com submissão e reverência de mente, silencioso e sério, para que tudo que for enunciado com a finalidade de ensino seja ouvido e devidamente compreendido, não deixando escapar nada. É ouvinte de tipo diferente quem ouve descuidadamente, não com a finalidade de aprender ou imitar, mas para criticar, divertir-se, favorecer a hostilidade ou matar tempo. — *Wolfgang Musculus*

v. 1: "Inclinai os ouvidos". Colocai-os perto dos meus lábios, para que nenhuma porção desta linguagem sacra caia ao chão por falta vossa. — *John Trapp*

v. 1: "Às palavras da minha boca". No que diz respeito ao paralelismo, não bastava dizer: *Às minhas palavras?* Bastava, obviamente. Por que, então, é mencionada a boca? Porque os que prescreverem leis aos assuntos são também os que desprezam dirigir-se a eles com a boca. Este é o costume de reis, príncipes, pontífices romanos e outros. Quanto mais alto a pessoa sobe em termos de dignidade, menos considera conveniente falar com as pessoas, ensinar e instruí-las por palavra da boca. Pensam que não devem nada às pessoas. Ficam completamente tomados por essa ideia, para que sejam observados como príncipes e, assim, retenham certa majestade secular de comando. Ensinar com a própria boca aos ignorantes é prova singular de amor e afeto paterno, como se torna o preceptor, o pastor e o professor. Era este método que Cristo mais constantemente empregava, porque era tocado com afeto paterno pelas ovelhas perdidas e veio como pastor para buscá-las. Rejeitou o procedimento dos príncipes terrenos, e vestiu-se com o costume paterno que se torna pastor e professor, andando e abrindo a boca para dar instrução (veja Mt 5.1). Muito corretamente, então, o profeta não se contentou em dizer: "Escutai a minha lei, povo meu", mas acrescentou: "Inclinai os ouvidos às palavras da minha boca". Assim, dá a entender que estava a ponto de dirigir-se e instruí-los com afeto paterno. — *Wolfgang Musculus*

v. 2: "Parábola... enigmas". מָשָׁל, "dito ou discurso de peso e autoridade". O termo hebraico quase é exatamente correspondente ao grego, κύριαι δόξαι, ou seja, "discursos autorizados", "máximas autorizadas", "declarações de peso", expressando ou denotando comparação, como muitas vezes ocorrem em tais declarações. חִידָה, "enigma", "parábola", que penetra a mente e que, quando entendida, causa profunda impressão do que se espera dizer ou está representado por ela. Aqui, חִידוֹת refere-se aos fatos históricos mencionados na parte subsequente do salmo, considerados como enigmas de assuntos espirituais. — *John Parkhurst, 1728-1797*

v. 2: "Parábola". Parábolas são os discursos dos sábios. São os trechos e princípios vitais de sabedoria. A palavra hebraica significa "reger", "ter autoridade", porque tais discursos nos sobreveem com autoridade e nos subjugam a razão pelo próprio peso. — *Joseph Caryl*

v. 2: "Proporei". A metáfora que há nesta palavra é tirada da fonte que verte água abundantemente. Pois נָבַע significa literalmente "esguichar para fora", "borbulhar para cima". O coração dos mestres da igreja tem de estar cheio e pronto para emanar as águas pelas quais a igreja é regada. A fonte não deve ficar vazia e secar no verão. — *D. H. Mollerus*

v. 3: "Os quais temos ouvido e sabido". Temos "ouvido" a Lei e "sabido" os fatos — *Adam Clarke.*

v. 3: "Pais". Estes são dignos do nome de pais da igreja em relação à posteridade, que transmitem à posteridade a verdade de Deus contida na Bíblia, como está apresentada neste salmo. Este é o único tipo infalível de tradição que entrega para a posteridade o que Deus entregou aos profetas ou seus antecessores por intermédio da Bíblia, como é a doutrina entregue neste salmo. — *David Dickson*

v. 4: "Não os encobriremos aos seus filhos, mostrando à geração futura os louvores do Senhor, assim como a sua força e as maravilhas que fez". Você não só tem de louvar o próprio Deus, mas esforçar-se para transmitir o memorial da bondade divina para a posteridade. Os filhos são herdeiros dos pais. É antinatural o pai, antes de morrer, enterrar o tesouro na terra, onde os filhos não achem ou desfrutem. As misericórdias de Deus não são a parte menos importante do tesouro do homem bom, nem a parte menor da herança dos filhos. São ajuda para a fé, tema do louvor e estímulo à obediência: "Ó Deus, nós ouvimos com os nossos ouvidos, e nossos pais nos têm contado os feitos que realizaste em seus dias, nos tempos da antiguidade. Como expeliste as nações com a tua mão e aos nossos pais plantaste; como afligiste os povos e aos nossos pais alargaste" (Sl 44.1,2). É nisto que fundamentam a confiança: "Tu és o meu Rei, ó Deus; ordena salvações para Jacó", e estimulam a gratidão: "Em Deus nos gloriamos todo o dia e louvamos o teu nome eternamente" (Sl 44.4,8). De fato, como os filhos são os herdeiros dos pais, assim tornam-se com justiça sujeitos a pagar as dívidas dos pais. A grande dívida que o crente ao morrer permanece devedor é aquela que deve a Deus pelas misericórdias recebidas. Portanto, é mais do que justo que ele também prenda a posteridade ao pagamento. Desta forma, você estará louvando a Deus ao mesmo tempo no céu e na terra. — *William Gurnall*

vv. 4 a 6: "Não os encobriremos aos seus filhos, mostrando à geração futura os louvores do Senhor, assim como a sua força e as maravilhas que fez. Porque ele estabeleceu um testemunho em Jacó, e pôs uma lei em Israel, e ordenou aos nossos pais que a fizessem conhecer a seus filhos, para que a geração vindoura a soubesse, e os filhos que nascessem se levantassem e a contassem a seus filhos". O pano que é tingido na lã retém melhor a cor. Discípulos na juventude serão anjos na velhice. A prática e a experiência fortalecem e confirmam a pessoa na arte ou ciência. Quanto mais tempo o seu filho for exposto à educação de Cristo, mais capaz será de descobrir as astúcias e falácias de Satanás e evitá-las. Quanto mais tempo estiver na prática, mais habilidade e prazer terá em cultuar e desfrutar o Deus bendito. Quando a árvore é velha, permanece forte contra os ventos, da mesma maneira que permanecia quando nova.

As crianças de Merindal respondiam umas às outras às perguntas sobre religião, na presença do bispo de Cavaillon, que as perseguia, quando um espectador disse ao bispo: "Devo confessar que tenho assistido muitas vezes aos debates dos mestres em Sorbonne, mas nunca aprendi tanto quanto por estas crianças". Sete crianças foram martirizadas de uma vez com Sinfrósia, matrona piedosa, mãe delas. É comum esse tipo de bênção passar para a próxima geração piedosa. Por isso, Juliano, o apóstata, para impedir o crescimento e expansão do cristianismo, não permitia que as crianças fossem ensinadas e aprendessem conhecimento humano ou divino.

Filipe ficou feliz que Alexandre tivesse nascido enquanto Aristóteles vivia, para que o filósofo ensinasse filosofia ao filho. Não é pequena misericórdia os seus filhos, leitor, nascerem nos dias do Evangelho e em um vale de visão, em uma terra de luz, onde possam aprender as coisas relacionadas ao cristianismo. Não deixe de fazer com que os seus filhos fiquem familiarizados com a natureza de Deus, os atributos e ofícios de Jesus, a própria pecaminosidade e miséria naturais a eles, o método e meios da restauração, o propósito e incumbência para os quais foram enviados ao mundo, a necessidade de regeneração e vida santa, para que escapem da morte eterna! Como é possível que cheguem ao céu, se não souberem o caminho?

Os habitantes de Mitilene, outrora os senhores dos mares, se algum dos vizinhos se revoltasse, infligiam-lhe este castigo: proibição de ensinar e educar os filhos. Consideravam que esta punição era mais que suficiente (Eliano). Leitor, se você tem cuidado deste dever, perguntaria que mal os seus filhos lhe fizeram para que você se vingasse deles negando-lhes o que lhes é devido? Estou me referindo às coisas espirituais.

Os rabinos judeus falam do costume e método muito rígidos para a instrução dos filhos, de acordo com a idade e capacidade. Aos cinco anos de idade, eram *filii legis*, "filhos da Lei" para lê-la. Aos treze, eram *filii praecepti*, "filhos do preceito" para entender a Lei. Aos quinze, eram *talmudistae*, e alcançavam os pontos mais profundos da Lei, até mesmo os problemas talmúdicos. À medida que os filhos cresciam, aumentavam a instrução dada sobre a vontade de Deus. A Bíblia diz que cada criança "nasce como a cria do jumento montês" (Jó 11.12), ou seja, é incontrolável, tola e ignorante. Chamamos o tolo de jumento, mas aqui é "jumento montês (ou selvagem)", que é mais tolo e intratável do que dócil. Mais que isso, é "cria do jumento montês (ou selvagem)", que é muito bruta, incontrolável e tola. Como, então, os seus filhos ignorantes irão conhecer Deus ou a si mesmas sem serem instruídas?

O seu dever é fazer com que os seus filhos conheçam as obras de Deus. Ensine-lhes as ações e as declarações divinas: "Tão-somente guarda-te a ti mesmo e guarda bem a tua alma, que te não esqueças daquelas coisas que os teus olhos têm visto, e se não apartem do teu coração todos os dias da tua vida, e as farás saber a teus filhos e aos filhos de teus filhos" (Dt 4.9). As maravilhas de Deus devem ser mantidas em perpétua lembrança: "Fez lembradas as suas maravilhas; piedoso e misericordioso é o SENHOR" (Sl 111.4). Uma maneira especial de fazer isso é escrever as maravilhas do Senhor na memória dos nossos filhos, para que por este meio sejam transmitidas à posteridade. Esta era a prática piedosa dos patriarcas para instruir os filhos sobre a criação do mundo, a transgressão do homem, a destruição do velho mundo, a providência de Deus, o Messias a ser revelado e assim por diante. A boca dos pais eram livros grandes nos quais os filhos liam os atos nobres do Senhor. O preceito aventado nos versículos 2 a 7 baseia-se em duas razões. *Em parte para o louvor de Deus*, na perpetuidade das suas ações dignas. As suas palavras são de grande peso. Destarte, como quadros raros ou joias preciosas, devem em memória dele serem dadas de pai para filho, enquanto o mundo existir. Se forem escritas em papel ou pergaminho, podem perder-se (e não é pena que tais registros excelentes se percam?). Mas se forem escritas prosperamente pelos pais no coração dos filhos, o tempo não as manchará ou pagará (Êx 12.26,27). Então, como observam os rabinos, a noite anterior à páscoa, os judeus (para manter as misericórdias de Deus em memória da sua honra) eram habituados a conversar com os filhos neste modo. A criança perguntava: Por que é chamada de páscoa? O pai respondia: Porque o anjo passou por cima de nós, quando matou os egípcios e não nos destruiu. A criança perguntava: Por que comemos pão sem fermento? O pai respondia: Porque fomos forçados a sair às pressas do Egito. A criança perguntava: Por que comemos ervas amargas? O pai respondia: Para nos lembrar das aflições que passamos no Egito.

O preceito também é aventado *em parte para o próprio proveito deles*: "Para que pusessem em Deus a sua esperança e não se esquecessem das obras de Deus, mas guardassem os seus mandamentos" (v. 7). Conhecer o favor de Deus encoraja-lhes a fé. Conhecer o seu poder ajuda-os a crer na promessa divina. Leitor, a obediência a este preceito tende a beneficiar muito você e os seus filhos. Ensinando os filhos as ações de Deus, você os educa firmemente e eles causam a maior impressão no seu espírito. A menção frequente de coisas é a melhor arte para a memorização. O que a boca fala, a mente reflete mais. Além disso, contribui para a felicidade dos seus filhos. Quanto mais estiverem familiarizados com a bondade, sabedoria, poder e fidelidade de Deus que aparece nas suas obras, mais temerão, amarão e confiarão nEle. — *George Swinnock*

v. 5: "Porque ele estabeleceu um testemunho em Jacó, e pôs uma lei em Israel, e ordenou aos nossos pais que a fizessem conhecer a seus filhos". O significado é que Deus ordenou uma lei e mandamento para que cada um dos pais conte para os filhos as coisas que aprendeu com os seus pais. Neste versículo, entendemos que "testemunho" e "lei" se referem à Lei particular registrada em Deuteronômio 4.9 nestas palavras: "Tão-somente guarda-te a ti mesmo e guarda bem a tua alma, que te não esqueças daquelas coisas que os teus olhos têm visto, e se não apartem do teu coração todos os dias da tua vida, e as farás saber a teus filhos e aos filhos de teus filhos". — *Simon de Muis*

v. 5: Por "testemunho" e "lei", o sentido é o conteúdo inteiro do Pentateuco, os mandamentos diretos nele contidos e os feitos do Senhor, os quais têm de ser considerados como mandamentos indiretos. Todos os feitos de Deus contêm um núcleo de instrução, de dever e de advertência: "Fiz isto por ti, o que tu farás por mim?" — *E. W. Hengstenberg*

v. 5: "A seus filhos". Quem aprende a Lei na mocidade, assemelha-se àquele que a escreve facilmente em pergaminho novo e macio. Mas quem começa a aprendê-la na velhice, é como aquele que tenta escrever em pergaminho velho e enrugado. — *John van den Driesche [Drusius], 1550-1616*

vv. 5 e 6: Há cinco gerações mencionadas nestes versículos: (1) "nossos pais". (2) "seus filhos". (3) "a geração vindoura". (4) "os filhos que nascessem". (5) "seus filhos". — *Adam Clarke*

v. 6: "Para que a geração vindoura a soubesse, e os filhos que nascessem se levantassem e a contassem a seus filhos". As crianças devem ouvir com atenção o ensino dos pais para que, depois, contem o mesmo ensino aos filhos que tiverem. Assim, uma corrente de ouro é formada, sendo com ela unidos todos e a família inteira busque os céus. Os pais atraem os filhos, os filhos os netos, os netos os bisnetos para Cristo, como o imã deles todos, para que todos sejam um. — *Thomas Le Blanc v. 7:* "Para que pusessem em Deus a sua esperança". A esperança deles tinha de ser posta não na Lei que pune, mas na graça livremente dada que redime. Por isso, o texto prossegue: "e se não esquecessem das obras de Deus". — *Johannes de Turrecremata, 1476*

v. 8: "E não fossem como seus pais". A advertência é tirada de um exemplo doméstico. O salmista não diz: "E não fossem como as nações que não conhecem a Deus", mas: "e não fossem *como seus pais*". Exemplos de males de casa são muito mais perniciosos do que os de fora. Por isso, alguém disse: *Sic natura jubet, velocius et citius nos corrumpunt vitiorum exempla domestica.* Este texto ensina que não é seguro em todas as coisas seguirmos fielmente os exemplos dos pais. Ele fala dos pais que pereceram no deserto (veja Nm 14.1-45; Dt 1.1-46; Sl 68.6). — *Wolfgang Musculus*

v. 8: "Como seus pais, geração contumaz e rebelde". Tendo em vista que esta imitação ruim dos antepassados foi dificultosamente arrancada da mente dos homens, por causa da reverência inata aos pais, o profeta reúne palavras para descrever os pecados dos seus pais. Ele diz que eles eram מֹרֶה דוֹר, ou seja, geração que deprecia a autoridade de Deus e quebra os laços da Lei continuamente. É geração que, na sua petulância, sacode o jugo, como um cavalo xucro e violento ou um boi bravio e indomado, que não suporta as rédeas ou recusa-se a entregar o pescoço ao jugo, mas constantemente anda para trás e rejeita as rédeas. — *D. H. Mollerus*

vv. 8 e 9: Examine cuidadosamente a razão da obediência ativa, que tem de ser sadia e sincera. Os mesmos princípios certos pelos quais o crente sincero age por Cristo, o levará a sofrer por Ele, quando a chamada de Deus vem com essa incumbência. "Os filhos de Efraim, armados e trazendo arcos, retrocederam no dia da peleja" (v. 9). Por quê? Qual é o problema? Tão bem armados e ainda tão covardes? Estranho. Leia o versículo precedente e as suas dúvidas se aquietarão. O salmista os chama de: "geração contumaz e rebelde, geração que não regeu o seu coração, e cujo espírito não foi fiel para com Deus" (v. 8). Seja qual for a armadura que tiverem, se os soldados estiverem em um castelo cujos fundamentos forem rocha e cujos muros bronze, mas o coração não estiver em linha com o príncipe, uma tempestade simples bastará para afugentá-los dos muros e um susto pequeno abrirá a porta, que não tem em si a fagulha da sinceridade para mantê-la fechada. Em guerras recentes, vimos que os corações honestos em obras parcas e fracas foram suficientes para defender a cidade, quando não havia muros que defendessem a deslealdade da confiança traída. — *William Gurnall*

v. 9: "Os filhos de Efraim, armados e trazendo arcos, retrocederam no dia da peleja". "E armastes-vos, pois, vós, cada um dos seus instrumentos de guerra, e estivestes prestes para subir à montanha. E disse-me o Senhor: Dize-lhes: Não subais, nem pelejeis, pois não estou no meio de vós, para que não sejais feridos diante de vossos inimigos. Porém, falando-vos eu, não ouvistes; antes, fostes rebeldes ao mandado do Senhor, e vos ensoberbecestes, e subistes à montanha. E os amorreus, que habitavam naquela montanha, vos saíram ao encontro; e perseguiram-vos, como fazem as abelhas, e vos derrotaram desde Seir até Horma". (Dt 1.41b-44)

v. 9: "Os filhos de Efraim, armados e trazendo arcos, retrocederam no dia da peleja". Muitos expositores supõem que a passagem se refira ao fato registrado em 1 Crônicas 7.21,22, onde é mencionado os filhos de Efraim, a quem "os homens de Gate, naturais da terra, os mataram, porque desceram para tomar os seus gados. Pelo que Efraim, seu pai, por muitos dias os chorou; e vieram seus irmãos para o consolar". A maneira da relação mostra que a matança foi grande. Supõem que o salmista tem em vista esta fuga, derrota e o não reconhecimento do fato de que eram dependentes de Deus. A objeção a esta interpretação é que o fato citado no livro de Crônicas ocorreu evidentemente em época anterior ao Êxodo dos israelitas do Egito, ainda que o versículo deste salmo fale que estes mesmos efraimitas se esqueceram das obras e maravilhas de Deus, que Ele fez quando os tirou do Egito. É mais provável que בְּנֵי־אֶפְרַיִם diga respeito ao povo israelita em geral, cuja opinião é defendida por Moses Mendelssohn. Ele observa que "o significado do substantivo *Efraim* era um termo geral para aludir a Israel antes do reinado da casa de Davi, visto que Josué, filho de Num, o primeiro juiz, era dessa tribo, e o território designado para esta tribo situava-se na região de Siló. É possível que, por causa da reputação desta tribo durante esses dias, todos os que estavam em elevada estima também eram chamados de efraimitas". Ele poderia ter acrescentado outra razão mais forte que as precedentes para esta aplicação do termo a Israel. O texto de 1 Reis 11.26 diz que Jeroboão, que pode ser considerado o fundador da monarquia israelita, era descendente de Efraim. A guerra mencionada pode ter sido uma das que foram empreendidas entre as dez tribos e o povo de Judá. — *George Phillips*

v. 10: "Andar na sua lei". Observe que temos de andar na Lei de Deus, que é o caminho apertado e sagrado que Jesus determina para nós. Havia em Atenas ἱερὰ ὁδὸς, o "caminho sagrado" pelo qual, como relata Harpócrates, os sacerdotes dos mistérios viajavam para Elêusis. Havia também em Roma um caminho que se chamava *Via Sacra*. Há também para nós um caminho para os céus, consagrado pelos passos dos santos. Cabe a não nos desviar, mas sempre estar em marcha. — *Thomas Le Blanc*

v. 12: "Zoã". É o nome de uma cidade do Egito (Nm 13.22). Ainda que não esteja mencionada na história do Êxodo, é especificada duas vezes pelo escritor deste salmo (neste e no v. 43) como o cenário em que as obras maravilhosas foram feitas para faraó por Moisés. A razão é que os primeiros e principais milagres foram mostrados para faraó nesta cidade, onde estava o trono do rei. Era cidade muito antiga, como denota a expressão usada em relação a Hebrom em Números 13.22, onde, para determinar a antiguidade da cidade em que Abraão, o décimo depois de Noé, morou, está escrito que "foi edificada sete anos antes de Zoã, no Egito". Outra possível razão é que se trata de linguagem poética. O "campo [ou país] de Zoã" é expressão semelhante a "terra do Egito", que ocorre imediatamente antes. Em outros escritos proféticos, nas ameaças de juízos, em vez de "Egito" encontramos apenas "Zoã". Em Isaías 19.11, os "príncipes de Zoã" são os mesmos que os "conselheiros de Faraó". Às vezes, o termo "príncipes de Zoã" ocorre com a adição de alguma outra cidade. Em Isaías 19.13, os "príncipes de Zoã" estão em paralelo com os "príncipes de Nofe", ou seja, são os conselheiros desse reino que fizeram errar o Egito, que levaram a nação inteira à ruína. Em Isaías 30.4, onde os israelitas vão ao Egito em busca de socorro, está escrito que "os seus príncipes estão em Zoã, e os seus embaixadores chegaram a Hanes". — *Henry Hammond*

v. 12: "No campo de Zoã". Vemos nesta passagem que não foi sem razão que Deus mostrou muito poderosamente as suas obras maravilhosas, a sua virtude e a sua glória nas cidades mais famosas. Não foi porque menosprezava as cidades mais humildes e desconhecidas, mas porque, deste modo, pôde mais convenientemente divulgar o conhecimento e renome do seu nome. Foi por isso que desejou que Moisés realizasse os milagres na cidade real e no campo. Foi pela mesma razão que, mais tarde, fixou residência na cidade mais famosa de Canaã, na qual também decretou que Cristo, o seu Filho, fosse crucificado e a fundação do seu reino divino fosse estabelecida. — *Wolfgang Musculus*

v. 13: "Fez com que as águas parassem como num montão". A palavra no original hebraico denota os grandes montões que são usados como diques ou bancos para represar águas. Mas os judeus não só entenderam literalmente estas expressões, mas também as empregavam para acrescentar circunstâncias particulares, como se a história tivesse sido tão concisa que precisava ser completada com isso. Dizem que o mar tinha formado, por assim dizer, doze estradas ou calçadas ou passadiços de acordo com o número das tribos dos israelitas. — *James Saurin, 1677-1730 v. 13: "Fez com que as águas parassem como num* montão". Deus não quis tirar o mar completamente do olhar dos hebreus, mas interrompê-lo e dividi-lo, para que como uma parede ficasse firme em ambos os lados do caminho. Isto foi feito, em primeiro lugar, para que o milagre fosse evidente, pois nesse mar não há subida relativa a maré ou queda de água. Em segundo, para que o povo tivesse mais alegria à vista de tão grande milagre. Em terceiro lugar, para que durante a passagem toda eles dependessem mais da providência de Deus que, em um único momento, poderia permitir que o mar voltasse ao leito e afogasse eles todos. É a vontade de Deus que fujamos para Ele com mais desejo diante da aparência de perigo presente. Em quarto e último lugar, para que o povo atravessasse mais rapidamente, visto que não sabiam quanto tempo Deus desejava que o milagre durasse. — *Thomas Le Blanc*

v. 14: "De dia os guiou com uma nuvem, e toda a noite, com um clarão de fogo". O texto de Isaías 4.5,6 deixa claro que havia um mistério na coluna de nuvem e na coluna de fogo, pois nunca houve uma nuvem e fogo literais no monte Sião. Esta coluna de fogo cessou quando os israelitas entraram em Canaã. Isaías anseia que entendamos que há algo de espiritual nessas expressões. O apóstolo apresenta este aspecto espiritual como um mistério do Evangelho (1 Co 10.2). Significa e simboliza algo do próprio Cristo, dos benefícios de Cristo e das ordenanças de Cristo.

(1) O próprio Cristo. Certos estudiosos notaram uma sombra da divindade e humanidade de Cristo. Havia um brilho de fogo nas nuvens, que era apenas uma sombra escura da glória da sua divindade, a qual muitas vezes foi representada em visões. Mas a sua natureza divina estava ocultada e sombreada pela sua natureza humana, como nesta sombra havia uma coluna de nuvem como também de fogo. Apocalipse 10.1 apresenta Cristo vestido de uma nuvem e os pés como colunas de fogo. Estas expressões correspondem notavelmente a este antigo tipo e sombra.

(2) Os benefícios de Cristo. Que benefícios os israelitas tiveram com esta coluna de fogo e nuvem? Tiveram três benefícios: (a) Luz e direção. (b) Defesa e proteção. (c) Ornamento e glória. Temos todos estes benefícios de maneira mais excelente em Cristo pelo Evangelho.

(3) As ordenanças de Cristo. Simbolizava as ordenanças de Cristo e a sua presença nelas e com elas, porque as ordenanças são símbolos externos e visíveis da presença de Deus com o seu povo, como esta coluna de fogo era antigamente. Quando o tabernáculo foi feito e montado, a coluna descansou sobre o tabernáculo (Êx 40.38). Há certos deveres que são secretos, os quais o mundo não vê, nem pode ver, como as obras de caridade e a oração pessoal e secreta. Mas as ordenanças da instituição são coisas que devem ser praticadas com toda a notoriedade. São símbolos externos e visíveis da presença de Deus, particularmente a grande ordenança do batismo, como expõe Paulo em 1 Coríntios 10.2. A nuvem, ao que parece, continha certa umidade refrescante para sombrear, refrigerar e refrescar os israelitas do calor ardente. Foram batizados na nuvem, como fomos pela água do batismo, por meio da qual esta nuvem legal tornou-se tipo do batismo do Evangelho. Assim, vemos que representava algo do próprio Cristo, algo dos seus benefícios e algo de todas as suas ordenanças pertinentes ao Novo Testamento. — *Samuel Mather*

v. 14: "Toda a noite". Não há necessidade de nos estendermos muito sobre o pensamento do que este "toda" significou para os israelitas. Nas marchas noturnas e descansos noturnos, o "toda" era muito precioso. Quer estivessem em movimento ou em repouso, o "toda" era semelhantemente necessário e bom. Esta luz de fogo, a menos que fosse contínua, teria sido comparativamente de pouco valor. Tivesse sido repentinamente apagada enquanto marchavam, todo o Israel teria sido mergulhado em confusão e desânimo. O apagamento da luz teria mudado em populaça desordenado o exército organizado. — *Philip Bennett Power, "Breviates or Short Texts and their Teaching"*

v. 15: "As penhas". Eram tipos de Cristo (1 Co 10.4), às quais é muitas vezes comparado por causa da altura, força, permanência, sombra, abrigo e proteção. Cristo é chamado de "Rocha de Israel", "rocha de escândalo às duas casas de Israel", "rocha da minha salvação", "rocha em que me refugiei", "rocha da minha fortaleza", "rocha que é mais alta do que eu", na qual a igreja é edificada e que é "sombra de uma grande rocha em terra sedenta" (pela ordem: 2 Sm 23.3; Is 8.14; 2 Sm 22.47; Sl 94.22; 62.7; 61.2; Is 32.2). — *John Gill*

v. 15: "E deu-lhes de beber como de grandes abismos". Como se Deus tivesse formado um lago ou um oceano para fornecer provisão inesgotável. — *Albert Barnes*

v. 16: "Fez sair fontes da rocha e fez correr as águas como rios". O apóstolo Paulo escreveu: "Onde o pecado abundou, superabundou a graça" (Rm 5.20). A segunda murmuração em Cades por causa da falta de água foi, ao que parece, um ato mais grave de rebelião do que a primeira. Contudo, a água foi dada em maior abundância. Oh, a liberdade da graça soberana de Deus! — *W. Wilson*

v. 17: "E ainda prosseguiram em pecar contra ele". O salmista não diz que eles apenas pecaram, mas que eles pecaram contra ele, ou seja, Deus. Contra qual Deus? Contra aquele que os tirara do Egito por grandes e inauditas maravilhas, que os conduzira como homens livres pelo mar Vermelho a pé enxuto, que continuara conduzindo-os e protegendo-os, de dia, com a coluna de nuvem e, de noite, com a coluna de fogo, e que lhes dera a beber abundantemente da água tirada da rocha árida. Contra este Deus amontoaram pecado sobre pecado. Simplesmente pecar é humano, e acontece com os santos mesmo depois de receberem a graça. Mas pecar contra Deus manifesta um grau singular de impiedade. Pecar contra Deus é prejudicar e desonrá-lo em coisas que pertencem diretamente a Ele. Assim pecaram contra Deus, porque depois de muitas provas e testemunhos notórios do cuidado manifestado a eles, os israelitas continuaram pensando e falando mal dEle. Na verdade, todos os pecados, de qualquer classe, são cometidos contra Deus, porque são opostos à sua verdade. Mas claro que os que são cometidos peculiarmente contra Deus são maiores do que os outros. São os pecados cometidos contra o seu nome, bondade, providência, poder, verdade e adoração e contra as coisas que especialmente lhe dizem respeito, sejam quais forem. É o que lemos sobre os pecados dos filhos de Eli: "Não, filhos meus, porque não é boa fama esta que ouço; fazeis transgredir o povo do Senhor. Pecando homem contra homem, os juízes o julgarão; pecando, porém, o homem contra o Senhor, quem rogará por ele?" (1 Sm 2.24,25). — *Wolfgang Musculus*

v. 17: "E ainda prosseguiram em pecar". O pecado dos israelitas era não só murmuração, por mais pecaminoso que isso seja, mas desejo descontrolado. E o que desejavam? Desejavam carne. Tinham ficado imensamente enfadados do pão do céu que Deus tão misericordiosamente lhes provera. Queriam algo mais, algo que também não era absolutamente necessário para a sobrevivência. Quando murmuraram em Massá porque não tinha água, murmuraram por algo necessário. O pecado estava na murmuração e não no pedido. Mas aqui desejaram algo desnecessário, e este foi um agravamento do pecado. É por isso que o salmista, evidentemente comparando este pecado com a murmuração em Massá, diz: "E ainda prosseguiram em pecar contra ele". — *George Wagner, "The Wanderings of the Children of Israel", 1862*

v. 18: "E tentaram a Deus no seu coração". Tentaram a Deus, tentaram-lhe a paciência inúmeras vezes, fizeram, por assim dizer, muitas experiências a respeito. A expressão tentar no seu coração dá a entender que o fizeram de caso pensado, para ver se Deus ainda seria paciente com eles. — *Thomas Chalmers, 1780-1847, "Daily Scripture Readings"*

v. 18: "E tentaram a Deus". Sabemos que, embora "Deus não pode ser tentado pelo mal" (Tg 1.13), podemos dizer com correção que Ele é tentado, em qualquer momento que seja, a ficar insatisfeito com os seus procedimentos, quando os homens pedem na prática que altere esses procedimentos e proceda de modo mais congenial com os sentimentos deles. Se refletirmos um pouco, dificilmente deixaremos de perceber que, em sentido muito restrito, esta e outras coisas semelhantes são atos que *tentam* a Deus. Suponhamos que um homem esteja descontente com os desígnios da providência. Suponhamos que ele murmure e se queixe do que o Todo--Poderoso lhe deu para fazer ou suportar. Não será ele culpado de provocar Deus a mudar os propósitos santos? O que é isto, senão estar *tentando* a Deus — o esforço em induzi-lo a desviar-se dos seus planos, ainda que cada um desses planos foi decidido por sabedoria infinita? Se qualquer um de nós, a despeito das múltiplas provas da benignidade divina, duvidamos ou questionamos o amor de Deus por nós, do que somos culpados, se não de tentarmos ao Senhor, para ver se o levamos a nos dar outra prova, como se houvesse deficiência, e o desafiamos a fazer outras demonstrações do que Ele já mostrou tantas e tantas vezes? Entre os homens, isto se chama *tentar*. Se uma criança mostrar pelas suas ações que duvida ou descrê no afeto dos pais, ela será considerada estar se esforçando para extorquir deles novas provas desse afeto, ainda que eles já tivessem dado muitas em justiça ou em sabedoria. Seria claro que ela estaria tentando-os e tentando-os também no sentido comum do termo. Em suma, podemos dizer que incredulidade de todo tipo e grau é tentar a Deus, pois não crer na evidência que Ele considerou conveniente oferecer é tentá-lo a dar mais do que Ele já deu — oferecendo o nosso possível consentimento, se mais prova fosse dada, como um induzimento para Deus ir além do que a sua sabedoria prescreveu. [...] Você não pode desconfiar do Senhor e não acusá-lo de falta de poder ou de bondade. Você não pode se queixar — não, nem mesmo em pensamento —, sem na prática estar lhe dizendo que os planos divinos não são os melhores e a sua dispensação a mais sábia a ser designada para você. De forma que o seu medo, ou desânimo, ou ansiedade nas circunstâncias de perplexidade ou perigo, não é nada menos que uma súplica para Deus deixar este curso de ação, uma suspeita, ou, antes, uma afirmação que Ele poderia proceder de certo modo mais digno dEle mesmo e, então, um desafio para Ele alterar de procedimento, se Deus provar que possui os atributos que afirma possuir. Você pode não querer acusar ou provocar Deus, sempre que você murmura, mas é tudo isso que a murmuração pode fazer. Você não pode ficar descontente, sem na prática estar dizendo que Deus poderia organizar melhor as coisas. Você não pode dizer que Ele poderia organizar melhor as coisas, sem exigir na prática que Deus mude de curso de ação e dê outras provas das suas perfeições infinitas. É desta forma que você o *tenta*, *tenta*-o exatamente como os israelitas tentaram no deserto. — *Henry Melvill*

v. 18: "Pedindo carne para satisfazerem o seu apetite". Deus tinha lhes dado carne para satisfazer-lhes a fome no maná, alimento saudável, gostoso e em abundância. Tinha lhes dado carne satisfazer-lhes a fé, carne das cabeças do leviatã que Ele fizera em pedaços (Sl 74.14). Mas tudo isso não serviu para nada, pois queriam carne para satisfazerem "o seu apetite", iguarias e variedades para satisfazerem o apetite da concupiscência. Nada é mais provocante a Deus do que a querela com a nossa partilha e favorecimento dos desejos da carne. — *Matthew Henry*

v. 19: "E falaram contra Deus e disseram: Poderá Deus, porventura, preparar-nos uma mesa no deserto?" Observemos particularmente que o pecado, do qual os filhos de Israel eram nesta ocasião culpados, não era desejar pão e água, mas pensar por um momento que, depois que o Senhor os tirara do Egito, Ele deixaria faltar alguma coisa necessária para o seu povo, algo que viesse acabar em Canaã. Não era pecado ter fome e sede. Trata-se de uma necessidade da natureza física. Não há ser vivo que não deseje e exija comida. Se não desejamos e exigimos, é porque estamos mortos. Desejaram e exigiram fato que por si só não era pecado. O pecado foi duvidar que Deus os sustentaria no deserto ou imaginar que permitiria que faltasse alguma coisa boa para os que seguissem a sua liderança. Foi este o pecado. É a mesma coisa hoje com os cristãos. Estes israelitas não exigiram uma provisão de alimento diário para o corpo mais literalmente do que exigem os cristãos para a alma. Não agir assim é sinal de morte, pois a alma viva morre logo sem alimento. Longe de ser pecado, o nosso Senhor pronunciou "bem-aventurados os que têm fome e sede de justiça", acrescentando a promessa mais preciosa de todas, "porque eles serão fartos" (Mt 5.6). Mas é pecado e pecado muito grande quando este alimento não for perceptível e imediatamente provido segundo nos mostram os sentidos, passarmos a murmurar e ficar com medo. Foi para provar a fé que estas coisas aconteceram aos israelitas, como acontece com todos os cristãos de todas as épocas. É somente depois de havermos padecido um pouco que podemos esperar sermos aperfeiçoados, confirmados, fortificados e fortalecidos (1 Pe 5.10). — *Brownlow North, "Ourselves: A Picture Sketched from the History of the Children of Israel", 1865*

vv. 19 e 20: "E falaram contra Deus e disseram: Poderá Deus, porventura, preparar-nos uma mesa no deserto? Eis que feriu a penha, e águas correram dela; rebentaram ribeiros em abundância; poderá também dar-nos pão ou preparar carne para o seu povo?" Depois de todas as experiências por que passaram, duvidaram da onipotência divina, como se fosse algo sem importância, quando Deus recusou satisfazer-lhes as concupiscências. A incredulidade está tão profundamente enraizada no coração humano que, quando Deus executa milagres na terra, a incredulidade duvida se Ele pode executá-los no céu, e quando Deus os faz no céu, será que pode fazê-los na terra? — *Augustus F. Tholuck*

v. 20: Quando perguntaram: "Poderá também dar-nos pão?". Deveriam ter dito: "Atenderá Deus as nossas concupiscências?", mas tinham vergonha de dizer. — *John Trapp*

v. 20: "Eis que feriu a penha, e águas correram dela; rebentaram ribeiros em abundância; poderá também dar-nos pão ou preparar carne para o seu povo?" Quem dirá que a pessoa é grata ao amigo pela bondade recebida no passado, se ela nutre opinião doentia em relação ao futuro? Isto foi tudo o que os israelitas ingratos devolveram a Deus por Ele ter perfurado a rocha milagrosamente para mitigar -lhes a sede: "Eis que feriu a penha, [...] poderá também dar-nos pão"? Foi assim que se comportaram o tempo todo enquanto estavam no deserto. Deus lhes deu conforme o caráter que tinham e não pelo que demonstravam enquanto as misericórdias estavam diante deles. Podiam dizer: "Deus é a nossa Rocha e o Deus Altíssimo o nosso Redentor", mas pelo temperamento e comportamento nas situações difíceis. Quando a nuvem foi retirada e o banquete não estava no seu campo de visão, que opinião tinham de Deus? Podiam santificar-lhe o nome tanto quanto confiar nEle para prover-lhes a refeição de amanhã, já que lhes deu um banquete ontem? Na verdade, não. Assim que sentiam a fome voltar, como crianças mimadas, lamuriavam, como se Deus quisesse que passassem fome. Deus rejeita esses louvores e não aceita confissões hipócritas, mas registra a ingratidão. Esqueceram-se das obras do Senhor e não confiaram nos conselhos santos. Como é triste que depois de Deus ter satisfeito o crente à mesa com misericórdias e livramentos selecionados, estes sejam tão mal preservados, que não reste um que firme a fé para uma refeição e impeça o coração de desfalecer, quando Deus não atenda prontamente quanto o crente deseja. É o homem mais grato aquele que guarda as misericórdias de Deus na memória para alimentar a fé com o que Deus lhe tem feito, de modo a andar na força desse alimento durante as situações difíceis em que estiver. — *William Gurnall*

v. 23: "E tivesse aberto as portas dos céus". Esta é referência ao dilúvio como vemos também no versículo 15. — *A. R. Fausset*

v. 23: "E tivesse aberto as portas dos céus". Deus, que tem a chave das nuvens, abriu as portas dos céus, que é ação maior do que abrir as janelas. Mesmo assim, "abrir as janelas do céu" é uma grande bênção (Ml 3.10). — *Matthew Henry v. 23:* "E tivesse aberto as portas dos céus". Esta é uma metáfora tirada do silo, de onde são trazidos os cereais. *Abrir as portas* significa que o maná caiu com muita abundância (cf. Gn 7.11). — *Thomas Fenton*

vv. 24 e 25: "Maná". O profeta celebra este milagre. Em primeiro lugar, por causa do lugar incomum de onde o maná foi enviado. Deus não produziu frutos da terra para alimentar os israelitas, mas fez chover esta comida das nuvens e das profundezas dos céus. Em segundo lugar, por causa da facilidade de distribuição. Apenas pela ordem de Deus, sem o trabalho dos homens, na verdade, enquanto dormiam, esta comida foi preparada. É por isso que o texto diz que Deus fez chover, deu, mandou. Em terceiro lugar, por causa da grande abundância que foi suficiente para prover tão grande multidão. Em quarto, por causa da qualidade excelente da comida. Ele a chama de "pão dos poderosos" ou "dos anjos" (ARA), agradável não somente à multidão comum, mas também aos príncipes e aos valentes, já que era a comida de poderosos. — *D. H. Mollerus*

v. 25: "Cada um", ou, mais exatamente, como em Êxodo 16.6, "todos". Nenhum dos israelitas ficou sem maná. — *A. R. Fausset*

v. 25: "Cada um comeu o pão dos poderosos" ou "dos anjos" (ARA). Chama-se "pão dos anjos", não porque os anjos se alimentam dele diariamente, mas porque era feito e servido pelo ministério dos anjos. Este texto apresenta a qualidade excelente do alimento. — *Christopher Ness, 1621-1705, The Sacred History and Mystery of the Old Testament*

v. 25: "O pão dos poderosos" ou "o pão dos anjos" (ARA). O maná foi chamado de "o pão dos anjos", porque foi trazido pelo ministério angelical. Era tão gostoso, que se os anjos comessem pão, ele os teria deixado satisfeitos. — *John Weemse, 1636*

v. 25: "O pão dos poderosos" ou "o pão dos anjos" (ARA). O salmista chama o maná de "o pão dos anjos".

(1) Porque foi provido e enviado pelo ministério dos anjos.

(2) Porque parecia descer do céu, a habitação dos anjos.

(3) Para estabelecer a qualidade excelente do pão, que era refeição, por assim dizer, de anjos, se os anjos tivessem necessidade de refeição. A glória excedente do semblante de Estêvão é estabelecida pelo fato de que eles "viram o seu rosto como o rosto de um anjo" (At 6.15). Paulo afirma que a língua excelente são "as línguas [...] dos anjos" (1 Co 13.1). — *Arthur Jackson*

v. 25: "Cada um comeu o pão dos poderosos". Quanto mais excelente é o benefício que Deus dá, maior é a ingratidão daquele que não o valoriza e o usa como deve. É o que vemos no pecado dos israelitas, que não valorizaram o maná como deveriam. Se o Senhor os tivesse alimentado com o pó da terra, ou as raízes da relva, ou outra coisa ruim, não teria sido sem razão a reclamação. Mas quando Ele lhes dá um alimento novo, criado todas as manhãs por causas deles, enviado diariamente do céu como suprimento fresco, de cor, gosto, cheiro e salubridade da mais excelente qualidade, que provocação a Deus era esta para não ficarem contentes, sobretudo, quando Ele lhes deu abundantemente? Pois "ele lhes mandou comida com abundância". — *David Dickson*

v. 26: "Fez soprar o vento do Oriente nos céus e trouxe o Sul com a sua força". Quando examinamos a posição geográfica dos israelitas, vemos exatamente como os ventos do Sudeste teriam trazido as codornizes. Os israelitas haviam acabado de atravessar o mar Vermelho, e estavam começando a experimentar um antegosto das privações que teriam de passar no deserto. Viajando em direção Norte nas migrações habituais, os pássaros chegariam à margem do mar Vermelho, onde esperariam até que ventos favoráveis os permitissem atravessar as águas. O vento Sudeste lhes oferecia a ajuda exata de que precisavam, da qual naturalmente se aproveitaram. — *J. G. Wood, "Bible Animals", 1869 v. 27:* "Como pó". As surpreendentes nuvens de pó ou areia fina, que o vento violento levanta nos desertos do Oriente, constituem o ponto de comparação. — *William Keatinge Clay, 1839*

v. 27: "Aves de asas" (literalmente), ou seja, aves voadoras para diferenciar das aves domésticas. — *Williams, Notes to Calvin, in loc.*

vv. 27 e 31: "E choveu sobre eles carne como pó, e aves de asas como a areia do mar. Quando a ira de Deus desceu sobre eles, e matou os mais fortes deles, e feriu os escolhidos de Israel". Se o cemitério em Sarbut-el-Khadem for o que todas as evidências antecedentes indicam trabalho dos israelitas (um grande cemitério do acampamento fatal em Quibrote-Hataavá) é razoável esperar que os monumentos contivessem representações simbólicas do milagre das "aves de asas" e da peste terrível que veio imediatamente depois. Felizmente, Niebuhr nos satisfaz a expectativa pelas cópias dos hieróglifos de três dessas lápides, prefaciadas por um plano do próprio cemitério, que é de mais valor do que qualquer uma ou de todas as descrições subsequentes. Este escritor descobriu (como declarado em livro anterior ["A Voz de Israel"], que trata da evidência de nada menos de quatro inscrições sinaíticas) que as aves relacionadas ao milagre, chamadas genericamente por Moisés de שְׂלָו, *salu*, e pelo salmista, ainda mais genericamente, de עוֹף כָּנָף, "aves de asas", ou mais corretamente, "aves de asas longas", não eram (como é traduzida por todas as versões antigas e modernas) "codornizes", mas um pássaro vermelho parecido com o grou e semelhante ao ganso, chamado em árabe de *nuham*. A descoberta recebeu subsequentemente confirmação singular e notável de outra descoberta feita por Stanley, e previamente por Schubert, de imensos bandos destes mesmos *nuhams* no reputado cenário do milagre em Quibrote-Hataavá. Com estes antecedentes em mente, olhemos os três monumentos copiados por Niebuhr do cemitério de Sarbut-el-Khadem. Veremos imediatamente que um pássaro parecido com o grou e semelhante ao ganso, com corpo esbelto e pernas longas, é o principal símbolo hieroglífico em todos os três tabletes. Não menos que vinte e cinco destes pássaros simbólicos ocorrem no primeiro, dez no segundo e quinze no terceiro tablete. O ganso aparece ocasionalmente, mas os principais espécimes têm a aparência do ganso, mas a forma do grou. Em uma palavra, são as mesmas espécies das aves vistas por Stanley, ambas neste ponto do Sinai e na primeira catarata do Nilo, e que constantemente ocorre também nos monumentos egípcios. Foi como se a própria comida do Egito, a qual os israelitas cobiçaram, tivesse sido enviada para servir ao mesmo tempo de presa e peste para deles. "E os filhos de Israel disseram-lhes: Quem dera que nós morrêssemos por mão do Senhor na terra do Egito, quando estávamos sentados junto às panelas de carne". (Êx 16.3)

O fato irrefutável é que as mesmas aves identificadas por todo tipo de evidência com o *salus*, ou aves de pernas e asas longas do milagre, são as mesmas aves descritas nas lápides de Sarbut-el-Khadem, pousadas, voando e até mesmo capturadas e cozidas. [...] A conclusão inevitável é [...] que estas lápides registram o milagre das "aves de asas", que ficaram por sobre os túmulos dos comilões que as consumiram. — *Charles Forster, "Israel in the Wilderness", 1865*

Forster pelo seu alfabeto decifra algumas lendas e artimanhas mescladas:

Do mar os grous dirigiram-se para um lugar
Os arqueiros atiram nos grous que passam pela planície
De estômago pervertido correm para a presa —
O sepulcro é o seu destino — o seu tutano corrompido por Deus
A coruja sonolenta, emblema da morte, Deus envia para a destruição entre eles

A mãe dos sepulcros — os gansos pretos e brancos
Uma morte súbita, gulosamente desejando carne, morrem os glutões
Sobem os hebreus ao topo do monte

Comem, devoram, consumem até nada deixar, excedendo todos os limites
Os corpos corrompidos pela glutonaria morrem

v. 29: "Então, comeram e se fartaram bem; pois lhes satisfez o desejo". Note que o profeta neste salmo estabelece, por assim dizer, um conflito entre Deus e o homem. Em primeiro lugar, Deus compete com bênçãos, o homem com pecados. Deus exerce o seu poder em benefício do homem indigno: "Maravilhas que ele fez à vista de seus pais" (v. 12). O homem devolve o poder divino com infidelidade: "E ainda prosseguiram em pecar contra ele" (v. 17). E mais: "Poderá Deus, porventura, preparar-nos uma mesa no deserto?" (v. 19). Em segundo lugar, Deus derrama a sua generosidade para com as suas bênçãos subjugar os pecadores ingratos: "Posto que tivesse mandado às altas nuvens, e tivesse aberto as portas dos céus" (v. 23). Estes menos que homens (*homunciones*) contrapõem a glutonaria à liberalidade de Deus e abusam das bênçãos recebidas: "Então, comeram e se fartaram bem" (v. 29). Em terceiro lugar, a justiça divina renova o conflito para de uma vez afugentar deles a estupidez: "Ainda lhes estava a comida na boca, quando a ira de Deus desceu sobre eles" (vv. 30,31). Ainda obstinados, recalcitraram contra os aguilhões: "Com tudo isto, ainda pecaram" (v. 32). Em quarto lugar, a misericórdia vem voando do céu para convidá-los à paz: "Mas ele, que é misericordioso" (v. 38). Os homens são animados pela compaixão divina, mas com facilidade maior recaem no pecado: "Quantas vezes o provocaram no deserto" (v. 40). Em último e quinto lugar, quando tudo parecia perdido, o amor se aproxima e faz maravilhas inauditas para tocar-lhes a dureza e livrá-los dos perigos pelos quais foram acossados: "Como operou os seus sinais no Egito" (v. 43). Contra estas flechas do amor divino, os pecadores contrapuseram um esquecimento de todos os benefícios recebidos: "Não se lembraram do poder da sua mão, nem do dia em que os livrou do adversário" (v. 42). Todas estas coisas aconteceram antes que entrassem na terra da promessa. O conflito que aconteceu entre os hebreus e Deus na terra da promessa está narrada na seção seguinte do salmo. — *"Thomas Le Blanc"*

v. 30: "Não refrearam o seu apetite". Isso dá a entender que ainda estavam ardendo de desejo. Se alguém contestar que esta interpretação não concorda com a frase precedente, onde está escrito: "Então, comeram e se fartaram bem", eu responderia que se, como é bem sabido, a mente humana não for mantida dentro dos limites da razão e temperança, ela fica insaciável. Por conseguinte, uma grande abundância não apaga o fogo do apetite depravado. — *João Calvino*

v. 30: "Não refrearam o seu apetite". Estavam saciados, mas não satisfeitos. É tão fácil extinguir o fogo de Etna quanto os pensamentos são incendiados pela concupiscência. — *John Trapp*

v. 30: "Não refrearam o seu apetite". Consideremos que há satisfação mais real em mortificar as concupiscências do que em fazer-lhes provisão ou atendê-las. Há prazer mais verdadeiro em atormentar e incomodar a nossa carne do que em satisfazê-la. Houvesse verdadeiro prazer no pecado, e o inferno não seria inferno, pois quanto mais pecado, mais alegria. Não há como satisfazer uma concupiscência, se fizermos o máximo que pudermos e nunca nos tornarmos escravos tão absolutos dela. Pensamos que recebendo o desejo do coração, ficaremos sossegados. Grande e ledo engano. A concupiscência nos possui. — *Alexander Carmichael*

v. 31: "A ira de Deus desceu sobre eles, e matou os mais fortes deles". Há duas coisas dignas de nota.

(1) Por que Deus lhes ofereceu abundância e suficiência de codornizes, e depois castigou os murmuradores e incrédulos? Se tivesse castigado antes, teria mostrado maior habilidade em destruí-los do que em dar-lhes carne. Então, para que declarasse o seu poder, deixasse a incredulidade do povo mais evidente e mostrasse como mereciam ser castigados, primeiro mostrou que poderia dar, porque achavam que Ele não podia, e depois os castigou pela incredulidade.

(2) Por que Deus destruiu os homens fortes e escolhidos entre o povo, embora todos já tivessem confessado a murmuração? Sem dúvida, por terem sido os primeiros no pecado, são mencionados especificamente no castigo. — *Wolfgang Musculus*

v. 31: "Matou os mais fortes deles". Foram levados como ovelhas para o matadouro. O açougueiro separa primeiro as mais gordas. Não estamos errados em supor que havia alguns israelitas piedosos e contentes que comeram as codornizes com moderação e não sofreram nada de mal, pois não foi a carne que os envenenou, mas a concupiscência de cada um. Leiam aqui os epicuristas e sensualistas o destino que os aguarda. Aqueles que fazem do ventre o seu deus, terão a perdição como fim (Fp 3.19). — *Matthew Henry*

vv. 31 a 34: Os cristãos têm mais prazer verdadeiro com as coisas criadas do que os ímpios, visto que elas são mais puras para eles do que para os outros. Os profanos infelizes sorvem os sedimentos e tudo o mais do cálice, os sedimentos do pecado e os sedimentos da ira, ao passo que o cálice dos cristãos não é temperado desse modo.

(1) Os sedimentos do pecado. Quanto mais os ímpios recebem prazer com as coisas criadas, mais pecam com elas. É triste pensar a obra que elas fazem no coração perverso! Não passam de combustível para acender a concupiscência dos maus. Correm para longe com os prazeres, como o filho pródigo com as bolsas, ou como os porcos no tempo do acasalamento. Ninguém os vê ou pensa que voltarão, enquanto ainda podem obter qualquer coisa fora de casa entre as delícias do mundo. Não há ninguém tão prodigamente mau quanto os que se empanturram com os prazeres carnais. Tais prazeres são para os não- crentes como o estrume e a sujeira são para os porcos que engordam revolvendo-se neles. Assim o coração dos ímpios embrutece e engorda. A consciência fica mais tola e insensata no pecado por causa desses prazeres. Por outro lado, os confortos e delícias que Deus dá para os crentes por meio das coisas criadas convertem-se em nutrição espiritual e graças divinas, atraindo estes à prática, como as concupiscências atraem os não crentes.

(2) Os sedimentos da ira. Os israelitas tiveram pouco prazer com as suas iguarias, visto que a ira de Deus caiu sobre eles antes que pudessem engoli-las pela garganta. Imediatamente após o banquete do pecador ser servido, a justiça divina está pronta para enviar a conta. A expectativa temerosa deste fato não pode deixar de estragar o gosto. — *William Gurnall*

v. 32: "Com tudo isto, ainda pecaram". Continuaram pecando "e não deram crédito às suas maravilhas". Quer dizer, nem as grandes maravilhas ou portentosos milagres do Senhor os levaram a crer. Nem o ateísmo especulativo, nem o ateísmo de coração, nem o ateísmo prático jamais foi curado por meio da realização de milagres, porque todos os homens estão fundados em uma má disposição. "Nem sempre os homens estão dispostos a serem convencidos". Não se trata de falta de provas, mas é a ausência da disposição certa que impede os homens de crerem em Deus. — *William S. Plumer*

v. 32: "Com tudo isto, ainda pecaram e não deram crédito às suas maravilhas". Creram verdadeiramente na história das obras do Senhor, isto é, que estas coisas aconteceram como estão registradas. Não puderam deixar de crer que Deus fez maravilhas para eles no Egito, que Ele afogara faraó e os levara a atravessar o mar Vermelho com segurança. Viram estas coisas, os seus sentidos foram testemunhas, mas não creram na profecia ou promessa que estava virtualmente nessas realizações, isto é, que Deus faria mais maravilhas para eles até ter completado o livramento. A história de salvação pelo mar Vermelho tinha em si esta profecia: eles seriam levados com segurança para Canaã. Mas não creram na voz desta profecia. Quando Deus lhes distribuiu água da rocha, este feito prometia que Ele lhes distribuiria carne das nuvens, caso precisassem. Mas também não creram nisso. Por conseguinte, o mesmo salmo relata a incredulidade com esta noção: "E falaram contra Deus e disseram: Poderá Deus, porventura, preparar-nos uma mesa no deserto? Eis que feriu a penha, e águas correram dela; rebentaram ribeiros em abundância; poderá também dar-nos pão ou preparar carne para o seu povo?" (vv. 19,20). "Ouvindo isto", ou seja, as palavras de incredulidade, "o SENHOR ficou indignado" (v. 21, ARA). — *Joseph Caryl*

v. 32: "Com tudo isto, ainda pecaram e não deram crédito às suas maravilhas". A experiência deve fortalecer a fé, mas tem de haver fé para usar a experiência. — *J. N. Darby, "Practical Reflections on the Psalms" [Reflexões Práticas sobre os Salmos], 1870*

vv. 32 e 33: O que a fé perpetra com uma profecia de julgamento, o mesmo faz a incredulidade com uma promessa de misericórdia: subverte. O salmista designa este quadro à incredulidade em relação às obras de Deus como também à sua Palavra: "Não deram crédito às suas maravilhas. Pelo que consumiu os seus dias na vaidade e os seus anos, na angústia". Mas não são os dias de todos os homens consumidos na vaidade? São. Não estão os homens na sua melhor forma totalmente na vaidade? Estão. Mas o texto fala de uma vaidade especial e um tanto quanto mais penal e judicial naquela geração por sua incredulidade, do que no gênero humano como fruto do pecado em geral. E qual é essa vaidade? É o mal ameaçado no texto: eles não puderam ficar firmes (Is 7.9b). Deus os deixa vagar quarenta anos pelo deserto, para cima e para baixo, para frente e para trás. Agora em esperança, logo em medo. Agora em alegria, logo em tristeza. Agora em sucesso, logo em decepção. — *Joseph Caryl*

v. 33: "Consumiu os seus dias na vaidade". Ele diz com grande significação que os dias dos israelitas foram consumidos na vaidade, porque foram claramente privados de esperança e suportaram todo esse sofrimento em vão. Não alcançaram o que esperavam, pois só os seus filhos entraram na terra. — *D. H. Mollerus*

v. 33: Os "dias" aparecem antes dos "anos". Este pormenor dá a entender que a duração da vida foi encurtada pela maldição de Deus, e que era bastante evidente que eles fracassariam no meio do trajeto. — *João Calvino*

vv. 34 a 37: Há crentes que se caem em aflições, ou ficam doentes, ou têm febre, ou estão em certas ordenanças solenes e Deus agita a morte por sobre a cabeça deles, logo resolvem, decidem e prometem para si mesmos fazer um pacto pessoal com Deus. Mas como tão facilmente fizeram, assim tão facilmente não cumprem: "Pondo-os ele à morte, então, o procuravam; e voltavam, e de madrugada buscavam a Deus". Muitas vezes as aflições são como uma goteira. Quando chove forte, corremos a Deus cheios de promessas: "Todavia, lisonjeavam-no com a boca e com a língua lhe mentiam. Porque o seu coração não era reto para com ele, nem foram fiéis ao seu concerto". Ainda quando os matava, eles o buscavam e cedo perguntavam por Ele, de forma que ações e pactos não deliberados com Deus, visto que logo são esquecidos, não menos que de repente desaparecem. A ação deve ser deliberada quando entremos em concerto com o Admoestador e nos obrigamos a ser mais vigilantes e ternos, ou então logo o concerto desaparecerá. — *Alexander Wedderburn, "David's Testament, opened up in Fourty Sermons" [O Testamento de Davi, aberto em Quarenta Sermões], 1701*

vv. 34 a 37: Nestas palavras vemos claramente que os israelitas muito cedo e seriamente buscaram a Deus para que Ele tirasse a mão e removesse os juízos que estavam sobre o povo, mas não para que Deus os curasse dos pecados que o levaram a sacar a espada e embebedá-la com o sangue hebreu. Apesar das tristes matanças que a justiça divina fizera entre o povo hebreu, eles lisonjearam, mentiram e foram hipócritas com Deus. De bom grado se livrariam dos sofrimentos, mas não se importavam em ser libertos dos pecados. Mas esta alma graciosa clama a ti, Senhor. Tira os meus pecados, e ficarei satisfeito e alegre, mesmo que tu nunca tires a tua pesada mão. Um verdadeiro Natanael chora debaixo da maior aflição, como chorou Agostinho, o bom homem: *A me, me salva, Domine*, ou seja, "salva-

-me, Senhor", desse mau homem que sou. Não há fardo como o fardo do pecado. Senhor, diz a alma crente, livra-me do meu fardo interior e põe sobre mim o fardo exterior que tu quiseres. — *Thomas Brooks*

vv. 34 a 37: Há certos tipos de homens que, na inimizade da sua natureza, em estado de não reconciliação e participantes da igreja visível, são não só muito contidos e amordaçam a inimizade interior, mas que, por meio de obra inferior da Palavra e do Espírito de Deus no coração, são levados a buscar a Deus por amizade e fazem muito por Ele em ações exteriores, apoiando e tomando parte com os amigos. O coração, porém, não foi alterado e a inimizade maldita da sua natureza permanece não morta e não tirada, condições que mostram que ainda estão em fel de amargura. Por exemplo, examinemos os mencionados em Salmos 78.34-37. Ali, está escrito que buscaram ao Senhor de madrugada como Redentor, enquanto Ele estava matando-os. "Todavia, lisonjeavam-no com a boca e com a língua lhe mentiam". O lisonjeador, sabemos, difere do amigo no ponto em que finge ser muito bom, mas lhe faltam boas intenções, agindo para os seus próprios propósitos. Assim, muitos buscam a Deus, os quais Ele ainda considera inimigos, porque o buscam enquanto ainda se veem em apuros.

É difícil descobrir estes indivíduos, porque fingem muita amizade e exteriormente (pode ser) são tão bondosos quanto os verdadeiros amigos. As lisonjas abundam em ações de bondade exterior tanto quanto fazem os verdadeiros amigos, aliás, muito mais, porque podem não ser descobertas. Se nenhum dos sinais anteriores os identifica ou atinge, então só nos resta vasculhar as razões de tudo o que fazem e examinar se procede de uma disposição boa, verdadeira, interior, pura e constante ou se vem da autovalorização. Quando vemos um macaco fazer muitas coisas que o homem faz, como distinguimos essas ações em um e no outro? Ora, pelos princípios internos de onde elas vêm, dizendo que procedem da razão em um, mas não da razão no outro. Portanto, se pode ser provado que tudo que os homens fazem para Deus não vem da boa disposição para com Ele, basta convencê-los de que são pessoas não reconciliadas. Considerando que todas as ações bondosas e expressões de amizade externas não procedem de disposições amistosas e boa vontade, mas são totalmente da autovalorização, concluímos que é apenas lisonja fingida mesmo entre os homens. E quando é descoberta uma vez, ela gera ódio dobrado. Há muito mais razão a lisonja agir assim com Deus, porque Ele, sendo Deus que conhece o coração, lisonjeá-lo é o maior escárnio. É o que mais faz os homens odiarem a amizade dissimulada, porque há escárnio junto. Deus considera lisonjeador todo aquele que não se volta para Ele de boa e pura disposição, como estas palavras dos versículos 36 e 37 deixam claro: "Todavia, lisonjeavam-no com a boca e com a língua lhe mentiam. Porque o seu coração não era reto para com ele, nem foram fiéis ao seu concerto". Se o coração dos homens não estiver intimamente voltado para Deus e com Ele, como um amigo estaria para um amigo, nas suas ações, Deus as estima contra Ele. "o teu coração", falou Pedro a Simão, o mágico, "não é reto diante de Deus", e em seguida, disse-lhe que ele ainda estava "em fel de amargura" (At 8.21,23). — *Thomas Goodwin*

v. 35: "Redentor", quer dizer, da escravidão egípcia, pois a maior parte do povo não entendeu a redenção espiritual que foi tipificada por esse acontecimento. — *Thomas Scott*

v. 35: Entre este versículo e o seguinte, a Massorá põe esta nota: "a metade do livro", ou seja, a metade do livro dos Salmos termina aqui. — *John Gill*

A numeração dos versículos é diferente, pois na contagem dos versículos da versão bíblica que utilizo, verifiquei que o versículo 57 é o versículo central do livro. — *C. H. S.*

v. 36: "Todavia, lisonjeavam-no com a boca e com a língua lhe mentiam". Mas poderiam lisonjear a Deus? O homem é lisonjeado quando lhe é atribuído algo que não é, ou quando é aplaudido pelo que não tem, além do que merece. Deus não pode ser lisonjeado desta forma. Ele está muito acima das lisonjas quanto está muito acima dos sofrimentos. Está escrito que os judeus lisonjearam Deus, não porque o aplaudiram com belos discursos mais do que lhe era devido, mas porque com palavras bonitas esperavam evitar o que mereciam.

Ou lisonjearam Deus fazendo promessas e não o louvando. Pecaram contra Deus e Ele os matou. Quando a espada os achou, buscaram ao Senhor, rastejaram-se até Ele e o bajularam. Foram como que com a corda no pescoço, confessando que mereciam morrer, mas humildemente implorando pela vida. Se Deus tão somente embainhasse a espada e os poupasse, seriam homens de boas maneiras em todas as relações e observâncias santas. Foi assim que "lisonjeavam-no com a boca, [...] porque o seu coração não era reto para com ele" (vv. 36,37). Fizeram grandes apresentações de arrependimento e volta para Deus, mas não era o que queriam dizer. Era este tipo de lisonja que fizeram. Deus não pode ser lisonjeado de outro modo. Como Deus não pode ser lisonjeado por excessivo louvor a Ele, assim a sua pessoa não pode ser indevidamente honrada por excessivo respeito a Ele. — *Joseph Caryl*

v. 36: Deus pode ser o objeto e o eu é o fim, tornando um objeto celestial subserviente a um desígnio carnal. A hipocrisia faz um louvor a Deus, chamado de "lisonja": "Todavia, lisonjeavam-no com a boca e com a língua lhe mentiam". Deram-lhe um pacote de palavras boas em troca de serem poupados. [...] Podemos chamar o hipócrita de ateu religioso, um ateu mascarado com religião. — *Stephen Charnock*

v. 36: "e com a língua lhe mentiam". O coração é o metal do sino e a língua é o badalo. Quando o metal do sino está inteiro e é bom (como a prata), produzirá um som inteiro. Se o metal do sino estiver rachado ou contiver chumbo, o som logo o revelará para os ouvidos habilidosos. Deus pode ver as doenças e manchas do coração na língua. Como Jacó disse à sua mãe: "Porventura, me apalpará o meu pai, e serei, a seus olhos, enganador; assim, trarei eu sobre mim maldição e não bênção". (Gn 27.12) — *George Swinnock*

vv. 36 a 38: É indisputável o fato que dá precisão ao texto. Deus foi movido por um arrependimento que não tinha em si os elementos da tristeza em relação ao pecado. Foi movido por um arrependimento que não poderia ter passado para o observador casual, muito menos para aquEle que sonda o coração, como penitência que indica mudança interior e radical. Não obstante, mesmo um arrependimento como este bastava para obter recompensa às mãos de Deus. Embora o pano de saco estivesse no corpo e não na alma, embora fosse o castigo do pecado e não o próprio pecado que levou a esta humilhação externa, Deus não se afastou da súplica forçada, mas concedeu o livramento buscado das suas mãos. Podemos dizer que Deus, não expressa maior aversão ao caráter do que ao caráter do hipócrita, que não rejeita nada de forma mais indignada do que a homenagem exterior, quando não é o indício da prostração interior, retirou a humilhação do povo como se Ele não pudesse ler os corações, ou como se, tendo lido e notado a rebelião indômita, pensou que a contrição aparente ainda merecia alguma recompensa. [...]

Se Deus não deixou o espetáculo e semelhança de contrição sem recompensa, terá Ele desconsideração pela verdadeira penitência? Se "muitas vezes desviou deles a sua cólera", desses que "lisonjeavam-no com a boca e com a língua lhe mentiam", não terá Deus nada em estoque para aqueles que são humildes de espírito e que se chegam a Ele com o sacrifício de um coração contrito? O desvio da ira temporal ocasionado pelo fato de terem os ídolos sido exteriormente abandonados é forte garantia de que a ira eterna nos será desviada, se estivermos interiormente quebrantados e corrermos para o Salvador em busca de refúgio. Deus tem de ter bens eternos em estoque para os amigos, se até mesmo os inimigos são recompensados com bens temporais. Quando destaco os filisteus e amonitas oprimindo os israelitas idólatras e vejo os opressores repelidos em troca de culto insensível, aprendo que a verdadeira penitência pelo pecado e a verdadeira fé no sacrifício de Jesus Cristo farão que todos os inimigos sejam debandados. Volto da contemplação do povo apóstata, emancipado apesar da sabida falsidade dos votos, certo de que um reino que nem os filisteus nem os amoitas puderam invadir, será a porção de todos os que buscam livramento por meio de Cristo. — *Henry Melvill*

v. 37: "O seu coração não era reto para com ele". Deus os agrada quando os abastece de comida, não o coração com as graças que tem. Por isso, pagam com a boca e não com o coração. São completamente boca e língua, mas Deus é todo coração e peito. Eles dão palavras, mas Deus dá leite e amor perfeito. O amor não alcança a natureza interior de muitos homens, pois fica preso na entrada. — *Thomas Le Blanc*

v. 37: "O seu coração não era reto para com ele, nem foram fiéis ao seu concerto". Esta reclamação é repetida com frequência (vv.8; 22). Não há permanência, nem estabilidade na reforma que foi produzida (cf. Os 6.4). — *J. J. Stewart Perowne*

v. 38: "Mas ele, que é misericordioso, perdoou a sua iniquidade e não os destruiu; antes, muitas vezes desviou deles a sua cólera e não deixou despertar toda a sua ira". De acordo com *B. Kiddushin* 30a, este versículo marca o meio dos 5896 פסוקין, στίχοι, do Saltério. De acordo com *B. Maccoth* 226, o Salmo 78.38 e previamente Deuteronômio 28.58,59; 29.9, eram recitados enquanto os quarenta açoites menos um, castigo que, de acordo com 2 Coríntios 11.24, Paulo recebeu cinco vezes, eram contados para o réu. — *Franz Delitzsch*

v. 38: "Mas ele, que é misericordioso, perdoou a sua iniquidade e não os destruiu; antes, muitas vezes desviou deles a sua cólera e não deixou despertar toda a sua ira". Quando a mão estava levantada para ferir, Deus a recolhia, como alguém que não tem entusiasmo de fazer. E quando fazia, "não deixou despertar toda a sua ira". Deixou cair apenas algumas gotas, mas não derramaria todo o aguaceiro da ira. A razão para este procedimento é que Deus "se lembrou de que eram carne" (v. 39). De fato, o seu alvo primário é mostrar misericórdia. Ele aflige apenas ocasionalmente. É provocado, e provocado muito antes de afligir. Como é natural a abelha dar mel ou picar, assim pica apenas ocasionalmente quando é provocada. É o que vemos ser verdade em Deus pela experiência, que suporta os homens e os suporta por muito tempo. Eles permanecem nos pecados, mas o Senhor permanece nas misericórdias, retendo os julgamentos. — *John Preston, 1587-1628, "The Golden Sceptre held forth to the Humble" [O Cetro de Ouro Estendido para os Humildes], 1587*

v. 38: "Perdoou" é tradução muito inadequada da palavra hebraica que necessariamente indica a ideia de expiação como a base do perdão. — *Joseph Addison Alexander*

v. 38: "Muitas vezes desviou deles a sua cólera". Deus é provocado todos os dias, contudo é tardio em irar-se. Às vezes, quando está determinado a trazer o mal sobre um povo e se põe em postura de juízo, saca a espada e os fere. Ainda que não deixem de provocá-lo, Ele cessa de castigá-los. Como um pai amoroso corrigindo o filho rebelde e malvado, às vezes retém a mão, antes que a criança implore misericórdia e por mera graça se contém assim Deus fez com Israel. Apesar da dissimulação com a língua lisonjeira e do coração que quebrou o concerto, "perdoou a sua iniquidade e não os destruiu; antes, muitas vezes desviou deles a sua cólera e não deixou despertar toda a sua ira". As palavras são: "Muitas vezes desviou deles a sua cólera". Como muitas vezes a provocaram, Deus muitas vezes a desviou, até exceder em número os pecados deles com as misericórdias dEle para que não fossem destruídos. — *Sermão de John Strickland pregado na Câmara dos Comuns intitulado "Mercy rejoicing against Judgment" [A Misericórdia que se regozija contra o Juízo], 1645*

v. 38: "Não deixou despertar toda a sua ira". A paciência de Deus é manifesta em moderar os juízos quando os envia. Esvazia Ele a sua aljava de flechas ou descarrega o seu depósito de trovões? Não, embora pudesse enviar um raio depois do outro sucessivamente sobre toda a humanidade. Para Deus, é tão fácil criar um movimento perpétuo de raios e trovões quanto de sóis e estrelas, tornando o mundo tão terrível para um como é delicioso para outro. Ele não abre todos os depósitos. Envia uma parte leve para brigar com os homens e não põe em ordem de batalha todo o seu exército. "Não deixou despertar toda a sua ira", mas aperta e incomoda quando poderia ter despedaçado. Quando tira muito, deixa o bastante para nos sustentar. Se tivesse despertado toda a sua ira, Ele teria levado tudo e a nossa vida desfaleceria. Evoca apenas algumas faíscas, pega apenas uma brasa para arremessar aos homens, quando poderia descarregar o forno inteiro. Envia somente algumas gotas da nuvem que poderia fazer desabar no total e cair sobre as nossas cabeças para nos esmagar. Enfraquece muito do que poderia fazer. — *Stephen Charnock*

v. 39: "Um vento que passa".

As rodas secretas do tempo acelerado dão
Tão curta advertência e tão rápido elas giram
Que estou morto antes de parecer que vivo

O que é a vida? Uma peregrinação cansativa
Cuja glória em um dia enche o teu cenário
Com infância, juventude e idade decrépita

E o que é a vida? A organização florescente
Do orgulhoso prado de verão, que hoje
Usa o verde de pelúcia e amanhã é feno

E o que é a vida? Um sopro sustentado com roupa
Mantido com comida, retido com vil autodepreciação
Depois, cansado de si mesmo, volta para o nada
— *Francis Quarles, 1592-1644.*

v. 40: "Quantas vezes o provocaram no deserto e o ofenderam na solidão!" Provocaram Deus pelo menos dez vezes (Nm 14.22) durante os primeiros dois anos da viagem pelo deserto: (1) No mar Vermelho (Êx 14.11,12). (2) Junto às águas de Mara (Êx 15.24). (3) No deserto do pecado (Êx 16.2). (4) Quando guardaram maná para o dia seguinte (Êx 16.10). (5) Quando colheram maná no sábado (Êx 16.27). (6) Em Refidim, onde não havia água (Nm 20.2-13). (7) Em Horebe, quando fizeram o bezerro de ouro (Êx 32.1-6). (8) Em Taberá (Nm 11.1-3). (9) Quando desejaram carne (Nm 11.4). (10) Quando murmuraram ao ouvirem o relatório dado pelos homens que tinham sido enviados a espiar a terra (Nm 14.1-45). — *Daniel Cresswell*

v. 40: "Quantas vezes". Deus contou quantas vezes eles o provocaram, embora eles não o contaram: "E me tentaram estas dez vezes" (Nm 14.22). — *Matthew Henry*

v. 41: "Voltaram atrás". Quanto à expressão וַיָּשׁוּבוּ, traduzida por "voltaram atrás", significa segundo certos expositores, voltar ao Egito, ou conforme outros, voltar atrás para o velho hábito de rebelião. Afirmo que não há esses significados na expressão. É um hebraísmo que deve ser traduzido por "voltaram e tentaram", ou seja, *sapius tentaverunt*, eles o "tentaram muitas vezes", ou eles o "tentaram de novo". — *Thomas Froysel, "Sermons concerning Grace and Temptations" [Sermões concernentes à Graça e Tentações], 1678*

v. 41: "Tentaram a Deus". Isto só expressa o fato de que os homens agem para com Deus como se Ele pudesse ser tentado ou, de certo modo, preparado para pô-lo à prova, provocar o seu desprazer justo e fazê-lo proceder contra eles, como se fosse certo Deus agir assim por causa das ofensas deles. A expressão não é no menor grau contrária à declaração de Tiago: "Deus não pode ser tentado pelo mal" (Tg 1.13), que significa que Ele não pode ser influenciado pelo mal de modo a ser atraído a ele, dirigido em direção a ele, para sentir o seu poder ou sofrer a sua contaminação. Deus está infinitamente longe disto, elevado acima disto, abaixo de todas as suas formas. Assim Ele é por causa da perfeição absoluta do seu ser e bem-aventurança. — *John Adam, "Exposition of the Epistle of James" [Exposição à Epístola de Tiago], 1867*

v. 41: "Duvidaram do Santo de Israel", ou "limitaram o Santo de Israel" (KJV). Limitaram:

(1) O poder de Deus, como supramencionado nos versículos 19 e 20.

(2) A vontade de Deus, orientando e prescrevendo a Ele o que, quando e de que maneira fazer, e murmurando sempre que não lhes concedia os desejos pormenorizados e variados. — *Matthew Pool*

v. 41: "Duvidaram do Santo de Israel", ou "limitaram o Santo de Israel" (KJV). Esta é terrível acusação, parecendo-nos ao mesmo tempo misteriosa e tremenda. Como esse verme, o homem, é terrível em arrogar para si o direito de dizer a Deus o que fazer: "Até aqui virás, e não mais adiante" (Jó 38.11). Incrível, afirmo, é a acusação: contrair as dimensões e operações da deidade. Surpreendente insolência traçar uma linha fronteiriça, além da qual o Criador não deve passar, para definir e prescrever ao Legislador da natureza o caminho da providência! O procedimento ignóbil é imenso. Mas sabemos, meus amigos, que o delito não é incomum. Um dos resultados naturais do pecado é que o espírito pecador quer do homem ou do arcanjo perdido, distraia a sua malignidade e busque uma cessação temporária dos seus cuidados embaraçosos, levantando barreiras nos arredores e fronteiras do império do Todo-Poderoso, esperando em vão aborrecer o Possuidor do trono que eles não podem perturbar.

Palavras comoventes! Comovem elas a você como me comovem a mim? "Voltaram atrás, e tentaram a Deus, e limitaram o Santo de Israel" (KJV). De certa maneira, parece não haver combinação de palavras que seja mais estarrecedora. Limitaram Deus. Limitaram o Todo-Poderoso. Limitaram o Infinito. Não! Estas palavras contêm um terrível e tocante surto de significados, pois ao mesmo tempo em que o descrevem, também transmitem a relação dEle para conosco. Limitaram o único e exclusivo ser terrível e autossuficiente, cuja essência é eternidade e poder, cuja autoexistência é declarada pelas maravilhas surpreendentes da natureza, cuja vida era o ser essencial. Limitaram o Único, em cujo ser todo ser foi tragado e absorvido. Limitaram o Único, diante de cujo olhar os montes e as montanhas fugiram e não se acharam. Limitaram o Único que é eterno, o qual é sobre todos, Deus bendito eternamente (cf. Rm 9.5). Limitaram o Único, por quem todas as nações eram consideradas como a gota de um balde e que lançou por aí as ilhas como uma coisa pequeníssima (cf. Is 40.15). Foi a Ele que limitaram.

Conheciam o caráter de Deus como "Santo". Era tudo o que sabiam do seu caráter, mas estava envolto com uma terribilidade mais medonha do que o poder e autodignidade únicos da deidade. Em palavras e significados terrificantes, tinham ouvido o caráter proclamado: o Santo. Foi a Ele que limitaram. Esse, cujo trono estava encortinado com as asas terríveis dos arcanjos sem pecado, que por meio da escuridão daquele brilho inefável clamavam: Santo, Santo, Santo é o Senhor Deus, o Todo-Poderoso! E cuja santidade foi asseverada até mesmo pelas desordens do mundo que gira.

Foi a Ele que limitaram. A atrocidade tornou-se, portanto, mais pessoal e mais portentosa. As gerações da tribo tinham testemunhado dEle, do Santo de Israel. Tinham visto as maravilhas da santidade e poder divino no Egito, no mar Vermelho. Tinham ouvido falar do Deus de Abraão, de Isaque e de Jacó. Tinham ouvido falar daquEle que falara com o Moisés na sarça que ardia com fogo. Viram a coluna de fogo e de nuvem. Conheceram-se divinamente selecionados e escolhidos. E foi a Ele que escolheram limitar! Aquilo que deveria ter-lhes firmado a fé tornou-se tão somente a fonte da criminalidade. — *E. Paxton Hood*

v. 41: "Duvidaram do Santo de Israel", ou "limitaram o Santo de Israel" (KJV). Deus não suporta com paciência que o limitemos, quer ao tempo, tipo ou método de ajuda. Acusa os judeus desta impudência: limitar o Santo de Israel. É intolerável circunscrever a sabedoria e poder infinito. Agirá, mas quando quiser, como quiser e por quais instrumentos que quiser. Agirá, se quiser, sem instrumentos e, se quiser, por instrumentos fracos e improváveis ou por instrumentos menosprezados e desacreditados. — *Sermão de Joseph Caryl pregado na Câmara dos Comuns intitulado "The Workes of Ephesus" [As Obras de Éfeso]*

v. 41: "Duvidaram do Santo de Israel", ou "limitaram o Santo de Israel" (KJV). Foi este o pecado de Israel, e não tem sido muitas vezes o nosso? O nosso Deus é o "Santo", e fará o que for melhor para a sua glória. Deus é o Santo "de Israel", e levará em conta o bem-estar do povo. Não devemos limitar-lhe a sabedoria, visto que é infinita. Não devemos limitar-lhe o poder, visto que é onipotente. Não devemos limitar-lhe a misericórdia, visto que é tão alta quanto o céu e tão funda quanto o inferno. Não devemos limitá-lo ao tempo, porque Ele mostrará a sua soberania. Não se prenderá a andar segundo as nossas regras ou se obrigará a acompanhar o nosso tempo, mas cumprirá a sua Palavra, honrará a nossa fé e recompensará aqueles que diligentemente o buscam. — *James Smith*

v. 41: "Duvidaram", ou "limitaram" (KJV). No único outro lugar onde a palavra hebraica ocorre (Ed 9.4), significa pôr uma marca em uma pessoa. Certos expositores aplicam este significado aqui, no sentido figurado de "estigmatizar" ou "insultar". — *Joseph Addison Alexander*

v. 41: "Duvidaram do Santo de Israel", ou "limitaram o Santo de Israel" (KJV), ou o assinalaram. Segundo Targum, eles o assinalaram com um sinal. Tentaram-no pedindo um sinal, conforme interpreta Jarchi, insistindo que um milagre fosse feito, pelo qual fosse sabido se Deus estava ou não entre eles (Êx 17.7; cf. Mt 15.1). Estabeleceram limites, segundo pensa Kimchi, ao seu poder e bondade, dizendo-lhe o que Deus poderia fazer e o que não (vv. 19,20). Os homens limitam o Senhor, quando se fixam em determinada bênção que desejam ter, exatamente essa e não outra, estabelecem o tamanho da bênção e a condição na qual nos deve ser dada, como também a hora marcada para a entrega, ao passo que a bênção, o seu tamanho e condição, e o tempo da entrega devem ser detalhes confiados ao Senhor, que sabe qual bênção e suas características nos são mais convenientes e quando é o momento certo para Ele no-las dar. — *John Gill*

v. 41: "duvidaram do Santo de Israel", ou "limitaram o Santo de Israel" (KJV). Desconfiaram que Deus não tinha poder para efetuar toda a sua graça, fazer o que é preciso em cada caso para o povo e executar os propósitos para com eles. O momento em que suponho que algo pode não ser bênção limito Deus. Este é um grande pecado, duplicadamente quando pensamos em tudo que Ele fez por nós. O Espírito Santo sempre argumenta partindo do amor revelado e infinito de Deus em direção a todas as suas consequências. Ele reconciliou, com certeza salvará até ao fim. Não poupou o seu Filho, como não nos dará todas as coisas? — *J. N. Darby*

v. 42: "Não se lembraram do poder da sua mão, nem do dia em que os livrou do adversário". Deus abomina o nosso esquecimento das suas bênçãos. Primeiro, porque Ele ordenou que não as esquecêssemos (Dt 4.9; 8.14). Segundo, porque o esquecimento é sinal de desprezo. Terceiro, porque o esquecimento é peculiaridade de descuido singular. Quarto, porque o esquecimento é produto da incredulidade. Quinto, porque o esquecimento é a maior marca da ingratidão. — Thomas Le Blanc

v. 42: "Não se lembraram do poder da sua mão, nem do dia em que os livrou do adversário". O ponto de encontro da fé em tempos de dificuldade é a manifestação primária da graça. Para o israelita, a lembrança do livramento do Egito é o teste da fé ativa. De certa forma, para o crente experimentado, é a cruz que fornece a saída libertadora da escuridão nebulosa com que Satanás, às vezes, tem permissão de nos envolver a consciência, quando não mantemos o Senhor em prontidão diante da nossa face. Por ter Israel se esquecido do primeiro livramento, continuou teimosamente no caminho do mal.

Por ter o cristão, às vezes, estancado antes de chegar à cruz nos conflitos espirituais, não derrota o inimigo e permanece infrutífero e infeliz, até que por intervenção especial do grande Restaurador, ele é levado novamente, em espírito, ao lugar do primeiro encontro com Deus, que o recebeu em Cristo Jesus na plenitude de perdão e de paz. Não há experiência intermediária, de caráter mais veraz, que lhe resolva o caso. É somente na cruz que recuperamos uma disposição mental correta sobre nós como também sobre Deus. Para glorificá-lo, temos de reter "firmemente o princípio da nossa confiança até ao fim" (Hb 3.14) — *Arthur Pridham*

v. 42: "Não se lembraram do poder da sua mão, nem do dia em que os livrou do adversário". O pão comido foi logo esquecido. *Nihil citius senescit quam gratia*, que significa "Nada estraga mais rápido do que um favor". — *John Trapp*

v. 43: "Zoã", ou Sã, foi uma das principais capitais ou domicílios reais dos faraós (Is 19.11,13; 30.4). Adequadamente, o texto fala que a cena das obras maravilhosas que Deus fez no tempo de Moisés foi no "campo de Zoã", ou na bela planície aluvial ao redor da cidade. — *John Kitto, 1804-1854*

vv. 43 a 51: Moisés fez maravilhas destrutivas, Cristo fez maravilhas construtivas. Moisés transformou água em sangue, Cristo transformou água em vinho. Moisés trouxe moscas, rãs, gafanhotos e lagartas, destruindo os frutos da terra. Cristo multiplicou com uns poucos destes frutos, ou seja, cinco pães e alguns peixes, abençoando-os, de forma a alimentar cinco mil homens. Moisés feriu homens e gado com granizo, trovão e raio, de modo que morreram. Cristo fez alguns homens que estavam mortos viverem, e salvou da morte os doentes e atribulados. Moisés foi instrumento para trazer todo tipo de ira e anjos do mal entre os egípcios. Cristo expulsou os demônios e fez todo tipo de bem, dando visão aos cegos, audição aos surdos, fala aos mudos, membros sadios aos aleijados e limpeza aos leprosos. E quando o mar estava tempestuoso, acalmou-o. Moisés matou os primogênitos egípcios, causando um clamor horrível por toda a terra do Egito. Cristo salvou todos os primogênitos, ou ao salvar, tornou-os primogênitos, pois é como são chamados em Hebreus 12.23. — *John Mayer*

v. 44: "E converteu em sangue os seus rios e as suas correntes, para que não pudessem beber". Este fato também mostra a loucura da adoração dada à criatura. Faraó adora o poder da natureza vital à vida, como está personificado pelo caudaloso rio diante deles. O Deus da natureza transforma água corrente em rio da morte perante os olhos deles. Demonstra do modo mais surpreendente aos hebreus e aos egípcios, que o Deus de Israel era o único e verdadeiro Deus do céu e da terra, e que todos os outros objetos de adoração eram apenas criaturas de Deus ou obras das mãos dos homens. — *James G. Murphy*

v. 44: "E converteu em sangue os seus rios e as suas correntes, para que não pudessem beber". Os egípcios consideravam o rio consagrado não só como a uma deidade, mas, se dermos crédito a certos autores, também como o principal deus nacional, sendo adequadamente adorado. [...] Devem ter tido a maior surpresa e sentido o mais extremo horror, quando viram o rio sagrado mudado e poluído, e a divindade a quem adoravam tão vergonhosamente contaminada e humilhada. Esta aparência deve ter causado um efeito saudável nos israelitas, visto que foram advertidos a não aceitar esta espécie de idolatria, mas sempre tê-la em desprezo, como também em aversão.

Observe que Deus pode, tivesse sido do prazer divino, ter se servido de muitos outros modos para manchar e poluir as águas do Egito. Mas julgou apropriado mudá-las em sangue. Os egípcios, e sobretudo os sacerdotes egípcios, eram particularmente requintados e sensíveis nos hábitos e ritos. Não havia nada mais que detestassem do que sangue. Raramente aceitavam sacrifício de sangue. A menor mancha de sangue seco bastava para considerarem-se extremamente contaminados. A afetação de pureza era tão grande que não suportavam entrar em contato com um estrangeiro ou sequer lidar com as roupas dele. Tocar um corpo morto era uma abominação, que requeria expiação imediata. [...] Por conta disso, os sacerdotes tomavam banhos rituais frequentes. Havia quatro tempos determinados, duas vezes ao dia e duas vezes à noite, aos quais todos eram obrigados a banhar-se ritualmente. Muitos incidentes os faziam repetir o rito frequentemente. Por conseguinte, devem ter sentido severamente este mal que veio sobre eles, pois "houve sangue por toda a terra do Egito" (Êx 7.21). — *Jacob Bryant, 1715-1804, "Observations upon the Plagues inflicted upon the Egyptians" [Observações sobre as Pragas infligidas nos Egípcios]*

v. 44: "e as suas correntes, para que não pudessem beber". A terceira calamidade que acompanhou esta praga foi a impossibilidade de beber as águas do Nilo. Este tormento foi mais intensamente sentido por eles, porque as águas do Nilo, depois de terem sido purificadas do lodo por um tipo de massa de amêndoa, ficam, por um lado, muito agradáveis, saborosas e saudáveis, de forma que parece para os estrangeiros quase como uma bebida artificialmente preparada. Foi daí que se originou o provérbio egípcio: "As águas do Nilo são tão doces quanto mel e açúcar", e o adágio egípcio: "Se Maomé tivesse bebido dessas águas, ele teria pedido a imortalidade para Deus, a fim de que sempre pudesse bebê-las". São, por outro lado, as únicas águas potáveis que os habitantes bebem, conforme declara Maillet: "As águas dos poços e cisternas do Egito são detestáveis e insalubres. As fontes são tão raras, que são um tipo de prodígio naquele país. E quanto às águas da chuva estão fora de questão, visto que escassamente chove no Egito". (vol. I, p. 20) — *M. M. Kalisch, "A Historical and Critical Commentary on the Old Testament" [Um Comentário* Histórico *e Crítico do Antigo Testamento], 1867*

v. 45: "moscas" (Êx 8.13,14, כִּנָּם ou כִּנִּים). É difícil determinar exatamente a espécie ou tipo de inseto denotado por esta expressão. Mas é bastante certo que: (1) Deve ser um tipo de inseto muito pequeno, visto que surgiu dos grãos de pó. (2) É um tipo de inseto nocivo para homens e animais, e em medida muito maior do que as rãs (Êx 8.13). A palavra hebraica no singular, כֵּן, é usada em Isaías 51.6, onde representa algo muito delicado, fraco e perecível. A etimologia conduz à raiz grega, κνάω, "roer", "morder", "consumir", "beliscar", que coincide com o substantivo *mosquito*, com o que, de fato, todas as qualidades há pouco mencionadas concordam perfeitamente. A Septuaginta, que naturalmente é de grande autoridade em todos os assuntos relativos aos fenômenos naturais do Egito, sua pátria, também traduz por σκνῖφες ("mosquito"), o qual Fílon, igualmente egípcio, descreve assim: "É um inseto a despeito do tamanho muito pequeno, de natureza imensamente problemática, pois dói não só na superfície, causando coceira intolerável e prolongada, mas também entra no interior das orelhas e das narinas. Voa e bate nos olhos de quem não esteja vigilante, produzindo dor". Todas estas características são perfeitamente aplicáveis aos mosquitos. — *M. M. Kalisch*

v. 45: "E lhes mandou enxames de moscas". "Eis que enviarei enxames de moscas sobre ti" (Êx 8.21). A palavra hebraica é עָרֹב (*'ārōb*), que significa "mistura" ou "enxame misturado", ou seja, provavelmente de moscas, vespas, vespões e outros insetos inquietantes e picadores. Observe que em certas traduções, a palavra "moscas" está em itálico, mostrando que ela não consta no original. [...] A Septuaginta traduz עָרֹב (*'ārōb*) por κυνόμυιαν, "mosca canina", por causa da mordedura, um inseto que finca os dentes tão profundamente na carne e crava tão fortemente que é comum fazer o gado correr espavorido. [...]

"E lhes mandou [עָרֹב, *'ārōb*] enxames de moscas que os consumiram". O texto descreve que o *arob* consumiu (ou devorou, ARA) os egípcios, ato que parece inaplicável para uma mosca. De modo geral, tendemos fortemente à opinião que encontrou hábeis partidários nos últimos anos, que diz que o texto denota o besouro egípcio (*blatta AEgyptiaca*). O besouro, que quase em todos os lugares é uma chateação, é particularmente abundante e agressivo no Egito, e todas as circunstâncias que as Escrituras em diferentes lugares dão a entender o *arob*, aplica-se com muita precisão a esta espécie. Devora tudo o que entra pelo caminho, até roupas, livros e plantas, e não hesita em infligir mordidas severas nos homens. Se supormos que um dos objetivos destas pragas era castigar os egípcios pelos seus próprios ídolos, não há criatura da sua espécie que seja mais adequadamente empregada do que este inseto. Que lugar exato ele ocupou no sistema religioso daquele povo notável nunca, acreditamos, foi precisamente determinado, mas que exerceu um lugar distinto entre as criaturas sagradas está evidenciado pelo fato de que dificilmente há figura que mais vezes aparece na escultura e pintura egípcia. — *George Bush, 1796*

v. 45: "moscas que os consumiram". "A terra foi corrompida destes enxames" (Êx 8.24). Samuel Bochart (1599-1667) entende que o termo *terra* se refere aos habitantes cujo sangue as moscas chuparam e deixaram um veneno, de modo que o corpo dos infectados inchou, matando muitos. Já John le Clerc (1657-1736) opina que diz respeito à carne e outros comestíveis, os quais tendo esses insetos daninhos depredado e contaminado, criaram larvas de inseto, fedor e putrefação por toda a terra. — *Dr. Jameson, "Critical and Practical Exposition of the Pentateuch" [Exposição Crítica e Prática do Pentateuco], 1748*

v. 45: "E rãs que os destruíram". Galerius observa que os egípcios foram castigados com esta praga em todos os cinco sentidos. A visão foi castigada, pois foi ferida com a multidão, a grandeza, a forma e a cor horrorosa das rãs. A audição foi ferida com o coaxar, pois era música severa para os ouvidos delicados. O olfato foi ferido com o fedor. O paladar foi ferido, pois as rãs entraram nas tinas, os lugares onde armazenavam a massa, impedindo-os de comerem os alimentos providos para nutri-los. [...] "E as rãs subirão sobre ti, e sobre o teu povo, e sobre todos os teus servos" (Êx 8.4), de forma que vocês não poderão se livrar deste aborrecimento. Como é que é? Rãs na comida, na bebida e em cima dos corpos? Observe comigo, amado, que Deus pode enviar juízos contra um povo que não serão mais dolorosos e problemáticos do que odiosos, repugnantes e fétidos. — *Josias Shute, "Judgment and Mercy: or the Plague of Frogs Inflicted e Removed" [Julgamento e Misericórdia: ou a Praga das Rãs Infligida e Removida], 1645*

v. 45: "rãs". Os egípcios sofreram muito incisivamente com o castigo. Eram um povo singularmente fastidioso, e detestavam o contato com qualquer coisa que considerassem imunda. Levemos em conta os plenos efeitos que a visitação de rãs causou. Deixaram as casas contaminadas, por entrarem nelas, e os próprios donos contaminados, por terem pulado em cima deles. Privaram-nos do descanso, porque subiram nas camas, e da comida, porque se infiltraram nos fornos e na massa que estava nas tinas de amassar. E como que a tornar a visitação ainda pior, quando a praga foi retirada, as rãs morreram nos lugares em que tinham se enfiado, de forma que os egípcios foram obrigados a limpar as casas das carcaças dos animais mortos e empilhá-las em montões, para serem secas ao sol, ou comidas pelos pássaros e outros comedores de carniça do Oriente. Quanto à espécie de rã que invadiu as casas dos egípcios, não há a menor dúvida. Só pode ser a rã verde ou comestível (*Rana esculenta*), que é bem conhecida pela iguaria da carne. Acredita-se que esta é a única rã aquática do Egito, que deve, então, ser a espécie que saiu do rio e entrou nas casas. Tanto no Egito quanto na Palestina existe em grande número dessas rãs, enxameando todo local pantanoso e povoando as lagoas em tal número que mal dá de ver a água. As multidões das rãs que invadiram os egípcios não eram algo de admirar. O único elemento milagroso é que os répteis foram dirigidos simultaneamente para as casas e para a morte simultânea, quando a praga foi retirada. — *J. G. Wood*

v. 45: "rãs". A vara é erguida novamente. Repare que o rio Nilo, o qual eles tinham adorado, nunca foi tão benéfico quanto agora é problemático. Causou-lhes não só um aborrecimento morto, mas um aborrecimento vivo. Nunca os abasteceu assim com peixes como agora os infesta com rãs. Seja o que for que o homem faça de deus, além do verdadeiro Deus, será um dia aquilo que o atormentará. Essas criaturas repugnantes abandonam o seu habitat natural para castigar aqueles que rebeldemente privaram Israel do que lhe pertencia. Não havia cama, nem mesa livre da presença dessas criaturas. Tão logo os egípcios abriam a boca, esses animais estavam prontos a rastejar até à garganta, como se tivessem falando que vieram com o propósito de vingar as injustiças cometidas contra o Criador. — *Joseph Hall*

v. 46: “pulgão”. O termo hebraico חָסִיל (*ḥāsîl*) foi traduzido por βροῦχος pela Septuaginta em 2 Crônicas 6.28, e por Aquila aqui e também pela Vulgata em Crônicas e Isaías 33.4. Jerônimo traduziu o termo aqui por *bruchus*, “o escaravelho”, o qual todos sabem que é grande devorador de folhas de árvores. Em Joel 1.4 e 2.25, a Versão Siríaca traduziu o termo por צַרְצוּרָא (*tsartsûrō'*), que Michaelis, a partir do árabe צרצר (*tsartsar*), “grilo”, entende que é o cachorrinho-da-terra, o qual, na fase de larva, também é muito destrutivo aos cereais, relvas e outros legumes, fazendo apodrecer as raízes das plantas das quais se alimenta. — *“Editorial Note to Calvin” [Nota Editorial para Calvino], in loc.*

v. 46: “pulgão”. Nos tempos antigos, era como se chamava toda criatura destrutiva e rastejante que aparecia nas terras cultivadas. Hoje, por consenso geral, o termo é restrito à segunda fase dos insetos da ordem dos lepidópteros, ou seja, borboletas e traças. Os pulgões, pela voracidade com que atacam as folhas, os frutos e, às vezes, o tronco de plantas e árvores são bastante evidentes até mesmo por quem pouco está familiarizado com história natural. — *“The Biblical Treasury” [O Tesouro Bíblico]*

v. 46: “gafanhotos”. A quantidade causa admiração para todos os que não testemunharam a surpreendente numerosidade desses insetos. A terra inteira é coberta por eles pelo espaço de várias léguas. O barulho que fazem comendo as folhas das árvores dá de ser ouvido a grande distância e assemelha-se a um exército saqueando em segredo. Os próprios tártaros são inimigos menos destrutivos do que estes pequenos animais. Alguém pensaria que um incêndio seguiu o rastro do seu progresso. Por onde quer que as suas miríades se espalhem, o verdor da terra desaparece. Árvores e plantas despidas das folhas e reduzidas aos ramos e talos nus, fazem surgir a imagem triste do inverno em um momento à paisagem rica da primavera. Quando estas nuvens de gafanhotos levantam voo para sobrepujar um obstáculo ou atravessar mais rapidamente uma terra deserta, os céus literalmente se escurecem. — *Conde de Volney*

v. 47: “Destruiu as suas vinhas com saraiva, e os seus sicômoros, com pedrisco”. As uvas das vinhas para os ricos e os figos dos sicômoros para os pobres foram cortados pelo justo julgamento de Deus que sobreveio à nação. — *W. Wilson*

v. 47: “sicômoros”. Sicômoro é o nome de uma árvore comum no Egito (Am 7.14; Lc 19.4). A árvore se assemelhava à amoreira, nas folhas, e à figueira, nos frutos. Da sua produção viviam, na maioria, as pessoas das classes mais pobres. O salmista se refere apenas a um tipo, ainda que claramente queira dizer a todos os tipos de árvores produtivas. — *William Keatinge Clay*

v. 49: “E atirou para o meio deles, quais mensageiros de males [“anjos maus”, KJV], o ardor da sua ira”. Os males vêm sem serem chamados, mas não sem serem enviados. Não são chamados de *anjos maus*? São enviados ou atirados. A palavra *anjo* significa “mensageiro”. Não somente as coisas sem vida, mas também nem os seres vivos, nem as criaturas irracionais, nem os homens, nem o próprio Satanás podem ferir a menos que Deus permita. Como vieram as trevas de três dias no Egito? “Enviou trevas, e tudo escureceu”, disse Davi em Salmo 105.28 (ARA). Da mesma forma o granizo, o trovão e o raio, que o Senhor lhes enviou, disse Moisés. Acerca das rãs, moscas, piolhos, gafanhotos e lagartas que infestaram o Egito, e dos leões que mataram os idólatras em Samaria (2 Rs 17.25,26), o texto fala sobre eles todos: *Dominus immisit*, que significa “o Senhor lhes enviou”. E quanto aos homens: “Agora, pois, subi eu”, disse Rabsaqué, “sem o SENHOR”? Ele me mandou vir (2 Rs 18.25). O Diabo, o arcanjo mau, que procura devorar, tem de ser enviado antes que faça algo. O espírito de mentira na boca dos falsos profetas desejava enganar Acabe. Deus teve de primeiro permitir. *Egredere*, "vão em frente e façam assim". É fácil entender a praticidade disso. Fazendo o bem, não há o que temer. Nem o homem, nem o Demônio, nem qualquer criatura pode feri-lo, se Deus não o enviar. Mas pecando, há tudo o que temer. A criatura mais fraca pode vencer o homem mais forte, se Deus permitir. O rato, disse o poeta, morderá o homem mau. Seja o orgulhoso Herodes, seja o grande Antíoco, se Deus apenas perguntar para as criaturas: *Quem mittam*, "A quem de vocês enviarei?" O verme responderá: *Ecce me*, "Envia-me e eu o devorarei". Essas criaturas pobres, tolas e desprezíveis são alguns destes *anjos maus*, os "mensageiros de males" citados no texto. "E atirou" ou enviou. O que ele enviou? Os *anjos maus* ("mensageiros de males") é a resposta nesta Escritura.

Os *anjos maus* ("mensageiros de males") é *par dispar*, ou seja, "um par de palavras que não casam bem". A primeira pode dizer para a última: *Quid mihi et tibi*, "Que tenho eu a ver contigo?" Os anjos eram as melhores e mais santas das criações de Deus. Todas as criações eram boas, muito boas, disse Moisés, mas os anjos, κατ' ἐξοχην, "excelentemente bons". Então *maus* é um epíteto ruim para os *anjos*. O termo não ocorre em outro texto bíblico, e aqui, pensam certos expositores, não foi bem traduzido por *anjos maus*. Mas o termo *anjos maus* tem outro sentido aqui: os anjos maus, ou seja, os anjos, ou seja, os mensageiros de males. No original hebraico não é מַלְאֲכִים, mas מַלְאֲכֵי, de tal modo que certos expositores pensam que o salmista quis dizer as palavras de Moisés e de Arão, que foram enviadas por Deus para serem os mensageiros de males, ou seja, de todas as pragas que Deus atiraria para o meio do Egito. Não censuro este sentido, mas não aceito. Os pais gregos têm outro. Os *anjos maus* dizem respeito aos espíritos maus. Cristo também os chama de anjos, os anjos do Diabo. Agostinho não gosta deste sentido. A exposição mais corrente é como certo escritor judeu fala: os *anjos maus* são as dez pragas. — *Richard Clerke, 1634*

v. 49: "E atirou para o meio deles, quais mensageiros de males ["anjos maus", KJV], o ardor da sua ira". Nenhum crente ignora que o Diabo e os seus anjos são tão maus que para eles está preparado o fogo eterno. Mas que por meio deles seja enviado um castigo do Senhor em quem Ele julga merecedor deste castigo, é algo difícil aos que são pouco propensos a considerar como a justiça perfeita de Deus usa até mesmo as coisas más. Para essas pessoas, de fato, no que diz respeito à substância das coisas, que outra pessoa senão Ele fez? Mas Deus não fez os males, ainda que os use, visto que é bom, de forma adequada e justa. Da mesma maneira que, por outro lado, os homens injustos usam as criaturas boas de maneira má. Deus, então, não só usa os *anjos maus* para castigar os homens maus, como no caso de todos sobre quem o salmo fala, como no caso do rei Acabe, que foi ludibriado por um espírito de mentira pela vontade de Deus, a fim de que caísse na batalha, mas também para provar e tornar evidente os homens bons, como fez no caso de Jó. — *Agostinho*

v. 50: "Abriu caminho à sua ira", literalmente "pesou um caminho", indicando que Deus, ao castigar os egípcios de modo tão severo, não fez nada mais do que era justo e equitativo, quando os pesou na balança da justiça (Pv 4.26). — *A. R. Fausset*

v. 50: "Abriu caminho à sua ira". É como se o salmista tivesse dito: Se não houvesse um "caminho" para a sua ira, ou seja, para a execução da sua ira, Deus forçaria o caminho. Embora não achasse um caminho, Ele "abriu" um e abriu empregando esforço contra todas as dificuldades que se opunham à destruição dos inimigos. Proponho a opção tradutória, "pesou um caminho", ou seja, fez o caminho tão exato quanto se tivesse pesado em uma balança. O caminho era adequado para a largura da ira tanto quanto para as dimensões da maldade. Portanto, Deus "abriu caminho à sua ira", adequando o caminho à ira e retirando todos os impedimentos do caminho da ira. Se Deus trabalhar para salvar, quem deixará o caminho? Se Deus trabalhar para destruir, quem ou o que deixará o caminho? — *Joseph Caryl*

v. 51: "primícias da sua força nas tendas de Cam". O sol do último dia da permanência de Israel no Egito se pora. Era o quarto dia depois da encontro com Moisés. Faraó, os príncipes e os sacerdotes dos ídolos indubitavelmente criaram coragem com esta demora desacostumada. Jeová e os seus ministros foram por fim derrotados, pois agora os deuses do Egito prevaleceram contra eles. O triunfo seria celebrado com pompas, sacrifícios, festas e danças. Nada mais apropriado que os salões de festa de faraó em Ramessés estivessem iluminados com lâmpadas, e que ele e os seus príncipes derramassem libações de vinho para os seus deuses e fizessem planos entre a festança para a perpetuação da escravidão de Israel. [...] Faraó Séti começou a gritar do leito naquela noite em agonia feroz e amarga, gemendo porque a flecha afiada estava causando dor lacerante nos seus órgãos vitais, como um leão ferido. O seu filho, o primogênito, o seu único filho, que acabara de chegar à idade viril, se ser coroado rei do Egito e de associar-se com o pai nos lides e trâmites da soberania, estorceu-se diante dele em agonia mortal e morreu. Os êxtases de aflição foram reecoados sem fingimento pelos príncipes, conselheiros e sacerdotes que participaram da festança. Cada um rasga as vestes e agarra ao cadáver tremente do filho primogênito. Naquela noite houve "grande clamor em toda a terra do Egito" (Êx 11.6), mas se tivermos lido a história corretamente, a lamúria mais alta, mais frenética de angústia cheia de remorsos surgiria do salão de festas de faraó! — *William Osburn, "Israel in Egypt" [Israel no Egito], 1856*

v. 52: "Mas fez com que o seu povo saísse como ovelhas". O texto não diz que eles saíram como ovelhas, mas que Ele os fez saírem como ovelhas. Não é descrição do caráter do povo, mas um louvor da providência e bondade de Deus, pelas quais, segundo o costume de um bom pastor, Ele conduziu do Egito o seu próprio povo com toda a segurança, como ovelha arrebatada do meio de lobos. — *Wolfgang Musculus*

v. 53: "não temeram". Em primeiro lugar, não tinham motivo para temer saírem do Egito.

(1) Embora vissem os egípcios mortos, contra eles nem mesmo um cão moveu a língua.
(2) Estavam todos em perfeita saúde.
(3) Foram enriquecidos com o espólio dos egípcios.
(4) Saíram em grande multidão.
(5) Muniram-se de armas.

Em segundo lugar, não temeram entrar no mar Vermelho, pois o medo despertado pela aproximação de faraó foi imediatamente suprimido. Em terceiro lugar, não temeram peregrinar pelo deserto durante quarenta anos, pois Deus ia à frente na coluna de fogo. Em quarto lugar, não temeram, ainda que os inimigos os atacassem. — *Thomas Le Blanc*

v. 54: "E conduziu-os até ao limite do seu santuário", ou santidade, quer dizer, à Terra Santa, assim chamada em diversos aspectos, mas especialmente por causa do santuário, o lugar da morada divina, à qual Deus faz de toda a terra fronteiras e limites, por causa da eminência do lugar, cuja santidade, por assim dizer, espalhou para todas as outras partes da terra, como se o todo tivesse sido um santuário e terra consagrada. É, portanto, para a honra da terra inteira, como também do santuário, que o Senhor a chame de "limite do seu santuário". — *"Westminster Assembly's Annotations" [Anotações da Assembleia de Westminster]*

v. 57: "viraram-se como um arco traiçoeiro". O arco oriental, que, na posição de descanso, tem a forma de ∩, precisa ser recurvado ou virado ao avesso para ficar o que se chama de arqueado e amarrado. A pessoa que for inábil ou fraca tentar recurvar e amarrar um destes arcos, não prestando bastante atenção, deixará o arco escapar e recuperar a posição de descanso, quebrando talvez o braço da pessoa. Sei também que, às vezes, quando curvado, entorta para lado e retoma a posição de descanso, expondo a pessoa a perigo não pequeno e, ocasionalmente, ferindo-a. Esta ilustração é usada muitas vezes nos escritos sagrados, mas ninguém a entende, pois não está familiarizando com o formato do arco oriental ∩, que tem de ser recurvado ou arqueado do modo contrário ⌒⌒, a fim de ser próprio para uso. Se não for bem feito, ricocheteará ao disparar a flecha. A Bíblia diz que o arco de Jônatas "nunca se retirou para trás" (2 Sm 1.22), לֹא נָשׂוֹג אָחוֹר (*lō' nāśôg 'āḥôr*), que significa "não se torceu para trás". Era um arco bom, um no qual se podia confiar. O texto de Oseias 7.16 compara os israelitas infiéis a um "arco enganador", um arco que, quando curvado, entorta para o lado de repente e recupera a posição anterior. Encontramos a mesma passagem em Jeremias 9.3. É exatamente o mesmo tipo de arco mencionado por Homero em "Odisseia" (Canto 21), o qual nenhum dos pretendentes de Penélope pôde arquear, chamado de καμπύλα τόξα e αγκύλο τόξα, o "arco curvado", na posição de descanso, mas de τόξον παλίντονον, o "arco recurvado", quando pronto para uso. Quanto à prova de força e habilidade para curvar o arco de Ulisses, nenhum dos críticos e comentaristas pôde fazer nada, visto que não conheciam o instrumento em questão. Sobre o τόξου θησις de Homero, escrevi uma dissertação em outro livro. A ilustração é muito pertinente. Os israelitas, quando tirados da sua inclinação natural, logo ricocheteiam e recaem ao estado anterior. — *Adam Clarke*

v. 57: "viraram-se como um arco traiçoeiro", ou "virando para o lado repentinamente como um arco quebrado" (Livro de Oração Inglês). Mas se o arco quebra, não vira para o lado, visto que perdeu a elasticidade que faria virar para o lado. — *Stephen Street, 1790*

v. 57: "viraram-se como um arco traiçoeiro". Quando o arco é desencurvado, a racha não fica perceptível, mas usado para atirar a flecha ao alvo, vira em pedaços. Assim é o falso coração quando posto à prova. Como o macaco na fábula, vestido com roupas de homem, quando lhe são lançadas nozes, não consegue mais esconder a natureza, mas mostra que é de fato macaco. O coração falso se trai antes que perceba, quando surge a ocasião perfeita para a satisfação do seu desejo, ao passo que a sinceridade mantém a alma pura em face da provação. — *William Gurnall*

v. 57: "viraram-se como um arco traiçoeiro". A quarta coisa é o arco traiçoeiro, קֶשֶׁת רְמִיָּה, um "arco frouxo" ou "arco deformando" (*arcus doli vel dolosus seu fallax*, hebraico) engana com certeza o arqueiro que atira com ele. Ricocheteia na barriga, como diz a frase do arqueiro. Embora nivele o olho e a flecha com a maior precisão ao alvo e pensa confiantemente que o atingirá, quando a dispara, a flecha, pela deformação do arco, toma direção totalmente contrária, rebatendo, às vezes, no próprio arqueiro. *Non semper feriet, quodcunque minabitur arcus*, "Nem sempre o arco fere o que ameaça". O arco mal-formado ou lançado virará na mão do flecheiro, e lançará a flecha, às vezes, para uma direção, às vezes, para outra e, às vezes, ricocheteará para o seu lado. Se o arco estiver podre (embora de belo aspecto), quando a flecha é atirada ao alvo, ele arrebenta na mão e engana o arqueiro. O mesmo acontece quando a corda do arco é mal confeccionada e arrebenta quando a flecha é tirada. Esta nada mais é que uma alegoria bíblica divina. O arco traiçoeiro, deformado e podre é o coração enganoso. Os seus propósitos e promessas são as flechas que ele põe na corda. O alvo ao qual aponta é o arrependimento, ao qual (sobretudo na aflição) ele olha com um olho preciso e intencional, como se realmente se arrependesse. Mas o coração o engana, por não ser reto para com os estatutos de Deus (Sl 119.80). É por isso que as suas promessas e propósitos caem ao chão ou desaparecem no ar como fumaça. Assim enganado, como também o coração traiçoeiro, ele é desviado (Is 44.20), como aconteceu com esses falsos israelitas. Olhando os arqueamentos secretos do coração e vendo que você é o arco de Deus, você tem de ser curvado por Ele e permanecer curvado (Zc 9.13). Você tem de ser como o arco de Jônatas que "nunca se retirou para trás" (2 Sm 1.22). — *Christopher Ness, "Chrystal Mirrour" [Espelho de Cristal], 1679*

vv. 57 a 59: "Mas tornaram atrás e portaram-se aleivosamente. [...] Deus ouviu isto e se indignou; e sobremodo aborreceu a Israel". Não estar firme na fé é provocar a Deus. Esposar a verdade e, depois, cair traz má fama para o Evangelho, fato que não deixará a pessoa impune. O apóstata cai como sorte inesperada na boca do Diabo. — *Thomas Watson*

v. 58: "altos". São os lugares altos, altares, capelas e lugares semelhantes dedicados a celebrar o culto divino, fora do lugar exclusivo por Deus consagrado e do único lugar a Ele aceitável. Eram, quiçá, também dedicados a ídolos, sendo chamados de "altos", por terem sido escolhidos dos montes e morros mais excelentes para essa finalidade. — *John Diodati*

v. 59: "Deus ouviu isto". É assim que o salmista expressa o barulho das ações más das pessoas subindo aos ouvidos do Eterno. — *Armand de Mestral, "Commentaire sur le Livre de Psaumes" [Comentário sobre o Livro dos Salmos], 1856*

v. 60: "pelo que desamparou o tabernáculo em Siló, a tenda que estabelecera como sua morada entre os homens". É ilusão idólatra e confiança falsa supor que Deus esteja preso a determinado lugar, como os troianos que, tendo o templo de Palas na cidade, pensavam que ela não podia ser tomada. Nos dias atuais, o costume dos papistas é prender Cristo a Roma e à cadeira de Pedro, o que lhes dá coragem para asseverar: "Não serei abalado" (Sl 10.6). Dizem que o navio de Pedro pode afundar um pouco, mas não totalmente. O único ponto em que são deficientes diz respeito ao fato de não serem o navio de Pedro, mas, antes, um navio indiano oriental com carga de macacos indianos e outras mercadorias estrangeiras: pérola, púrpura, seda, bronze, ferro, prata, ouro, incenso e chumbo. Assim, continuam traficando as coisas espirituais, mercadejando a religião e enganando o mundo todo (Ap 18.11-24). — *Johann Andreas Cramer, 1723-1788*

v. 61: "e deu a sua força ao cativeiro, e a sua glória, à mão do inimigo". O salmista chama a arca de *a força de Deus*, não porque a virtude de Deus estava contida nela ou estava tão ligada a ela que o salmista não podia sequer pensar em ser poderoso e forte, mas porque a presença divina, cujo símbolo era a arca, sempre revelara virtude e poder para Israel, na defesa constante e livramentos diversos dados a esse povo. Da mesma forma, o salmista a chama de *a glória (ou beleza) de Deus*, porque Deus, pela sua presença, declarou a sua glória entre o povo e desejou ser visível por este símbolo externo. — *D. H. Mollerus*

v. 63: "Aos seus jovens, consumiu-os o fogo". Podemos considerar que fogo aqui é uma imagem de guerra destrutiva, como se dá em Números 21.28: "Porque fogo saiu de Hesbom, e uma chama, da cidade de Seom; e consumiu a Ar dos moabitas e aos senhores dos altos de Arnom". — *Albert Barnes*

v. 63: "Aos seus jovens, consumiu-os o fogo". Quando a religião for subvertida entre o povo de Deus, não pense que a comunidade permanecerá. Quando Deus deu "a sua glória, à mão do inimigo", ele "entregou o seu povo à espada" e "aos seus jovens, consumiu-os o fogo" (vv. 61-63). — *David Dickson*

v. 63: "não tiveram festa nupcial", a saber, não foram honradas com os cantos nupciais de acordo com o costume da época (cf. Jr 7.34; 16.9; 25.10). O significado é que as donzelas não se casaram honradamente, porque os jovens escassearam por causa das guerras (Is 4.1; Jr 31.22). Também pode significar que se casaram sem qualquer solenidade, como as pobres escravas, ou às escondidas, como no tempo das calamidades públicas. — *John Diodati*

v. 64: "e suas viúvas não se lamentaram". Este fato mostra a extensão da destruição e está cheio de significados para alguém que já esteve em uma cidade do Oriente durante uma peste ou outra calamidade devastadora. A princípio, o choro da lamentação, que sempre acompanha a morte em circunstâncias comuns, é alto e frequente. Mas esses choros não aumentam, mas diminuem com a intensificação da calamidade e desolação. A morte se torna objeto familiar em toda casa. Cada um, absorto com as próprias perdas, dispõe de pouca solidariedade para demonstrar aos outros. Por conseguinte, as lamentações mais altas deixam de ser notadas ou de atrair amigos condolentes à casa da lamentação. Portanto, como também da estupefação de sentimentos que cenas de horror continuado nunca deixam de produzir, uma outra morte é recebida em silêncio, ou só com suspiros e lágrimas. Na realidade, todas as observâncias habituais são suspensas. Os mortos são transportados e enterrados, sem cerimônias de lamentação e sem a presença de amigos sobreviventes, por homens que têm a função empregatícia de levar os mortos nas costas de mulas ou asnos das casas que eles deixam desoladas. Foi o que vimos. — *John Kitto, "The Pictorial Bible" [A Bíblia Pictórica], 1856*

v. 64: "e suas viúvas não se lamentaram". O significado é: (1) Estando vencidas pela tristeza, não conseguiram lamentar. (2) Estando em cativeiro entre os filisteus, não tiveram a permissão de lamentar a morte dos maridos. (3) Morrendo em tremenda aflição, não viveram o suficiente para fazer lamentações por eles nos funerais. (4) Ficaram tão absortas e oprimidas com as próprias desgraças, sobretudo com as desgraças da igreja e do povo de Deus em geral, que não tiveram tempo para lamentar a perda dos maridos. Das duas últimas opções temos exemplo claro na esposa de Fineias em particular (1 Sm 4.19,20), a qual, morrendo, não fez menção do marido. — *Arthur Jackson*

v. 64: "e suas viúvas não se lamentaram". A nora de Eli, quando entrou imediatamente em trabalho de parto e acabou falecendo, completou a totalidade do juízo de Deus que sobreveio àquela casa má. Como alguém insensível pela morte do pai, do marido e dela própria em comparação com esta perda, chama o seu filho (então prematuro) de Icabô, dizendo com o último suspiro: "Foi-se a glória de Israel, porquanto a arca de Deus foi levada presa" (1 Sm 4.21). — *Joseph Hall*

v. 65: "Então, o Senhor despertou". Saiba entender esta e outras passagens bíblicas semelhantes, que dizem que o Senhor está dormindo e esqueceu-se do seu povo (Sl 13.1; 77.9). Não devemos entender que se trate de um esquecimento universal e absoluto e de um sono da providência, pois Deus não tem período de descanso. O Senhor ainda mantém nas mãos as rédeas do governo por todo o mundo. As passagens também não inferem uma cessação absoluta da providência em relação ao ponto que o Senhor, para o nosso modo de entender, se esquece e está dormindo, pois há uma obra promovedora da providência que, por ora, não vemos e não somos tão sensíveis, como já demonstrei. Além disso, o esquecimento e a dormência da providência evidenciam em si a beleza da providência no modo de fazer as coisas acontecerem. Está tão longe de inferir um interregno ou deixar cair o cetro do governo, quanto é uma demonstração gloriosa que Deus comanda as coisas e as comanda com sabedoria, ainda que pareça esquecer-se e estar dormindo. Como a noite, como noite, cai sob a providência de Deus bem como o dia, pois há as ordenanças do céu para o período noturno (Jr 31.35), assim a noite escura, quando diz respeito ao Senhor parecer dormir, é parte integrante do modelo sapientíssimo de governo. O cativeiro de setenta anos foi uma noite longa da angústia da igreja. Contudo, assim tem de ser de acordo com a ordenança da providência (Jr 29.10). — *Thomas Crane*

v. 65: "como um valente que o vinho excitasse", cujo espírito e coragem foram reavivados e inflamados por um gole generoso de vinho forte. A comparação não é mais prejudicial à majestade divina do que é comparar a segunda vinda de Cristo com a vinda de um ladrão à noite (1 Ts 5.2). — *Matthew Pool*

v. 66: "Feriu os seus adversários, que fugiram" ou "feriu os seus adversários nas partes íntimas" (KJV). Esta é alusão aos filisteus que foram atingidos duramente com hemorroidas, enquanto a arca permaneceu retida em cativeiro por eles (1 Sm 5.6,12). [...] A versão grega, conforme citada por Suidas, diz: "Feriu os seus adversários na parte de trás dos fundilhos", significando, diz ele, uma doença expressada com recato. — *John Gill*

v. 67: "Além disto, rejeitou a tenda de José e não elegeu a tribo de Efraim". A mudança da arca não é a sua remoção. Siló a perdeu, mas Israel não. Deus terá uma igreja no mundo e um reino entre os homens, ainda que este ou aquele lugar tenha o seu castiçal removido. A rejeição de Siló é a eleição de Sião. — *Matthew Henry*

vv. 67 e 68: "rejeitou... não elegeu... elegeu". Como o amor de Deus é especificado para nós como algo não independentemente estabelecido, mas como tendo todas as pessoas aos seus olhos e tendo-as todas à vista, assim também Ele não estabeleceu o amor em todos. É diferente do primeiro, pois amor indefinido não significa conhecer a quem Deus estabeleceu. Agora, visto que Ele conheceu a quem escolheu, escolheu apenas alguns e não todos. [...] Já que Deus ama, é justo que Ele seja livre. É estranho você não permitir a Deus o que reis e príncipes têm a prerrogativa, aos quais você permitirá. Eles terão favoritos a quem amarão e outros a quem não amarão. Os homens não dão a Deus essa liberdade, mas Ele tem de amar ou toda a humanidade ou ser cruel e injusto com todos. A exclusividade do amor divino torna-o maior e mais estimado por nós. Encontramos quase por toda a Bíblia que, quando Deus expressa amor, expressa com especificidade aos eleitos, por cuja ação Ele ilustra estar expressando o oposto aos outros. [...] É frequente encontramos na Bíblia que, quando Deus menciona estar escolhendo alguns, sustenta igualmente de propósito estar recusando os outros. [...] Quando fala da eleição das tribos, não se contenta em dizer que elegeu Judá, mas põe em rejeição, ou pelo menos em preterição, José: "Além disto, rejeitou a tenda de José e não elegeu a tribo de Efraim. Antes, elegeu a tribo de Judá, o monte Sião, que ele amava". [...] Fala dos tempos dos juízes, quando a rejeição das dez tribos logo começou a evidenciar-se. Afirma que recusou a tenda de Efraim, mas elegeu Judá. Depois do tempo de Salomão, passaram a cultuar os bezerros de ouro (permita-me dizer-lhe que é a recusa da eleição que desfaz a nação, quando a eleição perde a importância e acaba em uma geração), até que por fim as dez tribos foram rejeitadas, como estão até hoje. Mas a tribo de Judá teve eleição entre eles. [...]

Embora a princípio e por muito tempo, ambas as tribos fossem igualmente povo de Deus, por fim a eleição começou a fazer discriminação. Efraim (ou as dez tribos) teve inicialmente vantagem sobre Judá em relação às coisas espirituais. A arca, símbolo da presença de Deus, estava sob a responsabilidade da guarda de Efraim em Siló. O selo da adoração e ordenanças de Deus foi entregue a Efraim. Judá tinha de subir a Siló para buscar ao Senhor. Mas Efraim, ao pecar contra essa adoração, perdeu o direito e para sempre não teve mais essa responsabilidade. Mas Judá a recebeu em Belém, até por fim ser posto em Sião, "como a terra que fundou para sempre" (v. 69). E a recebeu por nenhuma outra razão senão que Deus o amara e por amor o escolhera (vv. 67-69). No que diz respeito às demais coisas, Judá estava junto com Efraim igualmente envolvido na mesma culpa de pecado que lhe fizera perder o direito, como os versículos 56 a 60 claramente mostram: "Contudo, tentaram, e provocaram o Deus Altíssimo, e não guardaram os seus testemunhos. Mas tornaram atrás e portaram-se aleivosamente como seus pais; viraram-se como um arco traiçoeiro, pois lhe provocaram a ira com os seus altos e despertaram-lhe o zelo com as suas imagens de escultura. Deus ouviu isto e se indignou; e sobremodo aborreceu a Israel, pelo que desamparou o tabernáculo em Siló, a tenda que estabelecera como sua morada entre os homens". Nesses versículos, Deus fala de todas as tribos e aproveita a oportunidade para remover Efraim para sempre. Assim, os primeiros são os últimos e os últimos, os primeiros. A tribo com quem a presença de Deus esteve por um tempo, por causa de notório pecado, Deus começa a retirar-se dela aos poucos, como fez com as dez tribos até afinal rejeitá-las por povo. Mas não tratou assim com Judá. Embora confiscasse o Templo, o culto e a nação pelo cativeiro da Babilônia, mais tarde Deus restabeleceu todas estas coisas com muito maior glória. A razão para estes procedimentos está no versículo 68: "Sião, que ele amava". — *Thomas Goodwin*

v. 70: "e o tirou dos apriscos das ovelhas". A arte de alimentar o gado e a arte de reger os homens são gêmeas, disse Basílio. — *John Trapp*

v. 71: "De após as ovelhas pejadas o trouxe". O ovelheiro bom e firme é de grande valor para o pastor. Mas eu aconselharia todos os pastores a eles mesmos cuidarem desta tarefa, visto que poucos empregados prestarão a devida atenção ou a atenção que o seu patrão daria, pois a mais leve negligência é, em muitos casos, acompanhada com a maior desvantagem. Desempenhei a função de atender a parição de cordeiros durante vários anos. Tenho para mim que não sou noviço ou incompetente para fazer uma descrição. Muitos cordeiros morrem sem ser possível responsabilizar o ovelheiro por negligência ou ignorância, visto que atenção maior da sua parte teria salvo muitos que, do contrário, teriam morrido. [...] A prática de atender as ovelhas quando estão parindo é, às vezes, muito complicada, fazendo o ovelheiro perder a paciência. As ovelhas são teimosas e a parição apresenta uma cena de confusão, desordem e dificuldade, que é função do ovelheiro corrigir e sempre estar preparado para eventualidades. Algumas ovelhas abandonam os cordeiros ou os cordeiros ficam misturados com outros, e as ovelhas que perderam os cordeiros correm a esmo, berrando, enquanto os outras ficam desamparadas. Estes são apenas algumas das várias ocorrências que exigem a atenção imediata do ovelheiro. — *Daniel Price, "A System of Sheep-grazing and Management" [Um Sistema de Pastoreação e Cuidado das Ovelhas], 1809*

v. 71: "De após as ovelhas pejadas o trouxe". Dizem que certo doutor culto de Oxford pendurou as suas calças de couro na parede do gabinete de estudo para servir de lembrete aos visitantes da sua origem humilde. Não dou fé à veracidade da informação, mas a história conta que Agátocles, que de oleiro veio a ser o rei da Sicília, tomava as refeições servidas em pratos de louça rústica, para lembrá-lo da antiga lida. Faria bem se as pessoas lembrassem os sapatos de quem elas limparam, o carvão de quem elas levaram e o dinheiro de quem elas pediram emprestado, e lidassem de forma agradável com os credores, como o bom lorde Cromwell foi tratado pelo comerciante florentino no tempo de Henrique VIII, quando o cardeal Wolsey* como carniceiro esqueceu-se do rei, seu senhor. Foi diferente com o santo Davi que, estando na dignidade real, graciosamente se lembra de ter sido trazido de após as ovelhas pejadas, quando agora apascenta as ovelhas de Israel. O cetro de ouro aponta para o cajado de madeira. As antigas canções tocadas com a flauta de aveia, hoje são dedilhadas na harpa de sândalo. A tenda de Belém é armada dentro do palácio de mármore no monte Sião. — *Samuel Lee*

v. 71: "para apascentar a Jacó, seu povo".** Observe que o bom pastor tem de ser humilde e fiel. Precisa ter o pão na bolsa, o cachorro preso à corda, o cajado junto com a vara e o chifre em perfeita harmonia. O pão é a Palavra de Deus. A bolsa é a memória da Palavra. O cachorro é o zelo, com o qual o pastor arde pela casa de Deus, expulsa os lobos com os latidos espirituais e segue infatigavelmente a pregação e a oração. A corda com a qual o cachorro é preso é a moderação do zelo e a discrição, pela qual o zelo do pastor é temperado pelo espírito de devoção e conhecimento. O cajado é o consolo da exortação piedosa, pela qual os muito tímidos são sustentados e refrigerados, para que não desfaleçam no tempo da tribulação.

* "O Livro dos Mártires", de John Foxe.

** Este é exemplo curioso de espiritualização que se fazia na Idade Média, e consta aqui como tal. É divertido notar que o redator-expositor de tratados cita a passagem com admiração evidentemente intensa. Nota no original.

Mas a vara é a autoridade e o poder, pelos quais os turbulentos são contidos. O chifre em perfeita harmonia, cujo som é musicalmente agradável, significa a doçura das bem-aventuranças eternas que o pastor fiel instila suave e repetidamente nos ouvidos do rebanho. — *Johannes Paulus Palanterius, 1600*

v. 72: "Assim, os apascentou, segundo a integridade do seu coração, e os guiou com a perícia de suas mãos". Apesar das transgressões, das quais Davi sempre se arrependeu amargamente e que foram apagadas do Livro de Deus, ele permanece para todos os príncipes e governantes da terra como o padrão mais nobre. Em perfeita verdade interior, Davi sabia e sentia que era rei pela graça de Deus. Usava a coroa e o cetro meramente por confiança do Rei de todos os reis. Até ao último fôlego, esforçou-se com todo empenho em ser achado como rei teocrático genuíno, que em tudo tem de administrar o governo terreno de acordo com as ordenanças e instruções de Deus. Por isso, o Senhor fez prosperar todas as coisas em que Davi pôs a mão, e nada estava mais claro para o povo do que o fato que o Senhor estava verdadeiramente com o rei. — *Frederick Wilhelm Krummacher, "David, the King of Israel" [Davi, o Rei de Israel], 1867*

SUGESTÕES AOS PREGADORES

v. 1. O dever de atender a Palavra de Deus: (1) Modos de negligenciar o dever. (2) Modos de cumprir o dever. (3) Razões para obedecer ao dever. (4) Males por não atender ao dever.

v. 2. "Abrirei a boca numa parábola." Pregue sobre a "Parábola da Nação Pródiga", conforme é apresentada no salmo. — *C. A. Davies, de Chesterfield*

vv. 2 e 3. (1) As verdades não são piores por serem velhas: "da antiguidade". "Madeira velha", diz Bacon, "é boa para queimar, livros velhos são bons para ler e velhos amigos são bons para confiar". (2) As verdades não são piores por estarem escondidas em metáforas: "Parábola", "enigmas": (a) Levam a mais pesquisa. (b) Tornam-se consequentemente mais bem conhecidas. (3) As verdades não são piores por serem repetidas: (a) São mais testadas. (b) São mais bem confirmadas. — *George Rogers*

v. 3. A ligação entre o que temos "ouvido" e o que temos "sabido" pessoalmente na religião.

v. 4. Uma boa decisão e um resultado abençoado. — *C. D.*

v. 4. (1) O que tem de ser conhecido? "Os louvores do SENHOR", "a sua força e as maravilhas que fez". (2) A quem têm de ser conhecidos? "À geração futura". (3) Por quem têm de ser conhecidos? Pelos pais, uma geração após a outra. (4) Como têm de ser conhecidos? (a) Não encobrindo nada. (b) Mostrando tudo o que Deus fez. — *George Rogers*

v. 5. A tradição bíblica ou a relíquia do evangelho.

vv. 5 a 8. A religião da família: (1) O conhecimento dos pais e a herança dos filhos (vv. 5,6). (2) A queda dos pais e a preservação dos filhos (vv. 7,8). — *C. D.*

vv. 5 a 8. (1) A verdade uma vez começada não pode ser detida (vv. 5,6). (2) A verdade recebida prende a alma a Deus (v. 7). (3) A verdade rejeitada acende luzes de advertência para os outros (v. 8). — *C. D.*

v. 6. O cuidado pela geração ascendente e pela posteridade futura.

v. 7. Filosofia prática: (1) Fixe a esperança sabiamente. (2) Armazene na memória abundantemente. (3) Assim você guiará as ações obedientemente.

vv. 7 e 8. Sobre a falsidade do coração em desconsiderar as dispensações da providência em geral. — *John Jamieson, "Sermons on the Heart" [Sermões no Coração], vol. I, p. 430*

v. 8. Teimosia não é firmeza. Ou a diferença entre o vício do caráter e a qualidade da graça.

v. 8. O falso coração ("geração que não regeu o seu coração") com a mão esquerda: "Teimosia na injustiça" ("não fossem como seus pais, geração contumaz e rebelde") e com a mão direita: "Inconstância na justiça" ("cujo espírito não foi fiel para com Deus"). — *C. D.*

v. 9. (1) Quem eram? (2) O que tinham? (3) O que fizeram? (4) Quando fizeram?

vv. 9 e 67. A apostasia de crentes eminentes. (1) Quem eram os soldados do Senhor: (a) Pertenciam ao povo eleito de Deus. (b) Eram distinguidos pela graça (Gn 48.17-20). (c) Eram fortes pelas bênçãos de Deus (Dt 33.17). (d) Tinham lugar de honra entre os irmãos. (e) Eram favorecidos com o tabernáculo em Siló (Sl 78.60). (2) O equipamento militar dos soldados do Senhor: (a) Eram armas defensivas e armas ofensivas. (b) Eram armas como as dos outros que triunfaram. (3) O comportamento dos soldados do Senhor na batalha: Bater em retirada era traiçoeiro, covarde, perigoso, desastroso e desonroso. (4) O castigo dos soldados do Senhor (v. 57): Privação da honra especial (Ap 3.11). — *C. D.*

vv. 10 e 11. As gradações do pecado: (1) Negligenciar Deus. (2) Rejeitar Deus. (3) Esquecer-se de Deus. — *C. D.*

vv. 12 a 16. Deus revelado nas ações: (1) O Deus que opera maravilhas (vv. 12-16). (2) O Deu s que defende (v. 12). (3) O Deus que interpõe (v. 13). (4) O Deus que guia (v. 14). (5) O Deus que é Pai (vv. 14-16). — *C. D.*

vv. 12 a 17. A obstinação da incredulidade ataca: (1) A majestade de Deus (v. 17). (2) A graciosa providência de Deus (vv. 14-16). (3) O interpositivo cuidado de Deus (v. 13). (4) A defensora justiça de Deus (v. 12). (5) A distintiva graça de Deus (vv. 12-16). — *C. D.*

vv. 12 a 17. Os prodígios não convertem a alma (Lc 16.31). — *C. D.*

v. 14. Um belo tema: As adaptações de Deus. — *C. D.*

v. 14. (1) Direção. (2) Proteção. (3) Refrigério. — *R. P. Buddicom*

v. 14. O Senhor guia o seu povo sendo: (1) A sombra na prosperidade, refrescando e acalmando. (2) A luz na adversidade, motivando e aquecendo.

vv. 15 e 16. A provisão de Deus é: (1) Oportuna. (2) Abundante. (3) Excelente. (4) Maravilhosa.

v. 16. Fontes da Rocha Jesus Cristo: (1) A nascente. (2) A variedade. (3) A abundância. — *B. Davies, de Greenwich*

v. 17. O pecado em seu progresso alimenta-se das misericórdias divinas para ajudar a avançar, bem como de todas as outras circunstâncias.

vv. 17 a 21. (1) Tentaram a paciência de Deus (v. 17). (2) Tentaram a sabedoria de Deus (v. 18). (3) Tentaram o poder de Deus (vv. 19,20). (4) Tentaram a ira de Deus (v. 21). — *E. G. Gange, de Bristol*

v. 18. "carne para satisfazerem o seu apetite". Em que aspectos podemos buscar e receber as misericórdias temporais.

vv. 18 a 21. O progresso do mal: (1) As pessoas são desviadas pela concupiscência (v. 18). (2) A concupiscência, havendo concebido, dá à luz o pecado (vv. 19,20). (3) O pecado, sendo consumado, dá à luz a morte (v. 21). "Cujos corpos caíram" (Hb 3.17; cf. Tg 1.15). — *C. D.*

v. 19. A incredulidade é uma calúnia contra Deus.

vv. 21 e 22. As más consequências da incredulidade: (1) O pecado da incredulidade: Duvidaram da certeza, perfeição e realidade incontestes da salvação de Deus operada na saída de Israel do Egito. (2) O agravamento da incredulidade: (a) O objetivo da incredulidade era Deus. (b) Aqueles que entretinham a incredulidade eram o povo de Deus. (c) As ajudas para a fé contra a incredulidade foram negligenciadas: "posto que" (v. 23). (3) Ao que a incredulidade os levou: (a) Ao pecado interior (v. 18). (b) Ao pecado exterior (v. 19). (4) O que a incredulidade lhes trouxe (v. 21): "serpentes ardentes" (Nm 21.6). — *C. D.*

v. 22. A incredulidade é a mãe das tristezas.

v. 25. Diferentes tipos de comida: (1) Comida de animais (Lc 15.16). (2) Comida de pecadores (Os 4.8). (3) Comida de formalistas (Os 12.1). (4) Comida de santos (Jr 15.16; Jo 6.53-57). (5) Comida de anjos (Sl 78.25, ARA). (6) Comida de Cristo (Jo 4.34). — *C. D.*

vv. 29 a 31. Orações perigosas. Quando a concupiscência dá as ordens, a ira reage. Que a graça dê as ordens, para que a misericórdia reaja. — *C. D.*

vv. 34 a 37. (1) Os pés dos hipócritas (v. 34). (2) A memória dos hipócritas (v. 35). (3) A língua dos hipócritas (v. 36). (4) O coração dos hipócritas (v. 37). Ou a capa dos hipócritas e o coração dos hipócritas. — *C. D.*

v. 36. Lisonjear a Deus é: (1) Um pecado comum. (2) Um pecado odioso. (3) Um pecado perigoso. — *B. D.*

v. 38. "não deixou despertar toda a sua ira", e versículo 50, "Abriu caminho à sua ira". A ira de Deus é exercida contra o seu povo e contra os seus inimigos. — *C. D.*

vv. 39 e 35. (1) A lembrança que Deus tem do seu povo. (2) A lembrança que o povo de Deus tem de Deus.

v. 42. O dia dos dias, no qual: (1) O inimigo foi confrontado. (2) O conflito foi resistido. (3) O livramento foi efetuado. (4) A alegria foi experimentada. — *B. D.*

v. 45. O poder das pequenas coisas quando comissionadas a nos atormentar.

v. 47. "os seus sicômoros [destruiu ele] com pedrisco". Às vezes, não atira. Às vezes, atira. E quando atira, erra o alvo.

v. 52. (1) Deus tem um povo no mundo. (2) Deus tira o povo dos outros povos. (3) Deus traz o povo em comunhão com Ele. (4) Deus traz o povo em comunhão entre si. (5) Deus guia o povo ao descanso.

v. 55. Suplantações divinas: (1) Deus suplanta os anjos caídos no céu. (2) Deus suplanta uma nação da terra por outra (veja toda a história). (3) Deus suplanta os pensamentos e afetos do coração na regeneração (Is 55.13). — *C. D.*

v. 56. Sobre a falsidade do coração no que diz respeito ao cumprimento do dever. — *John Jamieson, vol. I, p. 326*

v. 57. Sobre a falsidade do coração no que diz respeito à omissão do dever. — *John Jamieson, vol. I, p. 353*

vv. 59 a 72. (1) Um pôr do sol sombrio (vv. 59,60). (2) Uma noite sinistra (vv. 60-64). (3) Uma alvorada abençoada (vv. 65-72). — *C. D.*

v. 69. A igreja: (1) O seu edificador. (2) A sua santidade. (3) A sua grandeza. (4) A sua extensão: "como a terra" (cf. Mc 11.17). (5) A sua perpetuidade. — *C. D.*

vv. 70 e 71. I. A chamada de Davi. Duas questões se apresentam: (1) Como a vida de pastor serviu para Davi de preparação inconsciente para a chamada? (2) Como a convocação divina, quando veio, aprontou Davi para o destino grandioso? Observe que ele foi mandado de volta aos rebanhos. Não havia nada que poderia treiná-lo mais perfeitamente do que a espera. Duas grandes convicções despertaram-se nele, as quais formaram nele os elementos da força: (a) A convicção de um líder divino (veja Sl 23). (b) A convicção de uma escolha divina. II. As lições modernas da chamada de Davi: (1) Há um plano divino para toda vida. (2) Há uma vocação divina para todo homem. (3) Há um Pastor divino para todo homem. — *E. L. Hull*

vv. 70 a 72. Ascensão de cargo segundo a Bíblia: (1) Analogia entre profissões humildes e profissões mais elevadas (v. 71). (2) O trabalho mais humilde é preparação para o trabalho mais elevado (vv. 71,72). (3) A ascensão de cargo é o ato da vontade divina (vv. 70,71). (4) As nossas habilidades serão iguais à posição para a qual Deus nos promove.

SALMO 79

TÍTULO

Salmo de Asafe. Este é um salmo de lamentação que Jeremias poderia ter escrito entre as ruínas da cidade amada. Trata evidentemente de tempos de invasão, opressão e subversão nacional. Asafe era um poeta patriótico. Não havia ocasião em que se sentia mais à vontade do que quando relatava com detalhes a história da nação. Quisera Deus que tivéssemos poetas nacionais cujo tema de canção fosse o Senhor.

DIVISÃO

Os versículos 1 a 4 extravasam a lamentação, os versículos 5 a 12 apresentam a oração e o versículo 13 promete o louvor.

EXPOSIÇÃO

1 *Ó Deus, as nações entraram na tua herança; contaminaram o teu santo templo; reduziram Jerusalém a montões de pedras.*

2 *Deram os cadáveres dos teus servos por comida às aves dos céus e a carne dos teus santos, às alimárias da terra.*

3 *Derramaram o sangue deles como água ao redor de Jerusalém, e não houve quem os sepultasse.*

4 *Estamos feitos o opróbrio dos nossos vizinhos, o escárnio e a zombaria dos que estão à roda de nós.*

1. *"Ó Deus, as nações entraram na tua herança."* É o clamor de espanto pela intrusão sacrílega, como se o poeta tivesse sido golpeado pelo horror. Os estrangeiros contaminam com os pés os átrios sagrados. Toda a Canaã é a tua terra, Senhor, mas os inimigos a saquearam."Contaminaram o teu santo templo". Forçaram entrada profanamente até ao santuário interior, onde se comportaram arrogantemente. A Terra Santa, a Casa Santa e a Cidade Santa foram contaminadas pelos incircuncisos. É terrível quando homens maus acham-se na igreja e contam-se entre o

ministério. É quando o joio é semeado com o trigo, e coloquíntidas venenosas são colocadas na panela do caldo (cf. 2 Rs 4.39).

"Reduziram Jerusalém a montões de pedras." Depois de devorar e contaminar os inimigos voltaram para destruir e fizeram o trabalho com perfeição cruel. Jerusalém, a cidade amada, a alegria da nação, a morada do seu Deus foi totalmente destruída. Ai, ai de Israel! É triste ver o perseguidor em casa, mas pior ainda é encontrá-lo na Casa de Deus. Ferem mais incisivamente os que ferem o cristianismo. O salmista avoluma a agonia. Era um requerente e sabia ressaltar os pontos fortes da petição. Ordenemos a petição perante o Senhor com tanto cuidado quanto se o sucesso dependesse da argumentação. Os homens nos tribunais terrenos servem-se de todas as habilidades para obter os fins que desejam. Assim também devemos apresentar a nossa petição com seriedade e extrair argumentos fortes.

2. *"Deram os cadáveres dos teus servos por comida às aves dos céus e a carne dos teus santos, às alimárias da terra."* Os inimigos não se preocuparam em enterrar os mortos, e não restava número suficiente de pessoas vivas em Israel para executar o rito funerário. Os preciosos restos mortais dos falecidos eram deixados para serem devorados pelos urubus e rasgados pelos lobos. Animais dos quais o homem não podia se alimentar alimentavam-se dele. A carne da criação do Senhor tornou-se alimento para corvos carniceiros e cães famintos. As calamidades da guerra são medonhas, mas sucederam aos santos e servos de Deus. Este aspecto da guerra comoveu profundamente o coração do poeta, que fez bem em apelar ao coração de Deus, recitando o mal doloroso. Esta poderia ter sido a lamentação do cristão primitivo, quando se lembrava do anfiteatro com todas as ações de sangue. Note que nos dois versículos o salmista argumenta girando em torno da propriedade de Deus no Templo e no povo. Lemos "tua herança", "teu santo templo", "teus servos" e "teus santos". É claro que o Senhor defenderá os que lhe pertencem, e não permitirá que os adversários desenfreados os despojem.

3. *"Derramaram o sangue deles como água ao redor de Jerusalém."* Os invasores mataram os homens como se o sangue não fosse de mais valor que a água. Derramaram tão profusamente como quando o dilúvio inundou as planícies. A cidade da paz santa tornou-se campo de sangue.

"E não houve quem os sepultasse." Os poucos que sobreviveram tiveram medo de ocupar-se da tarefa. A situação era séria provação e doloroso horror para os judeus, que manifestavam extremos cuidados concernente ao sepultamento dos seus mortos. Chegou ao ponto em que não havia ninguém para enterrar os mortos da tua família, Senhor? Não se achou ninguém que jogasse uma pá de terra para cobrir os pobres corpos dos santos assassinados? Que angústia! Como somos felizes por vivermos em época de tanta paz, quando já não se ouve o toque da trombeta pelas ruas.

4. *"Estamos feitos o opróbrio dos nossos vizinhos."* Os que escaparam do inimigo comum escarnecem de nós. Jogam-nos na cara os nossos desastres e perguntam: "Onde está o seu Deus?" (v. 10). Aos aflitos cabem demonstrações de piedade, mas em muitos casos não é o que ocorre, pois a lógica dura argumenta que os que sofrem mais que as calamidades comuns devem ser pecadores incomuns. Os vizinhos especialmente são muitas vezes o aposto da boa vizinhança. Quanto mais próximo moram, menos se solidarizam. É muito lastimável que as coisas sejam assim.

"O escárnio e a zombaria dos que estão à roda de nós." Alegrar-se com as desgraças dos outros e exultar-se com os sofrimentos dos outros são procedimentos dignos do Diabo e daqueles cujo pai ele é. Assim, a petição foi apresentada diante do Senhor, a qual era muito deplorável. Asafe era excelente advogado, porque fez uma descrição impressionante das calamidades que estavam diante dos seus olhos e com as quais ele se solidarizava. Temos no céu um Intercessor mais poderoso, que nunca deixa de ser insistente em apresentar o nosso caso perante o trono eterno.

5 *Até quando, Senhor? Indignar-te-ás para sempre? Arderá o teu zelo como fogo?*
6 *Derrama o teu furor sobre nações que te não conhecem e sobre os reinos que não invocam o teu nome.*

7 *Porque devoraram a Jacó e assolaram as suas moradas.*
8 *Não te lembres das nossas iniquidades passadas; apressa-te e antecipem-se-nos as tuas misericórdias, pois estamos muito abatidos.*
9 *Ajuda-nos, ó Deus da nossa salvação, pela glória do teu nome; e livra-nos e perdoa os nossos pecados, por amor do teu nome.*
10 *Por que diriam os gentios: Onde está o seu Deus? Torne-se manifesta entre as nações, à nossa vista, a vingança do sangue derramado dos teus servos.*
11 *Chegue à tua presença o gemido dos presos; segundo a grandeza do teu braço, preserva aqueles que estão sentenciados à morte.*
12 *E aos nossos vizinhos, deita-lhes no regaço, setuplicadamente, a sua injúria com que te injuriaram, Senhor.*

5. *"Até quando, Senhor?"* Não haverá fim aos castigos? São muito incisivos e tirânicos. Ficarás estendendo-os por muito mais tempo?

"Indignar-te-ás para sempre?" Acabaram-se as tuas misericórdias, de forma que ficarás ferindo para sempre?

"Arderá o teu zelo como fogo?" Havia motivo sério para o Senhor ter ciúme, visto que os israelitas estabeleceram ídolos e apartaram-se de prestar-lhe culto. O salmista implora que o Senhor não consuma o seu povo totalmente como que pelo fogo, mas que enfraqueça as aflições.

6. *"Derrama o teu furor sobre nações que te não conhecem."* Se tens de ferir, olhe para outros campos. Poupa os teus filhos e fere os teus inimigos. Há nações em que jamais identificaste os pecados. Sê servido de visitar primeiro estas com os teus juízos, e dá uma trégua ao teu Israel pecador.

"E sobre os reinos que não invocam o teu nome." Ouve aqueles que te buscam e vinga-te naqueles que não te buscam. Às vezes, parece que a providência trata com muito mais severidade os justos que os ímpios. Este versículo é argumento ousado fundamentado em tal aparência. Com efeito, diz: Senhor, se tens de esvaziar as taças da tua ira, comece com os que não têm a menor consideração por ti, mas estão abertamente em revolta contra ti. Agrada-te de poupar o teu povo, que são teus a despeito de todos os pecados que cometem.

7. *"Porque devoraram a Jacó."* Os opressores devorariam os santos totalmente se pudessem. Se estes leões não nos tragaram, é porque o Senhor enviou o seu anjo e fechou a boca dos leões.

"E assolaram as suas moradas", ou o seu pasto (cf. "a sua terra", NVI). Os invasores não deixaram comida para homens ou animais, mas devoraram tudo como fazem os gafanhotos. As gentis misericórdias dos maus são cruéis.

8. *"Não te lembres das nossas iniquidades passadas."* Pecados acumulam-se contra as nações. Gerações armazenam transgressões para serem visitadas nos herdeiros. Daí, a oração urgente. Nos dias de Josias, o mais sério arrependimento não evitou o juízo que os longos e antigos anos de idolatria tinham determinado contra Judá. Todo homem tem razão em pedir anistia geral dos pecados passados, e toda nação deveria fazer desta uma oração ininterrupta.

"Apressa-te e antecipem-se-nos as tuas misericórdias, pois estamos muito abatidos." Apressa o nosso livramento, pois a nossa nação está correndo desenfreadamente para a destruição. Os nossos números estão reduzidos e a nossa condição é deplorável. Observe como a tristeza penitente apodera-se dos mais doces atributos e extrai argumentos das ternas "misericórdias" de Deus. Observe também como ela advoga a própria angústia, e não a bondade, como motivo para a demonstração da misericórdia. Que os crentes tão profundamente abatidos encontrem argumentação exatamente na situação miserável. O que pode ter tão forte apelo à compaixão que a aflição medonha? A pitoresca versão do livro de oração é expressivamente tocante: "Ó, não te lembres dos nossos antigos pecados, mas tem misericórdia de nós. E sê rápido, porque estamos em grande miséria". Esta súplica é própria para a vida do pecador. Já passamos por situações em que esta teria sido tão boa

oração para o nosso coração sobrecarregado quanto qualquer outra que a mente humana pudesse compor.

9. *"Ajuda-nos, ó Deus da nossa salvação, pela glória do teu nome."* Este é apelo magistral. Não há argumento que tenha força como este. A glória de Deus foi manchada aos olhos das nações pela derrota do seu povo e pela profanação do seu Templo. Por isso, os seus servos aflitos imploram-lhe a ajuda, para que o seu grande nome não seja mais o escárnio dos inimigos blasfemadores.

"E livra-nos e perdoa os nossos pecados, por amor do teu nome." O pecado — a raiz do mal — é visto e confessado. O perdão do pecado é buscado como também a remoção do castigo, e ambos são pedidos não como questões de direito, mas como presentes da graça. O nome de Deus é pela segunda vez citado na petição. Os crentes serão sábios em usar frequentemente este argumento nobre. É a arma secreta da batalha, o mais poderoso armamento do arsenal da oração.

10. *"Por que diriam os gentios: Onde está o seu Deus?"* Por que as bocas incrédulas deveriam ser cheias de comida tão saborosa para eles, mas tão asquerosa para nós? Quando as aflições do povo de Deus tornam-se a derrisão dos pecadores e os leva a ridicularizar a religião, temos ótima razão para expostulação com o Senhor.

"Torne-se manifesta entre as nações, à nossa vista, a vingança do sangue derramado dos teus servos." O salmista deseja que haja justiça para que Deus seja defendido e temido. É justo que os que escarneceram do povo de Deus, quando este sofria sob a vara do Senhor, sofram também pela mesma mão.

Se alguém reclamar do espírito desta imprecação, pensamos que a ação é desnecessária. É sentimento comum de todo patriota desejar que as injustiças cometidas contra a sua nação sejam corrigidas. É sentimento comum de todo cristão desejar que haja vingança nobre da igreja por meio da derrota do erro. A destruição do Anticristo é a recompensa do sangue dos mártires, e de forma alguma deve ser vivamente censurada. Nem de longe esta é uma das esperanças mais gloriosas dos últimos dias.

11. *"Chegue à tua presença o gemido dos presos."* Quando o teu povo não puder cantar e não se atrever a clamar em voz alta, então que o gemido silencioso suba aos teus ouvidos e obtenha o livramento para eles. Estas palavras são adequadas para os aflitos em grande variedade de situações. Homens experientes saberão como adaptá-las à própria condição e usá-las em referência aos outros.

"Segundo a grandeza do teu braço, preserva aqueles que estão sentenciados à morte." A fé aumenta enquanto ora. O apelo à terna misericórdia do Senhor é suplantado por outro direcionado ao braço divino. O suplicante sobe de um pedido pelos que foram abatidos, para uma oração pelos que estão à beira da morte, separados como vítimas para o matadouro. Como é consolador para os crentes desanimados e entristecidos refletir que Deus pode preservar aqueles que trazem sobre a cabeça a sentença de morte. Os homens e demônios podem nos consignar para a perdição, enquanto a doença nos arrasta para a sepultura e a tristeza nos afunda no pó. Mas há Alguém que pode manter viva a nossa alma, e até trazê-la das profundezas do desespero. Um cordeiro viverá entre as mandíbulas do leão, se o Senhor assim desejar. Até mesmo no ossuário, a vida derrotará a morte, se Deus estiver perto.

12. *"E aos nossos vizinhos, deita-lhes no regaço, setuplicadamente, a sua injúria com que te injuriaram, Senhor."* Negaram a tua existência, zombaram do teu poder, insultaram do teu culto e destruíram a tua Casa. Levanta-te, Senhor, e faz com que sintam inteiramente que tu não permitirás ser escarnecido sem que recebam a devida punição. Coloca-lhes no regaço bom estoque de vergonha, porque ousaram insultar o Deus de Israel. Recompensa-os completamente, até que recebam o número exato de punições. Assim será. O desejo do texto se tornará fato. O Senhor defenderá os eleitos, ainda que pareça demorado para com eles.

13 Assim, nós, teu povo e ovelhas de teu pasto, te louvaremos eternamente; de geração em geração cantaremos os teus louvores.

13. *"Assim, nós, teu povo e ovelhas de teu pasto, te louvaremos eternamente; de geração em geração cantaremos os teus louvores."* A gratidão da igreja é eterna como também profunda. Nas suas tábuas estão gravadas memoriais de grandes livramentos e, enquanto existir, os seus filhos os relatarão com detalhes e prazer. Temos a história que sobreviverá a todos os outros registros, e em cada linha brilhará com a glória do Senhor. Das calamidades mais medonhas desponta a glória de Deus, e os dias tenebrosos do seu povo tornam-se o prelúdio para demonstrações incomuns do amor e poder do Senhor.

NOTAS EXPLICATIVAS E DECLARAÇÕES SINGULARES

O Salmo: Sob todos os aspectos, este salmo é dependente do Salmo 74. Os pontos de contato não são apenas questões de estilo (cf. o Salmo 79.5: "Até quando, Senhor? [...] para sempre?", com o Salmo 74.1,10; o Sl 79.10, יִוָּדַע, com o Salmo 74.5; o Salmo 79.2, a entrega para os animais selvagens, com o Salmo 74.14,19; o Salmo 79.13, a nação de Israel como rebanho, em cujo aspecto o Salmo 79 foi criteriosamente acoplado ao Salmo 78.70-72, com o Salmo 74.1 e também com o Salmo 74.19). Mas as relações mútuas são ainda mais profundas. Ambos os salmos têm o mesmo selo de Asafe, ambos gozam da mesma relação com Jeremias e ambos emitem lamentações pelas mesmas circunstâncias do tempo. São elas a destruição do Templo e de Jerusalém, como só o tempo dos selêucidas (1 Macabeus 1.31, 3.45; 2 Macabeus 8.3), bem como o período caldeu podem exibir, a contaminação do Templo e o massacre dos servos de Deus, dos *chasidim* (1 Macabeus 7.13; 2 Macabeus 14.6), como o tempo dos selêucidas pode exibir exclusivamente. A ação da destruição do Templo, que estava em desenvolvimento no Salmo 74, mostra ter sido terminada no Salmo 79. Neste e no salmo anterior, ficamos com a impressão de que se trata das afrontas, não de uma guerra, mas de uma perseguição. É incontinenti a religião de Israel, por cuja causa os santuários são destruídos e os crentes, massacrados. — *Franz Delitzsch*

v. 1: "Contaminaram o teu santo templo". Este era não só o mais alto grau de desumanidade e brutalidade dos inimigos, [...] mas também um sofrimento para o povo de Deus jamais suficientemente lamentado. Com a destruição do Templo, o verdadeiro culto a Deus, que fora instituído exequível apenas neste Templo, parecia ter sido extinto, e o conhecimento de Deus parece ter desaparecido dentre a humanidade. Não há coração piedoso que pondere a respeito sem sentir a maior aflição. — *D. H. Mollerus*

v. 1: "Reduziram Jerusalém a montões de pedras". Fizeram Jerusalém ser nada mais que sepulturas. As multidões foram cruelmente mortas e assassinadas, de modo que Jerusalém era, por assim dizer, uma sepultura. — *Joseph Caryl*

vv. 1 a 4: No tempo dos macabeus, Demétrio, filho de Seleuco, enviou Báquides para Jerusalém, que matou os escribas, que vieram exigir justiça, e os assideus, os primeiros dos filhos de Israel que procuraram fazer paz com eles. Báquides "apoderou-se de sessenta deles e mandou-os matar no mesmo dia, conforme estava escrito: Espalharam a carne e o sangue dos teus santos ao redor de Jerusalém, e não havia ninguém para sepultá-los" (1 Macabeus 7.16,17). Nesta última e mais temerosa destruição, quando as águias de Roma se puseram ao redor da cidade condenada e do Templo, do qual Deus dissera: "Saiamos daqui", nem uma pedra foi deixada em cima da outra, o fogo consumiu o santuário, as fundações de Sião foram aradas, Jerusalém ficou cheia de mortos, os filhos de Judá foram crucificados em volta dos muros em multidões tão numerosas que não houve mais lugar para morte, e o insulto, a vergonha e o desprezo foram a sorte dos filhos de Israel, enquanto peregrinavam como desterrados e fugitivos por todas as nações — enfim, quando todas estas coisas amargas e mortais vieram sobre Jerusalém, foi a punição pelos muitos e repetidos pecados, o cumprimento de uma advertência muitas vezes feita, mas em vão. Os inimigos atacaram Jerusalém violentamente, mas os seus pecados ficaram ainda mais violentos! — *Extraído de "A Plain Commentary on the Book of Psalms" [Um Comentário Simples sobre o Livro dos Salmos]*

vv. 1, 4, 5: Entrando na parte habitada da cidade velha e enredando por vielas imundas e cheias de curvas, achei-me de repente dobrando uma esquina apertada e entrando em um lugar de particular interesse: o "Muro das Lamentações dos Judeus". É um pequeno pátio quadrangular e pavimentado. De um lado, estão os fundos das casas baixas dos dias atuais, sem portas ou janelas, e do outro, está o alto muro de Harã, cuja parte de cima é de data recente, e a parte debaixo revela cinco extratos de pedras chanfradas em perfeito estado de preservação. Os judeus têm permissão de entrar nesta área delimitada e sagrada para lamentar o Templo caído, cujo pó lhes é querido e cujas pedras ainda lhes dão muito prazer (Sl 102.14). Era sexta-feira, e uma multidão de devotos deprimentes havia se reunido. Eram homens e mulheres de todas as idades e de todas as nações, trajados com roupas pitorescas de cada país da Europa e da Ásia. Havia velhos, homens pálidos, encarquilhados e aflitos, andando a passos trôpegos com o apoio de bastões de peregrino. Havia garotinhas de rosto branco e olhos negros brilhantes, olhando ansiosamente os pais que estavam junto ao velho muro. Uns estavam de joelhos, cantando canções pesarosas de um livro de orações hebraicas, balançando o corpo para lá e para cá. Outros estavam prostrados ao chão, pressionando a testa e os lábios à terra. Outros estavam colados ao muro, enterrando o rosto nos buracos e fendas das pedras velhas. Outros estavam beijando-as. Outros tinham os braços estendidos como que as apertassem ao peito. Outros estavam banhados de lágrimas, chorando o tempo todo como se o coração estivesse a ponto de arrebentar. Era um espetáculo triste e comovente. Dezoito séculos de exílio e aflição não lhes entorpeceram os afetos do coração, nem lhes enfraqueceram os sentimentos da devoção. Vemos todos estes vindos dos confins da terra, pobres, menosprezados, desterrados e oprimidos, entre as desolações da pátria, ao lado das ruínas desonradas do antigo santuário, cantando com aflição frenética, as palavras proféticas escritas pelo seu próprio salmista: "Ó Deus, as nações entraram na tua herança; contaminaram o teu santo templo. [...] Estamos feitos o opróbrio dos nossos vizinhos, o escárnio e a zombaria dos que estão à roda de nós. Até quando, SENHOR? Indignar-te-ás para sempre? Arderá o teu zelo como fogo?" — *J. L. Porter, "The Giant Citties of Bashan" [As Cidades de Gigantes de Basã], 1865*

v. 2: "Deram os cadáveres dos teus servos por comida às aves dos céus e a carne dos teus santos, às alimárias da terra". Este é um verdadeiro ditado de Agostinho: O cuidado do nosso funeral, a maneira do nosso enterro, a pompa das exéquias, todos estes *magis sunt vivorum solatia quam subsidia mortuorum, "são, antes, consolos para os vivos que ajuda para os mortos"*. Ser enterrado não traz nenhum proveito para o defunto. O corpo nada sente a alma não considera. Sabemos que muitos mártires santos foram excluídos do sepultamento, os quais em desprezo cristão do ato reservaram os perseguidores em palavras dos que foram mortos em Farsália: "Tu nada ganhas com esta raiva. Qual a diferença se a doença ou a pilha funerária decompor o corpo?" Mas há ainda um direito, um respeito pertencente ao cadáver dos homens. Jeú mandou que Jezabel fosse enterrada. Davi agradeceu o povo de Jabes-Gileade por ter enterrado Saul. Pedro, que mandou Ananias e Safira, os falsos abdicantes do patrimônio próprio, para a morte, mandou os corpos para o enterro. É um axioma da caridade. *Mortuo non prohibeas gratiam, "não retenhas a bondade dos mortos"*. Mostra o nosso amor e consideração pelos homens em nossa carne vê-los enterrados. Manifesta a fé e a esperança da ressurreição. Quando o corpo que há de ressuscitar e ser feito glorioso e imortal no céu, for lançado às aves do ar ou aos animais do campo, manifesta em Deus indignação tremenda contra o pecado (Jr 22.19, acerca de Jeoaquim: "Em sepultura de jumento, o sepultarão, arrastando-o e lançando-o para bem longe, fora das portas de Jerusalém"), e no homem crueldade desumana e bárbara. — *John Dunster, "Prodromus" [Pródromo], 1613*

v. 2: "Deram os cadáveres dos teus servos por comida às aves dos céus". Com que desconsideração estamos acostumados a ver, de todos os lados, muitos "mortos em ofensas e pecados" (Ef 2.1), despedaçados e devorados por paixões fogosas, concupiscências imundas e espíritos infernais, esses cães e urubus do mundo moral? Contudo, para os olhos perspicazes e o pensamento arguto, esta é sem dúvida a visão mais melancólica de todas. — *George Horne*

v. 2: "Teus servos... teus santos". Não há ira temporal, nem calamidade que separe os filhos do Senhor do amor e estima de Deus, nem desate a relação existente entre Deus e eles. Este texto mostra que ainda que os seus cadáveres caiam e sejam devorados pelas aves do céu e pelos animais da terra, eles permanecem servos e santos do Senhor durante estes sofrimentos. — *David Dickson*

vv. 2 e 3: [O seguinte trecho foi extraído dos escritos de um monge piedoso que aplica as palavras do salmo às perseguições do seu tempo. Escreveu em Roma durante o período da Reforma, e era evidentemente um favorecedor do Evangelho.] Hoje em dia, que rio, que riacho há nesta nossa Europa afligida (se ainda é nossa), que não vimos correndo com o sangue dos cristãos? E sangue também derramado pelas espadas e lanças dos cristãos? Portanto, fizeram grande lamentação em Israel. Os príncipes e anciãos lamentam. Os jovens e virgens se enfraquecem. A beleza das mulheres mudam. Por quê? O próprio lugar santo está desolado como o deserto. Já vistes tão medonho espetáculo? Empilharam montões de cadáveres dos teus servos para serem devorados pelas aves. Os restos mortais dos teus santos permanecem insepultos, aliás, foram dados aos animais da terra. Que maior crueldade poderia ser cometida? Foi tão grande a efusão de sangue humano naqueles dias que os regatos, ou, mais exatamente, os rios em torno da cidade ficaram avermelhados. Assim verdadeiramente a forma da nossa mais bela cidade foi devastada e perdeu o encanto. Os habitantes são tão poucos, que nem mesmo os homens que levam os mortos para o enterro se deixam contratar, ainda que pressionados com a oferta de polpudos pagamentos. Tão cheia de medo e horror estava a mente, e era ainda mais amargo, porque "estamos feitos o opróbrio dos nossos vizinhos", e somos falados em derrisão pelos incrédulos no exterior e pelos inimigos em casa. Quem é tão corajoso a ponto de suportar isso e viver? Até quando esta ansiedade amarguíssima durará? — *Giambattista Folengo, 1490-1559*

v. 4: "Estamos feitos o opróbrio dos nossos vizinhos, o escárnio e a zombaria dos que estão à roda de nós". Se o confesso povo de Deus decair do que eles e os pais eram, alguém acabará lhes dizendo isso. Faz bem se um justo opróbrio ajudar a nos levar a um verdadeiro arrependimento. Mas foi bom para o Evangelho Israel ter sido feito injustamente um escárnio e zombaria. Os próprios apóstolos chegaram a ser "como a escória de todos" (1 Co 4.13). — *Matthew Henry*

v. 4: "Estamos feitos o opróbrio dos nossos vizinhos, o escárnio e a zombaria dos que estão à roda de nós". Crisóstomo disse que estes eram mais dolorosos para eles que chicotadas ou feridas, porque estes sendo infligidos no corpo são de certa forma divididos entre a alma e o corpo, mas os opróbrios, escárnios e zombarias ferem somente a alma. Como observou Cícero: *Habet quendam aculeum contumelia*, que significa *"eles deixam um ferrão atrás de si"*. — *John Trapp*

v. 4: É o ápice do opróbrio lançado pelo pai sobre o filho, quando o pai ordena que o escravo bata no filho. De todos os juízos externos, este é o mais dolorido: ter estrangeiros governando sobre nós, como que a caracterizar a vergonha e a crueldade. Se as nações gentias já entraram na herança de Deus, não admira que a igreja lamente que ela foi feita "o opróbrio dos nossos vizinhos, o escárnio e a zombaria dos que estão à roda de nós". — *Abraham Wright*

v. 5: "Até quando, Senhor? Indignar-te-ás para sempre?" A voz da lamentação não diz: Até quando, Senhor, durará esta maldade dos nossos inimigos? Até quando veremos esta desolação? Mas diz: "Até quando, SENHOR? Indignar-te-ás para sempre?" Esta passagem nos admoesta a reconhecer a ira de Deus contra nós em todas as nossas aflições, pois as nações sempre são alvo dessas reclamações. Temos o hábito de acusar somente a maldade dos nossos inimigos e nunca pensamos nos nossos pecados e no castigo divino. Não poderia ser que aqueles que reconhecem a ira de Deus sobre eles, não deveriam reconhecer ao mesmo tempo a falta? Poderia, a menos que desejem atribuir iniquidade a Deus por estar irado e dar açoites nos indignos. — *Wolfgang Musculus*

v. 5: A palavra "zelo" ("ciúme", NVI) não significa mera vingança, mas vingança mesclada com amor. A menos que Deus amasse, diz Jerônimo, Ele não teria zelo ou ciúme, e segundo o procedimento de marido, ele vinga o pecado da esposa. — *John Lorinus*

v. 6: A falta de oração dos não crentes é ameaçada com punição. A maldição do profeta tem o mesmo efeito que uma ameaça (veja Jr 10.25, e a mesma maldição em Sl 79.6). Os profetas não teriam usado tal maldição contra os que não invocam a Deus, mas o descaso em invocar o nome santo os deixa sujeitos à ira e furor. Não há descaso que deixe os homens mais propensos à ira de Deus que o descaso do dever. A oração, então, é dever até mesmo dos pagãos, cujo descaso provoca Deus a derramar o furor sobre eles. — *David Clarkson*

v. 7: "Porque devoraram a Jacó". Como lobos que cruelmente despedaçam e devoram um rebanho de ovelhas. No original hebraico, a palavra seguinte significa não só uma habitação em geral, mas também um curral de ovelhas. — *D. H. Mollerus*

v. 8: "Não te lembres das nossas iniquidades passadas". O profeta se coloca entre o número não só dos aflitos, mas também dos angustiados e sujeitos à ira de Deus por causa dos pecados cometidos. Ele não era participante desses enormes pecados pelos quais tinham provocado o ciúme de Deus. Contudo, não se isenta do povo em geral. No versículo seguinte, diz: "E perdoa os nossos pecados". Não diz: Não te lembres da iniquidade deste povo. Nem diz: E perdoa os pecados deles. Mas diz: "Não te lembres das *nossas* iniquidades", e: "perdoa os *nossos* pecados" (grifos meus). Desta forma, os profetas, ainda que homens santos eram propensos a fazerem-se participantes dos pecados do povo, não pecando, mas chorando, orando e implorando a misericórdia de Deus: "As nossas transgressões se multiplicaram perante ti, e os nossos pecados testificam contra nós" (Is 59.12). [...] "pecamos, e cometemos iniquidade, e procedemos impiamente, e fomos rebeldes, apartando-nos dos teus mandamentos e dos teus juízos" (Dn 9.5).

(1) Sigamos também este exemplo para que, contanto tenhamos comunhão com a igreja, sejamos participantes daqueles que verdadeiramente amam e cultuam a Deus.

(2) Depois, privando-nos da falsa adoração, não pequemos impiamente com os ímpios.

(3) Sempre que chorarmos ou orarmos lamentemos e confessemos não só os nossos próprios pecados, mas também as faltas da igreja como um todo, como se fossem comuns a nós, mesmo que não tenhamos parte nelas, para que imploremos por elas a misericórdia de Deus. — *Wolfgang Musculus*

v. 8: "Não te lembres das nossas iniquidades passadas". Os judeus têm um ditado que diz que não há punição que sobrevenha a Israel, senão uma pitada da punição pelo pecado do bezerro de ouro. O significado é que este pecado sempre é lembrado e visitado, de acordo com Êxodo 32.34. A frase engloba todos os pecados das pessoas já falecidas, dos antepassados e dos tempos idos, de geração em geração, que tinham permanecido neles, os quais lhes trouxeram ruína. E todos os seus próprios pecados da natureza e da juventude, todos os pecados do passado ao presente. — *John Gill*

v. 8: "Não te lembres das nossas iniquidades passadas". Os pecados antigos atormentam mais. O atraso do pagamento aumenta-os com juros sobre juros. O retorno, sendo inesperado, apanha a pessoa quando menos está prevenida. Temos para nós que as feridas velhas, que irrompem, são incuráveis. Augusto soube que certa pessoa, mesmo estando muitíssimo endividada, dormia silenciosamente. Por isso, mandou buscar o travesseiro dessa pessoa, dizendo: "Com certeza há uma virtude singular neste travesseiro, que a faz descansar com tanta segurança". Meus irmãos, se uma dívida para com a Lei de Deus é mais que a criação inteira pode liquidar, o que desejamos dizer com descansar seguro com tão vasto fardo na consciência e na conta? Tome cuidado para não ser surpreendido e preso por dívidas antigas. Deus, tu te lembras das nossas iniquidades passadas. Deus chamará e cobrará cada um dos seus pecados, quando toda a doçura tiver acabado. — *Elias Pledger, 1676, "The Morning Exercises" [Os Exercícios Matutinos]*

v. 8: "Não te lembres das nossas iniquidades passadas". O único jeito certo de reparar uma situação de desgraça é implorar o perdão dos pecados e a renovada evidência da reconciliação. Antes que a igreja pedisse algo relacionado ao livramento exterior, orou: "Não te lembres das nossas iniquidades passadas". — David Dickson

v. 8: "Apressa-te". Para que as tuas misericórdias não cheguem tarde demais, porque estamos a ponto de sucumbir. — *John Trapp*

v. 8: "Antecipem-se-nos". A misericórdia de Deus tem de nos antecipar, "vir ao encontro" da necessidade do homem. - *J. J. Stewart Perowne*

v. 8: "Estamos muito abatidos", literalmente, "estamos grandemente emagrecidos ou diminuídos". Poucos de nós restam. — *Adam Clarke*

v. 8: "Estamos muito abatidos". Estamos muitíssimo exauridos (esvaziados), quer dizer, estamos completamente destituídos de todas as coisas, tanto de bens quanto de força mental e física, como um poço totalmente vazio. — *Martin Geier*

v. 8: "Muito abatidos". Fora da esperança de toda ajuda humana. Portanto, a glória do nosso livramento será inteiramente tua. — *Matthew Pool*

v. 9: "Ajuda-nos, ó Deus da nossa salvação, pela glória do teu nome; e livra-nos". "Ajuda-nos" em nossas dificuldades, para que as suportemos bem. "Ajuda-nos" por nossas dificuldades, para que o espírito não desfaleça. "Livra-nos" do pecado e de naufragar na iniquidade. — *Matthew Henry*

v. 9: "Ajuda-nos, ó Deus da nossa salvação". Se a razão humana fosse julgar os muitos e grandes golpes com os quais Deus tantas vezes feriu e açoitou o seu povo, acabaria chamando Deus não de Salvador do povo, mas de destruidor e tirânico. Mas a fé do profeta faz juízo totalmente diferente acerca de Deus. Vê até em um Deus irado, a salvação do seu povo. Os deuses das nações, ainda que não causem sofrimento nas coisas temporais, são deuses, não da salvação dos que os cultuam, mas da perdição deles. O nosso Deus, mesmo quando está severamente irado, não é o Deus da destruição, mas da salvação. — *Wolfgang Musculus*

v. 9: "por amor do teu nome". Duas vezes o apelo é feito "por amor do teu nome", que é a revelação de Deus que Ele fez de si mesmo para Moisés, quando passou e apregoou o nome de Jeová (Êx 34.6,7; cf. Sl 20.1; 23.3; 29.2). — *J. J. Stewart Perowne*

v. 9: "por amor do teu nome". O bem que Deus faz à igreja, quer seja temporal ou espiritual, é para Ele mesmo. O que faço (disse Deus) faço por amor do meu nome santo. Não há nada que me mova, senão o meu próprio nome. É santo, grande e glorioso, e por amor do meu nome farei muito em prol da minha igreja e povo. O fato de terem sido guardados na Babilônia foi por amor do seu nome santo. O fato de terem sido tirados da Babilônia foi por amor do seu nome santo. O fato de terem sido replantados em Canaã foi por amor do seu nome santo. O fato de possuírem novamente um Templo, sacrifícios, sacerdotes, profetas e ordenanças foi por amor do seu nome santo. Quando muitas vezes estavam perto da destruição, em dias antigos, Deus os livrou (Ez 20.1-44; Is 48.8,9). Não é por amor dos inimigos que Deus guarda ou livra o seu povo. Não é também por amor do seu povo ou das suas orações, lágrimas, fé, obediência e santidade que Ele faz grandes coisas por eles e concede grandes misericórdia. É por amor do seu nome santo. Por amor do homem,

Deus amaldiçoou a terra (Gn 8.21), mas é por amor do seu nome santo, que Ele a abençoa. As mais seletas misericórdias que o povo de Deus tem, são por amor do seu nome santo. Têm perdão dos pecados, por amor do seu nome santo (Sl 25.11; 1 Jo 2.12). São purificados dos pecados, por amor do seu nome santo (Sl 79.9). São guiados pelos caminhos da justiça, por amor do seu nome santo (Sl 23.2). Recebem vivificação para o coração morto e entorpecido, por amor do seu nome santo (Sl 143.11). Embora o seu povo peque contra Deus, Ele não o abandona, por amor do seu grande nome. — *William Greenhill*

v. 9: "Ajuda-nos, ó Deus da nossa salvação, pela glória do teu nome; e livra-nos e perdoa os nossos pecados, por amor do teu nome". Se Deus não pudesse ser mais glorificado na nossa paz e reconciliação do que na nossa morte e condenação, seria algo ruim a desejar. Mas Deus nos explicou este ponto, pois Ele não é perdedor pelos atos de misericórdia. Nisto está o maior ganho para a sua coroa, ou Ele não diria: "Eu quero misericórdia e não sacrifício" (Os 6.6). Deus é livre para escolher o que melhor convém ao seu coração e seja mais conducente à exaltação do seu grande nome. Tem mais prazer na misericórdia mostrada a alguém que no sangue de todos os condenados ao inferno, que se tornam sacrifício à sua justiça. Na verdade, Deus objetivava um fim mais elevado na condenação do que no sofrimento, a saber, o engrandecimento da glória da sua misericórdia nos salvos. Esta é a bela obra na qual Deus tem prazer, sendo que a outra é apenas sombra desta. Você está em perfeita disposição para orar pela paz e combinar com encorajamento, quando o coração for profundamente tocado pela honra que advirá a Deus por conta disso. É um argumento que Deus não negará. "Então", disse Abigail para Davi, "não te será por tropeço, nem por pesar no coração o sangue que sem causa derramaste, nem tampouco o haver-se salvado meu senhor a si mesmo" (1 Sm 25.31). Ela quis dizer que ele nunca deveria ter motivo para arrepender-se do fato de ter sido guardado de derramar sangue. Assim você pode argumentar com Deus e dizer: Senhor, quando no céu eu estiver louvando a tua graça perdoadora com os santos e os anjos, não te aflija por ter a tua misericórdia te guardado de derramar o meu sangue, condenando a minha alma ao inferno. — *William Gurnall*

v. 9: "Ajuda-nos, ó Deus da nossa salvação, pela glória do teu nome; e livra-nos e perdoa os nossos pecados, por amor do teu nome". Quando os crentes, o povo do Senhor estiver muito abatido (v. 8), não devem procurar desafogo ou alívio, a não ser em Deus. Por isso, dizem: "Ajuda-nos, ó Deus". Como recorreram a Deus em busca da salvação prometida no concerto, também podem buscar livramentos de dificuldades específicas, como apêndices do benefício principal da salvação. Portanto: "Ajuda-nos, ó Deus da nossa salvação", dizem eles. Quando os homens pedem algo, cuja concessão glorifica a Deus, podem esperar recebê-la confiantemente, sobretudo quando Deus é glorificado e o seu povo também é guardado e consolado: "Ajuda-nos", dizem eles, "pela glória do teu nome; e livra-nos". Como a consciência do pecado costuma intrometer-se muitas vezes entre nós e a misericórdia, assim temos de clamar muitas vezes pelo perdão dos pecados. O afeto sério pode dobrar e triplicar a mesma petição sem balbuciar: "Livra-nos e perdoa os nossos pecados". É a glória do Senhor esquecer o pecado, e quando o perdão dos pecados é pedido de acordo com a promessa de Deus, a glória do Senhor engaja-se em ajudar a fé para obtê-lo: "Perdoa os nossos pecados, por amor do teu nome". — *David Dickson*

v. 11: "Chegue à tua presença o gemido dos presos". Podemos deixar de notar a adequação de chamar os filhos de Adão de "presos", quando nos lembramos da restrição que o espírito imortal suporta, enquanto habita na casa terrena, ou dos sofrimentos pelos quais muitos cristãos passam, ou, da escravidão degradante, à qual eles se sujeitam quando servem as próprias concupiscências e recusam permanecer firmes na liberdade com que Cristo os outorgou. Seja em qual for desses sentidos que os homens estão presos, está claro que aproveitam a oportunidade e gemem habitualmente. Esta é a parte que os crentes piedosos e fiéis em Deus têm de manter em mente e, já que Ele se vestiu de entranhas de compaixão, dizer em favor dos outros bem como em favor de si mesmo: "Chegue à tua presença o gemido dos presos". Há três coisas que a primeira frase do versículo sugere. Em primeiro lugar, notemos que todos os que vivem neste mundo estão presos. [...] Em segundo lugar, observemos que os que estão presos têm os seus respectivos gemidos tristes. Em terceiro lugar, destaquemos que o crente, sabedor destes gemidos da multidão de presos, aos quais vê por toda parte, deve orar ao Todo-Poderoso para que compareçam diante da presença eterna. — *W. C. Le Breton, 1849*

v. 11: "O gemido". A natureza do gemido indica certos pormenores importantes relacionados ao estado de escravidão falado no texto. O gemido é uma declaração velada. Ainda que não falemos, podemos contar uma longa história de tristeza com um gemido. Quantas vezes o enlutado, que não diz uma palavra acerca da sua dor, quando fica só, desabafa com um gemido profundo, soluçante e muito extenso? Chamo a atenção, porque é um quadro perfeito da condição espiritual na qual os homens estão. Não são sonoros nas lamentações. Não ficam pelas esquinas das ruas proclamando a própria pecaminosidade excessiva. Não fazem com que os vizinhos e amigos os ouçam orarem continuamente sobre a maldade que neles há — maldade que se alguém atribuísse a eles, lhes provocaria a ira imediata. Não é deles a índole de pessoas briguentas, mas de pessoas que levam pesados fardos, que extrai delas evidência do que suportam. Se vocês, irmãos, andarem em gemidos e tristezas diante de Deus, Ele os considera como pedidos de alívio. A desgraça, se completamente contida, seria impenitência obstinada, mas desabafada, mesmo em um gemido, é declaração da necessidade. Permitam-me incentivá-los, irmãos, a não poupar estas evidências do seu estado. Há ocasiões em que vocês se sentem tão desanimados que não conseguem fazer longas confissões. O espírito está tão cansado que vocês não têm força para abrir a boca. Nestas ocasiões, muita coisa pode ser dita por meio de um gesto simbólico. "Não o desperdices", dizemos, "pois há bênção nele" (Is 65.8). Extravasem-no e chegará ao trono. Assim ficará comprovado que não só é uma declaração velada do seu estado, mas também um desejo velado de livramento. Quando os presos olham pelas barras de ferro, que noite e dia postam-se como sentinelas mudas na frente da janela estreita prisional, e contemplam os campos verdes e os pomares exuberantes, geme e desvia o olhar da cena com um desejo. Não disse uma palavra, mas desejou. Esse gemido foi um desejo de poder ser liberto. E gemidos como estes são ouvidos por Deus. Os anseios não satisfeitos, as tristezas não atendidas, os pensamentos tristes: "Quando serei liberto do fardo do meu pecado e da frieza do meu coração?", são desejos velados em gemidos que serão ouvidos no céu. — *Philip Bennett Power*

v. 11: "Presos". A prisão no Oriente Médio ainda é um lugar de extrema miséria, principalmente no que diz respeito à provisão limitada de água para os encarcerados. — *Daniel Cresswell*

v. 11: "Chegue à tua presença".

Ainda que não ouça voz humana
Nem forma humana pareça
Compartilhar-lhe a solidão
Ele não está completamente só — os olhos
DaquEle que ouve o gemido dos presos
Estão exatamente sobre ele
— *J. L. Chester.*

v. 11: "Chegue à tua presença o gemido dos presos; segundo a grandeza do teu braço, preserva aqueles que estão sentenciados à morte". Não devem os crentes imitar mais minuciosamente o Pai celestial, importando-se e cuidando dos sentenciados à morte? Certa senhora cristã eminente mantém um registro de todos os que foram sentenciados à morte, assim que ouve falar os seus nomes, e ora diariamente por eles até que o fim chegue. Não está esta conduta em cadência com o coração de Deus? — *William S. Plumer*

v. 12: "E aos nossos vizinhos, deita-lhes no regaço, setuplicadamente, a sua injúria com que te injuriaram, Senhor". Parece que o pedido é contrário à justiça comum, visto que a punição não deve exceder a falta. Mas temos de levar em conta que esta punição não diz respeito ao que os inimigos da igreja de Deus fizeram, mas ao que mereceram. Quando o profeta diz: "Aos nossos vizinhos, deita-lhes no regaço, setuplicadamente", não quer dizer sete vezes mais que merecem. A injúria com que o ímpio injuria o filho de Deus (e, portanto, Deus), não pode ser paga com dez mil injúrias feitas contra o mesmo ímpio. A menor injúria com que insultam Deus é uma injustiça infinita. A injúria contra o povo de Deus é igualmente contra Deus, já que Ele a considera feita contra si mesmo. Deitará no regaço dos inimigos setuplicadamente (que é exatamente igual) a injúria com que insultaram o povo de Deus. — *Abraham Wright*

v. 12: "E aos nossos vizinhos". Porque a injúria dos vizinhos era mais intolerável e também mais indesculpável que a opressão dos inimigos distantes. — *J. J. Stewart Perowne*

v. 12: "No regaço". Expressão que originalmente tinha referência à prática de levar e segurar coisas no colo ou na dobra da frente das vestes comuns do Oriente Médio. Tem o sentido adicional de retribuição ou vingança. — *Joseph Addison Alexander*

SUGESTÕES AOS PREGADORES

v. 4: (1) Os santos são objeto de zombaria para os pecadores. (2) Quando a zombaria é merecida. (3) Quando a zombaria é imerecida. (4) O que os pecadores veem nos santos que provoca o ridículo. (5) O que os santos devem fazer durante a ação probatória da zombaria. (6) Como terminará?

v. 5: (1) A causa da indignação: zelo. (2) A moderação do zelo. Se continuasse para sempre, o povo pereceria, as promessas ficariam irrealizadas, o concerto fracassaria e a honra do Senhor seria desacreditada. (3) A suspensão do zelo. Pela oração, clamando o nome, a glória e o sangue de Jesus.

v. 8: (1) A confissão do pecador. (2) A petição do pecador. (3) O argumento do pecador.

v. 9: (1) Uma oração em três partes. (2) Um título encorajador: "Deus da nossa salvação". (3) Um argumento vitorioso.

v. 9: (1) A oração: "Ajuda-nos, ó Deus": (a) Perdoa os nossos pecados. (b) Livra-nos das nossas dificuldades. (c) Ajuda-nos a servir-te no futuro. (2) O argumento: (a) Por amor do teu nome. (b) Pela glória do teu nome. (c) Pela glória do teu nome como nossa salvação. (A ordem em ambos os casos foi invertida.) — *George Rogers*

v. 10: A vingança dos mártires, a qual é legítima e nosso dever desejar.

v. 11: (1) O preso: (a) Sob escravidão forçada ao pecado. (b) Sob a escravidão da sentença. (c) No calabouço do desespero. (2) O pedido do preso por alívio. (3) A fonte da qual ele procurou ajuda. — *Philip Bennett Power*

v. 11: (1) O grau de proteção solicitado: "segundo a grandeza do teu braço". (2) A proteção: "Preserva". (3) Os objetos da preservação: "aqueles que estão sentenciados à morte". — *W. C. Le Breton*

v. 11: (1) A situação pesarosa: preso, gemendo, sentenciado à morte. (2) Fatos esperançosos: um Deus, um Deus que ouve gemidos, um Deus de grande poder. (3) Orações adequadas: "Chegue à tua presença", "preserva".

v. 11: (1) A frase "sentenciados à morte" é usada como descrição de profunda angústia espiritual. (2) Medo: (a) Do decreto divino. (b) De ter se desviado. (c) De ter pecado no dia da graça. (d) De ter o pecado que é para a morte. (3) Como estes casos podem ser eficazmente resolvidos.

v. 13: (1) As obrigações da igreja protestante fundamentadas: (a) No sangue dos mártires. (b) Nos grandes livramentos. (c) Na proximidade para com Deus. (2) A igreja tem de assegurar o ensino do Evangelho para as gerações futuras.

v. 13: (1) Relação reivindicada: "nós, teu povo e ovelhas de teu pasto". (2) Obrigação admitida: "Assim nós", quando tu tiveres te interposto para o nosso livramento, te louvaremos eternamente. (3) Decisão formada: (a) Louvar-te-emos eternamente. (b) Transmitiremos os teus louvores às gerações seguintes. — *George Rogers*

SALMO 80

TÍTULO

Salmo de Asafe. Supomos que foi um Asafe posterior ao tempo de Davi que teve a infelicidade de viver como o "último trovador" em tempos maus. Se tomarmos o Asafe dos dias de Davi, este salmo foi escrito no espírito de profecia, pois canta sobre tempos desconhecidos a Davi.

Para o cantor-mor, sobre Sosanim Edute. Pela quarta vez, temos uma canção sobre Sosanim ou "de acordo com a melodia Os Lírios da Aliança" (NVI; cf. AEC). Os primeiros foram os Salmos 45, 60, 69. Seria difícil dizer por que este título foi dado em cada caso, mas a deliciosa forma poética do presente salmo justifica bem o título fascinante. *Edute* significa "testemunho". O salmo é um testemunho da igreja como um "lírio entre espinhos". Certos intérpretes entendem que o título refere-se a um instrumento de seis cordas, e Schleusner traduz as duas palavras hebraicas assim "o hexacorde do testemunho". Pode ser que futuramente outras pesquisas nos elucidem estas "declarações sombrias sobre a harpa". Ficaremos felizes em aceitá-las como prova de que outrora o cântico sacro não era estimado como coisa de somenos importância.

DIVISÃO

O salmo se divide naturalmente no refrão que ocorre três vezes: "Faze-nos voltar, ó Deus" versículos 3,7,19. Os versículos 1 a 3 apresentam as palavras iniciais endereçadas ao Senhor Deus de Israel. Os versículos 4 a 7 são uma lamentação sobre a aflição nacional. E os versículos 8 a 19 repetem a mesma lamentação, representando a nação em bela alegoria como uma vinha. É um salmo triste, e os lírios são os lírios do vale.

EXPOSIÇÃO

1 *Ó pastor de Israel, dá ouvidos; tu, que guias a José como a um rebanho, que te assentas entre os querubins, resplandece.*

2 Perante Efraim, Benjamim e Manassés, desperta o teu poder e vem salvar-nos.
3 Faze-nos voltar, ó Deus; faze resplandecer o teu rosto, e seremos salvos.

1. *"Ó pastor de Israel, dá ouvidos."* Ouve, pastor de Israel, os balidos chorosos do teu rebanho. O nome está cheio de ternura, e por isso foi escolhido pelo salmista atribulado. Corações quebrantados deleitam-se com nomes da graça. O bom e velho Jacó gostava de pensar em Deus como o Pastor de Israel, e este versículo pode estar aludindo à expressão dita nos últimos momentos de vida: "Donde é o Pastor e a Pedra de Israel" (Gn 49.24). Estamos certos de que aquEle que se permite ser pastor para o povo não terá ouvidos surdos às suas lamentações.

"tu, que guias a José como a um rebanho." O povo é chamado pelo nome daquele filho renomado, que se tornou um segundo pai para as tribos e as manteve vivas no Egito. É possível que os egípcios os conhecessem pelo nome de "a família de José". Neste caso, seria muito natural chamá-los por esse nome aqui. O termo, porém, pode referir-se às dez tribos das quais Manassés era a cabeça reconhecida. O Senhor outrora conduzira, guiara e pastoreara todas as tribos no deserto, sendo esta a razão da súplica feita a Ele. Os feitos do Senhor no passado são razões fortes para súplica e esperança quanto ao presente e ao futuro.

"que te assentas entre os querubins, resplandece". A presença especial do Senhor revelava-se no propiciatório entre os querubins, e em todas as nossas súplicas devemos ir ao Senhor por este caminho. É somente no trono da misericórdia que Deus revela a graça e é somente ali que comungamos com Ele. Invoquemos sempre o nome de Jesus, que é o nosso verdadeiro propiciatório, a quem podemos ir com ousadia e por quem podemos buscar demonstrações da glória do Senhor a nosso favor. O nosso maior temor é a retirada da presença do Senhor, e a nossa mais brilhante esperança é a perspectiva da sua vinda. Nos dias mais escuros dos filhos de Israel, a luz do semblante do Pastor é tudo o que precisam.

2. *"Perante Efraim, Benjamim e Manassés, desperta o teu poder e vem salvar--nos."* É sábio mencionar os nomes do povo do Senhor em oração, pois são preciosos para Ele. Jesus leva os nomes do seu povo no peitoral. Da mesma maneira que a menção dos nomes dos filhos tem poder com um pai, assim ocorre com o Senhor. Os três nomes eram de parentesco próximo. Efraim e Manassés representam José, e era adequado que Benjamim, o outro filho da amada Raquel, fosse mencionado no mesmo fôlego. Estas três tribos marchavam rotineiramente juntas no deserto, vindo imediatamente atrás da arca. A oração pede que o Deus de Israel seja poderoso a favor do seu povo, perseguindo os inimigos e salvando o povo. Quisera o Senhor hoje lembrasse todas as seções da sua igreja e fizesse todas as suas tribos ver a salvação. Não mencionaríamos apenas a nossa denominação, mas faríamos uma oração por todos os departamentos da igreja local.

3. *"Faze-nos voltar, ó Deus."* O salmista não disse: "Faze-nos voltar do nosso cativeiro", mas apenas: "Faze-nos voltar". Tudo vai bem, se estamos bem. A melhor volta não é a volta das circunstâncias, mas a volta do caráter. Quando o Senhor faz o seu povo voltar, logo lhe faz voltar à situação. É necessário o próprio Senhor para fazer isso, porque a conversão é uma obra tão divina quanto a criação. Os que foram voltados uma vez para Deus, se a qualquer tempo se desviarem, precisam tanto do Senhor para fazê-los voltar quanto precisaram da primeira vez. Podemos traduzir a palavra hebraica por "restaura-nos" (cf. ARA). De fato, é uma misericórdia da mais excelente qualidade quando o Senhor "restaura-me o vigor" (Sl 23.3, NVI; cf. NTLH).

"Faze resplandecer o teu rosto." Sê favorável e benevolente para conosco. Esta era a bênção do Sumo Sacerdote para Israel. O que o Senhor já nos deu pelo nosso Sumo Sacerdote e Mediador podemos com confiança pedir a Ele.

"e seremos salvos." Tudo que falta para a salvação é o favor de Deus. Um olhar de graça basta para transformar Tofete no Paraíso. Pouco importando a ferocidade do inimigo ou a hediondez do cativeiro, o rosto resplandecente de Deus garante

a vitória e a liberdade. Este versículo é uma oração muito útil. Levando em conta que muitas vezes nos desviamos, muitas vezes clamemos com a boca e o coração: *"Faze-nos voltar, ó Deus; faze resplandecer o teu rosto, e seremos salvos"*.

4 *Ó SENHOR, Deus dos Exércitos, até quando te indignarás contra a oração do teu povo?*
5 *Tu os sustentas com pão de lágrimas e lhes dás a beber lágrimas em abundância.*
6 *Tu nos pões por objeto de contenção entre os nossos vizinhos; e os nossos inimigos zombam de nós entre si.*
7 *Faze-nos voltar, ó Deus dos Exércitos; faze resplandecer o teu rosto, e seremos salvos.*

4. *"Ó SENHOR, Deus dos Exércitos, até quando te indignarás contra a oração do teu povo?"* Até quando a fumaça da tua ira suprimirá o incenso fumegante das nossas orações? A oração de bom grado entraria no teu lugar santo, mas a tua ira luta com ela e impede a entrada. É bastante natural Deus ficar irado conosco quando pecamos, mas que Ele fique irado até com as nossas orações é uma cruel aflição. Com dores intensas o suplicante pergunta: "até quando"? Comandante de todos os exércitos de seres criados, apto para salvar os teus santos em extrema necessidade clamarão eles a ti para sempre em vão?

5. *"Tu os sustentas com pão de lágrimas."* O alimento é temperado com as lágrimas destiladas dos olhos chorosos. As refeições, que outrora eram ocasiões agradáveis de alegria, agora são como refeições fúnebres para os quais cada pessoa contribui com o seu bocado amargo. Antes, o teu povo comia pão de trigo, mas agora recebe das tuas mãos o pão de lágrimas.

"e lhes dás a beber lágrimas em abundância." Lágrimas são a comida e a bebida do povo, dadas sem restrição. Engolem trincas de lágrimas e nadam em golfos de aflição, e tudo por determinação do próprio Deus. Não é porque os inimigos os mantenham em poder pela força dos braços, mas porque Deus recusa-se a intervir. O pão de lágrimas é mais o fruto da maldição do que o pão do suor do rosto. Contudo, pelo amor divino será transformado em bênçãos maiores, ministrando à nossa saúde espiritual.

6. *"Tu nos pões por objeto de contenção entre os nossos vizinhos."* Sempre ciumentos e maldosos, Edom e Moabe exultaram com os problemas de Israel. Passaram a disputar sobre a parte de cada um no espólio. A zombaria do vizinho sempre é muito mordaz, sobretudo se a pessoa tem sido superior a eles e afirmou possuir mais graça. Não há nada mais divergente da boa vizinha que vizinhos invejosos.

"e os nossos inimigos zombam de nós entre si." Acham graça na nossa desgraça, comédia na nossa tragédia, sal para temperar o espírito humorístico na salmoura das nossas lágrimas, diversão na nossa consternação. É diabólico zombar das aflições dos outros. Mas é hábito constante do mundo que jaz no Maligno alegrar-se com as tribulações dos santos. A semente da serpente segue o seu progenitor e regozija-se no mal.

7. *"Faze-nos voltar, ó Deus dos Exércitos; faze resplandecer o teu rosto, e seremos salvos."* A oração sobe na forma de discurso a Deus. Ele é o Deus dos Exércitos. Quanto mais nos aproximarmos do Senhor em oração e contemplação, mais sublimes serão as nossas ideias ao seu respeito.

8 *Trouxeste uma vinha do Egito; lançaste fora as nações e a plantaste.*
9 *Preparaste-lhe lugar, e fizeste com que ela aprofundasse raízes; e, assim, encheu a terra.*
10 *Os montes cobriram-se com a sua sombra, e como os cedros de Deus se tornaram os seus ramos.*
11 *Ela estendeu a sua ramagem até ao mar, e os seus ramos, até ao rio.*

12 *Por que quebraste, então, os seus valados, de modo que todos os que passam por ela a vindimam?*
13 *O javali da selva a devasta, e as feras do campo a devoram.*
14 *Oh! Deus dos Exércitos, volta-te, nós te rogamos, atende dos céus, e vê, e visita esta vinha,*
15 *e a videira que a tua destra plantou, e o sarmento que fortificaste para ti!*
16 *Está queimada pelo fogo, está cortada; pereceu pela repreensão da tua face.*
17 *Seja a tua mão sobre o varão da tua destra, sobre o filho do homem, que fortificaste para ti.*
18 *Deste modo, não nos iremos de após ti; guarda-nos em vida, e invocaremos o teu nome.*
19 *Faze-nos voltar,* Senhor, *Deus dos Exércitos; faze resplandecer o teu rosto, e seremos salvos.*

8. *"Trouxeste uma vinha do Egito."* Lá estava ela em terra hostil. As águas do Nilo não regavam essa vinha, mas eram como morte para os brotos, enquanto os habitantes da terra a menosprezavam e a pisoteavam. Gloriosa era a mão direita do Senhor, quando com poder e grandes maravilhas tirou a sua planta prazerosa dos dentes daqueles que buscavam destruí-la.

"lançaste fora as nações e a plantaste." Sete nações foram expulsas para abrir espaço para a vinha do Senhor. As velhas árvores, que outrora tinham engrossado a terra foram arrancadas desde a raiz. Os carvalhos de Basã e as palmeiras de Jericó foram deslocados para dar lugar à vinha escolhida. Foi plantada firmemente na posição designada com prudência e sabedoria divina. De aparência pequena, muito dependente, excessivamente frágil e apta para rastejar pelo chão, a vinha de Israel foi a escolhida do Senhor, porque Ele sabia que, com cuidado incessante e habilidade profusa, poderia fazer dela uma planta bonita e frutífera.

9. *"Preparaste-lhe lugar."* Retiraram as ervas daninhas, os arbustos espinhosos e as pedras enormes. Os amorreus e os seus irmãos na iniquidade foram forçados a abandonar a cena. Os exércitos foram derrotados, os reis mortos, as cidades capturadas e Canaã tornou-se como um lote de terra pronto para uma vinha.

"e fizeste com que ela aprofundasse raízes; e, assim, encheu a terra." Israel foi colonizado e organizado como uma vinha bem plantada. Começou a desenvolver-se e esparramar-se por todos os lados. Esta analogia pode ser aplicada à experiência de todo crente em Cristo Jesus. O Senhor nos plantou, estamos crescendo para baixo, "aprofundando raízes". Pela graça, estamos também avançando em manifesto alargamento. O mesmo é verdade acerca da igreja em grau ainda mais minucioso, pois neste momento, pela benevolência do cultivador da vinha, os ramos estão se esparramando por todo lugar.

10. *"Os montes cobriram-se com a sua sombra."* Israel habitou até ao ápice das montanhas, cultivando todo centímetro de terra. A nação multiplicou-se e ficou tão grande que as outras terras sentiram a sua influência ou foram cobertas com a sua sombra.

"e como os cedros de Deus se tornaram os seus ramos." A nação era tão grande que até as tribos eram fortes e dignas de terem posição entre os poderosos. Uma tradução mais correta fala que os cedros foram cobertos com a vinha (cf. NVI; ARA), e sabemos que, em muitos campos, as vinhas sobem nas árvores e as cobrem. Que vinha deve ter sido a ponto de subir pelos cedros de Deus e elevar-se acima deles! É um quadro nobre da prosperidade do povo israelita nos seus melhores dias. No tempo de Salomão, a pequena terra de Israel ocupava lugar de destaque entre as nações. Houve tempos em que a igreja de Deus também foi eminentemente distinta e o seu poder era sentido por toda parte.

11. *"Ela estendeu a sua ramagem até ao mar."* Ao longo do mediterrâneo e talvez, além das suas águas, sentia-se o poder de Israel.

"e os seus ramos, até ao rio." No lado oriental, estendeu o comércio até ao rio Eufrates. Eram dias valorosos para Israel, que teriam continuado, caso não tivesse o pecado os reduzido. Quando a igreja agrada o Senhor, a sua influência aumenta imensamente, indo muito além da proporção que os números ou o poder nos levariam a esperar. Mas infelizmente, quando o Senhor a deixa, ela se torna tão inútil, imprestável e desprezada, quanto uma vinha abandonada, a qual, de todas as plantas, é a mais sem valor.

12. *"Por que quebraste, então, os seus valados."* Depois de ter todo este cuidado com a vinha, tiraste-lhe a proteção. Para quê, Senhor? Uma vinha desprotegida é exposta a toda forma de dano. Se ninguém cuida dela, todos a depredam. Assim acontecia com Israel, quando era entregue aos inimigos. Assim acontece muitas vezes com a igreja.

"de modo que todos os que passam por ela a vindimam?" Os vizinhos cruéis a violaram. Bandos de saqueadores, como animais, tinham de vasculhá-la com rigor. Com Deus, nenhum inimigo pode nos fazer mal. Sem Ele, ninguém é tão fraco que não possa nos fazer mal.

13. *"O javali da selva a devasta."* Estas criaturas são famosas por rasgar e devorar vinhas. Babilônia, como animal dos pântanos do Eufrates, subiu e devastou Judá e Israel. Povos ferozes, comparáveis aos porcos selvagens da floresta, guerrearam contra a nação judaica, até ser escornada e despedaçada como uma vinha destruída por porcos vorazes.

"e as feras do campo a devoram." Primeiro, um inimigo e, depois, outro descarregaram ódio vingativo na nação. Tampouco Deus interferiu para expulsá-los. Veio ruína após ruína. As raposas comeram os brotos que tinham sido salvos do dano feito pelos javalis. Ai, pobre terra! Como você foi abatida! Um carvalho ou cedro poderia ter sido esmagado por tais ataques saqueadores, mas você, vinha frágil e tenra, como pôde suportar? Observe a sucessão de males consequentes ao pecado e como é terrível quando o povo vem a ser abandonado pelo seu Deus.

14. *"Oh! Deus dos Exércitos, volta-te, nós te rogamos."* Volta-te para nós, bem como voltemos nós para ti. Tu te retiraste de nós por causa dos nossos pecados. Volta-te para nós, porque gememos e clamamos por ti. Ou se é muito te pedir que venhas, então pelo menos tem um pouco de apreço por nós e olhe as nossas aflições.

"atende dos céus, e vê, e visita esta vinha." Não feches os olhos. A vinha é tua. Não te afastes totalmente dela, como se tivesse sido apagada totalmente da tua mente. Grande Lavrador, pelo menos vê o dano que os animais selvagens fizeram, pois então pode ser que o teu coração se compadeça e a tua mão se estenda para livrar.

15. *"e a videira que a tua destra plantou."* Será em vão todo o teu cuidado? Tu fizeste tanto, desperdiçarás o teu trabalho? Com teu poder fizeste grandes coisas pelo teu povo, agora o abandonarás totalmente e permitirás que os inimigos exultem no mal do qual tanto gostam?

"e o sarmento que fortificaste para ti!" Oração pelo líder, a quem o Senhor levantara, ou pelo Messias, por quem esperavam. Embora a vinha fora abandonada, um sarmento, ramo da vinha, fora considerado pelo Senhor, como que a fornecer muda para outra vinha. Por isso, a oração foi feita desta forma. Oremos ao Senhor, se num primeiro momento Ele não olhar para a igreja, olhará para o Senhor Jesus e, então, a verá por Ele em misericórdia. Esta é a verdadeira arte da oração, pôr Cristo na frente e clamar:

A Ele e depois ao pecador vê
Olha-me pelas feridas de Jesus

16. *"Está queimada pelo fogo."* Em expressões entrecortadas, o cantor triste profere a angústia. A vinha era como uma floresta posta em chamas. As vinhas seletas estavam carbonizadas e mortas.

"está cortada". O machado cruel fora usado de forma assassina, os ramos foram podados, o tronco foi ferido, a desolação reinava no mais alto grau.

"pereceu pela repreensão da tua face." A repreensão de Deus foi para Israel o que o fogo e o machado seriam para uma vinha. O favor divino é vida, e a ira divina é como mensageira da morte. Basta um olhar irado dos olhos de Jeová para deixar todas as vinhas de Efraim devastadas. Senhor, não olhes assim para as nossas igrejas. Repreende-nos, mas não com ira.

17. *"Seja a tua mão sobre o varão da tua destra."* Repousa o teu poder no teu verdadeiro Benjamim, filho da tua destra. Comissiona um homem escolhido, por quem tu livrarás. Honra-o, salva-nos e glorifica-te. Não há dúvida de que esta é uma previsão do Messias, para quem os judeus crentes tinham aprendido a olhar como o Salvador em tempos de dificuldade.

"sobre o filho do homem, que fortificaste para ti." Envia o teu poder com aquEle que tu fortalecerás para realizar os teus propósitos da graça. Deus tem prazer em trabalhar para os filhos dos homens pelos filhos dos homens. "A morte veio por um homem, também a ressurreição dos mortos veio por um homem" (1 Co 15.21). Nações sobem ou caem em grande parte por causa dos indivíduos. Por um Napoleão, reinos são açoitados, e por um Wellington, nações são salvas dos tiranos. É pelo homem Cristo Jesus que o Israel caído ainda há de subir. É realmente por Ele, que se digna chamar-se o Filho do Homem, que o mundo será liberto do domínio de Satanás e da maldição do pecado. Senhor, cumpre a tua promessa ao homem da tua destra, que participa na tua glória, e dá-lhe a ver o prazer do Senhor prosperando na sua mão.

18. *"Deste modo, não nos iremos de após ti."* Sob a liderança daquEle a quem Deus escolhera, a nação seria mantida fiel, a graça operaria a gratidão e, assim, os fortaleceria na lealdade. É em Cristo que permanecemos fiéis, porque Ele vive, nós também vivemos. Não há esperança da nossa perseverança sem Jesus.

"guarda-nos em vida, e invocaremos o teu nome." Se o Senhor tirar vida da morte, o louvor a Ele seguramente virá. O Senhor Jesus é esse líder, pois nEle está a vida e a vida é a luz dos homens. Jesus é a nossa vida. Quando Ele revisitar a nossa alma, seremos revivificados, e o nosso louvor subirá ao nome do Deus trino e uno.

19. *"Faze-nos voltar, Senhor, Deus dos Exércitos."* Este é outro progresso ao título e nome incomunicável de Jeová, o EU SOU é apresentado. O dia da fé fica mais claro na medida em que as horas passam. As orações ficam mais cheias e poderosas.

"faze resplandecer o teu rosto, e seremos salvos." Mesmo nós que estamos tão destruídos. Não há necessidade que seja grande demais para o poder de Deus. Ele pode salvar no último momento, e tão-somente voltando o rosto sorridente para o aflito. Os homens pouco podem fazer com o braço, mas Deus pode fazer todas as coisas com um olhar. Oh, que bênção viver para sempre na luz do semblante de Jeová.

NOTAS EXPLICATIVAS E DECLARAÇÕES IMPORTANTES

O Título: Esta é outra oração de Asafe, cheia de argumentos a favor de Israel. É como se tivessem diante de si o texto de Isaias 63.11: "Todavia, se lembrou dos dias da antiguidade". Lembraram-se dos dias de José, quando o Senhor os alimentou milagrosamente no Egito (Gn 49.24). Lembraram-se dos dias do tabernáculo, quando (pela primeira vez, desde os dias do Éden) sabia-se que o Senhor habitava entre os querubins, no propiciatório. Lembraram-se dos dias no deserto, quando a marcha era alegrada pela presença divina, e "Efraim, Benjamim e Manassés" (v. 2) olhavam para a coluna da glória, quando se levantava diante deles, o guia e companheiro do caminho (Nm 10.32-34). Faze-nos voltar, ó Deus; faze resplandecer o teu rosto e tudo ficará bem outra vez! — *Andrew A. Bonar*

v. 1: O profeta não começa a oração com simplicidade, mas entremescla certos títulos pelos quais ele habilmente dirige-se a Deus e promove os seus interesses.

Não diz: Tu, que sustentas e governas todas as coisas que há no céu e na terra, e puseste a tua morada sobre o céu dos céus. Mas diz: "Ó pastor de Israel, dá ouvidos; tu, que guias a José como a um rebanho, que te assentas entre os querubins, resplandece". As coisas que realçam o favor e a providência de Deus revelados para Israel, Ele lembra para nutrir e fortalecer a confiança na oração. Aprendamos com este exemplo a alimentar e fortificar a nossa confiança, orando a Deus, com as marcas da bondade divina e paterna que nos foram reveladas em Cristo, Pastor nosso e Propiciação nossa. — *Wolfgang Musculus*

v. 1: "Ó pastor de Israel, dá ouvidos". É dever do pastor ouvir aos balidos e berros das ovelhas, e memorizá-los, para prontamente poder correr ao socorro delas. — *Hermann Venema*

v. 1: "Ó pastor de Israel, dá ouvidos; tu, que guias a José como a um rebanho". O pastor está a ponto de fazer o rebanho atravessar o rio. Como o nosso Senhor fala sobre o bom pastor, observe que ele vai adiante e as ovelhas o seguem. Mas nem todas da mesma maneira. Algumas entram corajosamente no rio e atravessam imediatamente. Estas são as amadas do rebanho, que seguem de perto as pisadas do pastor, quer estejam saracoteando por prados verdejantes ao lado de águas tranquilas, ou alimentando-se nos montes, ou descansando ao meio-dia sob a sombra de grandes pedras. Agora entram outras, mas com dúvida e temor. Longe do guia, elas erram o vau e são levadas rio abaixo – umas mais, outras menos. Porém, uma por uma, lutam e corrigem o erro, conseguindo atravessar. Note os cordeirinhos. Não querem entrar no rio, tendo de ser forçados a entrar pelo cão do pastor, mencionado por Jó na sua parábola. Coitadinhos! Como pulam, mergulham e balem de medo! Aquele cordeirinho ali é fraco e foi engolfado pelas águas. Irá morrer. Mas não. O pastor pula no rio e o traz no colo, carregando o cordeirinho tremente até à margem. Agora que todas estão em segurança, como estão felizes. Os cordeirinhos brincam e dão pulinhos a torto e a direito com bom humor, enquanto as ovelhas mais velhas se reúnem em volta do guia fiel, olhando para ele com gratidão branda, mas expressiva.

Você consegue visualizar esta cena e não pensar no Pastor que guiou José como a um rebanho? Ou não pensar que haverá outros rios que todas as ovelhas terão de atravessar? Ele também vai adiante e, como aconteceu com este rebanho, aquelas que se mantiverem perto dEle não temerão mal algum (cf. Sl 23.4). Ouvem a doce voz que afirma: "Quando passares pelas águas, estarei contigo, e, quando pelos rios, eles não te submergirão" (Is 43.2). Com os olhos fixos nEle, não veem o rio, nem sentem as ondas frias e ameaçadoras. A grande maioria, porém, fica parada, tremendo perto da margem, com medo de avançar. Ficam para trás, olham para o rio escuro e, como Pedro no tempestuoso lago de Genesaré, quando a fé falhou, começam a afundar. Então, balem por socorro e não inutilmente.

O bom pastor corre para salvá-las, pois nenhuma do seu rebanho jamais pode perecer. Até os mais fracos cordeirinhos são carregados com segurança. Já vi rebanhos atravessando o Jordão para a bela e feliz terra de Canaã, cuja cena da travessia era muito mais impressionante e surpreendente. O rio era mais largo, a correnteza mais forte e os rebanhos maiores, enquanto os pastores eram mais pitorescos e bíblicos. O desfecho catastrófico, do qual muitas mais ovelhas corriam o risco – de serem levadas para o misterioso mar da morte, que engolia o próprio Jordão –, era também mais solene e sugestivo. — *W. M. Thomson, The Land and the Book*

v. 1: "tu, que guias a José como a um rebanho, [...] resplandece". Os não crentes consideram que tu, que guias a José como a um rebanho, não tens consideração pelos nossos assuntos. Por isso, estende a tua mão para ajudar-nos a fim de que a boca dos que falam iniquidades seja fechada. Não buscamos ouro, riqueza ou a respeitabilidade deste mundo, mas almejamos a tua luz, desejamos conhecer-te ardentemente, então "resplandece". — *Girolamo Savonarola*

v. 1: "tu, [...] que te assentas entre os querubins". Desta frase podemos extrair as seguintes ideias:

(1) Deus é Rei, assentado no trono e cercado pelos ministros. O trono está no céu, cujo símbolo é o santo dos santos. Os ministros são os anjos, os quais em outros textos são destacados por esse nome, como em Gênesis 3.24 e Salmo 18.10.

(2) Deus é o Rei de Israel, habitando entre eles pelo símbolo externo da sua presença. Os ministros mais ilustres são descritos pelo termo querubim, que abrange os ministros divinos como também os ministros terrenos.

(3) Deus é o Rei do concerto de Israel, e fixou a sua morada sobre a arca do concerto. Dá a entender que observará o concerto, cumprirá as promessas, guardará o povo e obterá para eles toda bênção.

(4) Deus está disposto a revelar ao seu povo a graça e misericórdia pela tampa da arca, chamada propiciatório ou trono da misericórdia, sobre o qual Deus se assentou. — *Hermann Venema*

v. 2: "Perante Efraim, Benjamim e Manassés". As três tribos de Efraim, Manassés e Benjamim iam imediatamente atrás da arca. Sempre que a arca era levantada contra os inimigos, Moisés exclamava: "Levanta-te, Senhor, e dissipados sejam os teus inimigos, e fujam diante de ti os aborrecedores" (Nm 10.35). O salmista repete a exclamação três vezes: "Faze resplandecer o teu rosto [sobre nós]", a qual era a bênção de Arão. O salmista ora pela renovação dessa bênção. — *Augustus F. Tholuck*

v. 3: "Faze-nos voltar, ó Deus; faze resplandecer o teu rosto". Converte-nos a ti, do terreno para o divino. Converte a ti a nossa vontade rebelde, e quando formos convertidos, mostra o teu rosto para que te conheçamos. Mostra o teu poder para que te temamos. Mostra a tua sabedoria para que te reverenciemos. Mostra a tua bondade para que te amemos. Mostra-os uma vez, mostra-os uma segunda vez, mostra-os sempre para que passemos pela tribulação com o rosto feliz e sejamos salvos. Quando tu salvares, seremos salvos. Quando retirares a tua mão, não poderemos ser salvos. — *Girolamo Savonarola*

v. 4: "Ó Senhor, Deus dos Exércitos". Todas as criaturas são passadas em revista, treinadas e guarnecidas, ou postas no campo de batalha pelo comando divino. Para onde podemos olhar senão para esses exércitos? Se olharmos para cima, aos céus mais altos, há uma tropa de soldados, uma multidão dos exércitos divinos, louvando a Deus (Lc 2.13). Se olharmos para cima, aos céus mais baixos, há uma tropa de soldados (Gn 2.1). Era *universa militia cceli,* ao qual esses idólatras queimavam incenso. Na terra, não só os homens arregimentam-se para o serviço militar, pois Israel foi chamado de "os exércitos do Deus vivo" (1 Sm 17.26), mas até mesmo as criaturas irracionais são mobilizadas em ordem de batalha. Deus organizou levas de enxames de moscas contra os egípcios, e tropas de rãs que marcharam para os seus dormitórios. Ele tem bandos de gafanhotos (Pv 30.27), e exércitos de lagartas. Tem não só carros e cavaleiros celestiais para defender os profetas, mas até mesmo animais, as criaturas mais indóceis e desprezíveis, para com elas confundir os inimigos. Se Golias apresentar-se arrogantemente para desafiar o Deus de Israel, ele será rebatido com um seixo.

Se Herodes ensoberbecer-se pensando ser deus, Deus colocará nele animais daninhos, dos quais nem toda a guarda do rei poderá livrá-lo. Soubemos de ratos que não puderam ser debelados até terem destruído o prelado cobiçoso, e da mosca que matou o papa Adriano. Deus tem mais modos de castigar que criaturas. "Senhor, Deus dos Exércitos" não é corretamente um título da criação, mas da providência. Todas as criaturas têm a existência de Deus como Criador, mas têm também dEle as ordens como Comandante. Não se refere tanto a serem existencialmente, quanto a mobilizarem-se militarmente. Não diz respeito tanto ao estado natural, mas ao estado militante. Como criaturas, devem-lhe a existência, mas como soldados, devem-lhe o comando. A ordem é bélica, e servem sob a bandeira do Todo-Poderoso. De forma que nisto, Deus seria respeitado não como Criador, mas como General.

A ira de Deus mostra-se muito mais temerosa, visto que nos é apresentada sob tão grandioso título: O "SENHOR, Deus dos Exércitos" está indignado. Falam de Tamerlão para amedrontarem os inimigos com o próprio olhar do semblante de Deus. Que terror reside no semblante de um Deus ofendido! Os réprobos clamarão às pedras para escondê-los da ira do Cordeiro (Ap 6.16). Se a *ira agni* , ou seja, "ira do cordeiro" os aterroriza assim, quanto não será terrível a *ira leonis*, ou seja, "ira do leão"? Temos justa razão em ficarmos perturbados ao ouvir que o Senhor, o "SENHOR, Deus dos Exércitos", está indignado, em cujo sentido o profeta irrompe com esta expostulação: "Ó SENHOR, Deus dos Exércitos, até quando te indignarás contra a oração do teu povo?" — *Thomas Adams*

v. 4: "até quando te indignarás contra a oração do teu povo?" Há inúmeras fraquezas nas orações que as tornam inaceitáveis. Há orações *exanimes*, sem vida e alma, quando o coração não sabe o que a língua profere. Há orações *perfunctoriae*, pois Deus não recebe orações que saem de lábios fingidos. Há orações *tentativae*, porque aqueles que *petere tentando*, tentarão a Deus em oração e ficarão sem resposta. Há orações *fluctuantes*, de discurso frenético e divagante, percorrendo para cima e para baixo, as quais o apóstolo Paulo chama de *batidas no ar* (1 Co 9.26), como os caçadores batem nos arbustos e como Saul buscou as jumentas do pai. Tais orações não toparão com o reino dos céus. Há orações *preproperae*, percorridas às pressas, como alguns costumam picotar as orações e terminam assim que as fazem. Os que oram com essa pressa, serão ouvidos sem pressa. Há orações *sine fiducia*, pois os incrédulos calam-se no que diz respeito à oração. Podem balbuciar, mas não oram. Oram sem eficácia e não recebem. Levantam as mãos, contudo não levantam o coração. Só a oração dos justos pode muito em seus efeitos, e só os crentes são justos. Mas a devoção formal dos incrédulos não vale uma migalha do pão que pedem. Há orações *sine humilitate*, como a oração do fariseu não era verdadeiramente *supplicatio*, mas *superlatio*. A oração presunçosa em vez de adorar o nome de Deus, profana-o. Todas ou qualquer uma destas fraquezas arruínam o sucesso da oração. — *Thomas Adams*

v. 5: "em abundância". O termo hebraico *shalish* é o nome de uma medida, assim chamada de três, como que contendo "a terça parte da maior medida", quatro vezes mais que o habitual copo de beber. — *Henry Ainsworth*

v. 7: "Faze-nos voltar, ó Deus dos Exércitos". Observe que no versículo 3, a frase é mais curta: "Faze-nos voltar, ó Deus", aumentando no versículo 7: "Deus dos Exércitos", e mais ainda no versículo 19: "SENHOR, Deus dos Exércitos". É como o pássaro que, por muito bater asas, mais ar coloca sob as asas e sobe mais alto. É o que a fé faz na oração: *viresque acquirit eundo*. — *John Trapp*

v. 7: É certo que, de acordo com a ordem de Deus, seremos salvos. Se labutamos para nos assegurar de que nos voltamos para Deus e vivemos na sensação da comunhão com Ele, não precisamos duvidar da salvação, pois ela infalivelmente virá depois das duas primeiras partes: "Faze-nos voltar, ó Deus dos Exércitos; faze resplandecer o teu rosto, e seremos salvos". A última parte não é proposta por via da oração, mas é prometida para eles mesmos e colocada que, sem dúvida, virá. "Faze-nos voltar, assim seremos salvos", dizem eles. — *David Dickson*

v. 8: "Trouxeste uma vinha do Egito; lançaste fora as nações e a plantaste". As bênçãos nos são apresentadas segundo a linguagem figurativa, baseando-se na vinha e no cuidado normalmente dado a ela. São:

(1) O transplante da vinha de uma terra estéril para uma terra muito rica e fértil.
(2) A plantação e cuidado da vinha.
(3) A consequente fertilidade incrível da vinha. — *Hermann Venema*

vv. 8-19: A versão que Richard Mant fez desta passagem é tão primorosa que a citamos por completo:

8 As tuas mãos do Egito trouxeram uma videira bonita,
E plantaram diretamente na fértil Palestina;
9 Eliminaram das suas raízes ávidas a terra despovoada,
E lhe deram a altura para subir e a firmeza para permanecer.
10 Muito acima dos montes eternos a sombra dela se estende,
Os seus rebentos coroaram a ponta muito alta dos cedros;
11 E, como o centro da terra ela ficou,
Os seus ramos alcançaram o mar, os seus galhos o rio oriental.
12 Por que agora a sua sebe arrancas,
E a deixas exposta, a presa do viajante que passa?
13 O animal herbívoro devora cada broto tenro,
Feroz da selva o javali assalta-lhe a raiz.
14 Retorna, ó Deus; do céu os teus olhos inclina;
Vê e visita esta videira negligenciada:
15 Considera a planta, que tu outrora tanto amaste,
E o teu principal ramo bonito, a esperança de Israel.
16 Ainda que ela esteja queimada e despedaçada, o seu inimigo arrogante
Conhecerá os terrores mortíferos da tua ira.
17 Mas no homem, por ti com força investida,
No Filho do Homem por ti para conquista feita,
18 A tua mão repousará; até que vejamos o teu triunfo,
Ressoamos o teu louvor, e ainda nos lembramos de ti.
19 Volta-te para nós, Deus dos altos poderes do céu,
Brilha com a tua luz, e a paz ainda será nossa.

v. 10: "Os montes cobriram-se com a sua sombra, e como os cedros de Deus se tornaram os seus ramos". Sabemos que as encostas dos montes são os lugares mais espaçosos para vinhedos, que a videira se apoia no que sobe, agarrando-se, e que os vinhedos são mais exuberantes ou menos, de acordo com a qualidade do solo ou tipo de clima. Em terras férteis, como as da Lombardia, as videiras sobem nas árvores e as cobrem. Com respeito ao crescimento viçoso da vinha frutífera citada pelo texto, não seremos inadequados, seguindo o estilo poético, em dizer que ela se estende para cima e alcança os topos dos altos cedros, como o texto diz acerca de José ser "um ramo frutífero, ramo frutífero junto à fonte; seus ramos correm sobre o muro" (Gn 49.22). — *Thomas Fenton*

v. 12: "Por que quebraste, então, os seus valados" (ou "cercas", ARA). Por que fizeste isso, Senhor? Qual é a vantagem? Retiraste a guarda dos anjos, cuja função era proteger a vinha de ladrões. Os anjos a defendiam. Onde está agora esta guarda fiel? Onde estão os profetas? Onde estão os apóstolos? Onde estão os mestres? Onde estão os pastores que cercam a vinha? Estão expulsando os demônios, excomungando os hereges, detendo os perversos e protegendo os imperfeitos. O que é o valado? É a guarda dos anjos, a defesa dos pastores, a sã doutrina dos pregadores. Como está o valado? Está destruído. Quem o destruiu? Tu, Senhor, tomaste os pregadores, levaste os pastores para o céu, afastaste os anjos. Por que exterminaste os valados? Não seria para que a vinha enchesse a medida das suas iniquidades e completasse a medida da sua maldade, até que, por fim, fosse castigada e renovada? Mas o que estava faltando para ela?

Que pecado não se achou nela? Vê, Senhor, que a sua maldade está cheia. Agora estão colhendo uvas, até mesmo os que se desviam do caminho. Não são os verdadeiros cultivadores da vinha, nem os verdadeiros lavradores que estão colhendo as uvas. Não são todos os bons, nem alguns bons, nem em parte bons e em parte maus, nem mesmo um bom, mas todos os que passam pelo caminho arrancam uvas dela. Todos os que não guardam os teus preceitos, não conhecem os teus caminhos, os pecadores descarados e de má fama, são estes os homens escolhidos para ministrar no altar. São estes os que recebem prebendas. São estes os que colhem uvas para eles mesmos e não para ti. Não consideram os pobres. Não alimentam os famintos. Não vestem os nus. Não ajudam os estrangeiros. Não defendem as viúvas e os órfãos. Comem os cordeiros do rebanho e os bezerros engordados do meio do rebanho. Cantam ao som de saltério e órgão, como Davi. Pensam que têm os instrumentos musicais, organizados em coros, louvam a Deus com os lábios, mas no coração estão longe dEle. Bebem vinho em taças, perfumado com os mais ricos buquês. Não sentem absolutamente nada da aflição de José. São sem piedade para com os pobres e necessitados. São estes homens que saem do teu caminho para colher as uvas da tua vinha. Mas o que direi, Senhor? Pois mesmo todos os que se desviam do teu caminho colhem a tua vindima? Andando no teu caminho e vendo o valado da vinha destruído, eles saem do teu caminho. Não andam em curso reto, mas, abandonando o teu caminho, viram os pés para a tua vinha a fim de arrancar, colher os frutos, não os frutos espirituais, mas os temporais. O que dizes? É o que digo, Senhor.

Os ricos deste mundo andando no caminho dos seus pecados, buscando pela tua vontade e contra a tua vontade as riquezas, honras, cargos e prazeres deste mundo, desviam-se do teu caminho. Deixam de buscar as riquezas deste mundo. Não querem mais as honras mundanas. Estão voltados para a tua vinha, para os cargos e riquezas eclesiásticos. O valado que repelia os indignos está destruído. Agora, até os que saem do teu caminho entram para colher uvas. Qual é acusação? Esta: Hoje no teatro, amanhã na cadeira do bispo. Hoje na alfândega, amanhã um cônego no coral. Hoje soldado, amanhã sacerdote. Transgrediram o teu caminho e viraram para a tua vinha. Na verdade, não viraram para a tua vinha para a cultivarem para ti, mas para colherem uvas para eles. — *Girolamo Savonarola*

v. 13: "O javali da selva a devasta". O próprio javali que a devastou é um animal selvagem singular. Singular, porque é orgulhoso. Pois assim diz todo orgulhoso: Sou eu, sou eu e não outro. — *Agostinho*

v. 13: "O javali da selva a devasta". Não há ilustração de inimigo destrutivo mais apropriadamente usado. Lemos das raposinhas que fazem estragos nas vinhas, mas o javali selvagem é inimigo muito mais destrutivo. Abre caminho pelas sebes, arranca as vinhas pelas raízes, as dilacera e as pisa. Um único bando destes animais, às vezes, destrói um vinhedo inteiro em uma noite só. Podemos bem imaginar o dano que seria feito a um vinhedo até mesmo por porcos domésticos, mas o javali selvagem é infinitamente mais destrutivo. É de tamanho muito grande, assemelhando-se mais a um burro do que a um javali. É rápido e ativo além da imaginação. O javali selvagem é de difícil reconhecimento em virtude da relação extremamente próxima com as espécies domésticas. Corre com tamanha velocidade, que um cavalo de raça tem certa dificuldade em alcançá-lo, ao passo que um corcel medíocre seria irremediavelmente deixado para trás. Mesmo em terreno plano, o caçador tem dificuldade em apanhá-lo. Se puder ir para terreno acidentado ou montanhoso, não há cavalo que o acompanhe. O javali selvagem pode saltar a distância considerável, e virar e voltar mesmo em plena velocidade e com agilidade que o torna inimigo singularmente perigoso. De fato, os habitantes de regiões onde vivem os javalis selvagens os temem tanto quanto os leões. Os golpes dos dentes afiados como navalhas são feitos com a velocidade do raio e são suficientes para rasgar um cavalo e cortar um cachorro quase pela metade. — *J. G. Wood, Bible Animals, 1869*

v. 13: "O javali".

Em vingança do sacrifício negligenciado
Nos campos de Eneias ela enviou um javali monstruoso
Que destruiu as colheitas e estraçalhou florestas inteiras
— *Homero, Ilíada* (Papa)

v. 13: "selva", ou, antes, pântano, ou seja, uma pequena região pantanosa e úmida, onde vicejam árvores e plantas, e da qual os animais selvagens gostam. Assim são as cercanias do rio Jordão, conforme descritas por Maundrell: "Depois de termos descido a margem externa, andamos uns 200 metros em uma praia plana, antes de chegarmos à margem imediata do rio. A segunda margem é tão infestada de arbustos e árvores, como tamargueiras, salgueiros, oleandros e outras vegetações semelhantes, que não vemos água até que abrirmos caminho até ela. Nestas moitas, antigamente (e o mesmo ocorre até hoje) costumavam abrigar-se várias espécies de animais selvagens". [...] Nesses lugares, de acordo com o mesmo autor, vivem muitos javalis selvagens. O bispo Pococke observou bandos muito grandes de javalis particularmente do outro lado do Jordão, onde desponta do mar de Tiberíades, e vários javalis espalhados no mesmo lado em que ele estava, deitados entre os juncos pelo mar. — *Richard Mant*

v. 13: De acordo com o Talmude, a letra do meio da palavra hebraica traduzida por "selva" neste versículo, é a letra do meio do Saltério hebraico. — *Daniel Cresswell*

v. 14: "atende dos céus, e vê". Esta é oração adequada para os verdadeiramente arrependidos e os que estão voltando de coração. Caso contrário, com que consciência suplicaríamos que Deus olhasse dos céus e visse (cf. ARA) os nossos assuntos? Não acenderíamos a sua ira ainda mais, se além de vivermos em pecado, ousássemos desafiar os olhos santíssimos de Deus para ver dos céus a nossa maldade? — *Wolfgang Musculus*

v. 14: "atende dos céus". Afastaste-te de nós e ascendeste aos céus. Apartaste-te de nós, pelo menos olha para nós dos céus, se não estás disposto a desceres para a terra, se os nossos pecados não o merecem. — *Girolamo Savonarola*

v. 14: "visita esta vinha". Ainda tem raízes, alguns ramos ainda vivem. No princípio do mundo, a vinha começou, nunca falhou e nunca falhará. Foste tu que disseste: "Eis que eu estou convosco todos os dias, até à consumação dos séculos" (Mt 28.20). Pode diminuir, mas jamais falha totalmente. Esta vinha é a que tu plantaste. Há um só Espírito, uma só fé, um só batismo, um só Deus e Senhor de todos, o qual é sobre todos e em todos (cf. Ef 4.4-6). Visita, então, esta vinha, pois a tua presença resguarda o espírito dela. Visita pela tua graça, pela tua presença, pelo teu Espírito Santo. Visita com a tua vara e com o teu cajado, pois a tua vara e o teu cajado a consolam (cf. Sl 23.4). Visita com o teu açoite para que ela seja punida e purificada, pois o tempo da poda chegou. Tira as pedras, recolha os galhos secos e amarra-os em pacotes para serem queimados. Levanta-a, corta os ramos supérfluos, firma-lhe os apoios, aduba a terra, construa o valado em torno dela e visita esta vinha, como agora tu visitas a terra e a regas. — *Girolamo Savonarola*

v. 17: "Seja a tua mão sobre o varão da tua destra, sobre o filho do homem, que fortificaste para ti". Nem a igreja, nem qualquer um dos seus membros precisa de outra segurança para ser estável e perpétuo, senão Cristo. Agora, quando a vinha está queimada e a igreja visível deformada, os remanescentes contentam-se em ficar satisfeito com a situação, a qual também aceitam como natural e a endossam: "Seja a tua mão sobre o varão da tua destra, sobre o filho do homem, que fortificaste para ti". A consanguinidade de Cristo com os crentes e a sua humilhação na natureza humana são suportes para a fé e ternos consolos para o povo que busca a salvação por Ele. Por isso, os crentes se firmam nestes fatos: Como Jesus é Filho de Deus, assim também é um ramo da vinha. Como Jesus está à destra do Pai como Deus, assim também é o varão da sua destra, o Filho do Homem ou de Adão, participante da carne e do sangue conosco, da mesma linhagem que nós, em todas as coisas semelhante a nós, menos o pecado.

O Filho do Homem é o nome pelo qual Cristo se nomeou na humilhação. A perpetuidade da igreja e a perseverança dos santos estão fundamentados na suficiência de Cristo. Os crentes sinceros podem ter certeza absoluta da continuação da igreja e da perseverança e comunhão constante que eles têm com Deus por meio de Cristo: "Seja a tua mão sobre o varão da tua destra, sobre o filho do homem, que fortificaste para ti. Deste modo, não nos iremos de após ti". (vv. 17,18) — *David Dickson*

v. 17: "o varão da tua destra... o filho do homem". Estas expressões notáveis aplicam-se no sentido pleno e perfeito a Cristo. Se a destra do Homem de Deus for o homem citado, a quem pode aplicar-se o título senão a Ele? Pois "a qual dos anjos disse jamais: Assenta-te à minha destra"? (Hb 1.13). Muito menos disse Ele acerca de qualquer rei judeu. Quanto ao outro título, "Filho do Homem", é um dos nomes de Cristo mais bem definidos, sendo-lhe dado na Bíblia não menos que setenta e uma vezes: sessenta e sete vezes por Ele mesmo, uma vez por Daniel, uma vez pelo mártir Estêvão e duas vezes pelo apóstolo João em Apocalipse. Jesus é também a quem o Pai fortaleceu para a salvação da igreja, e que ainda virará o cativeiro do povo eleito e o restabelecerá a um lugar na igreja, de forma que daqui em diante eles não irão de após de Deus (v. 18). — *Notes to Calvin, in loc.*

v. 17: "o varão da tua destra". O homem da mão direita é:

(1) Mais querido. É o homem a quem a pessoa estima tanto quanto a própria mão direita (Mt 5.29,30). Jacó chamou o filho de Raquel, a esposa mais amada, de Benjamim, que significa filho da sua mão direita (Gn 35.18), que lhe era tão querido que a sua vida estava ligada à vida do rapaz (Gn 44.30).

(2) Mais honrado. O homem a quem a pessoa deseja dar a mais alta honra é colocado à mão direita, como Salomão colocou a sua mãe (1 Rs 2.19) e como o cônjuge que fica à mão direita (Sl 45.9). Segundo a Bíblia, estar assentado à mão direita é prova da maior honra.

(3) Aliado. Os concertos e acordos são ratificados dando a mão direita. Disse Jeú a Jonadabe: "Reto é o teu coração?" Respondeu Jonadabe: "É". Então disse Jeú: "Se é, dá-me a mão". E deu-lhe a mão (2 Rs 10.15). A mão direita era dada, como em Gálatas 2.9. Portanto, o homem da destra de Deus é o mais querido para Deus, o mais honrado e aliado com Ele em concerto. — *James Alting, 1618-1679*

v. 17: Embora a frase "varão da tua destra" tenha referência imediata ao rei que reinou em Judá quando este salmo foi escrito, no final das contas tem de referir-se corretamente a Jesus Cristo, o grande antítipo de todos os reis da linhagem de Davi. O Novo Testamento é o melhor intérprete do Antigo, e nos assegura que este homem altamente dignificado é o Filho de Deus (Hb 1.1,3,13). Mas se desejarmos entender a genuína significação da frase, temos de prestar atenção ao costume que havia na Judeia e em outros países orientais. Às refeições, o mestre do banquete colocava a pessoa a quem ele amava à direita como símbolo de amor e respeito. Tendo em vista que eles se assentavam em divãs, nos intervalos entre os pratos, quando o dono se apoiava no cotovelo esquerdo, o homem à direita, também apoiando-se no cotovelo esquerdo, recostaria a cabeça naturalmente no peito do mestre, enquanto, ao mesmo tempo, o mestre punha a mão direita no ombro ou lado do favorito, em testemunho da sua consideração favorável. Este costume está obviamente em vista em Jo 21.20, onde João é chamado "aquele discípulo a quem Jesus amava, e que na ceia se recostara também sobre o seu peito".

Agora, levando em conta que Cristo é chamado *o homem da destra de Deus*, isso fala que Ele é objeto da sua mais calorosa e honrável consideração. É nEle que Deus se compraz, e em prova disto, colocou-o no lugar de maior honra. Ele é o Filho do Homem, a quem o Pai o fortificou para si mesmo, ou seja, para sustentar a honra e dignidade do caráter divino no meio de uma geração corrompida e perversa. A consideração de a mão direita do Pai estar sobre Ele, ou de a satisfação do Pai estar nEle como nosso Fiador serve para animar e motivar a nossa ida ao seu trono. É o estímulo mais forte para pormos em prática esta decisão: "Deste modo, não nos iremos de após ti" (v. 18). — *Alexander Pirie*

v. 18: "Deste modo, não nos iremos de após ti; guarda-nos em vida, e invocaremos o teu nome". Como devemos entender a conexão entre estas palavras e as precedentes? De dois modos.

(1) Como que a obrigá-los a prestar obediência firme. Ficariam sob o compromisso especial de jamais se revoltarem outra vez. Se Deus lhes concedesse este pedido, teriam obrigação e vínculo mais fortes para servirem de maneira mais constante e fiel.

(2) Como que a capacitá-los a prestar tal obediência. Este é, em minha opinião, o objetivo principal. Se Deus lhes desse tal ajuda em Cristo, eles receberiam poder para desempenharem os deveres a Ele melhor do que nunca. Embora fossem muito fracos, vacilantes, falsos e traiçoeiros este seria um remédio eficaz. — *Timothy Cruso*

v. 19: "Faze-nos voltar, Senhor, Deus dos Exércitos; faze resplandecer o teu rosto, e seremos salvos". Quando o nosso rosto está na direção errada, como é bom olharmos para Deus para que Ele nos faça voltar e, assim, o resplendor do seu rosto vem sobre nós, trazendo bênçãos e livramentos para o seu povo. — *J. N. Darby*

v. 19: "Faze-nos voltar, Senhor, Deus dos Exércitos; faze resplandecer o teu rosto, e seremos salvos". Durante a angústia, Deus vem, e quando vem, não é mais angústia. — *Provérbio galês*

SUGESTÕES AOS PREGADORES

v. 1. Em que aspecto o Senhor agiu como pastor de Israel, como ilustração dos seus procedimentos para com a igreja.

v. 2. A salvação esperada com relação ao povo de Deus: (1) As orações. (2) As obras. (3) O culto diário.

v. 3. A obra na salvação desdobrada em duas partes: (1) Faze-nos voltar. (2) Volta-te para nós.

v. 4. Quais são as orações que fazem Deus indignar-se.

v. 5. Alimentos sem sabor: (1) Analise o fornecimento. (2) Note as mãos que o enviam. (3) Considere a saúde da dieta. (4) Lembre-se dos acompanhamentos aliviantes.

v. 7. (1) A conversão ligada à salvação. (2) A comunhão relacionada à salvação. (3) A confiança possuidora da salvação.

vv. 8 a 15. Paralelo entre a igreja e a vinha.

v. 12. (1) Os valados (ou "cercas", ARA) da igreja. (2) A remoção. (3) As consequências deploráveis.

v. 13. (1) Quais são os maiores inimigos da igreja? (2) De onde vêm os inimigos da igreja? (3) Como derrotamos os inimigos da igreja?

vv. 17, 18. (1) O poder de Deus visto em Jesus. (2) A causa da perseverança dos santos.

v. 18. "Guarda-nos em vida, e invocaremos o teu nome". A necessidade da vivificação para que haja culto aceitável.

SALMO 81

TÍTULO

Salmo de Asafe. Este poeta destaca novamente a história do seu país. O seu forte era repassar o passado em salmodia repreensiva. Ele é o poeta da história e da política de Israel. Um verdadeiramente cantor nacional, ao mesmo tempo piedoso e patriótico.

Para o cantor-mor, sobre Gitite. Pouco se sabe sobre o significado deste título. Nesta obra, nos comentários iniciais ao Salmo 8, já demos a melhor explicação que temos conhecimento sobre a questão. Se o propósito era apresentar um cântico da vindima, expressa muito bem a devoção do povo para quem foi escrito. Desconfiamos que em poucos lugares, mesmo em países cristãos, considera-se apropriado entoar hinos santos relacionados à prensa de lagar. Quando os sininhos dos cavalos são santidade ao Senhor, então o suco de uva jorra ao acompanhamento do cântico sacro.

DIVISÃO

O louvor é convocado para celebrar algum dia memorável, talvez a páscoa. Por isso, há uma narração do livramento dado aos israelitas quando saíram do Egito (vv. 1-7). Depois, o Senhor repreende suavemente o seu povo pela ingratidão demonstrada, e descreve o estado feliz em que o povo estaria, caso tivesse sido obediente aos mandamentos divinos (vv. 8-16).

EXPOSIÇÃO

1 *Cantai alegremente a Deus, nossa fortaleza; celebrai o Deus de Jacó.*

2 *Tomai o saltério e trazei o adufe, a harpa suave e o alaúde.*

3 *Tocai a trombeta na Festa da Lua Nova, no tempo marcado para a nossa solenidade.*

4 *Porque isto é um estatuto para Israel, e uma ordenança do Deus de Jacó.*

5 *Ordenou-o em José por testemunho, quando saíra contra a terra do Egito, onde ouvi uma língua que não entendia.*

6 *Tirei de seus ombros a carga; as suas mãos ficaram livres dos cestos.*
7 *Clamaste na angústia, e te livrei; respondi-te do lugar oculto dos trovões; provei-te nas águas de Meribá. (Selá)*

1. *"Cantai."* com afinação e no compasso, de forma que o louvor público seja harmonioso. Cantai com notas alegres e sons melodiosos.

"Alegremente", pois o mais puro louvor é devido ao nosso bom Senhor. Os seus atos de amor para conosco falam muito mais alto que as nossas palavras de gratidão. Não há tédio que entorpeça a nossa salmodia, ou indiferença que a faça claudicar. Cantemos em voz alta de júbilo, pois somos devedores da graça soberana e o nosso coração está profundamente grato. Expressemos pela voz a nossa gratidão.

"A Deus, nossa fortaleza." O Senhor foi a força do seu povo para livrá-los do Egito com alta mão, e também para sustentá-los no deserto, estabelecê-los em Canaã, guardá-los dos inimigos e dar-lhes vitória. A quem os homens honram, senão aqueles em quem confiam? Então, cantemos em voz alta de alegria ao nosso Deus, que é a nossa fortaleza e o nosso cântico.

"Celebrai o Deus de Jacó." O Deus da nação, o Deus do seu pai Jacó, foi exaltado em música alegre pelo povo israelita. Não haja cristão que fique calado, ou seja, preguiçoso em louvar, pois este Deus é o nosso Deus. É lamentável que a técnica perfeita das canções atuais amedronte a congregação de unir-se vigorosamente nos hinos. Da nossa parte, gostamos de manifestações repentinas de louvor total, e preferimos ouvir a rudeza da falta de ensaio musical que perder a amabilidade do cântico congregacional universal. O requinte que ceceia a melodia em sussurros bem educados, ou deixa o cântico completamente para o coral, é mais semelhante a zombaria de adoração. Os deuses da Grécia e de Roma podem ser muito bem adorados com música clássica, mas Jeová só pode ser adorado com o coração. Esta é a melhor música para cultuá-lo, a qual dá ao coração mais alegria.

2. *"Tomai o saltério."* Escolha um hino sacro e entoe-o com voz de júbilo.

"E trazei o adufe." Batam os pandeiros, donzelas, e que o som seja alto e inspirativo. "Toquem as trombetas, batam os tambores", fala o hino. Não devemos servir a Deus com miséria, mas com música festiva. Toquemos o adufe bem alto, como outrora o tocavam os que passavam pelo "escuro mar do Egito", como diz certo poeta.

"A harpa suave e o alaúde." O adufe, para que tenha bom som, tem de ser acompanhado pela harpa, para que seja agradável, e esta tem de ser acompanhada por outros instrumentos de corda, para que haja variedade. Seja todo compasso musical plenamente santidade ao Senhor.

3. *"Tocai a trombeta na Festa da Lua Nova."* Anuncie o mês sagrado, o começo dos meses, quando o Senhor tirou o seu povo da casa da escravidão. Clara e estridente seja a convocação que chama todo o Israel a adorar ao Senhor Redentor.

"No tempo marcado para a nossa solenidade." É a obediência que tem de dirigir a nossa adoração, e não o capricho e o sentimento. A designação de Deus dá solenidade aos ritos e dias que nenhuma pompa cerimonial ou ordenação hierárquica consegue conferir. Os judeus não só observavam o mês ordenado, mas também a parte do mês que fora divinamente separada. Nos tempos antigos, o povo do Senhor dava as boas-vindas aos tempos designados para a adoração. Sintamos a mesma exultação e sempre falemos do sábado como algo "que dá prazer" e "merece respeito". Aqueles que citam esta passagem como autoridade para as festas e jejuns estipulados por homens devem ser lunáticos. Guardaremos as festas que o Senhor determina, mas não as que Roma ou Canterbury ordenam.

4. *"Porque isto é um estatuto para Israel, e uma ordenança do Deus de Jacó."* Era um preceito que obrigava todas as tribos a reservar dias santos para celebrar a misericórdia do Senhor. Era algo verdadeiramente devido ao Senhor, que tinha o direito e reivindicação a tal homenagem especial. Quando puder ser comprovada que a observância do Natal, Semana do Pentecostes e outras festas foi instituída por estatuto divino, também os observaremos, mas não até então. É tanto nosso

dever rejeitar as tradições dos homens, quanto observar as ordenanças do Senhor. Perguntamos acerca de todo rito e tradição estabelecida: "É uma ordenança do Deus de Jacó?" Caso não esteja devidamente evidente, não exerce nenhuma autoridade sobre nós que andamos segundo a liberdade cristã.

5. *"Ordenou-o em José por testemunho."* A nação é chamada de José, porque no Egito ela seria mais bem conhecida e falada como a família de José. De fato, José era o pai adotivo do povo. A Páscoa, provavelmente em referência aqui, tinha de ser um memorial permanente da redenção dos israelitas quando saíram do Egito. Tudo relacionado a respeito visava testificar a todas as épocas e todos os povos a glória do Senhor na libertação da nação escolhida.

"Quando saíra contra a terra do Egito." As tribos, na marcha do Êxodo, atravessaram grande parte do território egípcio, e em todo lugar a festa que eles fizeram durante a noite da visitação do Egito foi um testemunho do Senhor, que na mortandade da meia-noite também percorrera toda a terra do Egito. Os israelitas outrora aflitos marcharam pela terra da escravidão como vencedores que pisoteiam os mortos.

"Onde ouvi uma língua que não entendia." É óbvio que a conexão requer que aceitemos estas palavras como ditas pelo Senhor. Seria grande violência à língua, se o eu, neste versículo, se referisse a uma pessoa e o eu, no versículo seguinte, a outra. Mas como se imaginaria que o Senhor falaria uma língua que Ele não entendesse, visto que Deus sabe todas as coisas e nenhuma forma de linguagem lhe é incompreensível? A explicação é que o Senhor está falando como o Deus de Israel, identificando-se com a nação escolhida e chamando a língua egípcia de língua desconhecida para Ele como era desconhecida para os israelitas. Deus nunca fora adorado por salmo ou oração na língua egípcia. A língua hebraica era a língua usada na sua casa sagrada, onde os egípcios eram estranhos e estrangeiros. A rigor, e não somente em figura, a verdade é que o Senhor pode falar assim, visto que Ele desaprovava os costumes ímpios e os ritos idólatras dos egípcios. Sobre os ímpios, Jesus dirá: "Nunca vos conheci" (Mt 7.23). Neste mesmo sentido devemos entender esta expressão no salmo, que pode ser mais corretamente traduzida por: "Uma fala que não conheci estou ouvindo". Estava entre as aflições de Israel que os oficiais falassem uma língua desconhecida, sendo assim continuamente lembrados que eram estrangeiros em uma terra estrangeira. O Senhor teve piedade deles e os emancipou. Por conseguinte, era-lhes o dever sagrado manter inviolado o memorial da bondade divina. Não é pequena misericórdia ser tirado de um mundo incrédulo e ser separado para o Senhor.

6. *"Tirei de seus ombros a carga."* Israel era o burro de carga e escravo do Egito, mas Deus lhe deu liberdade. Foi apenas por Deus que a nação foi liberta. Outros povos devem a liberdade aos próprios esforços e coragem, mas Israel recebeu a Carta Magna como presente do poder divino. Verdadeiramente o Senhor pode dizer a cada um dos homens e das mulheres que libertou: "Tirei de seus ombros a carga".

"As suas mãos ficaram livres dos cestos." Israel já não era forçado a carregar terra, modelá-la e assá-la. As cestas para carregar terra já não eram impostas sobre o povo, nem a contagem dos tijolos lhe era cobrada, porque saiu para o campo aberto onde ninguém lhe poderia exigir nada. Como todas estas coisas tipificam a libertação do crente da escravidão legal, quando, pela fé, o fardo do pecado desliza para o sepulcro do Salvador e os labores servis do farisaísmo chegam a um fim para sempre.

7. *"Clamaste na angústia, e te livrei."* Deus ouviu o clamor do seu povo no Egito e junto ao mar Vermelho. Este fato deveria ter unido o povo a Ele. Considerando que Deus não nos abandona na necessidade, nunca devemos abandoná-lo. Quando o coração vagueia longe de Deus, as orações respondidas nos fazem "corar de vergonha".

"Respondi-te do lugar oculto dos trovões." Da nuvem, o Senhor enviou tempestade sobre os inimigos dos escolhidos. A nuvem era o pavilhão secreto, no qual Ele pendurava as armas de guerra, os dardos de raio, as trombetas do trovão. Partindo desse pavilhão, Deus veio e derrotou o inimigo para que os eleitos tivessem segurança.

"Provei-te nas águas de Meribá." Provaram o Senhor e constataram que Ele é fiel, e Deus, por sua vez, os provou. Tudo que é precioso tem de ser provado. Por isso, a lealdade de Israel ao Rei foi posta à prova, e, lamentavelmente, achada em falta. O Deus que, um dia, era adorado pela sua bondade, no seguinte, era insultado, quando o povo por um momento sentia as dores ardentes da fome e sede. A história de Israel é a nossa história, só que em outro formato. Deus nos ouve, nos livra, nos liberta e, com excessiva frequência, a nossa incredulidade responde desgraçadamente com desconfiança, murmuração e rebelião. Grande é o nosso pecado. Grande é a misericórdia do nosso Deus. Paremos um pouco para refletir nesses dois aspectos.

"Selá". A leitura apressada é de pouco benefício. Sentar-se em um lugar para meditar é de muito proveito.

8 *Ouve-me, povo meu, e eu te admoestarei. Ah! Israel, se me ouvisses!*
9 *Não haverá entre ti deus alheio, nem te prostrarás ante um deus estranho.*
10 *Eu sou o Senhor, teu Deus, que te tirei da terra do Egito; abre bem a tua boca, e ta encherei.*
11 *Mas o meu povo não quis ouvir a minha voz, e Israel não me quis.*
12 *Pelo que eu os entreguei aos desejos do seu coração, e andaram segundo os seus próprios conselhos.*
13 *Ah! Se o meu povo me tivesse ouvido! Se Israel andasse nos meus caminhos!*
14 *Em breve eu abateria os seus inimigos e voltaria a minha mão contra os seus adversários.*
15 *Os que aborrecem ao Senhor ter-se-lhe-iam sujeitado, e o tempo dele seria eterno.*
16 *E eu o sustentaria com o trigo mais fino e o saciaria com o mel saído da rocha.*

8. *"Ouve-me, povo meu, e eu te admoestarei."* Como? O povo era tão insensível que era surdo ao seu Deus? É o que parece, porque Ele pede seriamente que o ouçam. Não somos também, às vezes, exatamente assim indiferentes e insensíveis?

"Ah! Israel, se me ouvisses!" Há muita coisa nesse "se". Até que ponto caem os que não ouvem o próprio Deus! A víbora surda não é mais rastejante. Não gostamos de ser censurados. Preferimos evitar verdades severas e lancinantes. Mesmo que seja o próprio Senhor que nos repreenda, fugimos das suas gentis reprovações.

9. *"Não haverá entre ti deus alheio."* Nenhum deus estrangeiro será tolerado nas tendas de Israel.

"Nem te prostrarás ante um deus estranho." Onde os falsos deuses estão indubitavelmente haverá culto a eles. O homem é tão desesperadamente idólatra, que imagens sempre lhe são altamente tentadoras. Enquanto houver ninhos, os pássaros sempre serão ávidos em voltar. Nenhum outro deus fizera qualquer coisa para os judeus. Portanto, não tinham razão para prestar homenagens a ninguém mais. O mesmo argumento aplica-se a nós. Devemos tudo a Deus e Pai de nosso Senhor Jesus Cristo. O mundo, a carne, o Diabo não nos serviram de nada. São alheios, estranhos, estrangeiros, inimigos. Não devemos nos curvar diante deles. "Filhinhos, guardai-vos dos ídolos", é a recomendação do nosso Senhor para nós (1 Jo 5.21). Nós, pelo poder do seu Espírito, expulsamos todo falso deus do nosso coração.

10. *"Eu sou o Senhor, teu Deus, que te tirei da terra do Egito."* Era assim que Jeová normalmente se apresentava ao povo. A saída dos filhos de Israel do Egito, que foi o grande livramento efetuado pelo Senhor, era a base para Ele reivindicar a lealdade do povo. Se havia um povo que estava moralmente preso ao seu Deus, certamente era Israel, que estava mil vezes preso a Jeová pelas maravilhosas obras feitas a favor deles com relação ao Êxodo.

"Abre bem a tua boca, e ta encherei." Porque os tirara do Egito, Deus poderia fazer grandes coisas por eles. Provara o seu poder e boa vontade. Só restava ao povo crer e pedir. Se as expectativas aumentaram ao mais alto grau, não podiam ser maiores que a generosidade do Senhor. Os passarinhos no ninho escancaram a boca e a

deixam bem aberta, mas nem sempre os pais a enchem. Contudo, jamais é assim com o nosso Deus. Os tesouros da graça são inesgotáveis, como diz um antigo hino:

Profundos como são as nossas desgraças
E ilimitados como são os nossos pecados

O Senhor começou com a nação escolhida em grande escala, fazendo maravilhas para com ela e oferecendo-lhe vantajosos benefícios pela fé e amor, se tão-somente ela permanecesse fiel a Ele. Foi, de fato, triste o resultado desta grande experiência.

11. *"Mas o meu povo não quis ouvir a minha voz."* As advertências foram rejeitadas, as promessas esquecidas, os preceitos desconsiderados. Embora a voz divina propusesse só o que era bom e em inigualável escala de liberalidade, eles se desviaram.

"E Israel não me quis." Rejeitaram as propostas, andaram em direta oposição aos mandamentos divinos e seguiram após o deus-boi do Egito. O coração estava enfeitiçado pelos ídolos das nações vizinhas. O mesmo espírito de apostasia está no coração de cada um de nós. Se ainda não nos apartamos do Senhor, é só porque a graça nos impediu.

12. *"Pelo que eu os entreguei aos desejos do seu coração."* Não há punição mais justa ou mais severa que esta. Se os homens não se controlarem, mas insensatamente saírem em disparada e recusarem obedecer, quem se importará se as rédeas estão no pescoço e se foram soltos para executar a própria destruição? Melhor seria sermos lançados aos leões que sermos entregues às concupiscências do nosso coração.

"E andaram segundo os seus próprios conselhos." Não havia dúvida acerca do curso que tomariam, pois o homem no todo é teimoso e gosta de seguir o próprio caminho – caminho que sempre está em oposição direta ao de Deus. Os homens abandonam a graça restritiva e pecam deliberadamente. Consultam, debatem, consideram e acabam elegendo, em vez do bem, o mal, premeditando com intenção criminosa e a sangue frio. Trata-se de extraordinário endurecimento proveniente da rebeldia, quando os homens não só correm para o pecado por pura paixão, mas também calmamente andam "segundo os seus próprios conselhos" dados pela iniquidade.

13. *"Ah! Se o meu povo me tivesse ouvido! Se Israel andasse nos meus caminhos!"* O condescendente amor de Deus se expressa em dolorosos pesares pelo pecado e castigo de Israel. Tais foram os lamentos de Jesus sobre Jerusalém. Certos doutrineiros têm dificuldades com passagens como estas, e põem-se a racionalizá-las. Contudo, para os homens em sintonia com a natureza divina, as palavras e as emoções são bastante claras. Um Deus de misericórdia não pode ver os homens amontoando problemas para si mesmos por intermédio dos pecados, sem sentir a compaixão a favor deles.

14. *"Em breve eu abateria os seus inimigos."* Como fez no Egito quando derrotou faraó, assim ele teria confundido todo inimigo.

"E voltaria a minha mão contra os seus adversários." Bateria neles uma vez com a palma da mão e, imediatamente em seguida, aplicaria neles um tapa com as costas da mão. Veja o que perdemos com o pecado. Os nossos inimigos encontram as mais poderosas armas contra nós no arsenal das nossas transgressões. Nunca poderiam nos abater se não nos abatêssemos primeiro. O pecado tira do homem a armadura e o deixa exposto ao inimigo. Há muito que as nossas dúvidas e medos já teriam sido exterminados, se tivéssemos sido mais fiéis ao nosso Deus. Dez mil males que nos afligem agora já teriam sido expulsos para bem longe de nós, caso tivéssemos tido mais zelo da santidade em nosso andar e relações. Temos de levar em conta não só o que o pecado tira das nossas bênçãos, mas o que impede que ganhemos. A reflexão logo mostrará que o pecado sempre custa caro. Se nos afastarmos de Deus, as nossas corrupções interiores com certeza farão uma rebelião. Satanás nos atacará, o mundo nos incomodará, as dúvidas nos perturbarão, e tudo por culpa nossa. Quando Salomão deixou Deus, os inimigos começaram a levantar-se contra

ele. O mesmo sucederá conosco. Mas se os nossos caminhos forem agradáveis ao Senhor, Ele fará com que até os nossos inimigos estejam em paz conosco.

15. *"Os que aborrecem ao Senhor ter-se-lhe-iam sujeitado."* Ainda que a submissão tivesse sido falsa e lisonjeira, os inimigos de Israel teriam sido tão humilhados que se apressariam em fazer um acordo com as tribos favorecidas. Os nossos inimigos são envergonhados e acovardados quando nós, com decisão, andamos diligentemente com o Senhor. Cabe ao poderoso Deus manter sob controle o mais feroz. É o que Ele fará se tivermos um medo filial e um temor santo por Ele.

"E o tempo dele seria eterno." O povo teria sido firmemente estabelecido e a prosperidade teria sido estável. Nada confirma um estado ou uma igreja como a santidade. Se somos firmes na obediência, seremos firmes na felicidade. A justiça fortifica, o pecado arruína.

16. *"E eu o sustentaria com o trigo mais fino."* A fome teria sido uma palavra desconhecida para os israelitas. Teriam sido alimentados com o melhor dos melhores alimentos e, como dieta diária, o teriam com abundância.

"E o saciaria com o mel saído da rocha". Os luxos como também as coisas necessárias seriam disponibilizadas por Ele. As próprias rochas da terra renderiam suprimentos abundantes e agradáveis. As abelhas armazenariam o delicioso mel nas fendas das pedras. Tudo isso tornaria benéfica a região mais estéril da terra. O Senhor pode fazer grandes coisas para um povo obediente. Quando o seu povo anda na luz do seu rosto e mantém a santidade imaculada, a alegria e consolação que Deus oferece são inimagináveis. Para o povo, as alegrias do céu começam na terra. Podem cantar nos caminhos do Senhor. A primavera do verão eterno começou para eles. Já são abençoados e buscam coisas mais elevadas. Por contraste, isso nos mostra como é triste para o filho de Deus vender-se ao cativeiro para pecar e levar a alma a um estado de fome, seguindo após outro deus.

Ó Senhor, une-nos para sempre a ti somente e mantém-nos fiéis até o fim.

NOTAS EXPLICATIVAS E DECLARAÇÕES IMPORTANTES

O Título: É interessante que o Salmo 80 trate da igreja de Deus sob a figura da vinha, e este seja intitulado "sobre Gitite", que significa, literalmente, "sobre o lugar para o pisoteio de uvas de vinho". É incerto se a expressão visa referir- -se a um instrumento musical ou a certa orientação quanto à melodia. Quando o nosso Salvador adotou a figura da vinha para representar a igreja, fala que nela foi cavado um valado (Mt 21.33). Em algum sentido, a ideia diz respeito ao resultado final no que tange à salvação das almas, visto que a mesma figura de um "lagar de vinho" é usada em Apocalipse 19.15 para aludir à destruição final dos ímpios. — *W. Wilson*

v. 2: "O adufe". No original hebraico, a palavra é *tōp*, "tamborete pequeno", "tamboril", "pandeiro", que foi traduzida pela Septuaginta por τύμπανον, uma vez por ψαλτήριον. Era o que hoje se chama de *pandeiro*, sendo tocado com a mão. Era usado especialmente por mulheres. É mencionado muito em Salmos 81.2; 149.3; 150.4. — *Joseph Francis Thrupp*

v. 2: "O alaúde". É impossível determinar com certeza o que, significa, *alaúde.* A versão de Genebra traz a palavra "viola", e a viola antiga era um violão de seis cordas. Na versão do Livro da Oração, a palavra hebraica foi traduzida por "alaúde", cujo instrumento se assemelhava ao violão, mas era de sonoridade superior. A palavra grega *psalterion* ("saltério", ARA) denota um instrumento de cordas tocado com os dedos. Cassiodoro diz que o alaúde tinha forma triangular e era tocado com um arco. Aben Ezra considerava evidentemente que era um tipo de flauta, mas a grande maioria das autoridades o tem por um instrumento de cordas. Era de uso continuado, porque lemos que, nos tempos de Davi, era feito de madeira de faia (2 Sm 6.5), e no reinado de Salomão, de madeira de sândalo (2 Cr 9.11, ARA), sendo usado ainda nos dias de Nabucodonosor.

v. 3: "Tocai a trombeta na Festa da Lua Nova, no tempo marcado para a nossa solenidade". Os judeus dizem que este toque de trombetas era dado em comemoração ao livramento de Isaque, quando um carneiro foi sacrificado no lugar dele. Por isso, tocavam com trombetas feitas de chifres de carneiro. Também pode ser que tocavam em memória da trombeta soada quando a Lei foi dada. Embora fosse um emblema do Evangelho e do ministério pelo qual os pecadores são despertados, chamados e vivificados, e as almas são atraídas, convencidas e cheias de alegria e gozo espiritual. — *John Gill*

v. 3: "A trombeta". O som da trombeta é comumente empregado na Bíblia como imagem da voz ou palavra de Deus. A voz de Deus e o som da trombeta no monte Sinai foram ouvidos juntos (Êx 19.5,18,19), primeiramente o som da trombeta como o símbolo e depois como a realidade. João também ouviu a voz do Senhor como a de trombeta (Ap 1.10; 4.1). O som da trombeta é falado repetidamente como o precursor do Filho do Homem, quando vier em poder e grande glória, para proferir a palavra poderosíssima que despertará os mortos para a vida e fará novas todas as coisas (Mt 24.31; 1 Co 15.52; 1 Ts 4.16). O som da trombeta era símbolo da majestosa e onipotente voz ou Palavra de Deus. Mas claro que só nas coisas nas quais era empregado, a respeito do que Deus tinha a dizer aos homens. O som da trombeta também podia ser usado como voz do homem para Deus, ou pelas pessoas, umas para as outras. Neste caso, seria uma chamada em um tom de vivacidade e excitação maior que o habitual com relação à obra e serviço a Deus. Este era o desígnio mais peculiar do toque das trombetas nas festas em geral e, em particular, na Festa das Trombetas no primeiro dia do segundo mês. — *Joseph Francis Thrupp*

v. 3: "Na Festa da Lua Nova, no tempo marcado para a nossa solenidade". A Festa da Lua Nova sempre era proclamada pelo toque da trombeta. Por falta de conhecimento astronômico, os judeus tinham sérias dificuldades em saber o tempo certo da lua nova. Em geral, enviavam pessoas ao topo de algum monte ou montanha perto da época, de acordo com cálculos próprios, em que seria a lua nova. A primeira pessoa que a visse tinha de avisar o Sinédrio, cujos membros examinavam minuciosamente o informante quanto à credibilidade e se as informações concordavam com os cálculos. Se tudo fosse satisfatório, o presidente do Sinédrio proclamava a lua nova, exclamando: מקדש (*miqqōdesh!*), que significa "está consagrada". Esta palavra era repetida duas vezes em voz alta pelas pessoas, sendo, então, proclamada em todos os lugares pelo toque de chifres ou o que se chama de o som das trombetas. Os hindus têm certas festas que são anunciadas pelo som da concha ou concha sagrada. — *Adam Clarke*

v. 3: "No tempo marcado". A palavra hebraica traduzida por "o tempo marcado" significa "o período escondido" ou "o período coberto", quer dizer, o tempo em que a lua fica escondida ou coberta pela escuridão. Este dia era uma festa de alegria, que retornava todos os meses, mas o primeiro dia da sétima lua era o mais solene de todos. Era não só o primeiro dia da lua, mas do ano civil. Chamava-se a Festa das Trombetas, porque era celebrada pelo toque das trombetas do nascer ao pôr do sol, de acordo com o mandamento: "Ser-vos-á dia do sonido de trombetas" (Nm 29.1, ARA).

Esta alegria era um memorial da alegria da criação e da alegria da doação da Lei. Também pré-indicava o toque da trombeta do Evangelho, depois da escuridão, o período coberto da morte de Cristo, quando a forma da igreja mudou e o ano dos "redimidos" chegou (Is 63.4). Por fim, prefigurava o último dia, quando a trombeta de Deus soará e os mortos ressuscitarão. — *Alexander Pirie*

v. 5: "Ouvi uma língua que não entendia". A língua que Deus ouviu era a adoração religiosa dos idólatras, evidenciada pelos votos oferecidos a aves, quadrúpedes e répteis (Rm 1.23). A força e misericórdia buscadas de todo objeto da natureza – exceto de Deus mesmo – era uma língua desconhecida para Ele. — *William Hill Tucker*

v. 6: "Cestos" ou "cestos para transportar cargas" (cf. Êx 6.6,7). Rosellini fez um esboço destes cestos baseando-se em um quadro descoberto em uma tumba em

Tebas. "Quanto aos trabalhadores braçais", diz ele: "Alguns estão usando cestos para transportar o barro ou para misturá-lo com a palha. Outros estão tirando os tijolos da forma e os empilhado em cestos. Outros têm às costas um pedaço de madeira, com uma corda em cada ponta amarrada a um cesto, carregando os tijolos já cozidos ou secos. A diferença deles com os egípcios é evidente a olhos vistos. A aparência, a fisionomia e a barba não nos permitem errar em supor que são hebreus". — *Frederic Fysh*

v. 6: "Cestos". São cestos de pedreiro pendurados um em cada ponta de um jugo que era colocado aos ombros dos trabalhadores. — *William Kay*

v. 7: Responder "do lugar oculto dos trovões" diz respeito à coluna de nuvem e de fogo, a habitação da terrível majestade de Deus, de onde o Senhor deu uma olhadela irada nos egípcios, encheu-se de consternação e os derrotou. — *Hermann Venema*

v. 10: "Abre bem a tua boca, e ta encherei". Este texto ensina claramente que quanto maiores e mais valiosas as bênçãos que suplicamos da beneficência divina, mais certos estamos de que as receberemos em resposta à oração. [...] Mas ainda que os homens sejam culpados de muito raramente reconhecerem Deus em qualquer coisa, são ainda mais culpados de não buscarem dEle o bem principal. Os homens podem clamar a Deus em busca de coisas inferiores e pedir em vão. Até bons homens podem pedir bênçãos temporais e não as receber, porque as coisas que supomos ser boas, podem não ser, ou podem não ser boas para nós, ou podem não ser boas para nós no momento. Mas ninguém buscará a Deus pela melhor das bênçãos em vão. Se insistirmos, receberemos.

Enquanto o mundanismo bebe felicidade, enchendo o nome com a boca de inseto, o cristão sorve as bênçãos com a boca de anjo. Os prazeres do cristão são do mesmo tipo que o prazer do Deus infinitamente feliz. — *John Ryland*

v. 10: "Abre bem a tua boca, e ta encherei". Podemos facilmente superestimar os seres criados, mas jamais superestimaremos Deus: "abre bem a tua boca, e ta encherei". Alargue e dilate os desejos e esperanças da alma, pois Deus pode encher cada cantinho até a capacidade máxima. Traz honra a Deus, quando aumentamos a nossa esperança nEle. É a obra santificadora de Deus no nosso coração. — *Thomas Case, 1598-1682, The Morning Exercises*

v. 10: "Abre bem a tua boca". Isto dá a entender:

(1) Calor e fervor na oração. Abrir a boca é, de fato, abrir o coração, para que se envolva e aumente. [...] Podemos dizer que abrimos bem a boca quando o afeto está ativo, havendo correspondência entre o sentimento do coração e o pedido da boca, ou quando realmente oramos e não meramente parecemos que oramos. É o que está expresso de maneira forte e bela em Salmos 119.131: "Abri a boca e respirei, pois que desejei os teus mandamentos".

(2) Santa fluência e prolixidade de expressão quanto a pôr em ordem a causa perante Deus e encher a boca de argumentos. Quando o bom homem se aproxima de Deus, tem muitos assuntos a tratar, muitas reclamações a fazer e muitas bênçãos a pedir. Tendo em vista que tais ocasiões nem sempre ocorrem com frequência, ele é imensamente cuidadoso em melhorá-las. Derrama a alma inteira e não está confuso em relação às palavras, pois quando o coração está cheio, a língua transborda. Os problemas e as angústias tornam eloquentes os que são naturalmente tardios em falar.

(3) Esperança e expectativa aumentadas. Podemos ser muito irreverentes nas abordagens a Deus e também muito categóricos nas súplicas. Mas se o assunto e o modo da oração estiverem corretos, nunca deixaremos de ser excessivamente confiantes nas expectativas que depositamos nEle. Abre bem a boca, cristão. Apresente os seus desejos até ao último item, prenda o céu e a terra nos desejos ilimitados que você tiver e creia que há bastante em Deus para dar a você a plena satisfação. Não apenas vá, mas vá com ousadia ao trono da graça, que foi estabelecido para os pecadores, até mesmo para o maior de todos. Vá ao trono da

graça e espere ali até obter a misericórdia e achar a graça para ser ajudado no tempo da necessidade. O desejo dos justos, por mais que seja grande e extenso, será concedido. — *Benjamin Beddome*

v. 10: "E ta encherei". Consideremos particularmente a significação da promessa: "Abre bem a tua boca, e ta encherei", e: "pedi e recebereis" (Jo 16.24).

(1) Se abrirmos a boca em oração a Deus, Ele a encherá cada vez mais com súplicas adequadas e argumentos satisfatórios. Quando tentarmos abrir a boca, Deus a abrirá ainda mais. Foi o que Ele fez com Abraão que intercedia por Sodoma. Quanto mais orava, mais submisso e, ao mesmo tempo, mais inoportuno se tornava. Orando, aumentamos a nossa habilidade de orar e obtemos mais facilidade no dever: "Àquele que tem se dará, e terá em abundância" (Mt 13.12).

(2) Se abrirmos a boca em oração a Deus, Ele a encherá de agradecimentos profusos. Muitos dos salmos davídicos começam com oração e terminam com os mais animados louvores. Não há misericórdia que assim disponha a gratidão que a recebida em resposta à oração. De acordo com o nível de desejo, será a doçura do gozo.

(3) Se abrirmos a boca em oração a Deus, Ele a encherá com as bênçãos pelas quais oramos, se forem calculadas para promover o nosso bem real e a glória de Deus. Desejamos novas comunicações da graça, mais manifestações do amor divino, a renovada sensação da misericórdia perdoadora e a repetida aplicação do sangue de Cristo? Queremos santidade, paz e certeza? Queremos ouvir Deus, vê-lo e estar como Ele? A promessa é: "O meu Deus, segundo as suas riquezas, suprirá todas as vossas necessidades em glória, por Cristo Jesus" (Fp 4.19). Você terá o que deseja e ficará satisfeito. Será bastante e você saberá que é: "O SENHOR dará graça e glória; não negará bem algum aos que andam na retidão" (Sl 84.11). — *Benjamin Beddome*

v. 10: Dizem que na Pérsia, quando o rei deseja fazer uma honra especial a um visitante, um embaixador, por exemplo, ele pede que a pessoa abra bem a boca. O rei, então, a estufa de frutas cristalizadas até não caber mais. Às vezes, em vez de doces, enche-a de joias. Por mais esquisito que seja este costume ainda em vigor naquele país, está indubitavelmente referido em Salmos 81.10: "Abre bem a tua boca, e ta encherei", não com guloseimas ou bugigangas de joias, mas com um tesouro muito mais rico. — *John Gadsby*

v. 11: "Mas o meu povo não quis ouvir a minha voz, e Israel não me quis". Saiba pecador que se no fim você acabar não indo para o céu (que Deus o livre!), o Senhor lavará as mãos em cima da sua cabeça e limpar-se-á do seu sangue. A condenação será posta na sua porta. Ficará comprovado que não há fraude na promessa, nem sofisma no Evangelho, pois foi você mesmo que voluntariamente pôs a vida eterna para longe de você, por mais que os seus lábios mentirosos proferiram o contrário: "O meu povo não quis ouvir a minha voz". De forma que, quando o júri julgar a sua alma assassina e deliberar como você chegou a esse fim miserável, você será achado culpado da sua própria condenação. Ninguém perde Deus, a não ser quem esteja disposto a separar-se dEle. — *William Gurnall*

v. 11: "E Israel não me quis". Foi acrescentado: "e Israel não me quis", mais minuciosamente: Israel "não era levado para mim por inclinação natural". Esta é a força original da palavra אָבָה, como ainda ocorre em Jó 9.26, onde é usada para referir-se aos navios "veleiros", ou seja, que são levados para fora pelo vento e maré favorável. — *Hermann Venema*

v. 11: "e Israel não me quis", quer dizer, não ficaria contente só comigo, não "teria satisfação silenciosa em mim" (como quer dizer a palavra no original hebraico). Para eles, o Senhor não era suficientemente bom, pois os corações saíram dEle para fixar-se em outras coisas. — *Thomas Sheppard*

v. 12: "Pelo que eu os entreguei". No original hebraico, a palavra traduzida por "entreguei" denota a ideia de divórcio, por meio do qual o marido despacha a esposa volúvel e ordena-lhe que viva sozinha. Transferindo para Deus, a ideia ensina-nos nada mais que Ele retira a mão que protege e guia o seu povo, e o deixa sozinho, de forma que cessa de castigar e defender, mas, por outro lado, permite que o povo seja endurecido e pereça. — *Hermann Venema*

v. 12: "Pelo que eu os entreguei aos desejos do seu coração, e andaram segundo os seus próprios conselhos". O homem pode ser entregue a Satanás para a destruição da carne, a fim de que a alma seja salva. Mas ser entregue ao pecado é mil vezes pior, porque este é o fruto da ira divina para a condenação da alma. Aqui Deus fere como inimigo e como inimigo cruel. Portanto, ousamos em dizer: Deus nunca castigou qualquer homem ou mulher com este julgamento espiritual em bondade e amor. — *John Shower, 1657-1715, The Day of Grace*

v.12: "Eu os entreguei aos desejos do seu coração". Ó sentença terrível! O mesmo fará o Espírito com a nossa rejeição ou resistência à sua condução. Ele pode contender conosco por muito tempo, mas não para sempre (Gn 6.3). Se o conduzido começar a lutar com aquEle que o conduz e recusar seguir-lhe a orientação, o que resta a se fazer, senão deixá-lo? A resistência continuada, arraigada e permitida ao Espírito, faz com que Deus abandone o conduzido no que diz respeito a não conduzi-lo mais.

Seja o seu grande cuidado e constante empenho fazer com que o Espírito permaneça conduzindo você. Portanto, ore para que permaneça. Será que faz bem para o cristão, quando esta condução é suspensa ou lhe é retirada? Como ele perambula e fica desnorteado, quando o Espírito não o guia! Como é retrógado para o bem, enquanto o Espírito não o curvar e inclinar! Como é incapaz de prosseguir, se o Espírito não apoiá-lo! Que concupiscências e paixões vis o dominam, enquanto o Espírito não puser o seu governo santo e gracioso sobre ele! Interessa infinitamente a todos os que pertencem a Deus, preservar e garantir para eles a condução do Espírito! O bom homem sem a condução do Espírito é como um navio sem capitão, um cego sem guia, uma criança pobre sem nada para comer, uma multidão alvoroçada sem ter o que a coloque de volta em ordem. Que triste diferença há na mesma pessoa quando ela é conduzida pelo Espírito e quando é deixada pelo Espírito!

Objeção. "Mas em algum momento o Espírito já deixou o povo de Deus? Ele suspende e retira a sua orientação de pessoas que outrora vivam sob a sua autoridade?"

Resposta. Sim e muitas vezes. É o que o Espírito faz habitualmente, quando as suas orientações não são seguidas. Eis algo que o entristece, e quando está entristecido, sai, retém e revoga as influências da graça, ainda que não totalmente e de modo cabal, mas provisoriamente e em certa medida. Como guia, tem de conduzir o viajante. Se o viajante recusar segui-lo ou lhe for desatencioso, o que o guia faz? Ora, ele retrocede e o deixa que se arranje. É como no caso em vista. Se obedecermos ao Espírito, no seu mover, e lhe formos ternamente sensíveis, Ele continuará conduzindo-nos. Caso contrário, Ele não se preocupará mais conosco. Preste atenção em como você se porta para com Ele, não só com sinceridade, pois é degradante ser insensível ao nosso Guia ("Porventura, não procuras isso para ti mesmo, deixando o Senhor, teu Deus, no tempo em que ele te guia pelo caminho?" (Jr 2.17). Mas também por conta do amor-próprio, pois "como nos comportamos para com ele, assim Ele se comportará para conosco" (*Ita nos traclat, ut a nobis tractatur*). — *Thomas Jacombe, 1622-1687, The Morning Exercises*

v. 12: "Eu os entreguei... e andaram segundo os seus próprios conselhos". Isso era para entregá-los a um espírito de divisão, espírito de descontentamento, espírito de inveja e ciúme, espírito de ambição, espírito de egoísmo e rivalidade. Assim, foram entregues a um espírito de distração e confusão, e, daí, à ruína e morte. Tal, e não melhor, é o caso, quando Deus entrega um povo aos seus próprios conselhos. Então, logo se tornam um verdadeiro caos e correm voluntariamente ao montão destruidor. Como o bem não tem o conselho do homem, assim nada de bom vem do homem. — *Joseph Caryl*

v. 12: Deus convoca os israelitas a ouvir e obedecer-lhe, mas não atendem: "O meu povo não quis ouvir a minha voz, e Israel não me quis" (v. 11). Qual foi o resultado da recusa? "Pelo que eu os entreguei aos desejos do seu coração, e andaram segundo os seus próprios conselhos". Deus não confirma a ira pelo desprezo recebido, enviando pestes, ou incêndios, ou animais selvagens entre eles. Não diz: Visto que desprezam a minha autoridade, serei vingativo para com vocês propositadamente. Os darei à espada, ou fome, ou doenças atormentadoras, ou leões vorazes e gananciosos, que teriam sido muito medonhos e atrozes. Mas o juízo que Ele executa é muito mais medonho e atroz, quando diz: "Pelo que eu os entreguei aos desejos do seu coração, e andaram segundo os seus próprios conselhos". O fato de Deus entregar a alma à sua concupiscência é muito pior que entregá-la a todos os leões do mundo. Infelizmente, rasgará a alma pior que o leão faz com um cadáver, e a despedaçará, quando não houver ninguém que a livre. O fato de Deus entregá-los às suas próprias vontades, para que andem nos seus próprios conselhos, é, na verdade, entregá-los à ira e tormento eterno. — *George Swinnock*

v. 12: Deus move todas as coisas na sua providência comum de acordo com a natureza particular de cada coisa. Deus move tudo comumente de acordo com a natureza que Ele acha em cada coisa. Tivéssemos permanecido na inocência, teríamos sido movidos de acordo com essa natureza originalmente justa. Mas visto que caímos, somos movidos de acordo com a natureza introduzida em nós com a expulsão da outra. A nossa primeira corrupção foi o nosso ato próprio e não obra de Deus. Devemos a criação a Deus e a corrupção a nós. Tendo em vista que Deus governará a criatura, não vejo como pode ser de outro modo senão de acordo com a natureza da criatura, a menos que Deus se compraza em alterar essa natureza. Deus não força o homem contra a natureza. Não força a vontade na conversão, mas por graça e poder a inclina. Jamais força nem inclina a vontade para pecar, mas a entrega aos hábitos corruptos que nela se instalaram: "Pelo que eu os entreguei aos desejos do seu coração, e andaram segundo os seus próprios conselhos", conselhos de composição própria e não de Deus. Move a vontade que é *sponte mala*, de acordo com a sua própria natureza. O homem arremessa com a mão várias coisas de diversos formatos: esféricos, tetrágonos, cilíndricos, cônicos, alguns redondos, outros quadrados. Embora o movimento seja do agente, a variedade dos movimentos é do próprio corpo e estrutura geométrica. Se alguém bate com a mão uma bola em movimento, ela regularmente se moverá de acordo com a sua natureza e forma. A pessoa que joga uma tigela com a mão, é a causa do movimento, mas a obliquidade ruim é a causa do movimento irregular. O poder da ação é de Deus, mas a depravação da ação é da nossa própria natureza. Quando um relógio está com defeito em uma das suas rodas, o homem que dá corda ou põe a mão nas rodas, move-as. Ele é a causa do movimento, mas é o defeito na roda, a deficiência de algo, que é a causa do movimento incorreto. Este erro não é da pessoa que fabricou o relógio ou da pessoa que lhe deu corda e o acerta para funcionar, mas tem outra causa. Até que seja concertado, não funcionará de outro jeito sempre que for posto em movimento. O nosso movimento é de Deus ("Nele [...] nos movemos", At 17.28), mas não a desordem do movimento. É o conteúdo estomacal do homem que está no mar que o deixa enjoado, e não a direção do capitão do navio.

Deus não infunde a concupiscência ou a provoca, embora apresente o objeto pelo qual a concupiscência é exercida. Deus entregou Jesus aos judeus, apresentou-a a eles, mas nunca lhes ordenou que o crucificassem, nem infundiu essa maldade neles, nem a promoveu. Mas Ele, vendo tal situação, retirou a graça restritiva e os entregou à conduta das suas próprias vontades corruptas. Toda a corrupção que há no mundo surge da concupiscência que há em nós, não do objeto que Deus na sua providência apresenta para nós: A "corrupção, que, pela concupiscência, há no mundo". (2 Pe 1.4) — *Stephen Charnock*

v. 13: "Ah! Se o meu povo me tivesse ouvido! Se Israel andasse nos meus caminhos!" Deus às vezes não atende os seus filhos quando clamam, para que se lembrem quantas vezes Ele falou e não lhe atenderam. Não exige o Senhor que o seu povo cumpra os seus deveres, mas eles não o ouvem? Não está Ele se queixando desta negligência, não só como desonra, mas como pesar para Ele? Não admira, então, que Deus deixe o seu povo clamar em meio às desgraças e não os ouça. O Senhor fecha os ouvidos para que entendamos que fechamos os nossos. Fecha os ouvidos para que possa abrir os nossos. Somos movidos a ouvir e responder a chamada e o mandamento de Deus, ainda que achemos que Ele não ouve nem responde a nossa invocação e clamor. Se o Senhor sempre fosse pronto para nos ouvir, seríamos lentos em ouvi-lo. Enquanto temos os nossos desejos atendidos, nos esquecemos mais dos nossos deveres. — *Abraham Wright*

v. 13: "Ah! Se o meu povo me tivesse ouvido! Se Israel andasse nos meus caminhos!" Deus fala como se ficasse satisfeito quando é ouvido, ou como se o beneficiássemos quando o ouvimos. Deus nos pede e roga, para que os seus conselhos e mandamentos possam ser ouvidos: "Ah! Se o meu povo me tivesse ouvido!" O Senhor lhes diz que eles teriam sido verdadeiramente beneficiados: "Em breve eu abateria os seus inimigos e voltaria a minha mão contra os seus adversários" (v. 14). Teria sido bom para eles e teria me dado alta satisfação. — *Joseph Caryl*

v. 13: "Ah! Se o meu povo me tivesse ouvido! Se Israel andasse nos meus caminhos!" Há para nós um tom de profundo mistério em tudo isso. Mas o desejo de Deus para a nossa salvação e o estado moral certo estão obviamente em evidência. Prossigamos no que é óbvio, não no que é dúbio. — *Thomas Chalmers*

v. 13: "Ah! Se o meu povo me tivesse ouvido! Se Israel andasse nos meus caminhos!" Ninguém está nos caminhos de Deus, senão os que ouvem as Palavras de Deus. — *W. Wilson*

v. 14: "E voltaria a minha mão". Deus expressa a total derrota dos inimigos do seu povo pela simples volta da mão. Se Deus tão-somente voltasse a mão, todos os inimigos seriam vencidos neste mesmo instante. Se Ele apenas tocasse na força, pompa, grandeza, riqueza e poder de todos os que no mundo são opositores da igreja, imediatamente cairiam ao chão. Um toque da mão de Deus basta para acabar com as nossas lutas. — *Joseph Caryl*

v. 16: "O mel saído da rocha". Espiritualmente, a rocha designa Cristo, a rocha da salvação (1 Co 10.4). O mel que sai da pedra diz respeito à plenitude da graça que em Cristo há. As bênçãos que existem no mel são as firmes misericórdias de Davi e as preciosas promessas da aliança perpétua. Falam também do Evangelho, que é mais doce que o mel ou o favo de mel. Os que ouvem a Cristo e andam nos seus caminhos são cheios e ficam satisfeitos com todas estas realidades e bênçãos. Como o todo que está escrito neste texto mostra o que Israel perdeu pela desobediência, assim indica claramente o que desfrutam os que ouvem e obedecem. — *John Gill*

v. 16: "O mel saído da rocha". Deus extrai mel da rocha. Retira os mais doces mananciais e prazeres da dureza das aflições. Arranca do monte Calvário e da cruz as bênçãos que dão mais satisfação. Por outro lado, o mundo faz das fontes de prazer rochas e pedras de tormento. — *Thomas Le Blanc*

v. 16: "O mel saído da rocha". Quem visita a Palestina no verão, tem a atenção dirigida à abundância de mel que as abelhas da terra armazenam nos buracos das árvores e nas fendas das rochas. Nas localidades em que a uniformidade da cena é quebrada apenas pelas pedras nuas do deserto, e tudo ao redor é sugestivo de desolação e morte, o viajante lembra-se vividamente do cuidado de Deus para com o seu povo escolhido, quando vê que o mel que as abelhas entesouraram fora do alcance da mão humana está escorrendo em gotas brilhantes pela superfície das pedras e rochas. — *John Duns*

v. 16: Quando um povo ou pessoa é aceito por Deus, Ele não poupa nada, nem pensa que haja algo que seja muito valioso para não dar para eles: "E eu o sustentaria com o trigo mais fino e o saciaria com o mel saído da rocha". Ele os teria alimentado não só com o trigo (que é bom), mas "com o trigo mais fino" (que é melhor). Como opção tradutória, propus: "com a gordura do trigo". Os israelitas não teriam apenas o farelo do trigo, mas a farinha e a mais fina farinha. Teriam não só o mel, mas o mel que sai da rocha, o qual observam os naturalistas, é o melhor e mais puro mel. É óbvio que Deus não julga que haja neste mundo algo bom demais para o seu povo, pois Ele não julgou o mundo vindouro bom demais para o seu povo. É lógico que Deus não julga nenhum destes prazeres terrenos bom demais para o seu povo, pois Ele não julgou o seu Filho bom demais para o seu povo. Este é o argumento do apóstolo Paulo: "Aquele que nem mesmo a seu próprio Filho poupou, antes, o entregou por todos nós, como nos não dará também com ele todas as coisas" - até mesmo o melhor das boas coisas terrenas, quando ele julgar boa para nós? (Rm 8.32) — *Joseph Caryl*

SUGESTÕES AOS PREGADORES

v. 1. O canto congregacional deve ser geral, forte e alegre: (1) As razões para isso. (2) Os benefícios disso.

vv. 1 a 3. (1) O louvor tem de ser sincero. Vem só do povo de Deus. (2) O louvor tem de ser constante. O povo deve louvar a Deus em todo tempo. (3) O louvor tem de ser especial. Deve haver tempos de louvor especial: (a) Designado por Deus, como os ajuntamentos solenes. (b) Exigido pela providência em ocasiões de livramentos e misericórdias especiais. (4) O louvor tem de ser público: "Cantai alegremente", "trazei". — *George Rogers*

v. 4. (1) A regra das ordenanças e dos cultos. (2) Os pedidos para ir além da regra. (3) Os exemplos nas várias igrejas. (4) O pecado e perigo do culto formal.

v. 5. O que há na língua do mundo que é ininteligível para os filhos de Deus.

v. 6. A emancipação dos crentes: (1) As obras da Lei são penosas, servis, nunca completas, sem recompensa e cada vez mais maçantes. (2) Só o Senhor pode nos livrar deste trabalho escravo e Ele nos livra pela sua graça e poder. (3) Fazemos bem em lembrar o tempo da nossa libertação para mostrar gratidão e viver consistentemente de acordo.

v. 7. (1) As orações respondidas são laços de gratidão. (2) Os antigos tempos de provação são lembranças de advertência. (3) O presente é tempo de novas respostas bem como de novas provações.

v. 7. Águas de Meribá. Os vários pontos de teste da vida do crente.

vv. 8 a 10. (1) Um Pai compassivo chamando o filho: "Ouve-me, povo meu, e eu te admoestarei. Ah! Israel, se me ouvisses!" (2) Um Soberano ciumento estabelecendo a Lei: "Não haverá entre ti deus alheio, nem te prostrarás ante um deus estranho". (3) Um Amigo Todo-Suficiente provocando a confiança: "Eu sou o SENHOR, teu Deus, que te tirei da terra do Egito; abre bem a tua boca, e ta encherei". — *Richard Cecil, 1748-1810*

vv. 8, 11, 13. O mandamento, a desobediência, o pesar.

v. 9. (1) A idolatria é o nosso pecado constante. (2) O que se torna ídolo para nós. (3) O pecado de permitir que se torne ídolo. (4) O juízo punitivo por conta disso. (5) O meio que devemos usar para nos purificar.

v. 10. (1) O vazio suposto nos pobres pecadores: eles perderam Deus. (2) O enchimento proposto e oferecido aos pecadores vazios. Trata-se de um enchimento da alma, um enchimento de toda a plenitude de Deus. (3) A parte comunicadora deste enchimento da alma para o pecador: "Eu", mais geralmente, "Eu [...] o SENHOR" em oposição aos deuses estranhos. (4) O dever do pecador para com esta comunicação: "Abre bem a tua boca". — *Thomas Boston*

v. 10. (1) O Deus das misericórdias passadas: "Que te tirei da terra do Egito". (2) A esperança dos pedidos presentes: "abre bem a tua boca". (3) A promessa dos bens futuros: "E ta encherei".

v. 11. (1) Quem? "Israel", o povo escolhido, instruído e favorecido. (2) O quê? "Não me quis", não quis as minhas Leis, promessas, chamadas, adoração. (3) De quem? "Não me quis", não quis o seu Deus bom, gentil, amoroso.

vv. 10 e 12. (1) O pecado de Israel: "O meu povo não quis ouvir a minha voz". A boca se abre quando ouve com atenção: "Abre bem a tua boca", "mas o meu povo não quis". O pecado foi grandemente agravado: (a) Pelo que Deus tinha feito por eles. (b) Pelos deuses que tinham preferido a Ele. (2) O castigo do pecado: (a) A magnitude: "Eu os entreguei aos desejos do seu coração, e andaram segundo os seus próprios conselhos". (b) A justiça: "Israel não me quis". — *George Rogers*

v. 13. O excelente estado do crente obediente: (1) Os inimigos são derrotados. (2) Os prazeres são perpetuados. (3) A abundância é possuída.

vv. 13 e 14. O pecado e a perda do desviado.

v. 14. Os inimigos espirituais são mais bem combatidos por uma vida de obediência.

v. 16. Os manjares espirituais: (1) Quem é o fornecedor. (2) Quem são os consumidores. (3) Qual é o resultado: "saciaria".

SALMO 82

TÍTULO

Salmo de Asafe. Este poeta do Templo age como pregador para a corte e para a magistratura. Homens que fazem uma coisa bem, em geral, fazem outras coisas igualmente bem. Quem escreve bons versículos dificilmente é inapto para pregar. Que pregador teria sido Milton, caso tivesse assomado ao púlpito, ou que apóstolo teria sido Virgílio.

O sermão de Asafe pregado na presença dos juízes está agora diante de nós. As palavras são bastante claras e o cântico é caracterizado mais pela força que pela suavidade. Temos aqui prova clara de que nem todos os salmos e hinos precisam ser expressões diretas de louvor a Deus. Podemos, de acordo com o exemplo deste salmo, admoestar uns aos outros com as nossas canções. Não há dúvida de que Asafe via muito suborno e corrupção. Por isso, enquanto Davi punia-os com a espada, ele resolveu açoitá-los com um salmo profético. Fazendo assim, o mavioso cantor não estava abandonando a profissão como músico do Senhor, mas, antes, estava desempenhando-o de modo prático em outro departamento. Estava louvando a Deus quando reprovava o pecado que o desonrava. E, se não estivesse fazendo música, estava silenciando a discórdia, quando ordenou que os governantes fizessem justiça com imparcialidade. O salmo é um bloco completo e não precisa de divisão formal.

EXPOSIÇÃO

1 *Deus está na congregação dos poderosos; julga no meio dos deuses.*
2 *Até quando julgareis injustamente e respeitareis a aparência*
da pessoa dos ímpios? (Selá)
3 *Defendei o pobre e o órfão; fazei justiça ao aflito e necessitado.*
4 *Livrai o pobre e o necessitado; tirai-os das mãos dos ímpios.*
5 *Eles nada sabem, nem entendem; andam em trevas; todos os*
fundamentos da terra vacilam.
6 *Eu disse: Vós sois deuses, e vós outros sois todos filhos do*
Altíssimo.

7 *Todavia, como homens morrereis e caireis como qualquer dos príncipes.*
8 *Levanta-te, ó Deus, julga a terra, pois te pertencem todas as nações!*

1. *"Deus está na congregação dos poderosos."* Ele é o superintendente que, do seu ponto de vista, vê tudo que é feito pelos grandes da terra. Quando se sentam cerimoniosamente, Deus está acima deles, pronto para tratá-los se perverterem o julgamento. Os juízes serão julgados, e com imparcialidade, a justiça será feita. Os juízes de paz e os magistrados fariam bem em lembrarem-se disso. Alguns deveriam de ir à escola de Asafe até tornarem-se peritos neste salmo. As decisões abusivas e as sentenças esquisitas são dadas na presença daquEle que os visitará por cada ato impróprio, porque Deus não faz acepção de pessoas e é o defensor dos pobres e necessitados. Uma autoridade mais alta criticará a decisão das sessões de baixo escalão, e até as sentenças dos juízes mais imparciais serão revisadas pelo Supremo Tribunal Celestial.

"Julga no meio dos deuses." Os juízes são deuses para os homens, mas Ele é Deus para os juízes. Ele lhes empresta o nome, e esta é a autoridade que eles têm para agirem como juízes. Contudo, devem tomar cuidado para não abusar do poder confiado, pois o Juiz dos juízes está em sessão entre eles. Os juízes de instâncias menores não passam de juízes inferiores, e os seus irmãos que administram o direito comum serão um dia julgados pelo direito comum. Esta grande verdade é, no todo, bem considerada atualmente, mas não era assim nos primeiros dias da história inglesa, quando George Jeffreys (1644-1689) e outros foram um insulto ao nome da justiça. Os juízes do Oriente, ainda hoje, são muitas vezes, se não geralmente, influenciáveis a subornos. Nos tempos antigos, era muito difícil achar um governante que tivesse alguma noção de justiça independente da sua vontade arbitrária. O ensino claro que este salmo contém era realmente necessário, e Asafe era um homem bom e ousado que, em tais frases descorteses, entregava a própria alma.

2. *"Até quando julgareis injustamente e respeitareis a aparência da pessoa dos ímpios?"* O texto está declarando indiretamente que os magistrados eram injustos e corruptos. Não só escusavam os ímpios, mas até mesmo decidiam a favor deles contra os justos. Um pouco disto já é muito, em pouco tempo, já é tempo demais. Alguns pleiteantes tinham as petições decididas imediatamente e em favor deles, ao passo que outros consumiam a vida esperando uma audiência, ou eram roubados pelo processo legal, porque os oponentes tinham os ouvidos do juiz. Até quando tais coisas tinham de ser perpetradas? Será que nunca se lembravam do grande Juiz e renunciariam a maldade? Este versículo é tão impressionante duro que somos tentados a dizer: "Com certeza temos aqui um Elias".

"Selá". Os ofensores recebem uma pausa para consideração e confissão.

3. *"Defendei o pobre e o órfão."* Pare de fazer o mal, aprenda a fazer o bem. Não olhe os interesses dos ricos, cujas mãos lhe oferecem subornos, mas proteja os direitos dos necessitados e, sobretudo, atenda as reclamações dos órfãos, cuja propriedade muitas vezes se torna presa. Não persiga e capture o camponês para juntar alguns gravetos, nem permita que o caloteiro cavalheiresco rompa as malhas da Lei.

"Fazei justiça ao aflito e necessitado." Até eles podem reivindicar de você, na função de juiz, nada mais nada menos que a justiça. A compaixão pelas circunstâncias em que se encontram não deve fazer você julgar incorretamente. Mas se você lhes fizer não mais que a justiça, pelo menos esteja certo de fazer a justiça em sua inteireza. Não permita que os aflitos fiquem mais aflitos recebendo injustiça. Não deixe que os necessitados sofram também da necessidade de uma audiência imparcial.

4. *"Livrai o pobre e o necessitado; tirai-os das mãos dos ímpios."* Quebre as redes dos apanhadores de homens, das armadilhas legais, dos contratos, das fianças, com os quais os astutos capturam e mantêm aprisionados os pobres e os envoltos em dificuldades financeiras. É algo valoroso quando o juiz liberta uma vítima, como o mosquito é livrado da teia de aranha. É um caso horrível quando o magistrado e

o assaltante estão em conluio. A Lei muitas vezes tem servido de instrumento de vingança nas mãos de pessoas inescrupulosas, um instrumento tão mortal quanto o veneno ou o punhal. É dever do juiz impedir tal vilania.

5. *"Eles nada sabem, nem entendem."* É uma situação miserável para a nação quando as justiças não sabem o que é justiça e os juízes são privados de juízo. Não saber o dever e não desejar sabê-lo são, antes, a marca de um criminoso incorrigível que de um magistrado correto. Contudo, foi esse o estigma colocado com justiça nos governantes de Israel.

"Andam em trevas." São tão despreocupados quanto ignorantes. Sendo desconhecedores e maus, ainda ousam seguir carreira na qual o conhecimento e a retidão são essenciais. Prosseguem sem hesitação, esquecidos das responsabilidades as quais assumiram e das punições às quais se expõem.

"Todos os fundamentos da terra vacilam." Quando os ministradores da Lei ministram sem a justiça, as decisões ficam indecisas, a sociedade se desorganiza, a estrutura da nação se abala. Quando a injustiça trafega no curso devido à Lei, o mundo está verdadeiramente fora do curso. Quando a "justiça das Justiças" se torna um provérbio, é tempo de a justiça tratar das justiças. Claro que seria bom se os juízes de paz não remunerados que favorecem as classes dominantes fossem remunerados, visto que dia após dia os julgamentos mostram que não fazem julgamento. Quando camponeses são fustigados impunemente por fazendeiros, e uma ave bonita julga-se mais preciosa que homens pobres, então os fundamentos da terra estão realmente afundando, como colunas podres incapazes de sustentar as construções edificadas sobre elas. Graças a Deus que há, como regra quase invariável, juízes incorruptos. Seja esta uma realidade constante. Até os magistrados de tribunais menos importantes são, em geral, homens muito dignos. Por isso, temos de ser eternamente gratos a Deus.

6. *"Eu disse: Vós sois deuses."* Deus lhes deu a maior honra. Receberam por delegação poderes de deuses. Foram investidos por certo tempo com um pouco da autoridade pela qual o Senhor julga entre os filhos dos homens.

"E vós outros sois todos filhos do Altíssimo." Este era o caráter ex-officio, e não a relação moral ou espiritual. Deve haver governo entre os homens e, visto que os anjos não são enviados para ministrá-lo, Deus permite que os homens rejam sobre os homens e endossa-lhes o ofício, na medida em que, pelo menos, a degradação da função se torna um insulto às prerrogativas divinas. Os magistrados não teriam direito de condenar os culpados, se Deus não tivesse sancionado o estabelecimento do governo, a administração da Lei e a execução das sentenças. O Espírito fala de forma muito honrosa destes ofícios, mesmo quando censura os oficiais. Desta forma, ensina-nos a dar honra a quem é devido (Rm 13.7), e a honrar o ofício mesmo que censuremos o seu portador.

7. *"Todavia, como homens morrereis."* Que aparente sarcasmo! Por mais importante que o ofício torne os homens, ainda são homens e têm de morrer. Este versículo é, para todo juiz, um *memento mori!* Terá de sair da cadeira de magistrado para assumir a posição de réu, e, no caminho, terá de despir o arminho para vestir a mortalha.

"E caireis como qualquer dos príncipes." Quem são normalmente os primeiros a morrer, na batalha, por sedição e no luxo, causam maior destruição entre os grandes que entre os demais. Da mesma forma que os príncipes são cortados por morte súbita e violenta, assim serão os juízes se deixarem de fazer justiça. Os homens respeitam o ofício de juiz e, em geral, não conspiram para matá-lo, como fazem para matar príncipes e reis. Mas a injustiça retira esta proteção, e põe o magistrado injusto em perigo pessoal. Como a morte é ágil em despir os grandes. Que niveladora ela é. Não é defensora da liberdade, mas para promover a igualdade e fraternidade é uma democrata magistral. Os grandes morrem como os pequenos. Já que o sangue é igual em ambos, o golpe que lhes extrai a vida produz a mesma dor e agonia. Não há lugar alto demais para as setas da morte. Ela derruba as aves das árvores mais altas. É hora de todos os homens consideraram isso.

8. *"Levanta-te, ó Deus, julga a terra."* Vem, Juiz de todo o gênero humano, julga os juízes ruins e acabe com a corrupção e baixeza. Essa é a verdadeira esperança do mundo que necessita ser livrado das garras da tirania.

"Pois te pertencem todas as nações!" Virá o tempo em que todas as raças dos homens confessarão o seu Deus e o aceitarão como rei. Há um que é "Rei por direito divino", e já está a caminho. Os últimos dias o verão entronizado, e todos os potentados injustos serão quebrados como vasos de oleiro pelo potente cetro. O segundo advento ainda é a mais luminosa esperança da terra. Vem depressa, agora mesmo, vem, Senhor Jesus.

NOTAS EXPLICATIVAS E DECLARAÇÕES IMPORTANTES

O Salmo: Asafe, que, no salmo anterior, tanto escreveu sobre a vinda de Jesus na carne, agora fala sobre a segunda vinda com julgamento. — *Josephus Maria Thomasius, 1649-1713*

v. 1: "Deus está". Está escrito que Deus está, por causa da sua imutabilidade, poder, presença permanente e também por causa da prontidão em agir, decidir pelo direito e ajudar os pobres, como fez com Estêvão. Certo comentarista esboça uma lição ainda mais profunda com a palavra está. Fala que o juiz tem de estar sentado e os litigantes ou acusados têm de estar de pé, como está escrito: "Moisés assentou-se para julgar o povo; e o povo estava em pé diante de Moisés desde a manhã até à tarde" (Êx 18.13). Trata-se, então, de aviso solene para os juízes, pois toda causa que esteja diante deles para julgar é a causa de Deus, já que o certo e o errado, o direito e a injustiça estão em jogo, e que, ao absolverem o culpado ou condenarem o inocente, estão proferindo sentença contra o próprio Deus. — *Alberto Magno, Thomas Le Blanc e Antônio Agellio, citados por John Mason Neale e R. F. Littledale*

v. 1: "Deus está na congregação dos poderosos", ou "divina" (ARA). Esta palavra é exegética e ajuda a ilustrar o que está escrito pouco antes: "Deus assiste na congregação divina" (ARA). O que significa? Por que Ele julga como ser supremo entre os juízes do mundo? Não assiste como alguém sem importância ou como espectador comum, mas Deus está entre eles.

(1) Ele julga ativamente. Olhamos para os homens e pensamos que são eles que estão julgando, quando, na verdade, é Deus que exerce o julgamento entre eles. Ele conhece as causas, dirige os juízes e executa a sentença.

(2) Ele julga passivamente. É assim que Deus faz no meio destes deuses terrenos, pois, se julgarem injustamente, Ele executará justiça e julgará os juízes do mundo. Embora sejam grandes, há um maior que eles, a quem os juízes têm de prestar contas em breve. — *Thomas Hall, 1659-1660*

v. 1: "Na congregação". Os governantes têm de entender que não são colocados sobre troncos e pedras, nem sobre porcos e cães, mas sobre a congregação de Deus. Eles têm de ter medo de agir contra o próprio Deus, caso queiram agir injustamente. — *Martinho Lutero*

v. 2: "E respeitareis a aparência da pessoa dos ímpios". Esta frase exemplifica uma das mais peculiares expressões idiomáticas do hebraico. A combinação geralmente traduzida por "respeitar a aparência da pessoa" ou "fazer acepção de pessoas", e aplicada à parcialidade judicial, significa literalmente "tomar [ou aceitar] faces". Certos expositores supõem que signifique "aumentar o semblante" ou "fazer olhar para cima desde o abatimento". Todavia hoje as mais altas autoridades filológicas concordam que a ideia primária é aceitar a face ou a pessoa de alguém em vez de outro. A forma exata da expressão, ainda que obscura, é derivada da prática de admitir que os pleiteantes conversem cara a cara com governadores ou regentes, privilégio que, às vezes, só pode ser obtido por suborno, especialmente, embora não exclusivamente, nas cortes orientais. — *Joseph Addison Alexander*

v. 3: "Defendei o pobre e o órfão; fazei justiça ao aflito e necessitado". Dizem que quando uma mulher se ajoelhava para implorar justiça a Francisco I, rei da França, ele ordenava que se levantasse imediatamente. Explicava ele: "Mulher, é justiça que devo a ti e é justiça tu terás. Se tu imploras algo de mim, que seja misericórdia". Claro que é um lugar e povo feliz, onde a justiça (como parece) não é extorquida, mas derramada tão generosamente quanto o favo de mel. Onde não há a venda de funções, nem a mudança de impostos, nem a sutileza de prazos, nem a bajulação para atendimentos, nem a invenção ardilosa de estatutos penais insignificantes. Onde a Justiça tem na mão uma balança, não para pesar ouro, mas equidade. Onde juízes e magistrados são como a arca de Noé para receber pombas cansadas, e como os chifres do altar para que a inocência oprimida ali recorra. Onde os advogados, defensores e pleiteantes não chamam o bem de mau, ou a doçura de má, o amargo de bom. Onde os demandantes e acusadores não denunciam ou perseguem por maldade, inveja ou oportunismo. Onde os oficiais subordinados não ousam ajudar os poderosos delinquentes a sair das enrascadas, nem permitem que os pobres, acossados insistentemente pelas tempestades da Lei, penem na sua questão longe do porto por falta de darem um calmante a Cérbero, ou de sacrificarem à grande Diana da expedição. Onde esses cães espiões, como vis, promovendo os denunciantes, não são tolerados, mas são severamente castigados por toda denúncia falsa, injusta ou maldosa. Para concluir, onde o magistrado deve justiça ao povo e o paga. Onde o povo implora misericórdia e a recebe. — *William Price, 1642*

vv. 3 e 4: "Defendei o pobre e o órfão; fazei justiça ao aflito e necessitado. Livrai o pobre e o necessitado; tirai-os das mãos dos ímpios". O critério da justiça dos magistrados está nas causas e casos dos pobres, órfãos, aflitos e necessitados. São estes que não podem esperar muito tempo pelos processos judiciais, e não têm amigos nem dinheiro para negociar por eles. A esses, os poderosos deveriam ser olhos para dirigi-los e cajado para, nas fraquezas, apoiar e ajudá-los no seu direito. — *David Dickson*

v. 5: "Eles nada sabem, nem entendem; andam em trevas; todos os fundamentos da terra vacilam". Todo juiz tem de ter em si (como disse Baldo incisivamente) dois tipos de sal. O primeiro é o *sal scientise*, para que conheça o seu dever. O segundo é o *sal conscientia*, para que faça o seu dever. Os que carecem do primeiro tipo de sal são censurados com um *nescierunt* e *non intellexerunt*. Os que carecem do segundo tipo de sal são marcados com um *ambulant in tenebris*.

Os perigos da negligência destes deveres são dois. O primeiro perigo é relativo à comunidade inteira: "todos os fundamentos da terra vacilam". O outro toca especialmente à pessoa dos juízes: "como homens morrereis e caireis como qualquer dos príncipes" (v. 7), e depois da morte vem o julgamento: "Levanta-te, ó Deus, julga a terra" (v. 8). O Deus Todo-Poderoso "está na congregação dos poderosos" e "julga no meio dos deuses" (v. 1). Ele coloca a Justiça em toda sessão e audiência para marcar que assunto passa e como passa, pronto para julgar justamente os que julgam os outros injustamente: "Até quando julgareis injustamente e respeitareis a aparência da pessoa dos ímpios?" (v. 2; Sl 67.4, πρὸς τὸ κριτήριον τοῦ Θεοῦ). Assim aplainei o caminho diante de você. Conceda o Deus infinitamente rico em misericórdia que eu, falando, e você, ouvindo, andemos nesse caminho "bem e direitamente", como escreveu o santo apóstolo em Gálatas 2.14.

"Eles nada sabem, nem entendem", quer dizer, não "sabem" ou conhecem Deus, que lhes fez deuses, nem sequer "entendem" a Lei, que é lâmpada para os pés e luz para o caminho (Sl 119.105). Ou, como comenta Plácido Parmense: Não consideram como eles que são chamados "deuses", como comissários e ministros de Deus, devem julgar os outros. Nem sequer se lembram de como serão julgados no último dia, quando "todos os fundamentos da terra vacilam", e o próprio Deus se levantar para julgar a terra (v. 8). Ou são tão corruptos e abomináveis que não aprendem pelos outros qual é a sua função, nem ainda a entendem por si mesmos.

Ou resumidamente, para dar esta interpretação (que penso que melhor se ajusta ao texto e estou certo que o tempo dirá): *Nescierunt quid facti, non intelexerunt quid juris*, "eram tão ignorantes no assunto que não procuravam a causa". Sendo ignorantes na questão da Lei, sentavam-se para julgar de acordo a Lei, mas davam ordens que eram contrárias à Lei (como disse Paulo a respeito de Ananias em At 23.2,3). A primeira parte do texto diz respeito ao júri ("eles nada sabem"). A segunda parte toca grandemente aos juízes ("nem entendem"). Em ambos os textos estão condenados como fomentadores de todas as confusões em uma comunidade: *ignorantia simplex* e *ignorantia affectata*. "Ignorância simples", quando como são tão superficiais, que não podem entender. "Ignorância afetada", quando como são estão tão profundos, que não entendem o que é certo e o que tem razão — *John Boys, The Judges Charge, 1618.*

v. 6: "Eu disse: Vós sois deuses, e vós outros sois todos filhos do Altíssimo". É claro que o profeta faz esta dura advertência especialmente aos governadores civis, os que foram incumbidos com a administração da justiça. Chama-os de "deuses" e "filhos do Altíssimo". Para o povo de Israel, este tipo de título não é excessivamente ousado, pois é aplicado aos juízes nos famosos textos da Lei de Moisés. O código dos estatutos civis entregue no Sinai diz: "Os juízes [deuses] não amaldiçoarás e o príncipe dentre o teu povo não maldirás" (Êx 22.28). Nem é este o único exemplo. Em duas outras passagens do mesmo código (Êx 21.6 e 22.8,9), a palavra traduzida por "os juízes", no hebraico consta "os deuses" ou "Deus". Como a palavra hebraica comum para referir-se a Deus (Elohim) é quase sempre usada na forma plural, é difícil dizer se nestas passagens deveria ser traduzida no singular ou no plural. Seja como for, o significado é o mesmo. É questão de somenos importância, por exemplo, se a Lei em Êxodo 22.6 deva ser traduzida assim: "Então, seu senhor [o senhor do escravo] o levará aos juízes", ou como ocorre na Septuaginta: "O seu senhor o levará ao tribunal de Deus" (πρὸς τὸ κριτήριον τοῦ Θεοῦ). Em qualquer um dos casos, os termos denotam claramente que a majestade de Deus está presente no tribunal. Como está dito que "Salomão se assentou no trono do Senhor" (1 Cr 29.23), assim se pode dizer que todo magistrado se assenta no tribunal de Deus. Ele pôs sobre os magistrados uma porção do seu domínio e autoridade. Ordenou que fosse obedecido, não por causa da ira apenas, mas por causa da consciência. O magistrado civil, desempenhando a sublime função, pode afirmar corretamente que governa com um direito divino.

Ninguém precisa afirmar que esta antiga doutrina do direito divino dos governantes tem sido calamitosamente abusada. Os ministros bajuladores fazem disso uma unção lisonjeira aos ouvidos dos príncipes. Ensinam que não devem obediência às Leis, nem são responsáveis a ninguém senão a Deus pela administração. Advogam que toda tentativa por parte do povo para restringir-lhes a tirania ou para depô-los dos cargos, quando medidas mais moderadas fracassam, é rebelião contra Deus, de quem são representantes. Mesmo hoje, ouvimos a mesma doutrina ocasionalmente proclamada do púlpito e da imprensa. Os homens procuram sujeitar a consciência do povo ao capricho dos tiranos. Sejamos cuidadosos em observar que a harpa de Asafe não sanciona este "direito divino dos reis para governar com injustiça". Se o profeta afirma que os príncipes são deuses, inclui na honra o mais humilde magistrado.

Os anciãos que administram justiça à porta de Belém, embora a cidade fosse pequena entre as milhares de Judá, assentam-se na cadeira de Deus tão verdadeiramente quanto o rei Salomão no trono de marfim no pórtico de julgamento em Jerusalém. O ditado comum que diz que "o direito divino dos reis é o direito divino dos condestáveis", é um modo grosseiro de expressar uma verdade bíblica. Não nos esqueçamos disso e ninguém alegará a Bíblia em defesa de reivindicações da realeza em prol da autoridade irrevogável e irresponsável, ou reivindicará para essa autoridade a sanção do direito divino.

Mas ainda que devamos tomar cuidado para impedir que o direito divino do governo civil seja abusado, não nos esqueçamos do direito em si. O estado é uma ordenação de Deus, tendo a sua fundação, como a família, na própria constituição da natureza humana. Os oficiais do estado, quer supremos ou subordinados, têm o direito divino de administrar justiça na comunidade na qual a providência os colocou. Aqueles que recorrem ao magistrado civil em busca de julgamento estão recorrendo ao tribunal de Deus. Semelhantemente, aqueles que recorrem ao Ministério da Palavra estão recorrendo ao Grande Profeta da Igreja. A menos que o magistrado tenha recebido a comissão de Deus, ele não estará portando a espada legitimamente. — *William Binnie.*

v. 6: "Eu disse: Vós sois deuses, e vós outros sois todos filhos do Altíssimo". Em *Lex Rex*, Samuel Rutherford argumenta baseado neste salmo que os juízes não são as criaturas dos reis para executar o que quiserem e não derivam o poder do monarca. São autorizados pelo próprio Deus tanto quanto pelo rei, e são obrigados a fazer justiça, quer o monarca deseje ou não.

v. 6: "Eu disse: Vós sois deuses". Os príncipes e os juízes são "deuses" (Elohim), porque foi a eles "a quem a palavra de Deus foi dirigida" (Jo 10.35), constituindo-os o que são. Mesmo aqui, quando estão prestes a serem sentenciados por Deus, Ele começa reconhecendo-lhes o alto cargo divinamente designado, no qual presumiram como se tivessem recebido poder absoluto para fazerem o que quisessem, certo ou errado. Esqueceram-se de que os altos cargos têm deveres como também direitos. A filiação está estreitamente relacionada à realeza e judicatura. Estes ofícios honoríficos combinados, pelos quais todos os outros foram abusados, serão realizados em todo o seu ideal mais grandioso pela vinda do Rei, Juiz e Filho do Altíssimo (Sl 2.6,7,10-12). — *A. R. Fausset*

v. 6: "Eu disse: Vós sois deuses". Como parasitas em lisonja e complacência vis com o orgulho, chamam-se alguns vaidosamente assim, e como alguns príncipes muito ímpia e blasfemamente assumem ser chamados e até mesmo adorados como deuses (Deus tomará a mais severa vingança de todos os que tomam o nome santo sobre si mesmo ou o rebaixam quando recebem), assim o próprio Deus pôs o próprio nome nos magistrados para lembrá-los do dever ou para um propósito que se manifesta em dois lados. Primeiro, que sendo chamados deuses, eles deveriam julgar e reger como Deus ou com a mente de Deus, livres da mistura de um espírito particular ou apaixonado e cheio de amor e prazer no julgamento e justiça imparcial. Segundo, que sendo chamados deuses, todos os homens conhecessem o seu dever para livremente submeterem-se aos juízes e devidamente os honrarem, considerando que toda desonra feita a eles se reflete em Deus, cujo nome trazem. — *Joseph Caryl*

v. 6: "deuses". O nome que recebem não é Já ou Jeová, um nome de essência, mas Eloá ou Elohim, um nome de ofício. — *Thomas Gataker*

vv. 6 e 7: "Vós sois deuses", aqui o salmista considerou a pompa e alto cargo deles. "Todavia, como homens morrereis", aqui Asafe lembra o fim deles, para que, com a mudança do lembrete, também mudem de semblante. Informa-lhes a honra, mas com ela o destino. Em termos de poder, riqueza, educação, título, amigo, eles diferem dos outros. Em termos de morte, não diferem dos outros. Sentem frio quando chega o inverno, envelhecem com a idade, ficam fracos na doença e decompõem-se na morte, como ocorrem com as pessoas vis. Tudo vira pó: "Porque toda carne *é* como erva, e toda a glória do homem, como a flor da erva" (1 Pe 1.24). A glória, quer dizer, o melhor dela não passa de uma flor. Não faz grande diferença se a flor era a mais bonita e a relva era a mais viçosa, pois a foice corta tudo. Animais gordos e magros, alimentados no pasto são mortos no mesmo matadouro. O príncipe no palácio suntuoso e o mendigo na cabana humilde têm dupla diferença: altura e baixeza local e cerimonial. Mas encontrando-se na sepultura, ambos estarão misturados no pó.

Andamos neste mundo como homens em um campo de neve. O caminho todo parece plano, mas não há como ter certeza do próximo passo. Todos somos como atores no teatro e temos papéis diferentes, mas a morte está igualmente ocupada entre nós. Derruba um dos atores, nós o enterramos com tristeza e voltamos para o palco. Depois cai outro, ou melhor, todos, um depois do outro, até que a morte fique sozinha no palco. A morte apaga todas as luzes bruxuleantes da vaidade. Não obstante, é mais fácil o homem acreditar que o mundo inteiro venha a morrer que suspeitar da própria morte. — *Thomas Adams*

v. 7: "Todavia, como homens morrereis e caireis como qualquer dos príncipes". Até mesmo a vocês que reluzem como os anjos, a quem todo o mundo admira, apela e se dobra, que são chamados de senhores nobres, poderosos e benevolentes, direi o que acontecerá com essa honra. Vocês envelhecerão como os outros, cairão doentes como os outros, morrerão como os outros, serão enterrados como os outros, entrarão em putrefação como os outros, serão julgados como os outros, exatamente como os mendigos que esmolam à sua porta. Um adoece, o outro adoece. Um morre, o outro morre. Um apodrece, o outro apodrece. Olhe na sepultura e me mostre quem é Dives e quem é Lázaro.* É certo consolo para o pobre que, pelo menos uma vez, ele será como o rico. Um dia ele será como o grande e tão glorioso quanto o rei. O momento da morte torna todos iguais. Aqueles que exultavam sobre os outros e os encaravam com desprezo como carvalhos, outros andarão sobre eles como vermes e terão ido como se nunca tivessem existido. — *Henry Smith*

v. 7: "Todavia, como homens morrereis e caireis como qualquer dos príncipes". A meditação da morte deveria baixar as plumagens do orgulho. Vocês não passam de pó animado. Serão pó e cinzas orgulhosos? Vocês têm um corpo de relva que brevemente será ceifado. "Eu disse: Vós sois deuses" (v. 6), mas para que vocês não fiquem orgulhosos, acrescento um corretivo: "Todavia, como homens morrereis". Vocês são deuses moribundos. — *Thomas Watson*

v. 7: "E caireis como qualquer dos príncipes". Os tiranos raramente vão para a sepultura em paz. A maioria dos Césares caiu pelas mãos do povo. Se você for como os tiranos no pecado, espere ser como os tiranos no castigo. Como os derrubei do trono por serem insolentes e violentos, assim derrubarei você. — *Thomas Hall*

v. 7: "Todavia, como homens morrereis e caireis como qualquer dos príncipes".

(1) Vocês cairão do mais alto pináculo da honra e reputação. A posição da magistratura, que hoje reconhece vocês, não os reconhecerá mais. Um dos anciãos, ao lado da sepultura de César, chorava: *Ubi nunc pulchritudo Caesaris? quo abiit magnificentia ejus?* Onde está agora a beleza? O que é feito da magnificência? Onde estão os exércitos? Onde estão as honras, os triunfos, os troféus do César? Tudo se foi quando César se foi. As honras, adorações, poderes e posições morrem com vocês, senão antes.

(2) Vocês cairão dos seus maiores bens e tesouros. Como vocês nada trouxeram para este mundo, assim é manifesto que nada poderão levar dele (1 Tm 6.7). Saladino, o poderoso sultão do Oriente, faleceu, e nada levou junto consigo senão o que vocês estão vendo, a saber, uma camisa preparada para esta finalidade, conforme disse o sacerdote que ia à frente do ataúde.

(3) Vocês cairão de todos os seus amigos e parentes. Quando vocês morrerem, aqueles que eram próximos e queridos a vocês os deixarão. — *George Swinnock*

v. 7: "Todavia, como homens morrereis e caireis como qualquer dos príncipes". A magnificência é uma das principais características da morte ou "queda" dos príncipes. Esses incidentes provenientes de diversas causas são muito extraordinários. Mas podemos fazer a mesma observação com respeito ao falecimento dos filhos da pobreza? Levando em conta o efeito surpreendente que o falecimento do potentado gera, a morte do camponês, por exemplo, tem em si a mesma tendência a gerar solenidade e temor, de forma que, sob este ponto de vista, podemos afirmar que o camponês cai como qualquer dos príncipes? Na verdade, se você olhar para as circunstâncias

* **N. do E.:** Ora, que o mendigo chamava-se Lázaro, não há dúvida. Mas quem disse que o homem rico chamava-se Dives? No relato lucano, não encontramos tal informação. Mas, se formos à Vulgata de Jerônimo, constataremos que homem rico, em latim, é significado pelo vocábulo "dives". Ou seja: homem abastado

externas que envolvem os últimos momentos do camponês, e depois, imediatamente, olhar para os momentos pertencentes ao fim da vida do morador em casas ricas ou imponentes, dificilmente haverá base para instituir a mais leve comparação.

Mas gostaria que você associasse o homem que está na véspera da putrefação, não com os outros de classe social superior e em situação semelhante, mas com ele mesmo, quando, no pleno vigor da existência, andava para lá e para cá e cumpria as obrigações humildes, mas laboriosas, relacionadas aos assuntos deste mundo. Observe subsequentemente como o grande destruidor esmagou-lhe todas as energias e deixou para trás apenas um cadáver, e com certeza você admitirá que há ampla diferença entre o indivíduo como ele era e como ele é, quanto possa haver entre as cenas no leito de morte, respectivamente, do príncipe e do pobre. Veja também como é impressionante a diferença, de forma que só lhe resta aceitar a exibição da mudança extraordinária para causar legítimo efeito na mente, e depois, no que diz respeito a esse efeito, você pode declarar que o trabalhador rural caiu como um dos príncipes, visto que ele deu lição extremamente despertadora e enfática em suas advertências, quanto o outro. — *Hugh B. Moffatt, 1861*

vv. 7 e 8: "Todavia, como homens morrereis e caireis como qualquer dos príncipes. Levanta-te, ó Deus, julga a terra, pois te pertencem todas as nações!" O seu dia está chegando! Os santos estão fazendo o grande clamor do versículo 8, convidando o Messias, o verdadeiro Deus, o Filho do Altíssimo (Jo 10.34), o Poderoso, o Juiz e Rei para levantar-se e tomar posse da herança, porque Ele é o "herdeiro de tudo" (Hb 1.2), e ser o verdadeiro Otoniel, Eúde, Sangar, Baraque, Gideão, Tola, Jair, Jefté, Sansão e Samuel, que julgarão ou governarão e reinarão em uma terra mal administrada. Cantamos este cântico de Sião nos seus ouvidos, insistindo que Deus venha depressa. Cantamos este cântico de Sião uns aos outros em esperança feliz, enquanto os fundamentos da terra vacilam, porque aqui encontramos o Messias, o verdadeiro Juiz de um mundo desgovernado. — *Andrew A. Bonar*

v. 8: "Levanta-te, ó Deus". É metáfora tirada do comportamento comum dos juízes, cujo hábito é sentar-se para ouvir os casos e levantar-se para, de pé, dar a sentença. — *Thomas Gataker*

SUGESTÕES AOS PREGADORES

v. 1. A soberania de Deus sobre os mais poderosos e elevados. Como essa soberania se revela e o que esperar dela.

v. 1. A presença do Senhor nos gabinetes e senados.

v. 2. Um pecado comum. Respeitar a aparência da pessoa influencia o nosso julgamento das suas opiniões, virtudes, vícios e porte geral. Isso envolve injustiça aos outros, como também grande prejuízo aos lisonjeados.

v. 3. Uma oração pelos órfãos.

v. 5. (1) O caráter dos príncipes ímpios: (a) Ignorância: "Eles nada sabem". (b) Cegueira deliberada: "Nem entendem". (c) Perversidade desenfreada: "Andam em trevas". (2) As consequências para os outros: "Todos os fundamentos da terra vacilam": (a) Da segurança pessoal. (b) Do conforto social. (c) Da prosperidade comercial. (d) Da tranquilidade nacional. (e) Da liberdade religiosa. Todos os fundamentos vacilam. — *George Rogers*

v. 5. "andam em trevas". Uma descrição da peregrinação dos pecadores presunçosos.

v. 6. "Vós sois deuses". As passagens do Antigo Testamento que dizem respeito à doutrina da divindade de Jesus Cristo. — *J. P. Lange*

v. 8. (1) A invocação: "Levanta-te, ó Deus, julga a terra". (2) A predição: "pois te pertencem todas as nações!" — *George Rogers*

SALMO 83

TÍTULO

Cântico e salmo de Asafe. Esta é a última vez que nos encontramos com este escritor eloquente. O poeta patriótico canta novamente sobre guerras e perigos iminentes. Mas não se trata de um cântico herege de uma nação imprudente que vai para a guerra com um coração leviano. Asafe, o vidente, está bem ciente dos sérios perigos que representam as nações fortes e confederadas. A sua alma com fé se firma em Jeová, enquanto que, na função de poeta-pregador, ele motiva os compatriotas à oração por meio deste poema lírico e sacro.

O Asafe que escreveu este cântico é, com toda a probabilidade, a pessoa citada em 2 Cr 20.14, pois a evidência interna ligando o assunto do salmo à época de Josafá é claríssima. A divisão no acampamento dos povos confederados no deserto de Tecoa não só desfez a confederação, mas levou a uma matança mútua. Estes fatos deixaram mutilado o poder de algumas dessas nações por muitos anos. Pensaram em destruir Israel, mas acabaram destruindo uns aos outros.

DIVISÃO

Uma súplica a Deus enche de maneira geral os versículos 1 a 4. Depois, o salmista detalha a confederação dos versículos 5 a 8. Este detalhamento o leva a fazer uma petição insistente pela derrota do inimigo versículos 9 a 15, com uma expressão de desejo de que a glória de Deus seja assim promovida versículos 16 a 18.

EXPOSIÇÃO

1 *Ó Deus, não estejas em silêncio! Não cerres os ouvidos nem fiques impassível, ó Deus!*

2 *Porque eis que teus inimigos se alvoroçam, e os que te aborrecem levantaram a cabeça.*

3 *Astutamente formam conselho contra o teu povo e conspiram contra os teus protegidos.*

4 *Disseram: Vinde, e desarraiguemo-los para que não sejam nação, nem haja mais memória do nome de Israel.*

1. *"Ó Deus, não estejas em silêncio!"* O homem é clamoroso, não fiques mudo. Ele cerca e insulta, não responderás? Uma palavra tua basta para livrar o teu povo. Portanto, Senhor, quebra o teu silêncio e permite que ouçamos a tua voz.

"Não cerres os ouvidos nem fiques impassível, ó Deus!" Aqui a súplica é feita a El, o Poderoso. O pedido é para que Ele aja e fale, porque a nação sofre e corre grande perigo. O salmista olha inteiramente para Deus. Não pede um líder corajoso e valente, ou busca qualquer forma de força humana. Lança o fardo totalmente no Senhor, estando bem certo de que o seu poder eterno e divindade podem enfrentar e vencer toda dificuldade do caso.

2. *"Porque eis que teus inimigos se alvoroçam."* De forma alguma economizam palavras. São como um bando faminto de cães, todos latindo ao mesmo tempo. Estão tão certos de que devorarão o teu povo, que já exultam no banquete.

"E os que te aborrecem levantaram a cabeça". Confiantes da conquista comportam-se orgulhosamente e exaltam-se como se as vitórias antecipadas já tivessem sido obtidas. Os inimigos de Israel também eram inimigos de Deus. Esta descrição confirmatória visa dar mais intensidade ao argumento da intercessão. Os adversários da igreja são em geral pessoas ruidosas e orgulhosas. O orgulho é um metal que sempre soa um címbalo que sempre tine.

3. *"Astutamente formam conselho contra o teu povo."* O que quer que façamos, os nossos inimigos usam a inteligência e juntam cabeças. Em conclave unido, discursam sobre as demandas e planos da campanha, usando de toda traição e astúcia serpentina para organizar os esquemas. A maldade tem bastante sangue frio para delinear com deliberação. O orgulho, ainda que nunca seja sábio, está frequentemente aliado com a trapaça.

"E conspiram contra os teus protegidos." Escondidos de todo o dano estão os eleitos do Senhor. Os inimigos não sabem disso, pois pensam em feri-los. Podem também tentar destruir os anjos antes do trono de Deus.

4. *"Disseram: Vinde, e desarraiguemo-los para que não sejam nação."* Mais fácil dizer do que fazer. Contudo, mostra como os inimigos da igreja são esforçados. Era deles a política de exterminação. Eram eles que colocavam o machado à raiz da questão. Roma sempre gostou deste método de guerra. Por isso, regozijou-se no massacre da noite de São Bartolomeu e nos assassinatos da inquisição.

"Nem haja mais memória do nome de Israel." Eles os arrancariam da história como também da existência. O mal é intolerante do bem. Mesmo que Israel deixasse Edom em paz, Edom não ficava quieto, mas, como os seus antepassados, procuravam matar os escolhidos do Senhor. Os homens ficariam felizes em expulsar a igreja do mundo, porque ela os reprova e é uma ameaça constante à paz pecadora que desfrutam.

5 *Porque à uma se conluiaram; aliaram-se contra ti:*
6 *As tendas de Edom, dos ismaelitas, de Moabe, dos agarenos,*
7 *de Gebal, de Amom, de Amaleque e a Filístia com os moradores de Tiro.*
8 *Também a Assíria se ligou a eles; foram eles o braço dos filhos de Ló. (Selá)*

5. *"Porque à uma se conluiaram."* São genuínos e unânimes nos desígnios. Parece que têm apenas um coração, e um coração feroz contra o povo eleito e o seu Deus.

"Aliaram-se contra ti". Miram contra o próprio Senhor por tabela com os santos. Fazem um acordo e o ratificam com sangue, associando-se resolutamente para guerrear contra o Deus poderoso.

6. *"As tendas de Edom."* São os parentes mais próximos, mas os primeiros em inimizade. O seu antepassado menosprezou o direito de primogenitura, e eles menosprezam os possuidores desse direito. Trocando as mansões construídas nas rochas pelas tendas de guerra, os edomitas invadiram a terra de Israel.

"Dos ismaelitas." Corriam-lhes no sangue um espírito de perseguição. Perpetuaram o antigo rancor entre o filho da escrava e o filho da livre.

"De Moabe." Nascido de incesto, mas ainda um parente próximo, a rixa de Moabe contra Israel era muito amarga. O justo Ló nem sonhava que a sua descendência ímpia seria inimiga ferrenha da posteridade do seu tio Abraão.

"Dos agarenos." São talvez os descendentes de Agar por um segundo matrimônio. Eles colocaram o poder no prato errado da balança e, com todas as forças, buscaram a ruína de Israel. Os filhos de Agar e todos os outros que habitam ao redor do monte Sinai, que está na Arábia, são da semente que gera para a servidão e, por conseguinte, odeiam a semente de acordo com a promessa.

7. *"De Gebal."* Era provavelmente um povo vizinho de Edom, embora houvesse um Gebal na região de Tiro e Sidom.

"De Amom, de Amaleque." Dois outros inimigos hereditários de Israel, violentos e desumanos como lobos vorazes. Sejam estes nomes abominavelmente imortalizados no rol da infâmia. Como são numerosos! O seu nome é legião, porque são muitos. Ai, pobre Israel, quem é você para enfrentar tal confederação sangrenta? E olhe que esta confederação não está completa. Eis outra tribo dos antigos inimigos: "a Filístia". Os filisteus outrora cegaram Sansão e capturaram a arca do Senhor. Ao lado deles estão os velhos aliados que se tornaram novos inimigos. Os construtores do templo conspiram para derrubá-lo. Exatamente, refiro-me a "os moradores de Tiro". Estes últimos eram mercenários que não se importavam quem ordenasse que sacassem a espada, contanto que arrancassem algo que lhes fosse vantajoso. A verdadeira religião tem discutido com mercadores e artesãos, e por estar interferindo nos ganhos deles, conspiram contra ela.

8. *"Também a Assíria se ligou a eles."* Era então um poder em ascensão, ávido por crescimento e que cedo se destacava pela crueldade. Que grupo variegado eles formavam. Uma confederação contra Israel sempre é chamativa, e reúne nações inteiras nos seus grilhões. Herodes e Pilatos são amigos, se o objetivo é crucificar Jesus. O catolicismo e o ritualismo fazem causa comum contra o Evangelho.

"Foram eles o braço dos filhos de Ló." Todos estes povos foram ajudar Moabe e Amom, cujas duas nações estavam entre as mais violentas na conspiração. Eram dez a um contra Israel, mas ele venceu todos os inimigos. O seu nome não foi destruído. Mas muitos, não, a maioria dos adversários hoje é só um nome, cujo poder e excelência igualmente se acabaram.

"Selá." Havia ótimas razões para fazer uma pausa, quando a nação estava em semelhante perigo. Contudo, é preciso ter fé para fazer uma pausa, pois a incredulidade sempre está com pressa.

9 *Faze-lhes como fizeste a Midiã, como a Sísera, como a Jabim na ribeira de Quisom,*
10 *os quais foram destruídos em En-Dor; vieram a servir de estrume para a terra.*
11 *Faze aos seus nobres como a Orebe, e como a Zeebe; e a todos os seus príncipes como a Zeba e como a Zalmuna,*
12 *que disseram: Tomemos para nós, em possessão hereditária, as famosas habitações de Deus.*
13 *Deus meu, faze-os como que impelidos por um tufão, como a palha diante do vento.*
14 *Como o fogo que queima um bosque, e como a chama que incendeia as brenhas,*
15 *assim persegue-os com a tua tempestade e assombra-os com o teu torvelinho.*

9. *"Faze-lhes como fizeste a Midiã."* A fé gosta de ressaltar precedentes e os cita diante do Senhor. Neste exemplo, Asafe achou um muito apropriado, pois as nações em ambos os casos eram muito semelhantes e a situação apertada dos israelitas bem parecida. Midiã pereceu e o salmista confiava que os atuais inimigos de Israel receberiam a mesma destruição da mão do Senhor.

"Como a Sísera, como a Jabim na ribeira de Quisom." Os exércitos foram varridos pela ribeira, que repentinamente inundou, e todos pereceram. Este foi um segundo exemplo da vingança divina contra os inimigos de Israel. Quando Deus quer, uma ribeira é tão mortal quanto um mar. Quisom foi tão terrível para Jabim como foi o mar Vermelho

para Faraó. Como é fácil o Senhor ferir os inimigos do seu povo. Deus de Gideão e de Baraque, não vingarás de novo a tua herança contra os inimigos sanguinários?

10. *"Os quais foram destruídos em En-Dor."* Havia o centro da carnificina, onde os montes de mortos eram mais numerosos.

"Vieram a servir de estrume para a terra", adubando-a com homem. Fizeram a terra, como Saturno, alimentar-se dos próprios filhos. A guerra é cruel, mas neste caso a desforra era mais que justa. Aqueles que não dariam a Israel um lugar acima da terra não recebem um lugar abaixo da terra. Contaram o povo de Deus como esterco, então eles mesmos se tornaram esterco. Asafe desejava que o mesmo destino sobreviesse aos outros inimigos de Israel. A oração era uma profecia, pois assim sucedeu a eles.

11. *"Faze aos seus nobres como a Orebe, e como a Zeebe."* Fere os grandes como também o povo. Não permitas que os cabeças do motim escapem. Como Orebe foi morto na penha e Zeebe no lagar (Jz 7.25), assim vinga tu dos inimigos de Sião, onde quer que tu os apanhes. Orgulhosamente se comparam a corvos e lobos. Faze com que recebam o fim que é devido a tais animais selvagens.

"E a todos os seus príncipes como a Zeba e como a Zalmuna." Estes foram capturados e mortos por Gideão, a despeito de terem afirmado que foram ungidos para o reino. Zeba tornou-se sacrifício, e Zalmuna foi enviado às imagens sombrias, das quais o seu nome é derivado. Vendo o salmista estes quatro culpados pendurados na história na mais alta forca, pede fervorosamente que os outros de caráter igual tenham, por amor à verdade e justiça, o mesmo destino.

12. *"Que disseram: Tomemos para nós, em possessão hereditária, as famosas habitações de Deus."* Vendo o templo e também as habitações das tribos como pertencentes a Deus, estes saqueadores gananciosos determinaram expulsar os habitantes, matá-los e tornarem-se proprietários e ocupantes de tudo. Tratavam-se de palavras bombásticas e desígnios tenebrosos, mas Deus faria com que tudo desse em nada. É em vão os homens dizerem "tomemos", se Deus não dá. Aquele que rouba a casa de Deus descobrirá que tem uma propriedade que cheira com uma maldição. Infestará a ele e a sua descendência para sempre. "Roubará o homem a Deus?" (Ml 3.8). Tente, e verá que é trabalho quente e pesado.

13. *"Deus meu, faze-os como que impelidos por um tufão"*, como algo que não pare nunca, que se move com a mais leve brisa. Não lhes dês sossego. Faze com a mente dessas pessoas revolva constantemente e nunca tenha paz. Assopra-os como a lanugem do cardo, "como a palha diante do vento". Espalha-os, persegue--os, dirige-os para a destruição. Todo patriota ora assim contra os inimigos do seu país, pois ele seria não melhor que um traidor caso não o fizesse.

14. *"Como o fogo que queima um bosque."* Os longos anos polvilharam a terra com volumosos depósitos de folhas. Estas, secas ao sol, são de fácil combustão e, quando incendeiam, a queimada é terribilíssima. A vegetação rasteira e as folhagens levantam labaredas, os arbustos crepitam, as grandes árvores pegam fogo, envolvendo as copas em chamas, enquanto o solo fica todo vermelho como um forno. Deste modo, ó Senhor, espalha a destruição aos teus inimigos, e leva-os todos a um fim.

"E como a chama que incendeia as brenhas." Pelos lados dos montes, os bosques inclinados ardem como um grande sacrifício, e as florestas no topo das montanhas levantam fumaça até ao céu. Exatamente assim, Senhor, derrota de modo visível e tremendo os inimigos do teu Israel.

15. *"Assim persegue-os com a tua tempestade e assombra-os com o teu torvelinho."* O Senhor seguirá os inimigos, os amedrontará e os perseguirá até sofrerem desesperadora derrota. Foi o que Ele fez, de acordo com a oração deste salmo, pelo servo Josafá e, de certa forma, fará para dar livramento a todos os eleitos.

16 *Encham-se de vergonha as suas faces, para que busquem o teu nome,* Senhor.

17 *Confundam-se e assombrem-se perpetuamente; envergonhem-se e pereçam.*

18 *Para que saibam que tu, a quem só pertence o nome de* Jeová, *és o Altíssimo sobre toda a terra.*

16. *"Encham-se de vergonha as suas faces, para que busquem o teu nome, Senhor."* A vergonha tem afastado os homens dos ídolos e os fixado a buscar ao Senhor. Não fosse este o resultado feliz, no presente exemplo, com os inimigos do Senhor, certamente seria com o seu povo que era tão propenso a errar. Eles se sentiriam humilhados pela misericórdia e envergonhados por causa da graça. Então, com sinceridade voltariam a cultuar fervorosamente a Jeová, o seu Deus, que os livrara.

17. Onde não produziu bom resultado e os homens permaneceram tão violentos e obstinados como sempre, a justiça foi convocada a executar a sentença de morte: *"Confundam-se e assombrem-se perpetuamente; envergonhem-se e pereçam"*. O que mais se poderia fazer com eles? Era melhor que perecessem do que Israel ser arrancado pela raiz. Que pavorosa destruição é os inimigos de Deus serem confundidos e assombrados para sempre, verem todas as artimanhas e esperanças derrotadas, e o corpo e a alma ficarem cheios de angústia sem fim. Livra a nossa alma de tal perecimento vergonhoso!

18. *"Para que saibam que tu, a quem só pertence o nome de Jeová, és o Altíssimo sobre toda a terra."* Ouvindo falar dos feitos maravilhosos do Senhor ao derrotar tal confederação numerosa, os próprios pagãos seriam compelidos a reconhecer a grandeza de Jeová. Lemos em 2 Crônicas 20.29, que o temor de Deus veio sobre todos os reinos circunvizinhos quando ouviram que Jeová pelejara contra os inimigos de Israel. Jeová é essencialmente o Altíssimo. Ele, que é autoexistente, é infinitamente acima de todas as criaturas, pois toda a terra é apenas o banquinho dos seus pés. A descendência irreligiosa dos homens desconsidera este fato. No entanto, de vez em quando, as obras maravilhosas do Senhor compelem os mais relutantes a adorar a majestade divina.

Assim, este comovente poema lírico passou das palavras de reclamação para as palavras de adoração. Procuremos em nossa adoração fazer sempre o mesmo. A dificuldade nacional convocou o laureado poeta da nação, o qual foi muito feliz ao discorrer de uma só vez sobre as tristezas, as orações e as esperanças israelitas. Assim, a literatura sagrada impele-nos muito à tristeza e aflição. Como é enriquecedora a mão da adversidade! A iniciativa a seguir para versificar o salmo e harmonizá-lo com os propósitos do Evangelho é apresentada com muita timidez.

Ó Deus, não fiques mais em silêncio
Os teus inimigos estão confederados contra a tua Lei
Desnuda o braço no monte Sião
Grande Capitão da nossa guerra santa

Como Amaleque e Ismael
Que guerrearam sempre com a tua semente
Assim todas as hostes de Roma e do inferno
Chefiam exércitos contra o teu Filho

Embora em nada mais concordem
Contra a tua verdade todos se unem
Enfurecem-se contra o Crucificado
E odeiam o poder crescente do Evangelho
Pelo riacho de Quisom todo o bando de Jabim
Sob a tua reprimenda foi exterminado
Ó Senhor, mostra a tua poderosa mão
Um único golpe ganhará o dia

Vem, vento impetuoso, persegue o restolho!
Vem, fogo sagrado, queima as florestas!
Vem, Senhor, com toda a tua graça conquistadora
Os corações rebeldes para Jesus voltar!

Que os homens saibam de uma vez que
Tu, Jeová, amas a verdade inteiramente
E que a tua igreja nunca se dobre
Diante das portas orgulhosas do inferno

NOTAS EXPLICATIVAS E DECLARAÇÕES IMPORTANTES

O Título: "Cântico e salmo". Quando as duas palavras hebraicas (*shir* e *mizmor*) ocorrem juntas, o significado é "um poema lírico designado a ser cantado". — *John Jebb*

O Título: Este salmo, segundo diz o título, foi composto por Asafe. De acordo com esta informação, lemos em 2 Cr 20.14, que o Espírito do Senhor veio sobre Jaaziel, dos filhos de Asafe, no meio da congregação. Este Jaaziel é provavelmente o autor do salmo. O salmo é um verdadeiro quadro do estado sentimental que prevalecia entre o povo durante o perigo sofrido no reinado de Josafá. Conforme sabemos pela história de Crônicas, eles louvaram a Deus naquela ocasião, no meio do perigo, com voz alta (2 Cr 20.19). No título, que é um apêndice ao Salmo 48, o salmo é chamado de cântico de louvor. Na verdade é, embora traga a forma de oração - um cântico de triunfo cantado antes da vitória –, sem contestação e sem dúvida, a angústia é simplesmente entregue a Deus.

A menção dos amalequitas entre os inimigos de Israel (v. 7) torna impossível ser mais antigo que os dias do rei Josafá. Os últimos remanescentes dos amalequitas foram, de acordo com 1 Cr 4.43, desarraigados pelos simeonitas durante o reinado de Ezequias. A partir dessa época, desaparecem completamente da história. Henrich Ewald afirma que Amaleque aparece aqui "somente como o nome da infâmia aplicada às partes bem conhecidas na ocasião". Consideramos esta afirmação um expediente infeliz. O salmo deve ter sido composto antes do avanço do império assírio para a Ásia ocidental. O fato de os assírios terem sido citados por último no versículo 8, indica o caráter muito extraordinário de um aliado dos filhos de Ló. — *E. W. Hengstenberg*

v. 1: "Ó Deus, não estejas em silêncio! Não cerres os ouvidos nem fiques impassível, ó Deus!" Na Bíblia, encontro três razões para o Senhor estar em silêncio quando o seu povo está em perigo, e ficar impassível quando há a maior necessidade de prestar socorro e ajuda.

(1) A primeira razão é para o Senhor provar a fé, como vemos claramente em Mateus 8.24,25, onde está escrito que o nosso Senhor Jesus Cristo estava dormindo: "Eis que, no mar, se levantou uma tempestade tão grande, que o barco era coberto pelas ondas; ele, porém, estava dormindo. E os seus discípulos, aproximando-se, o despertaram, dizendo: Senhor, salva-nos, que perecemos". Apanhando mais detalhes em Marcos 4.35-41 e Lucas 8.22-25, vemos que Ele deixou os discípulos, quando o barco era coberto pelas ondas e eles estavam remando para salvar a vida, ao mesmo tempo em que Jesus estava dormindo. Mas, "despertando, repreendeu o vento e disse ao mar: Cala-te, aquieta-te. E o vento se aquietou, e houve grande bonança". E disse-lhes: "Por que sois tão tímidos? Ainda não tendes fé?" (Mc 4.39,40). O fato é que o Senhor não permitirá que o seu povo seja derrotado, mas permitirá que chegue muito próximo, que as ondas os cubram, que o medo e o horror lhes dominem a alma. Permite todas estas coisas para provar-lhes a fé. [...]

(2) Encontro outra razão em Isaías 59. É para o Senhor provar a retidão dos homens; para saber quem se manterá fiel à sua causa e ao seu povo por retidão de coração. Se Deus sempre se manifestasse pela sua causa, Deus e a sua causa teriam muitos favoritos e amigos. Mas às vezes Deus entrega a sua causa, entrega o povo, entrega o Evangelho e as ordenanças para o mundo em geral, a fim de ver quem suplicará por isso e se manterá fiel. [...]

(3) A terceira razão é, por assim dizer, para o Senhor reunir os ímpios em um feixe, em um pacote, para que sejam destruídos juntos. Há muita dificuldade para

reunir os santos neste mundo, e verdadeiramente há certa dificuldade para reunir os ímpios. Por isso, Deus se retira do seu povo, ainda que tenha um gancho no coração deles e os sustente secretamente pelo seu Espírito para que não o deixem. Mas o mundo vê apenas que Deus os abandonou totalmente, bem como todas as ordenanças, o Evangelho e as demais coisas. Assim, os ímpios se reúnem e insultam por meio de que Deus os identifica imediatamente e os destrói como ocorre com as dez nações no salmo. Em Gênesis, Deus incita as nações contra Abraão e a sua posteridade, e há dez nações que Deus prometeu exterminar imediatamente diante de Abraão: os queneus, os quenezeus, os cadmoneus, os heteus, os ferezeus, os refains, os amorreus, os cananeus, os girgaseus e os jebuseus (Gn 15.19-21). Assim Deus os amontoa e os queima como restolho. Os que queimam restolho usam ancinhos para juntá-lo em montões e, depois, meter fogo. Este é o modo de Deus estar em silêncio entre o povo e ficar impassível no meio das dificuldades. Assim, Deus junta os inimigos em montões como restolho para depois queimá-los juntos. — *Walter Cradock, "Divine Drops", 1650*

v. 1: "Ó Deus, não estejas em silêncio! Não cerres os ouvidos nem fiques impassível, ó Deus!" As palavras hebraicas têm forte ênfase e expressam as principais causas do silêncio – fechamento da boca, surdez dos ouvidos e tranquilidade mantida a ponto de rejeitar toda a ansiedade. A primeira frase, "não estejas em silêncio", não deixes a boca fechada e a língua presa ao céu da boca fixamente, denota corretamente a força inerente da palavra דֳּמִי, cuja raiz significa "fixar" e "compactar firmemente", aquilo que é firmado com cal ou emplastrado com gesso. [...] A segunda frase, "não cerres os ouvidos", diz respeito adequadamente aos ouvidos, como em Mq 7.16: "Os seus ouvidos ficarão surdos". A terceira frase, "nem fiques impassível", indica o curso dos pensamentos da mente, quando é levado a um estado de óbvia tranquilidade, deixando de lado todos os cuidados e agitações. A palavra שָׁקַט quer dizer "resolver", "acomodar", "estabelecer-se", "instalar-se", "depositar", como quando os sedimentos do licor mexido se acalmam e buscam o fundo. Daí, a ideia é aplicada à mente, quando é livrada da grande fermentação dos cuidados e do sedimento da ansiedade e amargura. É uma mente serena, clara e refinada. [...]

Vejamos agora o que o poeta tinha em mente quando fez estas orações ou o que desejava mostrar. Ele queria dizer que o povo estava fazendo este rogo insistente, porque, a menos que Deus viesse ajudá-los imediatamente, dava a impressão que Jeová, o Deus de Israel, era como os falsos deuses, um tipo de deidade, que estava ou muda, ou surda, ou cansada. — *Hermann Venema*

v. 1: "Ó Deus, não estejas em silêncio!" O Senhor está em silêncio? Então não esteja você em silêncio, mas clame até que Ele rompa o silêncio. — *Starke*, citado em *J. P. Lange, Bibelwerk, 1864*

v. 1: "Ó Deus, não estejas em silêncio! Não cerres os ouvidos nem fiques impassível, ó Deus!" A referência ao alvoroço no versículo seguinte dá força à súplica intensa neste. Em meio ao alvoroço do ajuntamento dos inimigos, o salmista clama fervorosamente que Deus quebre o silêncio e fale com eles em ira. — *W. Wilson*

v. 2: "Porque eis". A oração começa com a partícula "eis", que não só tem a força de despertar Deus, mas também dá a ideia de algo presente, com vistas a mostrar o momento oportuno para Deus cingir-se para o trabalho. — *Hermann Venema*

v. 2: "Teus inimigos se alvoroçam". O mundo inteiro não passa de um exército, uma brigada de homens sob as ordens de um general. Deus é o Senhor dos Exércitos, quer dizer, o Deus dos seus exércitos. Quando um exército está alvoroçado, os soldados apresentam queixa aos oficiais, ao general especialmente. Ele tem de ir para acabar com o alvoroço. É o que o salmista quer dizer: Tu, Senhor dos Exércitos, tu és o general do mundo. Eis que há um alvoroço no mundo, um motim. — *Walter Cradock*

v. 3: "Os teus protegidos". Esta representação do povo de Deus é digna de atenção. Podemos entendê-la de dois modos.

(1) Como referência à segurança do povo. Protegemos para preservar. Este é o significado da palavra na parábola, com respeito à descoberta do tesouro no campo, o qual "um homem achou e escondeu" (Mt 13.44). O objetivo não era esconder, mas proteger. A causa está no lugar do efeito. Assim, o povo de Deus é protegido. Ele escondeu Noé na arca, e as águas que submergiram o mundo não o acharam. Quando os juízos estavam passando pela terra, Ele disse: "Vai, pois, povo meu, entra nos teus quartos e fecha as tuas portas sobre ti; esconde-te só por um momento, até que passe a ira" (Is 26.20). Daí, a promessa: "Tu os esconderás, no secreto da tua presença, das intrigas dos homens; ocultá-los-ás, em um pavilhão, da contenda das línguas" (Sl 31.20). Daí, a confiança expressada por Davi: "Porque no dia da adversidade me esconderá no seu pavilhão; no oculto do seu tabernáculo me esconderá; pôr-me-á sobre uma rocha" (Sl 27.5). O Salvador disse: "Com a sombra da sua mão, me cobriu" (Is 49.2). E: "todos os teus santos estão na tua mão" (Dt 33.3). Eles são guardados pelo poder de Deus, mediante a fé, para a salvação. Porque ele mesmo é o refúgio do seu povo, o lugar secreto. São eles os "protegidos".

(2) Como indicação do ocultamento do povo. Isto não é absoluto, mas contém vários aspectos e medidas. É verdade com respeito à natureza da vida espiritual. A nossa vida, disse o apóstolo, "está escondida com Cristo em Deus". É óbvio que ele se refere à invisibilidade e não à segurança, como mostram as palavras seguintes: "Quando Cristo, que é a nossa vida, se manifestar, então, também vós vos manifestareis com ele em glória" (Cl 3.3,4). [...] O coração dos crentes só conhece a própria amargura, e o estranho não se intromete com a alegria. O maná com o qual eles se alimentam é o maná escondido. E ninguém conhece o novo nome na pedra branca recebida, senão aquele que a recebe (Ap 2.17).

Às vezes, o povo de Deus é escondido pela perseguição. Embora não evite que sejam cristãos, impede que apareçam como cristãos, sobretudo excluindo-os das reuniões sociais e públicas. [...] Às vezes, os crentes são protegidos pela obscuridade da condição social. Não são muitos os sábios, os poderosos e os nobres que são chamados (1 Co 1.26), mas quando são chamados, são também mostrados. São como cidades edificadas sobre os montes, as quais não podem se esconder (Mt 5.14). Um pouco de religião na alta sociedade faz muita coisa e é muito difundido, porque muitas vezes é algo diferente. Mas Deus escolheu os pobres deste mundo, os quais são ricos na fé. No entanto, como essa riqueza moral é vista? Como são poucas as oportunidades para demonstrações e expressões religiosas! Pode haver o princípio da benevolência, onde não há a habilidade para dar. O Senhor vê o coração, mas os homens só podem julgar pelas ações. Muitos que são grandes aos olhos do Senhor estão vivendo em cabanas e choupanas. Raramente são conhecidos, salvo por algumas pessoas igualmente desconhecidas.

De vez em quando, o povo de Deus é escondido pela alienação. Os crentes são reservados e avessos à notoriedade. São tímidos e desconfiados. Esta atitude os torna contidos nas conversas sobre a fé, sobretudo no que tange à própria experiência. Impede-os de fazerem a confissão da fé e a entrarem no rol de membros de uma igreja cristã. José de Arimateia era discípulo de Jesus, ainda que ocultamente, porque tinha medo dos judeus (Jo 19.38). Nicodemos, pelo mesmo motivo, foi visitar Jesus de noite (Jo 3.2). Ambos tiveram dificuldades em situações que os outros eram livres. Deveriam ter vencido essa propensão, o que mais tarde acabou sucedendo. Mas no início foi "o dia das coisas pequenas" para com eles (Zc 4.10). Outros estão nessa situação e são provados de modo semelhante. Devemos ser pacientes para com todos os homens.

Às vezes, o povo de Deus é escondido pela fraqueza. Não advogamos o pecado, mas a graça está junto com muitas imperfeições. Os possuidores têm o que é essencial para a fé, mas nem tudo é ornamental, bonito e de boa fama.

O mesmo se aplica ao erro. Estamos longe de subestimar a verdade divina. É uma coisa boa que o coração seja fortalecido com a graça. Mas é impossível dizermos quanta ignorância e quantos enganos há, mesmo nos próprios israelitas, em quem não há dolo. — *William Jay*

v. 3: "Astutamente formam conselho contra o teu povo e conspiram contra os teus protegidos". Quanto menos o mundo saber de você, melhor será para você. Fique satisfeito unicamente com uma coisa: Deus conhece os que são dEle, pois são os seus protegidos. Não estão perdidos, ainda que o escondimento seja o símbolo do cristão. — *Frisch*, citado em *J. P. Lange, "Bibelwerk" [Obras da Bíblia]*

v. 4: "Nem haja mais memória do nome de Israel". O estratagema ousado e terrível, bem como o desígnio medonho dessas nações não entraram em vigor. Pelo contrário, as nações aqui mencionadas, que compunham esta conspiração, já não existem, e não tiveram um nome no mundo por muitas centenas de anos. Contudo, ainda hoje os judeus são um povo e são guardados, a fim de serem chamados e salvos, como todo o Israel será no último dia (Rm 11.25). Diocleciano pensou ter exterminado o nome cristão da face da terra, mas em vão. — *John Gill*

v. 5: "Porque à uma se conluiaram", no original hebraico, "coração". Não há divisão nas deliberações sobre este assunto. Têm um desejo, um propósito, com respeito ao assunto. Pilatos e Herodes se fizeram amigos contra Cristo (Lc 23.12). O mundo, dividido e hostil em outros assuntos, se une habitualmente na oposição a Cristo e à religião pura e espiritual. — *Albert Barnes*

v. 5: "Porque à uma se conluiaram; aliaram-se contra ti". Para prosseguir nesta guerra profana, juntam as cabeças, os chifres e os corações também. *Fas est et ab hoste doceri.* Os inimigos da igreja agem de comum acordo para destruí-la? Os reis da terra são concordes em dar o poder e honra à besta? E não serão os amigos da igreja unânimes em servir aos interesses dela? Se Herodes e Pilatos se fizeram amigos para unirem-se em crucificar Cristo, com certeza Paulo e Barnabé, Paulo e Pedro logo ficarão amigos para unirem-se em pregar a Cristo. — *Matthew Henry*

v. 5: "Porque à uma se conluiaram; aliaram-se contra ti". Embora haja discordâncias particulares entre os que são ímpios todos eles concordam e unem-se contra os santos. Se dois cães de caça rosnam pelo mesmo osso, solte uma lebre na frente deles e eles deixarão o osso para persegui-la. Semelhantemente, se os maus têm diferenças particulares entre si, basta haver um crente perto deles para que deixem de brigar uns com os outros e passem a perseguir o crente. — *Thomas Watson*

v. 5: "Aliaram-se contra ti". "Fizeram aliança", בְּרִית יִכְרֹתוּ (*b*[e]*rît yikrōtû*), "cortaram o sacrifício da aliança". Mataram um animal, dividiram-no em dois e passaram entre os pedaços da vítima. Desta forma, ligaram-se para cumprir o seu propósito. — *Adam Clarke*

v. 6: "As tendas de Edom, dos ismaelitas, de Moabe, dos agarenos". Tendo apresentado a petição e feito a queixa sumária, o profeta passa a dar pormenores. Conta para Deus quem são os que fizeram isso. Deus poderia perguntar: Quem são estes que conspiram contra mim e contra o meu povo, os protegidos? Senhor, responde o profeta, contarei a ti quem são. [...] Cita dez nações que se uniram contra o pobre Israel. É algo a observar que, quando conspiram contra o povo escolhido, Deus não se contenta com a queixa sumária, mas é informado de quem são. Como já disse, Ele é o Senhor dos Exércitos, o grande general. Quando há um motim, o general pergunta que oficial, ou que cabo, ou que sargento, ou quem o começou. É algo temeroso quando o pobre santo perseguido leve o seu nome, leitor, como perseguidor perante o Deus dos céus. É algo temeroso quando o pobre santo vai para casa e diz que há uma confederação em Londres, uma conspiração contra os santos de Deus. É algo temeroso quando o pobre santo diz ao magistrado, ao ministro, que há tal homem em tal rua, ou tal mulher que colocou o marido contra os santos e contra as ordenanças divinas. Então me lembro de uma mulher santa, se é verdade que se diz sobre ela em *O Livro dos Mártires*, que quando os maus abusaram dela, a repreenderam e a oprimiram, ela disse não mais que isso: "Irei para casa e contarei para o meu Pai". Rendam-se, ou então levarei os seus nomes perante Deus e lhe direi: Eram todos esses e basta, porque Ele o aceitaria agora. O homem pode suportar melhor um quilo de areia nos pés que um grão de areia nos olhos. Os santos são a menina do olho de Deus (Zc 2.8). — *Walter Cradock*

v. 6: "Agarenos". Este povo habitava a leste de Gileade. Quase foi destruído nos dias de Saul, sendo totalmente expulso do seu país (1 Cr 5.10). Mais tarde, porém, recuperou certa força e importância social. — *Adam Clarke*

vv. 6 a 8: Observemos que estas nações estavam por todos os lados da terra de Israel. Os edomitas, ismaelitas e amalequitas estavam ao sul. Os moabitas, amonitas e agarenos estavam a leste. Os assírios estavam ao norte. E os filisteus, gebalitas e tírios estavam a oeste. Desta forma, Israel estava cercado por todos os lados com inimigos, como o povo do Senhor é atribulado por todos os lados (2 Co 4.8). Assim, os exércitos de Gogue e Magogue, dos quais alguns expositores entendem isto, cercarão o acampamento dos santos e a cidade amada (Ap 20.9). — *John Gill*

vv. 6 a 8: Os inimigos de Israel, enumerados pelo salmista, classificam-se em quatro divisões principais: Em primeiro lugar, os mais proximamente aparentados com os próprios israelitas pelos laços de sangue, os descendentes de Esaú e Ismael. Em segundo lugar, as duas linhagens da família de Ló junto com os seus respectivos auxiliares árabes, a saber, os moabitas, que tinham juntado forças para ajudar os agarenos e amonitas, havendo se reunido em volta do seu estandarte os gebalitas e amalequitas. Em terceiro lugar, os habitantes do litoral, os filisteus e tírios. Em quarto lugar, os assírios, mais distantes.

De todos esses, os mais cruéis na hostilidade contra Israel eram os parentes consanguíneos mais próximos a eles: os edomitas. A antipatia estava fundamentada no ódio. Pelo modo em que trataram os israelitas através de longo percurso de anos, fica claro que se perpetuou neles o antigo ódio com o qual o antepassado Esaú odiara Jacó por causa da bênção de Isaque. Embora tivessem tido sucesso repetidamente, de acordo com a profecia, em sacudir do pescoço o jugo de Israel, nunca puderam arrancar de Israel a posse da primogenitura e, com ela, as promessas profanamente menosprezadas pelos antepassados. Era de Israel e não de Edom, que o Redentor do mundo viria, e em Israel todas as famílias da terra seriam abençoadas. Podemos ver os edomitas como exemplo daqueles que são os inimigos mais ferrenhos da igreja de Cristo. São os céticos que se recusam a aceitar a redenção por um Redentor pessoal, no qual, como em uma base, a igreja é fundada. São pessoas cujo orgulho intelectual ofende-se com as doutrinas humilhantes do cristianismo, e que odeiam os que tomam por bênçãos essas mesmas doutrinas que eles voluntariosamente desprezam. São aqueles cuja aprendizagem humana desde o princípio tem sido servil para a edificação da igreja, apesar da violência com que se esforçam e, por certo tempo, como às vezes parece, têm pleno sucesso em obter autoridade sobre ela, opondo-a e exercendo um domínio temporário. Habitando em tabernáculos, não suportam que outros, mais abençoados que eles tenham as casas de Deus em possessão: "Admitindo que se desviaram e que são incapazes de achar o caminho para a verdade, são ainda mais inoportunos e imperiosos para que os outros se afastem dos caminhos antigos e se unam a eles, ou pelo menos que peregrinem como eles estão peregrinando". Em combinação com os edomitas, o salmista menciona os ismaelitas. Estes, como os descendentes da escrava, representam os oponentes judeus do cristianismo, ainda que talvez localmente, se não geralmente temíveis, os quais rejeitando a doutrina cristã foram tomados pelos mesmos sentimentos de orgulho intelectual como os céticos da descendência cristã, e confessando lealdade ao concerto do monte Sinai que gera servidão, perseguiram, na medida das suas forças, os que eram nascidos segundo o Espírito.

Nos descendentes de Ló e nos seus auxiliares árabes, temos o tipo de uma classe diferente de inimigos. A origem histórica do primeiro os destaca como representantes apropriados dos escravos das concupiscências pecaminosas. São aqueles que odeiam a igreja não pelo tom humilhante das doutrinas, mas pelo padrão de santidade que ela exige e da qual testemunha continuamente. A experiência mostra como tais pessoas estão habituadas a atacar a igreja, a arrolar a seu serviço aqueles que são mais desordeiramente, mas ao mesmo tempo mais ignorantemente profanos que elas para, se possível, desarraigar as cercas e proteções da Lei da santidade, as quais, tendo-as transgredido, odeiam olhar e apelam para as paixões desenfreadas da multidão sem lei, para quem a própria existência das cercas fora totalmente desconsiderada. Dos inimigos da igreja que são animados por sentimentos de ódio positivo, passamos para os que agem pela razão e não pela paixão, e cujos procedimentos são todos dirigidos com vistas ao próprio engrandecimento terreno. Os filisteus e tírios tinham se engajado na confederação hostil com a esperança de cativar os israelitas, dos quais poderiam obter lucro vendendo-os no estrangeiro como escravos. Ao que parece, não consideraram os israelitas com outros sentimentos que os da mera indiferença egoísta.

Ambas as nações tinham prestado serviços para Israel nos dias da prosperidade israelita. Os filisteus tinham fornecido os quereteus e peleteus do corpo da guarda de Davi, e os tírios tinham abastecido Salomão com materiais e trabalhadores para a construção do templo. Ambas as nações estavam procurando se enriquecer as custas de Israel agora nos dias da adversidade israelita. Estes são exemplos de todos os que nas diversas confissões de amizade ou hostilidade para com a igreja de Deus são movidos pelo mero desejo mercenário de lucro. Favorecem – e até com zelo – os interesses da igreja, quando buscam boa recompensa pelos serviços prestados. Combinam sem hesitação com os mais cruéis inimigos da igreja para vilipendiá-la e saqueá-la, sempre que surge a oportunidade de aumentar os bens e riquezas mundanas.

A última classe de inimigos são os de quem a Assíria é exemplo. Tratam-se dos potentados mundanos, quer eclesiásticos ou seculares, papais ou imperiais, que estão inescrupulosamente prontos para empregar todos os meios para a realização última do seu objeto único, que é estender e consolidar o domínio.

Tais potentados representam muito verdadeiramente o egoísmo determinado e resoluto que, para os olhos que não ficam deslumbrados pela grandeza das proporções ou pela suntuosidade em que é organizado, sempre tem de ser como uma das mais terríveis incorporações da inimizade do mundo para com Deus. O orgulho do intelecto e incredulidade, a profanação e ilegalidade da vida, a cobiça e a ambição mundana são as características das quatro classes importantes desses por quem a igreja de Deus é ameaçada. — *Joseph Francis Thrupp*

v. 7: "Gebal".

(1) Supõe-se em geral que seja a região montanhosa que se estende do mar Morto, em direção sul, a Petra, ainda chamada de *Jebal*. Mas alguns dos melhores escritores identificam o nome com a segunda opção abaixo, por estar mencionado em combinação com Tiro.

(2) Supõe-se que seja um lugar falado com relação a Tiro (Ez 27.9). É muito provável que seja a residência dos gebalitas, e então, fica ao norte da Palestina (Js 13.5). Os gebalitas foram empregados por Hirão, rei de Tiro, para a preparação dos materiais utilizados na construção do templo de Salomão (1 Rs 5.18).

O nome grego deste lugar era Biblos. A cidade é chamada de *Jebeil*, e tem uma população de cerca de seiscentas pessoas. Fica aproximadamente a vinte e sete quilômetros ao norte de Beirute. As ruínas antigas são muito extensas. Muitas colunas de granito estão espalhadas em torno da aldeia e pelos campos circunvizinhos. Estas colunas são na maioria pequenas, variando de trinta e sessenta centímetros de diâmetro. Algumas pedras medem seis metros de comprimento. A fortaleza é a ruína mais extraordinária. A entrada é quase sufocada pela areia e ruínas. — *George H. Whitney, "Handbook of Bible Geography" [Manual de Geografia Bíblica], 1872*

v. 8: "Também a Assíria se ligou a eles; foram eles o braço dos filhos de Ló". Este texto determina a data do salmo ao período posterior do reino de Judá. As outras nações mencionadas tinham perturbado este reino antes, mas os assírios não até perto do fim. — *William Wall, 1646-1728*

v. 9: "Faze-lhes como fizeste a Midiã", ou seja, bate as suas cabeças umas nas outras, faze com que as suas políticas se oponham mutuamente. — *Walter Cradock*

v. 9: "Na ribeira de Quisom". O rio Quisom atravessa a planície de Esdraelom e desemboca na baía de Acre ou Aco. Este é o rio mencionado em relação à vitória de Baraque e Débora contra Sísera: "O ribeiro de Quisom os arrastou, aquele antigo ribeiro, o ribeiro de Quisom. Pisaste, ó minha alma, a força" (Jz 5.21). Embora hoje não seja rio insignificante, precisa de pesadas chuvas para torná-lo de volume realmente considerável. É de tamanho muito desigual e de caráter temporário. Seja como for, quando Robinson passou pelas águas da cabeceira no solstício de verão, encontrou o leito completamente seco e assim estivera por um ano. Por outro lado, no inverno, as águas são bastante abundantes, particularmente nos principais afluentes do norte e do sul, de forma que, em 1799, durante a invasão francesa, muitos turcos derrotados pereceram na cheia de Deburieh que inundou a planície. Foi uma cena semelhante a esta que está descrita em Juízes 5 concernente à derrocada de Sísera e seus exércitos. — *Carl Ritter, 1779-1859, "The Comparative Geography of Palestine and the Sinaitic Peninsula" [A Geografia Comparativa da Palestina e da Península Sinaítica], traduzido por William L. Gage, 1866*

v. 10: "Vieram a servir de estrume para a terra". A terra foi enriquecida ou fertilizada pela carne, sangue e ossos dessas pessoas. — *Albert Barnes*

v. 10: "Vieram a servir de estrume para a terra". No ano de 1830, calcula-se que mais de um milhão de alqueire de "ossos humanos e não-humanos" foi importado do continente europeu para o porto de Hull. As cercanias de Leipzig, Austerlitz, Waterloo e outros lugares, onde as principais batalhas foram travadas uns quinze ou vinte anos antes, foram limpadas dos ossos dos valentes e dos cavalos em que montavam. Depois de reunidos de todos os lados, foram transportados para Hull, e de lá, remetidos aos amoladores de ossos em Yorkshire que, por máquinas a vapor e maquinaria pesada, os reduziram a um estado granuloso. Nesta condição, foram enviados principalmente a Doncaster, um dos maiores mercados agrícolas do país, e vendidos aos fazendeiros como adubo. A substância oleosa que gradualmente envolve os ossos quando calcina, é adubo melhor que quase todas as outras substâncias – sobretudo, ossos humanos. — *K. Arvine*

v. 11: A palavra "nobres" é colocada em antítese com os nomes "Orebe" e "Zeebe". A palavra נְדִיבִים, "nobres", denota homens "liberais", "munificentes" e "beneficentes", como os príncipes e potentados devem ser entre os homens. Mas os nomes Orebe e Zeebe têm significado totalmente oposto, pois um significa "corvo" e o outro "lobo". Quando os nobres se degeneram em tais animais rapaces e truculentos, como justa recompensa o ataque hostil virá sobre eles. — *Hermann Venema*

v. 13: "Um tufão". Que tipo de planta é esta cujos talos os tropeiros picam para mastigar com tanto gosto? É a alcachofra selvagem. Podemos nos entreter um pouco com ela e o seu comportamento, e extrair algo mais valioso que o suco insípido do qual os homens tanto apreciam. Observamos que durante o crescimento se desenvolve em numerosos ramos de tamanho e comprimento igual em todas as direções, formando um tipo de esfera ou bola de trinta centímetros ou mais de diâmetro. No outono, quando a planta está madura e seca, os ramos ficam rígidos e leves como uma pena, o tronco principal rompe-se no solo e o vento carrega estas bolas vegetais para todos os lugares. Na estação própria, milhares dessas bolas vêm voando pela planície, rolando, saltando e ricocheteando com bastante barulho, e amedrontam o cavalo e atormentam o seu cavaleiro. Certa vez, na planície norte de Hamate, meu cavalo ficou bastante intratável por conta disso. Essas bolas batiam em nós nas asas do vento, que os tirara dos caules e os enviara em disparada pelo deserto em números incontáveis. O cidadão local que era excelente itinerante, A. F., teve um encontro semelhante com essas bolas no deserto oriental, fora dos limites de Haurã, quando o cavalo ficou tão apavorado que ele foi obrigado a descer para conduzi-lo. Por muito tempo suspeitei que esta alcachofra selvagem é o *gulgal* que, em Salmos 83.13, é traduzido por "tufão", e em Isaías 17.13, por "bola". Está claro que os tradutores não sabiam do que se tratava. Na primeira passagem, lemos: "Deus meu, faze-os como que impelidos por um tufão [*gulgal*], como a palha diante do vento", e na segunda: "Bem rugirão as nações, como rugem as muitas águas, mas ele repreendê-las-á, e fugirão para longe; e serão afugentadas como a pragana dos montes diante do vento e como a bola [*gulgal*] diante do tufão". Agora, pela natureza do paralelismo, o *gulgal* não pode ser um "tufão", mas algo correspondente a *palha*. Tem de ser também algo que não voa como a palha, mas de maneira extraordinária rola ao sabor do vento. O significado de *gulgal* em hebraico e seu equivalente nos outros dialetos semitas exige estas características, com as quais a alcachofra rolante se encaixa perfeitamente, sobretudo, quando rola ao capricho do vendaval. No referido encontro ao norte de Hamate, os meus olhos ficaram meio encobertos com o restolho e a palha que enchiam o ar. Mas foi o comportamento extraordinário desta coisa rolante que me chamou a atenção. Centenas de bolas, todas pulando como gazelas em uma direção pelo deserto, de repente giraram, fazendo em pequeno círculo por causa de um vento contrário, e bateram com velocidade igual no novo curso. Um provérbio árabe trata estas bolas assim: *"Ho! 'akkub,* para onde vocês tramam esta noite?" Ao que, respondem enquanto voam: "Para onde o vento quiser". Derivam também desta planta uma das suas muitas formas de maldição: "Que você seja levado, como o *akkub,* diante do vento, até ficar preso nos espinhos ou afundar no mar". Se esta planta não for o "tufão" de Davi e a "bola" de Isaías, da qual se servem para adotar as maldições sobre os ímpios, não vi nada no país que indique a comparação. — *W. M. Thomson, "The Land and the Book" [A Terra e a Bíblia]*

v. 13: "Faze-os como que impelidos por um tufão", ou seja, faze-os cair em tão grandes calamidades de modo que não achem conselho ou tratamento para os infortúnios, mas corram para cá e para lá como uma roda ou bola e não vejam onde vão parar ou por onde escapar. Assim é a mente dos ímpios nas calamidades, para onde quer que se voltem não acham refúgio para descansar, nem encontram o consolo certo. Ficam agitados pela ansiedade constante, correndo para cá e para lá e buscando qualquer solução, mas acabam se cansando ainda mais e se afundando ainda mais nas aflições. É o que necessariamente acontece com os que buscam curar o mal com o mal. Por isso, Isaías também diz: "Os ímpios são como o mar bravo que se não pode aquietar" (Is 57.20). — *D. H. Mollerus*

v. 13: "Faze-os como que impelidos por um tufão". Os mortais, como cilindros, são rolados para cá e para lá, oprimidos por males inumeráveis. — *Pitágoras (?), "Aurea Carmina"*

v. 13: Não há maior evidência contra o erro que o fato de não ser firme em si mesmo. Não há maior argumento contra os grandes espíritos de dissimulação que o fato de não acharem repouso, não saberem onde se estabelecer, pois sempre estão em movimento, como se a maldição do salmista tivesse caído sobre eles, como se Deus os tivesse feito "como que impelidos por um tufão, como a palha diante do vento", para que não parem em lugar nenhum, nem repousem em nada, mas passem de uma incerteza para outra. O Espírito Santo é um espírito que repousa tranquilamente, está em paz, permanece e habita. — *Mark Frank*

vv. 13 e 14: "Deus meu, faze-os como que impelidos por um tufão, como a palha diante do vento. Como o fogo que queima um bosque, e como a chama que incendeia as brenhas". Em cenário óbvio e vívido para todo cidadão local das tempestuosas colinas e planícies da Palestina, ainda que para nós comparativamente ininteligível, o salmista as descreve como propelidas pelos planaltos de Gileade como nuvens de palha sopradas das eiras, e perseguidas como massas esféricas de ervas daninhas secas que percorrem as planícies de Esdraelom e da Filístia – voando com a terrível pressa e confusão das labaredas, que com ímpeto e violência correm e saltam de árvore em árvore e de monte em monte, quando as montanhas arborizadas de um país tropical são incendiadas por acaso. — *William Smith, "A Dictionary of the Bible" [Um Dicionário da Bíblia], 1863*

v. 14: "As brenhas" ou "montanhas" (AEC). Muitas das montanhas neste país estão cobertos com densas florestas. As folhas que caem todos os outonos acumulam-se, por vezes durante anos, até haver um verão particularmente seco, quando, de uma forma ou de outra, ou por acaso ou a propósito, sempre pegam fogo e queimam, às vezes, por vários dias. As montanhas em um dos estados da vizinha república estão em chamas neste exato momento enquanto estou escrevendo, e estão queimado há mais de uma semana. Podemos ver no céu o clarão distintamente vermelho, embora a grande distância, até mesmo os topos das montanhas de onde as chamas surgem está além dos limites do nosso horizonte. — *Extraído de Philip Musgrave, "Memories of a Church of England Missionary in the North American Colonies" [Memórias de uma Igreja Missionária da Inglaterra na Colônias da América do Norte], 1846*

v. 14: "O fogo" tem mais força em uma montanha, onde o vento é mais forte, do que em um bosque situado em um vale. — *Honorius Auguslodunensis*

v. 14: Humboldt viu florestas em chamas na América do Sul e assim as descreve: "Várias partes das extensas florestas que cercam a montanha, tinham pegado fogo. Chamas avermelhadas, meio envoltas em nuvens de fumaça, apresentavam um espetáculo muito impressionante. Os habitantes atearam fogo às florestas para melhorar a terra para pastagem e destruir os arbustos que sufocam a relva. Conflagrações enormes são causadas também pelo descuido dos índios que negligenciam, quando viajam, de apagar as fogueiras com as quais preparam os alimentos".

v. 14: Peçamos a ajuda divina para quebrar este poder e inimizade do homem natural; para que renda até a palavra da graça; e que a madeira, feno e palha de toda falsa doutrina pereçam perante o brilho da face de Deus. — *Edward Walter*

v. 18: "Para que saibam que tu, a quem só pertence o nome de Jeová, és o Altíssimo sobre toda a terra". A antiga história inglesa informa-nos que alguns perseguidores sanguinários estavam marchando contra um grupo de cristãos. Os cristãos, vendo-os aproximarem-se, saíram em marcha contra eles e gritaram com voz bem alta: "Aleluia! Aleluia!" (Louvado seja Jeová.)

Com a apresentação do nome do Senhor, a ira dos perseguidores abateu-se. Josefo fala que Alexandre, o Grande, quando marchava triunfalmente, foi abordado perto de Jerusalém pelo sumo sacerdote judeu. Ao ver que na mitra estava gravado o nome *Jeová*, "aproximou-se e adorou o nome", sendo desarmado da sua intenção hostil. Havia significação e poder no nome antigo e glorioso conforme era escrito pelos judeus. Mas o nome de Jesus é hoje muito mais poderoso no mundo do que era o nome Jeová nos primeiros tempos. — *"The Dictionary of Illustrations" [O Dicionário das Ilustrações], 1872*

v. 18: "Jeová" é um dos nomes incomunicáveis de Deus, que significa a sua essência eterna. Os judeus observam que no nome de Deus, *Jeová*, está implícito a trindade. *Je* significa o presente, *o*, o pretérito-perfeito e *vá*, o futuro. Os judeus também observam que no nome *Jeová* todas as letras hebraicas são *literae quiescentes*, que denotam descanso, indicando que em Deus e de Deus está todo o nosso descanso. Toda alma graciosa é como a pomba de Noé, que não acha repouso, nem satisfação, a não ser em Deus. Só Deus é a arca de descanso e segurança para o homem piedoso. *Jeová* é o nome incomunicável de Deus, e nunca é atribuído a ninguém mais, senão a Deus: "Tu, a quem só pertence o nome de Jeová".

v. 18: "O Altíssimo". O fato de Deus ser Alto e Sublime denota a transcendência e sobreexcelência do ser divino em si mesmo, que é totalmente de outro tipo de criatura e que, de fato, é o único verdadeiramente existente. Quando o salmista diz: "Para que saibam que tu, a quem só pertence o nome de Jeová, és o Altíssimo sobre toda a terra", está falando da altura do seu nome, que só o seu nome é Jeová e, portanto, Ele é altíssimo e neste exato aspecto. Jeová é o nome da sua essência, "EU SOU", e Ele é Altíssimo em relação a tal ser glorioso como só a Ele é devido. — *Thomas Goodwin*

SUGESTÕES AOS PREGADORES

v. 1. O longo silêncio de Deus: (1) As razões desse silêncio. (2) As nossas razões para desejar que Ele quebre esse silêncio.

v. 3. "os teus protegidos": (1) Protegidos quanto à nova natureza, que é um enigma para os homens. (2) Protegidos para proteção, como coisas preciosas. (3) Protegidos para consolo e descanso. (4) Protegidos, porque ainda não foram completamente revelados.

v. 4. A imortalidade da igreja.

v. 5. As confederações dos ímpios contra os santos.

vv. 13 a 15. A instabilidade, inquietude e impotência dos ímpios. O horror dos ímpios quando Deus trata com eles com justiça.

v. 17. O justo destino dos perseguidores e atormentadores.

v. 18. A lição de ouro: (1) Como é ensinada? (2) Para quem é ensinada? (3) Por quem é ensinada? (4) Por meio de quem é ensinada?

SALMO 84

TÍTULO

Para o cantor-mor, sobre Gitite. Salmo para os filhos de Corá. Este Salmo mereceu ser entregue ao mais nobre dos filhos da cantoria. Não havia música que fosse suave demais para o tema ou de som demasiadamente primoroso para estar à altura da beleza da linguagem. Mais doce que a alegria do lagar de vinho (que é o significado da palavra *Gitite*), é a alegria das reuniões santas na casa do Senhor. Nem mesmo os filhos favorecidos da graça, que são como os filhos de Corá, podem ter um assunto mais rico para cantar que as santas festas de Sião.

É de somenos importância quando este salmo foi escrito ou por quem. No que diz respeito a nós, exala-nos o perfume davídico. Tem o cheiro das montanhas e dos solitários lugares do deserto onde o rei Davi se abrigou durante as muitas guerras. Esta ode sagrada é uma das mais seletas da coleção. Irradia um brilho moderado em torno de si, fazendo com que seja chamada de *A Pérola dos Salmos*. Se o Salmo 23 é o mais popular, o Salmo 103 o mais alegre, o Salmo 119 o mais intensamente experiencial, o Salmo 51 o mais lastimoso, este é um dos mais doces dos Salmos da Paz.

As peregrinações ao tabernáculo eram uma característica distintiva da vida dos judeus. Na Inglaterra, as peregrinações ao santuário de Thomas Becket na Cantuária e de Nossa Senhora de Walsingham eram tão generalizadas que afetavam a população inteira e causavam a construção de estradas, a edificação e manutenção de albergues e hospedarias e a criação de uma literatura especial. Este cenário pode nos ajudar a entender a influência da peregrinação nos antigos israelitas. As famílias viajavam juntas, formando grupos que aumentavam em cada parada. Acampavam-se em clareiras no mato ensolaradas, cantavam em uníssono ao longo das estradas, esforçavam-se juntos para transpor os montes e atravessar os brejos e, na caminhada, acumulavam lembranças felizes que jamais seriam esquecidas. Alguém que fosse excluído da companhia santa dos peregrinos e do culto devocional da congregação acharia neste salmo plena expressão para o espírito triste.

DIVISÃO

Faremos pausa onde o poeta ou o músico fez pausa, ou seja, em cada *selá*.

EXPOSIÇÃO

1 *Quão amáveis são os teus tabernáculos, Senhor dos Exércitos!*
2 *A minha alma está anelante e desfalece pelos átrios do Senhor; o meu coração e a minha carne clamam pelo Deus vivo.*
3 *Até o pardal encontrou casa, e a andorinha, ninho para si e para a sua prole, junto dos teus altares, Senhor dos Exércitos, Rei meu e Deus meu.*
4 *Bem-aventurados os que habitam em tua casa; louvar-te-ão continuamente. (Selá)*

1. *"Quão amáveis"* ou quão agradáveis! Ele não nos fala como eram agradáveis, porque não pode. As expressões nos mostram que os sentimentos eram inexprimíveis. Agradáveis para a memória, para a mente, para o coração, para os olhos, para a alma são as reuniões dos santos. Não há na terra visão que nos traga tamanho refrigério como o ajuntamento dos crentes para cultuar. São santos dignos de dó aqueles que não veem nada de agradável nos cultos na casa do Senhor.

"São os teus tabernáculos." O tabernáculo fora armado em vários lugares e, além disso, dividido em vários pátios e porções. Daí a razão de ter sido usado no plural. Era completa e totalmente agradável para Davi. O pátio externo ou o pátio interno, ele amava cada canto. Toda corda e cortina lhe eram queridas.

Mesmo quando distante, ele alegrava-se em lembrar-se da tenda sagrada onde Jeová se revelava. Clamava com exultação quanto se punha a imaginar os cultos santos, os serviços sagrados e os ritos solenes, como os vira em tempos antigos. Pelo fato de serem os *teus* tabernáculos, "Senhor dos exércitos!", é que são eles tão queridos para o teu povo. O teu pavilhão é o centro do acampamento, em torno do qual todas as criaturas se reúnem e para o qual os olhos se voltam como os exércitos olham para a tenda do rei. Tu dominas sobre todos os grupos de criaturas com tamanha bondade que todos os seus exércitos se alegram na tua morada e as companhias dos santos especialmente te saúdam com lealdade feliz como Jeová dos exércitos.

2. *"A minha alma está anelante"*, anseia e suspira para reunir-se aos santos na casa do Senhor. O desejo era intenso e insaciável – a própria alma do homem desejava vivamente pelo seu Deus.

"E desfalece", como se não pudesse resistir por muito tempo, por estar exausta pela demora. Havia no salmista uma paixão saudosamente santa, que o deixava fraco e interiormente consumido, porque ele estava excluído do culto ao Senhor no lugar designado.

"Pelos átrios do Senhor." Estar outra vez nas áreas que foram dedicadas à adoração santa era o desejo de alma do salmista. Os verdadeiros súditos amam os pátios do rei.

"O meu coração e a minha carne clamam pelo Deus vivo." Era o próprio Deus que ele anelava, o único Deus vivo e verdadeiro. A sua natureza vestiu-se do seu desejo. Até mesmo a carne de barro frio ficou quente pela ação intensa do espírito fervoroso. De fato, é raro a carne inclinar-se na direção certa, mas na questão dos cultos o corpo cansado, às vezes, recebe ajuda do coração ardente, pois deseja o descanso físico tanto quanto a alma deseja o repouso espiritual. O salmista declarou que não podia permanecer calado sobre o que desejava. Começou a clamar por Deus e a sua casa. Chorou, suspirou, implorou pelo privilégio. Alguns precisam ser chicoteados para ir à igreja, ao passo que aqui Davi clama por ela. Ele não precisava do som dos sinos do campanário para fazê-lo entrar, pois carregava no peito um sino próprio. O apetite santo é chamado mais forte para o culto ao Senhor do que um carrilhão completo.

3. *"Até o pardal encontrou casa."* Ele invejava os pardais que viviam ao redor da casa de Deus e apanhavam os farelos de pão perdidos nos pátios. O seu único desejo era que também pudesse frequentar as reuniões solenes e levasse um pouco do alimento celestial.

"E a andorinha, ninho para si e para a sua prole." Também invejava as andorinhas que construíam ninhos debaixo das beiradas das casas dos sacerdotes, onde encontravam lugar para os filhotes, como também para si mesmos. Alegramo-nos não só com as oportunidades religiosas pessoais, mas também na grande bênção de levar os nossos filhos à igreja. A igreja de Deus é uma casa para nós e um ninho para os nossos pequeninhos.

"Junto dos teus altares, Senhor dos Exércitos." Estes pássaros aproximavam-se livremente dos próprios altares. Ninguém poderia detê-los nem teria querido. Davi desejava ir e vir tão livremente quanto eles. Observe como ele repete o santo nome de Jeová dos Exércitos. Achou nEle uma doçura que o ajudou a suportar a fome interior. Provavelmente Davi estava com o exército. Por isso, insistia enfaticamente nesse nome que o ensinou que o Senhor estava acampado em tendas como também atrás das cortinas santas.

"Rei meu e Deus meu." Esta é a confissão de lealdade feita de longe. Se não podia andar pelos pátios, não deixaria de amar o Rei. Se estava no exílio, não seria rebelde. Quando não podemos ocupar um lugar na casa de Deus, Ele toma lugar nas nossas recordações e no trono dos nossos corações. O duplo "meu" é muito precioso. Ele se agarra ao seu Deus com ambas as mãos, como alguém decidido a não deixá-lo ir até que a bênção pedida lhe fosse finalmente outorgada.

4. *"Bem-aventurados os que habitam em tua casa."* Ele considera altamente favorecidos aqueles que estão constantemente engajados no serviço divino – os cônegos residentes, os porteiros, os serviçais que varrem e tiram o pó. Ir e vir é um refrigério, mas habitar no lugar da oração é o céu na terra. Ser o convidado de Deus, desfrutando as hospitalidades do céu, separado para a obra santa, escondido de um mundo barulhento e familiarizado com as coisas sagradas – ora, esta é seguramente a herança mais especial que um filho do homem pode possuir.

"Louvar-te-ão continuamente." Estando tão perto de Deus, a vida deles tem de ser de adoração e culto. Claro que os seus corações e línguas nunca cessam de engrandecer ao Senhor. Receio que Davi pintou um quadro do que deve ser e não do que é. Os que se ocupam diariamente com as funções necessárias para o culto público nem sempre estão entre os mais devotos. Pelo contrário, "quanto mais perto da igreja mais longe de Deus". Contudo, em sentido espiritual, é a mais pura verdade. Os filhos de Deus que em espírito sempre habitam na casa dEle, também sempre estão cheios dos louvores de Deus. A comunhão é a mãe da adoração. Deixam de louvar ao Senhor os que peregrinam longe dEle, mas os que permanecem nEle sempre estão engrandecendo-o.

"Selá". Em uma ocupação como esta ficamos felizes em permanecer para sempre. Vale a pena fazer uma pausa para meditar no plano de habitar com Deus e louvá-lo pela eternidade.

5 *Bem-aventurado o homem cuja força está em ti, em cujo coração estão os caminhos aplanados,*

6 *o qual, passando pelo vale de Baca, faz dele uma fonte; a chuva também enche os tanques.*

7 *Vão indo de força em força; cada um deles em Sião aparece perante Deus.*

8 *SENHOR, Deus dos Exércitos, escuta a minha oração; inclina os ouvidos, ó Deus de Jacó! (Selá)*

5. *"Bem-aventurado o homem cuja força está em ti."* Tendo falado das bem-aventuranças dos que habitam na casa de Deus, agora fala daqueles que são agraciados em visitá-la em tempos determinados, indo a peregrinação com os irmãos

devotos. Não é, porém, indiscriminado nos louvores, mas fala somente daqueles que de todo coração frequentam as festividades santas. A bem-aventurança da adoração sagrada não pertence a adoradores indiferentes e irresolutos, mas aos que lançam todas as energias no ato. Não há oração, nem louvor, nem audição da Palavra que seja agradável ou de proveito para as pessoas que deixam o coração para trás. Uma companhia de peregrinos que deixa o coração em casa não é melhor que uma caravana de carcaças, totalmente impróprias para misturarem-se com os santos na adoração ao Deus vivo.

"Em cujo coração estão os caminhos aplanados", ou muito melhor, "em cujo coração estão os teus caminhos". Os que amam os caminhos de Deus são bem-aventurados. Quando temos os caminhos de Deus no coração e o coração nos caminhos de Deus, somos o que devemos ser e estamos onde devemos estar, e assim temos a aprovação divina.

6. *"O qual, passando pelo vale de Baca, faz dele uma fonte."* Percorrendo alegremente a estrada para a grande assembleia, os peregrinos felizes encontram refrigério até nos trechos mais fatigantes do caminho. Como em volta de uma fonte as pessoas se encontram e conversam alegremente, refrescando-se depois da viagem, assim até no vale das lágrimas (ARA) ou em qualquer outro lugar estreito e profundo, os peregrinos para o céu encontram consolo agradável na comunhão fraterna e na expectativa da assembleia geral celeste, com as suas alegrias indizíveis. Temos aqui alusão provável ao local, o qual nunca será decifrado, mas o significado geral é bastante claro. Há alegrias na peregrinação que fazem as pessoas esquecerem-se dos desconfortos da estrada.

"A chuva também enche os tanques." Deus dá ao seu povo os suprimentos que precisam enquanto percorrem as estradas, que Ele determina. Onde não havia suprimento natural de água em baixo, os peregrinos acharam abundante compensação nas águas de cima. O mesmo sucederá com todo o exército sacramental dos eleitos de Deus. Caminhos que teriam permanecido desérticos em termos de acomodação, tornaram-se estradas abundantemente providas para atender as necessidades dos viajantes, porque as grandes peregrinações anuais levavam a essa direção. Mesmo assim, as conversas cristãs e a alegria da adoração reunida tornavam muitos deveres fáceis e gostosos, os quais, do contrário, teriam sido difíceis e dolorosos.

7. *"Vão indo de força em força."* Longe de ficarem cansados, juntam forças à medida que procedem. Cada indivíduo fica mais feliz, cada grupo se torna mais numeroso, cada hino santo fica mais doce e sonoro. Crescemos enquanto avançamos, se o céu é a nossa meta. Se gastamos as forças nos caminhos de Deus, constatamos que elas aumentam.

"Cada um deles em Sião aparece perante Deus." Este era o fim da marcha dos peregrinos, o centro onde todos se reuniam a delícia de todos os corações. Não apenas estar no meio da assembleia, mas comparecer perante Deus era o objetivo de cada israelita devoto. Quisera Deus que este fosse o desejo sincero de todos os que hoje se misturam em nossas reuniões religiosas. A menos que tenhamos experiencialmente a presença de Deus, não obtivemos nada. Reunirmo-nos apenas por reunirmo-nos não vale a pena.

8. *"Senhor, Deus dos Exércitos, escuta a minha oração."* Dá-me que suba à tua morada, ou caso não me seja concedido, que o meu clamor seja ouvido. Tu escutas as súplicas dos teus santos. Não excluas a minha petição solitária, por mais indigno que eu seja.

"Inclina os ouvidos, ó Deus de Jacó!" Embora seja Jeová dos Exércitos, tu és também o Deus da aliança dos suplicantes solitários como Jacó. Considera, então, a minha súplica lastimosa. Luto aqui sozinho contigo, enquanto a companhia do teu povo foi antes de mim para cenários mais felizes. Peço que me abençoes, porque estou decidido a ficar agarrado a ti até que tu fales a palavra da graça para a minha alma. A repetição do pedido por uma resposta à oração denota o desejo anelante pela bênção. Que misericórdia é que, se não pudermos nos reunir com os santos, podemos ainda falar com o seu Mestre.

"Selá". Foi necessária uma pausa depois de um clamor tão veemente, de uma oração tão fervorosa.

9 *Olha, ó Deus, escudo nosso, e contempla o rosto do teu ungido.*

10 *Porque vale mais um dia nos teus átrios do que, em outra parte, mil. Preferiria estar à porta da Casa do meu Deus, a habitar nas tendas da impiedade.*

11 *Porque o SENHOR Deus é um sol e escudo; o SENHOR dará graça e glória; não negará bem algum aos que andam na retidão.*

12 *SENHOR dos Exércitos, bem-aventurado o homem que em ti põe a sua confiança.*

9. *"Olha, ó Deus, escudo nosso, e contempla o rosto do teu ungido."* Essa é a oração da nação por Davi; e a oração do crente pelo Filho de Davi. Que somente Deus contemple o nosso Senhor Jesus, e seremos protegidos de todo dano. Veja Ele o rosto do seu ungido, e poderemos ver o seu rosto com alegria. Nós também somos ungidos pela graça do Senhor, e o nosso desejo é que Deus olhe para nós com os olhos de amor em Cristo Jesus. As nossas melhores orações quando estamos no melhor lugar são pelo nosso Rei glorioso, e pelo prazer do sorriso do seu Pai.

10. *"Porque vale mais um dia nos teus átrios do que, em outra parte, mil."* Claro que o salmista quer dizer mil dias passados em outro lugar. Sob as circunstâncias mais favoráveis nas quais os prazeres terrenos possam ser gozados, não são comparáveis tanto quanto a um em mil com os deleites do culto a Deus. Sentir o amor de Deus, alegrar-se na pessoa do Salvador ungido, inspecionar as promessas e sentir o poder do Espírito Santo aplicando a verdade preciosa à alma, é um gozo que o mundo não entende, mas com o qual os verdadeiros crentes se encantam. Até mesmo um rápido olhar no amor de Deus é melhor DO que séculos gastos nos prazeres do sentido.

"Preferiria estar à porta da Casa do meu Deus, a habitar nas tendas da impiedade." A mais baixa estação com relação à casa de Deus é melhor que a mais alta posição entre os descrentes. Só esperar à porta e espiar dentro para ver Jesus já é bênção. Abrir portas e carregar coisas para o Senhor é mais honroso que reinar entre os ímpios. Todo homem tem a sua escolha, e esta é a nossa. O pior de Deus é melhor que o melhor do Diabo. A soleira da porta de Deus oferece um descanso mais feliz e apropriado que uma cama fofa e macia nos pavilhões de reis pecadores, ainda que pudéssemos ficar deitados ali por toda uma vida de luxo. Repare que ele chama o tabernáculo de a "Casa do meu Deus". É onde está a doçura. Se Jeová é o nosso Deus, então a sua casa, altares, soleira da porta, enfim, tudo relacionado a Ele se torna precioso para nós. Sabemos por experiência que se Jesus está dentro de casa, o lado de fora é melhor que os mais nobres aposentos, onde o Filho de Deus não está.

11. *"Porque o Senhor Deus é um sol e escudo."* Os peregrinos precisam de ambos conforme o clima. O frio os acometeria não fosse o sol, e os inimigos são hábeis em atocaiar a caravana sagrada, e quiçá a destruiriam não fosse pelo escudo. Os peregrinos do céu não são deixados sem conforto ou proteção. A nação de peregrinos achou sol e escudo na coluna de nuvem e na coluna de fogo, que eram símbolos da presença de Jeová. Ainda hoje, os crentes encontram luz e abrigo no Senhor, seu Deus. O sol para os dias felizes e o escudo para os dias perigosos. O sol em cima e o escudo em volta. A luz para mostrar o caminho e o escudo para evitar os perigos. Bem-aventurados os que viajam com tal escolta. O lado ensolarado e o lado sombrio da vida são igualmente felizes para eles.

"O Senhor dará graça e glória." Ambas no devido tempo. Ambas quando necessárias. Ambas totalmente. Ambas com certeza absoluta. O Senhor tem a graça e a glória em abundância infinita. Jesus é a plenitude de ambas, e, como o povo eleito, receberemos ambas como presentes do Deus da nossa salvação. O que mais o Senhor pode dar, ou nós recebermos ou desejarmos?

"Não negará bem algum aos que andam na retidão." A graça nos faz andar retamente e isso nos garante todas as bênçãos da aliança. Que promessa ampla! Algum bem aparente pode nos ser negado, mas nenhum bem real, não, nenhum: "Tudo é vosso: e vós, de Cristo, e Cristo, de Deus" (1 Co 3.21,23). Deus tem todos

os bens. Não há bem à parte dEle. Não há bem que Ele necessite negar ou queira nos recusar seja por que motivo for, se estivermos prontos a receber. Temos de ser retos e não nos inclinar para esta ou aquela forma de mal. Esta retidão tem de ser prática. Temos de andar na verdade e na santidade, então seremos herdeiros de todas as coisas e, conforme chegarmos à maturidade entraremos na posse de todas as coisas. Enquanto isso, a nossa capacidade de receber será a medida do favor divino. Estas são verdades não para uns poucos favoritos, mas para todos os santos eternamente.

12. *"Senhor dos Exércitos, bem-aventurado o homem que em ti põe a sua confiança."* Este é o ponto fundamental do salmo. A adoração é a que vem da fé, e a bem-aventurança é peculiar aos crentes. Não há adorador formal que entenda e aceite este segredo. O homem tem de conhecer o Senhor pela vida da verdadeira fé, ou pode não ter a verdadeira alegria na adoração a Deus, na sua casa, no seu Filho ou nos seus caminhos. Querido leitor, como está a sua alma?

NOTAS EXPLICATIVAS E DECLARAÇÕES IMPORTANTES

O Título: Observe que os filhos, significa, os descendentes do mau e rebelde Corá têm lugar de honra no serviço solene e sagrado prestado a Deus, pois diversos salmos de Davi lhes foram recomendados. [...] Veja a constatação da Palavra de Deus. É consolador para todos os filhos crentes, que o filho não levará a iniquidade do pai (Ez 18.14,17,20), se ele vir os pecados do pai e afastar-se deles. — *Thomas Pierson, 1570-1633, "David's Heart Desire" [O Desejo do Coração de Davi]*

O Salmo:

Ó Senhor dos Exércitos, como me são adoráveis aos olhos
As tendas onde tu habitas!
Pela tua morada desfalece e suspira o meu espírito
Pelos átrios que tanto amo
A minha alma anelante e afadigada
Por desejar estar na tua casa
Este mundo é vazio e triste
Uma terra deserta para mim

O pardal, Senhor, encontrou proteção
A andorinha o seu ninho
Tem ali os passarinhos, e ainda que vagueie
Volta para ali descansar
Eu, para o teu altar voando
Para sempre ali estaria
O meu coração e carne clamam
Ó Deus vivo, por ti!

Como são felizes os que em tua casa moram!
A ti eternamente louvam
Como é forte o homem a quem só tu guias
Cujo coração guarda os teus caminhos
Um peregrino e um estranho
Ele se apoia em teu braço
E tu, no tempo do perigo
Protege-o de temores
De força em força pelo vale de tristeza de Baca
Eles atravessam em oração
E rios efusivos de água viva jorram

Cavados pelo seu cuidado fiel
A tua chuva é enviada do céu
Para fertilizar a terra
E graça na beira do caminho é dada
Até chegarem a Sião

Senhor Deus dos Exércitos, atende a minha oração!
Ó Deus de Jacó, escuta!
Vê, ó Deus, escudo nosso, nós pelo teu cuidado
Nos teus átrios comparecemos!
Olha para a glória
Da face do teu ungido
NEle nos colocamos diante de ti
Para testemunhar da tua graça!

Um dia contigo excede em muito
Mil dias em outro lugar
Na tua morada, dentro das portas do teu templo
Esteja o meu coração vigilante
Os homens me contam do tesouro
Escondido nas tendas do pecado
Não procuro ali o prazer
Nem escolho entrar

Reconhece o Senhor como o teu sol, o teu escudo
Nenhum bem ele retém
Ele dá graça, e logo será revelada
A sua glória, ainda que não contada
O seu nome poderoso confessando
Anda tu em paz e livremente
Ó Senhor, como é rica a bênção
Daquele que confia em ti!
— Música Coral Alemã.

v. 1: "Quão amáveis são os teus tabernáculos". O que havia neles para parecerem tão amáveis? Por acaso o edifício era afamado pela técnica construtiva e custo despendido? Mas o templo de beleza extraordinária ainda não estava construído. O tabernáculo era humilde, mais próprio para peregrinos que para grandes pessoas e pouco adequado para o rei. Então, para os piedosos não há nenhuma necessidade de templos enormes e suntuosos para que amem a casa de Deus. — *Wolfgang Musculus*

v. 1: "Quão amáveis são os teus tabernáculos". O que tornava o tabernáculo de Moisés amável não era o exterior, que era muito simples, como a igreja de Deus é exteriormente pela perseguição, aflição e pobreza, mas o que estava dentro, tendo muitos vasos de ouro e outras coisas tipicamente muito mais preciosas. Além disso, era onde se viam os sacerdotes com as vestes características, desempenhando as devidas funções e deveres, e se viam, em certos tempos, o sumo sacerdote trajado no seu rico vestuário. Era onde se viam os sacrifícios mortos e oferecidos, pelos quais as pessoas aprendiam sobre a natureza do pecado, a exatidão da justiça e a necessidade e eficácia do sacrifício de Cristo. Era onde se ouviam os levitas cantando hinos e tocando trombetas. No entanto muito mais amável é a igreja de Deus e as suas ordenanças nos tempos do Evangelho. É onde vemos Cristo, o grande Sumo Sacerdote, na glória da sua pessoa e na plenitude da sua graça. É onde vemos os sacerdotes de Sião ou os ministros do Evangelho, apostos e trajados, estando plenamente abastecidos com a salvação e as suas novidades. É onde vemos Cristo apresentado evidentemente como crucificado e morto, no ministério da Palavra e na administração das ordenanças. É onde ouvimos a trombeta do Evangelho tocada e o som alegre ecoado, e os cânticos de amor e de graça cantados por todos os crentes. Além disso, o que tornam estes tabernáculos ainda mais graciosos é a presença de Deus, de forma que só podem ser a casa de Deus, a porta dos céus, as provisões tomadas e a companhia desfrutada. — *John Gill*

v. 1: "Amáveis... tabernáculos". O adjetivo hebraico foi traduzido por "amáveis", no sentido de agradáveis, graciosos, adoráveis. Mas o uso da palavra hebraica exige que seja entendido com o significado de querido, amado, que é a ideia exata requerida pelo contexto. O plural "tabernáculos" tem referência às subdivisões pertencentes ao santuário, e é aplicado ao tabernáculo também em Salmo 48.3 (cf. Sl 68.35). Os termos divinos são como sempre significativos. Enquanto um sugere a relação da aliança entre Deus e o suplicante, o outro torna a soberania divina a base da oração em busca de proteção. — *Joseph Addison Alexander*

v. 1: "Tabernáculos". Com o termo "tabernáculos", lembramos a peregrinação e vagueação da igreja de um lugar para o outro até que chegue à verdadeira pátria. Como o tabernáculo e as tendas de guerra eram removidos para cá e para lá, assim a igreja de Deus não tem nesta vida domicílio seguro e tranquilo, mas é forçada a mudar de lugar. Esta viagem prolongada, por meio da qual todo homem, como disse Agostinho, é realmente um peregrino neste mundo, evita que pequemos, que é a causa da peregrinação. Por causa do pecado, fomos expulsos com os nossos primeiros pais do paraíso para a terra em que peregrinamos. Fomos afastados de Jerusalém, quer dizer, da visão e gozo de paz, para a Babilônia, isto é, para a confusão e exílio, nos quais vagamos em todo lugar. — *Nicholas Heminge [Hemmingius], 1513-1600, "The Faith of the Militant Church" [A Fé da Igreja Militante]*

vv. 1 e 2: Quando não podemos expressar a grandeza de algo em palavras diretas, de bom grado os pensamentos voam para a imaginação. Foi o que fez Davi. Não conseguindo expressar suficientemente quão amáveis são os tabernáculos do Senhor, ele passa a imaginar e se serve de uma pergunta: Quão amáveis são os teus tabernáculos, Senhor dos Exércitos? Mas não é a própria imaginação de Davi maravilhosa, ou seja, que os tabernáculos do Senhor dos Exércitos sejam tão maravilhosamente amáveis? Não é maravilhoso que sejam amáveis? Mas não são os tabernáculos divinos tendas de guerra? Há alguma coisa na guerra que seja amável? Se ele tivesse dito: Quão terríveis são os teus tabernáculos, Senhor dos Exércitos, teria havido na declaração de espanto certa congruidade, pois o Senhor dos Exércitos é terrível em todas as suas obras. Mas dizer: "Quão amáveis são os teus tabernáculos, Senhor dos Exércitos!" (v. 1), mostra contradição aparente. Ainda que sejam amáveis, por serem tabernáculos, têm de ser terríveis, por serem tabernáculos do Senhor dos Exércitos. Quando esta terribilidade causa abatimento na amabilidade, que lugar haveria para a maravilha dar motivo de dizer: "Quão amáveis são os teus tabernáculos, Senhor dos Exércitos!" Se ele tivesse dito: Quão terríveis são os teus tabernáculos, Senhor dos Exércitos, embora tivesse sido maravilhoso no grau, não seria maravilhoso no exemplo. Que maravilha há se os tabernáculos do Senhor dos Exércitos são terríveis? Mas quando disse: "Quão amáveis são os teus tabernáculos, Senhor dos Exércitos!" Não só é maravilhoso no grau é também no exemplo. O que pode ser mais maravilhoso que, serem tabernáculos do Senhor dos Exércitos, sejam amáveis e tão amáveis a ponto de serem admirados? Não é que o próprio Deus é tão amável que todas as coisas a Ele pertencentes, até os seus terrores, são amáveis? Os seus tabernáculos, tendas, espadas, lanças, dardos e flechas são amáveis. São terríveis, sem dúvida, para os inimigos, mas amáveis, maravilhosamente amáveis para todos os que o amam e temem. Grandes razões têm ao verem que tudo é para a sua defesa e proteção. Embora sejam tabernáculos do Senhor dos Exércitos para os ímpios, são átrios do Príncipe da Paz para os piedosos. É o que faz a minha alma anelar e desfalecer "pelos átrios do Senhor" (v. 2). Desejo ser um verdadeiro cortesão, mas não como sou agora. Deus sabe que sou muito indigno para isso. Mas por serem os átrios de Deus o que são, eles tornam dignos todos os que deles se aproximam. Não recebem homens dignos, mas os tornam dignos. Aquele que antes não passava de um arbusto em Baca, assim que entra nos átrios do Senhor é transformado em cedro no Líbano. — *Sir Richard Baker*

v. 2: "A minha alma está anelante e desfalece pelos átrios do SENHOR; o meu coração e a minha carne clamam pelo Deus vivo". Nem toda amabilidade é tão grande a ponto de despertar o anelo. Nem todo anelo é tão grande a ponto de causar um desfalecimento. Nem todo desfalecimento é tão grande a ponto de fazer a alma desfalecer. Considere, então, como é grande esta amabilidade que faz a minha alma não só anelar, mas desfalecer de anelo! Não me culpe por ter desfalecido, como se fosse culpa minha não conter o desejo. Constatar que os tabernáculos do Senhor são de amabilidade infinita tem de operar em mim um deleite infinito e esse deleite um desejo infinito. Que restrição pode haver ao que é infinito? Não, infelizmente, o meu desfalecimento é respondível apenas ao meu anelo, e o meu anelo é respondível apenas à amabilidade. Se tivesse me sido ofertado o que foi ofertado a Cristo para desfrutar todos os reinos da terra, mas com a condição de faltar aos átrios do Senhor, esta falta me traria à alma uma aflição maior que o desfrute me daria satisfação. Já que os tabernáculos são tão amáveis, onde Ele é Senhor dos Exércitos, quão amáveis devem ser os átrios, onde Ele é Príncipe da Paz? É Príncipe da Paz nos átrios, embora no acampamento seja Senhor dos Exércitos. — *Sir Richard Baker*

v. 2: "A minha alma está anelante e desfalece". A palavra כָּלְתָה ("desfalece") significa "ser consumido por desejo", como dizem os latinos: *deperire aliquem amore* ,"ele está morrendo de amor", quer dizer, ele ama com tanta veemência e está inflamado com tão grande desejo para obter o objeto amado que se desgasta e se consome até que o seu desejo seja satisfeito. Portanto, o sentido é um anelo desejoso e ardente, o qual tanto atormenta e queima a mente que carne e tutano se consomem de desgosto até sair a permissão de desfrutar as coisas desejadas. — *D. H. Mollerus*

v. 2: "Alma... coração... carne". Os termos ressaltam o homem inteiro, com toda faculdade e emoção. Os verbos hebraicos também são muito expressivos. O primeiro, "está anelante", significa, literalmente, "ficou pálida", "empalideceu", como com a intensidade do sentimento. O segundo, "desfalece", é mais exatamente "falha" ou "é consumido" (Jó 19.27). — *J. J. Stewart Perowne*

v. 2: "Clamam". A palavra hebraica traduzida por "clamam" é derivada de רָנַן, que significa "gritar", "guinchar" ou "bradar", como os soldados fazem no começo da batalha, quando bradam: Atacar, atacar, atacar! Ou quando bradam depois de uma vitória: Vitória, vitória, vitória! A palavra hebraica denota "grito forte" ou "chorar", como uma criança chora quando está terrivelmente com fome, pois agora cada parte da criança chora: as mãos choram, o rosto chora e os pés choram. — *Thomas Brooks*

v. 2: "Deus vivo". O Salmo 42.2: "A minha alma tem sede de Deus, do Deus vivo", é o único outro lugar nos salmos onde Deus é chamado assim. Fora dos salmos, esta forma particular de expressão, El Chay, ocorre mais duas vezes na Bíblia (Js 3.10; Os 1.10). — *J. J. Stewart Perowne*

v. 3: "Até o pardal encontrou casa, e a andorinha, ninho para si e para a sua prole, junto dos teus altares, SENHOR dos Exércitos, Rei meu e Deus meu". O texto alude de forma comovente ao cuidado terno de Deus para com as menores das criaturas. O salmista, ainda que no exílio, inveja-lhes os privilégios. Anela aconchegar-se, por assim dizer, na habitação de Deus. O crente encontra casa e descanso perfeitos nos altares de Deus, ou, antes, nas grandes verdades que eles representam. Todavia, a sua confiança em Deus é adocicada e fortalecida pelo conhecimento do seu cuidado minucioso, universal e providencial. Torna-se a sua delícia admiradora. "Deus não deixa", como disse alguém tão belamente sobre este versículo, "de achar casa para o mais inútil e ninho para o mais inquieto dos pássaros". Que confiança recebemos! Que descanso temos! Que repouso a alma encontra que a faz lançar-se nos cuidados vigilantes e carinhosos daquEle que supre tão abundantemente a necessidade de todas as criaturas! Sabemos o que a expressão "ninho" transmite da mesma maneira o que comunica a palavra "casa". Não é lugar de segurança, abrigo contra a tempestade, esconderijo para nos esconder de todo mal, proteção de tudo que seja prejudicial, "um lugar no qual descansarmos, nos aconchegarmos e nos alegrarmos"? Mas há uma coisa nestes pássaros altamente privilegiados que nos coloca insistentemente em meditação. Não conhecem de quem emana toda essa bondade. Não conhecem nem o coração nem as mãos do Benfeitor. Desfrutam as ricas providências do cuidado gentil. Em tudo Ele pensou para atender-lhes a necessidade, mas não houve nenhuma comunhão entre eles e o grande Doador. Disto, alma minha, aprenda uma lição útil. Nunca fique satisfeito em meramente frequentar tais lugares ou em ter ali certos privilégios. Levante-se em espírito, procure, ache e desfrute da comunhão direta com o Deus vivo, por Jesus Cristo nosso Senhor. O coração de Davi se volta para o próprio Deus: "o meu coração e a minha carne clamam pelo Deus vivo" (v. 2). — *Extraído de "Things New and Old, a Monthly Magazine" [Coisas Novas e Velhas, uma Revista Mensal]*

v. 3: "Até o pardal encontrou casa, e a andorinha, ninho para si e para a sua prole, junto dos teus altares, Senhor dos Exércitos, Rei meu e Deus meu". A confiança na qual estes pássaros se colocam na raça humana não causa pequena admiração. Colocam não só a si mesmos, mas a prole no poder dos homens. Já vi ninhos em situações ao alcance da mão humana, e onde poderiam ter sido destruídos em um momento. Observei-os debaixo do vão das portas, nas calhas de uma cabana baixa, junto da parede de depósito de ferramentas, nas aldravas de uma porta e na viga de um palheiro muito frequentado. — *Edward Jesse, "Gleanings on, Natural History" [Respigas da História Natural], 1856*

v. 3: "Junto dos teus altares". Havia dois altares: o altar de bronze (ou do holocausto) e o altar de ouro. É a esses, sem dúvida, que o salmista se refere. Ambos eram feitos de madeira de *shittim*, que representa a humanidade santa e perfeita do Senhor Jesus. A encarnação está na fundação de toda a obra que Ele fez por nós e de todas as bênçãos que nEle temos. Um altar era revestido com bronze, o outro com puro ouro. O revestimento fala da divindade de Jesus, mas em aspectos distintos. Temos o mesmo Jesus em ambos os altares, mas representado em circunstâncias diferentes. Em um, representa a humilhação e sofrimento, e no outro, a exaltação e glória. — *Extraído de "Things New and Old, a Monthly Magazine" [Coisas Novas e Velhas, uma Revista Mensal]*

v. 3: " Teus altares". Há no original hebraico uma expressão enternecedora, veemente e mal expressada nas palavras "teus altares". É verdade, diz Davi, que tu estás aqui no deserto e que posso te ver e servir, mas Ó "teus altares, Senhor dos Exércitos, Rei meu e Deus meu". — *John Donne*

v. 3: "Teus altares" é um modo poético de dizer tua casa. É evidentemente um termo especial, em vez de ser geral. Os estudiosos têm argumentado seriamente que os pássaros não poderiam ou teriam vez para fazer ninho no altar. Com certeza, este tipo de expressão, que quase é uma figura de linguagem, é bastante comum. A parte *potiori fit denominatio*. Dizemos: "Comer com a mão". O que pensaríamos de alguém que argumentasse que não comemos sem a mão? Os altares denotam o templo. "Não há sacada, friso, arcobotante ou favorável canto em que esses pássaros não suspendam o seu leito e o berço fértil" (Shakespeare, Macbeth, Ato 1, Cena 6). Sem dizer que havia árvores nas dependências adjacentes ao templo, onde os pássaros poderiam fazer ninho. — *J. J. Stewart Perowne*

v. 3: "Até o pardal encontrou casa, e a andorinha, ninho para si e para a sua prole, junto dos teus altares, Senhor dos Exércitos, Rei meu e Deus meu". Há certo costume existente em várias nações da antiguidade que esclarecem essa passagem. Os pássaros que fizessem ninho no templo ou nas suas dependências não podiam ser expulsos, muito menos mortos, pois haviam encontrado morada segura e tranquila. — *William Keatinge Clay v. 4:* "Bem-aventurados os que habitam em tua casa; louvar-te-ão continuamente". Mas como sucede? Antigamente os tabernáculos pertenciam ao Senhor, os átrios pertenciam ao rei e os altares pertenciam a Deus. Agora se a casa pertencer ao homem, não estaria havendo uma perda depois de todo este ganho? Não, alma minha, não é uma perda, mas, antes, uma agregação de todos os outros. Onde os tabernáculos mostravam o poder divino, os átrios mostravam a majestade divina e os altares mostravam a deidade divina, a sua casa serve para mostrar todos eles. Na sua casa ainda haverá louvores a Deus, e o seu louvor e glória é a soma de tudo. Ou habitar na casa de Deus não é um exemplo de nos apropriar dele, vendo os seus tabernáculos e átrios abertos a estrangeiros, a sua casa aberta somente aos seus servos e vendo que na proximidade a Deus e relação com ele consiste toda a verdadeira bem-aventurança? Portanto, "bem-aventurados os que habitam em tua casa", mas como habitar nela? Não é só olhar para ela quando passamos ou ficar nela um pouco, como fazemos em uma hospedaria, mas ser morador constante nela, dia e noite, como separados e dedicados a servi-la. — *Sir Richard Baker*

v. 4: "Bem-aventurados os que habitam em tua casa". O que era para Davi esta casa mais do que outra, salvo que aqui ele contava com o desfrute da presença divina? Eis um coração tão familiarizado com esta presença a ponto de fazê-lo habitar nela, para conduzir a vida com Deus e habitar com Ele todos os dias. Davi não se contentava em fazer uma visita de vez em quando. Por que, sob a mais clara luz do Evangelho, devemos considerar este estado de espírito como algo inacessível? O desânimo preguiçoso e a arrogância vil, que são modestos não para objetivarem coisas tão altas, matam de fome a religião e abafam todos os desejos verdadeiramente nobres e generosos. Seja este, então, o projeto para com você e persiga e dirija constantemente o desígnio, para que tenha esta disposição de espírito para com Deus. — *John Howe*

v. 4: "Bem-aventurados os que habitam em tua casa; louvar-te-ão continuamente". Bem-aventurados realmente somos, podemos exclamar, e bem-aventurados serão eles para sempre. São habitantes e não visitantes da casa de Deus: "Habitarei na Casa do SENHOR por longos dias" (Sl 23.6). Eis algo verdadeiro, felizmente verdadeiro, acerca de todos os que confiam em Jesus. Mas embora os filhos de Deus sejam todos sacerdotes por nascimento, como eram os filhos de Arão, nem todos são, infelizmente, sacerdotes por consagração (cf. Êx 29). Comparativamente poucos sabem do seu lugar sacerdotal no altar de ouro. Muitos têm dúvidas se os pecados, com a raiz e os ramos, foram totalmente consumidos fora do acampamento. Por conseguinte, têm medo de entrar no átrio. E no que tange a estarem certos da plena justificação e santificação no Ressurreto, gravemente duvidam e temem que tal bem-aventurança jamais lhes seja a sorte feliz. Por conseguinte, o estado de alma que responde a consagração sacerdotal na pia de cobre e a adoração feliz no altar de ouro, é o desconhecido e não desfrutado. Não são sacerdotes por consagração.

O texto é claro: "Louvar-te-ão continuamente". Dúvidas, medos, questões não resolvidas – tudo acaba. Tais coisas não podem existir no lugar santo. Todos que estão em Cristo têm de estar por amor a Deus onde Ele está. Mas nem todos os que creem em Cristo sabem e creem que estão nEle, como sendo agora um com Ele. Quando o estado da alma responde ao que é simbolizado pelo lugar santo, só podemos louvar: "Os que habitam em tua casa louvar-te-ão continuamente". Então estamos felizmente pertos de Deus e temos comunhão com Ele, no Cristo glorificado, pelo poder do Espírito Santo. — Extraído de *"Things New and Old, a Monthly Magazine" [Coisas Novas e Velhas, uma Revista Mensal]*

v. 4: "Louvar-te-ão continuamente". Como pode ser que os que habitam na casa de Deus estarão louvando-o continuamente, visto que raramente vemos os servos serem suficientemente ousados em louvar os senhores? Ó alma minha, não é tanto a boa disposição dos servos quanto o mérito infinito do Senhor que os faz louvá-lo, pois quando constatam a economia admirável do seu governo, quando veem que Ele dispõe agradavelmente todas as coisas em peso e medida, quando descobrem que Ele os usa mais como filhos que como servos, que coração pode ser tão ingrato a ponto de não o louvar? E visto que habitam na casa de Deus, veem todas estas coisas continuamente. Portanto, os que habitam na sua casa o louvarão para sempre. — *Sir Richard Baker*

v. 4: "Louvar-te-ão continuamente". Como tendo o coração cheio de céu e a consciência cheia de consolo. Estes não podem senão ser música no templo do Espírito Santo. — *John Trapp*

v. 4: "Louvar-te-ão continuamente". Não basta louvá-lo. Tem de ser um louvor contínuo, antes que se tone em bem-aventurança. Ainda que louvar a Deus seja algo fácil, louvá-lo continuamente será trabalhoso. De fato, será realmente um trabalho deprimente para a carne e o sangue, pois se eu ficar continuamente louvando-o, que horas terei para o prazer? Ó alma minha, se você não fizer o seu prazer, o seu principal e único prazer louvá-lo continuamente, você não chegará com pressa à bem--aventurança. E não é de admirar que Davi fale assim no tempo da Lei, quando Paulo no tempo do Evangelho disse igualmente: "Quer comais, quer bebais ou façais outra qualquer coisa, fazei tudo para a glória de Deus" (1 Co 10.31). — *Sir Richard Baker*

v. 5: "Em cujo coração estão os caminhos aplanados", quer dizer, que ama os caminhos que levam à tua casa. — *Ernest Hawkins*

v. 5: "Em cujo coração estão os caminhos aplanados", literalmente, "os precipícios estão nos seus corações". São as subidas íngremes nas quais o tabernáculo estava. Horsley traduz assim: "Eles estão curvados para subir as ascensões íngremes". Talvez מְסִלּוֹת fosse mais apropriadamente as calçadas elevadas ou as escadarias que levam ao monte Sião, ou a travessia pelo país montanhoso a caminho de Jerusalém. — *John Fry*

v. 5: "Em cujo coração estão os caminhos aplanados". O coração natural é um deserto intransitável, cheio de penhascos e precipícios. Quando o coração é renovado pela graça, um caminho é preparado, um caminho é preparado para o nosso Deus (cf. Is 40.3,4). — *Frederick Fysh*

v. 6: "O qual, passando pelo vale de Baca, faz dele uma fonte; a chuva também enche os tanques". Em minha opinião, o vale aqui mencionado é o vale de Boquim, mencionado em Juízes 2.1,5, que recebeu o nome por causa do choro dos judeus, quando um anjo os repreendeu pela desobediência aos mandamentos de Deus. Em 2 Samuel 5.24 ("amoreiras"), este vale é chamado de הַבְּכָאִים (*Habb^ekā'îm*), o ה de בָּכָה, "chorar", sendo mudado para א. Josefo menciona que a circunstância relacionada ali ocorreu ἐν τοῖς ἄλσεσι τοῖς καλουμένοις Κλαυθμῶσι ("Antiguidades Judaicas", lib. 7, c. 4).

Nesse versículo, a Septuaginta traduz הַבְּכָאִים (*Habb^ekā'îm*) por Κλαυθμῶν, "choros". Em Juízes 2.1, a Septuaginta traduz הַבֹּכִים (*Habbōkîm*) por Κλαυθμῶν, "choros". A Septuaginta chama o vale mencionado em Salmo 84.6 de Κλαυθμῶν. Estou inclinado a pensar que neste lugar, unindo a הַבָּכָא o מ da palavra seguinte e suprindo o י na frente, leríamos הַבְּכָאִים עַיִן em vez de הַבָּכָא מַעְיָן. [...] Todos os antigos tradutores pensaram que o vale neste versículo recebeu o nome de בָּכָה (*bākâ*), "chorar". Traduzo o versículo assim: "Atravessando o vale de Boquim, eles o farão uma fonte até de bênçãos; será coberto com as primeiras chuvas". Certos estudiosos supõem que o Salmo foi escrito por Josafá. Provavelmente ele atravessou Boquim, que era um vale árido, quando marchou contra os moabitas e os amonitas (cf. 2 Cr 20). Depois da vitória, o exército de Josafá reuniu-se em um vale, onde bendisseram ao Senhor. Desta circunstância recebeu o nome de Beraca (2 Cr 20.26). Talvez a palavra בְּרָכוֹת neste versículo tenha referência a essa circunstância. Talvez o vale de Beraca era, antes daquela ocasião gloriosa, chamado de vale de Boquim. — *Richard Dixon, 1811*

v. 6: "Passando pelo vale de Baca, faz dEle [isto é, de Jeová] uma fonte". Quer dizer, eles confiam e dEle buscam ajuda, pois tendo os caminhos aplanados na mente, têm de atravessar muitas dificuldades. Ajuda semelhante é buscada por aqueles que, sofrendo de provisão escassa de água, avançam pelo vale seco. Não se desesperam ou se cansam, pois têm Deus por fonte da qual bebem e são refrescados. — *Hermann Venema*

v. 6: "Vale de Baca". Vale de arbustos despedaçados ou chorosos. — *E. W. Hengstenberg*

v. 6: "Baca" significa "amoreira", que é uma planta que gosta de crescer em lugares secos, como solo arenoso e estéril (2 Sm 5.23,24; 1 Cr 14.14,15). Aqueles cujo coração está fixado na casa e santa adoração a Deus, quando passam por um vale arenoso, seco e estéril fazem dele uma fonte, ou seja, reputam e consideram o vale como uma fonte. A palavra יְשִׁיתוּהוּ significa "pôr", "fixar", como em Gêneses 3.15, Sl 21.6,12 e 83.11,13. Assim dizem eles para si mesmos, pensando no consolo do favor de Deus para quem que irão que será para eles como a chuva de bênçãos, uma chuva abundante e liberal na terra. — *Thomas Pierson*

v. 6: "Faz dele uma fonte". O que parecia um impedimento vira um excito. Pelo menos, não há desgraça que seja tão grande, nem situação infrutífera demais, que o coração piedoso não faça disso uma fonte da qual tira a água do consolo. Água para limpar e fazer dela um caminho para o arrependimento. Água para refrescar e fazer dela um caminho para a paciência. Água para regar e fazer dela um caminho para o crescimento na graça. Se ocorrer que a fonte estiver seca e não oferecer as águas de abaixo, a chuva encherá os tanques e os abastecerá com as águas de acima. Se as forças naturais não forem suficientes, haverá as graças sobrenaturais para ajudá-los. Embora as dificuldades do mundo pareçam embaraçar o caminho para a bem-aventurança, na verdade não são nada. Não impedem a chegada ao alvo desejado. Não nos impedem de sermos membros de Sião. Não evitam que cheguemos à presença de Deus. Não, alma minha, são mais exatamente ajudas, pois por meio das dificuldades vamos "indo de força em força" (v. 7), da força da paciência para a força da esperança, da força da esperança para a força da fé, da força da fé para a força da visão. Então se cumprirá o que Davi fala no versículo 5: "Bem-aventurado o homem cuja força está em ti, em cujo coração estão os caminhos aplanados". — *Sir Richard Baker*

v. 6: "A chuva". Por pouco que seja a água, esse pouco basta para o caminho. É "uma fonte" para eles. Encontram só "os tanques", que "a chuva" mal "enche", mas se contentam com a provisão para o caminho. É provisão tão boa e suficiente para eles, como se as tempestades das pesadas chuvas outonais tivessem enchido a fonte. Os peregrinos se esquecem da escassa provisão da hospedaria, quando têm em vista abundância no fim. Os israelitas que subiam para a Festa da Páscoa davam somenos importância à escassez de água, pois os corações estavam fixos na chegada a Jerusalém. — *Andrew A. Bonar*

vv. 6 e 7: "O qual, passando pelo vale de Baca, faz dele uma fonte; a chuva também enche os tanques. Vão indo de força em força; cada um deles em Sião aparece perante Deus". A situação mais escura torna-se luminosa para eles. Passando até mesmo por um deserto terrível, eles o transformam em lugar de fontes. A esperança alegre e a beleza infinita da meta valem todo esforço e preocupação, dando-lhes consolo revigorante, refrigério estimulante e fortalecimento no meio da estepe árida.

A fé não só faz sair água da areia e pedras do deserto, mas Deus, por sua parte, amorosamente antecede-lhes o amor e recompensadoramente antecede-lhes a fidelidade. A chuva suave, como aquela que refresca os campos semeados no outono, desce de acima e reveste o vale de Baca com uma plenitude de bênçãos. [...] A estepe árida fica resplandecente em um vestuário festivo e florido (Is 3.1-19), não na aparência, mas para eles espiritualmente até certo ponto não menos verdadeiro e real. E considerando que sob circunstâncias comuns, a força do viajante diminui cada vez mais em proporção ao trecho percorrido do caminho penoso, com eles ocorre exatamente o oposto: Eles "vão indo de força em força". — *Franz Delitzsch v. 7:* "Vão indo de força em força". Junius interpreta e assim está no original hebraico: "Vão indo de companhia em companhia". Enquanto subiam a Jerusalém, eles iam em tropas e companhias. Possivelmente traduzimos por "força", porque grande parte da nossa segurança consiste em boa sociedade. — *George Swinnock*

v. 7: "cada um deles em Sião aparece perante Deus", ou seja, cada um deles corresponde ao caráter descrito. Outros como também eles apareceriam em Sião perante Deus, mas aqueles não para desfrutar da presença divina e receber os símbolos do favor. A bem-aventurança era para ser desfrutada agora, mas só poderia ser desfrutada por aqueles que foram previamente preparados para ela em termos de caráter e conquista. Tão certamente quanto estes tinham sido obtidos, tão certamente a bem-aventurança seria desfrutada por cada um e por todos eles, "cada um deles em Sião aparece perante Deus". Ninguém pereceu pelo caminho. Ninguém foi devorado por animais selvagens. Ninguém foi cortado pelos bandidos da estrada. Ninguém se acovardou e retrocedeu. O grupo todo está reunido – jovens e velhos, fracos e fortes. Todos respondem a chamada por nome e testemunham da bondade do Senhor em sustentá-los, ajudá-los nas dificuldades, oferecer-lhes descanso e dar-lhes prazer. Assim sempre será com os verdadeiros peregrinos espirituais. A graça de Deus sempre se mostrará suficiente para guardá-los seguros e inculpáveis para o seu reino e glória divinos. As dificuldades não os derrotarão. As tentações não os vencerão definitivamente. Os inimigos espirituais não os destruirão. São guardados pelo poder de Deus, mediante a fé, para a salvação já prestes a ser revelada no último tempo (1 Pe 1.5). Os seus nomes estão escritos no livro da vida do Cordeiro, e o próprio Cordeiro cuidará para que cada um deles seja achado no dia da prestação de contas. Então Ele dirá: "Tenho guardado aqueles que tu me deste, e nenhum deles se perdeu" (Jo 17.12). Todos eles estão aqui perante Deus. — *William Makelvie, 1863*

v. 8: "Senhor, Deus dos Exércitos, escuta a minha oração; inclina os ouvidos, ó Deus de Jacó!" Há nesta oração curta dois pensamentos distintos de grande valor prático para os cristãos. Há a sensação da majestade divina e a consciência da relação divina. Como "Deus dos Exércitos", Ele é de poder Todo-Poderoso e como "Deus de Jacó", Ele é de misericórdia e bondade infinitas para com o seu povo. — Extraído de *"Things New and Old, a Monthly Magazine" [Coisas Novas e Velhas, uma Revista Mensal]*

v. 9: Enquanto muitos, infelizmente, se contentam com as meras formalidades da religião ou com a discussão seca de doutrinas, altas ou baixas, como queiram chamar, ocupe-se você com o próprio Cristo. É conhecer a sua pessoa que dá força e alegria para a alma. Em todo tempo e sob todas as circunstâncias, podemos dizer: "contempla o rosto do teu ungido". Nem sempre podemos dizer: Contempla-nos, mas sempre podemos dizer: Contempla Cristo. Na mais profunda tristeza por fracasso consciente, ou nas provações e dificuldades por fidelidade ao nome santo, sempre podemos argumentar com Deus o que Cristo é. Deus sempre se agrada dEle, sempre o trata como ressuscitado dos mortos e exaltado à sua mão direita no céu. Ele também deseja que lidemos com Jesus como o objeto exclusivo do nosso coração. A verdadeira fé só pode descansar na estimativa que Deus faz de Cristo, e não nos pensamentos e sentimentos. Aquilo que se pode chamar de fé dos formalistas, está na capacidade da mente em julgar estes assuntos. Os formalistas confiam em si mesmos. Esta é a diferença essencial entre fé na aparência e fé na realidade. — *Extraído de "Things New and Old, a Monthly Magazine" [Coisas Novas e Velhas, uma Revista Mensal]*

v. 9: "Olha, ó Deus, escudo nosso, e contempla o rosto do teu ungido". Porque nunca sucederá que contemplarei o teu rosto, se tu não me concederes primeiro contemplar-me. Se tu não me deres também o benefício dos teus olhos para contemplarem-me e o favor dos teus ouvidos para ouvirem-me, ficarei apenas com a mera expectativa, pois nunca chegarei à felicidade do gozo. Quando tu contemplar o meu rosto, essa atitude tem influência em toda verdadeira bem-aventurança e me faz pensar que felicidade é ter o Deus de Jacó por escudo. — *Sir Richard Baker*

v. 10: "Um dia". O menor olhar bom que o homem obtém de Deus, a menor palavra boa que o homem ouve de Deus e a menor carta ou prova de amor que o homem recebe de Deus são sumamente preciosos para o homem que tem Deus por porção: "vale mais um dia nos teus átrios do que, em outra parte, mil". Não diz: "Vale mais um ano nos teus átrios do que, em outra parte, mil", mas: "Vale mais um dia nos teus átrios do que, em outra parte, mil". Também não diz: "Vale mais um trimestre nos teus átrios do que, em outra parte, mil", mas: "Vale mais um dia nos teus átrios do que, em outra parte, mil". Também não diz: "Vale mais um mês nos teus átrios do que, em outra parte, mil", mas: "Vale mais um dia nos teus átrios do que, em outra parte, mil". Diz assim para mostrar que o mínimo com Deus é sobre-excelente precioso para a alma graciosa que tem Deus por porção. — *Thomas Brooks*

v. 10: Outro sinal dos filhos de Deus é ter muito prazer em estar na presença de dEle. Os filhos têm de estar na presença do Pai. Onde o Rei está, estão os átrios. Onde a presença de Deus está, estão os céus. Deus está presente de maneira especial nas ordenanças, pois são a arca da sua presença. Ora, se somos os seus filhos, amamos estar muito ocupados nos deveres santos. No uso das ordenanças, aproximamo-nos de Deus, entramos na presença do Pai. Na oração, temos conferência secreta com Deus. Quando a alma está orando, está como que negociando com Deus. Na Palavra, ouvimos Deus falar conosco desde os céus. Como todo filho de Deus gosta de ouvir a voz do Pai! No sacramento, Deus beija os filhos. Dá-lhes um sorriso do seu rosto e um selo privado do seu amor. É bom nos aproximar de Deus. É doce estar na presença divina. Todo verdadeiro filho de Deus declara: "vale mais um dia nos teus átrios do que, em outra parte, mil". — *Thomas Watson*

v.10: "Preferiria estar à porta da Casa do meu Deus, a habitar nas tendas da impiedade". Certos expositores traduzem assim: "Preferiria estar fixado a uma ombreira da Casa do meu Deus, a estar vivo em liberdade nas tendas dos ímpios". É alusão à Lei relativa aos escravos que, caso não quisessem sair livres, tinham de ter a orelha furada no postigo da porta (Êx 21.5,6). Davi amava o Senhor e amava a sua obra tanto que desejava estar preso para sempre a este serviço. Ambicionava ficar mais livre para o serviço, sem nunca ter de sair livre dele. Preferia os laços do dever muito mais que a maior liberdade para pecar. Os corações santos têm este prazer superlativo nos deveres santos. Na opinião deles, não há satisfação comparável à comunhão com Deus. — *Matthew Henry*

v. 10: "Preferiria estar à porta". No sentido de que Cristo é a Porta, Davi fica muito contente em ser o porteiro. Embora na casa de Deus haja muitas mansões e visto que todas elas são gloriosas, até a posição de porteiro não é sem a glória divina. Se você acha que a função é ruim, considere de quem ele é ministro, pois até o porteiro é ministro na casa de Deus. Além disso, Deus nunca desloca os ministros, a menos que seja para colocá-los em cargo mais alto. Já na corte dos príncipes, os maiores ministros são muitas vezes deslocados e frequentemente despedidos com desgraça. — *Sir Richard Baker*

v. 10: "Preferiria estar à porta da Casa do meu Deus, a habitar nas tendas da impiedade". Felizes as pessoas a quem Deus usa para varrer fora o pó do templo. Feliz aquele que toma os remos no barco onde Cristo e a igreja embarcaram. — *William Secker, "The Nonsuch Professor" [O Professor Incomparável]*

v. 10: "Preferiria estar à porta". Este é um salmo dos coraítas. Os descendentes de Corá eram, de fato, porteiros, "guardas dos umbrais do tabernáculo" e "guardadores da entrada" (1 Cr 9.19). Tinham também a permissão de integrar o coral dos cantores inspirados de Israel. — *Bossuet, citados por John Mason Neale* e *R. F. Littledale*

v. 10: Em vez de "Preferiria estar à porta da Casa do meu Deus", outra tradução mais de acordo com o original hebraico é: "Preferiria me sentar à soleira da porta da

Casa do meu Deus". A versão tradutória de Ainsworth é: "Escolhi sentar-me à soleira da porta da Casa do meu Deus". A preferência de Boothroyd é: "Preferiria ficar ou sentar-me à soleira da porta da Casa do meu Deus". Em todas estas passagens, 2 Reis 12.9; 22.4; 25.18; 1 Crônicas 9.19; 2 Crônicas 23.4; Ester 2.21; 6.2, a tradução opcional é "soleira da porta". Penso que o termo "soleira da porta" não transmite o significado próprio das palavras "sentar-se à soleira da porta", porque a referência do salmista é evidentemente a uma posição muito humilde. O cargo de porteiro, na estima oriental, é verdadeiramente respeitável e confidencial. No entanto, a opção tradutória "sentar-se à soleira da porta", imediatamente traz à mente ocidental uma situação de extrema humildade. O pobre devoto pagão vai e se senta perto da soleira da porta do templo. O mendigo se senta ou se prostra próximo à soleira da porta ou portão até ganhar a esmola. — *Joseph Roberts*

v. 10: "Casa do meu Deus... tendas da impiedade". Observe a força das expressões contrastadas. A "Casa" é do Senhor e as tendas são dos ímpios. Os prazeres do pecado duram apenas certo período. O mundo passa e as suas concupiscências também. — *Arthur Pridham*

v. 10: "Nas tendas". Não está em vista todas as tendas ou as tendas de qualquer tipo comum, mas as tendas ricas, imponentes, gloriosas e esplêndidas. — *Hermann Venema*

v. 11: "O Senhor Deus é um sol" transmite uma verdade surpreendente e impressiva, quando pensamos no sol somente na característica óbvia como fonte de luz e calor. Mas que nova energia recebe este emblema magnífico, quando pela astronomia sabemos que ele é um poderoso centro de atração, e quando nós, além disso, entendemos com essa generalização sublime que o sol é a fonte última de toda forma de energia existente no mundo! O vento faz flutuar o comércio de toda nação por cima do profundo abismo, mas foi o calor do sol que tornou o ar rarefeito e pôs o vento em movimento. As correntes descendentes fornecem energia para moer os grãos, girar os fusos, trabalhar os teares, operar as fornalhas.

Mas é porque o sol recolheu os vapores do oceano, que caíram em forma de chuva nas montanhas e estão fazendo o caminho de volta à fonte de onde vieram. A energia expansiva do vapor impele as máquinas, mas a força com que operam está contida no carvão (os restos de florestas extintas armazenadas pelos montes), ou é derivada da madeira abundante nas florestas que hoje encimam e embelezam os montes. As florestas primevas e as existentes ganharam a subsistência do sol. É a força química residente nos raios que liberaram o carbono da atmosfera e o armazenaram como fonte de energia para uso futuro. O animal mostra força por meio da contração muscular. Ele a retira das plantas com as quais se alimenta. As plantas a obtêm do sol, cujos raios determinam o crescimento. Toda vez você ergue o braço, toda vez você dá um passo, você está utilizando a força que o sol lhe deu. Quando você embarca no trem, é a força do sol que movimenta o trem. Quando a brisa suave refresca o rosto suarento e o tornado implacável destrói cidades violentamente, são os criados do sol. Que emblema daquele em quem "vivemos, e nos movemos, e existimos" (At 17.28) e possui o nosso ser! — *Professor Green*

v. 11: O "sol", que entre todas as criaturas inanimadas é a mais excelente, denota toda forma de excelência, provisão e prosperidade. O "escudo", que entre todas as criaturas artificiais é a principal, denota toda forma de proteção. Sob o nome da "graça" está envolvido todo bem espiritual. Sob o nome da "glória" está envolvido todo bem eterno. Sob a última frase: "não negará bem algum", está envolvido todo bem temporal. Todos juntos falam que Deus é uma porção Todo-Suficiente. — *Thomas Brooks*

v. 11: "O Senhor Deus é um [...] escudo". Ele é um escudo para a nossa pessoa: "Não toqueis", disse ele, "nos meus ungidos e não maltrateis os meus profetas" (Sl 105.15). "O Senhor", disse Moisés, "guardará a tua entrada e a tua saída. Porque aos seus anjos dará ordem a teu respeito, para te guardarem em todos os teus caminhos, [...] para que não tropeces com o teu pé em pedra" (Sl 121.8; 91.11,12b).

"Observaste tu a meu servo Jó?", disse Deus para Satanás. Sim, respondeu Satanás, "porventura, não o cercaste tu de bens a ele"? (Jó 1.8,10). Sim, irmãos, "o SENHOR Deus é um [...] escudo". Ele é um escudo para as nossas graças. A antipatia e maldade de Satanás são apontadas contra nós principalmente quando nos tornarmos súditos da influência divina. "Simão, Simão", disse o nosso Salvador, "eis que Satanás vos pediu para vos cirandar como trigo. Mas", acrescenta ele, "eu roguei por ti, para que a tua fé não desfaleça" (Lc 22.31,32). Havia um escudo para a fé do bom homem, ou teria sido exterminado. Talvez você se lembre do nome do Pouca-Fé em "O Peregrino", de John Bunyan. Pelo visto, a Esperança ficou muito surpresa por não terem os ladrões levado as joias dele. Mas foi-lhe explicado que as joias não eram para o próprio sustento dele. Sim, cristão, Ele será o seu "escudo" para proteger a sua esperança, quando parecer que você está entregando o espírito. [...] Sim, e Ele será um "escudo" para os seus bens. "Porventura, não o cercaste tu de bens a ele?" Embora Jó fosse provado por pouco tempo, os seus bens só foram tirados a juros. Logo voltaram centavo por centavo. Além disso, ele ganhou um vasto aumento em termos de conhecimento e graça. — *Matthew Wilks, 1716-1829*

v. 11: Dediquemos os pensamentos à combinação: "O SENHOR Deus é um sol e escudo". Como sol, Ele me mostra cada vez mais a minha pecaminosidade, ao passo que, como escudo, me dá o poder para opô-la e a garantia de que vencerei. Como sol, Deus revela tanto da enormidade da minha culpa que sou forçado a exclamar: "Já as minhas iniquidades ultrapassam a minha cabeça; como carga pesada são demais para as minhas forças" (Sl 38.4). Como escudo, Ele me mostra que pôs a carga no Fiador, que o levou para a terra do esquecimento. Como sol, a cada dia Deus me torna mais cônscio da impossibilidade absoluta de eu desenvolver justiça por mim mesmo. Então, como escudo, Ele me firma constantemente os pensamentos na justiça do seu Filho, que é meritoriamente dada a todos os que creem no seu nome. Como sol, Deus me traz ao conhecimento fatos (já que Ele traz a mim e os meus inimigos ao meu conhecimento) que tornariam a questão do livramento fora de alcance e motivo para desesperar-me, se, ao mesmo tempo, não me fosse escudo. Mas visto que Ele é ambos, escudo como também sol, as revelações que faz como sol preparam-me para as bênçãos que dá como escudo. Quem imaginaria que, depois de anunciar o caráter de Deus, o salmista irromperia em expressões de confiança e certeza? Pode ser que, como a corrupção da natureza é trazida continuamente diante de mim de forma muito intensa, ampla e escura, Satanás me manipule com a tentação: "A culpa está muito encalacrada para ser erradicada e é muito grande para ser perdoada". Se Deus fosse sol e nada mais, poderia ser difícil desdenhar a tentação como ardil do pai da mentira. Eu poderia temer. Temeria a santidade de Deus, pensando que eu nunca seria digno de ter comunhão com a deidade. Temeria a justiça de Deus, pensando que eu nunca seria absolvido no terrível juízo final. Mas posso temer qualquer uma das duas, quando, além de sol, Deus também é escudo? Posso temer a justiça de Deus, quando, como escudo, Ele sofre em meu lugar, cumprindo a Lei até a última penalidade? Posso temer a santidade de Deus, quando Ele me faz participar na obediência que cumpre todo preceito? Uma das características do escudo não me ajuda a dispersar as preocupações que são levantadas pela operação de uma das características do sol? Se estou justificado (não somente isso, mas não estou vivendo muito abaixo do meu privilégio?), por que deixo de aceitar o caráter combinado da ousadia e confiança para não ser vencido por essas suspeitas que têm Satanás por autor? Como sol, Deus me mostra eu. Como escudo, Deus me mostra Ele. O sol revela a minha própria insignificância. O escudo revela a suficiência divina. O sol me capacita a discernir que mereço nada mais que ira e posso ganhar nada mais que vergonha. O escudo me capacita a discernir que tenho o direito à imortalidade e posso reivindicar uma herança eterna nos céus. Em resumo, aprendo de Deus como sol que, se receber o "salário", tenho de ter a morte eterna. Mas aprendo de Deus como escudo que, se eu receber o "dom gratuito", posso ter a "vida eterna" (Rm 6.23). A quem, então, temerei? A mim mesmo – reconhecidamente o meu pior inimigo? O sol faz o homem começar por si mesmo. O escudo assegura ao homem que ele será protegido contra si mesmo e edificado "para morada de Deus no Espírito" (Ef 2.22). Recuarei diante de Satanás e das hostes de poderes e principados? O sol mostra que eles são de poder terrível e de maldade veemente. Mas o escudo os exibe despojados e levados em cativeiro, quando Cristo morreu e ressuscitou. Temerei a morte terrível? De fato, o sol torna a morte terrível, forçando-me a ler a maldição de Deus nos membros inertes e características podres. Mas, o escudo exibe o sepulcro aberto, o pó vivificado, as maravilhas da ressurreição, a montanha, o oceano e o vale entregando as gerações dormentes. A morte tem de ser temida? Levemos em conta a lista de coisas que, já que somos criaturas caídas, Deus, como sol, ensina-nos a temer, e descobriremos que na medida em que somos criaturas redimidas, Deus, como escudo, capacita-nos a vencer todos os medos. Quem, então, hesitará em concordar que desta combinação do caráter divino emana exatamente esse sistema de compensação, que afirmamos ser descobrível na graça como também na providência? Ninguém deixará de concordar, pois realmente fomos disciplinados por este ensinamento duplo, que primeiro informa o homem que ele destruiu a si mesmo e depois que Deus socorreu "um que é esforçado" (Sl 89.19), a primeira lição humilhando e a última encorajando, uma abrindo caminho para a outra, de forma que os estendidos são esvaziados de toda falsa confiança para que tenham condições de cogitar a verdadeira. Quem, afirmamos, pela combinação do caráter divino pode deixar de inferir a conclusão feita pelo salmista? Ou seja, depois de registrar que "o Senhor Deus é um sol e escudo", ele exclamou: "O Senhor dará graça e glória; não negará bem algum aos que andam na retidão". — *Henry Melvill*

v. 11: As palavras do texto são como uma voz do céu, convidando-me para subir e respondendo todas as dúvidas e medos a ponto de me fazer crer e seguir o som festivo. Estou nas trevas, e temo que nunca acharei o caminho? Abra os olhos, alma minha! Olhe para o Pai das luzes. "O Senhor Deus é um sol", cujos raios lhe dirigirão os passos. Há um véu interior a ser removido da minha mente, como também a obscuridade do meu caminho? Ele é suficiente para ambos. Deus que ordenou que das trevas brilhasse a luz, pode brilhar no meu coração para iluminar o conhecimento da sua glória e levar-me a ela (2 Co 4.6). Pode fazer o dia esclarecer e a estrela da alva aparecer no meu coração (2 Pe 1.19), e por ambas, guiar os meus pés pelo caminho da paz (Lc 1.79). A mesma luz que revela o meu caminho expõe que oposição enfrentarei? Que inimigos e por quais perigos tenho de passar? Ouça, alma minha, "o Senhor Deus é um [...] escudo".

A luz e a força estão associadas. Nenhuma das duas pode falhar sob a conduta divina, nem têm razão para desanimarem. Foi assim que ele consolou Abraão: "Não temas, Abrão, eu sou o teu escudo" (Gn 15.1). Gemo sob a convicção da minha inadequação ao reino celestial? Seja este o sustento para a minha alma: "O Senhor dará graça". Sou completamente indigno de tão sublime felicidade? Emana do seu próprio amor livre e ilimitado este apoio: "O Senhor dará [...] glória". Suplico mil necessidades que precisam ser atendidas, o que mais pode ser dito? Isto: "não negará bem algum aos que andam na retidão". Não há mal que seja desejado e não há bem que seja negado. Eis, alma minha, uma fonte aberta, na qual você sacia de vez essa sede ansiosa, satisfaz os seus maiores desejos e descansa a mente para sempre. — *Daniel Wilcox*

v.11: Por que o crente precisa ter medo da escuridão, quando ele tem esse sol para guiá-lo? Para que temer perigos terríveis, quando tem esse escudo para protegê-lo? — *William Secker*

v.11: "O Senhor dará graça e glória". "O homem", diz certo escritor sábio, "é a glória deste mundo. A alma é a glória do homem. A graça é a glória da alma. O céu é a glória da graça". O céu ou a glória é a graça amadurecida e levada à perfeição infinita. Lá veremos o seu rosto, teremos o seu nome escrito em nossa testa e reinaremos com Ele para sempre e sempre. — *Matthew Wilks*

v.11: "não negará bem algum aos que andam na retidão". Como pode esta declaração ser verdadeira, quando Deus muitas vezes nega riqueza, honra e saúde, ainda que os homens nunca andem tão retamente? Sabemos, então, que honra, riqueza e força física não estão entre os bens de Deus. Fazem parte do número de coisas indiferentes que Deus dá para os justos e injustos, como a chuva cai e o sol brilha. Os bens de Deus são, nesta vida, principalmente a paz de consciência e a alegria no Espírito Santo, e, na outra, o gozo da presença de Deus e a visão do seu rosto santo. Estes são bens que Deus nunca dá aos ímpios e nunca nega aos piedosos. São bens lançados em um montante, onde se diz: *Beati mundo corde, quoniam ipsi Deum videbunt*, que significa: "Bem-aventurados os limpos de coração [e são só estes que andam na retidão], porque eles verão a Deus" (Mt 5.8). Mas andar na retidão é importante para Deus, de modo que tem de ser recompensado? Não é mais agradável a Deus nos ver inclinar que andar retamente, visto que a inclinação é a andadura da humildade, a qual não há nada que mais agrade a Deus? É, sem dúvida, difícil inclinar-nos e andar retamente ao mesmo tempo, mas é o que devemos fazer. Na verdade, ambos são feitos e feitos ao mesmo tempo por todo aquele que é temente a Deus. Mas quando digo que ambos são feitos ao mesmo tempo, não estou me referindo ao corpo. Sei que duas posturas físicas são impossíveis de serem feitas ao mesmo tempo. Mas a alma pode. A alma pode inclinar-se e andar retamente ao mesmo tempo. Portanto, a alma anda na retidão perante Deus, quando se inclina em humildade perante Deus e os homens. — *Sir Richard Baker*

v. 11: "Porque o SENHOR Deus é um sol e escudo; o SENHOR dará graça e glória; não negará bem algum aos que andam na retidão". Esta é uma fonte infinita. O Senhor enche todos os baldes do nosso coração na fonte e nos dá alma espaçosa, visto que Deus tem mãos liberais. — *Thomas Adams*

SUGESTÕES AOS PREGADORES

v. 1. I. Por que são chamados de tabernáculos? Porque incluem: (1) O santo dos santos. (2) O lugar santo. (3) Os átrios e os recintos. O termo "amáveis" foi atribuído a estes: (a) Os átrios e os recintos são amáveis. (b) O lugar santo é mais amável. (c) O santo dos santos é o lugar mais amável de todos. II. Por que os tabernáculos são do Senhor dos Exércitos? Para denotar: (1) A ligação que eles têm com o universo ilimitado. (2) A distinção que eles têm com o universo ilimitado. Presente em todos os lugares, Deus está peculiarmente presente nos tabernáculos. III. Por que chamou os tabernáculos de amáveis? (1) Por causa das características nas quais Deus habita nos tabernáculos. A condescendência é amável? O amor é amável? A misericórdia é amável? A graça é amável? Estas características são mostradas nos tabernáculos. (2) Por causa do propósito ao qual Deus habita nos tabernáculos: (a) Para salvar os pecadores. (b) Para consolar os santos. — *George Rogers*

v. 2. (1) O objeto do desejo: (a) A casa do Senhor. (b) O Senhor da casa. A vida de Deus em nós e a nossa vida em Deus. (2) A circunstância do desejo: A exclusão do santuário. Davi não diz: Oh, como anelo o meu palácio, a minha coroa, o meu cetro, o meu reino! Mas: Oh, como anelo voltar para a casa de Deus! (3) A força do desejo: (a) Era um anelo íntimo: "A minha alma está anelante". (b) Era um anelo doloroso: "A minha alma [...] desfalece". (c) Era um anelo fervoroso: "O meu coração... [clama]". (c) Era um anelo inteiro: "O meu coração e a minha carne". Outra opção: O valor da casa de Deus: (1) É conhecido frequentando-a. (2) É mais bem conhecido sendo banido dela. (3) É mais bem conhecido sendo restaurado a ela. — *George Rogers*

v. 3. (1) A eloquência da aflição. Davi, no seu afastamento, invejou os pardais e as andorinhas que fizeram ninho na casa de Deus, mais que Absalão que lhe usurpara o palácio e o trono. (2) A engenhosidade da oração. Por que os pardais e as andorinhas devem estar mais próximos dos teus altares que eu, Senhor dos Exércitos, Rei meu e Deus meu? "Não temais, pois; mais valeis vós do que muitos passarinhos" (Lc 12.7). — *George Rogers*

vv. 1 a 3. Os nomes de Deus nestes três versículos valem a meditação profunda: (1) "SENHOR dos Exércitos". (2) "Deus vivo". (3) "Rei meu e Deus meu". — *George Rogers*

v. 4. (1) O privilégio sugerido: "habitam em tua casa". Alguns pássaros voam pela casa de Deus. Outros pousam ocasionalmente nela. Outros constroem ninhos e ensinam os filhotes. Era este o privilégio que o salmista desejava. (2) O fato afirmado: "Bem-aventurados os que habitam em tua casa", que fazem da casa de Deus a casa espiritual deles e dos seus filhos. (3) A razão dada: "louvar-te-ão continuamente". Por que: (a) Terão muito pelo que louvar a Deus. (b) Verão muito para louvar em Deus. — *George Rogers*

v. 5. O homem é bem-aventurado: (1) Quando a sua força está em Deus: "cuja força está em ti". Força para crer, força para obedecer, força para sofrer. (2) Quando nele estão os caminhos de Deus: "em cujo coração estão os caminhos aplanados". Quando as doutrinas, os preceitos e as promessas de Deus estão gravados no coração. — *George Rogers*

v. 5. A intensidade e do entusiasmo na crença, culto e vida cristã.

v. 6. (1) Confiar em Deus nas dificuldades traz consolo: "o qual, passando pelo vale de Baca, faz dele uma fonte". (2) O consolo assegura provisões ainda maiores: "a chuva também enche os tanques". — *George Rogers*

v. 6. Como o vale do choro simboliza tristeza e desânimo constantes, assim a fonte simboliza salvação e consolo transbordantes (cf. Jo 4.14; cf. também Is 12.3).

v. 6. (1) "passando pelo vale de Baca". Sobre este vale podemos observar que: (a) É muito frequentado. (b) É desagradável para a carne e o sangue. (c) É muito saudável. (d) É muito seguro. (e) É muito benéfico. (2) O esforço trabalhoso: "faz dele uma fonte": (a) O consolo obtido nas mais extremas dificuldades. (b) O consolo obtido pelo esforço. (c) O consolo obtido por um indivíduo é útil para os outros, como ocorre com uma fonte. (3) O abastecimento divino: "a chuva também enche os tanques". Tudo vem de Deus. O esforço é inútil sem Ele.

v. 7. (1) Progressão. "Vão indo": (a) O povo de Deus não pode permanecer parado. (b) O povo de Deus não deve retroceder. (c) O povo de Deus deve estar sempre avançando. (2) Fortalecimento. "De força em força": (a) De uma ordenação a outra. (b) De um dever a outro. (c) De uma graça a outra. (d) De uma medida de graça a outra. "Acrescentai à vossa fé a virtude, e à virtude, a ciência, e à ciência, a temperança, e à temperança, a paciência, e à paciência, a piedade, e à piedade, o amor fraternal, e ao amor fraternal, a caridade" (2 Pe 1.5-7). (3) Chegada. "Cada um deles em Sião aparece perante Deus". — *George Rogers*

vv. 5 a 7. O povo bem-aventurado é descrito: (1) Pelo desejo sério e determinação firme de fazer a viagem, ainda que morasse longe do tabernáculo (v. 5). (2) Pela viagem penosa, ainda que houvesse alguns refrigérios ao longo do caminho (v. 6). (3) Pelo progresso constante, até chegar ao destino desejado (v. 7). — *Thomas Manton*

v. 8. (1) A oração não está limitada ao santuário. Davi, no seu banimento, disse: "escuta a minha oração". (2) A ajuda não está limitada ao santuário. O "Senhor, Deus dos Exércitos", está aqui, como também nos seus tabernáculos (v. 1). (3) A graça não está limitada ao santuário. Aqui também no deserto está presente o Deus da aliança, o "Deus de Jacó". — *George Rogers*

v. 8. Argumentos por respostas à oração baseados nos nomes usados: (1) Ele é "Senhor" (Jeová), o Deus vivo, Todo-Poderoso, fiel, benevolente e imutável. (2) Ele é "Deus dos Exércitos", tendo abundantes agências sob o seu controle. Pode enviar anjos, deter demônios, impulsionar homens bons, anular homens maus e administrar todos os demais agentes. (3) Ele é "Deus", conforme visto no sonho de Jacó. O Deus de Jacó no seu banimento e na sua luta (e assim um Deus vencido pela oração), perdoando o pecado de Jacó, guardando Jacó e a sua semente depois dele.

v. 9. Observemos: (1) A fé. O "escudo nosso" é o "teu ungido" – o "teu ungido" é o "escudo nosso". Não se trata de Davi, porque ele diz escudo *nosso*, mas do grande filho de Davi. Este é um vislumbre da luz do Evangelho por intermédio de volumosas nuvens. (2) A oração. "Olha, ó Deus... contempla". Olha para o teu ungido como o nosso Representante e olha para nós nEle. (3) O argumento: (a) Ele levantou-se para nos defender da tua ira. (2) Ele foi ungido por ti para este ofício. — *George Rogers*

v. 9. (1) O que Deus é para nós. (2) Ao que desejamos que Deus olhe e contemple. (3) Onde desejamos estar: Escondidos atrás do escudo. (4) Como desejamos ser: Vistos na pessoa de Cristo.

v. 10. Temos aqui: (1) Uma comparação de lugares: "vale mais um dia nos teus átrios do que, em outra parte, mil". Quanto mais um dia no céu! O que será uma eternidade no céu! (2) Uma comparação de pessoas. "Preferiria estar à porta da Casa do meu Deus, a habitar nas tendas da impiedade". Melhor ser o menor na igreja que o maior no mundo. Se "melhor reinar no inferno do que servir no céu" foi o primeiro pensamento de Satanás depois que caiu, foi só o primeiro pensamento. — *George Rogers*

v. 10. (1) Os dias nos átrios de Deus. São dias de audição, de arrependimento, de crença, de culto, de comunhão, de reavivamento. (2) A preciosidade desses dias. É melhor que mil dias de vitória, de prazer, de ganho monetário, de colheita, de discussão, de viagem entre as belezas da natureza. (3) As razões para essa preciosidade. Hoje são dias mais aprazíveis, mais vantajosos, mais preparatórios para os dias futuros e para o céu. A atividade, a sociedade, o prazer, o resultado são todos melhores.

v. 11. (1) O que Deus é para o seu povo: "um sol e escudo". (a) A fonte de todo bem. (b) A defesa de todo mal. (2) O que Deus dá para o seu povo: (a) Graça hoje. (b) Glória amanhã. (3) O que Deus nega para o seu povo. Tudo que não é bom. Se nos nega saúde, riqueza ou as suas próprias bênçãos, é porque não são boas para nós naquele momento em particular. — *George Rogers*

v. 12. "Senhor dos Exércitos, bem-aventurado o homem que em ti põe a sua confiança". (1) A única coisa que torna o homem bem-aventurado. Pôr a confiança em Deus: (a) Em todas as coisas. (b) Em todo o tempo. (c) Em todas as circunstâncias. (2) A bênção contida nessa única coisa. O próprio Deus se torna nosso: (a) A sua misericórdia para o nosso perdão. (b) O seu poder para a nossa proteção. (c) A sua sabedoria para a nossa orientação. (d) A sua fidelidade para a nossa preservação. (e) A sua Todo-Suficiência para a nossa provisão. (3) A certeza da bênção: (a) Vem pela própria experiência de Davi. (b) Vem pela solene súplica de Davi feita a Deus a esse respeito. — *George Rogers*

v. 12. A bem-aventurança da vida de fé acima da felicidade da vida de prazer carnal, sentimento religioso, autoconfiança, existência baseada em marcas e evidências, confiança no homem.

SALMO 85

TÍTULO

Salmo para o cantor-mor, entre os filhos de Corá. Não há necessidade de repetir as observações sobre um título de ocorrência tão frequente. O leitor é convidado a consultar os comentários já feitos aos títulos dos salmos anteriores. Contudo, não é inadequado citar Neemias 12.46: "Porque, já nos dias de Davi e de Asafe, desde a antiguidade, havia chefes dos cantores, e cânticos de louvores, e ação de graças a Deus".

TEMA E OCASIÃO

O salmo é a oração de um patriota pelo seu país afligido, no qual suplica as antigas misericórdias do Senhor e, pela fé, antevê dias mais abençoados. Cremos que Davi o escreveu, no entanto muitos questionam a afirmação. Certos intérpretes têm má vontade em dar ao salmista Davi a autoria de qualquer um dos salmos, preferindo reportar os cânticos sacros globalmente aos tempos dos reis Ezequias e Josias, ao período do cativeiro e à época dos Macabeus. É notável que, via de regra, quanto mais cético o escritor, mais resoluto é em rejeitar Davi. Por outro lado, os expositores puramente cristãos contentam-se, na maioria, em deixar o poeta-rei na cadeira da autoria. Os encantos de uma nova teoria também atuam grandemente em escritores que não teriam nada a dizer, não fosse a invenção de uma hipótese original e a distorção das palavras sálmicas para justificá-la. Este salmo tem sido associado ao cativeiro. Os críticos não resistiram à tentação de fazer a associação, embora, da nossa parte, não vemos a menor necessidade. É verdade que o versículo 1 fala dos "cativos de Jacó", subentendo um cativeiro, mas isso não significa necessariamente que a nação foi levada ao exílio. O cativeiro de Jó foi virado sem ele nunca ter deixado a terra natal (Jó 42.10). Além disso, o texto fala do regresso dos cativos de Jacó, pois tivesse se referido à emigração babilônica, teria falado dos cativos de Judá, visto que Jacó ou Israel, como tal, não regressou. Quando o versículo 1 fala da "terra" prova que o autor não estava no exílio. É nossa opinião que Davi escreveu este hino nacional quando os filisteus oprimiam a terra, e, no espírito de profecia, ele predisse os anos de paz do seu reinado e a tranquilidade do reinado de Salomão. Em toda a sua extensão, o salmo tem um sentido interno do qual Jesus e a sua salvação são a explicação. A presença de Jesus reconcilia a terra e o céu, e nos assegura a era de ouro, os balsâmicos dias de paz universal.

DIVISÃO

Nos versículos 1 a 4, o poeta canta as antigas misericórdias do Senhor e suplica que Ele se lembre do seu povo. Dos versículos 5 a 7, o salmista defende a causa do Israel aflito. Depois, tendo escutado o oráculo divino no versículo 8, anuncia alegremente as novidades do bem futuro nos versículos de 9 a 13.

EXPOSIÇÃO

1 *Abençoaste, Senhor, a tua terra; fizeste regressar os cativos de Jacó.*
2 *Perdoaste a iniquidade do teu povo; cobriste todos os seus pecados. (Selá)*
3 *Fizeste cessar toda a tua indignação; desviaste-te do ardor da tua ira.*
4 *Torna-nos a trazer, ó Deus da nossa salvação, e retira de sobre nós a tua ira.*

1. "*Abençoaste, Senhor, a tua terra.*" O salmista se dirige ao Jeová autoexistente e todo-suficiente. Por este nome, ele se revelou a Moisés quando o povo estava na escravidão e é por este nome que ele é invocado. É sábio enfatizar a visão do caráter divino que nos desperta as mais agradáveis lembranças do seu amor. Mais agradável ainda nos é o querido nome de "Pai nosso", com o qual os cristãos aprenderam a começar as orações. O salmista fala de Canaã como a terra do Senhor, porque ele a escolheu para o povo, transferiu-a a eles por concerto, conquistou-a pelo seu poder e habitou nela em misericórdia. Era adequado que ele abençoasse a terra que era tão peculiarmente dele. É muito sábio ressaltar o ponto de união do interesse do Senhor para conosco, amarrar o nosso pequeno barco como se estivesse perto do seu grande navio e experimentar a comunhão nos açoites da tempestade. É a nossa terra que está devastada, mas ó Jeová, também é a tua terra. O salmista insiste que o Senhor abençoe a terra escolhida, como já fizera de mil maneiras. Os antigos feitos de Deus são profecias do que ele fará. Por conseguinte, o argumento encorajador: "Abençoaste, Senhor, a tua terra", portanto, trata com ela graciosamente. Muitas vezes os inimigos foram exterminados, a peste detida, a fome evitada e o livramento concedido, por causa da bênção do Senhor. Esta mesma situação de bênçãos é invocada. Com um Deus imutável este é um argumento forte. É porque ele não muda que não somos consumidos, e sabemos que nunca seremos se ele já nos tem abençoado. Aprendamos com este exemplo de oração a apresentar a nossa causa diante de Deus.

Está claro que Israel não estava no exílio, pois esta oração teria se referido à nação e não a terra.

"Fizeste regressar os cativos de Jacó." Quando estavam humilhados e oprimidos pelos pecados, o Misericordioso olhara para eles, mudara a situação triste, afugentara os invasores e dera paz ao povo. Fizera isso não uma, nem duas, mas inúmeras vezes. Nós também fomos muitas vezes levados ao cativeiro da alma por nossas falhas e desvios, mas não fomos abandonados. O Deus que trouxe Jacó de Padã-Arã para a casa do seu pai restaura-nos ao prazer da santa comunhão. Não fará o Senhor novamente a mesma coisa? Supliquemos a Ele lutando semelhantemente como Jacó, pedindo que nos abençoe ou nos seja soberanamente benevolente a despeito de todas as vezes que provocamos o seu amor. As igrejas enfraquecidas não devem deixar de lembrarem-se da sua história antiga e, com santa confiança, lutarem com o Senhor, para que Ele vire o cativeiro delas ainda mais uma vez.

2. *"Perdoaste a iniquidade do teu povo."* Muitas e muitas vezes Ele o fizera, pausando para perdoar até mesmo quando a espada estava desembainhada para

castigar. Quem é um Deus perdoador como tu, Jeová? Quem é tão tardio para irar--se e tão pronto para perdoar? Todo crente em Jesus desfruta da bênção do pecado perdoado, e deve considerar este inestimável benefício como o penhor de todas as outras misericórdias necessárias. Deve lutar com Deus: "Senhor, tu me perdoaste. Então, me deixarás perecer por falta de graça ou cair nas mãos dos teus inimigos por falta de ajuda? Não, tu não deixarás a tua obra assim inacabada".

"Cobriste todos os seus pecados." Todo pecado, toda mancha e toda ruga, o manto do amor cobriu tudo. O pecado foi posto divinamente fora do alcance da visão. Escondendo-o debaixo do propiciatório, cobrindo-o com o mar da expiação, apagando-o, fazendo-o deixar de existir, o Senhor o removeu tão completamente que até os olhos oniscientes não o veem mais. Que grande milagre! Cobrir o sol seria fácil comparado a cobrir o pecado. Contudo, o pecado não foi removido sem a expiação que cobre, pois, por intermédio do grande sacrifício de nosso Senhor Jesus Cristo, foi o pecado removido eficientemente em um ato único e eterno. Que cobertura é o sangue de Jesus!

"Selá."

3. *"Fizeste cessar toda a tua indignação."* Tendo removido o pecado, a ira também é removida. Quantas vezes a longanimidade de Deus tirou os israelitas dos castigos que com justiça foram postos sobre eles! Quantas vezes também a mão punidora do Senhor foi afastada de nós, quando a nossa teimosia pedia golpes mais pesados!

"Desviaste-te do ardor da tua ira." Mesmo quando os juízos eram muito severos, o Senhor por misericórdia detinha a mão. Em meia saraivada Ele detivera os trovões. Quando pronto para destruir, Ele desviara o rosto do seu propósito punidor e permitira que a misericórdia se interpusesse. O livro de Juízes está cheio de ilustrações a respeito. O salmista fez bem em citá-las enquanto intercede. Não está também a nossa experiência igualmente recheada de exemplos nos quais o juízo foi detido para a brandura prevalecer? Que diferença entre a ira ardente, que é temida e vivamente censurada, e a oração de paz, que é predita no versículo 8. Há muitas mudanças na experiência cristã. Não nos desesperemos, quando estivermos atravessando a porção mais triste da vida espiritual, pois em breve, muito em breve, se transformará em alegria.

O Senhor clareia os céus mais escuros
E nos dá dia durante a noite
Faz as gotas da tristeza sacra subir
Aos rios da delícia
— *Isaac Watts.*

4. *"Torna-nos a trazer, ó Deus da nossa salvação."* Esta era a questão principal. Pudessem as tribos errantes se arrependerem e tudo ficaria bem. Não é que Deus precisa desistir da ira tanto quanto precisamos desistir do pecado. Este é o ponto crítico da questão. As nossas provações surgem muitas vezes dos nossos pecados, as quais cessam quando os pecados cessam. Precisamos ser trazidos dos nossos pecados, mas só Deus pode nos fazer desistir de pecar. O Deus Salvador tem de pôr a mão na massa. É, de fato, a parte principal da salvação. A conversão é a alvorada da salvação. Virar o coração para Deus é tão difícil quanto fazer o mundo girar no seu eixo. Quando o homem aprende a orar pela conversão há esperança para ele. Quem se dedica à oração está começando a voltar-se do pecado. É uma cena muito gloriosa ver o povo todo virar-se para o seu Deus. Envie o Senhor a sua graça conversora para a terra a fim de que vejamos as pessoas reunindo-se em culto de adoração a Deus, como as pombas que se juntam no pombal.

"E retira de sobre nós a tua ira." Dá um fim na tua ira. Não permitas que continue ardendo. Quando os pecadores param de rebelar-se, o Senhor para de ficar irado com eles. Quando se voltam para Deus, Ele se volta para o povo. Na verdade, Deus é o primeiro na reconciliação, fazendo-os voltar-se para o seu Criador, pois nunca

teriam se voltado por vontade própria. Todos os que hoje estão suportando os escondimentos do rosto de Jeová devem rogar com intenso fervor que o Senhor os faça voltar para Ele, pois assim todos os desalentos e tristezas acabam.

Com estas palavras, o mavioso cantor pede para a nação bênçãos inestimáveis e cita o melhor dos argumentos. O Deus de Israel foi riquíssimo em bênçãos nos anos antigos. Daí a súplica para que corrija e restabeleça a nação apóstata.

5 *Estarás para sempre irado contra nós? Estenderás a tua ira a todas as gerações?*
6 *Não tornarás a vivificar-nos, para que o teu povo se alegre em ti?*
7 *Mostra-nos, SENHOR, a tua misericórdia e concede-nos a tua salvação.*

5. *"Estarás para sempre irado contra nós?"* Observe como o salmista é ousado na súplica. Ainda estamos no tempo e não na eternidade. O tempo não tem um fim? Então, a tua ira também não tem? Ficarás tu irado para sempre como se fosse a eternidade? Não há limite para a tua indignação? A tua ira nunca tem fim? E se estarás para sempre irado, ainda estarás irado "contra nós", o teu povo abençoado, a semente de Abraão, o teu amigo? É natural que os nossos inimigos sempre tenham raiva de nós, mas tu, o nosso Deus, ficarás para sempre ardendo em ira contra nós? Cada palavra é um argumento. Homens em angústia nunca desperdiçam palavras.

"Estenderás a tua ira a todas as gerações?" Os filhos sofrerão pelos erros dos pais? O castigo se torna uma herança inalienável? Ó misericordioso Deus, tens tu o objetivo de prolongar ao máximo a tua ira, de torná-la tão longa quanto os séculos infindáveis? Cessa a tua ira, como tu a cessaste em tempos passados, e reina a tua graça como reinou nos dias de outrora. Quando estamos em abandono espiritual podemos implorar de igual maneira, para que os dias de tribulação sejam encurtados e o nosso espírito não desfaleça de vez na provação.

6. *"Não tornarás a vivificar-nos?"* A esperança fica quase confiante. Sente-se segura de que o Senhor voltará com grande poder para salvar. Estamos mortos ou morrendo, desfalecidos e fracos, pois só Deus pode nos vivificar. Em outros tempos, Ele deu refrigério ao seu povo. Ele ainda é o mesmo. Ainda repetirá o amor. Não tornará? Por que não? Rogamos a Ele: "Não tornarás"?

"Para que o teu povo se alegre em ti?" Tu gostas de ver os teus filhos felizes, gozando da melhor felicidade, a qual se centraliza em ti. Então, vivifica-nos, pois a vivificação nos trará alegria extrema. As palavras do texto nos ensinam que a gratidão está intimamente ligada ao doador, indo além do dom recebido – "para que o teu povo se alegre *em ti*" (grifos meus). Os que foram vivificados se alegrariam não só na vida nova, mas no Senhor que a criou. A alegria no Senhor é o fruto mais maduro da graça, pois todas as vivificações e renovações levam a ela. A alegria que possuímos ajuda-nos a avaliar a nossa condição espiritual. É parâmetro seguro de prosperidade interior. A vivificação genuína sem a alegria no Senhor é tão impossível quanto a primavera sem flores ou a alvorada sem luz. Se na nossa alma ou no coração dos outros vemos declínio, cabe a nós nos servir desta oração. Se, por outro lado, já estamos desfrutando as visitações do Espírito e as orvalhadas da graça, sobejemos, então, em santa alegria e façamos dela o nosso prazer constante para a alegria em Deus.

7. *"Mostra-nos, Senhor, a tua misericórdia."* Revela-a aos nossos pobres olhos peticegos. Não conseguimos ver a misericórdia ou crer nela por causa das tribulações prolongadas, mas tu podes torná-la clara para nós. Outros a veem, mas, Senhor, mostra-a tu para nós. Vemos a tua ira, Senhor, então, deixa-nos ver a tua misericórdia. Os teus profetas nos falaram dela. Mas, ó Senhor, mostra-a tu nesta hora de necessidade extrema.

"E concede-nos a tua salvação." Inclui sermos livres do pecado como também da punição. O alcance vai das profundezas da desgraça pecadora às alturas do amor divino. A salvação de Deus é de espécie perfeita, de abrangência inclusiva e de qualidade eminente. Concede-nos, ó Deus, esta salvação e teremos tudo.

8 *Escutarei o que Deus, o* Senhor, *disser; porque falará de paz ao seu povo e aos seus santos, contanto que não voltem à loucura.*
9 *Certamente que a salvação está perto daqueles que o temem, para que a glória habite em nossa terra.*
10 *A misericórdia e a verdade se encontraram; a justiça e a paz se beijaram.*
11 *A verdade brotará da terra, e a justiça olhará desde os céus.*
12 *Também o* Senhor *dará o bem, e a nossa terra dará o seu fruto.*
13 *A justiça irá adiante dele, e ele nos fará andar no caminho aberto pelos seus passos.*

Tendo feito fervorosa intercessão pela nação aflita, mas penitente, o poeta sacro no verdadeiro espírito de fé espera a resposta do oráculo sagrado. Faz uma pausa em confiança alegre, e então, em enlevado triunfo, expressa as esperanças na mais rica forma de cântico.

8. *"Escutarei o que Deus, o Senhor, disser."* Quando cremos que Deus nos ouve, é mais que natural que desejemos ouvi-lo. Somente dEle vêm a palavra que fala de paz ao espírito conturbado. A voz dos homens é fraca em tal situação, um curativo estreito demais para a ferida. Mas a voz de Deus é poder. Ele fala e está feito. Por conseguinte, quando o escutamos, a nossa angústia acaba. Feliz o suplicante que tem graça para estar pacientemente à porta de Deus e esperar até que o amor divino aja de acordo com o antigo hábito e afugente toda tristeza e preocupação.

"Porque falará de paz ao seu povo e aos seus santos." Ainda que por um pouco a sua voz seja dura por causa da repreensão merecida, Ele não repreenderá para sempre. O grande Pai reassumirá o tom natural de brandura e compaixão. As palavras de paz são prerrogativa peculiar do Senhor Jeová. Profunda, duradoura e eterna é a paz que Ele cria. Contudo, não é para todos que a Palavra divina traz paz, mas só para o seu povo, a quem Deus deseja santificar e aos que já santificou.

"Contanto que não voltem à loucura." Se voltarem à loucura, a vara do Senhor cairá sobre eles outra vez e a paz será anulada. Os que desejam desfrutar comunhão com Deus têm de ser cuidadosos para evitar tudo que entristeça o Espírito Santo. Não apenas os pecados mais horrendos, mas até as tolices e insensatezes da vida devem ser evitados por aqueles que são abençoados com as delícias e prazeres da comunhão consciente. Servimos a um Deus que sente ciúmes de nós e precisamos estar incessantemente vigilantes contra o mal. Os desviados precisam estudar este versículo com cuidado extremo, pois lhes dará consolo e também os admoestará, fazendo com que voltem à submissão anterior e, ao mesmo tempo, inspirando neles o medo saudável de permanecerem desviados. Voltar à loucura é pior que ser louco de vez. Demonstra má-intenção e obstinação, e envolve a alma em pecado setuplicado. Não há louco maior que o homem que será louco custe o que custar.

9. *"Certamente que a salvação está perto daqueles que o temem."* A fé sabe que um Deus salvador sempre está próximo, mas *só* (pois esta é a tradução correta) para os que temem o Senhor e o cultuam com santo temor. Na dispensação do Evangelho esta verdade é visivelmente ilustrada. Se para os pecadores que buscam a salvação, ela está perto, está seguramente muito mais perto daqueles que já a desfrutaram, mas perderam o gozo vigente pela loucura cometida. Devem, então, voltar-se imediatamente ao Senhor para desfrutá-la novamente. Não precisamos andar para lá e para cá fazendo círculos longos e frequentes em mortificações pessoais ou preparações espirituais. Podemos ir diretamente ao Senhor, por meio de Jesus Cristo, da mesma maneira que fizemos da primeira vez, pois Ele nos receberá de novo nos seus abraços de amor. Quer seja uma nação em tempos de adversidade, ou uma pessoa sob punição, a doce verdade deste texto é fértil em incentivos ao arrependimento e santidade renovada.

"Para que a glória habite em nossa terra." O objetivo da volta da graça será o estabelecimento permanente de um estado melhor de coisas, de forma que a adoração gloriosamente devotada será feita a Deus em caráter permanente, e certa medida gloriosa de prosperidade será conseguintemente desfrutada. Israel era glorioso

sempre que permanecia fiel – a desonra sempre acompanhava a infidelidade. Os crentes também vivem vidas gloriosas quando andam obedientemente, e só perdem a verdadeira glória da religião quando caem da sua estabilidade.

Nesses dois versículos, sob o véu da letra, temos a indicação da vinda da Palavra de Deus para as nações em tempos de extensa apostasia e grande calamidade, quando os corações fiéis buscam e anelam a promessa que tanto demorara. Pela vinda da Palavra de Deus, a salvação se aproximou e a glória, exatamente a glória da presença do Senhor, se fez tabernáculo entre os homens. A esse respeito, este e os versículos subsequentes falam com toda a clareza.

10. *"A misericórdia e a verdade se encontraram."* Em resposta à oração, o salmista exultante vê os atributos de Deus confederando-se para abençoar a nação aflita. A misericórdia vem de mãos dadas com a verdade para cumprir a promessa fiel do seu Deus gracioso. O povo reconheceu imediatamente a graça e a veracidade de Jeová. Deus não é para eles nem tirano nem enganador.

"A justiça e a paz se beijaram." O Senhor cuja severidade justa lanceou os ferinos, agora com compaixão envia paz para cobrir remediavelmente a ferida. Agora que o povo está disposto a abandonar os pecados e seguir a justiça, encontra paz imediatamente disponibilizada para eles. "Os tambores de guerra já não rufam, e as bandeiras da batalha foram desfraldadas" (Alfred Tennyson), pois a idolatria foi abandonada e Jeová é adorado.

Esse é o significado imediato e primário dos versículos, mas o sentido interno é Cristo Jesus, a Palavra reconciliadora. NEle, os atributos de Deus se unem em concordância feliz para a salvação dos homens culpados. Reúnem-se e abraçam-se de maneira inconcebível aos nossos justos temores ou iluminadas esperanças. Deus é tão verdadeiro quanto se tivesse cumprido cada letra das ameaças de juízo, e tão justo quanto se nunca tivesse falado de paz com a consciência do pecador. O seu amor, em não pequeno esplendor, brilha, mas nem por isso as outras características santas ficam obscurecidas. É hábito dos pensadores (?)* modernos alardear esta representação do resultado da expiação substitutiva do nosso Senhor, mas tivessem eles sentido o peso do pecado na consciência espiritualmente despertada, teriam cessado de fazer as vãs ridicularizações. Duncan descreveu muito bem a doutrina da expiação como a admissão "de que o Senhor Jesus Cristo fez uma coisa ou outra, a qual de uma maneira ou outra estava de um modo ou outro ligado com a salvação do homem". Este é o substituto deles para a substituição. Os nossos fatos são infinitamente superiores às imaginações deles, e mesmo assim, zombam. É natural que os homens naturais ajam assim. Não podemos esperar que animais deem muito valor às descobertas da ciência, nem podemos esperar que homens não espirituais avaliem corretamente a solução dos problemas espirituais, pois são coisas muito superiores e fora do alcance da visão. Enquanto isso resta para os que se alegram na grande reconciliação continuar maravilhando-se e adorando.

11. *"A verdade brotará da terra."* Promessas não cumpridas, como sementes enterradas, brotarão e produzirão colheitas de alegria. Os homens renovados pela graça aprenderão a serem verdadeiros uns com os outros e com Deus e a detestar a falsidade, a qual anteriormente tanto amavam.

"E a justiça olhará desde os céus", como se escancarasse as janelas para inclinar-se na soleira e contemplar o povo penitente, o qual anteriormente não poderia ser olhado sem a indignação que lhes teria sido fatal. Esta é cena deliciosa. A terra produzindo flores da verdade e o céu brilhando com estrelas da santidade. Os astros ecoando uns aos outros, ou sendo espelhos uns aos outros das suas belezas. "A terra atapetada com a verdade e coberta com a justiça como um pálio"

* **N. do T.:** Este ponto de interrogação entre parêntesis consta originalmente no comentário.

será um céu inferior. Quando Deus olha desde os céus em graça, o homem eleva o coração em obediência.

A pessoa do nosso adorável Senhor Jesus Cristo explica este versículo muito agradavelmente. Nele se acha a verdade em nossa humanidade. A sua deidade traz a justiça divina entre nós. A obra do seu Espírito ainda hoje cria uma harmonia sagrada entre a igreja na terra e a justiça soberana entre a igreja no céu. Nos últimos dias, a terra será adornada universalmente com toda virtude preciosa, com o que o céu manterá estreita relação. Há uma infinidade de significados nestes versículos, precisando apenas de meditação para serem extraídos. Leitor, "o poço é fundo", mas se você tem o Espírito, não dá para você dizer que não tem com que tirar esses significados preciosos (Jo 4.11).

12. *"Também o Senhor dará o bem."* Sendo Ele próprio a pura bondade, de pronto se voltará da sua ira e distribuirá coisas boas ao povo que se arrepende. O nosso mal traz o mal sobre nós, mas quando somos levados a seguir novamente o que é bom, o Senhor nos enriquece abundantemente com o que é bom. Os bens materiais sempre serão dados quando podem ser desfrutados em consistência com os bens espirituais.

"E a nossa terra dará o seu fruto." A maldição da infertilidade fugirá com a maldição do pecado. Quando o povo entregar o que é devido a Deus, o solo recompensará os trabalhos de lavração. Veja o que o pecado fez com a Palestina, tornando jardins em deserto. As terras incultas são as cicatrizes das iniquidades. Nada mais que o arrependimento e o perdão divino para corrigir as desolações. O mundo também se iluminará com as mesmas bênçãos nos dias futuros.

Livrado da maldição, o jardim agradecido dá
Frutos em rendosa produção.
Nem geada, nem ferrugem, nem mofo caem.
Nem vermes, nem lagartas arruínam a esperança de maturação
As nuvens gotejam gordura.
Os próprios fenômenos atmosféricos estão sujeitos à vontade devota
Daqueles cujo prazer está em harmonia com Deus.
— Edward Henry Bickersteth, *The Millennial Sabbath*, Livro Dez.

13. *"A justiça irá adiante dele, e ele nos fará andar no caminho aberto pelos seus passos."* A marcha da justiça de Deus deixará um rasto para o povo seguir com alegria. AquEle que feriu com justiça também abençoará com justiça, e em ambos os aspectos a justiça se manifestará de modo a comover o coração e a vida do seu povo. Estas são as bênçãos do primeiro advento do nosso Senhor, as quais ainda mais evidentemente serão o resultado da segunda vinda. "Ora, vem, Senhor Jesus" (Ap 22.20). Amém.

NOTAS EXPLICATIVAS E DECLARAÇÕES IMPORTANTES

O Salmo: Este salmo bonito, como alguns outros, está sem nome e data. Trata-se da produção de algum gênio poético desconhecido, que foi tocado, purificado e exaltado pelo fogo da inspiração celestial. É a relíquia preciosa daquela era de ouro, quando a música hebraica estava impregnada de um espírito que nunca inflou a Grécia ou Roma. É interessante refletir sobre a autoria anônima de alguns salmos. O fato lembra como é grande a dívida que a igreja de Deus tem com algumas pessoas respeitáveis, cujo nome desconhecemos, por nos terem escrito hinos e cânticos espirituais, cheios das mais ricas melodias que jamais foram entoadas pelos mais ilustres entre os pagãos. Estes homens santos já faleceram, não deixaram registro da sua história, mas deram legados de sentimentos ricos, variados e inspirados que tornam a igreja devedora a eles até ao fim dos tempos.
— John Stoughton, 1852

O Salmo: Podemos dividir o salmo assim: Os versículos 1 a 3 expressam a gratidão do povo pela volta do cativeiro. Os versículos 4 a 6 expressam a oração do povo pela própria correção. No versículo 7, o povo ora pela vinda do Messias. O versículo 8 contém as palavras do sumo sacerdote com a resposta graciosa de Deus, cuja resposta é seguida pelas aclamações de agradecimento do povo do versículo 9 até ao final do salmo.

No preparo dessa interpretação, observemos que é estranho que as palavras sejam expressas no tempo presente: "Escutarei o que Deus, o Senhor, disser; *porque* falará de paz ao seu povo" (v. 8, grifo meu). Deus, com certeza, não poderia ser consultado, porque era desnecessário. Nem poderia o sumo sacerdote dizer que consultaria a Deus, visto que ele sabia o que Deus responderia, sobretudo, quando temos uma pergunta proposta a Deus, a qual ainda está sem a resposta divina. Para estas dificuldades temos a solução feliz. Na opinião de autoridades satisfatórias, em vez da partícula traduzida por "porque", a palavra hebraica significa originalmente "em mim" ou "por mim". Esta leve variação remove toda obscuridade do texto e restabelece o sentido claro que há muito se quis dizer.

Tendo o povo orado pela chegada imediata da grande salvação (v. 7), o sumo sacerdote diz (como deveria ter sido expresso aqui): "Escutarei o que o Todo-Poderoso disser. Jeová por mim diz: Paz ao seu povo, até mesmo aos seus santos, contanto que não voltem à loucura". Por conseguinte, como os judeus entendiam que o termo *paz* compreendia todas as bênçãos e, claro, a maior delas, imediatamente identificaram a certeza desta salvação – a glória da sua terra – e proclamaram que estava perto. Em seguida, em êxtase profética, veem esta glória como realmente presente, como já habitando na Judeia (v. 9). Veem Deus cumprindo muito estritamente o que prometera muito graciosamente. Veem, portanto, a misericórdia de Deus e a verdade de Deus juntas. Veem que plano perfeito, no qual a justiça (ou seja, a retidão) de Deus se harmoniza com a paz (ou seja, a felicidade) do homem, de forma que a justiça e a paz saúdam-se com o mais terno afeto (v. 10). Em suma, veem a verdade brotando da terra, ou seja, veem aquEle que é "o caminho, a verdade, e a vida" (Jo 14.6) nascer nessa terra. E até veem a justiça de Deus olhando desde os céus, por estar imensamente contente (v. 11).

A tradução do versículo 12 é no momento tão infeliz, que está totalmente despojada de toda a glória genuína. Poderia o profeta, depois de todas as coisas arrebatadoras ditas há pouco, dizer friamente que Deus daria o bem e que a Judeia daria uma colheita abundante? Não. A consistência e o bom-senso o vetam, e a verdade confirma o protesto. As palavras do versículo expressam as razões de todas as atividades precedentes e significam: "Sim, Jeová concede a bênção, e a nossa terra concede a sua descendência". O que, entre estas imagens sublimes, pode ser a bênção e a descendência da Judeia, senão Ele e somente Ele, que era a bênção para todas as terras em geral e a glória da Judeia em particular? O que diz o versículo seguinte? "A justiça irá adiante dele", com certeza não adiante do fruto da terra, mas certamente adiante daquela pessoa ilustre, exatamente o Messias: "A justiça irá adiante dele, e dirigirá as suas andanças pelo caminho".

Quanto à palavra hebraica que traduzi por bênção (cf. v. 12, NVI) e é aplicada à redenção, é a mesma usada por Jeremias: "Eis que vêm dias, diz o Senhor, em que cumprirei a palavra boa [a bênção] que falei à casa de Israel e à casa de Judá. Naqueles dias e naquele tempo, farei que brote a Davi um Renovo de justiça, e ele fará juízo e justiça na terra" (Jr 33.14,15). Quanto à referência do Messias como que brotando da terra, assim diz Isaías: "Naquele dia, o Renovo do Senhor será cheio de beleza e de glória; e o fruto da terra, excelente e formoso para os que escaparem de Israel" (Is 4.2). Mas este profeta evangélico, em outro texto, tem a exata complexidade de imagens com a encontrada no salmo que estudamos. Isaías também tem os céus, com a sua justiça, e a terra, com a sua salvação: "Destilai vós, céus, dessas alturas, e as nuvens chovam justiça; abra-se a terra, e produza-se salvação" (Is 45.8). Quando diz "produza-se", refere-se a quem ou que, senão os céus e a terra? O texto sálmico representa os céus e a terra brotando e introduzindo o Salvador do mundo. O que mais pode ser o significado do brotamento ou produção dos céus e da terra? O que, senão Ele só, que derivando a natureza divina dos céus e a humana da terra era (o que nenhum outro ser jamais foi) Deus e homem? — *Benjamin Kennicott*

v. 1: "A tua terra". O poeta invoca a terra de Jeová para indicar a relação íntima de Deus com ela e com o povo que nela habita, confirmando assim a bênção de Deus para com ela. Deus escolheu esta terra como o lugar da habitação do seu povo, a verdadeira religião e a sua própria presença. Nela também, a seu tempo, Ele mesmo andara na pessoa do seu Filho e nela reuniu e fundou a igreja. — *Hermann Venema*

v. 1: "Os cativos de Jacó". Todos os verdadeiros crentes são os filhos de Jacó e a semente de Abraão, como também os gentios crentes, os quais são os filhos de Jacó segundo o Espírito, e os judeus crentes, os quais são os filhos de Jacó segundo a carne. A igreja destes verdadeiros jacobinos e israelitas é a terra do Senhor, e os cativos são os que estão sob a escravidão do pecado. Neste nosso cativeiro, Satanás é o carcereiro, a carne é a prisão, as concupiscências pecaminosas são os grilhões, a má consciência é o atormentador – todos eles contra nós. Só Cristo é o Emanuel, Deus conosco. Ele virou o cativeiro de Jacó, perdoando-lhe todas as transgressões e cobrindo-lhe todos os pecados. — *Abraham Wright*

v. 2: "Perdoaste a iniquidade". נָשָׂאתָ עֲוֹן (*nāśā'tā 'ăwōn*), "suportaste a iniquidade" ou "carregaste a iniquidade". É alusão à cerimônia do bode expiatório. — *Adam Clarke*

v. 2: "cobriste todos os seus pecados". Quando diz que Deus cobre o pecado, Ele não faz como alguém que cobre a ferida com um curativo, meramente escondendo-a. Ele cobre o pecado com um curativo que eficazmente o cura e remove completamente. — *Robert Bellarmine*

v. 2: "Selá". O rabi Kimchi considera este termo como sinal para elevar a voz. Os tradutores da Septuaginta o consideraram como nota musical ou rítmica. Herder considerou-o como indicação de mudança de nota. Mathewson viu-o como nota musical, equivalente talvez à palavra *repetição*. De acordo com Lutero e outros comentaristas, significa "silêncio". Gesenius explica que significa: "Toquem os instrumentos e cantem os cantores". Wocher considera a palavra equivalente a *sursum corda*, que significa, "levante-se, alma minha!" Sommer, depois de examinar todas as setenta e quatro passagens nas quais a palavra ocorre identifica em cada caso "um apelo ou convocação a Jeová". São pedidos de ajuda e orações para que o suplicante seja ouvido, expressados com toda objetividade ou, se não, no imperativo: "Ouvi, Senhor!", ou: "Desperta, Jeová!" e expressões semelhantes, em veementes discursos a Deus para que se lembre e ouça. Considera a palavra *selá* como indicação da clarinada das trombetas dada pelos sacerdotes. Entende que a palavra *selá* é uma expressão abreviada, usada para dizer "*higaiom selá*". *Higaiom* indica o som dos instrumentos de corda, e *selá* a clarinada vigorosa das trombetas. — *Extraído da "Bibliotheca Sacra", citado por William S. Plumer*

v. 3: "Fizeste cessar toda a tua indignação". Ou "juntaste". O pecado ocasiona a ira e o povo de Deus é tão merecedor dela quanto os outros. Mas o Senhor recolheu a ira e a derramou sobre o seu Filho e Fiador deles. Por conseguinte, nada desta espécie jamais cairá sobre eles, hoje ou futuramente. A ira foi retirada deles (cf. NVI), por não terem sentido, apreensão ou consciência dela, a qual antes da Lei fora lavrada neles, quando o perdão foi aplicado neles, que é o significado deste texto. — *John Gill*

v. 3: "Desviaste-te do ardor da tua ira". Contando desde o versículo 1, este é o sexto verbo na segunda pessoa do singular que acaba desembocando no verbo "torna" (v. 4). Deus fez e, portanto, Deus fará, sendo este forte indício da esperança, se não da demonstração da lógica bíblica (cf. 2 Co 1.10). — *John Trapp v. 4:* "Retira de sobre nós a tua ira". A frase: "Quebra a tua indignação para conosco" (quer dizer, com a qual tu estás irado conosco, para que cesse por si mesma), compreende a abolição dos sinais e efeitos da ira. A palavra פרר, que é a raiz a ser considerada, denota rompimento por meio de fendas e brechas, como quando o gume de algo fica quebrado por muitas fendas e brechas, tornando-se completamente estragado e inútil. A indignação, porquanto é vigorosa e espalha os seus efeitos, tem uma ponta aguçada que fere e perfura. Mas é considerada cega e quebrada, quando deixa de manifestar-se e não produz mais males. É o que afirmam sobre a ira de Deus. — *Hermann Venema*

v. 6: "Não tornarás a vivificar-nos"? No original hebraico é: "Não retornarás e nos vivificarás?" É comum o verbo tornar vir acompanhado pelo advérbio outra vez: "Não tornarás a vivificar-nos outra vez?" Deste-nos muitas vivificações. Quando éramos como mortos e como cadáveres apodrecendo na sepultura, tu nos vivificaste. Não nos vivificarás mais uma vez e repetirás mais uma vez poderosamente essas obras misericordiosas e salvações fortes, mais uma vez ou outra vez? — *Joseph Caryl*

v. 6: "Para que o teu povo se alegre em ti". Bernardo, no 15º Sermão sobre Cantares, diz: "Jesus é mel para a boca, música para os ouvidos, alegria para o coração. Está alguém entre nós triste? Deixe Jesus entrar no coração e, daí, iluminar o rosto. Eis que, diante do brilho ascendente do seu nome, toda nuvem se espalha e a serenidade retorna". Orígenes, na 10º Homília sobre Gênesis, faz esta observação: "Abraão não se alegrou nas coisas presentes, nem nas riquezas das palavras, nem nos feitos do tempo. Mas você não quer saber em que ele se alegrou? Ouça o que o Senhor está falando com os judeus: 'Abraão, vosso pai, exultou por ver o meu dia, e viu-o, e alegrou-se' (Jo 8.56). A esperança amontoou-lhe as alegrias". — *Thomas Le Blanc*

v. 6: "Para que o teu povo se alegre em ti". Quando Deus mudar a alegria do seu povo, a alegria não estará nas bênçãos, mas no Abençoador. — *David Dickson*

v. 6: "Para que o teu povo se alegre em ti". É a coisa mais natural e a mais deliciosa o povo de Deus alegrar-se em Deus. Ele é a fonte de alegria. A quem Deus encheria de alegria, senão ao seu povo? De quem o seu povo aspiraria ter alegria, senão dEle? Deus gosta que estejam nesta postura. Eles gostam de estar nesta postura. Mas isso é impossível no estado da morte e cativeiro em que Deus os prendeu por um longo tempo. "Os vivos, os vivos, esses te louvarão" (Is 38.19), mas infelizmente os mortos não. — *John Pennington, 1656*

v. 6: "Para que o teu povo se alegre em ti". Verdadeiramente, o pecado mata. Os homens estão mortos em ofensas e pecados, mortos na Lei, mortos em suas paixões, mortos na perda da comunhão consoladora com Deus. Provavelmente a maior heresia prática de cada época seja a mínima ideia que fazemos da nossa situação arruinada sob a culpa e domínio do pecado. Enquanto esta condição prevalecer, seremos tardios para clamar em busca de reavivamento ou vivificação. O que os pecadores e as igrejas precisam é serem vivificados pelo Espírito Santo. — *William S. Plumer*

vv. 6 a 7: "Não tornarás a vivificar-nos" pela primeira e espiritual ressurreição, e assim o teu povo, vivificado de uma vida de pecado para uma vida de graça, se alegrará em ti e não em si mesmo, não presumindo nada por força própria. E para que estas coisas sejam cumpridas em nós: "Mostra-nos, SENHOR, a tua misericórdia", ou seja, Cristo, por quem tu tiveste compaixão da raça humana, mostraste-o para nós depois deste exílio, para que o vejamos face a face. — *Richardus Hampolus*

v. 7: "A tua misericórdia". Não são somente as misericórdias do Senhor a causa de não sermos consumidos, mas tudo é misericórdia, do início ao fim (cf. Lm 3.22). Foi a misericórdia que nos encontrou pelo caminho. Foi a misericórdia que olhou para nós em nossa desgraça. Foi a misericórdia que nos lavou dos pecados no seu próprio sangue. Foi a misericórdia que nos cobriu a nudez e nos trajou com o seu próprio manto de justiça. É a misericórdia que nos conduz e guia pelo caminho. É a misericórdia que nunca nos deixará nem nos abandonará até que a misericórdia tenha feito a sua obra perfeita na salvação eterna da nossa alma por Jesus Cristo. — *Barton Bouchier*

v. 8: "Escutarei o que Deus, o Senhor, disser". A verdadeira atitude para o pecador entrar na presença da revelação divina é a de ouvinte. Ocupar o lugar como fazedor antes de ocupá-lo como ouvinte é inverter a ordem de Deus e colocar tudo em confusão. Adão tentou este plano e foi um fracasso. Tentou "obras". Coseu folhas de figueira, mas foi tudo em vão (Gn 3.7). Nem mesmo pôde satisfazer a própria consciência ou remover o medo da culpa. Teve de escutar a voz de Deus e dar ouvidos à revelação divina. — *Extraído de "Things New and Old, a Monthly Magazine" [Coisas Novas e Velhas, uma Revista Mensal], 1859*

v. 8: "Escutarei o que Deus, o Senhor, disser". Os olhos como mero órgão do sentido têm de dar lugar aos ouvidos. Daí a observação perspicaz: quando o nosso Salvador ordenou a remoção da mão, pé e olho que faz pecar (Mc 9.43-47), Ele nunca disse nada sobre o ouvido. Se a mão, pé ou olho faz você pecar, prive-se deles. Mas não se separe do ouvido, pois este é o órgão do qual se deriva a salvação da alma. Como disse Jesus, o homem pode entrar no céu coxo de pés, como Mefibosete, cego de olhos, como Barzilai, ou de mão mutilada, como o homem da mão ressecada narrado nos Evangelhos. Mas se não houver ouvidos para ouvir acerca do caminho, não haverá conversão. Se Deus não for o primeiro nos ouvidos, não será nem santificadoramente na boca, nem consolavelmente no coração. Os judeus tinham olhos para ver os milagres de Jesus, mas porque não tinham ouvidos para ouvir-lhe a sabedoria, não tiveram pés para entrar no reino. A entrada na casa é pela porta, não pela janela. Os olhos são apenas a janela do coração, e os ouvidos são a porta. Jesus está de pé, batendo à porta, não à janela (Ap 3.20). Não entrará pela janela, mas pela porta: "Aquele, porém, que entra pela porta é o pastor das ovelhas" (Jo 10.2). Hoje, Ele entra pelos oráculos que dá, não pelos milagres que faz: "A este o porteiro abre, e as ovelhas ouvem a sua voz" (Jo 10.3). O caminho para abrir e deixá-lo entrar é pela porta; é ouvir a sua voz. Os Evangelhos falam de certo homem que era cego e surdo. É ruim ter olhos cegos, mas é pior ter ouvidos surdos. É ruim ter olhos costurados (como os do falcão), mas é pior ter ouvidos tapados. Portanto, abra os ouvidos para esta voz divina. Bernardo fez esta descrição acerca dos ouvidos bons: "Aquele que de boa vontade ouve o que lhe é ensinado, sabiamente entende o que ouve e obedientemente pratica o que entende. Dá-me ouvidos assim, e enfeitarei as orelhas com joias de ouro, ornamentos de louvor". — *Thomas Adams*

v. 8: "Escutarei o que Deus, o Senhor, disser; porque falará de paz ao seu povo e aos seus santos, contanto que não voltem à loucura". O meu texto traz em si a alusão poética à consulta da nuvem de glória, que estava entre os querubins, e ao recebimento da resposta em todas as ocasiões críticas. Davi desviou os pensamentos de todas as outras visões que poderia ter para concentrar-se neste ponto: "Escutarei o que Deus, o Senhor, disser".

Assim, dependia totalmente da fé que lhe dava a certeza de que receberia as bênçãos de Deus, diante do arrependimento e das orações do povo. Em consideração ao concerto de Deus com o povo, ele sabia que a resposta seria "paz". Naqueles dias, essa paz estava na forma de saudação, e, entre amigos, significava total reconciliação. Portanto, entendemos que falar de paz é a certeza das bênçãos e do amor de Deus "ao seu povo e aos seus santos", ou seja, ao povo que foi santificado e dedicado ao serviço de Deus. — *Gilbert Burnet, 1643-1714*

v. 8: "Escutarei o que Deus, o Senhor, disser". Os homens carnais falam de paz para si mesmos por causa da suposta bondade que neles há. Os mestres falaciosos roubam a paz das promessas de Deus (Is 55.7; Os 14.4). Mas os homens de coração reto não ficarão satisfeitos sem ouvir Deus falar de paz ao coração pelo Espírito Santo. Esta paz é uma paz humilhante e enternecedora, que traz humilhação como também alegria para a alma. Mas isso nunca acontece quando os homens falam de paz para si mesmos. — *John Berridge*

v. 8: "Escutarei o que Deus, o Senhor, disser; porque falará de paz ao seu povo e aos seus santos, contanto que não voltem à loucura." Tendo orado e falado, agora para e escuta como fazemos quando esperamos um eco. Que eco receberá que resposta ressoará dos céus para ele, caso a oração já tenha chegado aos céus. "Escutarei o que Deus, o SENHOR, disser", que é como entendem certos expositores, pois, às vezes, há um eco presente, uma resposta pronta enviada ao coração do homem, mesmo antes de terminar a oração. "Falará de paz", pois quando o filho de Deus não tem paz, nenhuma paz terá até que o Senhor fale de paz. [...] Que jamais esteja o povo de Deus em tão grande angústia, contudo é fácil para Deus dar-lhe paz. Observe que a expressão usada é falar de paz, ou seja, é tão fácil para Ele dar paz quanto é para você falar uma palavra. Não é nem um pouco difícil para Deus. Este é o nosso consolo: como Ele só tem de falar de paz, assim pode facilmente fazer a paz, até mesmo com uma palavra. — *Thomas Goodwin*

v. 8: "Escutarei o que Deus, o Senhor, disser; porque falará de paz ao seu povo e aos seus santos, contanto que não voltem à loucura." A voz do Senhor consola e as suas palavras são doces para os que o temem. É sinal claro de que não estamos bem, quando a voz de Deus nos faz temer, quando temos medo de ouvir a Palavra pregada, quando as justas reprovações aos nossos pecados nos são mal recebidas, nos enfurecem e nos fazem ter mau juízo do ministro que nos repreende. Uma vida boa e uma relação bem administrada não temem a voz de Deus. A Palavra é a luz que Deus colocou na igreja para dirigir os pés dela pelo caminho da paz (cf. Lc 1.79). Os que praticam o mal odeiam a luz e não se aproximam dela para que as suas obras não sejam reprovadas (cf. Jo 3.2). Os filhos da luz recorrem à luz e invocam a Deus: "Sonda os meus pensamentos e o meu coração, e vê se há em mim algum caminho da impiedade" (cf. Sl 139.23,24). — *Edward Marbury*

v. 8: "Ao seu povo e aos seus santos." Ele dará prosperidade ao povo em geral e aos santos - os seus seguidores -, em particular. — *Adam Clarke*

v. 8: "Aos seus santos." É notável que temos o sufrágio de um destacado escritor judeu, Kimchi, para entendermos que a palavra traduzida por "santos" diz respeito aos piedosos entre os gentios, em oposição ao povo do Senhor, os judeus. — *John Fry*

v. 8: "Escutarei o que Deus, o SENHOR, disser; porque falará de paz ao seu povo e aos seus santos, contanto que não voltem à loucura". Isso significa que se os santos voltarem à loucura, que por triste experiência vemos que ocorre muitas vezes, Deus poderá mudar a voz e transformar a paz, anteriormente falada, em um desafio bélico para a consciência deles. — *Thomas Fuller*

v. 8: "Contanto que não voltem à loucura." Se no fim Deus não tivesse falado de paz, eles realmente teriam voltado à loucura. O propósito de falar de paz é para que não voltem à loucura: "O cetro da impiedade não permanecerá sobre a sorte dos justos, para que o justo não estenda as mãos à iniquidade" (Sl 125.3). Por isso é que consta no último versículo do citado salmo: "Paz haverá sobre Israel". [...] Como é regra no tratamento médico manter a constituição física, de modo que quando alguém está em risco de vida, os médicos param de dar purgativos para dar fortificantes, assim Deus faz com o seu povo. Ainda que com purgativos Ele deixe a índole do povo muito fraca e abatida, o Senhor cuida deles e os sustenta para que não caiam e sejam extintos, e lhes dá fortificantes para que se levantem outra vez. — *Thomas Goodwin*

v. 8: "Escutarei o que Deus, o Senhor, disser; porque falará de paz ao seu povo e aos seus santos, contanto que não voltem à loucura." Nos exercícios espirituais, é complicado saber se é mais difícil atingir um bom condicionamento espiritual ou mantê-lo quando atingido. Se é necessário mais fervor para fazer a paz com Deus ou para mantê-la quando feita. Se deve haver mais diligência na preparação da comunhão, ou mais vigilância depois de obtida. Claro que ambos os aspectos das questões são necessários. Esta foi a palavra que o nosso Senhor bendito disse depois da primeira celebração da ceia: "Vigiai e orai, para que não entreis em tentação" (Mt 26.41). Veja o que esta declaração advoga eminentemente: *Non minor est virtus, quam quoerere, parta tueri*, que significa: "Guardar o que se conseguiu não é virtude menor que buscar coisas novas". Há nas palavras:

(1) Uma grande misericórdia prometida pelo Senhor ao seu povo: "Falará de paz ao seu povo e aos seus santos".

(2) Uma advertência e anúncio especial dados pelo Senhor ao seu povo, destacando-lhes o perigo: "Contanto que não voltem à loucura", ou seja, contanto que o seu povo e os seus santos, a quem Ele falou de paz, não voltem ao pecado, nem brinquem ou gracejem com a misericórdia de Deus, nem tornem a graça em libertinagem, nem esfriem no amor por Ele, deslizando-se de volta aos antigos caminhos, e nem aceitem os antigos amantes e ídolos. Tudo isso é loucura, até mesmo na forma, por assim dizer. — *James Durham, "The Unsearchable Riches of Christ" [As Insondáveis Riquezas de Cristo]*

v. 9: "para que a glória habite em nossa terra". Que terra a verdadeira igreja de Cristo, os santos e os tementes a Deus habitam. Ali habita a glória. Ali Deus é glorioso. Ali Cristo, pelo seu Espírito levando justiça e salvação a essa sociedade, é glorioso. Ali, pela presença divina, o seu povo é glorioso. Ali a terra é gloriosa acima de todas as outras terras. — *David Dickson*

v. 10: "A misericórdia e a verdade... a justiça e a paz". Note que quatro virtudes se destacam preeminentemente na encarnação: a misericórdia, a verdade, a justiça e a paz ou o amor que produz a paz. São como quatro degraus do trono de Cristo ou quatro príncipes que lhe são próximos e o acompanham. (1) À direita está a misericórdia que produz azeite. (2) À esquerda está a verdade que tem o lírio branco. (3) À frente vai a justiça que leva a balança. (4) A paz o segue, tendo uma cornucópia cheia de flores para espalhá-las ao redor. — *Thomas Le Blanc*

v. 10: "A misericórdia e a verdade... a justiça e a paz". Estes quatro atributos divinos separaram-se com a queda de Adão e reuniram-se com o nascimento de Jesus. A misericórdia sempre foi propensa a salvar o homem, e a paz não conseguia ser-lhe inimiga. Mas a verdade exigiu o cumprimento da ameaça de Deus: "A alma que pecar, essa morrerá" (Ez 18.4), e a justiça não podia deixar de dar a cada o que lhe era devido. Jeová tinha de ser verdadeiro em todos os seus caminhos e justo em todas as suas obras. Não há religião na terra, exceto a cristã, que satisfaça as exigências de todas estas reclamantes e restabeleça a união entre elas. E que também mostre como a Palavra de Deus pode ser verdadeira e as suas obras justas, e o pecador, ao mesmo tempo, ache misericórdia e obtenha paz. — *George Horne*

v. 10: "A misericórdia e a verdade se encontraram; a justiça e a paz se beijaram". Este é um texto extraordinário e muita coisa já foi dito e escrito a respeito. Mas há certa beleza nele que, penso, não foi notada. A misericórdia e a paz estão de um lado, e a verdade e a justiça estão do outro. A verdade exige justiça, e a misericórdia pede paz. Encontram-se pelo caminho. Uma faz o inquérito relacionado ao pecado, e a outra defende a reconciliação. Tendo se encontrado, as diferenças em certos aspectos não mencionados particularmente são acertadas. As reivindicações mútuas são combinadas em um interesse comum, o qual a paz e a justiça imediatamente abraçam. Desta forma, a verdade recebe a justiça e a misericórdia recebe a paz. Mas onde elas se encontraram? Em Cristo Jesus. Quando foram reconciliadas? Quando Ele entregou a vida no Calvário. — *Adam Clarke*

v. 10: "A misericórdia e a verdade se encontraram".

(1) A misericórdia e a verdade se encontram em Deus: "Todas as veredas do Senhor são misericórdia e verdade" (Sl 25.10), a misericórdia fazendo e a verdade cumprindo a promessa de Deus ao seu povo. Paulo disse que "Jesus Cristo foi ministro da circuncisão, por causa da verdade de Deus, para que confirmasse as promessas feitas aos pais; e para que os gentios glorifiquem a Deus pela sua misericórdia" (Rm 15.8,9).

Deus prometeu o seu Filho para os judeus e, na plenitude dos tempos, o deu para ser luz para os gentios e glória para o seu povo. Desta forma, Ele mostra a misericórdia principalmente para os gentios, e a verdade principalmente para os judeus. Assim, a misericórdia e a verdade se abraçaram, de modo que de ambos os povos fez um, a saber, um rebanho, em um aprisco, sob a responsabilidade de um pastor.

Se tomarmos a verdade e a justiça pela justiça de Deus em punir, e a misericórdia e a paz pela graciosidade de Deus em perdoar, ainda assim elas se encontram em todos os caminhos santos, de forma a guardar o concerto e os seus testemunhos. Como as misericórdias dos ímpios estão cheias de crueldade, assim os juízos de Deus sobre os seus servos estão cheios de misericórdia. Na ira, o Senhor se lembra da compaixão. Castiga um pouco para perdoar bastante. Destrói só a carne para salvar o espírito (1 Co 5.5). *Misericordiae est aliquando subtrahere misericordiam.* Foi bom para José ter sido cativo. Foi bom para Naamã ter sido leproso. Foi bom para Bartimeu ter sido cego. Foi bom para Davi ter estado em dificuldades. Bradford agradeceu a Deus mais pela prisão que pelas visitas ou prazeres. Todas as coisas contribuem para o bem dos crentes. "A misericórdia e a verdade [de Deus] se encontraram; a justiça e a paz se beijaram", a sua misericórdia sendo justa e a sua justiça sendo misericordiosa. Mas quando Deus deu o seu único Filho ao mundo, mostrou mais abundantemente a sua misericórdia e a sua justiça ambas beijando-se. A sua justiça afirma que toda alma que pecar terá de morrer, mas a sua misericórdia não deseja a morte do pecador (Ez 33.11). [...]

(2) A justiça e a paz se encontram no homem. Esta é a exposição de Agostinho: "O homem injusto está cheio de disputas, como Ismael: 'A sua mão será contra todos, e a mão de todos, contra ele' (Gn 16.12). Mas quem é justo e der a todo homem o que lhe é devido, terá paz, tanto quanto é possível com todos os homens, sobretudo com o seu próprio ego e alma. A justiça e a paz estão tão próximas, são tão queridas, que você não pode ter uma sem ter a outra".

(3) A justiça e a paz se encontram em Cristo, o homem de Deus. Certos expositores entendem que estes dois atributos são o Antigo e o Novo Testamento. A Lei exige a justiça, requerendo do malfeitor "olho por olho, dente por dente, mão por mão, pé por pé" (Êx 21.24), mas o Evangelho está cheio de misericórdia e paz, dizendo para o pecador que verdadeiramente se arrepende dos pecados e sinceramente crê na palavra da promessa: "Filho, tem bom ânimo; perdoados te são os teus pecados"; "Tem ânimo, filha, a tua fé te salvou"; "A tua fé te salvou; vai-te em paz"; "Eis que já estás são; não peques mais" (Mt 9.2,22; Lc 7.50; Jo 5.14). Estes dois testamentos se encontram em Cristo, como o centro, onde "se beijaram" neste dia de [Natal], porque o Evangelho fez o que a Lei prometeu. — *John Boys*

v. 10: Na parábola do filho pródigo, o nosso Senhor representou o Pai vendo o filho vindo de longe na miséria, e como teve compaixão dele, correu, o abraçou e o beijou (Lc 15.20). Com esta descrição, não podemos deixar de perceber a ilustração enternecedora e comovente que o Senhor deu desta primorosa passagem da sua própria Palavra: "A misericórdia e a verdade se encontraram; a justiça e a paz se beijaram". — *Barton Bouchier*

vv. 10 e 11: "A misericórdia e a verdade se encontraram; a justiça e a paz se beijaram. A verdade brotará da terra, e a justiça olhará desde os céus". Se a misericórdia e a paz ou a verdade e a justiça tivessem se encontrado não teria sido estranho. Mas atributos aparentemente opostos encontrarem-se torna a reunião maravilhosa aos nossos olhos. Façamos uma análise breve das partes. São quatro: misericórdia, verdade, justiça e paz, cujo *quatérnion* à primeira vista se divide em duplas. A misericórdia e a paz formam um par perfeito. São, como disse Bernardo, *collactaneae*, "mães adotivas", "sugaram o mesmo leite". Como estas duas, assim são as outras duas. A verdade e a justiça têm a mesma aparência e disposição, e comumente participam juntas. Destas quatro, a misericórdia nos favorece, e a paz não nos é inimiga ou opositora (visto que estamos falando delas como pessoas). São pessoas gentis e compassivas. Sobre a justiça não sei que bem dizer: *gestat gladium* (ela empunha a espada) e temo *non frustra* (não em vão). Também não sei que bem dizer sobre a verdade, que é *vera* e *severa*, ou seja, "severa" muito ocasionalmente. Receio que estas não se comovem de modo semelhante. Veja a razão da minha dúvida. Sobre uma delas, a justiça, o texto fala uma grande novidade, ou seja, que ela "olhará desde os céus". Antes desse tempo, ela não fazia isso. Um grande sinal é de fazer arder o coração, quando uma não fará tanto quanto olhar a outra - não suporta olhar. Não podemos ter muita esperança nela. Não, não da verdade. Uma foi tão ousada em dizer: *omnis homo mendax* (Rm 3.4), e não temeu nenhuma dificuldade por causa disso. Portanto, são duas por nós e duas contra nós. Por sua ordem, a misericórdia está em primeiro lugar e a paz por último. Com ambas as pontas nos daremos bem. Mas Deus nos envia também as que estão entre as pontas! Contudo, não é impróprio que as que nos favorecem menos estejam no meio, cercadas em ambos os lados, fechadas juntas com as que bem desejamos. Estão entre nós e as outras. Por um lado, a misericórdia à frente, por outro, a paz por trás, para que nesta reunião dupla a misericórdia não se associe, nem vá para a justiça, nem a justiça vá para ela, mas para a paz. Há, por assim dizer, um tipo de reunião cruzada, a melhor esperança de acordo. A misericórdia e a justiça não têm qualidade simbolizadora, nem esperança de tê-la, mas a verdade com a misericórdia têm. Há verdade tanto na promessa de misericórdia quanto na ameaça de justiça. — *Lancelot Andrewes*

v. 11: "A verdade brotará". O sentido literal é que as promessas que por muito tempo ficaram sem cumprimento e são como sementes ou raízes ocultas e escondidas debaixo da terra, quando forem cumpridas, serão consideradas como algo que brota e cresce. — *John Lorinus*

v. 11: "brotará". A metáfora é tirada das flores e árvores. No grego, a expressão é ἀνεῖλε, que significa, "tem brotado", "brotou" como a manhã, pois ἀνατέλλω e ἀνατολή são termos que se referem à subida do sol e da lua. — *Thomas Le Blanc*

v. 11: "olhará desde os céus". Este olhar, נִשְׁקָף, traduzido no grego em geral por παρακύπτω, denota o olhar que os anjos dão às coisas pertencentes à salvação (1 Pe 1.12, "atentar") e o olhar que Pedro deu ao sepulcro de Jesus (Lc 24.12; Jo 20.5, "abaixando-se"). De fato, é o Justo que descansa sobre eles em amor complacente, não como em Salmo 14.2 e 53.2, mas cumprindo o Salmo 102.19,20. — *Andrew A. Bonar*

v. 12: Há quem conteste que a doutrina cristã do milênio não pode ser verdadeira, porque a terra não teria como sustentar milhões de seres humanos que naturalmente haveria, caso as guerras e maldades parassem de exterminar a população. Omitindo outras e pertinentes respostas que já foram dadas, temos uma que abrange toda a questão: "A nossa terra dará o seu fruto". De vez em quando a estação é extraordinariamente propícia, e temos um exemplo do que Deus pode fazer quando quiser. Sem fazer milagre, Ele pode torná-la muitas vezes mais frutífera do que já é. — *William S. Plumer*

v. 13: "A justiça irá adiante dele, e ele nos fará andar no caminho aberto pelos seus passos". O significado deste versículo difícil pode ser este. A justiça irá adiante dEle, Jeová, e fará dos seus passos um caminho para os seus servos andarem. — *Ernest Hawkins*

v. 13: "A justiça irá adiante dele, e ele nos fará andar no caminho aberto pelos seus passos". Conta a história que o rei Wenceslau, da Boêmia, indo em certa noite de inverno para os seus exercícios devocionais em uma igreja distante, andava descalço na neve e no gelo desigualmente áspero e pontudo. O criado Podavivus que acompanhava a devoção do seu senhor e procurava imitar-lhe o sentimento piedoso, começou a desfalecer pela violência da neve e do frio. Então, o rei ordenou-lhe que o seguisse e pisasse nas pisadas que os seus pés deixavam. Foi o que o criado fez. Seguiu o rei, avançando com vergonha e cuidado no procedimento imitativo e conforme as pegadas formadas para ele na neve. Da mesma maneira faz o Jesus bendito. Visto que o nosso caminho é laborioso, obscuro, cheio de entraves e perigos e fácil de ser perdido, bem como para amedrontar a nossa assiduidade, Ele ordena que observemos os seus passos e andemos pondo os pés onde os seus pés pisaram. Não só nos convida a avançar pelo argumento do seu exemplo, mas Ele mesmo reprimiu grande parte da dificuldade, tornando o caminho muito mais fácil e adequado para os nossos pés. Jesus conhece as nossas fraquezas e é experiente em todas as coisas, mas sem a proximidade com o pecado. Portanto, ofereceu um modo e caminho segundo a nossa força e capacidade. Como Jacó, Ele marchou devagar e de acordo com os passos dos meninos e o gado, para nos entreter pelo consolo da sua companhia e pela influência de um Guia perpétuo. — *Jeremy Taylor*

v. 13: "E ele nos fará andar no caminho aberto pelos seus passos". O pecador que sente a necessidade de salvação é feito "andar no caminho aberto pelos seus passos". Bartimeu sentou-se para mendigar à beira do caminho pelo qual o Caminho andava. Quando chegou onde Ele estava, ouviu-lhe a oração e restaurou-lhe a visão. — *Adam Clarke*

SUGESTÕES AOS PREGADORES

v. 1. Há: (1) O cativeiro: (a) Do povo de Deus. (b) Embora seja o povo de Deus. (c) Porque é o povo de Deus: "De todas as famílias da terra a vós somente conheci; portanto, todas as vossas injustiças visitarei sobre vós" (Am 3.2). (2) A restauração do cativeiro, "fizeste regressar os cativos de Jacó": (a) O fato. (b) O autor: "[Tu] fizeste" pelo teu poder, à tua maneira, no teu tempo. (3) A causa da restauração; a bênção de Deus: "Abençoaste": (a) Por causa das bênçãos passadas: "Abençoaste" (tempo passado). (b) Por causa das bênçãos em cúmulo. — *George Rogers*

v. 2. (1) As partes do perdão: "teu povo": (a) Por eleição. (b) Por redenção. (c) Por chamada eficaz. (2) O tempo do perdão: "Perdoaste... cobriste" (tempo passado). (3) O método do perdão: (a) "Perdoaste", no original hebraico é "levar", a mesma palavra que ocorre em Levítico 16.22: "Aquele bode levará sobre si todas as iniquidades deles". (b) "Cobriste", como o propiciatório cobria a Lei que fora quebrada. (4) A extensão do perdão: "todos os seus pecados". — *George Rogers*

v. 3. (1) A linguagem da penitência. Está implícito que a furor era: (a) Grande. (b) Justa: "toda a tua indignação". (2) A linguagem da fé: (a) Na graça do perdão: "Fizeste cessar toda a tua indignação". Não podíamos, por nada fazer ou permitir. (b) No método do perdão: "desviaste-te". Desviaste a ira de nós para o nosso Fiador. (3) A linguagem do louvor: "[Tu] fizeste cessar... [tu] desviaste-te". — *George Rogers*

v. 4. (1) Em que consiste a salvação: (a) Na retirada da inimizade de Deus contra nós. (b) Na retirada da nossa inimizade contra Deus. (2) Por quem a salvação é realizada. Pelo Deus da salvação: (a) Deus faz cessar a sua ira contra nós. (b) A nossa ira contra Deus. (3) Como a salvação é obtida? Pela oração: "Fizeste cessar toda a tua indignação; desviaste-te". — *George Rogers*

v. 6. (1) Vivificação implica em declínio: (a) Que existe graça para ser vivificada. (b) Que esta graça declinou. (2) Vivificação é de Deus: "Não tornarás [tu] a vivificar-nos"? A vivificação não pode ser levantada pelos homens. (3) Vivificação é frequentemente necessária: "Não *tornarás* a vivificar-nos"? (grifo meu). (4) Vivificação é resposta da oração: "Não tornarás a vivificar-nos, para que o teu povo se alegre em ti?" (5) Vivificação é ocasião de grande alegria: (a) Para os santos. (b) Em Deus. — *George Rogers*

v. 6. A alegria no Senhor é a maior prova da devoção vivificada.

v. 7. (1) A salvação é obra de Deus: "a tua salvação": (a) O plano é dEle. (b) A provisão é dEle. (c) A condição é dEle. (d) A aplicação é dEle. (c) A consumação é dEle. (2) A salvação é dom de Deus: (a) Da misericórdia dEle: "Mostra-nos [...] a tua misericórdia". (b) Da graça dEle: "concede-nos a tua salvação". (3) A salvação é a resposta de Deus à oração: (a) É o primeiro tema de oração. (b) Inclui todos os outros. — *George Rogers*

v. 8. (1) Devemos procurar uma resposta à oração. Tendo falado com Deus, escutemos o que Ele tem a nos dizer em resposta: (a) Na sua Palavra. (b) Na sua providência. (c) Pelo seu Espírito em nossa alma. (2) Devemos procurar uma resposta de paz: "Falará de paz". (3) Devemos evitar tudo que nos prive dessa paz: "contanto que não voltem à loucura". — *George Rogers*

v. 8. Thomas Goodwin fez três sermões baseado neste versículo: (1) O Retorno das Orações: "Escutarei o que Deus, o Senhor, disser". (2) As Boas Novas de Paz: "Porque falará de paz ao seu povo e aos seus santos". (3) A Loucura da Reincidência depois da Paz Falada: "Contanto que não voltem à loucura".

v. 8. "Contanto que não voltem à loucura". Não devem voltar à loucura: (1) Porque será um agravamento do pecado. O pecado de Salomão foi agravado, porque o "Deus de Israel [...] duas vezes lhe aparecera" (1 Rs 11.9). (2) Por causa do que está implícito na palavra "loucura". É como se o Senhor tivesse dito: Abandonem a dureza e a injustiça que vocês me fazem. Contudo, vocês se iludem, porque receberão o pior destas coisas. — *Thomas Goodwin*

v. 10. (I) Os atributos mostrados na salvação do homem. (1) A misericórdia na promessa. (2) A verdade no cumprimento da promessa. (3) A justiça na maneira do cumprimento da promessa. (4) A paz nos resultados do cumprimento da promessa. (II) Estes atributos harmonizam-se na salvação do homem: (1) Como? Eles "se encontraram... se beijaram". (2) Por quê? Cada um por causa de si mesmo. Todos por causa de cada um dos outros. (3) Onde? Quando "se encontraram... se beijaram": (a) No concerto. (b) Na encarnação. (c) Na cruz. (d) Na conversão de cada pecador. (e) Na perfeição dos santos no céu. — *George Rogers*

v. 10. O pregador considera: (1) A harmonia das perfeições divinas na redenção do pecador. (2) A sabedoria dos procedimentos divinos na chamada e orientação do crente, de forma que a misericórdia, a verdade, a justiça e a paz ficam, cada um, evidentes na nossa experiência. (3) A perfeição da imagem divina na alma santificada, de forma que o santo aperfeiçoado é profícuo em misericórdia e verdade, está cheio de paz e é conformado ao justo Senhor. — *Robert W. Sibthorpe, "The Pulpit" (O Púlpito), vol. XXVIII, 1836*

v. 12. (1) Todo bem espiritual vem de Deus: "o Senhor dará o bem". (a) O arrependimento é um bem? (b) O perdão é um bem? (c) A fé é um bem? (d) A justificação é um bem? (e) A regeneração é um bem? (f) O crescimento na graça é um bem? (g) A guarda até ao fim é um bem? (h) A glória eterna é um bem? O Senhor dará todos estes bens. (2) Todo bem temporal vem de Deus: "a nossa terra dará o seu fruto". (a) Pelas vias legais: "A *nossa* terra" (grifo meu). (b) Pelo uso dos meios designados para a produção: "Dará o seu fruto". (c) Pela dependência à bênção divina: "Dando-vos do céu chuvas e estações frutíferas" (At 14.17, ARA). — *George Rogers*

v. 12. A prosperidade das nossas esferas de trabalho é dom de Deus.

v. 13. (1) A justiça pela qual somos justificados vem muito antes da justificação: "A justiça irá adiante". (2) A justificação por meio dessa justiça vem antes da santificação. (3) A justiça da santificação vem invariavelmente depois da justificação. — *George Rogers*

SALMO 86

TÍTULO

Oração de Davi. Este é um dos cinco salmos intitulados de *Tefilá*, que significa "oração". Constitui-se de louvor como também de oração, mas em todas as partes é dirigido a Deus de forma tão direta que é mais propriamente chamado de "oração". Pelo visto, este salmo era conhecido especialmente como oração de Davi, exatamente como o Salmo 90 é a "oração de Moisés". Davi o compôs e, sem dúvida, expressava-se muitas vezes com palavras semelhantes. O assunto e o fraseado são compatíveis com as circunstâncias variadas e são expressivas das características diferentes da mente davídica. Em muitos aspectos, assemelha-se ao Salmo 17, que leva o mesmo título, mas em outros, é muito diferente.

As orações do homem bom têm semelhança familiar, mas variam tanto quanto concordam. Aprendemos com este salmo que os grandes santos de outrora eram acostumados a orar da mesma forma que oramos hoje. Os crentes de todas as épocas são todos do mesmo gênero. O nome de Deus ocorre muito no salmo – às vezes – é Jeová; todavia, na maioria das vezes, é Adonai.

Muitos estudiosos gabaritados acreditam que os judeus preferiam escrever *Adonai* em vez do nome mais sublime, por temor supersticioso. Nós, que não laboramos com tais temores atormentadores, alegramo-nos em Jeová, nosso Deus. É interessante notar que os que tinham tanto temor do seu Deus que não ousavam escrever o nome santo, tinham tão pouco temor piedoso que ousaram alterar a sua Palavra.

DIVISÃO

O salmo é de construção irregular, mas podemos dividi-lo em três partes, cada uma terminando com uma nota de gratidão ou de confiança. Leremos dos versículos 1 a 7, e, imediatamente após outra pausa ao término do versículo 13, continuaremos até ao fim.

EXPOSIÇÃO

1 *Inclina, Senhor, os teus ouvidos e ouve-me, porque estou necessitado e aflito.*
2 *Guarda a minha alma, pois sou santo; ó Deus meu, salva o teu servo, que em ti confia.*
3 *Tem misericórdia de mim, ó Senhor, pois a ti clamo todo o dia.*
4 *Alegra a alma do teu servo, pois a ti, Senhor, levanto a minha alma.*
5 *Pois tu, Senhor, és bom, e pronto a perdoar, e abundante em benignidade para com todos os que te invocam.*
6 *Dá ouvidos, Senhor, à minha oração e atende à voz das minhas súplicas.*
7 *No dia da minha angústia, clamarei a ti, porquanto me respondes.*

1. *"Inclina, Senhor, os teus ouvidos e ouve-me."* Em condescendência à minha pequenez e em piedade da minha fraqueza, "inclina, Senhor, os teus ouvidos". Quando as orações são despretensiosas por causa de nossa humildade, ou débeis por causa da nossa fraqueza, ou improvisadas por causa do nosso desânimo, o Senhor se inclinará para ouvi-las, o Jeová infinitamente exaltado terá consideração por elas. Quando a fé tem na língua o nome mais supremo de Deus e o chama de Jeová, ainda ousa pedir-lhe os mais ternos e condescendentes atos de amor. Grande como Ele é, gosta que os seus filhos sejam ousados com Ele.

"Porque estou necessitado e aflito" ou "pobre e necessitado" (AEC; NVI). Era duplamente filho da pobreza, porque, primeiro, estava pobre e sem provisão para as necessidades, e depois, necessitado e cheio de escassez, impossibilitado de atendê-las. A angústia é razão forçosa para sermos ouvidos pelo Senhor Deus misericordioso e gracioso, pois a miséria sempre é o argumento principal para com a misericórdia. Semelhante raciocínio nunca seria adotado pelos orgulhosos, e quando o ouvimos repetido na congregação pública pelos grandes da terra, que consideram os camponeses pouco melhores que a terra em que pisam, soa um escárnio ao Altíssimo. De todos os pecadores desprezíveis, esses são os piores, porque se servem das palavras da pobreza espiritual, enquanto são ricos e possuem muitos bens.

2. *"Guarda a minha alma."* Protege a minha vida contra os meus inimigos, e protege a minha natureza espiritual contra as tentações dos meus inimigos. Ele se sente inseguro, exceto quando coberto pela proteção divina.

"Pois sou santo". Fui separado para o serviço santo. Não deixes os teus inimigos cometerem um sacrilégio prejudicando-me ou contaminando-me. Fui justificado dos crimes de que fui acusado e nesse sentido sou inocente. Peço-te que não permitas que eu seja falsamente acusado. Sou inofensivo, manso e humilde para com os outros. Trata misericordiosamente comigo como tratei os meus semelhantes. Qualquer uma destas traduções pode explicar o texto, e talvez todas juntas a expliquem melhor. Não é hipocrisia os homens bons alegarem inocência como razão para escaparem dos resultados dos pecados injustamente atribuídos a eles. Os penitentes não se enlameiam de lodo por gosto, ou dão a entender que são piores do que são para provocar os elogios dos céus. Nada disso. O santo mais humilde não é tolo. Está devidamente cônscio dos assuntos em que é inocente tanto quanto daqueles em que tem de clamar "Pequei!" Declarar-se culpado de pecados nunca cometidos é mentira tão grande quanto a negação dos erros verdadeiros.

"Ó Deus meu, salva o teu servo, que em ti confia." Para que ninguém suponha que Davi confiava na própria santidade, ele passa imediatamente a declarar a confiança no Senhor e a rogar pela salvação, não como alguém que era santo no sentido de ser perfeito, mas que estava em necessidade ainda maior dos próprios elementos da salvação.

Como é glorioso o título, *"meu Deus"*, quando está associado com outro, "teu servo". Como é gloriosa a esperança de que, por esta razão, seremos salvos, visto que o nosso Deus não é como o senhor amalequita que abandonou no caminho o pobre servo doente para morrer (1 Sm 30.13).

Observe como o pobre "[eu] sou" de Davi (ou antes, o eu repetido sem o sou) apela ao grande EU SOU com a santa ousadia gerada pela necessidade, que derruba muros de pedra, ajudada pela fé que remove montanhas.

3. *"Tem misericórdia de mim, ó Senhor."* Os melhores homens precisam de misericórdia e clamam por misericórdia, sim, por nada mais que misericórdia. Precisam dela para si mesmos e a almejam avidamente do seu Deus como um requisito pessoal.

"Pois a ti clamo todo o dia." Não há promessa que a importunidade não receba. Podemos, então, pleitear a nossa importunidade como argumento para com Deus. Quem ora diariamente e o dia todo, pois este é o sentido da palavra hebraica, está tranquilo, pois sabe que o Senhor o ouvirá no dia da necessidade. Se às vezes clamamos aos homens ou confiamos em outros recursos falsos, recorreremos a eles na hora da calamidade. Mas se em todas às vezes anteriores buscamos ao Senhor, estamos certos de que Ele não nos abandonará agora.

Note como Davi argumentava. Primeiro, que era pobre e necessitado. Depois, que era o separado do Senhor. Em seguida, que era o servo de Deus e que aprendera a confiar no Senhor. E por último, que o salmista fora ensinado a orar diariamente. Estes são, com certeza, argumentos santos que todo crente em provação pode empregar na luta com o Deus que ouve orações, e com tais armas o mais trêmulo suplicante ganha forças para ser vitorioso.

4. *"Alegra a alma do teu servo."* Faze o meu coração alegrar-se, ó meu Senhor, pois para mim é uma honra poder dizer repetidas vezes que sou teu servo, e considero o teu favor a maior recompensa que poderia desejar. Busco toda a minha felicidade somente em ti, "pois a ti, Senhor, levanto a minha alma". Como o heliotrópio se volta para o sol em busca de benevolência, assim volto o meu coração para ti. Tu és como a serpente ardente para a minha natureza doente, pois a ti ergo os olhos da minha alma para eu viver (cf. Nm 21.8,9). Sei que quanto mais perto estou de ti, maior é a minha alegria. Portanto, agrada-te em atrair-me para mais perto de ti, ao mesmo tempo em que labuto para aproximar-me. Não é fácil levantar a alma totalmente. Ela precisa de tremenda ajuda, quando o coração se enterra no barro lamacento do desânimo. É menos fácil levantar a alma ao Senhor, pois a altura é grande como também o peso opressivo. Mas o Senhor Deus tomará a vontade pela ação, e virá com a mão da graça todo-poderosa para levantar o pobre servo da terra até aos céus.

5. *"Pois tu, Senhor, és bom, e pronto a perdoar."* Bom para dar e perdoar, abastecendo-nos de todo o seu bem e removendo todo o nosso mal. Era esta a grande razão pela qual o salmista clamava unicamente ao Senhor em busca de alegria, porque todo atributo gerador de alegria encontra-se em perfeição somente no Senhor. Há homens considerados bons que estão tão revoltados com os danos causados a eles pelos outros, que não conseguem perdoar. Mas sabemos inquestionavelmente que quanto melhor a pessoa for mais disposta estará em perdoar, e que o melhor e Altíssimo de todos sempre está pronto a destruir as transgressões das suas criaturas.

"E abundante em benignidade para com todos os que te invocam." Deus não distribui misericórdia servindo-se de uma dispensa modestamente abastecida, cuja provisão pode escassear ou acabar de vez, mas de uma cornucópia, Ele derrama as riquezas infinitas da sua misericórdia. A bondade divina jorra em rios caudalosos para os que oram e em culto de adoração fazem menção do nome santo. Davi parece ter estado na fenda da penha com Moisés e ouvido o nome do Senhor proclamado, exatamente como ocorreu com o grande legislador, pois em dois lugares neste salmo ele quase cita literalmente a passagem de Êxodo 34.6: "JEOVÁ, o SENHOR, Deus misericordioso e piedoso, tardio em iras e grande em beneficência e verdade".

6. *"Dá ouvidos, Senhor, à minha oração."* Nem mesmo a glória que o seu espírito vira removeu-o da oração, antes, pelo contrário, motivou-o a ser mais fervoroso. Por conseguinte, implora que o Senhor lhe ouça os pedidos.

"E atende à voz das minhas súplicas." Estas são repetições, mas não vãs repetições. Quando uma criança chora repete o mesmo tom, mas é igualmente verdadeiro todas

as vezes. É o que se dá com o suplicante neste salmo. Note a expressão "à voz das minhas súplicas", como se não fossem só voz, mas parcialmente compostas de sons inarticulados. Contudo, em grande parte dessa superfluidade havia realmente uma voz distinta, um significado interno, um sentido vivo, que era a intenção do coração. Era o que Davi queria que o Senhor identificasse em meio à palha e ouvisse entre o estrondo de sons misturados. Que as nossas orações nunca sejam mudas, mas seja sempre a intenção da alma dar a elas um núcleo vivo de significados.

7. *"No dia da minha angústia, clamarei a ti, porquanto me respondes."* Decisão piedosa apoiada por razão judiciosa. É inútil clamar a quem não pode ou não quer ouvir. Assim que você convencer os homens de que a oração não tem efeito em Deus, deixam de fazê-la. Nestes dias cheios de atividades e especialmente em tempos tumultuosos, os homens não podem se dar ao luxo de desperdiçar tempo em súplicas que serão inúteis. A nossa experiência nos firma na convicção de que Jeová, o Deus vivo, realmente ajuda os que clamam a Ele. Portanto, oramos e queremos orar, não porque somos tão fascinados pela oração em si. Continuamos orando mesmo que fique comprovado tratar-se de mera loucura e superstição, como afirmam os filósofos vãos, mas porque descobrimos que realmente, de fato e de verdade, a oração é um meio prático e eficaz de obter ajuda de Deus na hora da necessidade. Não há razão para orar se não há expectativa da resposta do Senhor. Quem faria argumentos conscienciosos com os ventos, ou acharia consolo em suplicar às ondas? O trono da misericórdia é um escárnio se ninguém está ouvindo nem respondendo. Davi, como os próximos versículos mostram, cria que o Senhor era um Deus vivo e poderoso – na verdade, o único Deus (v. 10). Foi por essa causa que ele decidiu em todas as horas de dificuldade invocá-lo.

8 *Entre os deuses não há semelhante a ti, Senhor, nem há obras como as tuas.*
9 *Todas as nações que fizeste virão e se prostrarão perante a tua face, Senhor, e glorificarão o teu nome.*
10 *Porque tu és grande e operas maravilhas; só tu és Deus.*
11 *Ensina-me, Senhor, o teu caminho, e andarei na tua verdade; une o meu coração ao temor do teu nome.*
12 *Louvar-te-ei, Senhor, Deus meu, com todo o meu coração e glorificarei o teu nome para sempre.*
13 *Pois grande é a tua misericórdia para comigo; e livraste a minha alma do mais profundo da sepultura.*

8. *"Entre os deuses não há semelhante a ti, Senhor."* Há deuses por ofício delegado, como reis e magistrados, mas que são como nada na presença de Jeová. Há também deuses por nomeação supersticiosa, mas estes pertencem ao âmbito da imaginação e não podem ser comparados com o Deus vivo e verdadeiro. Mesmo que os ídolos dos pagãos fossem deuses, nenhum deles em poder ou mesmo em caráter seria comparável ao Deus de Israel, o Deus que é autoexistente e criador de tudo que há. Se toda deidade imaginária pudesse vir à existência e se tornasse verdadeiramente divina, ainda assim escolheríamos Jeová como Deus e rejeitaríamos todos os outros.

"Nem há obras como as tuas." O que os falsos deuses já fizeram ou desfizeram? Que milagres já executaram? Quando dividiram um mar, ou marcharam por um deserto espalhando pão dos céus? Ó Jeová, na tua pessoa e nas tuas obras, tu estás tão acima de todos os deuses como os céus estão acima do profundo abismo.

9. *"Todas as nações que fizeste"*, e entre estas se incluem toda a humanidade, visto que todas vêm do primeiro Adão, a tua criatura, e as suas vidas são todas criações distintas da tua onipotência. Todas estas "virão" com coração penitente, à tua maneira e para ti mesmo, "e se prostrarão perante a tua face, Senhor". Pelo fato de tu estares acima de todos os deuses, o povo que há muito estivera enganado descobrirá, por fim, a tua grandeza e te renderá o culto que te é devido. Tu criaste todas as coisas e a ti prestarão toda homenagem. Era este o motivo que fazia Davi recorrer ao

Senhor em tempos de dificuldade, porque ele percebia que um dia todos os homens confessariam que o Senhor é o único Deus. Ficamos contentes em ser minoria hoje, quando estamos certos de que a maioria estará conosco amanhã, e que a verdade um dia será transmitida por unanimidade e de todo o coração. Davi não era crente na teoria de que o mundo ficará cada vez pior, e que a dispensação terminará em escuridão e idolatria geral. O sol da terra tem de descer dez vezes por noite para que os nossos irmãos proféticos venham a ser cridos. Não só esperamos, mas buscamos um dia em que os moradores de todas as terras aprenderão a justiça, confiarão no Salvador, adorarão somente a ti, ó Deus, "e glorificarão o teu nome". O pensamento moderno amorteceu grandemente o zelo da igreja por missões, e quanto mais cedo for demonstrado que este pensamento está em desacordo com as Escrituras, melhor para a causa de Deus. Tal pensamento não se associa com a profecia, nem honra a Deus, nem inspira a igreja com ardor. Por conseguinte, tem de ser expulso.

10. *"Porque tu és grande."* O salmista já tinha dito: *"Tu, Senhor, és bom"* (v. 5). É maravilhoso quando a grandeza e a bondade estão unidas. É somente no Ser divino que qualquer um destes atributos existe de modo absoluto e essencial. É para a nossa felicidade que ambos existam no Senhor em medida igual. Ser grande e não bom leva tirania ao Rei, e ser Ele bom e não grande envolve calamidades incontáveis nos súditos advindas dos inimigos estrangeiros, de forma que seja qual for a alternativa é terrível. Estejam os dois atributos conjugados e temos um monarca em quem a nação pode confiar e alegrar-se.

"E operas maravilhas." Sendo bom, Ele é pronto a perdoar (v. 5). Sendo grande, Ele opera maravilhas (v. 10). Misturemos os dois atributos, pois não há maravilha como o perdão das transgressões. Há maravilha em tudo o que Deus faz. Assopra, e o vento é mistério. Fala, e o trovão nos surpreende. Até a margarida mais comum é uma maravilha, e o seixo entesoura sabedoria. Só para os tolos há algo que Deus fez que é desinteressante. O mundo é cheio de maravilhas. Note que o verbo está no presente. O Senhor está fazendo coisas maravilhosas, fatos que estão ocorrendo diante dos nossos olhos. Onde? Olhe os ramos brotando na primavera ou as frutas amadurecendo no outono. Contemple o céu ou dê uma olhada no mar. Observe os resultados da providência e as vitórias da graça. Em todos os lugares e a toda hora o grande Taumaturgo está estendendo a vara de poder.

"Só tu és Deus." Só tu és Deus antes que as tuas criaturas existissem. Só tu ainda és na divindade agora que tu deste vida para multidões de seres. Só tu serás para sempre, pois não há quem possa competir contigo para sempre. A verdadeira religião não aceita meio-termos, não reconhece Baal ou Dagom por deus. É exclusiva e monopolizadora em afirmar que Jeová é tudo. A liberalidade pomposa de certos mestres do pensamento moderno não deve ser processada pelos crentes na verdade. A "tolerância filosófica" quer construir um Panteão e fazer um Pandemônio. Não devemos ser ajudantes em tal obra maligna. Benignamente intolerantes, para o bem da humanidade, como também para a glória de Deus, queremos abrir os olhos da humanidade acerca do valor dos seus acordos – são traição à verdade. Não cultuemos ao nosso Deus como um entre muitos seres bons e verdadeiros, mas como o único Deus. Não preguemos o seu Evangelho como um dos vários sistemas econômicos, mas como o único e exclusivo caminho da salvação. As mentiras podem olhar uma para a cara da outra sob uma cúpula comum, mas no templo da verdade a adoração é única e indivisível.

11. *"Ensina-me, Senhor, o teu caminho."* Instrui-me assim o tempo todo. Permite que eu more na tua escola. Ensina-me agora, especialmente tendo em vista que estou confuso e em dificuldade. Agrada-te em mostrar-me o caminho que a tua sabedoria e misericórdia prepararam para a minha fuga. Eis que abandono toda teimosia, e desejo apenas ser informado sobre a tua mente santa e graciosa. Não me dês o meu caminho, mas me ensinas o teu caminho, e te seguirei e não serei teimoso.

"E andarei na tua verdade." Quando ensinado, praticarei o que souber, pois a verdade não me será mera doutrina ou sentimento, mas um assunto da vida diária. O verdadeiro

servo de Deus regula o seu andar pela vontade do seu Senhor. Por conseguinte, nunca anda enganosamente, pois o caminho de Deus sempre é verdadeiro. A providência tem um caminho para nós, e somos sábios em nos manter nele. Não sejamos como o boi que precisa ser guiado e tocado, porque não gosta do caminho. Sejamos como homens que voluntariamente vão por onde o confiável amigo e ajudador aponta o caminho.

"Une o meu coração ao temor do teu nome." Tendo me ensinado o caminho, dá-me um coração inteiro para andar nele, pois muitas vezes sinto um coração e um coração, duas naturezas guerreando, dois princípios lutando por soberania. A mente é ágil para dividir-se em diversos objetivos, como riachos gotejantes que desperdiçam a força em centenas de canais. Seja o nosso grande desejo ter todos os nossos fluidos vitais derramados em um canal e fazer com que esse canal seja dirigido somente ao Senhor. O homem de coração dividido é fraco, mas o homem de um objetivo é *o homem*. Deus que criou os sistemas da nossa natureza os reúne, aperta, fortalece e firma, e assim reforçados e intimamente entretecidos pela graça unificadora, seremos poderosos para o bem, mas não para outras coisas. Temer a Deus é o princípio, o desenvolvimento e a maturidade da sabedoria. Portanto, sejamos indivisivelmente entregues a ela, de coração e alma.

12. *"Louvar-te-ei, Senhor, Deus meu, com todo o meu coração."* Quando o meu coração for um, eu o darei inteiramente a ti. Que nunca demos louvores com menos do que com todo o coração, alma e força, ou serão irreais e inaceitáveis. Essa é a segunda vez no salmo que Davi chama o Senhor de "Deus meu". A primeira vez foi quando ele estava na agonia da oração (v. 2), e agora é quando ele está no arroubo do louvor. Não há nada que faça o homem orar e louvar, se não saber que o Senhor é o seu Deus.

"E glorificarei o teu nome para sempre." Pela eternidade, a gratidão prolongará os louvores. Deus nunca para de nos abençoar. Então, nunca paremos de bendizê-lo. Como Ele sempre nos dá graça, rendemos a Ele a glória por isso.

13. *"Pois grande é a tua misericórdia para comigo."* A experiência pessoal sempre é a cantora-mestre. Seja o que tu tenhas feito para os outros, para mim a tua misericórdia é extraordinária. O salmista afirma cantar entre os mais altos, porque a dívida à misericórdia divina está entre as maiores.

"E livraste a minha alma do mais profundo da sepultura." Da morte mais medonha e da desonra mais cruel Davi fora guardado por Deus, pois os inimigos teriam feito mais que enviá-lo para o inferno, caso pudessem. O senso do pecado também o fez perceber que a destruição mais esmagadora teria lhe acontecido, não tivesse a graça evitado. É por isso que ele fala que foi livrado da mais profunda morada dos espíritos perdidos.

Alguns que vivem hoje são sinceros em tomar para si as palavras deste versículo, entre os quais se identifica muito humildemente o escritor destas linhas. Se me entrego a satisfazer as minhas emoções, a avançar precipitadamente com a minha impetuosidade natural e a desafiar o Senhor com descuido leviano, imediatamente me torno candidato para o mais profundo do abismo. Para mim, havia apenas uma grande e alternativa misericórdia, ou o mais profundo do inferno. Então, canto de todo o meu coração: "Grande é a tua misericórdia para comigo; e livraste a minha alma do mais profundo da sepultura".

O salmista tange novamente uma nota de ousadia e alegria, mas logo muda para a harpa triste.

14 *Ó Deus, os soberbos se levantaram contra mim, e as assembleias dos tiranos procuraram a minha morte; e não te puseram perante os seus olhos.*

15 *Mas tu, Senhor, és um Deus cheio de compaixão, e piedoso, e sofredor, e grande em benignidade e em verdade.*

16 *Volta-te para mim e tem misericórdia de mim; dá a tua fortaleza ao teu servo e salva ao filho da tua serva.*

17 *Mostra-me um sinal para bem, para que o vejam aqueles que me aborrecem e se confundam, quando tu, Senhor, me ajudares e consolares.*

14. *"Ó Deus, os soberbos se levantaram contra mim."* Não deixaram em paz o pobre servo de Deus. O seu andar com Deus era como areia para os olhos. Determinaram, então, matá-lo. Não há quem odeie os homens bons de forma tão furiosa como as pessoas arrogantes e de altos princípios.

"E as assembleias dos tiranos procuraram a minha morte." Os opressores buscaram unidamente a vida do homem bom. Caçaram em grupos, com faro preciso e pés ansiosos. Em tempos de perseguição, muitos santos usaram estas palavras em referência aos bispos e inquisidores papais.

"E não te puseram perante os seus olhos." Não teriam maltratado o servo, se tivessem se importado minimamente com o senhor. Os que não temem a Deus não têm medo de cometer atos violentos e cruéis. O ateu é um misantropo. A irreligião é parente da desumanidade.

15. *"Mas tu, Senhor."* Que contraste! Fugimos das vanglórias e fanfarrices dos homens orgulhosos, mas insignificantes à glória e bondade do Senhor. Deixamos a espuma tumultuosa das ondas irritantes para ver o mar de vidro misturado com fogo, tranquilo e sereno.

"És um Deus cheio de compaixão, e piedoso, e sofredor, e grande em benignidade e em verdade." É doxologia verdadeiramente gloriosa, na qual não há palavra redundante. Como já observamos, é transcrição quase exata de Êxodo 34.6. Ele é compaixão pelos fracos e tristes, piedade para os indignos, longanimidade para os provocadores, benignidade para os culpados e verdade para os provados. O amor de Deus assume muitas formas e é amoroso em todas elas. Seja qual for a situação em que estejamos, há uma matiz peculiar na luz do amor que se harmoniza com ela. O amor é um e também sétuplo. O fio branco de luz contém a escala cromática. Estamos tristes? Temos o Senhor "cheio de compaixão". Estamos lutando com a tentação? Ele é "piedoso" para vir nos ajudar. Erramos? Ele é "sofredor" conosco. Pecamos? Ele é "grande em benignidade". Estamos confiando na promessa? Ele a cumprirá "em verdade" abundante.

16. *"Volta-te para mim."* Como se o rosto de Deus tivesse se virado de raiva, o suplicante roga a volta do favor consciente. Um olhar do rosto de Deus transforma todas as nossas trevas em dia.

"E tem misericórdia de mim." É tudo o que o salmista pede, porque é humilde de coração. É tudo o que ele deseja, porque a misericórdia atende todas as necessidades do pecador.

"Dá a tua fortaleza ao teu servo." Cinge-me da tua fortaleza para que eu possa te servir. Guarda-me com ela para que não seja derrotado. Quando o Deus nos dá a sua própria fortaleza somos suficientes para todas as emergências, e não temos motivo para temer qualquer adversário.

"E salva ao filho da tua serva." Davi quis dizer que era servo nascido na casa de Deus. Como os filhos dos escravos eram propriedade dos seus senhores pelo nascimento, assim ele se gloriava em ser filho de uma mulher que pertencia ao Senhor. O que as pessoas poderiam pensar que é ilustração degradante, ele a usa com prazer, para mostrar como era intenso o seu amor pelo serviço do Senhor, e também como razão para o Senhor interferir para salvá-lo, visto que não era um servo recentemente comprado, mas estivera na casa desde que nasceu.

17. *"Mostra-me um sinal para bem."* Permita-me que eu receba a garantia da tua misericórdia, sendo livrado das dificuldades.

"Para que o vejam aqueles que me aborrecem e se confundam."

Mostra uma prova do teu favor
Um sinal que todos os meus inimigos possam ver
E fiquem cheios de absoluta confusão ao saberem
Que o meu consolo e a minha ajuda estão em ti

O que pressagia o bem para mim é exatamente o que fará com que desanimem e ruborizem. Desapontados e derrotados, os inimigos do homem bom sentiriam vergonha do que tinham projetado.

"Quando tu, Senhor, me ajudares e consolares". Deus não faz nada pela metade. Aqueles a quem ajuda, também consola, e assim não os deixa somente seguros, mas alegres. Eis algo que faz os inimigos do justo ficarem sumamente descontentes, mas que dá ao Senhor duplicada honra. Senhor, faze assim conosco eternamente, e te glorificamos para sempre. Amém.

NOTAS EXPLICATIVAS E DECLARAÇÕES IMPORTANTES

O Título: O profeta Davi escreveu dois salmos, os quais apropriou-se eminentemente para si. Um é chamado de "Oração de Davi", embora muitos outros salmos sejam orações estou falando do Salmo 86. O outro é chamado de "Cântico de Davi"; trata--se do Salmo 145. O primeiro é o *tefilá davídico*, e o último é o *teilá davídico.* Em cada um, ele faz um ensaio solene com as próprias palavras de Moisés registradas em Êxodo 34.6,7. No Salmo 86, Davi traz as palavras como apoio para a fé na angústia dos pecados e desgraças, para cuja serventia as coloca (vv. 3,4,6,7). E nos versículos 16 e 17, Davi faz um argumento com estas palavras por via da oração. No Salmo 145, ele traz as palavras como são, ou seja, um *elogium* ou celebração da natureza gloriosa e excelências de Deus, para fazer os filhos dos homens a amá-lo e louvá-lo. — *Thomas Goodwin*

O Título: Este salmo foi publicado sob o título de "Oração de Davi", não como se Davi tivesse cantado todas as suas orações, mas em alguns cânticos ele inseriu orações, pois todo salmo aceita a expressão de todo sentimento piedoso e devoto. Mas é notável que, em comparação aos outros salmos, a linguagem deste é claríssima e são poucos os voos ou figuras poéticas, pois os floreados da inteligência não são os ornamentos próprios da oração. — *Matthew Henry*

O Título: Havia muito, muitíssimo do caráter peculiar de Deus e do seu nome glorioso ressaltado no fim do Salmo 85. Isso explica o fato de ser seguido por outra "Oração de Davi", quase igualmente cheio do caráter de Jeová. A tônica do salmo é o nome de Jeová. — *Andrew A. Bonar*

O Salmo: Cristo ora ao longo do salmo. Todas as palavras são faladas exclusivamente por Cristo, que é Deus e homem. — *Cassiodori, "Psalter" (Saltério), 1491*

O Salmo: Neste salmo, Cristo, o Filho de Deus e o Filho do Homem, Deus com o Pai e homem com os homens, a quem oramos como Deus, ora na forma de servo. Porque ora por nós, ora em nós e oramos a Ele. Ora por nós como nosso sacerdote. Ora em nós como nossa cabeça. Oramos a Ele como nosso Deus. — *Pedro Lombardo, "Psalter" (Saltério), 1474*

v. 1: "Inclina, Senhor, os teus ouvidos". Como o médico cuidadoso faz com o paciente fraco, conforme observação de Basílio. — *John Trapp*

vv. 1 a 4: "necessitado... santo... confia... clamo... levanto a minha alma". O salmo descreve o solicitante primeiro como necessitado, depois como santo, em seguida como alguém que confia, então clama e, por fim, levanta a alma a Deus. Cada epíteto tem o seu verbo correspondente. Para o necessitado é *inclinar*, para o santo é *guardar*, para quem confia é *salvar*, para quem clama é *ter misericórdia*, para quem levanta a alma é *alegrar*. Trata-se da série completa do amor desde a encarnação até a ascensão. Mostra-nos que a humilhação de Jesus será a nossa glória e alegria. — *John Mason Neale e R. F. Littledale , "Commentary" [Comentário]*

v. 2: "Santo." A palavra hebraica é traduzida por diversos termos: "piedoso", segundo de Muis, Ainsworth e outros. "Caridoso" ou "beneficente", segundo Piscator. "Misericordioso" ou "bondoso", segundo Mariana. "Diligentemente compassivo" ou "ardentemente compassivo", segundo Vatablus. "Submisso", segundo Calvino. "Amado", segundo a versão da American Bible Union. "Um a quem tu amas", segundo Perowne. "Homem devotado" ou "homem dedicado", segundo Weiss.

v. 2: "Pois sou santo." Certos expositores contestam o fato de Davi advogar o seu próprio caráter bom. Mas se ele não fugiu à verdade e a ocasião exigia, não havia nada de errado. Jó, Davi, Pedro, João e Paulo fizeram a mesma coisa: Jó 27.5; Sl 116.16; Jo 21.15-17; Ap 1.10; 1 Co 9.1. Nem é presunção pedir que Deus seja misericordioso conosco, porque somos misericordiosos com as pessoas, da mesma forma que não é se pedirmos que Ele nos perdoe, porque perdoamos os outros: Mt 5.7; 6.14,15. — *William S. Plumer*

v. 2: "Sou santo... o teu servo, que em ti confia". Os que são santos não devem confiar em si mesmos ou na justiça própria, mas unicamente em Deus e na sua graça. — *Matthew Henry*

v. 2: "Salva o teu servo, que em ti confia." Quando Deus salva o seu servo, Ele salva o que lhe pertence. Quando Deus salva aquele que confia nEle, mostra que é justo e fiel, cumprindo o que prometeu. — *Robert Bellarmine*

vv. 2 a 5: As aspirações pela santidade contidas neste salmo, vinculadas à prece fervorosa pela misericórdia do Senhor com quem há o perdão, torna-o peculiarmente aplicável àqueles cujo acesso diário é ao trono da graça necessária. Os cristãos sabem que mesmo que a sua posição de justiça esteja na perfeição inocente do Senhor, em muitas coisas ainda são pecadores. Nem provamos inteiramente a preciosidade de Jesus como nossa porção, exceto quando somos atraídos a Ele pelo Espírito, que nos revela a nudez e pobreza interior, as quais só a sua plenitude santa pode reparar.

A consciência da santificação pessoal pela fé (v. 2) está associada com a percepção intensamente sensível da indignidade intrínseca, que só encontra alívio quando lembra que a graça é inalterável (v. 5). Essa conscientização, para o espírito exercitado de alguém que realmente cresce no conhecimento de Deus, se tratará com uma aceitação especial. — *Arthur Pridham*

v. 3: "Tem misericórdia de mim". Para que as palavras: "Sou santo", ditas pouco antes não levantassem a suspeita de que Davi era alguém que dependia de mérito para ser salvo, ele roga por misericórdia com pedidos insistentes e constantes. — *John Trapp*

v. 3: "Pois a ti clamo todo o dia." Uma grande diferença entre santos e pecadores na oração é que os pecadores que não oram, oram apenas quando estão em dificuldade, ao passo que os santos clamam diariamente a Deus (cf. Jó 27.10). — *William S. Plumer*

v. 4: "Alegra a alma do teu servo, pois a ti, Senhor, levanto a minha alma". Como não achei descanso em qualquer coisa criada, levantei a minha alma nas asas do pensamento e te desejei meu Criador. O amor sustenta a alma. Alguém foi feliz em observar que a alma está mais onde ama que onde realmente está. O pensamento e o desejo são as asas do amor, porque quem ama está ligado e permanece no que ama, constantemente pensando e anelando o objeto do amor. Quem verdadeiramente e de coração ama Deus, pensando nEle e desejando-o, levanta a alma a Deus. Por outro lado, quem ama a terra, pensando e desejando as coisas da terra, deixa a alma no nível da terra. — *Robert Bellarmine*

v. 4: "Pois a ti, Senhor, levanto a minha alma". Se você tivesse trigo no porão, o teria trazido para cima, a fim de que não apodrecesse. Você cuida do trigo, mas permite que o seu coração apodreça na terra? Você coloca o trigo em lugares mais altos. Levante o seu coração ao céu. Como? Diz você. Que cordas são necessárias? De que máquinas preciso? Que escadas uso? Os seus sentimentos afetivos são as escadas. A sua vontade é o caminho. Pelo amor, você sobe. Pela negligência, você desce. Estando na terra, você está no céu, se você ama Deus, pois o coração não é levantado tanto quanto o corpo é levantado. O corpo a ser levantado muda de lugar. O coração a ser levantado muda de vontade. — *Agostinho*

v. 4: "Pois a ti, Senhor, levanto a minha alma", indica que ele se levara ao Senhor como sacrifício vivo, exatamente como a oferta alçada no tabernáculo, para mostrar que pertencia a Deus e ao altar, e que o homem não tinha parte nisto. Ele foi levantado pelas mãos dos sacerdotes. — *Benjamin Weiss*

v. 4: "Levanto a minha alma." Denota a devoção, fervor, amabilidade e sinceridade da oração. Mostra que o ato da oração é feito com um coração verdadeiro, com o levantamento do coração com as mãos a Deus (Lm 3.41). A oração revela a oferta ao Senhor, não só do corpo, mas também da alma ou do coração. Faz da oração uma deposição entregue às mãos divinas. — *John Gill*

v. 4: "Senhor." Neste e em todos os versículos do salmo, onde ocorre אֲדֹנָי (*'Ădōnāy*), muitos manuscritos trazem o termo יְהוָה (*Yᵉhōwâ*). Os judeus, por reverência ao nome incomunicável de Jeová, pronunciam אֲדֹנָי onde no texto há יְהוָה. Então, não é improvável que יְהוָה seja a verdadeira palavra em todos esses lugares. — *"Notes to Calvin" [Notas para Calvino], in loc.*

v. 5: "Pois tu, Senhor, és bom", e para onde os mendigos vão, senão para a porta da boa governanta? — *Matthew Henry*

v. 5: "E pronto a perdoar." A misericórdia de Deus é uma misericórdia pronta, e os seus perdões estão prontos para o seu povo. Os seus perdões e misericórdias não são para serem buscados, pois Ele os tem à mão: Ele é "bom, e pronto a perdoar". Por outro lado, a maioria dos homens, ainda que perdoe, não são prontos a perdoar. Quase não são levados a perdoar, embora acabem perdoando. Mas Deus é "pronto a perdoar". Ele tem, por assim dizer, perdões já escritos (como o homem pronto a fazer um negócio, já tem toda a documentação pronta para fechá-lo), não havendo nada mais a fazer do que datar e assinar. Na verdade, a data e o nome já estão postos desde toda a eternidade. A Escritura assim fala para mostrar como Deus é solícito em fazer o bem. Ele não precisa pôr o coração para fazer isso, pois o seu coração sempre está na mais exata prontidão. — *Joseph Caryl*

v. 5: "Abundante em benignidade." É algo maravilhosamente satisfatório e agradável para o coração do homem ser tirado de um grande grupo. É por isso que existem estas declarações proverbiais: Não há pesca como a pesca marítima. Não há serviço como o serviço de um rei. Porque na pesca há a maior plenitude e abundância do tipo de prazer que os pescadores buscam. E para os que servem e têm de viver pelo que servem, não há serviço como o serviço de príncipes, porque eles são abundantes em recompensa e oportunidade, por meio das quais recompensam os serviços dos que os atendem. [...] É pela mesma razão que a Bíblia, em vários textos, não só afirma e confirma que Deus é misericordioso e piedoso, mas abundante em misericórdia e cheio de graça. Diz não apenas que nEle há redenção, mas que há abundância de redenção: "Misericordioso e piedoso é o Senhor; longânimo e grande em benignidade"; "Espere Israel no Senhor, porque no Senhor há misericórdia, e nele há abundante redenção"; "Deixe o ímpio o seu caminho, e o homem maligno, os seus pensamentos e se converta ao Senhor, que se compadecerá dele; torne para o nosso Deus, porque grandioso é em perdoar" (Sl 103.8; 130.7; Is 55.7). Os artigos dos quais estamos em falta são a misericórdia e o perdão dos nossos pecados, no caso de sermos criaturas profanas e descrentes. Estes artigos são abundantes em Deus. Estão armazenados como as águas estão nos depósitos do mar. Não há fim dos tesouros da graça, misericórdia, perdão e compaixão. Não há homem, estando em necessidade, que não preferisse ir dez vezes à porta do rico em busca de socorro que à porta do pobre, se soubesse que o rico é tão liberal e generosamente disposto quanto o pobre. — *John Goodwin*

v. 6: "Súplicas". תַּחֲנוּנוֹתָי, "deprecações". O salmista forma uma palavra hebraica peculiar, feminina plural, não encontrada em outros textos, para dar mais impressivamente a ideia da fraqueza suplicante. — *A. R. Fausset*

vv. 8 a 10: Há dois tipos de dúvida que na hora de tentação atacam comumente a alma. A dúvida sobre a boa vontade de Deus e a dúvida sobre o poder de Deus em socorrer. A primeira destas o salmista já venceu. Agora passa a mostrar que venceu a segunda. Deus é poderoso como também tem boa vontade para ajudar. Todo ser na face da terra que recebe ajuda, recebe-a da mão daquEle que é o único Deus e que um dia será reconhecido (assim fala a forte esperança profética do salmista, v. 9) como o único Deus. — *J. J. Stewart Perowne*

vv. 9 e 10: "Todas as nações [...] se prostrarão perante a tua face", porque, como Rei das Nações, tu és grande, a tua soberania é absoluta e incontestável, a tua majestade é terrível e insuportável, o teu poder é universal e irresistível, as tuas riquezas são vastas e inextinguíveis, o teu domínio é ilimitado e inquestionável. E como prova disso, "tu [...] operas maravilhas", as quais todas as nações admiram e pelas quais deduzem facilmente que "só tu és Deus". Não só não há Deus como tu, como não há Deus além de ti. — *Matthew Henry*

v. 11: "Ensina-me, Senhor, o teu caminho, e andarei na tua verdade; une o meu coração." Esta é a "*Via, Veritas, Vita*" do Evangelho (Jo 14.6). *"Via tua, Veritas tua, Vita tua, Christus"*. Cristo é o nosso caminho, a nossa verdade e a nossa vida, porque Ele é homem unido a Deus, e é uma substância com o Pai. — *Christopher Wordsworth*

v. 11: "Ensina-me." Não há assunto do qual o mundo seja mais cego que a própria ignorância. Podemos afirmar com verdade que o mundo "é ignorante da própria ignorância". Sabe suficientemente quando aprende de cor alguns princípios básicos da religião. Consola-se por não ser ateu, porque crê que Deus existe. Mas quanto a conhecer os caminhos, Leis, mente ou coisas relacionadas a Deus, não quer ter nenhuma ligação. Os indivíduos do mundo não se importam com esclarecimento. Não sentem necessidade urgente de terem uma mente esclarecida. Com toda a probabilidade têm um sentimento instintivo de que se forem esclarecidos saberiam um pouco mais do que desejariam saber, e que o conhecimento recém-adquirido interferiria com velhos hábitos e costumes. Esta é uma razão pela qual todo ensino espiritual que está implícito nas coisas é desagradável para a maioria dos homens. Não suportam serem levados a ter contato com Deus, de qualquer modo, senão geral. Os pormenores do caráter divino podem não se ajustar exatamente aos particulares da vida que vivem! Hoje em dia é comum falar sobre o homem esclarecido, dizer que a natureza humana soergue-se debaixo da sua carga, no esforço laborioso de buscar o conhecimento da verdade. Mas esta não é a realidade dos fatos. Sempre que a mente desconhecedora do Espírito se esforça, o impulso é dirigido a Deus como a grande moral e não como o grande Ser espiritual. O homem desconhecedor do Espírito Santo pode desejar conhecer uma moral, mas nunca desejará conhecer o Ser espiritual. — *John Hyatt, 1767-1826*

v. 11: "Ensina-me." A versão comum deste verbo hebraico é muito vaga, pois não ressalta a adequação do termo para expressar o tipo de ensino especificamente em vista aqui. O significado original da palavra hebraica é "apontar", "enfatizar", "destacar" ou "marcar" o caminho. — *Joseph Addison Alexander*

v. 11: "Andarei na tua verdade." Andemos conforme a Bíblia. Pautemos a vida segundo os ditames bíblicos. Seja a Palavra de Deus vista impactando a nossa vida! Façamos o que a Bíblia ordena. A obediência é excelente maneira de comentar a Bíblia. Seja a Palavra de Deus o relógio de sol pelo qual conduzamos a vida. Em que somos melhores por termos a Bíblia, se não dirigimos todos os nossos discursos e ações de acordo com ela? Em que o carpinteiro é melhor por conhecer as leis da carpintaria, se não as leva em conta e nunca as usa para medir e enquadrar? Assim, em que somos melhores por conhecer as doutrinas da Palavra de Deus, se não as usamos e regulamos a vida por elas? — *Thomas Watson*

v. 11: "Andarei na tua verdade." Andar, na Bíblia, diz respeito à totalidade das nossas relações ou conduta. Andar em algo tem o sentido de completude naquilo em que se anda. O homem andar no orgulho é mais do que ser orgulhoso. Mostra que o orgulho é o seu jeito de ser, faz parte da sua índole, é o seu princípio de vida. Revela que ele está completamente sob essa influência. — *William Jay*

v. 11: "Une o meu coração ao temor do teu nome." O objetivo que o salmista desejava alcançar era temer a Deus verdadeiramente ou reverenciá-lo e honrá-lo corretamente. O meio que ele considerou necessário para atingir esse fim era que o coração fosse unido a esse grande objetivo, ou seja, que o coração fosse sincero nas suas visões e propósitos, para que não existisse propósitos perturbadores e sempre houvesse um único e grande alvo diante dele. A palavra hebraica traduzida por "une", יָחַד (*yāḥad*), só ocorre como verbo em mais dois textos. Em Gênesis 49.6, é traduzida por "entre": "No seu secreto conselho, não entre minha alma". Em Isaías 14.20, é traduzida por "te reunirás": "Com eles não te reunirás na sepultura". O advérbio יַחַד (*yaḥad*) ocorre frequentemente, e é traduzido por "juntos" em, por exemplo, Gênesis 22.6,8,19; 36.7, ocorre em Gênesis 13.6, mas não foi traduzido. A ideia é de união ou conjunção, de estar junto, de constituir um, algo que é realizado no coração quando há um grande objetivo dominante na mente, não havendo nada que o demova. Podemos acrescentar que não há oração mais apropriada para o homem que o coração ter essa unidade de propósito, não havendo nada que impeça esse intento supremo. — *Albert Barnes*

v. 11: "Une o meu coração ao temor do teu nome." A sinceridade impulsiona apenas um desígnio, que é agradar e desfrutar Deus. Não há nada que mais firme e fortaleça a alma na hora da tentação do que isso. O apóstolo revela por que o hipócrita é instável em todos os seus caminhos: ele é "homem de coração dobre" (Tg 1.8), homem de duas almas em um corpo. Certo infeliz profano vangloriou-se de ter uma alma para Deus e outra para as demais coisas. Mas todos os desígnios do coração gracioso estão unidos em um. Desta forma, a dinâmica das suas emoções é forte e constante. São os vis propósitos secretos e interesses próprios que, como grandes e numerosos fossos cavados pelas margens do rio, drenam-lhe as águas, fazendo-as faltarem. Mas se o coração estiver unido a Deus, então podemos dizer de tal cristão, como foi dito de certo jovem romano: "O que ele faz, faz de toda a força". O homem de um só desígnio extrai de si toda força que tiver para cumpri-lo. Nada permanece no seu caminho. A sinceridade sujeita a vontade do homem à vontade de Deus. Isso feito, o maior perigo e dificuldade acabam para tal homem. Este é o óleo santo que faz as rodas da alma girarem livremente, até mesmo nos difíceis caminhos da obediência. — *John Flavel, 1627-1691*

v. 11: "Une o meu coração".

Dá-me o teu coração conforme o dou a ti
Ou dá-me pelo menos conforme
Dou o meu
Para comprar o teu
Não o dividi quando morri
Mas me dei inteiramente para te libertar

O coração que te dei era um coração vivo
E quando o teu coração foi morto pelo pecado
Dispus o meu
Para resgatar o teu
Para que o teu coração morto voltasse a viver
E vivesse completamente perfeito, não em parte

Mas enquanto o teu coração estiver dividido, está morto
Morto para mim, a menos que viva
Só para mim
É a mesma coisa
Reter tudo e dar uma parte
Pois é o que vale um corpo sem cabeça!
Mas é pior que o que tu reténs de mim

Tu concedes aos meus inimigos
E não só os meus
Mas os teus
As próprias causas das tuas aflições
De quem dei a minha vida para livrar a tua

Fiquei noivo de ti e se intrometerão
O Diabo e o mundo
No meu direito
Bem diante dos meus olhos?
Não pensas que tu possas me iludir assim
Não terei nada, a menos que tenha tudo

Fiz tudo e dei tudo a ti
Dei tudo que tinha
Se tenho de perder
Prefiro escolher
Abandonar o meu interesse em tudo
Ou reter tudo ou dar tudo para mim
— *Francis Quarles, The School of the Heart.*

v. 11: "une o meu coração ao temor do teu nome".

Em laços para nunca ser solto
Entretece o meu coração a ti para sempre
Para que ao teu nome eu tenha
O amor temeroso e o temor amoroso
— *Francis Davison.*

v. 12: "Louvar-te-ei, Senhor, Deus meu, com todo o meu coração e glorificarei o teu nome para sempre." Glorificamos a Deus, louvando-o. A doxologia ou louvor é um trabalho de exaltação a Deus: "Aquele que oferece sacrifício de louvor me glorificará" (Sl 50.23). As palavras hebraicas, *bara*, "criar", e *barak*, "louvar", têm pouca diferença, porque o fim da criação é louvar a Deus. Embora nada acrescentemos à glória essencial de Deus, o louvor o exalta aos olhos dos outros. Quando louvamos a Deus, anunciamos a sua fama e renome, mostramos os troféus da sua excelência. Desta maneira, os anjos o glorificam. São os coristas do céu e trombeteiam os louvores a Ele. Louvar a Deus é um dos atos mais sublimes e mais puros da religião. Na oração, agimos como homens. No louvor, agimos como anjos. Os crentes são chamados de "templo de Deus" (1 Co 3.16). Quando a língua louva, os demais órgãos do templo espiritual de Deus soam. Como é triste Deus não receber de nós mais glória deste modo! Muitos estão cheio de murmuração e descontentamento, mas raramente tributam glória a Deus, dando-lhe o louvor devido ao seu nome. Lemos na Bíblia que os santos têm harpas nas mãos, os emblemas do louvor. Muitos têm lágrimas nos olhos e reclamações na boca, mas poucos têm harpas nas mãos, bendizendo e glorificando a Deus. Honremos a Deus desta maneira. O louvor é a taxa de liberação que pagamos a Ele. Quando Deus renova o contrato de aluguel conosco, temos de renovar o pagamento de aluguel a Ele. — *Thomas Watson*

v. 12: Tal pessoa como Davi foi exaltada para poder falar sublimemente de Deus: "Louvar-te-ei, Senhor, Deus meu, com todo o meu coração e glorificarei o teu nome para sempre". Pobre criatura! Como você pode louvar a Deus "para sempre"? A alma incendiada pelo desejo de louvar a Deus anela ardentemente por coisas mais perfeitas e mais duradouras do que pode fazer: "Com efeito, o querer está em mim, mas não consigo realizar o bem" (Rm 7.18). Repare como o alcance e o anelo de tal pessoa se enchem de desejos em glorificar a Deus! — *Thomas Goodwin v. 12:* "Com todo o meu coração". Quando o meu coração estiver unido ao temor do teu nome, então te louvarei com todo o meu coração. — *Adam Clarke*

v. 13: A palavra "sepultura" ("Sheol", NVI) é usada metaforicamente para aludir aos perigos grandes e extremos, ou às desgraças que parecem irrecuperáveis e sem solução. São figurativamente chamados de sheol, porque o sheol propriamente dito é um lugar de onde não há volta. Não há como ser livrado das cadeias das trevas. Todas as mudanças são feitas na terra. O céu e o inferno não sabem o que é mudança. Quando Davi louva ao Senhor por ter-lhe livrado a alma do mais profundo *sheol*, ele está se referindo a uma situação na terra do mais terrível e mais extremo perigo imaginável. A misericórdia o socorreu nesse estado terribilíssimo. Estar no mais profundo do sheol, é estar na pior situação possível. — *Joseph Caryl*

v. 13: "Do mais profundo da sepultura" ou "do Sheol" (NVI). De acordo com as tradições judaicas, há sete regiões na morada das pessoas que já faleceram. — *Daniel Cresswell*

v. 13: "Livraste a minha alma do mais profundo da sepultura". Certa pessoa, tendo uma causa problematicamente difícil, seria enviada à prisão. Vem outra e a defende, evitando o aprisionamento. O que ela lhe diz em agradecimento? Você livrou a minha alma da prisão. Certo devedor seria sentenciado à tortura. Mas a dívida foi liquidada. Dizemos, então, que ele foi livrado da tortura. Estas pessoas não estavam nos males que temiam, mas por estarem no curso devido a eles, a menos que tivessem sido ajudadas, teriam sofrido a execução da pena. Portanto, dizemos corretamente que elas foram livradas de terem de ir ao local do sofrimento. — *Agostinho*

vv. 13, 16: "Livraste a minha alma do mais profundo da sepultura. Volta-te para mim e tem misericórdia de mim". Não há argumento mais forte em prol da prontidão infalível de Deus em nos conceder os pedidos que a experiência das concessões anteriores. Davi argumenta: "O Senhor me livrou da mão do leão e da do urso; ele me livrará da mão deste filisteu" (1 Sm 17.37). Este é o argumento *a priori*, a voz de uma fé forte que persuade a consciência de que Deus lhe será benévolo, porque fora benévolo antes. O profeta consolou-se assim frequentemente: "Na angústia me deste largueza", portanto "tem misericórdia de mim e ouve a minha oração" (Sl 4.1). "Livraste a minha alma do mais profundo da sepultura", portanto "volta-te para mim e tem misericórdia de mim" (vv. 13,16). Deduzam os juízes argumentos dos seus próprios méritos atuais, mas a minha alma os deduzirá das anteriores misericórdias de Deus. Tu, Senhor, fizeste-me o bem, restauraste-me quando eu era mau. Portanto, tem misericórdia de mim, miserável pecador, e concede-me a tua salvação. Assim Paulo fundamentou a sua certeza: "O Senhor assistiu-me e fortaleceu-me, [...] e fiquei livre da boca do leão". Portanto "o Senhor me livrará de toda má obra e guardar-me-á para o seu Reino celestial" (2 Tm 4.17,18). — *Thomas Adams*

v. 15: "Tu, Senhor *[Adonai]*, és um Deus *[El, o Deus forte]* cheio de compaixão". São quase as mesmas palavras usadas por Moisés em Êxodo 34.6. Em vez de *Jeová*, Davi usou *Adonai*, "Senhor", mas *El*, "Deus forte", é a mesma palavra em ambas as passagens. O significado é que toda fortaleza e poder que tu, Deus forte, tens em ti é para o meu benefício. Será que é um pedido ousado dizer: Deus, dá-me toda a tua fortaleza para ajudar-me? É, de fato, um pedido muito ousado. Mas a misericórdia divina o move para concedê-lo (v. 16). Assim é o pedido: Tu és um Deus cheio de misericórdia e piedoso, dá-me a tua fortaleza! Tu, Deus, disponibilizaste todos os teus atributos para os teus filhos a fim de beneficiá-los, como também para beneficiar a tua própria glória. Dá-me a tua fortaleza! — *Thomas Goodwin*

v. 15: "Cheio de compaixão." A palavra original hebraica *rachum* é muito enfática. Significa a ternura que os pais têm pelos filhos quando as entranhas se lhes enternecem por eles. — *"Critical and Practical Exposition of the Pentateuch" [Exposição Crítica e Prática do Pentateuco], 1748*

v. 16: "Salva ao filho da tua serva". Livra-me, pois sou tão inteiramente a tua propriedade, como a descendência de uma escrava nascida na casa do seu senhor, a qual, por direito, pertence a ele (Gn 14.14; Jr 2.14). — *William Keatinge Clay*

v. 17: "Mostra-me um sinal para bem". Essas palavras não implicam necessariamente, como opinam alguns expositores, que Davi esteja pedindo um sinal específico ou miraculoso. Ele considera o próprio livramento como sinal. Perguntamos: Não é verdade que na mesma medida que reconhecemos a influência misteriosamente administrativa de Deus nos fatos de cada dia, consideramos estas coisas como sinais e milagres que, para os outros, parecem corriqueiras? — *Augustus F. Tholuck*

v. 17: "Mostra-me um sinal para bem". Talvez o "sinal para bem" signifique a alegria espiritual que ele pediu no começo do salmo, quando disse: "Alegra a alma do teu servo" (v. 4). Para a alma santa, a alegria na tribulação é o sinal mais claro da graça de Deus.

Quando essa alegria é evidente, todo tipo de perseguidor se confunde. Então, o sentido seria: "Mostra-me um sinal para bem", ou seja, dá-me a graça da alegria espiritual que se mostrará exteriormente em meu semblante, para que "aqueles que me aborrecem" vejam essa paz e tranquilidade da alma "e se confundam", pois "tu, SENHOR", me ajudas na luta, me consolas nos sofrimentos e já converteste a minha tristeza em alegria e gozo interior. — *Robert Bellarmine*

v. 17: "Mostra-me um sinal para bem" pode ser traduzido por "faze-me um sinal do bem". Weiss parafraseia o texto assim: "Faze de mim tamanho sinal ou monumento do bem que todos os meus inimigos sejam presos a ele e fiquem amedrontados em prejudicar um homem tão ajudado pelo Senhor".

v. 17: "Quando tu, SENHOR, me ajudares" nas lutas "e consolares" nas tristezas. — *Agostinho*

SUGESTÕES AOS PREGADORES

v. 1. (1) Um pedido singular: "Inclina, SENHOR, os teus ouvidos". (2) Um argumento singular: "Estou necessitado e aflito". (3) A graça singular de Deus atenderá ao pedido, porque a graça singular fez o solicitante sentir a necessidade.

v. 2. (1) A bênção buscada é a guarda presente, espiritual, completa e final: "Guarda a minha alma". (2) As razões para esperar a bênção são: (a) O nosso pertencimento a Deus: "sou santo". (b) O pertencimento de Deus a nós: "Deus meu". (c) A nossa fé, que possui as promessas: "em ti confia". (d) Os nossos frutos, que provam a nossa fé: "o teu servo".

v. 3. A importunidade: (1) Quando ela suplica: "Todo o dia". (2) Como ela suplica: "Clamo". (3) A quem ela suplica: "A ti". (4) Pelo que ela suplica: "Tem misericórdia".

v. 3. "a ti clamo todo o dia" pela misericórdia perdoadora, santificadora, ajudadora, guardadora, provedora e guiadora. — William Jay

v. 4. (1) A alegria do crente vem de Deus: "Alegra a alma do teu servo". (2) A alegria do crente está em Deus: "Pois a ti, Senhor, levanto a minha alma". - George Rogers

v. 4. O grande levantamento: (1) O peso pesado: "A minha alma". (2) O trabalhador fraco: "[Eu] levanto". (3) A grande altura: "A ti". (4) O maquinário indicado: O meio da graça. (5) A ajuda esperada: "Alegra a alma do teu servo".

v. 5. Pensamentos motivadores acerca de Deus: (1) Tem bondade na sua essência. (2) Tem perdão em prontidão. (3) Tem benignidade em ação, fluindo dEle em profusão. (4) A sua própria discriminação é graciosa: "Todos os que te invocam".

v. 6. O homem que ora deseja acima de tudo a resposta: (1) Objeções a tal esperança. (2) Razões para continuar tendo esperança. (3) Deveres dos que vivenciam tal esperança.

v. 6. A voz da súplica é a voz: (1) Da fraqueza. (2) Da penitência. (3) Da fé. (4) Da esperança. (5) Da nova natureza. (6) Do conhecimento.

v. 7. (1) A ajuda precisada. (2) A ajuda buscada. (3) A ajuda achada. — George Rogers

v. 7. (1) Um tempo a ser esperado: O "dia da minha angústia". (2) Uma resolução a ser praticada: "Clamarei a ti". (3) Um resultado a ser experimentado: "Porquanto me respondes".

v. 7. A oração é o desígnio da angústia: (1) A prova de que a angústia é santificada: "No dia da minha angústia". (2) O consolo na angústia: "Porquanto me respondes". (3) O meio de ser liberto da angústia: "Clamarei a ti". — William Jay

v. 8. (1) Deus é o único Deus. As características dos falsos deuses são extremamente inferiores. (2) As obras de Deus são singulares. A sua natureza, providência e graça são peculiares em muitos aspectos. (Este é um bom tema para o pregador meditativo.)

v. 9. A conversão infalível do mundo em contraste com as teorias modernas.

v. 10. (1) Deus é "grande", portanto esperemos grandes coisas dEle: "Tu és grande". (2) Deus é insondável, portanto esperemos "maravilhas" dEle: Tu "operas maravilhas". (3) Deus é irresistível, portanto esperemos impossibilidades que os outros terão dEle: "Só tu és Deus". — George Rogers

v. 11. Na disposição de espírito expressa nestas palavras, o crente está em oposição a quatro tipos de pessoa: (1) O pecador ignorante e irrefletido, que não se importa com o seu caminho nem com o seu fim. (2) O antinomiano, que zela pelas doutrinas e é avesso à prática da religião. (3) O fariseu, que desconsidera o sentimento religioso e faz da prática o todo. (4) O hipócrita, que está dividido entre a religião e o mundo. — John Hyatt, 1811

v. 11. O cristão como: (1) Estudante. (2) Homem de ação. (3) Homem de devoção.

v. 11. (1) A santidade ensinada. (2) A verdade praticada. (3) O Senhor adorado. E assim: (4) A vida aperfeiçoada.

v. 11. "Andarei na tua verdade". O nosso dever é andar: (1) Na convicção da verdade. (2) Na prática da verdade. (3) No desfrute da verdade. (4) Na confissão da verdade. — William Jay

v. 11. "Une o meu coração ao temor do teu nome". A necessidade, o benefício e a racionalidade da inteireza de coração na religião.

v. 12. A arte de louvar a Deus com todo o coração.

v. 13. (1) Onde eu poderia ter estado: No "mais profundo da sepultura [ou Sheol, NVI]". (2) O que tu fizeste por mim: "Livraste". (3) O que tu estás fazendo: "Grande é a tua misericórdia".

v. 13. "Grande é a tua misericórdia para comigo". A misericórdia de Deus é grande: (1) Na eleição, redenção, chamamento, perdão, sustento. (2) Neste exato momento para suprir as minhas necessidades, guardar-me dos perigos, consolar-me nas angústias. (3) Para comigo, tão grande pecador, com tamanhas necessidades, tão provocador, tão cheio de dúvidas.

vv. 13 a 15. Os três versículos descrevem a salvação suficiente, a perseguição subsequente e a consolação todo-suficiente.

v. 15. As matizes da luz do amor: (1) Compaixão na angústia. (2) Piedade para a indignidade. (3) Sofrimento diante da provocação. (4) Benignidade para com o pecado. (5) Verdade acerca da promessa.

v. 16. (1) A minha genealogia: "Filho da tua serva". (2) A minha profissão: "Teu servo". (3) O meu caráter: "Misericórdia" necessária. (4) O meu pedido: "Volta-me para mim".

v. 16. Em que aspectos o servo de Deus pode ser cingido de poder divino.

v. 17. Que sentimentos interiores e providências exteriores são sinais para bem.

SALMO 87

TÍTULO

Salmo e canto para os filhos de Corá. Hino sacro e poema lírico nacional. A teocracia combina os conceitos religiosos e patrióticos em um. Na proporção em que as nações são cristianizadas, as canções populares ficam imensamente saturadas de sentimentos piedosos. Julgado por este padrão, a nossa terra está muitíssima atrasada. Este "salmo e canto" foi composto pelos filhos de Corá ou foi dedicado a eles. Tendo em vista que guardavam as portas da casa do Senhor, poderiam usar esta bela composição como salmo dentro das portas e como canto fora.

TEMA E DIVISÃO

O canto é em honra de Sião ou Jerusalém, e trata do favor de Deus para com aquela cidade entre as montanhas, cujas profecias a tornaram ilustre, e da honra de ser natural de lá. Muitos estudiosos opinam que foi escrito na fundação de Sião, a cidade de Davi, mas a menção da Babilônia não indica uma época posterior? Foi, ao que parece, escrito depois que Jerusalém e o templo já estavam construídos e já desfrutavam uma história, sobre a qual coisas gloriosas poderiam ser ditas. Entre outras maravilhas do amor de Deus na história recente de Israel, a cidade ficara intata por Senaqueribe, ao passo que outras cidades de Israel e Judá caíram vítimas da sua crueldade. Foi no reinado de Ezequias que a Babilônia se sobressaiu mundialmente, quando os embaixadores foram congratular-se com o rei pelo seu restabelecimento físico. Foi também nessa época que Tiro era mais famosa que em qualquer período dos dias de Davi. Mas como não temos informação a respeito e o ponto não é importante, deixemos a questão de lado e passemos a meditar no próprio salmo.

Não há necessidade de dividir tão breve canto.

EXPOSIÇÃO

1 *O seu fundamento está nos montes santos.*

2 *O Senhor ama as portas de Sião mais do que todas as habitações de Jacó.*
3 *Coisas gloriosas se dizem de ti, ó cidade de Deus. (Selá)*
4 *Dentre os que me conhecem, farei menção de Raabe e de Babilônia; eis que da Filístia, e de Tiro, e da Etiópia, se dirá: Este é nascido ali.*
5 *E de Sião se dirá: Este e aquele nasceram ali; e o mesmo Altíssimo a estabelecerá.*
6 *O Senhor, ao fazer descrição dos povos, dirá: Este é nascido ali. (Selá)*
7 *E os cantores e tocadores de instrumentos entoarão: Todas as minhas fontes estão em ti.*

1. *"O seu fundamento está nos montes santos."* O salmo começa abruptamente. O coração do poeta estava cheio e descarregou-se de súbito.

O fundamento de Deus permanece para sempre
Nas santas fortalezas dos montes
Jeová abençoa as portas de Sião
Mais do que mil aposentos de Jacó

As emoções súbitas são ruins, mas os arroubos da santa alegria são muito preciosos. Deus preferiu fundar o templo terrestre nos montes. Poderia ter escolhido outro terreno geográfico, mas foi do seu gosto ter a morada eleita em Sião. A eleição tornou os montes santos. Foram por determinação divina ordenados e separados para uso do Senhor.

A fundação da igreja que é a Jerusalém está nos decretos eternos, imutáveis e invencíveis de Jeová. Ele resolve o que a igreja será. Prescreve todos os arranjos da chamada, salvação, manutenção e beleza. Especifica que todos os atributos, como os montes em volta de Jerusalém, deem força para sustentá-la. O Senhor não fundou a igreja na areia da política carnal, nem no pântano dos reinos humanos, mas no seu poder e divindade, os quais estão empenhados em estabelecer a igreja amada, que é para Ele a principal de todas as suas obras. Que tema para meditação é a fundação da igreja de Deus nos antigos termos do concerto da eternidade. A característica abrupta deste versículo inicial denota longa consideração por parte do escritor, levando-o a extasiar-se de admiração e a prostrar-se em adoração. Bem pode este tema fazer-lhe o coração incendiar. Roma foi fundada em sete colinas e nunca lhe faltou a língua poética para cantar-lhes a glória. Mas Sião é muito mais gloriosa entre os montes eternos de Deus. Enquanto a pena puder escrever ou a boca falar, os seus louvores nunca serão enterrados no silêncio inglório.

2. *"O Senhor ama as portas de Sião mais do que todas as habitações de Jacó."* As portas são faladas no lugar da própria cidade. O amor de Deus é maior pela nação dos eleitos, que descendem do seu servo Jacó. Contudo, o lugar central da sua adoração lhe é ainda mais querido. Não há outra comparação imaginável que mostrasse de forma tão perfeita a bênção que Jeová deu para Jerusalém. Ele ama muito Jacó, no entanto ama muito mais Sião. Neste ponto, o ensino deste texto é claro. Deus tem prazer nas orações e louvores das famílias e indivíduos cristãos, mas vê de modo especial as reuniões dos crentes. Tem peculiar alegria na devoção dos fiéis no âmbito do templo. As grandes festas, quando as multidões concentravam-se nas portas do templo, eram belas aos olhos do Senhor. Muito mais belas lhe são a assembleia universal e igreja dos primogênitos, cujos nomes estão escritos no céu (cf. Hb 12.23). Esta constatação deveria levar todo crente separado a identificar-se com a igreja de Deus. Onde o Senhor revela mais o seu amor, ali todo crente deveria encontrar o maior prazer. As nossas habitações nos são muito queridas, mas não devemos preferir a elas às assembleias dos santos. Temos de dizer da igreja:

Aqui os meus melhores amigos, a minha família habitam
Aqui Deus, meu Salvador, reina

3. *"Coisas gloriosas se dizem de ti, ó cidade de Deus."* Eis algo verdadeiro a respeito de Jerusalém. A sua história, que é a história da nação da qual ela é capital, está cheia de eventos gloriosos. O uso e propósito como habitação do verdadeiro Deus e lugar de culto a Ele eram eminentemente gloriosos. Coisas gloriosas eram ensinadas nas ruas e vistas nos templos. Coisas gloriosas eram preditas sobre ela, que era o tipo das coisas mais gloriosas de todas. Eis algo ainda mais verdadeiro a respeito da igreja. Ela foi fundada na graça, mas os pináculos brilham de glória. As pessoas podem se gloriar nela sem serem arrogantes. Há um esplendor inigualável na cidade. Toda coisa gloriosa que os santos digam a respeito da igreja para louvá-la, não excede ao que os profetas predisseram ao que os anjos cantaram ou ao que o próprio Deus declarou. Felizes as línguas que aprendem a ocupar-se com tão excelente assunto. Seja este o assunto nas nossas casas, nos nossos mercados, ao redor e em todos os lugares onde as pessoas se reúnem. Nunca permita que os seus louvores cessem, ó noiva de Cristo, em quem o próprio Senhor tem prazer, chamando você pela pérola dos nomes, Hefzibá, que significa, "porque a minha delícia está nela". Tendo em vista que o Senhor escolheu você e condescendeu em habitar em você, ó cidade da beleza, não há cidade que se compare a você. Você é os olhos do mundo, a pérola, a rainha de todas as cidades do universo, a verdadeira "cidade eterna", a metropolitana, a mãe de todos nós. Os anos vindouros desvelarão as suas belezas aos olhos surpresos de todos os povos, e o dia do seu esplendor virá sete vezes mais brilhante que o meio-dia.

"Selá." Com a perspectiva de um mundo convertido e os inimigos mais implacáveis transformados em amigos, era apropriado que o salmista fizesse uma pausa. Como cantar as glórias dos recém-nascidos Tiro e Etiópia, recebidos de braços abertos em união com Sião, sem tomar fôlego e preparar a voz e o coração para tão divina canção?

4. *"Dentre os que me conhecem, farei menção de Raabe e de Babilônia."* Será um glorioso assunto conversar sobre Sião, falar sobre os velhos inimigos que nasceram de novo e ficaram amigos dela, adorando no templo do seu Deus. Raabe ou o Egito, que oprimiu Israel, se tornará uma nação co-irmã. Babilônia, na qual as tribos sofreram o segundo grande cativeiro, se tornará companheira de adoração ao Senhor. Então, nas conversas familiares serão mencionadas as velhas inimizades esquecidas e as novas amizades formadas. Certos comentaristas entendem que estas são palavras do próprio Deus, tendo esta tradução: "Como me conhecendo, farei menção de Raabe e Babilônia". Mas estamos satisfeitos com a tradução habitual e atribuímos as palavras ao salmista, que antevê a conversão de duas grandes nações adversárias e fala a respeito com exultação.

"Eis que da Filístia, e de Tiro, e da Etiópia, se dirá: Este é nascido ali." Estas nações também se prostrarão perante o Senhor. A Filístia renunciará o antigo ódio. Tiro não será engolfado por pensamentos relacionados ao comércio. A distante Etiópia não estará longe demais para receber a salvação do Senhor. Cada uma destas nações nasceu em Sião, foi regenerada na igreja de Deus. Nas conversas faremos menção do novo nascimento das nações, pois é ao mesmo tempo uma grande bênção e uma grande maravilha. É, de fato, uma coisa gloriosa quando nações inteiras nascem para Deus.

Observe bem as legiões da Filístia
Eis que vêm buscar ao Senhor
E nas regiões sagradas
Tiro e Cuxe acharam casa

Muitos expositores entendem que o sentido destes versículos é que todas as pessoas têm orgulho da sua pátria, e o mesmo sentimento é compartilhado pelos cidadãos de Sião. Desta forma, quando se fala de um: "Ele nasceu no Egito", e de outro: "Ele era da Etiópia", seria igualmente para a honra dos outros que eram nativos da cidade de Deus. A passagem não é suficientemente clara para sermos dogmáticos sobre este ou aquele significado, mas preferimos a interpretação dada acima.

5. *"E de Sião se dirá: Este e aquele nasceram ali."* Não apenas como nações, mas um por um, individualmente, os cidadãos da Nova Jerusalém serão contados e os nomes publicamente declarados. Indivíduo por indivíduo, o Senhor os contará, porque cada um é precioso aos olhos divinos. O indivíduo não se perderá na massa, pois cada um é de elevada conta. Que credencial de nobreza é a pessoa ter a certidão de nascimento em Sião. Os duas vezes nascidos são o sacerdócio real, a verdadeira aristocracia, a raça imperial dos homens. Ao usar a palavra mais nobre para referir-se ao homem, o original hebraico dá a entender que muitos notáveis nascerão na igreja e que, de fato, todo aquele que é renovado segundo a imagem de Cristo é um personagem eminente, porquanto há alguns, que, mesmo para os olhos cegos do mundo, resplandecem com um brilho de caráter que não podem deixar de serem reconhecidos como pessoas incomuns e admiráveis. A igreja tem nomes ilustres de profetas, apóstolos, mártires, confessores, reformadores, missionários e semelhantes que mantêm igualdade com os maiores nomes honrados pelo mundo. Aliás, não só têm o mesmo nível, mas em muitos aspectos os superam imensamente. Sião não tem razão para envergonhar-se dos seus filhos, nem os seus filhos dela: "A sabedoria é justificada por seus filhos" (Mt 11.19).

"E o mesmo Altíssimo a estabelecerá." É o único estabelecimento que vale a pena ter. Quando o número dos crentes sobe pelo novo nascimento, o próprio Senhor prova que é o Edificador da igreja. Só o Senhor merece usar o título de Defensor da Fé. Ele é o exclusivo e suficiente Patrono e Protetor da verdadeira igreja. A herança do Senhor não tem o que temer, pois o próprio braço divino é suficiente para sustentar os seus direitos. O Altíssimo é superior a todos os que estão contra nós, e a boa e velha causa triunfará sobre todas as coisas.

6. *"O Senhor, ao fazer descrição dos povos, dirá: Este é nascido ali."* No grande censo que o próprio Senhor fará, Ele enumerará as nações sem exceção e fará um registro exato de todos, quer sejam pela descendência natural babilônios ou tírios ou outro povo pagão distante. Seja a nossa sorte feliz sermos enumerados com os eleitos de Deus, tanto na vida quanto na morte, no rol da igreja na terra e no rol da igreja nos céus. O censo de Jeová dos seus eleitos diferirá muito do nosso. Ele contará muitos que teríamos desconsiderado e omitirá muitos que teríamos considerado. O seu registro é infalível. Oremos pela adoção e regeneração que nos assegurarão lugar entre os de descendência celeste. Julgava-se ser de grande honra ter o nome escrito no Livro de Ouro da República de Veneza. Reis e príncipes pagaram caríssimo pela honra. Mas o Livro da Vida confere dignidade muito mais rara para todos cujo nome está registrado ali.

"Selá."

7. Em visão, o salmista vê os cidadãos de Sião alegrando-se em uma festa santa e marchando em processão triunfante com música: "E os cantores e tocadores de instrumentos entoarão". Onde Deus está tem de haver alegria. Onde a igreja aumenta por conversões numerosas, a alegria torna-se exuberante e descobre modos de mostrar-se. Cantores, dançarinos, salmistas e flautistas uniram esforços e fizeram uma procissão alegre ao templo, não inspirados por Baco ou pela fonte de Castália, mas por beberem da fonte santa de todos os bens, sobre a qual cada um canta: "Todas as minhas fontes estão em ti". O poeta quis dizer que doravante ele teria todas as suas alegrias em Sião, ou que buscaria do Senhor toda inspiração, consolo, força, alegria, vida, enfim, tudo? A última opção é a mais verdadeira doutrina. As igrejas não têm em si mesmas toda essa suficiência da qual possamos nos servir. O Senhor que fundou a igreja é a fonte eterna de todas as nossas provisões. Buscando-o, nunca nos enfraqueceremos ou fracassaremos. É a mais absoluta verdade que todas as nossas experiências nos levam a buscar o Senhor pela fé e dizer: "Todas as minhas fontes estão em ti". As fontes da minha fé e todas as minhas graças, as fontes da minha vida e todos os meus prazeres, as fontes da minha atividade e todas as suas ações certas, as fontes da minha esperança e todas as suas antevisões celestiais estão em ti, meu Senhor. Sem o teu Espírito, eu seria como um poço seco, uma

cisterna falsa, destituído de poder para abençoar a mim e aos outros. Senhor estou certo de que pertenço aos regenerados cuja vida está em ti, porque sinto que não posso viver sem ti. Portanto, com todo o teu povo alegre eu canto os teus louvores.

Com alegria cantará a caravana de coralistas
Os trovadores entoam a melodia respondente:
Ó Sião, Sião, bela, eu vejo
As fontes da minha felicidade em ti
— *Richard Mant*

NOTAS EXPLICATIVAS E DECLARAÇÕES SINGULARES

O Título: "Salmo e canto para os filhos de Corá". O título anteposto é "Salmo para ser cantado pelos filhos de Corá", ou seja, do homem caído. A palavra "corá" significa o estado no qual as árvores estão durante o inverno, quando ficam sem o verdor e frutos. É usada no mesmo sentido para referir-se à cabeça calva, quando a idade ou a doença a privou da glória e a deixou sem cabelo. Esta é descrição vívida do homem caído. Ele perdeu a beleza e frutificação primitiva. Quando deixou Deus e voltou-se para os próprios caminhos, tornou-se como as árvores do campo no inverno, das quais o calor fecundo do sol retirou-se, ou como a cabeça que, pelo declínio do calor e vigor natural, ficou nua e calva. Mas sendo levado à devida conscientização desse estado e achando-se destituído de toda a glória que o primeiro Adão tinha no paraíso, o homem caído foi induzido a buscar a restauração da sua natureza, e obteve do segundo Adão, o Senhor do céu, um estado muito melhor que aquele que perdera. Todo homem restaurado tem o direito de cantar este hino sacro, sendo convocado a fazê-lo. O nome da pessoa a quem ele tem de celebrar não é mencionado inicialmente, mas logo descobrimos a identidade pelo caráter que lhe é dado. — *William Romaine*

O Salmo: O bispo Bruno intitula este salmo de "A voz da profecia relativa à Jerusalém celestial", que é a Igreja de Cristo.

v. 1: "O seu fundamento está nos montes santos". O fundamento que Deus deu para a cidade está nos "montes santos". Quais são estes montes santos? Quais são, senão o propósito eterno de Jeová, de cujo propósito saiu a existência da igreja e a dispensação do amor divino? Quais são, senão os atributos da misericórdia, justiça, santidade e soberania, de cuja inefável aceitação e santa cooperação veio a suceder que o povo eleito foi remido? Quais são, senão a promessa de vida que foi dada em Cristo para os eleitos antes do começo do mundo? Quais são, senão o "concerto eterno, que em tudo será ordenado e guardado" (2 Sm 23.5), do qual procedem a graça e a salvação? Quais são, senão estas coisas e o próprio Cristo, a Rocha eterna, sobre cuja rocha sabemos que a igreja foi muito firmemente edificada, para que as portas do inferno não prevaleçam contra ela? Sim, estes são os montes santos, sobre os quais a cidade de Deus foi edificada e nos quais os seus fortes e profundos fundamentos foram postos. O decreto seguro, as perfeições divinas, a promessa daquEle que não pode mentir, o juramento e concerto de Deus e o próprio Filho encarnado são os montes santos, as colinas eternas, cujos ápices estão gloriosamente coroados pela cidade do grande Rei. Nos montes santos situa-se bela e firmemente a cidade, que é a alegria de toda a terra. — *Andrew Gray, 1805-1861*

v. 1: "montes". A situação geográfica de Jerusalém é em vários aspectos singular entre as cidades da Palestina. A elevação é notável, ocasionada não por estar no ápice de um dos numerosos montes da Judeia, como a maioria das cidades e aldeias, mas por estar na extremidade de um dos mais altos planaltos do país. Na verdade, a cidade de Hebrom é um pouco mais alta, cerca de cento e sessenta metros. A chegada a Jerusalém vindo do sul é feita por uma descida leve. Mas vindo de todos os outros lados, a subida é forte. Para o viajante que chega a Jerusalém vindo do oeste ou leste, a aparência sempre é melhor que qualquer outra capital do mundo conhecido de então em termos de cidade montanhosa — e diria mais que qualquer cidade importante que já existiu na terra. Tem, comparado com as planícies abafadas do Jordão ou do litoral, um ar de montanha. Está encimado, comparado com Jericó, Damasco, Gaza ou Tiro, em uma fortaleza montanhosa. Neste aspecto, concentrava em si o caráter do país todo, do qual veio a ser a capital — o "trono montês", o "santuário montês" de Deus. "O monte de Deus é como o monte de Basã, um monte elevado como o monte de Basã. Por que saltais, ó montes elevados? Este é o monte que Deus desejou para sua habitação" (Sl 68.15,16). Era enfaticamente a cova do leão de Judá, do "Ariel", o Leão de Deus. "Conhecido é Deus em Judá; grande é o seu nome em Israel. E em Salém está o seu [covil folhado], e a sua [cova rochosa], em Sião. Tu és mais ilustre e glorioso do que os montes [dos ladrões]" (Sl 76.1,2,4, inserções minhas). Esta característica de solidão e praça fortificada de Jerusalém estava concentrada ainda mais na fortaleza, o "lugar seguro" de Sião. Este ponto, o mais alto da cidade, a altura que mais prontamente prende o olhar de todos os lados, é enfaticamente o "forte montês", a "fortificação rochosa" de Jerusalém, o refúgio onde primeiro os jebuseus e depois o Leão de Deus ficavam acuados contra os caçadores. — *Arthur Penrhyn Stanley*

vv. 1 e 2: Se aceitarmos que o salmo foi composto nos dias de Ezequias, ficará devidamente explicado por que o salmista começa tão repentinamente com louvores pela segurança de Sião: "O seu fundamento está nos montes santos". Está meramente dando vazão ao coração cheio do povo. "O Senhor ama as portas de Sião mais do que todas as habitações de Jacó", são palavras vistas sob a sua verdadeira luz, pois esta preferência por Sião autentica a época. As portas permaneciam fechadas para os inimigos, enquanto o resto do país ficava sujeito ao seu domínio. — *E. W. Hengstenberg*

v. 2: "O Senhor ama as portas de Sião mais do que todas as habitações de Jacó". As portas de uma cidade cercada dão acesso e poder sobre ela. Portanto, é naturalmente falada no lugar do todo. O particípio hebraico (*amando*) denota apego constante e habitual. — *Joseph Addison Alexander*

v. 2: "O Senhor ama as portas de Sião". Por causa da entrada e saída do povo de Deus. Assim vemos a disposição dos que amam, pois eles estão cheios do notável sentimento de amor para com os lugares pelos quais aqueles a quem eles amam passam frequentemente, como portas e portões, e para com os caminhos que percorrem diariamente. Que outra razão poderia haver para Deus amar as portas de Sião? — *Wolfgang Musculus*

v. 2: "as portas de Sião" são as doutrinas do Evangelho, e "as habitações de Jacó" são os ensinos da Lei e a Lei foi cumprida no Evangelho. Portanto, está escrito que "o Senhor ama as portas de Sião mais do que todas as habitações de Jacó". — *Extraído de "A Plain Commentary on the Book of Psalms" [Um Comentário Simples sobre o Livro dos Salmos]*

v. 2: "O Senhor ama as portas de Sião mais do que todas as habitações de Jacó". Não há dúvida de que as orações que os crentes elevam ao céu debaixo do seu teto são muito aceitáveis ao Senhor. Mas se a voz simples de um santo em oração é tão agradável aos ouvidos de Deus, muito mais o coro de vozes da igreja, as orações dos santos feitas em conjunto e de comum acordo. O pai se alegra em ver um dos seus filhos e lhe dá as boas-vindas quando o visita, mas alegra-se muito mais quando os filhos vão juntos visitá-lo. A maior festança é quando todos os filhos se reúnem na sua casa. Os louvores públicos da igreja são o emblema do próprio céu, onde todos os anjos fazem um único concerto. — *William Gurnall*

v. 2: "O Senhor ama as portas de Sião mais do que todas as habitações de Jacó". Aventa-se aqui que o Senhor ama as habitações de Jacó, ama os que são os verdadeiros israelitas. Estes são sucedidos pelo nome de *cristãos*, pois hoje a igreja cristã se tornou o verdadeiro Israel de Deus. O Senhor ama os santos, por causa da imagem divina que levam em si. Ama-os, por causa das graças que são infundidas neles quando são renovados pelo Espírito. Ama-os, por causa da relação que o povo mantém com Ele como igreja sua, pois estão qualificados para o cumprimento dos deveres da relação pelo amor do seu Pai, pela confiança no seu cuidado, pelo deleite na sua pessoa, pelo prazer no seu serviço, que pertence aos filhos obedientes e afetuosos. Ama-os, porque lhe imitam as perfeições em certa medida humilde. Ama-os, porque recebem a Palavra da sua boca. Ama-os, porque estão prontos a obedecer a toda convocação da sua providência, pondo-se nos caminhos do testemunho aonde quer que Ele os dirija. Ama-os, porque se entregam a Deus, como vivos dentre os mortos, e os seus corpos como instrumentos de justiça (cf. Rm 6.13), não andando mais segundo as obras da carne, mas segundo a vontade de Deus. Tem prazer neles. O Senhor tem prazer nos justos e conhece os seus caminhos. Ama-os, prova-os e confirma-os. Vê com aprovação as atividades mais comuns da vida dos seus servos — o esforço honesto que fazem. Por meio destas, anunciam o Pai e os louvores daquele que os chamou das trevas para a luz (cf. 1 Pe 2.9). Os deveres mais comuns do nosso chamamento tornam-se sacrifícios a Deus e deveres religiosos, quando são realizados no espírito e direcionados ao grande objetivo de glorificar a Deus. Olha com peculiar complacência as habitações do seu povo, porque é onde há domesticamente o reconhecimento devoto da sua majestade, quando o cabeça vai à frente da família como sacerdote para oferecer louvor e ação de graças. Este fato atrai aprovação peculiar. Ama contemplar o povo ensinando os filhos na educação e admoestação do Senhor, e os filhos depois deles andando nos caminhos da obediência que Ele ordenou. Encanta-se em constatar que o curso da pureza está nas famílias cristãs. Ama inspecionar o progresso que os integrantes mais jovens das famílias religiosas fazem na devoção, enquanto crescem na graça e no favor para com Deus e os homens. Observa com deleite particular círculos como estes. É onde manifesta a sua presença e dá bênçãos peculiares. Por mais obscuras que sejam as habitações de Jacó, para Ele são abertas e manifestas em todo tempo. Sejam em cabanas ou em palácios, os seus olhos pousam ali com complacência, dizendo de tais lugares: "Aqui habitarei para sempre e sempre". A oração e a devoção santificam a família, e espalham um espírito de devoção por todas as ocupações vocacionais da vida, de forma que não precisamos sair do mundo, mas, antes, somos chamados para mostrar no mundo as virtudes da vida cristã.

Mas está escrito que, embora Deus ame "as habitações de Jacó", Ele "ama as portas de Sião mais do que todas as habitações de Jacó". Não há nada nas habitações de Jacó que chame a sua atenção tanto quanto o povo de Deus reunido em um âmbito espiritual.

(1) O Ser divino considera com complacência peculiar a adoração dos santos por causa da adoração em si.

(2) Por causa da união de espírito e consenso de coração, evidenciados na reunião do povo de Deus e na constituição do povo em igreja.

(3) Por causa do testemunho que a igreja produz da verdade.

(4) Por causa da deferência à sua autoridade, que é evidenciada mantendo e sustentando a prática desses institutos que se apoiam inteiramente nessa autoridade.

(5) Por fazer da reunião dos santos o principal meio de conversão.

(6) A presença peculiar de Deus é geralmente concedida aos santos e manifesta a eles, embora esteja escondida do mundo, que induz a crença de que Deus está presente da verdade.

(7) O Ser divino mostra a preferência pelas portas de Sião acima das habitações de Jacó, mantendo continuamente em operação os dons que são para a edificação dos santos, e sem os quais a união dos santos seria mantida com dificuldade.

(8) O Ser divino mostra a preferência por Sião por intermédio da proteção maravilhosa que é oferecida aos interesses da igreja de Deus. Desta forma, a igreja, ainda que fraca e frequentemente reduzida a um punhado de discípulos, tem sido protegida e a reunião dos santos na terra, continuada. — *Robert Hall*

v. 2: "O Senhor ama as portas de Sião mais do que todas as habitações de Jacó". Há crentes que se ausentam da frequência aos cultos públicos, alegando que podem servir ao Senhor em casa, em particular. Quantos são aptos em dizer que consideram o tempo muito bem gasto em casa, orando, lendo um bom livro ou falando sobre um assunto proveitoso, tanto quanto no cumprimento das ordenanças nas reuniões públicas? Entendem que a oração particular lhes faz bem tanto quanto a oração pública. Reputam que a leitura e explicação da Bíblia feita em particular são tão proveitosas quanto a pregação pública. Falam dos deveres privados como Naamã falou das águas de Damasco (2 Rs 5.12). Argumentam: "Não posso servir ao Senhor de modo tão aceitável e com tanta vantagem nos exercícios da religião feitos em casa? Não posso me lavar nestes e ficar limpo?" Não veem as grandes bênçãos que Deus associou ao culto público mais que ao culto particular. Se for assim, se um for tão bom quanto o outro, o que significa o Senhor preferir um ao outro? Para que finalidade o Senhor escolheu as portas de Sião para ali colocar o seu nome, se Ele poderia ter sido cultuado tanto quanto nas habitações de Jacó? Como os homens que têm esta opinião estão indo contra o Senhor? Ele prefere as portas de Sião não só a uma ou outra, mas a todas as habitações de Jacó. E eles preferem tal habitação às portas de Sião. — *David Clarkson*

v. 3: "Coisas gloriosas se dizem" do povo de Deus. Tomemos a igreja por uma congregação visível, uma congregação mista e coisas gloriosas se dizem dela. É a casa de Deus. Tomemos a igreja por igreja visível e ela é vasos para honra e para desonra (2 Tm 2.20). Tomemos a igreja pelo campo formado por joio e trigo (Mt 13.24-30) e ela é o campo de Deus. Embora tomemos a igreja por visível, tem um nome glorioso pelo bem que nela está especialmente por causa do trigo. Mas tomemos a igreja de Deus pelo grupo de crianças que são reunidas pelos expedientes da graça, habitando na igreja visível, desfrutando as ordenanças, e elas são a casa e o templo de Cristo, o templo do Espírito Santo, o corpo e a esposa de Cristo. São o prazer de Deus, os reis e sacerdotes espirituais. As coisas mais gloriosas que possam haver, todas as outras excelência do mundo são apenas coisas nominais, meras sombras das coisas. Há certa realidade nas coisas terrenas, mas não é nada em comparação, mal recebendo o nome de realidade, pois Salomão as chama de "vaidade de vaidades" (Ec 1.2). Em comparação com as excelências da igreja tudo é nada. Eu poderia me estender grandemente nestes pormenores. É bastante mencionar as delícias e excelências gerais da casa de Deus, "a beleza do Senhor" (Sl 27.4, ARA). — *Richard Sibbes*

v. 3: "As glórias do deserto estão em ti" (tradução minha). O shekinah que apareceu no monte Sinai e manobrou o exército dos israelitas na viagem pelo deserto, agora fixou residência em você, ó cidade de Deus (cf. Sl 68.17). — *Samuel Horsley*

v. 4: "Dentre os que me conhecem, farei menção de Raabe e de Babilônia; eis que da Filístia, e de Tiro, e da Etiópia, se dirá: Este é nascido ali". É como se o salmista tivesse dito: Não nego os devidos louvores pertencentes a outros lugares e países, mas, antes, sou propenso a fazer menção honrosa deles entre os meus conhecidos. Reconheço que "este", quer dizer, este indivíduo notável, ainda que comparativamente de nenhum grande valor, nasceu ali entre eles. — *Thomas Fenton*

v. 4: "Raabe", nome poético do Egito. A palavra em si significa "ferocidade", "insolência", "orgulho". A palavra hebraica quando aplicada ao Egito, indicaria o caráter nacional dos habitantes. — *William Smith, "A Dictionary of the Bible" [Um Dicionário da Bíblia]*

v. 4: É consolador para a igreja o fato de Deus fazer com que os principais inimigos de Israel sejam convertidos, que Ele o tenha feito repetidas vezes e que ainda muitas outras vezes fará. É consolador para a igreja o fato de Deus dar ordens aos inimigos que não serão convertidos, como fez com Raabe e Babilônia. "Dentre os que me conhecem, farei menção de Raabe e de Babilônia" significa mencioná-los, a saber, para a edificação dos filhos da igreja concernente ao que Deus fizera nessas nações em justiça e ao que Ele faria com as cidades em misericórdia, ou para os outros inimigos como para elas. — *David Dickson*

v. 4: "Raabe... Babilônia... Filístia... Tiro... Etiópia". É para a glória da igreja que nela entrem a plenitude das nações. Os orgulhosos do Egito, que por sua arrogância é chamado de Raabe. Os mundanos da Babilônia, a cidade da confusão. Os furiosos da Filístia há tanto tempo inimiga de Israel. Os cobiçosos de Tiro, a cidade rica dos comerciantes. Os escravos da ignorância da Etiópia (Cuxe) e da terra de Cam. Todas estas nações aprenderão o amor de Cristo, confessarão a verdade de Cristo, entrarão na cidade todo-gloriosa e serão aceitas e reconhecidas como cidadãs da Sião celestial. — *Extraído de "A Plain Commentary on the Book of Psalms" [Um Comentário Simples sobre o Livro dos Salmos]*

v. 4: "Raabe... Babilônia... Filístia... Tiro... Etiópia". Pelo testemunho das nações mencionadas no texto, entendemos o testemunho dos cristãos gentios em geral, embora, talvez, haja referência especial à cena extraordinária ocorrida em Jerusalém no dia de Pentecostes: "E em Jerusalém estavam habitando judeus, varões religiosos, de todas as nações que estão debaixo do céu. E, correndo aquela voz, ajuntou-se uma multidão e estava confusa, porque cada um os ouvia falar na sua própria língua. E todos pasmavam e se maravilhavam, dizendo uns aos outros: Pois quê! Não são galileus todos esses homens que estão falando? Como, pois os ouvimos, cada um, na nossa própria língua em que somos nascidos?" (At 2.5-8).

O leitor descobrirá que há correspondência extraordinária entre as nações especificadas no livro de Atos e as nações mencionadas no salmo sob estudo. "Raabe", quer dizer, o Egito, que é mencionado por primeiro no salmo, acha-se enumerado em Atos: "Egito e partes da Líbia, junto a Cirene" (At 2.10). Em seguida consta a "Babilônia" no registro sálmico, que é identificada em Atos pelos "partos e medos, elamitas e os que habitam na Mesopotâmia" (At 2.9), pois eram os habitantes do que outrora era o império babilônico. A "Filístia" também é mencionada neste trecho: "Os que habitam na [...] Judeia" (At 2.9), que falam um idioma diferente do que era comum em Jerusalém. Quem poderia ser estes tão provavelmente quanto os habitantes da antiga Filístia, que estava nos arredores da partilha de Judá? Talvez também por causa do porto de Jope, que era um grande refúgio de "cretenses, e árabes" (At 2.11) e "forasteiros romanos" (At 2.10).

Os povoamentos gregos da Ásia Menor são os únicos especificados em Atos dos Apóstolos que não notamos no salmo sob estudo: "Capadócia, e Ponto, e Ásia, e Frígia, e Panfília" (At 2.10,11). Mas estes países e todos os que falavam os dialetos da língua grega indicam, com muita probabilidade, o grande mercado de "Tiro", em cuja frequência os judeus teriam as mais numerosas oportunidades de relacionarem-se com estas nações. — *John Fry*

v. 4: "Este é nascido ali". A sociedade missionária apresentada nos profetas por nosso Senhor e por seus apóstolos é a igreja. Portanto, considerando que o nosso estado natural depois da queda de Adão foi alienação para com Deus e desunião entre nós, Ele restabeleceria a "glória a Deus nas alturas, [a] paz na terra, [a] boa vontade para com os homens" (Lc 2.14), unindo-nos em uma comunhão santa e tornando a continuação das suas bênçãos dependente dessa unidade, que Ele deu e preserva. Apresentar as razões disso seria passar pelo Antigo Testamento inteiro, pois o Antigo Testamento é uma grande profecia do Redentor e do seu reino ou igreja. Imediatamente após a desunião ter se multiplicado com a propagação dos homens, já na segunda geração de Adão, Ele formou a união pela igreja, e "então, se começou a invocar o nome do Senhor" (Gn 4.26), ou seja, começaram a reunir-se para cultuar ao Senhor e, entre a corrupção crescente, a religião deixou de ser confiada ao cuidado isolado de famílias independentes, mas foi concentrada em uma igreja. Quando, depois do dilúvio, um justo foi chamado do mundo altamente corruptor, a unidade foi preservada neste único justo, mas nele foi fundada uma igreja, conforme a explicação dada pelo próprio Deus: "Nele serão benditas todas as nações da terra. [...] Porque eu o tenho conhecido, que ele há de ordenar a seus filhos e a sua casa depois dele, para que guardem o caminho do Senhor" (Gn 18.18,19). "Porque, sendo ele [Abraão] só, eu o chamei, e o abençoei, e o multipliquei" (Is 51.2), e dele formou a igreja judaica, que por mais que se espalhasse, ficou ligada a um por sua origem de um. Deu também marcas e sinais externos entre ele e a igreja, para que, separando-a dos outros, fosse guardada única em si mesma. O povo temporal teve união pelo nascimento temporal de um e por sinais exteriores. A igreja cristã tem unidade pelo nascimento espiritual de um e graças interiores, pelo poder confiado a ela para dar nascimento espiritual, de forma que por uma mãe nascemos de um Pai, Deus, e entre nós mesmos somos irmãos, sendo membros de um, o nosso Senhor bendito.

A unidade da igreja cristã e o seu ofício de reunir todas as nações no Senhor são apresentados de muitas formas na profecia. Nos salmos sob estudo, Sião é apresentada como o objeto especial do amor de Deus, como tendo sido (em linguagem que antevê o Evangelho) fundada por Ele "nos montes santos", como a "cidade de Deus", da qual "coisas gloriosas se dizem". E quais são? Que ela seja o local do nascimento espiritual de todas as nações. Não está meramente escrito, como em outros lugares, que as outras cidades fossem a ela, afluíssem a ela, mas que nascessem nela. "E de Sião se dirá: Este e aquele [ou seja, todos, um por um] nasceram ali". E de onde? Todas as nações da terra, "Raabe" ou Egito, "Babilônia", "Filístia", "Tiro", "Etiópia". As nações mais cultas, as mais poderosas, as mais ricas, os mais distantes e as mais próximas, os inimigos mais antigos e mais implacáveis, enfim, todos, tendo já nascidos segundo a carne, como os egípcios, babilônios, filisteus, tírios e etíopes, nasceriam nela e, por terem "nascido ali", se tornariam filhos de Deus, cidadãos da Jerusalém celestial, escritos por Deus no rolo do seu Livro. "O Senhor, ao fazer descrição dos povos, dirá: Este é nascido ali", Ele os considerará como seu, tendo renascidos na igreja.

De modo semelhante, com respeito a toda profecia, é pelo que bate o coração dos homens como encorajamento aos labores missionários. Em tudo, é o Senhor e Salvador da igreja, ou a própria igreja cheia com o Espírito Santo, restabelecida, aumentada, expandindo-se pelo favor divino e reunindo o povo nela, o aprisco de Deus. — *Sermão pregado por Edward Bouverie Pusey intitulado "The Church the Converter of the Heathen" [A Igreja, a Convertedora dos Pagãos], 1838*

vv. 4 a 6: É para a honra e dignidade de Sião, ou seja, da verdadeira igreja de Deus, ter este e aquele nascido nela: "Este e aquele nasceram ali" (v. 5). Esta expressão significa duas coisas, como ramos da honra. Uma é a qualidade das pessoas e a outra é a quantidade delas. A qualidade está no termo "este" e a quantidade, no termo "este e aquele". Ter estas pessoas nascidas em Sião, ou seja, pessoas de destaque e eminência e uma multidão e pluralidade delas, é parte da dignidade e renome a ela pertencente.

Quanto ao substantivo "homem" ("Este e aquele homem nasceram ali", v. 5, KJV), a palavra hebraica אִישׁ, usada para referir-se a *homem*, exceto quando qualificada por outra palavra unida a ela, significa "homem de *valor*", "homem *valoroso*", não sendo uma pessoa comum ou simples. A igreja produz estes אַנְשֵׁי הַשֵּׁם, "homens de renome", "homens de fama" e "homens de eminência", e em todos os tipos de aptidão, quer natural, ou civil, ou espiritual. São "homens de posição", ou "homens de poder", ou "homens de devoção". Há estes em todas as qualidades de destaque que nasceram e ainda nascem em Sião.

(1) Consideremos as habilidades naturais ou adquiridas. Homens de posição, conhecimento, sabedoria e inteligência melhorada. A igreja não está desprovida destes: "Este homem é nascido ali" (v. 4, KJV), ou seja, este homem culto ou este homem sábio nasceu em Sião. Não são apenas os ignorantes e incultos que são cristãos. Há pessoas de cultura muito rara e admirável em todos os tipos e especialidades de aprendizagem e conhecimento secular, que são graciosamente qualificadas. Há Paulo com os pergaminhos, e Pedro com as redes de pesca.

(2) Consideremos as qualificações civis ou seculares. Homens de dignidade, poder e posição: "Este homem é nascido ali" (v. 4, KJV), ou seja, este homem nobre

נְשׂוּא פָנִים, de semblante eminente, como é chamado em Isaías 3.3, nasce igualmente em Sião. É homem poderoso e homem guerreiro. O intérprete da versão Siríaca foi tão sensível à conotação da palavra hebraica, que a expressa no próprio texto. Em vez de dizer: "Este homem é nascido ali", ele diz: "Um homem poderoso é nascido ali, 'e Ele o estabeleceu'". Com isso, imagino, o intérprete toma a palavra "Altíssimo", que consta na continuação do versículo, e a refere aqui a este lugar. [...] E novamente, o parafrasta no texto: "Este Rei é nascido ali", dando a entender que é Salomão, como a maioria dos expositores concebe e compreende.

(3) Consideremos os aspectos espirituais e, sobretudo, as aptidões. "Este homem é nascido ali" (v. 4, KJV), ou seja, este homem religioso. Este homem é aquele que é mais apropriado e essencial a Sião para nascer ali. É aquele que faz a própria Sião no sentido em que a estamos considerando. É a mais alta perfeição e menção favorável de Sião. É para a grande honra da igreja o fato de ela formar homens para dignidades e aptidões como estas, algo que não acontece em nenhum outro lugar. Quanto aos outros lugares, talvez possam alcançar de vez em quando alguns outros princípios, os quais são igualmente muito gloriosos aos olhos do mundo — a moralidade, a civilidade, a engenhosidade e a brandura de comportamento. A escola do caráter e do bom-senso pode, às vezes, resumir-se nestes princípios e muito grande em medida. Mas agora subamos um pouco mais, ao quebrantamento de coração, à abnegação, ao amor aos inimigos para desembocarmos em Cristo, que é a estrutura e espírito do Evangelho. Eis algo encontrado em nenhuma parte, senão unicamente em Sião. Aqui está: "Este homem é nascido ali" (v. 4, KJV).

"Eis que da Filístia, e de Tiro, e da Etiópia, se dirá: Este homem é nascido ali" (KJV). Eis a mais excelente das ordenanças, e o poder e a força que estão impulsionando a igreja de Cristo. Pode operar tal alteração miraculosa como esta: trazer os homens das trevas para a luz, de Satanás para Deus, de um estado de pecado, corrupção e não regeneração para um estado de graça, santidade e regeneração, inclusive do mais baixo grau de um ao mais alto grau do outro. A maior das maravilhas é a Filístia transformar-se na Palestina, Tiro em Jerusalém, Etiópia na Judeia, por constituir-se a reconciliação destes dois termos opostos. A maior das maravilhas são os príncipes virem do Egito e a Etiópia estender as mãos para Deus, como está escrito em Salmos 68.31. A maior das maravilhas é o homem mudar de pele e o leopardo mudar de mancha (Jr 13.23), ou seja, este etíope tornar-se este cristão e que aquele que é nascido ali seja nascido aqui". — *Thomas Horton, "Zion's Birth-Register Unfolded in a Sermon to the Native Citizens of London" [A Certidão de Nascimento de Sião desdobrada em um Sermão aos Cidadãos Nativos de Londres], 1656*

vv. 4 a 6: Esta passagem descreve nações estrangeiras não como cativas ou tributárias, nem mesmo como prestadoras de homenagem voluntária à grandeza e glória de Sião, mas como verdadeiramente incorporadas e registradas por novo nascimento entre os filhos dela. Mesmo os piores inimigos do povo, os tiranos e opressores dos judeus, o Egito e a Babilônia, não são ameaçados com maldição, nem são levantados brados de alegria a perspectiva de serem destruídos. Pelo contrário, são-lhes oferecidos os privilégios da cidadania e são-lhes dadas as boas-vindas como irmãos. O próprio Deus recebe cada um como filho recém-nascido na família, reconhece cada um como filho e, de próprio punho, inscreve cada um no registro sagrado dos seus filhos. É a maneira de antever a união e fraternidade futuras de todas as nações da terra, não pela conquista, mas pela incorporação em um estado único e por direito de nascimento assim adquirido, fato que é tão extraordinário. Em alguns profetas, mais especialmente em Isaías, observamos a mesma linguagem liberal, conciliatória e inclusiva para os estados estrangeiros, como Tiro e Etiópia, e ainda mais notavelmente para o Egito e a Assíria (Is 19.22-25). Mas entre os escritos do Antigo Testamento, este salmo é a única referência que representa a união de nações como um novo nascimento na cidade de Deus. [...] É o primeiro anúncio da grande amizade entre as nações, ou mais exatamente, da cidadania comum e universal com a qual os filósofos pagãos sonharam. Era o que estava "na mente de Sócrates, quando ele se chamou de cidadão do mundo", e que se tornara lugar-comum da filosofia estoica. Era o que o judaísmo tentou realizar aceitando pelo batismo a entrada de prosélitos na comunidade judaica. Foi o que Roma realizou no que tange à semelhança externa, primeiro subjugando as nações e, depois, recebendo-as nos direitos da cidadania romana. Mas o verdadeiro cumprimento desta esperança só se dará no reino que Cristo estabeleceu. Ele reuniu na sua comunidade todos os reinos da terra. Fez os homens um, membros da mesma família, ensinando-os a perceber que todos são filhos do mesmo Pai. Evidenciou que a esperança do cantor judeu não é uma falsa esperança. Mostrou que há um Pai no céu que cuida de todos, seja qual for o nome que tenham. Assim, o salmo tem um cumprimento melhor e mais sublime que aquele que jaz na superfície das palavras. Cumpriu-se em Cristo. — *J. J. Stewart Perowne*

vv. 4 a 7: A ideia principal contida nos versículos 4-7 é a glorificação de Sião pelo recebimento dos gentios no rol dos seus cidadãos. Uma forma e organização bem definida desta ideia constitui o próprio núcleo do salmo: "Sião, a terra natal das nações". Esta ideia ocorre em cada um dos versículos 4-6, grupo este limitado por um selá antes e outro depois. — *E. W. Hengstenberg*

v. 5: "Este e aquele homem" (KJV). A palavra hebraica traduzida por "homem" é geralmente usada para referir-se a uma pessoa de eminência. Em hebraico, a expressão "este e aquele homem" (KJV) é simplesmente "um homem e um homem". Certos expositores pensam que esta expressão é usada como superlativo peculiar e significa "o mais eminente dos homens", até mesmo o Senhor Jesus Cristo, e opinam que Ele, na sua natureza divina, é o "Altíssimo" que "estabelecerá" a igreja. Não há dúvida de que Ele é a glória da igreja e do povo de Israel, mas a crucificação foi a maior desgraça imaginável para a própria Jerusalém. — *Thomas Scott*

v. 5: "Este e aquele homem" (KJV). É bom observarmos que a palavra hebraica traduzida por "homem" não é אָדָם (*'ādām*), o termo comum para dizer *homem*, mas אִישׁ (*'îsh*), que é normalmente empregado quando um nome é introduzido para ser designado com distinção e honra. Na realidade, há em hebraico três palavras para designar *homem* com significados variados: אָדָם (*'ādām*), a palavra comum; אִישׁ (*'îsh*), a palavra de excelência e honra; e אֱנוֹשׁ (*'ĕnôsh*), o homem no seu caráter frágil e inferior, como estando sujeito a infortúnio, desgraça e morte. A discriminação ilustrativa com que estas palavras são empregadas respectivamente dá a muitas passagens da Bíblia hebraica uma força e significação que não podem ser mantidas na tradução para uma língua que tenha apenas uma palavra para representar todos estes significados ou que não tenha palavra para dizer *homem*, senão uma que corresponda a *adam*, exceto a palavra "macho", no sentido de dignidade e força, que condiz em certa medida com *ish*. — *John Kitto, "The Pictorial Bible" [A Bíblia Pictórica]*

v. 6: "O Senhor, ao [quando] fazer descrição dos povos [בִּכְתוֹב עַמִּים, "registrar as várias nações" da terra], dirá [יְסַפֵּר, "registrará em um livro"]: Este é nascido ali [em Sião]" (cf. ARA). O salmista está descrevendo a consideração peculiar que Deus tem pelos habitantes de Jerusalém. Descreve-o figurativamente como alguém que mantém um registro de todas as nações da terra, assentando no registro cada um que era cidadão de Jerusalém. Desta forma, confere a cada um o direito ao seu favor e proteção distintivos. — *Samuel Chandler*

v. 6: "Este é nascido ali". Quando no último dia os fatos forem ligados aos seus princípios, muitas cenas ficarão em destaque, as quais agora são de pouca importância. Igrejas humildes provarão ter sido o local de nascimento, e palácios imponentes as sepulturas de muitas almas imortais, enquanto toda alma salva designará as suas fontes de glória ao Redentor, pela instrumentalidade daquela igreja, que ele ordenou. — *Edward Garrard Marsh*

v. 6: "Selá". O texto hebraico traz a palavra "selá", que Jerônimo traduziu por *semper* ("sempre"). A igreja, como noiva gloriosa no seu marido, sempre será tema de pregação. Coisas gloriosas se dirão dela e nela será continuamente cantada a glória inefável da graça eterna de Deus em Cristo, nosso Senhor. É assim que os judeus, em sua maioria, interpretam a palavra "selá" por "perpétuo". O fato é evidente nos epitáfios, até mesmo o epitáfio judaico em hebraico que há na cidade suíça de Basel: "A sua alma continua no paraíso. Amém, amém, amém para sempre e sempre". — *Urbanus Regius, 1489-1541, "The Solace of Sion" [O Consolo de Sião]*

v. 7: "os cantores e tocadores de instrumentos". A canção e música eram características proeminentes da adoração divina nos tempos de Davi. A questão é evidente pelos numerosos duzentos e oitenta e oito levitas que foram expressamente nomeados e o desempenho da música. Não menos de duzentos e cinquenta e cinco cantores e cantoras voltaram do exílio babilônico. [...] Os principais instrumentos usados pelos levitas eram, de acordo com os registros dos livros das Crônicas, címbalos, harpas e alaúdes. E de acordo com o título do Salmo 5, devemos acrescentar a flauta, que aparece frequentemente nos monumentos egípcios. — *Augustus F. Tholuck*

v. 7: "E os cantores e tocadores de instrumentos entoarão". "Pois todos os seus habitantes são músicos exímios", literalmente, "cantam como tocadores de flauta". Os hebreus, ao que parece, ultrapassavam todas as nações nas especialidades da poesia e da música. Todo cidadão sabia cantar e dançar. É a esta supremacia que o salmista alude. — *Alexander Geddes*

v. 7: "Todas as minhas fontes estão em ti". A palavra original מַעְיָנַי, que foi traduzida por "fontes", é usada em sentido figurado para denotar a posteridade de uma pessoa. É o que vemos em Provérbios 5.16: "Derramar-se-iam por fora as tuas fontes", ou seja, seria excessivamente numerosa a tua posteridade. O mesmo ocorre no texto sob estudo. Os habitantes de Jerusalém triunfariam e cantariam: "Todas as minhas fontes", todos os meus amigos, a minha família, os meus filhos estão em ti. São os teus cidadãos, desfrutam os privilégios gloriosos com os quais os abençoaste. Todos eles estão inseridos no registro de Deus e têm o direito à sua proteção e favor. Assim, há harmonia e conexão entre todas as partes desta ode, a qual penso ser muito clara e poética. — *Samuel Chandler*

v. 7: "Todas as minhas fontes estão em ti". Seja qual for o canal usado, Jesus é a fonte e fonte de cada gota de consolo. Jesus é o Deus de toda verdadeira consolação. Não está no poder dos anjos do céu dar a quem quer que seja uma gota de consolo. Nem podem todos os que estão na terra dar a você um tiquinho de consolo. Podem falar palavras de consolo, mas não podem fazer a alma receber consolo. Deus consola por eles (2 Co 7.6). Tito foi apenas o instrumento. Nas Escrituras, consolar é falar ao coração (Os 2.14). Quem pode falar ao coração senão aquEle que é o Senhor e comandante do coração? Deus colocou todo o óleo de gozo espiritual nas mãos de Jesus (Is 61.3), e somente Ele pode distribuí-lo. Quem quiser receber consolo tem de ir a Jesus. Todo aquele que recebeu o verdadeiro consolo tem que atribuí-lo a Jesus. "Todas as minhas fontes", diz a igreja, "estão em ti". — *Ralph Robinson*

v. 7: "Todas as minhas fontes estão em ti". As fontes prateadas da graça e as fontes douradas da glória estão nEle. — *Thomas Watson*

v. 7: "Fontes". O significado deste versículo não é claro, em parte, por causa da brevidade abrupta e, em parte, por causa da ambiguidade de uma palavra. A palavra "fontes" deve, acima de toda controvérsia, ser considerada metaforicamente, mas os intérpretes não são de acordo sobre a explicação da metáfora. Alguns entendem que denota *esperanças*, outros, *afetos* e outros, *pensamentos*. Se a expressão idiomática da língua permitisse, concordaria de boa vontade com a opinião dos que traduzem a palavra por "melodias" ou "canções". Mas, visto que a opinião poderia ser considerada insustentável pelo uso do termo hebraico, sou inclinado a adotar como mais adequado ao assunto em questão, a opinião que diz que "olhares" é a tradução certa, a raiz da palavra que significa "olho". É como se o salmista tivesse dito: Eu sempre estarei olhando ardentemente, por assim dizer, com os olhos fixos em ti. — *João Calvino v. 7:* "As minhas fontes".

Quer sejam canções ou melodias
Em ti estão todas as minhas fontes

Esta passagem não está clara na maioria das versões. Foi traduzida aqui com exatidão e, como espera o autor, com clareza. Como os gregos tinham as fontes piérides, a fonte de Aganipo dedicada às musas, Jerusalém também tinha, de certa forma, as suas fontes sagradas, as suas fontes de inspiração em um grau muito mais elevado. São a estas fontes que o bardo santo se refere nas passagens sob estudo, como faz Milton no seguinte trecho, que talvez tenha copiado desta passagem sálmica no discurso feito à "Musa Celeste":

Ou se o monte Sião
Te agrada mais ou a fonte de Siloé que fluía
Duramente pelo oráculo de Deus, eu por isso
Invoco a tua ajuda para a minha canção aventureira
— *John Mason Good*

v. 7: "Todas as minhas fontes". Adequadamente, citamos o desfrutável hino de Robert Robinson, que confundiu tantos, mas que contém primorosa alusão clássica a Hipocrene e ao monte Parnaso.

Fonte és tu de toda bênção
Vem o canto me inspirar
A misericórdia tua
Quero em alto som louvar
Oh, ensina o novo canto
Dos remidos lá dos céus
Ao teu servo e ao povo santo
Pra louvarmos-te, bom Deus!
— *C. H. S.*

SUGESTÕES AOS PREGADORES

vv. 1 a 3. (1) O fundamento de Sião: (a) É apenas um único: "Fundamento". (b) É de Deus: "O seu". (c) Está em conformidade com a santidade: "montes santos". (d) É composto dos propósitos eternos. (e) Está construído em princípios imutáveis. (f) Está situado em uma posição gloriosa. (2) A bênção desfrutada por Sião: (a) Deus "ama [...] as habitações de Jacó". Ele as guiou, alimentou, cuidou, iluminou e visitou. (b) Deus ama Sião "mais", e dá todas essas bênçãos de forma mais rica. (c) Há mais para amar. (d) As suas atividades são mais espirituais. (e) As suas canções e adoração são mais entusiásticas. (f) O seu testemunho é mais forte. (g) O seu conhecimento da verdade é mais claro. (h) A sua comunhão está em um nível mais celestial. Estejamos na igreja e a amemos. (3) A fama de Sião: "Coisas gloriosas se dizem": (a) Dela na história. (b) Nela pelo ministério. (c) A ela por Jesus. (d) Sobre ela na profecia. Eis um tema profícuo.

v. 3. A ideia do texto apresenta a igreja como a "cidade de Deus". Abordemos algumas "Coisas gloriosas" que se dizem dela: (1) Há coisas gloriosas a dizer concernente à construção da cidade: (a) O plano da construção. Nunca houve um plano tão perfeito, tão completo, tão maravilhoso pela beleza e grandeza. As portas, as paredes, os edifícios, as ruas, os monumentos, as fontes, os jardins unem-se para proclamá-la a obra-prima da habilidade. O Arquiteto foi aquEle que construiu os céus. (b) O local onde a cidade foi construída (v. 1). (c) A data da construção da cidade. Um halo e uma glória prendem-se, em caso como este, à grande antiguidade. Hoje faz muito tempo que a cidade foi construída. Já existia nos dias de Paulo: "Mas chegastes ao monte Sião, e à cidade do Deus vivo" (Hb 12.22). Davi estava bem familiarizado com ela: "Há um rio cujas correntes alegram a cidade de Deus" (Sl 46.4). Já existia antes do dilúvio. Noé, Enoque, Abel habitaram nela. É quase tão velha quanto a criação. (2) Há coisas gloriosas a dizer concernente às defesas da cidade. Tem sido sitiada logo que se tornou cidade, mas até agora não foi tomada: "Uma forte cidade temos, a quem Deus pôs a salvação por muros e antemuros" (Is 26.1). (3) Há coisas gloriosas a dizer concernente aos depósitos e suprimentos dos quais a cidade depende: (a) A qualidade excelente. (b) A abundância. (c) A fonte. (4) Há coisas gloriosas a dizer concernente ao Rei da cidade: (a) O nome. (b) A pessoa. (c) O caráter. (5) Há coisas gloriosas a dizer concernente aos cidadãos da cidade. — *Andrew Gray*

v. 3. Observemos que: (1) Uma cidade não é como uma flor, uma árvore ou uma planta, alguma coisa que nasce da terra, é nutrido por ela e depende totalmente dos seus nutrientes. É uma coisa artificial, construída pela sabedoria e levantada pelo poder, conforme foi projetada pela genialidade e premeditação. (2) Uma cidade na terra é geralmente cercada por muros. (3) Jerusalém (a mais célebre das cidades, da qual esta ilustração foi obviamente tirada) foi construída no cume de um monte, sendo um objeto extremamente distinto e belo. (4) Em uma cidade há vários edifícios e construções de diversas formas, materiais e valores. São ilustradas pelas diferentes denominações. (5) Uma cidade tem leis municipais. (6) Uma cidade tem comércio, negócio. (7) A figura, aplicada à igreja de Cristo, envolve a ideia de proteção, segurança e honra. (7) Há também a ideia de escassez. — *John Cumming, 1843*

v. 3. As coisas que se dizem da cidade de Deus: (1) Será a residência permanente e peculiar de Deus. (2) Será o cenário de privilégios e bênçãos aprazíveis. (3) Será investida com segurança absoluta e inviolável. (4) Possuirá renome e império por todo o mundo. (5) As suas instituições e existência serão aperfeiçoadas no estado celestial. — *James Parsons, 1839*

v. 4. "Este homem é nascido ali" (KJV): (1) Veja quem ele era: natural da "Filístia", pagão e inimigo de Deus. (2). Veja o que aconteceu: ele "é nascido ali", ou seja, nasceu de novo em Sião. (3) Veja em que ele se tornou: pelo novo nascimento homem livre e cidadão de Sião.

vv. 4 e 5. (1) Quais lugares de nascimento não são os mais honrosos? Raabe, Egito, Babilônia ou qualquer palácio ou reino terreno. (2) Qual lugar de nascimento é o mais honroso? "de Sião se dirá": (a) Porque é um nascimento mais nobre. É um nascer de novo do Espírito de Deus: "Este e aquele nasceram ali". (b) Porque é um lugar muito nobre. É a residência do Altíssimo e foi estabelecida para sempre: "E o mesmo Altíssimo a estabelecerá". (c) Porque resulta em posição e privilégios mais nobres. — *George Rogers*

vv. 4 a 7. (1) Sião gerará muitos grandes e bons homens (v. 4). (2) O interesse de Sião será estabelecido pelo poder divino (v. 5). (3) Os filhos de Sião serão registrados com honra (v. 6). (4) Os cânticos de Sião serão cantados com alegria e triunfo (v. 7). — *Matthew Henry*

vv. 4 a 7. (1) A declaração da excelência da igreja. (2) A promessa do aumento da igreja. — *James Scholefield, 1825*

v. 5. Os renomados homens da igreja de Deus: (1) Grandes guerreiros que lutaram com a tentação. (2) Grandes poetas cujas vidas eram salmos. (3) Grandes heróis que viveram e morreram por Jesus. (4) Grandes reis que tinham domínio próprio. Apóstolos, mártires, confessores, reformadores, homens renomados por virtudes que só a graça produz.

v. 5. "Este e aquele nasceram ali". A individualidade da verdadeira religião: (1) Cada homem peca por si mesmo. (2) Cada homem rejeita ou aceita o Salvador por si mesmo. (3) Cada homem será julgado individualmente. (4) Cada homem será salvo ou perdido individualmente.

Diante disso, a necessidade consequente da devoção pessoal: As tentações para negligenciá-la e os hábitos que a promovem.

v. 5. "e o mesmo Altíssimo a estabelecerá". A igreja estabelecida de Deus: (1) O cabeça da igreja. (2) A proteção da igreja. (3) O poder da igreja.

v. 6. (1) "O Senhor" fará o censo. (2) Ele "dirá" se o homem está ali por direito ou não. (3) Todo homem verdadeiramente nascido em Sião entrará no registro.

v. 6. (1) O tempo: "ao fazer descrição dos povos", quando todo o verdadeiro Israel for salvo. (2) O registro: "ao registrar os povos" (ARA), ou seja, o Senhor revisa e registra novamente os nomes no livro da vida do Cordeiro. Ele compara os chamados com os escolhidos. (3) O teste: (a) Os que estão em Sião ou têm os meios da graça. (b) Os que nasceram ali. (4) O completamento do número: "O Senhor [...] dirá". O número exato de pedras em um edifício perfeito e de membros em um corpo perfeito. Assim ocorre na igreja de Cristo. Todos perfazem a noiva. (5) A observação feita sobre cada um: "Este é nascido ali". Os homens caíram como um todo, mas são salvos individualmente. — *George Rogers*

v. 7. (1) Em Deus está a nossa alegria. (2) De Deus vem o nosso suprimento. (3) A Deus vai o nosso louvor.

v. 7. "Todas as minhas fontes estão em ti". Todas as fontes que estão em mim e todas as fontes que jorram para mim estão em meu Deus. Há "as fontes superiores e as fontes inferiores" (Js 15.19), o "manancial fechado" (Ct 4.12), as "nascentes" dos "vales" (Sl 104.10), a "água da rocha" (Is 48.21; cf. Êx 17.6) e outras. Mas todas estas fontes fluem do Senhor.

SALMO 88

TÍTULO

Cântico ou Salmo para os filhos de Corá. Esta triste queixa não se assemelha muito a um cântico, nem podemos imaginar como poderia ser chamado por um nome que indica um cântico de louvor ou triunfo; mas talvez seja chamado assim intencionalmente, para mostrar como a fé "também se gloria nas tribulações". Certamente, se já houve um cântico de tristeza e um salmo de tristeza, é este. Os filhos de Corá, que frequentemente se uniam em odes de alegria, agora são forçados a se encarregar deste triste hino, quase fúnebre. Os servos e os cantores não têm liberdade de escolha.

Ao regente do coro. Ele devia supervisionar os cantores e certificar-se de que realizassem bem o seu trabalho, pois a tristeza santa deve ser expressa com o mesmo cuidado e atenção que o mais alegre louvor; nada deve ser feito de modo descuidado na casa do Senhor. É mais difícil expressar tristeza de maneira apropriada que emitir notas de alegria.

Sobre Maalate Leanote. Isso é traduzido por Alexander, "a respeito de enfermidade angustiante", e se estiver correto, indica a enfermidade mental que ocasionou este cântico queixoso.

Masquil. Este termo apareceu muitas vezes antes, e o leitor irá recordar de que indica um salmo instrutivo ou didático: as tristezas de um santo são lições para outros; o ensinamento a partir das experiências é extremamente valioso.

De Hemã, o ezraíta. Isso, provavelmente, nos informa quanto à autoria do Salmo; foi escrito por Hemã, mas não é fácil determinar de qual Hemã se está falando, embora não resultasse em um erro muito sério se supuséssemos tratar-se do homem mencionado em 1 Reis 4.31, como o irmão de Etã, e um dos cinco filhos de Zerá (1 Cr 2.6), o filho de Judá, e por isso, chamado "o ezraíta": se for o mesmo indivíduo, ele era famoso por sua sabedoria, e o fato de que estivesse no Egito durante a época da opressão de Faraó pode ajudar a explicar a extrema seriedade de seu cântico, e a forma antiga de muitas das expressões, que são mais características de Jó que de Davi. Houve, no entanto, um Hemã nos tempos de Davi, que foi um dos componentes do grande trio de músicos, "Hemã,

Asafe e Etã" (1 Cr 15.19), e não se pode provar que este não fosse o compositor. Mas esta questão não é importante; quem quer que tenha escrito o Salmo, deve ter sido um homem de profunda experiência, que tinha passado pelas águas profundas da perturbação da alma.

TEMA E DIVISÃO

Este Salmo é fragmentado, e a única divisão que pode ter alguma utilidade para nós seria a sugerida por Albert Barnes, isto é, uma descrição dos sofrimentos do homem doente (vv. 1-9), e uma oração por misericórdia e libertação (vv. 10-18). Nós, no entanto, vamos considerar cada versículo separadamente, demonstrando melhor a incoerência da tristeza do autor. Será melhor que, antes de qualquer coisa, o leitor leia todo o Salmo.

EXPOSIÇÃO

1 *Senhor, Deus da minha salvação, diante de ti tenho clamado de dia e de noite.*
2 *Chegue a minha oração perante a tua face, inclina os teus ouvidos ao meu clamor.*
3 *Porque a minha alma está cheia de angústias, e a minha vida se aproxima da sepultura.*
4 *Já estou contado com os que descem à cova; estou como um homem sem forças,*
5 *posto entre os mortos; como os feridos de morte que jazem na sepultura, dos quais te não lembras mais; antes, os exclui a tua mão.*
6 *Puseste-me no mais profundo do abismo, em trevas e nas profundezas.*
7 *Sobre mim pesa a tua cólera; tu me abateste com todas as tuas ondas. (Selá)*
8 *Alongaste de mim os meus conhecidos e fizeste-me em extremo abominável para eles; estou fechado e não posso sair.*
9 *A minha vista desmaia por causa da aflição. Senhor, tenho clamado a ti todo o dia, tenho estendido para ti as minhas mãos.*
10 *Mostrarás tu maravilhas aos mortos, ou os mortos se levantarão e te louvarão? (Selá)*
11 *Será anunciada a tua benignidade na sepultura, ou a tua fidelidade na perdição?*
12 *Saber-se-ão as tuas maravilhas nas trevas, e a tua justiça na terra do esquecimento?*
13 *Eu, porém, Senhor, clamo a ti, e de madrugada te envio a minha oração.*
14 *Senhor, por que rejeitas a minha alma? Por que escondes de mim a tua face?*
15 *Estou aflito e prestes a morrer, desde a minha mocidade; quando sofro os teus terrores, fico perturbado.*
16 *A tua ardente indignação sobre mim vai passando; os teus terrores fazem-me perecer.*
17 *Como águas me rodeiam todo o dia; cercam-me todos juntos.*
18 *Afastaste para longe de mim amigos e companheiros; os meus íntimos amigos agora são trevas.*

1. *"Senhor, Deus da minha salvação."* Este é um título esperançoso com o qual tratar o Senhor, e é nEle que se encontra o único raio de luz consoladora que brilha por todo o Salmo. O autor tem a salvação, ele está certo dela, e Deus é o seu único Autor. Enquanto um indivíduo puder considerar Deus como seu Salvador, não haverá escuridão completa para ele. Enquanto o Deus vivo puder ser mencionado como a vida da nossa salvação, a nossa esperança não terá expirado. É uma das características da verdadeira fé o fato de que ela se volta para o Senhor, o Deus salvador, quando fica provado que todo o resto mente para ela.

"Diante de Ti tenho clamado de dia e de noite." A aflição do salmista não tinha apagado a chama da sua oração, mas a incitou a arder ainda mais, até que ardesse perpetuamente, como um forno, com fogo alto. A sua oração era pessoal — não importava quem não tivesse orado, ele o tinha feito; a oração era intensamente fervorosa, e por isto foi corretamente descrita como um clamor, como o das crianças,

quando desejam comover seus pais; e era incessante — nem o trabalho do dia nem o cansaço da noite a tinham silenciado; certamente, estas súplicas não poderiam ser em vão. Talvez, se a dor de Hemã não tivesse sido incessante, as suas súplicas pudessem ter sido intermitentes; é bom pensar que a doença não nos deixará descansar, se passarmos a nossa inquietude em oração. O dia e a noite, ambos são apropriados à oração; não é obra das trevas, portanto, vamos fazer como Daniel, e orar quando os homens podem nos ver; e, uma vez que a súplica não precisa de luz, vamos acompanhar Jacó e transpor o Jaboque, até o amanhecer. O mal é transformado em bem, quando nos incita à oração. Uma expressão do texto é merecedora de uma observação especial: "diante de ti" é uma indicação notável de que os clamores do salmista tinham um objetivo, e eram dirigidos ao Senhor, e não eram os meros clamores da natureza, mas os gemidos de um coração indulgente em relação ao Senhor, o Deus da salvação. Qual é a utilidade das flechas atiradas ao ar? A função do arqueiro é mirar bem o alvo que ele deseja atingir. As orações devem ser dirigidas ao céu com cuidado fervoroso. Assim pensava Hemã — os seus clamores eram destinados ao coração do seu Deus. Ele não se preocupava com os observadores, como se preocupavam os fariseus, mas todas as suas orações eram feitas diante do seu Deus.

2. *"Chegue a minha oração perante a tua face."* Em outras palavras, que a minha oração seja ouvida; que ela lhe fale, Senhor. Embora seja a minha oração, e por isto, muito imperfeita, não lhe negue a tua graciosa consideração.

"Inclina os teus ouvidos ao meu clamor." Não será música, exceto para o ouvido da misericórdia, mas, apesar disto, não se irrite com a sua dissonância, ainda que seja apenas um clamor, pois é a expressão mais natural da angústia da minha alma. Quando o meu coração falar, permita que os teus ouvidos ouçam. Pode haver obstáculos que impeçam o voo de nossas orações para o alto — devemos implorar que o Senhor os remova; e também pode haver ofensas que impeçam que o Senhor considere favoravelmente os nossos pedidos — devemos implorar que Ele remova estas ofensas do caminho. Aquele que orou dia e noite não pode suportar perder todo o seu esforço. Somente aqueles que são indiferentes na oração serão indiferentes quanto ao resultado da oração.

3. *"Porque a minha alma está cheia de angústias."* Estou cansado e enjoado delas. Como um vaso completamente cheio de vinagre, meu coração está cheio de adversidade, a ponto de transbordar. O salmista tinha a sua casa, e suas mãos, cheias de tristeza; mas, pior que isso, ele também tinha o coração cheio de tristeza. Um problema na alma é a alma do problema. Um pequeno problema na alma é doloroso; como será estar saciado de problemas? E como será muito pior se as suas orações retornarem vazias, quando a sua alma continua cheia de angústia.

"e a minha vida se aproxima da sepultura." Ele se sentia como se devesse morrer, e, na realidade, ele já se julgava meio morto. Toda a sua vida estava se esgotando, a sua vida espiritual em declínio, a sua vida mental decaindo, a vida do seu corpo esmorecendo; ele estava mais morto que vivo. Alguns de nós podemos passar por esta experiência, pois muitas vezes cruzamos este vale da sombra da morte, e ali permanecemos por muito tempo. Realmente, morrer e estar com Cristo será a alegria de um dia de festa, em comparação com a nossa infelicidade, se uma morte pior que a física tiver lançado a sua terrível sombra sobre nós. Receberão a morte como um alívio aqueles cujos espíritos deprimidos tiverem feito da sua existência uma morte em vida. É permitido que os homens bons sofram desta maneira? Na verdade, sim; e alguns deles passam toda a sua vida sujeitos à escravidão. Oh, Senhor, alegre-se em libertar os seus prisioneiros por intermédio da esperança! Não permita que nenhum dos seus pranteadores imagine que lhe acontece algo estranho, mas que ele se alegre, quando vir as pegadas de irmãos que já caminharam antes por este deserto.

4. *"Já estou contado com os que descem à cova."* A minha fraqueza é tão grande que sou considerado como morto, por mim mesmo e pelos outros. Se os que estão

comigo ainda não encomendaram o meu caixão, pelo menos conversaram sobre o meu sepulcro, discutiram as minhas propriedades e calcularam a sua parte na herança. Muitos homens foram sepultados antes de estar mortos, e o único lamento por eles é porque se recusaram a cumprir as grandes expectativas dos seus parentes hipócritas, descendo de uma vez à cova. Isso acontece com alguns crentes aflitos, cujos herdeiros famintos pensam que eles já viveram demais.

"Estou como um homem sem forças." Vivo apenas nominalmente; a minha constituição está se desfazendo; mal posso rastejar pelo meu quarto de enfermo, a minha mente está ainda mais fraca que o meu corpo, e a minha fé é a mais fraca de todas. Os filhos e as filhas da tristeza precisarão de poucas explicações sobre estas sentenças; elas já são tão conhecidas como palavras familiares.

5. *"Posto entre os mortos."* Desligado de tudo o que liga um ser humano à vida, familiarizado com a porta da morte, um liberto da cidade do sepulcro, eu não mais pareço pertencer ao trabalho da terra, mas começo a antecipar o descanso na sepultura. É uma situação triste quando a nossa única esperança está na direção da morte, a nossa única liberdade de espírito entre os horrores apropriados à corrupção.

"Como os feridos de morte que jazem na sepultura, dos quais te não lembras mais." O salmista se sentia como se tivesse sido completamente esquecido, como aqueles cujos cadáveres são deixados para apodrecer no campo de batalha. Assim como, quando um soldado, mortalmente ferido, sangra despercebido entre as pilhas de mortos, e, até o seu último suspiro, continua sem receber piedade e socorro, também Hemã entregou sua alma a mais solitária tristeza, sentindo-se como se o próprio Deus o tivesse esquecido. Quão baixo descem, às vezes, os espíritos de homens bons e corajosos. Sob a influência de certos distúrbios, tudo terá um aspecto sombrio, e o coração mergulhará nas profundezas da infelicidade. Aqueles que têm robusta saúde e são cheios de bom humor sempre culpam aqueles cujas vidas adoeceram, com o pálido brilho da melancolia; todavia o mal é tão real quanto uma ferida aberta, e ainda mais difícil de suportar, porque se concentra na região da alma, o que, para os inexperientes, parece ser uma mera questão de imaginação fantasiosa e doente. Prezado leitor, jamais ridicularize os apreensivos e hipocondríacos, pois a sua dor é verdadeira; ainda que grande parte do mal esteja na imaginação, ela não é imaginária.

"Antes, os exclui a tua mão." O pobre Hemã se sentia como se o próprio Deus o tivesse descartado, ferido e o tivesse colocado entre os corpos dos executados pela justiça divina. Ele lamentava que a mão do Senhor tivesse se estendido contra ele, e que tivesse sido separado do grande Autor da sua vida. Esta é a essência da amargura. Os golpes do homem são inúteis, mas os golpes de Deus são terríveis para um coração bondoso. Sentir-se completamente abandonado pelo Senhor e descartado como irrecuperavelmente corrupto é o clímax da desolação do coração.

6. *"Puseste-me no mais profundo do abismo, em trevas e nas profundezas."* Que coleção de metáforas convincentes, cada uma delas expressando a mais completa tristeza! Hemã comparou a sua condição infeliz com a prisão em um calabouço subterrâneo, ao confinamento nos domínios da morte, e a um mergulho no abismo. Nenhuma das analogias é forçada. A mente pode descer muito mais baixo que o corpo, pois existem abismos muito profundos. A carne consegue suportar somente determinada quantidade de feridas, e não mais do que isso, mas a alma pode sangrar de dez mil maneiras, e morrer novamente a cada hora. É triste, para o homem de bem, ver o Senhor que ama colocando-o no sepulcro do desalento; cobrindo-o de plantas, apagando todas as suas luzes e sobrecarregando-o de grandes quantidades de tristezas; o mal, vindo de uma mão tão boa, parece realmente mau, mas se a fé pudesse se manifestar, ela lembraria o espírito deprimido de que é melhor cair nas mãos do Senhor que nas mãos do homem; além disto, ela diria ao coração desanimado que Deus jamais colocou um José em uma cova, sem tirá-lo de lá novamente para colocá-lo em um trono: que Ele jamais fez que um horror de grande escuridão caísse sobre um Abraão sem revelar o seu concerto com ele; e jamais lançou um Jonas às profundezas sem preparar os

meios para colocá-lo novamente em segurança, em terra firme. Infelizmente, quando sob profunda depressão, a mente se esquece de tudo isso, e tem consciência apenas da sua indescritível infelicidade; o homem vê o leão, mas não o mel no seu corpo; ele sente os espinhos, mas não consegue sentir o aroma das rosas que os adornam. Aquele que agora expõe debilmente estas palavras conhece, no seu íntimo, mais que se preocupa em contar, ou ousa contar, sobre o abismo da angústia interior. Ele navegou pelo Cabo das Tormentas, e foi levado pelas águas, pelos terríveis promontórios do desespero. Ele gemeu com alguém gemeu, antes dele — "De noite, se me traspassam os meus ossos, e o mal que me corrói não descansa. Denegrido ando, mas não do sol. Sobrevieram-me pavores; como vento perseguem a minha honra" (Jó 30.17,28,15). Aqueles que conhecem a amargura por experiência própria serão solidários, mas de outros seria inútil esperar piedade, nem valeria a pena ter a sua piedade, ainda que pudesse ser obtida. É um consolo indescritível que o nosso Senhor Jesus conheça esta experiência, tendo sentido tudo isso, exceto o pecado, e mais que tudo, no Getsêmani, quando esteve extremamente entristecido, até a morte.

7. *"Sobre mim pesa a tua cólera."* Esta é uma terrível dificuldade, a pior em que um ser humano pode se encontrar. A ira é pesada, por si mesma; a ira de Deus é inimaginavelmente esmagadora, e quando ela pressiona, a alma realmente é oprimida. A ira de Deus é o inferno dos infernos, e quando ela se abate sobre a consciência, o homem sente um tormento que somente o espírito dos condenados pode exceder. Alegria ou paz, ou até mesmo o entorpecimento da indiferença... não haverá nada para aquele que estiver sobrecarregado com este fardo tremendo.

"Tu me abateste com todas as tuas ondas." O salmista retrata a ira de Deus como arrebentando sobre si mesmo, como as ondas do mar, que crescem, e se enfurecem e se arremessam com fúria sobre a praia. Como esta embarcação frágil pode esperar sobreviver a estas ondas cruéis, brancas, como os dentes famintos da morte? Os mares da aflição parecem se precipitar sobre ele, com toda a força da onipotência; Hemã se sentiu oprimido e aflito, como Israel no Egito, quando clamavam por causa de suas aflições. A ele, parecia impossível sofrer mais; Hemã tinha esgotado os métodos da adversidade e tinha suportado todas as suas ondas. Nós teríamos imaginado a mesma coisa, e, no entanto, não era realmente tão ruim. O pior caso pode ser ainda pior, há alívios para cada lamento; Deus tem outras ondas, mais terríveis, que, se Ele decidir liberar, nos varrerão ao abismo infernal, de onde a esperança já foi banida há muito tempo.

"Selá." Era necessário descansar. Sobre as ondas, o nadador levanta a sua cabeça e olha à sua volta, respirando por um momento, até que venha a próxima onda. Até mesmo o lamento deve ter as suas pausas. As noites são divididas em vigílias, e assim, até os lamentos têm seus intervalos. Uma música muito pesarosa é um grande esforço, tanto para as vozes quanto para os instrumentos, e é bom dar aos cantores o alívio do silêncio, durante um momento.

8. *"Alongaste de mim os meus conhecidos."* Se alguma vez nós precisarmos de amigos, será na hora sombria do desânimo e na ocasião esgotante da doença física; por isso se queixa o sofredor, porque a divina providência tinha removido os seus amigos. Talvez a sua doença fosse infecciosa ou degenerativa, de modo que ele estava separado, pela Lei, de seus companheiros; ou talvez os temores de seus companheiros os mantivessem afastados desta casa atingidos pela praga; ou talvez o seu bom nome tivesse ficado tão maculado que as pessoas naturalmente o evitassem. Muitos amigos precisam de apenas pequenas desculpas para dar as costas aos aflitos. As andorinhas não apresentam nenhuma desculpa quando nos deixam sozinhos no inverno. Mas é uma dor pungente a que resulta do abandono de amigos queridos; é uma ferida que infecciona e se recusa a ser curada.

"E fizeste-me em extremo abominável para eles." Os amigos se afastaram, como se ele tivesse se tornado repulsivo e contagioso, e por causa de algo que o Senhor lhe tinha feito; por isto, Hemã traz a sua queixa ao motivo principal de suas dificuldades. Aquele que ainda é adulado pelas companhias de seu prazer mal pode imaginar

a desgraça que lhe aconteceria se ficasse pobre, ou se fosse acusado de maneira difamatória, pois os parasitas da sua prosperidade, um por um, seguiriam seu caminho e o deixaram com o seu destino, não sem observações penetrantes para aumentar-lhe a infelicidade. Os homens não têm o mesmo poder para abençoar pela amizade como para amaldiçoar pela traição. Os venenos da terra são mais mortais que os seus remédios são curativos. Os homens que se reúnem ao redor de um homem e o adulam são como leopardos adestrados; quando lambem a mão deste homem, é bom que ele se lembre de que com igual entusiasmo beberiam o seu sangue. "Maldito o homem que confia no homem".

"Estou fechado e não posso sair." Ele era um prisioneiro no seu quarto, e se sentia como um leproso no leprosário, ou um criminoso condenado em sua cela. A sua mente também estava aprisionada com correntes de ferro; Hemã não tinha nenhuma esperança de liberdade, não podia ter nenhum êxtase de alegria. Quando Deus afasta nossos amigos, e nos deixa, para nos consumirmos sozinhos, não é de admirar se nós molharmos o sofá com nossas lágrimas.

9. *"A minha vista desmaia por causa da aflição."* Ele chora incessantemente. Ele esvaziou as glândulas lacrimais, desgastou a sua própria visão. As lágrimas abundantes são uma bênção, e operam o nosso bem; mas quando excessivas, elas se tornam destrutivas e ofensivas.

"Senhor, tenho clamado a ti todo o dia." As suas lágrimas molharam suas orações, mas não umedeceram seu fervor. Ele ainda orava, embora não lhe viesse nenhuma resposta para enxugar seus olhos. Nada pode fazer com que um verdadeiro crente deixe de orar; a oração é parte da sua natureza.

"Tenho estendido para ti as minhas mãos." Ele usou a postura apropriada de um suplicante, por sua própria vontade; os homens não precisam de alguém que lhes ajude a criar uma postura, nem um mestre de cerimônias, quando estão ansiosamente implorando por misericórdia — a natureza lhes sugere atitudes que são naturais e também corretas. Da mesma maneira como uma criancinha estende seus braços para a sua mãe, quando chora, também este filho aflito estende os braços para Deus. Ele orou, seus olhos choraram, sua voz clamou, suas mãos se estenderam, e seu coração estava partido. Isso foi, verdadeiramente, uma oração.

10. *"Mostrarás tu maravilhas aos mortos?"* Para que, então, permitir que eu morra? Enquanto eu viver, tu podes exibir em mim as glórias da tua graça, mas quando eu tiver passado para a terra desconhecida, como poderás demonstrar em mim o teu amor? Se eu perecer, tu perderás um adorador, que reverenciava e, com as suas próprias experiências, exemplificava, as maravilhas do teu caráter e dos teus atos. Esta é uma boa súplica, e por isso, Hemã a repete.

"Os mortos se levantarão e te louvarão?" Ele está pensando apenas no presente, e não no último grande dia, e insiste que o Senhor terá uma pessoa a menos para louvá-lo entre os filhos dos homens. As sombras não participam dos coros que cantam aos domingos, os sepulcros e catacumbas não enviam notas de ação de graças. É verdade, as almas dos santos que já morreram dão glórias a Deus, mas os pensamentos do salmista deprimido não chegam ao céu, mas examinam o sepulcro sombrio: ele fica deste lado da eternidade, onde, no sepulcro, não se vê maravilhas, e não se ouve cânticos.

"Selá." À beira da sepultura, Hemã se senta para meditar, e então retorna ao seu tema.

11. *"Será anunciada a tua benignidade na sepultura?"* A tua terna bondade — quem poderá testemunhá-la naquela fria morada onde os vermes e a corrupção se revolvem? Os vivos podem escrever "Meditações entre os sepulcros", mas os mortos nada sabem, e por isso, nada podem declarar.

"Ou a tua fidelidade na perdição?" Se o Senhor permitisse que o seu servo morresse antes que a promessa divina se cumprisse, seria praticamente impossível que a sua fidelidade fosse proclamada. O poeta está tratando apenas da sua vida, e considerando a questão do ponto de vista que o tempo e a raça atual dos homens permitiam; se um crente fosse abandonado e morresse em desespero, não haveria

voz que saísse do seu sepulcro, para informar à humanidade que o Senhor tinha corrigido os erros deste crente, e o tinha aliviado de suas tentações, nenhum cântico subiria da terra fria, como hino à verdade e à bondade do Senhor; mas no que diz respeito aos homens, uma voz que amasse exaltar a graça de Deus seria silenciada, e uma testemunha amorosa do Senhor seria removida da esfera dos testemunhos.

12. *"Saber-se-ão as tuas maravilhas nas trevas?"* Se não lhe fosse permitido provar a bondade do Senhor, como o cantor o faria, na terra das trevas e da sombra da morte? A sua língua, quando convertida em um monte de terra, poderia encantar o ouvido frio e estúpido da morte? Não é um cão vivo melhor que um leão morto, e um crente vivo mais valioso à causa de Deus na terra que todos os mortos reunidos?

"E a tua justiça na terra do esquecimento?" O que poderá ser dito, a teu respeito, na terra do esquecimento? Onde a lembrança e o amor foram perdidos, e os homens são todos, da mesma forma, sem conhecimento e desconhecidos, sem lembrança e esquecidos, que testemunho pode haver, da santidade divina? Toda a argumentação se resume a isto — se o crente morrer sem a benção, como a honra de Deus poderá ser preservada? Quem dará testemunho da sua verdade e justiça?

13. *"Eu, porém, Senhor, clamo a ti."* Continuo a orar, pedindo ajuda a ti, ó Senhor, o Deus vivo, embora tu tardes tanto em me atender. Um verdadeiro filho de Deus pode ser conhecido, pela sua constância em clamar; um hipócrita é excelente em uma explosão, mas o crente genuíno aguenta, até que ganhe a sua causa.

"E de madrugada te envio a minha oração." Ele desejava continuar suplicando, e aumentando o seu fervor. Ele pretendia levantar-se muito cedo, antes da luz do dia, e começar a orar antes do nascer do sol. Se o Senhor se alegra em tardar, Ele tem o direito de fazer como quiser, mas nós não devemos, por isso, tardar em nossas súplicas. Se nós esperamos que o Senhor tarde a respeito da sua promessa, nós devemos apenas ser mais ansiosos para ser mais rápidos que Ele, para que a preguiça pecaminosa no nosso caminho não impeça a bênção.

"Que orações e hinos santos
perfumem o ar da manhã;
antes que o mundo se escureça em fumaça,
motive a tua alma a orar.
Enquanto as flores estão molhadas com o orvalho,
lamente os teus pecados entre lágrimas,
e antes que o sol brilhe outra vez,
conte ao teu Senhor os teus temores."

14. *"Senhor, por que rejeitas a minha alma?"* Não me escolheste anteriormente, agora me rejeitas? Os teus eleitos se tornam teus reprovados? Como os homens mutáveis, tu dás uma carta de divórcio àqueles que o teu amor desposou? Podem os teus amados se tornar teus extirpados?

"Por que escondes de mim a tua face?" Não desejas sequer olhar para mim? Não podes me dar um sorriso solitário? Por que esta severidade, com alguém que, em dias melhores, se deleitava à luz da tua benevolência? Nós podemos fazer estas perguntas ao Senhor, ou melhor, nós deveríamos fazer isso. Não por familiaridade indevida, mas com santa coragem. Pode nos ajudar a remover o mal que provoca o Senhor, implorarmos seriamente a Ele que nos mostre por que luta conosco. Deus não pode agir contra nós, de nenhuma maneira além da sua maneira correta e graciosa; portanto, para cada golpe da sua vara há suficiente razão no juízo do seu coração amoroso; devemos tentar aprender esta razão, e nos beneficiarmos dela.

15. *"Estou aflito e prestes a morrer, desde a minha mocidade."* A sua aflição agora durava tanto tempo, que Hemã mal conseguia se lembrar de quando tinha começado; parecia que tinha estado às portas da morte, desde que era uma criança. Não há dúvida de que isso era um exagero de um espírito deprimido, mas talvez ele tivesse nascido sob os ciprestes, e tivesse estado todos os seus dias afligido com alguma

doença crônica ou enfermidade física; há homens e mulheres santos, cujas vidas são um longo aprendizado de paciência, e estas pessoas merecem tanto a nossa simpatia quanto a nossa reverência — nossa reverência, nos arriscamos a dizer, pois como o Salvador se tornou familiarizado com a tristeza, ela se tornou honrosa aos olhos dos crentes. Uma doença de uma vida inteira pode, pela graça divina, provar ser uma bênção de uma vida inteira. É melhor sofrer da infância até a velhice que estar liberado para encontrar prazer no pecado.

"Quando sofro os teus terrores, fico perturbado." O costume não suavizou o golpe da tristeza, os terrores de Deus não perderam o seu horror; na verdade, eles se tornaram mais esmagadores e levaram o homem ao desespero. Ele era incapaz de reunir seus pensamentos, tão agitado, que não conseguia julgar e avaliar a sua própria condição de uma maneira calma e racional. Somente a doença distrai a mente; e quando é acrescentada uma percepção da ira divina, não é de se admirar se a razão julgar difícil controlar as rédeas. Agradeçam a Deus, ó vocês, tentados, que ainda conservam a sua razão! Embora nós tenhamos estado sobre a rocha da distração completa, nós bendizemos o Timoneiro, infinitamente gracioso, porque a embarcação ainda está em condições de navegar, e responde ao seu leme: agitada pelas tempestades, desde que saiu ao mar até agora, ainda assim ela monta as ondas e desafia os furacões.

16. "A tua ardente indignação sobre mim vai passando." Que expressão, "ardente indignação", e é um homem de Deus que a sente! Nós buscamos uma explicação? A ele, parecia que sim, mas "as coisas não são o que parecem". Nenhuma ira punitiva jamais cai sobre aquele que é salvo, pois Jesus o protege de tudo; mas a ira de um pai pode cair sobre o seu filho mais amado, apesar do seu amor pelo filho, mas principalmente porque o pai o ama. Uma vez que Jesus carregou a minha culpa, como meu substituto, o meu Juiz não pode me punir, mas o meu Pai pode e irá me corrigir. Neste sentido, o Pai pode até mesmo manifestar uma "ardente indignação" contra o seu filho errante, e, ao senti-la, este querido filho perturbado pode ficar estendido no chão e ser coberto com infelicidade, e, no entanto, por tudo isto, ele poderá ser aceito e amado pelo Senhor, durante todo o tempo. Hemã representa a ira de Deus irrompendo sobre ele, como as ondas sobre um navio destroçado.

"Os teus terrores fazem-me perecer." Eles me tornaram um homem marcado, e fizeram com que eu me sentisse como um leproso, separado da congregação do teu povo, e fizeram com que outras pessoas me considerassem como praticamente morto. Bendito seja Deus, esta é a ideia do sofredor, e não a verdade, pois o Senhor jamais extirpará ou expulsará o seu povo, mas visitará os seus, que sofrem, com alívios selecionados.

17. *"Como águas me rodeiam todo o dia."* Os meus problemas, e os teus castigos, foram derramados sobre mim, penetrando por todas as partes, e inundando tudo. Tal é o poder penetrante e impregnante da aflição espiritual, não há como escapar dela; ela inunda a alma como o orvalho; ela suga o espírito como a areia movediça engole a embarcação; ela o subjuga, como o dilúvio submergiu a erva verde.

"Cercam-me todos juntos." As tristezas o rodeavam. Ele estava como o veado na caçada, quando os cães estão à sua volta e no seu encalço. Pobre alma! E, no entanto, era um homem muito amado pelo céu!

18. *"Companheiros e amigos afastaste de mim."* Mesmo quando estão próximos fisicamente, são tão incapazes de nadar comigo nestas águas profundas, que ficam como homens distantes na praia, enquanto sou golpeado pelas ondas; mas, ai, eles me evitam, os mais amorosos estão temerosos desta pessoa, tão perturbada, e aqueles que se aconselhavam comigo, agora me evitam! O Senhor Jesus conheceu o significado disto, em toda a sua amargura, durante a sua paixão. Em terrível solidão, Ele pisou o lagar, e todas as suas vestes ficaram manchadas com o sangue rubro destas uvas amargas. A tristeza na solidão não é a sorte de poucos; que eles não se queixem, mas entrem em íntima comunhão com aquele amigo mais querido, que jamais está longe dos seus, em tentação.

"os meus íntimos amigos agora são trevas." Estou familiarizado somente com a tristeza, todo o resto desapareceu. Sou uma criança chorando sozinha, na escuridão. O Pai celestial deixará o seu filho ali? Aqui, ele se interrompe, e qualquer outra coisa que disséssemos somente arruinaria a brusquidão do fim inesperado.

[Nós não tentamos interpretar este Salmo a respeito do nosso Senhor, mas cremos, plenamente, que onde estiverem os membros, a Cabeça deve ser considerada com proeminência. Apresentar uma exposição dupla, para cada versículo, teria sido difícil e confuso; por isso, deixamos as referências messiânicas para serem destacadas nas notas, onde, o Deus Espírito Santo se comprazendo em ilustrar a página, teremos mais que o suficiente para conduzir cada leitor devoto a contemplar Jesus, o homem de dores, e experimentado nos trabalhos.]

NOTAS EXPLICATIVAS E DECLARAÇÕES SINGULARES

Título: "Maalate Leanote". Inclino-me à ideia de que as palavras *Maalate Leanote* tencionam indicar algum instrumento musical do tipo plangente, e nesta opinião concordam plenamente Kimchi e outros autores judeus. Eles afirmam que era um instrumento de sopro, correspondendo, em grande parte, à flauta, e empregado principalmente para expressar sentimentos de tristeza, em ocasiões de grande pesar e lamentação. Com esta interpretação para o título, eu não deveria procurar nenhuma nova tradução, mas deveria simplesmente entendê-lo como nossos tradutores: "Salmo ou cântico dos filhos de Corá, ao que concedeu a vitória, para *Maalate Leanote,* indicação de Hemã, o ezraíta". — *John Morison*

Título: "Leanote" é traduzido de variadas maneiras, conforme derive de עָנָה (*'ānâ*), *sofrer, ser afligido,* ou de עָנָה (*'ānâ*), *cantar, entoar.* Gesenius, De Wette, Dr. Davies, e outros adotam a última perspectiva; ao passo que Mudge, Hengstenberg, Alexander, e outros são adeptos da primeira. Mudge traduz, *criar depressão;* Alexander traduz, *maalate leanote, doença aflitiva e preocupante;* Hengstenberg traduz, *na aflição da opressão.* A Septuaginta (ἀποκριθῆναι) e a Vulgata *(respondendum)* indicam um cântico *de resposta,* e Houbigant traduz as palavras em questão como *para os coros, para que possam responder.* Muitos etimologistas consideram a ideia básica de עָנָה (*'ānâ*), cantar, e não de responder. Sendo o tom do salmo em questão, no entanto, decididamente o tom de *tristeza e depressão,* parece mais provável que *leanote* indique a característica estritamente triste da sua interpretação, e o título, então, pode ser "Um salmo ou cântico, dos filhos de Corá, ao regente do coro, para flautas [ou instrumentos de sopro], para afligir [ou provocar angústia], um salmo didático de Hemã, o ezraíta" — *F. G. Hibbard, The Psalms chronologically arranged, with Historical Introductions, Nova York,1856*

Título: A explicação: a ser interpretado como lamentação, com voz baixa, está de acordo com o conteúdo angustiado, cujo tom é ainda mais sombrio que o do Salmo 77. — *De "The Psalms [Os Salmos], de C. B. Moll". [Série de Comentários de Lange]*

Título: "Hemã". 1. Davi não foi o único homem familiarizado com o triste exercício e aflição de espírito, pois aqui está outro, a saber, Hemã, o ezraíta, com tão profunda perturbação no espírito como Davi, ou qualquer outro. 2. Não são apenas os homens de mente fraca e inteligência escassa que estão familiarizados com a perturbação de espírito, e são derrubados com a percepção da ira de Deus; pois aqui está Hemã, um dos homens mais sábios de todo o Israel (e a ninguém, inferior em sabedoria, com exceção apenas de Salomão), sob a mais pesada aflição que podemos imaginar possível para um santo. 3. Quando agrada a Deus instruir e treinar um homem de grandes dons e graças, Ele pode tornar a carga deste homem proporcional à sua resistência, e dar-lhe a capacidade para lidar com as dificuldades a que o submete, tanto quanto um homem mais fraco terá no seu exercício, como deu a entender a experiência de Hemã. 4. Os homens sábios, em meio à sua aflição, devem seguir o mesmo curso que os mais simples homens; isto é, eles devem correr para Deus, como correm os outros, e procurar alívio somente na sua graça, pois Ele, enquanto distribui as medidas de angústia, também pode dar consolo, tranquilidade, e libertação das aflições, como a experiência de Hemã nos ensina. 5. Há perturbações que ferem o espírito, e que alguns dos filhos de Deus sentiram em tempos antigos; outros queridos de Deus podem encontrar perturbações semelhantes em eras posteriores, e todos os homens devem estar preparados para elas, e não devem julgá-las estranhas, quando surgirem, mas devem se consolar com o fato de que outros santos, cujos nomes estão registrados nas Escrituras, estiveram sob aflições semelhantes; pois o salmo é recomendado para "dar instrução"; é um "Masquil, de Hemã". 6. Aquilo que, em determinada ocasião, é motivo de lamentação para um dos filhos de Deus, pode se tornar motivo de alegria e cântico posteriormente, tanto para si mesmo quanto a outros, assim como esta triste angústia de espírito de Hemã se torna cântico de alegria para a glória de Deus, e o consolo de todas as almas aflitas, que se esforçam sob a sensação do pecado, e que sentiram a ira de Deus, até o fim do mundo; é "Um salmo, um cântico dos filhos de Corá". 7. Aqueles que estão mais aflitos em espírito, e que correm em direção a Deus em busca de reconciliação e consolação, por intermédio de Cristo, não têm razão para suspeitar que não são estimados e amados como filhos queridos, por sentirem tanto a ira de Deus; pois aqui está um santo que bebeu deste cálice (tão profundamente quanto qualquer pessoa que leia este salmo), aqui está uma pessoa que foi muito amada e honrada por Deus, a ponto de ser um dos escritores das Sagradas Escrituras, e um padrão de fé e paciência para outros; e é Hemã, o ezraíta. — *David Dickson*

Todo o Salmo: "Neste salmo, nós temos a voz do nosso Redentor sofredor", diz Horne; e o conteúdo pode ser declarado, em poucas palavras, da seguinte maneira:

1. O lamento queixoso do que sofre (vv. 1, 2). É muito semelhante ao Salmo 22.1,2.

2. A tristeza extrema da sua alma, a ponto de morrer (vv. 3-5). A palavra *"posto"* na nossa versão é חָפְשִׁי e indica separação dos outros, e aqui é traduzida, por Junius e Tremellius, "separado da convivência e comunicação com os homens, não tendo nada em comum com eles, como aqueles que são acometidos de lepra, e são enviados a moradas separadas". Eles citam 2 Crônicas 26.21.

3. Os seus sentimentos com relação ao inferno (vv. 6,7). Pois ele sente a prisão de Deus e a tristeza do furor mais sombrio de Deus. E "Selá" lhe dá tempo para refletir.

4. Seus sentimentos de vergonha e desamparo (v. 8.), "Os seus já não o recebem".

5. Os resultados da agonia da alma no seu corpo (v. 9).

6. A sua submissão ao Senhor (v. 9). É o mesmo tom do Getsêmani, "Todavia, não se faça a minha vontade!"

7. A esperança consoladora da ressurreição, versículo 10 (com uma pausa solene, "Selá"), 11, 12. A "terra do esquecimento", e "as trevas", expressam o mundo invisível, que, para aqueles que estão deste lado do vale, é totalmente desconhecido, e onde aqueles que nele entram são, para nós, como se tivessem sido esquecidos para sempre por aqueles que foram deixados para trás. As maravilhas de Deus serão dadas a conhecer ali. Naquele lugar será obtida a vitória sobre a morte e a sepultura: A "benignidade" de Deus para com o homem, e a sua "fidelidade" pedem que Ele faça esta coisa nova no universo. O Messias deve retornar das moradas do estado invisível; e, no tempo devido, Hemã, assim como todos os outros membros do corpo do Messias, também deverão retornar. Sim, as maravilhas de Deus serão conhecidas, à entrada da sepultura. A justiça de Deus, ao propiciar o que satisfizesse a justiça, em nome dos membros do Messias, foi manifesta de maneira gloriosa, para que venha a ressurreição, e a terra do esquecimento deverá desistir de seus mortos. Oh, manhã de bênção excelente, apresse-se! O Messias ressuscitou; quando ressuscitarão todos os que são seus? Até o amanhecer desse dia, eles deverão aceitar as repreensões queixosas da Cabeça, e lembrar ao seu Deus, por intermédio das dificuldades de Hemã, o que Ele ainda realizará. "Mostrarás tu maravilhas aos mortos?"

8. A sua perseverança em veemente oração (vv. 13,14).

9. Os seus infortúnios, múltiplos e de longa duração (vv. 15-17).

10. A sua solidão de alma (v. 18). Hengstenberg traduz mais literalmente a última frase deste versículo — "O reino sombrio dos mortos está no lugar de todos os meus companheiros". Que melancolia indescritível! E completada por esta última sombra — toda a simpatia, de todas as partes, completamente retirada! Realmente, desesperador! Afundando, de melancolia em melancolia, de uma profundeza a outra, e todas as ondas vindo por cima dele, e a ira, como uma tremenda montanha, "pesando" ou descansando o seu peso no verme esmagado. Nem mesmo o Salmo 22 é mais terrivelmente exaltado, pois há, neste Salmo profundamente melancólico, um único vislumbre de alegria, em meio à intensa melancolia, e este vislumbre é a ressurreição esperada, mas ainda à distância. A este preço, a salvação foi comprada por aquEle que é a ressurreição e a vida. Ele mesmo lutou, pela vida e ressurreição, em nosso nome — e este preço pago é a razão pela qual, para nós, a salvação é gratuita. E assim, nós ouvimos, com solene alegria, a harpa de Judá tocada por Hemã, para comover as nossas almas, não com as suas próprias tristezas, mas com o que Horsley chama de "A lamentação do Messias", ou de maneira mais abrangente, The sorrowful days and nights of the Man of Sorrows [Os tristes dias e noites do Homem de Dores]. — *Andrew A. Bonar*

Todo o Salmo: Este cântico é o único, em todo o livro de Salmos, cujo tom é a melancolia sem alívio, a tristeza desesperançada. Mesmo os mais tristes dos outros Salmos, e as próprias Lamentações, admitem algumas variações de atmosfera, alguns esforços de esperança; somente neste Salmo, há somente melancolia, até o final. — *Neale e Littledale*

Todo o Salmo: A profecia no Salmo anterior, sobre a conversão de todas as nações, é seguida por este Salmo de Paixão, para que jamais nos esqueçamos de que Deus comprou, para si mesmo, uma igreja universal, com o sangue precioso do seu Filho amado. — *Christopher Wordsworth*

Todo o Salmo: Toda a infelicidade e tristeza que são descritas neste Salmo, diz Brentius, foram a sorte do povo de Deus. Nós podemos, portanto, interpretar o Salmo, acrescen ta ele, como sendo comum a Cristo e à sua igreja. — *W. Wilson*

v. 1: "Minha." Esta pequena palavra, "minha" abre, por um momento, um espaço por entre as nuvens, pelo qual o Sol da justiça lança um único raio solitário. De modo geral, você perceberá que, se o Salmo começa, com lamentação, ele termina com louvor; como o sol que, erguendo-se entre nuvens e névoa, se põe esplendoroso, e lança seus raios de despedida pouco antes de se pôr. Mas aqui, o primeiro raio é disparado pelo céu quando o sol se levanta, e tão logo o raio aparece, as nuvens espessas e as trevas se reúnem ao redor dele; o sol continua o seu curso, por todo o dia, envolto em nuvens; e se põe, por fim, em um conjunto mais espesso de nuvens do que houve durante todo o dia. "Afastaste para longe de mim amigos e companheiros; os meus íntimos amigos agora são trevas". Em que nuvem escura o sol de Hemã se põe! — *J. C. Philpot*

v. 1: "Diante de ti." Ele não tinha derramado incessantemente as suas queixas, nem as tinha lançado ao vento, como desejam fazer muitos que não têm esperança em suas calamidades; mas ele sempre tinha mesclado suas queixas com orações, pedindo para obter libertação, e tinha se dirigido a Deus, pois a fé lhe assegurava que as suas orações seriam ouvidas outra vez. Isso deve ser observado com atenção, uma vez que nisto se vê que tipo de queixosos são os santos. — *Mollerus*

v. 1: "Diante de ti." Outros homens buscam algum esconderijo onde possam murmurar contra Deus, mas o salmista vem à presença do Senhor e declara as suas angústias. Quando um homem tem coragem de derramar as suas queixas diante do Senhor, os seus lamentos são reais, e não o resultado de petulância ou de um espírito rebelde. — *C. H. S*

vv. 1 e 2: "Diante de ti." Não procurando ser visto pelos olhos humanos, mas apenas por Deus, por esta razão "chegue a minha oração perante a tua face", isto é, que ela seja aceitável diante de ti, da mesma maneira como embaixadores são admitidos em audiência; e depois de ter sido aceita a minha oração, "inclina os teus ouvidos ao meu clamor", porque tu ouves os desejos dos aflitos. — *Richardus Hampolus*

v. 2: "Inclina os teus ouvidos." É necessário que Deus incline os seus ouvidos à nossa oração, para que comparecer diante dEle não seja em vão. O pródigo não se arriscou a apresentar sua oração antes que o pai corresse e o abraçasse e o beijasse. Pois então, ele disse (Lc 15.21): "Pai, pequei contra o céu e perante ti", e assim obteve misericórdia. Ester não apresentou a sua oração a Assuero antes que ele descesse do seu trono e se inclinasse a ela (Et 5.2). — *Le Blanc*

v. 3: "A minha alma está cheia de angústias". O Senhor Jesus se esvaziou de glória, para que pudesse ser cheio de angústias. A sua alma, que estava livre do pecado humano, estava cheia de angústias humanas, para que nós, que estamos cheios do pecado, pudéssemos estar livres de angústias; a sua vida se aproximou dos terrores do mundo invisível, para que não fôssemos os seus despojos e presas. — *"Plain Commentary"*

v. 3: "A minha alma está cheia de angústias." Ouça em que profundezas de aflições espirituais três valiosos servos de Deus, nos últimos tempos, mergulharam, pressionados sob a sensação da ira de Deus, por causa do pecado. A abençoada Sra. Brettergh, sobre o leito de morte, estava terrivelmente rodeada pelas angústias; a própria angústia do inferno se apossou da sua alma; um deserto de lamentações havia dentro dela. Sra. Brettergh disse que o seu pecado a tinha tornado uma presa de Satanás; e ela desejou jamais ter nascido, ou que tivesse sido criada como qualquer outra criatura, e não como mulher. Ela clamou muitas vezes, ai, ai; ai; uma mulher fraca, triste, infeliz, abandonada; com lágrimas que corriam continuamente dos seus olhos. O Sr. Peacock, este homem de Deus, na sua terrível visitação e abandono, relatando alguns pecados menores, explodiu com estas palavras: "E por estes", diz ele, "sinto agora um inferno em minha consciência". Em outras ocasiões ele clamou, gemendo de maneira lastimosa, "Oh, miserável que sou! Ou, meu coração é infeliz! Oh, oh, infeliz e miserável! O peso do meu pecado é tão grande sobre mim, creio que romperá meu coração. Oh, como é triste e infeliz a minha condição, sou caçado por cérberos!" Quando curiosos lhe perguntavam se ele orava, respondia, "Eu não consigo". Permita que nós oremos por você, diziam. E ele respondia, "Não tomem o nome de Deus em vão, orando por um condenado".

Não há palavras capazes de expressar, disse Foxe, as dores angustiosas, os tormentos terríveis, o calor do fogo do inferno que aquele bendito santo de Deus, John Glover, sentia interiormente no seu espírito. Quando jovem, disse ele, me lembro de ter estado uma ou duas vezes com ele, e pude perceber, por suas palavras, e ver, com meus olhos, que ele estava tão desgastado e consumido pelo período de cinco anos, que praticamente nenhuma tolerância a alimento, nenhuma tranquilidade no sono, nenhum prazer na vida, e quase nenhum tipo de percepção restava nele. Preocupado com alguma reincidência, ele estava tão perplexo, que se tivesse estado na mais profunda cova do inferno, praticamente não conseguiria mais se preocupar com a sua salvação; estava em angústias mentais intoleráveis, disse ele, que embora não tivesse, nem pudesse ter qualquer alegria na sua alimentação, era obrigado a comer contra a sua vontade, com a finalidade de adiar o momento da sua condenação pelo máximo que pudesse; pensando consigo mesmo, que ele precisaria ser lançado ao inferno, tão logo a vida tivesse deixado o seu corpo. Eu não ouso passar deste ponto, para que nenhum filho de Deus se sinta desencorajado, antes de dizer a vocês que cada um destes três foi, por fim, abençoadamente recuperado, e se levantou gloriosamente de suas várias profundezas de desgraça espiritual extrema, antes do seu fim.

Ouça, portanto, os cânticos e arrebatamentos triunfantes da Sra. Brettergh, depois do retorno do seu bem-amado: "Oh, Senhor Jesus, tu intercedes por mim? Oh, bendito e doce Salvador, que maravilha! Quão maravilhosas são as tuas misericórdias! Oh, o teu amor é indescritível, tu lidaste tão graciosamente comigo! Oh, meu Senhor e meu Deus, bendito seja o teu nome para sempre, que me mostrou o caminho da vida. Tu, oh Senhor, escondeste tua face, por algum tempo, mas com eterna misericórdia mostraste que tinhas compaixão de mim. E agora, bendito Senhor, é chegada a tua consoladora presença; sim, Senhor, tu tiveste respeito pela tua serva, e vieste com plenitude de alegria e abundância de consolação. Oh, bendito seja o teu nome, meu Senhor e meu Deus. Oh, as alegrias que sinto na minha alma! São maravilhosas! Oh, Pai, quão misericordioso e maravilhosamente gracioso tu és para mim! Sim, Senhor, sinto a tua misericórdia e tenho certeza do teu amor; e tenho tanta certeza disto, como tu és o Deus da verdade, e ainda mais certeza tenho de que sou tua, Oh Senhor, meu Deus, e isso a minha alma o sabe muito bem. Bendito seja o Senhor que assim me consolou, e me trouxe agora a um lugar que é mais doce para mim que o jardim do Éden. Oh, a alegria, a deliciosa alegria que eu sinto! Oh, louvo o Senhor pelas suas misericórdias, e por esta alegria que minha alma sente tão bem; louvado seja o seu nome para sempre.

Ouça com que calma celestial e doce consolação o coração do Sr. Peacock foi revigorado e arrebatado, depois de terminada a tempestade: "Verdadeiramente, meu coração e minha alma", disse ele (depois de terminada a tempestade) "foram conduzidos e profundamente perturbados por tentações, e ferroadas de consciência, mas agradeço a Deus porque estão tranquilizados. Por isso, desejo que não seja marcado com o sinal de um expulso ou reprovado. Renuncio a estas questões, oposições e a tudo o que tenda a isso. A respeito de minhas palavras imprudentes na minha tentação, humildemente e sinceramente peço misericórdia a Deus, por todas elas". Posteriormente, pouco a pouco, seu coração se tornou mais iluminado, e ele se expressou em discursos como este: "Deus seja louvado; sinto um grande consolo com isso; como o chamarei?" "Agonia", disse alguém que estava por perto. "Não", disse ele, "isso é pouco; se eu tivesse quinhentos mundos, eles não poderiam me proporcionar tamanha satisfação. Oh, o mar não é mais cheio de água, nem o sol de luz, que o Senhor de misericórdia; sim, as suas misericórdias são dez mil vezes mais. Que grande motivo tenho para exaltar a grande bondade de Deus, que humilhou um miserável canalha, que estava em tão infame condição, a uma posição tão gloriosa e imponente. O Senhor me honrou com a sua bondade! Tenho certeza de que Ele propiciou um reino glorioso para mim. A alegria que sinto em meu coração é incrível". Quanto ao terceiro (especificamente, John Glover), ouça o Sr. Foxe: "Embora este bom servo de Deus tenha sofrido muitos anos tentações muito fortes, e fortes golpes de Satanás; ainda assim, o Senhor, que graciosamente o preservou o tempo todo, não somente o livrou, por fim, de todo o desconforto, mas também o designou para tal mortificação na vida, a ponto de nada semelhante já ter sido visto; é como se ele já tivesse sido colocado no céu, estando então morto neste mundo, tanto em palavras quanto em meditação; como se levasse uma vida completamente celestial, abominando em sua mente tudo o que é profano. — *Robert Bolton (1752–1631), em "Instructions for a right Comforting afflicted Conscientes"*

v. 3: "Minha vida". A palavra hebraica traduzida como vida está no plural, como em Gênesis 2.7; 3.14, 17; 6.17; 7.15. O motivo pelo qual o plural foi usado como aplicável à vida não pode ser conhecido com certeza. Pode ter sido pelo fato do homem ter dois tipos de vida — a vida animal, ou a vida em comum com a criação inferior; e a vida intelectual, ou a vida superior — que é a vida da alma. Aqui, o significado é que ele estava prestes a morrer; ou que a sua vida ou as suas vidas se aproximavam daquele estado em que a sepultura se fecha sobre nós; a extinção da vida meramente animal; e a separação da alma — a parte imortal — do corpo. — *Albert Barnes*

v. 3: "Da sepultura". A palavra traduzida como "inferno" na tradução do Livro de Orações [Prayer Book], e como "sepultura" na versão da Bíblia, e que normalmente é traduzida como inferno ou sepultura, é, no hebraico, שְׁאוֹל, e em grego, "Hades".

"Hades" significa "o mundo invisível". A palavra "Seol" é, literalmente, "o Devorador, ou o Insaciável". (Compare Habacuque 2.5, "que não se contém, que alarga como o sepulcro o seu desejo e, como a morte, que não se farta"; e também Provérbios 30.15,16.) "Seol" parece ter se apresentado ao entendimento dos antigos hebreus como uma morada sombria, silenciosa, inevitável e misteriosa, situada no interior da terra, para onde as almas dos mortos eram levadas para correção e para residir, depois de separadas dos corpos. (Is 14.9-20). Eles acreditavam que os espíritos de todos os seres humanos ficavam ali, em um estado de espera, e ali residiram especialmente as almas dos gigantes, antes do dilúvio (1 Pe 3.19,20), e dos gigantes de antigamente, os refains, que eram retratados como aterrorizantes e gigantescos (compare Provérbios 3.18). Estas ideias foram modificadas e desenvolvidas com a crescente clareza do ensinamento divino; e eles dividiram a morada dos mortos em diferentes estados de esperança e consolo, que chamaram de seio de Abraão e paraíso (Lc 16.22,23; 23.43); e de infelicidade e sofrimento (Sabedoria 3.1). A vida e a imortalidade foram reveladas pelo Salvador, e também o Juízo e o Inferno — o Geena da punição eterna, distinguido do Mundo Invisível. (Compare Apocalipse 20.13,14.) Com base nestas especulações dos rabinos judeus a respeito do Seol, a igreja de Roma parece ter desenvolvido a doutrina do Purgatório. Deve-se acrescentar que havia uma opinião muito aceita entre os seguidores do ensinamento rabínico, de que toda a semente de Abraão, embora fosse habitar no Seol antes da ressurreição geral, finalmente escaparia ao Geena do fogo eterno. O homem rico (Lc 16.24) está no Hades, atormentado, quando clama a Abraão, seu pai. — *"Plain Commentary"*

v. 4: "Já estou contado com os que descem à cova". Não apenas eu mesmo, diz ele, mas outros também agora perdem a esperança com a minha vida, e me incluem com aqueles cujos cadáveres são levados para o sepultamento. Pois agora todas as minhas forças me abandonam e meus sinais vitais se esgotam. Ele usa a palavra גֶּבֶר, que indica fortaleza mais que אָדָם ou אִישׁ, para mostrar quão grande era a gravidade destes males, e a veemência de suas angústias, que tinham arrasado muitos homens robustos. — *Mollerus*

v. 4: "Já estou contado com os que descem à cova". Depois das angústias da alma de Cristo, são mencionadas a infelicidade e a ignomínia às quais Ele se submeteu: AquEle que era a fonte da imortalidade, cuja vida ninguém poderia tirar, que em um momento teria ordenado doze legiões de anjos para seu auxílio, ou teria feito com que o céu e a terra, proferindo uma palavra, desaparecessem diante dEle, foi contado entre aqueles que desceriam à sepultura; Ele morreu, aparentemente, como o resto da humanidade; na verdade, Ele foi morto forçosamente, como um malfeitor; e pareceu, nas mãos de seus executores, um homem que não tinha forças,nem poder, para poder se salvar. A sua força vinha dEle mesmo; Ele ficou fraco, como qualquer outro homem. As pessoas menearam as cabeças com reprovação, dizendo, Ele "salvou os outros e a si mesmo não pode salvar-se". — *Samuel Burder*

v. 4: No original, há uma antítese, que não pode ser transmitida por mera tradução, e que se origina do fato de que a primeira palavra para homem é uma palavra que sugere força. — *J. A. Alexander*

v. 5: "Posto entre os mortos". No versículo anterior, o salmista tinha dito que estava muito próximo da morte, agora ele está claramente morto; ali, ele estava prestes a ser sepultado, aqui ele é posto na sepultura; desta maneira seus sofrimentos aumentaram. Posto deve ser interpretado como livre dos assuntos desta vida, como quando está escrito, Jó 3.19, "E o servo fica livre de seu senhor". — *Martin Bucer, 1491–1551*

v. 5: "Posto entre os mortos." בַּמֵּתִים חָפְשִׁי (*bammētîm ḥopshî*). Prefiro pensar que signifique despido entre os mortos. Tanto o versículo 4 como o 5 parecem se referir a um campo de batalha: os mortos e os feridos são encontrados, espalhados pelo campo; os saqueadores aparecem, e despem, não somente os mortos mas também aqueles que parecem estar mortalmente feridos e não poderão se recuperar, e estão

tão fracos que não serão capazes de resistir. Consequentemente, diz o salmista, "estou como um homem sem forças" (v. 4). — *Adam Clarke*

v. 5: "Posto". Não há imunidade, enquanto estivermos na carne, não há trégua, mas uma constante inquietude nos perturba. A liberdade, portanto, nos é dada após a morte, porque descansamos dos nossos esforços. — *Franciscus Vatablus*

v. 5: "Antes, os exclui a tua mão". Cuidado com a maneira como você se considera excluído da vida e dos benefícios; você não está excluído, apenas separado, deixado de lado, poderá ser por um período, ou por toda a vida; mas você ainda será parte do corpo do qual Cristo é a Cabeça. Alguns devem sofrer e outros devem servir, mas cada um é necessário para o outro, "todo o corpo, bem ajustado e ligado pelo auxílio de todas as juntas", "o olho não pode dizer à mão: Não tenho necessidade de ti; nem ainda a cabeça, aos pés: Não tenho necessidade de vós"; Efésios 4.16; 1 Coríntios 12.21. Os seus pés podem ser velozes; eles podiam correr com grande velocidade, e você se entristece agora, porque eles não podem mais correr. Mas não se entristeça assim, não inveje os que correm; você tem uma obra a realizar; poderá ser a obra da cabeça, ou do olho, mas certamente será a obra que Deus lhe dará para realizar. Pode ser a obra de ficar imóvel, de não mover mãos nem pés, de falar com dificuldade, de demonstrar vida. Não tema; se Ele, o seu Mestre celestial, deu esta obra a você, a obra é dEle, e Ele a abençoará. Não se aflija. Não diga, Isto é obra, e isto não o é, como você sabe disto? Qual obra, em sua opinião, Daniel fazia na cova dos leões? Ou Sadraque, Mesaque e Abede-Nego, no forno de fogo ardente? A sua obra foi "gloriosa, louvável e honrosa", eles glorificaram a Deus no sofrimento. — *De "Sickness, its Trials and Blessings". [Anon.] 1868*

v. 6: "Puseste-me no mais profundo do abismo". Ele expande o que quer dizer, com outra comparação. Pois ele se compara a um cativo que tinha sido lançado a uma cova profunda, sombria e lamacenta, onde fica encerrado e mergulhado em sujeira e trevas, não tendo mais esperança nem vida; como foram os sofrimentos de Jeremias, capítulo 37. Com esta comparação, ele quer dizer, que estava na maior das ansiedades e angústias de mente, destituído de toda esperança e senso de consolação, e que os terrores da morte cresciam e aumentavam continuamente. — *Mollerus*

v. 6: Quando um santo está sob terríveis impressões da ira infinita do Senhor, não pode evitar grande horror de consciência, e não pode deixar de estar em profunda perturbação mental. A sensação que ele tinha da ira vingadora ocasiona um conflito em seu espírito, inexpressivamente agonizante e terrível. Quando a sua consciência perturbada se exalta, com a sensação da ardente indignação do Deus Todo-Poderoso, quanto mais ele pensa em Deus como seu inimigo infinito, mais desanima; cada pensamento sobre Ele lhe traz sentimentos tristes, e derrama óleo sobre a chama ardente. A perturbação pela consciência do pecado é verdadeiramente muito inquietante; mas a sensação da ira vingativa de Deus, aninhada na consciência, é ainda mais terrível. Não há palavras para expressar a medonha angústia, que a alma desconsolada sente, então. O cristão não consegue, neste momento, ter sequer um pensamento tranquilizador, ou encorajador. O primeiro pensamento que ele tem atormenta o seu espírito ferido; ele passa a outro pensamento, que o atormenta ainda mais. Ele se encontra enredado, como no meio de uma mata de espinhos; de modo que, para qualquer lado que volte, ele é perfurado e novamente se angustia. Este pensamento desanimado frequentemente surge na sua mente perturbada — o pensamento de que, se a morte, na sua condição atual, o surpreendesse e o extirpasse, ele afundaria para todo o sempre, sob a ira insuportável do Senhor infinito. O tormento mais cortante do corpo é praticamente nada, em comparação com a angústia do seu espírito, nestas ocasiões. Oh! Quão inconcebível é a angústia, a agonia, especialmente de uma alma santa, quando em conflito com a tremenda ira do Deus eterno! A tortura física, até mesmo a crucificação, não conseguiu extrair do santo Jesus o menor suspiro ou a menor queixa; mas a sensação da ira do seu Pai na sua alma, arrancou dEle aquele clamor doloroso: "Deus meu, Deus meu, por que me desamparaste?" — *John Colquhoun, em "A Treatise on Spiritual Comfort", 1814*

v. 7: "Sobre mim pesa a tua cólera". Outros interpretam se mantém, ou se sustenta sobre mim, o que é como se um gigante, com todo o seu povo, se colocasse sobre uma criança. — *Thomas Goodwin*

v. 7: Há aqueles que sentem a ira de Deus sobre suas almas e consciências, e no entanto, não estão sob a ira, mas são verdadeiros santos de Deus. Temos exemplos em Paulo, aquele instrumento escolhido de Deus, para levar o nome de Jesus entre os gentios — ele tinha por fora combates, temores por dentro. Hemã, o ezraíta, disse: 'As ondas da indignação do Senhor passam sobre a minha cabeça, provavelmente irão me afogar; desde a minha mocidade sofro terrores e dúvidas, de modo que nunca consigo me libertar deles'. E tanto Paulo como Hemã eram filhos amados de Deus. Agora, se você não sente nada, exceto raiva, e realmente se pergunta como irá avaliar o seu estado, quando estiver sentindo tanta cólera, sim, uma ira tão grande que, para contrabalançá-la, seria necessário colocar toda a areia do mar, e ela ainda penderia a balança... e quando você sente tal fogo na sua consciência, que, colocando ferro e bronze neste fogo, ele os derreteria, pois eles não o suportariam... como, então, você saberá, neste caso, que é amado por Deus, e que Ele lhe escolheu para a vida eterna? Eu lhe digo que se você é um filho escolhido de Deus, e um recipiente da misericórdia, e quando estiver sob uma sensação de ira como esta você não estará desfrutando as bênçãos que estão à sua disposição. Em primeiro lugar, você irá odiar e detestar o seu pecado, que é o motivo da sua infelicidade, e que lhe trouxe a esta dor. Em segundo lugar, você sentirá dor e tristeza pelo seu pecado, e irá lamentar, por ter provocado a ira de Deus contra si. Em terceiro lugar, você terá o desejo de se reconciliar com Deus, e ficará alegremente em paz com Ele, para que os seus pecados possam ser tirados, e assim não estejam mais diante dos olhos dEle. Em quarto lugar, haverá fome e sede de que o sangue de Cristo apague esta ira, e de que a sua justiça envolva a sua alma. Em quinto lugar, haverá uma espera paciente pela libertação do Senhor, e quando você não conseguir esta persuasão, então haverá esperança sobre esperança, e você poderá dizer, com Jó (13.15): 'Senhor, confio em ti, ainda que me mates'. — *John Welch*

v. 8: Há ocasiões em que uma tristeza indescritível se infiltra em mim, uma solidão imensa se apossa de minha alma, um anseio, talvez, por alguma mão ou voz desaparecida, para me consolar, como antigamente, uma desolação sem forma e vazia, que me envolve e escurece o meu íntimo. Não foi assim, nos primeiros dias da minha enfermidade. Então, tudo era tão novo e estranho, que uma estranha força espiritual enchia a minha alma e parecia me sustentar com mãos angelicais. O amor e a bondade que a minha enfermidade pedia me vieram com uma doce surpresa; a terna preocupação tornou a minha própria dor em um motivo de alegria para mim; e a esperança era forte, e a recuperação estava próxima — somente tardaria algumas curtas semanas para que a minha saúde retornasse, sem que permanecesse nenhum resquício da enfermidade, exceto a lembrança de todo aquele amor e solidariedade, como uma linha de luz que os pés do meu Salvador tinham deixado, quando Ele andava comigo pelo mar turbulento.

Mas agora que a esperança está atrasada, e a recuperação da saúde parece estar perdendo tempo no caminho, e a recuperação tarda, e a provação se estende como uma corrente sem fim, a minha alma começa a desanimar e se cansar, e a carga fica cada vez mais pesada. Mesmo para aqueles que mais me amam, a minha dor e o meu desamparo são agora uma coisa familiar, ao passo que, para mim, conservam a sua afiada lâmina de sofrimento, apenas um pouco menos eficaz pelo uso. Para eles, a minha doença é uma história repetida e maçante que vem com certa repetição tediosa. Já ficou quase óbvio que fui excluído do plano agradável, que no caminhar agradável fui deixado para trás; ficou óbvio que os prazeres da vida passaram por mim com a mão fechada e o rosto voltado para o outro lado; e que a doença, os dias monótonos e as sombras acinzentadas seriam a minha porção...

E oh, meu Deus, o meu espírito, às vezes, desfalece sob um terror anônimo de que esta solidão ficará cada vez mais profunda, se for a tua vontade que a minha doença continue, ou que a recuperação tarde muito tempo. Eu não mais posso estar na companhia das pessoas que amo; será que serei tão querido para eles como se tivesse sido conservado ao seu lado e tivesse estado ligado a todos os seus interesses e prazeres ativos? Tenho que ver outras pessoas assumindo o meu lugar, e fazendo o meu trabalho para o seu próprio proveito? Sofrerei perdas aos olhos deles, e outros participarão da herança de amor que deveria ter sido minha? Eles não se cansarão de mim, não se cansarão das mesmas enfermidades antigas, frequentemente repetidas, e que jamais são novas, e não procurarão, com um inconsciente sentimento de alívio, corações mais leves e vidas mais alegres?

Meu Deus, meu Deus, a quem posso me voltar, em busca de consolo, se não a ti, tu que bebeste todo o cálice amargo da solidão humana para que pudesses fazer-te irmão dos solitários, um misericordioso e fiel Sumo Sacerdote para a alma desolada; tu, que és o único que pode entrar, estando as portas fechadas a todo auxílio humano, naquele lugar secreto do trovão, onde a alma, agitada pela tempestade, sofre e luta sozinha; tu, que és o único que pode comandar os ventos e as tempestades, e dizer ao mar, "Cala-te", e ao vento, "Aquieta-te"! E haverá uma grande tranquilidade. Como uma criança sozinha na escuridão, meu coração clama por ti, clama pelo teu abraço, pela tua voz de consolo, pelo teu coração ferido onde repousar a minha cabeça dolorida, e sentir que o Amor está próximo. — *De "Christ the Consoler. A Book of Comfort for the Sick". [Anon.] 1872*

v. 8: "Alongaste de mim os meus conhecidos". Esta tempestade de aflições é ainda mais pesada, porque, em primeiro lugar, todos os meus conhecidos se afastaram de mim, como andorinhas no inverno (Pv 14.20). O pobre é odiado até mesmo pelo seu próprio vizinho, mas o rico tem muitos amigos. Sêneca adverte, sabiamente: As moscas seguem o mel; os lobos, os cadáveres; as formigas, a comida; as multidões seguem o pagamento, e não o homem. Jó disse: Ele "pôs longe de mim a meus irmãos, e os que me conhecem deveras me estranharam. Os meus parentes me deixaram, e os meus conhecidos se esqueceram de mim" (Jó 19.13,14). Em segundo lugar, não apenas as pessoas frequentemente se afastam dos aflitos, mas aumentam o seu problema e precipitam o declínio da sua sorte. Um rico que começa a cair é apoiado por seus amigos; mas um pobre que está caindo, é descartado por aqueles que antes fingiam amá-lo. — *Le Blanc*

v. 8: "E fizeste-me em extremo abominável para eles", literalmente,"abominações", como se eu fosse um grande conjunto de abominações (Gn 46.34; 43.32). Assim como Israel foi uma abominação para os egípcios, também o Messias, o antítipo de Israel, foi uma abominação para o mundo. — *A. R. Fausset*

v. 8: "Abominável". Como alguém que é impuro — excluído das relações sociais (Gn 46.34). Compare com Jó 9.31; 19.19; 30.10. "Não posso sair". O homem suspeito de ter lepra era "encerrado por sete dias" (Lv 13.4). — *William Kay.*

v. 9: "A minha vista desmaia"... "tenho clamado". O pranto não deve ser um obstáculo à oração; nós devemos semear em lágrimas: "Os meus olhos choram", mas "Eu clamo por ti todos os dias". Que as orações e as lágrimas andem juntas, e serão aceitas juntas: "Ouvi a tua oração e vi as tuas lágrimas". — *Matthew Henry.*

v. 9: A primeira frase parece indicar, literalmente, a visão fraca e obscurecida, causada pelo chorar excessivo, e assim é interpretada por muitos dos comentaristas, e Lorinus, apropriadamente, cita um poeta latino, Catullus, como exemplo:

Moesta neque assiduo tabescere lumina fleto Cessarent.

Nem meus olhos tristes podiam parar de consumir-se com constantes lágrimas. — *Comentário de Neale*

v. 10: Hemã garantiu, a si mesmo, que Deus não deixaria de consolá-lo, antes da sua morte; e, novamente, que o Senhor preferiria ressuscitá-lo milagrosamente dos mortos a não glorificar a si mesmo com a sua libertação: e nisto, também, ele toma um caminho seguro, pois procura o que pode esperar, de uma maneira comum, julgando que, em tal situação, não é necessário esperar milagres. — *David Dickson*

v.10: "Os mortos se levantarão e te louvarão?" Longe de ser um argumento contra a ressurreição, o fato de que, de outra maneira, os homens seriam privados da salvação, e Deus, do louvor que os redimidos oferecerão por toda a eternidade, esta é a justificativa mais poderosa do Messias para ela. Não podes mostrar maravilhas aos mortos desta maneira; pois "Deus não é Deus dos mortos, mas dos vivos" (Mt 22.32.) Ou, se desejares mostrar tuas maravilhas, somente pela ressurreição deles à vida eles poderão louvar-te devidamente por elas. — *A. R. Fausset*

v. 10: "Os mortos". A palavra se origina de uma raiz que expressa o que é fraco e lânguido, e, ao mesmo tempo, estendido por muito tempo, e, de igual maneira, pode ser usada para descrever as formas sombrias do submundo, como também os gigantes e heróis da antiguidade. — Carl Bernhard Moll, em Commentary, de Lange.

v. 10: "Os mortos". Uma consideração atenta parece deixar pouco lugar para dúvidas de que os mortos eram chamados refains (como também indica Genesius) com base em alguma noção de que o Seol era a morada dos espíritos caídos ou gigantes sepultados. — *F. W. Farrar, em Dictionary of the Bible, de Smith*

vv. 10 e 11: A minha alma pode pensar que viverei na tua benevolência, na tua graça e na tua benignidade, que serei justificado por isso, que me entenderei como um homem vivo, e que todos os meus pecados serão perdoados? Fazer isso, diz ele, é uma maravilha tão grande como ressuscitar um homem, trazendo-o da morte para a vida; por isso, ele usa a expressão, "Mostrarás tu maravilhas aos mortos?" Ele chama isso de maravilha; pois, entre todas as obras, você perceberá nas Escrituras que a ressurreição dos mortos é considerada a maior maravilha.

A frase no versículo 10, como a Septuaginta a traduz, é excessivamente enfática. Ele diz, "Mostrarás tu maravilhas aos mortos?" ou os médicos se levantarão e te louvarão?"Assim eles o interpretaram, e assim alguns bons especialistas em hebraico também o interpretam; isto é, Deus convocou todos os médicos, todos os anjos do céu, todos os ministros e profetas habilidosos que havia sobre a terra, Gade e Davi, pois ele viveu nos tempos de Davi; convocou a todos. Todos estes médicos podem vir com seus unguentos e bálsamos; eles jamais me curarão, jamais curarão a minha alma, jamais me devolverão à vida, somente tu podes me ressuscitar; pois estou "posto entre os mortos", diz Hemã. Para que a fé opere em uma pessoa que se encontra nessa situação — para que esta pobre alma, estando assim morta, saia de si mesma, e com uma fé pura e nua se dirija somente a Jesus Cristo, AquEle que Deus ressuscitou dos mortos, e que creia somente nEle — é realmente necessário um grande poder... sim, tão grande quanto o poder que é necessário para ressuscitar um homem, levando-o da morte à vida. — *Thomas Goodwin*

vv. 10 a 12: Nestes versículos, encontramos menção a quatro coisas, por parte de Deus: "maravilhas", "benignidade", "fidelidade" e "justiça". Estes eram quatro atributos do bendito Senhor, e os olhos do abençoado Hemã tinham sido abertos para vê-los, e o seu coração tinha sido transformado para senti-los. Mas ele vem, por meio de ensinamento divino, a um ponto onde estes atributos parecem estar completamente perdidos para ele; no entanto (tão misteriosos são os caminhos de Deus!) este ponto era o mesmo local onde estes atributos eram mais veementemente exibidos, e foram dados a conhecer de maneira mais profunda e mais experimental à sua alma.

O Senhor conduziu o cego de tal maneira que ele não conheceu estes locais de experiências, para que neles se sentisse mais completamente aberto ÀquEle cujos atributos ele já tinha vislumbrado; mas o Senhor o trouxe de maneira tão misteriosa, que todo o seu conhecimento anterior ficou desnorteado. Por isso, ele propõe esta pergunta ao Senhor: como era possível que, nestes locais onde ele estava agora, estes atributos pudessem ser exibidos ou dados a conhecer?

v. 10: Ele começa — "Mostrarás tu maravilhas aos mortos?" Ele está falando, aqui, da sua própria experiência; ele é aquela pessoa "morta" a quem estas "maravilhas" devem ser mostradas. E estando nesta situação de experiência, Hemã considerou que cada ato de misericórdia exibida a ele, na situação em que se encontrava então, devia ser uma "maravilha". "Os mortos se levantarão e te louvarão?" Ora! A alma sombria, tola, fria, estéril, desamparada, que não consegue levantar sequer um dedo, que não consegue proferir uma palavra espiritual, que não consegue expressar um desejo de graça, que não consegue erguer-se da massa que a pressiona para baixo — Ela se levantará? E, mais do que isso, te louvará? Como? Pode a lamentação ser convertida em louvor? Pode a lamentação ser convertida em ação de graças? Pode o que lamenta clamar e cantar? Oh, é uma maravilha das maravilhas, se os mortos se levantarem, se os mortos te louvarem; se os mortos se levantarem, em seus próprios pés, e gritarem vitória, por intermédio do teu sangue! — *J. C.Philpot*

v. 11: "Na sepultura". Aqui está uma imagem assombrosa de como uma alma vivente se sente sob as manifestações das profundas corrupções de seu coração. Todas as suas boas palavras, antes tão apreciadas; e todas as suas boas obras, antes tão valorizadas; e todas as suas orações, e toda a sua fé, e esperança, e amor, e toda a imaginação do seu coração, não estão meramente paralisadas e mortas, nem meramente reduzidas a uma condição de total impotência e desamparo, mas também, no sentimento da alma, convertidas em podridão e corrupção. Quando nós sentirmos isso, nós seremos levados, espiritualmente, à condição em que Hemã se encontrava, quando disse: "Será anunciada a tua benignidade na sepultura?" Como? Tu manifestarás o teu amor a um cadáver que apodrece? Como? O teu amor será transmitido a um coração cheio de poluição e putrefação? A tua benignidade sairá do teu glorioso santuário, onde tu estás no teu trono, em majestade, e santidade, e pureza — ela deixará esta morada eterna de inefável luz e glória, e entrará na "sepultura" sombria, corrompida e repugnante? Como? A tua benignidade sairá do santuário para ir àquela câmara mortuária? Ela será "anunciada" ali — revelada ali — proferida ali — manifestada ali — dada a conhecer ali? Pois nada mais servirá, exceto o anúncio da tua benignidade naquele lugar. Ele não diz: "Será anunciada a tua benignidade nas Escrituras?"; "Será anunciada a tua benignidade em Cristo?"; "Será anunciada a tua benignidade pela boca dos ministros?"; "Será anunciada a tua benignidade a corações santos e puros?" Mas diz: "Será anunciada — proferida, expressada, revelada, manifestada — a tua benignidade na sepultura?" onde tudo é contrário a ela, onde tudo é indigno dela — o lugar menos apropriado para a entrada de um Deus totalmente puro. — *J. C. Philpot*

v. 11: "A tua fidelidade na perdição?". Você verá que a fidelidade de Deus tem sido manifestada, principalmente, na perdição. Você verá a fidelidade de Deus ao seu concerto mais claramente evidenciada na destruição da sua falsa religião, para estabelecer o seu reino na sua alma; na destruição de tudo o que separa e desvia o seu afeto dEle, para que somente Ele possa estar no seu coração; e você dirá, quando o Senhor levar você a olhar para o caminho ao qual lhe conduziu, no futuro, "De todas as misericórdias de Deus, as maiores foram aquelas que pareciam, na época, as maiores desgraças; as mais ricas bênçãos que Ele nos deu, são aquelas que vieram envoltas na aparência de maldições; e a sua fidelidade foi muito mais manifestada na destruição que na restauração". — *J. C. Philpot*

v. 11: Não é deixando o homem na "destruição" que o pecado e a morte produzem, que Deus irá anunciar a sua "fidelidade" às suas promessas que fluíram da sua "benignidade"; por exemplo, a sua promessa de que a semente da mulher feriria a cabeça da serpente (Gn 13.15; Os 13.14). — *A. R. Fausset*

v. 12: "E a tua justiça na terra do esquecimento?" — onde te esqueci, onde me afastei de ti, onde removi da minha lembrança todas as tuas tratativas anteriores comigo — a tua justiça será manifestada inclusive ali? Desejarás provar a tua justiça, exibindo misericórdia, pelo fato de um sacrifício ter sido oferecido por mim, com a tua justiça jorrando simultaneamente com a corrente expiatória do sangue de Cristo? Depois que te esqueci, abandonei e dei as costas, pode a tua justiça ser manifestada ali? Como? Justiça correndo, lado a lado, com misericórdia! E a justiça ainda preserva toda a sua rigidez inalterada, porque este mesmo desvio de coração, este mesmo esquecimento de alma, este mesmo desvio de afeto, o fato de te dar as costas, tudo isso foi expiado; e a justiça ainda poderá ser mostrada "na terra do esquecimento", porque todos os meus pecados cometidos na terra do esquecimento foram expiados pelo teu sangue redentor! — *J. C. Philpot*

v. 13: "Porém". Este "porém" parece vir como uma expressão da sua resolução até agora, pois, embora estas fossem as suas preocupações pela sua condição, Hemã tinha buscado o Senhor, e continuaria a fazê-lo. Suponha que você não encontra satisfação nas ordenanças, mas as usa; você está desesperadamente doente, no entanto, ainda come, recebe tudo o que lhe é trazido, pois isso lhe trará alguma força. Diga, "Quer eu seja condenado ou salvo, hipócrita ou não, estou decidido a continuar". — *Thomas Goodwin*

v. 13: "E de madrugada te envio a minha oração". A oração matinal é a melhor... Pela manhã, Deus já concedeu várias dádivas. Em primeiro lugar, o maná. Êxodo 16.13: E, pela manhã, jazia o orvalho ao redor do arraial. Aquele que está no campo de Deus e luta bravamente, recebe de dEle orvalho e consolo, se orar pela manhã, isto é, no início da tentação. À tarde, era dada carne, com que a morte os conquistava, mas em outro caso, pela manhã, era dado o maná, com que a vida era mantida, até que eles chegassem à terra da promessa. Em segundo lugar, a Lei foi dada pela manhã, Êxodo 19.16: "E aconteceu ao terceiro dia, ao amanhecer, que houve trovões e relâmpagos sobre o monte, e uma espessa nuvem, e um sonido de buzina mui forte". Na devoção matinal, os trovões de Deus, isto é, os seus juízos, são mais distintamente ouvidos; os seus relâmpagos, isto é, os seus esclarecimentos divinos, são vistos de melhor maneira; a espessa nuvem sobre o monte, isto é, o ofuscamento divino da alma, é percebido; e a voz de buzina (ou trombeta) é ouvida com maior clareza, isto é, a inspiração, então, motivava a mente com maior intensidade. Em terceiro lugar, pela manhã, bem cedo, os filhos de Israel saíram do Egito; e aconteceu, à meia-noite, que o Senhor feriu todos os primogênitos na terra do Egito (Êx 12.29). Ore pela manhã, e você derrotará os seus adversários diurnos e noturnos; e o próprio Mar Vermelho, isto é, o lugar da tentação, será para você um campo de glória, de vitória e júbilo, e todas as coisas irão bem na sua vida. — *Le Blanc*

v. 13: "Eu, porém, Senhor, clamo a ti". Há algo concomitante com a atual penumbra de espírito do cristão, que a distingue do horror do hipócrita; e esta é a obra viva da graça, que então é normalmente mais visível, quando a sua paz e o seu consolo anterior são mais questionados por ele; quanto menos alegria ele tem, por qualquer sensação atual do amor de Deus, mais abundante você percebe que é a sua tristeza, pelo seu pecado que eclipsou a sua alegria; quanto mais longe Cristo está da sua vista, mais ele se apega ao seu amor a Cristo, e veementemente clama a Ele em oração, como vemos que faz Hemã, aqui. Oh, as orações fervorosas que são emitidas, do seu espírito perturbado, para o céu, as pontadas de afeto que surgem por Deus, e o seu rosto e a sua benevolência! Jamais um filho excluído desejou a aceitação na presença do seu pai irado, mais que ele desejou ter a luz do rosto de Deus brilhando sobre si, uma luz que agora lhe é negada. — *William Gurnall*

v. 14: "Por que escondes de mim a tua face?" Inúmeras são as queixas de homens bons sob esta nuvem escura; e para um filho da luz é realmente uma escuridão que pode ser percebida; ela eclipsa e confunde a mente; as mais brilhantes evidências estão, em grande parte, ocultas; a própria Bíblia está selada, e é rapidamente fechada; muitas vezes não vemos os sinais nem os prenúncios das vitórias que aguardamos; afastado de nós, atrás da nuvem, está tudo o que é bom e não o podemos alcançar; há um desânimo sombrio no nosso caminho; não sabemos onde estamos, onde devemos pisar, nem que caminho tomar; não sabemos qual caminho Deus tomou, mas Ele sabe qual é o caminho que nós tomamos; e uma oração como esta nos convém. — Busca teus servos, pois nós estamos perdidos. Cristo está escondido, e há uma nuvem carrancuda sobre o doce rosto de Deus, na qual Ele esconde seu rosto bendito; ou, como fez com os discípulos, Ele fecha os nossos olhos, para que não o vejamos. Mas, embora este seja frequentemente o caso com os crentes, e eles não possam ver um raio de luz sequer, diante de si, embora todas as evidências estejam ocultas, e a luz do rosto de Deus tenha se retirado, embora não apareçam sinais nem símbolos de amor, e embora o mandamento que dá a vida esteja escondido deles, e Ele não lhes mostre maravilhas da sua Lei, ainda assim estes israelitas têm luz em suas moradas — eles têm luz para ver as corrupções de seus próprios corações; para ver as obras da incredulidade, do orgulho legalista, da inimizade, da rebelião, da dupla diligência de Satanás, e as vantagens desprezíveis que se obtém deles, nestas épocas sombrias. — *William Huntington*

v. 15: "Estou aflito". (Vulg. *Pauper sum ego*). Deus ouve os pobres mais prontamente, e se decida integralmente a eles. Em primeiro lugar, seus olhos, estão voltados para contemplá-los, "O seu rosto está voltado para os retos" (Sl 11.7). Em segundo lugar, seus ouvidos, estão atentos para ouvi-los, "Confortarás o seu coração [dos mansos]; os teus ouvidos estarão abertos para eles" (Sl 10.17). Em terceiro lugar, a sua mão se estende para socorrê-los, "Mas ele levanta da opressão o necessitado" (Sl 107.41). Em quarto lugar, o seu peito e os seus braços, estão dispostos para receber os fugitivos e os que estão em perigo, "O Senhor será também um alto refúgio para o oprimido" (Sl 9.9). Em quinto lugar, Ele se lembra deles, "O necessitado não será esquecido para sempre" (Sl 9.18). Em sexto lugar, seu intelecto, está voltado para cuidar deles, e para cuidar do seu consolo, "Eu sou pobre e necessitado, mas o Senhor cuida de mim". (Sl 40.17). Em sétimo lugar, Ele tem boa vontade para, com amor, ouvir suas orações, "Porque não desprezou nem abominou a aflição do aflito, nem escondeu dele o seu rosto" (Sl 22.24). Em oitavo lugar, e finalmente, Ele se entrega integralmente a eles, para preservá-los, "Salvará a alma dos necessitados" (Sl 72.13). — *Le Blanc*

v. 15: "Estou aflito e prestes a morrer, desde a minha mocidade". Quantos sofrem! Conheci uma criança que, aos vinte meses, tinha provavelmente sofrido mais dores físicas do que toda a congregação de mil almas, que seus pais frequentavam e onde adoravam. Asafe parece ter tido um coração triste. Jeremias viveu e morreu em lamentações. Hemã parece ter tido a mesma sorte e o mesmo estado de espírito. — *William S. Plamer*

v. 15: (Primeira parte). Nós julgamos o calor deste dia mais opressivo que qualquer outro que já tínhamos sentido. As dunas de areia entre as quais nos movíamos lentamente, na velocidade usual do camelo, refletiam os raios do sol sobre nós, até que nossos rostos estivessem brilhando como se tivéssemos estado do lado de um forno... Talvez tenha sido por esta parte do deserto de Sur que Agar tenha peregrinado, com a intenção de retornar à sua terra natal; e pode ter sido por este caminho que José levou o menino Jesus, quando eles fugiram para a terra do Egito. Mesmo na tenra infância, já começaram os sofrimentos do Redentor, e Ele se queixa, "Estou aflito e prestes a morrer, desde a minha mocidade". Talvez estes raios escaldantes castigassem a sua face de bebê, e esta brisa carregada de areia secassem os seus lábios de bebê, enquanto o calor da maldição de Deus começava a derreter o seu coração. Até mesmo no deserto podemos ver a garantia e a certeza que Jesus concede aos seus filhos. — *R. M. McCheyne, "Narrative of a Mission of Inquiry to the Jews" v. 15:* "Desde a minha mocidade". Isto é, há muito tempo — um tempo tão longo, que a lembrança do salmista parece vir da infância. Toda a minha vida foi uma vida de problemas e angústia, e eu não tenho forças para suportar mais. Pode ser verdade que Hemã tivesse sido um homem constantemente afligido; ou, esta pode ser a linguagem de forte emoção, querendo dizer que os seus sofrimentos tinham sido tão continuados e por tanto tempo, que lhe pareciam ter começado na sua infância. — *Albert Barnes*

v. 15: "Quando sofro os teus terrores, fico perturbado". A palavra não significa, propriamente, a perturbação de um homem que é louco, mas a perturbação de um homem que está em dúvida. É a perturbação de um homem que não sabe o que fazer, e não de um homem que não sabe o que faz, no entanto, esta inquietação frequentemente leva a um tipo desta última; pois um indivíduo que está muito perturbado para saber o que fazer, e não consegue saber, cresce, por fim, e chega ao ponto em que não sabe o que faz. — *Joseph Caryl*

v. 15: "Quando sofro os teus terrores, fico perturbado". O Salmo traz uma assombrosa peculiaridade — especificamente, de que não somente faz referência ao Senhor Jesus Cristo, e somente a Ele, mas que Ele mesmo é a única pessoa que fala, desde o princípio até o fim. E embora todo o conjunto dos Salmos seja sobre Ele (em termos que demonstram maior ou menor intensidade), e a respeito dEle, e Ele seja o grande objeto e sujeito de tudo, ainda assim, de modo secundário e subordinado, nós nos deparamos com muitas partes, nos Salmos, em que a sua igreja também é mencionada, e passa a ter ainda mais interesse, pela união com Ele, no que está escrito. Mas neste Salmo, não há alusão a ninguém mais.* Todo o Salmo se refere a Deus e à sua obra inexprimível. Todo o Salmo trata do Filho de Deus, na nossa natureza. Ele contém um relato dos clamores do Senhor Jesus, "quando nos dias da sua carne, oferecia, com grande clamor e lágrimas, orações e súplicas".

As agonias da alma de Cristo, desde o momento da sua encarnação até a sua morte, podem ser contempladas, ou entendidas, a partir dos registros sagrados das Escrituras, mas não podem ser concebidas, nem mesmo esclarecidas, por nenhuma autoridade criada. É notável que, não importa o que o Senhor desejasse transmitir com a expressão "fico perturbado", este é o único trecho, de toda a Bíblia, em que a palavra "perturbado" é usada. Na realidade, os autores inspirados variavam as suas formas de expressão, quando falavam sobre os sofrimentos de Cristo, como se fossem incapazes de transmitir alguma ideia completa. Segundo Mateus, o Senhor Jesus disse: "A minha alma está cheia de tristeza até à morte" (Mt 26.38.) Marcos o descreve como "começando a ter pavor e a angustiar-se" (Mc 14.33.) E Lucas: Ele estava "posto em agonia" (Lc 22.44.) Mas aqui devemos descansar, nesta compreensão, pois não podemos ir adiante. — *Robert Hawker*

v. 15: Oh, Senhor, a monotonia dos meus dias invariáveis me oprime, o cansaço constante do meu corpo me subjuga. Estou cansado de olhar para os mesmos objetos monótonos; estou cansado de passar pela mesma rotina, dia após dia; as mesmas coisas inanimadas do meu quarto, e os desenhos das paredes, parecem ter adquirido vida, com o desperdício da minha vida, e, pelo poder da associação, os meus próprios pensamentos e a minha dor voltam a mim, com uma reverberação tediosa. O meu coração está cansado demais, para ter esperança; não ouso olhar para o futuro; não espero nada dos dias que virão, e, no entanto, o meu coração afunda, com o pensamento dos anos cinzentos e desperdiçados à minha frente; e me pergunto como irei suportar, se irei desmaiar pelo caminho, antes de alcançar a minha casa distante. — *De "Christ the Consoler"*

v. 16: "A tua ardente indignação sobre mim vai passando". Como um mar de fogo líquido (42.7). — Heb. "tua fervente ira". Septuaginta, αἱ ὀργαί σου. — *William Kay*

*Nós discordamos do Dr. Hawker, na exclusão que ele faz dos santos, neste Salmo. Os membros nunca estão muito longe de onde a Cabeça está. — *Ed* *v. 16:* "Os teus terrores fazem-me perecer". No verbo em hebraico, a última sílaba é repetida, com o objetivo de dar veemência à expressão. A palavra צָמַת significa fechar e pressionar em algum lugar estreito, para que o indivíduo não possa respirar ou fugir. Neste sentido, Gregório de Nazianzo, na sua primeira oração, a respeito de paz, chama a tristeza δεσμον καρδιας (a prisão do coração). — *Mollerus*

v. 17: "Como águas"; não meramente porque elas afogam, mas porque elas buscam toda fenda, vão até o fundo, e vão por todos os lados onde podem entrar, desta maneira, indicando, apropriadamente, a força penetrante da tentação e da aflição. — *Hugo Cardinalis*

v. 18: "Afastaste para longe de mim amigos e companheiros". Junto às alegrias da religião, as da amizade são as mais racionais, sublimes e satisfatórias. Mas elas, como todas as outras alegrias terrenas, têm suas misturas e combinações, e são muito precárias. Nós somos frequentemente chamados para chorar com nossos amigos, e algumas vezes, para chorar por eles. A tristeza e as lágrimas pela sua morte são o triste tributo que pagamos por amar e sermos amados, e viver muito tempo neste mundo. Este parece ter sido o caso com o autor deste Salmo melancólico, onde está o nosso texto. Ele passou grandes aflições de corpo, e profundas angústias de mente. "A sua alma estava cheia de angústias, e a sua vida se aproximava da sepultura. Ele foi encerrado e confinado pela fraqueza e pela dor, e não podia ir adiante", em seus negócios ou em sua diversão, em reuniões sociais ou solenes (vv. 3-8). E acrescenta que tinha estado "aflito e pronto para morrer", desde a sua mocidade, versículo 15, o que parece sugerir que agora Hemã era um homem velho. Alguns de seus conhecidos e amigos o tinham abandonado, e ele tinha se tornado "uma abominação para eles" (v. 8). Eles não o ajudariam, nem lhe dariam o consolo de uma visita amistosa, e a gentileza de uma palavra misericordiosa, que custaria tão pouco. Outros, que tinham sido fiéis e bondosos com ele na sua aflição, foram tirados deste mundo; e isso aconteceu em uma época em que, devido à idade e às enfermidades, ele precisava particularmente da sua companhia e ajuda. A isto, ele se refere no texto; e com isso, ele conclui o Salmo, com o golpe mais pesado de todos: "Afastaste para longe de mim amigos e companheiros, os meus íntimos amigos agora são trevas". Este é um caso comum; e frequentemente, o caso dos idosos. Não é incomum que algumas pessoas idosas vivam mais que os seus amigos próximos; o (a) companheiro (a) das suas vidas; seus filhos, e, algumas vezes, também os seus netos; e eles são como o salmista o expressa, "Como o pardal solitário no telhado".

O que afligia, principalmente, Hemã, e afligirá cada coração generoso, era o fato de que seus amigos e companheiros tinham sido removidos às trevas; isto é, à sepultura, que é chamada, nas Escrituras, "terra da escuridão e da sombra da morte... sem ordem alguma, e onde a luz é como a escuridão" (Jó 10.21,22). Eles foram colocados tão longe, que ele não mais conseguia vê-los; estavam mortos e sepultados, fora do alcance da sua visão. Assim também os nossos amigos são postos nas trevas. Os olhos que costumavam brilhar com prazer quando nos encontrávamos, depois de longa ausência, estão fechados, na morte. A voz que costumava nos deleitar e edificar está selada em um silêncio permanente. Não há como conviver com eles pessoalmente, nem por cartas. Não são terras nem mares que nos separam deles, mas regiões de espaço vasto e desconhecido, que não podemos ultrapassar; e que eles não podem cruzar de volta, e não o fariam, por mais que nos amassem. Nós não temos como transmitir conhecimento a eles, nem recebê-lo deles. Talvez eles tenham sido afastados de nós na sua mocidade, ou em meio aos seus dias de utilidade; quando nós nos prometíamos muitos anos de prazer na sua amizade e convivência, e esperávamos muitos anos de serviço, por parte deles, para suas famílias, para a igreja e para o mundo.

Mas estas são reflexões em que não devemos nos deter. Quando elas começam a ficar muito dolorosas, como em breve acontecerá, é o momento de dirigir nossos pensamentos àquilo que é a segunda coisa que devemos observar no texto; especificamente, o reconhecimento devoto, por parte do salmista, da mão de Deus na sua aflição. "Afastaste para longe de mim". Este bom homem, por todo o Salmo, atribuiu todas as suas aflições, e particularmente a morte dos seus amigos, à mão de Deus. Ele não se dá conta das suas doenças; nem os culpa por imprudência e demora, nem àqueles que os atendiam, por negligência ou tratamento indevido; mas olha além de todas as causas secundárias, para o grande Senhor de tudo; ele reconhece que o Senhor é o soberano supremo de todas as vidas, e o árbitro de todos os acontecimentos. E seria bom que nós tornássemos esta ideia do Deus bendito familiar às nossas mentes, o que é, ao mesmo tempo, mais instrutivo e mais confortável.As sagradas Escrituras confirmam os ditames da razão sobre este assunto, assegurando-nos de que Deus "faz a paz e cria o mal"; que "da boca do Senhor sai o bem e o mal"; que os eventos mais casuais estão sob a sua direção, de modo que "nem um passarinho cairá", nem descerá "ao solo sem a sua vontade"; muito menos as suas criaturas racionais e os seus filhos morrerão, sem que Ele saiba e indique. Quaisquer que sejam as doenças ou os acidentes pelos quais eles morrem, é Deus que "tira o seu alento, muda o seu rosto e os envia às trevas". Com que impressionante majestade Deus reivindica isto como sua prerrogativa: "Eu firo e eu saro; e ninguém há que escape da minha mão" (Dt 32.39). Ele tirou nossos amigos, tendo o direito de fazê-lo. Eles eram nossos amigos, mas são suas criaturas; e Ele não pode fazer o que quiser, com os seus? Ele lhes deu a vida, por sua livre bondade, e tem o direito de tornar a tomá-la, quando assim o desejar. Por mais queridos que nos fossem, devemos reconhecer que eram pecadores; e, como tais, tinham perdido a vida perante a justiça de Deus: e será que Ele não decidiria quando a tiraria? Eles eram nossos amigos; mas nós não esperamos, e cremos que, com arrependimento, fé em Cristo e graça santificadora, eles poderiam se tornar seus amigos também, amados dEle, unidos por intermédio de laços indissolúveis? Ele não tem, então, uma reivindicação superior a eles, e um interesse maior neles? Não é adequado que Deus seja servido em primeiro lugar? Ele não pode trazer os seus amigos para casa quando assim o desejar? Ele deverá esperar, ou pedir, o nosso consentimento, antes de fazer isso? Deus o faz, e não podemos, não ousamos, contradizê-lo. "Eis que arrebata a presa; quem lha fará restituir? Quem lhe dirá: Que fazes?" (Jó 9.12)

Ele, que é infinitamente bom e sábio, faz isso; e faz tudo, na melhor ocasião e da melhor maneira. O seu conhecimento é perfeito e infalível; a sua bondade, sem limites e inesgotável. Embora os seus juízos sejam muito profundos, e os seus esquemas completamente imperscrutáveis por nós, podemos crer que Ele delibera a felicidade dos seus servos, naquilo que é mais misterioso e mais angustiante; e a sua Palavra nos dá a maior certeza disto. Para que, quer exerçamos a fé dos cristãos ou a razão dos homens, nós devemos reconhecer a mão de Deus, sim, a sua sabedoria e bondade, em remover os nossos amigos às trevas. — *Job Orton, 1717-1783*

v. 18: "os meus íntimos amigos agora são trevas". Isto é, tudo com que posso conviver, são trevas; o meu círculo de amigos consiste de trevas absolutas. — *Ernest Hawkins*

v. 18: Ser repudiado ou tratado friamente por amigos cristãos é frequentemente uma consequência do fato de o crente ter perdido o seu consolo espiritual. Quando o Senhor se ira com algum filho rebelde e o castiga, Ele não somente dá permissão a Satanás para perturbar este filho, como permite que alguns dos santos que são seus amigos o repudiem, e com seu frio tratamento, aumentem a angústia do rebelde. Quando um pai decide corrigir o seu filho obstinado, ele dirá ao resto da família, "se distanciem dele; não lhe mostrem aprovação; envergonhem-no". De igual maneira, quando o Senhor está castigando, especialmente com angústias espirituais, algum filho desobediente, é como se Ele instruísse os outros, a respeito de tal filho, "Durante algum tempo, se distanciem dele; tratem-no com frieza e desprezo; para que ele possa se sentir envergonhado, e humilhado pela sua iniquidade". Jó, sob sua severa aflição, assim se queixou, "Pôs longe de mim a meus irmãos, e os que me conhecem deveras me estranharam" (19.13-19).

E da mesma maneira, Hemã: "Puseste-me no mais profundo do abismo, em trevas". Quando a benevolência de Deus para com a alma fica obscura, o consolo da sociedade cristã também fica obscuro. Quando Ele desaprova alguém, os seus filhos normalmente parecem desaprovar, da mesma maneira; e quando Ele se torna estranho para alguém, a maioria faz a mesma coisa. Se um santo, então, sob angústia de espírito, começa a ser tratado com desconsideração, e até mesmo com desprezo, por alguns de seus irmãos cristãos, ele não deve se surpreender; nem deve usar esta ocasião para se irar, ou discutir com eles; mas deve olhar acima deles, e interpretar a dispensação aflitiva, somente pela mão do Senhor, como uma parte necessária do castigo destinado a ele. A respeito deles, deverá dizer, como Davi, a respeito de Simei, "o Senhor lhe disse" (2 Sm 16.10); ou, como Hemã, "Alongaste de mim os meus conhecidos". — *John Colquhoun*

v. 18: O próprio ritmo da última linha mostra que a obra não está completa. O ouvido permanece em suspenso; até que o majestoso Salmo 89 irrompa como uma bela manhã de ressurreição. — *William Kay*

SUGESTÕES AOS PREGADORES

v. 1. I. Confiança na oração. — "Deus da minha salvação". II. Fervor na oração. — "tenho clamado". III. Perseverança na oração. — "de dia e de noite". — *G. R.*

v. 2. A oração como um embaixador. I. A procura de uma audiência, ou o benefício do acesso. II. A súplica por atenção, ou a bênção do sucesso. III O Processo é explicado, ou a oração vem e Deus se inclina.

v. 3. I. Um homem bom é exposto a angústias internas. 1. As angústias da alma. 2. À alma cheia de angústias. II. As angústias externas. "minha vida". 1. De perseguições externas. 2. De angústias internas. III. As angústias internas e externas, ao mesmo tempo. "alma cheia" e "minha vida". — *G. R.*

v. 4 (última parte). Fraqueza consciente, sentida dolorosamente, em determinadas ocasiões, com várias responsabilidades. Com a intenção de nos conservar humildes, de nos colocar de joelhos, e de trazer maior glória a Deus.

vv. 4 e 5. I. A semelhança entre o justo e o ímpio. 1. Na morte natural. 2. Nas fraquezas do corpo. II. A diferença entre eles. Ele é "contado com eles", mas não faz parte deles. 1. Ele sofre apenas a morte natural. 2. A sua força é aperfeiçoada na fraqueza. 3. Para o crente, morrer é lucro. — *G.R.*

vv. 6 e 7. I. O que as aflições do povo de Deus parecem ser para eles mesmos. 1. Extremas — "Puseste-me no mais profundo do abismo". 2. Inexplicáveis — "em trevas". 3. Humilhantes — "nas profundezas". 4. Severas — "Sobre mim pesa a tua cólera". 5. Abrangente — "tu me abateste com todas as tuas ondas". II. O que elas são na realidade. 1. Não extremas, mas leves. 2. Não inexplicáveis, mas segundo a vontade de Deus. 3. Não humilhantes, mas exaltantes. "Humilhai-vos, pois, debaixo". 4. Não severas, mas brandas. Não com ira, mas com amor. 5. Não abrangentes, mas parciais. Não todas as tuas ondas, mas algumas poucas e pequenas. O ligeiro movimento no porto quando há um oceano agitado lá fora. — *G. R.*

v. 8 (última parte). Isso pode nos descrever, quando o desânimo é crônico, quando a perturbação é esmagadora, quando a doença nos conserva em casa, quando nos sentimos restringidos no esforço cristão, ou impedidos na oração.

v. 9. I. Tristeza diante de Deus. — "minha vista". II. Oração a Deus. — "tenho clamado". III. Esperando por Deus. — "todo o dia". IV. Dependência de Deus. — "tenho estendido". Estas mãos nada podem fazer, sem ti. — *G. R.*

vv. 10 a 12. I. A suposição. 1. De que um filho de Deus estar completamente morto. 2. De que deve permanecer para sempre na sepultura. 3. De que deve ser destruído. 4. De que sempre permanecerá nas trevas. 5. De que deve ser completamente esquecido, como se jamais tivesse existido. II. As consequências envolvidas nesta suposição. 1. As maravilhas de Deus para eles deixariam de existir. 2. O seu louvor por parte deles seria perdido. 3. A sua benignidade para com eles seria desconhecida. 4. A sua fidelidade, destruída. 5. As maravilhas que Deus tinha para eles seriam perdidas, e redirecionadas para outros. 6. A sua justiça anterior com eles seria esquecida. III. O pedido baseado nestas consequências. — "Mostrarás". Não é possível que o teu louvor pela graça exibida ao teu povo seja perdido, e ninguém possa transmiti-la, exceto eles mesmos. Então, que farás ao teu grande nome? — *G. R.*

v. 13. I. As bênçãos vêm depois da oração. — "a ti". II. As bênçãos antecipadas pela oração. — "de madrugada". Graças diárias antecipadas por orações matinais. — *G. R.*

v. 13 (última parte). As vantagens de encontros para oração de madrugada.

v. 14. I. As aflições são misteriosas, embora justas.

II. Justas, embora misteriosas. — *G. R.*

v. 14. Perguntas solenes, que devem ser seguidas por exames investigativos, por confissões entristecidas, autonegações firmes e doces restaurações.

v. 15. I. As aflições dos justos podem ser contínuas por muito tempo, embora severas. "Estou aflito ... desde a minha mocidade". II. Severas, embora contínuas por muito tempo. 1. Dolorosas — "aflito". 2. Ameaçadoras — "prestes a morrer". 3. Aterrorizantes — "sofro os teus terrores". 4. Perturbadoras. — "fico". — *G. R.*

v. 15. Os sofrimentos pessoais de Cristo pela salvação do seu povo. — *Sermão, por Robert Hawker. Works, Vol. IV. p. 91.*

v. 16. I. Os homens de bem são frequentemente homens tentados. II. Os homens tentados frequentemente avaliam mal as tratativas do Senhor. III. O Senhor não leva a sério as tolices deles, Ele é melhor que os temores deles. — *G. R.*

v. 18. A perda de amigos tem como função nos lembrar da nossa própria mortalidade, nos separar da terra, nos levar a uma confiança completa no Senhor, nos castigar pelo pecado e nos levar ao grande local de reunião.

v. 18. As palavras do nosso texto nos levarão a observar que: I. A felicidade da vida depende, grandemente, de amizades íntimas. II. A provação da separação de amigos íntimos é extremamente dolorosa. III. Nesta, como em cada aflição, a melhor consolação se obtém da crença na providência dominante de Deus, e também na meditação sobre ela. — *Joseph Lathrop, 1845*

SALMO 89

Agora chegamos ao majestoso Salmo do Concerto, que, de acordo com a organização dos judeus, encerra o terceiro livro dos Salmos. São as palavras de um crente, diante de grande desastre nacional, que implora ao seu Deus, apresentando o grande argumento dos relacionamentos de concerto, e esperando libertação e socorro, por causa da fidelidade do Senhor.

TÍTULO

Masquil. Este salmo é, muito apropriadamente, chamado de Masquil, pois é muito instrutivo. Nenhum assunto é mais importante ou é tão completamente a chave para toda a teologia, que o tema do concerto. Aquele que é ensinado, pelo Espírito Santo, a ser claro a respeito do concerto da graça, será um escriba bem instruído nas coisas do reino; aquele cuja teoria doutrinária é uma confusão de palavras e graça dificilmente será indicado para ensinar a crianças.

De Etã, o ezraíta: Talvez a mesma pessoa mencionada como Jedutum, que foi um músico no reino de Davi, conhecido pela sua sabedoria nos tempos de Salomão, e que provavelmente sobreviveu até a época dos problemas do período de Roboão. Se for o mesmo homem, ele deve ter escrito este salmo em idade avançada, quando os problemas eram muitos sobre a dinastia de Davi e a terra de Judá; isso é completamente provável.

DIVISÃO

O santo poeta começa declarando a sua crença na fidelidade do Senhor ao seu concerto com a casa de Davi, e faz a sua primeira pausa no versículo 4. A seguir, ele louva e exalta o nome do Senhor, pelo seu poder, pela sua justiça e misericórdia (vv. 5-14). Isso o leva a cantar a felicidade do povo que tem tal Deus como sua glória e defesa (vv. 15-18). Ele repete os termos do concerto, detalhadamente, com evidente deleite, (vv. 19-37), e então, chorosamente, derrama sua queixa e súplica, (vv. 38-51), concluindo o conjunto com uma sincera bênção e um duplo, Amém. Que o Espírito Santo possa nos abençoar grandemente na leitura deste precioso Salmo de instrução.

EXPOSIÇÃO

1 *As benignidades do Senhor cantarei perpetuamente; com a minha boca manifestarei a tua fidelidade de geração em geração.*
2 *Pois disse eu: a tua benignidade será edificada para sempre; tu confirmarás a tua fidelidade até nos céus, dizendo:*
3 *Fiz um concerto com o meu escolhido; jurei ao meu servo Davi:*
4 *a tua descendência estabelecerei para sempre e edificarei o teu trono de geração em geração. (Selá)*

1. *"As benignidades do Senhor cantarei perpetuamente."* Uma decisão devota, e muito elogiável, quando um homem passa por grandes dificuldades, porque parece que o Senhor abandonou o seu concerto e a sua promessa. O que quer que possamos observar-nos outros, ou vivenciar por nós mesmos, nós ainda devemos louvar a Deus pelas suas misericórdias, uma vez que elas certamente continuam as mesmas, quer nós sejamos capazes de percebê-las, quer não. A razão canta apenas de vez em quando, mas a fé é um eterno cantor. Quer os outros cantem, quer não, os crentes jamais devem desistir; neles, deve haver constante louvor, uma vez que o amor de Deus por eles não pode, de maneira alguma, ter mudado, ainda que a providência possa parecer negativa. Não apenas devemos crer na bondade do Senhor, mas nos alegrarmos nela, para sempre; ela é a fonte de toda a nossa alegria; e como ela não pode se esgotar, também a corrente jamais deverá deixar de fluir, ou deixar de cintilar em um cristal brilhante de cântico. Nós não temos apenas uma, mas muitas misericórdias de que nos alegrarmos, e devemos, por isto, multiplicar as expressões da nossa gratidão. É o Senhor que condescende em distribuir os nossos benefícios diários, e Ele é o Deus autossuficiente e imutável; por isto, a nossa alegria nEle jamais deve sofrer redução. De maneira alguma, permita que o seu tesouro de glória seja privado do pagamento contínuo que nós devemos a Ele. Nem mesmo o próprio tempo deve limitar nossos louvores — eles devem saltar para a eternidade; o Senhor nos abençoa com misericórdias eternas — devemos cantar a Ele para sempre.

"Com a minha boca manifestarei a tua fidelidade de geração em geração." As palavras do presente irão instruir as gerações futuras. O que Etã cantava é agora um manual para os cristãos, e o será, enquanto durar esta dispensação. Nós devemos visar a posteridade em tudo o que escrevemos, pois nós somos os professores das gerações futuras. Etã, em primeiro lugar, falou com a boca o que depois registrou com sua pena — um digno exemplo do uso dos dois meios de comunicação; a boca era um instrumento mais caloroso que a pena, mas as palavras da pena vivem mais tempo, e são ouvidas em maiores distâncias. Quando se lê este Salmo, tal é a vivacidade do estilo, que é quase possível ouvi-lo jorrando da boca do poeta. Observe que nesta segunda sentença ele fala de fidelidade, que é a misericórdia das misericórdias de Deus — a joia mais brilhante na coroa da bondade. A graça de um Deus infiel (o que não é o caso) seria um péssimo tema para a música, mas o amor inalterável e as promessas imutáveis exigem cânticos eternos. Em tempos de dificuldades, é na fidelidade divina que a alma se apoia; ela é a âncora da alma, seu gancho e seu arrimo. Como Deus é, e sempre será, fiel, nós temos um tema para cânticos que não ficará antiquado para as gerações futuras; ele jamais ficará desgastado, jamais será refutado, jamais será desnecessário, jamais será um tema fútil, sem valor à humanidade. Também é sempre desejável dá-lo a conhecer, pois os homens são muito propensos a esquecê-lo, ou a duvidar dEle, quando as dificuldades acontecem. Nunca apresentaremos testemunhos excessivos da fiel misericórdia do

Senhor — se a nossa própria geração não precisar destes múltiplos testemunhos, outras precisarão: os céticos estão tão prontos a repetir dúvidas antigas, e a inventar novas, e os crentes devem estar igualmente prontos a apresentar evidências, antigas e novas. Ainda que algumas pessoas possam negligenciar este dever, outros que são altamente beneficiados, como era o caso de Etã, não devem ser negligentes.

2. *"Pois disse eu: a tua benignidade será edificada para sempre."* O seu coração estava persuadido disto, e ele o declarou como uma verdade indiscutível. Ele estava seguro de que, sobre uma fundação segura, o Senhor pretendia edificar um glorioso palácio de bondade — uma casa de refúgio a todas as pessoas, onde o Filho de Davi seria glorificado para sempre, como o distribuidor da graça celestial.

"Tu confirmarás a tua fidelidade até nos céus." Este edifício divino, ele tinha certeza, alcançaria os céus, e seria coberto com a fidelidade divina, assim como as suas fundações estariam lançadas no amor eterno. A fidelidade de Deus não é coisa da terra, pois aqui nada é firme, e todas as coisas são influenciadas pelas mudanças da lua e pela inconstância do mar: o céu é o berço da verdade, e ali ela habita com vigor eterno. Assim como o arco azul acima de nós permanece inalterado pelo tempo, o mesmo acontece com a verdade do Senhor; assim como Ele pendura o seu arco de concerto no firmamento, a sua fidelidade também está entronizada nos céus em uma glória imutável. Foi o que disse Etã, e é o que nós podemos dizer; aconteça o que acontecer, a misericórdia e a fidelidade são edificadas pelo "Construtor eterno", e a sua própria natureza é a garantia da sua perpetuidade. Isso deve ser lembrado, sempre que a igreja estiver em dificuldades, ou os nossos espíritos encurvados, em tristeza.

3. *"Fiz um concerto com o meu escolhido; jurei ao meu servo Davi."* Esta era a base da confiança do salmista na misericórdia e verdade de Deus, pois ele sabia que o Senhor tinha feito um concerto de graça com Davi e a sua semente, e o tinha confirmado com um juramento. Aqui, Etã cita as mesmas palavras de Deus, que lhe foram reveladas pelo Espírito Santo, e são um resumo do concerto original, em 2 Samuel 7. Ele realmente podia ter escrito "dizendo", no versículo anterior, quando nós sabíamos que o Senhor tinha dito, "jurei". Davi era o escolhido do Senhor, e com ele foi feito um concerto, que foi transmitido pela linhagem da sua semente até receber um cumprimento final e incessante no "Filho de Davi". A casa de Davi deveria ser real; enquanto houvesse um cetro em Judá, a semente de Davi deveria ser a única dinastia legítima; o grande "Rei dos judeus" morreu com este título acima da sua cabeça, nos três idiomas correntes do mundo então conhecido, e hoje Ele é reconhecido como Rei por homens de todos os idiomas. Embora a coroa temporal não mais seja usada, o juramento feito a Davi não foi quebrado, pois no próprio concerto o seu reino foi descrito como eterno. Em Cristo Jesus, há um concerto estabelecido com todos os escolhidos do Senhor, e pela graça eles são levados a serem os servos do Senhor, e então são ordenados reis e sacerdotes, por Cristo Jesus. Como é doce ver o Senhor, não somente fazendo um concerto, mas reconhecendo-o em dias futuros, e dando testemunho do seu próprio juramento; esta é uma fundação sólida para a fé, e Etã, o ezraíta, evidentemente assim pensava. Que o leitor e o escritor façam uma pausa nestas gloriosas linhas, e cantem as misericórdias do Senhor, que assim declara os termos do concerto, e, ao fazer isso, dá um sinal renovado da sua fidelidade a ele. "Fiz", diz o Senhor, e então, "jurei", como se Ele mesmo não fosse contrário a se estender sobre o tema. Nós também devemos nos deter amorosamente sobre a *ipsissima verba* do concerto feito com Davi, lendo-o cuidadosamente e com alegria. Assim eles são registrados, "Quando teus dias forem completos, e vieres a dormir com teus pais, então, farei levantar depois de ti a tua semente, que procederá de ti, e estabelecerei o seu reino. Este edificará uma casa ao meu nome, e confirmarei o trono do seu reino para sempre. Eu lhe serei por pai, e ele me será por filho; e, se vier a transgredir, castigá-lo-ei com vara de homens e com açoites de filhos de homens. Mas a minha benignidade se não apartará dele, como a tirei de Saul, a quem tirei de diante de ti. Porém a tua

casa e o teu reino serão firmados para sempre diante de ti; teu trono será firme para sempre". em (2 Sm 7.12–16). Depois de ler isso, devemos nos lembrar que o Senhor nos disse, por intermédio do seu servo Isaías: "Convosco farei um concerto perpétuo, dando-vos as firmes beneficências de Davi".

4. *"Atua descendência estabelecerei para sempre."* Davi sempre deverá ter uma semente, e, em Jesus, isto é verdadeiramente cumprido, além das suas esperanças. Que semente tem Davi, em meio à multidão que se originou dele, a semente que era, ao mesmo tempo, seu Filho e seu Senhor. O Filho de Davi é o Grande Progenitor, o segundo Adão, o Pai eterno, Ele vê a sua semente e neles contempla os esforços da sua alma.

"E edificarei o teu trono de geração em geração." A dinastia de Davi jamais sofre decadência, mas, ao contrário, é eternamente consolidada pelo grande Arquiteto do céu e da terra. Jesus é um rei, além de um progenitor, e o seu trono está sempre em construção — o seu reino vem — o seu poder aumenta.

Isto diz o concerto; e se em alguma ocasião a igreja entra em declínio, nós devemos defendê-la diante do Deus sempre fiel, como faz o salmista, nos últimos versículos deste cântico sagrado. Cristo deve reinar, mas por que o seu nome é blasfemado e o seu Evangelho tão desprezado? Quanto mais afáveis são os cristãos, mais eles são levados ao zelo pela triste condição da causa do Redentor, e mais defenderão a causa com o grande Celebrador do concerto, clamando de dia e de noite diante do Senhor, "Venha o Teu Reino".

"Selá". Não é conveniente apressar-se. Descanse, ó leitor, no convite deste Selá, e permita que cada sílaba do concerto soe em seus ouvidos; e então eleve o coração e prossiga, com o santo poeta, a expressar os louvores do Senhor.

5 *E os céus louvarão as tuas maravilhas, ó Senhor, e a tua fidelidade também na assembleia dos santos.*
6 *Pois quem no céu se pode igualar ao Senhor? Quem é semelhante ao Senhor entre os filhos dos poderosos?*
7 *Deus deve ser em extremo tremendo na assembleia dos santos e grandemente reverenciado por todos os que o cercam.*
8 *Ó Senhor, Deus dos Exércitos, quem é forte como tu, Senhor, com a tua fidelidade ao redor de ti?!*
9 *Tu dominas o ímpeto do mar; quando as suas ondas se levantam, tu as fazes aquietar.*
10 *Tu quebrantaste a Raabe como se fora ferida de morte; espalhaste os teus inimigos com o teu braço poderoso.*
11 *Teus são os céus e tua é a terra; o mundo e a sua plenitude, tu os fundaste.*
12 *O Norte e o Sul, tu os criaste; o Tabor e o Hermom regozijam-se em teu nome.*
13 *Tu tens um braço poderoso; forte é a tua mão, e elevada, a tua destra.*
14 *Justiça e juízo são a base do teu trono; misericórdia e verdade vão adiante do teu rosto.*

5. *"E os céus louvarão as tuas maravilhas, ó Senhor."* Olhando para trás, para o que Deus tinha feito e ainda iria fazer, em conexão com o seu concerto da graça, todo o céu se encheria de adoração e maravilha. O sol e a lua, que tinham sido feitos símbolos do concerto, louvariam a Deus por uma exibição tão extraordinária de misericórdia, e os anjos e os espíritos redimidos cantariam, "por assim dizer, um novo cântico".

"E a tua fidelidade também na assembleia dos santos." Esta frase provavelmente se refere aos santos da terra. De modo que "toda a família, no céu e na terra" se uniria em louvor. A terra e o céu são um só, admirando e adorando ao Deus do concerto. Os santos do céu veem mais claramente as alturas e as profundezas do amor divino, portanto, eles louvam as suas maravilhas; e os santos da terra, conscientes de seus muitos pecados e múltiplas provocações ao Senhor, admiram a sua fidelidade. Os

céus irrompem com música pelas maravilhas de misericórdia contidas nas Boas Novas a respeito de Belém, e os santos que vêm juntos ao Templo exaltam a fidelidade de Deus no nascimento do Filho de Davi. Desde este dia auspicioso, a assembleia geral, no céu, e a santa congregação, na terra, não cessaram de cantar ao Senhor, o Deus que conservou o concerto com seus eleitos.

6. *"Pois quem no céu se pode igualar ao Senhor?"* — Por isso, todo o céu o adora, não vendo ninguém igual a Ele.

"Quem é semelhante ao Senhor entre os filhos dos poderosos?" — Por isso, as assembleias dos santos da terra o adoram, não vendo ninguém que possa ser seu rival. Até que possamos encontrar alguém igualmente merecedor de ser louvado, nós daremos somente a Deus todo o respeito do nosso louvor. Nem entre os filhos da manhã, nem entre os filhos dos poderosos, pode ser encontrado alguém que se compare ao Senhor, ninguém que possa ser mencionado no mesmo dia; por isto, Ele é, de modo justo, louvado. Uma vez que o Senhor Jesus, tanto como Deus quanto como homem, está muito acima de todas as criaturas, Ele também deve ser adorado com devoção. Como está cheio de fogo poético este versículo! Como é corajoso o desafio! Como é triunfante a santa ostentação! O doce cantor insiste no nome do Senhor com evidente exultação; para ele, o Deus de Israel é realmente Deus, e o único Deus. Ele segue a linguagem, muito tempo antes usada por Miriã, quando ela cantou: "Ó Senhor, quem é como tu entre os deuses? Quem é como tu?" Os seus pensamentos evidentemente retornam aos dias de Moisés e aos milagres do Mar Vermelho, quando Deus era gloriosamente conhecido pelo seu nome indescritível; há um soar de tamboril na pergunta repetida, e um som como o dos pés cintilantes de alegres donzelas. Não há poetas entre nós agora? Não há um homem entre nós que consiga compor hinos flamejantes com este espírito? Ó Espírito do Deus vivo, sê tu o inspirador de algumas mentes talentosas entre nós!

7. *"Deus deve ser em extremo tremendo na assembleia dos santos."* Os mais santos tremem na presença daquele que é três vezes Santo; a sua familiaridade é temperada com o mais profundo respeito. O amor perfeito extirpa o temor que atormenta, e trabalha, em lugar dele, com aquele outro temor que é similar à alegria inexprimível. Como deve ser reverente a nossa adoração! Se os anjos escondem seus rostos, os homens certamente devem se curvar da maneira mais humilde. O pecado é similar à ousadia presunçosa, mas a santidade é irmã do santo temor.

"E grandemente reverenciado por todos os que o cercam". Quanto mais próximos estão, mais o adoram. Se meras criaturas são dominadas pelo respeito, os cortesãos e favoritos do céu devem ser ainda mais reverentes na presença do grande Rei. Os filhos de Deus são aqueles que oram mais fervorosamente, "Santificado seja o teu nome". A irreverência é rebelião. Os pensamentos sobre o concerto da graça tendem a criar um respeito mais profundo por Deus, eles nos aproximam dEle, e quanto mais as suas glórias são vistas por nós, neste acesso mais próximo, mais humildemente nos prostramos diante da sua majestade.

8. *"Ó Senhor, Deus dos Exércitos, quem é forte como tu, Senhor?"* Ou Senhor, Deus dos exércitos, quem é como tu, Poderoso Senhor. Alexander enfatiza que a superioridade infinita de Deus sobre os homens e os anjos é expressa aqui, ou melhor, indicada, por um acúmulo de títulos descritivos. Aqui nós temos o nome que exibe a sua própria existência, o título que indica o seu domínio sobre todas as suas criaturas, e um adjetivo que apresenta o poder com que Ele exerce a sua soberania. Mas, apesar disso, este Deus grandioso e terrível entrou em concerto com os homens! Quem não o reverenciará com o mais profundo amor?

"Com a tua fidelidade ao redor de ti?!" Ele habita em fidelidade; ela é descrita como sendo o cinto dos lombos do seu Filho Unigênito, que é a imagem expressa da sua pessoa. Ninguém, em toda a criação é fiel como Ele; até mesmo os seus anjos podem provar ser infiéis, se Ele os deixar sozinhos, mas Deus não "mentirá a Davi", nem se esquecerá de manter o seu juramento. Os homens frequentemente falham na verdade, porque o seu poder é limitado, e julgam mais fácil romper

a sua palavra que cumpri-la; mas o forte Senhor está à altura de todos os seus compromissos, e certamente os cumprirá. O poder sem rival e a verdade inigualável estão casados, no caráter do Senhor. Bendito seja o seu nome.

9. *"Tu dominas o ímpeto do mar."* Sempre, até mesmo na hora da fúria mais louca do oceano, o Senhor controla tudo. No Mar Vermelho, as ondas espumantes viram com respeito o seu Deus e se levantaram.

"Quando as suas ondas se levantam, tu as fazes aquietar." Ninguém mais consegue fazer isso; tentar seria loucura, mas a ordem, "silêncio!" do Senhor acalma a tempestade ruidosa. Assim o Ungido do Senhor acalmou as tempestades da Galileia, pois Ele é Senhor de tudo: assim também o grande Administrador da Providência eternamente governa as vontades instáveis dos homens, e acalma os tumultos das pessoas. Assim como uma mãe acalma seu bebê para dormir, também o Senhor acalma a fúria do mar, a ira dos homens, a tempestade da adversidade, o desespero da alma, e o furor do inferno. "O Senhor se assentou sobre o dilúvio; o Senhor se assenta como Rei perpetuamente", e com todo o seu governo e domínio, Ele tem respeito pelo seu concerto; portanto, embora a nossa casa não esteja, em relação a Deus, da maneira como os nossos corações desejariam, nós nos alegraremos no seu concerto, ordenado em todas as coisas, e garantido, e nos deleitaremos nEle, como toda a nossa salvação e como todo o nosso desejo.

10. *"Tu quebrantaste a Raabe como se fora ferida de morte."* O Egito foi esmagado como um cadáver sob as rodas dos carros do destruidor; a sua pompa e glória foram quebradas como os membros dos mortos em batalha. O Egito era o antigo adversário de Israel, e a sua derrota era um tema ao qual as mentes devotas constantemente retornavam, como um assunto apropriado para os seus cânticos mais exultantes. Nós também vimos a nossa Raabe quebrantada, nossos pecados removidos, e não podemos deixar de nos unir à atribuição de louvor ao Senhor.

"Espalhaste os teus inimigos com o teu braço poderoso." A tua força espalhou os teus adversários, mortos, sobre a planície, ou os obrigou a fugir de um lado a outro, em desespero. O Senhor derrotou os seus inimigos com seu próprio braço direito, sem ajuda e sozinho. A orgulhosa, Raabe, cheia de fúria como o mar, foi completamente quebrada e espalhada diante do Senhor dos exércitos.

11. *"Teus são os céus e tua é a terra."* Todas as coisas, igualmente, são de Deus — a terra rebelde, e também o céu adorador. Não devemos perder a esperança do reino da verdade; o Senhor não abdicou do trono da terra, nem o entregou ao governo de Satanás.

"O mundo e a sua plenitude, tu os fundaste." A terra habitável e cultivada, com toda a sua produção, reconhece que o Senhor é seu Criador e Mantenedor, Construtor e Sustentáculo.

12. *"O Norte e o Sul, tu os criaste."* O norte e o sul, pólos opostos, estão de acordo nisto — o Senhor os criou.

"o Tabor e o Hermom regozijam-se em teu nome", isto é, o oriente e o ocidente foram igualmente formados por ti, e por isso te louvam. Volte-se para todos os pontos da bússola, e eis que o Senhor está ali. As regiões de neve e os jardins de sol são os seus domínios: tanto a terra do alvorecer quanto a terra do sol poente se alegram por reconhecerem o seu governo. Tabor ficava a oeste do Jordão, e Hermom a leste, e parece natural considerar estas duas montanhas como representantes do oriente e do ocidente. Keble assim parafraseia esta passagem: "Tanto a úmida Hermom, quanto a isolada Tabor, confiam em Ti com alegre aprovação".

13. *"Tu tens um braço poderoso."* Tua é a onipotência, para ferir ou exaltar; "forte é a tua mão"; o teu poder de criar e segurar firmemente está muito além da criação; "e elevada, a tua destra" — a tua habilidade é incomparável, a tua benevolência é enobrecedora, a tua obra, gloriosa. O poder de Deus impressionou tanto o salmista que ele repetiu o mesmo pensamento de várias maneiras: e realmente a verdade da onipotência de Deus revigora tanto os corações graciosos que o poeta é excessivo em enfatizá-la, especialmente em vista da conexão com a sua misericórdia e verdade, como no versículo seguinte.

14. *"Justiça e juízo são a base do teu trono."* E são a base do governo divino, a esfera em que se move a sua soberania. Deus, como soberano, jamais é injusto ou insensato. Ele é santo demais, para ser injusto, e sábio demais para se enganar, isto é, constante motivo de alegria para os retos de coração.

"Misericórdia e verdade vão adiante do teu rosto." Elas são os arautos e precursores do Senhor; Ele as chama à frente, para lidar com os homens culpados e inconstantes; na pessoa do Senhor Jesus, Ele faz delas seus embaixadores, e assim o pobre homem culpado é capacitado a suportar a presença do seu Senhor justo. Se a misericórdia não tivesse preparado o caminho, a vinda de Deus a qualquer homem teria sido uma rápida destruição.

Assim o poeta cantou as glórias do Deus do concerto. Era adequado que antes de derramar o seu lamento, Etã registrasse o seu louvor, para que a sua tristeza não parecesse ter diminuído a sua fé. Antes de defender o nosso caso diante do Senhor, é muito conveniente reconhecer que sabemos que Ele é imensamente grande e bom, qualquer que possa ser a aparência da sua providência — este é o caminho que cada homem sábio que deseje obter uma resposta de paz no dia da tribulação deverá tomar.

15 *Bem-aventurado o povo que conhece o som festivo; andará, ó SENHOR, na luz da tua face.*
16 *Em teu nome se alegrará todo o dia e na tua justiça se exaltará.*
17 *Pois tu és a glória da sua força; e pelo teu favor será exaltado o nosso poder.*
18 *Porque o SENHOR é a nossa defesa, e o Santo de Israel, o nosso Rei.*

15. *"Bem-aventurado o povo que conhece o som festivo."* Ele é um Deus bendito, sobre quem o salmista vinha cantando, e por isto o povo que participa da sua generosidade e sabe como exultar na sua benevolência é um povo bem-aventurado. O louvor é um som peculiarmente alegre, bem-aventurados são aqueles que estão familiarizados com a sua melodia. As promessas do concerto também têm um som extremamente precioso, e são altamente bem-aventurados aqueles que entendem o seu significado e reconhecem seus próprios interesses pessoais refletidos nelas. Também pode haver uma referência aqui ao soar de trombetas e outros ruídos jubilosos, que acompanhavam a adoração ao Senhor, que, diferentemente dos deuses dos pagãos, não era adorado com os gritos de vítimas infelizes, nem os gritos de multidões aterrorizadas, mas com os gritos alegres de seu povo feliz.

"Andará, ó Senhor, na luz da tua face." Para eles, é alegria suficiente o fato de que o Senhor lhes beneficia; durante todo o dia, isso os contenta, e os capacita a prosseguir na sua peregrinação com vigor. Somente um Deus de concerto poderia olhar com benevolência para os homens, e aqueles que o conheceram neste relacionamento aprendem a se alegrar nEle, e a andar em comunhão, e a continuar em comunhão com Ele. Se nós voltarmos nossos ouvidos a Deus e ouvirmos o som alegre, Ele nos mostrará o seu rosto e nos fará felizes. Enquanto o sol brilha, os homens andam sem tropeçar, e quando o Senhor sorri para nós, vivemos sem tristeza.

16. *"Em teu nome se alegrará todo o dia e na tua justiça se exaltará."* E eles têm boa causa para isso, pois para a alma que, em Cristo Jesus, entrou em concerto com Deus, cada atributo é uma fonte de deleite. Não há nenhuma hora no dia, e nenhum dia em nossa vida, em que não possamos nos alegrar no nome, na pessoa e no caráter do Senhor. Não precisamos de nenhuma outra razão para alegria. Assim como os filósofos podiam se alegrar sem música, também nós podemos nos alegrar sem consolos carnais; o Senhor Autossuficiente é uma fonte de alegria autossuficiente.

"E na tua justiça se exaltará." Pelas relações justas do Senhor, os santos são exaltados no devido tempo, por maior que possa ter sido a opressão e a depressão que possam ter sofrido. Na justiça que o concerto propicia que é inteiramente do Senhor, os crentes são colocados no alto, em uma posição segura e abençoada,

para que estejam cheios de sagrada felicidade. Se Deus fosse injusto, ou se Ele nos considerasse um povo desprovido de justiça, nós deveríamos estar cheios de infelicidade; mas como nenhuma destas condições é verdadeira, nós somos verdadeiramente exaltados, e devemos enaltecer o nome do Senhor.

17. *"Pois tu és a glória da sua força."* Certamente, no Senhor Jeová, nós temos justiça e força. Ele é a nossa beleza e glória quando nós somos fortalecidos nEle, assim como nosso consolo e sustento quando nós trememos, tendo consciência da nossa fraqueza. Nenhum homem que o Senhor fortalece pode ousar glorificar a si mesmo, ele deve atribuir toda a honra somente ao Senhor; nós não temos força nem beleza, separados dEle.

"E pelo teu favor será exaltado o nosso poder." Pelo uso da palavra *nosso*, o salmista se identifica com o povo abençoado, e isto indica o quanto é mais doce cantar na primeira pessoa que a respeito de outros. Que nós possamos ter a graça de reivindicar um lugar entre aqueles que estão em concerto com Deus, em Cristo Jesus, pois então uma sensação da beneficência divina nos fará também ousados e alegres. Um animal cheio de força e coragem ergue seus chifres, e assim também um crente se torna potente, corajoso e ousado. O chifre era um ornamento oriental usado por homens e mulheres, ou pelo menos assim é hoje em dia; e quando a pessoa que o usava o levantava, mostrava estar de bom ânimo, e com um estado de espírito confiante: nós não usamos estas futilidades externas, mas a nossa alma interior é adornada e sente-se corajosamente triunfante quando a benevolência de Deus é sentida por nós. Os homens mundanos precisam de prosperidade exterior que os faça erguer suas cabeças, mas os santos encontram encorajamento mais que suficiente no amor secreto de Deus.

18. *"Porque o Senhor é a nossa defesa."*. Não importa que alguém possa nos defender, Ele é o nosso Defensor e Protetor supremo.

"E o Santo de Israel, o nosso Rei". Aquele que protege deve governar, o nosso defensor deve ser reconhecido como nosso rei. Os reis são considerados os escudos das nações, e o Deus de Israel é o nosso Governante e o nosso Defensor. Outra interpretação pode ser que o defensor e rei de Israel pertencia ao Senhor, e era enviado por Ele, sendo os protetores da terra protegidos pelo Senhor. O título "o Santo de Israel" é peculiarmente prazeroso ao coração renovado. Deus é um, nós não adoramos ninguém além dEle. Ele é a própria santidade, o único que pode ser chamado de "Santo", e na sua perfeição de caráter nós vemos a razão mais suprema para a nossa fé. AquEle que é santo não pode romper as suas promessas, nem agir injustamente a respeito do seu juramento e do seu concerto. Além disto, Ele é o Santo *de Israel*, sendo especialmente o Deus dos seus escolhidos, nosso por laços peculiares, nosso para todo o sempre. Quem, entre os santos, não se alegrará no Deus da eleição? Não é realmente um povo enormemente bem-aventurado aquele que pode chamar este Deus de seu Deus para todo o sempre?

19 *Então, em visão falaste do teu santo e disseste: Socorri um que é esforçado; exaltei a um eleito do povo.*
20 *Achei a Davi, meu servo; com o meu santo óleo o ungi;*
21 *com ele, a minha mão ficará firme, e o meu braço o fortalecerá.*
22 *O inimigo não o importunará, nem o filho da perversidade o afligirá.*
23 *E eu derribarei os seus inimigos perante a sua face e ferirei os que o aborrecem.*
24 *E a minha fidelidade e a minha benignidade estarão com ele; e em meu nome será exaltado o seu poder.*
25 *E porei a sua mão no mar e a sua direita, nos rios.*
26 *Ele me invocará, dizendo: Tu és meu pai, meu Deus, e a rocha da minha salvação.*
27 *Também por isso lhe darei o lugar de primogênito; fá-lo-ei mais elevado do que os reis da terra.*
28 *A minha benignidade lhe guardarei para sempre, e o meu concerto lhe será firme.*
29 *E conservarei para sempre a sua descendência; e, o seu trono, como os dias do céu.*

30 *Se os seus filhos deixarem a minha lei e não andarem nos meus juízos,*
31 *se profanarem os meus preceitos e não guardarem os meus mandamentos,*
32 *então, visitarei com vara a sua transgressão, e a sua iniquidade, com açoites.*
33 *Mas não retirarei totalmente dele a minha benignidade, nem faltarei à*
minha fidelidade.
34 *Não quebrarei o meu concerto, não alterarei o que saiu dos meus lábios.*
35 *Uma vez jurei por minha santidade (não mentirei a Davi).*
36 *A sua descendência durará para sempre, e o seu trono será como o sol perante mim;*
37 *será estabelecido para sempre como a lua; e a testemunha no céu é fiel. (Selá)*

19. *"Então, em visão falaste do teu santo."* O salmista retorna a uma consideração do concerto feito com Davi. O santo, aqui, pode referir-se a Davi ou a Natã, o profeta, todavia mais provavelmente a este último, pois foi a ele que a palavra do Senhor veio à noite, 2 Samuel 7.4,5. Deus condescende em empregar os seus graciosos ministros como meios de comunicação entre Ele e os seus favorecidos — até mesmo ao rei Davi o concerto foi revelado por intermédio de Natã, o profeta; assim o Senhor honra seus ministros.

"Socorri um que é esforçado." O Senhor tinha feito de Davi um homem poderoso e corajoso, e agora Ele se compromete em fazer dele o ajudador e defensor do estado judeu. De uma maneira mais abrangente, o Senhor Jesus é incomensuravelmente poderoso, e em Davi a salvação do seu povo se dá por indicação divina, ao passo que o seu sucesso está assegurado pela força divina que está comprometida em estar com ele. Devemos depositar a nossa fé onde Deus colocou a ajuda para nós.

"Exaltei a um eleito do povo." Davi era eleito de Deus, eleito do povo, um deles, e eleito a mais alta posição do estado. Na sua origem, escolha e exaltação, ele foi um tipo eminente do Senhor Jesus, que é um homem do povo, o escolhido por Deus, e o Rei da sua igreja. Devemos exaltar a quem Deus exalta. Ai daqueles que o desprezarem, eles serão culpados de desrespeito à autoridade, perante o Senhor dos exércitos, assim como de rejeitar o Filho de Deus.

20. *"Achei a Davi, meu servo."* Davi foi achado pelo Senhor entre as ovelhas, e reconhecido como homem de espírito gracioso, cheio de fé e coragem, e por isso, adequado para ser líder de Israel.

"Com o meu santo óleo o ungi." Pela mão de Samuel, Davi foi ungido para ser rei, muito antes de subir ao trono. O versículo também deve ser relativo ao Príncipe Emanuel; Ele se tornou o servo do Senhor por nós, tendo o Pai encontrado para nós, na sua pessoa, um poderoso libertador, e por isso depositou nEle o Espírito sem limites, para qualificá-lo para todas as funções de amor para as quais Ele foi consagrado. O nosso Salvador não é alguém que se autonomeou, e que é incapacitado, mas um enviado por Deus e capacitado divinamente para a sua obra. O nosso Salvador, Jesus, é também o Cristo do Senhor, ou o Ungido. O óleo com que Ele é ungido é o óleo de Deus, óleo santo. Ele é capacitado divinamente com o Espírito da Santidade.

21. *"Com ele, a minha mão ficará firme"*, ou com ele, a minha mão estará sempre presente". A onipotência de Deus habita permanentemente em Jesus, na sua obra como Redentor e Governante do seu povo.

"E o meu braço o fortalecerá." A plenitude do poder divino o acompanhará. Esta promessa de concerto deve ser pedida em oração diante do Senhor, por que o que falta à igreja neste momento é força. Muitas vezes nós temos tudo, exceto o poder divino, e não devemos jamais ficar satisfeitos, até que o vejamos em plena operação entre nós. Jesus deve estar entre nós, e então não faltará força em nenhuma das nossas instituições religiosas.

22. *"O inimigo não o importunará"*; ele não será atormentado nem perseguido como um devedor impotente por um credor que gosta de extorquir.

"Nem o filho da perversidade o afligirá." Os homens que não têm a graça de Deus não farão mais da sua vida um peso. Davi tinha sido perseguido por Saul como uma perdiz nos montes, e embora tivesse procurado agir de maneira justa com relação ao

rei, porque ele era o ungido do Senhor, ainda assim Saul jamais ficou satisfeito com as suas demonstrações de lealdade, mas o perseguiu incansavelmente. O concerto, portanto, fez com que a sua vida de dificuldades e opressão chegasse ao fim para sempre; o concerto fez isso na própria pessoa de Davi, e mais notavelmente na vida de Salomão, seu filho. Por que não ver, em tudo isso, um exemplo do Senhor Jesus, que, embora tenha sido preso por causa das nossas dívidas, e também maltratado pelos ímpios, agora está tão exaltado que jamais poderá ser castigado; nem o mais cruel dos seus inimigos poderá atormentá-lo outra vez. Nenhum Judas pode agora traí-lo e levá-lo à morte, nenhum Pilatos poderá entregá-lo para ser crucificado. Satanás não pode tentá-lo e os nossos pecados não podem pesar sobre Ele.

23. *"E eu derribarei os seus inimigos perante a sua face."* Esmagando a eles e aos seus planos. O próprio Deus luta assim as batalhas do seu Filho, e efetivamente derrota os seus adversários.

"E ferirei os que o aborrecem" ou ferirei os que o odeiam. Que nenhum de nós venha a conhecer o terror desta ameaça, que certamente alcança e se cumpre na vida de todos aqueles descrentes que rejeitaram o Filho de Deus, e morreram na insensibilidade de seus corações. A profecia também tem outro cumprimento na derrota de sistemas de erro, e na irritação causada aos que os promovem. Não há maior praga para os homens maus que a prosperidade da causa de Jesus.

24. *"E a minha fidelidade e a minha benignidade estarão com ele."* Estas foram as duas qualidades que o salmista começou a cantar no primeiro versículo do Salmo, sem dúvida porque as considerava mais importantes no concerto que ele estava prestes a pedir a Deus. Para Davi e a sua semente, Deus foi gracioso e fiel, e embora, por causa do seu pecado, o reino literal perdesse toda a sua glória e a dinastia se tornasse obscura, ainda assim a linhagem continuou ininterrupta, e mais que isso, a sua glória anterior foi restaurada, pela entronização daquEle que é o Príncipe dos reis da terra, com quem a misericórdia e a fidelidade do Senhor permanecem para sempre. Todos os que estão em Jesus devem se alegrar, pois eles provarão, por sua própria experiência, a fiel misericórdia do Senhor.

"E em meu nome será exaltado o seu poder." O Senhor Jesus levanta gloriosamente a sua cabeça, exaltado ao mais elevado lugar de honra por ordem do Pai. Davi e Salomão, na sua dignidade, foram apenas pálidos exemplos do Senhor Jesus, que está muito acima de todos os principados e potestades. A mais completa exaltação do poder de Jesus ainda está por vir, naquele período milenar que se apressa a vir.

25. *"E porei a sua mão no mar e a sua direita, nos rios."* Deus alcançará muito além dos riachos que são as fronteiras da Palestina; com o seu poder, Ele abraçará todas as terras, de um mar a outro. Ele lavará as suas mãos no oceano, e a sua mão direita nas mais poderosas correntes da terra. Como os monarcas carregam nas mãos um globo, para exibir o seu domínio sobre a terra, Ele conquistará o mar inconquistável, e será o Senhor de tudo. Este poder lhe será dado por Deus Pai, e será permanente; assim entendemos as palavras "E porei". O versículo tem em si uma palavra de ânimo a respeito dos marinheiros, e todos os que habitam nas águas; a mão de Jesus está sobre eles, e assim como Ele encontrou os seus primeiros apóstolos junto ao mar, também nós podemos confiar que Ele ainda encontra discípulos sinceros e fervorosos ali.

26. *"Ele me invocará, dizendo: tu és meu pai."* A semente de Davi será uma raça que ora, e realmente o era, e quando eles não o foram, sofreram por isso. O Senhor Jesus era proeminente em oração, e a sua forma de tratamento favorita era "Pai". Jamais houve um filho mais filiar nos seus clamores do que "o Primogênito entre muitos irmãos". Deus teve um Filho sem pecado, mas nunca teve um filho que vivesse sem oração.

"Meu Deus", assim nosso Senhor chamou ao seu Pai, quando estava sobre a cruz.

"E a rocha da minha salvação." Foi ao seu Pai que Ele se voltou, em busca de ajuda, quando em profunda agonia no Getsêmani, e a Ele entregou o seu espírito no momento da morte. Neste clamor filial os filhos fiéis devem imitá-lo. Este é o linguajar comum da família escolhida: adoção, respeito, confiança, todas estas coisas deverão se expressar, e o farão, se nós formos herdeiros segundo a promessa. Dizer a Deus, "tu és meu pai" é mais que o aprendizado e o talento podem nos ensinar; o novo nascimento é essencial para isso. Leitor, você tem a natureza de uma criança e o espírito de alguém que pode clamar: "Aba, Pai"?

27. *"Também por isso lhe darei o lugar de primogênito."* Entre os reis, a semente de Davi deveria ser mais favorecida e agraciada com mais amor e consideração paternal de Deus: mas em Jesus nós vemos isso em maior grau, pois Ele tem proeminência em todas as coisas, considerando que, por herança, Ele tem um nome mais glorioso que qualquer outra pessoa, e está "mais elevado do que os reis da terra". Quem pode ser rival do Primogênito do céu? A porção dobrada e o governo pertencem a Ele. Os reis são honrados quando o honram, e aqueles que o honram são reis! Na glória milenar, será visto o que o concerto reserva para o Filho de Davi, antes desprezado, mas até mesmo agora, a fé o vê exaltado como Rei dos reis e Senhor dos senhores. Eis que nós nos inclinamos diante de ti, Herdeiro de todas as coisas! Nossos molhos se inclinam diante do teu molho. Todos os filhos da tua mãe te chamam bendito. Tu és aquEle a quem teus irmãos irão louvar. Jesus não é servo de príncipes, nem permitiria que a sua noiva, a igreja, se degradasse, se inclinando diante de reis e tirando o alimento de um inativo. Ele e o seu reino são mais elevados do que os reis da terra. Que os grandes da terra sejam prudentes e se submetam a Jesus, pois Ele é Senhor, e governa entre as nações.

28. *"A minha benignidade lhe guardarei para sempre."* Os reis da linhagem de Davi precisavam de misericórdia, e a misericórdia impediu que a sua casa perecesse completamente, até a vinda do Filho de Deus. Ele não precisa de misericórdia para si mesmo, mas Ele é o maior e o melhor representante, e a misericórdia de Deus é necessária àqueles que estão nEle: pois esta misericórdia está guardada para sempre.

"E o meu concerto lhe será firme." Com Jesus, o concerto é ratificado pelo sangue do sacrifício e pelo juramento de Deus; ele não pode ser cancelado nem alterado, mas é uma realidade eterna, baseada na realidade daquEle que não mente. Que exultação enche os nossos corações quando vemos que o concerto da graça é garantido a toda a semente, porque ela se apega àquEle a quem estamos indissoluvelmente unidos.

29. *"E conservarei para sempre a sua descendência."* A semente de Davi continua viva, na pessoa do Senhor Jesus, e a semente de Jesus continua viva, nas pessoas dos crentes. Os santos são uma raça que nem a morte nem o inferno podem matar. Roma e seus sacerdotes, com sua inquisição e outras crueldades infernais, se esforçaram para exterminar a semente do concerto, mas "vão é o seu desejo, inúteis seus esforços". Enquanto Deus viver, o seu povo viverá.

"E, o seu trono, como os dias do céu." Jesus continua reinando, e reinará até que caiam os céus, e quando os céus desaparecerem, com grande alarido, e os elementos derreterem com calor fervente, o seu trono resistirá. Que concerto abençoado é este! Alguns comentaristas falam sobre condições, mas não conseguimos ver nenhuma; as promessas são tão absolutas quanto podem ser, e se quaisquer condições quanto à conduta dos indivíduos beneficiados puderem ser concebidas, estarão dispostas nos versículos seguintes.

30. *"Se os seus filhos deixarem a minha lei e não andarem nos meus juízos."* Era possível, terrivelmente possível, que a posteridade de Davi pudesse se afastar do Senhor; na verdade, eles fizeram isso, mas e depois? A misericórdia de Deus foi afastar-se da semente de Davi? Longe disto. A semente do Filho de Davi foi capaz de ficar afastada, mas por isso eles serão extirpados? Nem uma única palavra dá liberdade a tal ideia, mas exatamente o oposto. Os comentaristas, no seu medo da doutrina calvinista, se livram do medo de acrescentar à Palavra de Deus, caso contrário não teriam perdido seu tempo falando sobre as "condições" deste concerto absolutamente incondicional.

31. *"Se profanarem os meus preceitos e não guardarem os meus mandamentos."* O terrível "se" é sugerido novamente, e o triste caso é apresentado de outras maneiras.

Mas se for assim, e então? Morte e rejeição? Ah! Não. Bendito seja Deus, não! Seja o seu pecado cometido por negligência ou sem querer, seja abandono ou profanação, se outros juízos ou mandamentos, ou ambos, forem violados, ainda assim não há uma palavra sobre a destruição final, mas exatamente o oposto. O legalismo trará os seus "se", mas o Senhor os elimina assim que surgem. Os "sim" eternos criarão confusão entre os "se" e os "mas".

32. *"Então, visitarei com vara a sua transgressão."* Não com a espada, nem com morte e destruição; mas com uma vara que fere e causa dor. Os santos devem sofrer se pecarem; Deus tomará as providências para que isso aconteça. O Senhor detesta o pecado para não visitá-lo, e Ele ama muito os seus santos, para não castigá-los. Deus nunca brinca com a sua vara, Ele a usa com seus filhos visitando com ela os seus lares, corpos, corações e faz com que saibam que Ele se entristece com os seus caminhos. Jeová acerta o golpe e castiga "a sua iniquidade com açoites", que serão muitos ou poucos, conforme o coração esteja apropriadamente afetado por eles. A vara é uma bênção de concerto, e deve ser usada. Como o pecado é tão frequente, a vara nunca fica muito tempo sem uso; na família de Deus, a vara não é poupada, pois os filhos seriam "estragados".

33. *"Mas."* E também um "mas" glorioso! "Mas não retirarei totalmente dele a minha benignidade". Ó gloriosa sentença que mata o temor! Isso coroa o concerto com glória suprema. A misericórdia pode parecer se afastar dos eleitos do Senhor, porém jamais o fará completamente. Jesus ainda desfruta da benevolência divina, e nós estamos nEle, e por isso, sob as mais difíceis circunstâncias, a benignidade do Senhor para cada um dos seus eleitos resistirá ao esforço. Se o concerto pudesse ser anulado pelos nossos pecados, ele teria sido anulado muito antes disso; e se renovado, a sua abrangência não valeria uma hora, se tivesse permanecido dependente de nós. Deus pode deixar o seu povo, e eles podem, consequentemente, sofrer muito e cair a um nível muito baixo, mas Deus jamais poderá remover completamente o seu amor deles; pois isso se refletiria sobre a sua própria verdade, e isso Ele jamais permitirá, pois acrescenta, "nem faltarei à minha fidelidade". O homem falha em todos os pontos, mas Deus, em nenhum. Ser fiel é uma das características eternas de Deus, em que Ele sempre coloca uma grande parte da sua glória; a sua verdade é um dos seus tesouros particulares, uma das joias da coroa, e Ele jamais tolerará que ela seja manchada, em qualquer nível. Esta passagem nos assegura, docemente, que os herdeiros da glória não serão completamente extirpados. Que neguem a segurança dos santos aqueles que decidirem fazer isso, nós não, pois conhecemos a Cristo. Nós cremos na vara do Evangelho, contudo não na espada de punição para os filhos adotados.

34. *"Não quebrarei o meu concerto."* É o seu próprio concerto. Deus o idealizou, redigiu o seu rascunho e voluntariamente entrou neste concerto; por isso, Ele pensa muito nele. Não é um concerto de um homem, mas o Senhor o reivindica como seu. É uma coisa ruim, entre os homens, que alguém "rompa um concerto" e tal opróbrio ou título jamais será aplicável ao Altíssimo.

"Não alterarei o que saiu dos meus lábios." Alterações e reflexões posteriores pertencem aos seres de visão limitada, que se deparam com eventos inesperados, que operam sobre eles, para modificar seu modo de pensar, mas o Senhor, que vê tudo desde o início, não tem razões para modificar o que disse. Além disto, Ele é imutável na sua natureza e nos seus desígnios, e não pode mudar no coração; portanto, também não pode mudar em suas promessas. A palavra dada é sagrada; uma vez que a promessa passe pelos nossos lábios, a honestidade proíbe que nós a quebremos — a menos que aquilo que foi prometido realmente seja impossível, ou ímpio, mas nada disto pode acontecer com as promessas de Deus. Como é consolador ver o Senhor tão resoluto. Ele, nas palavras diante de nós, assegura o seu concerto e repete os seus compromissos. Isso Deus faz com tanto detalhe, e com tanta reiteração, que fica evidente que Ele se alegra neste contrato tão antigo e solene. Se fosse imaginável que o Senhor tivesse se arrependido deste concerto, não se encontraria insistindo nele, e repetindo-o com ênfase renovada.

35. *"Uma vez jurei por minha santidade (não mentirei a Davi)."* Como Ele não podia jurar por ninguém superior, jurou por si mesmo, e por aquele atributo peculiar que é a sua mais alta glória, sendo o sujeito da adoração tripla por todos os exércitos do céu. Aqui, Deus promete à coroa do seu reino a beleza excelente da sua pessoa, a essência da sua natureza. É o equivalente a dizer que se Ele deixar de ser fiel ao seu concerto, terá perdido o seu caráter santo. O que mais Ele pode dizer? Com que palavras mais fortes Ele pode expressar a sua união inalterável à verdade da sua promessa? Um juramento é o fim de toda a luta; deve ser o fim de toda dúvida, de nossa parte. Não podemos imaginar que Deus pudesse mentir, mas assim se expressa — que se o concerto não fosse mantido por Ele, Ele o consideraria como uma mentira. Aqui está a base para forte confiança; que a nossa fé possa ser de tal natureza como estas garantias asseguram.

36. *"A sua descendência durará para sempre."* A linhagem de Davi, na pessoa de Jesus, é uma linhagem infindável, e a raça de Jesus, representada pelas sucessivas gerações de crentes, não mostra sinais de interrupção. Nenhum poder, humano ou satânico, pode romper a sucessão cristã; quando morrem os santos, outros se levantam para preencher os seus lugares, de modo que, até o último dia, o dia da condenação dos ímpios e da salvação dos crentes, Jesus terá uma semente para servi-lo. "E o seu trono será como o sol perante mim". Em nosso Senhor Jesus, a dinastia de Davi permanece sobre o trono. Jesus jamais abdicou, nem foi banido. Ele reina, e deve reinar, enquanto o sol continuar a brilhar sobre a terra. Uma semente e um trono são as duas grandes promessas do concerto, e são tão importantes para nós como o próprio nosso Senhor Jesus; pois nós somos a semente que deve durar para sempre, e nós somos protegidos e dignificados por aquEle cuja realeza durará para sempre.

37. *"Será estabelecido para sempre como a lua."* O reino pode envelhecer e empalidecer para os olhos mortais, mas ainda permanecerá, enquanto a luz andar na sua beleza de prata.

"E a testemunha no céu é fiel." A parte mais estável do universo é escolhida como um tipo do reino do Messias, e tanto o sol quanto a luz devem ser símbolos da sua longa duração. Qualquer outra coisa que exista no céu, que testemunhe fielmente para o inabalável curso da natureza, também é chamada para ser um sinal da verdade do Senhor. Quando o céu e a terra testemunham, e o próprio Senhor afirma, não há desculpa para dúvidas, e a fé alegremente repousa em confiante expectativa.

38 *Mas tu rejeitaste e aborreceste; tu te indignaste contra o teu ungido.*
39 *Abominaste o concerto do teu servo; profanaste a sua coroa, lançando-a por terra.*
40 *Derribaste todos os seus muros; arruinaste as suas fortificações.*
41 *Todos os que passam pelo caminho o despojam; tornou-se ele o opróbrio dos seus vizinhos.*
42 *Exaltaste a destra dos seus adversários; fizeste com que todos os seus inimigos se regozijassem.*
43 *Também embotaste o fio da sua espada e não o sustentaste na peleja.*
44 *Fizeste cessar o seu esplendor e deitaste por terra o seu trono.*
45 *Abreviaste os dias da sua mocidade; cobriste-o de vergonha. (Selá)*
46 *Até quando, SENHOR? Esconder-te-ás para sempre? Arderá a tua ira como fogo?*
47 *Lembra-te de quão breves são os meus dias; por que criarias debalde todos os filhos dos homens?*
48 *Que homem há, que viva e não veja a morte? Ou que livre a sua alma do poder do mundo invisível? (Selá)*
49 *Senhor, onde estão as tuas antigas benignidades, que juraste a Davi pela tua verdade?*
50 *Lembra-te, Senhor, do opróbrio dos teus servos; e de como trago no meu peito o escárnio de todos os povos poderosos,*
51 *com o qual, SENHOR, os teus inimigos têm difamado, com o qual têm difamado as pisadas do teu ungido.*
52 *Bendito seja o SENHOR para sempre! Amém e amém!*

38. *"Mas tu rejeitaste e aborreceste."* O Senhor tinha prometido não extirpar a semente de Davi, mas pareceria que Ele tinha feito isso, e da maneira mais irada, como se odiasse a pessoa do rei. Os atos de Deus podem nos parecer o oposto das suas promessas, e então o melhor que temos a fazer é comparecer diante dEle, em oração, e apresentar o problema da maneira como Ele desperta a nossa apreensão. Nós temos permissão de fazer o mesmo, pois este homem santo e inspirado o fez, sem ser repreendido, mas nós devemos fazer isso, humildemente e com fé. "tu te indignaste contra o teu ungido". Ele mereceu a ira, sem dúvida, mas o que o salmista quer dizer é que isso parecia estar em conflito com o concerto da graça. Ele explica claramente o assunto, e se torna ousado com o Senhor, e Deus gosta que os seus servos façam ajam assim; isso mostra que eles acreditam que os seus compromissos são verdadeiros.

39. *"Abominaste o concerto do teu servo."* Parecia que as dispensações da providência eram uma revogação do pacto sagrado, ainda que, na realidade, não fossem.

"Profanaste a sua coroa, lançando-a por terra." O rei tinha estado submetido a tanta tristeza e vergonha que era como se a sua coroa tivesse sido tirada da sua cabeça, lançada a terra, e rolada na lama. Ele era um monarca teocrático, e o Senhor, que lhe deu a sua coroa, a tirou, e a tratou com desprezo — pelo menos, assim parecia. Nestes tristes dias também nós podemos pronunciar a mesma queixa, pois Jesus não é reconhecido em muitas das igrejas, e usurpadores profanaram a sua coroa. Quando ouvimos que há reis e rainhas colocados como "chefes da igreja", e um sacerdote chamado de "Vicário [ou substituto] de Cristo", enquanto parlamentos e cortes se incumbem de legislar pela igreja de Deus, podemos lamentar amargamente que as coisas tenham chegado a um ponto tão lamentável. Poucas pessoas irão reconhecer os direitos de coroa do Rei Jesus, o próprio assunto é considerado obsoleto. Oh, Senhor, quanto tempo!

40. *"Derribaste todos os seus muros."* Ele não mais estava abrigado dos ataques caluniosos de línguas insolentes; o respeito que deveria proteger o nome real tinha deixado de separá-lo dos outros. A "divindade que protege um rei" tinha partido. Até aqui, a família real tinha sido como uma vinha murada, mas o muro agora tinha sido derrubado e a vinha estava desprotegida. Infelizmente, é verdade que em muitos lugares os muros de proteção da igreja foram destruídos, a linha de demarcação entre a igreja e o mundo quase desapareceu, e homens ímpios ocupam as funções sagradas. Ai, Ó Senhor Deus, será sempre assim? A tua vinha será abandonada por ti, ó grande Lavrador? Estabelece outra vez as fronteiras, e conserva a tua igreja como uma vinha reservada para ti.

"Arruinaste as suas fortificações." As fortificações da terra eram controladas pelo inimigo e estavam desmanteladas; as defesas do reino estavam destruídas. Assim, aconteceu que verdades preciosas, que eram as proteções da igreja, foram atacadas por heresias, e as fortalezas da doutrina genuína foram abandonadas ao inimigo. Ó Deus, como podes sofrer assim? Como o Deus da verdade não te levantará e pisará a falsidade?

41. *"Todos os que passam pelo caminho o despojam."* Os transeuntes desocupados, que não têm mais nada a fazer, precisam necessariamente ter uma rama desta vinha, e devem fazê-lo sem dificuldade, uma vez que os muros foram derrubados. Triste será o dia em que cada indivíduo insignificante em termos de raciocínio terá um argumento contra a religião, e os homens com seus cálices forem fluentes em objeções contra o Evangelho de Jesus Cristo. Embora Jesus pregado na cruz não signifique nada para os ímpios, e eles passem ao lado do Senhor sem se perguntar o que Ele fez, eles podem vaguear ao máximo desde que haja apenas alguma esperança de cravar outro prego em suas mãos e ajudar a crucificar o Senhor novamente. Eles não o tocariam com o dedo da fé, mas com a mão da maldade e da malícia.

"Tornou-se ele o opróbrio dos seus vizinhos." Os sucessores de Davi tinham vizinhos inamistosos que eram uma censura à boa comunhão, porque estavam completamente dispostos a criticar os seus vizinhos. Os judeus eram insultados

pelos vizinhos gentios quando, em qualquer ocasião, passavam por dificuldades. Nesta ocasião, o povo de Deus, que segue completamente ao Senhor, está sujeito a mil insultos, e alguns deles serão do pior tipo. Estas ofensas são realmente uma reprovação de Cristo, e, no fundo, são destinadas a Ele. Será sempre assim? Ele, que merece ser universalmente adorado, será sempre sujeito à zombaria geral? Onde, então, ó Deus, está a tua fidelidade ao teu concerto?

42. *"Exaltaste a destra dos seus adversários."* Tu o fizeste, tu, que juraste dar-lhe ajuda e vitória, em vez disto te alinhaste com seus inimigos, e lhes emprestaste a tua força, de modo que eles obtivessem a supremacia.

"Fizeste com que todos os seus inimigos se regozijassem." Eles se vangloriam por causa dele, e se gloriam na sua derrota, e isto foi feito por ti. Ó Deus — como é isso? Onde está o concerto? Tu te esqueceste das tuas próprias promessas?

43. *"Também embotaste o fio da sua espada."* Quando Davi parte para a guerra é tão mal sucedido como se a sua espada se recusasse a cortar, e abrisse caminho como uma espada de chumbo. As suas armas o desapontam.

"E não o sustentaste na peleja." O seu coração o desaponta tanto quanto a sua espada — vacila e fracassa. Isso acontecia até mesmo com homens naturalmente corajosos — um temor terrível os acovardou. Neste momento, a igreja tem poucas espadas de verdadeiro metal de Jerusalém; os seus filhos são dóceis, seus ministros cedem à pressão. Nós precisamos de homens que não se desviem que sejam firmes pela verdade, ávidos contra o erro, afiados contra o pecado, abrindo seu caminho no coração dos homens. A coragem e a decisão são mais necessárias agora que nunca, pois a caridade com relação à heresia é a perversidade da moda, e a indiferença a toda a verdade, sob o nome de tendência liberal, é a grande virtude da época. O Senhor nos enviou homens do talento de Elias, ou, pelo menos, de Lutero e Knox.

44. *"Fizeste cessar o seu esplendor."* O esplendor do seu reino e a prosperidade da sua casa desapareceram, a sua fama está maculada e a sua honra arruinada.

"E deitaste por terra o seu trono." Ele perdeu o seu poder de governar em casa e de conquistar no exterior. Isso aconteceu com reis da linhagem de Davi, e, o que é mais triste, está acontecendo nestes dias, com o reino visível do Senhor Jesus. Onde estão as glórias do Pentecostes? Onde está a majestade da Reforma? Onde está o seu reino, entre os filhos dos homens? Ai de nós, pois a glória partiu, e o trono do Evangelho de Jesus está escondido de nossos olhos!

45. *"Abreviaste os dias da sua mocidade."* A época de energia do rei foi curta, ele ficou frágil antes do seu tempo.

"Cobriste-o de vergonha." A vergonha se acumulou sobre ele, por causa da sua decadência prematura, e o seu fracasso na guerra. Isso era muito triste para o autor deste Salmo, que evidentemente era um partidário muito leal à casa de Davi. Nos nossos tempos, nós temos que lamentar a falta de vigor na religião — os dias heróicos do cristianismo se acabaram, os seus cachos escuros estão salpicados de um grisalho prematuro. Isso está de acordo com o concerto? Isso pode estar acontecendo como o Senhor prometeu? Vamos implorar ao justo Juiz de toda a terra, e suplicar-lhe que cumpra a sua Palavra em que prometeu que aqueles que confiam nEle renovarão as suas forças.

"Selá." O poeta intercessor toma fôlego no meio do seu lamento, e então deixa de descrever as tristezas do reino para implorar ao Senhor.

46. *"Até quando, Senhor?"* O apelo é ao Senhor, e o argumento é toda a aflição suportada. A punição com uma vara não é extensa, por isso ele apela para que Deus encurte o tempo da tribulação.

"Esconder-te-ás para sempre?" Tu não prometeste manifestar-te ao teu servo — irás, então abandoná-lo para sempre?

"Arderá a tua ira como fogo?" Continuará assim para todo o sempre, até que consuma totalmente o seu alvo? Alegra-te em estabelecer um limite! Até onde irás? Queimarás o trono que juraste perpetuar? Deste mesmo modo nós devemos convencer o Senhor a recordar a causa de Cristo nestes dias. Pode Ele estar tão irado com

a sua igreja a ponto de deixá-la assim por muito mais tempo? Quanto tempo Ele permitirá que as coisas continuem desta maneira? A verdade morrerá, e os santos deixarão de existir? Quanto tempo Deus permitirá que as coisas continuem assim? Certamente, Ele deverá intervir, logo, pois, se não o fizer, a religião verdadeira será completamente consumida, supostamente, pelo fogo.

47. *"Lembra-te de quão breves são os meus dias."* Se são tão breves, não os tornes completamente amargos. Se a tua ira continuar queimando, ela durará mais que esta vida mortal, e então não haverá tempo para que a tua misericórdia me restaure. Alguns comentaristas atribuem estas palavras, e todos os versículos anteriores, à condição do Senhor Jesus, nos dias da sua humilhação, e isso fornece um significado instrutivo: mas nós preferimos relacioná-las com a igreja, que é a semente do Senhor Jesus, assim como os reis que sucederam a Davi foram a sua semente. Por termos transgredido, devemos sentir a vara da correção; mas oramos para que o Senhor não continue com seus açoites, para que não passemos a vida inteira na desgraça.

"Por que criarias debalde todos os filhos dos homens?" Se o Senhor não iluminar a sua obra, nós estaremos vivos para nada — nós não devemos esperar uma vida mais longa, se a sua causa não prosperar. Nós vivemos se o Rei viver, mas não de outra maneira. Tudo será em vão, se a religião for em vão. Se o reino do céu fracassar, tudo será um fracasso. A criação é uma mancha, a providência um erro, e a nossa existência um inferno, se a fidelidade de Deus puder falhar e o seu concerto da graça puder ser dissolvido. Se o sistema do Evangelho puder ser refutado, não haverá mais nada para nós, nem para os outros filhos dos homens, que possa garantir que a existência valha a pena.

48. *"Que homem há, que viva e não veja a morte?"* Todos devem morrer. Ninguém da nossa raça pode responder à pergunta aqui proposta, exceto com a negativa; não há ninguém que possa afirmar que engana as flechas da morte.

"Ou que livre a sua alma do poder do mundo invisível?" Nem pela força, nem pela sabedoria, nem pela virtude, algum homem poderá escapar à perdição final, pois ao pó devemos retornar. Uma vez que todos devemos morrer, não tornes esta vida uma infelicidade total, ferindo-nos por tanto tempo, ó Senhor. O teu Filho, a Cabeça do nosso concerto, morreu, e também nós morreremos; não nos deixes tão separados de Ti, neste breve período, para que não sejamos completamente incapazes de testificar a tua fidelidade; não nos deixes sentir que morremos em vão. Assim, a brevidade da vida e a certeza da morte são convertidas em apelos ao Altíssimo.

"Selá." Aqui nós fazemos uma nova pausa, e prosseguimos, com novos apelos.

49. *"Senhor, onde estão as tuas antigas benignidades, que juraste a Davi pela tua verdade?"* Aqui ele chega a uma grande súplica, trabalhar junto ao anjo do concerto. Nós podemos lembrar ao Senhor das suas primeiras obras de amor, o seu antigo amor pela sua igreja, a sua antiga benevolência para conosco. Então, nós podemos apelar para o seu juramento, e implorar que Ele se lembre de que jurou abençoar os seus eleitos; e nós podemos lutar muito, insistindo no seu caráter, e confiando na sua inviolável verdade. Quando as coisas parecerem difíceis, nós podemos apresentar nossas fortes razões, e debater o caso com nosso Deus condescendente, que disse, "Vinde, então, e argui-me".

50. *"Lembra-te, Senhor, do opróbrio dos teus servos."* Por causa de suas grandes dificuldades, eles foram ridicularizados por homens profanos, e consequentemente a piedade do Senhor é solicitada. Um pai ficará indiferente, vendo seus filhos insultados? O salmista implora que o Senhor tenha piedade devido à infelicidade trazida sobre os seus servos pelos insultos de seus adversários, que zombam deles, por causa dos seus sofrimentos.

"E de como trago no meu peito o escárnio de todos os povos poderosos." O próprio salmista recebeu a zombaria dos grandes e orgulhosos. Ele se sentia como se todas as censuras que atormentavam a sua nação estivessem concentradas em si mesmo, e por isso, em santa solidariedade com o povo, ele abriu seu coração. Nós devemos

chorar com os que choram; a censura trazida sobre os santos e a sua causa deve nos sobrecarregar; se nós pudermos ouvir Cristo blasfemado, e ver seus servos insultados, e continuar sem nos comover, nós não temos o verdadeiro espírito israelita. A nossa tristeza pelas tristezas do povo do Senhor pode ser mencionada em oração, e será um argumento aceitável.

Há uma interpretação deste versículo que não deve ser ignorada; o original é, *"Lembra-te de que eu trago no meu seio todas as muitas nações"*; e isso pode ser interpretado como um apelo da igreja porque ela seria a mão de muitas nações, segundo a profecia do Salmo 77. Ela estava, de certa forma, pronta para dar à luz diversas nações, mas como elas nasceriam, se ela mesma morresse neste ínterim? A igreja é a esperança do mundo; se ela expirar, as nações jamais nascerão para a regeneração, mas deverão permanecer na morte.

51. *"Com o qual, Senhor, os teus inimigos têm difamado."* Aqui está outro ponto convincente; os que zombam são inimigos do Senhor, além de nossos, e a sua censura cai sobre Ele, assim como sobre nós; por isso, nós clamamos pela intervenção do Senhor. Quando o próprio nome do Senhor estiver na disputa, certamente Ele se manifestará. *"Com o qual têm difamado as pisadas do teu ungido."* Perseguindo-o e encontrando oportunidade para blasfemar a todo instante; não somente vigiando suas palavras e ações, mas até mesmo os seus passos inofensivos. Nem Cristo nem a sua igreja podem agradar a este mundo, qualquer que seja o caminho que tomemos, haverá zombarias. Este versículo se refere ao frequentemente repetido sarcasmo, — "Onde está a promessa da sua vinda?" Esta censura se refere à demora do Messias, aqueles tão esperados passos que ainda não se podem ouvir? Ó Senhor, até quando estes insultos já gastos irão continuar? Até quando? Até quando?

"Vem, pois a criação geme,
impaciente pela tua vinda,
desgastada com estes longos anos de enfermidade,
estes séculos de demora.

Vem, com teu poder glorioso,
vem, com a vara de ferro,
despedaçando teus inimigos diante de ti,
Poderoso Filho de Deus."

52. *"Bendito seja o Senhor para sempre."* Ele encerra onde começou; navegou por todo o mundo e chegou ao porto novamente. Devemos bendizer a Deus antes de orar, e enquanto oramos, e quando terminarmos a oração, pois Ele sempre merece que o façamos. Se não podemos compreendê-lo, não devemos desconfiar dEle. Quando os nossos caminhos estiverem além do nosso juízo, não seremos tolos a ponto de julgar o Senhor; mas, nós faremos isso, se considerarmos que a sua administração é cruel ou desleal. Ele é, deve ser, e será, para sempre, nosso Deus bendito.

"Amém e amém." Todos os nossos corações dizem isto. Assim seja, Senhor, nós desejamos isso, repetidas vezes. Que sejas bendito para todo o sempre.

NOTAS EXPLICATIVAS E DECLARAÇÕES SINGULARES

Todo o salmo: Este salmo está conectado ao anterior. É um Allegro espiritual àquele Penseroso... O salmo anterior era um lamento, para o período da Paixão, este salmo é um cântico de Natal. — *Christopher Wordsworth*

Todo o salmo: Há muitas passagens neste salmo que evidenciam claramente que deve ser interpretado como se referindo a Cristo; sim, há muitas coisas neste salmo que jamais poderão ser aplicadas, de maneira clara, pertinente e apropriada, a ninguém, exceto a Jesus Cristo. Para ter uma ideia, veja o versículo 19, "Socorri um que é esforçado", esforçado para perdoar, reconciliar, justificar, salvar, levar à glória; apropriado ao que diz o apóstolo, Hebreus 7.25: Ele "pode também salvar perfeitamente" – isto é, para todos os propósitos. Cristo é um Salvador perfeito, um Salvador poderoso: Isaias 63.1: "Poderoso para salvar". Não é necessário que venha ninguém depois dEle, para concluir o trabalho que Ele começou: versículo 19, "exaltei a um eleito do povo", que é o próprio título dado ao nosso Senhor Jesus: Isaias 42.1, "Eis aqui o meu Servo, a quem sustenho; o meu Eleito", ou escolhido, "em quem se compraz a minha alma"; versículo 20, "Achei a Davi, meu servo". Cristo é muito frequentemente chamado por este nome, como sendo muito amado por Deus, e muito estimado e valorizado pelo Pai, e como sendo tipificado por Ele como rei e profeta da sua igreja, versículo 20 "Com o meu santo óleo o ungi"; apropriado ao que diz Cristo; Lucas 4.18: "O Espírito do Senhor é sobre mim, pois que me ungiu para evangelizar os pobres"; e por isso não precisamos duvidar da excelência, autoridade, certeza e suficiência do Evangelho; versículo 27: "Também por isso lhe darei o lugar de primogênito; fá-lo-ei mais elevado do que os reis da terra". Cristo é o Primogênito de toda criatura, e em todas as coisas tem a proeminência; versículo 29: "E conservarei para sempre a sua descendência; e, o seu trono, como os dias do céu". Isso é principalmente uma referência a Cristo e ao seu reino. O céu que vemos é corruptível, mas o reino do céu é eterno; e assim será a semente de Deus, o seu reino e o seu trono; versículo 36: "A sua descendência durará para sempre, e o seu trono será como o sol perante mim". "Cristo verá a sua posteridade, prolongará os dias, e o bom prazer do Senhor prosperará na sua mão", Isaias 53.10. "E o seu trono será como o sol perante mim"; isto é, perpétuo e glorioso, como o explica a versão dos caldeus, "brilhará como o sol". Outros reinos e tronos têm seus tempos e sua vez, sua ascensão e sua destruição, mas isso não acontece com o reino e o trono de Jesus Cristo. O domínio de Cristo é "um domínio eterno", que não passará; "e o seu reino, o único que não será destruído" (Dn 7.13,14). Eu poderia dar novos exemplos deste salmo, mas aqui já temos o suficiente. Agora, diz Deus, "Fiz um concerto com ele"; assim, existe um concerto que Deus Pai fez com Cristo, o Mediador; este concerto, que o Pai celebra com o Filho, permanecerá e resistirá, não será cancelado nem anulado. Deus Pai não somente fez um concerto de graça, com os santos em Cristo, mas também fez um concerto de redenção, como nós o chamamos (para se fazer uma distinção), com o próprio Senhor Jesus Cristo; "O meu concerto lhe será firme"; isto é, com Cristo, como demonstramos, completa e claramente. — *Thomas Brooks*

v. 1: Este curto versículo contém o resumo, a essência, e o argumento de todo este longo Salmo; nele, observe A Cantilena, a benignidade e a fidelidade do Senhor, manifestadas a todo o mundo, de modo geral, e à casa de Davi (isto é, à igreja) em particular. O dever do Cantor, exaltando as misericórdias de Deus, sempre, de geração em geração. E de todas as formas: com a sua boca, pois isso está expresso neste versículo; com a sua mente, pois está implícito no seguinte, *"disse eu"*, isto é, cri; por isso, falei (Sl 116.10). "Pois do que há em abundância no coração, disso fala a boca" (Mt 12.34). — *John Boys*

v. 1: "cantarei". Deve-se observar que ele não diz, "As benignidades do Senhor falarei perpetuamente"; mas, "cantarei". A celebração da bondade divina se uniu à alegria e exultação de uma mente piedosa, que não pode se expressar de melhor maneira que em um cântico. Este prazer e exuberância de um espírito feliz, que, pelo canto, é instilado nos ouvintes, tem um maravilhoso poder de despertar afeições; de modo que não foi em vão que mentes piedosas foram ensinadas pelo Espírito Santo a inculcar a maravilhosa obra de Deus, em cânticos compostos para este propósito, a remetê-los à lembrança, e a indicá-los para que sejam cantados. — *Musculus*

v.1: "cantarei". O salmista tem uma queixa muito triste a fazer sobre a condição deplorável da família de Davi nesta ocasião, e ainda assim ele inicia o salmo com cânticos de louvor; pois nós devemos, em tudo, em todas as ocasiões, dar graças. Nós pensamos, quando estamos em dificuldades, que nos aliviamos, se nos queixarmos;

mas nós fazemos mais que isso, nós obtemos alegria, quando oramos. Que, portanto, as nossas queixas sejam convertidas em ações de graças: e nestes versículos, nós vemos aquilo que será motivo de louvor e graças para nós, nas piores ocasiões, sejam pessoais ou públicas. — *Matthew Henry*

v. 1: "As benignidades do Senhor cantarei perpetuamente". Gregório, o Grande, propõe aqui a pergunta, sobre como um cantar perpétuo das benignidades de Deus é compatível com a bênção pura no céu, na medida em que a ideia de misericórdia sugere a lembrança de pecado e tristeza, que precisavam de misericórdia, ao passo que Isaías disse que "já estão esquecidas as angústias passadas" e "não haverá lembrança das coisas passadas, nem mais se recordarão" (Is 65.16,17). E ele responde que será como a lembrança de enfermidades passadas, nos tempos de saúde, sem máculas, sem tristeza, e servindo somente para enfatizar a felicidade dos redimidos, por comparação com o passado, e para aumentar o seu amor e a sua gratidão por Deus. E assim canta o Cluniac:[1]

"Seus peitos estão cheios de alegria,
suas bocas preparadas para louvar,
que ocasião, agora seguros para sempre,
os pecados passados eles examinam:
quanto mais grave o erro,
mais triste a queda,
mais amplos os louvores;
daquEle que perdoou tudo."

Observe, também, que ele diz, "com a minha boca", não com a de qualquer representante; "manifestarei", não de maneira secreta nem tímida, não em um sussurro, mas pregarei ousadamente, "tua fidelidade", ou verdade, não a minha opinião, e muito menos a minha falsidade, mas a tua verdade, que é o teu Filho Unigênito. — *Gregório, Bernard, Hugo e Agostinho, citados por Neale e Littledale*

v. 1: "Benignidades". A palavra pode ser traduzida como graças, gentilezas e bondades, se refere à abundância de graça. — *John Gill*

v. 1: "As benignidades". As suas múltiplas e variadas benignidades: como se ele dissesse, nós provamos mais que uma sim, nós sentimos todas as suas benignidades; portanto, o louvo, da mesma maneira, para sempre. Cantarei a sua misericórdia, por criar este universo, que é *macrocosmos*, um grande mundo; e por criar o homem, que é *microcosmos*, um pequeno mundo. 1. Meu cântico apresenta a sua bondade, pois Ele me deu a existência. 2. Por dar vida à minha existência, que Ele negou às pedras. 3. À vida, sentido, que Ele negou às plantas; 4. Ao sentido, discurso e entendimento, que Ele negou aos animais.

Sou excessivamente devotado a Deus, por me criar, quando eu não existia; e por me preservar sob as suas asas, desde que passei a existir: mas sou ainda mais devotado à sua misericórdia, por me redimir e abençoar com todas as bênçãos espirituais nos lugares celestiais em Cristo, Seu Filho (Ef 1.3), pela escolha que fez de mim, por ter me chamado, justificado e santificado. Estas graças são as riquezas da sua bondade e glória, *misericordiae in aeternum*, misericórdias perpétuas, que se estendem da predestinação eterna à glorificação eterna. Ó Senhor, cantarei perpetuamente as tuas benignidades prometidas, e sempre manifestarei a tua fidelidade no cumprimento da tua promessa feita a Davi, teu servo eleito, a respeito do teu Filho, meu Salvador, dizendo, "a tua descendência estabelecerei para sempre". Assim os patriarcas explicam o nosso texto: Cantarei para sempre as tuas benignidades, condescendendo em enviar teu Filho para visitar teus servos, doentes até a morte pelo pecado. Em primeiro lugar, cantarei perpetuamente as tuas benignidades, e então manifestarei para sempre a tua fidelidade. *Neque enim exhiberetur veritas in impletione promissorum, nisi praecederet*

[1] Bernard de Clairvaux

misericordia in remissione peccatorum. (Pois a verdade, no cumprimento das promessas, não será manifesta; a menos que a misericórdia, no perdão dos pecados, a preceda). E o que é a misericórdia de Deus, fornecida para sempre, e a sua verdade estabelecida nos céus, se não aquilo que Isaías chama de "as benignidades de Davi", isto é, como Paulo interpretou Isaías, a santa promessa feita a Davi: e a promessa feita a Davi é, em resumo, esta: "a tua descendência estabelecerei para sempre e edificarei o teu trono de geração em geração". — *John Boys*

v.1: "Perpetuamente". Sei que alguns conectam *in aeternum* ao substantivo misericórdias, e não ao verbo *cantabo,* fazendo com que o sentido seja este: Cantarei as tuas benignidades, que permanecerão perpetuamente. Mas sempre se refere igualmente, se não melhor, ao verbo "cantarei": como quem diria, Senhor, as tuas benignidades são tão manifestas, e tantas, tão grande em seu número e tão boas na sua natureza, que sempre, enquanto existir, cantarei louvores a ti. Com alegria, alguns irão objetar, "Toda carne é erva, e toda a sua beleza, como as flores do campo. Seca-se a erva, e caem as flores" (Is 40.6,7). Davi, perseguido por Saul, disse, "Apenas há um passo entre mim e a morte" (1 Sm 20.3). Na verdade, Davi, a sua vida é mais curta que um passeio, mas "é como nada", como você mesmo testemunhou (Sl 39.5). Como pode, então, aquele que implora pelo seu pão cotidiano, prometer dedicar o seu fôlego para exaltar o Senhor para sempre? A resposta é que o profeta não somente elogia as benignidades do Senhor por palavras, como também as confirma por escrito. *Ut sciat haec aetas, posterilasque legal*[2] (que esta geração possa saber, e que a posteridade possa ler.) Assim como a língua do profeta é chamada, em outra passagem, "a pena de um escritor", também a escrita do profeta é aqui chamada de sua boca, como Eutimeu, em relação ao lugar (At 4.25), Liber Psalmorum os David (O Livro dos Salmos é a boca de Davi). Ele tenciona observar as benignidades de Deus, e apresentar a sua verdade em um livro, que deixará atrás de si (como um instrumento) para transmitir estas coisas, de geração em geração, da geração dos judeus à geração dos cristãos, ou do Antigo Testamento ao Novo: pois os benditos apóstolos, nos seus sermões, citam sentenças extraídas dos Salmos. Pedro nos conta que o Evangelho foi pregado aos mortos (1 Pe 4.6); também possamos nós dizer, que o Evangelho é pregado pelos mortos. Pois os patriarcas mais antigos, e outros autores criteriosos, que passaram seus dias escrevendo sábias explicações e meditações devotas sobre as Sagradas Escrituras, embora estejam mortos, ainda assim "As benignidades do Senhor cantam perpetuamente e manifestam a fidelidade da sua palavra de geração em geração". Nas nossas crônicas de Athelstan está escrito, *parum aetati vixit, multum gloriae* (ele viveu pouco tempo, mas com muita glória). Assim muitos doutores zelosos e inteligentes viveram (com respeito à sua idade) apenas um pouco, no entanto, com respeito aos seus atos, muito, brilhando ainda em suas obras e seus textos, como luzes no mundo.

Ou o profeta pode ser descrito como *cantando perpetuamente* intencionalmente, embora não fosse verdade. Pois assim como o ímpio, se pudesse viver para sempre, pecaria perpetuamente, também o homem de bem (se Deus lhe permitisse viver para sempre na terra) cantaria perpetuamente as benignidades do Senhor. — *John Boys*

v. 1: "Com a minha boca". O autor ouviu contínuos louvores de uma língua já meio destruída pelo câncer. Que uso, querido leitor, você faz da sua língua? — *Philip Bennett Power*

v. 2: "Disse eu" A palavra אָמַרְתִּי, "disse eu", é usada, no livro dos Salmos, para expressar duas coisas: um objetivo fixo, ou uma opinião definida da pessoa que fala. O salmista, deste modo, transmite o conteúdo deste segundo versículo na sua própria pessoa, e não apresenta as palavras de Deus até o versículo seguinte. — *Samuel Horsley*

v. 2: "Disse eu". A perpetuidade da misericórdia é uma parte importante deste salmo, pois com isso se inicia: "a benignidade será edificada para sempre". E são as

[2] Eobanus Hessus.

misericórdias asseguradas do nosso Davi espiritual (Cristo), é o que ele quer dizer. Agora, para estabelecer a perpetuidade da benignidade, em primeiro lugar, ele usa palavras que expressam firmeza, como "edificada para sempre", "estabelecerei", versículos 2 e 4. A seguir, o salmista usa comparações com coisas que são consideradas firmes e invioláveis entre os homens, como no versículo 4, *foedus incidi*, Entalhei ou gravei o meu concerto (assim está no texto em hebraico), uma alusão ao que era costume na época, quando os concertos deviam ser feitos reciprocamente, uma vez que pretendiam ser invioláveis e jamais quebrados; para que o concerto tivesse tanto significado, eles o gravavam e entalhavam no material mais durável, como mármore, ou bronze, ou materiais semelhantes. Você pode ver que esta era a maneira costumeira de escrever o que deveria durar para sempre: como em Jó 19.23,24: "Quem me dera, agora, que as minhas palavras se escrevessem! Quem me dera que se gravassem num livro! E que, com pena de ferro e com chumbo, para sempre fossem esculpidas na rocha!" E o que é esta rocha ou mármore, aqui? Nada mais que o próprio coração do nosso gracioso e misericordioso Senhor, e os seus propósitos mais inalteráveis e invariáveis, a sua verdade e fidelidade. Esta é a fundação "nos céus" onde a benignidade é edificada para sempre, veja versículo 2, que (como diz o apóstolo) "permanece para sempre"; e assim ela se torna "as firmes beneficências de Davi" (Is 55.3). Novamente, os juramentos solenes entre homens servem para ratificar e perpetuar o que foi jurado. Isto também está especificado como sendo feito por Deus: "Uma vez jurei por minha santidade", e foi jurado por aquEle que não mente, e jurado com a finalidade de "mostrar mais abundantemente a imutabilidade do seu conselho" (Hb 6.1). E não somente a imutabilidade da sua benignidade é exemplificada por estas comparações, feitas com o que está firme sobre a terra, mas Ele sobe aos céus, e aos mais elevados céus: versículo 2, "Pois disse eu: a tua benignidade será edificada para sempre: tu confirmarás a tua fidelidade até nos céus", comparando-as a uma casa edificada, não sobre a terra, ou sobre uma fundação da terra, que os ladrões invadem, e a violência destrói, mas nos céus, onde eles não conseguem alcançar. — *Thomas Goodwin*

v. 2: "A tua benignidade será edificada para sempre". O que é esta benignidade que é "edificada para sempre", senão o planejamento glorioso e gracioso da nossa salvação, baseado no propósito eterno de Deus — levado a cabo pelos esforços e pela morte de Jesus Cristo — e então aplicado e explicado ao coração, pelo poder de esclarecimento e conversão do Espírito Santo? Esta é a "benignidade que é edificada para sempre". Ela foi planejada desde a eternidade, e não conhecerá ruína nem decadência, ao longo da linha ilimitada da própria eternidade. Quem fabricou este tecido? Não foi o livre arbítrio do homem. Não foi a justiça, nem a sabedoria, do homem. Não foi nenhum poder ou talento humano. Cada crente verdadeiro aqui concordará com Davi, que é Deus, e somente Deus, que edifica o Templo da sua igreja; e que, sendo quem edifica, é o único a quem é devida toda a glória. Os eleitos constituem e formam uma grande casa de misericórdia: uma casa, erigida para exibir e perpetuar as riquezas da graça gratuita do Pai, do mérito expiatório do Filho, e da atuação eficaz do Espírito Santo. Esta casa, contrariamente ao destino de todas as construções terrenas, jamais cairá, nem será derrubada. Assim como nada lhe pode ser acrescido, também nada lhe poderá ser diminuído. O fogo não poderá danificá-la; as tempestades não a derrubarão; o tempo não a prejudicará. Ela permanece como uma rocha, e é imóvel como a rocha sobre a qual está edificada — a rocha tríplice do decreto inviolável de Deus, da redenção concluída de Cristo, e da fidelidade infalível do Espírito. — *Augustus Montague Toplady,1740 – 1778*

v. 2: "Edificada". A menção de um edifício de misericórdia pressupõe ruínas lamentáveis, e indica que este edifício tem por objetivo o benefício de um mundo escolhido, e destruído pela queda de Adão. A graça gratuita e o amor iniciaram este edifício para eles, do qual cada pedra, desde as inferiores até as superiores, são misericórdia para eles; da base ao topo, da pedra de fundação até a pedra mais alta, todas são misericórdias ricas e gratuitas para eles. E a base deste glorioso edifício é o concerto de Deus com os seus escolhidos: "Fiz um concerto com o meu escolhido". — *Thomas Boston*

v. 2: "Edificada". As benignidades mais antigas são fundamentais para as mais recentes. As benignidades que temos hoje se baseiam nas benignidades de dias anteriores, que nós devemos relembrar alegremente e agradecidamente, com deleite e louvor; lembrando-nos dos anos da destra do Altíssimo. — *John Howe*

v. 2: (última parte). O significado desta passagem parece ser que a constância dos movimentos celestiais, as vicissitudes regulares do dia e da noite, e as variações das estações, eram emblemas da própria imutabilidade de Deus. — *R. Warner,1828*

v. 2: "Pois disse eu, as tuas benignidades sobem, uma estrutura sem morte, até os céus: Os céus foram plantados pela tua mão, E, assim como o céu, tua verdade permanecerá". — *Richard Mant*

v. 3: "Fiz um concerto com o meu escolhido". Nós devemos refletir aqui, com piedoso assombro, sobre como Deus se dignou a entrar em um concerto com o homem, o imortal com o mortal, o mais poderoso com o mais fraco, o mais justo com o mais injusto, o mais rico com o mais pobre, o mais bendito com o mais ímpio. O profeta se maravilha, porque Deus se importa com o homem, e visita o filho do homem. E não será merecedor de uma admiração muito maior, digo eu, o fato de que eles também estão unidos, e não por um simples costume, mas pelos laços de um concerto? Se o homem tivesse afirmado isto por si mesmo, que Deus estava unido e ligado a ele por um concerto, quem não o teria condenado por proferir uma temeridade? Agora, o próprio Deus é apresentado, afirmando, sobre i mesmo — que Ele tinha feito um concerto com o homem. Que santo não vê nisto quão grande é a φιλανθρωπία de Deus! — *Musculus*

v. 3: "Fiz um concerto com o meu escolhido" Do lado do céu, está o próprio Deus, a parte proponente. Embora Ele fosse a parte ofendida, ainda assim a proposta de um concerto vem dEle... O Pai de misericórdias diz: "As criaturas perdidas não podem contratar o concerto por si mesmas; e se alguma outra pessoa não o contratar por elas, elas perecerão: elas não podem escolher alguém que o contrate por elas. Eu escolherei alguém por elas, e farei um concerto com o meu escolhido". Do lado do homem, está o escolhido de Deus, ou o Eleito, pois a palavra de Deus é singular; o Filho, o último Adão. Quem seria mais adequado para celebrar, do lado do homem? Quem mais poderia ter sido o escolhido de Deus para esta grande incumbência? Nem um anjo nem um homem seria capaz disto, exceto o "esforçado" (v. 19) que o Pai nos indica como seu eleito (Is 42.1). — *Thomas Boston*

vv. 3 e 4: "Fiz um concerto com o meu escolhido". Você supõe que isso foi dito a Davi, somente à sua pessoa? Na verdade, não; mas a Davi como o antítipo, o modelo e o precursor de Jesus Cristo. Consequentemente traduz, a Septuaginta, Eu fiz um concerto τοῖς ἐκλεκτοῖς μου, com o meu povo escolhido, ou com meus escolhidos: isto é, com eles, em Cristo, e com Cristo no nome deles. "jurei ao meu servo Davi", ao Messias, de quem Davi foi um tipo; ao meu Filho, eterno como eu, que decidiu tomar "a forma de servo"; a tua semente, isto é, todos aqueles que eu te dei, no decreto da escolha, todos aqueles por quem viverás e morrerás para salvar, estes "estabelecerei para sempre", de modo a tornar a sua salvação irreversível e impossível de perder; "e edificarei o teu trono", o teu trono de mediação, como Rei dos santos e Líder do concerto dos escolhidos, "de geração em geração"; então haverá uma sucessão de pecadores beneficiados a serem chamados e santificados, como consequência da tua obediência até a morte; e cada período de tempo recompensará os teus sofrimentos no concerto, com uma chegada cada vez maior de almas convertidas, até que todas as que foram ordenadas para a vida eterna estejam reunidas.

Observe aqui que quando Cristo recebeu a promessa do Pai, a respeito do estabelecimento do seu trono (isto é, o de Cristo) de geração em geração, o significado claro é que o seu povo assim será estabelecido; pois, considere Cristo na sua divina capacidade como Filho de Deus, e o seu trono já estaria estabelecido, e assim estaria desde a eternidade, e assim continuaria estabelecido por toda a eternidade, mesmo que Ele jamais tivesse encarnado. Destarte, a promessa indica que Cristo reinará não simplesmente como uma pessoa na Divindade (o que Ele fez, sempre fará, e sempre deverá fazer); mas de modo relativo, de mediação, e na função do seu ofício, como o Libertador e o Rei de Sião. Consequentemente, o seu povo não pode se perder; pois Ele seria um péssimo tipo de rei que teria ou poderia não ter súditos sobre os quais reinar. Consequentemente, este "trono" de glória em que Cristo está assentado já está parcialmente rodeado, e no final estará completamente cercado, e se tornará ainda mais glorioso, por aquele grupo incontável, aquela assembleia geral e igreja do Primogênito, que já estão inscritos no céu. — *Augustus Montague Toplady*

v. 5: "Os céus". Agora, quanto a este reino do Senhor, foi dito que os céus louvam as suas maravilhas; esta é uma referência aos anjos, que frequentemente são chamados de "céus", por estarem nos céus; como em Jó está escrito: "Nem os céus são puros aos seus olhos". E conhecendo as maravilhas do concerto da graça, até mesmo eles são mencionados como louvando: "E os céus louvarão as tuas maravilhas, ó Senhor". No texto em hebraico consta "tua maravilha", ou "teu milagre", no singular, e em Efésios 3.10 está escrito que os anjos o adoram; e em Lucas 1, está escrito que "entoam glória ao Altíssimo"; pois a sua graça para com o homem é um grande milagre. Os céus materiais não louvam a misericórdia de Deus, nem a sua graça, nem o concerto da graça, nem o trono da graça que está estabelecido nos céus. Eles nada sabem a respeito de Cristo; não, eles apenas proporcionam uma oportunidade material para que o homem louve a Deus por eles; e, por esta razão, isso se refere aos anjos; e muitos intérpretes julgam que as seguintes palavras se refiram a eles: "e a tua fidelidade também na assembleia dos santos", anjos, e aos santos aperfeiçoados, pois ali está a grande congregação. Pois quem no céu se pode igualar ao Senhor, onde todos os seus anjos o louvam? "quem é semelhante ao Senhor entre os filhos dos poderosos?" — entre todos os poderosos da terra? Pois Ele é o Rei dos reis e Ele é o Senhor dos senhores; "Deus está acima de todos os deuses", como o salmista escreveu em outra passagem. E Ele diz não apenas "Não há ninguém como tu", mas "Quem é semelhante a ti?", a sua excelência é suprema. E no versículo 7 Deus é apresentado com todos os seus santos e anjos ao seu redor, como alguém que deve ser muito temido, ou que é terrível em si mesmo, por razão da sua grandeza, neste seu conselho e na assembleia dos seus santos, e deve ser reverenciado por todos os que estão ao seu redor. Pois os santos e os anjos são do seu conselho no céu (como pode ser visto), e participam da manifestação da sua glória ao seu redor. — *Thomas Goodwin*

v. 5: "Tuas maravilhas". Assim como os céus são uma prova do poder de Deus, porque Ele os formou do nada, também são um padrão da fidelidade dEle, no seu movimento constante e ordenado, segundo a sua Palavra, desde a sua criação: "E os céus louvarão as tuas maravilhas". Por mais que o poder e a fidelidade de Deus possam ser vistos e ouvidos na obra e nas palavras dos céus por todos os homens, ainda assim não são observados nem ouvidos, exceto na igreja, pelos filhos de Deus: por isso, ele diz: "E louvarão a tua fidelidade também na assembleia dos santos". — *David Dickson*

v. 5: "Tuas maravilhas". Tuas maravilhas (literalmente, maravilha), e não "tuas obras maravilhosas", mas "tua natureza e existência misteriosa e maravilhosa", como diferente de todos os seres criados. — *J. J. S. Perowne*

v. 5: "Tuas maravilhas". É uma salvação maravilhosa, é uma salvação tão preciosa que os anjos a desejam conhecer; e é uma salvação que todos os profetas desejam conhecer. Há quase seis mil anos os anjos do céu se viram em um mar de maravilhas devido a esta grande salvação; há quase seis mil anos Abel se viu em um mar de maravilhas devido a esta grande salvação; e o que você acha que ele está fazendo hoje? Ele está entusiasmado com esta grande salvação. — *Andrew Gray, 1616*

v. 6: "Quem no céu?" Quem no firmamento? É a interpretação de Ainsworth. Nas nuvens, *in nubibus, aequabitur*, deve ser correspondente, diz Calvino, ao Senhor,

Quis enim in superiore nube par aestimctur Jehova. Quem, nas mais elevadas nuvens, é igual ao Senhor, é a interpretação de Tremellius. "Quem nos céus?" isto é, dizem alguns, nos céus estrelados, entre os corpos celestiais, o sol, a luz, ou as estrelas; que eram adorados como deuses, não somente pelos persas, mas também por alguns judeus idólatras, por causa do seu brilho e sua beleza, seu resplendor e sua glória. Qual de todas estas luminárias celestiais será comparada ao Pai das luzes, e ao Sol da justiça? Eles podem brilhar como vaga-lumes, na noite do paganismo, entre aqueles que estão cobertos com o manto das trevas, mas quando surge este Sol, e aparece o dia, todos desaparecem.

"Quem nos céu?" isto é, dizem outros, no céu dos céus, no alto, o terceiro céu, entre os espíritos celestiais, querubins e serafins, anjos e arcanjos, potestades e principados, tronos e domínios? Quem, entre o incontável grupo de anjos? Quem, entre estes espíritos puros e perfeitos, que são a mais honrosa e mais antiga casa da criação, será comparado ao Pai dos espíritos? — *George Swinnock*

v. 6: "Pode se igualar?" Os holandeses traduziram assim estas palavras "Quem pode acompanhá-lo?" isto é, eles não são merecedores de ser considerados sombras em uma comparação com Ele. — *Thomas Goodwin*

v. 6: "Quem ... entre os filhos dos poderosos?" Literalmente, "Quem é Ele entre os filhos de" Alim ou "dos poderosos" (Sl 29.1), ou seja, de acordo com Suicer, os poderosos, os príncipes da terra. — *Daniel Cresswell*

v. 7: "Deus deve ser em extremo tremendo". Ainsworth diz, "Deus é tremendamente intimidador". A palavra original é נַעֲרָץ, de עָרַץ (*'ārats*), ele estava quebrado, machucado, aterrorizado. "Um epíteto de Deus", diz Buthner, "como danificando todas as coisas". — *Editorial Note to Calvin in loc.*

v. 7: "Deus deve ser em extremo tremendo". A adoração a Deus deve ser feita com grande temor e reverência; "Deus deve ser em extremo tremendo". Piscator traduz, *Vehementer formidandus*, ser veementemente temido; e em oposição àquele espírito formal, descuidado, insignificante, vão, que frequentemente é encontrado naqueles que se dirigem ao Senhor nas atividades da sua adoração. — *John Flavel*

v. 7: "Deus deve ser em extremo tremendo na assembleia dos santos". Aqueles seus santos que andam próximos a Ele, enxergam o poder intimidador deste ambiente. Apelo às consciências culpadas, aos apóstatas, aos que professam e têm recantos secretos de iniquidade e pergunto: quando vocês apenas se apresentam na presença de algum um homem ou mulher verdadeiramente devoto e gracioso, e a sua consciência lhe informa de que esta pessoa anda próxima de Deus, a mera visão desta pessoa não lhe aterroriza? O mesmo brilho desta santidade pode ser visto quando alguém desperta a sua consciência. Então você pode pensar: Sim, isso acontece quando alguém anda verdadeiramente próximo a Deus; mas abandonei o Senhor de um modo vil, e vivo neste antro de iniquidade; eu mesmo trouxe terríveis culpas sobre a minha alma, desde que o vi pela última vez. As histórias eclesiásticas nos falam de Basílio — na ocasião em que os oficiais vieram prendê-lo, quando exercia seus deveres sagrados, havia tal majestade e brilho na sua aparência, que os oficiais caíram para trás (como aqueles que vieram prender Cristo) e não conseguiram levá-lo. Certamente, quando os santos ressuscitarem na sua santidade, quando todos eles tiverem seus corações cheios de santidade, isso causará muito temor, até mesmo nos corações daqueles que convivem com eles. — *Jeremiah Burroughs*

v. 8: "A tua fidelidade ao redor de ti?!". Assim como os tiranos deste mundo andam rodeados por impiedade, avareza, desprezo por Deus e orgulho, como com um guarda-costas, também Deus se assenta no seu trono exaltado, rodeado por majestade, fidelidade, misericórdia e amor pelo seu povo, como com uma veste de ouro. — *J. Baptista Folengius*

v. 8: "A tua fidelidade ao redor de ti?!". O que quer que Deus faça, Ele se preocupa com a sua fidelidade e o seu concerto, por todos os lados; Ele não vê outra coisa, exceto o que está diante dos seus olhos. E embora Deus empregue anjos, e os envie ao mundo, e eles estejam ao seu redor, Ele tem arautos melhores do que eles — misericórdia, e verdade, e fidelidade, que estão ao seu redor. — *Thomas Goodwin*

v. 9: "Tu dominas o ímpeto do mar". Certamente, o Espírito de Deus deseja que nós percebamos que, embora o mar seja verdadeiramente um gigante, um monstro, que pode fazer um coração de carvalho se abalar, ou um coração de bronze derreter, o que é ele, para Deus, exceto um bebê? Ele pode tomá-lo e colocá-lo para dormir, como uma criancinha. E se o grande mar está na mão de Deus como uma criancinha, o que é grande para Deus? E como Deus é grande! O que é forte para Deus? E como Deus é forte! O que, ou quem, é grande demais, ou forte demais, a ponto de Deus não poder lidar com esta pessoa? — *Joseph Caryl*

v. 9: "Tu dominas". Aqui, sob uma imagem extraída do governo providencial de Deus, temos uma demonstração do poder do Senhor ao derrotar os esforços dos inimigos da sua igreja. Nós temos um exemplo disto, no sentido literal, quando o Senhor acalmou a tempestade: "E Ele, despertando, repreendeu o vento e disse ao mar: Cala-te, aquieta-te. E o vento se aquietou, e houve grande bonança". Aqui, nós vemos que Deus reina completamente sobre o mar, e altera ou modifica os arranjos da natureza, de acordo com a sua vontade soberana. O que Jesus fez, em uma ocasião, é constantemente feito pelo Deus da providência. Ele não deixou que o oceano fosse perturbado aleatoriamente pelos ventos, nem fosse deixado em paz pelas leis da natureza. Ele governa a fúria do mar. Ele levanta as ondas, e Ele as acalma. Isso exibe uma providência que está em ação continuamente. E o que Ele faz na providência, Ele também faz no seu reino de graça. Ele permite que a fúria do inimigo se agite contra a sua causa, mas Ele a acalma, quando assim o deseja. — *Alexander Carson*

v. 10: "Quebrantaste"; "espalhaste". Deus tem mais de uma maneira de lidar com os seus inimigos, e os inimigos da igreja. — *Matthew Henry*

v. 10: "Raabe". A razão pela qual o Egito é expresso nas Escrituras sob esta palavra, se origina dos dois significados da palavra: em primeiro lugar, ela significa força, pois o Egito era uma nação muito forte, e por isso os israelitas foram reprovados ao procurar a sua ajuda, e confiar na sua força, que, embora grande por si mesma, para eles seria apenas uma cana quebrada; em segundo lugar, significa orgulho, ou os orgulhosos; os homens normalmente se orgulham da sua força, e o Egito sendo uma nação forte, também era uma nação muito orgulhosa. — *Joseph Caryl*

v. 11: "Teus são os céus e tua é a terra". Por isso nós te louvamos, por isso confiamos em ti, por isso não tememos o que o homem pode fazer contra nós. — *Matthew Henry*

v. 12: "O Norte e o Sul, tu os criaste". As elevações de Huttin, normalmente consideradas pela tradição como o monte das Bem-aventuranças, aparecem um pouco a oeste de Tiberíades. Acima delas se vê o topo gracioso do monte Tabor, e além dele, o pequeno Hermom, famoso por seu orvalho; e ainda além, e aparentemente mais alto, os montes sombrios de Gilboa, onde Davi orou, para que não houvesse orvalho nem chuva. Uma vista da posição de Tabor e Hermom, de um ponto como o que ocupamos agora, nos mostrou o quão apropriadamente eles podiam ser considerados as *"umbilicus terras"* — o ponto central da terra, e nos levou a deduzir que esta é a verdadeira explicação da maneira como eles são mencionadas em Salmos 89.12. É como se o salmista tivesse dito, "Norte, Sul e *tudo o que está entre eles*" — ou, em outras palavras: Toda a terra, de norte a sul, até o seu centro e por toda a sua essência — se alegrarão no teu nome. — *R. M. McCheyne.*

v. 12: "Tabor e Hermom". Estas elevações, uma ao oeste e outras ao leste, em Canaã, eram muito frequentadas pelos santos de Deus. Davi fala do monte santo de Hermom, e compara o amor fraterno com o seu orvalho (Sl 42.6; 133.3). E Tabor, ainda mais eminente por ser o lugar memorável da Transfiguração de Cristo, e de onde Deus Pai proclamou o seu amor perfeito e a sua aprovação de Jesus como seu Filho amado. Este hino, portanto, bem pode, em referência a estes eventos gloriosos, chamar até mesmo os montes sagrados para que se alegrem no nome do Senhor (Mt 17.1-5). — *Robert Hawker*

v. 13: "Forte é a tua mão"; até mesmo a tua mão esquerda; o que equivale a dizer tu *polles utraque manu*, as tuas duas mãos são igualmente poderosas. — *John Trapp*

v. 14: "Justiça e juízo são a base do teu trono". Como se o salmista tivesse dito: "Os ornamentos com que Deus é investido, em vez de serem um manto púrpura, uma coroa ou um cetro, são o fato de que Ele é o juiz justo e imparcial do mundo, um pai misericordioso e um fiel protetor do seu povo". Os reis terrenos, pelo fato de não terem nada em si mesmos que lhes dê autoridade e dignidade, estão sob a necessidade de procurar, em outro lugar, o que os investirá destas qualidades; mas Deus, tendo em si mesmo autossuficiência, e não necessitando de nenhuma outra ajuda, nos exibe o esplendor da sua própria imagem na sua justiça, misericórdia e verdade. — *João Calvino*

v. 14: "Justiça e juízo são a base do teu trono". O Espírito Santo se refere aos tronos dos príncipes terrenos, que eram sustentados com pilares, como o trono de Salomão, com leões, 1 Reis 10.20, que eram, ao mesmo tempo, um suporte e um ornamento. Agora, diz o salmista, a justiça e o juízo são os pilares sobre os quais se edifica o trono de Deus, como Calvino explica, o manto e a coroa, o púrpura e o cetro, a veste de gala com que o trono de Deus é adornado. — *George Swinnock*

v. 14: "Justiça e juízo são a base do teu trono". O Senhor é aqui exibido pelo santo poeta, com a característica de um Soberano, e de um Juiz, apresentado ao nosso olhar adorador quando no seu trono; o trono do império universal, e um domínio absoluto; exercendo a sua autoridade, e executando as suas leis, com uma mão onipotente, mas imparcial. Pois "Justiça e juízo são a base", a preparação, o fundamento ou a base, do seu trono. A nossa tradução textual é base; a tradução à margem, estabelecimento; a Septuaginta, preparação; e, se não estou enganado, os nossos melhores intérpretes da atualidade traduzem o termo original como base ou fundação; o que, no conjunto, parece muito agradável. A base, então, do governo do Senhor, ou daquilo em que ele se apoia é "Justiça e juízo". Como "justiça" suponho que nós devamos entender o atributo assim chamado; e como "juízo", o exercício imparcial deste atributo na administração divina. De modo que, se o Altíssimo não administrasse uma justiça neutra no seu governo moral, Ele poderia ser considerado, se fosse lícito usar a expressão, como abdicando do seu trono. — *Abraham Booth, 1734–1806*

v. 14: "Justiça", que defende os seus súditos, e faz o correto com todos. "Juízo", que reprime os rebeldes e afasta as ofensas. "Misericórdia", que mostra compaixão, perdão, e apoia os fracos. "Verdade", que realiza tudo o que Deus promete. — *William Nicholson*

v. 14: "Misericórdia e verdade vão adiante do teu rosto". Observe, 1. Está escrito que a misericórdia vai adiante do rosto de Deus, porque Ele envia a misericórdia antes do juízo, para que possa encontrar menos a punir, segundo Bellarmine. 2. Deus não permite que o seu rosto seja visto antes de ter perdoado os nossos pecados por intermédio da misericórdia, de acordo com Rickelius. 3. Ninguém consegue o conhecimento de Deus, exceto aquele que obteve misericórdia de antemão. 4. Deus não vem a ninguém, a menos que a sua graça venha antes dEle... A verdade vai adiante do rosto de Deus porque Ele a conserva sempre diante dos seus olhos, para moldar seus atos. Pindar chama a verdade de θυγατερα Διος — a filha de Deus. Epaminondas, o general de Tebas, cultivava a verdade com tanto empenho, que, segundo os registros, ele jamais teria dito uma mentira, nem mesmo brincando. Nas cortes dos reis, esta é uma virtude rara. — *Le Blanc v. 14:* "Misericórdia e verdade". Misericórdia na promessa; verdade, na realização. Verdade, ao ser tão bom quanto a tua palavra; misericórdia, ao ser melhor. — *Matthew Henry*

v. 14: "Vão". Quando Deus sai, a misericórdia e a bondade o anunciam, e a verdade fiel dirá ao seu povo que Ele está ali, quando o Senhor se manifestar. As suas atividades são a misericórdia e a fidelidade, porque a sua vontade está em ação e a sua natureza é o amor. Mas o seu trono ainda conserva a justiça e o juízo. — *J. N. Darby*

v. 15: "Bem-aventurado o povo que conhece o som festivo". Não que ouve; pois então a bênção seria verdadeiramente barata. Milhares ouvem o som do Evangelho, mas às vezes nem dez, de cada mil, o conhecem. — *Thomas James Judkin, 1841*

v. 15: "Bem-aventurado o povo que conhece o som festivo". Ou seja, o som das trombetas que soam, como símbolo de alegria nas grandes festas, e principalmente no primeiro dia do sétimo mês, a festa das trombetas (Lv 23.24), e em ocasiões extraordinárias, especialmente depois da expiação anual, no dia do jubileu, no décimo dia do sétimo mês do quinquagésimo ano, proclamando liberdade aos homens cativos, e a restauração da sua herança perdida (Lv 25.8-10). Assim como a alegria do jubileu não veio até depois da expiação, também nenhuma alegria e liberdade do Evangelho serão nossas, até que, antes, conheçamos a Cristo como a nossa expiação. "No dia da alegria do povo", eles tocaram as trombetas sobre os seus sacrifícios, "para que lhes fossem por lembrança diante de Deus" (Nm 10.10). Davi e Israel trouxeram a arca do Senhor a Sião, "com júbilo e ao som das trombetas" (2 Sm 6.15). Em Números 23.21, Balaão faz a glória distinta de Israel, "o Senhor, seu Deus, é com ele e nele, e entre eles se ouve o alarido de um rei". (cf. Sl 98.6; 27.6). — *A. R. Fausset*

v. 15: "O povo que conhece o som festivo". Aqui se supõe que nós tenhamos conhecimento a respeito do "som festivo". Pois existe conhecimento, não apenas das coisas ditas e entonações, mas do sentido e da substância, do pensamento e do sentimento que elas transmitem. E suponho que isso seja o que Cristo quer dizer, quando diz, "As minhas ovelhas ouvem a minha voz, e mu conheço-as, e elas me seguem... Mas, de modo nenhum, seguirão o estranho, porque não conhecem a voz dos estranhos". E me surpreendo frequentemente, ao observar a precisão com que as pessoas, não muito inteligentes, não muito informadas, nem de perspicácia crítica, quando ouvem um sermão, julgam, discriminam, determinam e são capazes de dizer, imediatamente, "Verdade, clara, pura, sem qualquer sombra de dúvida", ou — "Doutrina indistinta, declarações confusas, não o Evangelho lúcido"; ou dizem, se for o caso, — "Não é o Evangelho, de modo algum; contradição da verdade de Cristo". Elas "conhecem o som festivo", pois ele vem da plenitude da própria voz de Deus, nas suas augustas e benditas revelações, como está confirmado, autenticado e selado pelo precioso sangue do nosso Senhor e Salvador, Jesus Cristo; como nos foi testemunhado pelo Espírito eterno. "O som festivo", que comemora a existência da salvação para os homens perdidos e destruídos pela fé no sangue e pela obediência àquEle que morreu sobre o madeiro, e que agora está entronizado no lugar mais elevado no céu. — *James Stratten, 1845*

v. 15: "Andará ... na luz da tua face". Certamente, juntamente com o amor do coração de Deus, os crentes valorizam os sorrisos do seu rosto; de onde, como pela atuação do sol, se originam os botões da alegria consciente, as folhas da profissão imaculada, as flores variadas do caráter santo, e os frutos benéficos da justiça moral. Estão totalmente enganados aqueles que supõem que "a luz da face de Deus" e os privilégios do Evangelho, e os consolos do Espírito, acabam nos tornando indolentes e inativos no caminho do dever. O texto corta esta suposição pela raiz. Pois não diz, eles se sentarão, à luz da tua face; nem, eles se deitarão à luz da tua face; mas "eles ANDARÃO na luz da tua face". O que é andar? É um movimento progressivo de um ponto do espaço a outro. E o que é este santo andar que o Espírito de Deus permite que todo o seu povo observe? É um movimento continuado e progressivo do pecado à santidade; de tudo o que é mau a toda boa obra e toda boa palavra. E a mesma "luz da face de Deus" em que você, ó crente, é capacitado a andar, e que a princípio lhe deu pés espirituais com os quais *andar, o conservará em um estado de andar e trabalhar, até o fim da sua luta.* — *Augustus Montague Toplady*

v. 15: Existe o som terrível e o som festivo. O som terrível foi ouvido no monte Sinai. O som festivo é do monte Sião. Quando o povo ouviu o primeiro, eles estavam longe de contemplar a glória do rosto de Deus. Moisés somente teve permissão de ver as suas "costas"; o povo foi mantido à distância, e a luz da glória de Deus, que eles viram, era tão terrível para eles, que não puderam permanecer nela. Mas aqueles que conhecem, agora, o "som festivo", serão admitidos, próximos, mais próximos que Moisés, de modo a ver a glória da face de Deus ou o brilho do seu rosto, e não apenas de modo transitório, como Moisés viu as costas de Deus. A luz da glória de Deus não será terrível para eles, mas tranquila e doce, de modo que possam permanecer nela e andar nela; e substituirá a luz do sol para eles; pois o sol não mais será a sua luz durante o dia, nem a lua, à noite, mas Deus será a sua luz permanente. Compare com Isaias 2.5, e Apocalipse 21.23,24 e 22.4,5. — *Jonathan Edwards*

v. 16: "E na tua justiça se exaltará". Nestas palavras, nós podemos observar, 1. A elevação do crente: ele é "exaltado". No primeiro Adão, nós fomos humilhados até o mais profundo inferno, tendo a coroa caído das nossas cabeças; mas em Cristo, o segundo Adão, nós somos exaltados outra vez; sim, exaltados tão alto quanto o céu, pois nós "nos assentamos com Ele em lugares celestiais", diz o apóstolo. Este é um inacreditável paradoxo para um mundo cego: como o crente que está sentado neste momento sobre o lixo deste mundo, deva, ao mesmo tempo, estar assentado no céu com Cristo, a sua Cabeça gloriosa e o seu representante, Efésios 2.6. Nós temos a base para a elevação e exaltação do crente; É "na tua justiça". Não é qualquer justiça própria do crente; não, isso ele rejeita, reconhecendo-a como apenas "esterco e perda", "trapo da imundícia", alimento de cães: mas é na tua justiça; isto é, a justiça de Deus, como o apóstolo a chama, Romanos 1.17 e Filipenses 3.9. A justiça de Deus é interpretada de várias maneiras nas Escrituras. Às vezes, pela infinita retidão e equidade da sua natureza: "O Senhor é justo e ama a justiça" (Sl 11.7). Às vezes, pela sua retidão, ou justiça distributiva, que Ele exerce no governo do mundo, recompensando os bons e punindo os malfeitores: "Justiça e juízo são a base do seu trono" (Sl 97.2). Às vezes, ela é representada como a sua veracidade e fidelidade, no cumprimento da sua Palavra de promessa, ou na execução da sua Palavra de ameaça: "A tua misericórdia, Senhor, está nos céus, e a tua fidelidade chega até às mais excelsas nuvens" (Sl 36.5). Às vezes, ela é representada pela perfeita justiça que Cristo, o Filho de Deus, como nossa Certeza e nosso Mediador trouxe pela sua obediência à Lei, e pela sua morte na cruz, para a justificação dos pecadores culpados: e isso, como disse, é frequentemente chamado de justiça de Deus; e neste sentido a entendo aqui, no texto: "na tua justiça se exaltará". — *Ebenezer Erskine*

v. 17: "e pelo teu favor será exaltado o nosso poder". Na cultura oriental um homem de comportamento arrogante é descrito como de chifre erguido. Àquele que está orgulhosamente interferindo com as questões de outra pessoa, será dito, "Por que mostrar o teu *kombu*", "chifre", aqui? "Veja aquele sujeito, que belo chifre ele tem; ele fará as pessoas correrem". "Verdadeiramente, meu senhor, tens um bom chifre". "Chinnan perdeu o seu dinheiro; e também o seu poder". "Ai, sou como o veado, cujos chifres caíram" — *Joseph Roberts, Oriental Illustrations*

v. 19: (segunda parte). "Eu ajudei um soldado famoso" (NTLH). Literalmente, "Eu fui equivalente à ajuda", isto é, dei ajuda suficiente a "um soldado famoso". O verbo indica "igualar" ou "tornar uma coisa igual ou equiparada à outra", como um meio ao fim, ou vice-versa. — *Richard Mant v. 19:* "Escolhi" tem aqui o seu significado restrito, mas não sem aludir ao seu uso específico, como representando um jovem guerreiro — *J. A. Alexander*

v. 20: "Com o meu santo óleo o ungi". Assim como o Davi literal foi três vezes ungido rei, uma vez por Samuel, na casa de Jessé, em Belém, outra vez em Hebrom, depois da morte de Saul, como rei sobre Judá, e finalmente, no fim de sete anos, como governante sobre todo o Israel. Também "Deus ungiu a Jesus de Nazaré com o Espírito Santo e com virtude", no seu nascimento, em Belém; uma segunda vez, sobre a sua igreja, na sua ressurreição, quando o tirano que buscava a sua vida foi derrotado, e então somente a pequena "congregação" dos seus discípulos judeus, mas uma terceira vez, na sua ascensão à Jerusalém celestial, a Visão de Paz, onde, agora coroado como Rei da Glória, foi ungido sobre todo o céu e toda a terra. O Rei supremo sobre todos os príncipes de Deus. Ele também foi ungido três vezes em outro sentido, uma vez como Profeta, uma como Sacerdote, e outra como Rei. — *Neale e Littledale*

vv. 20 a 24: "Achei a Davi", exclama Deus. Quando o pecado trouxe a morte ao mundo, e aniquilou as esperanças da humanidade quanto ao primeiro concerto, Eu, o Todo-Poderoso, no meu cuidado por eles, busquei um Redentor. Eu o busquei na Natureza Divina; e Eu o "achei" no meu Filho Unigênito. Eu o dotei de amplos poderes, e fiz um concerto de que, na fraqueza da sua encarnação, "a minha mão" e "o meu braço" iriam "fortalecê-lo". Eu declarei que Satanás, "o inimigo "não o importunará; nem Judas — "o filho da perversidade" — poderia "afligi-lo". Os judeus, "seus inimigos" cairão perante a sua face; eles serão "feridos" na sua rejeição a Ele; eles perecerão na sua terra, e serão dispersos entre as nações. A minha "benignidade" sempre estará com Ele; e agindo em meu "Nome" e poder, Ele será exaltado e glorificado entre os homens. —*William Hill Tucker*

v. 22: "O inimigo não o importunará". A referência parece ser a um credor cruel e injusto, que exige não apenas as suas próprias dívidas, mas requer algo exagerado, com interesses de usura, o que não era permitido. — *Williams, citado por Ed. de Calvino*

v. 25: "E porei a sua mão no mar e a sua direita, nos rios". Isto é, Ele reinará desde o Mediterrâneo até o Eufrates; expresso figuradamente, pela sua mão esquerda estendida ao mar, e a sua mão direita, aos rios. Expressão similar é usada, de acordo com Curtius, pelos embaixadores da Cítia, junto a Alexandre. "Se", disseram, "os deuses te deram um corpo tão grande como a tua mente, nem o mundo inteiro poderá te conter. Deves estender uma mão ao leste e outra ao oeste". — *Kitto, Pictorial Bible*

v. 25: "E porei a sua mão no mar e a sua direita, nos rios". Certo artista costumava dizer que representaria Alexandre de maneira semelhante, em uma das mãos ele seguraria uma cidade e da outra jorraria um rio. Cristo é representado aqui como de imensa estatura, mais alto que todas as montanhas, com uma mão segurando o mar, e a outra, a terra, ao passo que do mar oriental ao ocidental Ele estende seus braços. — *Le Blanc*

v. 26: "Ele me invocará, dizendo: Tu és meu pai". Quando Davi chamou Deus de seu Pai? É assombroso que nós não encontremos, em nenhuma parte do Antigo Testamento, que os patriarcas ou profetas chamassem Deus de seu Pai. Você não os vê dirigindo-se a Ele como Pai: eles não o conheciam como tal. Este versículo é incompreensível, com relação a Davi; mas, com relação ao Verdadeiro Davi, é exatamente o que Ele disse, — "Meu Pai e vosso Pai, meu Deus e vosso Deus". Nunca, até que Cristo proferisse estas palavras, nunca, até que Ele aparecesse na terra, em humanidade como o Filho de Deus, algum homem ou algum filho da humanidade se dirigiu a Deus desta maneira afetuosa. Foi somente depois que Cristo disse: "Eu subo para meu Pai e vosso Pai", que os crentes foram capazes de olhar para Deus e dizer, "Aba, Pai". Aqui você vê distintamente que isso se aplica a Cristo. Ele foi o primeiro a dizer: Davi não disse isso. Se não houvesse outra prova, em todo o Salmo, esta única sentença seria, para mim, uma demonstração de que nenhum homem, exceto o Senhor Jesus Cristo, pode ser o mencionado aqui. — *Capel Molyneux, 1855*

v. 26: "meu pai". Cristo iniciou seus trabalhos referindo-se a seu Pai, pois em Lucas 2, Ele diz: "Não sabeis que me convém tratar dos negócios de meu Pai?" e suas últimas palavras foram: "Pai, nas tuas mãos entrego o meu espírito". E ao longo de toda a sua vida, Ele constantemente se dirigiu a Deus como seu Pai. "Ele me invocará, dizendo: Tu és meu Pai", no que diz respeito à minha divindade, "Meu Deus", no que diz respeito à minha humanidade; "e a rocha da minha salvação", no que diz respeito à minha mortalidade. — *Bellarmine*

vv. 26 a 28: Cristo recebeu a ordem de ser um sofredor, e um corpo preparado para Ele, com este propósito; da mesma maneira, Ele recebeu a ordem de ser um advogado, e recebeu uma vida, e um trono preparado para Ele, à direita de Deus, com este propósito. Esta comissão está contida nas palavras que estão diante de nós; e isto, depois da sua exaltação, versículos 24, 25. Mas para a sua totalização, versículo 27, o assunto do apelo é aqui mencionado, "Tu és a rocha da minha salvação", a fundação, a causa principal, de toda a tua salvação que eu realizei no mundo, sendo quem a impulsionou, e prometendo a minha aceitação na realização que era necessário para ela. Assim como Ele tem autoridade para invocar a Deus, também tem a certeza da predominância do seu clamor, a respeito da estabilidade do concerto da mediação, que estará inseparavelmente unido a Ele, ou será fiel a Ele; "A minha benignidade lhe guardarei para sempre", versículo 28. Os tesouros da minha misericórdia estão reservados, e só podem ser abertos e dispensados por Ele; e o prazer da sua semente espiritual, para sempre, e o estabelecimento do seu próprio trono por meio desta semente, é o fruto prometido deste clamor, versículo 28 — *Stephen Charnock*

v. 27: "por isso lhe darei o lugar de primogênito". Em primeiro lugar, porque Ele é o primeiro na ordem de predestinação; pois é por Ele, como pela Cabeça, que nós somos predestinados, como lemos em Efésios 1. Em segundo lugar, como Ele é o primeiro na geração da vida eterna, consequentemente Ele é chamado "o primogênito dentre os mortos" Colossenses 1; e, em Apocalipse 1, "o primogênito dos mortos"; e, em terceiro lugar, porque Ele tinha os direitos de primogênito; pois, "foi constituído herdeiro de tudo"; e foi feito, não somente primogênito, mas também "mais elevado do que os reis da terra"; ou seja, o Príncipe dos reis da terra, e Rei dos reis. — *Bellarmine*

v. 27: "Também por isso lhe darei o lugar de primogênito; fá-lo-ei mais elevado do que os reis da terra". Esta promessa sugere claramente a superioridade de uma natureza similar à que tinha, antigamente, o filho mais velho de uma família — os privilégios e bênçãos da primogenitura, que consistiam principalmente de três detalhes importantes: Em primeiro lugar, uma porção dupla de possessões terrenas dos pais (Dt 21.17). Em segundo lugar, governo, ou autoridade, sobre os ramos mais jovens da família (2 Cr 21.3). E, em terceiro lugar, o exercício do sacerdócio, porque Deus reivindicou todos os primogênitos como seus, e no seu lugar Ele indicou que os levitas desempenhassem o ofício dos sacerdotes (Nm 8.14–17). Mas, embora seja literalmente verdade que Jesus foi o Primogênito da sua mãe virgem, e por isso, tinha direito aos privilégios habituais, a promessa, em Salmo 89, sugere algo específico e pouco usual. Davi era o filho mais jovem de Jessé, o mais inferior na lista de uma família numerosa — o último indivíduo, entre eles, que poderia ter esperado exaltação acima de todos os demais. Contudo, apesar destas desvantagens naturais, ele foi a escolha de Deus; e examinando a história das Escrituras, seria fácil mostrar, com vários detalhes, como a promessa feita a Davi, "Eu lhe darei o lugar de primogênito" foi literalmente e notavelmente cumprida no filho de Jessé. De igual maneira, Jesus, com toda aparência humana, entrando no mundo aparentemente como herdeiro somente da pobreza de Maria e seu marido — estava completamente removido de qualquer possibilidade de cumprir esta combinação de prerrogativas reais e sacerdotais, o que, no entanto, lhe estava assegurado pela promessa do seu Pai celestial: "Fá-lo-ei, por isso, Meu primogênito" (ARA). O pronome "Meu" dá grande ênfase à promessa, mas esta palavra é inserida, e ainda que transmita verdadeiramente a ideia da indescritível superioridade que pertence a Jesus Cristo como resultado do seu relacionamento com Deus, nós descobriremos que, mesmo sem este importante pronome, a promessa de simplesmente ser "primogênito" tem uma grandeza que não necessita nem de ornamentos nem de acréscimos. O grande Senhor, o Criador e Dono e Governante do universo, disse, a respeito do seu Cristo: "Fá-lo-ei, por isso, meu primogênito" (na versão ARA), isto é, farei dEle o líder de todas as criaturas, e o depositário de todo o poder, e o possuidor de todos os privilégios, e o herdeiro de toda a criação. Como distinção, Ele é *o* Primogênito, "o mais elevado entre os reis da terra" — tendo prioridade no tempo e precedência de lugar. — *David Pitcairnm em "The Anointed Saviour", 1846*

v. 27: "Meu primogênito" (na versão ARA).No idioma hebraico, todos os reis eram os filhos de Deus, mas Davi é o principal deles, o primogênito de Deus. Os gregos tinham uma maneira similar de se expressar. Os reis eram os filhos de Júpiter. — *Alexander Geddes*

v. 28: "A minha benignidade lhe guardarei para sempre". Como Ele guardará a sua benignidade para Cristo para sempre? É muito simples, creio eu. Cristo não é a Fonte de toda benignidade para nós? A benignidade de Deus Pai não flui em nós por intermédio de Cristo? Ele não é o Depositário de toda a benignidade? Deus diz, então, "Eu lhe guardarei"; pois para todo o sempre estará guardada em Cristo, e o seu povo desfrutará dela, por toda a eternidade. — *Capel Molyneux*

v. 28 a 30: Aqui há consolação para aqueles que são ramos fiéis e continuam a dar frutos em meio a todas as provações que lhes acontecem, pois Deus não permitirá que eles sejam eliminados pela sua corrupção. Se algo neles provoca Deus a agir assim, deve ser o pecado. Por isso, você vê como Cristo promete que Deus irá se incumbir e removerá o pecado deles. Este é o concerto feito com Davi (pois ele era um exemplo de Cristo, com quem o mesmo concerto está seguro e firme), de que, "Se os seus filhos deixarem a minha lei e não andarem nos meus juízos" — O que! Imediatamente os expulsaria, e os extirparia, como alguém com quem Ele não queria mais se relacionar? Que? Nada além de completa rejeição? Não há meios de recuperá-los? Não há uma vara na casa? Sim. — "visitarei com vara a sua transgressão, e a sua iniquidade, com açoites", açoitarei a sua rebeldia e o seu pecado; "Mas não retirarei totalmente dele a minha benignidade", como fiz com Saul (1 Cr 17.13).

Que os santos considerem isto: que podem retornar quando tiverem caído, e submeter-se a Deus e à sua natureza, e podem permitir que Ele faça o que quiser com eles, e suportar ser feridos, lancetados e queimados, contanto que Ele não os extirpe; suportar castigos e todas as suas tratativas, sabendo que o fruto será para remover o pecado, torná-los "participantes da sua santidade"; e "se, de alguma maneira", como Paulo fala de si mesmo (Fp 3.11), for a maneira como acontecerá, não importa. E, se em algumas ocasiões, Deus parecer extirpar você, será apenas como o coríntio incestuoso foi extirpado, para "destruição da carne, para que o espírito seja salvo". — *Thomas Goodwin*

v. 29: "sua descendência" e "seu trono" são agrupados, como se o seu *trono* não pudesse permanecer, se a sua *descendência* falhasse. Se os seus súditos perecessem, de que Deus seria rei? Se os seus membros fossem destruídos, de que Ele seria a cabeça? — *Stephen Charnock*

v. 30: "Se os seus filhos deixarem a minha lei". Há uma objeção suposta: Suponha que esta descendência, que está incluída no concerto, caia em transgressão, como o concerto persistirá, então. O concerto, com a descendência, persistirá para sempre, mas a semente deve ser uma semente santa. Então, aquele que objeta conjectura, 'Suponha que a semente deixe de ser santa?' Bem, explica Deus, "Se os seus filhos deixarem a minha lei e não andarem nos meus juízos" - ou seja, se a semente praticamente apostatar — "se profanarem os meus preceitos e não guardarem os meus mandamentos, então, visitarei com vara a sua transgressão, e a sua iniquidade, com açoites. Mas não retirarei totalmente dele a minha benignidade, nem faltarei à minha fidelidade". Perceba a situação. O que Deus irá fazer? O caso suposto é que a semente de Cristo abandona a Lei e profana os seus preceitos. Eu não preciso dizer a você que isso acontece todos os dias. Não estamos falando de ateus ou de não convertidos, mas dos próprios filhos de Deus. Você diz, 'Podem eles ser culpados de profanar os preceitos de Deus e abandonar a Lei de Deus?' Nós agimos assim todos os dias. Não há um único dia em nossas vidas em que não façamos isso...

Como muitos ficariam surpresos se soubessem qual é a verdadeira situação daqueles a que, talvez, admirem, e julguem altamente avançados e exaltados na vida espiritual, se viessem a conhecer os seus pecados, os terríveis pecados, pecados do coração, expressos em palavras e em atos, e viessem a conhecer as profundas aflições que os filhos de Deus, que não estão nada avançados na vida espiritual como eles supõem, sofrem continuamente como resultado de tais transgressões! É exatamente isto o que Deus diz; Ele vem e contempla esta situação, e diz, "se profanarem os meus preceitos e não guardarem os meus mandamentos, então ..." —o que? O que Deus irá fazer? Algumas pessoas dizem: "Então Deus os abandonará". Aqueles que objetam à doutrina da perseverança final dizem isso: "É verdade que Ele irá proteger o crente dos esforços do Diabo e das tentações do mundo, mas não do surgimento do seu mau natural. O crente poderá ser traído por isso, e finalmente, perdido". É isso o que Deus encontra: Ele contempla o pior caso — a transgressão real. E diz, "Se um filho meu rompe a minha lei". Ele nada diz sobre o Diabo, ou as tentações externas do mundo; mas diz, "Se deixarem a minha lei e profanarem os meus preceitos". Devemos nos permitir ser instruídos por Deus. Ele não diz que os abandonará e desamparará. Veja o que Deus fará! Ele diz, "então, visitarei com vara a sua transgressão, e a sua iniquidade, com açoites". Esta é a provisão que Deus fez, no seu concerto, e é maravilhoso ver como o Senhor contemplou totalmente o nosso caso. Não há nada, na nossa história, que Deus não tenha satisfeito no concerto com Cristo. Se você está em união com Cristo e participa do concerto, o seu caso é atendido em cada emergência imaginável. Nada pode lhe acontecer que não tenha sido contemplado — nada para o que Deus não tenha feito provisão. Mesmo que você peque, Deus fez provisões para isso; mas, cuidado, a provisão envolve algo que será terrível e desesperadoramente doloroso à sua mente. Não há nada nela que encoraje o pecado; não há nada que nos dê permissão, nada que leve um homem a se vangloriar, "eu estou salvo, por fim". Ainda que assim fosse, salvo, como? Como Deus garantirá a sua segurança? "Visitarei com vara a sua transgressão e a sua iniquidade com açoites". — *Capel Molyneux*

v. 30: "Se os seus filhos deixarem a minha lei". Se eles caírem em pecados de comissão; se ultrapassarem os limites, "e não andarem nos meus juízos". Se caírem nos pecados de omissão, e não alcançarem o mínimo. Onde observe que "toda transgressão e desobediência (isto é, cada comissão e omissão) recebeu a justa retribuição" (Hb 2.2). — *John Trapp.*

v. 30: "Seus filhos", בָנָיו, isto é, os cristãos, nascidos por meio as angústias de Cristo na cruz, como as dores do parto — *Geier*

v. 30: Um indivíduo pode abandonar as doutrinas do Evangelho. Ele pode incorrer em grandes erros, grandes aberrações da verdade; pode abandonar as ordenanças da casa do Senhor, embora veja que a Palavra de Deus é clara no assunto. Ele julga que estas coisas que o Senhor tanto estima não têm valor, que Ele as deu à sua igreja como um depósito sagrado, que ela deve transmitir à posteridade até o fim dos tempos. E, além disto — um indivíduo pode abandonar, durante algum tempo, os princípios do precioso Evangelho do Deus vivo. Mas posso imaginar uma situação ainda mais aflitiva que esta. É parte da sabedoria de Deus (e é para o nosso bem que é assim — toda a sabedoria de Deus é para o bem do seu povo) — é parte da sabedoria de Deus que o pecado leva ao pecado; que um descuido prepara o caminho para outro descuido; que aquilo que é perverso levará àquilo que é pior, e o que é pior preparará o caminho para o que é ainda pior... Quanto mais vivo, mais sou levado a isto — a saber que não há um pecado que jamais foi cometido, mas preciso que a graça de Deus me impeça de cometê-lo. — *James Harrington Evans.*

vv. 30 a 34: Aqui, Deus diz duas coisas: Em primeiro lugar, que Ele castigá-los-á, e depois, que não irá, por causa disto, excluí-los do seu concerto. Ó, maravilhoso equilíbrio da serenidade e da bondade de Deus, em que Ele encontra a sua própria glória, e os crentes, a sua segurança! O Pai celestial ama o sangue e as marcas do seu Cristo, que Ele vê neles, e os restos de fé e santidade que são preservados escondidos nas profundezas dos seus corações; é por isso que Deus não os exclui. Por outro lado, Ele considera que não é adequado, nem à sua sabedoria nem a sua santidade, conceder a sua graça e salvação àqueles que não se arrependem de ter deixado a sua Lei e ter se entregado à iniquidade. Para harmonizar estes desejos conflitantes, Deus toma a vara, e os castiga, a fim de despertar as suas consciências e estimular a sua fé; visando restaurá-los, pelo arrependimento que a sua disciplina produz a tal estado em que Ele possa conceder-lhes, sem infâmia, as bênçãos que prometeu aos filhos da sua Sião; como um pai sábio, por moderada e ponderada correção, gradualmente afasta o seu filho daquelas irregularidades da vida em que ele mergulhou; e com isso, preserva a sua honra, e a si mesmo o prazer de poder amá-lo e agradá-lo sem temor. Ou como um cirurgião talentoso que, pela dor que a sua faca ou cauterização ou remédios amargos causam ao seu paciente, salva a sua vida e afasta a morte. — *Jean Daillé*

vv. 30 a 34: Quando nosso Pai celestial é levado a exibir a sua ira, Ele faz uso da vara de um pai, e não do machado de um carrasco. Ele não quebrará os ossos dos seus filhos, nem o seu próprio concerto. Ele açoita com amor, medida, piedade e compaixão. — *Thomas Lye,1621-1684*

v. 32: "então, visitarei com vara a sua transgressão". Ele não diz, simplesmente, Eu os ferirei; mas, visitarei com a vara. Uma coisa é ferir, simplesmente, e outra coisa é ferir, visitando. Pois a visitação implica em supervisão e cuidado paternal. A metáfora é extraída daqueles que se incumbem de cuidar dos enfermos, ou educar crianças, ou apascentar ovelhas. Ele não diz, Eu os visitarei com a vara; mas, Eu visitarei a sua transgressão com a vara. Nós devemos pensar permanentemente, o que é que a vara de Deus visita em nós, para que possamos confessar nossas transgressões e corrigir nossas vidas — *Musculus*

v. 33: "Mas... a minha benignidade". Somente o concerto da graça tinha este artigo para a remissão do pecado e para a correção paterna, a fim de levar ao arrependimento, para que, vindo a Deus, a pessoa penitente pudesse, pela fé, ter o pecado perdoado e enxergasse a demonstração de tão grande benignidade; este concerto não nos deve desapontar como o concerto das obras — *David Dickson*

v. 33: "Não retirarei totalmente dele". Por que "dele"? Porque toda a benignidade de Deus para com o seu povo se centra em Cristo. Deus ama você? É porque Ele ama Cristo; você é um, com Cristo. As suas transgressões são suas; elas são separadas de Cristo; mas o amor de Deus não é seu; é de Cristo; você o recebe porque é um, com Ele. Que distinção maravilhosa é feita aqui — "Se eles cometerem transgressões, Eu as punirei; mas a minha benignidade não tirarei dEle" — somente em Jesus eles a encontram; e em união com Ele, somente, podem desfrutar benignidade. — *Capel Molyneux*

v. 33: "Dele". As palavras "Mas não retirarei totalmente dele a minha benignidade" merecem consideração; pois uma vez que a questão diz respeito aos que são castigados, pareceria que Ele deveria ter escrito deles, e não dele. Mas o profeta assim o escreveu, porque, sendo nós os filhos e membros do seu Cristo, as benevolências que Deus concede a nós pertencem a Ele, de alguma maneira; e parece que o salmista deseja nos mostrar que é em Jesus Cristo, e pelo amor a Ele, e apenas a Ele, que Deus nos concede benevolências. E o que vem a seguir, no versículo 34, está de acordo com isso. "Não quebrarei o meu concerto" — pois é realmente a Jesus Cristo, por causa da sua admirável obediência, que Deus Pai prometeu ser misericordioso com as nossas iniquidades, e jamais deixar perecer aqueles que estão em concerto com Ele. — *Jean Daillé*

v. 33: "Nem faltarei à minha fidelidade". A fé de um indivíduo pode lhe falhar, de vez em quando, mas a fidelidade de Deus jamais lhe falha: Deus não permitirá que a sua fidelidade falte. As operações dEle podem ter uma aparência semelhante: as tentações que vêm do maligno, e os nossos corações descrentes, podem não apenas nos levar a pensar assim, mas assim nos persuadem. Porém as coisas não podem ser como imaginamos, pois o Senhor não permitirá; Ele não transformará a sua verdade ou fidelidade em uma mentira; assim diz o texto hebraico: Ele é um Deus que não mente, Ele é a Verdade, Ele diz a verdade, e nenhuma das suas promessas pode falhar, nem falhará; isso é algo que pode trazer grande consolo a todos aqueles que estão sob qualquer promessa de Deus. — *William Greenhill*

v. 34: "Não quebrarei o meu concerto". Ele tinha dito, anteriormente: "se os filhos de Davi profanarem os meus preceitos"; e agora, referindo-se àquela transgressão, Deus declara que não os tratará como eles o tratam, "Não quebrarei o meu concerto", indicando, que embora o seu povo possa não agir de maneira completamente correspondente à sua vocação, como deveriam fazer, Ele não permitirá que o seu concerto seja rompido e anulado por causa do erro deles, porque prontamente e efetivamente Ele irá impedir que isso aconteça, apagando os seus pecados com um perdão gratuito. — *João Calvino*

v. 35: "Uma vez jurei por minha santidade". Aqui Deus exibe a sua santidade, para defender a certeza da sua promessa, como o atributo que lhe é mais caro, mais valorizado por Ele, como se ninguém pudesse conferir uma certeza correspondente a esta, na sua preocupação com uma redenção eterna, que é o que é dito aqui. Aquele que jura, jura por alguém superior a si mesmo. Deus, não tendo ninguém superior a si mesmo, jura por si mesmo; e jurar aqui, pela sua santidade, parece igualar este único atributo a todos os seus outros, como se Ele estivesse mais interessado em honrar este, do que todos os demais. Como se Ele tivesse dito: Uma vez que Eu não tenho uma perfeição maior pela qual jurar que a da minha santidade, Eu a apresento como um penhor pela sua segurança, e me obrigo por aquilo de que jamais me separarei, ainda que fosse possível que me visse privado de todo o resto. É uma tácita imprecação de si mesmo. Se Eu mentir a Davi, que jamais seja considerado santo, nem justo o suficiente, para que os anjos ou os homens confiem em mim. Este atributo, Ele aproveita ao máximo. — *Stephen Charnock*

v. 36: "A sua descendência durará para sempre". Eles (a descendência) permanecerão para sempre, em três sentidos. Primeiro: Na sucessão da sua raça até o fim do mundo. Ela jamais será extirpada. — "A igreja está em perigo!" Que Igreja? "Sobre esta pedra", diz Ele, "edificarei a minha igreja; e as portas do inferno não prevalecerão contra ela". Sim, o seu povo continuará a crescer em número e excelência. Nós deixaremos o mundo em melhores condições que entramos nele, nem os nossos filhos; até que Jerusalém seja estabelecida, e seja louvada em toda a terra. Segundo: No seu caráter religioso, até o fim da sua própria vida. Se deixados à sua própria sorte, nós não podemos ter certeza de que perseverassem, até o fim de um dia, ou uma hora. Mas eles são mantidos pelo poder de Deus, pela fé, para a salvação. Ele os sustenta com a sua mão. Eles persistirão no seu caminho. Em todos os seus perigos, eles serão mais que vencedores. Terceiro: No seu estado glorificado, por séculos eternos. O "mundo passa, e a sua concupiscência; mas aquele que faz a vontade de Deus permanece para sempre". Todas as outras grandezas são somente para a vida: frequentemente menos duráveis — com a morte, elas terminam. Mas então, a grandeza cristã — eu não direi, começa, pois ela começou no momento em que Ele orou, mas continua, aumenta e é aperfeiçoada. — *William Jay*

v. 37: "será estabelecido para sempre como a lua". Kimchi explica esta sentença, não apenas quanto à perpetuidade, mas quanto à qualidade e condição do reino de Davi, desta maneira: Se os seus filhos forem bons, serão como a lua, quando cheia e brilhante; se forem maus, serão como a lua nova e obscura. Apesar disso, o próprio reino não cessará, assim como a lua não deixa de existir, ainda que obscura, mas dura perpetuamente. — *Musculus*

v. 37: "e a testemunha no céu é fiel". "E como o sinal fiel do arco-íris". O arco-íris não é expressamente mencionado no original, que fala somente da "testemunha fiel no céu". Alguns comentaristas entendem que a "testemunha" mencionada não é outra, que não a própria lua. Prefiro, no entanto, a interpretação que a fixa no arco-íris, que Deus, depois do dilúvio, apontou como um "sinal" ou "testemunha" da sua misericórdia em Cristo, Gêneses 9.12-17. De acordo com esta anotação, diz-se que os judeus, quando contemplam o arco-íris, bendizem a Deus, que se lembra do seu concerto e é fiel à sua promessa. E a tradição do seu desígnio de proclamar consolo à humanidade era forte entre os pagãos: pois, de acordo com a mitologia dos gregos, o "arco-íris" era a filha da "maravilha", um sinal para os homens mortais, e considerado, quando da sua aparição, como mensageiro das divindades celestiais. Assim Homero, notavelmente de acordo com o relato das Escrituras, fala do "arco-íris", que "Jove colocou na nuvem, um sinal para os homens". — *Richard Mant*

v. 38: "Mas tu rejeitaste". As reclamações dos santos, enquanto isto, são tão exageradas, que o sentimento carnal se faz mais aparente neles do que a fé... Mas tal é a bondade de Deus, que Ele não se ofende com estas queixas, uma vez que a fé não está completamente extinta nem sucumbiu. — *Mollerus*

v. 39: "profanaste a sua coroa". A coroa de um rei (como a do sumo sacerdote, em que estava escrito "Santidade ao Senhor"), Êxodo 28.36, era algo sagrado, e por isso, lançá-la ao chão era profaná-la. — *A. R. Fausset*

v. 40: "muros" e "fortificações". As duas palavras podem se referir às designações de uma vinha em que o rei era a vide. Normalmente, ela era cercada com um muro de pedra, e nela havia uma pequena casa ou torre, onde ficava um guardião para afastar os invasores. Quando o muro, ou a cerca, era derrubado, cada pessoa que passava arrancava os frutos, e quando a torre fosse destruída, a vinha ficava à disposição dos vizinhos, que poderiam fazer o que quisessem com as vides. Se a igreja não estiver mais separada do mundo, e o seu Guardião divino não tiver mais uma morada nela, a sua situação será realmente difícil. — *C. H. S.*

v. 43: "Também embotaste o fio da sua espada". As armas e as proezas do teu povo não lhes servirão mais de nada; Tu estás *contra* eles, e por isso eles caíram. Em que situação perigosa e desesperadora deve estar aquele soldado que, defendendo a sua vida do seu inimigo mortal, tem a sua espada quebrada ou o seu fio se perde; ou, na guerra moderna, a arma que erra o alvo! Os gauleses, quando invadidos pelos romanos, não tinham o método de endurecer o ferro; a cada golpe, suas espadas se dobravam, de modo que eram obrigados, antes de poder dar outro golpe, a colocá-las sob seus pés ou sobre seus joelhos, para endireitá-las; e, na maioria dos casos, antes que isso pudesse ser feito, o seu adversário, que estava mais bem armado, já teria tirado a sua vida! O fio da sua espada era perdido, de modo que não podiam continuar na batalha; e assim os gauleses foram derrotados pelos romanos. — *Adam Clarke*

v. 43: "Também embotaste o fio da sua espada", de modo que ela não pode realizar a execução como fazia; e, o que é pior, tu "embotaste o fio" do seu espírito, e assim removeste a sua coragem, e não o fizestes "resistir", como costumavas fazer, "no dia da batalha". O espírito do homem será o que o Pai e formador dos espíritos fizer dele; nós não poderemos resistir, com qualquer força ou resolução, além daquilo que Deus se alegrar em nos conceder. Se os corações dos homens lhes falharem, será Deus quem os terá desencorajado; mas é triste a situação da igreja quando aqueles que deveriam defendê-la não conseguem resistir. — *Matthew Henry*

v. 45: "Abreviaste os dias da sua mocidade". Os nossos reis não reinaram todos os seus dias, nem viveram sequer a metade das suas vidas. Os quatro últimos reis da Judeia reinaram um curto período de tempo, e morreram, pela espada ou no cativeiro. Jeoacaz reinou apenas três meses, e foi levado cativo ao Egito, onde morreu. Jeoaquim reinou somente onze anos, e foi vassalo dos caldeus, que o levaram à morte e lançaram seu corpo no esgoto comum. Joaquim reinou três meses e dez dias, e foi levado cativo à Babilônia, onde permaneceu na prisão até a época de Evil-Merodaque, que, embora o libertasse, jamais o investiu de nenhum poder. Zedequias, o último, reinou apenas onze anos; quando foi aprisionado, seus olhos foram arrancados, ele foi acorrentado, e levado à Babilônia. Muitos destes reis tiveram uma morte violenta e prematura. Assim, os "dias da sua mocidade" — do seu poder, dignidade e vida, "foram abreviados", e eles mesmos "cobertos de vergonha". "Selá"; assim é de maneira incontestável. — *Adam Clarke*

v. 45: "cobriste-o de vergonha. Selá". Tu o envolveste no sudário da vergonha. Senhor, isto é, verdade. — *John Trapp*

vv. 46 e 47: Isto parece, indubitavelmente, a voz de alguém que não tem nenhuma esperança de futuro. O salmista fala como se todas as suas esperanças estivessem limitadas pela sepultura; como se a derrota do reino unido de Judá e Efraim o tivesse destituído de toda a sua alegria; e como se ele não conhecesse nenhum reino futuro que o compensasse com as suas esperanças. Mas seria cometer uma cruel injustiça se o interpretássemos literalmente. O que nós ouvimos é a linguagem da paixão e não da convicção tranquila. Isso é bem expresso por John Howe, em um famoso sermão. "A discussão (observa ele) era, de alguma maneira, apaixonada, e se originava da repentina visão deste caso inconsolável, considerado de maneira muito abstrata, e isoladamente; e o salmista, naquele instante, não olhou além dele, procurando um cenário melhor e mais confortável. Um olho ofuscado pela tristeza atual não vê ao longe, nem apreende muita coisa à primeira vista, como faria em outra circunstância, ou como faz quando a lágrima é enxugada e a sua própria luz o limpa".

Seria injustificável, portanto, deduzir, com base na discussão de Etã, que os santos que viveram sob os reis terrenos foram estranhos à esperança da vida eterna. Estou inclinado a ir adiante, e a apontar esta mesma queixa como possibilitando uma suposição de que havia, em seus corações, um sentimento irrepreensível de imortalidade. A ave que se enerva e se fere nas barras da sua gaiola mostra, com isso, que o seu lar adequado é o ar livre. Quando a libertinagem inveterada é bem sucedida, ao apagar, no coração do homem, a esperança de uma vida além da morte, o terrível vazio que se segue, se expressa, não em queixas solenes, como a de Etã, mas em cânticos de alegria forçada — cânticos deprimidos, à maneira de Anacreonte: "Comamos e bebamos, pois amanhã morreremos".

"Ao ficar velho, é momento de viver,
é o momento de entregar-se a pequenos prazeres,
aproveitar ao máximo a curta vida,
e administrar sabiamente a última fase".*
— *William Binnie*

v. 46: "Arderá a tua ira como fogo?" um elemento que não tem misericórdia. — *William Nicholson*

v. 47: "por que criarias debalde todos os filhos dos homens?" Se eu perguntasse a alguém, por que motivo o homem veio especialmente ao mundo; a resposta seria como a do salmista, Deus não criou o homem em vão. Ele criou o homem para acumular riquezas? Não, pois o apóstolo diz: "Nada trouxemos para este mundo e manifesto é que nada podemos levar dele. Tendo, porém, sustento e com que nos cobrirmos, estejamos com isso contentes" (1 Tm 6.7,8). Ele criou o homem para procurar poder e potestades? Não, pois Nabucodonosor, que procurou estas coisas, perdeu nada menos do que um reino. Ele criou o homem para comer, beber e se divertir? Não, pois Sêneca, embora fosse pagão, diz, *major sum*, eu sou maior, e nascido para maiores coisas, e não devo ser um vil escravo dos meus sentidos. Qual é, então, o fim apropriado do homem? Que nós vivamos para louvor e glória da sua graça, pela qual nos fez agradáveis a si no Amado (Ef 1.6). — *William Pulley*

v. 47: "por que criarias debalde todos os filhos dos homens?" Se pelo fato de tantos terem vidas curtas e longas aflições neste mundo pensarmos que Deus criou o homem debalde, entenderemos que Deus o *criou* assim; mas não é verdade que por isso eles sejam "criados debalde". Pois aqueles cujos dias são poucos e cheios de aflição, ainda podem glorificar a Deus e fazer algum bem; eles podem conservar a sua comunhão com Deus e ir para o céu, e, assim sendo, não são criados debalde. Se nós pensamos que Deus criou o homem debalde, porque a maioria dos homens não o serve nem desfruta a preciosa presença dEle, é verdade que, quanto a eles, que foram criados debalde, melhor seria que não tivessem nascido, a não ser "nascido de novo"; todavia não é devido a Deus, que eles foram criados debalde, é devido a eles mesmos; nem foram criados debalde, no que diz respeito a Deus; pois Ele "fez todas as coisas para os seus próprios fins e até ao ímpio, para o dia do mal", e Ele será glorificado naqueles que não o glorificam. — *Matthew Henry*

v. 47: "por que criarias debalde todos os filhos dos homens?" Quando penso no meu curto tempo, o tempo da humanidade agonizante, e contemplo uma sombra escura e mortal, que se espalha por todo o mundo, com todas as espécies de criaturas humanas se extinguindo, deixando o espaço ao meu redor e desaparecendo, quase ao mesmo tempo em que se mostram, eu não tenho um motivo bom e plausível para este desafio, aparentemente rude? Por que existe um fenômeno tão inexplicável? Como uma criatura seria criada sem um propósito; a parte mais nobre desta criação inferior seria trazida à existência sem nenhum desígnio imaginável? Eu não sei como desatar este nó, com esta única perspectiva sobre o caso, ou evitar o absurdo. Certamente, é difícil aceitar a suposição (ou o que pode parecer difícil de supor) de que "todos os homens foram criados debalde". — *John Howe*

v. 47: "por que criarias debalde todos os filhos dos homens?" Dois pensamentos nos esmagam — O homem foi criado para chorar, e o homem foi criado em vão. Sim, este pensamento nos é dolorosamente imposto — o homem foi "criado debalde!" Em quantos particulares, especialmente quando examinamos aquela vasta gama de personagens

---

* Anacreonte, *Age*, conforme a tradução de Cowley.

aos quais podemos dar a denominação de vidas desperdiçadas, é possível contemplar um talento sem igual, desperdiçando-se com interesses indignos, com desempenhos sem valor; imaginação que pode adornar a verdade, se isto fosse possível; inteligência que pode selecionar e discriminar o verdadeiro do falso; e eloquência que pode impor a verdade — onde encontramos estas coisas? Mundo insatisfatório e infeliz podemos exclamar, onde nada é real, e nada é realizado, quando considero como nossas vidas são vividas na luta pela existência, quando considero as preocupações da vida, quando não um ai — um mero ai, quando não uma preocupação; quando considero como milhões gastam o seu tempo sem um mero esforço à procura de objetos que satisfaçam seus sentidos, e que aqueles aos quais a triste contradição da vida jamais acontece, seriam os mais infelizes de todos, se apenas soubessem disto; quando considero os milhões de existências distorcidas, e os muitos milhões — o maior número do mundo — que peregrina sem Cristo, sem amor, sem esperança, na ampla estrada da vida; quando considero a vida, em muitos dos despertos, como um sonho inquieto, como crianças chorando à noite; quando considero quantas perguntas se repetem para nós, e não serão silenciadas, e não podem ser respondidas, quando considero a inutilidade da curiosidade dos filósofos, e o fim da realeza no sepulcro; quando olho a região das minhas alegrias, e sei o quanto é curta a sua concessão, e que a sua inefabilidade é o que as deteriora; quando considero quão pouco os melhores podem fazer, e que ninguém pode fazer nada bem; e, finalmente, quando considero a incomensurável quantidade de pensamentos não realizados, e a dolorosa inquietude, quase posso exclamar com nosso infeliz poeta. — *Byron*

> "Conte todas as alegrias que as suas horas viram,
> conte todos os seus dias livres de angústia,
> e saiba, que independente do que você tenha sido,
> teria sido melhor não ser".
> — *E. Paxton Hood, em "Dark Sayings on a Harp", 1865*

vv. 47 e 48: Nestes versículos, a condição fundamental da bênção de Israel é compreendida como sendo um reconhecimento da total inutilidade da carne. A ressurreição é a base sobre a qual as misericórdias de Davi descansam disponíveis para a fé (At 13.34). Isso está mais sugerido que diretamente declarado neste salmo — *Arthur Pridham*

v. 48: "Que homem". Mi gheber, diz o original; não *Ishe*, que é o primeiro nome do homem, nas Escrituras, e não significa nada, além de um som; uma voz, uma palavra, um ar musical que morre e evapora. Que assombro se o homem, que é apenas *Ishe*, um som, morresse também? Não é Adão, que é outro nome do homem, e não significa nada além de terra vermelha; que seja terra vermelha com sangue (com aquele assassinato que nós cometemos contra nós mesmos), que seja terra vermelha com rubor (assim a palavra é usada no original) com a consciência da nossa própria fraqueza, que assombro se o homem, que é apenas Adão, culpado deste assassinato a si mesmo, culpado desta fraqueza inata, morrer também? Não é *Enos*, que também é um terceiro nome do homem e nada significa exceto uma criatura infeliz e miserável; que assombro que o homem, que é apenas terra, que é um peso para seus vizinhos, para seus amigos, para seus parentes, para si mesmo, para todos os outros, e a si mesmo deseja a morte, que assombro se ele morrer? Mas esta pergunta se baseia em mais nomes, além deste; não *Ishe*, não Adão, não *Enos*; mas *Mi gheber*, *Quis vir*, que é a palavra que sempre significa um homem realizado em todas as qualidades, um homem acompanhado de todas as vantagens. Fama e uma boa opinião, concebida com razão, impedem que ele seja *Ishe*, um mero som, que se apoia somente na aclamação popular; a inocência e a integridade o impedem de ser Adão, terra vermelha, de sangrar, ou enrubescer por qualquer coisa que tenha feito; esta santa e religiosa arte das artes, que o apóstolo Paulo professava. O fato de que ele sabia como ter necessidade e como ter abundância o impede de ser *Enos*, infeliz ou desgraçado, com qualquer sorte; ele é *gheber*, um grande homem bom, um homem feliz e um homem santo, e, no entanto, *Mi gheber, Quis homo*, este homem deve ver a morte. — *John Donne*

v. 48: Este salmo é um daqueles doze que estão marcados no princípio com Masquil; isto é, um salmo instrutivo. Ele consiste de tantos versículos quantas são as semanas do ano, e tem, como o ano, o seu verão e o seu inverno. A parte do verão é a primeira; em que, tendo a igreja colhido uma rica safra (as melhores bênçãos do céu e da terra), o salmista irrompe em louvores ao seu gracioso Benfeitor, "As benignidades do Senhor cantarei perpetuamente". Assim ele começa, e assim prossegue, de maneira maravilhosa. Como, agora, esperar qualquer coisa, exceto misericórdias, e cânticos, e verão por todo o caminho? Mas o verão termina e começa o inverno, no versículo 38: "Mas tu rejeitaste e aborreceste; tu te indignaste contra o teu ungido". As misericórdias e os cânticos agora se converteram em problemas e lamentações. Mas você não ouvirá nada, exceto amargas queixas e reclamações, até chegar ao último versículo. Ali, o bom homem volta a si, outra vez. Embora Deus estivesse irado com o seu povo, este não pode se afastar de Deus, com descontentamento. Embora Deus os tivesse carregado com cruzes, ele ergue a sua cabeça, e bendiz ao Senhor; "Bendito seja o Senhor para sempre! Amém e amém!" Ele o bendiz, pelo inverno e também pelo verão, pelas dificuldades e também pelas misericórdias. E assim, o último versículo do salmo tem tanta afinidade com o primeiro, em conteúdo, assim como o último dia do ano tem com o primeiro, em estação; se nós fizermos do salmo um círculo, e unirmos as duas extremidades, encontraremos uma semelhança adequada, entre o salmo e o ano.

O texto é uma das gotas de inverno do salmista; uma linha escura daquela pena, que antes estava tão cheia de alegria, e não escreveu nada, além de instruções. Ele se queixa, no versículo anterior, da brevidade da sua própria vida (era como um dia de inverno, muito curto); neste, da instabilidade da vida do homem; como se tivesse dito, eu não sou o único mortal. As vidas de outros homens, ainda que vestidas de mais confortos que a minha, são tão mortais quanto a minha; pois as suas perguntas são equivalentes a fortes negativas. Assim como ver o sono é dormir, também ver ou provar a morte é morrer. Não há como sobreviver a esta visão. A morte diz, como Deus disse certa vez a Moisés: "Homem nenhum verá a minha face e viverá" (Êx 33.20). — *Thomas Du-gard, em um Sermão de Funeral, 1648*

v. 48: A morte não escolhe posição, nem condição dos homens. Os reis, assim como os súditos, os príncipes, assim como os mais humildes, estão sujeitos a este golpe fatal. Os cedros eminentes e os arbustos baixos; palácios e cabanas são todos semelhantes. Na verdade, nós lemos que Júlio César pediu ao capitão do navio em que navegava que tivesse coragem, apesar da tempestade vociferante, porque ele tinha César e sua fortuna no seu navio, o que equivale a dizer que a situação em que eles estavam então não poderia ser fatal a um imperador, a uma pessoa tão grandiosa como ele era. O nosso William, de sobrenome Rufus, disse que jamais tinha ouvido falar de um rei que tivesse se afogado. E Carlos V, na batalha de Túnis, sendo aconselhado a se retirar quando começou a grande artilharia, disse que jamais se soube de um imperador que fosse morto com tiros, e assim se apressou à batalha. Mas disto nós temos certeza: jamais se soube ou ouviu que qualquer rei ou cabeça coroada escapasse ao golpe da morte, por fim. O cetro não pode evitar as flechas que voam durante o dia ou as doenças que corroem ao meio-dia; ele não é véu nem proteção contra os golpes da morte. Nós ouvimos sobre grandes tiranos e usurpadores que se vangloriavam de ter o poder da vida e da morte, e dispunham dos homens da mesma maneira como Domiciano de moscas; mas nós também ouvimos que, em pouco tempo (e geralmente, quanto mais furiosos eles tiverem sido, mais curto este tempo) os seus cetros caíram de suas mãos. As suas coroas caem de suas cabeças, e eles mesmos são agarrados pelo Rei dos Terrores. Ou, podemos falar destes personagens reais que são mansos e gentis, e como Vespasiano, são os amados e o prazer do povo, mas estes também têm a sua hora fatal, e a sua honra e majestade real caem ao chão. O rei não morre pode ser uma máxima do direito consuetudinário, mas é uma falsidade, segundo as Leis de Deus e da Natureza, e a constituição estabelecida do céu. Pois o próprio Deus que disse "Vós sois deuses", também acrescentou, "como homens morrereis". No Escorial, o palácio dos reis da Espanha, está também o seu cemitério; ali estão as cinzas reais. Também no lugar onde são coroados os reis e rainhas da Inglaterra, estão sepultados seus antecessores, para, de certa forma, dizer-lhes que suas coroas não os livram da sepultura, e que não existe grandeza nem esplendor que possa protegê-los das garras da morte. A morte considera os ricos em nada diferentes dos pobres e necessitados — ela agarra as pessoas de suas mansões e assentos hereditários, e também de asilos de caridade e hospitais. O seu domínio é sobre os senhores e também os servos, os pais e também os filhos, superiores e também inferiores. — *John Edwards*

v. 48:

"A ostentação dos brasões, a pompa do poder,
e toda aquela beleza, toda aquela riqueza
esperam igualmente a hora inevitável —
Os caminhos da glória conduzem apenas à sepultura.

Pode uma urna famosa, ou um busto animado,
chamar o fôlego fugaz de volta às suas mansões?
Pode a voz da honra provocar o pó silencioso,
ou a adulação acalmar o frio e maçante ouvido da morte?"
— *Thomas Gray,1716–1771*

v. 50: "como trago no meu peito o escárnio". Trago o escárnio aos teus servos e ao teu Ungido, (1) como se fossem censuras particulares a mim; ou, (2) como afetando e pesando no meu coração; ou, (3) de modo que decido suportá-lo e engoli-lo em silêncio, como não sendo realmente capaz de livrar-me dele; porque, à luz da razão, a nossa condição atual é tão contrária ao que nós desejamos e esperamos; ou, (4) de modo que o seu escárnio não vem aos seus ouvidos somente por rumor, mas foi lançado abertamente à sua face, como se fosse no seu peito. — *Arthur Jackson*

v. 50: "como trago no meu peito o escárnio". O escárnio da religião e o escárnio do crente devoto são muito próximos, e devem estar próximos do coração de cada membro vivo da igreja. — *David Dickson*

v. 51: "com o qual têm difamado as pisadas do teu ungido". Esta frase tem um palavreado obscuro e por isso tem várias interpretações: 1. Alguns a entendem como sendo as pisadas de Cristo, como significando o seu advento na carne; outros atribuem as palavras a Davi, e assumem que o seu significado é uma imitação dele. A primeira explicação traz este sentido: Toma ciência, ó Senhor, do escárnio dos teus inimigos, com que insultam a expectativa que temos do teu Ungido, zombando do seu advento, como se ele jamais fosse acontecer. A segunda interpretação é a seguinte: Lembra-te, ó Senhor, do desprezo que os teus inimigos nos destinam, por causa do teu servo Davi, porque nós cultivamos com carinho a sua lembrança e o seu exemplo, e alimentamos a esperança do teu concerto com ele, e aderimos tenazmente a isso... Em terceiro lugar, esta frase pode ser interpretada de modo que, como עִקְּבוֹת, isto é, o calcanhar, podemos interpretar as extremidades do reino de Cristo, de Davi. Assim podemos imaginar que os inimigos de Deus atiram nos dentes do povo de Israel o fato de que já tinham chegado ao fim e à extremidade do reino de Davi — *Musculus*

v. 51: (segunda parte). A versão dos Caldeus diz: "Eles zombaram da demora das pegadas do teu Messias". Também Kimchi: "Ele demora tanto, que eles dizem que Ele jamais virá". Compare com 2 Pedro 3.4,9. A palavra árabe *áqaba* é usada no sentido de "demora". — *William Kay*

v. 51: "as pisadas" ou pegadas, isto é, os costumes, a vida, os atos e os sofrimentos, Salmos 56.6; 99.5. Isso se refere a Cristo, a respeito do oráculo, Gêneses 3.15, de que a serpente feriria o calcanhar da semente da mulher; e se refere aos cristãos que seguem os seus passos, sofrendo e morrendo com Jesus, para que possamos ser glorificados com Ele (1 Pe 2.21; Rm 8.17); isso observa a ofensa da cruz de Cristo, "escândalo para os judeus e loucura para os gregos" (1 Co 1.23; 1 Pe 4.13,14). A versão dos Caldeus interpreta que é uma referência à inatividade das pegadas. — *Henry Ainsworth*

v. 52: "Bendito seja o Senhor para sempre! Amém e amém!". A vitória começa a brilhar na expressão, Bendito seja o Senhor para sempre. Amém e amém! Alguns pensam que estas palavras não são as palavras do salmista, porque são de opinião de que estas palavras não estão de acordo com as anteriores, mas foram escritas por outra pessoa, ou acrescentadas, como uma doxologia de encerramento, pela pessoa que organizou os salmos; ou se o salmista as escreveu, ele o fez meramente concluindo a sua oração. Mas é uma questão do momento maior, pois indica a vitória da fé, uma vez que o salmista observa que, depois daquela tristeza, o escárnio do calcanhar é gloriosamente removido, para que o Messias possa permanecer como vitorioso para sempre, tendo ferido a cabeça da serpente e tendo removido dela, para toda a perpetuidade, o seu poder de ferir. Para que isso certamente aconteça, ele acrescenta o selo da fé, duas vezes: "Amém e amém". — *James Ailing, 1618–1679*

v. 52: Esta doxologia pertence, de igual maneira, a todos os salmos do Terceiro Livro, e não deve ser tratada como se fosse meramente o último versículo do salmo que a acompanha. Ela deve ser apresentada de tal maneira que capacite e convide o povo de Deus a cantá-la, como uma fórmula ou um louvor em separado, ou em conexão com qualquer outro salmo. — *William Binnie*

v. 52: Quanto às palavras Amém e amém, eu asseguro, prontamente, que são aqui empregadas para marcar o fim do terceiro livro de salmos. — *João Calvino*

SUGESTÕES AOS PREGADORES

v. 1. I. Benignidades celebradas. 1. Quando? — "perpetuamente". 2. Por quem? — por aqueles que são os objetos delas. 3. Eles devem viver para sempre, para celebrá-las. II. Fidelidade declarada. 1. À nossa geração. 2. Às gerações posteriores, pela sua influência sobre os outros.

v. 2. I. O Testemunho. 1. Da constância da benignidade. (1) Ela edifica seus troféus a cada momento. (2) Ela os preserva para sempre. 2. Da constância da fidelidade. Ela permanece como as ordenanças do céu. II. A sua confirmação. "disse eu". 1. Com base nas Escrituras. 2. Na experiência. 3. Na razão. 4. Na observação dos outros.

vv. 3 e 4. I. O concerto feito. 1. Com quem? — com Davi, e nele, com o Senhor e Filho de Davi. O verdadeiro Davi — o Escolhido — o servo do Pai na redenção. 2. Para que? — (1) Para a sua semente. Ele deveria ter uma semente e esta semente deveria ser estabelecida. (2) Para Ele mesmo, "teu trono". II. O Concerto confirmado. 1. Por decreto. "Fiz". 2. Por promessa. "estabelecerei". 3. Por juramento. "jurei".

v. 6. Nós temos uma comparação entre Deus e o mais excelente, no céu e na terra — desafio em ambos os mundos. 1. O Deus verdadeiro, soberano do céu e da terra, é incomparavelmente grande no seu ser e na sua existência; (1) Porque a sua existência vem dEle mesmo, e é eterna; (2) Porque Deus é um ser perfeito; (3) Porque Ele é independente; (4) Porque Deus é imutável. 2. O Senhor é incomparavelmente grande nos seus atributos e perfeições. (1) Na sua santidade; (2) Na sua sabedoria e conhecimento; (3) No seu poder; (4) Na sua justiça; (5) Na sua paciência; (6) No seu amor e bondade. 3. Deus é incomparavelmente grande nas suas obras — criação; providência; redenção e paixão humana. — *Theophilus Jones, 1830*

v. 6. A incomparabilidade de Deus, na sua existência, nos seus atributos, obras e na sua Palavra. — *Swinnock [Edição de Nichol das obras de Swinnock, Vol. IV., pp. 373-508.]*

vv. 6 e 7. I. Na Criação, Deus está muito acima dos outros seres. II. Na Redenção, Deus está muito acima de si mesmo, quando se leva em consideração a Criação.

vv. 9 e 10. O governo atual de Deus, em meio à confusão e rebelião; e a derrocada definitiva que Ele provoca a todas as forças adversas.

v. 11. I. A possessão do céu por Deus, o modelo da sua possessão da terra. II. A possessão da terra por Deus, muito assegurada, e a sua manifestação no futuro mais seguro. III. O curso de ação sugerido ao seu povo, pelos dois fatos.

v. 12. A alegria da criação no seu Criador.

v. 14. I. A retidão do governo divino — "Justiça". Nenhuma criatura pode, eventualmente, ser tratada injustamente sob o seu domínio, e o seu reino domina a todos. II. A soberania do governo divino. A verdade antes da misericórdia. A misericórdia baseada na verdade. "Darás a Jacó a fidelidade e a Abraão, a benignidade". O concerto feito em benignidade com Abraão se cumpre em fidelidade a Jacó.

v. 15. I. O Evangelho é um som festivo. Boas novas. II. É um som festivo para aqueles que o conhecem, o ouvem, creem nele, o amam e o obedecem.
III. São bem-aventurados aqueles que sabem o que é um som festivo. "Andará".

v. 15. 1. Existe um conhecimento teórico do Evangelho. 2. Um conhecimento experimental. 3. Um conhecimento prático. — *W. Dransfield, 1859*

v. 16. I. Exultação. 1. "Em teu nome", tão rico em misericórdia quanto o Deus de salvação — de toda a graça — de toda consolação. 2. Em que ocasião — "todo o dia", manhã, tarde e noite. II. Exaltação. "Na tua justiça". 1. Não exaltado. Não na sua própria justiça. 2. Quão exaltado. "na tua". Conseguida para eles — por uma pessoa divina (tua) —imputada a eles. Nossa, embora tua. A justiça de Deus, como Ele, não pode nos exaltar, mas a sua justiça, como Deus-homem, pode. Exaltado acima do inferno, acima da terra, acima do Paraíso, acima dos anjos. Exaltado a amigos de Deus — filhos de Deus — um com Deus, no céu.

v. 16 (segunda parte). Considere, I. Acima de que o crente é exaltado, pela justiça de Deus. II. A justiça o exalta acima da Lei. 2. Acima do mundo. 3. Acima do poder e da maldade de Satanás. 4. Acima da morte. 5. Acima de todas as acusações (Rm 8.33,34). III. A qual felicidade ou dignidade o crente é exaltado, em virtude desta justiça. 1. A um estado de paz e reconciliação com Deus. 2. À filiação. 3. À comunhão e familiaridade com Deus, e ao acesso a Ele. 4. E, finalmente, a um estado de glória eterna. — *E. Erskine*

v. 17. I. A bênção dos justos. 1. A sua glória interior. A confiança na força divina. 2. A sua honra externa. "pelo teu favor".II. A participação nesta bênção. A sua do povo de Deus se torna nossa. A sua força, nossa trombeta. Felizes aqueles que, com respeito a todos os privilégios dos santos, podem converter sua em nossa.

v. 17. 1. Considere a nossa fraqueza natural. 2. Considere a nossa força em Deus. 3. Ofereça a Deus a glória por ela.

v. 18. I. O Senhor — seu poder, sua autoexistência, e majestade — nossa defesa. II. O Santo de Israel — seu caráter, o caráter de concerto e a unidade — nosso governo.

v. 19. I. O trabalho necessário. "Socorro". 1. Por quem? Pelo próprio Deus. 2. Para que? Para reconciliar Deus com o homem, e o homem com Deus. II. A pessoa escolhida para este trabalho. 1. Humano. "um eleito do povo". 2. Divino. "teu santo". III. As suas qualificações para o trabalho. 1. A sua própria capacidade para a função. "Um que é esforçado". 2. A sua nomeação para isto, feita por Deus. "Socorri". "exaltei.

v. 19. (última parte). — Escolha, origem e exaltação.

vv. 20 e 21. I. O Messias seria da linhagem de Davi. O verdadeiro Davi. II. Ele seria um servo do Pai. "meu servo". III. Ele seria consagrado por Deus nesta função. "com o meu santo óleo". IV. Ele a cumpriria perfeitamente. "com ele, a minha mão". V. Ele seria sustentado nela pelo Pai. "meu braço".

vv. 22 e 23. I. Uma profecia do conflito entre o Messias e Satanás. Satanás não poderia obter dEle nenhuma dívida nem homenagem. II. Da sua refutação aos seus inimigos. "eu derribarei". Os escribas e fariseus foram derrubados perante a sua face. III. Da destruição da sua cidade e nação. "e ferirei".

v. 26. O espírito filial do nosso Senhor, e a maneira como era exibido.

v. 29. I. Os súditos do reino do Messias. "sua descendência". 1. Pela união — sua descendência. 2. Por semelhança. 3. Pela multidão. II. A duração do seu reino. 1. Eles, para sempre, um com Ele. 2. Ele, para sempre, no trono.

vv. 30 a 34. I. As pessoas mencionadas. "seus filhos". "Eis que todos sois filhos". II. A suposição a respeito deles. "Se os seus filhos deixarem". 1. Eles podem, possivelmente — cair, mas não desaparecer. 2. Provavelmente, o farão, porque estão longe de serem perfeitos. 3. Na verdade, já o fizeram: como o próprio Davi e outros. III. A ameaça baseada nesta suposição. 1. Especificada — "a vara — açoites". Eles sofrerão por isso, mais cedo ou mais tarde. 2. Certificada. "então, visitarei". IV. A qualificação da ameaça. "Mas". 1. O "mas" caracterizado. A benignidade não removida. 2. Enfatizada. Entretanto, a vara pode parecer estar irada. Existe, I. Um "se". II. Um "então". III. Um "mas".

v. 39. I. As providências frequentemente podem parecer estar em desacordo com as promessas. II. As promessas nunca estão em desacordo com as providências. Ainda é o concerto do teu servo e a sua coroa.

v. 39. Como o trono do rei Jesus pode ser profanado.

v. 40. I. O que Deus fez. "Derribaste". II. O que Ele não fez. Não removeu a tristeza pelo seu afastamento e o desejo pela sua volta.

v. 43. Casos em que a espada do Evangelho parece ter seu fio embotado.

Versículos 44, 45: I. Uma profecia de que o Messias seria manso e humilde. "Fizeste cessar o seu esplendor". II. De que Ele se tornaria um servo do Pai. "deitaste por terra o seu trono". III. Seria extirpado no meio dos seus dias. "os dias da sua mocidade". IV. De que Ele teria uma morte ignomínia. "cobriste-o".

v.45. A excelência dos primeiros dias do Cristianismo, e em que termos a sua glória nos abandonou.

v. 46. A mão de Deus deve ser reconhecida. I. Na natureza da aflição. "Esconder--te-ás". II. Na duração da aflição. "Até quando, Senhor?" III. Na severidade da aflição. A ira ardendo como fogo. IV. No resultado da aflição. Até quando? Para sempre? Em todos estes aspectos, as palavras se aplicam, tanto a Cristo quanto ao seu povo.

v. 47. "Lembra-te". A oração do ladrão à morte, o cristão perseguido.

v. 47. I. Um apelo à divindade divina. "Lembra-te". Que a minha vida não seja apenas aflições e tristezas. II. À sabedoria divina. "Por quê?". O homem foi criado somente para ser infeliz? O homem não terá sido criado debalde, se a sua vida for curta, e se esta curta vida não for nada, além de tristezas?

v. 52. I. A voz. "Bendito". Em si mesmo, em todas as suas obras e costumes — nos seus juízos, assim como nas suas benignidades — como o Deus Pai do nosso Senhor Jesus Cristo — "para sempre". II. O eco. "Amém e amém". Amém — diz a igreja na terra — diz a igreja no céu — dizem os anjos de Deus — diz todo o universo feliz — diz a eternidade passada e diz a eternidade futura.

AQUI TERMINA O LIVRO III DE SALMOS

SALMO 90

TÍTULO

Oração de Moisés, varão de Deus. Muitos esforços têm sido feitos para provar que Moisés não escreveu este Salmo, mas nós permanecemos inabaláveis na convicção de que ele realmente o escreveu. A condição de Israel no deserto é tão preeminentemente explicada em cada versículo, e as reviravoltas, expressões e palavras são tão similares a muitas do Pentateuco, que as dificuldades sugeridas são, na nossa opinião, leves como o ar em comparação com a evidência interna em favor da sua origem mosaica.

Moisés era poderoso em palavras, assim como em obras, e nós cremos que este salmo é uma de seus poderosos discursos, merecedor de estar lado a lado com sua gloriosa oração, registrada no livro de Deuteronômio. Moisés era, peculiarmente, um homem de Deus e um profeta; escolhido por Deus, inspirado por Deus, honrado por Deus, e fiel a Deus, em toda a sua casa, ele bem merecia o nome que aqui lhe é dado. O salmo é chamado de oração, pois as súplicas finais entram na sua essência, e os versículos anteriores são uma meditação preparatória às súplicas.

Os profetas certamente são homens de oração. Esta não foi a única oração de Moisés, na verdade é uma amostra da maneira em que o profeta de Horebe estava acostumado a comunicar-se com o céu e interceder para o bem de Israel. Este é o mais antigo dos salmos, e ele se situa entre dois blocos de Salmos, como uma composição única na sua grandeza, e isolada em sua sublime antiguidade. Muitas gerações de pranteadores ouviram este salmo quando ao lado da sepultura aberta, e com ele foram consolados, mesmo quando não percebiam a sua aplicação especial, a Israel no deserto, e deixaram de se lembrar do nível mais elevado em que os crentes agora se encontram.

TEMAS E DIVISÕES

Moisés canta sobre a fragilidade do homem, e a pouca duração de vida, comparadas aqui com a eternidade de Deus, e edificadas sobre fervorosos apelos por compaixão. A única divisão que pode ser útil separa a contemplação 1—11 da oração 12—17: realmente não há necessidade de fazer, sequer, esta divisão, pois a unidade é bem preservada por todo o salmo.

EXPOSIÇÃO

1 *Senhor, tu tens sido o nosso refúgio, de geração em geração.*
2 *Antes que os montes nascessem, ou que tu formasses a terra e o mundo, sim, de eternidade a eternidade, tu és Deus.*
3 *Tu reduzes o homem à destruição; e dizes: Volvei, filhos dos homens.*
4 *Porque mil anos são aos teus olhos como o dia de ontem que passou, e como a vigília da noite.*
5 *Tu os levas como corrente de água; são como um sono; são como a erva que cresce de madrugada;*
6 *de madrugada, cresce e floresce; à tarde, corta-se e seca.*
7 *Pois somos consumidos pela tua ira e pelo teu furor somos angustiados.*
8 *Diante de ti puseste as nossas iniquidades; os nossos pecados ocultos, à luz do teu rosto.*
9 *Pois todos os nossos dias vão passando na tua indignação; acabam-se os nossos anos como um conto ligeiro.*
10 *A duração da nossa vida é de setenta anos, e se alguns, pela sua robustez, chegam a oitenta anos, o melhor deles é canseira e enfado, pois passa rapidamente, e nós voamos.*
11 *Quem conhece o poder da tua ira? E a tua cólera, segundo o temor que te é devido?*

1. *"Senhor, tu tens sido o nosso refúgio, de geração em geração."* Nós devemos considerar todo o Salmo como tendo sido escrito para as tribos no deserto, e então veremos o significado principal de cada versículo. Na verdade, Moisés diz — peregrinos, embora estejamos no imenso deserto, ainda assim encontramos um lar em Ti, assim como nossos antepassados, quando vieram de Ur dos caldeus, e residiram em tendas, entre os cananeus. Para os santos, o Senhor, o Deus auto-existente, é o equivalente a mansão e telhado, Ele abriga, conforta, protege, preserva e cuida de todos nós. As raposas têm covis, e as aves do céu têm ninhos, mas os santos habitam em seu Deus, e assim têm feito, por todos os séculos. Não habitamos no tabernáculo, nem no templo, mas no próprio Deus; e assim tem sido, desde que há uma igreja no mundo. Nós não mudamos nossa residência. Os palácios dos reis desapareceram debaixo da esmagadora mão do tempo — foram queimados com fogo e enterrados debaixo de montes de ruínas, mas a raça imperial do céu jamais perdeu a sua régia habitação. Vá ao Palatino e veja como os Césares estão esquecidos nos salões onde ecoavam suas ordens despóticas, e onde ressoavam os aplausos das nações que eles governavam, e então olhe para cima e veja, no eterno Senhor, o lar divino dos fiéis, intocado pelo dedo da decadência. Onde habitaram nossos pais, há cem gerações, também nós habitamos. É sobre os santos do Novo Testamento que o Espírito Santo disse: "Aquele que guarda os seus mandamentos nele está, e ele nele". Foi a boca divina que disse: "Estai em mim", e acrescentou, "quem está em mim, e eu nele, este dá muito fruto". É muito doce falar com o Senhor como Moisés falava, dizendo, "Senhor, tu tens sido o nosso refúgio", e é sábio extrair, das eternas condescendências do Senhor, razões para esperar benignidades atuais e futuras, como fez o salmista no salmo seguinte, onde descreve a segurança daqueles que habitam em Deus.

2. *"Antes que os montes nascessem."* Antes que aqueles gigantes antigos tivessem lutado para deixar o ventre da natureza, como o seu terrível primogênito, o Senhor era glorioso e auto-suficiente. Os montes, para Ele, ainda que grisalhos pela neve dos séculos, são apenas bebês recém-nascidos, coisinhas jovens cujo nascimento foi apenas ontem, novidades de uma hora atrás.

"Ou que tu formasses a terra e o mundo." Aqui também a alusão é a um nascimento. A terra nasceu outro dia mesmo, e o seu terreno sólido foi resgatado do dilúvio há apenas pouco tempo.

"De eternidade a eternidade, tu és Deus", ou, "tu és, ó Deus". Deus já existia, quando nada mais existia. Ele era Deus, quando a terra não era um mundo, mas um caos, quando os montes não tinham se elevado, e a geração dos céus e da terra ainda não tinha começado. Neste Ser Eterno, há uma morada segura para as sucessivas gerações de homens. Se o próprio Deus existisse apenas desde ontem, não seria um refúgio apropriado para os homens mortais; se Ele pudesse mudar, e deixar de ser Deus, seria apenas uma morada incerta para o Seu povo. A existência eterna de Deus é mencionada aqui para exibir, sob forma de contraste, a brevidade da vida humana.

3. *"Tu reduzes o homem à destruição"*, ou *"ao pó"*. O corpo do homem retorna aos seus elementos e é como se tivesse sido esmagado e moído e convertido em pó.

"E dizes: Volvei, filhos dos homens", isto é, retornem ao mesmo pó de onde foram tirados. A fragilidade do homem é assim forçosamente exibida; Deus o cria do pó, e de volta ao pó ele vai, mediante a palavra do seu Criador. Deus determina e o homem desaparece. Uma palavra criou, e uma palavra destrói. Observe como a ação de Deus é reconhecida: não está escrito que o homem morre por causa do decreto do destino, ou por ação de uma lei inevitável, mas o Senhor é feito o agente de tudo, Sua mão se move e Sua voz fala; sem isto, nós não morreríamos; nenhum poder, na terra ou no inferno, poderia nos matar.

"O braço de um anjo não pode me salvar da sepultura,
e miríades de anjos não podem me confinar ali."

4. *"Porque mil anos são aos teus olhos como o dia de ontem que passou."* Mil anos! É um longo período de tempo. Quanta coisa deve estar contida nele — a ascensão e a queda de impérios, a glória e a obliteração de dinastias, o início e o fim de elaborados sistemas de filosofia humana, e eventos incontáveis, todos importantes, para a família e para o indivíduo, e a que se referem as penas dos historiadores. Mas este período, que pode até mesmo ser chamado de limite da história moderna, e, na linguagem humana, é quase idêntico a um período indefinido de tempo, para o Senhor não é nada, é um tempo que passou. Um momento ainda por vir é mais longo do que "o dia de ontem que passou", pois este não mais existe, e isto é um milênio para o Eterno. Em comparação com a eternidade, as maiores extensões de tempo são meros pontos, não havendo, na verdade, nenhuma comparação possível entre eles.

"E como a vigília da noite", um momento que tão logo chega, já se acabou. Há pouco tempo, em mil anos, para que os anjos troquem de relógio; quando o seu milênio de serviço está quase acabando, parece como se o relógio tivesse sido acertado naquele momento. Nós estamos sonhando, durante a longa noite do tempo, mas Deus está sempre vigilante, e mil anos não são nada para Ele. É necessário combinar um exército de dias e noites para formar mil anos, para nós, mas, para Deus, esta extensão de tempo não forma sequer uma noite inteira, mas somente uma breve parte dela. Se mil anos parecem a Deus uma única noite de vigília, o que deve ser a duração da vida humana para o Eterno!

5. *"Tu os levas como corrente de água."* Como quando uma torrente deixa o leito do rio e leva tudo o que está à sua frente, também assim o Senhor remove, pela morte, as sucessivas gerações dos homens. Como o furacão varre as nuvens do céu, também o tempo remove os filhos dos homens. *"São como um sono"*. Os homens devem parecer tão irreais, perante Deus, como os sonhos da noite, os fantasmas do sono. Não apenas os nossos planos e esquemas são como um sono, mas nós também somos assim. "Nós somos feitos da mesma substância que os sonhos".

"São como a erva que cresce de madrugada." Assim como a erva é verde pela manhã e feno à noite, também os homens passam, da saúde à corrupção, em poucas horas. Nós não somos cedros, nem carvalhos, mas somente erva, que é vigorosa na primavera, mas não dura todo um verão. O que existe sobre a terra que é mais frágil que nós!

6. *"De madrugada, cresce e floresce."* Florescendo com beleza abundante até que os campos estejam todos salpicados de jóias, a erva tem o seu momento dourado, assim como o homem, na sua juventude, tem um apogeu de glória florida.

"À tarde, corta-se e seca." A foice acaba com as flores do campo, e os orvalhos, à noite, choram a sua perda. Aqui está a história da erva — plantação, crescimento, floração, corte, fim; e a história do homem não é muito diferente. A decadência natural traz o fim, a nós e à erva, no devido tempo; poucos, no entanto, podem experimentar o pleno resultado da velhice, pois a morte vem com a sua foice e remove a nossa vida no meio do seu florescer. Que grande mudança, em um período tão curto de tempo! A manhã viu o florescer, e a noite vê o secar.

7. Esta mortalidade não é acidental, nem era inevitável, na nossa natureza original, mas o pecado levou o Senhor à ira, e por isto nós morremos.

"Pois somos consumidos pela tua ira." Esta é a foice que corta, e o calor escaldante, que seca. Este foi o caso, especialmente, com relação ao povo no deserto, cujas vidas foram ceifadas, com justiça, por causa da sua perversidade; eles falharam, não por um declínio natural mas pelo golpe dos merecidos juízos de Deus. Deve ter sido uma visão lamentável e dolorosa para Moisés, ver toda a nação derretendo e desaparecendo durante os quarenta anos da sua peregrinação, até que não permanecesse nenhum dos que tinham saído do Egito. Assim como a benevolência de Deus é a vida, também a Sua ira é a morte; a erva poderia crescer em um forno, se os homens pudessem florescer, quando o Senhor estivesse irado com eles.

"E pelo teu furor somos angustiados", ou atingidos pelo terror. Uma sensação da ira divina os confundia, de modo que viviam como homens que sabiam que estavam condenados. Isto é verdade, a nosso respeito, até certo ponto, mas não completamente, pois agora esta imortalidade e vida são trazidas à luz pelo Evangelho, a morte modificou o seu aspecto, e, para os crentes em Jesus, não é mais uma execução judicial. A ira e o furor são o aguilhão da morte, e com eles os crentes nada têm a ver; o amor e a misericórdia agora nos conduzem à glória, pelo caminho do sepulcro. Não é conveniente ler estas palavras em um funeral cristão, sem palavras de explicação, e um esforço distinto para mostrar quão pouco elas pertencem aos crentes em Jesus, e quão privilegiados nós somos em relação àqueles dos quais Ele não se agradava, "cujos corpos caíram no deserto". Aplicar uma ode, escrita pelo líder da dispensação legal, sob circunstâncias de juízo peculiar, em referência a um povo sob censura penal, àqueles que adormecem em Jesus, parece ser um erro estúpido. Nós podemos aprender muito com isto, mas não devemos aplicar de modo indevido a nós mesmos, que somos os amados do Senhor, aquilo que era verdadeiro sobre aqueles aos quais Deus tinha jurado, na Sua ira, que não entrariam no Seu descanso. Quando, no entanto, uma alma está sob a condenação do pecado, a linguagem deste Salmo é altamente apropriada ao seu caso, e naturalmente será sugerida à mente desviada. Nenhum fogo consome como a ira de Deus, e nenhuma angústia perturba tanto o coração, como o Seu furor. Bendito seja aquele amado substituto,

> "Que suportou o que nós jamais poderíamos suportar:
> A ira justa do seu Pai".

8. *"Diante de ti puseste as nossas iniquidades."* Por isto, estas lágrimas! O pecado, visto por Deus, deve operar a morte; somente pelo sangue da expiação a vida virá, a qualquer de nós. Quando Deus estava destruindo as tribos no deserto, Ele teve as iniquidades deles diante de Si, e por isto lidou com eles com severidade. Ele não poderia ter estas iniquidades diante de Si e não feri-los.

"Os nossos pecados ocultos, à luz do teu rosto." Não há segredos para Deus; Ele perscruta as coisas ocultas do homem e as expõe à luz. Não pode haver luz mais poderosa do que a face de Deus, pois, naquela forte luz, o Senhor exibe os pecados ocultos de Israel. A luz do sol jamais pode ser comparada à luz Daquele que criou

o sol, de quem está escrito "Deus é luz, e não há nele treva nenhuma". Se, por Seu rosto, aqui, o significado é o Seu amor e a Sua benevolência, não é possível que a atrocidade do pecado seja mais claramente manifestada do que quando ela é vista, envolvendo ingratidão a alguém tão infinitamente bom e generoso. A rebelião à luz da justiça é negra, mas à luz do amor, é diabólica. Como podemos entristecer um Deus tão bom? Os filhos de Israel tinham sido tirados do Egito com mão poderosa, alimentados no deserto com mão liberal, e guiados com mão terna, e os seus pecados eram peculiarmente atrozes. Nós, também, tendo sido redimidos, pelo sangue de Jesus, e salvos por abundante graça, seremos verdadeiramente culpados, se abandonarmos o Senhor. Que tipo de pessoas nós devemos ser? Como devemos orar pela purificação de pecados secretos?

É, para nós, um manancial de delícias nos lembrarmos de que os nossos pecados, como crentes, agora estão atrás do Senhor, e jamais serão trazidos à luz outra vez: por isto, nós vivemos, porque, tendo sido removida a culpa, a pena de morte também foi removida.

9. *"Pois todos os nossos dias vão passando na tua indignação."* A justiça encurtou os dias do Israel rebelde; cada lugar onde paravam se tornava um cemitério; eles marcaram a sua marcha pelos túmulos que deixavam para trás. Por causa da sentença penal, seus dias se secaram, e suas vidas foram desperdiçadas.

"Acabam-se os nossos anos como um conto ligeiro." Não somente os seus dias, mas também os seus *anos* passaram por eles como um pensamento, rápidos como uma meditação, velozes e desocupados como um mexerico. O pecado tinha lançado uma sombra sobre todas as coisas, e tornado a vida dos peregrinos mortos vãs e breves. A primeira sentença não se destina a ser citada pelos crentes, como se fosse aplicada a eles, pois todos os nossos dias se passam entre a bondade e a misericórdia do Senhor, como diz Davi, no Salmo 23: "Certamente que a bondade e a misericórdia me seguirão todos os dias da minha vida". A vida do homem que possui a graça de Deus não é algo sem uma verdadeira essência, como uma história que é contada; ele vive em Jesus, ele tem em si o Espírito divino, e para ele, "a vida é real, a vida é palpitante" — a símile somente se confirma se nós considerarmos que uma vida santa é rica em interesse, cheia de maravilhas, repleta de mudanças, de altos e baixos, mas tão facilmente ordenada pela Providência quanto o improvisador organiza os detalhes da história com que faz passar o tempo. As nossas vidas são exemplos de bondade celestial, parábolas de sabedoria divina, poemas de pensamento sagrado e registros de amor infinito; felizes são aqueles cujas vidas têm estas histórias.

10. *"A duração da nossa vida é de setenta anos."* O próprio Moisés viveu mais do que isto, mas o seu caso foi a exceção, e não a regra: no seu tempo, a vida tinha a mesma duração que tem hoje em dia. Isto é a própria brevidade, em comparação com os homens de antigamente, mas não é nada quando em comparação com a eternidade. Mas a vida é suficientemente longa para a virtude e a piedade, e longa demais, para a maldade e a blasfêmia. Moisés, no original, escreve aqui de uma maneira desordenada, como se quisesse expressar a total insignificância da curta existência do homem. As suas palavras podem ser traduzidas como "Os dias dos nossos anos! Neles, setenta anos", o que equivale a dizer, "Os dias dos nossos anos? O que dizer deles? São dignos de mencionar? A conta é completamente insignificante, a sua história terá apenas setenta anos".

"E se alguns, pela sua robustez, chegam a oitenta anos, o melhor deles é canseira e enfado." A força incomum que ultrapassa o limite de setenta anos somente leva o homem idoso a uma região onde a vida é um cansaço e um lamento. A força da velhice, o seu vigor e orgulho, são apenas esforço e tristeza; o que deve ser esta fraqueza? Que desejo de respirar! Que dificuldade para mover-se! Que enfraquecimento dos sentidos! Que esmagadora sensação de fraqueza! Chegaram os maus dias, e os anos em que o homem clama: "Não tenho neles contentamento". O gafanhoto se tornou um peso e o apetite perece. Assim é a velhice. Mas suavizados por santas experiências, e consolados por esperanças imortais, os últimos dias de cristãos idosos

não devem ser alvo de pena, mas de inveja. O sol está se pondo e o calor do dia já diminuiu, mas doce é a calma e o frescor da noite; e o dia agradável desaparece, não em uma noite escura e intimidadora, mas em um dia glorioso, sem nuvens e eterno. O mortal desaparece, para dar lugar ao imortal; o velho adormece, para despertar na região da juventude perene.

"Pois passa rapidamente, e nós voamos." O cabo se rompeu, e a embarcação navega pelo mar da eternidade; a corrente se rompe e a água sobe a seu ar nativo, acima das nuvens. Moisés chorou pelos homens, quando cantou isto; e bem o fez, pois todos os seus companheiros caíam, ao seu lado. As suas palavras são mais apropriadamente traduzidas como: "Ele nos conduz rapidamente, e nós voamos"; assim como codornas são levadas juntamente com o forte vento ocidental, também os homens são levados, diante das tempestades da morte. Para nós, no entanto, como crentes, os ventos são favoráveis; eles nos sustentam, assim como os ventos sustentam as andorinhas, levando-as dos lugares onde há inverno, para terras

"Onde está a primavera eterna
e as flores jamais murcham".

Quem deseja que as coisas sejam diferentes? Para que deveríamos ficar aqui? O que este pobre mundo tem a nos oferecer, para que devamos permanecer nas suas costas? Vamos embora! Este não é o nosso descanso. A caminho do céu, vamos! Que os ventos do Senhor sejam rápidos, se assim Ele ordenar, para que nos levem mais rapidamente para Ele, e ao nosso amado lugar.

11. *"Quem conhece o poder da tua ira?"* Moisés via homens morrendo à sua volta: ele vivia entre funerais, e assombrado com os terríveis resultados do descontentamento divino. Ele sentia que ninguém conseguia avaliar o poder da ira do Senhor.

"E a tua cólera, segundo o temor que te é devido?" Os homens de bem temem esta ira, de uma maneira inconcebível, mas nunca sentem terror excessivo por causa dela: os homens maus ficam estarrecidos quando despertam e percebem esta cólera, mas o seu horror não é maior do que precisaria ser, pois é aterrorizante cair nas mãos de um Deus irado. As Sagradas Escrituras, quando retratam a ira de Deus pelo pecado, jamais usam uma hipérbole: seria impossível exagerá-la. Quaisquer sentimentos de piedosa reverência e santo tremor que possam comover o coração terno, ele jamais será excessivamente comovido; independentemente de outras considerações, a grande verdade da ira divina, quando sentida de maneira mais poderosa, jamais impressiona a mente com uma solenidade excessiva sobre o resultado legítimo de tal contemplação. O que o poder da ira de Deus é, no inferno, e o que seria, na terra, se não fosse reprimido pela misericórdia, nenhum homem vivo pode imaginar apropriadamente. Os pensadores modernos atacam Milton e Dante, Bunyan e Baxter, pelas suas terríveis comparações; mas a verdade é que nenhuma visão de poeta, nem indicação de santo profeta, poderá alcançar a temível dimensão deste grande argumento, e muito menos ultrapassá-la. A ira que virá tem seus horrores, na verdade, diminuídos, e não enfatizados, na descrição pelas linhas obscuras do desejo humano; ela frustra as palavras, e deixa a imaginação para trás. Cuidado, você que se esquece de Deus, para que Ele não despedace você, e não haja ninguém para libertar. Deus é terrível, fora dos Seus lugares santos. Lembre-se de Sodoma e Gomorra! Lembre-se de Corá e seu grupo! Marque bem as sepulturas do desejo no deserto! Na verdade, é melhor que você reflita sobre o lugar onde os vermes não morrem, e o seu fogo não é apagado. Quem é capaz de resistir a este Deus, irado, com razão? Quem ousará desafiar os adornos do Seu escudo, ou tentar o fio da Sua espada? Devemos nos submeter, como pecadores moribundos, a este Deus eterno, que pode, até mesmo agora, nos enviar ao pó, e dali ao inferno.

12 *Ensina-nos a contar os nossos dias, de tal maneira que alcancemos coração sábio.*

13 *Volta-te para nós, Senhor; até quando? E aplaca-te para com os teus servos.*
14 *Sacia-nos de madrugada com a tua benignidade, para que nos regozijemos e nos alegremos todos os nossos dias.*
15 *Alegra-nos pelos dias em que nos afligiste, e pelos anos em que vimos o mal.*
16 *Apareça a tua obra aos teus servos, e a tua glória, sobre seus filhos.*
17 *E seja sobre nós a graça do Senhor, nosso Deus; e confirma sobre nós a obra das nossas mãos; sim, confirma a obra das nossas mãos.*

12. *"Ensina-nos a contar os nossos dias."* Instrua-nos a considerar o tempo, lamentando pelo tempo passado em que operamos pela vontade da carne, usando diligentemente o tempo presente, que é a hora e o dia aceitáveis da salvação, e avaliando o tempo que ainda está no nosso futuro, como sendo incerto demais para nos permitir retardar, com segurança, qualquer obra de graça ou oração. Contar é um exercício de criança, em aritmética; mas para contar os seus dias corretamente, até o melhor dos homens precisa do ensinamento do Senhor. Nós somos mais ansiosos para contar as estrelas do que os nossos dias, mas contar os dias é muito mais proveitoso.

"De tal maneira que alcancemos coração sábio." Os homens são levados, por reflexões sobre a brevidade do tempo, a dedicar a sua mais sincera atenção a coisas eternas; eles se tornam humildes, quando olham para a sepultura que em breve deverá ser a sua cama; as suas paixões esmorecem, na presença da mortalidade, e eles se entregam aos ditames da sabedoria que não se engana; mas este só é o caso quando o próprio Senhor é o professor; somente Ele pode ensinar com benefícios reais e duradouros. Assim, Moisés orou para que as dispensações da justiça pudessem ser santificadas em misericórdia. "A lei nos serviu de aio, para nos conduzir a Cristo", quando o próprio Senhor fala segundo a lei.

É muito conveniente que o coração que em breve deixará de bater seja, enquanto ainda se move, regulado pela mão da sabedoria. Uma vida curta deve ser vivida com sabedoria. Nós não temos tempo suficiente à nossa disposição, para nos justificar, em desperdiçar uma quarta parte de uma hora. Nem temos suficiente certeza de vida que nos justifique retardar, nem por um momento. Se formos sábios de coração, veremos isto; mas a mera sabedoria que está apenas na cabeça não nos guiará adequadamente.

13. *"Volta-te para nós, Senhor; até quando?"* Volte-se para nós, em misericórdia. Não nos deixe perecer. Não permita que nossas vidas sejam breves e amargas. Tu nos disseste, "Volvei, filhos dos homens", e agora nós humildemente te pedimos: "Volta, protetor dos homens". Somente a Tua presença pode nos reconciliar com esta existência transitória; volta-te para nós. Assim como o pecado afasta Deus de nós, também o arrependimento clama que o Senhor volte para nós. Quando os homens estão sendo castigados, eles podem protestar, e perguntar, "até quando?" O nosso erro, nestas ocasiões, não é a ousadia exagerada com Deus, mas o atraso exagerado ao implorar a Ele.

"E aplaca-te para com os teus servos." Assim, Moisés reconhece que os israelitas ainda são servos de Deus. Eles tinham se rebelado, mas não tinham abandonado o Senhor completamente; eles reconheciam as suas obrigações de obedecer à Sua vontade, e as exibiam, como razão para piedade. Um homem não poupará os seus próprios servos? Embora Deus ferisse Israel, eles eram o Seu povo, e Ele jamais os tinha renegado, por isto eles suplicam que Ele lide favoravelmente com eles. Embora eles não pudessem ver a terra prometida, ainda assim imploravam que Ele os alegrasse pela estrada com a Sua misericórdia, e convertesse o Seu olhar severo em um sorriso. A oração equivale a outras palavras que vieram do manso legislador, quando ele, corajosamente, rogou a Deus pela nação; ela tem o estilo de Moisés. Aqui, ele fala com o Senhor como um homem fala com seu amigo.

14. *"Sacia-nos de madrugada com a tua benignidade."* Como eles devem morrer, e morrer tão cedo, o salmista implora rápida misericórdia para si mesmo e seus irmãos.

Os homens de bem sabem como converter as mais sombrias provações em argumentos ao trono da graça. Aquele que tem o coração inclinado à oração jamais deve deixar de fazer os seus apelos ao precioso Senhor. O único alimento satisfatório para o povo de Deus é a benevolência de Deus; isto é o que Moisés procura, fervorosamente, e como o maná caiu pela manhã, ele pede que o Senhor envie, imediatamente, a Sua benevolência satisfatória, para que durante todo o curto dia da vida eles pudessem estar alimentados. Nós devemos morrer em breve? Então, Senhor, não nos deixe passar fome enquanto vivemos. Satisfaça-nos de uma vez, nós Te pedimos. O nosso dia é curto, e a noite se apressa, ó, conceda-nos, na manhã de nossos dias, que fiquemos satisfeitos com a Tua benevolência, para que durante todo o nosso dia nós possamos ser felizes.

"Para que nos regozijemos e nos alegremos todos os nossos dias." Estando cheios do amor divino, a sua curta vida na terra se tornaria um alegre festival, e assim continuaria, enquanto durasse. Quando o Senhor nos revigora com a Sua presença, a nossa alegria é tal que nenhum homem pode tirá-la de nós. A percepção da morte em breve não pode afligir aqueles que desfrutam da benevolência de Deus; embora eles saibam que a noite vem, eles nada vêem a temer nela, mas continuam a viver enquanto viverem, triunfando na benevolência de Deus e deixando o futuro nas Suas mãos amorosas. Como toda a geração que tinha saído do Egito tinha sido condenada a morrer no deserto, naturalmente eles se sentiam desanimados, e por isto o seu grande líder pede para eles aquela bênção que, além de todas as outras, consola o coração, especificamente, a presença e a benevolência do Senhor.

15. *"Alegra-nos pelos dias em que nos afligiste, e pelos anos em que vimos o mal."* Ninguém consegue alegrar o coração como Tu, ó Senhor, por isto assim como nos deixaste tristes, deleita-te em deixar-nos alegres. Enche o outro prato da balança. Distribui proporcionalmente as Tuas dispensações. Dá-nos o Cordeiro, uma vez que nos deste as ervas amargas. Torna nossos dias tão longos como nossas noites. A oração é original, infantil, e cheia de significado; além disto, ela se baseia em um grande princípio de bondade da providência, pelo qual o Senhor coloca o bem contra o mal na devida medida. Uma grande tentação nos capacita a ter grande alegria, e pode ser considerada como prenúncio de uma graça extraordinária. As tratativas de Deus seguem uma escala; vidas pequenas são pequenas o tempo todo; e grandes histórias são grandes, tanto em tristeza quanto em felicidade. Onde há montes altos também há vales profundos. Assim como Deus dá o mar ao leviatã, ele também encontra um tanque para o peixinho de rio; no mar, todas as coisas estão em apropriada proporção com o poderoso monstro, ao passo que no riacho todas as coisas são apropriadas ao tamanho do minúsculo peixe. Se nós temos severas aflições, podemos procurar por deleites abundantes, e a nossa fé pode corajosamente pedi-los. Deus, que é grande em justiça quando castiga, não será diferente em misericórdia, quando abençoa — Ele será grande todo o tempo; devemos apelar a Ele com fé, sem vacilar.

16. *"Apareça a tua obra aos teus servos."* Veja como Moisés insiste na palavra *servos*. É até onde a lei pode ir, e Moisés vai até onde lhe é permitido: a partir de agora, Jesus nos chama, não de servos, mas amigos, e se formos sábios, nós faremos pleno uso da nossa liberdade ampliada. Moisés pede exibições de poder divino e providência visivelmente realizada, para que todo o povo possa se contentar. Eles não podiam encontrar consolo nas suas próprias obras defeituosas, mas na obra de Deus encontrariam consolo.

"E a tua glória, sobre seus filhos." Embora seus filhos estivessem crescendo ao seu redor, eles desejavam ver algum esplendor da glória prometida, reluzindo sobre eles. Os seus filhos deviam herdar a terra que lhes tinha sido dada por concerto, e por isto eles procuravam, de sua parte, alguns sinais do bem futuro, algum alvorecer da tarde que se aproximava. Com que fervor os homens de bem apelam, por seus filhos. Eles podem suportar muita aflição pessoal se puderem apenas ter certeza de que os seus filhos conhecerão a glória de Deus, e assim serão levados a servi-lo. Nós ficamos satisfeitos com o trabalho se nossos filhos puderem apenas ver a glória que resultará dele: nós semeamos alegremente, se eles puderem colher.

17. *"E seja sobre nós a graça do Senhor, nosso Deus."* Até mesmo sobre nós, que não devemos ver a Tua glória na terra de Canaã; nos será suficiente se, no nosso caráter, a santidade se refletir, e se sobre o campo da nossa vida as amorosas qualidades do nosso Deus lançarem uma beleza sagrada. A santificação deve ser o objeto diário das nossas súplicas.

"E confirma sobre nós a obra das nossas mãos; sim, confirma a obra das nossas mãos." Que aquilo que fizermos seja feito em verdade, e dure, mesmo quando nós estivermos na sepultura; que a obra da geração atual sirva permanentemente para a edificação da nação. Os homens de bem são ansiosos por não trabalhar em vão. Eles sabem que sem o Senhor nada podem fazer, e por isto clamam a Ele, pedindo ajuda no trabalho, aceitação dos seus esforços e o estabelecimento de seus desígnios. A igreja, como um todo, deseja fervorosamente que a mão do Senhor possa trabalhar com a mão do Seu povo, para que um edifício substancial e eterno para o louvor e a glória de Deus possa ser o resultado. As pessoas vêm e vão, mas a obra do Senhor permanece. Nós ficamos satisfeitos em morrer, com a condição de que Jesus viva e o Seu reino cresça. Uma vez que o Senhor permanece o mesmo para sempre, nós confiamos o nosso trabalho às Suas mãos, e sentimos que, uma vez que é muito mais a Sua obra do que nossa, Ele lhe assegurará imortalidade. Quando nós tivermos murchado como a erva, o nosso santo serviço, como ouro, prata e pedras preciosas, sobreviverá ao fogo.

NOTAS EXPLICATIVAS E OBSERVAÇÕES SINGULARES

Título: A exatidão do título que atribui o Salmo a Moisés é confirmada pela sua simplicidade e grandeza singular; a sua adequabilidade aos seus tempos e circunstâncias; a sua semelhança com a Lei, insistindo na relação entre o pecado e a morte; a sua similaridade nas palavras com as partes poéticas do Pentateuco, sem o menor traço de imitação ou citação; a sua diferença marcante dos salmos de Davi, e ainda mais dos posteriores; e, finalmente, a impossibilidade provada de atribuí-lo plausivelmente a qualquer outra época ou autor. — *J. A. Alexander*

Título: "Oração de Moisés". Moisés pode ser considerado como o primeiro compositor de hinos sagrados. — *Samuel Burder*

Título: O Salmo é descrito, no título, como uma *oração.* Esta descrição mostra, como viu Amiraldo, que o núcleo do Salmo é a *segunda* parte, e que o desígnio da primeira é preparar o caminho para a segunda, e estabelecer uma base em que possa se fundamentar. — *E. W. Hengstenberg*

Título: "Oração de Moisés". Moisés era um homem idoso e muito vivido, mas a idade e a experiência lhe tinham ensinado que, entre as mudanças perpétuas que estão acontecendo no universo, uma coisa, pelo menos, permanece imutável, a fidelidade Daquele que "de eternidade a eternidade, é Deus". Até que ponto do passado o patriarca poderia estar olhando, quando proferiu estas palavras? A sarça ardente, a fornalha no Egito, o Mar Vermelho, Faraó com seus carros de guerra, e a cansativa marcha de Israel pelo deserto, tudo isto estava diante dele; e em todos estes eventos, ele tinha vivenciado que "Ele é a Rocha cuja obra é perfeita, porque todos os seus caminhos juízo são" (Dt 32.4). Mas Moisés estava olhando além destas cenas da sua história pessoal, quando disse: "Lembra-te dos dias da antiguidade, atenta para os anos de muitas gerações" (Dt 32.7), e podemos ter certeza de que ele também olhava além deles quando compôs o cântico: *"Tu tens sido o nosso refúgio, de geração em geração".* Sim; ele estava formando, em sua mente, como Deus tinha sido o refúgio de Jacó e Isaque, de Abraão, Noé e todos os patriarcas. Moisés pôde fazer uma retrospectiva de mais de mil anos, que teve confirmada a verdade. E ainda mais. Neste ponto do tempo, eu posso examinar os dias de Moisés e Josué e Davi, e vir até os dias do Filho de Deus sobre a terra, e de Paulo e Pedro, e todos os santos da igreja, até a atualidade; e o que mil anos asseguraram a Moisés, três mil anos agora asseguram a mim:

o Senhor é o refúgio daqueles que confiam nEle, de geração em geração. Sim; e Àquele que foi o refúgio de um Moisés e um Abraão, eu também, no dia da aflição, poderei levantar minhas mãos. Que pensamento maravilhoso! Aquele grande Ser que, durante o intervalo de três mil anos, em meio às incontáveis mudanças do universo, permanece até hoje imutável, é o meu Deus. — *Augustus F. Tholuck, em "Hours of Christian Devotion", 1870*

Todo o Salmo: Embora algumas dificuldades tenham sido levantadas, parece não haver razão para duvidar de que este Salmo é uma composição de Moisés. Desde o mais remoto período, o seu nome esteve ligado a este Salmo, e praticamente cada estudioso da Bíblia, de Jerônimo a Hengstenberg, concordou em aceitá-lo como uma oração daquele "homem de Deus" cujo nome sempre carregou. Se for assim, é um dos mais antigos poemas do mundo. Se comparados com ele, Homero e Pindar são (de certa forma) modernos, e até mesmo o rei Davi é de data recente. Isto equivale a dizer, comparados com este antigo hino, os outros salmos são muito mais modernos, como Tennyson e Longfellow são muito mais modernos do que Chaucer. De qualquer forma, há aproximadamente cinco séculos entre eles. — *James Hamilton*

Todo o Salmo: O Salmo 90 pode ser citado como, talvez, a mais sublime das composições humanas — a mais profunda em sentimentos — a mais eminente em concepção teológica — a mais magnífica nas suas comparações. Ele é verdadeiro no seu relato da vida humana — como perturbada, transitória e pecaminosa. Verdadeiro, na sua concepção do Eterno — o Soberano e o Juiz; e também o refúgio e a esperança dos homens, que, apesar das mais severas tentações à sua fé, não perderam a sua confiança nEle; mas que, na firmeza da fé, oram, como se estivessem predizendo uma época de refrigério que está próxima. Envolta, poderíamos dizer, em mistério, até que viesse o dia distante da revelação, aqui é transmitida a doutrina da Imortalidade; pois na mesma queixa sobre a brevidade da vida do homem, e da tristeza destes seus poucos anos de perturbação, e a sua curta duração, e a sua tristeza, é trazida, em comparação, a imutabilidade Divina; e em termos de uma piedade submissa, a ideia de uma vida eterna está aqui embrionária. Neste Salmo, não há mácula de orgulho e petulância — a blasfêmia mal proferida — a disputa ou crítica maligna à justiça ou bondade de Deus, que tão frequentemente espalhou uma característica perversa sobre a linguagem daqueles que se contorceram em angústias, pessoais ou relativas. Provavelmente há poucos, entre os que passaram por períodos de infelicidade amarga e perturbadora, ou que assistiram — os espectadores impotentes das infelicidades dos outros, que não caíram em estados de espírito violentamente em contraste com a melancolia devota e esperançosa que esta ode transmite. Quer seja corretamente atribuído ao Legislador hebreu ou não, este salmo traduz a sua antiguidade, não meramente pela majestosa simplicidade do seu estilo, mas de modo negativo, por evitar completamente aquelas sofisticadas reviravoltas de pensamento que pertencem a uma era posterior — uma era perdida, na história intelectual e moral de um povo. Sem dúvida, este Salmo é séculos mais antigo do que os moralizadores daquela época, quando a mente dos judeus tinha ouvido ao que jamais poderia levar a uma verdadeira assimilação com o seu próprio pensamento — as abstrações da filosofia grega.

Com este único Salmo em vista — se nos fosse pedido que disséssemos, em poucas palavras, o que significa a expressão "O Espírito da poesia hebraica" — encontramos a nossa resposta bem condensada nesta amostra. Esta magnífica composição evidencia, não meramente as qualidades mentais do autor, mas também os gostos e costumes dos contemporâneos do autor, seus ouvintes e seus leitores; nestes diversos aspectos — *primeiro,* o domínio livre e costumeiro de uma dicção poética, e as suas fáceis metáforas. de modo que, o que quer que a alma poética proferisse, o material do poeta está próximo, para seu uso. Há, também, aquela profundeza de sentimento — pesaroso, reflexivo e, apesar disto, esperançoso, sem o qual a poesia não consegue obter, sozinha, uma apreciação maior do que a que dedicamos a outras artes decorativas, que servem às exigências da *preguiça* luxuriosa. Há, além disto, como poderíamos dizer, subjacente a este poema, da primeira linha à última, a substância do pensamento filosófico, sem o qual, expressa ou compreendida, a poesia é inútil, e não está em harmonia com a seriedade da vida humana: este Salmo é do tipo que Platão poderia ter escrito, ou Sófocles — se apenas uma destas mentes tivesse possuído uma teologia vinda do céu. — *Isaac Taylor*

v. 1: "Senhor". Observe a mudança dos nomes divinos neste Salmo. Moisés começa com a declaração da Majestade do Senhor, *(Adonai)*, mas quando chega ao versículo 13, abre a sua oração com o Nome de graça e misericórdia de concerto a Israel — Jeová; e resume tudo no versículo 17, com uma súplica pela manifestação da *beleza*, נֹעַם, do "Senhor, nosso Deus" (Jeová, Elohim). — *Christopher Wordsworth*

v. 1: "Senhor, tu tens sido o nosso refúgio". Muitos parecem implorar pela ajuda de Deus, em oração, mas não são protegidos por Ele: eles a procuram somente em uma tempestade, e quando todos os outros meios e refúgios lhes falham. Mas um cristão deve conservar constante comunicação com Deus; devem habitar em Deus, e não correr para Ele apenas de vez em quando. — *Thomas Manton*

v. 1: Este preâmbulo infunde vida, e pertence a certa esperança da ressurreição e da vida eterna. Uma vez que ele chama Deus, que é eterno, de nossa habitação, ou, falando mais claramente, nosso lugar de refúgio, ao qual, se corrermos, poderemos estar em segurança. Pois, se Deus é nosso refúgio, e Deus é vida, e nós habitarmos nEle, a consequência necessariamente será que nós estaremos em vida, e viveremos para sempre... Pois quem chamará Deus de refúgio dos mortos? Quem o considerará um sepulcro? Ele é vida; e por isto, aqueles para os quais Ele é um refúgio também vivem. Desta maneira, Moisés, na própria introdução, antes de soltar seus horríveis trovões e relâmpagos, fortalece o temor, para que seus leitores possam confiar firmemente que Deus será o refúgio vivo dos vivos, daqueles que oram a Ele e que depositam a sua confiança nEle. Há uma expressão notável, de uma forma tão enfática que não encontramos em nenhuma outra passagem das Sagradas Escrituras, de que Deus é um *refúgio.* As Escrituras, em outras passagens, dizem exatamente o oposto, chamando os homens de templos de Deus, *em* que Deus habita; "o templo de Deus, que sois vós", diz Paulo, "é santo". Moisés inverte isto, afirmando que nós somos habitantes e senhores nesta casa. Pois a palavra hebraica מְעוֹן significa, na verdade, uma morada, como quando as Escrituras dizem "E a Sua morada, em Sião", onde esta palavra (*Maon*) é usada. Mas, como uma casa tem o propósito da segurança, o resultado é que esta palavra tem o significado de um refúgio ou lugar de refúgio. Mas Moisés deseja falar com grande cuidado, para que possa mostrar que todas as nossas esperanças foram depositadas, com muita segurança, em Deus, e que aqueles que desejem orar a este Deus possam ter certeza de que não são afligidos, nesta obra, em vão, nem morrem, uma vez que têm a Deus como refúgio, e a Majestade divina como uma morada, em que possam descansar seguros para sempre. Paulo diz quase a mesma coisa, quando diz aos colossenses, "A vossa vida está escondida com Cristo em Deus". Pois é uma expressão muito mais clara e radiante, dizer que os crentes habitam em Deus, do que dizer que Deus habita neles. Ele habitava também visivelmente em Sião, mas o local é alterado. Mas como ele (o crente) está em Deus, fica manifesto que não pode ser movido nem transferido, pois Deus é uma morada de um tipo que não pode perecer. Portanto, Moisés desejava exibir a vida mais segura, quando disse, Deus é o nosso refúgio, não a terra, não o céu, não o paraíso, mas simplesmente o próprio Deus. Se você interpretar este Salmo desta maneira, ele se tornará doce, e parecerá, em todos os aspectos, muito útil. Quando eu era monge, frequentemente me acontecia algo interessante quando lia este Salmo; eu me sentia propenso a soltar o livro. Mas eu não sabia que estes terrores não se destinavam a uma mente desperta. Eu não sabia que Moisés estava falando com uma multidão muito rebelde e orgulhosa, que não entendia a ira de Deus nem se importava com ela, nem se humilhava pelas suas calamidades, nem mesmo com a possibilidade da morte. — *Martinho Lutero*

v. 1: "Senhor, tu tens sido o nosso refúgio", etc. Nesta primeira parte, o profeta reconhece que Deus, em todos os tempos e em todas as gerações tem tido um cuidado especial com os Seus santos e servos, para fornecer-lhes todas as coisas necessárias para esta vida; pois sob o nome de *"refúgio"* ou *morada,* o profeta entende toda a ajuda e consolação necessária para esta vida, tanto para manutenção quanto para proteção. Pois o uso destas moradas costumava ser, não somente para defender os homens dos ferimentos pelo clima, e mantê-los a salvo, dentro dos muros e sob o telhado, com todas as outras coisas necessárias para esta vida, e ser um lugar de morada, onde os homens pudessem receber, mais comodamente, todas as outras coisas necessárias, e andar com alguma vocação benéfica aos seus próximos e à glória de Deus, mas também protegê-los da violência dos animais selvagens e da fúria de inimigos. Agora, o profeta parece observar uma providência especial e mais imediata de Deus; (pois, entre todos os tipos de pessoas, eles pareciam ser os mais abandonados e desamparados); enquanto o resto do mundo parecia ter suas casas e mansões enraizadas na terra, e assim habitar sobre a terra, viver em cidades e dentro de muralhas, com toda riqueza e pompa, o povo de Deus era como se estivesse sem casa e sem lar.

Abraão foi tirado da sua terra natal, da casa de seu pai, onde sem dúvida tinha construções consideráveis e grande renda, recebendo a ordem de Deus, de ir e viver como estrangeiro em uma terra estrangeira, entre pessoas selvagens, às quais ele não conhecia; e morar em tendas, barracas e cabanas, tendo pouca esperança de ter uma vida assentada e confortável, em qualquer lugar. De igual maneira viveu a sua descendência, Isaque, Jacó e os doze patriarcas, peregrinando de um lugar a outro, pela terra de Canaã; dali, foram trasladados à terra do Egito, ali vivendo por cortesia, e, de certa forma, como inquilinos, e em tal escravidão e servidão, que teria sido melhor para eles se tivessem continuado sem casa e sem lar. Depois disto, durante quarenta anos (época em que este Salmo foi escrito) eles peregrinaram de um lado a outro em um deserto desolado, indo de um lugar a outro e peregrinando e vagando, como se estivessem em um labirinto. De modo que, de todos os povos da terra, o próprio povo de Deus tinha, até aqui, vivido como peregrinos e desterrados, sem casa nem lar; e por isto o profeta aqui professa que o próprio Deus, de modo imediato, pela Sua extraordinária providência, durante muitas gerações os tinha protegido, e tinha sido como uma mansão para eles; isto é, quanto mais eram privados dos consolos normais desta vida, mais Deus estava presente com eles, fornecendo-lhes, pela Sua providência extraordinária e imediata, o que eles precisavam, sob o aspecto de coisas comuns. A devida consideração deste ponto pode trazer grande alegria e consolo aos filhos de Deus, completamente humilhados com a consideração da mortalidade do homem em geral, ou a daqueles em quem confiam e de quem dependem, em especial. — *William Bradshaw, 1621*

v. 1: "Nosso refúgio". Deus criou a terra para que os animais a habitassem, o mar para os peixes, o ar para as aves, e o céu para os anjos e as estrelas, de modo que o homem não tinha onde morar e habitar, exceto em Deus. — *Giovanni delta Mirandola Pico, 1463–1494*

vv. 1 e 2: O consolo do crente, face às desgraças desta vida curta, se origina do decreto da sua escolha, e do concerto eterno da redenção, estabelecido no propósito e consolo da bendita Trindade para seu benefício, que foi acordado antes que o mundo existisse, de que o *Verbo* que seria encarnado seria o Salvador dos eleitos: pois aqui a declaração da eternidade de Deus é com relação ao Seu próprio povo escolhido; pois *"tu tens sido o nosso refúgio, de geração em geração"* e *"de eternidade a eternidade, tu és Deus"* é, em essência, isto: Tu és, de eternidade a eternidade, o mesmo Deus imutável, em propósito e afeto para com o Teu povo, e assim Tu és *nosso Deus* desde a eternidade, no aspecto do Teu eterno propósito de amor, escolhendo-nos, e no aspecto da Tua redenção por nós, pelo Redentor. — *David Dickson*

vv. 1 e 2: Se o homem é efêmero, Deus é eterno. — *James Hamilton*
vv. 1 a 6:

"Senhor, tu tens sido o nosso refúgio, a quem corremos,
e assim tem sido sempre, de geração em geração.
Antes que os montes nascessem,
ou que tu formasses a terra e o mundo,
Um Deus tu eras, e és, e serás;
A linha do tempo não te mensura.

A morte e a vida obedecem à tua santa sabedoria,
e aparecem, cada uma por sua vez, quando são enviadas;
Mil anos para ti não são mais do que
o dia de ontem que passou,
e como a vigília da noite.
E vem e vai, sem se preocupar com os que dormem.

Tu levas o homem como com uma maré:
e acalmas todos os seus pensamentos que se elevaram;
Como um sonho que zomba, que não aguarda,
mas foge diante da visão do olho desperto;
ou como a erva que não tem época
para ver o verão aparecer novamente.

Pela manhã, ela se exibe, bela, sobre o solo;
à tarde é cortada e deixada de lado;
e embora fosse poupada e encontrasse benevolência,
o clima desfaz o que o cortador de grama fez.
Assim, penduraste a nossa vida em pinos frágeis,
para que saibamos que ela não suportará os nossos pecados". — *Francis Bacon*

v. 2: "A terra e o mundo". A palavra *terra* aqui é usada indicando o mundo, distinto do céu (Gn 1.1) e do mar (Gn 1.10). A palavra *"mundo"*, no original, é comumente empregada para indicar a terra considerada *habitada* ou como capaz de ser habitada, um refúgio para os seres humanos. — *Albert Barnes*

v. 2: "De eternidade a eternidade, tu és Deus". A eternidade de que Moisés fala deve ser relacionada não apenas à essência de Deus, mas também à Sua providência, pela qual Ele governa o mundo. Ele quer dizer não apenas que Ele existe, mas que Ele é Deus. — *João Calvino*

v. 2: Tal Deus (diz ele) nós temos, tal Deus nós adoramos, a tal Deus nós oramos, a cujo mandamento todas as coisas criadas vêm à existência. Por que, então, devemos temer, se este Deus nos beneficia? Por que devemos tremer com a ira do mundo inteiro? Se Ele é o nosso refúgio, nós não estaremos a salvo, mesmo que os céus fossem destruídos? Pois nós temos um Senhor que é maior do que o mundo inteiro. Nós temos um Senhor tão poderoso que, ao Seu mandamento, todas as coisas vêm à existência. No entanto, nós somos tão covardes que se tivermos que suportar a ira de um único príncipe ou rei, na verdade, de um único vizinho, nós trememos e perdemos o ânimo. Mas *em* comparação com este Rei, todas as coisas no mundo inteiro são apenas como a mais leve poeira, que com uma leve brisa se move, e não pode ficar no mesmo lugar. Desta maneira, esta descrição de Deus é consoladora, e os espíritos vacilantes devem olhar para este consolo nas suas tentações e perigos. — *Martinho Lutero*

v. 3: "Tu reduzes o homem à destruição", etc. O profeta imagina Deus como um *oleiro,* que do pó fez o barro, e o modelou, fazendo dele um vaso, e o secou, e agora, um minuto ou uma hora depois, o despedaça outra vez, e o reduz a pó, com paixão, como se estivesse dizendo "Volte para o pó". A palavra aqui traduzida como *"destruição"* significa moer ou esmagar algo, até que se converta em pó. E o profeta parece referir-se ao capítulo 3 do livro de Gênesis, quando Deus diz a Adão: "És pó e em pó te tornarás", como se dissesse, Ó Senhor, Tu, que criaste e moldaste o homem do pó da terra, Tu o reduzes a pó outra vez; e assim como o criaste pela Tua palavra, também com a Tua palavra repentinamente o convertes novamente em pó; como um homem que fabrica alguma coisa, e imediatamente a destrói... Ele o faz com uma palavra, contra a qual não há resistência, depois que esta palavra saiu da Sua boca; não é toda a dieta, nem todos os remédios, nem toda a ajuda, nem todas as orações do mundo que podem salvar a vida. E isto, Ele pode fazer subitamente, com o piscar de um olho. E por isto nós devemos, assim como amamos nossas vidas, temê-lo, e tomar cuidado, para não ofender e desagradar Àquele que, com uma palavra, pode reduzir o mais forte dos homens a pó. — *William Bradshaw*

v. 3: "Tu reduzes o homem à destruição", etc. A primeira palavra para *"homem"* significa um homem cheio de infelicidade, cheio de doenças e fraquezas, um homem infeliz, אֱנוֹשׁ. E a outra palavra aqui usada, no fim do versículo, significa um homem feito de *barro*, ou o pó da terra. Com base nisto, nós aprendemos qual é a natureza de todos os homens, de todos os filhos de *Adão*, especificamente, uma quantidade de *barro* vivo, um pedaço de terra vermelha. E além disto, o homem pode ser *quebrado* e *esmagado*, de todas as maneiras um homem infeliz; assim, ele é de um material frágil, um pedaço de barro vermelho, que tem em si, durante algum tempo, uma alma viva, que deve retornar a Deus, que a deu; e o corpo, este pedaço de barro, retorna à terra, de onde veio — e se não tivéssemos nenhuma Escritura para nos provar isto, a experiência diária, diante dos nossos olhos, deixa claro como todos os homens, até mesmo os mais sábios, mais fortes, mais nobres e os mais poderosos monarcas e príncipes do mundo, são apenas homens infelizes, feitos de terra vermelha, e rapidamente retornam ao pó. — *Samuel Smith, em "Moses his Prayer", 1656*

v. 3: "Tu reduzes o homem à destruição". Diz Agostinho: Nós andamos no meio de perigos. Se fôssemos vasos de vidro, nós poderíamos temer menos perigos. O que é mais frágil do que um vaso de vidro? E apesar disto, ele é preservado e continua existindo durante séculos: nós, portanto, somos mais frágeis e fracos. — *Le Blanc*

v. 3: "Volvei". Alguém a quem foi perguntado "o que é a vida?" respondeu, sem responder nada, pois deu as costas e continuou seu caminho. — *John Trapp*

v. 4: "Mil anos", etc. Assim como para um homem muito rico mil moedas de ouro são como um centavo, também para o Deus eterno mil anos são como um dia. — *John Albert Bengel,* 1687–1752

v. 4: O Espírito Santo se expressa segundo a maneira dos homens, para nos dar alguma noção de uma duração infinita, por uma comparação adequada à nossa capacidade. Mil anos são apenas como um dia para a vida de Deus; assim sendo, um ano está para a vida do homem, assim como trezentos e sessenta e cinco mil anos estão para a vida de Deus; e assim como setenta anos estão para a vida do homem, também vinte e cinco milhões, quinhentos e cinquenta mil anos estão para a vida de Deus. Mas, como não há proporção entre o tempo e a eternidade, nós precisamos direcionar os nossos pensamentos para além de tudo isto, pois anos e dias medem apenas a duração de coisas criadas, e somente das que são materiais e corpóreas, sujeitas ao movimento dos céus, que cria os dias e os anos. — *Stephen Charnock*

v. 4: "Como o dia de ontem que passou, e como a vigília da noite". Ele corrige a frase anterior com um resumo extraordinário. Pois ele diz que toda a duração da vida humana, ainda que possa ser muito longa e alcançar mil anos, Deus a avalia não somente como um dia, que já passou, mas nem seria equivalente a uma quarta parte de uma noite. Pois as noites eram divididas em quatro turnos de vigília, que duravam três horas cada um. E, na verdade, com a palavra *noite*, o significado é de que as questões humanas nesta vida estão envoltas em muita escuridão, muitos erros, perigos, terrores e tristezas. — *Mollerus*

v. 4: "Como a vigília da noite". A noite costuma parecer mais curta do que o dia, e a passar mais rapidamente, porque aqueles que dormem, diz Eutímio, não observam o passar do tempo. Também por causa da escuridão, ela é menos observada, e para aqueles que trabalham o tempo parece mais longo do que para aqueles que concluíram seu trabalho. — *Lorinus*

v. 4: "Uma vigília da noite". Sir John Chardin observa, sobre este versículo, que, como as pessoas do Oriente não tinham relógios, as várias partes do dia e da noite, que são oito no total, eram anunciadas. Nas Índias, as partes da noite eram anunciadas por instrumentos de música nas grandes cidades, assim como pelas rondas dos vigias, que, com gritos e pequenos tambores, avisavam que uma quarta-parte da noite já havia passado. Como estes gritos acordavam aqueles que tinham estado dormindo toda esta quarta-parte da noite, parecia, a eles, apenas um momento. — *Harmer's Observations*

v. 4: As eras e as dispensações, a promessa a Adão, o compromisso com Noé, o juramento a Abraão, o concerto com Moisés — todos foram apenas vigílias, durante as quais os filhos dos homens tiveram que esperar em meio à escuridão das coisas criadas, até que chegasse a manhã de coisas não criadas. Agora, "a noite já passou, e o dia é chegado". — *Plain Commentary*

v. 5: "Tu os levas como corrente de água". זְרַמְתָּם (*z^eramtām*), *Tu os inundaste*, especificamente, os anos do homem, isto é, Tu os varreste com um dilúvio, Tu fizeste com que eles se fossem como água, *eles estarão como num sono.* — *Bythner, "Lyre of David"*

v. 5: "Tu os levas como corrente de água". Devemos meditar seriamente sobre a passagem veloz dos nossos dias, sobre como a nossa vida passa como uma corrente de águas, e nos leva consigo. A nossa condição, aos olhos de Deus, com relação à nossa vida neste mundo, é como se um homem que não sabe nadar fosse jogado em uma grande corrente de água, e fosse levado com ela, de modo que ele pode, de vez em quando, levantar sua cabeça ou suas mãos, e pedir ajuda, ou pode se agarrar a uma ou outra coisa, durante algum tempo, mas o seu fim será o afogamento, e é apenas durante um breve momento que ele pode resistir, pois a correnteza que o leva logo o engolirá.

E certamente a nossa vida aqui, se apropriadamente considerada, é apenas como a vida de uma pessoa levada assim por uma correnteza. Todos os atos e movimentos da nossa vida são apenas como as lutas de um homem nesta situação: quando comemos, quando bebemos, quando tomamos algum remédio, quando praticamos esportes, e todos os outros atos são apenas como os movimentos do homem que está afundando. Quando tivermos feito tudo o que podemos, devemos morrer, e deveremos nos afogar neste dilúvio. — *William Bradshaw*

v. 5: "Levas como corrente de água". "O homem é uma bolha", diz o provérbio grego, que Luciano detalha com este propósito, dizendo, "Todo o mundo é uma tempestade, e os homens sobem, em suas diversas gerações, como bolhas. Algumas delas afundam instantaneamente no dilúvio de seu primeiro pai, e ficam ocultas em um lençol de água, não tendo nada a fazer no mundo além de nascer, para que possam ser capazes de morrer; outros flutuam, subindo e descendo algumas vezes, e repentinamente desaparecem, e dão seu lugar a outros — e aqueles que vivem mais tempo sobre a face das águas estão em movimento perpétuo, inquietos e desconfortáveis, e esmagados por um grande pingo de uma nuvem, afundam na espuma; a mudança não é grande; dificilmente seria possível que uma bolha fosse menos do que era antes". — *Jeremy Taylor*

v. 5 (primeira parte): O modo mais antigo de medir pequenas porções de tempo era pelo fluir de água por um recipiente, a clepsidra dos gregos e romanos; e Ovídio comparou o passar do tempo com o curso de um rio [Metam. xv. 180]. — *Stephen Street.*

v. 5: "São como um sono". Pois, como nas visões do sono, nós vendo, não vemos; ouvindo, não ouvimos; experimentando ou tocando nem experimentamos nem tocamos; falando, não falamos; andando, não andamos; mas quando parecemos empregar movimentos e gestos, de maneira alguma os empregamos, uma vez que a mente forma inutilmente, sem nenhum objetivo real, imagens de coisas que não existem, como se existissem. Assim, a imaginação daqueles que estão despertos se parecem intimamente a sonhos; ela vem, ela vai, ela nos confronta e foge de nós; antes de ser pega, foge. — *Filo, em Le Blanc*

v. 5: "São como um sono". A nossa vida pode ser comparada a um sono, de quatro maneiras. 1. Com relação à sua brevidade. 2. Com relação à facilidade de ser tirado dela. 3. Com relação às muitas maneiras de perturbá-la e interrompê-la. 4. Com relação aos muitos erros que há nela.

Quanto às três primeiras, o sono é curto, e quanto mais doce, mais curto parece ser. E como ele é curto, por si só, embora dure por toda a oscilação da natureza; também o sono mais profundo é facilmente interrompido; o menor ruído, o mais baixo chamado, tiram o homem dele; e há inúmeras maneiras e ocasiões de interrompê-lo. E não é assim com a vida do homem? Mesmo a vida mais longa, não é curta? Quanto mais doce e cheia de conteúdo for, não parecerá mais curta? E não é facilmente tirada? Não há muitos meios de nos levar ao nosso fim? Sim, tantos quantos há para nos despertar do nosso sono.

Quanto à quarta, a quantos erros nós estamos sujeitos no sono? No sono, o prisioneiro, muitas vezes, sonha que está livre; aquele que está livre, sonha que está na prisão; o que tem fome, que se alimenta primorosamente; o que passa necessidade, que tem grande abundância; aquele que tem abundância, que passa grande necessidade. Quantos, no seu sono, não pensaram que tinham conseguido aquilo que os faria melhorar para sempre, e quando estão na esperança de possuir algo considerável, ou começando a desfrutar disto, ou em meio à sua alegria, são subitamente despertados, e então tudo se vai, e suas fantasias douradas desaparecem em um instante. É assim para o mal e a tristeza, também. E a vida do homem, não é exatamente assim? — *William Bradshaw*

v. 5: "São como a erva". Nesta última comparação, o profeta compara os homens a *erva*, pois a *erva* tem um tempo de crescer e um tempo de secar, como o homem.

"De madrugada, cresce e floresce." Com que palavras Moisés compara a primeira parte da vida do homem, que é um período de trinta e três anos, com o tempo de crescimento da erva, e que é considerado o período de perfeição da força e idade do homem; com esta idade, segundo o curso da natureza, o homem floresce como a erva; este é o tempo em que o homem alcança o melhor de si, o seu florescimento, sim, o seu auge.

Mas, *"à tarde"*; isto é, quando a erva já cresceu e está pronta para ser cortada, *"seca"*. Também assim o homem, tendo estado no auge da sua força e na sua idade mais madura, não estaciona aí, nem assim continua por muito tempo; mas começa a decair, e a secar, até que chegue a velhice, e ele é cortado, pela foice da morte.

Agora, com o uso que Moisés faz de tantas comparações, e todas para mostrar o quão frágil é a vida do homem, nós aprendemos que a fragilidade, a futilidade e a brevidade da vida do homem é tal que exemplos mal o demonstram. A morte vem como uma *corrente*, violentamente e repentinamente; nós somos como um *sono;* nós somos como a *erva;* a nossa vida é como um *sonho;* nós passamos nossos dias *como um conto ligeiro*, v. 9. Moisés faz todas estas comparações neste Salmo como se lhe faltassem palavras e exemplos para expressar a inutilidade, fragilidade e brevidade da vida. — *Samuel Smith*

v. 6: "De madrugada". Dificilmente isto pode querer dizer "na juventude", como explicam alguns dos rabinos. As palavras, no seu sentido exato, são parte da comparação ("são como a erva que de madrugada cresce"), e são somente colocadas em primeiro lugar para dar ênfase à comparação. No Oriente, uma noite de chuva opera uma mudança como que por mágica. O campo à tarde estava marrom, ressecado, árido como um deserto; pela manhã, está verde com as folhas de erva. O vento abrasador (Tg 1.11, TB) sopra sobre ele, e novamente, antes do entardecer, a erva secou. — *J. J. S. Perowne*

v. 6: "Corta-se".

Robusto e forte hoje,
Amanhã, convertido em barro.

Hoje, florescendo,
No dia seguinte, no sepulcro.

É verdade que, a alguns, a Morte envia seus arautos cinzentos, e lhes dá aviso oportuno de sua aproximação. Mas em quantos casos ela chega sem aviso, e, erguendo sua foice, ceifa os arrogantes! Quando estamos a bordo, há apenas uma prancha, entre nós e a morte; a cavalo, apenas uma queda. Quando andamos pelas ruas, a morte estende um dedo ameaçador de cada telha dos telhados! Ela "subiu pelas nossas janelas e entrou em nossos palácios, para exterminar das ruas as crianças e os jovens das praças", Jeremias 9.21. A nossa vida é menos do que um palmo. Quão rapidamente, e quão inconscientemente, nós deslizamos para dentro do sepulcro! — *Augustus F. Tholuck*

v. 7: "Pois somos consumidos pela tua ira". Este é um ponto debatido por filósofos. Eles procuram a causa da morte, uma vez que, na natureza, existem provas de imortalidade que não podem ser desprezadas. O profeta responde que a causa principal não deve ser procurada na matéria, nem em um defeito dos fluidos, nem uma falha do calor natural; mas que Deus, ofendido pelos pecados dos homens, submeteu a sua natureza à morte e outras calamidades infinitas. Portanto, os nossos pecados são as causas que trouxeram esta destruição. Por isto, ele diz, *Na tua ira, desaparecemos. — Mollerus*

v. 7: "Pois somos consumidos pela tua ira", etc. Disto podemos, antes de mais nada, observar a maneira como eles comparam a sua condição atual, no deserto, com a condição de outras nações e outros povos, e mostram que a sua condição era muito pior do que a deles: pois os outros morriam, um, e depois outro, e assim eram diminuídos, mas eles eram apressadamente consumidos, e repentinamente varridos pela praga e pestilência que se enfureciam entre eles. Consequentemente, podemos observar, em primeiro lugar — que é motivo de humilhação para o povo de Deus, quando a sua condição é pior do que a dos inimigos de Deus; Moisés utiliza isto como argumento para humilhá-los, e para levá-los ao arrependimento e a buscar a Deus; em outras palavras, por causa dos seus pecados eles estavam em uma condição muito pior do que aquela em que se encontravam os inimigos de Deus. Pois, embora suas vidas fossem curtas, eles confessam que as suas eram muito piores do que a dos próprios pagãos, pois eles eram *subitamente consumidos pela Sua ira.* Quando Deus é mais severo com a Sua própria igreja e o Seu próprio povo do que é com Seus inimigos, quando o Senhor envia guerras a uma nação chamada pelo Seu nome, e paz a outros reinos que são anti-cristãos, envia fome à Sua igreja e abundância aos ímpios, envia a praga e a pestilência à Sua igreja, e saúde e prosperidade aos ímpios; oh, aqui há motivo para lamentação e humilhação; e foi isto que motivou o povo de Deus ao despertarmento, e os feriu no coração: ver os inimigos da igreja em melhor condição do que a própria igreja. — *Samuel Smith*

v. 7: "Pelo teu furor somos angustiados". A palavra usada por Moisés é muito mais forte do que meramente *"angustiados"*. Ela implica ser extirpado, destruído — com formas de terror impressionante. — *Henry Cowles, em "The Psalms; with Notes". Nova York, 1872 v. 8:* Deus não precisa de outra luz para discernir nossos pecados, além da luz do Seu próprio rosto. Ela perscruta os lugares mais obscuros; o seu brilho ilumina todas as coisas, revela todas as coisas. De modo que os pecados que são cometidos nas mais profundas trevas são, para Ele, como se tivessem sido cometidos debaixo do sol. Pois são cometidos diante do Seu rosto, que brilha mais, e do qual procede mais luz, do que do sol. Assim, isto deve nos tornar mais temerosos de pecar; Ele nos vê, quando nós não o vemos, e a luz do Seu rosto brilha à nossa volta quando nos julgamos escondidos nas trevas.

Os nossos pecados não são somente pecados aos Seus olhos quando estão sendo cometidos e enquanto o ato é realizado; mas também depois, quando o ato é passado e esquecido, e então está, diante do rosto de Deus, como se estivesse sendo cometido naquele momento: e como isto deve nos tornar temerosos de pecar! Os nossos pecados não são pecados somente quando estão diante dos Seus olhos, enquanto estão sendo cometidos, mas assim continuam para sempre, mesmo depois de passados e concluídos.

Deus *coloca os nossos pecados diante de Si*; isto mostra que Ele é tão afetado por eles, que os toma tão profundamente, que, de uma maneira especial, continua a se lembrar deles. Como aqueles que, quando lhes foi feito um grande mal, o acumulam, ou o registram, ou conservam alguma lembrança dele, para que não se esqueçam; o tempo servirá para ajustar as contas com aqueles que lhes fizeram o mal: assim também Deus, e o fato de que Ele age assim é um sinal de que toma nossos pecados profundamente, no coração; o que deve nos ensinar a temer ainda mais a maneira como o ofendemos. Quando Deus, em algum juízo de morte, ou doença, ou perda de amigos, mostra a Sua ira, nós devemos pensar e meditar sobre isto; especialmente, quando Ele se aproxima mais de nós: Agora o Senhor examina os meus pecados; eles estão diante dEle; e nós jamais devemos descansar, até que tenhamos, pelo arrependimento, motivado o Senhor a apagá-los. Sim, com este objetivo nós devemos nos lembrar deles. Pois quanto mais nós nos lembramos deles, mais Deus os esquece; quando mais nós nos esquecemos deles, mais Deus se lembra deles; quanto mais nós os examinamos, mais Ele desvia os Seus olhos deles. — *William Bradshaw*

v. 8: É um fato bastante conhecido que a aparência de objetos e as ideias que nós fazemos deles, são muito afetadas pela situação em que eles se colocam, com relação a nós, e pela luz sob a qual eles são vistos. Os objetos vistos à distância, por exemplo, parecem muito menores do que realmente são. O mesmo objeto, visto através de diferentes meios, frequentemente exibirá diferentes aparências. Uma vela acesa, ou uma estrela, parece brilhante durante a ausência do sol; mas quando esta luz retorna, o brilho da vela ou da estrela parece eclipsado. Uma vez que a aparência dos objetos, e as ideias que fazemos deles, são tão afetadas por circunstâncias externas, a consequência é que duas pessoas não irão formar precisamente as mesmas ideias sobre qualquer objeto, a menos que o vejam sob a mesma luz, ou estejam colocadas, com respeito a ele, na mesma situação. Aplique estas observações ao caso diante de nós. O salmista se dirige a Deus, e diz: *"Diante de ti puseste as nossas iniquidades; os nossos pecados ocultos, à luz do teu rosto"*. Isto é, as nossas iniquidades, ou transgressões declaradas, e os nossos pecados secretos, os pecados de nossos corações, são colocados, de certa forma, plenamente diante do rosto de Deus, imediatamente diante dos Seus olhos; e Ele os vê sob a pura, clara e reveladora luz da Sua própria santidade e glória. Se nós víssemos os nossos pecados da maneira como estão na presença dEle, isto é, como realmente são, se víssemos a sua quantidade, a sua gravidade e criminalidade, e a malignidade e a punição que cada pecado merece, nós nos colocaríamos, tanto quanto possível, na Sua situação, e olharíamos o pecado, de certa forma, através dos Seus olhos. Nós devemos nos colocar, e aos nossos pecados, no centro daquele círculo que é irradiado pela luz do Seu rosto, onde todas as Suas perfeições infinitas são claramente exibidas, onde a Sua impressionante majestade é vista, onde as Suas glórias concentradas brilham, e ardem, e maravilham, com brilho insuportável. E, para isto, nós devemos, em pensamento, deixar o nosso mundo sombrio e pecaminoso, onde Deus é invisível e está quase esquecido, e onde, consequentemente, o mal do pecado contra Ele não pode ser plenamente percebido — e subir ao céu, a morada peculiar da Sua santidade e glória, onde Ele não se oculta, como aqui, por trás do véu das Suas obras, e de segundas causas, mas brilha naturalmente como o Deus revelado, e é visto como realmente é.

Meus leitores, se vocês estão dispostos a ver os seus pecados com suas características verdadeiras; se vocês realmente desejam avaliar a sua quantidade, magnitude e criminalidade, tragam-nos ao lugar santo, onde nada é visto, exceto o brilho da pureza imaculada, e os esplendores da glória não criada; onde o próprio sol pareceria somente um ponto negro; e ali, no meio deste círculo de inteligências angelicais, com o Deus infinito derramando toda a luz do Seu rosto ao seu redor, revejam suas vidas, examinem seus pecados, e vejam qual é a aparência deles. Lembrem-se de que o Deus, em cuja presença vocês estão, é o Ser que proíbe o pecado, o Ser de cuja lei eterna o pecado é a transgressão, e contra quem todo pecado é cometido. — *Edward Payson*

v. 9: "Pois todos os nossos dias vão passando [פָּנוּ] na tua indignação". Até aqui, ele falou da causa desta ira de Deus, que provoca o Senhor a ferir o mundo com tanta mortalidade. Agora, ele continua apresentando a mesma coisa, pelos resultados, em referência àquele argumento que estava usando. 1. Os nossos dias realmente, de certa forma, retrocedem na Sua ira: embora Deus nos tenha dado a existência e a vida, a nossa vida e a nossa existência nada mais são do que um retrocesso, de certa forma, à morte e ao nada. Mesmo se um estrangeiro for subitamente arrebatado e levado a caminho da sua casa, onde estão todos os seus consolos, ele gastaria todo tempo que ainda lhe resta, não em prosseguir, no caminho de casa, mas em voltar ao lugar de onde foi subitamente trazido. Todos os filhos de Adão, tão logo tenham obtido a existência e a vida, são trazidos, subitamente, por uma grande parte do seu caminho, e embora possam seguir adiante e viver mais tempo, desde o início, eles retrocedem, para a morte e para o nada. Este é o resumo, de fato, do que o Senhor disse no início do Salmo (v. 3): *"Tu reduzes o homem à destruição, e dizes: Volvei, filhos dos homens"*: como se ele dissesse, Tu crias um homem, e depois que ele é criado, na Tua ira, ele não se encaminha para nada exceto para ser destruído e se arruinar outra vez. Assim, os nossos dias, de certa forma, retrocedem, e nós, neles, retornamos para o lugar de onde viemos. — *William Bradshaw*

v. 9: Quando eu estava no Egito, há três ou quatro anos, eu vi o que o próprio Moisés poderia ter visto, e o que os israelitas, sem dúvida, muito frequentemente testemunharam — uma multidão de pessoas ao redor de um contador de histórias, que estava contando algum conto, captando a atenção e despertando os sentimentos daqueles que o ouviam. Este é um dos costumes do Oriente. Naturalmente, ele se origina entre quaisquer pessoas que tenham poucos livros, ou nenhum; onde as massas não sabem ler e onde, portanto, dependem, para emoção e informação, daqueles que podem se dirigir ao ouvido, e que recitam, em prosa e verso, contos tradicionais e lendas populares. Eu me atrevo a dizer que este tipo de coisa devia ter muito prestígio entre os próprios israelitas durante o tempo em que ficaram retidos no deserto, e que isto serviu para diverti-los por muitas horas tediosas. É por este costume, então, que nos arriscamos a exemplificar a declaração do texto.

O fato de ouvir uma história é acompanhado por um rápido e passageiro interesse — deixa atrás de si uma vaga impressão, além da qual comparativamente poucos incidentes podem se destacar, quando relembrados. Mesmo nos nossos tempos, em que os contos estão em livros impressos e abrangem três ou quatro volumes, nós sentimos que, depois de terminada a leitura de um deles, como ele parece curto, afinal, ou quão pouco tempo parecemos tardar ao lê-lo. Se o conto tiver muitos incidentes, pode, às vezes, parecer longo, quando o recordamos, mas em geral chegamos ao final com um tipo de sentimento que diz, "E este é o fim". Mas isto deve ter sido muito mais frequente com as histórias "que eram contadas". Elas tinham que ser comprimidas no que podia ser repetido em uma ocasião, ou de modo que três ou quatro poderiam ser contadas em uma tarde ou em uma hora. A história terminava; e então vinha o sentimento de brevidade, a rápida fuga do período empregado por ela, com algo parecido com um sentimento de assombro e insatisfação com esta descoberta. "Porque que é a vossa vida? É um vapor que aparece por um pouco e depois se desvanece". — *Thomas Binney*

v. 9: "Como um conto". Do qual a graça é a *brevidade.* — *John Trapp*

v. 9: "Como um conto ligeiro". A versão dos caldeus diz, *como o sopro da nossa boca no inverno.* — *Daniel Cresswell*

v. 9: Os trinta e oito anos, em que, depois disto eles estiveram no deserto, não foram o assunto da história sagrada, pois pouco ou nada está registrado do que aconteceu com eles, desde o segundo ano, até o quadragésimo. Depois de sua saída do Egito, o seu tempo foi absolutamente desperdiçado, e não era digno de ser o assunto de uma história, mas somente de *"um conto ligeiro";* pois foi somente para passar o tempo, como contando histórias, que eles passaram aqueles anos no deserto; todo este tempo eles estavam se consumindo, e outra geração estava surgindo... O passar dos nossos anos é como o contar de uma história. Um ano, depois de passado, é como um conto, depois de contado. Alguns dos nossos anos são como uma história agradável; outros são como uma história trágica; muitas, mescladas, mas todas curtas e transitórias. Deste modo, aquilo que acontece em um período longo, pode ser contado em pouco tempo. — *Matthew Henry*

v. 9: "Acabam-se os nossos anos como um conto ligeiro", ou *como uma meditação* (assim traduzem alguns) repentinamente ou rapidamente — um discurso termina rapidamente, seja um discurso proferido pela boca, esteja em pensamento; e dos dois, o último é ainda mais rápido e veloz. Um discurso em nossos pensamentos é mais rápido do que o sol, assim como o sol é mais rápido do que um caracol; os pensamentos do homem viajam o mundo em um momento; aquele que agora está neste lugar, pode estar no fim do mundo em seus pensamentos, antes que eu possa proferir outra palavra. — *Joseph Caryl*

v. 9: "Acabam-se os nossos anos como um conto ligeiro". Isto parece expressar um fato necessário e uma censura. A rápida passagem dos nossos anos — o seu rápido desaparecimento, é inevitável. Mas eles podem, também, ser passados de uma maneira inútil, desperdiçados, com propósitos pouco importantes, o que completa a desconsolada reflexão sobre eles, com o acréscimo da culpa e da reprovação. — *John Foster,* 1768–1843

v. 9: "Como um conto ligeiro". No texto em hebraico, é כְּמוֹ־הֶגֶה, *sicut meditatio* (*como uma meditação*) e assim lemos à margem, como se todos os nossos anos fossem pouco mais do que uma contínua meditação sobre as coisas deste mundo. Na realidade, grande parte do tempo do homem é gasta neste tipo de vã meditação, como enganar e agir de maneira irresponsável, procurando vantagens; esta meditação eles tinham (Is 59.13), ou uma meditação com palavras mentirosas; a mesma palavra em hebraico consta no meu texto. O tema aqui também pode estar relacionado a acumular riquezas, a meditação que tinha o homem ambicioso no Evangelho de Lucas (12.17); ou como infringir os laços sagrados da religião e das leis de Deus, que era uma meditação que eles tinham, Salmos 2.1–3. Com tais meditações, os homens desperdiçam seus anos, "como um conto ligeiro..."

Vamos encerrar este ponto, com Gregório de Nazianzo.

O que somos nós, exceto um sonho vão, que não tem existência, um mero fantasma ou aparição que não pode ser retido, um navio navegando no mar, que não deixa rastros atrás de si, uma poeira, um vapor, um orvalho matinal, uma flor que floresce em um dia e morre no outro, sim, o mesmo dia a vê nascendo e morrendo, mas o meu texto acrescenta outra metáfora, como o levantar vôo de um pássaro, *"e nós voamos e desaparecemos"*, não correr, mas voar, o mais rápido movimento que qualquer criatura corpórea tem. A nossa vida é como o vôo de um pássaro, que está aqui agora e fora da nossa vista repentinamente. O profeta, portanto, falando da rápida partida da glória de Efraim, assim se expressa, "como ave, voará", Oséias 9.11; e Salomão diz a mesma coisa a respeito dos ricos, "certamente, isso se fará asas e voará ao céu como a águia", Provérbios 23.5. Davi desejou as asas de uma pomba, para que pudesse voar e descansar, e ele tinha bons motivos para isto, pois esta vida não é apenas curta, mas infeliz...

Que seja nossa preocupação, então, não vir rastejando e tossindo para Deus, com uma carga de doenças e fraquezas à nossa volta, quando estamos à porta da morte, e não antes, mas consagrar as primícias da nossa vida ao Seu serviço. Que o passar do nosso tempo (como alguém compara) seja como o destilar da água, a parte mais pura corre em primeiro lugar, e os sedimentos, no final: que coisa indigna será oferecer o auge do nosso tempo ao mundo, à carne, ao mal, e os seus sedimentos a Deus. Aquele que proibiu que os coxos e os cegos, entre os animais, fossem sacrificados, certamente não o permitirá no caso dos homens; se eles não vêm para apresentar os seus corpos como um sacrifício vivo enquanto vivem, antes de se tornarem coxos, ou cegos, ou deformados com a idade, será um milagre se provarem um serviço santo, aceitável ou razoável. — *Thomas Washbourne, 1655*

v. 9 (segunda parte): O texto em hebraico é diferente de todas as versões. "*Gastamos os nossos anos* [כְמוֹ־הֶגֶה, *kᵉmô-hegeh*] *como um suspiro*" (TB). Nós vivemos uma vida moribunda, de reclamações e queixas, e por fim um *suspiro* a encerra! — *Adam Clarke*

v. 9: A tradução da Vulgata é: *"Os nossos anos passam como os da teia de uma aranha"*, o que sugere que a nossa vida é tão frágil como o fio da teia de uma aranha. A teia de uma aranha é constituída de maneira muito curiosa; mas o que pode ser mais frágil do que ela? No que pode haver mais sabedoria do que na complicada estrutura do corpo humano; e o que pode ser mais facilmente destruído? O vidro é granito, em comparação com a carne; e os vapores são rochas, em comparação com a vida. — *C. H. S.*

v.10: "Pois passa rapidamente, e nós voamos". No Witan, ou concílio reunido por Edwin de Northumbria, em Godmundingham (a moderna Godmanham), para debater a missão de Paulino, o rei assim foi saudado por um líder pagão, um de seus capitães: — "A vida atual do homem, ó rei, pode ser semelhante ao que frequentemente acontece quando estás sentado, comendo com teus líderes e nobres, no inverno. Um fogo arde no coração e aquece o salão; fora, há uma tempestade de vento e neve; um pardal entra por uma das portas do teu salão, e rapidamente sai pela outra. Por um momento, e enquanto ele está dentro do salão, ele continua incólume e intocado pelos golpes de vento, mas este breve período de felicidade termina, e ele retorna àquele vento de onde veio, e desaparece da tua vista. Assim é a vida breve do homem; nós não sabemos o que aconteceu, antes dela, e somos totalmente ignorantes quanto ao que virá depois dela. Se, portanto, esta nova doutrina contém algo mais sólido, certamente merece ser seguida. — *Bede's Chronicle*

v. 10: O tempo da nossa vida é de setenta anos (diz Moisés), ou, se estendido, chega a *oitenta*, embora nem um, em cada oitenta, chegue a esta idade, e por isto não podemos dizer que vivemos tanto tempo; pois tire, em primeiro lugar, dez anos para a infância que Salomão chama de vaidade (Ec 11), em que mal nos lembramos do que fizemos, ou se vivemos, ou não; e quanto dura a vida, então? Tire, do que sobrou, uma terça parte, para o sono, em que dormimos e nada percebemos, e quanto dura a vida, então? Tire, ainda o tempo das nossas preocupações terrenas, em que nós parecemos mortos e sepultados para as questões do mundo, e quanto dura a vida, então? E tire ainda os nossos momentos de pecado voluntário e rebelião, pois enquanto nós pecamos, não vivemos, mas estamos *mortos pelo pecado*, e o que resta de vida? Sim, quanto dura a vida, então? Tão curta é a vida que a natureza permite, e nós ainda dormimos parte dela, e desperdiçamos parte dela, e as preocupações do mundo têm uma grande parte dela, de modo que a verdadeira vida espiritual e cristã fica com pouco, ou nada, no final. — *De um sermão de Robert Wilkinson, intitulado "A Meditation of Mortalitie", pregado ao falecido Príncipe Henry, poucos dias antes de sua morte, 1612*

v. 10: "Setenta anos". A princípio, pode parecer surpreendente que Moisés descrevesse os dias do homem como *"Setenta anos"*. Mas quando nos lembramos de que, no segundo ano da peregrinação no deserto, conforme o relato de Números 14, Deus declarou que todos aqueles que tinham sido recentemente contados no monte Sinai morreriam no deserto, antes que se passassem quarenta anos, a lamentação de Moisés pela brevidade da vida humana se torna muito inteligível e apropriada; e o próprio Salmo adquire um tom solene e comovente, como uma confissão penitente dos pecados que tinham trazido tais consequências melancólicas à nação hebraica; ele também é como uma humilde lamentação sobre a ira de Deus, e como um canto fúnebre para aqueles cujas mortes tinham sido anunciadas previamente pela terrível voz de Deus. — *Christopher Wordsworth*

v. 10: Houve várias *abreviações naturais* à vida do homem. A morte vem se aproximando cada vez mais de nós, como podemos ver, nas diversas épocas e períodos do mundo. Adão, o primeiro da humanidade, viveu novecentos e trinta anos. E setecentos ou oitocentos anos era o período normal da vida de um homem, antes do Dilúvio. Mas a História Sagrada (que tem superioridade e proeminência sobre todas as outras histórias, quaisquer que sejam, por causa da sua antiguidade) nos informa que, imediatamente após o Dilúvio, os anos da vida dos homens foram encurtados em nada menos do que a metade... *Depois do Dilúvio,* a vida do homem era, aparentemente, mais curta do que antes, pois passaram de novecentos, oitocentos e setecentos anos a quatrocentos e trezentos, como vemos na idade de Arfaxade, Sala e Éber; sim, eles caíram para duzentos e alguns anos, como lemos a respeito de Pelegue, Reú, Serugue, e Tera; sim, os homens passaram a viver menos do que duzentos anos. No espaço de alguns poucos anos, a vida do homem foi, novamente, diminuída a quase a metade, se não à metade. Nós lemos que Abraão viveu apenas cento e setenta e cinco anos, de modo que a idade do homem já era menor, nesta época. Veja o relato dado nas Escrituras, sobre Naor, Sara, Ismael, Isaque, Jacó, José (que morreu aos cem anos), que confirma isto. E, novamente, pela *terceira vez,* a vida do homem foi encurtada, por quase outra *metade,* ou seja, aproximadamente no ano 2.500 do mundo, na época de Moisés. Pois ele estabelece os limites de vida humana assim: "A duração da nossa vida é de setenta anos; e se alguns, pela sua robustez, chegam a oitenta anos, o melhor deles é canseira e enfado; pois passa rapidamente, e nós voamos", Salmos 90.10. Oitenta anos é o limite máximo que ele estabelece para a vida do homem, *isto é,* nas contagens mais comuns da vida humana. Embora alguns sejam de opinião de que estas palavras não dão a contagem da duração da vida humana, em geral, mas se referem às curtas vidas dos israelitas, no deserto, eu não vejo porque não interpretá-la para os dois casos; e Moisés, que escreveu o Salmo, viveu cento e vinte anos, mas pôde falar da duração da vida humana normal, e o que normalmente acontecia com a maioria dos homens. — *John Edwards*

v. 10: "O melhor deles é canseira e enfado". Normalmente, a velhice é um estado de fragilidade; o próprio gafanhoto é um peso para ela, Eclesiastes 12.5. Até mesmo o velho é um peso, para sua esposa, seus filhos, para si mesmo. Como disse Barzilai a Davi: "Da idade de oitenta anos sou eu hoje; poderia eu discernir entre bom e mau? Poderia o teu servo ter gosto no que comer e beber? Poderia eu mais ouvir a voz dos cantores e cantoras?" 2 Samuel 19.35. A velhice, dizemos, é um bom convidado, e deveria ser bem recebida, mas ela traz tal grupo consigo: cegueira, dores, tosses, etc.; estas coisas são incômodas, como poderiam ser bem recebidas? *"O melhor deles é canseira e enfado"*. Se o melhor deles for canseira e enfado, o que será o pior deles? — *Thomas Adams*

v. 10: "O melhor deles é canseira e enfado".

Inúmeras moléstias invadem as suas juntas,
Controlam a vida, e pressionam o terrível cerco.
— *Samuel Johnson, 1709–1784*

v. 10: "O melhor deles". Mais precisamente, *"o orgulho"* dos dias da nossa vida é canseira e enfado — isto é, os nossos melhores dias. — *Earth, "Bible Manual"*

v. 10: "E nós voamos".

Ave do meu peito, vai!
A hora tão desejada é chegada!
Vai para os domínios do dia sem nuvens.
Vai para o teu glorioso lar!

Muito tempo estiveste lamentando
Banida e em dor,
Retorna, pomba peregrina, retorna,
e encontra outra vez a tua arca!

Vai, com asas alegres,
Percorrer a imensidão;
Ao redor do trono, para voar e cantar,
e trocar a fé pela visão

* * * * * * *

Foge, então, do pecado e da lamentação,
às imortais alegrias, foge;
Deixa a tua sombria prisão, abaixo,
Para estar livre para sempre!

Eu venho, abençoado povo,
compartilhar das tuas tarefas e das tuas alegrias;
Oh, enche os meus lábios de cântico sagrado,
Sustenta a minha asa caída.
— *Henry Francis Lyte, 1793–1847*

v. 11: "Quem conhece o poder da tua ira?" Nós podemos ter uma pálida ideia, alguma medida da ira do homem, e saber até onde ela pode ir, o que ela pode fazer, mas não podemos ter nenhuma ideia da ira de Deus, pois ela é imensurável. — *Joseph Caryl*

v. 11: "Quem conhece o poder da tua ira?" Absolutamente, ninguém; e, a menos que este poder possa ser conhecido, ele deve permanecer, tão indescritível como o amor de Cristo, que transmite conhecimento. — *John Bunyan*

v. 11: Eu penso que Moisés, aqui, quer dizer que é uma santa reverência por Deus, e que somente isto nos faz sentir, verdadeiramente e profundamente, a Sua ira. Nós vemos que os ímpios, embora sejam severamente punidos, somente se irritam, ou se revoltam contra Deus, ou ficam exasperados, ou estupefatos, como se estivessem insensíveis a todas as calamidades; estão longe de serem subjugados. E embora estejam cheios de problemas, e clamem, a ira Divina não penetra nos seus corações a ponto de diminuir o seu orgulho e a sua crueldade. Somente a mente dos devotos são feridas com a ira de Deus; eles não esperam pelas Suas calamidades, às quais os ímpios oferecem seus pescoços endurecidos, mas tremem no mesmo momento em que Deus move Seu dedinho. É isto que eu considero que o profeta verdadeiramente quer dizer. — *João Calvino v. 11:* "Quem conhece o poder da tua ira?", etc. O significado é: Qual homem verdadeiramente conhece e reconhece o poder da Tua ira, de acordo com a medida de temor com que Tu deves ser temido? Observe como Moisés e o povo de Deus, embora temessem a Deus, confessam que falharam a respeito desta medida do temor a Deus que deveriam ter tido; pois não devemos pensar: mas Moisés e seu povo realmente temiam a Deus. Mas com relação ao poder da ira de Deus, que agora era muito grande e doloroso, o temor a Deus, por parte deles, não era uma resposta proporcional; assim, fica aparente que Moisés e este povo falharam, com relação à medida do temor a Deus que deveriam ter tido, por causa da grandeza e da gravidade dos juízos de Deus sobre eles.

Veja que o melhor dos servos de Deus nesta vida não terá temor suficiente por Deus, e igualmente todas as graças do Espírito; no amor de Deus, na fé, no arrependimento e na obediência, todos nós ficamos aquém do que o Senhor exige de nós. Pois, embora nós conheçamos a Deus, e embora saibamos que Ele é um Deus justo, e correto, e não pode tolerar o pecado, que homem existe, que sente diante dEle o temor como Ele deve ser temido? Que homem treme, diante da Sua ira, como deve? e que homem sente tanto medo do pecado, como deve sentir? Nós não temos a graça, aqui, em perfeição, mas a melhor fé está mesclada com a infidelidade; a nossa esperança, mesclada com temor; a nossa alegria, com tristeza. É bom que possamos discernir nossas necessidades e imperfeições, e clamar, com o homem do Evangelho: "Eu creio, Senhor! Ajuda a minha incredulidade". — *Samuel Smith*

v. 11: "Quem conhece o poder da tua ira?" Ninguém conhece o poder da ira de Deus, porque este poder jamais foi exibido plenamente. Não há, então, nenhuma medida da ira de Deus — nenhuma referência pela qual possamos avaliar a sua intensidade? Não há uma medida fixa ou padrão, mas há uma variável. O temor de Deus que sente o ímpio é uma medida da ira de Deus. Se nós interpretarmos o homem como ele pode ser interpretado, quando o anjo da morte está sobre ele, quando os pecados da sua juventude e dos seus anos de maturidade se amontoam ao redor dele, como um exército, e o amedrontam e afligem — quando, com todos os seus sentidos intensamente despertos para os rápidos passos da decadência física, ele sente que deve morrer, e que não está preparado para isto — ora, pode acontecer, e ocasionalmente acontece, embora nem sempre, que as suas expectativas do futuro sejam literalmente tremendas. Há tal temor e tal terror deste Deus a cuja presença imediata ele se sente prestes a ser conduzido, que mesmo aqueles que mais o amam e encantam se encolhem pelo vazio do seu olhar e pelas suas palavras chorosas. E não podemos dizer a ele, embora ele possa estar simplesmente delirante de preocupação, que o seu temor a Deus atribui à ira de Deus uma característica mais sombria do que realmente tem. Antes, nós sabemos que *"a tua cólera, segundo o temor que te é devido"*. Nós sabemos que, se o temor de um homem por Deus puder ser trazido ao nível mais alto, e a mente pulsar tão veementemente que a sua estrutura ameaça desmoronar, nós sabemos que a ira do Todo-Poderoso acompanha este gigantesco temor...

Se isto aconteceu com você — e não há, talvez, nem um homem na face da terra ao qual isto não aconteceu, alguma vez — se você já se sentiu esmagado com a ideia de que uma vida de impiedade deve resultar em uma eternidade de lamentações, e se, em meio à solidão da meia-noite e em meio à depressão da doença, passaram pelo seu espírito as imagens intermitentes de um ministério vingador, então eu tenho que lhe dizer que não é o ruído da batalha que é suficientemente poderoso, nem o choro dos órfãos que é suficientemente emocionante, para servir como veículo de tal comunicação; eu tenho que lhe dizer que você está fugindo para um refúgio de mentiras, se ousar adular a si mesmo, pois nem a imobilidade da hora nem a fragilidade da doença deverão fazer com que você deseje a terrível vingança. Eu tenho que lhe dizer que não foi exagerada a imagem que você fez, na sua agonia.

"E a tua cólera, segundo o temor que te é devido." O temor é apenas um espelho, que você pode estender indefinidamente, e ampliar indefinidamente, e a ira se estende e se amplia, ainda enchendo o espelho com novas e terríveis formas de destruição e desgraça. Nós avisamos você, então, novamente, contra até mesmo nutrir a aduladora noção de que o temor pode exagerar a ira de Deus. Nós lhe dizemos que, mesmo quando o temor fez o pior, de maneira alguma pode corresponder à ira que ele retrata...

Agora, é fácil passar da perspectiva deste texto a outra, que é, de certa forma, similar. Você perceberá que as percepções dos homens sobre a ira de Deus são apropriadamente proporcionais ao temor e reverência que são despertados, neles, pelo nome e pelos atributos de Deus. Terão apenas pensamentos ligeiros de futura vingança aqueles que têm apenas pensamentos humildes sobre o caráter e as propriedades do seu Criador: e o resultado disto é que o grande corpo de homens denuncia um tipo de insensibilidade tola à ira do Senhor... Olhe para a multidão dos materialistas e indiferentes. Não há temor a Deus nesta multidão; eles são "da terra, desta terra". A alma é sepultada no corpo, e jamais despertada a uma percepção da sua posição com referência a um Criador santo e vingador. Você pode, então, compreender a ausência de qualquer conhecimento sobre o poder da ira de Deus. *"Quem conhece o poder da tua ira? E a tua cólera, segundo o temor que te é devido?" — Henry Melvill*

v. 11: "Quem conhece o poder da tua ira?", etc. Isto ele diz, 1. Em forma de lamentação. Ele suspira uma queixa muito dolorida, contra a segurança e o estupor que observava naquela geração de homens da sua época, tanto naqueles que já tinham morrido nos seus pecados, quanto naquela nova geração que tinha surgido em seu lugar, que ainda viviam em seus pecados; oh, ele diz: 'Quem, entre eles, conhece o poder da Tua ira?', isto é, daquela ira que seguia à morte, e prendia as almas dos homens para sempre; isto é, quem a considera, ou a respeita, até que ela se apodere dele? Ele diz isto, 2. Com assombro, com a percepção que tinha da grandeza desta ira.

"Quem conhece o poder da tua ira?", isto é, quem levou em consideração a grandeza desta ira, ou pode fazê-lo? E é o que ele se esforça para demonstrar, aplicando a si mesmo a sua própria percepção, desta maneira: *"E a tua cólera, segundo o temor que te é devido?"* Onde as palavras *"temor que te é devido"* são interpretadas como *objetivas*, e assim significam o *teu temor,* e assim o significado é que, de acordo com qualquer proporção que nossas almas possam captar, em temor a Ti e à Tua ira, será a Tua própria ira. Vocês têm almas que são capazes de englobar grandes temores e terrores; elas são tão abrangentes, nos seus temores, quanto nos seus desejos, que se estendem além do que este mundo ou as criaturas lhes permitem, sim, ao infinito. A alma de um homem é uma célula escura, que, quando gera temores, estranhas e temíveis aparições surgem nela, e ultrapassam, e muito, a proporção comum de males terrenos (que também os nossos temores os fazem maiores do que são na realidade); mas aqui, quanto àquela punição que é o resultado da ira imediata de Deus, deixe que a alma se estenda, diz ele, e amplie a sua abrangência do supremo; tema o que você pode imaginar, mas a ira de Deus e a punição que ela inflige não são apenas proporcionais, mas infinitamente superiores a tudo o que você pode temer ou imaginar. *"Quem conhece o poder da tua ira?"* Ela traz conhecimento. — *Thomas Goodwin*

v. 12: "Ensina-nos a contar os nossos dias, de tal maneira que alcancemos coração sábio". Moisés, que foi instruído em todas as ciências dos egípcios (entre as quais se incluía a aritmética) deseja aprender este ponto de aritmética somente de Ti, ó Senhor; e por que? É porque, como diz Jó, Tu determinaste o número dos seus dias? Moisés deseja que Tu reveles a cada homem o momento do seu fim? Estas especulações podem ser adequadas a um egípcio, não a um israelita. Teus filhos, ó Senhor, sabem que não lhes pertence conhecer os tempos ou as estações que Tu estabeleceste pelo Teu próprio poder, e que são um segredo, selado contigo; nós não devemos nos intrometer nesta contagem, nem investigar curiosamente esta soma. Não é, então, em uma contagem matemática de dias que Moisés desejava ser instruído, mas em uma contagem moral; ele desejava que Deus não apenas o ensinasse a contar, mas a contar *"assim"*; e *"assim"* indica uma maneira especial, uma maneira que pode ser útil para os filhos de Deus. E, na verdade, as nossas súplicas devem apresentar esta marca de desejos benéficos, e não devemos pedir nada a Ti, exceto aquilo com que (se formos bem sucedidos) pudermos nos tornar melhores; aquele que estuda assim a sua mortalidade, aprende-a como ela deve ser aprendida — e somente Tu, ó Senhor, podes ensinar tal lição. Mas qual é a utilidade, ó Moisés, que desejaste que os homens tivessem para tal conhecimento? "De tal maneira que alcancemos coração sábio." Ó, feliz conhecimento, pelo qual o homem se torna sábio, pois a sabedoria é a beleza de uma alma que demonstra o uso da razão. Deus o criou com ela, mas o pecado separou a alma da sabedoria; de modo que um homem pecador não é, na verdade, nada melhor do que um tolo, e assim as Escrituras o chamam; e é adequado que ele seja chamado assim, vendo que todo o seu esforço é vão, e que os seus resultados são apenas um enfado de espírito. Mas, embora o pecado tenha separado a sabedoria da alma, elas não estão tão separadas, mas podem ser reunidas, e nada é mais poderoso para possibilitar esta união do que esta meditação sincera — de que somos mortais. — *Arthur Lake*

v. 12: "Ensina-nos", etc. Moisés direciona vocês a Deus, para que sejam ensinados. "Ensina-nos, não como o mundo ensina — ensina-nos Tu". Não um mestre comum, não uma escolha inferior; nem o próprio Moisés, exceto quando ele transmite a mensagem de Deus e se torna o professor, para nos levar a Cristo; não os profetas, não os próprios apóstolos, "homens santos de Deus", exceto quando eles "falaram inspirados pelo Espírito Santo". Este conhecimento não vem da carne e do sangue, mas de Deus. "Ensina-nos". E assim diz Davi: "Ensina-me, Senhor, o teu caminho, e andarei na tua verdade". E consequentemente a promessa do Senhor aos Seus discípulos: "O Espírito Santo vos ensinará todas as coisas". — *Charles Richard Sumner, 1850*

v. 12: "Ensina-nos a contar os nossos dias". Observe o que é que Moisés pede aqui: somente ser ensinado a contar seus dias. Mas ele já não fez isto? Não era este o seu trabalho diário, a sua atividade constante e contínua? Sim, sem dúvida era; sim, e ele o fazia cuidadosamente e conscientemente também. Mas ele pensava que não o fazia suficientemente bem, e por isto ora aqui, no texto, pedindo para ser ensinado a melhorar. Veja um homem de bem, como se alegra pouco com qualquer ato de sua vida, com qualquer tarefa que realize. Ele pode não pensar que faz suficientemente bem o que quer que ele faça, mas ainda deseja fazê-lo de outra maneira, e de bom grado, faria melhor. Há um sentimento de modéstia e humildade que acompanha a verdadeira piedade; e cada homem piedoso é um homem humilde e modesto, e jamais se considera um perito perfeito, ou como estando acima de um ensinamento, mas fica satisfeito e deseja ser um aprendiz contínuo; para saber mais do que sabe, e fazer melhor do que faz; e ele não julga que seja algum menosprezo à sua graça receber conselho e procurar instrução, nas áreas em que for necessário. — *Edm. Barker, Funeral Sermon for Lady Capell. 1661*

v. 12: "Ensina-nos a contar os nossos dias".

"Aproveita o tempo, em tempo, enquanto o Tempo dura,
Pois todo o Tempo não será tempo nenhum, quando o Tempo tiver passado".
— *De Richard Pigot, em "Life of Man, symbolized by the Months of the Year"*, 1866

v. 12: "Ensina-nos a contar os nossos dias". Os oráculos de nossos parcimoniosos ancestrais nos informam de que o desperdício fatal da fortuna se dá por pequenas despesas, pela profusão de somas pequenas demais para chamar nossa atenção, e que não nos permitimos considerar, todas juntas. Do mesmo tipo é o desperdício da vida: aquele que espera olhar para trás, no futuro, com satisfação pelos anos passados, deve aprender a conhecer o valor real dos minutos, e se esforçar para não permitir que nenhuma partícula de tempo caia por terra em vão. Um filósofo italiano expressou, em seu lema, que o tempo era sua propriedade; uma propriedade, realmente, que não produzirá nada sem cultivo, mas sempre recompensará abundantemente os esforços do trabalho, e satisfará os mais abrangentes desejos, se nenhuma parte dela for desperdiçada pela negligência, destruída por plantas nocivas, nem destinada à exposição em vez do uso. — *Samuel Johnson*

v. 12: "Contar os nossos dias" não é simplesmente fazer o cálculo e a mensuração da vida humana. Isto já foi feito nas Sagradas Escrituras, onde está escrito, *"A duração da nossa vida é de setenta anos; e se alguns, pela sua robustez, chegam a oitenta anos, o melhor deles é canseira e enfado; pois passa rapidamente, e nós voamos"*. Nem é, na expressão do mundo, calcular as probabilidades de sobrevivência, algo que qualquer homem pode fazer, no caso do conjunto, mas que nenhum homem pode fazer, no caso do indivíduo. Mas é mensurar os nossos dias, comparando-os com o trabalho a ser realizado, com a provisão a ser armazenada para a eternidade, com a preparação a ser feita para a morte, com a precaução a ser tomada para o juízo. É estimar a vida humana pelos propósitos aos quais ela deve ser aplicada, pela eternidade à qual ela deve conduzir, e na qual ela será, por fim, absorvida. Sob este aspecto é que Davi contempla o homem, quando diz, *"Eis que fizeste os meus dias como a palmos; o tempo da minha vida é como nada diante de ti"*, Salmos 39.5; e então prossegue, para incluir nesta abrangente estimativa, até mesmo aqueles dias que foram os mais longos, sobre a terra: "Na verdade, todo homem, por mais firme que esteja, é totalmente vaidade". — *Thomas Dale, 1847*

v. 12: "Contar os nossos dias". Contemos os nossos dias por nossas orações diárias — contemos pela nossa obediência diária e nossos atos diários de amor — contemos pelas lembranças que temos de homens santos que entraram no repouso do seu Salvador, e pelas esperanças que estão entremeadas com eles, esperanças de glória e graça conquistadas para nós! — *Plain Commentary*

v. 12: "De tal maneira que alcancemos coração sábio". Sir Thomas Smith, secretário da Rainha Elizabeth, alguns meses antes da sua morte, disse: É uma grande pena que os homens não sabiam para que fim foram trazidos a este mundo, até que estejam prontos para sair dele. — *Charles Bradbury*

v. 12: "De tal maneira que alcancemos coração sábio". Austin diz: "Nós jamais poderemos fazer isto, a menos que contemos cada dia como o nosso último dia". Muitos colocam o dia terrível à distância. Eles se recusam a deixar a terra, quando a terra está prestes a se despedir deles. — *William Secker*

v. 12: "De tal maneira que alcancemos coração sábio". Moisés fala de *sabedoria* como se fosse um remédio, que não faz nenhum bem antes de ser aplicado; e a parte onde ela deve ser aplicada é o *coração*, onde estão todos os sentimentos do homem, para amá-lo e cuidar dele, como um tipo de anfitriã. Quando o coração procura, ele a encontra, como se fosse trazido a ela, como o cordeiro de Abraão. Por isto, Deus diz: "E buscar-me-eis e me achareis quando me buscardes de todo o vosso coração", Jeremias 29.13; como se não o encontrassem, em suas buscas, a menos que o buscassem com todo seu coração. Por isto, a maneira de adquirir sabedoria é aplicar nossos corações a ela, como se fosse nossa vocação e nossa vida, para as quais somos aprendizes. Um homem pode aplicar seus ouvidos e seus olhos como muitos alunos gazeteiros fazem com seus livros, e, no entanto, jamais são acadêmicos; mas a partir do dia em que o homem começa a aplicar seu coração à sabedoria, ele aprende mais em um mês do que aprendia em um ano, antes disto, na verdade, mais do que jamais aprendeu na sua vida. Quando você considera os ímpios, porque aplicam seus corações à iniquidade, como prosseguem rápido, com que facilidade e rapidez se tornam blasfemadores perfeitos, bêbados especialistas, ardilosos enganadores, de modo que, se você aplicar seu coração com igual empenho ao conhecimento e à bondade, poderá se tornar como o apóstolo que lhe ensinou. Portanto, quando Salomão mostra aos homens o caminho pelo qual chegar à sabedoria, ele fala frequentemente do coração: "Porquanto a sabedoria entrará no teu coração", "adquire a sabedoria", "exalta-a", "abraçando-a", Provérbios 2.10, 4.5, 13.8, como se um homem fosse cortejar a sabedoria. A sabedoria é como a filha de Deus, que Ele dá ao homem que a ama, e suplica por ela, e deseja colocá-la no seu coração. Assim, nós aprendemos como aplicar o conhecimento que pode nos fazer bem; não aos nossos ouvidos, como aqueles que ouvem somente os sermões, nem às nossas línguas, como aqueles que tagarelam sobre a religião, mas a nossos corações, para que possamos dizer, coma Maria: "A minha alma engrandece ao Senhor", Lucas 1, e o coração a aplicará, ao ouvido e à língua, como Cristo diz: *"Pois do que há em abundância no coração, disso fala a boca"*, Mateus 12.34. — *Henry Smith*

v. 12: De todas as regras matemáticas, esta é a mais difícil — *contar os nossos dias.* Os homens podem contar seus rebanhos e manadas de bois e ovelhas, podem estimar a renda de suas mansões e fazendas, com algum esforço podem contar suas moedas, e são persuadidos de que seus dias são infinitos e incontáveis e, por isto, nem mesmo começam a contá-los. Quem não diz, considerando outra pessoa: parece que este homem, pela sua aparência, não viverá muito tempo... ou, aquela mulher já é velha, seus dias não podem ser muitos; assim nós podemos contar os dias e anos de outros homens, e nos esquecermos completamente dos nossos; portanto, a verdadeira sabedoria dos homens mortais consiste em contar os seus próprios dias. — *Thomas Tymme*

v. 12: Observe, aqui, que depois que Moisés tinha apresentado uma descrição da ira de Deus, seus pensamentos são imediatamente tomados com a meditação da morte. Pensar na ira de Deus nos faz pensar na morte... Devemos frequentemente pensar na ira de Deus, e deixar que este pensamento opere sobre nós, e nos conserve em um constante respeito e temor por Deus; e que este temor nos leve a Deus, pela oração, para que, temendo como devemos, possamos orar como nos é ordenado, e, orando, possamos evitar a ira de Deus. Se as nossas angústias atuais não nos comoverem, Deus enviará angústias piores; e quando as nossas angústias foram grandes demais para nós, teremos pouca coragem ou consolo para orar. Que nossos temores, então incitem nossas orações; e que nossas orações sejam tais que superem nossos temores: assim, das duas maneiras, seremos felizes, pois nossos temores nos ensinaram a orar, e nossas orações nos fizeram perder o temor. — *Christopher Shute, em "Ars pie moriendi: ou The true Accomptant. A Sermon", etc., 1658*

v. 12: É evidente que o grande argumento desejado para fazer os homens proverem para a eternidade é a persuasão prática de que têm apenas pouco tempo para viver. Eles não dedicam seus corações à sabedoria, até que são levados a contar os seus dias. E como você deve ser levado a isto, meu irmão? A coisa mais surpreendente no texto é que deve ser na forma de uma oração. É necessário que Deus interfira, para fazer com que os homens contem seus dias. Nós achamos isto surpreendente. Como? Não há o suficiente, para fazer com que sintamos a nossa fragilidade, sem uma impressão sobrenatural? Não há lições suficientes desta fragilidade, sem nenhum novo ensinamento vindo do alto? Vá aos nossos cemitérios — todas as gerações, falam a todos os tipos de pessoas. Precisamos de algo mais que nos prove a incerteza da vida? Vá às famílias enlutadas — e onde não será possível encontrá-las? — nesta é o velho, naquela é o jovem que foi removido pela morte — e não há eloquência nas lágrimas que possa nos persuadir de que somos mortais? Será que, ao pisar todos os dias na poeira dos nossos pais, e nos encontrando todos os dias com os enterros de nossos irmãos, não sejamos ensinados de modo prático a contar os nossos dias, a menos que Deus imprima a verdade em nossos corações, por meio de alguma operação especial do Seu Espírito? Não é assim, em outras coisas. Em outras coisas, a frequência da ocorrência nos faz esperá-las. O agricultor não ora para ser levado a crer que a semente deve ser enterrada e morta antes de germinar. Este é o curso do grão, para todas as outras pessoas, e onde há tanta experiência, que lugar há, para a oração? O marinheiro não ora para ser ensinado de que o ponteiro da sua bússola aponta para o norte. O ponteiro de cada bússola tem apontado para o norte, desde que o segredo foi descoberto, e ele não precisa pedir, quando já tem tanta certeza. O homem envolto pela noite não ora para sentir que o sol nascerá em poucas horas. A manhã tem sucedido à noite desde que o mundo foi criado, e por que ele deveria pedir pelo que ele já conhece bem demais, e não tem razão para duvidar? Mas em nenhuma destas coisas há mais espaço para a certeza, do que temos, cada um por si mesmo, do fato de que lhe foi indicado que deve morrer. No entanto, devemos orar para saber — sentir — que devemos morrer, diante da experiência que certamente não é menor do que a dos grupos aos quais nos referimos. Esta é uma súplica, para que possamos crer, crer, como eles crêem, pois eles agem segundo a sua crença no fato, que esta experiência atesta, incontestavelmente.

E podemos dizer, sobre isto, que está entre as mais estranhas das coisas estranhas que podem ser afirmadas, a respeito da natureza humana: que enquanto, no que diz respeito aos interesses inferiores, podemos cuidadosamente nos valer da experiência, tomando cuidado para registrar as suas decisões, e deduzir delas as regras para nossa orientação — no mais importante interesse, podemos agir como se a experiência não nos tivesse fornecido nenhuma evidência, e ficássemos sem material de onde fazer deduções. E, no entanto, com relação a nada mais a experiência é tão uniforme. O grão não germina sempre — mas todo homem, morre. O ponteiro não aponta sempre para o norte — mas todo homem, morre. O sol não cruza o horizonte em todos os lugares a cada vinte e quatro horas — mas todo homem morre. Mas devemos orar — como se estivéssemos orando pela revelação de um mistério oculto de nossos olhos — devemos orar para saber — e para crer — que todo homem morre! Pois eu não chamo isto de fé, e o nosso texto não chama isto de fé, na brevidade da vida e na certeza da morte, que permite que o homem viva sem pensar na eternidade, sem ansiedade quanto à alma, ou sem um esforço de assegurar a salvação a si mesmo. Eu não chamo isto de fé — não, qualquer coisa, mas não fé. Os homens são seres racionais, seres de prudência, dispostos a fazer provisões pelo que julgam ser inevitável; e se não houvesse uma infidelidade prática à sua própria mortalidade, não seriam praticamente inquietos quanto à sua própria segurança. — *Henry Melvill*

v. 12: "Ensina-nos a contar os nossos dias", etc. Nestas palavras, observo cinco coisas: Em primeiro lugar, que a morte é o refúgio de todos os homens; quer ele se assente em um trono, ou em uma cabana, por fim ele deverá bater à porta da morte, como todos os seus antepassados fizeram, antes dele. Em segundo lugar, que o tempo do homem está definido e seus limites estabelecidos, e ele não os pode ultrapassar, como os egípcios não podiam passar pelo mar; e por isto, diz Moisés: *"Ensina-nos a contar os nossos dias",* como se houvesse um número dos nossos dias. Em terceiro lugar, que os nossos dias são poucos, como se nós fôssemos enviados a este mundo apenas para vê-lo; e por isto, Moisés, falando da nossa vida, fala de dias, e não anos, nem meses, nem semanas; mas *"Ensina-nos a contar os nossos dias",* demonstrando que é fácil, para um homem, contar os seus dias, pois são muito poucos. Em quarto lugar, a aptidão do homem de se esquecer da morte, mais do que qualquer outra coisa; e por isto, Moisés ora para que o Senhor o ensine a contar os seus dias, como se estivessem escapando de sua mente. E, por fim, que lembrar quão pouco tempo temos para viver nos fará dedicar nossos corações ao que é bom. — *Henry Smith*

v. 12: "Coração sábio". Nas Escrituras do Antigo Testamento e também do Novo Testamento, o termo *"coração"* é aplicado igualmente à mente, que pensa, ao espírito, que sente, e à vontade, que atua. E aqui significa toda a natureza, mental e moral, do homem, e sugere que a alma e o espírito, com todas as suas forças, devem ser aplicados a serviço da sabedoria. — *William Brown Keer, 1863*

v. 12: "Sábios". Eu considero esta *"sabedoria"* idêntica à *sabedoria* de Jesus, descrita por Salomão, Provérbios 7.15 a seguir, e 9.1, 5, e do próprio Emanuel, a *sabedoria*, a justiça, a santificação, e a redenção do Seu povo. A principal busca da vida deve ser a obtenção de um conhecimento experimental de Cristo, por quem "reinam os reis, e os príncipes ordenam justiça; cujas delícias estão com os filhos dos homens e que clama, o que me achar achará a vida e alcançará favor do Senhor. Vinde, comei do meu pão e bebei do vinho que tenho misturado". Davi, no livro de Salmos, e Salomão, seu filho, no livro de Provérbios, manifestaram, de forma preditiva, o Messias como a *sabedoria* de Jesus, "cuja manifestação vem desde antigamente, da eternidade". — *J. N. Coleman*

v. 13: "Aplaca-te". De acordo com a frequente e bem conhecida fraseologia das Escrituras, diz-se que Deus se arrepende, quando remove a tristeza dos homens, e possibilita novas bases para a alegria. Então parece que Ele muda, de certa forma. — *João Calvino*

v. 14: "Sacia-nos de madrugada com a tua benignidade". Uma pobre alma faminta, sob a sensação da ira, irá prometer a si mesma a felicidade eterna, se apenas uma vez mais puder encontrar aquilo que já sentiu algumas vezes; isto é, um doce derramamento da sensível misericórdia de Deus sobre ela. — *David Dickson*

v. 14: "Sacia-nos". Este é o clamor da humanidade, em todos os lugares, sempre. E que clamor estranho, quando você pensa nisto, irmão! O homem é criação de Deus; traz a Sua imagem; está no topo da criação terrestre; sobre a terra, ele não tem igual; possui espantosa capacidade de pensamento, e sentimento, e ação. O mundo, e tudo o que há nele, foi formado em uma completa e maravilhosa adaptação à existência do homem. A natureza parece sempre convidá-lo, com mil vozes, para que se alegre e regozije; no entanto, ele é insatisfeito, descontente, infeliz! É algo muito estranho — estranho, isto é, com base em qualquer teoria, a respeito do caráter e da condição do homem, exceto a que é fornecida na Bíblia; e não é apenas um testemunho da ruína da sua natureza, mas também a insuficiência de tudo o que é terreno, para satisfazer seus anseios. — *Charles M. Merry, 1864*

v. 14: "Sacia-nos de madrugada com a tua benignidade; para que nos regozijemos e nos alegremos todos os nossos dias". Nós passamos, agora, a esta oração particular, e às partes que a compõem. São muitas, assim como são muitas as palavras nela contidas: sacia-nos, e faça isto de madrugada, com aquilo que é Teu, e use a Tua misericórdia. Em primeiro lugar, é uma oração por abundância e satisfação — *sacia-nos:* também é uma oração, não somente de apropriação para nós mesmos, sacia-*me*, mas uma expansão caridosa para os outros, sacia-*nos*, a todos nós, a todos os Teus servos, a toda a Tua igreja; e, em terceiro lugar, é uma oração de urgência, "Sacia-nos *de madrugada"*, e, além disto, é uma oração de evidência e manifestação: sacia-nos com o que é Teu, e que podemos discernir que é *Teu*; e, finalmente, é uma oração de limitação para o próprio Deus, para que Ele não adote nenhum outro caminho, exceto o caminho da *"benignidade"* ou da *"misericórdia"*.

"Sacia-nos de madrugada com a tua benignidade"... Existe uma plenitude espiritual nesta vida, de que fala St. Hierome, *Ebrietas felix, satietas salutaris,* um feliz excesso e uma saciedade integral; *quoe quanto copiosius sumitur, majorem donat sobrietatem,* em que quanto mais comemos, mais moderados somos, e quanto mais bebemos, mais sóbrios. E em que (como diz São Bernardo, na sua doçura), *Mutua interminabili inexplicabili generalione, desiderium general satietatem, et satietas parit desiderium,* por mútua e recíproca, indeterminada e inexpressível geração, uns dos outros, o desejo de graças espirituais gera uma saciedade, e esta saciedade gera um novo desejo. Esta é uma ambição santa, uma cobiça santa. A bênção de Naftali, *"Farta-te, ó Naftali, da benevolência, e enche-te da bênção do Senhor",* Dt 33.23; a bênção de Estêvão, *"cheio de fé e do Espírito Santo",* Atos 6.5; a bênção de Maria, *"cheia de graça" ou "agraciada";* a bênção de Dorcas, *"cheia de boas obras e esmolas"*, Atos 9.36; a bênção daquele que é bendito, acima de todos, e que abençoa a todos, Cristo Jesus, *"Cheio de sabedoria, cheio do Espírito Santo, cheio de graça e de verdade",* Lucas 1.40, Lucas 4.1, João 1.14...

"Sacia-nos de madrugada com" aquilo que é Teu, *"a tua benignidade",* pois há graças (no sentido mais amplo da palavra, que é o de revigorar, tranquilizar, libertar) que não são as *Suas* benignidades, nem as *Suas* satisfações... não será a Sua benignidade, a menos que nós sigamos bons caminhos, visando boas finalidades. A menos que a nossa segurança seja estabelecida por uma aliança com Seus amigos, a menos que a nossa paz seja obtida com a perfeita continuidade da nossa religião, não há segurança, não há paz. Mas que eu sinta o efeito desta oração, como oração de manifestação, que eu discirna que o que é feito a mim é feito pela mão de Deus, e que eu não me preocupe com o que seja, que eu prefira ter o vinagre de Deus ao azeite do homem, o verme de Deus ao maná do homem, a justiça de Deus a qualquer benignidade de qualquer homem; por isto, Gregório de Nissa chamou Basílio, em um sentido santo, Ambidextrum, porque ele interpretava tudo pelo ângulo correto, e aceitava com a mão correta, porque via que vinha de Deus. Até mesmo as aflições são bem-vindas, quando vemos que são Suas: apesar do caminho que Ele escolhe, e da maneira como esta oração implora, são apenas benignidades, *"Sacia-nos de madrugada com a tua benignidade". — John Donne*

v. 16: "E a tua glória, sobre seus filhos". Isto equivale a dizer que os nossos filhos podem ver os gloriosos frutos da aflição em nós, e não se sentirem desencorajados para Te servir, mas, ao contrário, mais encorajados, quando virem a obra gloriosa que realizaste em nós, e sobre nós, ao nos afligir. — *William Bradshaw*

vv. 16 e 17: "Tua obra". "A obra das nossas mãos". Você verá um belo paralelismo entre duas coisas que, às vezes, são confundidas, e muitas vezes zelosamente separadas: eu me refiro a *ação de Deus* e *a utilidade do homem*, entre a atividade pessoal do homem e o poder de Deus que age e anima e lhe dá uma eficácia vital. Durante quarenta anos, Moisés tinha se ocupado em levar Israel a uma condição adequada, politicamente, moralmente, e em termos de religião: *esta* tinha sido *a sua* obra. E, além disto, na medida em que esta obra tinha que ter algum sucesso ou constância, deve ser uma obra de Deus. "A obra das nossas mãos", confirma; e este Deus faz isto, quando, em resposta à oração, adota as obras de Seus servos e as torna a Sua própria "obra", Sua própria "glória", Seu próprio "esplendor". — *James Hamilton*

vv. 16 e 17: Existe uma tradição rabínica dupla a respeito deste versículo e do anterior; de que eles eram a oração original, recitada por Moisés como uma bênção à obra de edificação do Tabernáculo e seus utensílios, e de que, subsequentemente, ele os empregou como a fórmula usual de bênção para qualquer nova tarefa, sempre que a *gloriosa Majestade* de Deus devesse ser consultada, para uma resposta, por Urim e Tumim. — *Lyranus, R. Shelomo, e Genebrardus, citado por Neale*

vv. 16 e 17: Eles estavam satisfeitos em viver e morrer como peregrinos, desde que pudessem sentir que, nas Suas mais severas tratativas com eles, Deus estava, ainda que lentamente, preparando o caminho para aquela exibição de bem-aventurança gloriosa que seria o destino dos seus descendentes. Com espírito similar, eles pedem que Deus confirme a obra das suas mãos, embora não considerassem ver os seus resultados. O seu consolo, ao semear, era a crença de que seus filhos iriam colher. — *Joseph Francis Thrupp*

vv.16 e 17: É importante ressaltar o fato de que esta oração foi atendida. Embora a primeira geração tenha caído no deserto, os esforços de Moisés e seus companheiros foram bênçãos para a segunda geração. Estes eram os mais devotados a Deus, de todas as gerações, que Israel viu. Foi sobre eles que o Senhor disse, "Lembro-me de ti, da beneficência da tua mocidade e do amor dos teus desposórios, quando andavas após mim no deserto, numa terra que se não semeava. Então, Israel era santidade para o Senhor e era as primícias da sua novidade". Foi então que Balaão não pôde amaldiçoar, mas, embora desejoso do prêmio da injustiça, viu-se forçado a renunciar a eles, e a sua maldição se converteu em bênção. Nós somos ensinados, através deste caso, entre calamidades e juízos temporais, que as nossas esperanças terrenas podem estar de certa forma extintas, mas podemos procurar ter a perda reparada por bênçãos espirituais. Se a obra de Deus for uma parte essencial de nossa vida, como também da nossa posteridade depois de nós, não precisaremos nos desanimar com os males que afligem a terra. — *Andrew Fuller*

v. 17: "E seja sobre nós a graça do Senhor, nosso Deus", etc. Devemos tentar examinar a obra da nossa vida em relação à graça do Senhor. Como à primeira vista a nossa *obra* e a divina *graça* são diferentes! Mas, examinadas mais profundamente, como são verdadeiramente *uma* mesma coisa, como estão inseparavelmente unidas. Existe uma luz que dá graça, de modo que nada que ela toca é positivamente feio. Na nossa ilha rodeada de mar, com nosso clima instável e nossa atmosfera cinza, mal podemos imaginar o poder mágico dos céus serenos, o ar aprazível, a atmosfera ensolarada que o sul tem até mesmo sobre o objeto menos interessante da natureza; mas, em determinados momentos, em determinados lugares, penso que podemos ter uma ideia do poder transformador da luz.

Existe também luz espiritual, que inspira a beleza, de modo que a mais simples face em que ela nasce é iluminada com singular encanto, o que abre o caminho para muitos corações. Quem, entre nós, não se maravilhou com uma luz inesperada, onde sempre tínhamos julgado uma face pouco interessante? Quem não contemplou uma luz divina irradiando a aparência humana, dando alegria, e profetizando perfeição, onde tínhamos julgado mais improvável encontrar beleza? Não podemos considerar estes fatos como emblemas, ainda que fracos e imperfeitos, daquilo que a *"Graça do Senhor"* faz por nós, e pela nossa obra? Você sabe o que a luz natural pode fazer pelos objetos materiais; Você sabe o que a luz mental e moral pode fazer pelas faces humanas; partindo disto, saiba o que a luz espiritual, a Luz Divina, pode fazer pelos seres imortais e pelas obras imortais. — *Jessie Coombs, em "Thoughts for the Inner Life", 1867*

v. 17: "A graça do Senhor". Na palavra נֹעַם (beleza) há algo semelhante a um dilúvio de graça. Até aqui, diz ele, nós procuramos a Tua obra, ó Senhor. Ali, não fazemos nada, somos apenas espectadores e recipientes dos Teus dons, nós somos meramente passivos. Ali, Tu Te mostras para nós, e nos deixas seguros, somente pela Tua obra, que realizas, quando nos libertas daquela doença que Satanás infligiu sobre toda a raça humana, em Adão, isto é, o pecado e a perdição eterna. — *Martinho Lutero*

v. 17: Deus é glorificado e a Sua obra progride, quando a Sua igreja é adornada com a Sua graça. *"A graça do Senhor" é a beleza da santidade — a beleza que, no Senhor Jesus, brilhou com brilho tão resplandecente, e que deve ser repetida ou refletida por cada discípulo.* E é com relação a isto, que todos, entre nós, que amamos o Salvador e que ansiamos pela extensão do Seu reino devemos dirigir nossos esforços diretamente. Nada pode ser mais triste do que as situações em que a pregação ou o esforço pessoal é contradito e neutralizado pelas vidas inferiores ou desagradáveis daqueles que se passam por cristãos; e nada pode ir mais longe, para assegurar o sucesso, do que quando a oração é respondida e a pregação é acompanhada pelas vidas puras, santas e benevolentes daqueles que procuram seguir o Cordeiro, onde quer que Ele vá. — *James Hamilton*

v. 17: "A obra das nossas mãos". Jarchi interpreta que esta é a obra do Tabernáculo, em que as mãos dos israelitas foram empregadas, no deserto; também Arama, do Tabernáculo de Bezaleel. — *John Gill*

SUGESTÕES AOS PREGADORES

v. 1. O relacionamento próximo e caro entre Deus e o Seu povo, de modo que eles habitem *nEle* e, reciprocamente, Ele habite *neles.*

v. 1. A morada da igreja é a mesma em todas as épocas; o seu relacionamento com Deus nunca muda.

v. 1. I. A alma está em casa, em Deus. 1. Originalmente. O seu lugar de nascimento — sua terra natal — onde nascem seus pensamentos, sua vontade, sua consciência, seus afetos, seus desejos. 2. Experimentalmente. Quando ela retorna, ela se sente em casa: "Volta, minha alma, a teu repouso", etc. 3. Eternamente. A alma, tendo retornado a este lar, jamais o deixa: "não mais o deixará". II. A alma não está em casa em outro lugar. "Nossa habitação", etc; 1. Para todos os homens. 2. Sempre.

Ele é sempre o mesmo, e as necessidades da alma, substancialmente, são sempre as mesmas. — *G. R.*

v. 2. Um sermão sobre a eternidade de Deus. S. Charnock. Works I. págs. 344-*373, Nicholas Edition*

v. 2 (última parte). A consideração da eternidade de Deus pode servir, I. Para o sustento da nossa fé; em referência à nossa condição para o futuro; em referência à nossa posteridade; e à condição da igreja de Deus, até o fim do mundo. II. Para o encorajamento da nossa obediência. Nós servimos a Deus, que pode nos dar uma recompensa eterna. III. Para o terror dos ímpios. — *Tillotson, Sermon on the Eternity of God*

v. 3. I. A causa da morte — "Tu reduzes". II. A natureza da morte. — "Volvei". III. As necessidades da morte — a reconciliação com Deus e os preparativos para o retorno.

v. 4. I. Considere o período ampliado, com todos os seus eventos. II. Considere o que ele deve ser Àquele para quem tudo isto é nada. III. Considere a nossa situação, com relação a Ele.

v. 5. Comparação da vida mortal com o sono. Veja as observações de William Bradshaw, nas nossas Notas sobre este versículo.

vv. 5 e 6. O ensinamento das campinas. I. A erva crescendo, o emblema da juventude. II. A erva florescendo — ou o homem no seu apogeu. III. A foice. IV. O corte da erva — ou o homem, à morte.

v. 7. I. Os principais problemas do homem são os efeitos da morte. 1. A sua própria morte. 2. A morte de outras pessoas. II. A morte é o resultado da ira Divina: "Somos consumidos", etc. III. A ira divina é o efeito do pecado. A morte pelo pecado. — *G. R.*

v. 8. I. Como Deus toma conhecimento do pecado. I. Conhecimento individual. "*Nossas* iniquidades". 2. Conhecimento universal — "iniquidades" — não apenas uma, mas todas. 3. Meticuloso, até mesmo os mais secretos pecados. 4. Constante: "Diante dEle" — "à luz", etc. II. Como nós devemos tomar conhecimento deles, por causa disto. 1. Nos nossos pensamentos. Colocá-los diante de nós. 2. Nas nossas consciências. Condenar a nós mesmos, por causa deles. 3. Nas nossas vontades. Afastar-nos deles, pelo arrependimento — e retornar, pela fé, a um Deus que perdoa. — *G. R.*

v. 9. I. Cada homem tem uma história. A sua vida é como um conto — um conto independente. II. A história de cada homem exibe em si algo de Deus. Todos os nossos dias, alguns podem dizer, são consumidos na Tua ira — todos, dirão outros, no Teu amor — e outros, alguns dos nossos dias são consumidos em ira e alguns em amor. III. A história de cada homem será contada, na morte, no juízo, através da eternidade. — *G. R.*

v. 10. I. O que é a vida, para muitos. Raramente alcança seus limites naturais. Metade morre na infância; mais de metade, da outra metade, morre na idade adulta; poucos chegam à velhice. II. O que é a vida, no máximo. "Setenta anos", etc. III. O que há, para muitos, além deste limite. "Se alguns", etc. IV. O que é a vida, para todos. "Passa rapidamente", etc. — *G. R.*

v. 11. I. A ira de Deus contra o pecado não é plenamente conhecida pelos seus efeitos nesta vida. "Quem conhece o poder", etc. Aqui vemos o esconderijo do seu poder. II. A ira de Deus contra o pecado, no futuro, é igual aos nossos maiores temores. "Segundo o temor", etc. ; ou, "O temor a Ti", etc. — *G. R.*

v. 12. I. O cálculo. 1. Qual é o número usual. 2. Quantos deles já se passaram. 3. Quão incerta é a quantidade que falta. 4. Quantos deles devem ser ocupados com as tarefas necessárias desta vida. 5. Quais aflições e desamparos podem acompanhá-los. II. O uso que deve ser feito deles. 1. "Alcançar sabedoria" — não riquezas, honras terrenas, ou prazeres — mas sabedoria; não a sabedoria do mundo, mas de Deus. 2. "Dedicar o coração" a isto. Não meramente a sabedoria mental, mas moral; não meramente especulativa, mas experimental; não meramente teórica, mas prática. 3. Buscar a sabedoria imediatamente. 4. Buscá-la constantemente — *"alcançar* coração sábio", etc. III. A ajuda deve ser procurada. "Ensina-nos", etc. 1. A nossa capacidade é insuficiente, em meio à perversão, tanto da mente quanto do coração, pelo pecado. 2. A ajuda divina pode ser obtida. "Se algum de vós tem falta de sabedoria", etc. — *G. R.*

v. 12. O senso de mortalidade. Mostra a variedade de bênçãos dispensadas a classes diferentes, pelo uso apropriado do senso de mortalidade. I. Pode ser um antídoto para os pesarosos. Reflita, "Existe um fim". II. Deve ser um tônico para os esforçados. III. Deve ser um remédio para os impacientes. IV. Um bálsamo para os feridos no coração. V. Um corretivo para os materialistas. VI. Um sedativo para os frívolos. — *R. Andrew Griffin, em "Stems and Twigs", 1872.*

v. 13. Em que sentido se pode dizer que o Senhor se arrepende.

v. 14 (primeira parte). Veja "Spurgeon's Sermons", n. 513: "The Young Man's Prayer".

v. 14. I. O mais profundo anseio do homem é por satisfação. II. A satisfação somente pode ser encontrada na percepção da misericórdia divina. — *C. M. Merry, 1864*

v. 14. "Sacia-nos de madrugada com a tua benignidade", etc. Perceba, 1. Que as nossas almas não podem obter satisfação sólida nas coisas terrenas. 2. Que a misericórdia de Deus, e apenas ela, pode satisfazer as nossas almas. 3. Que nada, exceto a satisfação de Deus, pode preencher nossos dias com alegria e satisfação. — *John Cawood, 1842*

v. 14. I. Os mais felizes dias na terra se tornam mais felizes com pensamentos da misericórdia divina. II. Os mais pesarosos dias na terra se tornam alegres, pela consciência do amor divino. — *G. R.*

v. 15. I. A alegria da fé é proporcional à tristeza do arrependimento. II. A alegria da consolação é proporcional ao sofrimento na aflição. III. A alegria da volta dos sorrisos de Deus é proporcional ao terror da Sua reprovação. — *G. R.*

v. 15. O equilíbrio da vida, ou a maneira como as nossas alegrias compensam as nossas angústias.

v.16. I. O nosso dever — "obra", e o nosso desejo a respeito dela. II. O destino dos nossos filhos — "glória", e a nossa oração, com referência a isto.

v. 17. A confirmação, ou a obra que irá resistir — por que resistirá, e por que deverá resistir. Por que desejamos que a nossa obra tenha esta natureza, e se há nela elementos eternos.

SALMO 91

Este Salmo não tem título, e não temos meios de atestar com certeza o nome de seu autor, nem a data em que foi escrito. Os doutores judeus consideram que, quando o nome do autor não é mencionado, podemos atribuir o Salmo ao último autor mencionado, e, neste caso, este é outro Salmo de Moisés, o homem de Deus. Muitas expressões aqui usadas são similares às de Moisés em Deuteronômio, e a evidência interna, a partir das expressões peculiares, indica que ele pode ser o autor. As vidas de Josué e Calebe, que seguiram ao Senhor completamente, exemplificam notavelmente este Salmo, pois eles, como uma recompensa por permanecer em contínua proximidade ao Senhor, viveram "entre os mortos, entre suas sepulturas". Por estas razões, não é nada improvável que este salmo possa ter sido escrito por Moisés, mas não ousamos dogmatizar. Se a pena de Davi fosse usada para nos fornecer esta ode incomparável, não podemos crer, como alguns, que ele comemoraria a praga que devastava Jerusalém, pelo fato de ter contado o povo. Para ele, então, cantar sobre si mesmo como vendo "a recompensa dos ímpios" seria totalmente contrário à sua declaração, "Eis que eu sou o que pequei e eu o que iniquamente procedi; porém estas ovelhas que fizeram?"; e a ausência de qualquer referência ao sacrifício sobre Sião não poderia, de nenhuma maneira, ser levada em consideração, uma vez que o arrependimento de Davi o teria levado, inevitavelmente, a se concentrar no sacrifício de expiação e no espargir do sangue pelo hissopo.

Em toda a coletânea, não há um Salmo mais alegre, o seu tom é elevado e assim sustentado em todo o Salmo, a fé está na sua melhor forma, e se expressa nobremente. Um médico alemão estava acostumado a falar sobre ele, como a melhor proteção em tempos de cólera, e, na verdade, é um remédio celestial contra a praga e a peste. Aquele que pode viver neste espírito será destemido, mesmo se, mais uma vez, Londres se tornar um leprosário, e o sepulcro estiver cheio de cadáveres.

DIVISÃO

Nesta ocasião, nós seguiremos as divisões que nossos tradutores colocaram, no início do Salmo, pois são expressivas e sugestivas.

1. A condição dos santos. 3. A sua segurança. 9. A sua morada. 11. Os seus servos. 14. Seu amigo; com os resultados de tudo isto.

EXPOSIÇÃO

1 *Aquele que habita no esconderijo do Altíssimo, à sombra do Onipotente descansará.*
2 *Direi do Senhor: Ele é o meu Deus, o meu refúgio, a minha fortaleza, e nele confiarei.*

1. *"Aquele que habita no esconderijo do Altíssimo."* As bênçãos aqui prometidas não são para todos os crentes, mas para aqueles que vivem em íntima comunhão com Deus. Cada filho de Deus olha para o santuário interior e o propiciatório, mas nem todos *habitam* no santo dos santos; eles correm até ele, ocasionalmente, e desfrutam de aproximações ocasionais, mas não residem habitualmente na presença misteriosa. Aqueles que, por meio da rica graça, obtêm comunhão incomum e contínua com Deus, de modo a residir em Cristo e Cristo neles, se tornam possuidores de benefícios raros e especiais, que são perdidos por aqueles que seguem à distância, e que entristecem o Espírito Santo de Deus. Ao lugar secreto, somente vêm aqueles que conhecem o amor de Deus em Cristo Jesus, e somente *habitam* nele aqueles para quem o viver é Cristo.

Para eles, o véu é rasgado, o propiciatório é revelado, os querubins do topo são manifestados e a assombrosa glória do Altíssimo é aparente: estes, como Simeão, têm o Espírito Santo sobre si, e, como Ana, não se afastam do templo; eles são os cortesãos do Grande Rei, os homens corajosos que montam guarda ao redor da cama de Salomão, as almas virgens que seguem o Cordeiro, onde quer que Ele vá. Escolhidos entre os escolhidos, eles estão "entre os três primeiros", e andarão com seu Senhor, vestidos de branco, pois são dignos. Assentados, na augusta câmara de presença, onde brilha a mística luz da Shekiná, eles sabem o que significa ser levantados, e ser levados a se assentar com Cristo no céu, e a respeito deles, está verdadeiramente dito que convivem no céu. Graça especial, como a deles, traz consigo imunidade especial. Os adoradores do átrio exterior mal sabem o que pertence ao santuário interior, ou certamente insistiriam, até que o lugar de proximidade e familiaridade divina se tornasse seu. Aqueles que são convidados constantes do Senhor perceberão que Ele jamais permitirá que alguém seja ofendido dentro de Suas portas; Ele comeu o concerto de sal com eles, e está comprometido com a sua proteção.

"À sombra do Onipotente descansará." O Senhor onipotente protegerá todos aqueles que residirem com Ele — eles permanecerão sob Seus cuidados, como convidados sob a proteção do seu anfitrião. No santo dos santos, as asas dos querubins eram os objetos mais visíveis, e provavelmente sugeriram ao salmista a expressão aqui empregada. Aqueles que têm comunhão com Deus estão a salvo com Ele, nenhum mal pode atingi-los, pois as asas estendidas do Seu poder e do Seu amor os protegem de todo o mal. Esta proteção é constante — eles *habitam* debaixo dela, e ela é auto-suficiente, pois é a sombra do *Todo-Poderoso*, cuja onipotência certamente os protegerá de todos os ataques. Nenhum refúgio pode ser imaginado como comparável à proteção da própria sombra do Senhor. O próprio Todo-Poderoso está onde a Sua sombra está, e consequentemente, aqueles que habitam no Seu lugar secreto estão protegidos, por Ele mesmo. Que sombra, no dia do calor terrível! Que refúgio na hora da tempestade mortal! A comunhão com Deus é segurança. Quanto mais intimamente nós nos unimos ao nosso Pai Todo-Poderoso, mais confiantes podemos ser.

2. *"Direi do Senhor: Ele é o meu Deus, o meu refúgio, a minha fortaleza."* Tomar uma verdade geral e torná-la nossa, pela fé pessoal, é a maior sabedoria. É um consolo insuficiente dizer, 'o Senhor é um refúgio', mas dizer que Ele é o *meu* refúgio, é a essência da consolação. Aqueles que creem devem também dizer — "*Direi*", pois esta corajosa declaração honra a Deus e leva outras pessoas a buscar a mesma confiança. Os homens são suficientemente capazes de proclamar suas dúvidas,

e até mesmo se vangloriar delas, e, na verdade, há um grupo atualmente, dos mais audaciosos impostores de cultura e pensamento, que se gloriam, lançando suspeitas sobre tudo; consequentemente, é o dever de todos os verdadeiros crentes manifestarem-se e testemunharem com uma coragem calma, junto aos seus, sobre a confiança bem fundamentada que têm no Senhor seu Deus. Que os outros digam o que quiserem; mas nós diremos do Senhor, "Ele é nosso *refúgio*". Mas o que nós dizemos, devemos provar com nossos atos, nós devemos correr ao Senhor, em busca de refúgio, e não a um braço de carne. O pássaro foge para o bosque, e a raposa corre para a sua toca, cada criatura usa o seu refúgio na hora de perigo, e assim, em todo perigo, ou temor de perigo, devemos correr para o Senhor, o Eterno Protetor dos Seus. Devemos, quando estamos protegidos no Senhor, nos alegrar, porque a nossa posição é inexpugnável, pois Ele é a nossa *fortaleza*, assim como nosso refúgio. Nenhum fosso, nem porta corrediça, nem ponte levadiça, nem muralha, nem ameia ou torre, pode nos deixar tão protegidos como estamos, quando os atributos do Senhor dos Exércitos nos envolvem. Veja, hoje o Senhor está, para nós, no lugar de muralhas e baluartes! As nossas defesas desafiam os exércitos do inferno coligados. Os adversários na carne, e os adversários de aparência espiritual, são, da mesma maneira, afastados da sua presa, quando o Senhor dos Exércitos se coloca entre nós e a sua fúria, e todas as outras forças do mal são afastadas. Muros não podem manter a pestilência do lado de fora, mas o Senhor pode.

Como se não fosse suficiente chamar o Senhor de seu refúgio e fortaleza, ele acrescenta, "*Meu Deus... Nele confiarei*". Agora, ele nada mais pode dizer; "meu Deus" significa tudo, e mais do que tudo o que o coração pode conceber, como segurança. Era muito adequado que ele dissesse, "Nele confiarei", uma vez que negar fé a Alguém assim seria uma impiedade voluntária e um insulto injustificável. Aquele que habita em uma fortaleza inexpugnável, naturalmente confia nela; e aquele que habita no próprio Deus não está tranquilo, e não repousa a sua alma em segurança? Oh, que nós cumpríssemos mais plenamente a resolução do salmista! Nós já confiamos em Deus; então devemos continuar confiando nEle. Ele jamais falhou para conosco; por que, então, deveríamos suspeitar dEle? Confiar no homem é algo natural para a natureza caída; então, confiar em Deus deveria ser igualmente natural, para a natureza regenerada. Onde há toda razão e garantia para a fé, nós devemos depositar a nossa confiança, sem hesitar nem vacilar. Caro leitor, ore pela graça de dizer, "*Nele* confiarei".

3 *Porque ele te livrará do laço do passarinheiro e da peste perniciosa.*
4 *Ele te cobrirá com as suas penas, e debaixo das suas asas estarás seguro; a sua verdade é escudo e broquel.*
5 *Não temerás espanto noturno, nem seta que voe de dia,*
6 *nem peste que ande na escuridão, nem mortandade que assole ao meio-dia.*
7 *Mil cairão ao teu lado, e dez mil, à tua direita, mas tu não serás atingido.*
8 *Somente com os teus olhos olharás e verás a recompensa dos ímpios.*

3. *"Porque ele te livrará do laço do passarinheiro."* Certamente, nenhuma trama sutil terá sucesso contra aquele que tem sobre si os olhos de Deus, lhe vigiando, para sua proteção. Nós somos tolos e fracos, como pobres pássaros, e somos muito propensos a ser atraídos à nossa destruição por adversários ardilosos; mas se habitarmos perto de Deus, Ele garantirá que o mais talentoso enganador não nos enganará.

"Satanás, o passarinheiro que trai
almas desprotegidas, de mil maneiras"

O inimigo será frustrado no caso do homem cuja condição elevada e honrosa consiste em residir no santuário do Altíssimo. "*E da peste perniciosa*". Aquele que é Espírito pode nos proteger de maus espíritos; Aquele que é misterioso pode nos resgatar de perigos misteriosos; Aquele que é imortal pode nos redimir da doença mortal. Existe uma pestilência mortal do erro, nós estamos a salvo se habitarmos em comunhão com o Deus da verdade; existe uma pestilência fatal de pecado, nós não seremos infectados por ela, se habitarmos com Aquele que é três vezes Santo; existe também uma pestilência de doença, e mesmo contra esta calamidade a nossa fé obterá imunidade, se pertencer àquela ordem elevada que habita em Deus, caminhar em calma serenidade e arriscar todas as coisas por causa do dever. A fé, ao alegrar o coração, o conserva livre do medo que, em tempos de pestilência, mata mais do que a praga propriamente dita. Ela não protegerá de todos os casos de doenças e morte, mas, se o homem for como o primeiro versículo descreve, ela certamente o tornará imortal, enquanto os outros morrem; alguns santos não estão assim protegidos porque não habitam intimamente com Deus, e, consequentemente, não têm tal confiança na promessa. Esta fé especial não é dada a todos, pois há diversidades nas medidas de fé. Não é de todos os crentes que o salmista fala, mas somente daqueles que habitam no lugar secreto do Altíssimo. Muitos, entre nós, são fracos na fé, e, na verdade, depositam maior confiança em um frasco de remédio ou em uma gotícula de remédio do que no Senhor que deu a vida; e, se morrermos de peste, como outros morrem, é porque agimos como os outros, e não controlamos as nossas almas com paciência. A grande misericórdia é que, neste caso, a nossa morte é abençoada, e tudo estará bem conosco, pois estaremos para sempre com o Senhor. A peste, para os santos, não será repugnante nem nociva, mas será um mensageiro do céu.

4. *"Ele te cobrirá com as suas penas, e debaixo das suas asas estarás seguro."* Que expressão maravilhosa! Se tivesse sido inventada por um homem sem inspiração, ela estaria próxima da blasfêmia, pois quem ousaria aplicar estas palavras ao Infinito Senhor? Mas, como Ele mesmo autorizou, ou melhor, ditou a linguagem, nós temos aqui uma transcendente condescendência, que nos convém admirar e adorar. O Senhor fala das Suas penas, como se Ele se comparasse a um pássaro? Quem não verá aqui um amor incomparável, uma ternura divina, que deve, ao mesmo tempo, cortejar e conquistar a nossa confiança? Como uma galinha protege seus pintinhos, também o Senhor protege aqueles que habitam nEle; devemos nos encolher debaixo dEle, em busca de consolo e segurança. Os falcões no céu, e as armadilhas no campo são igualmente inofensivos quando nos aconchegamos tão perto do Senhor.

"A sua verdade." — a Sua verdadeira promessa, e a Sua fidelidade à Sua promessa *"é escudo e broquel"*. Dupla armadura tem aquele que confia no Senhor. Ele tem um escudo e usa uma armadura que envolve o corpo todo — esta é a força da palavra "broquel". Para conter dardos ardentes, a verdade é um escudo muito eficaz, e para embotar todas as espadas a roupa de malha é igualmente eficaz. Devemos sair à batalha, assim equipados para a guerra, e estaremos seguros, mesmo no auge da luta. Assim foi, e assim será, até que alcancemos a terra da paz, e ali, entre o "querubim com capacete e o serafim com espada", não usaremos nenhum outro ornamento — a Sua verdade ainda será o nosso escudo e broquel.

5. *"Não temerás espanto noturno."* Criaturas frágeis somos nós, que noite e dia estamos em perigo, e tão pecadores somos que, em qualquer ocasião, podemos ser imediatamente levados pelo medo; a promessa diante de nós protege o favorito do céu, do perigo e do medo do perigo. A noite é a hora apropriada para os horrores, quando alarmes andam como animais predadores, ou demônios em meio aos sepulcros; os nossos temores convertem a doce época do repouso em uma época de terror, e embora os anjos encham nossos quartos, nós sonhamos com demônios e horrendos visitantes do inferno. Bendita é a comunhão com Deus que nos torna impermeáveis aos terrores da meia-noite, e aos horrores nascidos nas trevas. Não ter medo é, por si só, uma bênção indescritível, uma vez que, para cada sofrimento que suportarmos, nascido de uma ofensa real, nós somos atormentados por mil angústias que nascem do medo, apenas. A sombra do Todo-Poderoso remove toda a melancolia da sobra da noite: uma vez cobertos pelas asas divinas, não nos importa quais terrores alados possam voar sobre a terra.

"Nem seta que voe de dia." Os adversários ardilosos preparam uma emboscada, e apontam o eixo mortal aos nossos corações, mas nós não os tememos, e não temos causas para temê-los. Não existem setas que possam destruir o justo, pois o Senhor disse, "Toda ferramenta preparada contra ti não prosperará". Em épocas de grande perigo, aqueles que fizeram do Senhor o seu refúgio, e, portanto, se recusaram a usar a arma carnal foram singularmente preservados; os anais dos quacres apresentam boas evidências disto; mas, provavelmente, a ideia principal é que, dos covardes ataques de maldade ardilosa, estarão protegidos aqueles que andam na fé, de heresias astuciosas estarão preservados, e em repentinas tentações lhes será evitado todo mal. O dia tem seus perigos, assim como a noite; setas mais mortais do que aquelas envenenadas pelos índios voam silenciosamente pelo ar, e nós seremos suas vítimas, a menos que encontremos escudo e broquel no nosso Deus. Ó crente, habita debaixo da sombra do Senhor, e nenhuma seta dos arqueiros te destruirá, eles podem atirar em ti e ferir-te gravemente, mas o teu arco habitará na força. Quando a agitação de Satanás se esvaziar, tu permanecerás incólume da sua astúcia e crueldade, sim, os seus dardos quebrados serão, para ti, como troféus da verdade e do poder do Senhor, teu Deus.

6. *"Nem peste que ande na escuridão."* A causa e a cura desta peste estão cobertas de mistério, ela prossegue, invisível ao homem, matando com armas ocultas, como um inimigo que esfaqueia no escuro, mas aqueles que habitam em Deus não têm medo dela. Nada é mais alarmante do que o plano do assassino, pois ele pode, a qualquer momento, infiltrar-se em um homem e abatê-lo com um golpe; e assim é a praga nos dias do seu poder, ninguém pode se prometer liberdade dela, nem por uma hora, em qualquer lugar da cidade infectada; ela entra em uma casa, sem que os homens saibam como, e o seu próprio sopro é mortal; mas aquelas almas escolhidas, que habitam em Deus, viverão acima do medo, nos lugares mais afligidos pela praga — eles *não terão medo das pragas que andam na escuridão.*

"Nem mortandade que assole ao meio-dia." A fome pode subjugar, ou as guerras sangrentas podem dizimar, os terremotos podem destruir e as tempestades podem castigar, mas, em meio a tudo, o homem que procurou o propiciatório e está abrigado debaixo das asas que o protegem, habitará em completa paz. Dias de horror e noites de terror são para os outros homens, os seus dias e noites são passados, de igual maneira, com Deus, e por isto morrem em sagrada quietude. A sua paz não é algo que dependa de épocas e estações, ela não se levanta e se põe com o sol, nem depende da saúde do ambiente ou da segurança do país. Sobre o coração do filho do Senhor, a peste não tem poder de destruição, e a calamidade não tem influência devastadora: a peste anda na escuridão, mas o crente habita na luz; a destruição assola ao meio-dia, mas sobre ele nasceu outro sol, cujos raios trazem restauração. Lembre-se de que a voz que diz "Não temerás" é a do próprio Deus, que com isto empenha a Sua palavra pela segurança daqueles que habitam debaixo da Sua sombra, não apenas pela sua segurança, mas pela sua serenidade. Eles estão tão longe de ser feridos que nem mesmo serão levados a temer os males que estão ao seu redor, uma vez que o Senhor os protege.

"Ele, com as suas plumas — que dão sombra — estendidas,
com as suas asas protegerá a tua cabeça;
e a sua verdade estará empunhada ao teu redor,
forte como um escudo autoritário!
Nada te trará desânimo,
nem o terror noturno, nem a seta que voe de dia".

7. *"Mil cairão ao teu lado, e dez mil, à tua direita."* Tão terrível pode ser a praga entre os homens que o preço da mortalidade pode se tornar muito pesado e continuar a crescer, e ficar dez vezes mais pesado, mas ainda assim salmos como este falam da sobrevivência à foice da morte.

"Tu não serás atingido." O perigo estará tão próximo, ao teu lado, mas não próximo o suficiente para te tocar; como o fogo que queima ao redor, mas nem o odor dele passa por ti. Como é verdade isto, sobre a praga do mal moral, da heresia e do desvio. Nações inteiras são infectadas, mas o homem que está em comunhão com Deus não é afetado pelo contágio; ele conserva a verdade, quando a falsidade é a moda. Professores ao seu redor são atingidos pela praga, a igreja é devastada, a vida da religião entra em decadência, mas no mesmo lugar e ao mesmo tempo, em comunhão com Deus, o crente renova a sua juventude e a sua alma não conhece enfermidade. De certa forma, isto também é verdade, a respeito do mal físico; o Senhor ainda faz diferença entre Israel e o Egito; no dia das Suas pragas, o exército de Senaqueribe é destruído, mas Jerusalém goza de saúde.

"O nosso Deus salva os seus escolhidos,
mesmo entre os mortos, entre as sepulturas".

8. *"Somente com os teus olhos olharás e verás a recompensa dos ímpios."* A visão revelará a justiça e também a misericórdia de Deus; naqueles que perecem, estará manifesta a severidade de Deus, e na libertação do crente será aparente a riqueza da bondade divina. Josué e Calebe confirmaram esta promessa. Os pregadores puritanos, durante a praga de Londres, devem ter ficado muito impressionados com este versículo, quando saíram de seus esconderijos, para proclamar misericórdia e juízo à geração dissoluta que era tão amargamente visitada pela peste. A visão dos juízos de Deus suaviza o coração, desperta um respeito solene, cria gratidão e incita o mais profundo tipo de adoração. É uma visão como nenhum de nós desejaria ver; e se a víssemos, ainda assim poderíamos ser elevados ao mais nobre estilo de humanidade. Devemos apenas observar a providência, e nos encontraremos vivendo em uma escola onde são abundantes os exemplos da recompensa definitiva ao pecado. Um caso pode não ser julgado isoladamente, para não ser julgado erroneamente, mas exemplos da visitação divina serão abundantes na lembrança de qualquer observador atento de homens e coisas; se considerarmos tudo isto, podemos chegar a conclusões, e, a menos que conservemos os olhos fechados àquilo que é evidente por si só, logo perceberemos que existe, afinal, um governante moral sobre os filhos dos homens, que mais cedo ou mais tarde recompensa os ímpios com a devida punição.

9 *Porque tu, ó Senhor, és o meu refúgio! O Altíssimo é a tua habitação.*
10 *Nenhum mal te sucederá, nem praga alguma chegará à tua tenda.*

9 e 10. Antes de explicar estes versículos, eu não posso evitar registrar um incidente pessoal que exemplifica o seu poder de tranquilizar o coração, quando aplicados pelo Espírito Santo. No ano de 1854, quando não fazia nem doze meses que eu estava em Londres, o bairro em que eu trabalhava foi acometido de cólera asiática, e a minha congregação sofreu com seus ataques. Famílias após famílias me chamaram para orar ao lado dos atingidos, que estavam em seus leitos, e quase todos os dias eu era chamado a fazer um sepultamento. Eu me entreguei com ardor juvenil à visitação dos enfermos, e era chamado de todas as partes do bairro, por pessoas de todas as classes e religiões. Eu fiquei cansado, fisicamente, e enfermo, no coração. Os meus amigos pareciam estar todos ficando doentes, e eu me sentia adoecendo, como os que estavam à minha volta. Um pouco mais de esforço e lágrimas teriam me colocado entre os demais; eu sentia que o peso sobre os meus ombros era mais pesado do que eu conseguia suportar, e eu estava prestes a sucumbir debaixo dele. Como Deus planejou, eu estava voltando, tristemente, para casa, depois de um enterro, quando minha curiosidade me levou a ler um folheto que estava preso à janela de um sapateiro, em Dover Road. Não parecia um anúncio comercial, nem o era, pois trazia, escritas à mão, com boa e clara caligrafia, as seguintes palavras: *"Porque tu,*

ó Senhor, és o meu refúgio! O Altíssimo é a tua habitação. Nenhum mal te sucederá, nem praga alguma chegará à tua tenda". O efeito no meu coração foi imediato. A fé apropriou-se da passagem. Eu me senti seguro, revigorado, revestido de imortalidade. Prossegui com minha visitação aos moribundos com espírito calmo e tranquilo; não senti medo do mal, nem sofri nenhum dano. Eu reconheço, agradecidamente, a providência que levou o comerciante a colocar estes versículos na sua janela, e na recordação do seu maravilhoso poder eu adoro ao Senhor, meu Deus.

Nestes versículos, o salmista assegura ao homem que habita em Deus que ele estará seguro. Embora a fé não reivindique nenhum mérito próprio, o Senhor a recompensa onde quer que Ele a veja. Aquele que *faz* de Deus seu refúgio encontrará nEle um refúgio; aquele que habita em Deus perceberá que a sua morada está protegida. Nós devemos *fazer* do Senhor nossa habitação, escolhendo-o para nossa confiança e repouso, e então receberemos imunidade contra o mal; nenhum mal pode nos atingir, pessoalmente, e nenhum golpe de juízo atacará nossa casa. O significado de *morada* pretendido pelo original era apenas uma tenda, mas a frágil cobertura provaria ser um abrigo suficiente para males de todos os tipos. Não importa se a nossa morada é a barraca de um cigano ou o palácio de um monarca, se a alma fizer do Altíssimo a sua habitação. Entre em Deus e você habitará em todo o bem, e o mal estará banido para longe. Não é porque nós somos perfeitos, ou muito apreciados entre os homens, que podemos ter esperança de abrigo no dia do mal, mas é porque o nosso refúgio é o Deus eterno, e a nossa fé aprendeu a se esconder debaixo das Suas asas protetoras.

"Por isto a Tua causa não temerá nenhum mal,
nem golpe algum assombrará o Teu tabernáculo".

É impossível que qualquer mal aconteça ao homem que é amado do Senhor; as mais esmagadoras calamidades somente podem encurtar a sua jornada e precipitá-lo à sua recompensa. O mal, para ele, não é mal, mas apenas o bem, sob uma forma misteriosa. As perdas o enriquecem, a doença é o seu remédio, a censura é sua honra, e morte é ganho para ele. Nenhum mal, no sentido estrito da palavra, pode acontecer a ele, pois tudo é convertido em bem. Feliz é aquele que está em tal situação. Ele está protegido, quando outros estão em perigo, ele vive onde outros morrem.

11 *Porque aos seus anjos dará ordem a teu respeito, para te guardarem em todos os teus caminhos.*
12 *Eles te sustentarão nas suas mãos, para que não tropeces com o teu pé em pedra.*
13 *Pisarás o leão e a áspide; calcarás aos pés o filho do leão e a serpente.*

11. *"Porque aos seus anjos dará ordem a teu respeito."* Não um anjo da guarda, como alguns sonham ternamente, mas a referência aqui diz respeito a todos os anjos. Eles são os guarda-costas dos príncipes do sangue imperial do céu, e receberam comissão, do seu Senhor, e nossa, para vigiar cuidadosamente todos os interesses dos fiéis. Quando os homens recebem uma incumbência, eles ficam duplamente cuidadosos, e por isto os anjos são representados como incumbidos, pelo próprio Deus, a garantir que os eleitos estejam protegidos. É através das ordens dos exércitos do céu que eles observam especialmente as pessoas que habitam no Senhor; não devemos nos admirar porque os servos são incumbidos de cuidar do consolo dos hóspedes do seu Senhor; e podemos ter certeza de que, quando eles são especialmente incumbidos pelo próprio Senhor, eles realizarão cuidadosamente a tarefa que lhes foi imposta.

"Para te guardarem em todos os teus caminhos." Ser um guarda-costas, um exército para o corpo, a alma e o espírito do santo. O limite desta proteção, "em todos os teus caminhos" não é limite para o coração que está bem com Deus. Não

é o caminho do crente, sair do seu caminho. Ele se conserva no caminho, e então os anjos o guardam. A proteção aqui prometida é muito ampla, quanto a lugar, pois se refere a *todos* os nossos caminhos, e o que podemos desejar, além disto? Não sabemos dizer a maneira como os anjos irão nos guardar. Seja repelindo demônios, neutralizando planos espirituais, ou até mesmo impedindo as sutis forças físicas das doenças... não sabemos. Talvez, um dia, ficaremos maravilhados com os múltiplos serviços que os exércitos invisíveis nos prestaram.

12. *"Eles"*, isto é os anjos, os anjos de Deus, se tornarão, alegremente, nossos servidores. *"Eles te sustentarão nas suas mãos"*; como enfermeiras que carregam bebês, com amor e cuidado, também estes gloriosos espíritos sustentarão cada crente.

"Para que não tropeces com o teu pé em pedra"; até mesmo os pequenos enganos, eles impedem. É muito desejável que nós não tropecemos, mas como o caminho é difícil, é muito gracioso, por parte do Senhor, enviar Seus servos para nos sustentar acima das pedrinhas soltas. Se não pudermos ter o caminho suavizado, atende a todos os propósitos se tivermos anjos que nos sustentem em suas mãos. Uma vez que os maiores males podem se originar de pequenos acidentes, a sabedoria do Senhor evidencia que, até mesmo dos males menores, estamos protegidos.

13. *"Pisarás o leão e a áspide."* Marcharás vitoriosamente sobre a força e a fraude; oponentes ousados e adversários traiçoeiros, de igual maneira, serão pisados. Quando nossos sapatos são de ferro e bronze, leões e serpentes são, com suficiente facilidade, esmagados sob nosso calcanhar.

"Calcarás aos pés o filho do leão e a serpente." O mais forte adversário no poder, e o mais misterioso e astuto, serão vencidos pelo homem de Deus. Não somente das pedras no caminho, mas também das serpentes, nós estaremos a salvo. Aos homens que habitam em Deus, as mais perversas forças se tornam inofensivas, eles têm uma vida encantada, e desafiam os males mais mortais. Os seus pés entram em contato com o pior dos adversários, o próprio Satanás beliscando seus calcanhares; mas em Cristo Jesus eles têm a esperança assegurada de ferir Satanás sob seus pés, em breve. No povo de Deus estão os verdadeiros "George e o dragão", os verdadeiros reis-leão e encantadores de serpentes. O domínio que têm sobre os poderes das trevas faz com que exclamem, "Senhor, pelo teu nome, até os demônios se nos sujeitam"!

14 *Pois que tão encarecidamente me amou, também eu o livrarei; pô-lo-ei num alto retiro, porque conheceu o meu nome.*
15 *Ele me invocará, e eu lhe responderei; estarei com ele na angústia; livrá-lo-ei e o glorificarei.*
16 *Dar-lhe-ei abundância de dias e lhe mostrarei a minha salvação.*

14. Aqui temos o próprio Senhor, falando sobre o Seu escolhido. *"Pois que tão encarecidamente me amou, também eu o livrarei."* Não porque ele mereça ser protegido assim, mas porque, apesar de todas as suas imperfeições, ele realmente ama o seu Deus; portanto, não apenas os anjos de Deus, mas o próprio Deus dos anjos, virá resgatá-lo, em todos os períodos de perigo, e realmente o livrará. Quando o coração está enamorado do Senhor, totalmente tomado por Ele, e intensamente ligado a Ele, o Senhor reconhecerá a chama sagrada e preservará o homem que a trouxer no seu seio. É o amor — o amor por Deus, que é a marca que distingue aqueles aos quais o Senhor protege do mal.

"Pô-lo-ei num alto retiro, porque conheceu o meu nome." O homem conhecia os atributos de Deus para confiar nEle, e então, por experiência, chegou a um conhecimento ainda mais profundo, e isto é considerado pelo Senhor como um sinal da Sua graça e Ele colocará a pessoa que possui este sinal acima do perigo ou do temor, onde permanecerá em paz e alegria. Ninguém permanece em íntima comunhão com Deus, a menos que possua um caloroso afeto por Deus, e uma inteligente confiança nEle; estes dons de graça são preciosos, aos olhos de Jeová, e onde quer que os veja, Ele sorri para eles. Quão elevada é a posição que o Senhor

dá ao crente. Nós devemos cobiçá-la fervorosamente. Se subirmos às alturas, isto pode ser perigoso, mas se Deus nos colocar lá, será glorioso.

15. *"Ele me invocará, e eu lhe responderei."* Ele terá necessidade de orar, ele será levado a orar corretamente, e a resposta certamente virá. Os santos são, a princípio, chamados *de* Deus, e então eles *invocam* a Deus; tal invocação, como as deles, sempre recebe respostas. A bênção não virá aos mais favorecidos sem oração; mas por meio da oração eles receberão todas as boas coisas.

"Estarei com ele na angústia", ou "Eu *estou* com ele na angústia". Os herdeiros do céu são conscientes de uma presença divina especial em períodos de severas provações. Deus está sempre próximo, em simpatia e em poder, para ajudar os Seus que estiverem enfrentando tentações.

"Livrá-lo-ei e o glorificarei." O homem honra a Deus, e Deus o honra. Os crentes não são libertados nem preservados de uma maneira que os humilha e faz que se sintam degradados; longe disto, a salvação do Senhor concede honra àqueles aos quais livra. Em primeiro lugar, Deus nos dá a graça que vence, e então nos recompensa por isto.

16. *"Dar-lhe-ei abundância de dias."* O homem descrito neste salmo completa a medida dos seus dias, e, independentemente de morrer jovem ou idoso, ele está satisfeito com a vida, e contente por deixá-la. Ele se levantará do banquete da vida como um homem que já comeu o suficiente, e não deseja mais nada, mesmo que ainda pudesse ter mais.

"E lhe mostrarei a minha salvação." A visão plena da graça divina será a sua última visão. Ele olhará de Amana e do Líbano, não com a destruição diante de si, negra como a noite, mas com a salvação, brilhante como o meio-dia e sorrindo para ele; é assim que ele entrará no seu descanso.

NOTAS EXPLICATIVAS E OBSERVAÇÕES SINGULARES

Todo o Salmo: Os autores do Talmude atribuem não apenas o Salmo 91, mas os nove salmos seguintes, à pena de Moisés; mas, devido a uma regra que, de maneira alguma é válida, todos os salmos que não contêm o nome de um autor nos seus títulos respectivos são de produção do poeta cujo nome é dado no título anterior mais próximo. E embora seja impossível provar que esta tão bela ode não foi escrita por Davi, a tendência do seu cenário e das suas referências, na verdade, corrobora para mostrar que, como o último, nós o devemos à inspiração de Moisés; e acreditamos que foi escrito por ele durante a viagem pelo deserto, pouco depois da praga das serpentes; quando os filhos de Israel, tendo retornado a um estado de espírito melhor, novamente foram recebidos na benevolência do Senhor. Além de inimigos políticos, os filhos de Israel no deserto tinham outros males, em grandes números, a enfrentar, desde a natureza e doenças do clima, que os expunha a insolações, *ataques do sol*, durante o calor do dia, como a vapores nocivos, *ataques da lua*, durante a noite úmida, de modo que a milagrosa cobertura da nuvem que pairava sobre eles, na primeira estação, e a milagrosa coluna de fogo que os alegrou e purificou na última, eram igualmente necessárias e revigorantes. No Egito, eles tinham visto tanto da praga, e tinham sido tão horrivelmente ameaçados com ela, como punição pela sua desobediência, que não podiam deixar de temer a sua reaparição, pela incessante fadiga da sua jornada. Além de tudo, eles tinham que estar perpetuamente vigilantes contra os horríveis ataques dos monstros e répteis selvagens daquele "grande e terrível deserto", como Moisés descreve em outra ocasião, "deserto de serpentes ardentes, e de escorpiões, e de secura, em que não havia água" (Dt 8.15); e onde, também, como nos informam outras passagens das Escrituras, ursos, leões, leopardos ou tigres, e o "lobo dos desertos", como Jeremias o expressa lindamente, rondavam livremente. *No* Salmo diante de nós, e em especial nos versículos 6 a 13, temos uma descrição tão clara e evidente do conjunto destes males que nos são apresentados, de modo a esclarecer as circunstâncias e o período aqui abrangido, e fazer que seja praticamente desnecessário procurar qualquer outra ocasião. — J. *M. Good, "Historical Outline of the Book of Psalms", 1842*

Todo o Salmo: Este salmo é uma das mais excelentes obras deste tipo que já apareceu. É impossível imaginar algo mais sólido, mais belo, mais profundo, ou mais ornamentado. Se o latim, ou qualquer idioma moderno, pudesse expressar completamente toda a beleza e elegância, tanto das *palavras* quanto das *sentenças*, não seria difícil persuadir o leitor de que não temos nenhum poema, seja em *grego* ou em *latim*, comparável a esta ode em hebraico. — *Simon de Muis*

Todo o Salmo: O Salmo 90 falou do homem secando sob a ira de Deus contra o pecado. O Salmo 91 nos fala de um homem, que é capaz de pisar o leão e a áspide. — Sem dúvida, o tentador estava correto ao aludir este Salmo ao "Filho de Deus" (Mt 4.6). As imagens deste Salmo parecem, em parte, obtidas daquela noite de Páscoa, quando o Anjo destruidor passou pelo Egito; ao passo que os israelitas fiéis e obedientes foram abrigados por Deus. — *William Kay*

v. 1: "Aquele", não importando quem possa ser, rico ou pobre, instruído ou não, aristocrata ou plebeu, jovem ou velho, pois "não faz acepção de pessoas", mas é "rico para com todos os que o invocam". — *Bellarmine*

v. 1: "Aquele que habita no esconderijo do Altíssimo". Observe que aquele que habita no esconderijo do Altíssimo não é aquele que suscita um ou dois ligeiros e fugazes atos de esperança nele, mas o homem que deposita nEle uma assídua e constante confiança. Desta maneira, ele estabelece, para si mesmo, em Deus, por esta confiança plena, um lar, uma morada, uma mansão... Em hebraico, *Aquele que habita* é יָשַׁב, isto é, habitar em quietude, e descansar, resistindo e permanecendo com constância. — *Le Blanc*

v. 1: "Aquele que habita no esconderijo do Altíssimo". Que íntima e irrestrita comunhão isto descreve! — o cristão, em tudo dá a conhecer o seu coração, com suas necessidades e desejos, seus pensamentos e sentimentos, suas dúvidas e ansiedades, suas tristezas e alegrias, a Deus, como a um amigo amoroso e perfeito. E isto não é unilateral. Este Amigo Todo-Poderoso aceitou este Seu escolhido no Seu *"esconderijo"*. É quase maravilhoso demais, para ser verdade. É um pensamento quase presunçoso demais para criaturas como nós. Mas Ele mesmo o permite, o *deseja*, e nos ensina a perceber que aquilo para que Ele nos chama é *comunhão*. "O segredo do Senhor é para os que o temem". E qual é este *segredo*? É *aquilo* em Deus, que o mundo não conhece, nem vê, nem se interessa em aproveitar. É a Sua mente revelada àqueles que o amam, os Seus planos, e caminhos ("Fez notórios os seus *caminhos* a *Moisés*", Sl 103.7), e abriu os seus pensamentos a eles. Sim, e as coisas escondidas dos anjos são manifestadas ao menor de seus amigos (1 Pe 1.12). Ele deseja que nós o conheçamos, e pela Sua Palavra e pelo Seu Espírito Ele se apresenta diante de nós. Ah! E não é por nossa culpa se não o conhecemos. É pelo nosso próprio descuido e desatenção. — *Mary B. M. Duncan, em "Under the Shadow", 1867*

v. 1: O significado de *"esconderijo"*, aqui, é um lugar de refúgio das tempestades do mundo, debaixo do esconderijo da Sua providência, que cuida de todos os Seus filhos. Além disto, por *"esconderijo do Altíssimo"* alguns autores interpretam o castelo da Sua poderosa defesa, para onde o Seu povo corre, quando perseguido por inimigos, assim como o animal selvagem corre à sua cova ou caverna em busca de socorro, quando os caçadores o perseguem e os cães estão próximos. Sendo este, então, o significado do que o profeta chama de *"esconderijo do Altíssimo"*, e a nossa morada nele, através da nossa confiança nEle, nós aprendemos, em todas as aflições, a nos apegar a *Deus* principalmente ou apenas à procura de ajuda, e como um *meio* apenas subalterno à Sua providência...

Aquilo que aqui é traduzido como *"habita"* tem o mesmo significado que "está" ou "se estabelece"; e assim, o fato de habitarmos no esconderijo de Deus significa que nos estabelecemos nele; o significado é que nós devemos fazer dele o nosso descanso, como se disséssemos, Aqui nós habitaremos. Pois aprendemos que os filhos de Deus não devem vir ao *esconderijo* de Deus como hóspedes a uma hospedaria, mas como habitantes na sua própria habitação; isto é, devem continuar a confiar em Deus, tanto na necessidade quanto na abundância; sim, tanto quando *secarem* nas suas raízes, como quando *florescerem* nela. — *Robert Horn*

v. 1: "Aquele que habita", etc. 1. "Ele habita", portanto "descansará". Ele se alojará tranquilamente, e seguro. 2. "Ele habita no esconderijo", por isto "descansará à sombra". No lugar fresco e calmo, a benevolência, a proteção do calor. 3. "Ele habita no esconderijo do Altíssimo, por isto descansará à sombra do Todo-Poderoso", *isto é,* do Deus todo-poderoso, do Deus do céu; daquele Deus cujo nome é Shaddai, Auto-suficiente. — *Adam Clarke*

v. 1: "Descansará". Em hebraico, *"descansará"* é יִתְלוֹנָן, que significa *passará a noite.* Descansar indica uma habitação constante e contínua do justo no auxílio e na proteção de Deus. Esta ajuda e proteção de Deus não é como um alojamento em um jardim de pepinos, ou em uma vinha, que é destruída em um momento, nem é como uma tenda no caminho, que é abandonada pelo viajante. É uma torre, uma torre forte, uma casa paterna, em que passamos toda a nossa vida, com o melhor, o mais rico, e o mais poderoso dos pais. *Passar a noite* também sugere segurança e descanso, em tempos de trevas, tentações e calamidades. Com Deus, Abraão passou a noite, quando o Senhor predisse a ele a aflição de seus descendentes no Egito, e a sua libertação, Gênesis 15.12 e seguintes. E Deus lhe disse (v. 1), *Não temas, Abrão, eu sou o teu escudo",* e o levou para fora, e lhe mostrou as estrelas brilhantes, e disse: Conta as estrelas, se as podes contar. Assim será a tua semente. — *Le Blanc*

v. 1: "A sombra". A alusão deste versículo pode ser aos terríveis e místicos símbolos da arca. Na antiga cerimônia, o sumo sacerdote somente podia entrar, e apenas uma vez por ano, no santuário, onde ficavam os emblemas da glória e da presença divina; mas sob a atual dispensação, brilhante e misericordiosa, cada verdadeiro crente tem acesso, com ousadia, ao santo dos santos; e aquele que agora habita no esconderijo de oração e comunhão com o Deus de salvação, encontrará a misericórdia divina, e o cuidado, estendidos sobre ele, para sua proteção e consolação diárias. — *John Morison*

v. 1: "À sombra do Todo-poderoso". Esta é uma expressão que sugere grande proximidade. Nós devemos andar muito próximos a um companheiro, se desejamos que a sua sombra caia sobre nós. Podemos imaginar alguma expressão mais perfeita ao descrever a *constante presença* de Deus com os Seus escolhidos, do que esta — eles *"descansarão à Sua sombra"?* Na bela alegoria de Salomão, a igreja, em época de especial comunhão com Cristo, diz, a respeito dEle — "desejo muito a Sua sombra e debaixo dela me assento" (Ct 2.3) — "assento", não desejando deixá-la, mas permanecer ali para sempre. E é aquele que decide habitar no esconderijo do Altíssimo que "descansará á sombra do Todo-poderoso". Há uma condição e uma promessa anexas. A condição é que nós "habitemos no esconderijo', e a promessa, é que, se o fizermos, "descansaremos à sombra". É importante entender isto. Pois quando nos lembramos de que a bênção é uma bênção *prometida* — somos levados a sentir que é uma dádiva — algo, portanto, a pedir em oração, com fé, e buscar, pelos meios indicados de Deus. Ah, as esperanças de que *isto* desperte! Meu coração errante, hesitante, instável, que por si só não consegue manter-se no caminho durante dois dias, deve procurar a sua perseverança em Deus, e não na sua própria força. Ele se apegará a Ele, apenas procurando ter estabilidade. Não somos nós que nos apegamos a Ele. É Ele que se conserva próximo de nós. — *Mary B. M. Duncan*

vv. 1 a 4; 9: Ó, se você está temeroso de qualquer perigo, deixe todos os movimentos carnais, e os conselhos e projetos desconfortáveis, e habite na rocha do poder e da providência de Deus, e seja como a pomba que se aninha nas fendas da rocha; pela fé, entregue-se a Deus, pela fé habite nesta rocha, e ali se aninhe, fazendo seu ninho de segurança nas fendas desta rocha. Mas como podemos fazer isto, e qual é a maneira de fazê-lo? Faça isto — coloque a sua fé em ação, para que Deus lhe conceda aquilo que a sua necessidade requer, coloque-se no Seu poder e providência, com resolução de espírito, de descansar aí, em segurança, aconteça o que acontecer. Veja um excelente exemplo disto em Salmos 91.1: *"Aquele que habita no esconderijo do Altíssimo, à sombra do Onipotente descansará;* isto é, estará seguro, de todos os medos e perigos. Isto é verdade, você dirá, quem pode ter qualquer dúvida? Mas como pode um homem vir a habitar, e entrar neste esconderijo, nesta torre forte? Veja o versículo 2: *"Direi do Senhor: Ele é o meu Deus, o meu refúgio, a minha fortaleza;* como se tivesse dito, eu não apenas direi que Ele é um refúgio; mas Ele é *meu* refúgio, direi ao Senhor; isto é, colocarei minha fé em ação, para me atirar a Ele, pela minha segurança. E veja qual é a consequência desta fé em ação, versículos 3, 4: *"Porque ele te livrará do laço do passarinheiro e da peste perniciosa. Ele te cobrirá com as suas penas"*, etc. O salmista está totalmente confiante de que, tomado este caminho, a consequência será a segurança.

A nossa segurança não consiste simplesmente no fato de Deus ser um refúgio, e de ser uma morada, mas no seguinte: "Como *fizeste* do Senhor, que é o meu refúgio, a tua habitação, nenhum mal te sucederá", etc. É, portanto, no *fazer* de Deus nossa habitação, que está nossa segurança. E esta é a maneira de fazer de Deus nossa habitação: nos lançar, pela fé, no Seu poder e providência. — *Jeremiah Dyke*

v. 1: Nós lemos sobre um veado que passeava na maior segurança, porque tinha os seguintes dizeres afixados ao seu pescoço: *"Não me toquem, eu pertenço a César"*: também assim os servos fiéis de Deus estão sempre a salvo, mesmo entre leões, ursos, serpentes, fogo, água, trovões e tempestades; pois todas as criaturas conhecem e reverenciam a sombra de Deus. — *Bellarmine*

v. 2: "O meu Deus, o meu refúgio, a minha fortaleza". "Meu refúgio." Deus é nosso *"refúgio"*. Aquele que se beneficia de um refúgio é alguém que é forçado a fugir. É uma tranquila fuga de um inimigo em perseguição. E há tentações, e provações, e inimigos, dos quais o melhor que o cristão fará será fugir. Ele não pode resistir a eles. Eles são fortes demais para ele. A sua sabedoria está em fugir ao refúgio do esconderijo do seu Deus — para descansar à sombra do Todo-Poderoso. "No estarem quietos, estará a sua força", *ali.* Isaías 30.7.

"Minha fortaleza." O salmista diz, além disto, que Deus é sua *"fortaleza"*. Aqui a ideia é modificada — já não é mais um esconderijo tranquilo e pacífico, mas uma torre de proteção — forte, manifesta, pronta a enfrentar os ataques de todos os inimigos, disposta e capaz de resistir a todos. Deus é um Amigo que atende a todas as necessidades da nossa natureza, que pode satisfazer todas as necessidades. Assim, quando estamos fracos e desmaiando, e incapazes de enfrentar o pior da batalha, e lutando contra o pecado e a tristeza e a ira do homem, Ele é o nosso descanso seguro e tranquilo — também a nossa *fortaleza*, onde nenhum mal nos pode alcançar, nenhum ataque nos ferir.

"Meu Deus." Agora o salmista, resumindo todos os seus louvores, diz, "Direi do Senhor: Ele é o meu Deus!" Há algo omitido na primeira parte da sua declaração? *Tudo* está aqui — toda possível atribuição de honra, e glória, e poder a Ele *"como Deus"*. — "Deus acima de todos, bendito para sempre", e de amor, reverência, confiança, obediência, e relação filial a Ele, por parte do salmista, como o seu Deus... ao refletir sobre o refúgio e a força que o Senhor sempre foi para ele, e relembrando as suas experiências abençoadas de doce comunhão com Deus — as palavras lhe faltam. Ele pode apenas dizer (mas oh, com que expressão!) Meu Deus! — *Mary B. M. Duncan*

v. 2: "Meu Deus". Tu és especialmente o meu Deus, em primeiro lugar, em relação à Tua parte, por causa do favor e da bondade especial que me concedes. Em segundo lugar, de minha parte, por causa do amor especial e reverência com que me apego a Ti. — *J. Paulus Palanterius*

vv. 2 a 4: Se a severidade e a justiça de Deus aterrorizam, o Senhor se oferece como *uma ave, com asas estendidas* para receber o suplicante, versículo 4. Se os inimigos que são fortes demais realmente perseguirem, o Senhor abre o Seu seio como um *refúgio*, versículo 2. Se o filho for atacado, Ele se torna uma fortaleza, versículo 2. Se Ele for muito perseguido, o Senhor se torna um *esconderijo* para esconder Seu filho; se a perseguição for severa, Deus fornece a si esmo como *sombra;* se potestades e poderosos governantes se converterem em inimigos, o Senhor se interpõe como o *Altíssimo e Todo-Poderoso Salvador,* versículo 1. Se seus adversários forem ardilosos, como caçadores, o Senhor promete evitar e quebrar as armadilhas, versículo 3. Quaisquer que sejam os males que vêm sobre o crente, noite ou dia, secretamente ou abertamente, para destruí-lo, o Senhor preserva Seu filho da *destruição;* e se houver pedras de tropeço no caminho de Seu filho, Ele tem Seus instrumentos, Seus servos, Seus anjos, preparados para sustentar o crente, para que ele não tropece: "*Aos seus anjos dará ordem a teu respeito*", não apenas a um anjo, mas a todos eles, ou a muitos deles. — *David Dickson*

v. 3: "Ele te livrará do laço do passarinheiro". Somos, portanto, animais? Animais, sem dúvida. *O homem que está em honra, e não tem entendimento, é semelhante aos animais* (Sl 49). Os homens certamente são animais, ovelhas errantes, sem pastor. Por que te orgulhas, ó homem? Por que te vanglorias, ó pessoa sem entendimento? Vê que animal tu és, para quem as armadilhas do passarinheiro estão sendo preparadas. Mas quem são estes passarinheiros? *Os passarinheiros são, na verdade, os piores e mais perversos, os mais astutos e mais cruéis. Os passarinheiros são aqueles que não soam trombetas, para que não possam ser ouvidos, mas disparam suas flechas em lugares secretos contra os inocentes...*

Mas uma vez que conhecemos os passarinheiros e os animais, a nossa próxima pergunta deve ser: Qual pode ser este laço? Eu não desejo inventar, nem transmitir a você o que está sujeito a dúvidas. O apóstolo nos mostra este laço, pois ele não ignorava as artimanhas destes passarinheiros. Diga-nos, bendito Paulo, o que é este laço do demônio, de que a alma fiel, quando libertada, tanto se alegra? *Os que querem ser ricos* [neste mundo?], diz ele, *caem em tentação, e em laço* [do demônio?] (1 Tm 6). Não são os ricos deste mundo, então, o laço do demônio?

Ai! Quão poucos encontramos que podem se vangloriar de liberdade deste laço, quantos lamentam por parecerem pouco enredados na rede, e que ainda se esforçam com todas as suas forças para se envolver e se enredar cada vez mais. Vocês, que deixaram tudo e seguiram o Filho do homem, que não tem onde descansar a Sua cabeça, alegrem-se e digam: *Ele me livrou do laço do passarinheiro.* — *Bernard*

v. 3: "E da peste perniciosa". Lord Graven vivia em Londres quando aquela triste calamidade, a praga, irrompeu. A sua casa ficava naquela parte da cidade, chamada Craven Buildings. Em meio à crescente epidemia da praga, Lord Craven, para evitar o perigo, decidiu ir para sua casa no campo. A sua carruagem, e seis outras, estavam à porta, com sua bagagem e todas as coisas preparadas para a jornada. Quando ele passava pelo seu salão, com seu chapéu na cabeça, sua bengala debaixo do braço, e vestindo suas luvas, para entrar na carruagem, ele ouviu um empregado, que o servia como mensageiro, dizendo a outro servo: *Eu suponho, pela saída do meu amo de Londres, para evitar a praga, que o seu Deus vive no campo, e não na cidade!* O pobre empregado disse isto, com a simplicidade de seu coração, como se realmente cresse em uma pluralidade de deuses. As palavras, no entanto, sensibilizaram Lord Craven, e o fizeram parar. "Meu Deus", pensou, "vive em todas as partes, e pode me preservar, na cidade, e também no campo. Eu vou permanecer onde estou. A ignorância deste empregado acaba de me pregar um sermão muito útil. Senhor, perdoa esta descrença e esta desconfiança na Tua providência, que me fizeram pensar em correr e fugir da Tua mão". Imediatamente, ele ordenou que seus cavalos fossem desatrelados da carruagem, e que a bagagem fosse levada para dentro de casa. Ele continuou em Londres, foi admiravelmente útil entre seus vizinhos doentes, e não sofreu contágio. — *Whitecross' Anecdotes*

vv. 3 e 6: "Pestilência". A sua raiz é a palavra דָּבַר, que significa falar, manifestar-se; a pestilência fala, proclama a ira de Deus entre um povo. Drusius toma a mesma raiz, mas em *piel*, que significa decreto; mostrando que a pestilência é algo decretado no céu, e não casual. Kirker opina que é chamada דֶּבֶר, porque mantém a ordem e não poupa nem a grandes nem a pequenos. A raiz hebraica significa destruir, extirpar, e daí a praga ou pestilência tem o seu nome. A Septuaginta o traduz por θάνατος, morte, pois normalmente é morte; e é expressa pela *"Morte"*. Apocalipse 6.8: Ele se assentou no cavalo amarelo, e matava com espada, fome, peste e feras da terra; isto se refere a Ezequiel 14.21, onde a peste é mencionada. Peste pode se originar de uma palavra que significa se espalhar, estragar, correr, pois é o que ela faz; 2 Samuel 24.15, setenta mil, mortos em três dias; e a praga, πληγή, de πλήσσω, que significa ferir, pois fere repentinamente, e mortalmente; assim lemos em Números 14.12: "Com pestilência o ferirei". Este juízo é muito doloroso, ele é chamado, no versículo 3, de "peste perniciosa", porque é infeccioso, contagioso; e por isto, a versão em francês diz, *"de la peste dangereuse"*, da pestilência perigosa, que coloca em perigo aqueles que se aproximam dela; e Musculus diz *a peste omnium pessima*, a pior peste de todas; e outros, a dolorosa pestilência; ela traz consigo uma multidão de lamentações, a qualquer lugar ou pessoa, é um mensageiro de dolorosos temores, tristezas, distúrbios, terrores e a própria morte. — *William Greenhill*

v. 4: "Ele te cobrirá com as suas penas", etc. As asas de Cristo servem para curar e esconder (Ml 4.2), para nos curar e proteger; o Diabo e seus instrumentos logo devorariam os servos de Deus, se Ele não colocasse uma guarda invencível ao redor deles, e os cobrisse com as penas douradas da Sua proteção. — *Thomas Watson*

v. 4: "Ele te cobrirá com as suas penas", etc. Esta é a promessa da vida atual. Pois a promessa da vida futura, quem pode explicar? Se a expectativa dos justos for a satisfação, e tal satisfação, que nenhum objeto de desejo do mundo merece ser comparado com ela, o que será que deve ser esperado? Nenhum olho, sem ser o Teu, ó Deus, viu o que Tu preparaste para os que Te amam. Debaixo destas asas, portanto, quatro bênçãos nos são conferidas. Pois debaixo delas, nós estamos *escondidos;* debaixo delas, nós estamos *protegidos* do ataque de falcões e milhafres, que são os poderosos do ar: debaixo delas, uma sombra salutar nos *refresca*, e nos protege do calor escaldante do sol; debaixo delas, também, nós somos *nutridos* e estimados. — *Bernard*

v. 4: "Ele te cobrirá com as suas penas", etc.

As suas penas farão uma cama macia,
onde descansarás; Ele exibirá
as Suas asas de verdade, acima da tua cabeça,
que, como um escudo, desviarão
os temores da noite, os dardos do dia.
— *Thomas Cary*

v. 4: "A sua verdade é escudo e broquel". Eis com que devemos confrontar todos os perigos: a verdade, ou a Palavra de Deus — enquanto nós a mantivermos e, por meio dela, evitarmos dardos e espadas, nós não seremos derrotados. — *David Dickson*

v. 5: O verdadeiro remédio contra o medo que atormenta é a fé em Deus; pois muitas coisas terríveis podem acontecer aos homens quando eles estão mais seguros, como aquelas que acontecem aos homens durante a noite; mas para qualquer mal que possa acontecer ao crente, desta maneira, o Senhor aqui deseja que ele não tenha medo: *"Não temerás espanto noturno"*. Muitos acidentes tristes podem acontecer aos homens, quando eles estão mais vigilantes, e mais prevenidos, mas o Senhor deseja que o crente esteja confiante de que não será ferido desta maneira: *"Nem seta que voe de dia"*. Os homens estão sujeitos a muitos males, que lhes sobrevêm, e os homens nem sabem dizer como, mas o Senhor assegura ao crente que não sofrerá nenhum destes males: *"Nem peste que ande na escuridão"*. Os homens estão sujeitos a muitos males que lhes sobrevêm abertamente, e não inesperadamente, como são as calamidades vindas de inimigos e opressores: o Senhor deseja que o crente tenha confiança de que não será ferido desta maneira: *"Nem mortandade que assole ao meio-dia"*. — *David Dickson*

v. 5: "Não temerás". Os piedosos não somente permanecem a salvo, como também não são nem mesmo tocados pelo medo. Pois o profeta não diz, Não serás cercado, mas, Não temerás. Certamente, tal confiança de espírito não pode ser atribuída a poderes naturais, diante de uma destruição tão ameaçadora e impressionante. Pois é natural para os mortais, e está implantado neles, por Deus, o autor e criador da natureza, o temor do que é doloroso e mortal, especialmente o que fere visivelmente e destrói repentinamente. Por isto, ele une, elegantemente, estas duas coisas; a primeira, dizendo, *Não temerás;* a segunda, acrescentando *Espanto.* Ele reconhece que esta praga é terrível à natureza; e pela sua confiança na proteção divina, ele se promete esta segurança, de que não temerá o mal, que, de outra maneira, faria a natureza humana desanimar. Portanto, na minha opinião, não são nem gentis *(humani)* nem piedosas, as pessoas que são de opinião de que uma calamidade tão grande não deva ser temida por mortais. Elas não observam a condição da nossa natureza, nem honram a bênção da proteção divina; e nós vemos estas duas coisas sendo feitas aqui, pelo profeta. — *Musculus*

v. 5: Não que nós estejamos, efetivamente, a salvo de cada perigo ou angústia em particular, mas porque tudo será convertido (tal é a nossa confiança em Deus) para o nosso bem maior; e quanto mais nós sofrermos, maiores serão a nossa recompensa e a nossa glória. O mesmo sentido tem a expressão de Isaías: "Quando passares pelas águas, estarei contigo, e, quando pelos rios, eles não te submergirão; quando passares pelo fogo, não te queimarás, nem a chama arderá em ti", Isaías 43.2, e também Habacuque 3.17, 18, "Ainda que a figueira não floresça", etc., e Jó 5.19, 20, etc. E portanto, aqui não há base, se as palavras forem interpretadas corretamente, para que qualquer homem suponha ou conclua que estará, efetivamente, a salvo de qualquer perigo em particular; e muito menos que, com base nesta suposição, voluntariamente corra riscos. Se tais figuras, o ornamento de toda a linguagem, estas amplificações retóricas e enfáticas são permitidas a autores humanos, e suficientemente bem interpretadas em linguagem comum, por que não seriam permitidas aos autores cristãos, que lidavam com os homens, assim como com outros, cuja finalidade também era a de usar expressões que influenciassem e comovessem? Isto disseram os autores cristãos, a respeito da segurança dos homens bons e santos: Não precisarei ir mais longe do que Horácio, na sua ode, *Integer vitae scelerisque purus*, etc.

Muito perigosa, então, e errônea, é a dedução de alguns homens, de alguns comentaristas, aqui, a respeito das palavras do salmista, de que nenhum homem devoto pode sofrer pela praga ou pela peste: e a declaração do velho Lactâncio não é muito mais confiável, *Non potest ergo fieri, quin hominem justum inter descrimina tempestatum*, etc, de que nenhum homem justo pode perecer pela guerra, nem pela tempestade. (Instit. 1. v., c. 18). Muitos intérpretes concluem, então, que os devotos são preservados em épocas de calamidades públicas, o que, de certa forma, pode ser verdade; mas, além disto, eles deveriam ter acrescentado que nem todos os homens devotos estão imunes nestas ocasiões; isto evitaria juízos precipitados. — *Westminster Assembly's Annotations*

v. 5: "Seta". A seta, nesta passagem, provavelmente significa a peste. Os árabes indicam a peste por uma alusão a esta arma alada. "Eu desejei ir para um ar menos contagioso. Eu recebi de Solyman, o imperador, esta mensagem; de que o imperador se perguntava o que eu queria dizer, no desejo de remover minha habitação; *não é a peste a seta de Deus, que sempre atingirá o seu alvo?* Se Deus me visitar com ela, como poderei evitá-la? Não está a praga, diz ele, no meu próprio palácio, e ainda assim eu não penso em sair dali". — *Busbequiu's Travels.* "Ora, dizem eles, não é a praga o dardo do Deus Todo-Poderoso, e poderemos nós escapar do golpe que Ele nos envia? A Sua mão não é firme para atingir as pessoas às quais Ele visa?

Podemos fugir da Sua vista, para além do Seu poder?" — *Smith's Remarks on the Turks, 1673.* Herbert, também falando sobre Curroon, diz: "Naquele ano, o seu império estava tão ferido com as setas enviadas por Deus, sim, da praga, da peste e da fome, que nos mil anos anteriores jamais tinha havido algo tão terrível". Veja Ez 5.16. — *S. Burder's Scripture Expositor*

vv. 5 e 6: Joseph Scaliger explica, em Epis. 9, estes dois versículos da seguinte maneira: *Não temerás* [מִפַּחַד], *espanto noturno,* [מֵחֵץ], *seta que voe de dia,* [מִדֶּבֶר], *peste que ande na escuridão,* [מִקֶּטֶב], *mortandade que assole ao meio-dia.* Nestas quatro categorias, ele inclui todos os males e perigos aos quais o homem está sujeito. E, assim como os hebreus dividem as vinte e quatro horas do dia e da noite em quatro partes, ou seja, tarde, meia-noite, manhã e meio-dia, também ele entende que as horas do perigo sejam divididas de maneira equivalente: em uma palavra, "o homem que fez de Deus seu refúgio" está sempre a salvo, dia e noite, a cada hora, de todos os perigos. — *Bythner*

v. 6: "Peste que ande na escuridão; mortandade que assole ao meio-dia." A descrição é igualmente forçosa e correta. As doenças de todos os climas quentes, e especialmente onde a vegetação é altamente rica, e pântanos e lamaçais são abundantes, como no deserto aqui mencionado, se originam do acúmulo de vapores da *noite*, ou da violência dos raios do sol ao *meio-dia.*A beribéri de Ceilão, a cólera espasmódica e a malária da Índia, e a maior parte das febres dos climas inter-tropicais, especialmente a chamada febre amarela, se originam principalmente da primeira — "a *peste* que anda na escuridão"; ao passo que insolações, apoplexias, inflamações do cérebro e problemas do fígado, de vários tipos, se originam da segunda, "a *mortandade* que assola ao meio-dia". E é em referência a esta dupla fonte de danos que o salmista exclama magnificamente em outra ocasião, 121.6: "O sol não te molestará de dia, nem a lua, de noite". E consequentemente os israelitas foram milagrosamente defendidos de ambos, durante a sua passagem pelo deserto, pela coluna de nuvem durante o dia, como proteção dos raios solares, e pela coluna de fogo à noite, para dissipar os vapores acumulados e preservar a atmosfera limpa, seca e saudável. — *J. M. Good*

v. 6: A febre fétida frequentemente vem à noite, quando o paciente está adormecido; a doença do solstício se impõe, no calor da colheita, ao homem ao ar livre, e o mata, talvez antes da noite. É da proteção contra perigos como estes que aqui se está falando. Todas estas bênçãos derivam e se baseiam (v. 1) na posição daquele que as reivindica *"à sombra do Altíssimo".* — *Andrew A. Bonar*

v. 6: "Peste que ande na escuridão". Ela não anda na escuridão natural, ou nas trevas da noite, mas em uma escuridão figurada, e nenhum homem sabe por onde ela anda, ou para onde vai, na luz mais clara — se vai para a casa do pobre ou para a casa do rico, se vai à habitação do plebeu ou do príncipe, até que ela tenha deixado a sua marca e deferido um golpe mortal. — *Joseph Caryl*

v. 7: "Mil". A palavra *miríade* representaria melhor a ideia exata do original, uma vez que a palavra hebraica é diferente da que é traduzida como "mil". Aqui, o significado é de um número maior. — *Albert Barnes*

v. 7: "Tu não serás atingido". Não serás atingido? Como? Quando pessoas morrerem, de um lado e do outro de um homem, ele não será atingido? Sim, eles morrerão perto dele, mas não tão perto, a ponto de atingi-lo: *o poder de Deus pode nos levar para perto do perigo, e ainda assim nos manter longe dos danos.* Assim como o bem pode estar perto de nós, e na prática, longe de nós, também isto pode acontecer com o mal. A multidão se amontoava ao redor de Cristo no Evangelho, mas apenas uma pessoa o tocou, para receber o bem; assim Cristo pode nos manter em meio a um amontoado de perigos, e nenhum nos irá tocar para nos ferir. — *Joseph Caryl*

v. 7: "Tu não serás atingido". Não com a ideia de mostrar que todos os homens de bem podem esperar escapar da peste, mas como prova de que alguns que tiveram fé superior o fizeram. Eu reuni alguns exemplos de várias fontes. — *C. H. S.*

Antes da sua partida de Isna [Isny], a cidade se viu gravemente afligida pela peste; e, compreendendo que muitos dos mais ricos habitantes pretendiam deixar o lugar, sem ter nenhum respeito ou preocupação por aqueles que combatiam a doença, e que as casas destas pessoas, estando infectadas, tinham ordem de ser fechadas, pelos magistrados, ele os admoestou abertamente, para que continuassem na cidade, ou para que concedessem livremente suas doações, antes de partir, para o alívio dos que estavam enfermos. E durante o tempo da visitação, ele mesmo, pessoalmente, visitava os que estavam enfermos; ele lhes trazia conforto espiritual, orava por eles, e estava presente com eles, dia e noite; e, apesar disto, pela providência de Deus, ele permaneceu intacto, e foi preservado pela poderosa mão de Deus. — *Extraído de Life of Paulus Fagius, em T. Fuller's Abel Redevivus*

Em 1576, o cardeal Carlo Borromeo, arcebispo de Milão, o mais digno de todos os sucessores de S. Ambrósio, quando ficou sabendo, em Lodi, que a praga tinha irrompido na sua cidade, foi imediatamente para lá. O seu conselho de clérigos o aconselhou a permanecer em alguma parte mais saudável da sua diocese, até que a doença tivesse se extinguido, mas ele respondeu que um bispo, cujo dever é dar a sua vida por suas ovelhas, não poderia abandoná-las em épocas de perigo. Eles reconheceram que ficar com os doentes era o caminho mais correto. "Bem", disse ele, "não é o dever de um bispo escolher o caminho mais correto?" E de volta à cidade da doença fatal ele foi, levando as pessoas ao arrependimento, e cuidando deles no seu sofrimento, visitando os hospitais, e, pelo seu próprio exemplo, incentivando o seu clero a levar a consolação espiritual aos moribundos. Durante todo o tempo que durou a praga, que foi de quatro meses, os seus esforços foram destemidos e incansáveis, e o mais notável foi o fato de que da sua casa somente duas pessoas morreram, e eram pessoas que não tinham sido chamadas para estar entre os doentes, visitando-os ou andando entre eles. — *Da obra, "A Book of Golden Deeds", 1864*

Embora a história que Defoe apresenta da praga seja uma obra de ficção, ainda assim as suas declarações são, de modo geral, fatos, e por isto extraímos o seguinte: — "Eu tive oportunidade de ser testemunha ocular da infelicidade dos pobres, muitas vezes, e às vezes também do auxílio caridoso que algumas pessoas piedosas lhes prestavam diariamente, enviando-lhes auxílio e sustento, com alimento, remédios e outras coisas, conforme percebiam que lhes faltavam... Algumas senhoras piedosas realizavam, com zelo, uma obra tão boa, e estavam tão confiantes na proteção da Providência no desempenho da grande tarefa da caridade, que iam pessoalmente distribuir esmolas aos pobres, e até mesmo visitar famílias pobres, ainda que doentes e infectados, em suas próprias casas, recomendando enfermeiras para auxiliar aos que não tinham socorro, e chamando farmacêuticos e médicos... dando suas bênçãos aos pobres em forma de alívio substancial, assim como fazendo sinceras orações por eles. Eu não posso dizer, como alguns, que nenhuma destas pessoas caridosas foi atingida pela calamidade; mas eu posso dizer que eu jamais soube que nenhuma delas veio a sofrer algum mal, o que eu menciono, para o encorajamento dos outros, em caso de aflições similares; e, sem dúvida, se aqueles que dão aos pobres emprestam ao Senhor, e Ele os recompensa, aqueles que arriscam suas vidas para dar aos pobres, e para consolar e assistir os pobres em uma desgraça como esta, podem esperar ser protegidos nesta obra". — *Daniel Defoe's Journal of the Plague in London*

Home, em suas observações sobre os Salmos, se refere à praga em Marselha e a devoção do seu bispo. Há uma narrativa sua na obra *Percy Anecdotes*, de onde extraímos o seguinte: "M. de Belsunce, bispo de Marselha, tanto se distinguiu pela sua humanidade durante a praga que assolou aquela cidade em 1720, que o Regente da França lhe ofereceu o mais rico e honroso See of Laon, *em* Picardy; mas ele o recusou, dizendo que não estava disposto a deixar um rebanho que tinha conquistado o seu afeto, pelos seus sofrimentos. Os seus piedosos e intrépidos esforços estão imortalizados em um quadro, na Prefeitura de Marselha, em que ele está representado com seu hábito episcopal, acompanhado por pessoas às quais dava esmolas, dando sua bênção aos moribundos... Mas talvez o retrato mais tocante dos esforços humanitários do bispo se encontre em uma carta que ele escreveu ao bispo de Soissons, em 27 de setembro de 1720: "Nunca", diz ele, "houve maior desolação, nem houve algo como isto. Aqui já houve muitas pragas cruéis, mas nenhuma foi mais cruel: estar doente e morto era praticamente a mesma coisa. Que espetáculo melancólico nós temos, por todos os lados! Nós andamos pelas ruas cheias de cadáveres, metade já apodrecidos, e passamos por eles para chegar a um moribundo, para incentivá-lo a um ato de contrição e levá-lo à redenção". Apesar da exposição a uma peste tão fatal, o devotado bispo escapou ileso.

Enquanto a França se vangloria, com razão, do "bom bispo de Marselha", a Inglaterra pode se orgulhar de ter tido, no seu seio, um clérigo que, de maneira igualmente fervorosa, desempenhou seu cuidado pastoral e cuidou do rebanho a seus cuidados, com igual risco de vida, e com igual fervor de piedade e benevolência. O Reverendo W. Mompesson era reitor de Eyam, em Derbyshire, na época da praga que quase acabou com a população da cidade, em 1666. Durante toda a duração da calamidade, ele desempenhou as funções de médico, de legislador e de ministro da sua congregação afligida; auxiliando os enfermos, com seus remédios, seus conselhos e suas orações. A tradição ainda exibe uma caverna próxima a Eyam, onde este digno pastor costumava orar pelos membros de sua congregação que não tinham sido afetados pela doença. Embora a aldeia perdesse quase toda a sua população, os esforços do reverendo evitaram a disseminação da praga a outros distritos, e ele mesmo sobreviveu ileso.

v. 8: "Somente com os teus olhos olharás e verás a recompensa dos ímpios". Em primeiro lugar, na verdade, por causa da tua própria fuga; em segundo lugar, por causa da tua completa segurança; em terceiro lugar, por causa da comparação; em quarto lugar, por causa da perfeita proeminência da justiça. Pois então não será momento de misericórdia, mas de juízo; e nenhuma misericórdia, de qualquer maneira, será exibida aos ímpios, então, onde nenhum aperfeiçoamento puder ser esperado. Longe estará aquela brandura da fraqueza humana, que a caridade, no entanto, usa para a salvação, reunindo nas amplas dobras da sua rede estendida os peixes bons e maus, isto é, inclinações agradáveis e dolorosas. Mas isto é feito no mar. Na praia, ela escolhe somente os bons, e alegrando-se tanto com aqueles que se alegram, que não chora com aqueles que choram. — *Bernard*

v. 9: Aqui começa a segunda parte do Salmo. E é como se o salmista temesse (como é frequentemente o caso) que nós, ao habitar nas promessas e bênçãos de Deus, e aplicando-as a nós mesmos, nos esquecêssemos da condição à qual estão anexadas — o caráter daqueles que devem recebê-las. Por isto, ele faz aqui uma pausa, para nos lembrar dos versículos iniciais do Salmo, repetindo outra vez o seu conteúdo. — *Mary B. M. Duncan*

v. 9: "Porque tu, ó Senhor, és", etc. Que fé é esta, que confiança é esta, às quais Deus prometeu proteção e libertação, nos tempos de praga? Que ato de fé é este? Que fé é esta? Eu respondo, *em primeiro lugar*, existe uma fé de persuasão, chamada fé, pela qual os homens são persuadidos e realmente acreditam que não morrerão, nem cairão pela mão da praga. Isto é bom, mas eu não encontro, no Salmo 91, informação de que esta proteção seja relacionada a esta persuasão, nem encontro esta fé mencionada aqui.

Também existe uma fé de confiança, com que o homem realmente confia em Deus, para a salvação; esta é uma fé que justifica, uma fé que verdadeiramente justifica; é a verdadeira fé, realmente; mas eu não vejo, neste Salmo, que esta promessa de proteção e salvação em tempos de uma praga seja relacionada com esta fé, nem que isto seja aqui mencionado.

Mas, novamente, há uma fé, que eu posso chamar de fé de refúgio em Deus, com que o homem se dirige a Deus, em busca de abrigo, para proteção, como sua habitação: quando outros homens correm por este caminho, e outros, por aquele, para seus esconderijos; nos tempos de uma praga, o fato de que o homem se dirija a Deus como sua habitação, eu creio que esta é a fé aqui mencionada, neste Salmo 91: pois apenas observe as palavras do Salmo: no versículo 1, "Aquele que habita no esconderijo do Altíssimo", como se ele dissesse, "Quando outros fogem da praga e pestilência e correm para seus esconderijos", "Aquele que habita no esconderijo do Altíssimo", que se dirige a Deus como seu esconderijo e sua habitação, descansará à sombra do Todo-Poderoso, estará protegido; e assim, no versículo 9, "Porque tu, ó Senhor, és o meu refúgio! O Altíssimo é a tua habitação. Nenhum mal te sucederá, nem praga alguma chegará à tua tenda", como se ele nos dissesse: Em tempos de praga, os homens correm e procuram habitações e esconderijos, mas por você ter feito do Senhor a tua habitação, e por recorrer a Ele como tua habitação, "nenhum mal te sucederá, nem praga alguma chegará à tua tenda", e, novamente, no versículo 11 está escrito: "Porque aos seus anjos dará ordem a teu respeito, para te guardarem em todos os teus caminhos", os caminhos do teu chamado, como se ele dissesse: Em tempos de praga, os homens estarão muito propensos a abandonar seus postos e seu chamado, e fugir da peste e da praga. Mas, diz ele: "Porque aos seus anjos dará ordem a teu respeito, para te guardarem em todos os teus caminhos", os caminhos do teu chamado e lugar; isto é, olhe quando um homem, em tempos de praga, conserva conscientemente sua posição e lugar e se dirige a Deus como sua habitação; esta é a fé que aqui é mencionada, e esta é a fé à qual Deus prometeu proteção, aqui no Salmo 91... Esta promessa de proteção e libertação não é feita a um crente, como crente, mas como alguém que age pela fé e a exerce; pois, embora um homem possa ser crente, se não agir com fé e exercer a sua fé, esta promessa não o alcançará; por isto, se um crente morrer sem exercer a fé e a confiança em Deus, este fato não poderá trazer um descrédito à promessa. — *William Bridge*

v. 9: Nenhum homem pode ter duas *casas* — dois lugares aos quais recorre *constantemente.* E se o Senhor for, verdadeiramente, *"nossa habitação"*, não teremos outro refúgio para nossas almas, nem outro descanso para nossos corações. — *Mary B. M. Duncan*

vv. 9 e10: Há uma proteção tripla que a igreja e seus membros podem esperar da divina providência. Uma, dos perigos, outra nos perigos, e uma terceira pelos perigos. *Em primeiro lugar,* dos perigos, segundo a promessa em um dos salmos: "Porque tu, ó Senhor, és o meu refúgio! O Altíssimo é a tua habitação. Nenhum mal te sucederá, nem praga alguma chegará à tua tenda". Austin tinha decidido ir a determinada cidade, para visitar ali os cristãos, e ministrar-lhes um sermão, ou mais. O dia e o lugar eram conhecidos de seus inimigos, que colocaram homens armados à espera dele, pelo caminho por onde ele devia passar, para matá-lo. Da maneira como Deus planejou, o guia que o povo tinha enviado com ele, para evitar que ele se perdesse do caminho correto, se enganou, e o levou por um caminho lateral, mas o levou, por fim, ao final da sua jornada. Quando o povo compreendeu isto, e também o desapontamento dos adversários, louvaram a providência de Deus e lhe deram graças por esta grande salvação.*

Em perigos. Segundo Jó 5.19, 20: "Em seis angústias, te livrará; e, na sétima, o mal te não tocará. Na fome, te livrará da morte; e, na guerra, da violência da espada". Em tempos de fome, o que a viúva de Sarepta tinha armazenado foi oferecido. A providência de Deus estava com Daniel, na cova dos leões, fechando a boca daqueles animais furiosos: e com os homens, na fornalha, proibindo o fogo, para que ele não ardesse, quando estavam nas garras do perigo, ou melhor, da morte. A igreja sempre foi um lírio entre espinhos, mas ainda assim, floresce. Esta sarça está longe de ser consumida, embora raramente, ou nunca, tenha deixado de arder.

* Agnoscunt omnes miram Dei providentiam, cui ut liberator! gratias merito egerunt. Possidonius in vita August, cap. 12.

Pelo perigo. Há uma proteção dos males maiores, pelos menores. Não há veneno para o qual a Providência não saiba como fabricar um antídoto; assim, Jonas foi engolido por um grande peixe, e por este perigo, foi mantido vivo. José foi lançado em um poço, e depois foi vendido no Egito, e por estes perigos, chegou a ser um pai da igreja. Crisóstomo diz, de maneira excelente, Fides in periculis secura est, in securitate periclitatur.**

A fé é posta em perigo pelo sentimento de segurança, mas está segura em meio ao perigo, como aconteceu no caso de Ester, quando disse, "e, perecendo, pereço". Deus nos preserva, não como nós preservamos as frutas, que devem durar apenas um ano, em açúcar, mas como carne, para uma longa viagem, em sal: nós devemos esperar, nesta vida, muita salmoura e muito vinagre, porque o nosso Pai celestial nos preserva como aqueles aos quais Ele decide manter para sempre, em perigo, e pelo perigo. O espinho de Paulo na carne, que tinha em si muito perigo e muita angústia, foi-lhe dado com o propósito de evitar o orgulho, que era um grande mal. E ele diz, "para que me não exaltasse pelas excelências das revelações, foi-me dado um espinho na carne, a saber, um mensageiro de Satanás, para me esbofetear, a fim de não me exaltar". Em outra passagem, tendo Alexandre, o latoeiro, resistido e causando muitos males, com Nero abrindo sua boca como um leão contra ele, e o Senhor libertando-o dali, ele conclui como mais do que um vencedor. "E o Senhor me livrará de toda má obra e guardar-me-á para o seu Reino celestial; a quem seja glória para todo o sempre. Amém!" 1 Timóteo 4.14, 15, 17, 18. — *John Arrowsmith (1602–1659)*

v. 9 a 14: A confiança em Cristo não é o motivo por que Ele nos esconde, mas é a qualificação da pessoa que será escondida. — *Ralph Robinson*

v. 10: "Nenhum mal te sucederá", etc. É uma segurança, em meio aos males. Não como a segurança dos anjos — segurança em um mundo de segurança, tranquilidade em meio à calma; mas é a tranquilidade em meio a uma tempestade, a segurança em meio à desolação e elementos de destruição, libertação quando todo o resto ruma à destruição. — *Charles Bradley, 1810*

v. 10: Deus não diz que nenhuma aflição nos atingirá, mas nenhum *mal.* — *Thomas Walson*

v. 10: O pecado, que acendeu um fogo no inferno, está acendendo fogos na terra, continuamente. E quando eles irrompem, todos se perguntam como isto aconteceu. Amós responde: "Sucederá qualquer mal à cidade, e o Senhor não o terá feito?" E quando acontece a desolação pelo fogo, Isaías declara: O Senhor "nos faz derreter, por causa das nossas iniquidades". Há muitos anos, a minha casa era frequentemente ameaçada de destruição, mas o Senhor a protegeu, dando-me o versículo 10 do Salmo 91, e a providência do Senhor é o melhor seguro. — *John Berridge*

v. 11: "Aos seus anjos dará ordem a teu respeito", etc. Ordem: uma ordem é um mandamento estrito, mais do que um mandamento limitado; como quando você deseja que um servo realize uma tarefa, corretamente e plenamente, você lhe ordena, Eu lhe ordeno que não negligencie este assunto; você não se limita a dizer o que ele precisa fazer, nem lhe prescreve o seu trabalho, mas você lhe ordena que o faça. Assim diz o Senhor aos anjos: Meus servos, ou filhos, estão agora em meio a pragas e pestilências, ó meus anjos, Eu ordeno que vocês não se afastem das suas casas, Eu ordeno, não se afastem do leito deles; é uma ordem: "Aos seus anjos dará ordem". Além disto, Ele não apenas ordena, e não apenas ordenará, ao Seu anjo, mas aos Seus anjos; não apenas um anjo encarregado da segurança do Seu povo, mas muitos anjos; para sua melhor proteção e segurança: "Aos seus anjos dará ordem". E, outra vez, "aos seus anjos dará ordem a *teu* respeito, para te guardarem"; para *te* guardarem; ordem a *teu* respeito, para te guardar; não apenas sobre toda a igreja de Deus, mas

---

** Homil. xxvi. operis imperf. em Mateus.

sobre cada membro particular da igreja de Deus; "Aos seus anjos dará ordem a teu respeito, para te guardarem; este é um cuidado maravilhoso. Mas, além disto, "Aos seus anjos dará ordem a teu respeito para te *guardarem em todos os teus caminhos"*, não em alguns dos teus caminhos, mas em todos eles. Assim como a Providência de Deus é particular, com relação às nossas pessoas, também é universal, com relação a nossos caminhos. "Aos seus anjos dará ordem a teu respeito, para te guardarem" não em alguns, mas "em todos os teus caminhos". Mas, isto é tudo? Não. "Eles te sustentarão nas suas mãos", como cada servo deseja e ama segurar o jovem herdeiro, ou o jovem senhor em seus braços; assim são os anjos. É muito importante o fato do Senhor prometer que as suas tendas serão ali estabelecidas. "O anjo do Senhor acampa-se ao redor dos que o temem"; mas ainda há mais; os anjos não apenas acamparão, serão sua guarda de proteção, mas serão também seus enfermeiros, para segurá-los nas mãos; mas, por quê? "Para que não tropeces com o teu pé em pedra". Quando as crianças começam a andar, são muito propensas a cair, e sofrer pancadas; a tropeçar em cada pequena pedra. Agora, há muitas pedras de tropeço que estão no nosso caminho, e nós somos muito propensos a cair e fracassar; mas tal é a bondade de Deus, a providência de Deus, a bondade da Sua providência, que, assim como Ele providenciou que os Seus anjos estivessem incumbidos de nossa proteção, em oposição a todos os nossos inimigos estrangeiros, também nós não nos feriremos, para que não fracassemos no final.

Mas não importa qual seja a necessidade que leve Deus a fazer uso de anjos para proteger o Seu povo, Ele é capaz de fazer isto sozinho; e não é uma desonra que Deus faça uso deles, para proteger o Seu povo? Não; é para a honra de Deus; pois quanto mais honrados forem os servos, os instrumentos que estiverem à disposição de um rei ou príncipe para a proteção do Seu povo, mais honrado será aquele rei ou príncipe. Os anjos são criaturas honoráveis; frequentemente, são chamados de "deuses": "Tu o fizeste um pouco menor do que os anjos"... Eles são os seres mais adequados deste mundo para esta função, mais adequados no que se refere a si mesmos, e mais adequados por consideração aos santos. Eles são os mais adequados, com relação a si mesmos, pois,

Em primeiro lugar, são seres tremendamente fortes e potentes; quem é mais adequado para ver e se preocupar com os santos e o povo de Deus, do que nós, que somos fortes e potentes. Está escrito, sobre os anjos no Salmo 103, que são magníficos em poder, versículo 20... Um anjo, você sabe, destruiu cento e oitenta mil dos homens do exército da Assíria, em uma noite; assim como um policial irá afugentar vinte ladrões, também um anjo bom, investido da autoridade de Deus, é capaz de expulsar mil anjos maus, ou demônios; eles são seres magnificamente fortes e potentes.

Em segundo lugar, assim como são seres muito fortes e potentes, também são seres muito conhecedores e sábios; e quem seria mais adequado para administrar as questões e os interesses dos santos e do povo de Deus, e protegê-los e defendê-los, como seres de conhecimento e compreensivos? Você sabe o que Joabe disse a Davi: "Sábio é meu senhor, conforme a sabedoria de um anjo de Deus". O nosso Salvador disse: "Porém daquele Dia e hora ninguém sabe, nem os anjos dos céus", como se os anjos do céu conhecessem cada segredo e estivessem familiarizados com tudo o que está escondido. Eles são seres de magnífico conhecimento, muito prudentes e muito sábios.

Em terceiro lugar, assim como são seres de grande conhecimento e sabedoria, também são extremamente ativos e diligentes, rápidos. Quem seria mais adequado, para proteger e defender os santos e o povo de Deus, do que os que são ativos, diligentes e rápidos? Assim são os anjos. Em Ezequiel 1, nós lemos que cada um tinha quatro asas; por que? por causa da sua grande atividade, e diligência, e a rapidez que tinham, em todos os seus assuntos.

Em quarto lugar, assim como são ativos e diligentes, também são seres muito fiéis, tanto a Deus quanto ao homem; no Salmo 103, estão prontos a fazer a vontade de Deus, e não apenas para cumprir a vontade de Deus, mas realmente a cumprem:

"Bendizei ao Senhor, anjos seus, magníficos em poder (vv. 20,21), que cumpris as suas ordens, obedecendo à voz da sua palavra. Bendizei ao Senhor, todos os seus exércitos, vós, ministros seus, que executais o seu beneplácito". Eles são muito fiéis; e quem seria mais adequado a realizar esta obra, para acompanhar e cuidar dos interesses dos santos e do povo de Deus, do que os que são fiéis?

Em quinto lugar, assim como são seres extremamente fiéis, também são seres muito amorosos para com os santos e os filhos de Deus; se não o fossem, não seriam adequados para ser suas amas: o que é uma ama, sem amor? Eles são amorosos com os santos. "Olha, não faças tal" (disse o anjo a João), "sou teu conservo"; não me dediques adoração divina, eu sou teu conservo, os conservos são amorosos, uns aos outros; eles são conservos com os santos... Está escrito, a respeito de Alexandre, que, estando em grande perigo e tendo que lutar no dia seguinte contra seus inimigos, ele dormiu muito bem na noite anterior, e, quando lhe perguntaram a razão, ele disse, Parmênio está acordado, referindo-se a um grande e fiel capitão. Parmênio está acordado, ele disse. Os anjos são chamados de vigias, eles vigiam e são fiéis; por isto você pode estar seguro, tranquilo e descansado: confie no Senhor para sempre, por causa disto, neste dia, confie no Senhor. Se estas coisas são assim, então, amigos, por que não deveríamos nos curvar a qualquer trabalho ordenado, ainda que esteja muito abaixo de nós? Você não pensa que visitar um homem doente, um homem que sofre de uma praga, é uma obra que está muito abaixo dos anjos?

Ainda assim, os anjos a realizam, porque lhes é ordenado. Ainda que esteja muito abaixo deles, eles se curvam para realizá--la, porque lhes é ordenado; da mesma forma, ainda que uma obra esteja muito abaixo de você, se lhe for ordenado, por que você não se curvaria para realizá-la? Você dirá: Isto está muito abaixo de mim, eu não vou colocar a minha mão debaixo dos seus sapatos, pois esta pessoa está muito abaixo de mim; ah, mas os anjos colocam as suas mãos debaixo dos seus sapatos, e a obra que realizam por você está muito abaixo deles. Então, por que não seríamos como os nossos conservos? Isto é obediência angelical; os anjos lhe fazem muitas gentilezas, e jamais esperam agradecimentos seus. Eles fazem muitas gentilezas de que você nem se dá conta. Por que você é libertado, algumas vezes, sem saber como? Aqui está uma mão debaixo de uma asa; o serviço prestado pelos anjos é a causa de muitos livramentos. Mas, eu digo que a obra que eles se curvam para realizar por você e por mim está muito abaixo deles; e, por isto, por que não nos curvaríamos para realizar qualquer obra ordenada, ainda que esteja muito abaixo de nós? — *William Bridge*

v. 11: "Aos seus anjos dará ordens a teu respeito", etc. Quando Satanás tentou Cristo, no deserto, tomou para si uma sentença das Escrituras (Mt 4.6), e este Salmo do qual a tomou emprestada era tão claro contra ele, que de bom grado ele lançou mão de uma palavra aqui e outra ali, e deixou de mencionar o que vinha antes, saltando algo no meio, e omitindo o que vinha depois, caso contrário teria arruinado a sua causa. As Escrituras são tão santas, e puras, e verdadeiras, que nenhuma palavra ou sílaba dela pode ser favorável ao diabo, ou aos pecadores, ou aos hereges: mas, assim como o diabo usou as Escrituras, embora não fossem favoráveis a ele, mas contra ele, também o fazem os libertinos e epicureus, e os hereges, como se tivessem aprendido com o diabo. — *Henry Smith*

v. 11: Um anjo armado com o poder e a glória de Deus é mais forte do que toda a nação. Os príncipes terrenos estão sujeitos a muitas mudanças e grande insegurança quanto à vida e à propriedade. A razão é que seus inimigos podem matar seus vigias e corromper seus guardas. Mas quais homens ou reinos podem tocar os vigias da igreja? Quais anjos de ouro são capazes de corromper os anjos de Deus? E, como pode perecer aquilo que é confiado a protetores tão poderosos e fiéis? Em segundo lugar, a responsabilidade sobre nós é dada àqueles espíritos ministradores, em pacotes, não por atacado, e com o devido refino: os nossos dias estão registrados em um livro, e os nossos cabelos estão contados. Pois está registrado, e, de certa forma, entregue a eles, por escrito, em um Salmo: *"Ele lhe guarda todos os seus ossos"* (Sl 34.20); neste, *eles guardam os nossos pés*, colocando-os em segurança (v. 12); e, em outras passagens, é dito que eles guardam o homem por inteiro e cada um dos seus membros. E pode uma responsabilidade tão precisamente e particularmente dada e aceita, ser negligenciada? Em terceiro lugar, a sua maneira de nos proteger, da maneira como está estabelecida no texto, não pode deixar de prometer grande certeza; pois, a criança não está segura enquanto a ama a traz nos seus braços, ou a sustenta com suas mãos? Assim, enquanto estas amas nos sustentam, podemos estar em perigo? Mas as nossas amas, na terra, podem cair, e estas amas, os *anjos*, não caem. — *Robert Horn*

v. 11: "Seus anjos". Tomando a palavra *anjo* no seu sentido literal, como *mensageiro*, podemos considerar qualquer agente que Deus emprega para nos fortalecer, proteger e auxiliar, como *Seu anjo* a nós. — *Mary B. M. Duncan*

v. 11: "Para te guardarem em todos os teus caminhos". Como estes espíritos celestiais traiam este homem em seus braços, como amas, na vida terrena, ou levariam a sua alma ao céu, como carregadores alados, quando ele morresse, se ele recusasse andar no caminho correto? Eles nos guardarão em todos os nossos caminhos. Fora do caminho, a sua responsabilidade é se oporem a nós, para nos preservarem no caminho. Este é um grande consolo para o justo, e um grande terror para o ímpio. Pois se um anjo estava disposto a impedir que até mesmo um Balaão pecasse... quão mais cuidadosos são todos aqueles gloriosos seres poderosos para impedir os erros dos filhos de Deus! Pois de quantas quedas e feridas eles nos salvaram! De quantas tendências ao mal eles nos afastaram, seja pela remoção das oportunidades, ou incentivando, secretamente, boas motivações! Nós pecamos muito frequentemente, e deveríamos cair muito mais, se estes santos guardiões não nos sustentassem. Satanás está pronto a nos desviar, quando nos esforçamos para fazer o bem; quando desejamos fazer o mal, os anjos estão igualmente prontos para nos impedir. Nós estamos na situação do sumo sacerdote Josué, com Satanás de um lado, e do outro, um anjo (Zc 3.1), sem isto, nossos perigos seriam maiores do que a nossa defesa, e não conseguiríamos nos levantar, nem ficar em pé. — *Thomas Adams*

v. 11: "Para te guardarem em todos os teus caminhos". A comissão dos anjos, ainda que seja grande, não vai além disto: quando você a deixa, você perde a sua proteção, mas enquanto você se mantiver no caminho, os anjos, sim, o Deus dos anjos, irá proteger você. Não tema tanto perder suas propriedades, ou sua liberdade, ou sua vida, quanto perder o seu caminho, e deixar o seu caminho: tema isto, mais do que tudo; nada, exceto o pecado, expõe você à infelicidade. Enquanto você conservar o seu caminho, conservará outras coisas; ou, se perder alguma delas, conseguirá o que é melhor: embora você possa ser um sofredor em Cristo, não será um perdedor nEle. — *Samuel Slater (–1704), em "Morning Exercises"*

v. 11: "Em todos os seus caminhos". Estes "seus caminhos" são os caminhos de Deus, o seu caminho é o caminho ordenado por Deus. Se você estiver fora dos caminhos de Deus, você estará fora do seu próprio caminho. Se você estiver no seu caminho, os anjos protegerão você, até mesmo em tempos de uma praga, e sustentarão você em suas mãos, para que você não tropece em uma pedra; mas se você estiver fora do seu caminho, eu não garantirei a sua segurança. Quando Balaão realizava a missão do diabo, um anjo o encontrou e assustou sua jumenta, e a jumenta apertou o pé de Balaão contra a parede. A promessa é: "Para que não tropeces com o teu pé em pedra", mas ele estava fora do seu caminho, e o anjo o encontrou, assustou a sua jumenta, e a sua jumenta apertou o seu pé contra a parede. Jonas saiu do seu caminho quando fugiu de Deus; Deus mandou que ele seguisse um caminho, e ele seguiu outro. E então? Os anjos estavam com ele, para sua proteção? O próprio mar não se aquietou, até que ele fosse lançado do navio; em lugar de anjos para protegê-lo, ele teve um grande peixe, que o engoliu. Eu creio que pela graça e misericórdia gratuita de Deus, o ventre da destruição se tornou uma câmara de preservação para ele, mas ele estava fora do seu caminho;

e, em vez de um anjo para impedir que ele tropeçasse, todo o seu corpo foi lançado do navio. Diz Salomão: "Qual ave que vagueia longe do seu ninho, tal é o homem que anda vagueando longe do seu lugar"; enquanto a ave está no seu ninho, ela está a salvo do falcão, está a salvo do caçador, e das redes e armadilhas e ciladas, enquanto está no seu ninho; mas, quando ela sai do ninho, está exposta a muitos perigos. Assim, enquanto um homem está no seu caminho, no seu lugar e no seu caminho, ele estará bem, e sob proteção; mas quando o homem está fora do seu ninho, do seu lugar e do seu caminho, ele está exposto a todos os perigos. Conserve-se no seu caminho, e poderá ter certeza da proteção divina, e da administração dela, pelas mãos dos anjos. Oh, quem não se esforçaria sempre para estar neste caminho que Deus lhe indicou? Por que não refletimos sobre isto, e dizemos: "Eu estou no meu caminho?" O velho Sr. Dod, estando sobre a água, e passando, de um barco a outro, escorregou entre eles, e a primeira coisa que disse foi: "Estou no meu caminho?" Nós também devemos sempre nos perguntar: Estou no meu caminho? Estou no meu caminho? Estou desperdiçando o meu tempo, mas estou no meu caminho? Oh, alma minha, estou no meu caminho? Eu estou no meu chamado, neste dia sem oração pela manhã, e sem leitura das Escrituras, mas estou no meu caminho? Oh, alma minha, estou no meu caminho? Estou agora com pessoas superficiais, com que não obtenho nenhum bem, mas dor; mas estou no meu caminho? Reflita sobre isto, Estou no meu caminho? Você pode esperar a proteção do Senhor e a proteção dos anjos, se estiver no seu caminho, mas não de outra maneira. — *William Bridge*

v. 11: Nós temos a salvaguarda do império; não somente a proteção do Rei, de que os ímpios, como criminosos, são afastados; mas também a proteção dos anjos, aos quais Ele deu uma responsabilidade por nós, de nos conservar em todos os nossos caminhos. Tão intimamente participamos das Suas coisas divinas, que temos a Sua própria guarda real para nos proteger. — *Thomas Adams*

v. 11: "Aos seus anjos dará ordens a teu respeito", etc.

Há carinho no céu, e há amor,
nos espíritos celestiais, para estas criaturas inferiores,
que possa mover a compaixão pelos seus males?
Sim, há, ainda que seja mais miserável a raça
dos homens do que a dos animais. Mas, oh, a suprema graça
do Deus supremo, que ama tanto Suas criaturas,
e todas as Suas obras abraça, com misericórdia,
que anjos abençoados Ele envia, de um lado a outro,
para nos servir, ímpios homens, para servir ao Seu ímpio adversário!

Com que frequência eles deixam os seus recantos prateados,
para vir em nosso socorro, sim, quando precisamos de socorro!
Com que frequência eles cortam os céus, com asas douradas, velozes, como perseguidores,
Contra demônios imundos para nos ajudar, militantes!
Eles lutam por nós, vigiam e protegem, devidamente;
E seus brilhantes esquadrões se estabelecem ao nosso redor;
E tudo por amor, e nenhuma recompensa,
Oh, por que o Deus celestial tem tal consideração com o homem?
— *Edmund Spenser, 1552–1599*

vv. 11 e 12: Deve-se observar que as Escrituras são a arma que Satanás deseja brandir contra Cristo. Nas suas outras formas de agir, ele foi tímido, e apenas apresentou estas armas no caminho de Cristo, oferecendo apenas a oportunidade, e deixando que Ele as tomasse; mas, neste caso, ele é mais confiante, e as usa engenhosamente, como em uma situação para a qual poderia se preparar melhor, e garantir um resultado favorável com mais confiança. O cuidado da sua sutileza aqui, mostrado na apresentação inadequada, e no seu uso inapropriado, pode ser visto nos seguintes particulares: (1) No fato de que ele insiste nesta promessa para promover uma coisa pecaminosa, contrariamente à finalidade geral de todas as Escrituras, que foram, portanto, escritas, "para que não pequemos". (2) Mas, mais especialmente, no fato de que ele a recortou e mutilou. Engenhosamente, ele deixa de fora aquela parte que limita e confina a promessa de proteção a empreendimentos legítimos, do tipo que este não era, e a interpreta como uma promessa geral de segurança absoluta, seja qual for o ato. É uma citação de Salmos 91.11, 12 que diz o seguinte: *"Porque aos seus anjos dará ordem a teu respeito, para te guardarem em todos os teus caminhos"*. Estas últimas palavras, *"em todos os teus caminhos"*, que levam a um verdadeiro entendimento da intenção de Deus nesta promessa, ele omite intencionalmente, como se fossem partes desnecessárias da promessa, quando, na realidade, foram colocadas ali intencionalmente pelo Espírito de Deus, para dar uma descrição destas pessoas e atos, em quem, em tais casos, o cumprimento da promessa pode ser esperado; pois apesar da palavra no original, que é traduzida como *"caminhos"* — דְּרָכִים — significando qualquer tipo de caminho ou ação, de modo geral, neste local não significa isto; pois então Deus estaria engajado na proteção absoluta dos homens, não somente quando eles se atirassem, desnecessariamente, em perigos, mas nas ações mais abominavelmente pecaminosas, quaisquer que fossem, o que teria sido uma contradição direta àquelas muitas passagens das Escrituras em que Deus ameaça retirar a Sua mão e deixar os pecadores em meio ao perigo das suas iniquidades; mas é evidente que o sentido disto não é nada mais do que este: "Deus está com você, enquanto você está com Ele". Nós temos uma paráfrase deste texto, com este propósito, em Provérbios 3.23: "Então, andarás com confiança no teu caminho, e não tropeçará o teu pé"; onde a condição desta segurança, indicada na palavra "então", que leva à promessa, é expressamente mencionada nos versículos anteriores, "Filho meu, não se apartem estas coisas" — isto é, os preceitos de sabedoria — "dos teus olhos... Então..." — e não sob quaisquer outros termos — "Então, andarás com confiança no teu caminho". Os *"caminhos"*, então, nesta promessa citada por Satanás, são os caminhos do dever, ou os caminhos do nosso chamado legítimo. A falácia de Satanás, ao lidar assim com as Escrituras, é óbvia; e Cristo podia ter dado esta resposta, como diz Bernard, Que Deus promete guardá-lo nos seus caminhos, mas não em perigos criados por ele mesmo, pois não seria o seu caminho, mas a sua ruína; ou se fosse um caminho, seria o caminho de Satanás, mas não o dEle. (3) A estas duas, alguns acrescentam outra má interpretação, em uma sutil omissão do versículo seguinte, no Salmo 91: *"Pisarás o leão e a áspide"*. Isto interessava Satanás, cuja crueldade e enganos venenosos eram adequadamente representados pelo leão e pela áspide, e aqui a promessa é também explicada como dizendo respeito às tentações de Satanás — isto é — Deus administraria a Sua proteção para que os Seus filhos não fossem conduzidos a uma armadilha — *Richard Gilpin*

vv. 11 e 12: Na minha opinião, há uma notável coincidência de expressão entre os versículos deste Salmo, sobre o ofício dos anjos de Deus, e a passagem de Isaías, em que a comunhão e a presença de Cristo têm a mesma incumbência que lhe é atribuída sem qualquer interposição. Em Isaías 63.9, lemos: "Em toda a angústia deles foi ele angustiado, e o Anjo da sua presença os salvou". E, outra vez: "Eles te sustentarão *nas* suas mãos, para que não tropeces com o teu pé em pedra", em comparação com "e os tomou, e os conduziu todos os dias da antiguidade". Cristo em nós, pela comunhão com a nossa natureza — Cristo em nós, pela morada do Seu Espírito em cada coração — assim Ele conhece todas as nossas necessidades. Cristo conosco, em cada passo, todo-poderoso para fazer que tudo sirva para o bem, e com amor e piedade, cuidando dos nossos interesses — assim a Sua presença nos salva, e *todas* as coisas se tornam Seus mensageiros para nós. — *Mary B. M. Duncan*

v. 12: "Anjos... te sustentação... para que não tropeces com o teu pé em pedra". Os anjos são apresentados como sustentando o crente em suas mãos, não para que ele possa ser carregado em segurança sobre algum casto oceano, nem para que ele possa ser transportado em meio a exércitos hostis e ameaçadores, nem para que, quando exposto a algum perigo extraordinário, ele possa ser levado a um lugar de refúgio, mas, sustentando-o nas suas mãos, *"para que não tropeces com o teu pé em pedra..."* Os anjos, os seres superiores da criação, os radiantes, os magníficos, os poderosos — os anjos são representados como sustentando um homem justo, para que algumas pedrinhas pelo caminho não o fizessem tropeçar, para que ele não ferisse seu pé em alguma pedra.

Há, afinal, alguma necessidade de harmonia entre a interferência e o ato, para que exista a aparência de que os anjos são empregados de maneira indigna, empregados em algo que está abaixo deles, quando engajados em nos sustentar, para que, a qualquer momento, nós não tropecemos em alguma pedra? Na verdade, o tropeço em alguma pedra frequentemente lançou a fundação de uma doença corpórea fatal; a ofensa que parecia insignificante demais para ser digna de nota produziu uma enfermidade extrema, que acabou em morte. É diferente, em aspectos espirituais, com respeito à alma, à qual a promessa do nosso texto deve ser especialmente aplicada? Nem um pouco. Ou, se houver alguma diferença, é somente porque o perigo para a alma, com base em uma pequena ofensa, é muito maior do que para o corpo: as piores enfermidades espirituais podem, normalmente, ser atribuídas a inícios insignificantes...

Pode não ser fácil impedir que o pé tropece em uma pedra, já que os mais superiores dos seres criados são comissionados para cumprir esta tarefa. E não é fácil. A dificuldade na religião é tomar a cruz "todos os dias", em vez de tomá-la em determinadas ocasiões, e sob circunstâncias extraordinárias. Servir a Deus em pequenas coisas; levar os princípios religiosos aos detalhes da vida; disciplinar o nosso temperamento; controlar a nossa fala; o cristianismo praticado em relação às pessoas que estão à nossa volta; os sacrifícios momentâneos; as renúncias a si mesmo, secretas e despercebidas pelos outros... nem mesmo aquele que conhece algo sobre as dificuldades da piedade sabe que existe um perigo maior de fracassar nelas do que nas tentações de custos aparentemente mais altos, e mais difíceis de suportar. Será que a derrota ou a deserção não acontecem pelo fato do cristão se tornar desatento, confiante, e seguro demais por entender que já foi capaz de realizar uma parte que parecia ser a mais difícil? — *Henry Melvill*

v. 12: Sustentá-los nas suas mãos é uma metáfora, e significa a execução perfeita da sua custódia, ter um cuidado especial por eles, e por isto é expressa desta maneira, e não como levando-os sobre seus ombros. Certamente protegeremos aquilo que levarmos nas mãos. Os espanhóis têm um provérbio, quando desejam expressar eminente benevolência e amizade, 'eles o levam nas palmas das mãos', isto é, eles o amam extremamente, e o protegem diligentemente.

"Para que não tropeces com o teu pé em pedra." O salmista persiste na metáfora; as crianças tropeçam e caem frequentemente, a menos que sejam conduzidas e carregadas em mãos e braços. Por *pedras*, entendemos todas as dificuldades, objeções, perigos, tanto para o homem exterior quanto para o interior, assim como está escrito que Cristo cuida dos cabelos e dos pardais, isto é, de tudo, até mesmo de um fio de cabelo. Agora, nós sabemos qual é esta incumbência, com a ressalva de que Zanchy também acrescenta a metáfora dos professores, e diz que somos pessoas pobres e rudes, estrangeiros; mas sendo adotados na família de Deus, Ele dá aos Seus mais nobres ministros, os anjos, a incumbência, primeiramente da nossa criação e depois, da nossa educação; depois de desmamados, devem nos instruir, admoestar, instruir, corrigir, consolar, defender, preservar de todo o mal, e nos levar a fazer o bem. E estes anjos, vendo que nós somos tão amados por Deus, que por nossa causa Ele não poupou o Seu próprio Filho, aceitam esta incumbência com todo o seu coração, e não omitem nada do seu dever, desde o nosso nascimento até o fim da nossa vida. — *Henry Lawrence, em "A Treatise of our Communion and Warre with Angells, 1646*

v. 13: "Pisarás o leão e a áspide; calcarás aos pés o filho do leão e a serpente". De que serve um pé humano, neste ambiente? Que força de emoção humana pode resistir, entre tais terríveis monstros? Estas são iniquidades espirituais, e são designadas por títulos nada incongruentes... Um deles é uma *áspide*, outro é um basilisco, o terceiro é um *leão* e o quarto é um *dragão* (ou uma *serpente*, conforme algumas traduções), porque cada um, de sua própria maneira invisível, fere de formas variadas — um por sua picada, outro por seu olhar, o terceiro por seu rugido ou golpe, e o quarto pela sua respiração...

Considere também isto, se por acaso nós formos capazes de enfrentar estas quatro tentações com quatro virtudes: O leão ruge, quem não temerá? Se houver alguém, será *corajoso*. Mas se o leão é frustrado, a serpente se esconde na areia, para estimular a alma com seu hálito venenoso, respirando assim a luxúria de coisas terrenas. Quem, vocês pensam, escapará às suas manobras? Ninguém, exceto os *prudentes*. Mas talvez, enquanto você estiver sendo cuidadoso, ao atacar estas coisas, algum aborrecimento irrite você; e eis que a áspide estará sobre você imediatamente. Pois ela parece ter encontrado, por si mesma, um momento propício. Quem não será exasperado por esta áspide? Certamente, o homem de *temperança* e modéstia, que sabe como ter abundância e escassez.

Nesta oportunidade, penso eu, o olho mau, com suas ímpias seduções, pode determinar-se a fascinar você. Quem desviará seu rosto? Verdadeiramente, o homem *justo, que não apenas deseja não tomar para si mesmo a glória devida a Deus, mas nem mesmo receber o que é apresentado por outra pessoa:* se ele é apenas um homem justo, que executa, com justiça, o que é justo, que não pratica a sua justiça diante dos homens, que, finalmente, embora seja justo, não ergue a sua cabeça. Pois esta virtude consiste especialmente na humildade. Isto purifica a intenção e também obtém o mérito ainda mais verdadeiramente e efetivamente, porque defende menos para si. — *Bernard*

v. 13: "Áspide". A *pethen* é classificada junto com o leão, como devendo ser igualmente temida pelo viajante... Não há dúvida de que a cobra egípcia, é a *pethen* das Escrituras. — J. *G. Wood*

v. 13: "Serpente". A expressão é usada para (1) "monstros do mar", (2) serpentes, (3) animais ou aves selvagens, características de lugares desolados, e (4) é usada de modo figurado, para representar os inimigos do Senhor, e especialmente Faraó, como chefe e representante do poder egípcio, e Nabucodonosor, o chefe e representante da monarquia dos caldeus. O termo é, assim, um termo geral, representando qualquer criatura monstruosa, seja da terra ou da água, e deve ser atribuído a uma ou à outra, conforme o contexto indique. — *John Duns, em "Biblical Natural Science"*

v. 13: "Pisarás"; "calcarás aos pés". Pisarás sobre eles, não acidentalmente, como um homem pisa uma áspide ou uma serpente no caminho, mas o que o salmista quer dizer é, intencionalmente pisarás sobre eles, como um conquistador, pisarás sobre eles para dar testemunho do domínio sobre eles, como quando o Senhor Jesus fez esta promessa aos Seus discípulos, para que eles fizessem grandes coisas (Lc 10.19). Ele disse: "*Eis que vos dou poder para pisar serpentes*"; isto é, vocês terão poder para derrotar o que quer que possa aborrecer vocês: o poder das serpentes é um poder doloroso, seja literal ou místico. Como o apóstolo assegura a todos os crentes (Rm 16.20): *"E o Deus de paz esmagará em breve Satanás* (esta velha serpente) *debaixo dos vossos pés"*. — *Joseph Caryl*

v. 13 (segunda parte): "Mas o que é dito a Cristo? *"Calcarás aos pés o filho do leão e a serpente"; Leão*, pela ira declarada, *serpente*, pela emboscada encoberta. — *Agostinho*

v. 14: "Pois que tão encarecidamente me amou". Vulg. *"Porque teve esperança em mim"*. A despeito do que tiver que ser feito, do que tiver de ser rejeitado, do que tiver que ser suportado, do que tiver que ser escolhido, Tu, ó Senhor, és a minha esperança. Esta é a única causa de todas as minhas promessas, a única razão de minhas expectativas. Que outro finja merecer, que se vanglorie de que suporta o peso e o calor do dia, que diga que, no sábado, jejua o dobro do período que costuma jejuar, e que finalmente se glorie por não ser como os demais homens; para mim, é bom dedicar-me a Deus. Que os outros tenham esperança em outras coisas, um no seu conhecimento das leis, outro na sua sabedoria terrena, um na sua dignidade, outro em alguma outra futilidade, pois por Ti perdi todas as coisas, e as considerei apenas como esterco; uma vez que Tu, Senhor, és minha esperança. — *Bernard*, citado por *Le Blanc*

v. 14 (primeira parte): Assim como há um *porque* e um *portanto* no processo da lei, na morte pelo pecado, também há um *porque* e um *portanto* no processo da graça, e do *Evangelho*, o que permite, a partir de uma graça recebida, deduzir outra graça a ser dada; sim, graça por graça; e este é o caso: *"Pois que tão encarecidamente me amou, também eu o livrarei"*. — *David Dickson*

v. 14: Ele não diz: Como ele está sem pecado, como ele guardou perfeitamente todos os Meus preceitos, porque ele tem mérito e é digno de ser liberto e protegido. Mas Ele produz aquelas qualidades que são encontradas nos fracos, nos imperfeitos e naqueles ainda expostos ao pecado na carne, especificamente, adesão, conhecimento do Seu nome, e oração. — *Musculus*

v. 14: "Pois que tão encarecidamente me amou". No amor de um crente iluminado divinamente, há (1) a doce propriedade da *gratidão*. A alma tem perspectivas justas e ampliadas da salvação que obteve, pelo nome de Jesus. Os males dos quais o indivíduo é salvo; as bênçãos à mão, e as bênçãos a esperar; a salvação agora, e a salvação por toda a eternidade, que pode e será aproveitada por meio do nome de Jesus, despertam sentimentos da mais ardente gratidão na alma do cristão. (2) Outro ingrediente maravilhoso neste amor é *admiração*. Tudo no esquema e na execução do plano redentor de Deus é motivo para admiração. Tudo que o Senhor Jesus é, em si mesmo, tudo o que Ele fez, tudo o que Ele faz, atualmente, e tudo o que Ele prometeu fazer pelo Seu povo, merece a mais calorosa admiração. Este santo sentimento é vivenciado no seio no homem para o qual o Senhor pode dizer: *"Pois que tão encarecidamente me amou"*. (3) Outro ingrediente no amor iluminado do crente é a *deliciosa complacência*. Nada pode possibilitar o deleite complacente, a menos que sejamos persuadidos de que o possuímos, ou podemos possuí-lo. Eu posso ir ao palácio do maior monarca do mundo, e ficar profundamente maravilhado com assombro e admiração com as maravilhas contempladas, mas não haverá uma sensação de complacência sentida em meu seio, com a visão dos objetos assombrosos, que se acumulam diante dos meus olhos. Por que? Porque eu não tenho, nem posso ter, um interesse por eles; não são meus, nem jamais poderão ser; portanto, eu não posso sentir deleite complacente neles. Mas o amor do cristão é um amor prazeroso (como o chamou o Sr. Baxter), porque existe, no Senhor, tudo o que é merecedor de infinita e eterna admiração; e existe o pensamento que produz uma emoção de prazer — o que eu admiro, eu posso, até certo ponto, possuir. O olho iluminado do favorito de Deus vê tudo no Senhor, que supre as suas necessidades; tudo o que satisfaz os seus desejos, todos eles, o que faz com que a alma se deleite no Senhor, e ele descanse no Seu amor. Portanto, o Senhor diz, a respeito do objeto da Sua benignidade, "Tão encarecidamente me amou" — ele renunciou ao pecado, como a maior abominação; ele afastou o coração de toda ligação idólatra com as criaturas, e o colocou fixamente e supremamente em Deus. — *William Dawson, pregador metodista (1773–1841)*

v. 14: "Pois que tão encarecidamente me amou". Nós temos uma expressão similar, no nosso uso cotidiano, que significa dedicar todas as nossas energias para um fim — um esforço incessante por um objetivo. Nós dizemos: "Eu estou ávido por isto". Isto é aquilo que Deus deseja de nós — um amor intenso, e honesto. Nós devemos amá-lo "de todo o nosso coração, e de toda a nossa alma, e de todo o nosso entendimento, e de todas as nossas forças", para que, como Jesus, possamos "nos alegrar em fazer a Sua vontade". Apenas devemos pensar na maneira como nos dedicar a alguma coisa nos afeta, cabeça, mãos, tempo, pensamento, ações — tudo em ação para a obtenção de tal coisa. Como sacrificamos todas as demais coisas, para isto! Consolo, tranquilidade, vantagem atual, dinheiro, saúde, na verdade, nós mesmos, nos entregamos livremente, por causa do nosso precioso desejo.

Eu "estou ávido" desta maneira por Deus? Os temperamentos são diferentes. Esta pode ser uma imagem exagerada da maneira como alguns de nós procuramos um objeto desejado. Mas cada um conhece a sua própria capacidade neste caminho. Deus também conhece a nossa estrutura, e exige o melhor que cada homem possa dar.

Há uma coisa, neste versículo, que pode nos encorajar, e muito. Não é por causa do amor *perfeito* que Deus libertará. É pela vontade de amar e servir — é para a *dedicação* do coração, que a promessa é feita — para a plena "firmeza de coração" que se *dedica* a ser fiel ao Senhor. — *Mary B. M. Duncan*

v. 14: "Pô-lo-ei num alto retiro". Isto é, Eu o colocarei em um lugar alto ou inacessível, o que significa, Eu o livrarei. Quando os homens sabem verdadeiramente que Deus é um libertador, eles depositam confiança nEle e o invocam. Então Deus exalta e liberta aquele que o chama. — *Franciscus Vatablus*

v. 14: "Pô-lo-ei num alto retiro, porque conheceu o meu nome." Há uma grande segurança no conhecimento de Deus, nos Seus atributos e no Seu Cristo. A segurança de um homem está na sua corrida para a torre (Pv 18.10); ele corre, e é salvo. E é o conhecimento desta torre que faz com que um homem corra para ela. Assim nós sentimos segurança, atribuída ao conhecimento do Senhor. *"Pô-lo-ei num alto retiro"*, Eu o exaltarei, e assim ele será salvo. Por que? *"Porque conheceu o meu nome";* pois o conhecimento correto de Deus foi o que o fez correr, e assim ele é exaltado e colocado no alto. Assim, o homem é salvo quando faz com que esta torre seja a sua torre, quando consegue que Deus seja o seu Deus. Quando conhecemos a Deus, queremos que Ele seja o nosso Deus, e fazemos com que esta torre seja a nossa torre, Jeremias 24.7: "Dar-lhes-ei coração para que me conheçam... e eu lhes serei por Deus". — *Jeremiah Dyke, em "The Righteous Man's Tower," 1639*

vv. 14 a 16: "Conheceu o meu nome". A partir deste texto, eu trago à sua atenção o mais desejável personagem sob o sol; e eu gostaria de apresentá-lo a vocês, para incitar que cada um de vocês procure, até obter a mesma bênção. O personagem que vou apresentar é o FAVORITO DE DEUS, que é um objeto da "benignidade do Senhor"; e, na leitura desta passagem, há duas coisas que chamam a nossa atenção, a respeito deste personagem. *Em primeiro lugar,* o que o Senhor diz *sobre* ele. *Em segundo lugar,* o que o Senhor diz *a* ele.

Agora, meus irmãos — VEJAM! Aí está, diante de vocês, o FAVORITO DE DEUS!

I. Ouça o *que Deus diz* sobre *ele.* 1. A respeito dele, Ele diz: *"Conheceu o meu nome".* O primeiro princípio da vida de Deus, na alma do homem caído, é o conhecimento; conhecimento divino, espiritual. A primeira operação do Espírito Santo na obra da salvação é uma convicção do caráter e das perfeições e dos relacionamentos de Deus. O Senhor diz: "Conheceu o meu nome". Ele conhece o Meu nome, como Onisciente, Onipresente, Santo, Justo e Verdadeiro. (1) Em primeiro lugar, ele conhece o Meu nome como um Deus que odeia o pecado, que vinga o pecado; e este conhecimento foi um meio de levá-lo a uma percepção profunda da sua própria corrupção pessoal, da sua culpa e do perigo, como pecador. (2) Mas o favorito do Senhor conhece o Seu nome, como foi revelado a Moisés: "Jeová, o Senhor, Deus misericordioso e piedoso, tardio em iras e grande em beneficência e verdade; que guarda a beneficência em milhares; que perdoa a iniquidade, e a transgressão, e o pecado". Ele conhece o nome do Senhor concentrado no nome de Jesus, que "salvará o Seu povo dos seus pecados". Com os raios *brancos* da santidade de Deus (se posso falar assim), o pecador vê a sua corrupção, culpa e deformidade; com os raios *vermelhos* da justiça de Deus, ele vê o perigo indescritível em que está; com os raios *brandos* da misericórdia de Deus, ele descobre uma base para esperança — porque existe perdão para os seus crimes, por mais graves que sejam. Mas é no rosto de nosso Senhor Jesus Cristo que Deus parece mais prazeroso. Assim podemos dizer, a cada alma salva, como Paulo disse aos coríntios: "Porque Deus, que disse que das trevas resplandecesse a luz, é quem resplandeceu em nossos corações, para iluminação do conhecimento da glória de Deus, na face de Jesus Cristo". Assim como todas as cores do arco-íris se encontram em um raio de sol, também todas as perfeições de Deus, quando se unem perfeitamente e brilham de modo mais belo, se encontram na pessoa e nas funções de Jesus Cristo, na alma do crente penitente. Este conhecimento salvador é sempre vital, ativo e poderoso. — *William Dawson.*

v. 14: "Conheceu o meu nome". Nós não podemos obter algum esclarecimento sobre esta expressão, com base no costume dos judeus, de preservar o nome de Jeová sagrado, para seu próprio uso, considerando-o santo demais para ser pronunciado, no dia a dia, e assim preservando-o de ser tomado em vão pelos pagãos? Assim ele era conhecido somente pelos judeus...

Mas qualquer que seja a origem das expressões, "conhecer *o Seu nome*", "confiar no *Seu nome*", "crer no *Seu nome*", é evidente, em todos estes casos, que significa o que quer que seja revelado a respeito dEle — tudo aquilo pelo que Ele se dá a conhecer. A Sua Palavra, a Sua Providência, acima de tudo, o Seu Filho, estão incluídos no Seu *nome*, que devemos conhecer, e no qual devemos crer e confiar. De modo que "conhecer o Seu nome" é conhecer a Ele mesmo, como revelado nos Evangelhos. — *Mary B. M. Duncan*

v. 14 (última parte): O amor legítimo a Deus flui do conhecimento completo de Deus, sendo a Sua Majestade declarada a nós nas Escrituras: o crente que dedica seu *amor* a Deus *"conheceu o meu nome"*, diz Ele. — *David Dickson*

v. 15: "Eu lhe responderei". Eu penso que, às vezes, nós nos desencorajamos, por uma ideia errada do significado exato da expressão *"responderei"*, entendendo que ela significa apenas *conceder*. Mas uma resposta não é, necessariamente, uma aquiescência. Pode ser uma recusa, uma explicação, uma promessa, ou uma concessão condicional. Na verdade, é simplesmente *atenção ao nosso pedido*. Neste sentido, "antes que clamem, eu responderei; estando eles ainda falando, eu os ouvirei", Isaías 65.24. — *Mary B. M. Duncan*

v. 15: "Estarei com ele na angústia". *Estarei com ele na angústia,* diz Deus: e será que procurarei, por enquanto, algo além de angústia? É bom que eu me apegue a Deus. Não somente isto, mas também deposite a minha esperança no Senhor: porque *Livrá-lo-ei*, diz Ele, *e o glorificarei. Estarei com ele na angústia. Minhas delícias*, diz Ele, *[estão] com os filhos dos homens*. Emanuel, Deus conosco. *Salve, agraciada*, diz o anjo a Maria, *o Senhor é contigo*. Na abundância da graça, Ele é conosco; na plenitude da glória, nós estaremos com Ele. Ele vem, para estar próximo daqueles que têm o coração angustiado, para que possa estar conosco em nossa angústia... É melhor para mim, ó Senhor, sentir angústia, enquanto Tu estás comigo, do que reinar sem Ti, festejar sem Ti, ser honrado sem Ti. É melhor, na verdade, ser abraçado por Ti na angústia, ter a Ti neste forno comigo, do que estar sem Ti, mesmo que no céu. Pois o que eu tenho no céu, e sem Ti o que eu desejo na terra? O forno prova o ouro, e a prova da angústia, os homens justos. — *Bernard*

v. 15: "Estarei com ele na angústia". Deus fez promessas da Sua presença especial com Seus santos em sofrimento. Se tivermos um amigo que nos visite na prisão, estaremos bem; ainda que mudemos de lugar, não mudamos nosso protetor. *"Estarei com ele"*. Deus sustentará nossa cabeça e nosso coração, quando estivermos fraquejando! E se tivermos mais aflições do que os outros, porém tivermos mais da companhia de Deus? A honra de Deus é importante para Ele; Ele não terá honra se levar Seus filhos a sofrimentos e os deixar ali; Ele estará com eles, para animá-los e sustentá-los; sim, quando surgirem novos problemas, Jó 5.19: "Em seis angústias, te livrará". — *Thomas Watson*

v. 15: "Estarei com ele na angústia". Novamente, Deus fala e age como uma mãe terna com um filho doente. Quando o filho está em perfeita saúde, ela pode deixá-lo nas mãos da babá; mas quando ele está doente, ela mesma cuida dele; ela dirá à babá: "Você pode fazer outra coisa, por enquanto, eu mesma vou cuidar da criança". Ela ouve o mais leve gemido; ela corre até o berço; ela toma a criança em seus braços; ela beija suas bochechas, e derrama uma lágrima sobre o seu rosto, e pergunta: "O que eu posso fazer por ti, meu filho? Como posso aliviar a tua dor, e suavizar teus sofrimentos? Não chores, não rompas meu coração; são os braços da tua mãe que estão ao teu redor; é no colo da tua mãe que você está; é a voz da tua mãe que te fala; é a tua mãe que está contigo; não temas". Assim o Senhor fala com Seus filhos aflitos.

"Estarei com ele na angústia." Nenhuma mãe pode ter a mesma solidariedade com seu filho em sofrimento do que o Senhor tem, com o Seu povo sofredor. Não! Ainda que todo o amor que já houve nos corações de todas as mães pudesse estar reunido no coração de uma mãe, e fixo sobre o seu único filho, não poderia ser comparável ao amor de Deus pelo Seu povo, assim como o vaga-lume da noite de verão não pode ser comparado ao sol do meio dia, no verão.

Oh, que sentença deliciosa! *"Estarei com ele na angústia."* Em outras ocasiões, Deus os deixará nas mãos dos anjos: "Aos seus anjos dará ordem a teu respeito, para te guardarem em todos os teus caminhos; eles te sustentarão nas suas mãos, para que não tropeces com o teu pé em pedra". Mas quando eles estiverem em angústia, Ele dirá aos anjos: "Podem deixar, Eu mesmo cuidarei deles". "Estarei com ele na angústia". Assim, Ele diz, ao Seu povo: "Quando passares pelas águas, estarei contigo, e, quando pelos rios, eles não te submergirão: quando passares pelo fogo, não te queimarás, nem a chama arderá em ti. Porque eu sou o Senhor, teu Deus, o Santo de Israel, o teu Salvador". Quando estiver enfraquecido pela doença, Ele fará a sua cama, e o seu travesseiro. Quando viajando pelo vale da sombra da morte, o Senhor estará com ele, e possibilitará que ele cante, "Não temeria mal algum, porque tu estás comigo; a tua vara e o teu cajado me consolam". Assim, Ele está com eles, como seu médico e seu enfermeiro, na dor e na doença; como sua força, na fraqueza; como seu guia, nas dificuldades; como seu consolo, na dor; e como sua vida, na morte. *"Estarei com ele na angústia. — William Dawson*

v. 16: "Dar-lhe-ei abundância de dias". São Bernardo interpreta isto como uma referência ao *céu:* porque não pensava que nada abundante tivesse um fim. Isto, na verdade, é a ênfase da alegria do céu; aquelas almas abençoadas não mais pecam, não mais choram; elas não somente estarão com o Senhor, mas com o Senhor, para sempre. Esta é a ênfase dada aos elogios feitos ao céu, nas Escrituras. Ele é "uma herança" e "incorruptível... imarcescível" (1 Pe 1.4); é uma "coroa de glória", e pesada, sim, "um peso eterno de glória mui excelente". Uma vez sobre a cabeça do santo, jamais poderá cair, nem ser tirada; é um banquete, porém um banquete no qual nos sentaremos para participar, e não nos levantaremos dele. — *William Gurnall*

v. 16: "Dar-lhe-ei abundância de dias". Observe o feliz contraste aqui, com as palavras chorosas do Salmo anterior. "Acabam-se os nossos anos como um conto ligeiro. A duração da nossa vida é de setenta anos" (90.9, 10.) A vida de Israel no deserto foi encurtada, pela desobediência. A obediência de Cristo no deserto conquistou, para nós, uma abençoada imortalidade. — *Christopher Wordsworth*

v. 16: "Dar-lhe-ei abundância de dias", etc. A observação à margem, aqui, é "extensão de dias", isto é, dias ampliados ou multiplicados. O significado é, Dar--lhe-ei abundância de dias, conforme ele o desejar, ou até que ele esteja satisfeito com a vida — significando (1) que é natural desejar ter uma vida longa; (2) que a vida longa deve ser considerada como uma bênção (comp. Pv 3.2, 16; Êx 20.12); (3) que a tendência da religião é prolongar a vida; uma vez que a virtude, a temperança, o trabalho regular, a tranquilidade de espírito, a moderação em todas as coisas, a ausência de excessos em comer e beber — e a religião motiva todas estas coisas — contribuem com a saúde e a multiplicação de dias; e (4) que virá um tempo, sob esta bênção prometida de prolongamento de dias, quando o homem terá *abundância* de vida; quando ele não terá um forte desejo de viver mais tempo; quando, sob as debilidades dos anos avançados, e sob seus sentimentos de solidão, pelo fato de seus antigos amigos já terem partido, e sob a influência de uma brilhante esperança do céu, ele sentirá que já teve um tempo de vida *suficiente* aqui, e que é melhor partir para outro mundo. *"E lhe mostrarei a minha salvação".* Em outra vida, depois que ele estiver satisfeito com esta. — *Albert Barnes*

v. 16: "Dar-lhe-ei abundância de dias". Esta promessa, a respeito da extensão da vida, contém um dom de Deus, que não deve ser desprezado, de nenhuma maneira. Muitos inimigos irão, realmente, tramar contra a sua vida, e desejarão extingui-la tão repentinamente e tão rapidamente quanto possível; mas Eu o protegerei, de tal maneira, que ele viverá até uma boa velhice, e estará cheio de anos, e desejará despedir-se da vida. — *J. B. Folengius*

v. 16: "Dar-lhe-ei abundância de dias".

A nossa vida pode ser medida em obras, e não em anos;
em pensamentos, e não em respirações;
em sentimentos, e não nos números de um mostrador.
Nós devemos contar o tempo pelas batidas do coração.
Vive mais aquele que pensa mais, que sente o que é mais nobre,
que age da melhor maneira possível.
— *Philip James Bailey,* em *"Festus"*

v. 16: "Abundância de dias".

Erram aqueles que medem sua vida em anos,
com língua falsa ou impensada,
Alguns corações envelhecem, antes do seu tempo,
outros são sempre jovens.

Não é o número das linhas,
da última página da vida,
Não é o pulsar continuado
que constitui a sua idade.

Algumas almas são servas entre os libertos,
ao passo que outras prosperam nobremente;
Eles estão, exatamente onde estavam seus pais,
mortos, mesmo enquanto viviam.

Outros, com espírito, coração, e sentido,
Possuem o misterioso poder De viver as emoções da alegria ou da tristeza,
Um ano de doze meses, em apenas uma hora!
— *Bryan W. Procter*

v. 16: "Abundância de dias".

Vive muito, aquele que vive bem!
Qualquer outra vida é curta e vã,
Vive mais aquele que pode falar
de viver principalmente para obter um ganho celestial

Vive muito, aquele que vive bem!
Todo o resto está sendo deixado de lado
Vive mais aquele que pode falar
de coisas verdadeiras, feitas verdadeiramente, todos os dias.
— *Horatius Bonar*

v. 16: "E lhe mostrarei a minha salvação". O último, o maior clímax de bênção, incluindo e concluindo tudo! O que Deus faz, é feito com perfeição. Até aqui, o seu servo vislumbrava a "grande salvação". O Espírito a tinha revelado, passo a passo, à medida que ele era capaz de absorver tais revelações. A Palavra o tinha ensinado, e ele se regozijava na sua luz. Mas tudo era visto *parcialmente* e conhecido *parcialmente*. Mas, depois que Deus satisfez o seu servo com abundância de dias, e o tempo para ele se acabou, e foi iniciada a eternidade, então Ele *"lhe mostrará a Sua salvação"*. Tudo será claro. Tudo será conhecido. Deus será revelado no Seu amor e na Sua glória. E nós conheceremos todas as coisas, como somos conhecidos! — *Mary B. M. Duncan*

SUGESTÕES AOS PREGADORES

v. 1. I. O esconderijo. Há aqueles que habitam no mundo das trevas; outros, na terra favorecida; outros, na cidade santa; outros, no átrio; mas o Santo dos santos é o "esconderijo" — onde há comunhão, aceitação, etc. II. A sombra protetora — segurança, paz, etc.; como as aldeias de antigamente, agrupadas à sombra das muralhas do castelo. — *Charles A. Davis*

v. 1. I. *A pessoa.* Alguém que está em comunhão íntima, pessoal, secreta, e permanente com Deus, habitando perto do propiciatório, no interior do véu. II. O Privilégio. Ele é convidado de Deus, protegido, revigorado e consolado por Ele, e por toda a eternidade.

vv. 1 e 2. Quatro nomes de Deus. I. Nós temos comunhão com Ele, reverentemente, pois Ele é o Altíssimo. II. Nós descansamos nEle, como o Todo-Poderoso. III. Nós nos alegramos nEle, como Jeová ou Senhor. IV. Nós confiamos nEle, como EL, o Deus poderoso.

v. 2. I. Observe os nomes aplicados a Deus — refúgio dos problemas, fortaleza nas dificuldades, Deus em todas as ocasiões. II. Observe os pronomes aplicados pelo homem — "Direi", "*meu* refúgio, minha fortaleza", etc. — *G. R.*

v. 2. O poder, a excelência, o fruto, a razoabilidade, e a declaração aberta da fé pessoal.

v. 3. Proteção invisível de perigos invisíveis; sabedoria para enfrentar artimanhas, amor para guerrear contra a crueldade, onipresença para equiparar-se ao mistério, vida para frustrar a morte.

v. 3. CERTAMENTE, ou razões para a confiança assegurada na proteção de Deus.

v. 3 a 7. Peste, pânico, e paz; (em épocas de doenças disseminadas). — *Charles A. Davis*

vv. 3, 8 e 9. I. Os santos estão a salvo — *"certamente"* (v. 3). II. O mal é limitado — *"somente"* (v. 8). III. O Senhor tem razões para preservar os Seus — *"porque"* (v. 9).

v. 4. I. A compaixão de Deus. II. A confiança dos santos. III. A panóplia da verdade.

vv. 5 e 6. I. A exposição de todos os homens ao medo. 1. Continuamente, dia e noite. 2. Merecidamente: "a consciência faz de todos nós covardes". II. A isenção de alguns homens ao medo. 1. Por causa da sua confiança. 2. Por causa da proteção divina.

v. 7. Como um mal pode estar próximo, mas não atingir.

v. 8. O que vimos, atualmente, da recompensa dos ímpios.

vv. 9 e 10. I. Deus, nossa habitação espiritual. II. Deus, o protetor da nossa habitação terrena. III. A verdade geral, de que o espiritual abençoa o temporal.

v. 10. I. A bênção pessoal. II. A bênção doméstica. III. A conexão entre as duas.

vv. 14 a 16. As seis "promessas".

vv. 11 e 12. Uma Escritura "corrompida" é corrigida. I. A versão de Satanás — presunção. II. A versão do Espírito Santo — confiança. — *Charles A. Davis*

vv. 11 e12. I. O ministério dos anjos, empregados por Deus. 1. Oficial: "dará", etc. 2. Pessoal: "a teu respeito". 3. Constante: "em todos os teus caminhos". II. Desfrutado pelo homem. 1. Para preservação: "te sustentarão", etc.; terna, mas efetivamente. 2. Sob limitações. Eles não podem realizar a obra de Deus, nem de Cristo, nem do Espírito, nem da Palavra, nem dos ministros, pela salvação; "Não são, porventura, todos eles espíritos ministradores", etc. — *G. R.*

v. 12. A preservação de males menores é mais preciosa, porque eles são, frequentemente, mais dolorosos, levam a males maiores e envolvem muitos danos.

v. 13. O amor do crente por Deus.

v. 13. I. Cada filho de Deus tem seus inimigos.1. Eles são numerosos: "o leão, a áspide, o filho do leão, a serpente". 2. Diversificados: sutis e poderosos — "leão e áspide"; novos e velhos — "filho do leão" e a velha "serpente". II. Finalmente, ele obterá uma vitória completa sobre eles — "Pisarás", etc.; "calcarás", etc., ; "o Senhor ferirá Satanás", etc. — *G. R.*

v. 14. Aqui temos, I. Amor em retribuição a amor: "Porque", etc; 1. O fato do amor dos santos por Deus. Primeiramente, há o amor em Deus, mesmo sem o amor deles; e, depois, o amor em retribuição ao amor deles. 2. A evidência do amor por eles: "Eu o livrarei" — do pecado, do perigo, da tentação, de todo o mal. II. Honra, em retribuição a honra. 1. Eles, honrando a Deus. "Conheceu o meu nome" e o fez conhecer; Deus honrando a eles; "pô-lo-ei num alto retiro" — alto em honra, em felicidade, em glória, — *G. R.*

vv. 15 e 16. Observe, I. As promessas, tremendamente magníficas e preciosas. 1. Resposta à oração: "invocará", etc. 2. Consolo nas angústias: "Estarei com ele". 3. Libertação das dificuldades: "Livrá-lo-ei". 4. Maior honra, depois das dificuldades: livrá-lo-ei e "o glorificarei". 5. Prolongamento dos dias; viver o suficiente, para satisfazê-lo. 6. A salvação de Deus: "e lhe mostrarei a minha salvação"; muito além do que o homem podia pensar ou desejar. II. A quem pertencem estas promessas; quem é o *Ele* e o *ele* a quem estas promessas são feitas. Ele "invocará" a Deus, diz o versículo 15. Ele "conheceu o meu nome", diz o versículo anterior; ele "tão encarecidamente me amou", diz o início do mesmo versículo; ele "fez do Senhor sua habitação", diz o versículo 9; ele "habita no esconderijo do Altíssimo", diz o versículo 1. Hannah More disse: "Pregar privilégios, sem especificar a quem eles pertencem, é como colocar uma carta no correio, sem o endereço". Pode ser muito bom, e conter uma remessa, mas ninguém sabe dizer a quem se destina. Todas as promessas das Escrituras são claramente destinadas àqueles a quem elas pertencem. O endereço afixado às promessas deste Salmo é inconfundivelmente claro e frequentemente repetido. — *G. R.*

SALMO 92

TÍTULO

Salmo ou Canção para os sábados. Esta admirável composição é, ao mesmo tempo, um Salmo e uma Canção, cheia de solenidade e alegria, em igual proporção; e a intenção era que fosse cantada no dia de descanso. O tema é o louvor a Deus; o louvor é o trabalho do sábado, a alegre ocupação dos corações em descanso. Uma vez que um verdadeiro sábado somente pode ser encontrado em Deus, é sábio meditar sobre Ele, no sábado. O estilo é merecedor do tema e do dia, a sua inspiração vem da "fonte de toda bênção"; Davi falava, à medida que o Espírito lhe dava as palavras. Na igreja de Cristo, neste momento, nenhum Salmo é mais frequentemente entoado, sobre o dia do Senhor, do que este. A deliciosa versão do Dr. Watts nos é familiar a todos:

> "Doce é o trabalho, Deus meu, Rei meu,
> de louvar o Teu nome, agradecer, e cantar;
> Mostrar o Teu amor, à luz da manhã.
> E falar de toda a Tua verdade à noite".

O sábado era consagrado para a adoração ao Senhor, por Sua obra concluída da criação; por isto a adequação deste Salmo; os cristãos podem até mesmo voar mais alto, pois celebram a redenção completa. Ninguém, familiarizado com o estilo de Davi, hesitará em atribuir a ele a autoria deste hino divino: os devaneios dos rabinos que dizem ter ele sido escrito por Adão, só precisam ser mencionados para serem descartados. Adão, no Paraíso, não tinha harpas em que tocar, nem ímpios com quem contender.

EXPOSIÇÃO

1 *Bom é louvar ao Senhor e cantar louvores ao teu nome, ó Altíssimo,*
2 *para de manhã anunciar a tua benignidade e, todas as noites, a tua fidelidade,*
3 *sobre um instrumento de dez cordas e sobre o saltério; sobre a harpa com som solene.*

4 *Pois tu, SENHOR, me alegraste com os teus feitos; exultarei nas obras das tuas mãos.*

1. *"Bom é louvar ao Senhor"*, ou Jeová. É bom, eticamente, pois é o direito do Senhor; é bom emocionalmente, pois é agradável ao coração; é bom praticamente, pois faz com que os outros prestem a mesma homenagem. Quando o dever e o prazer se combinam, quem pode recuar? Agradecer a Deus é apenas uma pequena retribuição pelos grandes benefícios com que Ele nos abençoa, diariamente; como Ele, pelo Seu Espírito, diz que é uma coisa boa, não devemos desprezá-la, nem negligenciá-la. Nós agradecemos aos homens, quando nos fazem um favor, e muito mais devemos bendizer ao Senhor, quando Ele nos beneficia. O louvor devoto é sempre bom, jamais está fora de moda, jamais é supérfluo, mas é especialmente adequado ao sábado; um sábado sem ação de graças era um sábado profanado.

"E cantar louvores ao teu nome, ó Altíssimo." É bom agradecer, na forma de um cântico. A própria natureza nos ensina a expressar desta maneira a nossa gratidão a Deus; os pássaros não cantam, e os riachos não gorjeiam, ao correr? Dar uma língua a esta gratidão é sábio, para o homem. A adoração silenciosa é doce, mas a adoração vocal é mais doce. Negar à língua o privilégio de proferir louvores a Deus envolve uma pressão pouco natural sobre os mais elogiáveis impulsos da nossa humanidade renovada, e é um problema, para nós, a maneira como os membros da Sociedade de Amigos podem se privar de tão nobre, tão natural, tão inspiradora parte da adoração sagrada. Por melhores que sejam, eles perdem uma boa coisa, quando abrem mão de entoar louvores ao nome do Senhor. A nossa experiência pessoal nos confirmou na crença de que é bom cantar ao Senhor; nós nos sentimos, frequentemente, como Lutero, quando disse: "Vamos, cantemos um Salmo, e expulsemos o demônio".

2. *"Para de manhã anunciar a tua benignidade."* O dia deve começar com louvor: nenhuma hora é cedo demais, para cantos santos. A benignidade é o tema mais apropriado para aquelas primeiras horas, quando a manhã semeia toda a terra com pérolas do oriente. Nós devemos magnificar ao Senhor com fervor e prontidão; nós evitamos as tarefas desagradáveis, tanto quanto pudermos, mas nossos corações são tão fascinados pela adoração a Deus que devemos nos levantar cedo para realizá-la. Existe um frescor e um encanto peculiares nos louvores da manhã; o dia é mais agradável, quando abre os olhos, e o próprio Deus parece, então, fazer a distribuição do maná deste dia, cujo sabor é mais doce, se colhido antes que o sol esquente. Parece muito adequado que, se os nossos corações e harpas estiveram silenciosos nas sombras da noite, nós estejamos ansiosos, novamente, para assumir nosso lugar no coro escolhido, que incessantemente louva com hinos o Eterno.

"E, todas as noites, a tua fidelidade." Nenhuma hora é tarde demais para o louvor, o fim do dia não deve ser significar o fim da gratidão. Quando a natureza parece adorar o seu Criador, em silenciosa contemplação, não convém que os filhos de Deus restrinjam seus agradecimentos. A noite é o momento do retrospecto, a memória está cheia de experiências do dia, por isto o tema apropriado para o cântico é a *fidelidade* divina, de que mais um dia proporcionou novas evidências. Quando as trevas caem sobre todas as coisas, uma "imensa sombra", então um espírito meditativo e apropriado se apodera dos homens sábios, e é muito conveniente que eles tenham uma perspectiva ampliada da verdade e da bondade do Senhor.

"Esta sombra e solidão sagrada, o que é?
É a presença percebida da Divindade."

"Todas as noites", nubladas ou sem nuvens, com luar ou escuras, calmas ou tempestuosas, são igualmente adequadas para um cântico sobre a fidelidade de Deus, uma vez que, em todas as épocas, e sob todas as circunstâncias, ela permanece a mesma, e é o sustentáculo da consolação do crente. Nós devemos nos envergonhar de ser tão tímidos na adoração ao Senhor, que, durante o dia, espalha um amor generoso, e à noite faz Suas rondas de cuidado e vigília.

3. *"Sobre um instrumento de dez cordas"*; com todo o alcance da música, entoando diante de Deus, com todo o alcance da melodia, as mais ricas emoções da sua alma. *"E sobre o saltério";* dando variedade ao louvor: o salmista sentia que todos os instrumentos de som doce deveriam ser consagrados a Deus. George Herbert e Martinho Lutero adicionavam música instrumental às suas devoções privadas; e quaisquer que possam ter sido as diferenças de opinião na igreja cristã, quanto à interpretação de música instrumental em público, nós não vemos objeção ao seu uso pessoal e privado. *"Sobre a harpa com som solene"*, ou *sobre meditação com uma harpa*, é como dizer, a minha alma meditativa é, afinal, o melhor instrumento, e os tons doces da harpa vêm auxiliar meus pensamentos. É um trabalho abençoado, quando a mão e a língua trabalham juntas, na ocupação celestial do louvor.

"Cordas e vozes, mãos e corações,
participam do concerto:
tudo o que respira, adore o teu Deus,
Louve-o, louve-o, para sempre."

Deve-se temer, no entanto, o fato de que a atenção ao mero mecanismo da música, tons e cordas, compassos e pausas, tenha desviado muitos da harmonia espiritual que é a alma e a essência do louvor. A música bela, sem devoção, é apenas uma roupa esplêndida sobre um cadáver.

4. *"Pois tu, Senhor, me alegraste com os teus feitos."* Era natural que o salmista cantasse, porque ele estava feliz, e cantasse ao Senhor, porque a sua alegria era provocada por uma contemplação da obra divina. Se nós considerarmos a criação ou a providência, encontraremos abundantes razões para alegria; mas quando examinamos a obra da redenção, a alegria não conhece limites, mas sente que deve louvar ao Senhor, com todas as suas forças. Há ocasiões em que, na contemplação do amor redentor, sentimos que, se não cantarmos, morreremos; o silêncio seria tão horrível, para nós, como se estivéssemos amordaçados por inquisidores, ou asfixiados por assassinos.

"Exultarei nas obras das tuas mãos." Eu não posso evitar, eu devo e vou me alegrar no Senhor, como alguém que obteve a vitória e dividiu um grande espólio. Na primeira sentença deste versículo, o salmista expressa a unidade da *obra* de Deus, e na segunda, a variedade das Suas *obras*; em ambas, há motivos para alegria e triunfo. Quando Deus revela as Suas obras a um homem, e realiza uma obra na sua alma, Ele alegra o seu coração mais eficazmente, e então a consequência natural é o louvor contínuo.

5 *Quão grandes são, Senhor, as tuas obras! Mui profundos são os teus pensamentos!*
6 *O homem brutal nada sabe, e o louco não entende isto.*

5. *"Quão grandes são, Senhor, as tuas obras!"* Ele se perde, em assombro. Ele pronuncia uma exclamação de assombro. Quão vastas! Quão estupendas são as obras do Senhor! Grande em número, extensão e glória e desígnio, são todas as criações do Infinito.

"Mui profundos são os teus pensamentos." Os planos do Senhor são tão maravilhosos quanto os Seus atos; os Seus desígnios são tão profundos quanto são vastas as Suas obras. A criação é imensurável, e a sabedoria nela exibida, incompreensível. Alguns homens pensam, mas não conseguem trabalhar, e outros são meros trabalhadores, que trabalham sem pensar; no Eterno, a concepção e a execução andam juntas. A Providência é inesgotável, e os decretos divinos que a originam são inescrutáveis. A redenção é grande, e inconcebível, e os pensamentos de amor que a planejaram são infinitos. O homem é superficial, Deus é inescrutável; o homem é superficial, Deus é profundo. Por mais que mergulhemos, jamais compreenderemos, a fundo, o plano misterioso, ou esgotaremos a sabedoria sem limites da mente abrangente do

Senhor. Nós ficamos ao lado do mar insondável de sabedoria divina, e exclamamos, com santa reverência, "Ó profundidade!"

6. *"O homem brutal nada sabe; e o louco não entende isto."* Neste versículo, e nos seguintes, o efeito do Salmo é engrandecido pelo contraste; as sombras são acrescentadas, para exibir as luzes, mais proeminentemente. Que contraste com o versículo anterior; do santo para o brutal, do adorador ao rude, do salmista ao louco! Mas, infelizmente, o caráter aqui descrito não é incomum. O homem rude, pois esta é quase a própria palavra em hebraico, não vê nada na natureza; e, se ela lhe for indicada, a sua mente tola não a compreenderá. Ele pode ser um filósofo, e ainda assim ser um ser tão bruto, que não reconhecerá a existência de um Criador pelas dez mil criações incomparáveis ao seu redor, que trazem, ainda que superficialmente, as evidências de desígnios profundos. O coração descrente, ainda que se vanglorie, não sabe; e com todo o seu desfile de inteligência, não compreende. Um homem deve ser um santo ou um brutal; ele não tem outra escolha; o seu modelo deve ser o anjo que adora, ou o porco ingrato. Tão longe de prestar respeito aos grandes pensadores, que não reconhecem a glória ou a existência de Deus, nós devemos considerá-los como comparáveis aos animais que perecem, somente inferiores a meros animais, porque a sua condição degradante é de sua própria escolha. Oh, Deus, como é triste, quando este homem, a quem dotaste tanto, e ao qual criaste à Tua própria imagem, se brutaliza a ponto de não ver nem compreender o que deixaste tão claro. Um autor excêntrico poderia dizer: "Deus criou o homem um pouco inferior aos anjos, no início, e ele tem tentado ir cada vez mais baixo, desde então".

7 *Brotam os ímpios como a erva, e florescem todos os que praticam a iniquidade,*
mas para serem destruídos para sempre.
8 *Mas tu, SENHOR, és o Altíssimo para sempre.*
9 *Pois eis que os teus inimigos, SENHOR, eis que os teus inimigos perecerão; serão*
dispersos todos os que praticam a iniquidade.

7. *"Brotam os ímpios como a erva"*, em abundância, e com aparente vigor, precipitando-se no seu progresso, como plantas verdejantes, que chegam à perfeição em um dia, *"e florescem todos os que praticam a iniquidade"*; florescendo no seu auge e orgulho, na sua pompa e prosperidade; *"mas para serem destruídos para sempre"*. Eles crescem para morrer, florescem para ser destruídos. Florescem, durante um curto período de tempo, para murchar. A grandeza e a glória são, para eles, apenas o prelúdio da sua destruição. Pouco importa a sua oposição, o Senhor reina como se eles jamais o tivessem blasfemado; assim como uma montanha permanece a mesma, ainda que os prados, a seus pés, floresçam ou murchem, também o Altíssimo não se altera pelos mortais fugazes que ousam se opor a Ele: eles logo desaparecem de entre os vivos. Mas, quanto aos ímpios — como podem as nossas mentes suportar a contemplação da sua destruição *"para sempre"*? A destruição *"para sempre"* é algo terrível demais, para que a mente se dê conta. Os olhos não viram, nem o ouvido ouviu, o pleno terror da ira que há de vir!

8. *"Mas tu, Senhor, és o Altíssimo para sempre."* Este é o versículo do meio do Salmo, e o grande fato que este cântico de sábado pretende ilustrar. Deus é, ao mesmo tempo, o mais supremo e o mais permanente de todos os seres. Outros ascendem, para cair, mas Ele é o Altíssimo por toda a eternidade. Glória ao Seu nome! Que Deus grande nós adoramos! Quem não Te temeria, Ó Deus Altíssimo e Eterno! Os profanos são destruídos para sempre, e Deus é o Altíssimo para sempre; o mal é destruído, e o Santo reina, supremo, eternamente.

9. *"Pois eis que os teus inimigos, Senhor."* É uma maravilha, cheia de instruções e advertências, observem, ó filhos dos homens, *"eis que os teus inimigos perecerão"*; eles deixam de estar entre os homens, não mais serão conhecidos. Como isto é dito duas vezes, é confirmado pelo Senhor, certamente acontecerá, e rapidamente.

"Serão dispersos todos os que praticam a iniquidade"; todas as suas forças serão dispersadas, suas esperanças quebradas, e eles são levados de um lado a outro, como palha, antes da tempestade. E serão dispersados, como ovelhas tímidas, perseguidas pelo leão, não terão a coragem para permanecer juntos, nem a unidade para permanecer unidos. A erva não pode resistir à foice, mas cai, em grupos que secam, e da mesma maneira os ímpios são cortados e varridos, no decorrer do tempo, enquanto o Senhor, ao qual eles desprezaram, se assenta, inabalável, no trono do Seu domínio infinito. Por mais terrível que seja este fato, nenhum homem sincero desejaria que fosse de outra maneira. A traição ao grande monarca do universo não pode ficar impune; esta iniquidade injustificável merece, certamente, a mais severa condenação.

10 *Mas tu exaltarás o meu poder, como o do unicórnio: serei ungido com óleo fresco.*
11 *Os meus olhos verão cumprido o meu desejo sobre os meus inimigos, e os meus ouvidos dele se certificarão quanto aos malfeitores que se levantam contra mim.*

10. *"Mas tu exaltarás o meu poder, como o do unicórnio."* O crente se alegra, de que não lhe será permitido perecer, mas ele será fortalecido e capacitado a triunfar sobre seus inimigos, pelo auxílio divino. O unicórnio pode ter sido algum boi ou búfalo gigantesco, agora desconhecido, e talvez extinto — entre os antigos, era o símbolo favorito de poder inconquistável; o salmista o adota como seu emblema. A fé se alegra em predizer a misericórdia do Senhor, e canta sobre o que Ele fará, assim como sobre o que Ele já fez.

"Serei ungido com óleo fresco." O fortalecimento será acompanhado de renovação e honra. Assim como os convidados eram ungidos, nos banquetes, com unguentos perfumados, também os santos se alegrarão e deliciarão com derramamentos da graça divina; e por este motivo não desaparecerão, como os ímpios. Observe o contraste entre a felicidade das pessoas brutas e a alegria das justas. Os homens brutos têm uma espécie de vigor vegetal próprio, mas os justos são tratados pelo próprio Senhor, e todo o bem que eles recebem vem diretamente da Sua mão direita, e assim é, sem dúvida, precioso para eles. O salmista fala na primeira pessoa, e isto motivará o leitor a orar para que possa ser capacitado a fazer a mesma coisa.

11. *"Os meus olhos verão cumprido* o meu desejo *sobre os meus inimigos."* Teria sido melhor que as palavras "meu desejo", inseridas pelos tradutores, não tivessem sido incluídas. Ele não diz o que deveria ver, a respeito de seus inimigos, ele não explica isto, e não temos o direito de preencher as lacunas com palavras que pareçam vingativas. Ele veria o que fosse para a glória de Deus, e o que fosse eminentemente correto e justo.

"E os meus ouvidos dele *se certificarão quanto aos malfeitores que se levantam contra mim."* Aqui, outra vez, as palavras "meu desejo" (ou "dele"), não são inspiradas, e são uma interpolação desnecessária e talvez falsa. O homem de bem faz silêncio quanto ao que esperava ouvir; ele sabia que aquilo que ouvisse iria justificar a sua fé no seu Deus, e estava satisfeito em deixar seus cruéis adversários nas mãos de Deus, sem uma expressão a respeito do seu próprio desejo, fosse qual fosse. É sempre melhor deixar as Escrituras como as encontramos. O sentido da inspiração, ainda que interrompido, é melhor do que remendado com elementos acrescentados, inventados por um tradutor; é como reparar ouro puro com bijuteria, ou um mosaico de pedras preciosas com madeira pintada. O santo salmista tinha visto o início dos ímpios, e esperava ver o seu fim; ele tinha certeza de que Deus repararia todas as injustiças, e isentaria a Sua providência da acusação de favorecer os injustos; ele expressa aqui esta confiança, e se assenta, satisfeito, para esperar o futuro.

12 *O justo florescerá como a palmeira; crescerá como o cedro no Líbano.*
13 *Os que estão plantados na Casa do Senhor florescerão nos átrios do nosso Deus.*
14 *Na velhice ainda darão frutos; serão viçosos e florescentes,*
15 *para anunciarem que o* Senhor *é reto; ele é a minha rocha, e nele não há injustiça.*

12. O cântico agora compara a condição do justo com a do carente de graça. Os ímpios "brotam como a erva", mas *"o justo florescerá como a palmeira"*, cujo crescimento pode não ser tão rápido, mas cuja existência, durante séculos, é completamente diferente do verdejar transitório dos prados. Quando nós vemos uma palmeira, ereta, enviando toda a sua força para o alto, em uma corajosa coluna, e crescendo, entre a morte e a seca do deserto, nós temos uma bela imagem do homem devoto, que, na sua justiça, deseja apenas a glória de Deus; e, independentemente de circunstâncias exteriores, a divina graça faz com que ele viva e prospere onde todas as outras coisas perecem. O texto não nos diz apenas o que é o justo, mas o que ele será; aconteça o que acontecer, o homem bom irá florescer, da maneira mais nobre.

"Crescerá como o cedro no Líbano". Esta é outra árvore nobre e de vida longa. "Os dias do meu povo serão como os dias da árvore", diz o Senhor. No cume do monte, desprotegido do vento, o cedro agita seus poderosos ramos, em verde perpétuo, e assim também o homem verdadeiramente devoto, sob todas as adversidades, conserva a alegria da sua alma, e continua a fazer progresso na vida espiritual. A grama, que é o feno para os bois, é um emblema suficientemente bom dos não regenerados; mas os cedros, que edificam o templo do Senhor, não são excelentes demais para representar os herdeiros do céu.

13. *"Os que estão plantados na Casa do Senhor florescerão nos átrios do nosso Deus."* Nos átrios das casas do Oriente, eram plantadas árvores, e, estando completamente protegidas, provavelmente produziriam frutos perfeitos, em estações difíceis; mesmo assim, aqueles que, pela graça, são trazidos à comunhão com o Senhor, serão semelhantes às árvores plantadas na casa do Senhor, e verão que é bom, para as suas almas. Nenhum coração tem tanta alegria, como aquele que permanece no Senhor Jesus. A comunhão com o caule traz fertilidade aos ramos. Se um homem permanece em Cristo, produz muitos frutos. Aqueles que professam mas estão enraizados no mundo, não florescem; aqueles que lançam suas raízes nos pântanos dos prazeres frívolos não podem ter uma condição vigorosa; mas aqueles que habitam na comunhão com Deus se tornarão homens de crescimento pleno, ricos em graça, felizes em experiência, poderosos em influência, honrados e honoráveis. Em grande parte, depende do solo em que uma árvore está plantada; tudo, no nosso caso, depende de nossa permanência no Senhor Jesus, e de que obtenhamos tudo dEle. Se nós verdadeiramente estivermos crescendo nos átrios da casa do Senhor, será porque teremos sido plantados ali, pois no jardim de Deus não crescem árvores auto-semeadas; uma vez plantados pelo Senhor, jamais seremos extirpados, mas nos Seus átrios lançaremos raízes, e produziremos frutos para a Sua glória, para sempre.

14. *"Na velhice ainda darão frutos."* A natureza decai, mas a graça prospera. O fruto, no que diz respeito à natureza, pertence a dias de vigor; mas no jardim da graça, quando as plantas são fracas por si só, elas se tornam fortes no Senhor, e abundam de frutos aceitáveis a Deus. Felizes aqueles que podem cantar este salmo sabático, desfrutando o descanso que emana de cada versículo; nenhum temor quanto ao futuro pode afligi-los, pois seus dias do mal, quando o homem forte fracassa, são o sujeito de uma graciosa promessa, e por isto esperam, com tranquila expectativa. Os crentes mais idosos possuem uma grande experiência, e com seu temperamento manso e seus doces testemunhos, alimentam a muitos. Mesmo acamados, eles produzem o fruto da paciência; pobres e obscuros, seu espírito humilde e satisfeito se torna a admiração daqueles que sabem como apreciar o valor modesto. A graça não abandona o santo, quando os guardiões da casa tremem; a promessa ainda é assegurada, ainda que os olhos não possam mais lê-la; o pão do céu alimenta, mesmo quando os molares falham; e a voz do Espírito, na alma, ainda é melodiosa, quando as filhas da música são abatidas. Bendito seja o Senhor por isto! Porque até mesmo para aqueles que possuem cabelos brancos Ele é o EU SOU, que criou o Seu povo; portanto, Ele os carrega e sustenta.

"Serão viçosos e florescentes." Eles não arrastam uma existência infeliz, esfomeada, mas são como árvores cheias de seiva, que têm folhagem abundante.

Deus não incomoda Seus pobres servos, nem diminui seus consolos, quando suas fraquezas crescem; mas Ele cuida que eles renovem suas forças, pois suas bocas ficarão satisfeitas com Suas coisas boas. Alguém como Paulo, o idoso, não pediria a nossa piedade, mas nos convidaria à gratidão solidária; por mais frágil que este homem possa ser, exteriormente, o seu homem interior é tão renovado, dia a dia, que nós podemos invejar a sua paz perene.

15. Essa misericórdia aos idosos prova a fidelidade do seu Deus, e os leva a *"anunciar que o Senhor é reto"*, por seu alegre testemunho de Sua incessante bondade. Nós não servimos a um Mestre que recua de Suas promessas. Qualquer outra pessoa pode nos enganar, Ele jamais o fará. Cada cristão idoso é uma carta de recomendação da imutável fidelidade do Senhor.

"Ele é a minha rocha, e nele não há injustiça." Aqui está o selo e sinal do salmista: ele ainda edificava sobre o seu Deus, e o Senhor ainda era uma base firme para a sua confiança. Deus é a nossa rocha, para abrigo, para proteção, para morada, para fundação; até aqui, Ele foi para nós tudo o que disse que seria, e nós podemos ter dupla certeza de que Ele permanecerá o mesmo, até o fim. Ele nos provou, mas jamais permitiu que fôssemos tentados além do que somos capazes de suportar: Ele retardou a nossa recompensa, mas jamais foi injusto, a ponto de se esquecer da nossa obra de fé e do nosso trabalho de amor. Ele é um amigo, sem defeito, um Ajudador sem falhas. Seja o que for que Ele faça conosco, Ele estará sempre certo; as Suas dispensações não têm falhas, nem a mais diminuta. Ele é fiel, e completamente justo, e assim entrelaçamos o fim do Salmo com seu início, e fazemos dele uma coroa, para a cabeça do nosso Amado, *"Bom é louvar ao Senhor"*, pois *"ele é a minha rocha, e nele não há injustiça"*.

NOTAS EXPLICATIVAS E DECLARAÇÕES SINGULARES

Título: Este salmo é intitulado *"Salmo. Canção para os sábados"*. Sabe-se que os judeus destinavam determinados salmos a dias especiais. R. Selomo acredita que isto se refira ao estado futuro dos abençoados, que é um sábado perpétuo. Outros acreditam que ele foi escrito por Adão, no sétimo dia da criação. Com grande probabilidade, ele poderia ser colocado, por uma ficção poética, na boca de Adão, contemplando, com assombro e gratidão, a recente criação. Mas o versículo 2 parece referir-se ao sacrifício da manhã e da tarde, que o salmista considera como mais apropriados para louvor e oração. — *D. Cresswell*

Título: "Para os sábados". É provável, como *Lud. de Dieu* observa neste ponto, que cada dia da semana tivesse seus próprios salmos, de acordo com o que está escrito no *Talmude*, lib. קדשים. Os cânticos que os levitas cantavam, anteriormente, no santuário, são os seguintes: no primeiro dia, Sl 24; ; no segundo, Sl 48; no terceiro, Sl 82; no quarto, Sl 104; no quinto, Sl 81; no sexto, Sl 93; no sétimo, o Sl 92, cujo início é *Salmo. Canção para os sábados*, isto é, para a era futura, que será integralmente um sábado. — *Martin Geier*

Título: "Para os sábados". Deve-se observar que o nome Jeová aparece no salmo sete vezes — o número sabático (1, 4, 5, 8, 9, 13, 15). — C. *Wordsworth*

v. 1: "Bom é". É *bonum, honestum, fucundum, utile;* um bem honesto, agradável e benéfico. O altar de incenso devia ser revestido com ouro puro, e ter uma coroa de ouro ao seu redor. O que (se pudermos aplicá-lo de modo alegórico) nos sugere que o incenso espiritual de orações e louvores é rico e precioso, dourado e real. — *Henry Jeanes*, em *"The Works of Heaven upon Earth"*

v. 1: "Bom é louvar", etc. Louvar é mais nobre e perfeito, em si mesmo, do que uma petição; porque, na petição, frequentemente o nosso próprio bem é considerado, mas no louvor, apenas a honra de Deus. O Senhor Jesus disse: "Mais bem-aventurada coisa é dar do que receber". Um objetivo secundário da petição é receber algum bem de Deus, mas o único objetivo do louvor é glorificar a Deus. — *William Ames (1576–1633), em "Medulla Theologica"*

v. 1: "Louvar", "louvores". Nós agradecemos a Deus pelos Seus benefícios, e o louvamos por Suas perfeições. — *Filliucius, de Aquino*

v. 1: "Louvar"

1. *O canto é a música da natureza.* As Escrituras nos dizem, os montes cantam (Is 44.23); os vales cantam (Sl 65.13); as árvores dos bosques cantam (1 Cr 16.33). Na verdade, o ar é a sala de concerto dos pássaros, onde entoam suas notas musicais.

2. *O canto é a música das ordenanças.* Agostinho fala, sobre si mesmo, que quando veio a Milão e ouviu as pessoas cantando, chorou de alegria na igreja, ao ouvir aquela agradável melodia. E Beza confessa que na primeira vez que foi à congregação e os ouviu cantar o Salmo 91, ele se sentiu extremamente consolado, e conservou o seu som posteriormente, em seu coração. Os rabinos nos contam que os judeus, depois de celebrada a festa da Páscoa, cantavam o Salmo 111, e os cinco salmos seguintes. E o nosso Salvador e Seus apóstolos "cantam um hino" imediatamente após a abençoada ceia (Mt 26.30).

3. *O canto é a música dos santos.* (1.) Na sua maioria, eles cumpriram esta tarefa (Sl 149.1). (2.) Nas suas maiores dificuldades (Is 26.19). (3.) Na sua maior fuga (Is 42.10,11). (4.) Nas suas maiores libertações (Is 65.14). (5.) Nas suas maiores abundâncias. Em todas estas mudanças, o canto foi seu dever declarado, e deleite. E, na verdade, é conveniente que os santos e servos de Deus cantem suas alegrias e louvores ao Senhor Todo-Poderoso; cada atributo Seu pode definir o seu cântico e seu tom.

4. *O canto é a música dos anjos.* Jó nos diz: "As estrelas da alva juntas alegremente cantavam" (Jó 38.7). Estas estrelas da alva, como Pineda nos diz, são os anjos; e a paráfrase dos caldeus está de acordo, chamando estas estrelas da alva, *aciem angelorum* "um exército de anjos". Quando este exército celestial foi enviado, para proclamar o nascimento do nosso amado Jesus, eles transmitiram a sua mensagem nesta forma elevada de dever (Lc 2.13). Eles estavam αἰνούντων, "transmitindo a sua mensagem com um canto de louvor", todo o grupo de anjos formando um coro musical. E, no céu, há a música alegre dos anjos, ali eles entoam aleluias ao Altíssimo, e ao Cordeiro, que se assenta no trono (Ap 5.11,12).

5. *O canto é a música do céu.* Os santos e anjos gloriosos enfatizam seus louvores desta maneira, e formam uma harmonia neste estado de bem-aventurança; e esta é a música da câmara da esposa (Ap 15.3). Os santos que aqui entoavam seus salmos, agora cantam aleluias, em volume mais alto, e expressam sua alegria, que aqui não puderam expressar de modo satisfatório. Aqui eles se esforçavam, com corações pesados e línguas hesitantes; mas, na glória, estes obstáculos são removidos, e nada há que perturbe suas alegres celebrações. — *John Wells (-1676), em "The Morning Exercises"*

v. 2: "De manhã". Quando, na realidade, a mente é mais ativa, depois do descanso da noite, ativa, devotada e constante. Em outros momentos do dia, como ao meio-dia ou à tarde, há o distúrbio de muitos sons de negócios, e a opressão de maior cansaço. Compare os Sl 5.4, 59.17, 63.2, 88.14, 119.147,148, em que esta mesma parte do dia é celebrada, como a mais adequada para meditações sagradas. No entanto, isto não deve ser interpretado exclusivamente, como se, apenas durante a manhã, e não também ao meio-dia e à tarde, fosse adequado celebrar a graça divina. — *Martin Geier.*

v. 2: "De manhã". Os brâmanes se levantam três horas antes do nascer do sol, para orar. Os indianos consideram um grande pecado, comer pela manhã, antes de orar aos seus deuses. Os antigos romanos consideravam ímpio se não tivessem um pequeno quarto em suas casas, apropriado à oração. Devemos aprender algo com estes turcos e pagãos; o seu ardor zeloso deve nos envergonhar. Por possuirmos nós a luz verdadeira, o seu zelo deve ultrapassar o nosso? — *Frederic Arndt, em "Lights of the Morning", 1861*

v. 2: "Para de manhã anunciar a tua benignidade". O nosso louvor deve estar arranjado de modo adequado. Nos períodos de prosperidade, ou de *manhã*, nós devemos declarar a benignidade do Senhor, porque toda a prosperidade que tivermos vem da misericórdia e da graça de Deus; e em tempos de adversidade, ou *noite*, devemos declarar a Sua justiça ou fidelidade, porque toda adversidade que nos aconteça é ordenada pelo justo juízo de Deus. — *J. Turrecremata*

v. 2: A *"benignidade"* de Deus é, ela mesma, o raio da *manhã*, que afasta as trevas (30.5, 59.16); a Sua *"fidelidade"*, o guardião, que nos protege contra os *perigos da noite*. — *F. Delitzsch*

v. 2: "De manhã, e... todas as noites". Deus é o Alfa e o Ômega. É apropriado que iniciemos e terminemos cada dia com louvor a Ele, que o inicia e termina para nós com misericórdia. Bem, você verá o seu dever, claramente, diante de você. Quando você vir Deus fazendo o seu trabalho prosperar durante o dia, e adoçar o seu descanso à noite, abrace estas coisas com a sua devoção da manhã e da noite. Aquele que não se preocupa em dedicar algum tempo para Deus pela manhã, não somente rouba de Deus o que lhe é devido, mas é um ladrão de si mesmo todo o dia, perdendo a bênção que uma oração fiel poderia trazer do céu sobre os seus empreendimentos. E aquele que fecha seus olhos à noite, sem orar, se deita antes que a sua cama esteja preparada. — *William Gurnall*

v. 2: "Tua fidelidade [Vulg. 'veritas'] todas as noites". A verdade pode ser interpretada no seu significado adequado. Assim Jerônimo, no nosso Salmo, a interpreta, e diz: "A verdade do Senhor é anunciada à noite, como se estivesse envolta em algumas obscuridades verbais. Ela é dita em enigmas, e parábolas; de modo que, vendo, não vejam, e ouvindo, não entendam. Moisés subiu ao monte Sinai, Êx 24, e passou pela tempestade, e pela escuridão, e ali falou com o Senhor". Segundo Jerônimo. Cristo nos traz de volta à luz, como ensina Lactâncio. Devemos esperar, diz ele, até que Sócrates saiba alguma coisa? Ou que Anaxágoras encontre a luz nas trevas? Ou que Demócrito extraia a verdade de um poço? Ou até que Empédocles expanda os caminhos da sua alma? Ou que Ascesilas e Carnéades vejam, sintam e percebam? Eis que uma voz do céu nos ensina a verdade, e a revela mais claramente para nós do que o próprio céu... Na noite, a verdade deverá ser apresentada, para que a noite possa se converter em dia. — *Le Blanc*

v. 3: "Sobre um instrumento de dez cordas". Eusébio, no seu comentário sobre este salmo, diz: *"O saltério de dez cordas* é a adoração ao Espírito Santo, realizada por meio dos *cinco* sentidos do corpo, e pelos *cinco* poderes da alma". E para confirmar esta interpretação, ele cita o apóstolo, 1 Co 14.15: "Orarei com o espírito, mas também orarei com o entendimento; cantarei com o espírito, mas também cantarei com o entendimento". "Assim como a mente tem a sua influência, pela qual move o corpo, também o espírito tem sua própria influência, pela qual move a alma". O que quer que se possa pensar desta observação, uma coisa é bem evidente: que a *música instrumental* não era costumeira na igreja de Cristo no tempo de Eusébio, aproximadamente, a metade do século IV. Se houvesse algo assim, então, na igreja cristã, ele teria, sem dúvida, aludido a isto, ou o teria espiritualizado; ou, como citou as palavras do apóstolo, acima, teria mostrado que *costumes carnais* foram substituídos por *exercícios espirituais*. — *Adam Clarke*

v. 3: De Agostinho a Ambrósio, há a seguinte passagem sobre este mesmo assunto: — "Às vezes, por causa de um zelo excessivo, eu eliminava completamente, de mim e da igreja, as melodias dos doces cânticos que usamos no Saltério, para que nossos ouvidos não nos seduzissem; e a maneira de Atanásio, Bispo de Alexandria, parece ser segura; ele, segundo ouvi, fazia o leitor cantar com uma mudança de voz tão ligeira, que era mais como falar e não cantar. E, quando eu me lembro das lágrimas que derramei, quando ouvia os cânticos da Sua igreja, na infância da minha fé recuperada, e reflito que eu era afetado, não pela simples música, mas pelo assunto, como trazido por vozes claras e tom apropriado, então, de minha parte, eu confesso o quanto este costume é útil".

v. 3: Não devemos imaginar que Deus gostava da harpa, como se sentisse um deleite, como nós mesmos, na simples melodias de sons; mas os judeus, que eram ainda jovens, estavam restritos ao uso de tais elementos infantis. A intenção deles era estimular a adoração, e incitar os adoradores mais ativamente à celebração do louvor a Deus, com o coração. Nós devemos nos lembrar de que a adoração a Deus jamais foi interpretada como consistindo de tais cultos externos, que somente eram necessários para ajudar a estimular uma pessoa, ainda fraca e rude em conhecimento, na adoração espiritual a Deus. Deve-se observar uma diferença, a este respeito, entre o Seu povo, no Antigo Testamento e no Novo; pois agora que Cristo se manifestou, e a igreja chegou à maioridade, seria somente para enterrar a luz do Evangelho que nós apresentaríamos as sombras de uma dispensação encerrada. Com isto, parece que os papistas, ao empregarem a música instrumental, não podem ser considerados como imitadores do costume do antigo povo de Deus, como se estivessem imitando-o de uma maneira sem sentido e absurda, exibindo um tolo deleite na adoração do Antigo Testamento, que era figurativa, e que foi encerrada pelo Evangelho. — *João Calvino*

v. 3: Crisóstomo diz: "A música instrumental só era permitida aos judeus, como o sacrifício, e servia como um peso para as suas almas. Deus era condescendente com as suas fraquezas, porque eles tinham sido recentemente removidos dos ídolos; mas agora, em vez de órgãos, nós podemos usar nossos corpos para louvá-lo". Teodoreto tem muitas expressões semelhantes nos seus comentários sobre os salmos e outras passagens. Mas o autor de nome Justino Mártir é mais claro na sua determinação, na verdade, dizendo-nos, claramente, "que o uso do canto com música instrumental não foi recebido nas igrejas cristãs, como o foi entre os judeus, no seu estado infantil, mas somente o uso de cânticos simples". — *Joseph Bingham*

v. 3: Quanto mais eu penso sobre a música instrumental, ela parece, com crescente evidência, ser completamente inadequada ao espírito da dispensação do Evangelho. Havia um brilho, se posso assim expressá-lo, que caracterizava até mesmo as recomendações divinas do judaísmo. Um templo imponente, ornamentado com ouro e prata, e pedras preciosas, candelabros de ouro, altares dourados, sacerdotes ricamente vestidos, trombetas, címbalos, harpas; tudo adaptado a uma era e dispensação quando a igreja estava em um estado de infância. Mas quando chega a substância, é o momento em que desaparecem as sombras. A melhor explicação das harpas no canto é dada pelo Dr. Watts:

> "Oh, que o meu coração possa ser encontrado afinado
> como a harpa de Davi, que tem um som solene".
> — *Andrew Fuller*

v. 3 (última parte): "Sobre a harpa em meditação" [Nova Tradução.] Com uma imagem ousada mas inteligível, *a meditação* é mencionada como um instrumento, precisamente, como a lira e a harpa, unindo-se estas a ela como mero acompanhamento. — *J. A. Alexander*

v. 3: "Com som solene". Que os cristãos abundem tanto quanto desejarem no santo e celestial exercício de cantar na casa de Deus, e nas suas próprias casas; mas que isto seja realizado como um ato santo, na presença de Deus, e que isto possa ser constatado imediatamente e visivelmente. Quando qualquer ato aberto e social de devoção ou adoração solene a Deus é realizado, Deus deve ser reverenciado como estando presente. Como não desejamos que a arca de Deus se afaste de nós, nem desejamos provocar Deus a enviar uma punição sobre nós, devemos tomar cuidado, para manejar a arca com reverência. — *Jonathan Edwards, em "Errors connected with singing praises to God"*

v. 4: "Pois tu, Senhor, me alegraste com os teus feitos". Usar bem o dia de repouso e adoração compreende, entre outras coisas, olhar e considerar as obras da criação. A consideração das obras do Senhor nos permitirá muito refrigério e alegria, quando Deus abençoar a meditação; e quando é assim, nós devemos reconhecer a nossa alegria, com muita gratidão e estimular nosso coração nos Seus caminhos. — *David Dickson v. 4:* "Teus feitos". Os "feitos de Deus", aqui, não são menos maravilhosos do que os da Criação, que é o motivo original para a santificação do sábado (veja *título* deste Salmo) — especificamente, a redenção final do Seu povo. — *A. R. Fausset*

v. 4: "Tu... me alegraste com os teus feitos", etc. Certamente, não há nada no mundo, exceto a mais recíproca e indivisa relação sentimental, que tenha tal poder sobre o coração humano como a mansa doçura da natureza. O temperamento mais desordenado, quando deixa a cidade, se converte em calma, com a visão de uma extensa paisagem, repousando à meia luz de um fim de tarde agradável. É então que o espírito de paz se acomoda no coração, liberta os pensamentos e eleva a alma ao Criador. É quando nós contemplamos o Pai do universo, nas Suas obras; nós vemos a Sua grandeza na terra, no mar, no céu; nós sentimos o Seu afeto nas emoções que Ele desperta, e, meio mortais, meio etéreos, nos esquecemos onde estamos, antecipando o que deverá ser aquele mundo, do qual esta adorável terra é um mero prenúncio. — *Miss Porter*

v. 4: "Exultarei nas obras das tuas mãos". Aqui será mais adequado lembrar o leitor daquelas três grandes explosões de cântico de adoração, que, em diferentes séculos, irromperam de almas extasiadas com a visão da natureza. Cada uma delas é um claro exemplo de triunfo, nas obras das mãos de Deus. Quão majestosamente Milton cantou, quando falou de nossos pais, que não pereceram,

"Em santo êxtase desejaram louvar
o seu Criador, com melodias adequadas, pronunciadas ou cantadas,
não meditadas; tal eloquência
fluía de seus lábios, em prosa ou em versículos numerosos,
Mais afinados e não precisavam de alaúde ou harpa
para lhes acrescentar mais doçura".

Então, ele nos fornece este nobre hino, tão conhecido que nem precisamos citá-lo — o leitor o encontrará no quinto livro de Paradise Lost, começando com:

"Estas são tuas gloriosas obras, Pai dos bons, Todo-Poderoso!"

Também Thomson, em sua obra Seasons, se eleva a uma altura maravilhosa, quando conclui o seu poema com um hino:

"Estas obras, à medida que mudam, ó Pai Todo-Poderoso,
são apenas as obras do Deus variado."

Coleridge, em seu "Hymn before Sunrise, in the Vale of Chamouni", trilha igualmente bem os lugares elevados da devoção triunfante, quando clama:

"Desperta minha alma! não apenas louve passivamente.
Deves! Não apenas estas lágrimas volumosas,
agradecimentos mudos, e êxtase secreto! Desperta,
Voz de doce cântico! Desperta, meu coração, desperta!
Verdes vales e penhascos gélidos, todos se unem ao meu hino."

v. 5: "Os teus pensamentos". O plural de מַחֲשָׁבָה, do verbo חָשַׁב, meditar, contar, *tecer*; e esta última palavra dá uma boa ideia do que aqui se torna o assunto de admiração e louvor, a maravilhosa complexidade e maquinação com que a Mente Divina planeja e executa Seus planos, até que, por fim, o resultado é visto em um tecido maravilhosamente fabricado, de muitos fios, coloridos e delicadamente misturados. — *Christopher Wordsworth*

v. 5: "Mui profundos são os teus pensamentos!" Verdadeiramente, meus irmãos, não há mar tão profundo quanto estes pensamentos de Deus, que faz com que os ímpios floresçam, e os bons sofram: nada tão profundo: neles cada alma descrente naufraga, nesta profundidade. Você deseja cruzar esta profundeza? Não se afaste do madeiro da cruz de Cristo; e não irá afundar: apegue-se com firmeza a Cristo. — *Agostinho*

v. 6: O salmista escreveu, expressivamente: "O *homem brutal* nada sabe, e o louco não entende isto", ou seja, quando o ímpio tiver um crescimento rápido e aparentemente vigoroso, como as flores de verão na Palestina, poderá estar pronto para uma rápida destruição. O *homem brutal* traduz com precisão as palavras hebraicas; alguém a quem Deus dotou de humanidade, mas que se rebaixou à brutalidade; um homem, por ser criação de Deus, à Sua própria imagem, mas um animal, por ter se auto-formado (diremos auto-criado?) à imagem dos animais inferiores! — *Henry Cowles*

v. 6: "O homem brutal nada sabe", etc. Um homem embriagado, entregue aos prazeres dos sentidos, que tem a sua *alma como sal*, apenas para impedir que o seu corpo apodreça (como dizemos, a respeito dos porcos), não toma conhecimento das grandes obras de Deus, mas murmura e segue os seus caminhos, satisfazendo-se com o uso natural das criaturas, como fazem os animais. — *John Trapp*

v. 6: "O homem brutal nada sabe", etc. Isto é, sendo como um animal, e não tendo princípio santificado de sabedoria em si, não examina, mais do que um animal, as obras de Deus e as ocorrências das coisas; considera todas as bênçãos como coisas fornecidas por Deus, para o deleite dos homens; mas raramente extrai pensamentos santos, espirituais e úteis delas; ele não conhece a arte da fazer isto. — *Thomas Goodwin*

v. 6: "O homem brutal nada sabe". Como os homens lutam, universalmente, pelas pútridas alegrias dos sentidos e da paixão, para destruir a excelência das sensibilidades que Deus lhes deu! Esta mentalidade, que pode contemplar um mundo de glória em coisas criadas, e olhar através delas, como através de um véu transparente, para coisas infinitamente *mais* gloriosas, representadas ou contidas no invólucro, é tão tola e pesada como uma peça de antracito. Quem a fez assim? Na verdade, os costumes dos sentidos e do pecado fizeram isto. Se, desde a infância, a alma tivesse sido educada para Deus, em hábitos de acordo com a sua natureza espiritual, estaria cheia de vida, e sensibilidade, em harmonia com todas as coisas agradáveis, no mundo natural, contemplando o mundo espiritual através do natural, vivo, com todo entusiasmo pela beleza natural e intelectual, e tão pronta para o seu dever quanto uma criança está para o seu brinquedo. Que terrível destruição das sensibilidades interiores da mente é o resultado de uma vida entregue aos prazeres dos sentidos! Que declínio, decadência, e paralisia de seus poderes intuitivos, de modo que a existência de algo como a intuição espiritual, em referência a um mundo espiritual, pode ser questionada, se não negada!

Um homem pode ser assustadoramente bem-sucedido, em tal processo de destruição, se continuar, por tempo suficiente, na sua própria natureza.

"Quem pode ler, sem indignação, sobre Kant", observa De Quincey, "que à sua própria mesa, em sinceridade social e conversa confiante, não importando o que dissesse em seus livros, exultava na perspectiva de uma aniquilação absoluta e definitiva; ele plantou a sua glória na sepultura, e ambicionava enraizar-se, para sempre! O rei da Prússia, embora fosse amigo pessoal de Kant, se viu obrigado a lançar alguns de seus ataques do Estado contra algumas de suas doutrinas, e o aterrorizou no seu progresso; mas eu estou persuadido de que Kant teria libertado formalmente o ateísmo da cadeira do professante, e teria entronizado o credo horrendo e repulsivo, que ele professava privadamente, na universidade de Konigsberg. Foi necessária a artilharia de um grande rei para fazê-lo parar. O fato é que, assim como o estômago é conhecido por meio da sua secreção natural, que ataca qualquer corpo estranho que nele seja introduzido, mas também (como demonstrou John Hunter), às vezes ataca a si mesmo e à sua própria estrutura orgânica, também, e com o mesmo instinto sobrenatural, Kant prosseguiu com suas funções destruidoras, até que as voltou contra as suas próprias esperanças, e as alegações de sua própria superioridade ao cão, ao macaco, ao verme". — *George B. Gheever*, em *"Voices of Nature," 1852.*

v. 6: "O louco". O louco, é um autômato, uma máquina, operado por uma mola; a mera gravidade o leva adiante, o faz mover-se, o faz virar-se, e incessantemente e sempre da mesma maneira, e exatamente com o mesmo ritmo: ele é uniforme, jamais inconsistente consigo mesmo; quem quer que já o tenha visto uma vez, o viu em todos os momentos e em todos os períodos da sua vida; ele é como o boi que muge ou o melro que assobia: o que é menos visível nele é a sua alma; ela não age, não é exercitada, somente repousa. — *Jean de la Bruyère (1639–1696), citado por Ramage*

v. 6: "E o louco não entende isto".

Ele percorreu vales e correntezas,
no verde bosque e no pequeno vale;
Estas foram suas habitações, noite e dia,
mas a natureza jamais pôde encontrar o caminho
para o coração de Peter Bell.

Em vão, durante cada ano variável,
a natureza o conduzia, como antes;
Uma prímula junto a um rio
era, para ele, um amarelo pálido
e nada mais.

Em vão, pela água, pela terra e pelo ar,
a alma do som feliz se espalhava,
quando Peter, em alguma manhã de abril
sob a giesta ou os espinhos que brotavam
fez da morna terra sua preguiçosa cama.

Ao meio-dia, quando, à beira da floresta
ele se deita, sob os altos ramos,
O suave céu azul jamais abre caminho
para o seu coração; ele jamais sentiu
o encanto do suave céu azul!

Havia uma dureza no seu rosto,
havia uma dureza nos seus olhos.
Como se o homem tivesse fixado seu rosto
em muitos lugares isolados,
Contra o vento e o céu aberto.
— *W. Wordsworth, 1770–1850*

v. 7: "Brotam os ímpios como a erva", etc. A sua felicidade é a maior infelicidade. — *Adam Clarke*

v. 7: Mal sabem que têm permissão de prosperar para que, como *animais* possam estar mais adequados para o matadouro. Quanto mais gordos, mais adequados para o matadouro, e mais cedo são mortos: "Matou os mais fortes deles", Sl 78.31. — *Zachary Bogan*

v. 8: Aqui está o ponto central do Salmo. *"Mas tu, Senhor, és o Altíssimo para sempre", lit. "és o cume"*, o uso abstrato para o concreto, para implicar que a essência de tudo o que é *alto* está concentrado no Senhor. Quando Deus e a causa de santidade *parecem baixos*, Deus *está, na realidade*, mais alto do que nunca; pois da aparente fraqueza, Ele aperfeiçoa a maior força. Quando os ímpios parecerem *elevados*, estão a um passo de serem diminuídos para sempre. O crente que puder perceber isto, não se desesperará no momento da sua própria depressão, e da aparente exaltação dos ímpios. Se pudermos sentir que *"o Senhor é o Altíssimo para sempre"*, poderemos ser calmos e seremos, por mais baixa que seja a nossa posição momentânea. — *A. R. Fausset*

v. 9: "Eis que os teus inimigos"; "eis que os teus inimigos". Ele representa a sua destruição como atual, e certa, o que é indicado pela repetição. — *Matthew Pool*

v. 9: "Os teus inimigos perecerão". Este é o único Salmo, do Saltério, que é designado como um cântico para o sábado. O sábado antigo era um tipo do nosso descanso do pecado, em Cristo; e por isto, a extirpação final do pecado forma um dos principais temas do Salmo. — *Joseph Francis Thrupp*

v. 9: "Serão dispersos todos os que praticam a iniquidade". Os ímpios podem se unir e aliar, mas os elos desta sociedade são frágeis. Raramente eles concordam por muito tempo; pelo menos, quanto ao objeto em particular de seus interesses, embora eles certamente harmonizem no aspecto geral, que é o de praticar a iniquidade. Mas Deus, em breve, pelo Seu poder e pela Sua ira, irá confundi-los e dispersá-los até a sua destruição. — *Samuel Burder*

v. 10: "Mas tu exaltarás o meu poder, como o do *r*ᵉ*'êm*", parece indicar o modo como os *bovidae* usam seus chifres, abaixando a cabeça e depois atirando-a para cima. — *William Houghton, em Smith's Bible Dictionary*

v. 10: "O do unicórnio". Depois de discutir os vários relatos que são apresentados sobre este animal, por autores antigos e modernos, Winer diz: Eu não hesito em dizer que diz respeito ao *Antelope Leucoryx,* uma espécie de cabra com chifres longos e pontiagudos. — *William Walford*

v. 10: "Serei ungido com óleo fresco". Montanus, em lugar de *"óleo fresco"* traz o significado literal do original, *virido oleo, "com óleo verde"*. Ainsworth também traduz: *"óleo fresco ou verde"*. A observação de Calmet diz: "As plantas transmitiam um pouco da sua cor, assim como da sua fragrância, daí a expressão, *"óleo verde"*. Harmer diz: "Serei ungido com óleo verde". Alguns destes autores julgam que o termo *verde,* como está no original, significa "óleo fragrante e precioso"; outros, literalmente "de cor verde"; e outros, "fresco", ou óleo recentemente fabricado. Mas eu penso que parece significar "óleo extraído a frio", aquele que foi processado ou extraído da noz ou do fruto, sem o processo de fervura. Os orientais preferem este tipo, para se ungir, a todos os outros; ele é considerado o mais precioso, o mais puro e eficaz. Praticamente todos os seus óleos medicinais são extraídos desta forma; e, como não podem obter tanta quantidade, por este método, como pelo processo de fervura, os óleos assim obtidos são muito preciosos. Daí o nome que dão ao produto assim preparado é também *patche,* isto é, *"óleo verde"*. Mas esta expressão, na fraseologia oriental, é aplicada a outras coisas que são cruas, ou não são fervidas; assim, a água não fervida é chamada *patche-tameer, água verde*: *patche-pal*, da mesma maneira, *"leite verde"*, significa o leite que não foi fervido, e a manteiga que dele é feita é chamada *"manteiga verde"*, e a carne não cozida é conhecida pelo mesmo nome. Por isto, eu penso que o salmista faz alusão àquele produto valioso que é chamado "óleo *verde*", por ter sido processado da noz ou do fruto, sem o processo da fervura. — *Joseph Roberts's Oriental Illustrations*

v. 10: "Serei ungido com óleo fresco". Cada tipo de bênção e renovação que eu recebi, recebo, e receberei, como alguém em um banquete, que era recebido como amigo, e cuja *cabeça* era copiosamente ungida com óleo ou bálsamo fragrante. Desta maneira, os espíritos são revigorados gentilmente, com a excitação de uma alegria interior, a beleza do rosto e dos membros, segundo o costume da região, trazida à perfeição. Ou há uma alusão ao costume de *ungir* as pessoas quando tomavam posse, solenemente, de algum cargo esplêndido. Compare Sl 23.5, *"Unges a minha cabeça com óleo"*, e Sl 45.7, *"Deus, o teu Deus, te ungiu com óleo de alegria"*. — *Martin Geier*

v. 10 (última parte): A expressão não é "Sou ungido", מְשַׁח; mas בַּלֹּתִי, *imbutus sum — perfusus sum;* aparentemente, em referência à abundância de perfume empregado na ocasião, ou seja, o fato de ele ser eleito rei sobre todas as tribos, como indicação da grande popularidade do ato, ou a maior medida da bênção do Senhor sobre o Seu povo. A diferença, na realidade, entre a primeira unção de Davi e a de Saul, realizada por Samuel, é digna de nota na presente ocasião. Quando Samuel foi instruído a ungir Saul, ele "tomou *o vaso* de azeite e ungiu-o no meio dos seus irmãos", privadamente, 1 Sm 16.13. Aqui vemos o poder, novamente usado, e aparentemente até o limite — *Davi foi ensopado, ou imbuído, com ele. — John Mason Good*

v. 11: "Os meus inimigos". — A palavra aqui usada, שׁוּר (*shûr*) — não aparece em nenhuma outra passagem. E significa, apropriadamente, alguém que está à espera, alguém que *vigia;* alguém em uma emboscada; e se refere a pessoas que *vigiavam* a sua conduta; que *espreitavam* à espera da sua ruína. — *A. Barnes*

v. 12: "Como a palmeira". Considere, agora, aquelas imponentes palmeiras, que estão aqui e ali na planície, como sentinelas militares, com ramos emplumados que oscilam graciosamente sobre suas orgulhosas cabeças. O tronco, alto, delgado, e ereto como a própria Retidão, sugere aos poetas árabes muitos símbolos para a sua amada; e Salomão, muito antes deles, cantou: "Quão formosa e quão aprazível és, ó amor em delícias! A tua estatura é semelhante à palmeira" (Ct 7.6,7). Sim; e o pai de Salomão diz: *"O justo florescerá como a palmeira"*, etc. O poeta real obteve mais do que uma comparação dos costumes do homem, e dos hábitos desta nobre árvore, com que adornar esta ode sagrada. A palmeira cresce lentamente, mas firmemente, século após século, sem se influenciar pelas alternâncias das estações, que afetam outras árvores. Ela não se alegra muito com a chuva copiosa do inverno, nem pende com a seca e o sol escaldante do verão. Nem os pesos que os homens colocam sobre a sua cabeça, nem a importuna urgência do vento podem desviá-la da perfeita retidão. Ali ela está, olhando calmamente o mundo abaixo dela, e pacientemente produzindo suas grandes pencas de frutos dourados, de geração a geração. *"Na velhice ainda darão frutos"*.

A alusão a estar *"plantado na Casa do Senhor"* é provavelmente extraída do costume de plantar árvores belas e de vida longa nos átrios dos templos e palácios, e em todos os "lugares altos" usados para adoração. Isto ainda é comum; praticamente cada palácio, mesquita, e convento no país tem este tipo de árvore nos seus átrios, e, bem protegidas ali, prosperam maravilhosamente.

Salomão cobriu todas as paredes do "Santo dos santos" com madeira de palmeiras. Elas foram ali plantadas, de certa forma, dentro da própria casa do Senhor; e a sua presença não era apenas ornamental, mas apropriada e altamente sugestiva. O melhor emblema, não somente de paciência no proceder bem, mas das recompensas dos justos — uma velhice próspera e abundante — um fim pacífico — uma gloriosa imortalidade. — *W. M. Thomson*

v. 12: "A palmeira". As palmeiras foram chamadas, por Lineu, de "príncipes do mundo vegetal"; e Von Martius entusiasticamente diz: "A atmosfera do mundo comum não é adequada a estas monarcas vegetais: mas naqueles climas geniais, onde a natureza parece ter fixado seu átrio, e reúne ao seu redor flores, frutos e árvores e seres animados, uma galáxia de beleza — ali elas se erguem no ar aprazível, estendendo seus troncos majestosos, altos e orgulhosos. Muitas delas, à distância, devido aos seus longos eixos perpendiculares, têm a aparência de colunas, erigidas pelo arquiteto divino, sustentando o grande arco do céu acima delas, coroadas com um capitel de esplêndida folhagem verde". E Humboldt fala delas como "as mais imponentes e grandiosas de todas as formas vegetais". A estas, acima de todas as outras árvores, o prêmio da beleza sempre foi concedido, por todas as nações, e foi do mundo asiático da palmeira, ou dos países adjacentes, que a civilização humana enviou os primeiros raios do seu amanhecer.

Nas fronteiras norte do Grande Deserto, ao pé dos montes Atlas, os bosques de palmeiras de tâmaras formam a grande característica daquela região árida, e poucas árvores, além destas, podem subsistir ali. A secura excessiva deste árido pedaço de terra, onde raramente chove, é tal que o trigo se recusa a crescer, e até mesmo a cevada e o milho (*Holcus sorghum*) permitem ao lavrador apenas uma colheita incerta e reduzida. Os ventos quentes do sul mal são suportáveis até mesmo ao nativo, no entanto aqui florescem florestas de palmeiras de tâmaras, formando uma tela impermeável aos raios do sol, sob cuja sombra o limão, a laranja e a romã são cultivados, e as vinhas sobem, por meio de suas garras torcidas; e embora cultivadas em constante sombra, todos estes frutos adquirem um sabor mais delicioso do que no que pareceria um clima mais favorável. Que belo comentário estes fatos acrescentam às palavras dos Textos Sagrados, *"O justo florescerá como a palmeira"*. Inabalável pelos ventos causticantes das tentações e perseguições, o cristão sustentado pelas fontes secretas da graça divina, vive e cresce em semelhança ao seu Mestre divino, quando todos os outros são derrotados e as suas profissões de fé murcham. Como é assombroso o contraste no Salmo. Os ímpios e mundanos são comparados à erva, que, na melhor das hipóteses, tem apenas curta duração, e seca facilmente; mas o emblema do cristão é a palmeira, que dura séculos. Como a graciosa sombra dos bosques de palmeiras, o cristão estende, ao seu redor, uma influência genial, santificada e celestial; e assim como a grande importância da palmeira de tâmara está no seu abundante, saudável e delicioso fruto, também aqueles que são os verdadeiros discípulos de Cristo abundam em "frutos de justiça" pois, disse o nosso Salvador: "Nisto é glorificado meu Pai: que deis muito fruto; e assim sereis meus discípulos". — *"The Palm Tribes and their Varieties". R. I. Society's Monthly Volume*

v. 12: "O justo florescerá". Aqui, Davi nos diz *como* o justo florescerá. "Florescerá *como a palmeira;* crescerá como o cedro no Líbano". Sobre os ímpios, ele tinha dito, pouco antes, "Brotam os ímpios como a erva, e florescem todos os que praticam a iniquidade, mas para serem destruídos para sempre". Eles florescem como a *erva*, que hoje existe, e amanhã é lançada ao forno. Que contraste, com a inutilidade, a fraqueza, transitoriedade e o destino da erva — também em uma região quente — fazem a palmeira e o cedro do Líbano! Eles são perenes. Como crescem, maravilhosamente, firmemente, grandemente! Como o cedro é forte e imponente! Como é ereta, e majestosa, e alta, a palmeira. A palmeira também dá frutos, chamados tâmaras, como cachos de uvas. Às vezes, ela produz mais de 45 quilos de uma vez.

Ele nos diz *onde* o justo florescerá. "Os que estão plantados na Casa do Senhor florescerão nos átrios do nosso Deus". A alusão é assombrosa. Ela compara a casa de Deus a um jardim, de solo bem regado, favorável à vida, ao verdejar, e à fertilidade das árvores ali plantadas. A razão é que no santuário nós temos a comunhão dos santos. *Ali* a nossa comunhão é com o Pai, e com Seu Filho, Jesus Cristo. *Ali* são dispensadas as ordenanças da religião, e a palavra da verdade. *Ali* Deus ordena a bênção, e a vida, para sempre. Ele também nos diz *quando* os justos florescerão. "Na velhice ainda darão frutos". Isto é para mostrar a permanência dos seus princípios, e para distingui-los de produções naturais.

"As plantas da graça viverão para sempre; a natureza decai, mas a graça deve prosperar; o tempo, que prejudica todas as outras coisas, ainda as faz florescer fortes e belas."

O cristão jovem é encantador, como uma árvore, no florescer da primavera; o cristão mais velho é valioso, como uma árvore no outono, curvado, com frutos maduros. Nós, portanto, procuramos algo superior nos discípulos mais velhos. Que estejam mais mortos para o mundo, cuja futilidade eles tiveram mais oportunidade de ver; que sejam mais dóceis na sabedoria; que tenham mais disposição para fazer sacrifícios, em nome da paz; que tenham mais maturidade de juízo, nas coisas espirituais; mais confiança em Deus; mais riqueza de experiências.

Ele também nos diz *por que* o justo florescerá. "Serão viçosos e florescentes; para anunciarem que o Senhor é reto". Nós poderíamos, na verdade, ter suposto que era necessário mostrar que *eles* eram retos. Mas pela graça de Deus, eles são o que são — não eles, mas a graça de Deus, que está neles. Pois *nEle* é encontrado o seu fruto. A sua preservação e fertilidade, portanto, são para o louvor e a glória de Deus; e como Ele tinha *se comprometido* a fazer aquilo que Ele faz por eles, exibe a Sua verdade, assim como a Sua misericórdia, e prova que é reto. — *William Jay*

v. 12: "O justo florescerá como a palmeira".

1. *A palmeira cresce no deserto.* A terra é um deserto para o cristão; os verdadeiros crentes são sempre revigorados nele, assim como uma palmeira, no deserto árabe. Assim estava *Ló* em meio à iniquidade de Sodoma, e também *Enoque*, que andou com Deus entre os antediluvianos.

2. *A palmeira cresce na areia, mas a areia não é seu alimento;* água subterrânea alimenta suas raízes, ainda que os céus, acima, sejam como bronze. Alguns cristãos crescem, não como o lírio, Oséias 14.5, em verdes pastagens, nem os salgueiros junto aos ribeiros das águas, Isaías 44.4, mas como a palmeira do deserto; como *José*, entre os adoradores do Gato, no Egito, *Daniel* na voluptuosa Babilônia. A raiz penetrante da fé alcança as fontes das águas vivas.

3. *A palmeira é bela*, com seu topo alto e verde, e os reflexos prateados de suas folhagens oscilantes; também as virtudes cristãs não são como as plantas rasteiras nem o espinheiro, que crescem para baixo; seus ramos de palmeira se dirigem para o alto, e procuram as coisas que são de cima, onde Cristo habita, Colossenses 3.1. Algumas árvores são retorcidas, mas o cristão é uma alta palmeira, como um filho da luz (Mt 3.12; Fp 2.15). Os judeus eram chamados de geração torcida, Deuteronômio 32.5, e Satanás, de serpente tortuosa, Isaías 27, mas o cristão é reto como a palmeira. As suas folhas, belas, que não murcham, tornam-na um exemplo da vitória; elas eram trançadas no feitio de verdejantes tendas, na festa dos Tabernáculos; e a multidão, quando acompanhava Cristo, à Sua coroação em Jerusalém, espalhou folhas pelo caminho, Mateus 21.8; e os vitoriosos no céu são representados como tendo palmas em suas mãos, Apocalipse 7.9. A poeira não adere à folha, como adere a outras partes de uma planta; o cristão está no mundo, mas não é do mundo; a poeira do deserto da terra não adere à sua folha de palmeira. A folha da palmeira é a mesma — não cai no inverno, e mesmo no verão não tem roupagem diferente, é sempre verde; o sussurro das palmeiras é a oração do deserto.

4. *A palmeira é muito útil.* Os hindus calculam que tenha 360 usos. A sua sombra abriga, o seu fruto revigora o viajante cansado, ela indica o local da água: assim era *barnabé*, filho da consolação, Atos 4.36; assim eram Lídia, Dorcas, e outros, que, na estrada que era conhecida como o caminho do Rei, apontavam o caminho para o céu, como Filipe fez ao eunuco etíope, Atos 9.34. Jericó era chamada de "cidade das palmeiras", Deuteronômio 34.3.

5. *A palmeira produz até a velhice.* As melhores tâmaras são produzidas quando a árvore tem entre 30 e 100 anos; nesse período cada árvore produz cerca de 140 quilos de tâmaras anualmente: assim também o cristão fica mais feliz e mais útil, quando fica mais velho.

Conhecendo melhor as suas próprias falhas, ele é mais brando com os outros: ele é como o sol no crepúsculo, belo, brando e amplo, como Elim, onde os judeus cansados encontraram doze poços e setenta palmeiras. — *J. Long, em "Scripture Truth in Oriental Dress", 1871*

v. 12: "Palmeira". O campo aberto, traz também um aspecto triste: o solo está esgotado, e se dissolve em poeira, com a menor brisa; praticamente não há mais verde nas campinas — somente *a palmeira* preserva, na seca e no calor, o seu verdejante telhado de folhas. — *Gotthelf H. von Schubert, 1780–1860*

v. 12: "Um cedro no Líbano". Deixando de lado qualquer investigação quanto à palmeira, e deixando de lado a dificuldade contida no versículo 13, eu somente tenho que comparar esta descrição do cedro no Líbano com os relatos daqueles que os visitaram, nos tempos modernos. Sem crer (como os maronitas ou cristãos habitantes das montanhas) que os sete cedros muito antigos que ainda persistem na região da aldeia de Éden, no Líbano, são os restos da floresta idêntica à que forneceu a Salomão a madeira para o Templo, há três mil anos completos, ainda podemos ter provas de sua grande antiguidade. Estes mesmos cedros foram visitados por Belônio em 1550, que constatou que eram vinte e oito, há quase trezentos anos. Rawolf, em 1575, contou vinte e quatro. Dandini, em 1600, e Thevenot, cerca de cinquenta anos depois, contou vinte e três. Maundrell, em 1696, os encontrou reduzidos a dezesseis. Pococke, em 1738, encontrou quinze em pé, e o décimo sexto recentemente caído, ou (não podemos conjeturar?) destruído pela voz de Deus. Em 1810, Burckhardt contou onze ou doze; e o Dr. Richardson, em 1818, afirma que não eram mais do que sete. Não pode haver dúvida, então, de que estes cedros, que já eram considerados antigos há quase trezentos anos, devem ter grande antiguidade; no entanto, são descritos, pelo último destes viajantes, como "grandes, e altos, e belos, as mais pitorescas produções do mundo vegetal que já vimos". Os mais velhos são grandes e sólidos, estendendo seus topos a uma enorme altura, e espalhando seus ramos a grande distância. Pococke também observa que "os cedros jovens não são facilmente diferenciáveis dos pinheiros. Eu observei que eles trazem uma *maior quantidade* de frutos do que os mais crescidos". Isto mostra que os mais velhos ainda dão frutos, embora não tão abundantemente como os jovens, que, segundo Richardson, são muito produtivos, e lançam muitas sementes anualmente. Como é apropriada, então, e cheia de significado, a comparação do salmista: "O justo florescerá como a palmeira: crescerá como o cedro no Líbano. Na velhice ainda darão frutos; serão viçosos e florescentes". — *R. M. M'Cheyne*

vv.12 a 15: A vida e o verde dos ramos é uma honra para a raiz, pela qual eles vivem. O verdejar espiritual e a produção de frutos em um crente é uma honra a Jesus Cristo, que é a sua vida. A plenitude de Cristo é manifestada pela produção de frutos de um cristão. — *Ralph Robinson*

v. 13: "Os que estão plantados na Casa do Senhor florescerão nos átrios do nosso Deus", não são diferentes uns dos outros, embora somente alguns dos justos florescentes sejam assim plantados; mas eles descrevem a todos, com adição da maneira e dos meios com que puderam crescer e florescer. E esta é a sua implantação na casa do Senhor — isto é, na igreja, que é a morada de todos os meios da vida espiritual, tanto para o crescimento quanto para o florescimento que Deus se alegra por conceder aos crentes. Estar plantado na casa do Senhor é estar firmado e enraizado na graça comunicada pelas ordenanças da adoração divina. A menos que estejamos plantados na casa do Senhor, não poderemos florescer nos Seus átrios. Veja Sl 1.3. A menos que participemos da graça administrada nas ordenanças, não poderemos florescer em uma profissão de fé frutífera. — *John Owen*

v. 13: "Os que estão plantados na Casa do Senhor", etc. Os santos estão plantados na casa de Deus; eles têm um tipo de raiz, ali: mas embora o tabernáculo seja um bom lugar para raízes, não podemos nos enraizar firmemente ali, a menos que estejamos enraizados em Jesus Cristo. Enraizar-se na obra do tabernáculo, ou no uso puro e simples das ordenanças, como se isto pudesse nos recomendar a Deus, quando não há ali uma obra do coração, quando não se considera o poder da santidade, e a comunhão com Cristo, o que é isto, senão edificar sobre a areia? Muitos vêm frequentemente ao tabernáculo, sendo meros estranhos a Cristo; estes usam as ordenanças pura e simplesmente, mas são impuros. Eles podem ter um grande nome no tabernáculo durante algum tempo, mas Deus apaga os seus nomes, e enraíza as suas esperanças fora do tabernáculo; Ele os tira das pontas do altar, ou os mata ali, como Salomão ordenou, a respeito de Joabe. — *Abraham Wright*

v. 13: "Na casa do Senhor". A expressão, aqui, se refere a um *viridarium* muito seleto, ou a um parque, abundante em árvores dedicadas a Deus. E assim como no versículo 12, o salmista tinha feito menção ao Líbano, onde os cedros atingem a sua mais elevada perfeição, também agora ele compara o Líbano à *casa de Deus*, ou igreja, em que nós florescemos, crescemos e produzimos frutos agradáveis a Deus. — *Martin Geier*

v. 14: "Na velhice ainda darão frutos". A questão em que o salmista se concentra nesta passagem, ao contemplar a bem-aventurança dos filhos de Deus, é a beleza e a felicidade da sua velhice. O pátio, ou área aberta, no centro de uma moradia do oriente, e especialmente o pátio de qualquer residência grandiosa e imponente, frequentemente era adornado com uma árvore, às vezes mais do que uma, para embelezar e fornecer sombra e, possivelmente, para dar frutos. Ali, possivelmente, a palmeira, plantada junto à fonte de água fresca, dispararia seu alto tronco rumo ao céu, e agitaria seu verde topo, muito acima do telhado, à luz do sol e à brisa. Ali, possivelmente, a oliveira, transplantada da encosta rochosa, pode ter florescido sob a proteção e os cuidados da casa, e pode ter recompensado estes cuidados com a rica abundância de seus frutos nutritivos. Com estas imagens em mente, o salmista, tendo falado da breve prosperidade do ímpio, e tendo-a comparado com o brotar e florescer da erva, que cresce à sua pouca altura somente para ser imediatamente podada, naturalmente e elegantemente compara o justo, não com a erva temporária, mas com a árvore resistente que persiste viva, em meio à seca do deserto e as tempestades do inverno, e estação após estação ainda renova seu crescimento. Estas árvores de justiça, como o poeta as vê, estão "plantadas na casa do Senhor"; elas se erguem, belas, e "florescerão nos átrios do nosso Deus" — até mesmo "na velhice ainda darão frutos" — serão "viçosos e florescentes" — são monumentos vivos "para anunciarem que o Senhor é reto" e que aqueles que confiam nEle jamais serão confundidos. — *Leonard Bacon, 1845*

v. 14: Há três coisas que constituem um estado espiritual, ou que pertencem à vida com Deus. 1. O fato de que os crentes são viçosos, isto é, nutridos pelo suco celestial, a seiva ou a gordura da verdadeira oliveira, do próprio Cristo, como Rm 11.17. Este é o principio da vida espiritual e da graça que derivam dEle. Quando isto abundar neles, de modo a dar-lhes força e vigor, no exercício da graça, e de impedir que sofram decadência e murchem, diz-se que são viçosos; o que, nos termos das Escrituras, significa ser forte e saudável. 2. O fato de que florescem no verdor (é este o significado da palavra) e no frescor da profissão; pois a graça vigorosa produzirá uma profissão florescente. 3. O fato de que ainda darão frutos, em todos os deveres da santa obediência. Tudo isto é prometido a eles, até mesmo na velhice.

Até mesmo as árvores, quando envelhecem (a palmeira e o cedro) podem perder um pouco da sua seiva e do seu frescor: e os homens, na velhice, estão sujeitos a todos os tipos de decadência, tanto externa quanto interna. É raro ver um homem, na velhice, naturalmente vigoroso, saudável e forte; e não seria mais raro ver um homem espiritualmente vigoroso, saudável e forte, na mesma idade?! Mas isto é aqui prometido aos crentes, como uma graça e um privilégio especial, além do que pode ser representado no crescimento ou na produção de frutos das plantas e árvores. A graça pretendida é que, quando os crentes estiverem sob todos os tipos de decadências físicas e naturais, e, pode ser, tiverem, também, sido subjugados por decadências espirituais, há uma provisão, feita no concerto, para torná-los viçosos, florescentes e frutíferos — vigorosos no poder da graça interior, e florescentes na expressão dela, em todos os deveres da obediência; o que é o que agora investigaremos. Bendito seja Deus, por esta boa mensagem da Sua graça, por nos ter dado tanto encorajamento contra todas as decadências e tentações da velhice, com que conflitamos!

E o Salmista, nas suas palavras seguintes, declara a grandeza do privilégio: "*Para anunciarem que o Senhor é reto; ele é a minha rocha, e nele não há injustiça*". Considere as oposições que há contra o florescer dos crentes na velhice, as dificuldades, as tentações que devem ser vencidas, os atos da mente acima das suas capacidades naturais, que decaíram, o cansaço que pode nos acometer, em um longo conflito espiritual, os gritos da carne, pedindo para ser poupada, e você verá que tudo isto é evidência da fidelidade, do poder e da justiça de Deus no concerto; nada mais poderia produzir este poderoso efeito. Assim o profeta, tratando da mesma promessa, Oseias 14.4-8, encerra seu discurso com esta abençoada observação, v. 9: "Quem é sábio, para que entenda estas coisas? Prudente, para que as saiba? Porque os caminhos do Senhor são retos, e os justos andarão neles, mas os transgressores neles cairão". A sabedoria espiritual nos fará ver que a fidelidade e o poder de Deus são exercidos nesta obra de preservação dos crentes, florescentes e frutíferos, até o fim. — *John Owen*

v. 14: A constância é um ingrediente da obediência que Cristo exige. As Suas árvores produzem frutos, na velhice. A idade faz com que as outras coisas decaiam, mas faz um cristão florescer. Alguns são como cavalos fogosos, briosos no início da jornada, e cansados muito antes de chegar ao final da jornada. Um bom discípulo, da mesma maneira como não terá, de Deus, uma felicidade temporária, também não dará a Deus uma obediência temporária; da mesma maneira como gostaria que a sua glória permanecesse durante todo o tempo de vida de Deus (que é eterno!), também gostaria que a sua obediência durasse enquanto ele vivesse. Judas teve um bom início, mas destruiu tudo, no final, ao trair o seu Mestre. — *Stephen Charnock*

v. 14: "Florescentes". Aqui não há apenas a menção ao crescimento, mas ao *florescer*, e aqui o florescer é mencionado três vezes, e trata-se de crescer e florescer, não somente como uma árvore, mas como uma *"palmeira"* (que floresce sob opressão), e como um *"cedro"* (que não cresce em lugares comuns, exceto) no *"Líbano"*, onde estavam os cedros mais consideráveis e belos. Nem o Espírito promete, aqui, um florescer somente de ramos e folhas (como algumas árvores, que não produzem nada mais), mas de frutos; e não se trata de frutos uma vez por ano, ou em um ano, mas elas *"ainda darão fruto"*, e não somente nos anos da sua mocidade, ou no início, em graça, mas *"na velhice"*, e não apenas no início daquele estado que é chamado de *velhice*, sessenta anos, mas o que as Escrituras chamam de perfeição da *velhice*, setenta anos, como os hebreus instruídos observam, a respeito das palavras usadas neste Salmo. Que *clímax divino* o Espírito de Deus produz nesta passagem das Escrituras, para mostrar que o homem temente a Deus, no que diz respeito ao seu estado, está tão longe de um declínio, que está ainda subindo, cada vez mais alto! — *Joseph Caryl*

v. 15: "Ele é a minha rocha, e nele não há injustiça". Sugerindo que Deus não pode deixar de agir com justiça, não mais do que uma rocha pode ser movida do seu lugar. — *Joseph Caryl*

SUGESTÕES AOS PREGADORES

v. 1. I. É bom ter motivo de gratidão. Todos nós o temos. II. É bom ter o princípio da gratidão. Este é um dom de Deus. III. É bom expressar gratidão. Isto pode despertar gratidão em outras pessoas. — *G. R.*

vv. 1 a 3. A bem-aventurança do louvor, v. 1. O tema do louvor, v. 2. A engenhosidade do louvor, v. 3 — a natureza inanimada engajada nesta obra santa. — *C. A. Davis*

v. 2. I. Os nossos louvores a Deus devem ser *inteligentes*, declarando os Seus vários atributos. II. *Oportunos*, declarando cada atributo, no momento apropriado. III. *Contínuos*, todas as noites, e todos os dias.

v. 3. I. Todas as forças da alma devem ser traduzidas em louvor. "Sobre um instrumento de dez cordas", todas as cordas da mente, afetos, vontade, etc. II. Tudo o que os lábios proferem deve ser uma expressão de louvor. III. Todos os atos da vida devem ser louvor.

v. 3. Em nosso louvor a Deus, deve haver, I. *Preparação* — pois os instrumentos devem ser afinados. II. *Amplitude de pensamento* — "sobre um instrumento de dez cordas". III. *Absorção de toda a natureza* — "dez cordas". IV. *Variedade* — saltério, harpa, etc. V. *Profunda reverência* — "som solene".

v. 4 (primeira parte). — I. O meu estado de ânimo — "alegre". II. Como cheguei a este estado — "Tu me alegraste". III. Qual é a base para esta alegria? — "Os teus feitos". IV. O que, então, devo fazer? — Atribuir tudo a Deus, e bendizê-lo por isto.

v. 4. I. A maior alegria divina — a da criação de Deus, tendo as obras de Deus como seu argumento. II. O triunfo divino — causado pelas variadas obras de Deus, na criação, providência, redenção, etc. O primeiro é para nossos próprios corações, o segundo é para o convencimento daqueles que estão ao nosso redor.

v. 5. Os montes inescaláveis e o mar insondável; ou as obras divinas, e os pensamentos divinos (tanto aqueles que são revelados por Deus, como aqueles que são mantidos em oculto por Deus) estão, igualmente, além da apreensão humana. — *C. A. Davis*

v. 7. Grande prosperidade é a frequente precursora da destruição dos ímpios, pois os leva a provocar a ira divina. — I. Pela dureza de coração, como Faraó. II. Por orgulho, como Nabucodonosor. III. Por ódio arrogante aos santos, como Hamã. IV. Por segurança carnal, como o rico insensato. V. Por auto-exaltação, como Herodes.

vv. 7 a 10. Contrastes. Entre os ímpios e Deus, versículos 7, 8. Entre os inimigos de Deus e Seus amigos, versículos 9, 10. — *C. A. Davis*

vv. 7, 12 a 14. *Os ímpios e os justos retratados.* — *C. A. Davis*

v. 10 (última parte). O brilho, a consagração, a alegria e as graças do cristão são a unção do Espírito. — *William Garrett Lewis, 1872*

v. 10 (última parte). O motivo da confiança de Davi — I. Era muito abrangente, incluindo a força renovada, novos sinais de benevolência, sinais recentes do favor de Deus, a confirmação em sua posição, a qualificação para ela, e novas alegrias. II. Era bem fundado, uma vez que se baseava em Deus e nas Suas promessas. III. Acalmava todos os temores. IV. Suscitava esperanças. V. Causava piedade por aqueles que não têm tal confiança.

v. 12. I. O justo floresce em todos os lugares. A palmeira no vale, o cedro no monte. II. Em todas as estações. Ambas as árvores são verdes, perenemente. III. Sob todas as circunstâncias. A palmeira na seca, o cedro sob tempestades e geadas. — *G. R.*

vv. 14 a 16. I. Regeneração — "plantados". II. Crescimento na graça — "florescerão". III. Utilidade — "dar fruto". IV. Perseverança — "velhice". V. A razão de tudo — "anunciar que o Senhor", etc.

vv. 15 e 16. A razão e a garantia da perseverança final. — *C. A. Davis*

SALMO 93

Este breve Salmo não traz título, nem o nome de seu autor, mas o seu assunto é suficientemente óbvio, e está declarado na primeira linha. É o Salmo da Soberania Onipotente: Jeová, apesar de toda oposição, reina supremo. Possivelmente, na época em que esta ode sagrada foi escrita, a nação estava em perigo, pelos seus inimigos, e as esperanças do povo de Deus foram encorajadas pela lembrança de que o Senhor ainda era Rei. Que consolação mais doce e garantida eles poderiam desejar?

EXPOSIÇÃO

1 *O Senhor reina; está vestido de majestade; o Senhor se revestiu e*
cingiu de fortaleza; o mundo também está firmado e não poderá vacilar.
2 *O teu trono está firme desde então; tu és desde a eternidade.*
3 *Os rios levantam, ó Senhor, os rios levantam o seu ruído, os*
rios levantam as suas ondas.
4 *Mas o Senhor nas alturas é mais poderoso do que o ruído das*
grandes águas e do que as grandes ondas do mar.
5 *Mui fiéis são os teus testemunhos; a santidade convém à tua*
casa, SENHOR, para sempre.

1. *"O Senhor reina"*, ou Jeová reina. Qualquer oposição que possa surgir, o Seu trono não se abala; Ele reinou, Ele reina, e reinará, para todo o sempre. Qualquer que seja a agitação e rebelião que possa haver, sob as nuvens, o Rei eterno se assenta sobre tudo, em suprema serenidade; e em todas as partes Ele é realmente Mestre, não importa o que façam Seus adversários. Todas as coisas são ordenadas de acordo com Seus propósitos eternos, e a Sua vontade é realizada. No versículo diante de nós, parece como se o Senhor tivesse, durante algum tempo, parecido deixar vago o trono, mas de repente Ele veste Suas vestes reais, e ascende ao Seu imponente trono, enquanto o Seu povo feliz o proclama com nova alegria, clamando "O Senhor reina". O que pode dar maior alegria, a um súdito leal, do que a visão do rei, na Sua beleza? Devemos repetir

a proclamação: "O Senhor reina", sussurrando-a aos ouvidos dos desanimados, e divulgando-a diante do inimigo.

"Está vestido de majestade." Não com emblemas de majestade, mas com a própria majestade: tudo o que o cerca é majestade. Nele, não há a semelhança, mas a realidade da soberania. Na natureza, providência e salvação, o Senhor é infinito em majestade. Felizes são as pessoas, entre as quais o Senhor aparece em toda a glória da Sua graça, derrotando seus inimigos, e subjugando todas as coisas a Si mesmo; então, verdadeiramente, Ele é visto vestido de majestade.

"O Senhor se revestiu... de fortaleza." As Suas vestes de glória não são Suas únicas vestes, Ele usa a fortaleza também como Seu cinturão. Ele é sempre forte, mas às vezes exibe o Seu poder de uma maneira especial, e pode, por isto, ser considerado como revestido dele; assim como Ele é sempre essencialmente majestoso, mas há ocasiões em que revela a Sua glória; portanto, veste a Sua majestade, ou se apresenta nela. Que o Senhor possa aparecer na Sua igreja, nos nossos dias, em glória e poder majestosos, salvando os pecadores, aniquilando os erros, e honrando o Seu próprio nome. Ó, aguardamos ansiosamente o dia em que o Filho do Homem, o Rei Imortal e Todo-Poderoso, estará no Seu trono glorioso e elevado, para ser temido na grande congregação, e admirado por todos aqueles que creem.

"E [se] cingiu." Assim como os homens se cingem, para correr ou trabalhar, também o Senhor aparece, aos olhos do Seu povo, como preparado para agir, cingido com Sua onipotência. A fortaleza sempre está no Senhor Jeová, mas Ele esconde o Seu poder com muita frequência, até que, em resposta aos clamores dos Seus filhos, Ele se veste da fortaleza, assume o trono e defende os Seus. Um dos temas constantes de nossas orações deve ser que, nos nossos dias, o reino do Senhor possa ser evidente e o Seu poder exibido na Sua igreja e para o bem dela. "Venha o teu Reino" deve ser nossa oração diária: que o Senhor Jesus realmente reine deve ser o nosso louvor diário.

"O mundo também está firmado e não poderá vacilar." Porque o Senhor reina, as coisas terrestres, por enquanto, estão estáveis. Nós não poderíamos ter certeza de nada, se não estivéssemos certos de que Ele domina. Quando Ele retira a Sua presença manifesta de entre os homens, todas as coisas deixam de funcionar; os blasfemos deliram, os perseguidores se enfurecem, os profanos tornam-se ousados, e os libertinos crescem em devassidão; mas quando o poder e a glória divinos novamente se manifestam, a ordem é restaurada, e o pobre mundo desviado fica em paz, outra vez. A sociedade seria a bola de futebol da parte mais infame humanidade, se Deus não a estabelecesse, e até mesmo o próprio globo voaria pelo espaço, como a lanugem, se o Senhor não o mantivesse na sua órbita indicada. O fato de que existe alguma estabilidade, seja no mundo ou na igreja, é obra do Senhor, e Ele deve ser adorado por isto. O ateísmo é a mãe da anarquia; o poder reinante de Deus exibido na verdadeira religião é a única segurança para a comunidade humana. A crença em Deus é a fundação e a pedra fundamental de um estado bem ordenado.

2. *"O teu trono está firme desde então."* Embora a Tua majestade agora apareça em mais evidente soberania, a Tua soberania não surgiu do nada: nos tempos mais antigos, o Teu domínio era garantido, sim, antes que existisse o tempo, o Teu trono foi estabelecido. Nós ouvimos, frequentemente, sobre antigas dinastias, mas o que são elas, quando comparadas com o Senhor? Elas não são como a bolha na onda, nascida há um instante e extinta, tão logo vista?

"Tu és desde a eternidade." O próprio Senhor é eterno. Que o crente se alegre porque o governo sob o qual ele habita tem à sua frente um governante imortal, existe desde a eternidade e florescerá quando todas as coisas criadas tiverem desaparecido, para sempre. Inúteis são as rebeliões dos mortais, o reino de Deus não se abala.

3. *"Os rios levantam, ó Senhor."* Os homens se enfureceram, como ondas iradas do mar, mas o seu tumulto tem sido inútil. Observe que o salmista se volta para o Senhor, quando vê as ondas espumando, e as ouve rugir; ele não desperdiça o seu

fôlego conversando com as ondas, ou com homens violentos; mas, como Ezequias, ele espalha as blasfêmias dos ímpios, diante do Senhor.

"Os rios levantam o seu ruído, os rios levantam as suas ondas." Estas repetições são necessárias, por causa da poesia e da música, mas também sugerem a frequência e a violência de perversos ataques ao governo de Deus, e as repetidas derrotas que sofrem. Às vezes, os homens são furiosos com palavras — erguem a voz, e em outras ocasiões, eles se erguem em atos de violência — inflamam seus ânimos; mas o Senhor tem o controle sobre eles, em qualquer um dos casos. Os ímpios são espuma e fúria, ruído e ameaças, durante sua curta hora, e então a maré vira, ou a tempestade é acalmada, e não mais ouvimos nada deles; ao passo que o reino do Eterno permanece na grandeza do seu poder.

4. *"O Senhor nas alturas é mais poderoso do que o ruído das grandes águas."* O máximo do poder delas é, para Ele, apenas um som, e Ele pode dominá-lo imediatamente, por isto Ele o chama de ruído, com desprezo. Quando os homens combinam derrotar o reino de Jesus, tramam secretamente, e se enfurecem abertamente, o Senhor não pensa mais sobre isto do que sobre o ruído na praia. Jeová, o que existe por si só, e é onipotente, não se preocupa com a oposição dos homens moribundos, ainda que sejam muitos ou poderosos.

As ondas tempestuosas falaram alto,
As ondas clamaram alto;
As ondas tempestuosas quebraram, ferozes,
e o seu som ecoou até o céu.
As ondas se levantam, altas e fortes
Porém mais forte é o poder de Jeová,
As Suas palavras são sempre verdadeiras, e a santidade
é apropriada ao Seu templo brilhante.

"E do que as grandes ondas do mar." Quando a tempestade ergue ondas no Atlântico, e as impulsiona com impressionante força, o Senhor ainda é capaz de reprimi-las, e também quando homens ímpios são arrogantes e cheios de ira, o Senhor é capaz de subjugá-los e derrotar a sua maldade. Reis ou plebe, imperadores ou selvagens, todos estão nas mãos do Senhor, e Ele pode proibir que eles toquem até mesmo em um fio de cabelo da cabeça dos Seus santos.

5. *"Mui fiéis são os teus testemunhos."* Assim como na providência o trono de Deus é firmado além de todo perigo, na revelação, a Sua verdade também está além de qualquer dúvida. Outros ensinamentos são incertos, mas as revelações dos céus são infalíveis. Assim como as rochas permanecem inabaláveis em meio ao tumulto do mar, também a verdade divina resiste a todas as correntes de opinião dos homens e às tempestades da controvérsia humana; as revelações não são apenas certas, mas *muito certas.* Glórias a Deus, não fomos enganados por uma fábula astutamente criada; a nossa fé se baseia na verdade eterna do Altíssimo.

"A santidade convém à tua casa, Senhor, para sempre." A verdade não muda nas suas doutrinas, que são muito certas, nem a santidade nos seus preceitos, que são incorruptíveis. O ensinamento e o caráter de Deus são inalterados. Deus jamais permitiu que o mal habitasse em Seu ser; Ele não o tolerará na Sua casa; Ele é seu inimigo eternamente, e é para sempre o amigo jurado da santidade. A igreja deve permanecer imutável, e para sempre ser santidade ao Senhor; sim, o seu Rei a preservará intocada pelo pé do invasor. Santa para o Senhor é a igreja de Jesus Cristo, e assim ela será mantida, para sempre. "O Senhor reina" é a primeira palavra e a principal doutrina do Salmo, e a santidade é o resultado final: uma devida apreciação pelo grande Rei nos levará a adotar um comportamento conveniente à Sua presença real. A soberania divina confirma as promessas como testemunhos certos, e também coloca em vigor os preceitos, como próprios e adequados à presença de tão grande Senhor.

O conjunto do Salmo é muito impressionante, e visa consolar os aflitos, confirmar os temerosos e ajudar os devotos. Ó, Tu, que és tão grande e gracioso Rei, reina sobre nós, para sempre! Nós não desejamos questionar nem restringir o Teu poder, tal é o Teu caráter que nos alegramos em ver-te exercer os direitos de um monarca absoluto. Todo o poder está em Tuas mãos, e nos alegramos de que seja assim. Hosana! Hosana!

NOTAS EXPLICATIVAS E DECLARAÇÕES SINGULARES

Todo o Salmo: Este é um daqueles Salmos magníficos que descrevem o reinado do Senhor. Até mesmo intérpretes judeus dizem, sobre eles: "Todos eles tratam das coisas que terão lugar nos tempos do Messias". Todo o Salmo parece um comentário e aplicação da grande verdade fundamental, "O Senhor reina". Ele já estabeleceu os alicerces do Seu reino na Sua igreja, e agora, na Sua fidelidade e no Seu poder, Ele o estabelecerá. Os elementos, que até aqui resistiram, não terão permissão de continuar. Ele se manifesta com realeza e em Seu pleno direito.

"Está vestido de majestade; o Senhor se revestiu e cingiu de fortaleza." O atual estado das coisas está relacionado com a humilhação de Cristo. Mas, quando Ele veste o Seu manto real de majestade, e Se cinge com a espada do Seu poder: *"O mundo também está firmado e não poderá vacilar"*. E, embora aparentemente o inimigo tenha prevalecido por muito tempo, *"O teu trono está firme desde então, tu és desde a eternidade"*. O estabelecimento do Seu trono é a base e a garantia do estabelecimento do mundo e do Seu reino. "Jesus Cristo é o mesmo ontem, e hoje, e eternamente". Em vista de tudo isto, a igreja permanece como um espectador maravilhado, primeiramente atingido com assombro, e depois cheio de gratidão de adoração.

"Os rios levantam, ó Senhor, os rios levantam o seu ruído, os rios levantam as suas ondas." A última expressão se refere ao som das ondas, *quando quebram*, e em conexão com isto a mudança do tempo verbal é muito marcante. Os inimigos de Deus e do Seu reino se levantam, como as ondas do mar, instigados pela tempestade; com ruído progridem; mas quando se aproximam da embarcação que traz o Rei, o seu ruído é como o das ondas que se transformam em espuma. A sua maior proximidade é — para a sua destruição; o seu maior ruído está — no quebrar. E, mesmo agora, e no auge da tempestade, superando, não apenas todo o perigo, mas também seu ruído ameaçador, está o Senhor.

"Mas o Senhor nas alturas" (mesmo aqui) "é mais poderoso do que o ruído das grandes águas e do que as grandes ondas do mar" (a palavra aqui traduzida como "grandes ondas" é, literalmente, derivada do verbo quebrar). Que imagem é esta, da nossa segurança; que resumo da história do governo de Deus e da Sua igreja! Assim, o acalmar da tempestade no mar da Galileia não foi apenas uma representação parabólica da história do Reino de Deus, mas também típico da consumação final de todas as coisas; um resumo do passado, uma profecia do futuro, um tipo do fim. E o que se aplica à igreja, como um todo, é igualmente verdadeiro a respeito dos crentes, individualmente. Lembremo-nos de que o ruído é o de ondas *quebrando*. Os nossos maiores perigos são apenas ondas quebrando; ondas que quebram, aos Seus pés. A mesma expressão é, também, às vezes, aplicada às ondas da ira de Deus, ou aos juízos que ameaçam dominar o crente, como em Salmos 42.7; 88.7. Também eles são, bendito seja o Seu nome, apenas ondas que se quebram. Enquanto isto, enquanto esperamos a manifestação do Seu poder e da Sua majestade, "temos, mui firme, a palavra dos profetas".

"Mui fiéis são os teus testemunhos" (muito confiáveis, ou, literalmente, merecem que se diga *Amém* muitas vezes): e, no que nos diz respeito, a nossa fé e paciência são testadas e provadas: *"A santidade convém à tua casa, Senhor, para sempre"*. Assim, temos aqui a história da igreja de Deus, deduzida do texto, *"O Senhor reina"*. Estas palavras são, para nós, como "uma luz que alumia em lugar escuro, até que o dia esclareça, e a estrela da alva apareça em [nosso] coração". Tão logo elas nos sejam deixadas, tudo o que nos ameaça, de fora, é apenas como o ruído da onda que se quebra. O indescritível consolo transmitido por esta certeza é, para sempre, testado na experiência do povo de Deus. Não há verdade mais preciosa, para o coração do cristão, do que *"O Senhor reina"*. A convicção disto deve nos levar muito acima de todas as preocupações e todos os temores. Um Deus pessoal, um Deus vivo, um Deus que reina — igualmente nos exércitos do céu e entre os habitantes da terra — e este Deus, o Pai do nosso Senhor e Salvador Jesus Cristo — estes são os degraus pelos quais alcançamos uma grande altura, onde, removidos da agitação dos homens, obtemos uma visão clara e abrangente da terra e de suas preocupações. Eu não trocaria a certeza que estas palavras *"O Senhor reina"* traduzem, por toda a sabedoria, combinada com todo o poder, deste mundo. Recebidas no meu coração, elas são a solução para cada dificuldade, o fim de toda perplexidade. E me parece como se, depois de confundido pela escrita invertida e os hieróglifos dos homens, eu virasse uma nova página, no topo da qual estas palavras estariam, como o texto a ser pregado por toda a história, ao indivíduo, à família, ou à nação, à igreja, ou ao mundo.

E me parece como se, depois de remexer, angustiado e desamparado, todas as dificuldades e necessidades que afligem meu coração, eu me elevasse acima daquelas nuvens flutuantes e entrasse na atmosfera clara: como se, de uma só vez, as cargas me fossem retiradas; como se eu tivesse alcançado um refúgio de descanso; como se eu tivesse alcançado uma fundação firme, um princípio supremo. Afinal, em cada provação real existe apenas este conforto, final e pleno. O que importa a opinião dos homens — quem pode estar a meu favor, quem pode estar contra mim; quem pode estar comigo, ou quem pode me deixar? Quem falaria de perspectivas ou probabilidades, do apoio a ser obtido da riqueza ou do poder, ou do abandono de amigos com cuja simpatia e ajuda nós tínhamos contado?

"O Senhor reina." Há luz em cada um dos meus caminhos, desde que eu siga a Cristo, andando pelo caminho estreito. Que eu tenha certeza de que, em todos os aspectos, eu estou do lado do Senhor, e no caminho do Senhor, e não pedirei mais nada. O meu Deus tem toda a prata e todo o ouro do mundo nas Suas mãos. Ele tem os corações de todos os homens à Sua disposição; Ele dirige todos os eventos, desde o menor até o maior. Se eu quiser ter o poder que vem de Deus, ou o poder que vem dos homens, que eu ore, pois o Senhor reina. Que eu não pense que interposições especiais são impossíveis ou raras. Elas são constantes. O curso da providência de Deus é de interposição constante; pois "todas as coisas contribuem juntamente para o bem daqueles que amam a Deus". Mas estas interposições não são violentas, e por isto, não são percebidas pelo observador superficial; elas são as interposições do Deus sábio e Todo-Poderoso, não dos pobres e fracos homens; são *interposições*, não *interferências;* são a obra do maquinário, feitas pela mente do Mestre, que o desenhou, e pela mão do Mestre, que o montou. Não são a parada, mas o funcionamento do maquinário; este foi o verdadeiro objetivo de sua criação.

Finalmente, observemos estas três coisas, no Salmo.

Na *criação e na natureza*: *a* lei preestabelecida *juntamente com* o governo pessoal e contínuo — não em oposição, um ao outro, mas pressupondo, um ao outro (vv. 1,2). Na *Providência*: "O Senhor *nas alturas* é mais poderoso do que o ruído das grandes águas" — que poderiam, não fosse assim, causar terror, com seu agitar ameaçando constante perigo. E na *graça*: "*Mui* fiéis são os teus testemunhos". Eu posso confiar neles. Nem um til nem um jota cairão por terra. Onde eu tiver uma palavra de promessa, eu poderei, com segurança, plantar meus passos. A conclusão e dedução, de todo o tema, é que *"a santidade"* — não temer nem servir ao homem, mas a separação do Senhor — *"convém"* — ou é a atitude correta, sábia e apropriada da Sua casa e do Seu povo. — *Alfred Edersheim*, em *"The Golden Diary of Heart Converse with Jesus in the Book of Psalms", 1866*

Todo o Salmo: No Talmude babilônio é mencionado que era costume dos judeus cantar este Salmo no sexto dia da semana, para o qual ele é adequado, como celebrando o restabelecimento e a nova edificação do mundo, na nova criação (v.

1): o que é confirmado, pelo título dado a ele, na Septuaginta — *"No dia anterior ao sábado, quando a terra foi fundada: um Salmo de ação de graças para* (ou *por) Davi"* — adotado pelas versões Vulgata e Oriental, de modo geral. E assim este Salmo é identificado com o assunto do anterior: como também observa Hengstenberg: "A referência, que é impossível não perceber, em que 'O Senhor nas alturas é mais poderoso', aqui (v. 4) representa 'Mas tu, Senhor, és o Altíssimo para sempre' (Sl 92.8) — o cerne e centro de todo o Salmo — já levou comentaristas a observar uma conexão íntima entre os dois Salmos... o que é, decididamente, favorecido pelo conteúdo; os dois Salmos trazem consolação à igreja, exposta a perigos, pelas forças do mundo". Ele poderia ter acrescentado — na promessa que dão do *"descanso* [do sábado] que resta ao povo de Deus", quando ambos serão cumpridos. — *W. De Burgh*

v. 1: "O Senhor reina". É um tipo de proclamação em que o povo de Deus é convidado a declarar, perante os homens e os anjos, que o Senhor é Rei, Ele, e apenas Ele. É a resposta da igreja à pregação do Evangelho — tão arrebatadamente saudado em Isaías — a pregação do mensageiro "que anuncia as Boas-Novas, que faz ouvir a paz, que anuncia o bem, que faz ouvir a salvação, que diz a Sião: O teu Deus reina!" — *William Binnie*

v. 1: "O Senhor". Ele descreve Deus pelo nome de *Jeová*, parcialmente, para nos levar a pensar sobre o Deus de Israel, que, por este nome, era costumeiramente distinguido dos deuses das nações; parcialmente, para trazer à mente as virtudes da veracidade, da graça e da justiça, compreendidas por este nome, e agora claramente dadas a conhecer... Quando ele diz, Jeová (ou o Senhor) *reina*, sem acrescentar nenhuma restrição, nem mencionar nenhum povo, parece que o *reino do Senhor* deve ser interpretado de maneira absoluta e geral, com igual referência ao governo do *mundo* e da *igreja*.

No *primeiro* sentido, pode-se dizer que Jeová *reina*, não como se tivesse, por fim, começado a reinar, mas porque Ele provou ser o Rei do mundo, de uma maneira extraordinária, dando sinais públicos e manifestos; pelos quais ficou claramente estabelecido que Jeová é o Deus verdadeiro, o Criador do céu e da terra, o Senhor e governante de todo o universo, e o Juiz justo e imparcial, ao infligir juízos notáveis sobre os pecadores, ao expulsar os ídolos, e defender a causa da religião verdadeira e da justiça. Eu considero este significado, como contido na proposta geral: mas, diretamente, no seu significado básico, eu entendo o Reino de Deus, na Sua igreja, parcialmente, porque Deus aqui é descrito como defendendo a causa da religião, e do Seu povo; parcialmente, Ele é descrito, em Salmo 99, como se mostrando *exaltado em Sião*, e *assumindo o Reino*, Isaías 24.23, e frequentemente, em outras passagens, na palavra profética; e finalmente, como *Jeová*, o Rei do Seu povo, Ele mesmo *que reina* é exibido como o *governante* do universo. Ele é o Rei do Seu povo; portanto, Ele tem o Seu *Reino* no meio deles; mas a Ele todas as coisas no céu e na terra estão igualmente sujeitas.

Neste último sentido, portanto, a expressão *Jeová reina* significa *Ele assumiu o Reino, Ele se tornou Rei*, como é frequentemente usada nas histórias dos Reis de Judá e Israel; assim, também, em Isaías 23.23, e outras passagens... Quando Ele é descrito como *assumindo* o Reino, no meio do Seu povo, isto não deve ser interpretado de maneira absoluta, mas em um sentido restrito, parcialmente em referência à *maneira* e forma de governo, sendo mais ou menos *teocrático;* parcialmente, em referência a exibições da Majestade Divina, sendo mais ou menos conspícuo; e, parcialmente, em referência ao estado servil ou afligido do Seu povo, desde o exílio da Babilônia até a época dos macabeus, períodos em que Deus é descrito como *assumindo o Reino*, em muitas outras profecias, além desta, Isaías 24, Obadias 21, Miqueias 4.8, etc. — *Venema*

v. 1: "O Senhor reina". Estas também são as palavras iniciais do Sl 97 e Sl 99. Talvez uma maneira tripla de reinar seja sugerida, especificamente, sobre as coisas sujeitas a Deus por uma necessidade natural, sobre aqueles que resistem à Sua vontade e desejariam se retirar do Seu domínio, e sobre aqueles que o obedecem espontaneamente e livremente. Pois neste lugar, o Reino é declarado como sendo coincidente com a fundação do mundo: em Sl 97, a indicação para o regozijo da terra e para a alegria das ilhas; em Sl 99, está escrito que Deus reina, embora as nações tremam e a terra esteja comovida. — *Lorinus*

v. 1: "O Senhor reina". Tendo considerado, em todas as partes, o governo mundano dos ídolos, e divindades terrenas ou reis, o salmista, por fim, profere as palavras que atribuem o governo supremo a ninguém, além de Jeová, o verdadeiro Deus. Que os monarcas da Assíria, os reis do Egito e os senhores de outras nações estendam seus impérios, e os ampliem; que a majestade real seja atribuída aos ídolos, pelos seus adoradores; ainda assim, todos eles nada são, para o reino e a majestade de Jeová. — *Martin Geier*

v. 1: "O Senhor reina", isto é, o Senhor se tornou Rei (Sl 96.10; 97.1; 99.1). A fórmula proclamada na *ascensão* de soberanos terrenos (2 Sm 15.10; 1 Rs 1.11,13; *margem*, 2 Rs 9.13, "Jeú *reina*"). A referência não é ao governo de Deus, *normal e constante*, mas ao fato de que Ele *assume* um *novo* e glorioso reino. A proclamação arrogante do poder do mundo era praticamente "o assírio reina"; a sua derrota foi a contra-proclamação de Deus: "O Senhor (Jeová) reina". O sentido anti-típico é, os poderes do mundo, sob o Anticristo, energizados por Satanás (Ap 16.14; 17.12-14,17), desferirá um último golpe desesperado, aparentemente bem sucedido, por um momento, para o domínio da terra, em desafio ao Senhor (2 Ts 2). Mas Cristo tomará o Seu grande poder e reinará como Rei dos reis e Senhor dos senhores, tendo derrotado completamente o inimigo anticristão. (Is 24.23; Ob 21; Zc 16.9; Ap 11.15,17; 19.6.) — *A. R. Fausset*

v. 1: "O Senhor reina". As primeiras palavras deste Salmo parecem indicar uma manhã de calmo repouso, depois de uma noite de tempestade, um dia de trégua depois do tumulto da batalha. "O Senhor reina". "Ele pôs todos os inimigos debaixo de seus pés". — *Marton Bouchier*

v. 1: "O mundo também está firmado". A palavra *mundo* é apropriadamente interpretada como se referindo ao globo habitável, e de maneira metonímica, aos habitantes da terra. Isto fica claro, com base em Salmos 24.1; 50.2; 89.12; 9.9; 96.1, 3; 98.9. Nesta passagem, o significado anterior parece ser válido, porque este Rei majestoso não fortificou nenhuma torre nem palácio, mas todo o *mundo*, pela palavra do Seu poder, para que ele possa ser uma constante habitação para os homens que o adorarem, até o dia do juízo final. — *Martin Geier*

v. 2: "O teu trono está firme". A perpetuidade imutável do reino divino é celebrada nestas palavras. Não há nele nenhuma vicissitude, como nos reinos e monarquias antigos, onde não são infrequentes abalos nos tronos, seja por causa da morte de seus reis ou líderes, ou por razão da infidelidade de súditos ou ministros, ou por causa de tramas ou ataques de inimigos: nada disto pode perturbar o governo divino. — *Martin Geier*

v. 2: "O teu trono está firme desde então". Para que ninguém suspeite que a dignidade real retratada e demonstrada, no versículo anterior, pela criação do mundo, que era o resultado do poder e da majestade reais, era algo novo ou que tivesse vindo à existência ontem ou no dia anterior, ou que Deus tivesse recentemente obtido a função de reinar e governar, ou que, por longo costume e experiência Ele tivesse adquirido capacidade, ou tivesse, de alguma maneira, um reino estrangeiro, como acontecia com outros reis, o salmista diz que esta dignidade é tão antiga quanto a própria criação, de modo que o trono deste reino foi fundado na mesma ocasião em que as fundações da terra foram lançadas; e assim como a terra foi estabelecida, por Ele, como Seu *escabelo, também o céu é o Seu trono* (Is 66.1), que permanece para sempre. Ele ensina especialmente que, desde a eternidade, antes da formação do mundo, Deus sempre permaneceu o mesmo, em Si mesmo, sem precisar de criação ou qualquer criatura, para obter qualquer nova perfeição. — *Lorinus*

v. 2: "Desde então". No texto em italiano, *desde toda a eternidade;* em hebraico, *desde então,* uma expressão que significa uma eternidade sem qualquer início, Provérbios 8.22; ao passo que a eternidade sem fim é representada por outra expressão, que é, de modo correspondente, *até então. — Diodati*

v. 3: "Os rios levantam", etc. Deliberadamente, neste ponto, ele faz menção a enchentes, para melhor retratar os efeitos da guerra. Pois quando os rios enchem e se incham com inundações, transbordam pelas margens que os restringem, e invadem as planícies vizinhas, levando tudo o que está no seu caminho. Também assim é a guerra; quando os exércitos invadem os países, deixam destruição e enchem todos os lugares com matanças. Por isto, Virgílio emprega esta comparação (Eneida II) para descrever a violência do exército grego invadindo a Cidadela de Príamo, — [assim traduzida por Dryden]:

"Rapidamente os gregos encheram todas as partes,
e aos poucos defensores que encontraram, mataram.
A inundação espumante não urra com uma fúria tão feroz
quando encontra obstáculos no seu caminho;
Destrói as represas com poder sem resistência,
E varre o gado e o curral".
— *Mollerus*

v. 3: "As suas ondas". A palavra דָּכִי significa onda; porque a água, arremessada contra uma rocha, ou a costa, ou outra onda, se quebra em borrifos. Pois a ideia central da palavra é o quebrar. E isto serve, adequadamente, para retratar a questão daquelas agitações e guerras que são empreendidas para a derrubada de impérios e da igreja. Pois assim como ondas poderosas enchem de horror os espectadores, igualmente grandes e poderosos exércitos enchem todas as coisas de medo e terror. Mas assim como as assombrosas ondas em um momento quebram e desaparecem, também o poder dos reis e príncipes é dissolvido através de um olhar de Deus. A igreja habita nesta vida como uma rocha em meio às ondas, golpeada pelas ondas de todas as tempestades; mas ela permanece imutável, porque o Filho de Deus a confirma e sustenta. — *Mollerus*

v. 4: "O Senhor nas alturas". A expressão, *"nas alturas"* não deve ser considerada no sentido de posição, uma vez que ninguém pode competir com Deus neste aspecto, mas com referência a domínio e a glória,. — *Martin Geier*

v. 4: "O Senhor nas alturas é mais poderoso", etc. Por isto, não consideres a tua aflição, mas o teu Libertador; e quando os acordos maldosos dos homens puderem te amedrontar, que a ajuda Divina te sustente. O perigo pode ser maior que a tua resistência, mas nunca maior que a ajuda de Deus; o poder do inimigo pode superar a tua resistência, a astúcia deles pode superar a tua prudência, mas nada pode superar a sabedoria e o poder de Deus que estão contigo. Aprende, portanto, a confiar em Deus, na Sua força, a confiar nEle nas dificuldades; e quando as ondas impiedosas estiverem prontas a te engolir, entrega-te à custódia dEle. O marinheiro em dificuldades olha para o alto — deves fazer o mesmo; e lembra-te de que, quando as águas da aflição estiverem mais altas do que nunca, ainda assim *"o Senhor nas alturas é mais poderoso do que elas"*. — *Abraham Wright*

v. 5: "Os teus testemunhos", isto é, as Tuas palavras; ou, 1. Os Teus preceitos, que são normalmente chamados de *testemunhos de Deus.* E assim, tendo falado do reino de Deus, agora ele mostra que as leis do reino são justas, e fiéis, e santas; o que é um elogio singular ao reino. Ou, 2. As Tuas promessas, como podemos interpretar com base nas seguintes palavras, *"Mui fiéis"*, ou *verdadeiros* ou *leais;* e este atributo pertence, na verdade, e em todas as partes das Escrituras é atribuído, às promessas, e não a preceitos. E as promessas, não menos do que os preceitos, são *testemunhos* de Deus, ou declarações da Sua mente e vontade à humanidade. E aqui ele parece falar daquelas grandes e preciosas promessas a respeito da edificação e do estabelecimento do Seu reino no mundo, pelo Messias; promessas que, diz ele, são infalivelmente verdadeiras, e certamente serão cumpridas no tempo que Ele determinou. — *Matthew Pool*

v. 5: "A santidade convém à tua casa". Coisas singulares são esperadas de todos os que se aproximam de Deus, em algum dever, mas especialmente na função do ministério; eles devem se santificar com um cuidado singular, acima do das demais pessoas. Aqueles que estão na presença de príncipes devem ser irrepreensíveis no seu comportamento. Deus indicou os pesos e as medidas do santuário como sendo duas vezes os do recinto público, para mostrar que Ele espera muito mais do que o servem ali, do que espera dos outros. A santidade convém a cada casa, mas ainda mais à de Deus; e todos os homens, mas principalmente os ministros, que são o espelho em que as pessoas contemplam o céu, e a escolta que as leva para lá. Mas se o espelho ficar manchado, em vez de um anjo, as pessoas contemplarão uma fúria; e se o comportamento for falso, há mais perigo no guia do que no caminho. De ninguém, portanto, é exigido que ande de uma forma tão rígida quanto o ministro. — *Abraham Wright*

v. 5: "A santidade convém à tua casa, Senhor, para sempre". Nenhuma cortina ou tapeçaria convém à casa de Deus como a santidade; e nenhum lugar é tão adequado como a casa de Deus para esta mobília custosa e bela... os pagãos cegos eram devotos no serviço a ídolos mudos; eles os serviam, vestidos de branco, um emblema de pureza; eles julgavam que nada era demasiadamente bom para estes falsos deuses, a quem o pior não era suficientemente mau. Solon, o legislador ateniense, decretou que ninguém deveria servir aos deuses *obiter*, ou incidentalmente, mas que os seus sacrifícios deveriam purificá-los antecipadamente, sim, com alguns dias de antecedência. — *George Swinnock*

SUGESTÕES AOS PREGADORES

Todo o Salmo. Descrição do reavivamento da religião. I. Deus reina. II. Seu poder é sentido. III. Seu reino é estabelecido. IV. A oposição é vencida. V. A palavra é valorizada. VI. A santidade é cultivada.

vv. 1 e 2. O profeta, no primeiro versículo, descreve o nosso Rei. I. Com base no Seu ofício; 1. Ele "reina". Ele é o grande e soberano monarca; Ele não é um espectador inativo das coisas abaixo dEle; mas, sabiamente e justamente, e com poder, administra todas as coisas. 2. Ele é um Rei glorioso: "Está vestido de majestade". 3. Ele é um Rei potente: "O Senhor se revestiu... de fortaleza". 4. Ele é um Rei guerreiro: "Ele se cingiu", prendeu Sua espada à Sua armadura; para combater Seus inimigos, para defender o Seu reino. II. Com base no Seu reino. 1. O reino é universal: "O mundo". 2. Está firme, e é estável: "O mundo também está firmado e não poderá vacilar". 3. É um reino eterno: "De eternidade a eternidade; O teu trono está firme desde então: tu és desde a eternidade". — *Adam Clarke*

vv. 1 e 2. Mostram. I. A proclamação real. II. A veste imperial. III. O reino estável. IV. O trono antigo. V. O Rei eterno. — *C. A. D.*

vv.1 e 2. I. Fazem a grande proclamação. A justiça, a estabilidade, a antiguidade, a extensão e a perpetuidade do domínio do Senhor. II. Observam as diferentes emoções que isto inspira nos rebeldes, nos condenados, nos leais, etc. III. Negociam a submissão ao Rei . — *C. A. D.*

v. 3. A voz das águas. I. A voz da natureza é a voz *de* Deus. II. É uma voz *que vem de* Deus. III. É uma voz que fala *a favor* de Deus.

"Deus tem uma voz que é sempre ouvida,
No ressoar do trovão, no gorjear do pássaro;
ela vem na correnteza, rápida e forte,

no murmúrio borbulhante da pequena correnteza, quando formam ondas;
nas ondas do oceano, nos sulcos da terra,
Nos montes de granito, no átomo de areia;
Para onde nos voltaremos, do céu à terra,
Para onde poderemos olhar, sem ver a Deus?"
— *G. R. Poema, de Eliza Cook*

v. 4. I. Deus é poderoso na Criação. II. Ele é mais poderoso na providência. III. Ele é ainda mais poderoso na redenção. — *G. R.*

v. 5. I. A fidelidade convém à palavra de Deus. II. A santidade convém à casa de Deus. — *G. R.*

v. 5 (última parte). I. A santidade convém à casa típica de Deus, o templo. II. À Sua maior casa espiritual, a igreja. III. À Sua casa espiritual menor, o crente. IV. À Sua casa eterna, o céu. — *C. A. D.*

SALMO 94

TEMA

O autor vê malfeitores no poder, e sofre sob as suas opressões. A sua percepção da soberania divina, sobre a qual ele tinha estado cantando, no salmo anterior, o leva a apelar a Deus, como o grande Juiz da terra; isto ele faz com muita veemência e importunismo, evidentemente latejando sob o chicote do opressor. Confiante na existência de Deus, e certo da Sua observação pessoal das obras dos homens, o salmista repreende os seus adversários ateus, e proclama o seu triunfo no Seu Deus: ele também interpreta a severa dispensação da Providência como sendo, na verdade, castigos muito instrutivos, e assim sendo, ele considera que são felizes os que a suportam. O salmo é outra forma comovente do antigo enigma — "Por que prosperam os ímpios?" É outro exemplo de um homem de bem, perplexo diante da prosperidade dos ímpios, alegrando seu coração ao se lembrar de que existe, afinal, um Rei no céu, por quem todas as coisas são governadas para sempre.

DIVISÃO

Nos sete primeiros versículos, o salmista expressa a sua queixa contra os opressores ímpios. Dos versículos 8 a 11, ele argumenta contra a noção cética dos opressores, de que Deus não observa os atos dos homens. A seguir, ele mostra que o Senhor realmente abençoa o Seu povo, e os libertará, ainda que durante algum tempo eles possam ser castigados, (vv. 12-15). Novamente, ele pede ajuda no versículo 16, e declara a sua total dependência de Deus, para sua preservação, (vv. 17-19); e uma terceira vez, ele expressa a sua queixa, (vv. 20,21); e então conclui, com a certeza confiante de que os seus inimigos e todos os outros homens ímpios certamente colherão a devida recompensa pelas suas obras, — "O Senhor nosso Deus os destruirá".

EXPOSIÇÃO

1 *Ó Senhor Deus, a quem a vingança pertence, ó Deus, a quem a vingança pertence, mostra-te resplandecente!*

2 *Exalta-te, tu, que és juiz da terra; dá o pago aos soberbos.*
3 *Até quando os ímpios, Senhor, até quando os ímpios saltarão de prazer?*
4 *Até quando proferirão e dirão coisas duras e se gloriarão todos os que praticam a iniquidade?*
5 *Reduzem a pedaços o teu povo, Senhor, e afligem a tua herança.*
6 *Matam a viúva e o estrangeiro e ao órfão tiram a vida.*
7 *E dizem: O Senhor não o verá; nem para isso atentará o Deus de Jacó.*

1. *"Ó Senhor Deus, a quem a vingança pertence; ó Deus, a quem a vingança pertence, mostra-te resplandecente!"* ou *"Ó Deus das vinganças, resplandece"*. Uma oração muito natural, quando a inocência é pisada, e a iniquidade é exaltada. Se a execução da justiça for algo justo — e quem pode negar este fato? — então deve ser muito apropriado desejá-la; não pela nossa vingança pessoal, pois neste caso dificilmente a pessoa ousaria apelar a Deus, mas pela simpatia com o que é certo, e pela piedade por aqueles que sofrem, injustamente. Quem pode ver uma nação escravizada, ou até mesmo um indivíduo pisoteado, sem clamar para que o Senhor se levante e vingue a causa justa? A tolerância à injustiça é aqui atribuída ao fato de o Senhor estar escondido, e é sugerido que a visão dEle será suficiente para alarmar os tiranos e fazê-los cessar suas opressões. Deus apenas precisa se mostrar, e a boa causa alcança a vitória. *Ele* vem, Ele vê, Ele vence! Verdadeiramente, nestes dias de perversidade, nós precisamos de uma exibição manifesta do Seu poder, pois os antigos inimigos de Deus e do homem estão, novamente, lutando pelo domínio, e, caso o conquistem, ai dos santos de Deus.

2. *"Exalta-te, tu, que és juiz da terra."* Ascende ao Teu trono de juízo, e sê reconhecido como o governante dos homens: e, além disto, levanta-te, como fazem os homens que estão prestes a atacar com todo o seu poder; pois o abundante pecado da humanidade exige um pesado golpe da Tua mão.

"Dá o pago aos soberbos", dá-lhes medida por medida, uma justa retaliação, golpe por golpe. O arrogante olha para os pobres graciosos, abaixo de si, e os golpeia, do alto, como um gigante pode arremessar golpes sobre o seu adversário; da mesma maneira, ó Senhor, exalta-Te, e "dá o pago aos soberbos", e faça com que eles saibam que Tu estás muito acima deles, muito mais do que eles podem estar acima do mais humilde de seus semelhantes. O salmista, assim, invoca as retribuições da justiça, com palavras claras, e seu pedido é precisamente aquilo que a inocência paciente suporta em silêncio, quando seus olhares de angústia apelam para o céu.

3. *"Até quando os ímpios, Senhor, até quando os ímpios saltarão de prazer?"* O mal governará para sempre? A escravidão, o roubo, a tirania, jamais cessarão? Uma vez que existe, certamente, um Deus justo no céu, armado com um poder infinito e ilimitado, certamente deverá haver, cedo ou tarde, um fim para o predomínio do mal, e a inocência deverá, um dia, encontrar um defensor. Este *"até quando?"* do texto é a queixa amarga de todos os justos em todas as gerações, e expressa o assombro causado por este grande enigma da providência, a existência e a predominância do mal. O som de "até quando?" é muito similar a um uivo, como se fosse uma das mais tristes maneiras em que a infelicidade se expressa. Muitas vezes esta amarga queixa foi ouvida nas masmorras da Inquisição, nos açoitamentos da escravidão, e nas prisões da opressão. No devido tempo, Deus irá divulgar a Sua resposta, mas este não será o final completo.

4. *"Até quando proferirão e dirão coisas duras?"* Os ímpios não se satisfazem com obras de injustiça, mas acrescentam discursos, vanglórias, ameaças e insultos sobre os santos. O Senhor tolerará isto para sempre? Ele deixará Seus próprios filhos muito mais tempo como presa de seus inimigos? Os discursos solenes dos adversários, Seus e de Seus filhos, não farão com que, por fim, a Sua justiça interfira? As palavras frequentemente ferem mais do que as espadas, elas são tão duras para o coração como pedras para a carne; e elas são derramadas, pelos ímpios, em redundância, pois esta é a força da palavra traduzida como *proferir;* eles usam estas palavras tão

comumente, que este se torna o seu discurso comum (proferirão e dirão) — isto deverá ser tolerado para sempre?

"E se gloriarão todos os que praticam a iniquidade?" — eles até mesmo falam consigo mesmos, e de si mesmos, com arrogância de espírito, como se estivessem fazendo alguma boa obra quando esmagam os pobres e necessitados, e cospem sobre homens graciosos. Vangloriar-se é a natureza dos que realizam iniquidades, assim como ser humildes é a característica dos homens de bem — as suas vanglórias serão sempre suportadas pelo grande Juiz, cujos ouvidos ouvem tudo o que eles dizem? Por muito tempo — muito tempo mesmo — eles tiveram a plataforma para si mesmos, e altas, muito altas, foram as suas blasfêmias contra Deus e seus ataques contra os santos — não chegará logo o dia em que a ameaçada herança da vergonha e o desprezo eterno lhes serão destinados?

Assim os oprimidos apelam ao seu Senhor, e Deus não vingará Seus escolhidos? Ele não falará, do céu, com o inimigo, dizendo, "Por que me persegues?" "

5. *"Reduzem a pedaços o teu povo, Senhor"*, moendo-os com opressão, esmagando-os com desprezo. Mas os homens que eles reduzem a pedaços são o povo de Deus, que é perseguido por ser o povo de Deus; este é um forte apelo para a interposição divina.

"E afligem a tua herança", causando-lhes angustiosa humilhação e profunda depressão no coração. A expressão "tua herança" destaca a escolha dos santos, o interesse peculiar de Deus e a Sua alegria neles, o Seu relacionamento de concerto, de longa duração, com eles e seus pais; isto também é um arsenal de argumentos junto ao seu Deus fiel. Ele não defenderá os Seus? Um homem perderá sua herança, ou poderá ser desdenhosamente saqueado? Aqueles que estão moídos, e pisados, não são estrangeiros, mas os escolhidos do Senhor; quanto tempo Ele permitirá que eles sejam presas de adversários tão cruéis?

6. *"Matam a viúva e o estrangeiro e ao órfão tiram a vida."* Eles lidam de maneira extremamente arrogante com aqueles que são os objetos mais evidentes de compaixão. A lei de Deus recomenda estes pobres à bondade dos homens bons, e é uma iniquidade peculiar que os separa para serem vítimas, não apenas de fraude, mas também de assassinato. Uma conduta desumana como esta não provocará o Senhor? As lágrimas das viúvas, os gemidos dos estrangeiros, e o sangue dos órfãos, serão derramados em vão? Tão certamente como existe um Deus no céu, Ele visitará aqueles que perpetram tais crimes: ainda que Ele os tolere, por muito tempo, Ele se vingará, e rapidamente.

7. *"E dizem: O Senhor não o verá."* Esta era a razão da sua arrogância, e o clímax da sua iniquidade: eles eram cegamente ímpios, porque sonhavam com um Deus cego. Quando os homens crêem que os olhos de Deus estão turvos, não há motivos para se perguntar por que eles dão total vazão às suas paixões brutais. As pessoas mencionadas acima não somente alimentavam uma crença infiel, mas ousavam declará-la, proferindo a monstruosa doutrina de que Deus está longe demais para perceber as ações dos homens.

"Nem para isso atentará o Deus de Jacó." Blasfêmia abominável, e falsidade transparente! Se Deus, realmente, se tornou o Deus do Seu povo, e provou os Seus cuidados com eles, por mil atos de graça, como ousam os ímpios afirmar que Ele não perceberá os males feitos aos Seus? Não há limites para a blasfêmia do homem orgulhoso e arrogante, nem a própria razão pode limitá-lo; ele rompeu os limites do bom senso. O Deus de Jacó o ouviu, junto ao ribeiro de Jaboque; o Deus de Jacó o conduziu, e o protegeu durante toda a sua vida, e disse, a respeito dele e da sua família: "Não toqueis os meus ungidos e aos meus profetas não façais mal"; no entanto, estes brutos professam crer que Ele não vê nem se importa, com as ofensas feitas ao povo escolhido! Certamente, em tais descrentes se cumprem as palavras dos sábios, de que àqueles aos quais o Senhor deseja destruir, Ele abandona à loucura de seus corações corruptos.

8 *Atendei, ó brutais dentre o povo; e vós, loucos, quando sereis sábios?*
9 *Aquele que fez o ouvido, não ouvirá? E o que formou o olho, não verá?*

10 *Aquele que argui as nações, não castigará? E o que dá ao homem o conhecimento, não saberá?*
11 *O Senhor conhece os pensamentos do homem, que são vaidade.*

8. *"Atendei, ó brutais dentre o povo."* Eles diziam que Deus não *via*, e agora, usando a mesma palavra no original, o salmista convoca os ímpios a *ver*, e prestar atenção à verdade. Ele os descreve como ríspidos, brutais e repugnantes, e o termo era bastante merecido; e ele pede que eles compreendam, ou considerem, se puderem. Eles se julgavam sábios, e, na verdade, os únicos homens de inteligência do mundo, mas ele os chama de "brutais entre o povo": os ímpios são loucos, e quanto mais conhecem, mais loucos se tornam. "Não há louco como um louco com conhecimento"; este é um provérbio verdadeiro. Quando o homem se desliga de Deus, ele acaba com a sua humanidade, e desce ao nível do boi e do jumento, ou melhor, abaixo deles, pois "O boi conhece o seu possuidor, e o jumento, a manjedoura do seu dono". Em vez de nos humilharmos na presença dos cientistas infiéis, nós devemos ter pena deles; eles parecem nos desprezar, mas nós temos muito mais motivos para desprezá-los.

"E vós, loucos, quando sereis sábios?" Não é o momento, agora? Vocês conhecem os caminhos da loucura; e que lucro tiveram neles? Não lhes sobrou nenhuma razão, nenhum vestígio de bom senso? Se ainda houver, na sua mente, um lampejo de inteligência, dêem ouvidos aos argumentos e considerem as perguntas que agora lhes serão propostas.

9. *"Aquele que fez o ouvido, não ouvirá?"* Ele criou este órgão maravilhoso, e o fixou no lugar mais conveniente, próximo ao cérebro, e Ele mesmo será surdo? Ele será capaz de tal projeto e invenção, e não poderá discernir o que é feito no mundo que Ele criou? Ele fez você ouvir, e Ele mesmo não ouvirá? Pergunta impossível de responder! Ela assombra o cético, e o cobre de confusão.

"E o que formou o olho, não verá?" Ele nos dá a visão — é concebível que Ele mesmo não tenha visão? Com mãos hábeis, Ele criou o nervo ótico, e o globo ocular, e todo o seu curioso mecanismo, e está acima de toda a imaginação que Ele mesmo seja incapaz de observar as obras das Suas criaturas. Se há um Deus, Ele deve ser um ser inteligente, e nenhum limite pode ser imposto ao Seu conhecimento.

10. *"Aquele que argúi as nações, não castigará?"* Ele reprova e repreende nações inteiras; e não poderá reprovar e repreender indivíduos? Toda a história mostra que Ele visita o pecado nacional com juízo nacional, e não poderá lidar com indivíduos? A pergunta que vem a seguir é igualmente cheia de força, e é feita com um grau de entusiasmo que reprime o orador, e faz com que a pergunta seja incompleta. Ela começa com *"E o que dá ao homem o conhecimento"*, e então vem uma pausa, que os tradutores preencheram com as palavras *"não saberá?"* Mas estas palavras não estão no original, onde a sentença chega a um fim abrupto, como se a dedução fosse natural demais, e não precisasse ser declarada, e o autor tivesse perdido a paciência com os brutos aos quais inquiria. O crente mais sincero frequentemente se sente como se pudesse dizer: "Vão, não vale a pena discutir com vocês! Se vocês fossem homens razoáveis, estas coisas seriam óbvias demais, e não precisariam ser declaradas aos seus ouvidos. Desisto". O conhecimento do homem vem de Deus. A ciência, nos seus princípios fundamentais, foi ensinada ao nosso progenitor, Adão, e todos os progressos posteriores se deveram à ajuda divina; será que o próprio Autor e Revelador de todo o conhecimento não saberia todas as coisas?

11. Quer os homens admitam ou neguem que Deus sabe, uma coisa é declarada aqui, especificamente, que *"O Senhor conhece os pensamentos do homem, que são vaidade"*. Não apenas as suas palavras são ouvidas, e suas obras, vistas, mas Ele lê os impulsos secretos de suas mentes, pois os homens não são difíceis de serem distinguidos por Ele — diante dos Seus olhos eles são apenas vaidade. Na opinião do Senhor, não é importante conhecer os pensamentos de peças tão transparentes de vaidade como é a humanidade, Ele os resume em um momento, como pobres coisas vãs. Este é o sentido do original, mas o sentido dado na versão autorizada

também é verdadeiro — os pensamentos, a melhor parte, a porção mais espiritual da natureza do homem, até mesmo isto é pura vaidade, e nada além disto. Pobre homem! No entanto, uma criatura como esta se vangloria, brinca de monarca, tiraniza seus companheiros vermes, e desafia o seu Deus! A loucura se mistura com a vaidade humana, como a fumaça com o fogo, para torná-la mais repugnante, mas não mais substancial do que teria sido sozinha.

Como são loucos aqueles que pensam que Deus não conhece seus atos, quando a verdade é que os seus vãos pensamentos são todos percebidos por Ele! Como é absurdo menosprezar a Deus quando, na verdade, nós não somos nada, aos Seus olhos.

12 *Bem-aventurado é o homem a quem tu repreendes, ó Senhor, e a quem ensinas a tua lei,*
13 *para lhe dares descanso dos dias maus, até que se abra a cova para o ímpio.*
14 *Pois o Senhor não rejeitará o seu povo, nem desamparará a sua herança.*
15 *Mas o juízo voltará a ser justiça, e hão de segui-lo todos os retos de coração.*

12. *"Bem-aventurado é o homem a quem tu repreendes, ó Senhor."* A mente do salmista está se acalmando. Ele não mais se queixa a Deus, nem discute com os homens, mas dedica a sua harpa a melodias mais suaves, pois a sua fé percebe que, por mais aflito que o crente esteja, tudo está bem. Embora ele possa não se sentir bem-aventurado, enquanto sobre sob a vara da punição, ainda assim ele é bem-aventurado; ele é precioso, aos olhos de Deus, ou o Senhor não se daria o trabalho de corrigi-lo, e felizes serão os resultados da Sua correção. O salmista chama o castigado de um *"homem"*, no melhor sentido, usando a palavra hebraica que sugere força. Ele é, verdadeiramente, um homem, que está sob os ensinamentos e o treinamento do Senhor.

"E a quem ensinas a tua lei." O livro e a vara, a lei e o castigo, andam juntos, e são duplamente úteis, sendo encontrados em conexão. A aflição sem a palavra é um forno para o metal, mas não há fluxo que auxilie a purificação: a palavra de Deus provê esta necessidade, e torna eficaz a terrível provação. Afinal, a bênção de Deus pertence muito mais àqueles que sofrem sob a mão divina do que àqueles que fazem sofrer aos outros: é muito melhor clamar como um *"homem"* sob a mão do nosso Pai celestial, do que urrar e enfurecer-se como um bruto, e trazer sobre si mesmo um golpe mortal do destruidor do mal. O crente angustiado está sendo instruído; ele está em treinamento para algo mais elevado e melhor, e tudo o que ele enfrenta está contribuindo para o seu maior bem; por isto, ele é um homem bem-aventurado, por mais que as suas circunstâncias externas possam dizer o oposto.

13. *"Para lhe dares descanso dos dias maus, até que se abra a cova para o ímpio."* A mão que castiga e o livro que instrui são santificados para nós, de modo que aprendamos a descansar no Senhor. Nós vemos que o Seu objetivo é o nosso benefício eterno, e por isto permanecemos quietos, sob todas as providências de tentação e perseguições amargas, esperando o nosso momento. O Poderoso Caçador está preparando a cova para os brutos; eles estão espreitando e atacando as ovelhas, mas logo serão capturados e destruídos. Por isto, o povo do Senhor aprende a descansar nos dias da adversidade, e aguardar para desfrutar o prazer que lhes é concedido pelo Senhor seu Deus. Os ímpios podem não estar ainda prontos para a punição, nem a punição pronta para eles: o inferno é um lugar preparado para um povo preparado; assim como os dias de graça amadurecem os santos para a glória, também os dias de devassidão ajudam os pecadores a apodrecer na corrupção da destruição eterna.

14. *"Pois o Senhor não rejeitará o seu povo."* Ele pode abatê-los, mas jamais os rejeitará. Durante ferozes perseguições, os santos foram capazes de pensar que o Senhor tinha abandonado as Suas próprias ovelhas, e as tinha entregado aos lobos; mas isto jamais aconteceu, nem jamais acontecerá, pois o Senhor não retirará o Seu amor, *"nem desamparará a sua herança"*. Durante algum tempo, Ele pode

abandonar os Seus, com a intenção de beneficiá-los desta maneira, mas Ele jamais os desampara completamente.

"Ele pode castigar e corrigir,
mas jamais negligenciar;
Ele pode, com fidelidade, reprovar e repreender,
mas jamais pode deixar de amar".

15. *"Mas o juízo voltará a ser justiça."* O grande Juiz virá, o reino da justiça começará, o curso das coisas estará no caminho certo e então todos os crentes fiéis se alegrarão. O carro do que é direito será puxado, em triunfo, pelas nossas ruas, *"e hão de segui-lo todos os retos de coração"*, em alegre procissão. Uma deliciosa esperança é aqui expressa em imagens poéticas de grande beleza. O governo do mundo esteve, durante algum tempo, nas mãos daqueles que o usaram para os mais infames fins; mas o clamor de oração trará a justiça de volta ao trono, e então cada coração justo terá a sua porção de alegria.

16 *Quem será por mim contra os malfeitores? Quem se porá ao meu lado contra os que praticam a iniquidade?*

Apesar da persuasão do salmista de que, no final, tudo ficaria bem, ele não pode, no momento, perceber ninguém que estivesse lado a lado com ele, em oposição ao mal; nenhum defensor do justo se apresentava, e não se podia encontrar os fiéis entre os homens. Isto também é uma amarga tentação, e um amargo mal debaixo do sol; mas ela tem o seu objetivo, pois leva o coração ainda mais completamente ao Senhor, compelindo-o a descansar somente nEle. Se nós pudéssemos encontrar amigos em outra parte, talvez o nosso Deus não seria tão importante para nós; mas quando, depois de pedir ajuda ao céu e à terra, não encontrarmos outra ajuda, exceto a que vem do braço eterno, nós somos levados a valorizar o nosso Deus, e descansar nEle, com uma confiança indivisa. A alma jamais está mais segura, ou mais descansada, do que quando, depois que todas as outras ajudas fracassam, ela se apoia apenas no Senhor. O versículo diante de nós é um clamor apropriado, agora que a igreja vê o erro que a invade por todos os lados, quando os ministros fiéis são poucos, e ainda menos são suficientemente ousados para "se levantar" e desafiar os inimigos da verdade. Onde estão nossos Luteros e Calvinos? Uma falsa caridade debilitou a maioria dos valentes de Israel. Um John Knox seria de grande valia neste momento, mas onde está ele? A nossa grande consolação é o fato de que o Deus de Knox e Lutero ainda está conosco, e no devido tempo irá chamar Seus campeões escolhidos.

17 *Se o Senhor não fora em meu auxílio, já a minha alma habitaria no lugar do silêncio.*
18 *Quando eu disse: O meu pé vacila; a tua benignidade, Senhor, me susteve.*
19 *Multiplicando-se dentro de mim os meus cuidados, as tuas consolações reanimaram a minha alma.*

17. *"Se o Senhor não fora em meu auxílio, já a minha alma habitaria no lugar do silêncio."* Sem o auxílio do Senhor, o salmista declara que ele deveria estar morto, e deveria ter ido à terra do silêncio, onde não haveria mais testemunhos a ser dados a favor do Deus vivo. Ou ele pode querer dizer que não teria tido uma palavra a dizer contra seus inimigos, mas estaria envolto em uma vergonha sem palavras. Bendito seja Deus, nós ainda não fomos reduzidos a esta condição, pois o Senhor Todo-Poderoso ainda é o Ajudador de todos os que confiam nEle. A nossa alma interior se curva quando nós vemos as vitórias dos inimigos do Senhor — não podemos tolerar isto, nós cobrimos nossas bocas com confusão, mas Ele se levantará e defenderá a Sua causa, por isto devemos ter esperança.

18. *"Quando eu disse: O meu pé vacila"* — ele vacila até mesmo agora: eu percebi o perigo, e clamei horrorizado; e, então, no momento da minha situação mais extrema, veio a ajuda necessária, *"a tua benignidade, Senhor, me susteve"*. Com muita frequência este é o caso, nós sentimos as nossas fraquezas, e vemos o perigo que corremos, e com temor e tremor, clamamos. Em tais ocasiões nada pode nos ajudar, exceto a *misericórdia*; não podemos apelar a nenhum mérito fantasioso, pois sentimos que é o nosso pecado inato que faz com que nossos pés estejam tão prontos a falhar conosco; a nossa alegria é o fato de que esta misericórdia dura para sempre, e está sempre à mão, para nos arrancar do perigo, e nos sustentar, caso contrário cairíamos, para nossa destruição. Dez mil vezes este versículo é verdadeiro, com relação a alguns de nós, e especialmente com relação ao autor deste comentário. O perigo era iminente, estava sobre nós; o perigo era aparente, nós o vimos e nos abalamos com a visão; o nosso próprio coração falhava, e nós concluímos que tudo estava acabado, conosco; mas, então, veio a interposição do Todo-Poderoso: nós não caímos, nós fomos sustentados por uma mão invisível, os estratagemas do inimigo foram frustrados, e nós cantamos de alegria. Oh, fiel protetor de nossas almas, sê enaltecido, para todo o sempre! Nós bendiremos ao Senhor, em todos os momentos, o Seu louvor estará continuamente em nossas bocas.

19. *"Multiplicando-se dentro de mim os meus cuidados."* Quando eu for jogado, de um lado a outro, com vários argumentos, distrações, questionamentos e premonições, voarei para o meu verdadeiro descanso, pois *"as tuas consolações reanimaram a minha alma"*. Dos meus pensamentos pecaminosos, meus pensamentos vãos, meus pensamentos angustiados, minhas tristezas, minhas preocupações, meus conflitos, correrei para o Senhor; Ele tem *consolações* divinas, que não apenas me consolam, mas, na verdade, me *alegram*. Como são doces as consolações do Espírito! Quem pode refletir sobre o amor eterno, propósitos imutáveis, promessas de concerto, redenção concluída, o Salvador ressuscitado, a Sua união com o Seu povo, a glória vindoura, e temas semelhantes, sem sentir seu coração saltar de alegria? O pequeno mundo interior está como o grande mundo exterior, cheio de confusão e lutas; mas quando Jesus entra nele e sussurra: "Paz seja contigo", há uma calma, um arrebatamento de bem-aventurança. Devemos nos afastar da triste contemplação da opressão do homem, e da predominância atual dos ímpios, e nos dirigir àquele santuário de puro descanso, que é encontrado no Deus de toda consolação.

20 *Podia, acaso, associar-se contigo o trono de iniquidade, que forja o mal tendo por pretexto uma lei?*
21 *Acorrem em tropel contra a vida do justo e condenam o sangue inocente.*

20. *"Podia, acaso, associar-se contigo o trono de iniquidade?"* Tais tronos eles são, e alegam um direito divino, mas sua reivindicação é infundada, uma fraude sobre a humanidade e uma blasfêmia ao céu. Deus não faz aliança com nenhuma autoridade injusta, Ele não sanciona nenhuma legislação injusta.

"Que forja o mal tendo por pretexto uma lei?" Eles legalizam o roubo e a violência, e então alegam que é a lei da terra; e, realmente, assim pode ser, mas é uma iniquidade. Com grandes cuidados os homens preparam decretos que pretendem sufocar todos os protestos, de modo a fazer do pecado uma instituição permanente, mas um elemento é necessário para o verdadeiro conservadorismo, que é a justiça; e na falta dela, todos os arranjos dos detentores do poder chegam ao fim, e todos os seus decretos são, no decorrer do tempo, apagados do livro de estatutos. Nada pode durar para sempre, exceto o direito imparcial. Nenhuma injustiça pode ser permanente, pois Deus não colocará o Seu selo sobre ela, nem terá nenhuma comunhão com ela, e por isto ela deve vir abaixo, e feliz será o dia em que ocorrer a sua queda.

21. *"Acorrem em tropel contra a vida do justo"*; eles são tantos, que aglomeram suas assembleias e executam suas duras medidas com entusiasmo; eles são o partido popular, e estão ansiosos para sufocar os santos. Em conselho e em atos,

são unânimes; a sua única determinação é manter a sua posição tirânica, e derrubar o partido devoto.

"E condenam o sangue inocente." Eles são excelentes na calúnia e nas falsas acusações, não se limitam ao assassinato; nenhum crime é grande demais para eles, se apenas puderem pisar nos servos do Senhor. Esta descrição é historicamente verdadeira, com referência aos tempos de perseguição; ela se cumpriu na Inglaterra, e pode se cumprir outra vez, se o Papismo progredir, em tempos futuros, da mesma maneira como nos últimos anos. A seita dominante tem a lei do seu lado, e se vangloria de ser a igreja nacional; mas a lei que estabelece e favorece uma religião, em lugar de outra, é radicalmente uma injustiça. Deus não tem comunhão com ela, e por isto a sinagoga do ritualismo será um cheiro ruim nas narinas de todos os homens sensatos. O que os tempos maus armazenam para nós, não nos cabe profetizar; nós devemos deixar a questão nas mãos daquele que não pode estar em comunhão com um sistema opressor, e não irá tolerar para sempre ser insultado por ídolos papistas, e seus sacerdotes.

22 *Mas o Senhor foi o meu alto retiro; e o meu Deus, a rocha em que me refugiei.*
23 *E fará recair sobre eles a sua própria iniquidade; e os destruirá na sua própria malícia; o Senhor, nosso Deus, os destruirá.*

22. Que os ímpios se congreguem como quiserem, o salmista não tem medo, mas canta, de forma doce: *"O Senhor foi o meu alto retiro; e o meu Deus, a rocha em que me refugiei"*. O amor do Senhor é firme como uma rocha, e para lá nós nos dirigimos, em busca de abrigo. Nele, e somente nEle, encontramos segurança, por mais que se enfureça o mundo; nós não pedimos ajuda aos homens, mas nos contentamos em fugir para o seio da onipotência.

23. O resultado natural da opressão é a destruição do déspota; as suas próprias iniquidades o esmagam, em pouco tempo. A Providência traz retaliações tão notáveis quanto justas. Grandes crimes, no final, trazem juízos pesados, para varrer os homens maus da face da terra; o próprio Deus se interpõe de uma maneira especial, e encurta a carreira dos tiranos enquanto estão ainda realizando seus crimes. Os ímpios frequentemente são presos em flagrante, pelos executores da justiça divina, com as evidências da sua culpa sobre eles mesmos.

"E fará recair sobre eles a sua própria iniquidade, e os destruirá na sua própria malícia." Enquanto o pão roubado está em suas bocas, a ira os mata, enquanto o ouro obtido ilicitamente ainda está nas suas tendas, o juízo os alcança. O próprio Deus os visita conspicuamente, e revela o Seu próprio poder no Seu ataque *"o Senhor, nosso Deus, os destruirá"*.

Aqui, então, termina o assunto; a fé lê o presente à luz do futuro, e conclui o seu canto sem tremer nenhuma nota.

NOTAS EXPLICATIVAS E DECLARAÇÕES SINGULARES

v. 1: "Ó Senhor Deus, a quem a vingança pertence". Pode, talvez, parecer pouco de acordo com um amante da piedade, insistir tão incansavelmente, para que Deus se mostrasse um vingador contra os ímpios, e incitá-lo como se Ele estivesse tardando e adiando. Mas esta súplica deve ser considerada na sua situação apropriada: pois Davi não ora, nem nós devemos orar, para que Deus se vingue dos ímpios da mesma maneira que os homens, inflamados com ira e ódio, estão acostumados a se vingar de seus inimigos, mas para que Ele os puna segundo a Sua própria maneira e medida divinas. A vingança de Deus é, em grande parte, um remédio para o mal; mas a nossa, às vezes, é destruição, até mesmo do bem. Portanto, verdadeiramente, somente o Senhor é o Deus das vinganças. Pois nós, quando pensamos que infligimos uma punição ao nosso inimigo, estamos frequentemente muito enganados. Que ofensa nos fez o corpo do nosso inimigo? Ao privá-lo dele, nós expressamos toda a nossa amargura. O que te feriu, e te trouxe o mal e a vergonha, foi o espírito do teu inimigo, e não consegues prendê-lo, mas Deus pode; e somente Ele tem tal poder, de modo que, de nenhuma maneira, o espírito poderá escapar à Sua força. Deixe a vingança com Ele, e Ele irá lhe indenizar. Ele nos admoesta, dizendo que, se nós desejarmos ser vingadores de nossas próprias dores e ofensas, nós podemos nos ferir mais profundamente do que o nosso inimigo: pois quando nós nos vingamos dele, na verdade ferimos e agimos com violência contra o seu corpo, que, em si mesmo, é infame e merece pouca consideração; mas na nossa parte melhor e mais preciosa, isto é, nosso espírito, nós mesmos, ao perdermos a paciência, recebemos uma grave mancha, porque quando a virtude e a humanidade tiverem sido expelidas dali, nós incorreremos em erros a serem expiados. Por isto, Deus é convidado a se tornar o vingador das nossas ofensas, pois somente Ele conhece o que é absolutamente justo e correto, e é capaz de fazer a vingança; só Ele é capaz de fazer uma vingança totalmente justa, retribuindo somente a ofensa que foi feita, sem qualquer excesso. Por exemplo, se alguém lhe enganou em alguma questão financeira, Ele é capaz de punir a avareza de tal pessoa. Um homem arrogante tratou você com desprezo, que Ele destrua o seu orgulho, etc... Esta é a vingança merecedora de ser infligida por Deus, e deve ser buscada por nós. — *Jacopo Sadoleto, 1477–1547*

v. 1: Eu não creio que nós tenhamos tratado de modo suficiente da distinção que existe entre dois tipos de vingança. "Uma delas", diz o Dr. Johnson, "é um ato de paixão, a outra, de justiça; uma vinga as ofensas, a outra vinga os crimes". E é por não perceber esta distinção essencial que o zombador foi levado a tais observações profanas, como se houvesse um espírito vingativo no Todo-Poderoso, e como se Ele se alegrasse em executar vingança sobre um adversário. O chamado que o salmista faz aqui, a Deus, como um Deus a quem pertence a vingança, não é diferente do que se ele tivesse dito, "Oh Deus, a quem pertence a justiça!" A vingança de justiça, verdadeiramente, não é para o homem, porque com os sentimentos e as inclinações do homem, acaba degenerando em vingança de paixão. "Eu serei como ele", diz a natureza; "eu estarei acima dele", diz a graça. — *Barton Bouchier*

v. 1: Os dois nomes divinos *(El* e *Jeová — Deus* e *Senhor)* reconhecem Deus como todo-poderoso, eterno, existente, por si mesmo, ligado por concerto ao Seu povo, e o único que tem direito à vingança. — *J. A. Alexander*

vv. 1 a 6:

"Vinga, ó Senhor, os Teus santos assassinados, cujos ossos
estão espalhados nos frios montes dos Alpes;
E daqueles que guardavam a Tua verdade, tão puros, antigamente,
Quando todos os nossos pais adoravam toras e pedras,
Não Te esqueças: no Teu livro, registra os seus gemidos,
daqueles que eram Tuas ovelhas, e no seu antigo curral
foram mortas pelo piemontês sanguinário que fez rolar
mãe e filho pelas rochas.
Os seus gemidos... os vales duplicam às colinas, e estas ao céu.
O sangue martirizado e as cinzas semeadas sobre todos os campos da Itália,
Onde ainda governa o Tirano triplo; para que a partir disto possam crescer centenas de vezes mais, e que, tendo aprendido o caminho, possam fugir rapidamente do lamento babilônio".

— *John Milton*

v. 3: "Até quando os ímpios, Senhor, até quando", etc. Duas vezes ele diz isto, porque os ímpios se vangloriam, dia após dia, com tal insolência e horror, como se estivessem sem controle. — *John Trapp*

v. 3: "Até quando os ímpios saltarão de prazer?" Para *saltar de prazer*, a palavra hebraica é יַעֲלֹזוּ, que significa *exaltar*, isto é, eles se aplaudem, em vão, por causa de sua prosperidade, e declaram o seu sucesso, tanto com palavras quanto com os gestos do seu corpo, como pavões abrindo suas plumas.

"Até quando proferirão", etc. Para *proferir*, a palavra hebraica é יַבִּיעוּ, *eles farão fluir, eles lançarão.* A metáfora é extraída de fontes nascidas da rocha, com jorro abundante de água. Ali se observa abundância de palavras, a sua precipitação, o seu esbanjamento, e a sua profusão, o seu som e entusiasmo, a sua continuidade e a dificuldade de obstruí-la. — *Le Blanc*

v. 3: "Até quando os ímpios saltarão de prazer?" Que resposta daremos, que data diremos, em resposta a esta pergunta, *"Até quando?"* A resposta é dada no versículo 23, *"fará recair sobre eles a sua própria iniquidade; e os destruirá na sua própria malícia"*, etc. Como se ele tivesse dito: A menos que o Senhor os destrua na sua malícia, eles jamais deixarão de agir com maldade. São homens de um tipo tal que *não* há como curá-los, eles jamais deixarão de fazer o mal a menos que sejam destruídos pela morte, por isto Deus ameaça a morte, para dissuadir o homem do pecado. Um homem devoto diz: "Ainda que ele me mate, nele esperarei"; e alguns homens ímpios dizem (na verdade, se não literalmente): Até que Deus nos mate, pecaremos contra Ele. — *Joseph Caryl*

vv. 3 e 4: "Saltar de prazer", "proferir e dizer", "gloriar". Nos mesmos termos em que o salmista se queixa da contínua prevalência dos ímpios, existe motivo para consolo, pois temos três (ou melhor quatro, segundo a versão autorizada) palavras que indicam o falar, e apenas uma *praticam*, para indicar o agir, mostrando-nos que eles são muito mais poderosos com suas línguas do que com suas mãos. — *Hugo Cardinalis, citado por Neale*

v. 5: "Reduzem a pedaços o teu povo". Eles pisam, eles moem; eles esmagam. A palavra hebraica é frequentemente usada como significando esmagar com os pés; pisar; e consequentemente, significa oprimir (Lm 3.34, Is 3.15). — *Albert Barnes*

v. 6: "Viúva"; "órfão". Um antigo autor judeu[1] ressaltou como os títulos de *viúva* e *órfão* se adequam perfeitamente à nação dos hebreus, porque eles não tinham outro ajudador, exceto Deus, e foram afastados de todos os outros povos, pelos seus ritos e costumes peculiares, ao passo que os gentios, pelas suas alianças mútuas e pelas suas relações, tinham de certa forma, uma multidão de parentes, que os ajudavam em qualquer dificuldade. — *J. M. Neale*

v. 7: "E dizem: O Senhor não o verá". Como se tivessem dito: Embora Deus deva se dispor a nos sondar, e deva desejar ver o que nós estamos fazendo, ainda assim Ele não o fará. Nós fazemos tudo tão cuidadosamente e com tanta sutileza, que o olho de Deus não nos alcançará. As suas obras eram tão repugnantes e sangrentas, que o sol poderia se envergonhar de olhar para elas, e eram tão secretas que eles acreditavam que Deus não olharia para eles, ou não os envergonharia por causa delas. — *Joseph Caryl*

v. 7: "O Senhor... o Deus de Jacó". Os nomes divinos são, como é usual, significativos. Que o Deus eterno e que existe por si mesmo não veja é um absurdo palpável; e dificilmente menos do que isto, que o Deus de Israel permitisse que o Seu povo fosse morto sem nem mesmo observar isto. O último verbo significa marcar, notar, observar. — *J. A. Alexander*

vv. 8 a 11: Nestas palavras, devem ser observados os seguintes pontos.

(1.) Uma certa *doença* espiritual que acometia *algumas* pessoas, como *trevas*, e *cegueira* mental, exibidas na sua ignorância e loucura.

(2.) A *intensidade* desta doença, a ponto de tornar os enfermos *loucos. "E vós, loucos, quando sereis sábios?"* E a ponto de reduzi-los a um grau de *selvageria. "Atendei, ó brutais dentre o povo"*. Esta ignorância e loucura chegavam ao ponto de tornar os homens semelhantes a animais.

---

[1] Philo Judaeus.

(3.) A *obstinação desta doença;* expressa na pergunta, *"quando sereis sábios?"* A sua cegueira e loucura não apenas eram muito grandes, mas estavam profundamente enraizadas e estabelecidas, resistindo a toda forma de cura.

(4.) Qual é a *natureza* desta cegueira. Ela envolve especialmente coisas pertinentes a Deus. Eles eram estranhamente *ignorantes* das Suas perfeições, como animais; e tinham *loucas* noções sobre Ele, como a de que Ele não via, nem sabia nada: e como a de que Ele não executa a justiça, castigando e punindo os homens ímpios.

(5.) A *irracionalidade* e o *embotamento* da noção que eles tinham de Deus, de que Ele não *ouvia*, nem *observava* como reprovavam a Ele mesmo e ao Seu povo, são demonstradas, observando que Ele *fez* o ouvido. É muito *irracional* supor que Aquele que deu aos *outros* a capacidade de perceber palavras, não as perceberia, Ele mesmo. E o embotamento que os torna insensíveis aos olhos de Deus, que tudo vêem, e particularmente ao fato de que Ele vê suas iniquidades, é exibido pelo fato de que Deus é o ser que *formou* o olho e deu aos seres humanos a *capacidade* de ver. O embotamento da sua apreensão de Deus, como se Ele não soubesse o que eles faziam, é explicado pelo fato de que Ele é a *fonte* e a origem de todo o conhecimento. A irracionalidade do fato de que eles esperam escapar aos justos castigos e juízos de Deus, pelo pecado, é exibido pelo fato de que Ele pune, até mesmo os *pagãos*, que não pecaram contra esta luz, ou contra tão grandes raças, como fizeram os ímpios em Israel; nem jamais tinham feito uma profissão de fé, como eles.

(6.) Podemos observar que esta terrível doença é destinada à *humanidade, de modo geral. "O Senhor conhece os pensamentos do* homem, *que são vaidade".* O salmista tinha estado exibindo a vaidade e irracionalidade dos pensamentos de *alguns* dos filhos dos homens; e imediatamente, ele observa que esta vaidade e loucura de pensamento são *comuns* e *naturais à humanidade.* Com base nestes pontos, é razoável que cheguemos à dedução da seguinte observação sobre a doutrina: *Existe uma cegueira extrema e brutal em assuntos de religião, que naturalmente se apossa dos corações da humanidade. — Jonathan Edwards*

vv. 8 a15: Deus tem capacidade, entranhas, veracidade. Capacidade: *E o que formou o olho, não verá? Aquele que fez o ouvido, não ouvirá?* vv. 8, 9, 10, 11. Entranhas: *Ele apenas castiga os Seus, não os destrói,* vv. 12, 13, 14. Veracidade: *apenas até que uma cova seja aberta para o ímpio,* v. 13. M*ardoqueu* não é visto com bons olhos, mas até que a forca seja preparada para Hamã, e então *o juízo retorna à justiça. — Nicholas Lockyer*

v. 9: "Aquele que fez o ouvido, não ouvirá?" etc. O salmista não diz: Aquele que fez o ouvido, *não tem um ouvido?* E o que formou o olho, *não tem olhos?* Não; mas, Não *ouvirá?* Não *verá?* E por que ele diz isto? Para evitar o erro de humanizar a Deus, de atribuir membros ou partes corpóreas ao Espírito infinito. — *Adam Clarke*

v. 9: "Fez o ouvido". O mecanismo do ouvido, como uma raiz *plantada* na terra, afunda, profundamente, na cabeça, e fica oculto dos olhos. — *Bagster's Comprehensive Bible*

v. 9: A *criação* do ouvido, ou sua posição profunda, assim como sua maravilhosa construção, são exibidos pelo seguinte fragmento: — "O órgão ou instrumento da audição está, em todas as suas partes mais importantes, oculto dentro da cabeça, que não podemos nos dar conta da sua construção, por uma mera inspeção externa. O que nós chamamos de ouvido, na linguagem comum, é somente a porção externa, ou o vestíbulo de uma curiosa série de intrincadas passagens em espiral, que, como os salões de um grande edifício, conduzem, do ambiente externo às câmaras interiores. Certas passagens estão cheias de ar, outras estão cheias de líquidos; e suas membranas estão estendidas, como cortinas de pergaminho, pelos corredores, em diferentes pontos, e podem vibrar ou tremer, como a face de um tambor ou pandeiro, quando tocada com uma vareta ou com os dedos. Entre duas destas cortinas, se estende uma cadeia de ossos muito pequenos, que serve para apertar ou afrouxar estas membranas, e para transmitir vibrações a elas. No ponto mais interno, fileiras de finos fios, chamados nervos, se esticam como as cordas de um piano, desde os pontos finais que os tremores ou estímulos alcançam, e passam para dentro do cérebro. Se estes fios ou nervos forem destruídos, a capacidade da audição desaparece, de modo tão infalível quanto o poder de produzir som é perdido por um piano ou violino, quando suas cordas se rompem.

Nós sabemos muito menos, no entanto, sobre o ouvido do que sobre o olho. O olho é uma única câmera, aberta para a luz, e nós podemos ver o seu interior, e observar o que acontece ali. Mas o ouvido tem muitas câmaras, e seus túneis em espiral, que interceptam os ossos do cérebro são estreitos, e escondidos de nós, como o são as masmorras de um castelo, como as quais, também, são totalmente escuros. No entanto, sabemos que é nos compartimentos mais recônditos destas catacumbas escuras de mármore, que a mente tem consciência do som. Por estas células sombrias, assim como pela câmara iluminada do olho, a alma está sempre passando e pedindo novidades do mundo exterior; e de vez em quando, como antigamente, em cavernas subterrâneas escondidas, onde os homens ouviam em silêncio e na escuridão as palavras dos oráculos, ecoam reverberações, ao longo das paredes ao redor, e as respostas vêm ao espírito que espera, quando o mundo levanta a sua voz e fala à alma. O som é o de uma voz abafada, um sussurro baixo, porém claro; pois assim como é apenas uma tênue sombra do mundo exterior que nós vemos, também é apenas um pálido eco do mundo exterior que ouvimos. — *George Wilson, em "The Five Gateways of Knowledge", 1861*

v. 9: "Aquele que fez o ouvido", etc. O Criador destes sentidos não os possuirá? O nosso Deus não é como aquele Júpiter, de Creta, que foi retratado sem ouvidos, e que não tinha tempo para resolver questões pequenas. Ele é οὖς καὶ νοῦ; e também ὁλοφθαλμὸς, todo olhos, todo ouvidos. Nós lemos sobre um povo chamado *Panotii*: para dizer a verdade, somente Deus é assim. — *John Trapp*

v. 9: "Formou o olho". A expressão usada para a criação do olho, não é meramente *"criou"*, como diz a versão Prayer Book, mas *"formou"*, πλάσας, *finxit*, voltando nossa atenção para o maravilhoso mecanismo dos órgãos da visão, e consequentemente à maravilhosa habilidade do Artífice. — *J. M. Neale*

v. 9: "O que formou o olho". A palavra usada aqui é frequentemente empregada com referência a um *oleiro;* e a ideia é que Deus moldou ou formou o olho, como o oleiro molda o barro. Quanto mais o olho é estudado, na sua estrutura, mais profundamente nós ficamos impressionados com a maravilhosa habilidade e sabedoria de Deus. — *Albert Barnes*

v. 9: "O olho". Para demonstrar a sabedoria exibida no olho, nós selecionamos o seguinte texto: "O nosso bem físico exige que tenhamos a capacidade de compreender o mundo em todos os aspectos em que é possível que a matéria ou suas forças afetem os nossos corpos. Os sentidos satisfazem esta necessidade, completamente... Nós somos inclinados a nos confinar ao mero mecanismo do olho ou do ouvido, sem considerar como os sentidos complementam, uns aos outros, e sem considerar a provisão feita, no mundo, para que ele possa ser um lugar apropriado para o exercício dos sentidos. O olho seria inútil, sem todas as propriedades da luz; o ouvido não teria nenhuma utilidade em um mundo sem uma atmosfera. A visão nos permite evitar perigos, e procurar objetos necessários à distância. Que grande extensão de tempo e esforço cansativo seria necessário para que um homem cego aprendesse aquilo que um olhar pode dar àquele que é abençoado com a visão. Uma raça de homens cegos não poderia existir neste globo.

Somente o sentido da visão, como um meio de nos adaptar ao mundo, nos assombraria como algo maravilhoso nos seus resultados, e merecedor da concepção da maior inteligência ao adaptar meios a fins, se não soubéssemos nada sobre os ajustes pelos quais esta visão é assegurada. Nós podemos conceber a capacidade de visão como uma percepção direta, sem o auxílio da luz, ou de um órgão especial correspondente ao olho. Mas, da maneira como fomos constituídos, nós vemos somente por intermédio da ação da luz; e percebemos a luz somente por meio de um órgão especial; e objetos, somente em consequência de uma estrutura peculiar deste órgão. De todas estas relações entre a luz e os objetos, e entre a luz e o olho, e ente as partes do olho, entre si, nenhuma delas é uma condição necessária importante. A combinação de tantas coisas pelas quais esta maravilhosa capacidade de perceber objetos distantes é assegurada é a única coisa que irá assegurar o fim desejado, de um número interminável de combinações que podem ser imaginadas... Quem quer que tenha concebido o órgão pelo qual nós podemos ver compreendia perfeitamente todas as propriedades da luz e as necessidades do ser que iria utilizar o órgão. O olho do homem, embora limitado na sua capacidade, a um certo alcance fornece tudo o que as necessidades comuns da vida exigem. E se o homem necessitar maior alcance de visão, ele apenas precisa estudar o olho, e conceber instrumentos que aumentem a sua capacidade; como ele é capaz, quando o momento apropriado é chegado, na sua civilização, de aumentar, por meio da ciência e da arte a eficácia de praticamente todas as suas capacidades físicas. Para os propósitos normais da vida, nem um ajuste telescópico, nem microscópico, do olho, é necessário.

Mas o olho não tem apenas a capacidade da visão, tão necessária para o homem, mas é um instrumento de poder, um instrumento que consiste de partes distintas, de sólidos e líquidos, de tecidos transparentes e opacos, de cortinas e lentes e telas. O seu mecanismo pode ser examinado com exatidão, e o uso de cada parte tão perfeitamente compreendido como qualquer das obras do homem. Nós examinamos cada parte dele, como faríamos com um microscópio. Nós temos, em primeiro lugar, o estojo sólido que deve conter todo o maquinário, e no qual devem ser presas as cordas e polias da sua engenhosa montagem. Este estojo, opaco, branco e brilhante, como prateado no fundo e nas laterais do olho, a parte frontal, por onde a luz deve entrar, repentinamente se torna transparente, como o mais claro cristal. Dentro, há uma segunda capa, que vindo à frente, muda repentinamente para uma tela opaca, pela qual nenhum raio de luz pode passar. Esta tela é auto-ajustável, com um trabalho que nenhuma habilidade do homem jamais igualou. Quer se expanda, quer se contraia, a abertura no centro sempre se conserva como um círculo perfeito, adaptado, em tamanho, à intensidade da luz. A quantidade de luz que entra no olho é determinada, sem nenhum auxílio de nossa parte. A seguir, deve haver uma conexão com o cérebro, a sede do ser para quem a provisão é feita. Estas duas capas são perfuradas, na parte de trás do olho, e um fio que sai do cérebro passa por esta abertura, e se espalha dentro do olho, como uma tela delicada, em que todas as impressões devem ser feitas. Para preencher a maior parte da cavidade, dentro dela está comprimida uma espécie de gelatina clara, e embebida nela, uma lente, moldada com uma habilidade que nenhum artista pode igualar, para refratar a luz e lançar a imagem na tela receptora. Em frente a esta lente há outro líquido, não como gelatina, porque neste, aquela franja delicada, a íris, deve flutuar, e nada exceto um fluido aquoso atenderá este propósito. Aqui, então, temos vários materiais, todos combinados, da exata qualidade e na qualidade necessária, colocados na exata posição que devem ocupar, tão perfeitamente ajustados que o máximo que o homem pode fazer é imitar o olho, sem jamais esperar igualá-lo.

Tampouco a curiosa estrutura do olho, propriamente dita, é merecedora da nossa atenção. O instrumento, depois de concluído, deve ser montado, para ser utilizado. Uma cavidade é formada, em osso sólido, com ranhuras e perfurações para todo o maquinário necessário. O olho, quando colocado no lugar, é embalado com almoçadas macias e elásticas, e preso por cordas e polias, para lhe dar variedade e rapidez de movimentos. O seu estojo externo o cobre, quando não está sendo usado, e o protege dos perigos. A delicada franja na sua borda jamais precisa ser cortada; e instalada como uma proteção bem arranjada, suas pontas graciosamente se viram para trás, para que nenhum raio de luz seja obstruído. Acima, a sobrancelha protetora é outra defesa, que desvia os fluidos ácidos da testa, ao passo que, perto do olho, é colocada uma glândula que banha todo o órgão com um fluido claro e suave, que evita todo o atrito e mantém a sua lente externa livre do pó, e polida, para o uso constante. Quando consideramos tudo isto, a perfeita adaptação do olho às nossas necessidades, o arranjo de cada parte da sua estrutura segundo princípios mecânicos e óticos, e todas as provisões para a sua proteção, nós declaramos o instrumento como sendo perfeito, a obra de um Ser que tem algumas características que também estão presentes no homem, mas incomensuravelmente exaltado acima do artesão humano mais talentoso. O que diremos quando soubermos que este instrumento foi preparado antes mesmo do seu uso; que existe um maquinário dentro dele, para mantê-lo sempre em funcionamento; que o Criador não apenas ajustou os materiais, mas que Ele foi o químico que formou todas estas substâncias, a partir do pó da terra? Nós podemos ser informados de que o arquiteto encontrou este pó à mão, existindo, desde toda a eternidade. Nós podemos não ser capazes de provar o contrário, nem precisamos fazer isto, por este argumento. É suficiente, para o nosso propósito atual, saber que os olhos com que agora vemos, estes instrumentos maravilhosamente complexos e perfeitos, eram, não faz muito tempo, terra comum, sobre a qual poderíamos, por casualidade, ter pisado.

Nós podemos entender o mecanismo do olho, podemos compreender a sabedoria que o projetou; mas a preparação dos materiais, e o ajuste das partes, falam de um poder e um talento que o homem jamais poderá ter esperança de alcançar. Quando ele vir o seu melhor trabalho ultrapassado, tanto em plano quanto em execução, deixará de reconhecer o desígnio? Deixaremos de reconhecer o construtor, quando contemplarmos tal obra?" — *P. A. Chadbourne, em "Lectures on Natural Theology; ou, Nature and the Bible, do mesmo autor. Nova York*, 1867"

v. 9: "Não verá?" Um deus ou um santo que realmente lançasse o olhar de um olho puro na consciência do adorador não conservaria a sua reputação por muito tempo. A grama cresceria novamente ao redor do santuário daquele ídolo. Um deus com visão não serviria para nada: o idólatra deseja um deus cego. A primeira causa da idolatria é um desejo, em um coração impuro, de escapar do olhar do Deus vivo, e nada, exceto uma imagem morta, servirá. — *William Arnot*

v. 9: Aquele que criou o próprio sol, e o faz se mover, sendo uma pequena parte das Suas obras, se comparado com o conjunto, será incapaz de perceber todas as coisas? — *Epictetus*

v. 9: É um sábio conselho dos rabinos, aquele que diz que as três melhores proteções para não se cair no pecado são lembrar, em primeiro lugar, que existe um ouvido que ouve tudo; em segundo lugar, que existe um olho que vê tudo; e em terceiro lugar, que existe uma mão que escreve tudo no Livro da Ciência (ou do Conhecimento), que será aberto no Juízo. — *J. M. Neale*

v. 9 e 10: Não foi um poder limitado que pôde criar este olho para ver, este ouvido para ouvir, este coração para compreender; e, se este olho que Ele nos deu pode ver todas as coisas que estão dentro da nossa perspectiva, e se este ouvido, que Ele fez, pode ouvir todos os sons que estão ao nosso alcance, e se este coração, que Ele nos deu, pode conhecer todas as questões que estão ao alcance da nossa compreensão, quanto mais a visão, e a audição e o conhecimento daquele Espírito Infinito, que não tem limites, se estende a todos os atos e todos os eventos de todas as criaturas, que se abrem diante daquele que as criou! — *Joseph Hall*

v. 10: "O que dá ao homem o conhecimento". A questão chega somente ao meio do caminho (pois as palavras em itálico na versão ARC não estão nas Escrituras), sendo a aplicação óbvia demais para necessitar menção. "O que dá ao homem todo o Seu conhecimento". [Completem vocês mesmo o restante: pensem, e então?] — *Henry Cowles*

v. 10: "O que dá ao homem o conhecimento". Que conhecimento temos nós, além do que deriva dEle mesmo, ou do mundo exterior? — e o que é este mundo, senão Sua Criação? — e o que é a Criação, senão a composição, a estrutura e o arranjo de todas as coisas segundo Seus prévios desígnios, planos, intenções, vontade e ordem? Ao estudar a Criação, em qualquer de seus departamentos, nós, portanto, estudamos a Sua mente: e tudo o que podemos aprender dela são as Suas ideias, os Seus propósitos, e as Suas realizações. Nenhum autor, nas suas composições — nenhum artífice, nos seus mecanismos, pode exibir mais verdadeiramente seus talentos e ideias aos outros, do que o Criador invisível nos manifesta Seus pensamentos e Sua inteligência, nos sistemas e nas substâncias que Ele formou, e nos apresenta, para nossa contínua contemplação. Neste sentido, a Natureza é uma incessante revelação deles para nós. — *Sharon Turner*

v. 11: "O Senhor conhece os pensamentos". Os pensamentos do coração humano — quantos milhões deles existem, em um dia! O piscar de um olho não é algo tão repentino quanto o cintilar de um pensamento; mas aqueles milhares e milhares de pensamentos que passam por ti, que você não consegue considerar, são todos conhecidos de Deus. — *Anthony Burgess*

v. 11: "O Senhor conhece os pensamentos do homem, que são vaidade". Que pensamento humilhante nos é sugerido aqui! Vamos examiná-lo.

1. Se a vaidade tivesse sido atribuída às partes menores da criação — se todos os seres animados e irracionais, cujos dias são como uma sombra, e que não sabem de onde vêm nem para onde vão tivessem sido assim caracterizados — isto teria estado um pouco mais do que de acordo com as nossas próprias ideias. Mas a verdade humilhante pertence ao homem, o *senhor* da criação inferior — ao homem, este elo distinguido na cadeia da existência, que une, na sua pessoa, mortalidade e imortalidade, céu e terra. "O Senhor conhece os pensamentos do *homem*, que são vaidade".

2. Se a vaidade tivesse sido atribuída apenas ao exercício da parte dos nossos sentidos ou da nossa parte mortal, ou ainda daquilo que possuímos em comum com outros animais, teria sido menos humilhante. Mas a acusação aponta para o que é a glória peculiar do homem, a parte intelectual, seus *pensamentos*. É aqui, se é que é em alguma parte, que superamos as criaturas que estão colocadas ao nosso redor. Nós podemos contemplar a nossa própria existência, mergulhar no passado e no futuro, e compreender de onde viemos e para onde vamos. E nesta parte tenra nós somos tocados. Até mesmo os *"pensamentos"* do homem são vaidade. 3. Se a vaidade tivesse sido atribuída meramente àquelas insignificantes excursões da imaginação que não se influenciam pela escolha, um tipo de idas e vindas, que estão sempre flutuando na mente, como insetos no ar em uma tarde de verão, isto teria sido menos comovente. A alma do homem parece estar necessariamente ativa. Tudo o que nós vemos, ouvimos, sentimos, provamos ou percebemos, tem alguma influência no pensamento, que é movido por isto, como folhas nas árvores, por cada brisa. Mas aqui, "pensamentos" incluíam aqueles exercícios da mente em que ela está voluntariamente ou intensamente engajada, e em que nós somos fervorosos; todos os nossos esquemas, estratagemas e propósitos. Alguém poderia pensar que se houvesse alguma coisa no homem para ser considerada, seriam estes exercícios em que a sua faculdade intelectual é seriamente e intensamente empregada. Mas o Senhor sabe que até mesmo estes pensamentos são vaidade.

4. Se a vaidade tivesse sido atribuída aos nossos pensamentos somente durante a nossa infância e juventude, isto teria sido menos surpreendente. É uma verdade da qual inúmeros pais têm provas dolorosas; sim, e de que os próprios filhos, quando crescem à maturidade, são, de modo geral, conscientes. A vaidade neste período, no entanto, admite alguma desculpa. A obstinação e a loucura de algumas pessoas jovens, embora provoquem desgosto, frequentemente despertam uma lágrima de piedade. Mas a acusação é exibida contra o *homem*. *"Todo* homem, *por mais firme que esteja*, é totalmente vaidade"

5. A decisão procede de um lugar do qual não pode haver apelação. *"O Senhor conhece"*. As opiniões que desonram a nossa espécie podem, às vezes, surgir da ignorância, às vezes do rancor e do desapontamento, e às vezes de um estado sombrio de espírito, que considera a humanidade por um meio distorcido. Mas o juízo feito nesta passagem é a decisão dAquele que não pode errar; uma decisão, portanto, à qual, se não tivermos outra prova, nos convém consentir. — *Andrew Fuller*

v. 11: "São vaidade". A versão siríaca diz, *pois são um vapor*. Compare com Tiago 4.14. — *John Gill*

v.12: "Bem-aventurado é o homem", etc. Eu mostrarei os vários benefícios da aflição, quando é santificada pelo Espírito de Deus às pessoas que se exercitam por ela. I. O Grande Deus fez da aflição a oportunidade para a conversão dos pecadores, e para levá-los a uma familiaridade espiritual com Cristo, Seu Filho. Veja Is 48.10. II. Deus não apenas faz da aflição a oportunidade para converter pecadores, a princípio, mas depois da conversão Ele santifica um estado aflito aos santos, para enfraquecer os restos do pecado que há neles, e para deixá-los com medo de pecar contra Ele no futuro. III. Deus, ao afligir os santos, aumenta esta boa obra da graça que o Seu Espírito implantou neles. Deus faz com que os Seus santos cresçam em graça, quando Ele os corrige com a vara da angústia; Deus assimila e torna os santos como Ele mesmo, elevando-os a um grau maior, através dos problemas e das aflições temporais (Hb 12.10,11). IV. Deus aflige os santos para o aprimoramento do seu conhecimento sobre as coisas divinas. O salmista diz, nas palavras do texto: *"Bem-aventurado é o homem a quem tu repreendes, ó Senhor, e a quem ensinas a tua lei"*. Veja também Sl 119.71. V. O grande Deus, ao afligir os santos, os traz para Si mesmo, com maior proximidade e frequência, pela oração e pela súplica. VI. Deus aflige os santos, para torná-los mais familiarizados com as perfeições da Sua natureza. VII. Para torná-los mais em conformidade com Cristo, Seu Filho. VIII. Para subjugar a arrogância de seus corações, e torná-los mais humildes. IX. Deus, às vezes, revela aos santos, na época de sua aflição, de uma maneira mais clara, aquela graça que Ele implantou neles, e revigora as suas almas com as consolações do Seu Espírito. X. Deus aflige os santos para afastar seus corações do amor pelo mundo, e torná-los mais adequados para o céu. — *Esquema de um sermão, John Farmer, 1744*

v. 12: Observe aqui, de modo geral, o que é que as aflições ensinam (ou Deus, por meio das aflições ensina), aos Seus filhos; a mesma coisa que Ele ensina na Sua palavra; assim como o professor de escola ensina aos seus alunos, muitas vezes com palavras de repreensão, a mesma coisa que lhes ensina com palavras de instrução. A palavra, então, é o depósito de toda instrução. Não procure por nenhuma nova doutrina que lhe seja ensinada pela aflição, e que não esteja contida na Palavra. Pois, na verdade o nosso ensinamento pela aflição está no fato de que ele nos prepara e capacita para o mundo, quebrando e subdividindo a teimosia de nossos corações, e tornando-os flexíveis e capazes de receber a impressão da palavra. De maneira que, como diz o apóstolo, a lei nos serviu de aio, para nos conduzir a Cristo (Gl 3). Porque a lei, mostrando-nos a nossa doença, nos força a ir ao médico. Igualmente, podemos dizer que as aflições nos servem de aio para nos levar à lei. Pois enquanto estamos tranquilos e em prosperidade, embora os filhos do trovão nos aterrorizem com os sons terríveis de ameaças legais, nós somos como surdos, e não nos abalamos.

Mas quando somos humilhados e abrandados pela aflição, então pode haver caminho aberto para os terrores da lei; então nós começamos, com alguma reverência e atenção, a ouvir e dar ouvidos a eles. Quando, portanto, Deus nos envia alguma aflição, nós devemos saber que, então, Ele nos envia para a lei e para o testemunho. Pois Ele nos ensina, verdadeiramente, na nossa aflição, mas o que Ele nos ensina está na Sua lei. E, portanto, se na nossa aflição nós desejarmos aprender alguma coisa, devemos tomar o livro de Deus em nossas mãos, e cuidadosamente e seriamente lê-lo com atenção. E assim ficará manifesto que nossas aflições foram nossos professores, se por meio delas nós nos sentirmos incitados a maior diligência, zelo e reverência, ao ler e ouvir a palavra... Depois de ter apresentado sua queixa ao Senhor, contra os adversários da igreja, dos versículos 1 ao 8, o profeta deixa Deus, e em uma súbita mudança de discurso, se volta dos grupos aos quais se queixava para os grupos dos quais se queixava, os cruéis opressores da igreja, aterrorizando-os com estes justos juízos de Deus que devem dominá-los, e consequentemente alegrando e consolando a igreja afligida. Mas, como as aflições dos inimigos da igreja podem não ser motivo suficiente de consolo para ela, um segundo argumento, de maior e mais eficiente consolação é acrescentado neste versículo 12, extraído da feliz situação da igreja, mesmo enquanto ela está assim sujeita a perseguidores tirânicos. E o argumento é proposto pelo profeta, não dirigindo as suas palavras à igreja, mas à sua própria pessoa, e então envolvendo a igreja, fazendo com que esta repentinamente desvie as suas palavras de seus inimigos (que ela tinha em foco), para o próprio Deus, e irrompendo neste importante conselho: *"Bem-aventurado é o homem a quem tu repreendes, ó Senhor, e a quem ensinas a tua lei"*. Com base na coerência destas palavras com o que vimos anteriormente, podemos observar que as desgraças externas de nossos inimigos são apenas consolação, a menos que tenhamos a persuasão de nossa própria felicidade interior... Faria pouco bem para o filho ver a vara lançada ao fogo, se ele mesmo fosse lançado ao fogo, depois dela. Por isto, a igreja, tendo, no seu lugar, meditado sobre os justos juízos de Deus, que no devido tempo sobreviriam aos seus adversários, e sem encontrar suficiente consolação neles, neste versículo procede a uma nova meditação sobre a sua própria situação e condição. Com isto, ela parece, assim, raciocinar consigo mesma. E se estes meus inimigos forem levados a seu merecido fim? E se eu souber que eles estão reservados para a vergonha e a confusão? Que tranquilidade pode isto trazer à minha mente, agora deprimida, e feliz, julgando-se tão miserável quanto estes meus inimigos? Estes pensamentos duvidosos eram um pouco inquietantes para ela, e mais consolação lhe é fornecida pelo Espírito de Deus neste versículo, com a qual ela é capacitada a responder à objeção que fez contra si mesma, especificamente, que está segura de que, assim como o caso de seus adversários é terrível, o seu é muito feliz e bem-aventurado. *— Daniel Dyke, em "The Schoole of Affliction", 1633*

v. 12: "Bem-aventurado é o homem a quem tu repreendes", etc. Se, pelas aflições exteriores, a sua alma estiver mais sujeita aos ensinamentos interiores de Deus, sem dúvida as suas aflições são por amor. Toda a punição do mundo, sem o ensinamento divino, jamais tornará o homem bem-aventurado; o homem que encontra a correção acompanhada com instrução, e unida com ensinamentos, é um homem feliz. Se Deus, pelas aflições, ensinar você como odiar ainda mais o pecado, como pisar mais no mundo e como andar mais com Deus, as suas aflições são por amor. Se Deus, pelas aflições, ensinar você como morrer mais para o pecado, e como morrer mais para os seus relacionamentos, e como morrer mais para os seus interesses próprios, as suas aflições são por amor. Se Deus, pelas aflições, ensinar você como viver mais para Cristo, como exaltar mais a Cristo, e como ansiar mais por Cristo, as suas aflições são por amor. Se Deus, pelas aflições, ensinar você a obter a certeza de uma vida melhor, e a permanecer em graciosa prontidão e preparação para o dia da sua morte, as suas aflições são por amor. Se Deus, pelas aflições, ensinar você como se interessar mais pelo céu e como se adequar mais para o céu, as suas aflições são por amor. Se Deus, pelas aflições, ensinar o seu coração arrogante como se humilhar mais, e ensinar o seu duro coração como se abater mais, e ensinar o seu coração crítico a ser mais caridoso, e o seu coração carnal a se tornar mais espiritual, e o seu coração rebelde a ser mais tranquilo, etc, as suas aflições são por amor. Pambo, um ignorante e analfabeto, como o historiador o descreve, estava aprendendo aquela única lição, "Eu disse: Guardarei os meus caminhos para não delinquir com a minha língua", durante dezenove anos, e ele ainda não a tinha aprendido. Ah! devemos temer, que haja tantos que estiveram nesta escola de aflição, por mais de dezenove anos, e ainda não aprenderam nenhuma lição de salvação, durante todo este tempo. Certamente, as suas aflições não são por amor, mas pela ira. Quando Deus ama, Ele aflige, por amor, e sempre que Deus aflige por amor, Ele ensina, em primeiro lugar, e por fim ensina às almas as lições que lhes farão bem por toda a eternidade.

Se você desfrutar a presença especial de Deus com seu espírito na sua aflição, então a sua aflição é por amor. Você tem a presença especial de Deus com o seu espírito, e o fortalecimento que Ele traz, a calma que Ele traz, a satisfação que Ele traz, a alegria que Ele traz, e o consolo que Ele traz? *"Multiplicaram-se os meus cuidados"* — isto é, os meus pensamentos perturbados, intrincados, dominados, mesclados, e perplexos, como os ramos de uma árvore se confundem, uns com os outros, por algum vento forte, como é o significado apropriado da palavra hebraica. — "As tuas consolações re*animaram a minha alma"*. Aqui há a presença de Deus com a sua alma, aqui estão as consolações e os deleites que alcançam a alma, aqui está o incentivo que fortalece o espírito. — *Thomas Brooks*

v. 12: Você pode e deve ter uma fé especial que lhe traga alegria a partir das aflições santificadas. Assim: "Aquele a quem Deus repreende e ensina", *a este* Ele ama, *este* é bem-aventurado (Sl 94.12; Hb 12.6); mas Deus assim é para mim; "*ergo*". Aqui estão pedidos e orações por misericórdias, mas quem examina o assunto, o ensinamento, o uso santo? As aflições santificadas são evidências muito boas, e muito confortáveis. Há aqueles que não desejariam abrir mão de seus sofrimentos, tentações, aflições, por algum bem. O bendito Espírito Santo lhes ensinou, desta maneira, muitas verdades divinas, pela palavra; eles são sensíveis a elas, e a partir delas concluíram sobre o amor de Deus em Cristo por eles; e consequentemente, eles têm alegria e consolo — *aquela* alegria que os anjos não podem dar e os demônios não podem tirar. Os problemas santificados são símbolos de amor especial. — *Christopher Fowler (1610–1678,)* em *"The Morning Exercises"*

v. 12: Se não tivermos nada, além da vara, não aproveitaremos a vara; se não tivermos nada, além da palavra, jamais aproveitaremos a palavra. É o Espírito dado com a palavra, e o Espírito dado com a vara, que nos traz proveito, com ambos, ou um deles. A repreensão e o ensinamento divino devem andar juntos, caso contrário não haverá proveito na repreensão. — *Joseph Caryl*

v. 12: Deus providencia que as tristezas da vida sejam muito benéficas para nós; pois, assim como as sementes que são mais completamente cobertas de neve no inverno, florescem abundantemente na primavera, ou como o vento, ao atingir a chama, faz com que ela fique cada vez mais alta e mais quente, e assim como quando nós desejamos que o fogo se inflame ainda mais, nós borrifamos água sobre ele, também, quando o Senhor deseja aumentar a nossa alegria e gratidão, Ele as alivia com lágrimas de aflição. — *H. G. Salter*

v. 12: "E ensinas". *Ensinar* sugere um professor, *um mestre*, a instrução e *as lições ensinadas*. Neste ensino, *estes pontos são aqui observados*. E, quanto ao primeiro, especificamente, o *professor*, é duplo: 1. A aflição externa e a repreensão, *"A quem tu repreendes, e ensinas"*, isto é, a quem, repreendendo, ensinas. 2. O próprio Deus, que é o principal Professor, sendo o outro apenas um subordinado e inferior: *"A quem ensinas"*. E, quanto ao segundo ponto, *as lições ensinadas*, são incluídas, de modo geral, nestas palavras *"a tua lei"*. Começando, então com os professores, e primeiramente, com o primeiro.

O primeiro professor é a aflição. Realmente, um professor severo e excelente, e assim mais adequado para alunos rebeldes e teimosos, como nós; que, como não seremos dominados por meios justos, devemos, necessariamente, ser tratados pelo choque. Pois Deus não nos aflige porque assim o deseja, mas é necessariamente forçado a isto, por aquela força de corrupção que há dentro de nós, que, de outra forma, não será subjugada. Assim, médicos e cirurgiões são forçados a vir para cortar, lancetar e queimar, quando remédios mais suaves não forem bem sucedidos. Portanto, devemos observar a dureza de nossos corações, as terras ociosas que não podem ser trabalhadas, exceto por este arado da aflição. Veja como somos bobos e estúpidos, como somos lentos para compreender as coisas espirituais, como somos incapazes de concebê-las pela instrução por meio de palavras, a menos que elas sejam forçadas nos nossos cérebros por golpes. Tão espesso e resistente é este prepúcio que está sobre nossos ouvidos e corações incircuncisos, que nenhuma doutrina pode entrar, a menos que seja cravada e martelada, e recalcada em nós pelos punhos deste amargo e mal-humorado professor.

O segundo professor é o próprio Deus. As aflições, por si só, ainda que sejam severos professores, não nos fazem nenhum bem, a menos que Deus venha, pelo Seu Espírito, e ensine internamente nossos corações. Devemos, portanto, orar, para que, no ministério da palavra de Deus, e também nas Suas obras e juízos, possamos ser *todos ensinados por Deus.* Pois é o Seu Espírito que incita e anima os meios externos, que, de outra maneira, são uma mensagem morta. E este é o motivo pelo qual muitos homens pioram em suas aflições, em lugar de melhorar; porque o Espírito de Deus não acompanhou a aflição, para dar vida e espírito a ela, como Moisés observou nos israelitas, Dt 29.2-4. — *Daniel Dyke*

v. 13: "Para lhe dares descanso". Aqui, normalmente, mas no futuro, certamente. *Mors aerumnarum requies,* era o lema de Chaucer: aqueles que morrem no Senhor *descansarão de seus esforços.* Até então, eles são repreendidos pelo Senhor, para que não sejam condenados com o mundo (1 Co 11.32). — *John Trapp*

v. 13: "Para lhe dares descanso". Este é o objetivo do ensinamento de Deus: que o seu servo possa esperar com paciência, inabalado e a salvo *dos dias maus* (comp. 49.5), vendo o mal à sua volta se exaltando, mas também vendo a secreta e misteriosa retribuição, lentamente, mas certamente, se realizando. Neste sentido, o "descanso" é o descanso de um espírito calmo e controlado, como vemos em Is 7.4; 30.15; 32.17; 57.20; e *"para lhe dares"* significa "para que possas dar-lhe". — *J. J. S. Perowne*

v. 13: "Descanso". Deve haver uma renovação das virtudes passivas. Hume as chama de "virtudes de monges". Muitos falam delas com menosprezo, especialmente quando comparadas com as assombrosas qualidades tão valorizadas no mundo. Mas a tranquilidade de mente e espírito, como um coração quebrantado, tem grande valor, aos olhos de Deus. Alguns parecem ter se esquecido de que o silêncio e a mansidão são graças. — *William S. Plumer*

v. 13: "Descanso dos dias maus". *Descansar dos dias maus* (ou *dias de adversidade*) consiste em não ser perturbado por eles, a ponto de murmurar, ou desanimar em espírito, mas confiar em Deus e no silêncio da mente esperar a libertação de Deus. Veja Is 7.4; 26.20, etc. Além disto, ele não diz בִּימֵי, *nos,* mas מִימֵי, *dos* dias maus, uma expressão de grande elegância e maior abrangência de significado. Pois existe uma referência à forma primária do verbo שָׁקַט, *afundar, ou sedimentar,* como quando os sedimentos do líquido agitado caem ao fundo; e isto é aplicado à mente, quando agitada com grandes preocupações e cheia de amargura. Os sedimentos, portanto, originados *dos dias maus,* são indicados como sedimentados. Além disto, não somente é descanso da mente, enquanto os maus continuam, mas também enquanto eles estão cessando, uma vez que o מ, *de,* tem aqui, como normalmente em outras passagens, uma *força negativa.* — *Venema*

v. 13: "Até que se abra a cova para o ímpio". Tens o conselho de Deus, e a razão pela qual Ele poupa os ímpios: a cova está sendo preparada para o pecador. Tu desejas sepultá-lo imediatamente: a cova ainda está sendo preparada para ele; não te apresses a enterrá-lo. — *Agostinho*

v. 15: Meu texto contém duas partes: a providência de Deus para com o Seu povo, e a prosperidade da providência entre eles. A providência de Deus para com o Seu povo se baseia muito no resultado da situação: Deus parece se afastar dos Seus, e então os ímpios prosperam: e então Ele retorna, e então o Seu povo é vitorioso.

"O juízo voltará a ser justiça"; ou *A justiça retornará em juízo,* uma expressão frequente no Antigo Testamento para indicar retaliação, *quid* por *quo,* compensação ou retaliação, na mesma base. O termo é distinto, assim como a expressão, e ajuda a dar o sentido do Espírito de Deus, aqui; צֶדֶק, de צָדַק, *se asseruit,* a justiça se declarará; Cristo irá confirmar o Seu povo, as Suas promessas, as Suas ameaças. *"Retornará", retro-agi*: qualquer mal que façam os homens, o bem lhes será retornado, e lhes será feito por Deus. Ou esta raiz aqui traduzida como *retornar* pode ser traduzida como permanecer e descansar. Em Sl 23.6, é assim traduzida: "Habitarei na Casa do Senhor por longos dias". A justiça, de certa forma, realmente sai de casa, algumas vezes, quando visita os santos; mas ela retorna para o seu lar e morada, *isto é*, os ímpios, A justiça está, de certa forma, fora de casa, até que retorne aos ímpios — ali ela habita e permanece.

"A justiça retornará e descansará em juízo", isto é, na execução da punição aos ímpios. מִשְׁפָּט, de שָׁפַט, *judicium exercuit*, observa o exercício e a execução da justiça: algo descansa no seu fim; a justiça descansa e habita no juízo, *isto é*, na sua execução, no seu fim, para o qual e no qual ela é indicada. — *Nicholas Lockyer, 1612–1684-5*

v. 15: "Hão de segui-lo". A interpretação correta está à margem — *irão depois dele*, ou *depois disto;* isto é, (1) *irão observá-lo*. "[Ele] derrama o desprezo sobre os príncipes; levanta da opressão o necessitado; Quem é sábio *observe estas coisas*", etc. (Sl 107.43); esta passagem, creio eu, explica, em parte, o texto. (2) *"Hão de segui-lo";* isto é, irão confessá-lo e reconhecê-lo. Não é pouca coisa, fazer com que os homens confessem a justiça de Deus nas Suas tratativas. (3) *"Hão de segui-lo";* isto é, irão triunfar nele, e assim compare-se, e entenda-se, de acordo com Salmo 58.10,11. (4) *"Hão de segui-lo";* isto é, as obras de Deus estarão operando eficazmente, para trazer os que são retos de coração a amar mais a Deus e a obedecer mais a Ele; assim, pode-se comparar com Salmo 31.23. — *Nicholas Lockyer*

v. 16: "Quem será", etc. Eu penso que aqui nós devemos considerar Davi no seu aspecto público, como um príncipe ou magistrado; e como tal, ele deplora o crescimento e a confiança dos ímpios; e tendo se fortalecido em Deus, pela oração, ele decide, nas palavras do texto, realizar o dever do seu cargo, empregar todo o poder que Deus lhe tinha dado para extirpar a iniquidade, e para a reforma de um povo ímpio; e fervorosamente, ele convida e chama, para seu auxílio, todos os que tivessem coração ou capacidade para tal obra, como perfeitamente ciente da grande dificuldade dela. É este sentido que eu prefiro, porque traduz melhor o zelo e a fé de Davi, é mais adequado ao espírito e à genialidade de vários outros salmos paralelos, e me parece, claramente, ter a aprovação dos Targuns e da septuaginta.

Nas palavras assim explicadas, temos estas três coisas: 1. *A deplorável condição de Israel.* Isto é fácil de se perceber, pela forma como Davi se expressa aqui, *"Quem será por mim?"* ou *Quem tomará o meu partido?* Como se ele tivesse dito, Tal é o número dos ímpios, e tal é o seu poder, que ainda que meu coração esteja muito inclinado por uma reforma, dificilmente poderei esperar realizá-la, sem os esforços conjuntos de homens de bem. E, ai! Qual é a ajuda deste tipo que posso razoavelmente esperar? Quão poucos são os amigos sinceros da bondade? Quão grande e quão generalizada é a frieza e a indiferença que se apossa dos homens, nas coisas de Deus? 2. *O dever do magistrado.* Isto fica claramente implícito aqui, e é o dever de refrear e controlar a iniquidade, e promover uma reforma geral. 3. *O dever de todas as pessoas de bem.* Que é, na parte que lhes diz respeito, ajudar e encorajar o magistrado, nesta boa obra. — *Richard Lucas, 1697*

v. 16: "Quem será por mim contra os malfeitores?" Em todos os tempos, os homens que não temiam a Deus nem consideravam os homens, se aliaram e formaram coalizões, para executar as obras das trevas. E com isto se mostraram sábios em suas gerações, pois, desta maneira, promoveram o reino do seu pai, o diabo, de maneira mais eficaz do que, de outra maneira, poderiam ter feito. Por outro lado, homens que realmente temiam a Deus e desejavam a felicidade de seus companheiros, em todas as gerações julgaram necessário se unir, para se opor às obras das trevas, para espalhar o conhecimento sobre Deus, seu Salvador, e para promover o Seu reino sobre a terra. Na verdade, Ele mesmo os instruiu a fazer isto. Durante todo o tempo em que os homens estão sobre a terra, Ele os tem ensinado a se unir, a Seu serviço, e os uniu, em um corpo, por um Espírito. E com esta mesma finalidade, Ele os uniu, "para desfazer as obras do diabo"; primeiramente, neles, que já estão unidos, e, por meio deles, naqueles que estão ao redor deles. — *John Wesley, em um Sermão sobre estas palavras, pregado diante da Society for Reformation of Manners, 30 de janeiro de 1763*

v. 17: "Não fora em meu auxílio". A palavra não significa *auxílio*, mas *summum et plenum auxilium*, uma *assistência*, ou *plena ajuda*: o idioma hebraico tem uma letra comum, para aumentar o significado, como observou o instruído Sr. Leigh: existe suficiência de ajuda. — *Nathaniel Whiting, em "The Saints' Dangers, Deliverances, and Duties", 1659*

v. 19: "Multiplicando-se dentro de mim os meus cuidados", etc. Isto é, justamente quando eles chegam ao seu ápice e à sua condição extrema, em mim. Os consolos de Deus são oportunos, e observam o momento apropriado para sua vinda, nem cedo demais, nem tarde demais, mas exatamente no momento oportuno. Aqui também se fala de outra coisa. Nos *cuidados* e na *multiplicação* dos cuidados, não na indiferença dos cuidados, mas na perplexidade; não na parcimônia de cuidados, mas na sua pluralidade: a nossa condição extrema é a oportunidade de Deus. "No monte do Senhor se proverá". Depois que tivermos pensado, e pensado, e pensado, tudo o que pudermos, e não soubermos mais o que pensar, então Deus se alegrará em nos exibir Seus consolos...

Nas palavras *"dentro de mim"* temos, a seguir, a intimidade ou proximidade desta angústia. A palavra hebraica é בְּקִרְבִּי, *in medio mei*. A árabe, *be-kalbi, in corde meo*. E igualmente, a Septuaginta, ἐν τῇ καρδίᾳ μου, *no fundo do meu coração*. Isto é acrescentado, através de uma nova intenção e um novo agravamento do mal e da aflição atuais. *Em primeiro lugar*, para mostrar o *segredo* desta angústia. Quanto aos males, que são externos, e no corpo, todos estão prontos a lamentá-los, e deplorá-los, e a percebê-los, e a mostrar abundância de sentimentos por aqueles que são afligidos por tais males; mas as angústias que são interiores, e que estão na mente, ninguém as conhece, exceto o próprio Deus. "O coração conhece a sua própria amargura", diz Salomão (Pv 14.10).

Em segundo lugar, aqui está indicado o *enraizar* deste mal: o mal estava dentro dele, e dentro de seu coração, isto é, estava profundamente enraizado e preso, e tinha uma forte fundação nele; tais eram estes *"cuidados"* perturbadores, que entravam em suas entranhas e não saíam facilmente. *Em terceiro lugar*, aqui também está representada a *impressão* que estes males causaram nele, e a *sensação* que ele mesmo tinha deles. Eles eram de tal forma que o afligiram imensamente, e o feriram, e se aproximaram dele, e atingiram seu coração, e o tocaram, de certa forma, no cerne, pela sua gravidade, como ele diz, em outra passagem, a respeito das repreensões de seus inimigos, Sl 42.10: "Como com ferida mortal em meus ossos, me afrontam os meus adversários, quando todo o dia me dizem: Onde está o teu Deus?"

O que são estas *"consolações"* de Deus a que o salmista se refere, mais especificamente, neste ponto? Em poucas palavras, são as consolações que fluem da nossa *comunhão* com Ele. As consolações dos Seus atributos, e as consolações das Suas promessas, e as consolações da Sua graciosa presença, aproximando-se de nossas almas, quando lhe agrada resplandecer sobre nós, e expressar a Sua boa vontade conosco, e dar-nos alguma evidência e certeza do Seu amor e da Sua benevolência por nós; estas são as Suas consolações.

"Reanimar." Esta é uma expressão transcendente, com que o Espírito Santo se manifesta na pena do profeta Davi. Já teria sido excelente ter dito elas satisfazem a minha alma, ou elas me acalmam; isto é o máximo que um espírito perplexo pode desejar a si mesmo. Os que estão em grande dor, ficariam satisfeitos se pudessem ter apenas tranquilidade, não podendo desejar algo como *prazer e deleite*, isto é mais do que eles podem esperar; mas veja aqui a notável eficácia destas consolações divinas; elas não apenas *acalmam* a mente, mas a *alegram*; elas não apenas a *satisfazem*, mas a *impressionam*; elas não apenas a *acalmam*, mas a *alegram*. *"Tuas consolações reanimaram a minha alma".* Isto é, não apenas removem a angústia atual, mas colocam no seu lugar a mais indescritível consolação; da mesma maneira como o *sol* não apenas dissipa as trevas, mas traz uma luz gloriosa que substitui as trevas.

"Minha alma." Nós mostramos, anteriormente, como a angústia estava na mente, e por isto também a consolação ali deve estar, para que o remédio possa responder à doença. O prazer do corpo não satisfará a distração da mente; nada irá tranquilizar a alma, exceto as consolações que são agradáveis à alma, e estas consolações de Deus são tais, que reanimam a *alma.* — *Thomas Horton*

v. 19: Cuidados, considerados simplesmente, por si mesmos, não contêm nenhum motivo para angústia ou mal; eles são o resultado apropriado e natural e emanações da alma que emerge deles com uma grande dose de tranquilidade e uma grande dose de ânimo; mas é a *exorbitância e a irregularidade* deles que é a alusão aqui, quando eles não ocorrem *de maneira uniforme* como deveriam, mas com algum tipo de *interrupção;* e é isto que a palavra aqui usada parece indicar; a palavra hebraica *sagnaphim* traz uma afinidade com *segnaphim*, que é derivada de uma raiz que significa um ramo. Sabemos que, em um ramo, há duas coisas particularmente consideráveis, e pertinentes ao nosso objetivo atual. Em primeiro lugar, há o seu *embaraço.* E, em segundo lugar, há a sua *agitação.* Os ramos normalmente se embaraçam, e se agitam facilmente, movidos, para cima e para baixo, pelo vento. Se houver um mínimo *ar* ou *brisa* os ramos imediatamente o descobrem, e respondem a ele. Assim, esta expressão serve muito bem para indicar e nos exibir o emaranhado e a inconstância de pensamentos, com que Davi agora se perturbava, e de que ele agora se queixa, como sendo entristecedor e ofensivo a ele. Não eram pensamentos *de consideração*, mas *pensamentos de distração*, pensamentos que traziam consigo alguma angústia e perturbação. Com isto se preocuparam muito os tradutores da Septuaginta, a ponto de remover a palavra *pensamentos, (ou cuidados)* e traduzir somente como *angústias*, κατὰ τὸ πλῆθος τῶν ὀδυνῶν μου: *segundo a multidão de minhas angústias.* Mas é mais agradável ao mundo se as duas ideias estiverem juntas — *meus angustiados e dolorosos pensamentos* — pensamentos que, na sua apresentação e ordem, realmente trazem consigo angústia e tristeza. E aqui podemos observar que Deus não precisa ir muito longe para punir e afligir o homem, quando assim o desejar; Ele pode fazer isto, até mesmo com *seus próprios pensamentos*, e nada mais. Ele pode fazer uma vara destes ramos, e fazer um açoite destes emaranhados, com que acoitar os homens, e com propósito. Se Ele apenas despertar uma tempestade na mente, e fizer com que estes pensamentos se agitem, haverá perturbação e aflição suficientes, embora não houvesse nada mais. Não é uma questão de haver algum *fundamento* ou *motivo* para isto, nas coisas; basta que haja apenas *arrogância e cuidados.* Deus, assim, pode usar uma *fantasia*, um mero brinquedo, e a própria imaginação, e colocá-la na alma, de modo que não haverá paz nem descanso para ela. — *Thomas Horton*

v. 19: Observe a enormidade da aflição deste homem. Isto é expresso no texto, ainda que, na nossa tradução, não seja nada óbvio. A palavra traduzida como *"pensamentos" (ou cuidados)*, dizem os acadêmicos, significa, originalmente os pequenos galhos das árvores. A ideia, na mente do salmista, parece ser a seguinte: 'Olhe para uma árvore, com seus galhos voltados para todas as direções, emaranhados e retorcidos, uns com os outros; deixe que o vento os leve — veja como eles o sentem, como ficam inquietos e confusos, lutando uns contra os outros. A minha mente é como esta árvore. Eu tenho muitos pensamentos nela; e pensamentos que estão mudando continuamente; são pensamentos emaranhados e agitados, lutando, uns contra os outros. Não há como manter tranquila a mente, com eles; eles trazem desordem, além de tristeza. E observe a palavra *"multiplicam-se"* no texto; é exatamente a mesma ideia. Significa mais do que um número; confusão. Pense em uma multidão, reunida e preocupada: 'assim', diz o salmista, 'são meus pensamentos. Eu tenho uma multidão deles na minha mente, e uma multidão confusa e inquieta. Um pensamento doloroso já é suficientemente ruim, mas eu tenho muitos; uma multidão deles; e quase incontáveis, uma multidão perturbada'. Agora nós compreendemos o caso que temos diante de nós. A tristeza do homem se originou, desta vez, de pensamentos inquietantes em seu próprio seio; e a sua tristeza era grande, porque estes pensamentos eram muitos, e, ao mesmo tempo, tumultuados. Quando o salmista diz, *"Tuas consolações"*, ele não se refere apenas às consolações fornecidas ou criadas por Deus. Deus criou e concede todas as nossas consolações — todas as consolações terrenas que nos rodeiam; elas são obra e graça de Sua mão graciosa... Nós devemos entender, *aqui*, estas consolações como peculiarmente e completamente de Deus, como fluindo, de uma vez, de Deus; não dEle, por intermédio das criaturas, para nós, mas dEle, diretamente a nós, sem a intervenção das criaturas. As consolações que obtemos dos Seus atributos — de meditar sobre eles, e do que chamamos de percebê-los; as consolações que obtemos das Suas promessas — crendo nEle e tendo esperança nEle; e as consolações da Sua presença, com Ele se aproximando de nossas almas e resplandecendo nelas — sabemos que Ele está próximo de nós, pela luz e felicidade e força renovada dentro de nós. *"Tuas* consolações" — as consolações que obtemos do Senhor Jesus Cristo; de olhar para Ele, de considerá-lo, de pensar na Sua pessoa, e nas Suas funções, e no Seu sangue, e na Sua justiça, e na Sua intercessão, e na Sua exaltação, e na Sua glória, e na Sua segunda vinda; de encontrá-lo, vê-lo, ser como Ele. *"Tuas* consolações" — as consolações que vêm do Espírito Santo, "o Consolador": quando Ele abre as Escrituras para nós, ou fala por intermédio de ritos e ordenanças, ou testemunhos, dentro de nós, da nossa adoção por Deus; resplandecendo na Sua própria obra de graça em nossos corações; capacitando-nos a ver esta obra, e para ver nela o amor eterno e peculiar de Deus por nós; não abrindo para nós o livro da vida, nem mostrando-nos nossos nomes escritos ali, mas fazendo algo que nos deixe quase tão felizes como se este livro nos fosse aberto; mostrando-nos a mão de Deus em nossas próprias almas — a Sua mão que converte e salva — a Sua mão, que nos toma como sendo Seus; fazendo-nos sentir, de certa forma, o Seu abraço de amor, e sentir, também, que é um abraço que Ele jamais afrouxará. — *Charles Bradley*

v. 19: "Tuas consolações reanimaram a minha alma". Xerxes ofereceu grandes recompensas para aquele que pudesse descobrir um novo prazer; mas as consolações do Espírito são satisfatórias, elas atraem o coração. Há tanta diferença entre as consolações celestiais e terrenas, como entre um banquete que é comido e um que é pintado na parede. — *Thomas Watson*

v. 19: "Tuas consolações". Os problemas podem ser gerados por nós mesmos; mas as verdadeiras consolações vêm somente daquela fonte infinita, o Deus de toda consolação; pois assim Ele se intitulou. — *Thomas Adams*

v. 19: "Reanimaram a minha alma". A palavra original, יְשַׁעַשְׁעוּ, significa *"provocar um salto ou uma dança, de alegria";* mas a língua portugesa não permite a aplicação desta imagem à alma; embora nós possamos dizer "fazer o *coração* pular de alegria". — *Samuel Horsley*

v. 19: Pelo fato do exército mal intencionado ter entrado no meu texto, considere comigo: 1. Os *"pensamentos"* rebeldes, ou amotinados. 2. A quantidade deles, *"multiplicados"*, nada menos do que uma multidão. 3. O capitão que eles representam; uma mente inquieta; *"meus'* pensamentos" (ou cuidados). 4. O campo onde esta batalha é travada; no coração; *apud me*, "dentro de mim". No outro exército, descobrimos, 1. *Quanta*, quão potentes eles são; *"consolações"*. 2. *Quota*, quantos são; indefinidamente registrados; consolações abundantes. 3. *Cufus*, a quem pertencem; ao Senhor, Ele é o seu general; *"Tuas* consolações". 4. *Quid operantur*, o que fazem; elas reanimam a alma. Na sua natureza, sendo consolações, existe tranquilidade; na sua quantidade, sendo muitas consolações, existe suficiência; no possuidor delas, sendo *"Tuas"* consolações, existe onipotência; e no resultado delas, reanimando a alma, existe segurança. — *Do sermão de Thomas Adams, intitulado "Man's Comfort"*

v. 19: Um texto deste tipo nos mostra, forçosamente, o poder da graça divina no coração humano: quanto ele pode fazer, para sustentar e alegrar o coração.

O mundo pode afligir um crente, e causar-lhe dor; mas se a graça que Deus lhe deu estiver em atividade na sua alma, o mundo não poderá torná-lo infeliz. Na verdade, ela usa os maus tratos a ele infligidos, e os acrescenta à sua felicidade; pois aproxima Deus da sua alma — Deus, a fonte de toda a felicidade, o descanso e a satisfação da sua alma.

Este salmo foi, evidentemente, escrito por um homem profundamente aflito. Os ímpios, diz ele, estavam triunfando sobre ele; e assim tinha sido por muito tempo. Ele não conseguia encontrar ninguém na terra, que estivesse seu lado, contra eles. "*Quem será por mim contra os malfeitores?*", ele pergunta no versículo 16; "*Quem se porá ao meu lado contra os que praticam a iniquidade?*" E parecia, também, como se Deus o tivesse abandonado. Os seus inimigos assim pensavam, e ele também parece ter estado quase pronto a pensar também. Mas qual era a verdade? Todo este tempo, o Senhor estava secretamente derramando consolação na sua alma, e no final, tornou esta consolação abundante. Embora aparentemente fosse infeliz, ele era, na realidade, um homem feliz; sofrendo, mas consolado; sim, o texto diz, *reanimado*. — *"Tuas consolações reanimaram a minha alma"*. — *Charles Bradley, 1845*

v. 20: "O trono de iniquidade... que forja o mal tendo por pretexto uma lei". O primeiro pretexto dos homens ímpios para disfarçar seus procedimentos contra os homens inocentes é o seu *trono*, o segundo é a *lei*; e o terceiro é o seu *conselho*. O que mais poderia pedir um tirano? Mas Deus preparou um inferno terrível para tiranos impenitentes, e eles estarão nele muito tempo antes do que esperam deixar o mundo. — *William Nicholson*

v. 20: "O trono de iniquidade... que forja o mal tendo por pretexto uma lei". Se jamais tivesse havido tais tronos no mundo, não haveria esta menção feita a eles nas Escrituras. Mas houve. Um exemplo foi o de Jeroboão que não permitia que o povo, segundo o mandamento divino, subisse a Jerusalém para adorar a Deus, que ali tinha colocado o Seu nome; mas colocava, para aqueles que fossem laços para Mispa, a rede estendida sobre o monte Tabor (Os 5.1). E desde então há tais tronos, um número excessivo deles. Bem diz o salmista, *"Podia, acaso, associar-se contigo?"* Não, não; Deus mantém a Sua distância deles.

Aqueles a quem chamamos de "masmorras mal cheirosas" não são tão ofensivos a Deus como os tronos de iniquidade, que jamais serão aprovados por Ele, nem protegidos. Esperem um pouco, cristãos, e "na vossa paciência, possuí a vossa alma"; pois o mundo verá, no devido tempo, que Ele os derrotará, a todos. — *Samuel Slater, em "The Morning Exercises"*

v. 20: "Que forja o mal tendo por pretexto uma lei", isto é, leis ímpias, ou sob o pretexto da lei e justiça, oprimem o inocente. *Summum jus, summa injuri*, quanto mais elevada a lei, maior a injustiça, e as ofensas podem e são frequentemente feitas — *ex prava interpretations legis*, por uma interpretação ímpia da lei. Com aqueles que fazem injustiças com a espada da justiça, Deus não terá comunhão. — *William Nicholson*

v. 23: "Ele fará recair sobre eles a sua própria iniquidade", etc. É uma má obra que os ímpios realizam, eles fazem correntes para seus próprios pés, e edificam casas que cairão sobre suas próprias cabeças; tão perversa é a natureza do pecado, que ele danifica e destrói os seus próprios pais. — *William Greenhill*

SUGESTÕES AOS PREGADORES

v. 1. I. Retribuição, prerrogativa apenas de Deus. II. Sob quais aspectos nós podemos desejar que Ele a faça. III. Como, e quando, Ele certamente cumprirá este justo desejo.

v. 1. I. A vingança pertence a Deus, e não ao homem. II. A vingança é melhor nas mãos de Deus do que nas dos homens. "Caia eu... nas mãos do Senhor" (1 Cr 21.13). — *G. R.*

v. 2. A provocação peculiar do pecado da soberba e maldades semelhantes. A sua influência sobre os soberbos, os seus companheiros, e sobre o próprio Deus.

v. 3. A duração do reino do mal. I. Até que tenha completado a sua medida de culpa. II. Até que tenha provado a sua própria loucura. III. Até que tenha desenvolvido as graças e as orações dos santos. IV. Até que tenha esvaziado o homem de toda confiança humana, e os tenha levado a confiar apenas no Senhor, no Seu Espírito e no Seu advento.

v. 3. I. A doce porção do ímpio — o triunfo atual. II. A tristeza que a amarga — é apenas temporária, e ele ora contra ela. — *C. A. Davis*

vv. 5 a 10. I. A opressão arrogante, por parte dos ímpios (vv. 5,6). II. A arrogante indiferença à supervisão divina (v. 7). III. A tranquila demonstração da percepção e da vingança divinas (vv. 8-10). — *C. A. D.*

vv. 6 a 9. I. O pecado evidente. II. Suposição absurda. III. Argumento impressionante.

v. 8: Ateus práticos. I. Verdadeiramente descritos. II. Sabiamente aconselhados. — *C. A. D.*

vv. 8 a 11. I. A exortação (v. 8). II. O protesto (v. 9,10). III. A afirmação (v. 11). — *G. R.*

vv. 9 e 10. Racionalismo verdadeiro ou Revelação de Deus pela razão. — *C. A. D.*

v. 11. I. Com respeito ao mundo presente, considere as multidões de pensamentos que são empregados, em vão. 1. Procurando satisfação onde ela não pode ser encontrada. 2. Considerando eventos que não podem ser revogados. 3. Antecipando males que jamais cairão sobre nós. 4. A isto, podemos acrescentar o fato de valorizar-se em coisas de pouca ou nenhuma importância. 5. Fazer planos que devem ser frustrados. II. Vejamos quais são os pensamentos dos homens com respeito à religião, e as preocupações de uma vida futura.1. Quais são os pensamentos do mundo pagão a respeito de religião? 2. Quais são os pensamentos do mundo cristão, nos quais os pensamentos de Deus são negligenciados? 3. O que é todo este ateísmo prático, que atrai multidões e as faz agir como se não existisse um Deus? 4. O que são todas as imaginações descrentes e auto-indulgentes dos ímpios, como se Deus não fosse sincero em Suas declarações e ameaças? 5. Quais são os presunçosos conceitos de justiça e auto-satisfação, através dos quais os soberbos inflam as suas mentes com esperanças vãs, e assim se recusam a se submeter à justiça de Deus? — *Andrew Fuller*

v. 11. O íntimo conhecimento que Deus tem do homem. Uma verdade assombrosa. Uma verdade humilhante.

vv. 12 e 13. A Universidade de Cristo. O Mestre, o Livro, a Vara, o bem-aventurado Acadêmico, e o resultado da Sua educação.

vv. 12 e 13. I. O Bem-aventurado. 1. Divinamente instruído. 2. Divinamente castigado. II. A bênção. 1. Descanso na aflição. 2. Descanso da aflição. — *G. R.*

v. 14. I. Temor implícito. Que Deus desampare, rejeite, etc. II. Temor negado. Deus não irá desamparar, não irá rejeitar. — *G. R.*

v. 14. I. Exponha esta brilhante doutrina contra um cenário escuro. E se o oposto fosse verdade? Considerações que podem nos levar a apreender a verdade. II. Alegremente, considere a verdade reluzente. A doutrina declarada. As razões indicadas (O Seu povo. A Sua herança). A confiança expressada. — *C. A. D.*

v. 15. I. O Juízo é suspenso. II. O Juízo retorna. III. O juízo é reconhecido. — *G. R.*

v. 16. I. A pergunta feita pela igreja sobre os seus defensores. II. A resposta de cada homem sincero. III. A resposta ainda mais encorajadora do seu Senhor.

vv. 16 e 17. A única fonte de socorro. I. Um clamor por ajuda. Como de um defensor, ou um advogado. II. A resposta da terra. Um silêncio mortal, perturbado apenas pelo eco (v. 17). III. A voz de socorro, que rompe o silêncio — a do Senhor (v. 17). — *A. D.*

v.18. A bênção da confissão de fraqueza. I. A confissão. II. O socorro. III. O tempo. IV. O reconhecimento. — *C. A. D.*

v. 19. I. Multiplicando-se dentro de mim os meus *incrédulos* cuidados, as tuas consolações reanimaram a minha alma. II. Multiplicando-se dentro de mim os meus *penitentes* cuidados, as tuas consolações, etc. III. Multiplicando-se dentro de mim os meus cuidados *terrenos*, etc. IV. Multiplicando-se dentro de mim os meus cuidados *familiares* ou *sociais*, etc. V. Os meus cuidados *desanimados*, etc. VI. Os meus cuidados *futuros*, etc. Ou, I. Não há consolação para o homem, em si mesmo. II. Não há consolação para o homem, em outras criaturas. III. A sua única consolação está em Deus. — *G. R.*

v. 19. I. A alma se embaraça em meio a pensamentos ansiosos. II. A companhia agradável, desfrutada, apesar disto. — *C. A. D.*

v. 20. "Você sabe, é a lei da terra" — o limite desta autoridade, tanto em aspectos temporais quanto espirituais.

v. 20. I. Deus não pode ter comunhão com os ímpios. II. Os ímpios não podem ter comunhão com Deus. — *G. R.*

v. 20. Política divina. I. Há tronos erigidos em oposição ao trono de Deus, "tronos de iniquidade", *por exemplo*, que violam a liberdade civil, que infringem a igualdade religiosa, que obtêm lucros através do comércio maligno, etc. II. Estes tronos, quaisquer que sejam suas pretensões, são excluídos da comunhão divina; entre eles e Deus, há um grande abismo. — *C. A. D.*

vv. 21 e 22. I. O perigo dos justos (v. 21). II. A sua defesa (v. 22). — *G. R.*

vv. 21 a 23. I. A sentença no tribunal da injustiça (v. 21). II. Um elemento no caso, não considerado pelo tribunal (v. 22). III. A sentença consequentemente recaindo sobre as cabeças corretas (v. 23). (Esta passagem, sob um véu muito fino, exibe Cristo, Mt 27.1.) — *C. A. D.*

v. 23. I. Ninguém pode punir os inimigos de Deus, exceto Ele mesmo. "Fará", etc. II. Ninguém precisa puni-los, exceto Ele mesmo. 1. A punição será completa — "E os destruirá". 2. Certa. "O Senhor, nosso Deus, os destruirá". — *G. R.*

SALMO 95

Este salmo não tem título, e tudo o que sabemos, a respeito da sua autoria, é que Paulo o cita como "por Davi" (Hb 4.7). É verdade que isto pode significar meramente que ele é encontrado na coletânea conhecida como Salmos de Davi; mas se este fosse o significado desejado pelo apóstolo, teria sido mais natural que ele tivesse escrito "como está escrito nos Salmos"; nós, portanto, nos inclinamos a crer que Davi foi o autor deste poema.

No original, é um cântico verdadeiramente hebreu, dirigido, tanto na sua exortação quanto na sua advertência, ao povo judeu, mas nós temos a sanção do Espírito Santo na epístola aos hebreus, que usa seus apelos e suas súplicas quando apelando a crentes gentios. É um Salmo de convite à adoração. Ele tem um toque, como o dos sinos de igreja, e como os sinos, ele soa, alegremente e solenemente, a princípio, soando um repique vivaz, e depois passando para um lamento funeral, como se tocando pelo funeral da geração que pereceu no deserto. Nós o chamamos de Salmo da Provocação.

DIVISÃO

Seria correto dividir este salmo em um convite e uma advertência, e começar a segunda parte com a última frase do versículo 7; mas quanto ao conjunto, pode ser mais conveniente considerar o versículo 6 como "o coração pulsante do Salmo", como Hengstenberg o chama, e fazer a divisão no final do versículo 5. Assim, ele forma (1) um convite com razões, e (2) um convite com advertências.

EXPOSIÇÃO

1 *Vinde, cantemos ao Senhor! Cantemos com júbilo à rocha da nossa salvação!*

2 *Apresentemo-nos ante a sua face com louvores e celebremo-lo com salmos.*

3 *Porque o Senhor é Deus grande e Rei grande acima de todos os deuses.*

4 *Nas suas mãos estão as profundezas da terra, e as alturas dos montes são suas.*
5 *Seu é o mar, pois ele o fez, e as suas mãos formaram a terra seca.*

1. *"Vinde, cantemos ao Senhor!"* Outras nações cantam a seus deuses, cantemos ao Senhor. Nós o amamos, nós o admiramos, nós o reverenciamos, portanto expressemos os nossos sentimentos com os sons mais bem escolhidos, usando nossa mais nobre faculdade para este nobre fim. É bom, assim, incentivar que outros exaltem ao Senhor, mas devemos tomar cuidado para dar, nós mesmos, um bom exemplo, para que possamos ser capazes não somente de clamar "vinde", mas também de acrescentar *"cantemos"*, por estarmos, nós mesmos, cantando. Devemos temer que grande parte, até mesmo dos cânticos religiosos, não seja para o Senhor, mas para o ouvido da congregação: acima de tudo, nós devemos, em nossos cânticos, tomar cuidado para que tudo o que ofereçamos seja com a maior sinceridade de coração e a mais fervorosa intenção, dirigido ao próprio Senhor.

"Cantemos com júbilo à rocha da nossa salvação!" Com santo entusiasmo, cantemos, produzindo um som que irá indicar a nossa sinceridade; com abundante alegria, ergamos nossas vozes, motivados por aquele espírito feliz e pacífico que o amor verdadeiro certamente irá alimentar. Assim como os filhos de Israel cantaram de alegria, quando a rocha ferida jorrou suas águas refrescantes, também nós devemos produzir um ruído alegre para a rocha da nossa salvação. O autor deste cântico tinha em vista, na sua mente, a rocha, o tabernáculo, o mar Vermelho, e os montes do Sinai, e ele se refere a todos eles, nesta primeira parte do seu hino. Deus é nossa rocha, permanente, imutável e poderosa, e nEle encontramos libertação e segurança, e por isto nos convém louvá-lo com o coração e com a voz, todos os dias; e especialmente devemos nos alegrar em fazer isto, quando estamos reunidos, como o Seu povo, para a adoração pública.

"Cantemos ao Senhor
Com som de trombeta e voz de coral."

2. *"Apresentemo-nos ante a sua face com louvores."* Aqui, provavelmente, há uma referência à presença peculiar de Deus no Santo dos Santos, acima do propiciatório, e também da glória que resplandecia da nuvem, que ficava sobre o tabernáculo. Deus está presente em todos os lugares, mas há uma presença peculiar de graça e glória à qual os homens jamais contemplam, sem a mais profunda reverência. Nós podemos nos atrever a comparecer diante da presença imediata do Senhor — pois a voz do Espírito Santo neste salmo nos convida; e quando nos aproximarmos dEle, deveremos nos lembrar da Sua grande bondade para conosco, e alegremente, confessá-la. A nossa adoração deve ter referência ao passo, como também ao futuro; se não bendissermos ao Senhor por tudo o que já recebemos, como poderemos, de modo razoável, procurar por mais? Nós podemos trazer nossos pedidos, e por isto, somos, em honra, impelidos a levar nossos agradecimentos.

"E celebremo-lo com salmos." Nós devemos clamar de modo tão exultante como os que triunfam na guerra, e tão solenemente como aqueles que proferem um Salmo. Não é sempre fácil unir o entusiasmo à reverência, e é uma falha frequente destruir uma destas qualidades, quando estivermos procurando obter a outra. A perfeição do canto é o fato de que ele une a alegria com a seriedade, a exultação com a humildade, o fervor com a sobriedade. O convite feito no primeiro versículo é, assim, repetido no segundo, com o acréscimo de instruções, que indicam, de maneira mais completa, a intenção do autor. Podemos imaginar Davi, com tons fervorosos, persuadindo o seu povo a subir consigo para a adoração ao Senhor, com sons de harpa e hinos, e santo deleite. A felicidade da sua exortação é admirável, o som deve ser *alegre*; nesta qualidade ele insiste, duas vezes. Deve-se temer que isto seja excessivamente negligenciado em cultos normais: as pessoas ficam tão impressionadas com a ideia de que precisam ser sérias, que se revestem do aspecto

da infelicidade, e praticamente esquecem que a alegria é uma característica da verdadeira adoração, como a própria solenidade.

3. *"Porque o Senhor é Deus grande e Rei grande acima de todos os deuses."* Sem dúvida, as nações vizinhas imaginavam que o Senhor seria meramente uma divindade local, o deus de uma pequena nação, e por isto, uma das divindades inferiores; o salmista rejeita completamente esta ideia. Os idólatras toleravam muitos deuses e muitos senhores, dedicando a cada um deles uma certa dose de respeito; o monoteísmo dos judeus não ficava satisfeito com esta concessão, e com razão reivindicava, para Jeová, o lugar principal, e o poder supremo. Ele é grande, pois Ele é tudo; Ele é um grande Rei, acima de todos os outros poderes e dignatários, sejam anjos ou príncipes, pois eles devem as suas existências a Ele; quanto aos deuses-ídolos, eles não merecem ser mencionados. Este versículo e o seguinte fornecem algumas das razões para adoração, extraídas da existência, da grandeza e do domínio soberano do Senhor.

4. *"Nas suas mãos estão as profundezas da terra."* Ele é o Deus dos vales e dos montes, das cavernas e dos cumes. Muito abaixo, onde os mineiros afundam seus instrumentos, ainda mais abaixo, onde estão os oceanos secretos que alimentam as fontes, e ainda mais abaixo, nos abismos desconhecidos onde ardem as imensas chamas do centro da terra, ali se sente o poder do Senhor, e todas as coisas estão sob o domínio da Sua mão. Os príncipes costumam segurar em suas mãos uma réplica do globo terrestre; porém o Senhor tem, de fato, em Suas mãos, a terra. Quando Israel bebeu da fonte cristalina que jorrava da grande profundeza, abaixo da rocha ferida, o povo soube que, nas mãos do Senhor, estavam as profundezas da terra.

"E as alturas dos montes são suas." Quando o Sinai estava completamente envolto em fumaça, as tribos souberam que Jeová era Deus dos montes, assim como dos vales. Em todas as partes, e em todos os tempos, isto é verdade; o Senhor governa sobre os lugares altos da terra, em solitária majestade. As vastas fundações, os gigantescos espigões, as massas incalculáveis, as alturas inexploradas dos montes, tudo isto é do Senhor. Eles são as Suas fortalezas, e Seus tesouros, onde Ele armazena a tempestade e a chuva; e dali Ele também derrama as correntezas de gelo e solta as avalanches. Os picos de granito e as agulhas indomáveis são dEle, e também dEle são os precipícios. A força é o principal pensamento que passa pela mente quando olhamos estas vastas muralhas que se precipitam diante do mar furioso, ou espiam o céu azul, perfurando as nuvens; mas ela é, para a mente devota, a força de Deus; Sinais de Onipotência são dados por aquelas rochas austeras que enfrentam a fúria dos elementos, e como muros de bronze desafiam os ataques da natureza, na sua fúria mais selvagem.

5. *"Seu é o mar."* Isto foi comprovado como verdadeiro, no Mar Vermelho, quando as águas viram o seu Deus e obedientemente se puseram de lado para abrir uma passagem para o Seu povo. Não foi o mar de Edom, embora fosse vermelho, nem o mar do Egito, embora banhasse a sua costa. O Senhor, nas alturas, reinava supremo sobre as águas, como Rei para todo o sempre. Assim é, com o vasto oceano, seja ele conhecido como Atlântico ou Pacífico, Mediterrâneo ou Ártico; nenhum homem pode mapeá-lo e dizer, "Isto é meu"; a área ilimitada das águas não conhece outro senhor, exceto Deus. Jeová governa as ondas. Nas profundezas dos abismos, onde nenhum olho humano já contemplou, e nenhum pé de mergulhador já desceu, Ele é o único protetor; cada onda espumante o reconhece como monarca; Netuno é apenas uma ilusão, o Senhor é Deus do oceano.

"Pois ele o fez." Daí, o Seu direito e soberania. Ele escavou o canal desconhecido e derramou a inundação abundante; os mares não foram formados por acaso, nem suas costas marcadas pelo dedo imaginário do destino; Deus criou o homem, e cada riacho, e cada baía, e cada correnteza, e cada maré, reconhecem a mão do grande Criador. Todos saúdam o Criador e Controlador do mar, que aqueles que voam nos rápidos navios pelo assombroso domínio das águas adorem, somente a Ti!

"E as suas mãos formaram a terra seca." Seja considerada fértil ou deserto arenoso, Ele fez o que os homens chamam *terra firme*, erguendo-a da inundação e protegendo-a

das águas abundantes. "A terra é do Senhor e toda a sua plenitude". Ele ordenou que as ilhas erguessem suas cabeças, Ele aplainou as vastas planícies, levantou as campinas, projetou os montes ondulantes, e empilhou os Alpes maciços. Como o oleiro modela o seu barro, também Jeová, com Suas mãos, modelou as partes habitáveis da terra. Venha, então, você, que habita neste bonito mundo, e adore Àquele que é visível onde quer que pisemos! Considere tudo como o piso de um templo, onde as pegadas da Divindade presente são visíveis, diante dos seus olhos, desde que você procure enxergá-las. O argumento será muito forte, se o coração for justo; o mandamento para adorar é semelhante à inferência da razão e ao impulso da fé.

6 *Ó, vinde, adoremos e prostremo-nos! Ajoelhemos diante do Senhor que nos criou.*
7 *Porque ele é o nosso Deus, e nós, povo do seu pasto e ovelhas da sua mão.*
Se hoje ouvirdes a sua voz,
8 *não endureçais o coração, como em Meribá e como no dia da tentação no deserto,*
9 *quando vossos pais me tentaram; provaram-me e viram a minha obra.*
10 *Quarenta anos estive desgostado com esta geração e disse: é um povo que*
erra de coração e não tem conhecimento dos meus caminhos.
11 *Por isso, jurei na minha ira que não entrarão no meu repouso.*

6. Aqui a exortação à adoração é renovada, e respaldada por um motivo que, para o Israel de antigamente, e para os cristãos de hoje, é especialmente poderosa; pois tanto o Israel segundo a carne quanto o Israel da fé podem ser descritos como o povo do Seu pasto, e por ambos, Ele é chamado de "meu Deus".

"Ó, vinde, adoremos e prostremo-nos!" A adoração deve ser humilde. O "cantar com júbilo" deve ser acompanhado com humilde reverência. Nós devemos adorar de tal maneira, que o fato de nos ajoelharmos ou nos curvarmos indique que nós consideramos que somos como nada na presença do Senhor glorioso.

"Ajoelhemos diante do Senhor que nos criou." Como suplicantes, devemos vir, alegres, mas não presunçosos; familiares, como crianças diante do pai, mas reverentes, como criaturas diante do seu Criador. A postura não é tudo, mas é importante; a oração é ouvida, quando os joelhos não se podem curvar, mas parece que um coração que adora deve mostrar sua reverência prostrando o corpo e dobrando o joelho.

7. *"Porque ele é o nosso Deus."* Aqui está o motivo principal para adoração. O Senhor fez um concerto *conosco*, e dentre todo o mundo nos escolheu para que fôssemos os Seus eleitos. Se outros se recusam a prestar a Ele esta homenagem, este tributo de respeito, nós, pelo menos, o faremos, alegremente. Ele é nosso, e nosso Deus; nosso, portanto nós o amaremos; Ele é o nosso Deus, portanto nós o adoraremos. Feliz é o homem que pode crer, sinceramente, que esta sentença é verdadeira com relação a si mesmo.

"E nós, povo do seu pasto e ovelhas da sua mão." Assim como Ele pertence a nós, também nós pertencemos a Ele. "O meu amado é meu, e eu sou dele". E nós somos Seus, como o povo a quem Ele alimenta e protege diariamente. As nossas pastagens não são nossas, mas Suas; nós obtemos todo o nosso sustento de Seus armazéns. Nós somos Seus, assim como as ovelhas pertencem ao pastor, e a Sua mão é nosso governo, nosso guia, nosso socorro, nossa fonte de sustento. Israel foi levado pelo deserto, e nós somos levados, por esta vida, por este "grande Pastor das ovelhas". A mão que abriu o mar e tirou água da rocha ainda está conosco, realizando milagres semelhantes. Podemos nos recusar a "adorar e nos prostrar" quando vemos claramente que "este Deus é o nosso Deus para sempre; ele será nosso guia até à morte"?

Mas o que é este aviso que vem a seguir? Ai, ele era dolorosamente necessário para o povo antigo do Senhor, e não é menos necessário para nós mesmos. A nação favorecida ficou surda às ordens do seu Senhor, e provou que não eram verdadeiramente Suas ovelhas, sobre quem está escrito, "As minhas ovelhas ouvem a minha voz"; será este também o nosso caráter? Que Deus não permita!

"Se hoje ouvirdes a sua voz." Terrível *"se"*. Muitos não ouviram, eles adiaram as declarações de amor e provocaram o seu Deus. "Hoje", na hora da graça, no dia da misericórdia, nós somos testados, quanto a ouvirmos a voz do nosso Criador. Nada é dito a respeito de amanhã, "ele determina um certo dia", ele exige atenção imediata, para o nosso próprio bem ele exige obediência instantânea. Nós lhe daremos esta obediência? O Espírito Santo diz "hoje", nós o entristeceremos, com um atraso?

8. *"Não endureçais o coração."* Se você ouvir, aprenda também a temer. O mar e a terra obedecem a Ele, não prove que é mais obstinado do que eles!

"Renda-se a este amor que lhe cerca agora,
pois os elos de um homem podem ser perdidos."

Não podemos amolecer os nossos corações, mas podemos endurecê-los; e se o fizermos, as consequências serão fatais. Hoje é um dia bom demais, para ser profanado pelo endurecimento do nosso coração contra as nossas próprias graças. Enquanto a misericórdia reinar, a teimosia não deve se rebelar.

"Como em Meribá e como no dia da tentação no deserto" (ou "como na provocação, como quando estavam em Massá, no deserto"). Não seja voluntariamente, desenfreadamente, repetidamente, obstinadamente rebelde. Que o exemplo desta geração infeliz sirva como advertência para você; não repita as ofensas que já provocaram suficientemente o Senhor. Deus se lembra dos pecados dos homens, e de modo ainda mais memorável quando são cometidos por um povo favorecido, contra frequentes advertências, em desafio a terríveis juízos, e em meio a graças superlativas; estes pecados são registrados em mármore. Leitor, este versículo é para você, mesmo se você puder dizer, "Ele é o nosso Deus e nós, povo do seu pasto". Não procure se desviar do aviso; você precisa dele, portanto, dê ouvidos a ele.

9. *"Quando vossos pais me tentaram."* Eles fizeram tudo o que puderam para tentar Deus a modificar o Seu caminho usual, e realizar seus pedidos pecaminosos, e embora Ele não possa ser tentado pelo mal, e jamais ceda a pedidos ímpios, ainda assim a intenção do povo foi a mesma e a sua culpa não foi em nada menor. O caminho de Deus é perfeito, e quando nós desejamos que Ele o altere, para nos agradar, somos culpados de tentá-lo; e o fato de que o fazemos em vão, embora isto magnifique a santidade do Senhor, não diminui, de maneira alguma, a nossa culpa. Nós corremos grandes riscos de cometer este pecado em tempos de necessidade, pois é então que somos propensos a cair na descrença, e a exigir uma mudança, naqueles arranjos da providência que são a transcrição da santidade perfeita e da sabedoria infinita. Não aquiescer à vontade de Deus é praticamente tentá-lo a alterar Seus planos para adequá-los à nossa perspectiva imperfeita de como o universo deveria ser governado.

"Provaram-me." Eles submeteram o Senhor a provas desnecessárias, exigindo novos milagres, novas interposições e sinais renovados da Sua presença. Nós também não exigimos, de modo mal humorado, frequentes sinais do amor de Deus, além daqueles que cada hora nos fornece? Nós também não somos propensos a exigir detalhes, com a alternativa secretamente oferecida em nossos corações, detalhes estes que, se não vierem com o nosso pedido, nos farão perder a fé? É verdade, o Senhor é muito condescendente, e frequentemente nos concede maravilhosas evidências do Seu poder, mas não devemos exigir estas evidências. A fé inabalável é devida Àquele que é tão constantemente bondoso. Depois de tantas provas do Seu amor, nós somos ingratos em desejar pô-lo à prova outra vez, a menos que seja naquelas formas indicadas por Ele mesmo, em que Ele disse, "Provai". Se nós fôssemos testar para sempre o amor de nosso cônjuge, e não estivéssemos convencidos depois de anos de fidelidade, desgastaríamos até mesmo a maior paciência humana. A amizade somente floresce na atmosfera da confiança, a suspeita é mortal a ela: o Senhor Deus, fiel e imutável, sofrerá, dia após dia, suspeitas, pelo Seu próprio povo? Isto não provocará a sua ira?

"E viram a minha obra." Eles o provaram repetidas vezes, durante quarenta anos, embora a cada vez a Sua obra fosse uma evidência conclusiva da Sua fidelidade. Nada podia convencê-los por muito tempo.

"Eles viram Seus milagres realizados,
e então cantaram Seu louvor;
mas logo esqueciam as Suas obras de poder,
e murmuravam com sua língua."

"Agora, eles creem na Sua palavra,
enquanto rochas fornecem rios de água;
Agora, com seus desejos, provocam o Senhor;
e Ele os abate."

A inconstância está associada ao coração do homem, a descrença é nosso pecado constante; nós devemos, para sempre, ver, ou hesitaremos em nossa fé. Isto não é uma pequena ofensa, e trará uma punição que não é pequena.

10. *"Quarenta anos estive desgostado com esta geração."* A impressão na mente divina é muito vívida; Ele os vê diante de Si agora, e os chama de *"esta* geração". Ele não permite que Seus profetas reprovem o pecado, mas Ele mesmo profere a queixa e declara que estava entristecido, enjoado e desgostoso. Não é pouca coisa que pode entristecer o nosso Deus, que tanto tolera, ao ponto em que a palavra hebraica aqui indica; e se refletirmos por um momento, veremos a abundante provocação que foi feita; pois ninguém que valorize a sua veracidade pode suportar ser alvo de suspeitas, de falta de confiança e de desmentidos, quando não há fundamento para isto, mas, ao contrário, a mais esmagadora razão para confiança. O tratamento tão vil a que o terno Pastor de Israel foi exposto, não durante um dia ou um mês, mas durante uma sequência de quarenta anos, e não por um crente aqui e outro ali, mas por toda uma nação, em que somente dois homens foram julgados como crendo tão completamente a ponto de serem isentos da condenação que, por fim, foi proferida sobre todos os demais. Com que devemos nos admirar mais, com a cruel insolência do homem, ou com a terna paciência do Senhor? O que deixará a mais profunda impressão em nossas mentes, o pecado ou a punição? A descrença ou o acesso impedido aos descrentes às portas do repouso do Senhor?

"E disse: é um povo que erra de coração e não tem conhecimento dos meus caminhos." O seu coração era obstinadamente e constantemente culpado; não era a sua cabeça que errava, mas o seu próprio coração era perverso; o amor, que apelava aos seus afetos, não conseguia convertê-los. O coração é a mola principal do homem, e se ele não estiver em ordem, toda a natureza sai dos eixos. Se o pecado fosse apenas superficial, seria um pequeno problema; mas, uma vez que ele contaminou a alma, o caso é realmente mau. Ensinados, como eram, pelo próprio Senhor, em lições ilustradas por milagres, que lhes vinham diariamente, no maná do céu, e na água da rocha, eles deviam ter aprendido alguma coisa, e era uma grave vergonha que permanecessem obstinadamente ignorantes, e não conhecessem os caminhos de Deus. Peregrinos de corpo, eram também peregrinos de coração; e a bondade providencial do seu Deus permanecia, para suas mentes cegas, um labirinto tão grande como aqueles caminhos tortuosos pelos quais Ele os conduziu pelo deserto. Nós somos melhores do que eles? Nós não somos igualmente capazes de interpretar erroneamente as tratativas do Senhor? Nós não sofremos e desfrutamos de tantas coisas, em vão? Com muitos, é assim. Quarenta anos de sabedoria providencial, e até mesmo um período ainda mais longo de experiência, não conseguiram lhes ensinar a serenidade da certeza, e a firmeza da confiança. Há motivos para muita investigação no coração, a respeito disto. Muitos tratam a descrença como uma falha pequena, e até a consideram mais uma fraqueza do que um crime; mas o Senhor não pensa assim. A fé é devida ao Senhor, especialmente por parte daqueles que afirmam ser

o povo do Seu pasto, e ainda mais enfaticamente por parte daqueles cuja longa vida esteve cheia de evidências da Sua bondade: a descrença insulta um dos mais preciosos atributos da Divindade, desnecessariamente e sem o menor fundamento, e em desafio a argumentos auto-suficientes, respaldados pela eloquência do amor. Devemos, ao ler este Salmo, examinar a nós mesmos, e fazer com que estas coisas penetrem nosso coração.

11. *"Por isso, jurei na minha ira que não entrarão no meu repouso."* Não pode haver repouso para um coração descrente. Se o maná e os milagres não puderam satisfazer Israel, eles também não teriam ficado satisfeitos com a terra que mana leite e mel. Canaã devia ser o típico local de repouso de Deus, onde a Sua arca deveria permanecer, e as ordenanças da religião deveriam ser estabelecidas; o Senhor, durante quarenta anos, suportou os maus modos da geração que saiu do Egito, e era apenas justo que Ele decidisse não se relacionar mais com eles. Não era suficiente o fato de que eles tivessem se rebelado o tempo todo, durante aquela marcha pelo deserto? Eles deveriam ter permissão de fazer novos Massás e Meribás na própria Terra Prometida? O Senhor não desejaria isto. Ele não apenas disse, mas jurou, que eles não entrariam no Seu repouso, e este juramento excluía cada um deles; as suas carcaças caíram no deserto. Solene aviso a todos os que deixam o caminho da fé, preferindo caminhos de petulantes murmurações e desconfiança. Os rebeldes de antigamente não poderiam entrar, por causa da descrença, "temamos, pois, que, porventura, deixada a promessa de entrar no seu repouso, pareça que algum de vós fique para trás".

Uma abençoada dedução deste Salmo não deve ser esquecida. Está claro que existe um repouso de Deus, e que alguns entrarão nele: mas "aqueles a quem primeiro foram pregadas as boas-novas não entraram por causa da desobediência, portanto, resta ainda um repouso para o povo de Deus". Os descrentes não poderiam entrar, mas "nós, os que temos crido, entramos no repouso". Aproveitemos isto, e louvemos ao Senhor por isto, para sempre. O verdadeiro repouso sabático é nosso; ele é nosso para que possamos repousar das nossas próprias obras, como Deus repousou das Suas. Enquanto fazemos isto, "Apresentemo-nos ante a sua face com louvores e celebremo-lo com salmos".

NOTAS EXPLICATIVAS E DECLARAÇÕES SINGULARES

Todo o Salmo: Estes seis Salmos, do 95 ao 100, formam, se não estou equivocado, um poema profético, citado pelo apóstolo Paulo, na epístola aos Hebreus, sob o título de Apresentação do Primogênito ao mundo. Cada Salmo tem seu tema, que é algum ramo particular do argumento geral, o estabelecimento do reino do Messias. O Salmo 95 afirma a Divindade do Senhor, e o Seu poder sobre toda a natureza, e exorta o Seu povo a servi-lo. Em Salmo 96, todas as nações são exortadas a se unirem no Seu serviço, porque Ele vem para julgar toda a humanidade, os judeus e os gentios. Em Salmo 97, o Senhor reina sobre todo o mundo, os ídolos são abandonados, o Justo é glorificado. Em Salmo 98, o Senhor fez maravilhas e operou a libertação por Si mesmo: Ele lembrou a Sua misericórdia com a casa de Israel; Ele vem para julgar o mundo inteiro. Em Salmo 99, o Senhor, assentado entre os querubins em Sião, a igreja visível, reina sobre o mundo inteiro, para ser louvado pela justiça do Seu governo. Em Salmo 100, todo o mundo é convocado a louvar ao Senhor, o Criador, cuja misericórdia e verdade são eternas. — *Samuel Horsley*

Todo o Salmo: Este Salmo é citado duas vezes na epístola aos Hebreus, como advertência aos cristãos judeus em Jerusalém, nos dias do autor, para que não esmorecessem na fé, desprezando as promessas de Deus, como seus antepassados tinham feito no deserto, para que não deixassem de entrar no Seu repouso; veja Hebreus 3.7, onde o versículo deste Salmo é introduzido com as palavras "Portanto, como diz o Espírito Santo, se ouvirdes hoje a sua voz", e veja Hebreus 4.7, onde está escrito, "Determina, outra vez, um certo dia, Hoje, dizendo *por Davi*". Alguns deduziram, destas palavras, que o autor da epístola aos Hebreus atribui este salmo a *Davi*. Isto pode ser verdade. Mas não parece improvável que as palavras "por Davi" signifiquem, simplesmente, "o Livro dos Salmos", o conjunto recebendo o nome da sua maior parte; e que se ele tivesse querido dizer que Davi escreveu o Salmo, ele teria escrito "Davi disse", ou "O Espírito Santo disse, por intermédio de Davi", e não como está escrito, "dizendo *por Davi"*. — *Christopher Wordsworth*

v. 1: "Vinde, cantemos ao Senhor", etc. O primeiro versículo do Salmo dá início ao convite ao louvor e à exultação. É um cântico de três partes, e cada parte (como o de Jacó, sobre as ovelhas) tem uma dupla; cada corda dupla, de certa forma, na música deste louvor, um entrelaçado de duas partes em um tipo de *acordo discordante*, caindo em uma conclusão musical por meio de um diapasão divergente, mas reconciliado. A primeira dupla neste cântico de louvor é o da *multidão* e *unidade*, *congregação* e *acordo*: *"Vinde"*, há *multidão* e *congregação; "cantemos"*, há *unidade* e *acordo*. A segunda dupla entrelaçada é a da *língua* e *do coração*, *"cantemos"*, há a voz e o som; e *"com júbilo"*, há o coração e a alma. O terceiro e último par entrelaçado, ou parte da música, é *poder* e *misericórdia*, (rocha ou) *força* e *salvação; A força de Deus* e *a nossa salvação*: "à rocha da nossa salvação". — *Charles Herle (1598–1659) em "Sermon before the House of Lords", intitulado "David's Song of Three Parts"*

v. 1: "Vinde". A palavra *"vinde"* contém uma exortação, estimulando-os a unir coração e lábios, para louvar a Deus; como a palavra é usada no livro de Gênesis, onde o povo, estimulando e encorajando, uns aos outros, diz "Eia, façamos tijolos"; e "Eia, edifiquemos nós uma cidade e uma torre"; e, no mesmo capítulo, o Senhor diz "Eia, desçamos e confundamos ali a sua língua". — *Bellarmine*

v. 1: Uma vez que um *"vinde"* vai mais longe do que vinte vezes *"vá e faça"*, como deveriam ser cuidadosos aqueles a quem Deus exaltou à eminência de posição, para que seus exemplos sejam a escada de Jacó, que ajudam os homens a ir ao céu, e não as pedras de tropeço de Jeroboão, que ficam no caminho deles e levam Israel ao pecado. — *Charles Herle*

v. 1: Há uma indicação silenciosa, para a indiferença e a distração dos cuidados, pelas quais nós somos mais propensos a procurar outras coisas do que a nos dedicarmos seriamente aos convenientes louvores e serviços a Deus. O nosso pé tem uma maior tendência a *partir* para o campo, para o boi e para a nova esposa, do que para *vir* aos átrios sagrados, Lucas 14.18, *e seguintes*. Veja Isaías 2.3: "Vinde, subamos ao monte do Senhor". — *Martin Geier*

v. 1: "Com júbilo". O verbo הָרִיעַ significa fazer um ruído alto, de qualquer tipo, seja com a voz ou com instrumentos. Nos Salmos, de modo geral, esta palavra se refere à mistura de vozes e vários instrumentos, no serviço do Templo. Este amplo sentido da palavra não pode ser expresso de outra maneira em nossa língua, exceto por uma perífrase. — *Samuel Horsley*

v. 1: "A rocha da nossa salvação". Jesus é a Rocha dos séculos. Ao longo dos séculos se abrem várias possibilidades para o pecado e a impureza; porém Ele é a Rocha que acompanha a igreja no deserto, derramando a água da vida, para uso e consolação da igreja; a Rocha que é a nossa fortaleza contra cada inimigo, sombreando e refrescando uma terra esgotada. — *George Horne*

v. 2: "Apresentemo-nos ante a sua face". Em hebraico, *diante da Sua face*, estar ali, com os primeiros. *"Vamos depressa...* eu também irei" (Zc 8.21). Que o louvor espere por Deus em Sião, Salmo 65.1. — *John Trapp*

v. 2 (segunda parte): "Com louvores e celebremo-lo com salmos". זְמִרוֹת, eu entendo que sejam cânticos, com métrica, ajustados aos compassos de uma melodia. — *S. Horsley*

v. 3: Àquele que se dedica a louvar a Deus, não faltará motivo para fazê-lo, como fazem os que comparecem diante de príncipes, que, por falta de verdadeiros motivos para louvá-los, lhes dizem palavras bajuladoras; *"Porque o Senhor é Deus grande"*, de poder e proeminência, de força e constância. — *David Dickson v. 3:* O Ser Supremo aqui tem *três* nomes: אֵל (*'ēl*), יְהוָה (*yehōwâ*), אֱלֹהִים (*'ĕlōhîm*), e não devemos aplicar nenhum deles aos *falsos deuses.* O *primeiro* sugere a Sua *força;* o *segundo,* a Sua *existência* e *essência;* o *terceiro,* o Seu *relacionamento de concerto* com a humanidade. Na adoração pública, estas são as maneiras pelas quais devemos considerar o Ser Divino. — *Adam Clarke*

v. 3: "Acima de todos os deuses". Quando Ele é chamado de um *Deus* grande, e *Rei* acima *de todos os deuses,* podemos apropriadamente imaginar que a referência é aos anjos que estão acostumados a ser apresentados sob este nome, e aos *Juízes* supremos na terra, que também usam este título, como vemos em Salmo 82. — *Venema*

v. 4: "Nas suas mãos". O domínio de Deus se fundamenta na Sua preservação das coisas. "O Senhor é Rei grande acima de todos os deuses". Por que? *"Nas suas mãos estão as profundezas da terra".* Enquanto as Suas mãos sustentam todas as coisas, elas têm o domínio sobre todas as coisas. Aquele que mantém uma pedra no ar exerce um domínio sobre a sua tendência natural, impedindo-a de cair. A criatura depende inteiramente de Deus para sua preservação; tão logo estas mãos divinas que tudo sustentam fossem retiradas, um enfraquecimento e um desmaio seriam as próximas ocorrências na criatura. Ele é chamado de Senhor, *Adonai,* pelo aspecto de sustentar todas as coisas, pela Sua contínua afluência, derivando esta palavra de אדן, que significa uma base ou uma coluna que sustenta um edifício. Deus é o Senhor de tudo, pois Ele é o que sustenta tudo, pelo Seu poder, assim como é o Criador de tudo, pela Sua palavra. — *Stephen Charnock*

v. 4:

"Nas suas mãos estão as profundezas da terra"
e as alturas dos montes são suas".
— *Tradução de Thomas J. Conant*

v. 4: "Nas suas mãos estão as profundezas da terra". Isto permite consolação àqueles que, pela glória do nome divino, são lançados em prisões e cavernas subterrâneas; porque eles sabem que nem mesmo ali é possível estar sequer um pouco separado da presença de Cristo. Por isto, Ele preservou José, quando foi lançado por seus irmãos na velha cova, e quando foi lançado na prisão por causa daquela que desejava ser sua amante. Lembremo-nos também de outros exemplos em que o Senhor guardou os Seus servos: Jeremias, que também foi lançado em uma masmorra; Daniel, entre os leões; e seus companheiros, na fornalha. Assim, todos aqueles que se apegam a Ele, com uma fé firme, são conservados maravilhosamente, e libertados, até hoje. — *Solomon Gesner, 1559–1605*

v. 4: "Nas suas mãos estão as profundezas da terra". Como exemplo da obra e da presença de Deus nas minas nas entranhas da terra, nós selecionamos o seguinte fragmento: — "A disposição natural do carvão, em porções separadas", diz o autor de um excelente artigo na publicação Edinburgh Review, "não é simplesmente um fenômeno de geologia, mas também traz considerações naturais. É admirável que esta disposição natural seja o que torna o combustível mais acessível e de mais fácil extração. Se o carvão estivesse situado na sua profundidade geológica normal, supondo que as camadas fossem todas horizontais e sem perturbações ou elevações, estaria muito abaixo do alcance humano. Se estivesse depositado continuamente em uma única camada, ainda que superficial, teria sido muito prontamente, muito rapidamente, extraído, e por isto todas as suas qualidades superiores teriam sido desperdiçadas, tendo sobrado somente as inferiores; mas da maneira como se encontra, interrompido por perturbações geológicas em porções separadas, cada uma definida e limitada em área, cada uma suficientemente acessível ao alcance e esforço do homem, cada uma extraível por arranjos mecânicos, e cada uma capaz de escavação gradual sem sujeitar-se a exaustão. O saque egoísta é parcialmente impedido por barreiras naturais, e nós somos advertidos contra o desperdício, pelas espessuras comparativas de camadas de carvão, assim como pela dificuldade crescente de extraí-lo em profundezas maiores. Com as camadas separadas entre si, e por variados intervalos de arenito e argila, uma taxa bem calculada de extração é necessária, para nos impedir de roubar inteiramente à posteridade o mais valioso combustível mineral, ao passo que o combustível propriamente dito é reservado daquelas fraturas e esfarelamentos que certamente seriam a consequência da extração em massa do melhor carvão betuminoso, se estivesse em uma massa grande e única. Na verdade, por um exercício evidente de previsão e benevolência do Grande Autor de todas as nossas bênçãos, o nosso combustível precioso foi acumulado para nós, nos mais exíguos, mais acessíveis, e menos esgotáveis depósitos, e foi distribuído localmente nas situações mais convenientes. As nossas áreas de concentração carbonífera são tantos *Bituminous Banks*, em que há abundância para um uso adequado, mas a natureza interpôs numerosos obstáculos para qualquer extração desenfreada: reservas inteiras do precioso material estão sempre encerradas no porão dos bancos, sob a invencível proteção de poderosas camadas rochosas. É surpreendente que, neste século XIX, depois de tanto tempo em que o homem habita a terra, se nós examinarmos as quantidades das áreas conhecidas de concentração carbonífera, tão pouco carvão tenha sido escavado, e que ali permaneça uma abundância para uma posteridade muito distante, embora nossas melhores áreas possam ter sido trabalhadas.

Mas não é apenas nestas fontes inesgotáveis de combustível mineral que encontramos provas da previsão divina, todos os outros tesouros da terra nos convencem, igualmente, da harmonia íntima entre a sua estrutura e as necessidades do homem. Constituídos de uma maravilhosa variedade de solos e minérios, contêm uma inesgotável abundância de todas as substâncias de que o homem necessita, para a obtenção de um grau mais elevado de civilização. É para seu uso que ferro, cobre, chumbo, prata, estanho, mármore, gesso, enxofre, sal mineral e uma variedade de outros minerais e metais foram depositados em suas camadas e fendas, ou nas minas e pedreiras, do mundo subterrâneo. É para o benefício do homem que, da decomposição das rochas sólidas resulta a mistura de solo e álcalis, calcário, areia ou pedra-sabão, que é mais favorável à agricultura.

É para ele, por fim, que, filtradas pelas entranhas da terra, e dissolvendo substâncias benéficas no seu caminho, as fontes termais jorram carregadas com tesouros mais inestimáveis do que aqueles que os mineiros procuram. Supondo que o homem jamais tivesse sido destinado a viver, nós poderíamos perguntar por que todas estas dádivas da natureza — inúteis a todos os seres humanos, exceto a ele — por que as vastas áreas de concentração de carvão, os leitos de minério de ferro, os depósitos de enxofre, as fontes saudáveis, foram criadas? *Sem* ele, não há desígnio, não há propósito, para a existência destas coisas; *com* ele, elas são fontes maravilhosas de saúde, ou instrumentos necessários de civilização e progresso. Assim as revoluções geológicas da terra apontam harmoniosamente para o homem como seu senhor futuro; assim, na vida do nosso planeta, e na de seus habitantes, em todas as partes encontramos provas de um gigantesco plano, que abrange incontáveis gerações no seu desenvolvimento e progresso. — *G. Hartwig, em "The Harmonies of Nature," 1866*

v. 4: "As profundezas da terra", *penetralia terrae*, que se opõem às alturas dos montes, e significam, claramente, as mais profundas e distantes partes do globo terrestre, que são exploráveis apenas pelo olho de Deus. — *Richard Mant*

v. 4: "As alturas dos montes". A palavra traduzida como *"altura"* é plural no hebraico, e parece significar esforços fatigantes, de que alguns obtêm a ideia de força, outros de extrema altitude, que somente pode ser alcançada por esforço exaustivo. — *A. Alexander*

v. 4: "E as alturas dos montes são suas". A referência pode ser à *riqueza dos montes*, obtida somente pelo *esforço [Genesius]*, em correspondência à primeira parte — "as profundezas da terra", explicadas como referindo-se às *minas [Mendelssohn]*.

Onde quer que o homem vá, com todo o seu esforço e procurando nas alturas ou nas profundezas da terra, não poderá encontrar um lugar fora do domínio de Deus. — A. *R. Fausset*

vv. 4 e 5: "Montes", "o mar", "a terra seca". A relação entre áreas de terra e áreas de água exerce uma grande e essencial influência na distribuição de calor, nas variações de pressão atmosférica, nas direções dos ventos, e naquela condição do ar com respeito à umidade, que é tão necessária para a saúde da vegetação. Aproximadamente três quartos da superfície da terra estão cobertos de água, mas não se pode determinar com exatidão a altura exata da atmosfera nem a profundidade do oceano. Mas nós sabemos que, com qualquer acréscimo ou subtração ao volume atual das águas do oceano, a consequente variação na forma e magnitude da terra seria tal que, se a mudança fosse considerável, grande parte da harmonia existente nas coisas deixaria de existir.

Consequentemente, a dedução é que a magnitude do mar é uma das condições às quais se adapta a estrutura de todas as criaturas organizadas, e das quais elas realmente dependem, para seu bem-estar. A proporção entre terra e água é exatamente o que o mundo, como é constituído, requer; e toda a massa de terra, mar e ar deve ter sido equilibrada com a maior exatidão antes que até mesmo um açafrão se erguesse, ou um floco de neve caísse, ou um narciso curvasse sua cabeça em direção ao solo. A proporção entre terra e mar é ajustada às suas funções recíprocas. Nada que a ciência moderna possa deduzir é mais certo do que isto. — *Edwin Sidney, em "Conversations on the Bible and Science"*

v. 5: "Seu é o mar". Quando o próprio Deus faz um sermão em defesa da Sua soberania, Jó 38, seus principais argumentos são extraídos da Criação: "O Senhor é Rei grande acima de todos os deuses. Seu é o mar, pois ele o fez". E assim o apóstolo, no seu sermão aos atenienses: Como Ele "fez o mundo e tudo que nele há", Ele é intitulado "Senhor do céu e da terra" (At 17.24). O Seu domínio também da propriedade, se baseia nisto: "Teus são os céus e tua *é* a terra; o mundo e a sua plenitude, tu os fundaste" (Sl 89.11). Com este título de formação de Israel como uma criatura, ou melhor, como uma igreja, Ele exige os seus serviços a Ele, como seu Soberano. "Ó Jacó, e, tu, Israel, porquanto és meu servo; eu te formei, meu servo és, ó Israel" (Is 44.21). A soberania de Deus naturalmente emerge do relacionamento de todas as coisas com Ele mesmo, como seu único Criador, e a sua natural e inseparável dependência dEle, com relação à sua existência e ao seu bem-estar. — *Stephen Charnock*

v. 5: "Ele o fez".

A Terra foi formada, mas no útero
das águas, o embrião imaturo
não aparecia: sobre toda a face da terra,
o grande oceano fluiu, sem preguiça; mas, com
caloroso vapor prolífico suavizando todo o seu globo,
fez com que a grande mãe concebesse,
saciada com umidade genial; quando Deus disse
Reuni-vos, águas sob o céu,
em um lugar, e que apareça a terra seca.
Imediatamente os gigantescos montes apareceram
e suas costas amplas e nuas se ergueram
até as nuvens; seus cumes sobem ao céu:
Tão altas como se erguem as colinas salientes, tão baixas
se afundam a um vazio amplo e profundo,
amplo leito das águas.
— *John Milton*

v. 6: É considerada uma boa regra, no mundo dos negócios, não dizer aos seus servos, "Ó vinde", "levantai, ide"; mas *Vamos*, levantemos, façamos. Os filhos deste mundo serão mais sábios, na sua geração, do que os filhos da luz? Nós elogiamos este caminho, nos assuntos do mundo, e o negligenciamos, nos cargos religiosos? Certamente, se o seu zelo fosse tão grande com a religião quanto o seu amor é com o mundo, os senhores não viriam à igreja (como muitos fazem) sem seus servos, e os servos sem seus senhores; pais sem seus filhos, e os filhos sem seus pais; maridos sem suas esposas, e esposas sem seus maridos; mas todos nós levaríamos, uns aos outros, como profetizou Isaías (2.3) : "Vinde, subamos ao monte do Senhor, à casa do Deus de Jacó, para que nos ensine o que concerne aos seus caminhos, e andemos nas suas veredas", e como Davi praticou, aqui. — *John Boys*

v. 6: "Adoremos e prostremo-nos". Prostrar-se é um gesto de adoração, não apenas quando o adorador lamenta, mas também quando o adorador se alegra. Está escrito (Mt 2.10,11) que os magos, quando encontraram Cristo, *"alegraram-se muito com grande júbilo"* e, imediatamente, *"prostrando-se, o adoraram"*. Esta postura não é peculiar à adoração em ocasiões de extraordinária alegria ou tristeza, pois o convite comum foi: *"Ó, vinde, adoremos e prostremo-nos! Ajoelhemos diante do Senhor que nos criou"*. — *Joseph Caryl*

v. 6: "Adoremos e prostremo-nos! Ajoelhemos diante do Senhor que nos criou". Não diante de um crucifixo, não diante de uma imagem deteriorada, nem diante de uma bela imagem de um santo que nada pode fazer: eles não são *nossos criadores;* nós os fizemos, eles não nos fizeram. O nosso Deus, ao qual devemos cantar, em quem devemos nos alegrar, diante de quem devemos adorar, *"é um Rei grande acima de todos os deuses"*: Ele não é deus de chumbo, nem deus de pão, nem deus de bronze, nem deus de madeira; não devemos nos prostrar e adorar a *Senhora*, mas ao *Senhor;* não a algum *mártir*, mas ao nosso *Criador;* não a algum *santo*, mas ao nosso *Salvador; "Vinde, cantemos ao Senhor: Cantemos com júbilo à rocha da nossa salvação!" De que maneira*: com voz, *"Cantemos";* com alma, *"Cantemos com júbilo"*; com mãos e joelhos, *"Adoremos e prostremo-nos: ajoelhemos"*; com tudo o que há dentro de nós, com tudo o que há fora de nós; Aquele que criou tudo, deve ser adorado com tudo, especialmente quando "nos apresentamos ante a sua face". — *John Boys*

v. 6: "Prostremo-nos". Isto é, o adorador deve se prostrar a ponto de tocar o chão com a testa, enquanto se apoia em suas mãos e joelhos. Veja 2 Cr 7.3. — *John Fry, 1842*

v. 6: "Adoremos", "prostremo-nos", "ajoelhemos". Kimchi distingue os diversos gestos expressos pelas diferentes palavras aqui usadas. A primeira, que traduzimos como "adoremos" significa, de acordo com Kimchi, a prostração de todo o corpo no chão, com mãos e pernas estendidas. A segunda, um inclinar da cabeça, com parte do corpo; e a terceira, o colocar dos joelhos no chão. — *Samuel Burder*

v. 7: "Nós, povo do seu pasto e ovelhas da sua mão". Veja de que maneira elegante o salmista trocou a ordem das palavras, como se não fosse dado o seu próprio atributo a cada palavra; de modo que possamos entender que os mesmos que são *"as ovelhas"* são também *"o povo"*. Ele não disse as ovelhas do Seu pasto e o povo da Sua mão; o que poderia ser considerado mais coerente, uma vez que as ovelhas pertencem ao pasto; mas ele disse *"povo do seu pasto";* as próprias pessoas são ovelhas. Mas, novamente, uma vez que temos ovelhas que compramos, e não que criamos, e ele tinha dito anteriormente, *"Ajoelhemos diante do Senhor"*, é dito, apropriadamente, *"ovelhas da sua mão"*. Nenhum homem faz ovelhas por si mesmo, ele pode comprá-las, elas podem ser-lhe dadas, ele pode encontrá-las, ele pode ajuntá-las, e finalmente, ele pode roubá-las; fazê-las, ele não pode. Mas o nosso Senhor nos fez; por isto, *"povo do seu pasto, e ovelhas da sua mão"* são as mesmas ovelhas que Ele tinha, pela Sua graça, condescendido em criar para Si mesmo. — *Agostinho*

v. 7: "Ovelhas da sua mão" é uma expressão adequada, ainda que figurada, do pastor que alimenta, e conduz as *ovelhas*, fazendo isto com a sua *mão*, que manuseia a vara e o cajado (Sl 23.4) com que elas são cuidadas. A versão Árabe/ Judaica traduz como *o povo que Ele apascenta*, ou *rebanho, e as ovelhas que Ele guia*. — *H. Hammond*

v. 7: "Pois nós somos Seu povo, a quem Ele apascenta nos Seus pastos, e Suas ovelhas, às quais Ele conduz com a Sua mão". [Versão Francesa.] Aqui está uma razão que nos compele a louvar a Deus: Ele não somente nos criou, mas também nos guia, por especial providência, como um pastor guia o seu rebanho. Jesus Cristo, Pastor Divino das nossas almas, não somente nos apascenta nos Seus pastos, mas Ele mesmo nos *guia, com a Sua mão*, como ovelhas inteligentes. Ele é o Pastor amoroso, que nos *apascenta* não somente dos pastos do Texto Sagrado, mas até mesmo com a Sua própria carne. Que motivos de incessante adoração por parte de uma alma em que estas grandes verdades penetraram! Que fonte de lágrimas de alegria, com a visão de tão prodigiosa misericórdia! — *Quesnel*

v. 7: "Se hoje ouvirdes a sua voz". Se adiarmos o arrependimento para um outro dia, teremos um dia a mais do qual nos arrepender, e um dia a menos para nos arrepender. — *W. Mason*

v. 7: Aquele que prometeu perdão por ocasião do nosso arrependimento, não prometeu preservar a nossa vida até que nos arrependamos. — *Francis Quarles*

v. 7: Nunca pense que é cedo demais para você se arrepender, porque você não sabe quando será tarde demais. — *Thomas Fuller*

v. 7: "Se ouvirdes a sua voz". Oh! Que *se* há aqui! Que censura para aqueles que não ouvem ao Senhor! "As minhas ovelhas ouvem a minha voz, e eu conheço-as, e elas me seguem"; "e não quereis vir a mim para terdes vida". E haverá misericórdia, haverá ainda salvação, se ouvirdes àquela voz. Israel a ouviu, entre os trovões do Sinai, "e os que a ouviram pediram que se lhes não falasse mais"; e tão terrível era a visão, que Moisés disse: "Estou todo assombrado e tremendo"; e eles também ouviram a tranquila voz de amor do Senhor no maná silencioso que caiu ao redor de suas tendas, e nas águas que jorravam da rocha que os seguiu, durante cada marcha, por quarenta anos. Mas o registro da ingratidão de Israel anda lado a lado com o registro das misericórdias de Deus. — "Mas o meu povo não quis ouvir a minha voz, e Israel não me quis". — *Barton Bouchier*

v. 7: "Se ouvirdes a sua voz". E, como Bernardo nos diz, não há nenhuma dificuldade para ouvi-la; ao contrário, tão constante é o seu apelo e tão claros são seus enunciados que a dificuldade é fechar nossos ouvidos eficazmente a ela. E, no entanto, há muitos que não ouvem, por diversos motivos: porque estão muito afastados; porque estão surdos; porque dormem; porque voltaram suas cabeças para o outro lado; porque fecharam seus ouvidos; porque correm e fogem, para não ouvir; porque estão mortos; todos eles são tipos de variadas formas e variados graus de descrença. — *Bernardo e Hugo Cardinalis, em "Neale e Littledale"*

v. 7: "Se ouvirdes a sua voz". Estas palavras parecem se referir às palavras precedentes, em que somos representados como *ovelhas do pasto de Deus*, e devem ser consideradas como um afetuoso chamado do nosso pastor celestial, para que o sigamos e obedeçamos. — *De "Lectures on the Liturgy, from the Commentary of Peter Waldo", 1821*

v. 7 e 8: Pode ser tão difícil, ou melhor, mais difícil, vir até Cristo amanhã do que hoje: portanto *"se hoje ouvirdes a sua voz, não endureçais o coração"*. Rompa o gelo agora, e pela fé, se aventure no seu dever atual, onde quer que ele esteja: faça o que você é chamado a fazer agora. Você jamais saberá como o jugo de Cristo é suave, até que ele esteja preso ao seu pescoço, nem quão leve é o Seu fardo, até que você o tome. Quando você avalia a santidade à distância, como algo fora de você, e contra você, você jamais gostará dela. Aproxime-se dela, um pouco, apenas entenda-a, envolva-se nela, e você verá que a religião traz alimento à sua boca; ela tem uma natureza que renova, que nutre, que fortalece. Ela traz consigo aquilo que permite que a alma prossiga alegremente. — *Thomas Cole (1627–1967) em "Morning Exercises" v. 8:* "Não endureçais o coração". Um idoso, certo dia, colocando uma criança sobre seus joelhos, a convidou a buscar a Deus *agora* — a orar a Ele, e a amá-lo; quando a criança, olhando para ele, perguntou, "Mas por que *você* não busca a Deus?" O senhor respondeu, profundamente afligido, "Eu o buscaria, criança, mas o meu coração está *endurecido* — o meu coração está *endurecido"*. — *Arvine, Anecdotes*

v. 8: "Não endureçais o coração". *Coração* é atribuído a criaturas racionais, indicando, algumas vezes, toda a alma, e algumas vezes, as diversas faculdades pertinentes à alma.

1. Com frequência, significa toda a alma, e isto acontece na maioria das ocasiões em que esta palavra aparece sozinha; como onde está escrito, "Servi ao Senhor com todo o vosso coração", 1 Samuel 12.20.

2. Significa a parte principal da alma, que é chamada de mente ou entendimento. "Apliquei o meu coração a conhecer a sabedoria" (Ec 1.17). Neste aspecto, as trevas e a cegueira são atribuídas ao coração (Ef 4.18, Rm 1.21).

3. Significa a vontade: como quando as palavras coração e alma aparecem juntas, o significado é das duas faculdades essenciais da alma, ou seja, a mente e a vontade: *alma* significando a mente, e coração a vontade. "Servir de todo o teu coração e de toda a tua alma" (Dt 11.13).

4. Significa a memória. "Escondi a tua palavra no meu coração", diz o profeta (Sl 119.11). A memória é a faculdade em que os assuntos são guardados e escondidos.

5. Significa a consciência. Está escrito que "O coração doeu a Davi", isto é, a sua consciência (1 Sm 24.5, 2 Sm 24.10). Assim interpretamos coração (1 Jo 3.20,21).

6. Significa os afetos: como onde está escrito, "Amarás o Senhor, teu Deus, de todo o teu coração, e de toda a tua alma, e de todo o teu pensamento" (Mt 22.37). Por *mente*, entendemos a faculdade do entendimento; por *alma*, a vontade; por *coração*, os afetos.

Aqui, neste texto, o coração significa toda a alma, e até mesmo a mente, a vontade e os afetos. Pois a cegueira da mente, a obstinação da vontade e a estupidez dos afetos andam juntas. — *William Gouge*

v. 8: Em "Massá — em Meribá" (ARA). Alguns tradutores dizem, *"na provocação, no dia da tentação"*. Mas os lugares foram denominados por nomes extraídos dos eventos que ali ocorreram; e a introdução destes nomes dá mais vitalidade à referência. Veja, com o mesmo intuito, Salmo 81.7; onde a tradução da Bíblia conserva o nome apropriado. — *Richard Mant*

v. 8: Não devemos deixar de perceber, que enquanto é o *rebanho* que fala nos versículos 1-7, é *o Pastor* que assume as suas palavras de censura, e os convence, Ele mesmo, do versículo 8 até o fim, usando o argumento que, pelo Espírito Santo, nos é dirigido também em Hebreus 3. Há algo muito poderoso nesta censura, quando conectada com as circunstâncias que a motivaram. Por si só, a explosão do amor de adoração e o derramamento de afeição nos versículos 1-7 são irresistivelmente persuasivos; mas quando (v. 8) se ouve a voz do próprio Senhor (que voz, usando termos de veemente súplica!), não podemos imaginar a censura levada mais adiante. Somente a descrença poderia resistir a esta voz; somente a descrença cega e maligna pode repelir *o rebanho, e então o pastor, que convida os homens a entrarem agora no curral.* — *Andrew A. Bonar*

v. 9: "Vossos pais me tentaram". Embora Deus não possa ser tentado com o mal, Ele pode, adequadamente, ser considerado tentado sempre que os homens, insatisfeitos com Suas providências, praticamente pedem que Ele altere estas providências, e proceda de uma maneira que esteja mais de acordo com seus sentimentos. Se você refletir um pouco, dificilmente deixará de perceber que, no sentido restrito, isto e coisas semelhantes podem ser considerados como tentando a Deus. Suponha que um homem esteja insatisfeito com as decisões da providência, suponha que ele murmure e se revolte com o que o Todo-Poderoso lhe destina, para fazer ou suportar; ele não deve ser acusado de pedir a Deus que modifique Seus propósitos? E o que é isto, senão tentar a Deus, e procurar induzi-lo a se desviar de Seus planos, embora cada um destes planos tenha sido definido pela Infinita Sabedoria?

Ou, novamente, se algum de nós, apesar das múltiplas provas da benignidade divina, duvidar ou questionar se Deus realmente o ama, do que ele será culpado, senão de tentar o Senhor, vendo que solicita que Deus forneça evidência adicional, como se houvesse uma deficiência, desafiando-o a fazer uma nova demonstração do que Ele já exibiu abundantemente? Isto seria chamado de tentar entre os homens. Se um filho mostrasse, por seus atos, que duvidava ou não acreditava na afeição de seus pais, ele seria interpretado como procurando obter deles novas provas, pedindo que eles evidenciassem ainda mais o seu amor, embora eles pudessem já ter feito, tanto em sabedoria como em justiça, o que deviam fazer. E isto é, claramente, tentá--los, e também no sentido comum do termo. Em resumo, a descrença, de todos os tipos e em qualquer nível pode ser considerada como tentando a Deus. Pois não crer na evidência que Ele julgou adequado dar, é provocá-lo a dar mais evidências, oferecendo nossa possível aceitação se houvesse novas provas, seduzindo-o a ir além do que a Sua sabedoria prescreveu. E se neste sentido, e nos sentidos semelhantes, Deus puder ser tentado, o que pode ser dito, mais verdadeiramente, sobre os israelitas, senão que eles tentaram a Deus em Massá?... Talvez nós não estejamos acostumados a pensar na descrença ou nas murmurações como nada menos do que tentar a Deus, e, por isto, não nos fixamos no que é tão comum, o seu justo grau de atrocidade. É tão natural que estejamos descontentes sempre que as decisões de Deus não são exatamente o que desejamos que, assim que nossos desejos parecem frustrados, nos esqueçamos do que foi feito por nós, que fiquemos impacientes e irritados a cada nova contrariedade, que dificilmente estaremos conscientes de cometer um pecado, e muito menos, um mais grave do que normalmente. Mas não podemos ficar descontentes com as decisões de Deus, sem sermos praticamente culpados de tentar a Deus. Pode parecer uma definição dura de uma falha leve e dificilmente evitável, mas, apesar disto, é uma definição verdadeira. Não podemos deixar de confiar em Deus, e nem acusá-lo de falta de poder nem de bondade. Você não pode reclamar, nem mesmo em pensamento, sem dizer a Ele que os Seus planos não são os melhores, nem as Suas dispensações são as mais sábias que Ele poderia ter indicado, a respeito de nós mesmos. De modo que o seu temor, ou o seu desânimo, ou a sua ansiedade, em circunstâncias de perplexidade, ou perigo, não são nada menos do que convidar Deus a se afastar do Seu caminho já definido — uma suspeita, ou melhor, uma afirmação de que Ele pode proceder de uma maneira mais digna dEle, e portanto, um desafio para que Ele altere Suas decisões, se Ele desejar provar que possui os atributos que reivindica. Você pode não pretender acusar nem provocar a Deus, sempre que você murmurar, mas a sua murmuração faz tudo sito, e não deixará de fazê-lo. Você não pode ficar descontente, sem dizer que Deus pode ordenar melhor as coisas; você não pode dizer que Ele poderia ordenar melhor as coisas sem praticamente exigir que Ele modifique o Seu curso de ação, e dê novas provas das Suas infinitas perfeições. — *Henry Melvill*

v. 9: "Vossos pais me tentaram". Há duas maneiras de interpretar as palavras que se seguem. Como *tentar a Deus* nada mais é do que ceder a um doente e injustificado desejo de provas do Seu poder, podemos considerar o versículo como conectado integralmente, e leremos, *Eles me tentaram e me provaram, embora já tivessem visto a minha obra.* Deus se queixa, com muita razão, porque eles insistiam em novas provas, depois que o Seu poder já tinha sido amplamente testemunhado por evidências inegáveis. No entanto, há outro significado que pode ser dado à palavra *provaram* — segundo o qual, o significado da passagem ficaria da seguinte maneira: — Vossos pais me tentaram, perguntando onde Deus estava, apesar de todos os benefícios que Eu lhes tinha feito; e eles me provaram, isto é, eles tiveram experiência real do que Eu sou, na medida que Eu não cessei de dar-lhes provas declaradas da minha presença, e consequentemente viram a minha obra. — *João Calvino v. 9:* "Provaram-me" *ou colocaram à prova a minha existência, presença e poder, exigindo que eu trabalhasse*, isto é, que agisse de uma maneira extraordinária. E este desejo, irracional como era, Eu satisfiz. Eles não apenas exigiram, mas também גַּם־רָאוּ, viram a *"minha obra", isto é,* o que Eu podia fazer. — *J. A. Alexander*

v. 9: "Quarenta anos". Para compreender esta passagem, nós devemos ter em mente o evento ao qual ela se refere. No mesmo ano em que o povo de Israel saiu do Egito, eles se afligiram por causa da falta de água em Refidim (Êx 17.1) e o lugar recebeu dois nomes, Massá e Meribá, porque o povo tentou a Deus e murmurou contra Moisés. Não foi *então* que o Senhor jurou que eles não entrariam na terra de Canaã, mas isto aconteceu no ano seguinte, depois do retorno dos espias (Nm 14.20–38). E Deus disse, então, que eles o tinham tentado "dez vezes"; isto é, durante o curto período desde a sua libertação do Egito. Foi depois de *dez* tentações que Deus os privou da terra prometida. Tendo em mente estes fatos, seremos capazes de apreender toda a força da passagem. A "provocação" ou contenda, e a "tentação" se referem claramente à última circunstância, conforme registra Nm 14, porque foi então que Deus jurou que o povo não entraria no Seu repouso. O comportamento do povo foi semelhante, nas duas circunstâncias. A conexão de "quarenta anos" com "desgostado" foi obra dos Punctuístas e este engano foi corrigido pelo apóstolo; e deve-se observar que ele não seguiu, neste caso, a *SEPTUAGINTA*, em que as palavras são arranjadas conforme a divisão feita pelos masoritas. Esta tradução, no que corresponde à versão dos hebreus, é a seguinte:

7 ... Se hoje ouvirdes a sua voz,
8 não endureçais o vosso coração, como em Meribá no dia da tentação no deserto,
9 quando vossos pais me tentaram; provaram-me e viram a minha obra por quarenta anos.
10 Estive desgostado com esta geração e disse: é um povo que sempre erra de coração e não tem conhecimento dos meus caminhos.
11 Por isso, jurei na minha ira que não entrarão no meu repouso.

O significado do versículo 9 é que quando os filhos de Israel tentaram a Deus, eles o provaram, *isto é*, descobriram, por amarga experiência, quão grande era o Seu desgosto, e viram Suas obras ou Suas tratativas com eles por quarenta anos. Ele os deteve no deserto durante este período, até a morte de todos os que não creram na Sua palavra, por ocasião do retorno dos espias; Ele lhes deu esta prova do Seu desgosto. — *John Owen, de Thrussington, 1853*

v. 10: Oh, a desesperada presunção do homem, a ponto de ofender o seu Criador por *"quarenta anos"*! Oh, a paciência e a tolerância do seu Criador, que lhe permitiram quarenta anos de ofensas! O pecado começa no *"coração"* pelos seus desejos, *vagando* e desviando-se, em busca de objetos proibidos; consequentemente, ocorre a desatenção com os *"caminhos"* de Deus, com Suas dispensações, e com o nosso dever. O desejo no coração é como os gases no estômago: logo afeta a cabeça, e assim impede o entendimento. — *George Home*

v. 10: "Quarenta anos". É curioso saber que os judeus antigos acreditavam que "os dias do Messias deveriam ser quarenta anos", segundo Tanchuma, F. 79, 4. *"Quamdiu durant anni Messiae? R. Akiba dixit, 40 annos, quemadmodum Israelitse per tot annos in deserto fuerunt"*. É notável que quarenta anos depois da ascensão, toda a nação judaica fosse exterminada, como aqueles que caíram no deserto. — *John Brown, em "An Exposition of the Epistle to the Hebrews". 1862*

v. 10: "Estive desgostado". A palavra é uma palavra forte, que expressa *ódio* e *desgosto. — J. J. S. Perowne*

v. 10: "Esta geração". A palavra דּוֹר (*dôr*) significa uma geração, ou o período de uma vida humana; e aqui se aplica aos homens de uma geração, como se o salmista tivesse dito que os israelitas que Deus tinha libertado foram incorrigíveis, durante toda a duração de suas vidas. — *João Calvino v. 10:* "É um povo que erra de coração". Aqui, podemos observar que Ele não diz, simplesmente, Este povo erra. Qual é o mortal que não erra? Ou, onde há um grupo de mortais que não está exposto a erros? Mas Ele acrescenta *"de coração"*. Portanto, aqui não se repreendem todos os erros, mas o erro do seu coração é imputado. Deve-se observar, portanto, que existem dois tipos de erros:

1. Um deles é o do intelecto, pelo qual nós nos desviamos, devido à ignorância. Neste, incorreu Paulo, quando perseguia a igreja de Cristo; os saduceus erraram, não conhecendo as Escrituras, Mt 22; e até hoje, muitos, na igreja, se desviam, dotados de zelo por Deus, mas destituídos do verdadeiro conhecimento dEle.

2. O outro tipo de erro é o do coração e dos sentimentos, pelo qual os homens se desviam, não pela ignorância, mas pela corrupção e perversidade de coração. Este erro de coração é uma mente contrária a Deus, e alienada da vontade e do caminho de Deus, o que, em outra passagem, é descrito assim, no caso deste mesmo povo: "o seu coração não era reto para com ele". — *Musculus*

v. 10: "É um povo que erra de coração". *Errar de coração* pode significar errar em julgamento, ou em disposição, intenção: pois a palavra hebraica לֵבָב, e depois dela a grega καρδίᾳ, significa *animus, judicium,* ou *mens, cogitatio, desiderium.* Aqui, eu entendo καρδίᾳ como usado de acordo com a expressão hebraica (em que é frequentemente pleonástico; pelo menos assim nos parece), de modo que a frase significa, simplesmente, *Eles sempre erram, isto é,* eles continuamente se afastam do caminho correto. — *Moses Stuart*

v. 10: "Erra de coração". Ele os tinha chamado de ovelhas, e agora Ele observa a sua propensão para vagar e a sua incapacidade para serem conduzidos; pois não conheceram as pegadas do seu Pastor, e muito menos, as seguiram. — *C. H. S.*

v.10: "Não tem conhecimento dos meus caminhos", isto é, não consideraram meus caminhos, não os admitiram, nem os amaram; pois, caso contrário, não seriam ignorantes deles; eles ouviram as Suas palavras e *viram as Suas obras.* — *David Dickson*

v.10: "Não tem conhecimento dos meus caminhos". Este povo ingrato não aprovou os caminhos de Deus — eles não aceitaram os Seus desígnios — eles não se conformaram aos Seus mandamentos — eles não prestaram atenção aos Seus milagres — e não reconheceram os benefícios que receberam das Suas mãos. — *Adam Clarke*

v. 10: "É um povo que erra de coração", etc. Estas palavras não são encontradas em Nm 14; mas o inspirado salmista expressa o sentido do que o Senhor disse, naquela ocasião. *"Estes sempre erram em seu coração"* (Hb 3.10). Eles são radicalmente e habitualmente maus. *"Não tem conhecimento dos meus caminhos"*. Os *"caminhos"* de Deus podem significar as Suas dispensações ou os Seus preceitos. Os israelitas não compreendiam adequadamente as primeiras, e obstinadamente se recusavam a adquirir um conhecimento prático — a única espécie de conhecimento verdadeiramente valiosa — dos últimos. A referência, provavelmente, é ao modo de tratar de Deus (Rm 11.33; Dt 4.32, 8.2, 29.2–4). Tais pessoas mereciam severas punições, e a receberam. *"Por isso, jurei na minha ira que não entrarão no meu repouso"*. Alguns traduzem o texto original, em hebraico, como: *"Se desejarem entrar no meu repouso"*. Este modo elíptico de expressar juramento é comum, no Antigo Testamento (Dt 1.35; 1 Sm 3.14; Sl 89.35; Is 62.8). Este terrível juramento está registrado em Números 14.21-29: "Porém, tão certamente como eu vivo e como a glória do Senhor encherá toda a terra, todos os homens que viram a minha glória e os meus sinais que fiz no Egito e no deserto, e me tentaram estas dez vezes, e não obedeceram à minha voz, não verão a terra de que a seus pais jurei, e até nenhum daqueles que me provocaram a verá. Porém o meu servo Calebe, porquanto nele houve outro espírito e perseverou em seguir-me, eu o levarei à terra em que entrou, e a sua semente a possuirá em herança. Ora, os amalequitas e os cananeus habitam no vale; tornai-vos, amanhã, e caminhai para o deserto pelo caminho do mar Vermelho. Depois, falou o Senhor a Moisés e a Arão, dizendo: Até quando sofrerei esta má congregação, que murmura contra mim? Tenho ouvido as murmurações dos filhos de Israel, com que murmuram contra mim. Dize-lhes: Assim como eu vivo, diz o Senhor, que, como falastes aos meus ouvidos, assim farei a vós outros. Neste deserto cairá o vosso cadáver, como também todos os que de vós foram contados segundo toda a vossa conta, de vinte anos para cima, os que dentre vós contra mim murmurastes". As palavras do juramento parecem emprestadas do relato de Dt 1.35. Há muitas ameaças de Deus que têm uma condição tácita implicada; mas quando Deus interpõe o Seu juramento, a sentença é irreversível.

A maldição não era infundada, e realmente veio. Nós temos um relato do seu cumprimento (Nm 26.64,65). O *"repouso"* do qual eles foram excluídos era a terra de Canaã. Eles passaram suas vidas em peregrinação. O repouso é chamado "repouso de Deus", pois ali Ele iria concluir a Sua obra de levar Israel à terra prometida a seus pais, e fixaria o símbolo da Sua presença no meio deles — habitando naquela terra em que o Seu povo deveria repousar de suas peregrinações, e habitar em segurança, sob a Sua proteção. É o *Seu* repouso, por ser de Sua preparação (Dt 12.9). É o *Seu* repouso — o repouso dEle, o repouso com Ele. De maneira alguma devemos concluir que todos os que morreram no deserto perderam a felicidade eterna. Deve-se temer que muitos deles, a maioria deles, a tenha perdido; mas a maldição proferida sobre eles se referia somente à sua exclusão da Canaã terrena. — *John Brown*

vv. 10 e 11: "E disse". Perceba a evolução, primeiramente a tristeza ou *o desgosto* com aqueles que *erravam* fizeram o Senhor *dizer;* depois a *ira*, mais forte contra aqueles que não *creram* o fez *jurar*. O povo tinha sido chamado de ovelhas no versículo 7, para as ovelhas o bem maior é o repouso, mas a este repouso eles jamais iriam, pois não tinham tomado conhecimento nem aproveitado os caminhos em que o bom Pastor desejava conduzi-los. — *John Albert Bengel*

v. 11: A palavra *juramento* é muito importante, e parece significar duas coisas. Em primeiro lugar, a certeza da sentença aqui pronunciada. Cada palavra de Deus é, e deve ser, verdade; mas ratificada por um juramento, é verdade com uma vantagem. Ela é irrevogável. Isto a fixa, como as leis dos medos e persas, além de qualquer possibilidade de alteração; e torna a palavra de Deus, como a Sua própria natureza, imutável. Em segundo lugar, o terror da sentença. Se os filhos de Israel puderam dizer, "não fale Deus conosco, para que não morramos", o que teriam dito, se Deus tivesse então jurado contra eles? É terrível ouvir um juramento da boca de um pobre mortal, mas da boca de um Deus onipotente, não apenas aterroriza, mas confunde. Um juramento de Deus é a verdade transmitida em ira; a verdade, se eu puder assim dizer, com vingança. Quando Deus fala, é dever da criatura ouvir; mas quando Ele jura, é seu dever tremer. — *Robert South*

v. 11: "Que não entrarão no meu repouso". Há algo pouco usual e abrupto na conclusão deste Salmo, sem nenhuma perspectiva animadora para aliviar a ameaça. Isto pode ser explicado de melhor maneira, supondo que não deveria ser interpretado isoladamente, mas fazendo parte de uma série. — *J. A. Alexander*

SUGESTÕES AOS PREGADORES

v. 1. Um convite para louvar ao Senhor. I. Um método favorito de adoração — "cantemos". II. Um estado apropriado de mente para cantar — feliz gratidão. III. Um motivo apropriado para despertar alegria e gratidão — a rocha da nossa salvação.

v. 1. "A rocha da nossa salvação." Imagens expressivas. Rocha para abrigo, sustento, morada e suprimento — este último, ilustrado pela água que flui da rocha no deserto.

v. 2. I. Qual é o significado de vir ante a Sua face? Certamente, não a santidade de lugares, etc. II. Qual oferta é mais apropriada, quando viermos à Sua presença?

v. 3. I. A grandeza de Deus, como deus. Ele deve ser considerado como grande em bondade, poder e glória, etc. II. O Seu domínio acima de todos os poderes, no céu ou na terra. III. A adoração que consequentemente lhe é devida.

vv. 4 e 5. A universalidade do governo divino. I. Em todas as partes do globo. II. Em todas as providências. III. Em cada fase da condição moral. Ou, As coisas profundas, ou elevadas, sombrias ou perigosas, estão na Sua mão; circunstâncias variáveis, terríveis, esmagadoras como o mar, estão sob o Seu controle, assim como a confortável terra firme de paz e prosperidade.

v. 6. Uma verdadeira concepção de Deus gera — I. Uma disposição à adoração. II. Mútuo incentivo à adoração. III. Profunda reverência na adoração. IV. Esmagadora percepção da presença de Deus na adoração. — *C. A. Davis.*

vv. 6 e 7. Deus deve ser adorado — I. Como nosso Criador — "que nos criou". II. Como nosso Redentor — "povo", etc. III. Como nosso Preservador, "ovelhas", etc. — *George Bogers*

v. 7. O convite do Espírito Santo. I. A voz especial — "O Espírito Santo diz" — 1. Nas Escrituras. 2. No coração do Seu povo. 3. Nos despertados. 4. Pelas obras da graça. II. Um dever especial, "ouvir à Sua voz", instruindo, ordenando, convidando, prometendo, ameaçando. III. Um momento especial — "hoje". Enquanto Deus fala, depois de um tempo tão longo, no dia da graça, na nossa situação atual. IV. O perigo especial — "não endureçais os vossos corações" pela indiferença, descrença, por pedidos de sinais, pela presunção, prazeres terrenos, etc.

v. 7. Os pecadores são convidados a ouvir a voz de Deus. "Se ouvirdes a sua voz", porque — I. A vida é curta e incerta. II. Você não pode prometer, apropriadamente ou, legitimamente, dar o que não lhe pertence. III. Se você adiar, mesmo que seja apenas até amanhã, estará endurecendo o seu coração. IV. Há grande razão para temer que, se você adiar isto hoje, jamais começará. V. Depois de algum tempo, Deus deixa de lutar com os pecadores. VI. Não há nada tedioso ou desagradável em uma vida religiosa, para que você deseje adiar o seu início. — *Edward Payson*

v. 7. A diferença de Tempos, com respeito à religião. — Em termos espirituais, há grande diferença de tempo. Para comprovar isto, eu vou lhe mostrar, I. Que *mais cedo* e *mais tarde* não são semelhantes, com respeito à eternidade. II. Que *o tempo de ignorância* e o de *conhecimento* não são semelhantes. III. Que o *antes* e o *depois* da comissão voluntária da iniquidade conhecida não são semelhantes. IV. Que o *antes* e o *depois de contraídos os hábitos odiosos*, não são semelhantes. V. Que o tempo da *visitação graciosa e particular de Deus* e o tempo em que Deus *retira* a Sua graciosa presença e ajuda não são semelhantes. VI. O tempo do florescer da nossa *saúde e força* e a hora da *doença, fraqueza* e da proximidade da *morte não são a mesma coisa.* VII. Agora e no futuro, presente e futuro, *este mundo* e *o mundo futuro,* não são semelhantes. — *Benjamin Whichcot*

v. 7. Esta suposição, *"Se ouvirdes"* e a consequência inferida disto, *"não endureçais vossos corações"* evidentemente demonstram que uma audição adequada irá evitar a dureza de coração; especialmente ouvindo a voz de Cristo, isto é, o Evangelho. É o Evangelho que torna um coração brando, e o preserva. — *William Gouge*

vv. 8 a 11. I. A aterrorizante experiência de Israel, ao tentar a Deus. II. O terrível resultado. III. Não haja outra tentação como esta. — *C. A. Davis.*

v.10. O erro e a ignorância, que são fatais.

vv.10 e 11. A força plena, ardente e crescente da ira divina, e seus terríveis resultados.

v. 11. O momento fatal em que se abre mão de uma alma, como ele pode ser apressado, quais são os sinais deste momento, e quais são os seus terríveis resultados.

SALMO 96

TEMA

Este Salmo foi evidentemente tirado daquele cântico sagrado que foi composto por Davi, na ocasião em que "trazendo a arca de Deus, a puseram no meio da tenda que Davi lhe tinha armado; e ofereceram holocaustos e sacrifícios pacíficos perante Deus". Veja o capítulo 16 do primeiro livro de Crônicas. A primeira parte daquele cântico sagrado provavelmente foi omitida nesta passagem, porque se referia a Israel, e o desígnio do Espírito Santo, neste Salmo, era divulgar um cântico pelos gentios, um hino triunfante com o qual celebrar a conversão das nações ao Senhor, nos tempos do Evangelho.

Ele é apresentado, apropriadamente, depois do último Salmo, que descreve a obstinação de Israel e a consequente retirada do Evangelho deles, para que pudesse ser pregado entre as nações que o desejassem receber, e, no devido tempo, seriam plenamente conquistadas para Cristo pelo Seu poder.

Desta maneira, ele forma um par com o Salmo 95. É um grande Hino Missionário, e é assombroso que os judeus possam lê-lo e ainda assim permanecer inacessíveis. Se a cegueira parcial não tivesse acontecido a Israel, eles poderiam ter visto há muito tempo, e veriam agora, que o seu Deus sempre teve desígnios de amor para todas as famílias dos homens, e jamais tencionou que a Sua graça e o Seu concerto tivessem a ver apenas com a semente de Abraão, segundo a carne. Nós não nos admiramos com o fato de que o Davi de coração grande e generoso se alegrasse e dançasse diante da arca, enquanto tinha a visão de toda a terra deixando os ídolos para se voltar ao único Deus vivo e verdadeiro. Se Mical, a filha de Saul, tivesse apenas sido capaz de participar da sua alegria, não o teria reprovado, e se os judeus da época pudessem alargar seu coração para sentir simpatia por toda a humanidade, também cantariam de alegria com a grande profecia de que toda a terra se encherá da glória do Senhor.

DIVISÃO

Nós *não faremos nenhuma, pois o cântico é indivisível, uma túnica de louvor sem costura, tecida* toda de alto a baixo.

EXPOSIÇÃO

1 *Cantai ao Senhor um cântico novo, cantai ao Senhor, todos os moradores da terra.*
2 *Cantai ao Senhor, bendizei o seu nome; anunciai a sua salvação de dia em dia.*
3 *Anunciai entre as nações a sua glória; entre todos os povos, as suas maravilhas.*
4 *Porque grande é o Senhor e digno de louvor, mais tremendo do que todos os deuses.*
5 *Porque todos os deuses dos povos são coisas vãs; mas o Senhor fez os céus.*
6 *Glória e majestade estão ante a sua face; força e formosura, no seu santuário.*
7 *Dai ao Senhor, ó famílias dos povos, dai ao Senhor glória e força.*
8 *Dai ao Senhor a glória devida ao seu nome; trazei oferendas e entrai nos seus átrios.*
9 *Adorai ao Senhor na beleza da santidade; tremei diante dele todos os moradores da terra.*
10 *Dizei entre as nações: O Senhor reina! O mundo também se firmará para que se não abale. Ele julgará os povos com retidão.*
11 *Alegrem-se os céus, e regozije-se a terra: brame o mar e a sua plenitude.*
12 *Alegre-se o campo com tudo o que há nele; então, se regozijarão todas as árvores do bosque,*
13 *ante a face do Senhor, porque vem, porque vem a julgar a terra; julgará o mundo com justiça e os povos, com a sua verdade.*

1. *"Cantai ao Senhor um cântico novo."* Novas alegrias enchem os corações dos homens, pois as boas novas de bênção a todas as pessoas são proclamadas, por isto deixe-me cantar um cântico novo. Os anjos inauguraram a nova dispensação com cânticos novos, e nós não aceitaremos a sugestão? O cântico é apenas para o Senhor; os hinos que celebravam os louvores de Júpiter e Netuno, Vixeno e Xiva, foram silenciados para sempre; os clamores das bacanais se calaram, não há mais sonetos lascivos. Ao único Deus toda a música deve ser dedicada. Acabaram-se os lamentos, e é chegado o tempo dos corações cantarem. Não são mais celebrados ritos lúgubres, não mais são apresentados sacrifícios sangrentos de seres humanos, não há mais cortes com facas, e clamores de lamentação são apresentados por devotos iludidos. A alegria domina, e o cântico se tornou a expressão universal do amor, a voz apropriada para a adoração reverente. Os homens se tornam novas criaturas, e seu cântico também é novo. Os nomes de Baalim não mais estão nos seus lábios, e cessou a música corrupta de Astarote; a cantiga tola e o cruel cântico de guerra são, igualmente, esquecidos; o cântico é santo, celestial, puro e agradável. O salmista fala como se desejasse liderar a tendência, e ser o principal músico, ele convida, ele incita, ele persuade à adoração sagrada, e clama com todo o seu coração: "Cantai ao Senhor um cântico novo".

"Cantai ao Senhor todos os moradores da terra." Os zelos nacionais estão mortos; um judeu convida os gentios a adorar, e se une a eles, de modo que toda a terra possa levantar um Salmo comum como um único coração e uma única voz ao Senhor, que a visitou com a Sua salvação. Nenhum canto da terra irá discordar, nenhuma raça de pagãos ficará muda. O Senhor criou toda a terra, e toda a terra deve cantar a Ele. Assim como o sol brilha sobre todas as terras, também todas as terras devem se alegrar na luz do Sol da Justiça. *E Pluribus Unum*, muitos produzirão um único cântico. As múltiplas línguas dos filhos de Adão, que se dispersaram em Babel, se fundirão no mesmo cântico, quando as pessoas se reunirem em Sião. Não apenas os homens, mas a própria terra deverá louvar ao seu Criador. Súdita da vaidade por algum tempo, por uma triste necessidade, a própria criação também deve ser libertada da escravidão da corrupção, e levada à gloriosa liberdade dos filhos de Deus, de modo que mares e florestas, campos e rios, estejam alegres diante do Senhor. É um sonho? Então sonhemos outra vez. Benditos são os olhos que verão o reino, e os ouvidos que ouvirão seus cânticos. Apressa o Teu advento, bom Senhor! Sim, envia rapidamente a vara de Sião da Tua força, para que as nações possam se curvar diante do Senhor e do Seu Ungido.

2. *"Cantai ao Senhor, bendizei o seu nome."* Três vezes é repetido o nome do Senhor, e não sem intenção. Não é ao Senhor Trino que as nações esclarecidas cantarão? O unitarismo é a religião das unidades; é frio demais para incentivar o mundo à adoração; o fogo sagrado da adoração somente arde com chama veemente onde se acredita na Trindade, e ela é adorada. De outras maneiras, além do canto, o bendito Senhor deve ser glorificado e engrandecido. O Seu nome, a Sua fama, o Seu caráter, a Sua palavra revelada e a Sua vontade devem ser motivo de alegria, e devem ser lembrados com perpétuo agradecimento. Nós devemos bendizer Àquele que tão divinamente nos abençoa. À simples menção do Seu nome, é adequado dizer, "Bendito seja para todo o sempre".

"Anunciai a sua salvação de dia em dia." O Evangelho é a mais clara revelação de Si mesmo; a salvação é mais brilhante do que a Criação e a Providência; por isto, que nossos louvores transbordem nesta direção. Proclamemos as boas novas, e o façamos continuamente, jamais cessando o jubiloso testemunho. Ele é sempre novo, sempre adequado, sempre certo, sempre perfeito; portanto, devemos exibi-lo continuamente, até que o precioso Senhor venha, tanto por palavras como por obras, por cânticos e sermões, pelo sagrado batismo e pela Santa Ceia, por livros e por palavras, por cultos dominicais e adoração durante a semana. Cada dia nos traz uma experiência mais profunda do nosso Deus salvador, cada dia nos mostra novamente o quão profundamente os homens precisam da Sua salvação, cada dia revela o poder do Evangelho, cada dia o Espírito se empenha com os filhos dos homens; portanto, sem jamais fazer uma pausa, devemos transmitir a mensagem gloriosa da graça gratuita. Que façam isto aqueles que sabem, por si mesmos, o que significa a *Sua* salvação; eles podem dar testemunho de que não há salvação em mais ninguém, e que nEle será encontrada a máxima salvação. Que mostrem isto, até que o eco invada a vasta terra, e todos os exércitos dos céus se unam para magnificar o Deus que exibiu a Sua saúde salvadora entre todo o povo. 3. *"Anunciai entre as nações a sua glória."* A Sua salvação é a Sua glória, a palavra do Evangelho o glorifica; e isto deve ser divulgado, por todas as partes, até que as mais remotas nações da terra o saibam. A Inglaterra derramou muito sangue e gastou muito dinheiro para conservar o seu próprio prestígio entre os bárbaros; quando ela estará igualmente ansiosa para manter a honra da sua religião, a glória do seu Senhor? É assustador que, com muita frequência, o nome do Senhor Jesus tenha sido desonrado entre os pagãos pelas perversidades e crueldades daqueles que se dizem cristãos; que este fato possa incitar os verdadeiros crentes à maior diligência, fazendo com que o Evangelho seja proclamado com uma trombeta em todas as partes habitáveis do globo.

"Entre todos os povos, as suas maravilhas." O Evangelho é um conjunto de maravilhas, a sua história é cheia de maravilhas, e ele é, por si só, muito mais maravilhoso do que os próprios milagres. Na pessoa do Seu Filho, o Senhor exibiu maravilhas de amor, sabedoria, graça e poder. Toda a glória ao Seu nome; quem pode se recusar a transmitir a história da graça redentora e do amor agonizante? Todas as nações precisam dar ouvidos às obras maravilhosas de Deus; e uma igreja realmente viva, que renuncia a si mesma, solenemente decidirá que rapidamente todos as ouvirão. As tribos que estão morrendo não devem ser excluídas do ensinamento do Evangelho, não mais do que as famílias de grande crescimento que, como as vacas gordas do Faraó, estão devorando outras raças; os índios da América do Norte, assim como os anglo-saxões, devem ouvir sobre as maravilhas do amor redentor. Ninguém é degradado demais, bem instruído demais, nem selvagem demais, nem refinado demais.

4. *"Porque grande é o Senhor e digno de louvor."* Ele não é uma divindade pequena, presidindo, como os pagãos imaginavam que estariam seus deuses, uma nação ou um departamento da natureza. O Senhor é grande em poder e domínio, grande em mente e atos; nada insignificante ou superficial pode ser encontrado nEle ou nos Seus atos, em todas as coisas Ele é infinito. O louvor deve ser proporcional ao seu objeto, portanto que o louvor seja infinito, quando prestado ao Senhor. Não é

possível louvá-lo demais, ou com excessiva frequência, ou com excessivo zelo, com excessivo cuidado, com excessiva alegria. Ele merece que nada, na Sua adoração, seja pequeno, mas toda a honra dada a Ele deve ser dada com todo o coração, com o máximo zelo pela Sua glória.

"Mais tremendo do que todos os deuses." Outros deuses foram adorados, com grande custo, e com muito fervor, por seus cegos devotos, mas o Senhor deve ser adorado com reverência muito maior. Ainda que as imagens esculpidas fossem deuses, não teriam comparação, por um momento sequer, com o Deus de Israel, e por isto a Sua adoração deve ser muito mais zelosa do que qualquer que tenha sido dirigida àqueles deuses. Ele deve ser temido, pois há causa para temor. O temor a outros deuses é mera superstição, o respeito ao Senhor é pura religião. O santo temor é o início das graças, e acompanha as mais elevadas. O temor a Deus é o rubor no rosto da santidade, realçando a sua beleza.

5. *"Porque todos os deuses dos povos são coisas vãs."* Os deuses dos povos são meras imagens de madeira e pedra, inutilidades, nada. *"Mas o Senhor fez os céus".* A realidade da Sua Divindade é provada pelas Suas obras, e antes de tudo, entre elas, o salmista menciona aquela obra inigualável de arquitetura que estende seu arco sobre a cabeça de cada homem, cujas luzes são a luz de toda a humanidade, cujas chuvas e orvalho caem sobre os campos de todos os povos, e de onde o Senhor, com voz de trovão, é ouvido, falando com todas as criaturas. Os deuses-ídolos não têm existência, mas o nosso Deus é o autor de todas as existências; são meras futilidades terrenas, ao passo que Ele não apenas é celestial, mas criou os céus. Isto é mencionado como um argumento a favor do louvor universal ao Senhor. Quem pode ser adorado, exceto Ele? Uma vez que ninguém pode ser Seu rival, somente Ele deve ser adorado.

6. *"Glória e majestade estão ante a sua face."* Os homens podem apenas imitar estas coisas; as suas cerimônias pomposas são apenas uma pretensão de grandeza. A honra e a majestade estão com Ele, e somente com Ele. Na presença do Senhor habitam glória e soberania verdadeiras, como constantes presenças.

"Força e formosura, no seu santuário." Nele, se combina tudo o que é poderoso e agradável, forte e resplandecente. Nós já vimos força bruta desprovida de formosura, também vimos elegância sem força; a união das duas deve ser grandemente admirada. Nós desejamos ver o "sublime e belo" de relance? Então devemos olhar para o trono eterno. Nas Crônicas, nós lemos força e *alegria* (1 Cr 16.27); e as duas traduções não divergem em sentido, pois no mais elevado grau neste exemplo é verdade que "aquilo que é belo é uma joia que permanece para sempre". Não é de demonstração externa de vestes custosas que consiste a glória de Deus; estas coisas são ilusões de cerimônia, com que se fascinam os ignorantes; a santidade, a justiça, a sabedoria, a graça, estes são os esplendores das cortes do Senhor, estas são as joias e o ouro, as vestes de gala, e a pompa das cortes do céu.

7. Os seis primeiros versículos começaram com uma exortação ao canto, repetida três vezes, com o nome do Senhor mencionado por três vezes; aqui vemos a expressão, *"Dai ao Senhor"*, usada da mesma maneira tripla. Isto segue o costume daqueles poetas cujos sonetos inflamados conquistaram o ouvido do povo, eles reiteram palavras escolhidas até que elas penetrem na alma e incendeiem o coração. A invocação do doce cantor ainda é dirigida a toda a humanidade, a quem ele fala como *"famílias dos povos"*. Divididos em tribos e famílias, nós somos chamados em nosso caminhos e ordenados a comparecer diante dEle e atribuir a Ele toda a honra. "Toda a adoração seja dada somente a Deus" é o lema de uma de nossas empresas, e bem pode ser o lema de todas as famílias que há sobre a terra. A adoração familiar é peculiarmente agradável Àquele que é o Deus de todas as famílias de Israel.

"Dai ao Senhor glória e força", isto equivale a reconhecer a glória e a força do Senhor, e atribuí-las a Ele em nossos hinos solenes. Quem é glorioso, senão o Senhor? Quem é forte, senão o nosso Deus? Grandes nações, que se consideram famosas e poderosas, cessem suas vanglórias! Monarcas, que são considerados imperiais

e potentes, humilhem-se no pó, diante da única potestade. Glória e força não se encontram em nenhum lugar, exceto com o Senhor, todo o resto possui apenas a sua aparência. Bem declarou Massillon: "Somente Deus é grande".

8. *"Dai ao Senhor a glória devida ao seu nome."* Mas quem pode fazer isto completamente? Podem todas as nações da terra, juntas, livrar-se de tão poderosa dívida? Toda a honra concebível é devida ao nosso Criador, Preservador, Benfeitor e Redentor, e, por mais homenagem zelosa que possamos oferecer a Ele, não poderemos dar-lhe mais do que lhe é devido. Se não pudermos produzir os ganhos que Ele reivindica com razão, pelo menos não fracassemos por falta de um esforço honesto.

"Trazei oferendas e entrai nos seus átrios." Venham com um sacrifício sem sangue; a expiação do pecado foi feita, somente falta que sejam trazidas ofertas de ações de graças, e que elas não sejam esquecidas. Àquele que nos dá tudo, devemos, alegremente, dar o nosso dízimo agradecido. Quando nos congregarmos para a adoração pública, devemos fazer questão de trazer conosco uma contribuição à Sua causa, segundo aquelas palavras antigas: "Ninguém aparecerá vazio diante de mim". Virá o momento em que, de todas as classes e de todas as nações, o Senhor irá receber presentes, quando eles se congregarem para a Sua adoração. Oh, que comece o dia tão esperado!

9. *"Adorai ao Senhor na beleza da santidade."* Esta é a única beleza que Ele deseja nos nossos cultos públicos, e nenhuma outra pode compensá-la. A beleza da arquitetura e das vestes, não lhe importa; a beleza moral e espiritual é aquela com que se alegra a alma. A adoração não deve ser feita a Deus de uma maneira negligente, pecaminosa ou superficial; nós devemos ser reverentes, sinceros, fervorosos e puros de coração, tanto em nossos louvores quanto em nossas orações. A pureza é o linho branco dos membros do coro do Senhor, a justiça é a bela veste dos Seus sacerdotes, a santidade é a veste santa dos Seus servidores.

"Tremei diante dele todos os moradores da terra." "Tremei" é a palavra no original, que expressa o mais profundo respeito, assim como a palavra "adorai", que poderia ser traduzida com maior exatidão como "curvar-se". Até mesmo a estrutura corpórea seria levada a tremer e a prostrar-se se os homens fossem totalmente conscientes do poder e da glória do Senhor. Os homens do mundo ridicularizam os "Quackers" por tremerem quando estão sob o poder do Espírito Santo; mas se eles tivessem sido capazes de discernir a majestade do Eterno, também teriam tremido. Existe um tremor sagrado, que é muito consistente com a alegria, o coração pode até tremer com um assombroso excesso de deleite. A visão do Rei, na Sua beleza, não causou alarme nenhum a João em Patmos, mas, no entanto, o fez cair aos Seus pés, como morto. Oh, contemplá-lo e adorá-lo, com respeito prostrado e temor sagrado!

10. *"Dizei entre as nações: O Senhor reina."* Esta é a mais alegre notícia que lhes pode ser transmitida — o Senhor Jeová, na pessoa do Seu Filho, assumiu o trono, e assumiu o Seu grande poder. Digam isto, entre os pagãos, e que os próprios pagãos, depois de convertidos, repitam a mesma coisa, exultantes. O domínio do Senhor Jesus não é enfadonho, o Seu governo é cheio de bênçãos incontáveis, o Seu jugo é suave e o Seu fardo é leve.

"O mundo também se firmará para que se não abale." A sociedade está segura onde Deus é rei, nenhuma revolução poderá perturbar o Seu império, nenhuma invasão poderá agitar o Seu reino. Um governo estabelecido é essencial para a prosperidade nacional, o reino do Deus da verdade e da justiça promoverá isto ao mais alto grau. O pecado perturbou o mundo, o reinado de Jesus irá firmá-lo outra vez, sobre fundações seguras. *"Ele julgará os povos com retidão".* Este é o melhor método para estabelecer a sociedade sobre uma base segura, e é a maior fonte de alegria para as nações oprimidas. A iniquidade faz com que caiam as dinastias dos tiranos, e a equidade faz que fique firme o trono de Jesus. Ele reinará de modo imparcial sobre judeus e gentios, príncipes e plebeus, e isto trará felicidade àqueles que agora são as vítimas da vontade arbitrária dos déspotas.

11. *"Alegrem-se os céus, e regozije-se a terra."* Acima e abaixo, que seja manifestada a alegria. Que os anjos que se assombraram com a iniquidade dos homens, agora

se alegrem com o seu arrependimento e a sua restauração à benevolência, e que os próprios homens expressem o seu prazer ao ver o seu verdadeiro príncipe no Seu trono. O livro da criação tem duas capas, e em cada uma delas que a glória do Senhor seja gravada com letras de alegria.

"Brame o mar e a sua plenitude." Que não haja mais um mar agitado, lamentando marinheiros naufragados, e repetindo as angústias de viúvas e órfãos, mas que ele adote um tom alegre, e exulte no reino do Senhor. Que ele ressoe o nome do Senhor quando sua maré estiver alta, e que toda a sua vida abundante expresse a máxima alegria porque o Senhor reina, até mesmo nas profundezas do mar. Em comum com o resto da Criação, o mar gemeu e se agitou, até agora: não é chegada a hora em que o seu murmúrio vazio será substituído por uma explosão de alegria? Cada onda não exibirá os louvores Daquele que, uma vez, pisou o mar?

"Levem, levem, ventos, a Sua história!
E vocês, águas, corram,
Até que, como um mar de glória,
Ela se espalhe, de pólo a pólo."

12. *"Alegre-se o campo com tudo o que há nele."* Que os campos cultivados louvem ao Senhor. A paz permite que seus proprietários arem e semeiem e colham, sem temer o saque de invasores, e por isto, em observações alegres, eles aplaudem Aquele cujo império é paz. Os homens e as criaturas que se alimentam dos campos, e as próprias colheitas, são representados como aumentando os louvores do Senhor, e a figura é ousada e assegurada, pois virá o dia em que cada pedaço inabitado de terra produzirá o seu cântico, e cada fazenda terá uma igreja.

"Então, se regozijarão todas as árvores do bosque." Ele não diz, que se regozijem, mas, se regozijarão. A fé do salmista se volta, da expressão do desejo, à predição plenamente assegurada do evento. Os bosques de antigamente estremeciam com as horríveis orgias que eram realizadas à sua sombra; virá o tempo em que eles cantarão de alegria, por causa da santa adoração, cujos sons ouvirão. A vegetação é a fortaleza de homens selvagens e ladrões, mas será santificada para o retiro e a devoção. Talvez o salmista estivesse pensando nos pássaros; assim Keble deve ter suposto, pois assim transcreve a passagem em versículo:

"O campo e a bela campina exultam,
com cada botão e flor,
Agora, nos bosques solitários,
cada galho canta em voz alta".

13. *"Ante a face do Senhor, porque vem."* Mesmo agora, Ele está próximo, o Seu advento deveria, portanto, ser a causa de alegria imediata; nós já estamos na Sua presença, devemos adorá-lo com alegria.

"Porque vem a julgar a terra", governá-la com discrição; não para criar impostos e controlá-la pela força, como frequentemente fazem os reis, mas para presidi-la como os magistrados, cuja tarefa é verificar que a justiça seja feita entre os homens. Todo o mundo está sob a jurisdição deste grande Juiz, e ao Seu tribunal todos serão convocados. Neste momento, Ele está a caminho, e a hora da Sua vinda se aproxima rapidamente. A Sua grande sessão é proclamada. Nós não ouvimos as trombetas? O Seu pé está no escabelo.

"Julgará o mundo com justiça." A Sua retidão essencial irá determinar todas as causas e todos os casos, não haverá suborno e corrupção ali, nem se encontrarão erro ou falha nas Suas decisões.

"E os povos, com a sua verdade", ou melhor, "as nações com a sua fidelidade". Honestidade, veracidade, integridade, serão a base do Seu trono de juízo. Nenhuma nação será favorecida ali, e nenhuma poderá sofrer pelo preconceito. O homem negro

será julgado pelas mesmas leis que seu senhor branco, o aborígine terá a justiça executada a seu favor, contra seu exterminador civilizado, o bosquímano esmagado e caçado poderá apelar contra o colono que matou a sua tribo, e o habitante das ilhas do Mar do Sul obterá atenção à sua queixa contra o traidor que o raptou da sua casa. Haverá juízo com fidelidade, feito sem temor ou favorecimento. Com tudo isto, que as nações se alegrem, e o universo se regozije.

Para encerrar, que nós mesmos nos unamos ao cântico. Uma vez que todo o universo deverá se revestir de sorrisos, não ficaremos satisfeitos? Como observa John Jowe: "Não participaremos desta alegria comum e obediente, e não nos entregaremos ao concerto com o coro leal e adorador? Será que nos separaremos desta multidão alegre que serve ao Senhor? E aquilo que traria um rosto e aspecto alegre a todo o mundo, deixaria os nossos rostos cobertos com nuvens e uma tristeza desolada?"

NOTAS EXPLICATIVAS E DECLARAÇÕES SINGULARES

Todo o Salmo: O que foi dito sobre o Sl 67 pode ser aplicado adequadamente a este Salmo. Nós não devemos hesitar em acrescentar que é um hino *milenar*. Ele está de acordo com a condição no mundo, quando Cristo se assentará no trono na lealdade voluntária da nossa raça. As nações se unem em uma aclamação de louvor a Ele, como seu Juiz e Rei legítimo. Há uma unanimidade no cântico, como se ele emergisse de um mundo purificado em um templo de santidade, e cujos habitantes realmente estivessem em um sacerdócio real, com um desejo de tornar Jesus seu Rei, com uma voz que emitisse uma melodia em louvor do nome que é sobre todo o nome.

Fixe os olhos, por um momento, na preciosa visão que agora conseguimos vislumbrar. É inerente aos mais profundos princípios da nossa natureza, que o que nós contemplamos como possível, muito mais do que o que antecipamos como certo, nos conduz à esperança e ao poder que levam à sua realização. Ao contrário, o desespero paralisa o esforço. É assim que tudo na profecia, antiga e nova, coloca diante de nós o ideal de um mundo recuperado e jubiloso, às vezes transfigurado em uma cena mais sublime, os novos céus e a nova terra em que habita a justiça? Tão intensamente este pensamento imbuía a mente profética, que a linguagem que Paulo usa nos desperta à poesia, quando até mesmo "a criatura", de acordo com a sua própria vívida personificação, como alguma ave nobre, pendendo sob o peso de sua corrente, com o pescoço distendido e os olhos saltados, é descrita como esperando o tempo futuro para a sua libertação da servidão da corrupção, para a liberdade da glória dos filhos de Deus (Rm 8.19). Ele se apressa em acrescentar, que "em esperança, somos salvos". É verdade, quanto à alma, individualmente, que nós somos salvos pela esperança. É verdade, quanto à nossa raça, de modo coletivo, que se um milênio amanhecer para ela, nós seremos salvos por esta esperança. Enquanto isto, a nossa terra pode estar em ruínas, trevas no céu, esterilidade no solo, porque o pecado está em todas as partes; mas há a promessa de uma mudança. Por aquilo que temos esperança, nós nos esforçamos ainda mais, para que a nossa esperança não seja sonho de fantasia, mas tenha a sua base na ciência e a certeza de absoluta verdade. "Porque, como a terra produz os seus renovos, e como o horto faz brotar o que nele se semeia, assim o Senhor Jeová fará brotar a justiça e o louvor para todas as nações" (Is 61.11). O afinar do instrumento muitas vezes é ouvido antes que comece a música. A mãe ensina o filho a sussurrar um hino antes que ele compreenda o seu pleno significado e abrangência. Assim também aqui, neste santo Salmo, a Jerusalém do alto, a mãe de todos nós, nos treina para que pronunciemos um cântico adequado às épocas de glória milenial, quando o Moloque da opressão, o Mamom da nossa avareza, a Astarote da luxúria violenta, e cada credo errado, cada falsa religião, darão lugar à adoração do único Deus vivo e verdadeiro — à fé e ao amor de Cristo. "Louvem-te a ti, ó Deus, os povos, louvem-te os povos todos". — *W. H. Goold, em "The Mission Hymn of the Hebrew Church: a Sermon", 1865*

Todo o Salmo: Este Salmo é intitulado, na Septuaginta, *"Salmo de Davi; quando o Templo foi reconstruído, depois do cativeiro"*, e isto parece ser uma descrição fiel dele; pois a sua essência é encontrada em 1 Cr 16.23-33, onde é descrito como tendo sido entregue por Davi às mãos de Asafe e seus irmãos, para dar graças ao Senhor quando a Arca foi trazida a Sião. O Salmo de Davi recebe aqui um novo nome, e é chamado *novo cântico (sir chadash)*, porque novas misericórdias de Deus seriam celebradas agora; misericórdias maiores do que Davi jamais tinha recebido, mesmo quando trouxe a Arca a Sião. Aqueles que cantaram o cântico antigo, que tinha, assim, se tornado um cântico novo, se identificaram com Davi e o identificaram consigo mesmos. — *Chr. Wordsworth*

Todo o Salmo:

Assunto: Chamado ao louvor, em vista do segundo advento e glorioso reinado de Cristo. *Para aplicá-lo.* — Olhe à frente, para o glorioso dia da vinda do Senhor; e perceba a sua aproximação, para que você possa se preparar para ele. — A. *R. C. Dallas*

v. 1: "Cantai ao Senhor um cântico novo", etc. "Um *novo* cântico", que antes vocês desconheciam. Venham, todas as nações da ampla terra, que, até agora, estavam adorando deuses mortos, que não eram, na realidade, deuses; venham, e entreguem seus corações ao Deus único e verdadeiro neste *novo* cântico! — *Henry Cowles*

v. 1: "Um cântico novo". Deve ser *"um cântico novo"*, um cântico belo e elegantemente composto; e também um cântico por novas benevolências; de igual maneira, um cântico adequado a homens que se regeneraram, em quem a avareza foi substituída pela caridade; e, finalmente, um cântico não como o de Moisés, ou Débora, ou qualquer dos cânticos antigos, que não poderia ser entoado fora da terra da promessa, de acordo com Salmo137: "Como entoaremos o cântico do Senhor em terra estranha?" mas um cântico novo, que pode ser entoado em todo o mundo; e portanto, ele acrescenta, *"Cantai ao Senhor, todos os moradores da terra"*, não somente a Judeia, mas todo o mundo. — *Bellarmine*

v. 1: "Novo". A palavra é usada para descrever o que é agradável, refinado, precioso, etc. — *Martin Geier*

v. 1: "Novo". Coisas novas são, de modo geral, aprovadas, e em particular, os cânticos; pois Píndaro louva o vinho velho e os cânticos novos. — *John Cocceius, 1603-1669*

v. 1: "Um cântico novo". Os nossos cânticos antigos eram os de orgulho, de glutonarias, de luxúria, em esperança de ganhos, prosperidade ou de danos a outros; o nosso *"cântico novo"* é de louvor, reverência, e obediência, e amor a Deus, em novidade de vida, no Espírito que vivifica, não mais a lei, que mata, mas observando o novo mandamento, que amemos uns aos outros, não com o estreito patriotismo e a camaradagem de uma pequena tribo, ou uma mera igreja nacional, mas com uma cidadania que abraça *toda a terra.* — *Neale e Littledale*

v. 1: "Cantai ao Senhor". Isto está escrito três vezes, *cantai ao Senhor*, para que possamos compreender que devemos cantar a Ele com mente, e língua e obras. Pois todas estas coisas devem estar juntas, e a vida deverá estar de acordo com a boca e a mente. Como diz Abbot Absolom, *Quando as palavras não contendem com a vida, existe uma doce harmonia.* — *Le Blanc*

v. 1: "Todos os moradores da terra". É um *hino missionário* para todas as gerações da igreja; e ele se torna cada vez mais apropriado aos nossos tempos, à medida que os pagãos começam a responder ao chamado, "Cantai ao Senhor um cântico novo", e à medida que nós encontramos, na melancólica condição da igreja em casa, oportunidade para olhar com olhos esperançosos para o mundo pagão. — *E. W. Hengstenberg*

v. 2: "De dia em dia". Continuamente; sempre. É um assunto apropriado para o louvor incessante. Cada homem deve louvar a Deus todos os dias — em cada manhã e em cada noite — pela certeza de que existe um caminho de salvação que lhe é propiciado, e de que ele pode ser feliz para sempre. Se nós tivéssemos sentimentos adequados, este seria o primeiro pensamento que irromperia na mente a cada manhã, irradiando, como raios de sol, tudo ao nosso redor; e seria o último pensamento que permaneceria na alma, quando nos deitamos à noite, e fechamos nossos olhos sonolentos — tornando-nos agradecidos, calmos, felizes, quando nos preparamos para descansar, pois, quer despertemos ou não neste mundo, poderemos ser felizes para sempre. — *Albert Barnes*

v. 2: "De dia em dia". Outras notícias nos alegram apenas quando as ouvimos; mas as boas novas da nossa redenção são doces, de dia em dia, *ac si in eodem die redemptio fuisset operata*, diz Kimchi, como se fossem recentes. *Tarn recens mihi nunc Christus est*, diz Lutero, *ac si hac hora fudisset sanguinem*, Cristo é agora tão novo para mim como se tivesse derramado o Seu sangue nesta mesma hora. — *John Trapp*

v. 3: "Anunciai". A palavra correspondente é *um livro*, e o particípio é frequentemente traduzido como um *escriba*, um *escritor* (Sl 45.1). O verbo é traduzido como *contem, transmitam, declarem.* A variedade de verbos usados nos versículos 1-3 prova que nós devemos empregar todos os meios apropriados para fazer conhecido o Salvador. Um destes métodos é pela Escritura. — *W. S. Plumer*

v. 3: "Anunciai a sua glória" — que pessoa gloriosa é o Messias; o resplendor da glória do Seu Pai; tendo nEle todas as perfeições da Divindade; como a glória de Deus se manifesta nEle, e em tudo o que Ele fez; e especialmente na obra da redenção, em que a glória da sabedoria divina, e do poder, da justiça, da verdade, e da fidelidade, do amor, da graça, e da misericórdia, é ricamente exibida; a glória à qual Ele é exaltado, tendo realizado a Sua obra, sendo exaltado soberanamente, tendo se assentado à direita de Deus, e sido coroado com glória e honra, e a plenitude de graça que há nEle, para o sustento do Seu povo; e a glória que há nEle, que nós contemplaremos por toda a eternidade. — *John Gill*

v. 3: A sua glória brilha com cada raio de luz que nos alcança, vindo de mil estrelas; ela brilha dos topos dos montes que refletem os primeiros e retêm os últimos raios do sol, quando nasce e quando se põe; ela se espalha pela extensão do mar, e fala no murmúrio de suas inquietas ondas; ela envolve a terra com uma zona de luz, e suspende sobre ela uma auréola de beleza. Nas variadas formas de tribos animais; nas relações do nosso mundo com outros mundos, nos giros dos planetas, no abrir das flores, nas quedas d'águas, e no vôo dos pássaros; no mar, nos rios, e no ar; nas altitudes e nas profundezas, nas maravilhas e nos mistérios — Cristo usa a coroa, agita o cetro, e recebe de todos um tributo à Sua soberania. Não podemos aumentá-la, não podemos adicionar um único raio de luz à debilidade de uma estrela distante, nem dar asas a um inseto áptero, nem converter um fio de cabelo branco em negro. Nós podemos revelar, mas não criar; nós podemos adorar, mas não aumentar; nós podemos reconhecer as pegadas da Divindade, mas não podemos acrescentar nada a elas. — *John Cumming, em "From Patmos to Paradise, 1873"*

v. 3: "Anunciai entre as nações a sua glória", etc. É parte da comissão dada aos ministros do Evangelho, não somente ensinar às suas congregações a respeito de Cristo, mas também fazer com que, aqueles que jamais ouviram falar dEle, possam saber quem Ele é, o que Ele fez e sofreu, e que bem pode ser obtido pela Sua mediação. Nada é tão glorioso para Deus, nada é tão maravilhoso por si só, como é a salvação dos homens por Cristo; nada é tão glorioso quanto contemplar Deus salvando Seus inimigos pela encarnação, sofrimentos e obediência de Cristo, o Filho eterno de Deus: *"Anunciai entre as nações a sua glória; entre todos os povos, as suas maravilhas"*. — *David Dickson*

v. 3: "Anunciai a sua glória". É a *Sua* glória que deve ser proclamada, não o conhecimento, a capacidade ou a eloquência do orador que professa falar por Ele; é a Sua *glória*, a beleza afetuosa, a atração do Seu Evangelho, as promessas generosas aos pecadores arrependidos, a bem-aventurança do céu, que devem ser os temas principais do discurso; não ameaças, sermões sobre o inferno ou o tormento para aterrorizar os homens, e que na melhor das hipóteses faz das pessoas escravos aterrorizados de Deus, e não Seus amorosos amigos. A pregação deve ser *"entre todos os povos"*, em recantos obscuros do interior, entre congregações não instruídas e analfabetas, e não deve estar confinada, como pregadores modernos gostam de confiná-la, aos públicos eruditos e críticos da capital. — *Hugo, citado por Neale e Littledale*

v. 3: "Sua glória". O que tínhamos antes, chamado *salvação*, agora Ele chama de *glória*, e no futuro, *maravilhas*. E uma vez que esta salvação, com que a raça humana é redimida da morte e da condenação eterna, é gloriosa e cheia de maravilhas, é, portanto, merecedora de admiração e louvor. — *Mollerus*

v. 3: "Suas maravilhas". Que pessoa maravilhosa Ele é, pois é Deus manifesto na carne; que amor maravilhoso Ele mostrou na Sua encarnação, na Sua obediência, nos Seus sofrimentos, e na Sua morte; que milagres assombrosos Ele realizou, e que obra maravilhosa Ele fez; a obra da nossa redenção, a maravilha de homens e anjos; anunciem a Sua maravilhosa ressurreição dos mortos, a Sua ascensão ao céu, o fato de estar assentado à direita de Deus, e a Sua intercessão pelo Seu povo; a maravilhosa efusão do Seu Espírito, e as conquistas da Sua graça, e o progresso do Seu reino no mundo; como também as maravilhas que serão operadas por Ele, quando Ele vier pela segunda vez; como os mortos serão ressuscitados, e todos serão julgados. — *John Gill*

v. 5: "Porque todos os deuses dos povos são coisas vãs". *Nada*, menos que nada, uma descrição favorita dos ídolos nas últimas profecias de Isaías. Veja, por exemplo, Is 41.24, e compare com Lc 19.4; 26.1, 1 Co 8.4-6, 10.19. Uma etimologia menos provável da palavra hebraica a torna um diminutivo de אֵל (*'Ēl*), análoga a *entidades menores*, como expressão de desprezo. — *J. A. Alexander*

v. 5: "Os deuses dos povos são coisas vãs". Os *'Ĕlōhîm* deles são *'ĕlîlîm*. Veja 1 Cr 16.26. A palavra *elilim* aparece em duas passagens nos Salmos, aqui e em 97.7. Ela é usada, mais frequentemente, por Isaías, e significa *nada*, como diz o apóstolo Paulo, *"o ídolo nada é"* (1 Co 8.4). — *Chr. Wordsworth*

v. 5: "O Senhor fez os céus". O versículo 5 é um notandum. Que tributo à astronomia é o fato de que o Senhor é tão frequentemente homenageado como tendo criado os céus! Que a teologia da natureza se mescle com a teologia da consciência — um pleno reconhecimento da força e da glória que brilham de modo palpável nas maravilhas da criação, com as ofertas espirituais da santa adoração e do santo serviço. — *Thomas Chalmers*

v. 6: "Formosura, no seu santuário".

Oh, se tanta formosura se revela
na veia da vida e na natureza,
quanto deve ser formosa a própria Fonte,
O Resplandecente!
— *Esaias Tegner, 1782–1847*

v. 6: "No seu santuário". Isto quer dizer (1) a Sua arca, o Seu tabernáculo ou Templo, como muitos autores consideram. Kimchi, conforme a citação de Muis, sugere que onde a alegria ou a formosura é mencionada, como estando no Seu templo, isto é expresso em oposição à angústia perpétua dos filisteus, quando a arca estava em suas cidades. Eles viam a força do Senhor, mas não a Sua formosura. (2) Outros consideram que a palavra santuário se refere à igreja de Cristo, que, como observa Munster, é adornada com ornamentos celestiais, e de que foi um tipo a magnificência do templo de Salomão. Certamente é na igreja que o poder espiritual e a formosura do Senhor são mais claramente vistos. (3) A passagem pode se referir ao céu, onde a presença divina é mais peculiarmente manifesta. — *C. H. S.*

v 7: "Ó famílias dos povos". Há uma força peculiar, observa um dos primeiros comentaristas [Cassiodoro], nesta expressão *"famílias dos povos"*, muito mais do que se tivéssemos apenas a palavra *"povos"*; pois em cada nação há, em todos os tempos, estrangeiros, peregrinos que ali estão permanentemente ou apenas durante algum tempo, mas que não são contados entre os nativos; ao passo que a frase, aqui, inclui todos eles, e providencia que ninguém seja excluído por causa da Sua origem. — *Neale e Littledale*

v 7: "Ó famílias dos povos". Ele os convoca, para que venham em famílias, em alusão ao costume dos judeus, de virem juntos aos diversos dias de festividades, adorar em Jerusalém; e o Espírito Santo nos faz entender, aqui, que este costume deveria servir de modelo para os cristãos, cujas famílias deveriam vir juntas à igreja para dar glórias e honra a Deus por todas as coisas maravilhosas que Ele realizou, na redenção do homem; pois não foi pelo nosso próprio esforço, nem pelos nossos próprios méritos, que nós viemos à graça, e viemos a ser adotados como filhos de Deus, mas sim pela misericórdia de Deus, a quem, portanto, é devida toda a honra e toda a glória. — *Bellarmine*

v 8: "Dai ao Senhor a glória devida ao seu nome". É uma dívida; e uma dívida, por justiça, deve ser paga. A honra devida ao Seu nome é reconhecer que Ele é santo, justo, fiel, poderoso: "O Senhor... o Deus fiel", "misericordioso e piedoso, longânimo", etc. Nem a menor honra deve ser negada ao Seu nome. — *Adam Clarke*

v. 8: "Dai ao Senhor a glória devida ao seu nome". Toda a glória é devida ao nome de Deus, e deve ela, com justiça, ser atribuída a Ele pelos homens, desde que o homem começou a existir? Quão incomensuravelmente grande, então, é a dívida que o nosso mundo contraiu, e sob cujo fardo agora ele geme! Durante cada dia e cada hora que se passaram, desde a apostasia do homem, esta dívida vem crescendo; pois cada dia e cada hora, todos os homens deveriam ter dado ao Senhor a glória que é devida ao Seu nome. Mas nenhum homem fez isto, completamente. E uma vasta proporção da nossa raça jamais fez nada com relação a isto. A diferença entre o tributo que os homens deveriam ter pago a Deus e o que eles realmente pagaram constitui a dívida de que estamos falando. Quão grande, então, ela é, sim, quão incalculável! — *Edward Payson*

v. 8: "Dai ao Senhor a glória devida ao Seu nome". Qualquer glória não servirá a esta finalidade, exceto a glória que é apropriada e peculiar àquele Deus ao qual servimos. É uma regra declarada nas Escrituras que *o respeito a Deus deve ser proporcional à natureza de Deus.* Deus é *espírito*, portanto deve ser adorado em *espírito e verdade.* Deus é um Deus de *paz*, por isto levantemos mãos puras, sem *ira, contenda, nem dúvidas.* Deus é um *Deus santo*, por isto *será glorificado e exaltado.* Aqueles que adoram o sol, entre os pagãos, usam um cavalo voador como o símbolo mais apropriado para o rápido movimento do sol. Então, aqueles que glorificam e honram a Deus com a glória devida ao Seu nome, devem santificá-lo, além de honrá-lo. Por que? Porque Deus "é glorificado em santidade" (Êx 15.11). Isto é o que Deus considera como sendo a Sua principal excelência, e a glória que Ele irá manifestar entre os filhos dos homens. — *Thomas Manton*

v. 8: "Trazei oferendas". Esta linguagem é extraída da adoração do templo, e significa que Deus deve ser adorado, da maneira como Ele prescreveu, como uma expressão apropriada da Sua majestade. A palavra aqui traduzida como *"oferenda"* — מִנְחָה (*minḥâ*) — é a que é comumente usada para indicar uma oferta *sem sangue*, uma oferta de ação de graças. — *Albert Barnes*

v. 9: "Na beleza da santidade" ou, no ornamento da santidade, alusão às esplêndidas vestes dos adoradores orientais. — *W. Wilson*

v. 9: "A beleza da santidade". Devo considerar *santidade* um atributo? Não é, na verdade, a gloriosa combinação de todos os Seus atributos em um conjunto perfeito? Como todos os Seus atributos derivam do absoluto, também, novamente, todos convergem e se encontram na santidade. Assim como, da luz insuportável do Absoluto eles parecem divergir e se separar em tonalidades prismáticas, também todos parecem convergir novamente e se encontrar, e se combinar, no estonteante brilho branco da Sua santidade. Esta é, portanto, a intensa brancura, pureza, limpeza, o brilho e esplendor infinito da Sua natureza perfeita, como uma pedra preciosa sem nenhum defeito, sem mácula, e sem cor. Todos os Seus atributos são gloriosos, mas neste nós temos uma combinação de todos, em um conjunto ainda mais glorioso. É por esta razão que é tão frequentemente associado, nas Escrituras, com a formosura divina. A natureza poética do Salmista é exaltada até o êxtase em contemplação da *"beleza da santidade"*, a *"formosura do Senhor"*. A beleza é uma combinação de elementos, segundo as leis da harmonia; quanto mais bonitas as partes ou os elementos, e mais perfeita a combinação harmoniosa, mais elevada a beleza. Quão elevada e gloriosa, então, deve ser a formosura deste atributo que é a combinação perfeita de todas as Suas perfeições infinitas!

Você vê, então, por que este atributo é impressionante para nós. No homem ideal, todas as faculdades e poderes, mentais, morais e físicos trabalham juntos em perfeita harmonia, produzindo música doce — a imagem de Deus é clara e pura no coração humano. Mas, ai! Como estamos longe do ideal! No homem real, a pureza está manchada, a beleza está desfigurada, a harmonia se converte em discórdia estridente, "como doces sinos estridentes e desafinados". Não estamos inquirindo agora como a situação chegou a isto. Todos nós sentimos que *é* assim. Por isto este atributo é tão terrível para nós. É o terror da pureza absoluta na presença da impureza; é o terror da beleza perfeita na presença da deformidade; é o terror da honra na presença da desonra e da vergonha; em uma palavra, é o terror da santidade na presença do pecado. Como, então, nos aproximaremos Daquele diante de quem os anjos se inclinam e os arcanjos escondem seus rostos — Aquele em cuja visão o brilho branco do céu está manchado com impureza? — *Joseph Le Coute, em "Religion and Science", 1874*

v. 9: "A beleza da santidade". A religião do Evangelho de Cristo é *"a beleza da santidade"*, no que diz respeito ao seu Autor, ao seu plano, aos seus frutos. Em primeiro lugar, como ela diz respeito ao seu *Autor*. Qualquer que seja o significado que compreendemos de beleza ou santidade, nós vemos, nos atributos de Deus, quer os consideremos em toda a sua harmonia, ou contemplemos qualquer deles, em particular... Em segundo lugar, como diz respeito ao seu plano. Investigando o Evangelho onde quisermos, ou considerando o que pudermos que seja revelado a respeito dele, nós vemos que tudo é *"beleza"*; e não podemos chamá-lo por um nome mais apropriado do que *"a beleza da santidade"*. Em terceiro lugar, no que diz respeito aos seus *frutos*. Existe uma santa separação, um belo caráter da santidade, uma separação, quanto ao caráter, sentimentos e comportamento; estes são todos os variados frutos da graça; e assim o homem se torna belo na santidade. — *Legh Richmond, 1772-1827*

v. 10: "Dizei entre as nações: O Senhor reina". Esta sentença, na antiga versão em latim, é: "Dizei entre as nações, que o Senhor reina *do madeiro"*. Justino Mártir acusa os judeus, por terem apagado as palavras *"a ligno"*, ἀπὸ ξύλου, que estão faltando no original e na SEPTUAGINTA. A Sra. Charles traduz assim o versículo:

"A verdade que Davi aprendeu a cantar,
Tem o seu profundo cumprimento alcançado aqui;
Dizei a toda a terra que o Senhor é Rei!
Vede, na cruz, um Rei, Ele reina!"
— De "Christ in Song. Hymns of Immanuel, with Notes by P. Schaff," 1870

v. 10: "Dizei entre as nações: O Senhor reina". Não é suficiente sentir *desejo;* nós devemos *"dizer* entre as nações: O Senhor reina". Há um mandamento que nos foi dado pelo Senhor, "Ide por todo o mundo, pregai o evangelho a toda criatura" — para lhes dizer o que Cristo nos ensinou — para lhes dizer, na verdade, "O Senhor reina"....

Nós devemos ir aos pagãos e dizer "O Senhor reina" — apontar-lhes todos os vários objetos na *criação* — as estrelas no céu as belezas da vegetação, as ocorrências diárias da *providência*, o corpo feito de temor e maravilha, para sua contínua conservação e nutrição. Nós podemos facilmente tirar o nosso texto de tudo o que nos rodeia, e dizer, "O Senhor reina". Mas não devemos parar por aqui. É bom ter visões corretas de Deus como o Criador, mas é somente quando o consideramos como o Deus da *Redenção*, que podemos louvá-lo na "beleza da santidade". — *Legh Richmond*

v. 10: "Dizei entre as nações: O Senhor reina" deve ser o lema dos cristãos, assim como era o dos israelitas. A mais antiga pregação do nosso Salvador e de Seus discípulos foi a pregação do Evangelho do *reino*. Foi porque *foi-lhe dado todo o poder no céu e na terra* que, depois da Sua ressurreição dos mortos, Jesus enviou Seus discípulos, para ir e ensinar todas as nações. O conteúdo da pregação subsequente dos apóstolos foi, declaradamente, o *reino* de Deus. – *J. F. Thrupp*

v. 10: "Dizei entre as nações". Vão, vocês que já se tornaram prosélitos, e divulguem em todas as partes, em todas as nações, que o Senhor [Jesus Cristo] é o soberano do mundo, que é o único que pode nos fazer felizes: pois Ele assentará em paz aqueles que se submeterem ao Seu governo: e eles não ficarão perturbados, pois estavam acostumados com guerras e tumultos; Ele administrará a justiça imparcial a todos; não permitirá que os bons deixem de receber a recompensa, nem que o mal escape impune. — *Symon Patrick*

v. 10: "O mundo também", etc. O mundo natural será estabelecido; a edificação do mundo e a sua estabilidade se devem à mediação de Cristo. O pecado o tinha chocado, e ainda o ameaça; mas Cristo, como redentor, sustenta todas as coisas, e preserva o curso da natureza. O mundo da humanidade será estabelecido, será preservado, até que tudo o que pertence à eleição da graça seja convocado, ainda que seja um mundo culpado e provocador. A religião cristã, até onde ela é aceita, irá estabelecer estados e reinos, e preservará a boa ordem entre os homens. A igreja no mundo será estabelecida, de modo que não se abale, pois será edificada sobre uma rocha e as portas do inferno jamais prevalecerão contra ela; é um "reino que não poderá ser abalado". — *Matthew Henry*

v. 10: "Para que não se abale". Quando aprendemos, com base nos registros de geologia, que estão inscritos nas rochas, quão numerosas e completas foram as revoluções da superfície e da crosta do globo, nos séculos passados; com que frequência e durante quanto tempo a atual terra firme esteve, alternadamente, acima e abaixo do oceano; com que frequência a crosta do globo foi fraturada, curvada e deslocada; agora erguida, e logo atirada para baixo, e logo dobrada pela pressão lateral; com que frequência materiais derretidos foram forçados pelas suas camadas, e pelas superfícies, até a superfície; em resumo, como cada partícula das porções acessíveis do globo passou por completa metamorfose; e especialmente quando obtermos fortes evidências de que oceanos de material líquido existiam debaixo da crosta sólida, e que provavelmente todo o interior da terra tem esta condição, com energia expansível suficiente para reduzir o globo a fragmentos; quando revemos todos estes fatos, não podemos deixar de sentir que a condição da superfície do globo deve ser de grande insegurança e possibilidade de mudanças. Mas não é assim. Ao contrário, a condição atual do globo é de permanente uniformidade e total segurança, exceto aquelas catástrofes comparativamente leves que resultam de terremotos, vulcões e inundações. Nem mesmo o clima passou por mudanças gerais nos tempos históricos, e os recursos matemáticos profundos do Barão Fourier demonstraram que, embora as partes internas do globo estejam em um estado incandescente, 30 a 40 milhas abaixo da crosta, a temperatura da superfície, desde então, deixou de ser afetada pela massa derretida do centro; e agora não está mais de uma décima-sétima parte de um grau mais elevada do que estaria, se o interior fosse gelo; e as centenas de milhares de anos não verão que ela baixe mais do que uma décima-sétima parte de um grau. E quanto à apreensão de que toda a crosta do globo possa se romper, e cair no material derretido abaixo dela, simplesmente reflita sobre a solidez e a força que deve haver em uma massa de rocha dura, de 50 a 100 milhas de espessura, e os seus temores de tal catástrofe provavelmente desaparecerão.

Tal conformidade de clima e segurança contra a destruição geral são essenciais para o consolo e a existência da natureza animal. Mas deve ter sido necessária infinita sabedoria e benevolência de modo a organizar e equilibrar os poderosos elementos de mudança e destruição com o que existe na terra, para que pudessem se confrontar, uns aos outros, e fazer do mundo uma morada tranquila, imutável, e segura, por tantos milhares de anos. Certamente esta sabedoria deve ter sido orientada pela infinita benevolência. — *Edward Hitchcock, em "The Religion of Geology", 1851*

v. 11: "Alegrem-se os céus". Assim como toda a criação, tanto animada quanto inanimada, geme sob o peso da maldição, também toda a criação irá participar da grande libertação. — *"The Espeaker's Commentary", 1873*

v. 11: "Brame o mar"

Tu, modelo de perfeição dos poderes elementares,
Mistério das águas — mar que jamais descansa!
Ardente orador de lábios sublimes,
Cujas ondas são argumentos que provam a existência de Deus!
— *Robert Montgomery, 1807–1855*

vv. 11 e 12: Deus irá aceitar milagrosamente as santas alegrias e os santos louvores de todos aqueles que desejam sinceramente o bem do reino de Cristo, por menor que seja a sua capacidade. *"O mar"* pode apenas *"bramir"* e como as *"árvores do bosque"* podem mostrar que *"se regozijam"*, eu não sei; mas "aquele que examina os corações sabe qual é a intenção do Espírito" e entende a linguagem, a linguagem incompleta dos mais fracos. — *Matthew Henry*

vv. 11 a 13: Estes versículos estão cheios de abrangente beleza e força. Eles apresentam a reunião de tudo sob o domínio declarado do Cristo reinante. As coisas no céu, assim como as coisas na terra, se regozijam na bênção reconhecida do Senhor da paz. Todo o Salmo é uma melodia muito doce, de profecia milenar. — *Arthur Pricham*

vv. 11 a 13: Nada pode superar esta nobre exultação de natureza universal em Sl 96, que tem sido tão frequentemente elogiado, onde toda a criação animada e inanimada se une em louvores ao seu Criador. A poesia aqui parece assumir o mais alto tom de triunfo e exultação, e se alegrar, se eu puder me expressar assim, em toda a extravagância de alegria. — *Robert Lowth*

vv. 11 a 13: Embora haja alguns que, como *céu*, entendem *anjos*; como *terra*, entendem *os homens*; como o *mar*, entendem *espíritos perturbadores*; como *árvores* e *campos* entendem *os gentios* que viriam a crer, isto não precisa ser considerado estranho, porque tais *prosopopeias* são frequentes nas Escrituras. — *Adam Clarke*

v. 12: "Alegre-se o campo", etc. Que os lavradores, e os pastores, e todos os que habitam nos campos, saltem de alegria; e que os lenhadores e guardas-florestais gritem de alegria, por ver o dia feliz que se aproxima; quando todos os ídolos que são adorados forem destruídos, juntamente com seus bosques. — *Symon Patrick*

v. 12: "Alegre-se". O verbo רָנַן expressa o movimento de vibração, seja dos pés de um dançarino, ou dos lábios de um cantor. — *Samuel Horsley*

v. 12: "As árvores do bosque".

Para o seu louvor, vós, ventos, soprai, dos quatro cantos,
respirai, suavemente ou fortemente; e agitai vossos cumes, pinheiros,
Com cada planta, em sinal de adoração.
— *John Milton*

vv. 12 e 13: "Porque vem", etc.

Por acaso, na feliz véspera de Natal,
eu passei suspirando pela igreja, no sombrio lodaçal,
"Oh! jamais o pecado e a necessidade e a lamentação deixarão esta terra,
e os sinos apenas zombam das lamentações ao redor, eles cantam tão alegremente,
Até quando, ó Senhor? Até quando, antes que venhas outra vez?
No porão, e no sótão, e no sombrio lodaçal,
os órfãos gemem, as viúvas choram, e os pobres labutam em vão,
Até que a terra esteja cheia da esperança adiada, ainda que os sinos de Natal
sejam alegres".

Então emergiu um alegre clamor das aves selvagens, no lago
Debaixo das estrelas, do outro lado da neve, como o claro repicar de sinos.
E uma voz interior gritou, "Ouve! Cânticos de Natal, até mesmo aqui!
Ainda que estejas mudo sobre as Suas obras, as estrelas e a neve estão cantando.
Cego! Eu vivo, Eu amo, Eu reino; e todas as nações, apesar do soar
dos Meus juízos, estão cantando;
Realiza a tua obra como as aves selvagens,
e não apenas ouvirás os lamentos, mas, em meio a eles, ouvirás anjos cantando!
— *Charles Kingsley, 1858*

v. 13: "Porque vem, porque vem". Por ser difícil de crer nisto, o profeta declara duas vezes, que Deus viria, que Ele seria Juiz e Rei, e Governador de tudo. — *Martinus Bucerus* em *Expos. Ecclesiast*

v. 13: "Porque vem". Não יָבוֹא, *"Virá"*, mas בָּא לִשְׁפֹּט, *"Vem"*, para mostrar como este momento está próximo. Já é quase o amanhecer, e o julgamento está pronto para começar: "Eis que o juiz está à porta", Tg 5.9. — *Thomas Watson*

v. 13: "A julgar". Vatablo chama a atenção para o fato de que *julgar* é a palavra usada, em lugar de *reinar, judicare pro regere*, porque os juízes, nos primeiros dias da Terra Santa, exerciam o poder tanto de reis como de magistrados. O Senhor se apresenta a todas as nações, como um juiz mais sábio que Samuel, um campeão maior que Sansão, um libertador mais poderoso que Gideão. — *C. H. S.*

v. 13: "Vem a julgar a terra". Isto é, vem a colocar a terra em ordem, para ser seu Gideão e Sansão, para ser seu *governante*, para cumprir tudo o que o Livro de Juízes define sobre o ofício de um juiz. E é, como diz Hengstenberg, "um juízo gracioso", não um período de mera avaliação de causas, ou de pronunciamento de sentenças — será um dia de júbilo. Será o dia mais feliz que o nosso mundo já viu. Quem não ansiaria por ele? Quem não oraria por ele? Será o dia da glória do Juiz, e também o da liberdade do nosso mundo — o dia em que *"o juízo deste mundo"* (Jo 12.31, e 16.11), ao qual a Sua cruz deu início e assegurou, será concluído, pela total supressão do reino de Satanás, e a remoção da maldição. Tudo isto é predito aqui; e assim, nós intitulamos este Salmo *A glória devida Àquele que vem a julgar a terra.* — *Andrew A. Bonar*

v. 13: "Vem a julgar a terra", etc. Neste novo cântico, eles retomam as palavras de Enoque, o sétimo depois de Adão (Jz 14), que pregou a vinda do Senhor para julgar o mundo. — *Chr. Wordsworth*

SUGESTÕES AOS PREGADORES

v. 1. As novidades da graça. I. Uma nova salvação. II. Cria um novo coração. III. Sugere um novo cântico. IV. Assegura novos testemunhos, e estes. V. Produzem novos convertidos.

vv. 1 a 3. I. O fim desejado — ver a terra cantando ao Senhor, e bendizendo o Seu nome. II. O método sugerido — anunciar a Sua salvação, de dia em dia; anunciar a

Sua glória, etc. III. A certeza do seu cumprimento. O Senhor o disse. "Cantai", etc. Quando Ele ordena, a terra deve obedecer. — *G. R.*

vv. 1 a 3. O progresso do zelo. I. A fonte do desejo expansivo, v. 1. II. A corrente do esforço diário prático, v. 2. III. O amplo rio das missões estrangeiras, v. 3. — *C. D.*

vv. 1 a 9. Nós devemos honrar a Deus,

I. Com cânticos, vv. 1, 2. II. Com sermões, v. 3. III. Com cultos religiosos, vv. 7, 8, 9 — *Matthew Henry*

v. 3 (primeira parte). I. Declarar entre as nações a glória da perfeição de Deus para que possam reconhecê-lo como o Deus verdadeiro. II. Declarar a glória da Sua salvação, para que possam aceitá-lo como seu único redentor. III. Declarar a glória da Sua providência, para que possam confiar nEle como seu fiel guardião. IV. Declarar a glória da Sua palavra, para que possam apreciá-la como seu principal tesouro. V. Declarar a glória de servi-lo, para que possam escolhê-lo como a sua mais nobre ocupação. VI. Declarar a glória da Sua residência, para que possam buscá-la como seu melhor lar. — *William Jackson*

v. 3. I. O que é o Evangelho, "a glória de Deus", "Suas maravilhas". II. O que devemos fazer com ele — anunciá-lo. III. A quem. "Entre as nações", entre todos os povos.

v. 3 (última parte). *"Entre todos os povos, as suas maravilhas".*

I. As maravilhas da Sua existência, para inspirá-los com reverência. II. As maravilhas da Sua criação, para enchê-los de assombro. III. As maravilhas dos Seus juízos, para controlá-los pelo temor. IV. As maravilhas da Sua graça, para atraí-los com amor. — *W. Jackson*

vv. 4 a 6. Sermão missionário.

I. Comparar o Jeová da Bíblia com os deuses da invenção humana. II. Decidir entre a adoração divina e a idolatria. III. Apelar para o esforço, para o bem dos idólatras. — *C. D.*

v. 6. "Glória e majestade estão ante a sua face".

I. Como emanações dEle. II. Como excelência atribuída a Ele. III. Como características do que é feito por Ele. IV. Como sinais de todos os que habitam próximos a Ele. — *W. Jackson*

v. 6 (última parte). O que podemos ver no santuário de Deus (força e formosura). O que podemos obter ali, Salmo 90.17 (força e formosura). — *C. D.*

v. 8. O Senhor possui uma natureza e um caráter peculiares a Si mesmo; Ele mantém vários cargos e relacionamentos, e realizou muitas obras que apenas Ele poderia realizar. Por causa de tudo isto, algo lhe é devido, por parte das Suas criaturas. E quando o consideramos com tais sentimentos, e lhe prestamos tais serviços, como a Sua natureza, o Seu caráter, as Suas atividades e as Suas obras merecem, então nós lhe damos a glória que é devida ao Seu nome. I. Devemos investigar o que é devido ao Senhor, por causa da Sua natureza. II. O que é devido ao Senhor, por causa do caráter que Ele possui. III. O que é devido a Deus por causa dos relacionamentos e atividades que Ele mantém — de Criador, preservador. IV. O que é devido ao Senhor por causa das obras que Ele realizou, na natureza, providência e redenção. — *E. Payson*

v. 8. O objeto da adoração. A natureza da adoração. O acompanhamento da adoração (uma oferta). O local de adoração. — *C. D.*

v. 9 (primeira parte). Um exame da verdadeira e da falsa adoração. I. A falsa adoração, na obscuridade da ignorância, no embotamento do formalismo, na ofensa do pecado tolerado, na abominação da hipocrisia. II. A verdadeira adoração, na beleza da santidade. — *C. D.*

v. 9. O santo temor, um ingrediente essencial na verdadeira religião.

vv. 10 a 13. O reino da justiça. I. O anúncio de um rei e juiz justo. II. A alegre recepção preparada para Ele. III. A Sua gloriosa vinda. — *C. D.*

vv. 11 e 12. A simpatia da natureza com a obra de graça, residindo especialmente sobre a sua mais plena exibição, no período milenial.

SALMO 97

TEMA

Assim como o último Salmo cantava os louvores do Senhor no que se refere à proclamação do evangelho entre os gentios, este parece prenunciar a poderosa obra do Espírito Santo em reprimir os colossais sistemas de erro e derrubar os deuses-ídolos. Através do mar, até regiões marítimas, uma voz clama por júbilo pelo reino de Jesus (v. 1), o fogo santo desce (v. 3), o evangelho resplandece como relâmpago (v. 4), dificuldades desaparecem (v. 5) e todas as nações vêem a glória de Deus (v. 6). Os ídolos são confundidos (v. 7), a igreja se alegra (v. 8), o Senhor é exaltado (v. 9). O Salmo se encerra com uma exortação à santa perseverança em meio à perseguição que se seguiria e pede aos santos que se rejubilem por ser brilhante o seu caminho e gloriosa e certa a sua recompensa. Os críticos modernos, sempre interessados em atribuir os Salmos a qualquer autor que não Davi, consideram terem tido sucesso em datar este cântico como posterior ao cativeiro, já que ele contém passagens similares às que ocorrem nos profetas posteriores; contudo, aventuramo-nos a dizer que é tão provável que os profetas tenham adaptado a linguagem de Davi, quanto que algum autor desconhecido tenha tomado emprestado deles. Diz-se de um Salmo nesta série que está "em Davi", e cremos que os outros se situam no mesmo local e são do mesmo autor. A questão não é importante, e apenas a mencionamos porque parece que certos críticos têm orgulho de estabelecer novas teorias, e há leitores que imaginam que isso é uma prova definitiva de uma erudição prodigiosa. Não cremos que suas teorias valham o papel em que são escritas.

DIVISÃO

O Salmo se divide em quatro porções, cada uma com três versículos. A vinda do Senhor é descrita (vv. 1-3); seu efeito sobre a terra é declarado (vv. 4-6); e então sua influência sobre os pagãos e o povo de Deus. A última parte contém exortação e encorajamento, conclamando à santidade e inculcando felicidade.

EXPOSIÇÃO

1 *O Senhor reina. Regozije-se a terra, alegrem-se as muitas ilhas.*
2 *Nuvens e obscuridade estão ao redor dele; justiça e juízo são a base do seu trono.*
3 *Adiante dele vai um fogo que abrasa os seus inimigos em redor.*

1. *"O Senhor reina."* Este é o lema do Salmo — Jeová reina. É também a essência da proclamação do Evangelho e o fundamento do reino do Evangelho. Jesus veio e todo poder lhe foi dado no céu e na terra e, portanto, pede-se aos homens que lhe dediquem a sua fé obediente. Os santos tiram conforto destas palavras e apenas os rebeldes as contestam.

"Regozije-se a terra", pois há motivo para alegria. Outros reinos produziram injustiça, opressão, derramamento de sangue, terror; o reino de Jeová de infinita graça é a esperança da humanidade e quando se submeter a ele, a raça terá seu paraíso restaurado. O próprio globo pode se alegrar porque o seu Criador e Senhor prevaleceu, e toda a raça humana também pode se alegrar, já que, para todo súdito de boa vontade, Jesus traz bênçãos incalculáveis.

"Alegrem-se as muitas ilhas." Para os antigos israelitas, todos os lugares além dos mares eram ilhas, e a expressão equivale a todas as terras que são alcançadas por navios. É notável, porém, que em ilhas de verdade tenham sido alcançadas algumas das maiores vitórias da Cruz. Nossa terra estimada é um exemplo, e não menos as ilhas da Polinésia e o reino de Madagáscar. As ilhas são muitas; que todas possam se tornar Ilhas Santas, e Ilhas dos Santos, quando então serão todas elas Ilhas Afortunadas e verdadeiramente Formosas. Muitas terras devem sua paz ao mar; não fosse pelo isolamento, elas teriam sido devastadas e, portanto, os habitantes devem louvar ao Senhor que cavou ao redor delas um fosso e lhes deu uma defesa mais disponível do que barras de metal. Jesus merece ser Senhor das ilhas e que seus louvores sejam entoados em todas as costas banhadas pelo mar. Amém, que assim seja.

2. *"Nuvens e obscuridade estão ao redor dele."* Assim o Senhor se revelou no Sinai e assim Ele deve sempre envolver a sua Divindade essencial ao se manifestar aos filhos dos homens; pois, do contrário, Sua excessiva glória os destruiria. Toda revelação de Deus também deve ser concedida de uma forma especial; se alguma coisa é para ser vista pelos seres finitos, deve haver um velamento de seu infinito esplendor. Muitas vezes é assim com o Senhor na providência; ao elaborar desígnios de puro amor, Ele oculta o propósito da Sua graça para que este possa ser mais claramente descoberto no final. "A glória de Deus *é* encobrir o negócio". Ao redor da história da Sua igreja, pairam as nuvens negras da perseguição e uma obscuridade às vezes se estabelece, mas, ainda assim, o Senhor está lá; e embora os homens por um momento não vejam a luz brilhante nas nuvens, ela irrompe no devido momento, para a confusão dos adversários do Evangelho. Esta passagem deve nos ensinar a impertinência de tentar investigar a essência da Divindade, a vaidade de todos os esforços para entender o mistério da Trindade na Unidade, a arrogância de colocar o Altíssimo diante o julgamento da razão, a insensatez de ditar ao Eterno a maneira como Ele deve proceder. A sabedoria vela a sua face e adora a misericórdia que oculta o propósito divino; a insensatez irrompe e perece, cegada primeiro e por fim consumida pela chama da glória.

"Justiça e juízo são a habitação de seu trono." Ali Ele permanece; Ele nunca abandona a estrita justiça e o direito; Seu trono está firmado na rocha da santidade eterna. A justiça é Seu atributo imutável e o juízo marca todos os Seus atos. Mesmo quando não conseguimos ver nem entender o que Ele faz, ainda assim temos certeza de que Ele não fará mal a nós e nem a nenhuma de Suas criaturas. Não é isto suficiente para nos regozijarmos nEle e adorá-lo? A soberania divina nunca é tirânica. Jeová é um autocrata, mas não um déspota. O poder absoluto está seguro nas mãos dEle, que não pode errar nem agir com injustiça. Quando o rol dos decretos e os livros da divina providência forem abertos, nenhum olho ali discernirá uma palavra que deva

ser apagada, uma sílaba de erro, uma linha de injustiça, uma letra sem santidade. De ninguém, a não ser do Senhor, pode-se dizer isto.

3. *"Adiante dele vai um fogo."* Como uma vanguarda limpando o caminho. Foi assim no Sinai, e assim deve ser: o próprio Ser de Deus é poder, consumindo toda oposição; a onipotência é uma chama devoradora que *"abrasa os seus inimigos em redor"*. Deus é longânimo; mas, quando se posicionar para o julgamento, será sumário com os injustos, e eles serão como palha diante do fogo. Ao lermos este versículo com referência à vinda de Jesus e à descida do Espírito, somos lembrados das línguas de fogo e do poder que acompanharam o Evangelho, de modo que toda oposição foi rapidamente vencida. Mesmo agora, onde o Evangelho é pregado na fé e no poder do Espírito, ele abre seu caminho queimando e destruindo irresistivelmente a falsidade, a superstição, a descrença, o pecado, a indiferença e a dureza de coração. Nele o Senhor reina e, por causa dele, a terra deve se regozijar.

4 *Os seus relâmpagos alumiam o mundo; a terra viu e tremeu.*
5 *Os montes se derretem como cera na presença do Senhor, na presença do Senhor de toda a terra.*
6 *Os céus anunciam a sua justiça, e todos os povos veem a sua glória.*

4. *"Os seus relâmpagos alumiaram o mundo."* Em tempos de tempestade, toda a natureza é iluminada por um brilho sinistro, e mesmo a luz do próprio sol parece fraca em comparação com o fulgor do relâmpago. Se estas são as luzes comuns da natureza, como devem ser as glórias da própria Divindade? Quando Deus descerra a cortina por um momento, as nações ficam atônitas e a luz as obriga a cobrir os olhos e curvar a cabeça em assombro solene. No Evangelho, Jesus ilumina a terra com um fulgor de verdade e graça como nunca visto ou sequer imaginado antes. Nos tempos apostólicos, a palavra flamejou de uma ponta a outra dos céus e nenhuma parte do globo civilizado deixou de ser iluminada.

"A terra viu e tremeu." Na presença de Deus, a terra sólida treme; atônita com Sua glória, ela se convulsiona de medo. Estas palavras também são aplicáveis ao advento do nosso Senhor e ao estabelecimento do Seu reino entre os homens; nada jamais causou tamanha convulsão e comoção como a proclamação do Evangelho; nada foi mais majestoso do que seu percurso, e ele subverteu o mundo, nivelou as montanhas e encheu os vales. Jesus veio, viu, conquistou. Quando o Espírito Santo pousou sobre Seus servos, o curso destes foi como o de uma forte tempestade, e a verdade brilhou com a força e a velocidade de um raio, e os filósofos e sacerdotes, príncipes e povo viram-se inteiramente confundidos e completamente sem forças para resistir a ela. Assim será novamente. A fé, mesmo agora, incendeia o mundo e sacode as nações.

5. *"Os montes se derreteram como cera na presença do Senhor."* A natureza inanimada conhece o seu Criador e o adora à sua maneira. Os estados e reinos erguidos sobre o mundo como montanhas são inteiramente dissolvidos quando Ele decreta o seu fim. Sistemas tão antigos e firmemente enraizados como os montes acabam quando Ele os olha. Na era em que o pentecostes teve início, e na era subsequente, isto foi visto por todos os lados; o paganismo desmoronou diante do olhar do Deus Jesus, e as tiranias fundadas sobre o paganismo se dissolveram como cera derretida.

"Na presença do Senhor de toda a terra." Seu domínio é universal e Seu poder é sentido em toda parte. Os homens não conseguem mover os montes, é com dificuldade que os escalam, e é com incrível esforço que penetram seus recessos, mas não é assim com o Senhor; Sua presença produz um caminho claro, os obstáculos desaparecem, uma avenida é feita, e isto não pela Sua mão, como se lhe custasse esforço, mas pela Sua mera presença, pois o poder emana dEle com uma palavra ou olhar. Oh, pela presença do Senhor desta maneira, junto à Sua igreja, nesta hora! É nossa única necessidade. Com ela, as montanhas de dificuldade debandariam

e todos os obstáculos desapareceriam. Ó! Se fendesses os céus e descesses! Se os montes se escoassem diante da tua face, oh, Senhor.

No pequeno mundo da nossa natureza, a presença de Jesus reinando em poder é como um fogo para consumir nossas paixões, derreter nossas almas e torná-las obedientes. Às vezes, duvidamos da presença do Senhor dentro de nós, pois Ele está oculto em nuvens, mas temos novamente a certeza de que Ele está dentro de nós quando Sua luz irrompe e nos enche de santo temor, ao mesmo tempo em que o calor da graça nos suaviza e nos leva à penitência, à resignação e à obediência, como a cera que amolece na presença do fogo.

6. *"Os céus anunciam a sua justiça."* Ela é tão visível como se estivesse escrita nos céus; os globos celeste e terrestre brilham nesta luz. Esta é a maneira dos poetas inspirados retratarem a criação inteira em sintonia com a glória de Deus e, na verdade, não é *mera* poesia, pois há uma grande verdade subjacente nisto; toda a criação geme pelo pecado do homem, mas ainda deve compartilhar a alegria de sua restauração.

"Todos os povos vêem a sua glória." O Evangelho glorioso tornou-se tão bem conhecido e amplamente promulgado, que parecia ser proclamado por todas as estrelas e publicado pelos próprios céus; portanto, todas as raças de homens se familiarizam com ele, enxergando a enorme glória da graça de Deus que nele resplandece. Que em breve possa ocorrer um renascimento do antigo fervor missionário, e as boas novas ainda possam ser levadas a toda tribo da raça de Adão e, mais uma vez, toda a carne possa ver a glória de Jeová. Deve ser assim e, portanto, regozijemo-nos diante do Senhor.

7 *Confundidos sejam todos os que servem a imagens de escultura, que se gloriam de ídolos inúteis; prostrai-vos diante dele todos os deuses.*
8 *Sião ouviu e se alegrou; e os filhos de Judá se alegraram por causa da tua justiça, ó Senhor.*
9 *Pois tu, Senhor, és o Altíssimo em toda a terra; muito mais elevado que todos os deuses.*

7. *"Confundidos sejam todos os que servem a imagens de escultura, que se gloriam de ídolos inúteis; prostrai-vos diante dele todos os deuses."* Assim o serão; suas faces se cobrirão de vergonha, eles enrubescerão ao pensar nas vanglórias insensatas do passado. Quando um homem adora seriamente o que foi esculpido pela mão de um homem e deposita sua confiança em um mero nada, em uma nulidade, ele é realmente embrutecido e, quando se convence de tal absurdo, pode se envergonhar. Um homem que venera uma imagem é apenas a imagem de um homem; seu senso deve tê-lo abandonado. Aquele que se gloria de um ídolo se gloria em algo inútil.

"Prostrai-vos diante dele todos os deuses." Inclinai-vos, deuses fantasiosos. Que Jove renda homenagem a Jeová, que Tor deponha o martelo aos pés da cruz, que Juggernaut remova o seu carro manchado de sangue da estrada do Emanuel. Se os falsos deuses devem adorar ao Senhor que vem, quanto mais devem adorá-lo aquelas criaturas que são semelhantes a Deus no céu, sim, os próprios espíritos angelicais? Paulo cita esta passagem como a voz do Senhor aos anjos quando enviou seu Filho ao mundo. Todos os poderes são obrigados a reconhecer o poder principal; como eles derivam do Senhor sua única autoridade legítima, devem ter o cuidado de reconhecer a Sua superioridade em todos os tempos mediante uma adoração reverente.

8. *"Sião ouviu e se alegrou."* Enquanto os pagãos são confundidos, o povo de Deus triunfa, pois se compraz em ver seu Deus exaltado. Virá o dia em que a Sião literal, há tanto desprezada, alegrar-se-á na salvação comum. Isto aconteceu no início, quando os apóstolos moraram em Jerusalém, e os bons dias retornarão.

"As filhas de Judá se regozijam" (ARA). Cada crente se alegra quando vê falsos sistemas ruírem e deuses-ídolos se partirem; os juízos de Deus fornecem um puro

deleite aos que adoram o verdadeiro Deus em espírito e em verdade. Nos primeiros tempos do cristianismo, o Israel crente se regozijou por ver o reino de Cristo vitorioso entre os pagãos; e, mesmo agora, ainda que voltando-se por um momento, as filhas de Judá irão se comprazer no ampliado reino de Jeová, seu Deus, por meio do Evangelho de seu Filho amado. Como as mulheres de Judá seguiram ao encontro de Davi com danças, cantando a sua vitória sobre os filisteus, assim cantarão elas os triunfos do filho e Senhor de Davi.

9. *"Pois tu, Senhor, és altíssimo sobre toda a terra."* Portanto, regozijamo-nos por ver os ídolos abolidos e ver toda a humanidade inclinando-se perante o Teu trono. Só existe um Deus; não pode haver outro, e Ele está e sempre estará acima de todos.

"Muito mais elevado que todos os deuses". Tanto quanto o TUDO é exaltado frente ao nada, e a perfeição frente à insensatez. Jeová não está apenas acima da Judeia, mas de toda a terra, e tampouco é exaltado acima apenas dos homens, mas acima de todas as coisas que podem ser chamadas deus: chegará o dia em que todos os homens discernirão esta verdade e darão ao Senhor a glória que é devida apenas a Ele.

10 *Vós que amais ao Senhor, aborrecei o mal; ele guarda a alma dos seus santos, ele os livra das mãos dos ímpios.*
11 *A luz semeia-se para o justo, e a alegria, para os retos de coração.*
12 *Alegrai-vos, ó justos, no Senhor, e dai louvores em memória da sua santidade.*

10. *"Vós que amais ao Senhor, aborrecei o mal."* Pois Ele o odeia e Seu fogo o consome; seus relâmpagos o fulminam, Sua presença o expulsa do lugar e Sua glória confunde todos os que o amam. Não podemos amar a Deus sem odiar o que Ele odeia. Não devemos apenas evitar o mal e nos recusarmos a tolerá-lo, mas devemos estar armados contra ele e ter vigorosa indignação contra ele.

"Ele guarda a alma dos seus santos." Portanto, eles não precisam ter medo de proclamar guerra aos partidários do pecado. Os santos estão seguros: eles foram salvos e serão salvos. Deus guarda os que guardam a Sua lei. Os que amam o Senhor verão o Seu amor manifestado a eles na preservação contra os inimigos e, enquanto se mantiverem longe do mal, o mal será mantido longe deles.

"Ele os livra das mãos dos ímpios." Não é compatível com a glória do Seu nome ceder ao poder dos inimigos aqueles que a Sua graça transformou em amigos. Ele pode permitir que os corpos de seus santos sejam perseguidos pelos ímpios, mas não as suas almas; estas lhe são caras e Ele as mantém seguras em Seu seio. Isto prenuncia para a igreja um tempo de batalha com os poderes das trevas, mas o Senhor a preservará e a levará à luz.

11. *"A luz semeia-se para o justo."* Ela se espalha por todo o seu caminho. Sua noite está quase no fim; seu dia está chegando, a manhã que já avança com seus passos róseos semeia a terra com pérolas do oriente. A colheita plena do deleite ainda não é nossa, mas é semeada para nós; está brotando, ainda aparecerá em sua plenitude. Esta é apenas para os que estão de forma correta perante o Senhor na sua justiça; para todos os outros, está reservada a escuridão das trevas.

"E a alegria, para os retos de coração." A alegria não é apenas para um homem justo no singular, mas para todos os retos, como o apóstolo, que, após falar da coroa da vida reservada para si, imediatamente corrigiu seu discurso acrescentando: "E não somente a mim, mas também a todos os que amarem a sua vinda". Os retos devem alegrar-se; eles têm causa de alegrar-se, sim, e alegrar-se-ão. Os que têm um coração reto também terão um coração alegre. A luz difunde-se para o justo. Nos sulcos da integridade encontram-se as sementes da alegria, que crescerão até se tornarem uma colheita de bem-aventurança. Deus tem o relâmpago para os pecadores e a luz para os santos. O Evangelho de Jesus, onde quer que vá, semeia alegria em toda a terra para os crentes, pois são estes os homens que são retos perante o Senhor.

12. *"Alegrai-vos, ó justos, no Senhor."* O salmista pedira à terra que se regozijasse e aqui ele se volta para os justos da terra e lhes pede que conduzam o cântico. Se todos os outros deixam de louvar ao Senhor, os devotos não devem fazê-lo. A eles Deus se revela peculiarmente e por eles deve ser especialmente adorado.

"E dai louvores em memória da sua santidade" — que é a harmonia de todos os Seus atributos, a integridade superlativa de Seu caráter. Isto é um terror para os ímpios e causa de gratidão para os que têm a graça. Lembrar que Jeová é santo condiz com os que habitam em Seus átrios; agradecer em consequência dessa lembrança é a indicação segura da aptidão para estar em Sua presença. Em referência aos triunfos do Evangelho, este texto nos ensina a nos regozijarmos grandemente no seu efeito purificador; é a morte do pecado e a vida na justiça. Um evangelho ímpio não é Evangelho. A santidade da religião de Jesus é a sua glória, é ela que a transforma em boas novas, já que, enquanto o homem é deixado em seus pecados, nenhuma bem-aventurança pode ser seu quinhão. A salvação do pecado é o dom inestimável do nosso triplamente santo Deus; portanto, devemos engrandecê-lo para sempre e eternamente. Ele encherá o mundo de santidade e, portanto, de felicidade; assim, gloriemo-nos em Seu santo nome, e no mundo eterno que Ele tem preparado para os Seus. Amém.

NOTAS EXPLICATIVAS E DECLARAÇÕES SINGULARES

Todo o Salmo: Os dois salmos precedentes são cânticos de alegria e agradecimento, nos quais a alegria do povo de Cristo é derramada enquanto eles vão ao encontro do Senhor triunfante no Seu segundo advento, que tem a função de trazê-lo de volta em glória para assumir o Seu reino. O presente salmo, em linguagem suficientemente explícita, descreve a conclusão deste grande acontecimento, "O Senhor reina"; o Messias está em Seu trono e agora as palavras do Salmo 2.6, são cumpridas: "Eu, porém, ungi o meu Rei sobre o meu santo monte Sião". O primeiro ato de soberania do Messias é o julgamento. As passagens das Escrituras relevantes para este acontecimento são 2 Tessalonicenses 1.7, Judas 14 e Isaías 66.15. O caráter destes julgamentos é oferecido no Salmo: nuvens e obscuridade circundam o Seu trono, ali, porém, a justiça e o juízo habitam, e um fogo abrasa Seus inimigos em redor; relâmpagos alumiam o mundo, a terra treme e os montes se derretem como cera na presença do Senhor de toda a terra. Pedro, em sua segunda Epístola, no terceiro capítulo, evidentemente se refere a estes acontecimentos como ainda futuros no seu tempo. — *R. H. Ryland*

v. 1: "O Senhor reina". Eis boas notícias, boas novas: *"O Senhor reina"*. Não se pode tornar isto público sem *louvor*, sem *júbilo*, sem *canto*, sem *bênção*. Desonraríamos esta verdade se não a tornássemos pública, se, com silêncio, a suprimíssemos, se não falássemos bem dela. É tão doce e confortável que enche o mundo inteiro de alegria, e chama todos os ouvidos e todas as línguas e todos os corações a se alegrarem, se rejubilarem e louvarem a Deus.

"Regozije-se a terra, alegrem-se as muitas ilhas." Como se ele dissesse: que nada nem ninguém tema, a não ser o inferno; que nada nem ninguém se inquiete além dos demônios. Que o *mais baixo*, o *mais pobre* do povo de Deus, apesar de não mais que terra, se regozije nisto: *"O Senhor reina"*...

Eis duas coisas da mais doce consideração:

1. O *reinado* do Senhor; e 2. O *reinado* do Senhor *nos santos*.

Em primeiro lugar, este *reino* que Deus agora está estabelecendo é Seu reino eterno. Ele não será administrado pela fraqueza do homem, mas pelo poder de Deus, não pela insensatez do homem, mas pelo juízo de Deus. Deus, neste reino, manifestará claramente a Sua justiça, a Sua compaixão e misericórdia, o Seu amor, a Sua paz: Ele fará todas as coisas imediatamente por si mesmo. E, portanto, todo o orgulho e ambição, toda a opressão e tirania, e os fracassos que estiveram no governo dos homens serão inteiramente suprimidos. Justiça, juízo e equidade puros serão infalivelmente ministrados, e poder, força, santidade, bondade e autoridade infinitos brilharão nuamente na face de Deus, e Ele será o juiz de todos os homens. Não mais sofreremos abusos nem seremos oprimidos pela vontade dos homens, pelas paixões dos homens. Os pobres não mais gemerão sob o fardo das paixões dos homens nem suarão em benefício do prazer e do contentamento dos homens, nem seus rostos serão moídos pela dureza do espírito dos homens, mas eles estarão sob a proteção de Deus. O grande brado do povo agora é: "Tenhamos um Rei!" Tereis um, um que "reinará com justiça", o próprio Senhor.

Segundo, e este *reinado* do Senhor será *nos seus santos*; segundo Dn 7.27: "E o reino, e o domínio, e a majestade dos reinos debaixo de todo o céu serão dados ao povo dos santos do Altíssimo; o seu reino será um reino eterno, e todos os domínios o servirão e lhe obedecerão". Assim como este reino será administrado na glória de Deus, também o será na doçura e delicadeza do homem, pelos irmãos, pelos amigos, pelos santos do Altíssimo. Deus, erguendo-se nos santos, administrará este reinado, e, como o fará pelos santos, Ele o fará pela suavidade e ternura dos santos. "O reino, e o domínio, e a majestade dos reinos debaixo de todo o céu serão dados ao povo dos santos do Altíssimo". Não conhecereis outras leis que não a lei de Deus; não conhecereis nenhum outro senhor a não ser Jeová. Ele nos fez sacerdotes e reis, e reinaremos com Ele sobre a terra. Esta nossa natureza, este nosso corpo, reinarão com Cristo, com Deus, e sobre a terra.

"O Senhor reina." O Senhor tem servido, tem servido até aqui, sim, na maior parte do tempo, na forma de servo: "tomando a forma de servo". Tem sido por assim dizer, uma das ocupações do Senhor, enquanto mantém este mundo, dar suprimentos aos homens, servir aos homens, dar-lhes força, sabedoria, riqueza, autoridade e poder, para que, com a bondade de Deus, eles pudessem ser grandes e felizes: e (nisto) Deus tem sido *Rei* também, mas servindo; como diz o Senhor, "Me deste trabalho com os teus pecados: agora, Ele não mais *servirá*, mas *reinará*; Deus tomará todo poder e autoridade em Suas mãos. Ele não estará mais sob os homens, mas acima de todos os homens. É tempo de ser assim; é racional que assim seja; é justo que assim seja. Tudo agora deve inclinar-se, humilhar-se e submeter-se à lei, ao governo e à vontade de Deus. Nenhum homem dirá novamente que assim será porque é minha vontade que assim seja: não se encontrará coração ou língua que se mova contra o domínio do Senhor.

Satanás foi um príncipe; ele fez leis relacionadas ao cativeiro e miséria das pessoas; ele as manteve cativas para fazerem as suas tarefas, para lhe prestarem serviços. Ele disse, *Zangue-se*, e você se encheu de fúria. Ele disse, *Cobice*, e você se encheu de cobiça. Ele disse, *Escureça-se*, e você se encheu de cegueira. Ele disse, *Seja orgulhoso*, e você se encheu de soberba. E assim ele, como um tirano monstruoso, atormentou o mundo. O aguilhão de Satanás está na sua consciência, eu sei. Seus erros e enganos chegaram a você através do reino das trevas, para que não conhecesse a Deus nem a Sua santa vontade. Você gostaria de se deleitar em Deus; Satanás não permite; gostaria de conhecer a Deus; ele não tolera; gostaria de ter conhecimento da salvação; ele não permite. Ele o prendeu com suas correntes de trevas; ele tornou cativa a sua capacidade de julgamento; ele o fez moer em seu moinho e labutar a seu serviço, e o fez bradar, "Oh, quando virá o Senhor!" Mas agora seu perverso reinado chega ao fim: o que tivestes vos faltará, e o que vos falta tereis; o que foi não será; o que será tem de ser e não tem escolha a não ser: amareis porque a lei de Deus é amor, e tereis paz porque o reino de Deus é paz, e tereis luz porque a herança é luz maravilhosa; tereis justiça porque este estado é a verdadeira santidade; tereis liberdade, segurança, estabilidade e todas as coisas boas neste reino de Deus.

É sempre ruim para nós quando Satanás reina. É sempre bom para nós quando Deus reina; quando nosso Marido for Rei, teremos preferência, honra, riqueza, grandeza, poder e autoridade, porque Deus reina.

"O Senhor reina." Para nós; o Senhor toma o seu reino, e ele é para nós: O Senhor reinou em si mesmo todo este tempo; agora Ele reina por nós: o Senhor não considera ter um reino até que o tenhamos com ele: o Senhor pensa em si como humilde e desprezado até sermos exaltados. Ele não é tão rico sem nós. Ele não se sente feliz enquanto estamos fora de Sua presença. Ele não é Ele mesmo a menos que usufrua a nossa companhia. "Tu és minha excelência, meu primogênito". O poder de Deus está na fraqueza até nos tornarmos poderosos. O reino de Deus está nas trevas até brilharmos. Os tesouros de Deus não teriam valor para Ele se não fôssemos Suas mais ricas joias.

"O Senhor reina." Isto não deve ser ignorado; está no tempo presente. Este é o cântico que ouvimos e vemos os anjos cantarem. Os anciãos e santos no céu o cantam perpetuamente; nós o ouvimos diariamente. *Aleluia, aleluia, o Senhor reina!* Administra-se em nosso coração *um aleluia; o Senhor reina*; realmente toda criatura o diz, todas elas, no céu e na terra.

"O Senhor reina", e diz: "Estou em meu trono. Sou grande, e ninguém é grande além de mim. Sou Rei; tenho o cetro em minha mão. Sou poderoso; ninguém é poderoso além de mim". Todo o poder dos homens se partiu. Todos os tronos dos homens tornaram-se poeira. Toda a sabedoria dos homens tornou-se insensatez. Toda a força dos homens desmanchou-se em fraqueza e água. O derretimento e pulverização das potências e dignidades do mundo o dizem em voz alta, *O Senhor reina. — William Sedgwick, in "Some Flashes of Lightning of the Sono f Man", 1648*

v. 1: "O Senhor reina". Ele, que esteve diante do juiz, Ele, que recebeu os golpes, Ele, que foi açoitado, Ele, que foi cuspido, Ele, que foi coroado com espinhos, Ele, que foi esbofeteado, Ele, que foi pendurado numa cruz, Ele, que foi alvo de zombaria enquanto pregado no madeiro, Ele, que morreu na cruz, Ele, que foi atravessado pela lança, Ele, que foi sepultado — Ele ressuscitou dos mortos.

"O Senhor reina." Que os reinos se enfureçam quanto puderem. O que podem fazer ao Rei dos reinos, ao Senhor de todos os reis, ao Criador de todos os mundos? — *Agostinho*

v. 1: "O Senhor reina". Alegro-me por Cristo ser Senhor de tudo, pois, do contrário, eu estaria inteiramente sem esperança, disse *Micônio* em uma carta a *Calvino*, a respeito de uma visão dos inimigos da igreja. — *John Trapp*

v. 1: "O Senhor reina. Regozije-se a terra". Considere o governo divino de várias maneiras, como legislativo, providencial, mediador, judiciário, e, em cada uma destas visões, o governo divino é uma questão de regozijo universal. I. O Senhor reina sobre um trono de legislação*; "regozije-se a terra"*. Ele é o único legislador supremo e está perfeitamente qualificado para essa importante incumbência. Nada beneficia mais a sociedade civil do que ter boas leis estabelecidas, segundo as quais a humanidade se conduza e segundo as quais os governantes lidem com eles. Ora, o Rei supremo e universal decretou e publicou as melhores leis para o governo do mundo moral, e particularmente da raça humana. Que a terra então se regozije por Deus ter revelado claramente a Sua vontade para nós e não nos deixado em perplexidades inextricáveis a respeito de nosso dever para com Ele e a humanidade... Novamente, "regozije-se a terra", que estas leis sejam adequadamente aplicadas com sanções adequadas. As sanções são como convêm a um Deus de sabedoria infinita, poder supremo, justiça inexorável, santidade sem mácula e bondade e graça infinitas, e agradáveis à natureza de criaturas racionais, formadas para uma duração imortal. Que a terra se regozije pelo fato das leis divinas alcançarem o homem interior e por terem poder sobre o coração e a consciência dos homens. As leis humanas só podem suavizar nossa conduta exterior, na melhor das hipóteses, mas o coração, entretanto, pode ser desleal e perverso. Ora, este defeito é suprido pelas leis do Rei do Céu, que são espirituais. Elas exigem uma uniformidade completa e coerência conosco, para que coração e vida possam se harmonizar e, portanto, ser estruturados sabiamente e nos tornar inteiramente bons. II. O Senhor reina pela Sua providência, "*regozije-se a terra*". A providência de Deus é muito bem descrita em nosso discipulado menor, "É a sua mais santa, sábia e poderosa preservação e governo de todas as suas criaturas, e de todas as suas ações". "O Senhor reina" sobre os reinos da terra e administra todos os Seus negócios segundo a Sua soberana e sábia vontade e faz o mesmo pela Sua igreja. Ele pode reduzir a confusão à ordem, fazer a cólera do homem redundar em Seu louvor e restringir o restante dela. III. O Senhor reina sobre um trono de graça! "*regozije-se a terra*". Era o governo mediador do Messias que o salmista tinha em vista mais imediatamente, e esta é a principal causa de gozo para a terra e seus habitantes pecaminosos. IV. E, por fim, o Senhor reinará, em breve, sobre *um trono de juízo universal*, visível para o universo reunido, "*regozije-se a terra, alegrem-se as muitas ilhas*". — *Resumo de um sermão de Samuel Davies, 1724-1761*

v. 1: "Regozije-se a terra". A terra é chamada a se regozijar porque o Senhor reina; e ela bem poderá regozijar-se, no dia de seu engrandecimento e emancipação final do mal, que parece ser aqui expressado — um dia de juízo e, portanto, também um dia de terror e destruição para os inimigos de Deus e da bondade, um dia em que, na Sua presença, "os elementos, ardendo, se desfarão", mas Sua justiça e glória serão manifestadas à vista de todas as pessoas. Então os homens mundanos, que servem a ídolos, amando mais a criatura do que o Criador, serão confundidos e destruídos; mas então, também, os justos levantarão as suas cabeças e se regozijarão por causa dos juízos do Senhor. — *Thomas Chalmers*

v. 1: "A multidão das ilhas". Na Sinopse de Poole encontramos, provenientes das várias interpretações, de diferentes autores, que a palavra pode significar regiões marítimas, lugares além do mar aos quais geralmente se chegava por navios, e todos os países limítrofes ao oceano. — *C. H. S.*

v. 1: "As ilhas". Figuradamente, as ilhas podem ser consideradas todas as igrejas. Por que ilhas? Porque as ondas de todas as tentações rugem ao redor delas. Mas, assim como uma ilha pode ser golpeada por todos os lados pelas ondas que se arremessam contra ela e não se quebrar, mas na verdade ela mesma quebra as ondas ao invés de ser quebrada por elas, assim também as igrejas de Deus, que brotam por todo o mundo, sofrem as perseguições dos ímpios, que rugem em volta delas por todos os lados; e vede, as ilhas mantêm-se firmes e por fim o mar se acalma. — *Agostinho*

v. 1: Prestes a embarcar como enviado de Cromwell à Suécia, em 1653, Bulstrode Whitelock tinha a mente inquieta enquanto descansava em Harwich na noite anterior, que estava muito tempestuosa, pensando no perturbado estado da nação. Aconteceu que um criado de confiança estava deitado em uma cama vizinha e, percebendo que o patrão não conseguia dormir, por fim perguntou:

— Por favor, senhor, dá-me permissão para fazer uma pergunta?

— Certamente.

— Diga-me, o senhor acha que Deus governou muito bem o mundo antes que o senhor chegasse nele?

— Sem dúvida.

— E diga-me, o senhor acredita que Ele o governará igualmente bem da mesma maneira quando o senhor partir?

— Certamente.

— Então, diga-me, com seu perdão, mas o senhor não acha que pode ter a confiança de que Ele o governe igualmente bem enquanto viver?

Para esta pergunta Whitelock não teve o que responder; ele se virou e logo adormeceu profundamente, até ser chamado para embarcar. — *G. S. Bowes in "Illustrative Gatherings", 1862*

v. 2: "Nuvens e obscuridade estão ao redor dele". A linguagem figurada nas passagens poéticas do Antigo Testamento muitas vezes é tirada dos livros históricos e refere-se aos fatos ali registrados; assim, a aparição de Deus aos santos e patriarcas nos velhos tempos é a origem da figura em nosso texto. Se você examinar a história destas aparições, descobrirá que todas eram acompanhadas de nuvens e obscuridade. A nuvem do Senhor ia diante dos filhos de Israel quando eles partiram da terra da escravidão. A nuvem tinha um lado escuro e um brilhante e era um símbolo da presença divina. Assim, ela precedia o povo em todas as suas marchas, como um pilar de fogo à noite e como uma nuvem durante o dia. Quando Salomão dedicou o templo, a glória do Senhor encheu a casa e o sacerdote não conseguia entrar na casa do Senhor porque a glória do Senhor enchia a casa. Quando Deus desceu no Monte Sinai, "houve trovões e relâmpagos sobre o monte, e uma espessa nuvem, e um sonido de buzina mui forte... E todo o monte Sinai fumegava, porque o Senhor descera sobre ele em fogo; e a sua fumaça subia como fumaça de um forno, e todo o monte tremia grandemente. E, descendo o Senhor sobre o monte Sinai, sobre o cume do monte..". (Êx 29.16,18,20). Quando nosso Salvador se transfigurou diante de três dos Seus discípulos, "uma nuvem luminosa os cobriu" e desta partiu a voz do Pai, dizendo: "Este é o meu Filho amado, em quem me comprazo; escutai-o". E Pedro, que estava presente, ao se referir ao fato posteriormente, diz que a voz vinha "da magnífica glória". Assim, em todos os símbolos da presença divina, havia uma mistura de esplendor com trevas e obscuridade. Assim é nas operações da Providência: em um sentido moral e figurativo, podemos dizer que nuvens e obscuridade circundam todas as operações do poder divino e da sabedoria divina.

As nuvens são emblemas de obscuridade; a escuridão, de aflição. As obras da providência de Deus muitas vezes são obscuras e provocam aflição na humanidade, embora a justiça e o juízo sejam a base do Seu trono. — *Robert Hall*

v. 2: "Nuvens e obscuridade estão ao redor dele". Deus governa o mundo misteriosamente. Assim como há mistérios na palavra, assim há nas obras de Deus; δυσνόητά, "pontos difíceis de entender" (2 Pe 3.16), muitos enigmas que deixam perplexos e confusos homens que possuem os maiores e mais penetrantes intelectos: "Eis que, se me adianto, ali não está; se torno para trás, não o percebo. Se opera à mão esquerda, não o vejo; encobre-se à mão direita, e não o diviso. Mas ele sabe o meu caminho". Deus conhece nossos caminhos e conta nossos passos, mas o mais sábio dos homens não conhece todos os caminhos de Deus. Seu caminho é frequentemente pelo mar, e Ele faz das nuvens o Seu carro, de modo que Ele é invisível, não apenas na Sua essência, mas também no desígnio e intenção de Suas operações. Mesmo aqueles que o veem com os olhos da fé, não podem vê-lo com os olhos do entendimento, de modo a discernir Seu caminho e para onde Ele está indo. Paulo nos assegura: "Quão insondáveis são os seus juízos, e quão inescrutáveis, os seus caminhos!" (Rm 11.33). Alguns de Seus caminhos, na verdade, são evidentes, claros e fáceis de discernir; podemos, assim que os vemos, descrevê-los satisfatoriamente; podemos ler neles justiça, equidade, misericórdia, bondade, amor, porque estão escritos em letras bem legíveis e com raios de luz, para que o possa ler o que correndo passa. Mas outros caminhos de Deus são sombrios e obscuros, de modo que estão fora de nosso alcance e acima da nossa visão. Aquele que os trilha, procurando rastrear a Deus pode logo se perder. São como a escritura na parede, que nenhum dos sábios de Belsazar conseguiu ler ou interpretar (Dn 5.8). Existem *arcana imperii*, "segredos de estado e governo", que não são próprios para se comunicar abertamente. Mas este pode ser nosso conforto: embora Deus não ofereça nenhuma descrição de Suas questões (pois Ele não é obrigado a fazê-lo), Ele pode dar uma descrição muito boa e satisfatória delas, e um dia o Seu povo será introduzido no mistério, e, embora não saibam agora muitas coisas que Ele faz, admiram as coisas, tanto a razão como o fim delas. Eles então serão perfeitamente reconciliados com todas as providências e verão que todas eram dignas de Deus, e que em tudo Ele agiu θεοπρεπῶς, "como elevadamente lhe convinha". — *Samuel Slater* (1704) *na obra "The Morning Exercises"*

v. 2: Por mais desprezível que o reino de Deus possa parecer ao mundo, ele ainda está cheio de majestade celestial: "Nuvens e obscuridade estão ao redor dele". A glória do reino de Cristo é insondável e está oculta aos olhos do mundo, que não consegue discernir as coisas de Deus a menos que Ele as revele e lhes abra os olhos do entendimento: *"Nuvens e obscuridade estão ao redor dele". — David Dickson v. 2:* "Obscuridade". Este e os quatro versículos seguintes têm uma semelhança notável com a pompa solene da marcha de Deus, como descrita nos Sl 18.8,9 e 68.8. Todos os fenômenos temíveis e a sucessão meteórica da natureza aparecem: trovões e relâmpagos, e terremotos e vulcões, com rios de lava derretida, como rios de cera derretida. Contudo, tudo é justiça e equidade, alegria, exultação e glória, e apenas os ímpios — os adversários de Jeová — sentem os Seus juízos — a hoste de ídolos e seus adoradores embrutecidos. — *John Mason Good*

v. 2: "Justiça e juízo". *Justiça* é a perfeição essencial do Ser Divino. É a Sua natureza: ainda que não houvesse nenhuma criatura para governar, Ele teria tido um amor imutável e invencível pela retidão. *Juízo* é a aplicação do princípio da justiça no Seu governo das criaturas e suas ações; é a revelação de Sua retidão na administração dos negócios do Seu grande império, é a superintendência de tudo, por meio da qual as operações de todas as coisas são dirigidas, para um vasto e importante fim. O juízo implica medida e equidade, em oposição ao que é feito sem regra e consideração. Toda a conduta divina é equitativa, regulada pela retidão e tudo é dirigido por um juízo que não pode errar. — *Robert Hall*

v. 2: "Justiça e juízo", etc. Quando a misericórdia e a graça do nosso Rei celestial são descritas, Ele é comparado com o sol que brilha em um firmamento claro e alegra a natureza universal com seus raios benéficos. Mas quando concebemos uma ideia dela, avançando, em justiça e juízo, para desbaratar e punir s/Seus adversários, as imagens então são emprestadas de um céu turbulento; Ele é retratado rodeado de nuvens e obscuridade, das quais saem relâmpagos e trovões, tempestades e tormentas, assustando e confundindo os ímpios e os impenitentes. — *Samuel Burder*

v. 2: O Senhor administra Seu reino e governo com perfeita equidade. *"Justiça e juízo são a base do seu trono". Justiça*, por meio da qual Ele preserva, salva e recompensa os bons; *juízo*, por meio do qual Ele pune, confunde e destrói os maus: estas são *"a base do seu trono"*, Seu tribunal, a sede de Sua judicatura. A justiça e o juízo são a base de sua fundação, que dão ao seu trono *rectitudinem et stabilitatem*, "retidão e estabelecimento". Seu trono está estabelecido na justiça, e "o cetro do Seu reino *é* um cetro de equidade": apesar de haver nuvens, não há máculas; apesar de haver escuridão, não há deformidades (Sl 92.15). Desde a criação, todas as coisas foram feitas com exatidão impecável, e se o mundo fosse começar novamente e novamente se atuasse sobre os seus negócios, não haveria alteração sequer de um til. Tudo foi tão bem que nada pode ser consertado. Aquelas passagens sombrias e obscuras da Providência, diante das quais os homens ficam atônitos e com as quais todos os homens se deparam, são golpes excelentes e curiosos e, como muitas sombras bem colocadas, louvam a obra e destacam admiravelmente a beleza da Providência. — *Samuel Slater*

v. 2:

O firme decreto de Jeová, apesar de envolto em noite,
Irradia em meio à escuridão, uma luz constante;
A sorte obscura do homem encontra-se na escuridão,
Invulnerável os olhos mortais:
As justas determinações de sua mente elevada
Uma consumada glória encontra;
Apesar de entronizado em majestade
Grossas nuvens e escuridão o rodeiam,
Enquanto, da torre do céu, Seus olhos
Examinam a impiedade audaz do homem;
Até que se manifeste a Sua ira amadurecida, voltada para a vingança,
Ele arma cada deus para o castigo
E de Seu elevado e santo trono
Manda descer seus horríveis julgamentos.
— *Ésquilo (tradução para o inglês, de R. Potter, 1808)*

v. 3: "Adiante dele vai um fogo". Como um marechal ou uma guarda avançada diante de uma presença real, como os homens de dardos precedem um juiz. O fogo é o sinal da graça e da ira (Êx 3.2; Sl 18.9). A majestade é amplamente manifestada nestas duas exibições da Divindade. — *C. H. S.* de *Poli Synopsis*

v. 3: "Adiante dele vai um fogo". Este é o fogo que Cristo veio trazer à terra, a chama do Espírito Santo, que desceu como línguas de fogo no Pentecostes, para queimar livremente por todo o mundo, para a destruição dos descrentes obstinados e a purificação dos que receberem alegremente a Palavra. E disto o profeta falou, dizendo: "Enviarei um fogo sobre Magogue e entre os que habitam seguros nas ilhas; e saberão que eu sou o Senhor" (Ez 39.6). Esta chama divina ainda vai adiante da face do Senhor em Sua vinda a toda alma fiel, inflamada por um forte anseio por ela, e queima todos os pecados, enquanto se amontoam brasas de fogo sobre a sua cabeça, para suavizá-la e purificá-la. "Assim tem de ser", ensina um grande santo,[1] "que o fervor do santo desejo deve ir diante de sua face para toda alma à qual Ele pretende vir, uma chama que queimará toda a doença do pecado e preparará um lugar para o Senhor. E então a alma sabe que o Senhor está perto, quando se sente inflamada por aquele fogo e diz com o profeta: "Incendeu-se dentro de mim o meu coração... então falei com a minha língua" (Sl 39.3). — *Agostinho, e outros, citado por Neale e Littledale*

v. 3: "Adiante dele vai um fogo". Não há menos, porém há mais ira acompanhando os que desprezam o Evangelho, do que se pode constatar na vida daqueles que desprezaram a lei (Hb 12.29). — *David Dickson*

v. 4: "Os seus relâmpagos alumiam o mundo". Esta passagem é aplicada por Munster ao rápido crescimento do reino de Cristo: pois o som do Evangelho espalhou-se pelo mundo como relâmpago. Há uma previsão quase nesse sentido em Zc 9.14: "As suas flechas sairão como o relâmpago; e o Senhor Jeová fará soar a trombeta". — *Martin Geier*

v. 4: "A terra viu e tremeu". O simples fato de *ver* o Senhor faz a terra tremer (Sl 77.16). — *A. R. Faussett*

v. 5: "Os montes se derretem como cera na presença do Senhor". Como uma passagem paralela, veja Mq 1.4. Ali as palavras são aplicadas ao juízo de Deus prestes a se abater sobre o *povo da aliança*: aqui eles são aplicados ao julgamento do *mundo que se opõe a deus*. O fato de que "comece o julgamento pela casa de Deus" é um sinal de que julgamentos de um tipo mais destrutivo surpreenderão "os (abertamente) ímpios e pecadores" (1 Pe 4.18). *"Os montes"* simbolizam as alturas do orgulho do homem por causa do intelecto, da riqueza e do poder. — *A. R. Faussett*

v. 5: "O Senhor de toda a terra". Neste título está ocultada a razão para a liquefação dos montes, pois o Deus que aqui se manifesta é Aquele que criou a terra e, portanto, é capaz de reduzi-la a nada. — *Martin Geier*

v. 6: "O céu declara", etc. Ele não diz que os céus exercem, mas que declaram sua justiça. Ao olhos dos maus, a justiça de Deus está oculta, até que se manifeste em um milagre espantoso.

"Os céus." Esta frase não diz que *Deus* anuncia, mas que *os céus* anunciam a Sua justiça. A criatura é a serva na qual a justiça de Deus é revelada.

"Sua justiça." Ele não diz que os céus anunciam a *nossa* justiça, mas a justiça *dEle*. Elas testemunham que Deus é um juiz justo, não que os próprios santos sejam justos.

"Todos os povos." Não são apenas os maus (aqueles monstros opressivos) que veem, mas todos os povos. Deus revela a Sua glória de modo que não apenas os maus que são punidos possam vê-la, mas de modo que os outros mortais também possam vê-la, para sua edificação.

---

[1] S. Bernard.

Eles “veem”. Eles não apenas ouvirão ou saberão, mas verão. Esta é, finalmente, uma poderosa e convincente demonstração da justiça de Deus, que é colocada diante dos olhos de todos os povos.

“Sua glória.” Eles veem não meramente a destruição dos ímpios e a vingança contra os inimigos de Deus, mas a Sua glória, pois, na destruição dos ímpios e na libertação dos inocentes, a glória de Deus se declara. Portanto, o profeta se regozija não tanto com a destruição dos maus, mas com a glória de Deus. — *Musculus*

v. 7: “Confundidos (ou, envergonhados) sejam todos os que servem a imagens de escultura”, etc. Embora os amantes de imagens não apenas as sirvam, mas também defendam o uso de imagens no exercício da religião e gloriem-se nelas, eles por fim se envergonharão de sua vanglória. — *David Dickson*

v. 7: “Prostrai-vos diante dele todos os deuses” ou “Que todos os anjos de Deus o adorem”. O próprio tema do Salmo deixa manifesto que nele o Espírito Santo trata da vinda do primogênito de Deus ao mundo e o estabelecimento de Seu reino nele. Descreve-se um reino no qual Deus reina, que deve destruir a idolatria e a falsa adoração, um reino no qual as ilhas dos gentios devem regozijar-se porque são chamadas a participar dele, um reino que seria pregado, proclamado, declarado, para o aumento da luz e da santidade no mundo, com a manifestação da glória de Deus até os confins de toda a terra: todas as partes da terra pertencem ao reino de Cristo, e esta totalidade expressa no Salmo é uma profecia da vinda do primogênito ao mundo. Nossa investigação é se é aos anjos que se faz referência nestas palavras. Elas são כָּל־אֱלֹהִים, *omnes dii*, e assim são traduzidas por Jerônimo, *Adorate eum, omnes dii*; e pela nossa versão autorizada: *“Venerai-o, todos vós, deuses”.* As palavras precedentes são, *“Confundidos sejam todos os que servem a imagens de escultura”*, הַמִּתְהַלְלִים בָּאֱלִילִים, *“que se gloriam de ídolos inúteis”*, *“vaidades”*, que é o significado da palavra, ao que se segue a apóstrofe: *“Prostrai-vos* [כָּל־אֱלֹהִים] *diante dele todos os deuses”.* E a nossa presente indagação é: quem são estes deuses? Alguns, como os modernos judeus, dizem que a referência é aos deuses dos gentios, que eles veneram, tornando אֱלֹהִים e אֱלִילִים, *“deuses”* e *“ídolos inúteis”*, termos equivalentes nesta passagem.

Mas (1) não é possível que o salmista exorte os ídolos dos pagãos, alguns dos quais eram *demônios*, alguns *homens mortos*, outras *partes inanimadas da criação*, a prostrarem-se diante do Deus que reina sobre todos. Portanto, o targumista, vendo a vaidade dessa interpretação, perverte as palavras e as traduz da seguinte forma: *“Prostrai-vos diante dele, todos vós, nações que servem a ídolos”.*

(2) אֱלֹהִים, “Elohim”, neste lugar, está tão longe de ser a exegese de אֱלִילִים, “deuses” ou “ídolos inúteis”, que é colocado em oposição direta à palavra, como fica evidente a partir das próprias palavras.

(3) A palavra Elohim, que mais frequentemente denota o verdadeiro Deus, nunca significa nem é considerada absolutamente como significando *falsos deuses* ou ídolos quando está sozinha, mas apenas quando junto de outra palavra revelando sua aplicação, como *o deus dele* ou *os deuses deles* ou *os deuses deste ou daquele povo*, caso em que às vezes é traduzida pela LXX como εἴδωλον, um “ídolo”, às vezes como χειροποίητον, um “ídolo feito por mãos”, às vezes como βδέλυγμα, uma “abominação”. Aqui, porém, não há tal limite ou restrição.

Ao passo que, portanto, há algumas criaturas que, em virtude de alguma excelência peculiar ou semelhança com Deus, ou subordinação a Ele no seu trabalho, são chamadas deuses, e devem ser a elas, ou a algumas delas, as referências contidas na expressão. Ora, estas são *magistrados* ou *anjos*.

(1) Em algumas passagens, os *magistrados* são chamados *elohim*, por causa da representação que fazem de Deus em seu poder e em sua subordinação peculiar a Ele em sua atuação. Os judeus, na verdade, argumentam que nenhum outro magistrado, mas apenas os do grande sinédrio são chamados deuses em alguma passagem, mas isto não nos interessa em nossa presente indagação. Alguns magistrados são

assim chamados, mas não é a nenhum deles que o salmista se refere, já que não há ocasião para que ele use tal apóstrofe para eles.

(2) Os anjos são chamados *elohim*: Λεγόμενοι θεοὶ (1 Co 8.5). O nome de Deus é atribuído a eles e é a eles que o salmista fala. Tendo chamado toda a criação a regozijar-se com a vinda do reino de Deus e tendo dirigido sua exortação às coisas da terra, ele se volta para os anjos ministradores e os chama a cumprir seu dever para com o Rei desse reino. Portanto, o targumista, no início do Sl 96 mencionou expressamente "seus anjos elevados", unindo-se a seu louvor e adoração, usando a palavra grega ἄγγελος com a finalidade de se fazer distinção, já que, no mesmo relato, ela ocorre frequentemente no Targum.

Assim, evidenciamos aqui que o salmo trata da vinda do primogênito ao mundo, e também que aos anjos ministradores se ordena que o adorem. — *John Owen*

v. 8: "Sião ouviu", etc. Mas por que, pode-se perguntar, ele fala destas coisas sendo *ouvidas* ao invés de *vistas*? Duas razões podem ser dadas para isto. Primeiro, ele queria que o povo crente de Deus antecipasse a bênção pela esperança, antes que a consumação dela chegasse, e, novamente, a linguagem sugere que a glória do Evangelho se espalharia para lugares tão distantes que os judeus ouviriam relatos sobre ela antes que a testemunhassem com seus próprios olhos. — *João Calvino*

v. 8: "As filhas de Judá se regozijam" (ARA). Davi alude a um costume conhecido na Judeia, de formar grupos corais de donzelas após alguma vitória ou circunstância feliz. Assim, após a passagem do Mar Vermelho, quando os egípcios foram afogados e o povo de Deus foi deixado em segurança na margem, Miriã, a profetisa, irmã de Arão, tomou o tamboril na sua mão, e todas as mulheres saíram atrás dela com tamboris e com danças dizendo: "Cantai ao Senhor, porque sumamente se exaltou e lançou no mar o cavalo com o seu cavaleiro". Quando Golias foi morto por Davi, é dito em 1 Sm 18.6,7: "Quando Davi voltava de ferir os filisteus, as mulheres de todas as cidades de Israel saíram ao encontro do rei Saul, cantando e em danças, com adufes, com alegria e com instrumentos de música. E as mulheres, tangendo, respondiam umas às outras e diziam: Saul feriu os seus milhares, porém Davi, os seus dez milhares". — *Le Blanc*

v. 10: "Vós que amais ao Senhor, aborrecei o mal". Fica evidente que a nossa conversão é sadia quando abominamos e odiamos de coração o pecado: um homem pode saber se seu ódio ao mal é verdadeiro, certificando-se, em primeiro lugar, se ele é universal: aquele que odeia verdadeiramente o pecado odeia todo pecado. Em segundo lugar, verificando se o ódio verdadeiro é fixo; não há como aplacá-lo a não ser abolindo a coisa odiada. Em terceiro, examinando se o ódio é uma afeição mais enraizada do que a raiva: a raiva pode ser aplacada, mas o ódio permanece e coloca-se contra o tipo inteiro. Em quarto lugar, observando se o nosso ódio é verdadeiro, se o for odiamos o mal primeiro em nós mesmos e depois nos outros; quem odeia um sapo, odiaria ainda mais se ele estivesse em seu seio. Muitos, como Judá, são severos na censura aos outros (Gn 38.24), mas parciais consigo mesmos. Em quinto lugar, quem odeia o pecado verdadeiramente, odeia o pecado na máxima medida, odeia todo mal em justa proporção. Em sexto lugar, nosso ódio só será correto se pudermos suportar a advertência e a repreensão pelo pecado sem sentir raiva; portanto, aqueles que se indignam contra a repreensão não parecem odiar o pecado. — *Richard Sibbes*

v. 10: "Aborrecei o mal". O pecado parece derivar seu nome de שָׂנֵא, *śānē'* (a palavra usada aqui) porque é o que mais deve ser odiado como o mal maior, como aquilo que mais nos afasta de Deus, o bem maior. — *John Trapp*

v. 10: Consiga graças mortificantes, especialmente o amor a Deus, pois *os que amam ao Senhor odiarão o pecado*. E quanto mais o amarem, mais odiarão o pecado. — *David Clarkson*

v. 10: Deus é Espírito e cuida dos nossos próprios espíritos, e o que somos em nossos espíritos, em nossos corações e afeições, é o que somos para Ele. Portanto, ao odiarmos o mal, devemos evitá-lo de todo o coração, odiando-o primeiro. Um homem pode evitar uma ação má por medo ou por outros motivos, mas isso não é sinceridade. Portanto, examine o teu coração, assegura-te de que odeias o mal e que isso vem do teu cuidado sincero para com Deus. "Vós que amais ao Senhor, aborrecei o mal", disse Davi. Não devemos apenas para evitá-lo, mas odiá-lo, e não apenas odiá-lo, mas odiá-lo por amor a Deus. — *Richard Sibbes*

v. 10: "Aborrecei o mal".

Luciano. Sou um inimigo declarado de toda falsa aparência, todo charlatanismo, toda mentira e toda vaidade. Sou um amante da verdade, da beleza, da natureza sem disfarce, em resumo, de tudo o que é amável.

Filosofia. Amar e odiar, dizem, vem de uma mesma fonte.

Luciano. Isso, oh, Filosofia, deve ser do seu conhecimento. Meu negócio é odiar o mau e amar e elogiar o bom, e a isso me atenho. — *Luciano. Piscat. c. 8*

v. 10: "Ele guarda a alma dos seus santos". Observemos que há a proteção divina consiste de duas partes — preservação e libertação. A preservação é guardar, para que não fiquemos em perigo; a libertação refere-se aos que já estão em perigo. O pastor mantém seu rebanho para que ele não caia entre os lobos; mas se as suas ovelhas caírem nas garras do lobo, ele o persegue e as liberta. O profeta exibe ambas as partes, persuadindo-nos de que é o Senhor quem guarda a alma dos seus santos para que não caiam nas mãos dos ímpios e maus; e se caírem, Ele os libertará. — *Musculus*

v. 11: "A luz semeia-se". זָרֻעַ aqui não significa semeado = espalhado pela terra, mas espalhado ao longo do caminho da vida, para que ele, o justo, avance passo a passo na luz. Hitzig corretamente compara com κίδναται, σκίδναται, usados para a aurora e o sol. Do primeiro, Virgílio também diz, *Et jam prima novo spargebat lumine terras*. — *Franz Delitzch*

v. 11:

"A luz semeia-se".
E agora, na Aurora, do leito de açafrão
De seu Titono erguendo-se, semeou a terra
Com luz orvalhada.
— *Tradução de Virgílio por C. R. Kennedy*

v. 11:

"A luz semeia-se".
Agora, de Manhã, com seus passos róseos nesta região oriental
Avançando, semeou a terra com pérolas do oriente.
— *John Milton*

v. 11: "A luz semeia-se para o justo". A maioria dos homens conscienciosos cresce na fé e no discernimento espiritual muitas vezes duvidando e esclarecendo suas dúvidas. O pensamento religioso, desta maneira, torna-se um sentimento pessoal, e, a rocha sólida da convicção mais verdadeira e da confiança mais profunda, torna-se como um fundamento firme para a alma nele construir para a eternidade. Esta ainda permanece depois que a abrasão dos materiais soltos e mais perecíveis ocorre por meio da especulação. Uma revelação diferente, se não mais verdadeira, das realidades celestiais nos é dada mais por meio do processo perturbador da dúvida do que por meio do brilhante e jubiloso exercício da fé sem hesitação; assim como o nosso conhecimento da química do sol e das estrelas, da constituição física de mundos distantes, deriva não das faixas brilhantes do seu espectro (que revela apenas seu tamanho e forma), mas das maravilhosas linhas de Fraunhofer — aqueles espaços negros vazios que cortam as faixas do espectro — que nos falam de raios detidos em seu caminho e impedidos de nos trazer suas mensagens por vapores metálicos particulares. Para os retos, justamente por causa da pureza e integridade de seus motivos e da seriedade de sua busca pela verdade, nasce luz nas trevas. Devemos nos lembrar de que "a luz *semeia-se* para o justo"; que sua germinação mais ou menos rápida depende da natureza do solo em que ela cai e as circunstâncias que a influenciam; que, como a semente, ela, no início, jaz oculta no sulco escuro, sob o torrão soturno, no inverno triste, mas que mesmo então, enquanto brilha na escuridão, enquanto luta com dúvidas e dificuldades da mente e do coração, não obstante, é a fonte de muito conforto, e, no seu lento, animador e oculto crescimento é a causa de uma esperança viva e de brilhante antecipação do tempo em que vai florescer e amadurecer no verão do céu — brilhando mais e mais até ser dia perfeito. — *Hugh Macmillan, in "The Ministry of Nature", 1871*

v. 11: "A luz semeia-se para o justo": ela é semeada nestes dois campos: 1. *Do decreto eterno de Deus*, no seu poder, promessa, graça e amor. Estas são as "fontes superiores". 2. No campo de suas *graças* e *deveres* sagrados; estas são as "fontes inferiores", ambas as quais desembocam em um rio, e "alegram a cidade de Deus"; estes dois campos produzem uma colheita farta de conforto para os santos. — *John Sheffield in "The Rising Sun", 1654*

v. 11: "Semeia-se". A colheita do homem justo é secreta e oculta. Ela jaz, como o grão coberto no solo; "sua vida está escondida" e "não é manifesto o que há de ser"; "As coisas que o olho não viu, e o ouvido não ouviu, e não subiram ao coração do homem são as que Deus preparou para os que o amam" (Cl 3.3; 1 Jo 3.2; 1 Co 2.9). Diga o nome do que quiser, e será um mistério, uma coisa secreta, que pertencerá aos retos de coração. Primeiro, não é o decreto de Deus uma coisa oculta? Uma profundidade insondável? E capaz de estarrecer um homem? Paulo não exclamou: "Ó profundidade das riquezas, tanto da sabedoria, como da ciência de Deus! Quão insondáveis são os seus juízos, e quão inescrutáveis, os seus caminhos!" (Rm 11.33). E não é a encarnação de Deus também um segredo? O que é mais admirável do que Deus tornar-se um homem e manifestar-se em carne? Os próprios anjos desejaram perscrutar este mistério (1 Tm 3.16; 1 Pe 1.12; Is 7.14). Novamente, a conversão e regeneração de um pecador são admiráveis; é um trabalho nobre, mas secreto. Nicodemos, um grande doutor, não conseguiu ver. E se nascimentos naturais são tão estranhos, como julgaremos este? Além disso, a paz de consciência e a alegria no Espírito Santo não são um assunto aberto; ninguém as conhece exceto quem as têm. Assim é o penhor do Espírito e o verdadeiro selo da salvação, o poder, a vida e a doçura da palavra, a remissão e o perdão do pecado, com a certeza da salvação. E, em quinto lugar, a colheita é secreta, mas se consideramos onde está crescendo. Um aspecto é *o propósito secreto de Deus*, e quem pode entendê-lo? Um segundo é a *Sua palavra*, e quão duramente ela deve ser investigada? Um terceiro é *o coração de um homem*, e não é este secreto e enganoso? E, por fim, a parte principal da colheita está *oculta com Cristo no céu*; e quando Ele surgir, esta será manifestada. — *John Barlow*

Os versículos 11 e 12 são ambos saborosos e preciosos *notanda*. — Dá-me experimentar, oh, Senhor, as revelações que seguem o séquito da obediência, e, oh, que eu sentisse o encanto e o fruir da santidade, de modo a agradecer, na reflexão de que, com um Deus santo, a santidade é um requisito indispensável para nos apresentarmos em Sua presença. Devemos ainda ser gratos por causa deste atributo essencial da Divindade, pois é em virtude da Sua santidade que o mal não pode habitar com Ele e que o mundo por fim será libertado; e isto trata, conclusivamente, da perversidade e da maldade e dos vis prazeres dos sentidos pelos quais o mundo se encontra agora tão inquieto e deformado. Apresse esta consumação, oh, Senhor. — *Thomas Chalmers*

v. 12: "Alegrai-vos... no Senhor". Devemos "nos regozijar sempre", pois até mesmo o lamento santo tem em si a semente da alegria, que a alma encontra quando este lamento acaba, e não durante este lamento. — *William Cooper* em *"Morning Exercises"*

v. 12: "Alegrai-vos... no Senhor". I. Alegrarmo-nos no Senhor denota nosso prazer sincero e cordial em qualquer coisa que se relacione com o Deus sempre bendito, particularmente Sua existência, perfeições e providência; as descobertas de Sua vontade para nós, especialmente em Sua palavra; o interesse que temos por Ele e o relacionamento que temos com Ele; Sua proteção, orientação e influência contínuas; Seu gracioso intercurso conosco nos deveres da adoração religiosa, e, finalmente, a esperança que Ele nos deu da plenitude da alegria, em Sua presença beatífica e gloriosa nas alturas. II. Alegrar-se no Senhor significa que nossa alegria em Deus é superior a todas as nossas outras alegrias; do contrário será uma alegria indigna dEle e sem nenhum proveito para nós e para nossa salvação. III. Seja com o que for que nos alegremos, devemos nos alegrar de tal maneira que possamos dizer que nos alegramos no Senhor, ainda que outras coisas sejam a fonte imediata da nossa alegria. O Deus que servimos não é um ser invejoso e malevolente, mas liberal e benigno; Ele nos criou com um desejo inextinguível de felicidade, como uma sugestão secreta de que a Sua vontade é nos fazer felizes, se não nos fizermos miseráveis; e, embora a nossa principal felicidade se encontre nEle e em nenhuma outra coisa ou criatura (no que Ele exibiu a singular consideração que tem por nossa natureza), Ele alimenta os nossos corações com mil riachos de alegria e satisfação nos objetos criados: nossos corpos são dotados de uma variedade de sentidos e apetites, e nossas almas são dotadas de poderes e faculdades próprias; nenhum sentido ou faculdade foi feito em vão ou para permanecer ocioso e inútil, mas a todo sentido, e muito mais a toda faculdade mental, foi dada não uma coisa, mas um grande número de coisas com que podemos nos entreter. Em vista disso, a alma não deve se perder neste labirinto de prazer, não deve deixar que esta variedade a desvie do único bem infinito, que eminentemente contém em si todos os vários tipos e graus da verdadeira alegria. — *Henry Grove, 1683-1737-8*

v. 12: "Alegrai-vos... e dai louvores". Duas coisas devem ser observadas: uma, que o salmista une a alegria no Senhor e o louvor a Deus, e o faz corretamente, pois não é possível um homem louvar ao Senhor verdadeiramente e com a alma, a menos que se alegre nEle. Outra coisa que deve ser observada, é que ele liga o louvor a Deus com a lembrança da Sua santidade. E com boa razão, pois o principal uso do louvor a Deus é que, pelo exercício do mesmo, conservemos vívida em nossa mente a lembrança de Deus e de todas as bênçãos recebidas dEle. Assim, este versículo contém a raiz e o fruto do louvor a Deus. A raiz é a alegria em Deus; o fruto é a lembrança de Deus e de Sua bondade. — *Musculus*

vv. 11 e 12: "A alegria [semeia-se] para os retos de coração... Alegrai-vos, ó justos". Alguns podem dizer que o homem íntegro ou *justo* pode assim alegrar-se; mas onde está ele? "Quem poderá dizer", diz Salomão: "Purifiquei o meu coração, limpo estou de meu pecado!"? Ninguém. "Não há homem justo sobre a terra, que faça bem e nunca peque". Pode parecer uma coisa vã exortar os homens a se alegrarem, uma vez que a condição que vem a seguir exclui a todos deste gozo. Qual é o propósito de incitar os *justos* a se alegrarem quando não há nenhum que possa se alegrar? A resposta está pronta, na parte final do versículo 11. São considerados justos todos aqueles que são "retos de coração", uma frase que é acrescentada em parte para excluir o hipócrita e em parte para temperar e qualificar o rigor do termo usado anteriormente, se fosse usado de forma estrita e exata. Deste modo, esta é uma nota tanto de *extensão*, como também de *restrição*. 1. De *restrição* para excluir desta alegria, e de todo direito a ela, todos os dissimuladores e todos os cristãos fingidos, todos os hipócritas de "coração oco", que se arrependem no rosto, mas não no coração, que "desfiguram o rosto, para que aos homens pareça que jejuam", diz o Salvador, que se justificam à vista dos homens; mas Deus vê seus corações e o que são, e vê que eles são bem diferentes do que deviam ser e do que fingem ser. 2. De *extensão* para estender e aumentar esta alegria, o fundamento dela e o direito a ela, a todos os que têm um coração simples e sincero, e, portanto, dar e proporcionar uma parcela e uma porção desta aos que são sinceramente justos na terra, assim como para os que são perfeitamente justos no céu. Esta é uma *chave* que permite o acesso de alguns, e, ao mesmo tempo, é um *ferrolho* que barra o acesso de outros. — *Thomas Gataker*

SUGESTÕES AOS PREGADORES

v. 1. A soberania de Deus, um tema para alegria em muitos aspectos e para muitas pessoas, especialmente quando exibida no reino da graça.

vv. 3 a 6. Os acompanhamentos do advento do Evangelho de Cristo. I. O fogo do Seu Espírito. II. A luz da palavra. III. A comoção no mundo. IV. A remoção dos obstáculos. V. A exibição da glória divina.

vv. 4 e 5. I. Os terrores que acompanharam a entrega da lei; "seus relâmpagos", etc. II. As razões para esses terrores. 1. Mostrar a culpa do homem. 2. Sua incapacidade de guardar a lei. 3. Mostrar sua necessidade de alguém que cumpra a lei em seu favor. — *G. R.*

vv. 4 a 6. Uma descrição da entrega da lei. I. Os arautos ou a *convicção* do legislador, v. 4. II. O efeito da Sua presença, ou a *contrição*, v. 5. III. A proclamação da lei, ou a *instrução* (como por uma voz do céu, v. 6).

IV. O efeito da entrega da lei, ou *manifestação* divina (v. 6, última oração). — *C. D.*

v. 5. A presença de Deus na igreja é o poder invencível desta.

v. 6. A confusão do coração que decorrerá da adoração idólatra, mesmo que seja apenas espiritual. A quebra do ídolo, o desapontamento com ele, o prejuízo causado por ele, a remoção dele, etc.

v. 8. I. O mundo se aterroriza com os juízos divinos. II. A igreja se alegra neles, "Sião ouviu", etc.; ou, I. Quando o mundo se alegra, a igreja se entristece. II. Quando o mundo se entristece, a igreja se alegra. — *G. R.*

v. 10. I. O que deveis fazer agora: — "Amai ao Senhor". Reciprocamente, pessoalmente, habitualmente, progressivamente. II. O que deveis fazer: — "Aborrecei o mal". Não agir mal, não escrever mal, não falar mal, não pensar mal; renunciar ao mal, dominá-lo, suplantá-lo. — *W. J.*

v. 10. I. A peculiaridade distintiva do povo de Deus: "Vós que amais o Senhor". II. Sua manifestação: "Aborreça o mal". III. Sua recompensa: "Ele guarda", etc.; "Ele livra", etc. — *G. R.*

vv. 10 e 11. Davi observa em Deus três características de um verdadeiro amigo: Primeiro, com fidelidade e boa vontade, Ele guarda a alma dos santos. Segundo, com Seu poder e majestade, Ele os livra dos seus inimigos. Terceiro, com Sua sabedoria e santidade, Ele os ilumina e revigora. — *Le Blanc*

v. 11. I. *Onde é semeada?* A resposta a isto virá sob os seguintes títulos, a saber: No propósito de Deus, na aquisição de Cristo, no ofício do Espírito, nas promessas da Palavra, na obra da graça operada no coração, e nos preparativos feitos nas alturas em glória. II. *Quando é a estação da cega?* E para esta pergunta a resposta é: A estação de colher os primeiros frutos, de colher em parte, é em certos tempos da presente vida; a estação de colher mais plenamente é na morte. E de colher mais plena e perfeitamente começa no dia do juízo e continua pela eternidade. 1. A estação de colher ocorre, em parte, em alguns momentos no curso desta vida. Particularmente, (1) Momentos de aflição, para os justos, têm sido estações para colher a alegria semeada. Por ela eles foram preparados para os sofrimentos, foram apoiados durante os mesmos e por ela esqueceram as dores, em virtude da alegria que irrompe, vinda da descoberta comovente do que Deus fez por eles e do que operou neles. Portanto, Deus faz a luz nascer nas trevas e nos revigora em um dia chuvoso com um raio do céu, iluminando as gotas que caem, e traz o Seu povo para o deserto e ali fala com ele. (2). Estações de sofrer por causa de Cristo e do

Evangelho têm sido estações em que os justos começam a colher a alegria semeada. Quando chamados a resistir até o sangue, lutando contra o pecado, precisam de um conforto mais do que comum, para capacitá-los a enfrentar a prova de fogo e a manterem-se firmes; e eles descobrem que o encorajamento fora produzido em um grau como nunca antes haviam experimentado (Jo 16.33). (3) Estações em que Deus chamou os justos para um serviço grandioso e difícil têm sido estações de colher as primícias das alegrias semeadas. Quando seu Pai celestial os ilumina com a luz de Seu semblante e derrama a percepção do Seu amor, eles são preparados para ir onde Ele os enviar e a fazer tudo que Ele lhes pedir. (4). Após árduos conflitos com Satanás, os justos são renovados quando a alegria semeada germina. Depois de Cristo ser tentado, um anjo foi confortá-lo. E para o encorajamento de Seus seguidores, Ele declara (Ap 2.17): "Ao que vencer darei eu a comer do maná escondido e dar-lhe-ei uma pedra branca, e na pedra um novo nome escrito, o qual ninguém conhece senão aquele que o recebe". (5). 1. Ao servir a Deus no santuário, os justos o encontraram e tiveram as primícias da alegria semeada. 2. Um tempo de colheita mais pleno ocorrerá por ocasião da morte; para alguns no momento em que a alma se for, mas, para todos, imediatamente após ela se libertar do corpo. 3. A estação em que os justos colherão a sua alegria semeada na plenitude e na perfeição será no último dia. Então, Cristo será glorificado nos seus santos e se fará admirável em todos os que creem, e os conduzirá, todos juntos, todos eles tornados perfeitos, até à presença de Deus, onde há abundância de alegrias e onde há delícias perpetuamente. — *Daniel Wilcox*

v. 12. *Dai louvores em memória da sua santidade.* Seja grato pela santidade divina: 1. Por sua perfeição imaculada. 2. Por sua maravilhosa paciência. 3. Por seu lugar na nossa salvação. 4. Por sua acessibilidade por meio de Cristo. 5. Por seus triunfos preditos. — *W. J.*

v. 12. I. Uma lembrança pela qual o mundo não agradece.

II. Razões que a tornam uma questão de ação de graças por parte dos justos. Sua influência no caminho da salvação, nas doutrinas do Evangelho, na lei da vida cristã. — *C. D.*

SALMO 98

TÍTULO E TEMA

Esta ode sacra, cujo título é simplesmente, *Salmo*, segue adequadamente até o fim e evidentemente é parte integral da série dos Salmos reais. Se o Salmo 97 descrevia a propagação do Evangelho e, portanto, o estabelecimento do reino do céu, o presente salmo é um tipo de HINO DE COROAÇÃO, que proclama oficialmente o Messias conquistador como Monarca sobre as nações, com o soar de trombetas, aplausos e celebração de triunfos.É um cântico singularmente ousado e vivaz. Os críticos estabeleceram plenamente o fato de que expressões similares ocorrem em Isaías, mas não vemos nenhuma força na inferência de que, portanto, foi escrito por ele; com base nesse princípio, a metade dos livros escritos na língua inglesa poderiam ser atribuídos a Shakespeare. O fato é que estes salmos, associados, constituem um mosaico, no qual cada um deles tem um lugar adequado e é necessário à plenitude do todo e, portanto, cremos que todos eles são o trabalho de uma única e mesma mente. Paulo, se o entendemos bem, atribuiu o Salmo noventa e cinco a Davi, e, como acreditamos que o mesmo autor escreveu o grupo inteiro, também atribuímos este ao filho de Jessé. Seja com for, o cântico é digno de figurar entre as letras sagradas mais devotas e empolgantes.

DIVISÃO

Temos aqui três estrofes de três versículos cada. Na primeira, (vv. 1-3), o tema do louvor é anunciado; na segunda, (vv. 4-6), é prescrita a maneira desse louvor, e, na terceira, (vv. 7-9), é proclamada sua extensão universal.

EXPOSIÇÃO

1 *Cantai ao Senhor um cântico novo, porque ele fez maravilhas; a sua destra e o seu braço santo lhe alcançaram a vitória.*
2 *O Senhor fez notória a sua salvação; manifestou a sua justiça perante os olhos das nações.*

3 *Lembrou-se da sua benignidade e da sua verdade para com a casa de Israel; todas as extremidades da terra viram a salvação do nosso Deus.*

1. *"Cantai ao Senhor um* cântico novo, *porque ele fez maravilhas."* Tivemos um cântico novo antes (Sl 96) porque o Senhor estava vindo, mas agora temos outro cântico novo porque Ele veio, viu e conquistou. Jesus, nosso Rei, viveu uma vida maravilhosa, morreu uma morte maravilhosa, ressuscitou de uma maneira maravilhosa e ascendeu maravilhosamente ao céu. Pelo Seu poder divino, Ele enviou o Espírito Santo a fazer maravilhas e por meio desse santo poder Seus discípulos também operaram maravilhas e assombraram toda a terra. Ídolos caíram, superstições murcharam, sistemas de erro fugiram e impérios de crueldade pereceram. Por tudo isto Ele merece o mais elevado louvor. Seus atos provaram sua Divindade, Jesus é Jeová e, portanto, cantemos a Ele como o Senhor.

"A sua destra e o seu braço santo lhe alcançaram a vitória"; não pela ajuda dos outros, mas pela Sua própria mão, desarmada, Suas conquistas maravilhosas foram conseguidas. O pecado, a morte e o inferno caíram sob sua intrepidez solitária, e os ídolos e erros da humanidade caíram por terra e foram abatidos apenas por Sua mão. As vitórias de Jesus entre os homens são ainda mais maravilhosas porque são realizadas por meios que, pelas aparências, são muitíssimo inadequados; elas não se devem à força física, mas à força moral – a energia da bondade, justiça, verdade; em uma palavra, a força do seu braço *santo*. Sua influência santa foi a única causa do sucesso. Jesus nunca se rebaixa ao uso da política ou da força bruta; Suas perfeições imaculadas asseguram-lhe uma vitória real e duradoura frente a todos os poderes do mal, e essa vitória é conquistada tão hábil e facilmente como quando um guerreiro golpeia o adversário com a sua *destra* e o estende no solo. Glória ao Conquistador, que novos cânticos sejam entoados em Seu louvor. Movida pela contemplação de Seus triunfos, nossa pena poderia deixar de louvá-lo no seguinte hino:

Rumo à batalha cavalga nosso Rei;
Ele sobe em Seu carro conquistador;
Ele posiciona as flechas na corda.
E, de longe, fere Seus inimigos.

Convicções perfuram os peitos mais robustos,
Eles sangram, desfalecem e morrem;
Mortos pelos dados certeiros do Emanuel,
Em montões desamparados eles jazem.

Vê, Ele desnuda a espada de dois gumes
E desfere golpes todo-poderosos
Sua palavra mortífera, que tudo revela,
Penetra por entre juntas e medulas.

Logo vestido com roupas de graça,
Ele cavalga a planície pisoteada,
Tendo a piedade brilhando em Seu rosto,
E a misericórdia em Seu cortejo.

Poderoso para salvar agora aparece,
Poderoso para ressuscitar os mortos,
Poderoso para estancar o sangue
E erguer a cabeça caída.

Vitorioso no amor e nas armas,
Miríades diante dEle se curvam;

São os encantos sem par do Conquistador;
Cada inimigo torna-se Seu amigo.

Eles o coroam no campo de batalha,
De todas as nações Rei;
Com trombetas e cornetas ruidosas,
Fazem a abóbada celeste ressoar.

A salvação que Jesus conquistou foi alcançada com maravilhosa sabedoria e, portanto, é atribuída à Sua mão direita; ela cumpre as exigências da justiça e, portanto, lemos sobre Seu braço santo; é o Seu trabalho que foi feito sem a ajuda de outrem e, portanto, toda a glória é atribuída exclusivamente a Ele; e é desmedidamente maravilhosa e, portanto, merece um cântico novo.

2. *"O Senhor fez notória a sua salvação"* – pela vida de Jesus e pelo derramamento do Espírito Santo, por cujo poder o Evangelho foi pregado entre os gentios. O Senhor deve ser louvado não apenas por efetuar a salvação humana, mas também por fazê--la conhecida, pois o homem nunca a teria descoberto por si mesmo; não, nem uma única alma encontraria sozinha o caminho da misericórdia através de um Mediador; em todo caso, é uma revelação divina para a mente e o coração. À luz de Deus, a Sua luz é vista. Ele deve revelar seu Filho em nós ou seremos incapazes de discerni-lo.

"Manifestou a sua justiça perante os olhos das nações." "Justiça", é a palavra favorita do apóstolo dos gentios; ele se apraz em deter-se no método do Senhor de tornar o homem justo e de vindicar a justiça divina pelo sangue da expiação. Que cânticos devemos oferecer, nós, que pertencemos a uma raça uma vez pagã, àquele bendito Evangelho, que "é o poder de Deus para salvação... porque nele se descobre a justiça de Deus de fé em fé". Isto não é nenhum segredo; é claramente ensinado nas Escrituras e foi claramente pregado entre as nações. O que estava oculto nos tipos é "manifestado" no Evangelho.

3. *"Lembrou-se da sua benignidade e da sua verdade para com a casa de Israel."* A eles Jesus veio em carne e a eles o Evangelho foi pregado pela primeira vez e, embora eles se julgassem indignos da vida eterna, a aliança não foi rompida, pois o verdadeiro Israel foi chamado à comunhão e assim permanece. A benignidade que dura perpetuamente e a fidelidade que não pode esquecer uma promessa asseguram à semente escolhida a salvação há muito garantida pela aliança da graça. *"Todas as extremidades da terra viram a salvação do nosso Deus."* A graça foi dada não para a semente de Abraão segundo a carne, mas para os eleitos entre todas as nações; portanto, que toda a igreja de Deus cante a Ele um cântico novo. Não foi uma pequena bênção ou milagre que, por todas as terras, o Evangelho se tornasse público em tão pouco tempo, com sucesso tão singular e com resultados tão permanentes.

O Pentecostes merece um cântico novo, assim como a Paixão e a Ressurreição – que nossos corações exultem ao nos lembrarmos disto. O *nosso* Deus, o nosso para sempre bendito Deus, foi honrado pelos que antigamente se curvavam diante de ídolos mudos; não se ouviu apenas falar da Sua salvação; ela foi vista entre todos os povos, ela foi experimentada, além de explicada; Seu Filho é o verdadeiro Redentor de uma multidão de todas as nações.

4 *Celebrai com júbilo ao Senhor, todos os moradores da terra; dai brados de alegria, regozijai-vos e cantai louvores.*
5 *Cantai louvores ao Senhor com a harpa; com a harpa e a voz do canto.*
6 *Com trombetas e som de buzinas, exultai perante a face do Senhor, do Rei.*

Nestes três versículos ensina-se como louvar ao Senhor.

4. *"Celebrai com júbilo ao Senhor, todos os moradores da terra."* Toda língua deve aplaudir e com tal vigor que a alegria do coração sozinha possa incitar à

ação. Assim como os homens gritam quando acolhem um rei, assim devemos fazer. Devem ser elevadas ruidosas hosanas, cheias de felicidade. Se alguma vez os homens gritam de alegria, deve ser quando o Senhor vem a eles na proclamação do seu reinado do Evangelho. John Wesley disse ao seu povo: "Cantem com vontade, e com bom coração. Tenham cuidado para não cantar como se estivessem meio mortos ou meio adormecidos, mas ergam a voz com vigor. Não tenham medo de sua voz agora nem vergonha por ela ser ouvida, não mais do que "quando vocês cantavam os cânticos de Satanás".

"Dai brados de alegria, regozijai-vos e cantai louvores" ou *"Irrompei e cantai e tocai."* Que toda forma de exultação seja usada, todo tipo de música colocado em serviço até que o louvor acumulado faça o céu ressoar com o alegre tumulto. Não devemos temer ser entusiasmados demais ao enalteceremos ao Deus da nossa salvação; só devemos ter cuidado para que o canto venha do coração, pois, do contrário, a música será apenas barulho em Seus ouvidos, quer venha de gargantas humanas, órgãos ou trombetas ressoantes. Que nossos corações façam soar ruidosamente as honras de nosso Salvador conquistador; com todo o nosso vigor, exaltemos ao Senhor que venceu todos os nossos inimigos e levou cativo o nosso cativeiro. Fará o melhor quem mais amar Jesus:

"Encontrei a pérola do mais alto valor,
Meu coração canta de alegria;
E eu devo cantar, um Cristo eu tenho,
Oh, que Cristo eu tenho!"

5. *"Cantai louvores ao Senhor com a harpa."* A habilidade musical não deve ser profanada no júbilo iníquo do mundo; ela deve auxiliar as devoções privadas do santo e, então, como George Herbert, ele cantará:

"Meu Deus, meu Deus,
Minha música te encontrará,
E toda corda
Terá seu atributo a cantar".

Martinho Lutero costumava louvar assim ao Senhor, que ele tanto amava. Os louvores a Deus devem ser realizados da melhor maneira possível, mas, sua doçura encontra-se principalmente nas qualidades espirituais. As concordâncias de fé e arrependimento, as harmonias de obediência e amor, são verdadeira música para o ouvido do Altíssimo e o agradam mais do que "o fole que aprendeu a tocar", ainda que tocado pelo mestre mais nobre da musicalidade humana.

"Com a harpa." Um instrumento musical muito doce e capaz de grande expressão. A repetição da palavra é altamente poética e mostra que as expressões mais delicadas de poesia não são ricas demais para o louvor a Deus. Sua adoração deve ser simples, mas não bruta; se pudermos conseguir elegâncias de expressão, há ocasiões em que elas serão muito adequadas; Deus, que aceita a canção iletrada de um lavrador, não rejeita o versículo polido de um Cowper ou os acordes sublimes de um Milton. Nenhuma repetição é uma repetição vã; na música sacra deve haver repetições graciosas; elas enfatizam o sentido e ajudam a inflamar a alma; nem mesmo os pregadores erram quando se detêm em uma palavra e a fazem soar repetidamente, até que ouvidos amortecidos sintam a sua ênfase.

"E a voz do canto" ou *com uma voz musical*, em contraposição com a fala comum. Nossa voz tem em si muitas modulações; há a voz da conversação, a voz da queixa, a voz do pedido, a voz do comando e deve haver, em cada um de nós, a voz do canto. A voz do homem se manifesta no que tem de melhor quando canta as melhores palavras no melhor espírito para o melhor dos seres. O amor e a guerra não devem monopolizar a música lírica; o amor de Deus e a conquista do Emanuel devem

conquistar os mais doces acordes do homem. Cantamos o suficiente para o Senhor? Os pássaros no ar não podem censurar nosso silêncio carrancudo e ingrato?

6. *"Com trombetas e som de buzinas, exultai."* A adoração a Deus deve ser calorosamente alta. O som poderoso da trombeta e das buzinas simbolizam bem o vigor que deve ser colocado no louvor.

"Perante a face do Senhor, do Rei." Nos dias de coroação, e quando o monarca amado sai, as pessoas gritam e as trombetas soam até que as paredes ecoem. Os homens devem ser mais entusiásticos com seus príncipes terrenos do que com o Rei divino? Não resta nenhuma lealdade entre os súditos do bendito e único Potentado? *Rei Jeová* é o seu nome, e não há nenhum como Ele. Não temos nenhum som de júbilo para Ele? Que o poder reinante de Jesus seja sentido na alma e deixaremos de lado o resmungo frio, afogado pelo órgão, que agora tão comumente substitui o canto sério da congregação.

Digam, se seus corações estão afinados para cantar,
Há um tema mais grandioso?
A harmonia todas as melodias pode trazer,
Mas o nome de Jesus é mais doce.

Quem uma vez de seu amor partilha
Rejubila-se para todo o sempre;
Melodia em nossos corações fazemos,
Melodia com as nossas vozes.

7 *Brame o mar e a sua plenitude; o mundo e os que nele habitam.*
8 *Os rios batam palmas; regozijem-se também as montanhas,*
9 *perante a face do Senhor, porque vem a julgar a terra; com justiça julgará o mundo e o povo, com equidade.*

7. *"Brame o mar e a sua plenitude."* Nem mesmo os seus trovões serão grandiosos demais para tal tema. Handel, em um de seus coros sublimes, ficaria alegre com a ajuda do bramir do mar para expressar as suas concepções grandiosas, e certamente o inspirado salmista fez bem em introduzir tal comoção infinita. O mar é do Senhor, então que ele louve ao seu Criador. Dentro e sobre o seu seio carrega uma riqueza de bondade. Por que lhe seria negado um lugar na orquestra da natureza? Seu baixo profundo servirá com excelência ao mistério da glória divina.

"O mundo e os que nele habitam." A terra deve estar em harmonia com o oceano. Suas montanhas e planícies, cidades e povoados, devem prolongar a voz de júbilo que saúda o Senhor de tudo. Nada pode ser mais sublime do que este versículo; as musas do Parnaso não podem rivalizar a gloriosa Sião; a fonte Castália nunca cintilou como a "fonte de toda bênção", à qual os poetas sacros costumam atribuir a sua inspiração. Contudo, nenhuma canção está à altura da majestade do tema quando Jeová, o Rei, deve ser louvado.

8. *"Os rios batam palmas."* Os rios que fluem, os estuários de marés, as cataratas que rugem, são aqui chamados a prestar sua homenagem, a bater palmas, como os homens fazem quando aclamam seus soberanos.

"Regozijem-se também as montanhas" ou em concerto com os rios. Silenciosas como são as poderosas montanhas, que elas se esqueçam e irrompam em uma comoção sublime de alegria, tal como descrita pelo poeta quando escreveu estas linhas vívidas:

"Longe vai,
De pico a pico, por entre penhascos ressoantes,
Salta o vivo trovão! Não de uma solitária nuvem.
Toda montanha agora dispõe de uma língua,
E a Jura responde, por entre a sua cortina de neblina,
Aos alegres Alpes, que bradam o seu nome".

9. *"Perante a face do Senhor, porque vem a julgar a terra."* À sua primeira vinda a Belém convinha uma música mais silenciosa, como aquela que fez as estrelas cintilarem com seus olhos suaves e gentis; mas o Seu segundo advento pede trombetas, pois Ele é um juiz, e aclamações de toda a terra, pois Ele se vestiu com seu régio esplendor. O governo de Deus é a joia da natureza. Todas as coisas bendizem o Seu trono, e a sua vinda. Assim como a aurora faz a terra chorar de alegria pelo nascer do sol, enchendo os seus olhos de gotas de orvalho, a aproximação do reino universal de Jesus Cristo alegrará toda a criação.

"Com justiça julgará o mundo e o povo, com equidade." Eis a alegria disto. Ele não é tirano nem fraco para oprimir os bons ou para favorecer os vãos; Sua lei é boa, Suas ações corretas, Seu governo a personificação da justiça. Se alguma vez existiu algo de que se alegrar nesta terra pobre, sofredora, foi a vinda de tal libertador, a ascensão ao trono universal de tal governante. Saúdem todos, Jesus! Saúdem todos! Nossa alma desfalece de prazer ao som das carruagens que se aproximam, e só conseguem exclamar: "Venha sem demora. Venha cedo, Senhor Jesus!"

A versão de Keble dos últimos quatro versículos é tão verdadeiramente bela que não podemos negar aos leitores o prazer de lê-las:

"Soai, com trombetas e buzinas,
Em gritos perante o Senhor, o Rei:
Que o oceano em sua plenitude oscile
Em incansável uníssono:

O círculo terrestre e os seus habitantes,
Os rios poderosos conduzem o refrão
E batem palmas: em coro se juntam
A toda montanha solitária.

Proclamai perante o Senhor, que Ele
Chegou; o Juiz da terra será,
Para julgar o mundo com equidade,
Fazendo justiça ao reino e ao trono.

NOTAS EXPLICATIVAS E DECLARAÇÕES SINGULARES

Título: A inscrição do Salmo em hebraico é apenas a palavra מִזְמוֹר (*Mizmôr*), "Salmo" (daí, provavelmente, o título "Mizmor órfão" no tratado talmúdico *Avodah Zara*). – *J. J. S. Perowne*

Título: Hengstenber observa: "Este é o único salmo intitulado simplesmente como 'Salmo'. Este nome comum de todos os salmos não pode ser empregado aqui no seu sentido geral, mas deve ter um significado peculiar". Ele Considera que isto indica que ele é o acompanhamento lírico do salmo mais decididamente profético que o precede – na verdade, o salmo daquela profecia. Ele também observa que, no original, temos, nos versículos 5 e 6, palavras aparentadas ao título colocadas em grande proeminência e isto talvez possa ter sugerido o título.

Título: É pelo menos interessante observar que um cântico de Sião tal exultante pela chegada do rei deve ser chamado proeminentemente מִזְמוֹר (*Mizmôr*); como se o Salmo dos Salmos fosse aquele que celebra *Israel, e a terra em geral, abençoada pelo Advento do Messias.* – *Andrew A. Bonar*

Todo o Salmo: Um salmo nobre e empolgante. Pode ter sido escrito por ocasião de um grande triunfo nacional da época, mas talvez retomado no período da grande restauração milenar de todas as coisas. A vitória aqui celebrada pode estar na visão profética, e no Armagedom. Então, a salvação e a justiça serão abertamente manifestadas à vista das nações hostis. Israel será exaltada e a bendita conjunção de misericórdia e verdade alegrará e confortará o coração de todos os que na época forem realmente israelitas. A piedade será a característica reinante em toda a terra. – *Thomas Chalmers*

Todo o Salmo: O tema do salmo é o louvor ao Senhor Jeová. É composto de três estrofes de três versículos cada. A primeira estrofe mostra *por que*, a segunda *como* Jeová deve ser louvado, e a terceira *quem* deve louvá-lo. – *Frederick Fysh*

Todo o Salmo: Este salmo é uma evidente profecia da vinda de Cristo para salvar o mundo, e o que aqui é *previsto* por Davi é cantado no Cântico da Bendita Virgem como um feito *realizado*. Davi é a *Voz* e Maria é o *Eco*.

1. Davi. "Cantai ao Senhor um cântico novo". (A *Voz*)
Maria. "A minha alma engrandece ao Senhor". (O *Eco*)
2. Davi. "Ele fez maravilhas". (A *Voz*).
Maria. "Fez grandes coisas o Poderoso". (O *Eco*)
3. Davi. "A sua destra e o seu braço santo lhe alcançaram a vitória". (A *Voz*)
Maria. "Com o seu braço, agiu valorosamente, dissipou os soberbos no pensamento de seu coração". (O *Eco*).
4. Davi. "O Senhor fez notória a sua salvação; manifestou a sua justiça", etc. (A *Voz*)
Maria. "A sua misericórdia *é* de geração em geração sobre os que o temem". (O *Eco*)
5. Davi. "Lembrou-se da sua benignidade e da sua verdade para com a casa de Israel". (A *Voz*)
Maria. "Auxiliou a Israel, seu servo, recordando-se da sua misericórdia". (O *Eco*)

Estes paralelos são muito notáveis e é como se Maria tivesse este Salmo diante de si quando compôs seu cântico de triunfo. E este é um argumento adicional de que o salmo inteiro, quer registre a libertação de Israel no Egito ou dos judeus no cativeiro da Babilônia, deve, por fim, ser compreendido como se referindo à redenção do mundo por Jesus Cristo e à proclamação do Evangelho a todas as nações da terra. Considerado desta maneira, nenhuma linguagem pode ser vigorosa demais e nenhuma imagem elevada demais para indicar as riquezas incompreensíveis de Cristo. – *Adam Clarke*

v. 1: "Cantai ao Senhor um cântico novo". Este é o objetivo do homem: buscar a Deus nesta vida, ver a Deus na próxima, ser um súdito no reino da graça e um santo no reino da glória. O que quer que nos aconteça, devemos cantar: seja grato pelo bem e também pelo mal: cânticos devem sempre estar em nossa boca e, às vezes, um cântico novo; pois assim Davi, aqui, "canta um cântico novo". Deixemos de lado o homem velho e sejamos novos homens, novas criaturas em Cristo, pois o velho canta cânticos velhos; apenas o novo canta um cântico novo; ele fala com uma nova língua e caminha em novos caminhos e, portanto, faz coisas novas, e canta cânticos novos; sua linguagem não é da Babilônia ou do Egito, mas de Canaã; sua comunicação edifica os homens, seu cântico glorifica a Deus. Ou um cântico *novo*, isto é, um cântico fresco, *nova res, novum canticum*, novo para um novo benefício. "Dando sempre graças por tudo" (Ef 5.20). É muito grosseiro agradecer a Deus apenas em geral, e não em cada ocasião. Estivestes enfermo e agora estás são? Louva a Deus como o *leproso* (Lc 17.11-19): canta um cântico novo por este bálsamo novo. Tens fome e sede de justiça enquanto até aqui não podias suportar as palavras de exortação e doutrina? Cante um cântico novo por esta nova graça. O Deus Todo-Poderoso te deu uma percepção verdadeira do teu pecado? Até agora arrastavas a iniquidade com cordas de vaidade, e pecado, por assim dizer, com cordas de carroça e te dedicavas a cometer toda impureza com avidez. Oh, *canta, canta, canta* um cântico novo por esta nova misericórdia.

Ou um cântico *novo*, isto é, incomum; assim como a misericórdia de Deus para conosco é muitíssimo maravilhosa e extraordinária, nossos agradecimentos devem ser os mais refinados e os mais incomuns: não novos no que se refere à questão em si, pois jamais deveremos orar a Deus ou louvá-lo de uma maneira diferente daquela que Ele estabeleceu em Sua Palavra, que é a mesma maneira que outros servos do Senhor já utilizaram no passado; mas novos na maneira e na forma como são oferecidos ao Senhor. Que, quando se oferecer a ocasião, possamos levar a nossa inteligência a ser grata da melhor maneira possível.

Ou, por ser um salmo profético – um cântico *novo*, isto é, o cântico dos anjos gloriosos por ocasião do nascimento de Cristo, "Glória a Deus nas alturas, paz na terra, boa vontade para com os homens!" (Lc 2.14), um cântico que o mundo nunca ouviu antes – o fato da semente da mulher ferir a cabeça da serpente foi um cântico velho, e não um *cântico novo*, até que Cristo se manifestasse em carne. No Antigo Testamento houve muitos velhos cânticos, mas no Novo Testamento há um novo cântico. O fato de que "para nós nasceu o Salvador, que é Cristo, o Senhor" é, em muitos aspectos, um *cântico novo*, pois, enquanto na Lei Cristo foi apenas prenunciado, no Evangelho Ele é mostrado, e novo porque é cantado por novos homens, sim, por todos os homens. Pois o som do Evangelho se propagou por toda a terra, até aos confins do mundo (Rm 10.18), ao passo que, nos tempos antigos, os antigos cânticos de Deus eram cantados entre os judeus: "Grande *é* o seu nome em Israel. E em Salém está o seu tabernáculo, e a sua morada, em Sião" (Sl 76.1,2). – *John Boys*

v. 1: "Um cântico novo". Oh, vós, que sois novos em Cristo, apesar de velhos, antigamente, no velho Adão, cantai ao Senhor. – *Saltério de Peter Lombard, 1474*

v. 1: "Ele fez maravilhas". Ele manifestou Sua grandeza e bondade na obra da redenção. Que *maravilhas* Cristo não fez?

1. Ele foi concebido pelo Espírito Santo. 2. Nasceu de uma virgem. 3. Curou todos os tipos de doenças. 4. Alimentou milhares com alguns pães e peixes. 5. Ressuscitou os mortos. 6. E o que foi mais *maravilhoso*, morreu. 7. Resurguiu pelo seu prórpio poder. 8. Subiu ao céu. 9. Enviou o Espírito Santo. 10. E fez de seus apóstolos e do testemunho deles os instrumentos da iluminação e, por fim, da conversão do mundo. – *Adam Clarke*

O fato do salmista dizer que a destra de Cristo e o Seu braço santo Lhe alcançaram a vitória não é apenas uma demonstração do Seu poder divino e infinito, mas também exclui todos os outros meios, como os méritos de santos e as suas obras meritórias.

v. 1: "Braço santo". A criação foi obra dos *dedos* de Deus: "Quando vejo os teus céus, obra dos teus dedos" (Sl 8.3); a redenção foi uma obra do seu *braço*; *"O seu braço santo* lhe alcançou a vitória": sim, foi a obra do Seu coração, ainda que tenha sangrado até à morte para consegui-lo. – *Thomas Adams*

v. 1: Um clérigo no condado de Tyrone observara por algumas semanas um garotinho maltrapilho, que vinha todos os domingos e se colocava no centro da nave da igreja, diante do púlpito, onde parecia extremamente atento ao culto. O clérigo estava desejoso de saber quem era a criança e, para este fim, por várias vezes, saiu apressadamente depois do sermão, mas nunca conseguiu encontrá-lo, já que ele desaparecia no momento em que o culto terminava, e ninguém sabia de onde vinha nem coisa alguma sobre ele. Depois de algum tempo, durante algumas semanas, o menino não foi visto no seu lugar de costume na igreja. Nesse tempo, um homem visitou o ministro e lhe disse que uma pessoa muita doente desejava vê-lo, mas acrescentou: "Sinto-me realmente envergonhado em pedir que vá tão longe, mas é um filho meu, e ele se recusa a ver qualquer outro que não o senhor; ele é um garoto extraordinário e fala muito sobre coisas que eu não entendo". O clérigo prometeu ir, e foi, apesar da chuva torrencial, e havia seis milhas de caminho rude e montanhoso a percorrer. Ao chegar ao lugar que lhe fora indicado, viu uma cabana miserável, à porta da qual esperava o homem que ele vira pela manhã. Ele o fez entrar e viu que o interior daquele lugar era tão miserável quanto o exterior. Em um canto, sobre um pouco de palha, viu uma pessoa estendida, que ele reconheceu como o garotinho que frequentava tão assiduamente a sua igreja. Ao se aproximar da miserável cama, a criança se ergueu e, estendendo os braços, disse: *"A sua destra e o seu braço santo lhe alcançaram a vitória"*, e imediatamente expirou. – *K. Arvine v. 2:* "O Senhor fez notória a sua salvação". Por meio da aparição do Seu Filho em carne e as maravilhas que Ele fez.

"Manifestou a sua justiça perante os olhos das nações", etc., no Evangelho, a todos os homens. Aquela justiça que é chamada de "justiça de Deus", e que é usufruída pela fé em Jesus Cristo, por todos aqueles que creem; porque não há diferença (Rm 3.22). – *B. Boothroyd*

v. 2: "O Senhor fez notória", etc. A palavra הוֹדִיעַ denota não apenas uma *publicação* e promulgação, mas também uma demonstração clara e certa que produz convicção e faz a questão ser guardada na mente e na memória, e ser *preservada*: pois o próprio significado da raiz יָדַע é guardar aquilo que deve ser preservado. A palavra גָּלָה é acrescentada, e significa propriamente *descobrir, estar descoberto,* e, portanto, ele *revelou* ou *descobriu,* para que possa ser nua e clara, a fim de ilustrar mais plenamente o caráter da manifestação do Evangelho, em oposição ao que é obscuro, envolto em sombras e tipos, e velado nas cerimônias legais. É disto que o apóstolo trata expressamente em 2 Co 3.7-18. Por fim, quando se acrescenta que esta revelação é feita "perante os olhos das nações", significa que esta salvação também lhes pertence, que ela vem até eles sem distinção, já que o Evangelho é nu e claramente anunciado. E disto deduz-se claramente também que a matéria e a razão do *cântico novo* são encontradas nesse evento singular, já que Deus, que antigamente permitira às nações que percorressem seus próprios caminhos, agora, chama todas, sem distinção para a salvação por meio da fé e da nova vida. – *Venema*

v. 2: "Fez notória". Ele não diz: *Ele mostrou,* mas *Ele fez notória.* Adão o conhecia e profetizou: "Deixará o varão o seu pai e a sua mãe e apegar-se-á à sua mulher, e serão ambos uma carne". Abel o conheceu e ofereceu-lhe um cordeiro; Sete o conheceu e recorreu a ele; Noé o conheceu e salvou toda a raça na arca; Abraão o conheceu e ofereceu-lhe seu filho. Mas, como o mundo o esquecera e adorava ídolos, Deus Pai tornou o Seu Jesus *notório,* enviando o Verbo em carne aos judeus e *manifestando a Sua justiça* perante os olhos das nações, quando Ele os justificou pela fé. Por que Ele se revelou às nações? Por causa da Sua benignidade. Por que Ele o fez notório aos judeus? Por causa da Sua verdade, isto é, Sua promessa. – *Honorius, the Continuator of Gerhohus*

v. 3: "Lembrou-se da sua benignidade e da sua verdade". O salmista, muito adequadamente, observa que Deus, ao redimir o mundo, *"lembrou-se da sua verdade"*, que Ele dera a Israel, Seu povo – linguagem que também sugere que Ele não foi influenciado por nenhum outro motivo que não o de executar fielmente o que Ele mesmo prometera. Para mostrar mais claramente que a promessa não se fundamentava no mérito ou justiça do homem, ele menciona a "benignidade" de Deus e, depois, a Sua "fidelidade", que se liga a ela. A causa, em resumo, não devia ser descoberta a partir do próprio Deus, (para usar uma expressão comum), mas no seu mero bel prazer, que já fora testemunhado muito antes junto a Abraão e a sua posteridade. A palavra "lembrou-se" é usada para acomodar-se ao entendimento do homem, pois o que foi há muito suspendido parece ter sido esquecido. Mais de dois mil anos se passaram desde o momento da promessa do surgimento de Cristo; e como o povo de Deus foi sujeitado a muitas aflições e calamidades, não precisamos nos surpreender de que tenham suspirado e cedido a temores ameaçadores quanto ao cumprimento desta redenção. – *João Calvino*

v. 3: "Lembrou-se da sua benignidade e da sua verdade". A sua *benignidade* o moveu a fazer a promessa, a Sua *verdade* o fez cumpri-la, e Ele foi atencioso em relação a ambas, espalhando as abençoadas influências da Sua luz e generosidade por toda a face da terra e fazendo todas as nações verem e compartilharem a salvação de Deus. – *Matthew Hole (-1730)*

v. 3: "Todas as extremidades da terra viram", etc. Oh, infeliz Judeia! *As extremidades da terra viram a salvação de Deus*, toda terra é movida à alegria, o globo inteiro se alegra, os rios batem palmas, os montes se rejubilam, mas os corações maus dos judeus não creem, e são castigados com a penalidade da descrença na escuridão da sua cegueira. – *Gregório*, em *Lorino*

v. 3: "Viram". Há uma gradação na expressão "viram"; ela implica fé concreta, unida a conhecimento, que move a vontade a amar e a desejar, pois não se pode dizer que viram a salvação de Deus aqueles que, satisfeitos com a fé nominal, nunca pensam no Salvador. – *Belarmino*

v. 4: "Celebrai com júbilo". Abençoa Deus por um Cristo. Os argivos, quando livrados pelos romanos da tirania dos macedônios e espartanos, *Quae guadia, quae vociferationes fuerunt! Quid florum in Consulem profunderunt!* Que grandes alegrias expressaram eles! Que altos brados! Os próprios pássaros que voavam caíram ao chão, atônitos com os sons. O arauto dos jogos de Nemeia foi forçado a pronunciar a palavra liberdade, *iterumque, iterumque*, outra vez e outra vez. – *John Trapp*

vv. 4 a 6: Como Deus deve ser louvado? Em um sentido literal, com todo tipo de música: vocal, *"cantai ao Senhor"*, com cordas, *"Louvai-o com a harpa"*, com sopros, *"com trombetas"*, *etc.* Em uma exposição *alegórica* (como *Eutímio* a interpreta), devemos louvar a Deus em nossas ações, e louvá-lo em nossa contemplação, louvá-lo em nossas palavras, louvá-lo em nossas obras; louvá-lo em nossa vida, louvá-lo em nossa morte. Sendo não apenas *templos* (como Paulo), mas também (como Clemente de Alexandria nos chama) *adufes* do Espírito Santo. – *John Boys*

v. 5: "Com a harpa... com a harpa". A repetição usada é enfática e sugere que os esforços mais ardentes que os homens podem empreender para celebrar a grande obra da redenção do mundo ficariam aquém das riquezas graça de Deus. – *João Calvino*

v. 5: "A voz do canto". O som da *zimrâ*, זִמְרָה, aqui, como em Sl 81.2, é certamente o nome de algum instrumento musical. Mas é inteiramente incerto que instrumento específico pode ter tido esse nome. – *Samuel Horsley*

v. 5: "A voz do canto". Josafá e Ezequias celebraram suas vitórias com canto. Os cantos alegraram o coração dos exilados que retornaram da Babilônia. Cantos deram coragem e força aos macabeus nas suas bravas lutas para conseguir a independência do seu país e foram a expressão repetida de suas ações de graças. O Senhor dos salmistas e o Filho de Davi, pelas palavras de um cântico, provou estar acima de Davi. E Ele cantou salmos com seus apóstolos na noite que antecedeu os Seus sofrimentos, quando instituiu a santa ceia do Seu amor. Com Salmos Paulo e Silas louvaram a Deus na prisão à meia-noite, quando seus pés foram aprisionados; eles cantaram tão alto que os prisioneiros os ouviram. E, segundo seu próprio exemplo, o apóstolo exorta os cristãos efésios e colossenses a falarem entre si e admoestarem-se mutuamente com salmos, e hinos, e cânticos espirituais. Jerônimo nos diz que, nos seus dias, os salmos eram ouvidos nos campos e vinhedos da Palestina, e que seus cantos eram doces aos ouvidos, misturando-se ao canto dos pássaros e ao perfume das flores na primavera. O lavrador, enquanto guiava o arado, cantava aleluia, e o ceifador, o vinhateiro e o pastor cantavam os cânticos de Davi. "Estes", diz ele, "são nossos cantos de amor, os instrumentos da nossa agricultura". Sidônio Apolinário fazia com que os barqueiros cantassem salmos enquanto levavam, rio acima, sua barca carregada, até as margens do rio ecoarem os aleluias, aplicando belamente o costume, figuradamente, à viagem da vida cristã. – *J. J. S. Perowne*

v. 5: "A voz do canto". Em "Curiosidades da literatura", de D'Israeli, há uma curiosa peça sobre o canto de salmos, na qual ele menciona a difusão do canto de salmos na França, que teve início entre os romanistas pela versão de Clement Marot, o favorito de Francisco I. Na dedicatória de Marot constam as seguintes linhas:

"Triplamente felizes são aqueles que podem contemplar
E ouvir naquela época de ouro!

Enquanto ao lado do arado o trabalhador vaga,
E o carreteiro pelas vias públicas,
E os comerciantes nas lojas, suas vozes
Se levantarão para aliviar o trabalho; novamente
Das florestas virá um acorde mais doce!
Pastor e pastora disputarão
Em muitos salmos ternos,
E o nome do Criador prolongarão.
Enquanto rocha e rio ecoam sua canção!
Começai, então, belas damas! Começai
A era renovada que desconhece o pecado!
E com coração leve, que não precisa de asa,
Cantai! Deste livro santo de cânticos, cantai!"

Cantar estes salmos tornou-se tão popular que D'Israeli sugere que "primeiro transmitiu ao pensamento soturno do austero Calvino o projeto" de introduzir o canto dos salmos na sua disciplina de Genebra. "Este frenesi infeccioso de cantar salmos", como descrito de modo blasfemo por Warton, rapidamente se propagou pela Alemanha e pela França e depois passou para a Inglaterra. D'Israeli diz desdenhosamente que, no tempo da República, "os salmos eram cantados nos jantares do prefeito e nas festas da cidade; os soldados os cantavam em sua marcha e nos desfiles, e havia poucas casas com janelas para a rua que não entoassem os seus salmos ao anoitecer". Só podemos acrescentar: que bom seria se Deus quisesse que fosse assim novamente. – *C. H. S.*

vv. 5 e 6: Estes eram, literalmente, os instrumentos mais em uso entre os judeus, e um significado espiritual foi vinculado a cada instrumento. A mim eles parecem representar as virtudes cardeais, a *harpa* sugerindo a prudência, o *saltério* a justiça, a *trombeta* a força e a *buzina* a temperança. – *Belarmino*

vv. 5 e 6: É evidente que o salmista expressa aqui a veemente e fervorosa afeição que os fiéis devem ter ao louvar a Deus, ao prescrever o emprego de instrumentos musicais para este fim. Ele não queria que nada que tendesse a animar a mente e os sentimentos dos homens fosse omitido pelos crentes ao cantarem os louvores a Deus. O nome de Deus, sem dúvida, propriamente falando, pode ser celebrado apenas pela voz articulada, mas não é sem razão que Davi acrescenta a isto aqueles auxílios pelos quais os crentes mais costumavam estimular esta atividade em si mesmos; especialmente considerando que estava falando do antigo povo de Deus. Há, porém, uma distinção a ser observada aqui: não devemos considerar indiscriminadamente aplicável a nós tudo o que antigamente foi prescrito aos judeus. Eu não tenho dúvida de que tocar címbalos, tocar harpa e alaúde e o tipo de música que é tão frequentemente mencionado nos salmos, era parte da educação, isto é, da instrução pueril na lei: falo do serviço declarado no templo. Pois, mesmo agora, se os crentes escolhem alegrar-se com instrumentos musicais, penso que eles não devem separar a sua alegria dos louvores de Deus. Mas, quando frequentam suas assembleias sacras, o uso de instrumentos musicais nos louvores a Deus não seria mais adequado do que queimar incenso, acender lâmpadas e a restauração das outras sombras da lei. Os papistas, portanto, tolamente emprestaram isto dos judeus, assim como muitas outras coisas. Os homens que gostam de pompa exterior podem se deleitar com esse som, mas a simplicidade que Deus nos recomenda pelo apóstolo é muito mais agradável a Ele. Paulo nos admoesta a bendizermos a Deus na assembleia pública dos santos apenas em uma língua conhecida (1 Co 14.16). A voz do homem, ainda que geralmente não entendida, certamente ultrapassa todos os instrumentos musicais inanimados. Também vemos o que Paulo determina no que se refere a falar em uma língua desconhecida. Que devemos então dizer sobre cantar de modo a encher os ouvidos com nada mais do que um som vazio? Alguém objeta dizendo que a música é muito útil para despertar a mente dos homens e tocar seus corações? Reconheço, mas devemos sempre tomar cuidado para que não se insinue nenhuma corrupção que possa macular a adoração pura a Deus e envolver os homens em superstições. Além disso, como o Espírito Santo expressamente nos previne sobre este perigo através da boca de Paulo, ir além do que Ele nos garante – devo dizer – é não apenas um zelo imprudente, mas uma obstinação má e perversa. – *João Calvino*

vv. 5 e 6: O canto e os instrumentos de corda pertenciam aos levitas e as trombetas apenas aos sacerdotes. Kitto diz que as trombetas não se juntavam ao concerto, mas eram soadas durante certas pausas regulamentadas na música vocal e instrumental. As harpas e as vozes produziam a doçura, enquanto as trombetas e as buzinas acrescentavam a força; melodia e energia deviam combinar-se na adoração a Deus. – *C. H. S.*

v. 6: "Trombetas". חֲצֹצְרוֹת (*hătsōtsrôt*): aqui apenas no saltério. Estas eram apenas as trombetas retas (como vistas no Arco de Tito), usadas pelos sacerdotes para dar sinais (Nm 10.2-10; 1 Cr 15.24,28, etc). O *shôpār*, שׁוֹפָר (buzina), era a trombeta curva comum, buzina (ou chifre). – *William Kay*

v. 6: "Trombetas". A palavra usada aqui é uniformemente traduzida como *trombetas nas Escrituras (Nm. 10.2-10; 1 Cr 15.24,28*, etc). A trombeta era empregada principalmente para convocar uma assembleia pública para adoração, ou para reunir as hostes para batalha. A palavra original, חֲצֹצְרָה (*hătsōtsrâ*), supostamente foi concebida para imitar "o som quebrado, como que de pulsação, da trombeta, como em latim, *taratantara*". Assim como o alemão *trarara* e o árabe *hadâdera*. A palavra usada aqui diz respeito à trombeta longa e reta. – *Albert Barnes*

v. 6: "Trombetas". A trombeta servia ao mesmo fim, em um sentido religioso e civil, que os sinos entre os cristãos e a voz entre os maometanos. Na verdade, entende-se que Maomé prescreveu que a voz fosse empregada para marcar uma distinção entre a sua seita e os judeus com suas trombetas e os cristãos com seus sinos. – *Kitto's Pictorial Bible*

v. 6: "Com trombetas". Orígenes chama *trombetas* os escritos dos evangelistas e dos apóstolos, o som dos quais derrubaram totalmente todas as estruturas da idolatria e os dogmas dos filósofos. Ele ensina igualmente que, pelo som das trombetas, prefigura-se a trombeta do juízo universal, no qual o mundo cairá em ruínas e cujo som será alegria para os justos e lamentação para os injustos. – *Lorino*

v. 6: "Perante a face do Senhor, do Rei". Como é distintamente acrescentada a expressão "*Perante a face do Senhor, do Rei*", e são usadas as palavras "com trombetas e som de buzinas, exultai", parece haver uma referência ao júbilo público comumente manifestado na coroação de reis ou na celebração de empreendimentos que visavam a segurança pública. Esta ideia não é estranha à presente passagem, já que Jeová é representado como Rei e Salvador do povo. – *Venema*

vv. 7 e 8: "Brame o mar e a sua plenitude; o mundo e os que nele habitam. Os rios batam palmas".

E tu, mar majestoso!
Um mundo secreto de maravilhas em ti,
Faz soar o louvor estupendo Daquele cuja voz maior
Ordena que rujas ou que teus rugidos parem.
– *James Thomson*

vv. 7 e 8: Estes apelos à natureza em suas grandes divisões – do mar na sua poderosa amplitude e da terra com seus rios e montanhas – formam, não uma garantia, mas um chamado para que, em suas orações e sermões, os ministros cristãos reconheçam mais a Deus como o Deus da Criação ao invés de restringirem-se tão exclusivamente às doutrinas peculiares do cristianismo. Devíeis, porém, fazer estas coisas, sem omitir aquelas! – *Thomas Chalmers*

vv. 7 e 8: O louvor público a Cristo pela redenção dos pecadores não é trabalho apenas de todas as criaturas dotadas de razão. Se também cada gota de água no mar e em todo rio e correnteza, todo peixe no mar, toda ave do ar, toda criatura viva da terra e tudo o mais que existe no mundo, tivessem razão e capacidade de se expressar, sim, e se todas as montanhas fossem capazes de se mover e de gesticular para comunicarem umas às outras a sua alegria, haveria trabalho para cada uma na expressão do louvor de Cristo. – *David Dickson.*

vv. 7 a 9: Matthew Henry, falando sobre estes versículos, cita a 4ª Écloga de Virgílio, os versículos (dos quais apresentamos a tradução de Dryden) em que o poeta, ele diz, "por ignorância ou baixeza, aplica a Asínio Polião as antigas profecias cujo cumprimento se expressava na época", acrescentando que Ludovico Vives pensa que estas e muitas outras coisas que Virgílio diz desta criança tão longamente esperada "são aplicáveis a Cristo".

Oh, da semente celestial! O filho criado por Jeová!
Vê, a Natureza em trabalho chama-te a sustentar
A estrutura oscilante do céu, da terra e do mar!
Vê às suas bases restauradas, terra, mares e ar;
E eras jubilosas em grandes fileiras aparecem por detrás.

v. 8: "Os rios batam palmas". Os aplausos são um emblema de deleite e aprovação, e os golpes da água em um rio, pelo seu barulho, uma semelhança destes; diz-se aqui que os *rios batem palmas. – Henry Hammond*

v. 8: Embora a linguagem seja figurada – na medida em que dá voz à criação inanimada nas suas várias divisões – contudo, como toda linguagem figurada da Escritura, ela expressa uma verdade, sim, aquela que o apóstolo formulou sem uma metáfora na revelação expressa de que a "criatura será libertada da servidão da corrupção, para a liberdade da glória dos filhos de Deus". E isto porque a razão dessa escravidão não existirá mais. Existe uma consequência do pecado; mas quando o mundo for sujeitado ao governo justo do seu Rei vindouro (como previsto nos últimos versículos deste salmo), então a terra e toda a criação reconhecerão o seu Senhor e se juntarão a Israel e às nações, e à igreja redimida e glorificada em seu tributo de louvor. – *William De Burgh*

v. 9: O saltério está muito ocupado em celebrar *os frutos benignos que o reinado de Cristo deve produzir* em toda a terra. Será um reino de santidade. Esta é sua natureza própria e distintiva. Sob ele, os confins da terra temerão a Deus e se regozijarão na Sua salvação. Será um reino de justiça. Sob ele, as guerras, opressões e crueldades, as leis desiguais e as instituições iníquas que tão longamente fizeram sofrer e amaldiçoaram o mundo, não terão mais lugar. Esta feliz reforma geralmente é prevista na forma de uma proclamação de que o Senhor está vindo para "julgar a terra". É importante, portanto, ter em mente o verdadeiro sentido e a intenção dessa proclamação tantas vezes repetida. Ela não se refere, como um leitor desavisado poderia supor, ao Juízo do Grande Dia. Não há nenhum terror nela. Os salmos que a têm como principal refrão são jubilosos no nível mais elevado. O desígnio da proclamação é anunciar Cristo no caráter de um Príncipe Pacífico vindo para administrar leis iguais com mão imparcial e, portanto, encerrar na terra o mal e o conflito. Esta é maneira de Cristo julgar a terra. O que Ele já fez nesse sentido nos capacita a formar uma concepção clara do que Ele ainda fará. Quando Ele decide realizar grandes e salutares reformas nas instituições políticas e sociais de um povo, Ele começa por deslocar maus princípios da mente dos homens e plantar princípios da Escritura em seu lugar, por purgar as más paixões dos corações dos homens e por batizá-los com o Espírito da verdade e da justiça, da piedade e da benignidade. Sendo assim estabelecida uma fundação para uma melhor ordem das coisas, Ele varrerá com uma tormenta de controvérsia ou revolução as instituições em que a injustiça está entrincheirada e, assim, tornará possível o livre curso dos justos. Oh, quanto conforto está reservado para os espezinhados, os escravizados, os necessitados, no anúncio de que o Senhor está vindo para vingá-los! Podem muito bem todas as criaturas ser convidadas a bater palmas de alegria diante do pensamento de que Ele tomou em Suas mãos este trabalho, de que Ele está assentado sobre os rios e que as tempestades que agitam as nações são a carruagem em que Ele avança para tomar posse da terra e transformá-la em uma morada de justiça e paz. – *William Binnie*

SUGESTÕES AOS PREGADORES

v. 1. "Um cântico novo". O dever, a beleza e o benefício de manter o frescor na piedade, no serviço e na veneração.

v. 1. "Ele fez maravilhas". I. Ele criou um universo maravilhoso. II. Ele estabeleceu um governo maravilhoso. III. Ele concedeu um dom maravilhoso. IV. Ele ofereceu uma redenção maravilhosa. V. Ele inspirou um livro maravilhoso. VI. Ele abriu uma plenitude maravilhosa. VII. Ele efetuou uma transformação maravilhosa. – *W. Jackson*

v. 1. "A vitória". As vitórias de Deus em juízo e misericórdia, especialmente os triunfos de Cristo na cruz e de seu Espírito no coração e na igreja, sim, e também da igreja como um todo.

v. 2. "O Senhor fez notória a sua salvação". I. O conteúdo do qual ela é composta. II. A razão pela qual foi oferecida. III. O preço pelo qual foi conseguida. IV. Os termos em que será conferida. V. A maneira como deve ser propagada. VI. A maneira como é negligenciada será punida. – *W. J.*

v. 2 (primeira oração). I. O que é a salvação? II. Por que é chamada "do Senhor": Porque "Do Senhor vem a salvação". III. Como ele a fez conhecida. IV. Para que propósito. V. Com que resultados. – *E. G. Gange*

v. 2. O grande privilégio de conhecer o Evangelho. I. *Em que consiste.* 1. Revelação pela Bíblia. 2. Declaração pelo ministro. 3. Iluminação pelo espírito. 4. Ilustração na providência diária. II. *A que conduziu.* 1. Cremos nela. 2. Até agora a entendemos de modo a cada vez mais nos alegrarmos nela. 3. Somos capazes de falar desta salvação a outros. 4. Abominamos os que a mistificam.

v. 2. A glória da salvação. I. Ela é divina – "sua salvação". II. Ela é compatível com a justiça – "sua justiça". III. É clara e simples – "abertamente mostrada". IV. Destina-se a todos os tipos de homens – "às nações" (compreendendo todos os pagãos).

v. 3 (primeira oração). O Senhor se lembra da Sua aliança. Tempos em que Ele parece esquecê-la; maneiras pelas quais Ele, mesmo nessas ocasiões, prova a Sua fidelidade; grandes feitos de graça pelos quais, em outras ocasiões, Ele exibe a lembrança das Suas promessas; e as razões pelas quais tem sempre a Sua aliança em mente.

v. 3 (última oração). "Todas as extremidades da terra". I. Literalmente. Missionários já visitaram todas as terras. II. Espiritualmente. Homens prontos a se desesperar, a perecer. III. Profeticamente. Deter-se nas grandiosas promessas referentes ao futuro e aos triunfos da igreja. – *E.G.G.*

v. 3. "Todas as extremidades da terra viram", etc. I. Importantes estrangeiros já a viram; muitos "vieram do Oriente e do Ocidente"; gregos, os ouvintes de Pedro, o eunuco, os habitantes da Groenlândia, as ilhas dos mares do sul, os africanos, os índios, etc. II. Os santos mais maduros a viram; eles são a extremidade direita da terra, saindo do ermo para Canaã, etc. III. Os pecadores mais vis a viram; aqueles que vagaram tão longe que não poderiam ir adiante sem que caíssem no inferno. O ladrão agonizante. A mulher pecadora. Aqueles que Whitfield chamou de "réprobos do Diabo". – *W. J.*

v. 4. O uso correto do som. I. "Fazei um som". Desperta, ó tu que dormes. Fala, ó mudo. II. "Celebrai com júbilo" – com o grito de libertação, de gratidão, de alegria. III. "Celebrai com júbilo... todos os moradores da terra". A natureza com suas dez mil vozes. A igreja com sua miríade de santos. IV. "Celebrai com júbilo ao Senhor". Louvai apenas a Ele. Louvai-o para sempre. – *E. G. G.*

v. 6. A alegria é um ingrediente necessário do louvor. O Senhor como Rei, uma ideia essencial na adoração. Cabe-nos expressar isso de várias maneiras ao louvarmos alegremente tal Rei.

vv. 7 e 8. A natureza em adoração. A congregação é: I. Vasta. Mar, terra, rios, montanhas. II. Variada. Diversa entre si no caráter, palavra, aspecto; constante e semelhante apenas nisto: *todos*, *sempre* adoram a Deus. III. Alegre. Nisto, como os adoradores no céu, e pela mesma razão – o pecado está ausente. – *E.G.G.*

v. 8. A canção do mar, e o aleluia das montanhas.

v. 9. O juízo final como tema para gratidão.

v. 9. "Perante a face do Senhor". Onde estamos, onde a nossa alegria deve estar, onde se deve sentir que todas as nossas ações estão, onde todos estaremos – *"Perante a face do Senhor"*. Pergunte: O que somos perante a face do Senhor? O que seremos quando Ele vier?

SALMO 99

Este pode ser chamado *O SANCTUS ou O SANTO, SANTO, SANTO SALMO*, pois a palavra "santo" é a conclusão e o refrão de suas três divisões principais. Seu tema é a santidade do governo divino, a santidade do reinado mediador. Para nós, parece declarar a santidade do próprio Jeová nos versículos 1, 2, 3; ele menciona a equidade do Rei que o Senhor nomeou, como uma ilustração do amor de Deus pela santidade ou, mais provavelmente, descreve o próprio Senhor como sendo o rei, nos versículos 4 e 5, e, depois, expõe o caráter severamente justo dos procedimentos de Deus com seus favoritos, que, antigamente, ele escolhera para se aproximarem dEle em nome do povo, 6-9. É um hino adequado para os querubins que rodeiam o trono, que são mencionados no versículo 1; é um Salmo próprio para os santos que habitam em Sião, a cidade santa, e especialmente dignos de serem cantados com reverência por todos os que, como Davi, seu rei, Moisés, o legislador, Arão, o sacerdote, ou Samuel, o profeta, têm a honra de conduzir a igreja de Deus e de interceder por ela junto ao Senhor.

EXPOSIÇÃO

1 *O Senhor reina; tremam as nações. Ele está entronizado entre os querubins; comova-se a terra.*
2 *O Senhor é grande em Sião e mais elevado que todas as nações.*
3 *Louvem o teu nome, grande e tremendo, pois é santo.*

1. *"O Senhor reina."* Esta é uma das declarações mais jubilosas que já saíram de lábios mortais. A derrota do reino do mal, e o estabelecimento do reino de bondade, justiça e verdade de Jeová, é digno de ser objeto de hinos repetidamente, como aqui, quando aparece pela terceira vez nos Salmos.

"Trema o povo". Que o povo escolhido sinta um assombro solene, porém alegre, que comoverá sua condição humana. Os santos estremecem com devota emoção e os pecadores tremem de terror quando o governo de Jeová é plenamente percebido e sentido. Não

é um assunto superficial ou trivial, é uma verdade que, acima de todas as outras, deve agitar as profundezas da nossa natureza.

"Ele está entronizado entre os querubins." Na grandiosidade da glória sublime e, no entanto, na proximidade da condescendência mediadora, Jeová revelou-se acima do propiciatório, sobre o qual estavam retratados aqueles que flamejam e contemplam a sua glória e cantam eternamente: "Santo, Santo, Santo *é* o Senhor dos Exércitos". O Senhor que reina sobre aquele trono de graça, regado com sangue expiatório, e velado pela cobertura das asas do amor mediador, é, acima de todas as outras revelações, maravilhoso e digno de excitar emoção entre toda a humanidade e, portanto, acrescenta-se: *"Comova-se a terra"*. Não meramente "as nações", mas toda a terra deve comover-se de assombro reverente ao saber que, no propiciatório, Deus está entronizado como monarca universal. A pompa do céu o envolve e é simbolizada pelas asas abertas dos querubins que o acompanham; que a terra também esteja bem disposta para o adorar; que todas as suas tribos se curvem perante Sua infinita majestade, sim, que até mesmo a terra sólida reconheça, com reverente tremor, a Sua presença.

2. *"O Senhor é grande em Sião."* Antigamente, o monte sagrado do templo era o centro da adoração do grande Rei e o lugar onde Sua grandeza era mais claramente contemplada: Sua igreja agora é o seu palácio favorito, onde Sua grandeza é exibida, reconhecida e adorada. Ali Ele revela os Seus atributos e ordena a mais humilde homenagem; os ignorantes o esquecem, os maus o desprezam, os ateus se opõem a Ele, mas entre os Seus escolhidos Ele é incomparavelmente grande. Ele é grande na estima dos bons, grande nos Seus atos de misericórdia, e realmente grande em si: grande em misericórdia, poder, sabedoria, justiça e glória.

"O Senhor é... mais elevado que todas as nações", muito acima de seus mais elevados pensamentos e grandiosas concepções. Os mais elevados não são altos demais para Ele, mas, bendito seja o Seu nome, os mais humildes não são desprezados por Ele. Em tal Deus nos regozijamos, Sua grandeza e grandiosidade são deliciosas em nosso apreço; quanto mais Ele é honrado e exaltado no coração dos homens, mais exultante se sente o Seu povo. Se Israel se comprazia em Saul porque ele era mais alto do que todo o povo, desde o ombro para cima, quanto mais devemos nós exultar em nosso Deus e Rei, que está tão acima de nós quanto o céu está elevado acima da terra.

3. *"Louvem o teu nome, grande e tremendo, pois é santo"*: que todos os habitantes de Sião e todas as nações que há sobre a terra louvem o Senhor ou "reconheçam com gratidão" a bondade da Sua natureza divina, e que ela é tamanha que deve inspirar o seu assombro. Mesmo sob o mais terrível aspecto, o Senhor deve ser louvado. Muitos professam admirar os raios mais suaves do Sol da Justiça, mas inflamam-se em rebelião contra os Seus raios mais flamejantes: não deve ser assim; somos obrigados a louvar um Deus terrível e adorar àquEle que lança os ímpios no inferno.

Israel não louvou Àquele que "derribou a Faraó com o seu exército no mar Vermelho; porque a sua benignidade *é* para sempre". O Vingador terrível deve ser louvado, assim como o Redentor amoroso. Contra isto se rebela a compreensão do coração pecaminoso e mau do homem; ele clama por um Deus efeminado, no qual a piedade tenha sufocado a justiça. Os servos bem instruídos de Jeová o louvam em todos os aspectos do Seu caráter, quer nos terríveis, quer nos ternos. Só a graça que se derrama do Seu propiciatório pode operar em nós este admirável modo de pensar.

"Pois é santo" ou *"Ele é santo."* Nele não há mácula ou imperfeição, excesso ou deficiência, erro ou iniquidade. Ele é inteiramente excelente e, portanto, é chamado santo. Nas Suas palavras, pensamentos, atos e revelações, assim como em Si mesmo, Ele é a própria perfeição. Oh, adoremos e prostremo-nos perante Ele.

4 *E a força do Rei ama o juízo; tu firmas a equidade, fazes juízo e justiça em Jacó.*
5 *Exaltai ao Senhor, nosso Deus, e prostrai-vos diante do escabelo de seus pés,*
porque ele é santo.

4. *"A força do rei também ama o juízo."* Deus é o rei; o assento de misericórdia é o seu trono e o cetro que empunha é santo como Ele. O seu poder nunca é exercido com tirania; Ele é soberano e absoluto no seu governo, mas o seu poder se deleita naquilo que é correto; a sua força só é usada para fins justos. Nestes dias, os homens estão continuamente chamando a juízo o governo do Senhor, pretendendo julgar se Ele está correto ou não; mas os homens devotos nos tempos antigos pensavam de outra maneira; eles tinham certeza de que o que o Senhor fazia era justo e, ao invés de questioná-lo, submetiam-se humildemente à sua vontade, alegrando-se na firme convicção de que, com toda a sua onipotência, Deus prometera promover a justiça e operar a justiça entre todas as suas criaturas. *"Tu firmas a equidade"*. Não meramente um tribunal de equidade, mas a própria equidade Tu estabeleces, e não por algum tempo ou em uma ocasião, mas como uma instituição estabelecida, estável como o teu trono. Nem mesmo por misericórdia o Senhor remove ou prejudica a equidade do seu governo moral; na providência e na graça Ele tem o cuidado de conservar a imaculada pureza da sua justiça. A maioria dos reinos tem um estabelecimento de algum tipo, e geralmente ele é parcial; aqui temos um estabelecimento que é a própria equidade. O Senhor, nosso Deus, demole todo sistema de injustiça e coloca-se inteiramente sozinho. *"Fazes juízo e justiça em Jacó"*. A justiça não é meramente estabelecida, mas executada no reino de Deus; as leis são cumpridas, o executivo é tão justo quanto o legislativo. Que todos os oprimidos, sim, e todos os que amam o que é certo encontrem nisto grande ocasião para louvor. Outras nações governadas por déspotas foram vítimas e perpetradoras de graves transgressões; mas, quando as tribos foram fiéis ao Senhor, gozaram de um governo justo dentro de suas próprias fronteiras, e agiram com integridade para com os vizinhos. A realeza que se compraz na astúcia, no favoritismo e na força bruta é tão diferente da realeza divina quanto a escuridão é diferente da luz. O palácio de Jeová não é a fortaleza de um ladrão nem o castelo de um déspota, construídos sobre masmorras, com pedras talhadas por escravos e cimentadas com o sangue dos servos na labuta. Os anais da maioria dos governos humanos foram escritos com as lágrimas dos espezinhados e as maldições dos oprimidos; as crônicas do reino de Deus são de outro tipo: a verdade brilha em cada linha, a bondade em toda sílaba e a justiça em toda letra. Glória ao nome do Rei cuja glória benevolente brilha por entre as asas dos querubins.

5. *"Exaltai ao Senhor, nosso Deus."* Se ninguém mais o adorar, que o seu próprio povo lhe renda a mais fervorosa adoração. A condescendência infinita faz com que Ele se curve para ser chamado de *nosso* Deus, e a verdade e a fidelidade o obrigam a manter a relação de aliança; e nós, certamente, a quem Ele se oferece, graciosa e amorosamente, devemos exaltá-lo de todo o coração. Ele brilha sobre nós sob a cobertura das asas dos querubins e acima do assento de misericórdia; portanto, venhamos e *prostremo-nos diante do escabelo de seus pés*. Quando ele se revela em Cristo Jesus, como nosso Deus reconciliado, que permite que nos aproximemos de seu trono, convém que unamos seriedade e humildade, alegria e adoração e, ao exaltá-lo, nos prostremos no pó diante dEle. Precisamos ser assim incitados à adoração? Quão envergonhados deveríamos estar por tal timidez. Deveria ser o nosso prazer diário exaltar o Deus que é tão bom e tão grande. *"Pois Ele é santo"*. Uma segunda vez soa a nota, e como a arca, que era o escabelo divino, acaba de ser mencionada, a voz, a voz dos querubins parece soar onde se senta o Senhor, cantando continuamente: "Santo, Santo, Santo, Senhor Deus Tsabaot!" A santidade é a harmonia de todas as virtudes. O Senhor não tem apenas um atributo glorioso, ou a mais, mas todas as glórias estão nEle como um todo; esta é a coroa de sua honra e a honra de sua coroa. O seu poder e a sua soberania não são as suas joias mais preciosas, mas a sua santidade. Nesta excelência moral que tudo abrange, Ele quer que as suas criaturas se comprazam, e, quando elas o fazem, seu prazer é a prova de que tiveram os corações renovados, e assim compartilham a Sua santidade. Os deuses dos pagãos, segundo os seus devotos, eram lascivos,

cruéis e brutos; o único direito que tinham à reverência era o suposto poder sobre os destinos humanos: quem não preferiria adorar Jeová, cujo caráter é pureza impoluta, justiça implacável, verdade imutável, amor sem limites... em uma palavra, santidade perfeita?

6 *Moisés e Arão, entre os seus sacerdotes, e Samuel, entre os que invocam o seu nome, clamavam ao Senhor, e ele os ouvia.*
7 *Na coluna de nuvem lhes falava; eles guardavam os seus testemunhos e os estatutos que lhes dera.*
8 *Tu os escutaste, Senhor, nosso Deus; tu foste um Deus que lhes perdoaste, posto que vingador dos seus feitos.*
9 *Exaltai ao Senhor, nosso Deus, e adorai-o no seu santo monte, porque o Senhor, nosso Deus, é santo.*

6. *"Moisés e Aarão entre os seus sacerdotes, e Samuel entre os que invocam o seu nome."* Apesar de não ter sido ordenado para o sacerdócio típico, Moisés era um verdadeiro sacerdote, como Melquisedeque fora antes dele. Deus sempre teve um sacerdócio ao lado e acima da lei. Os três santos aqui mencionados estiveram todos em suas cortes, e viram a sua santidade, cada um segundo a sua própria ordem. Moisés viu o Senhor na sarça ardente revelando a Sua lei perfeita; Aarão muitas vezes viu o fogo sagrado devorar o sacrifício; e Samuel testemunhou o juízo do Senhor na casa de Eli, por causa do erro que cometeu em seu caminho. Cada um destes homens esteve presente no espaço em que a ira de Deus irrompeu por ter sido insultada a sua santidade; e, agindo como intercessores, eles protegeram a nação do Deus grande e terrível, que, do contrário, teria executado o julgamento em Jacó da maneira mais horrível. Que estes homens, ou outros como eles, nos conduzam na adoração e que nos aproximemos do Senhor no trono de misericórdia como eles fizeram, pois Ele é tão acessível a nós como a eles. Eles fizeram a ocupação de sua vida invocá-lo em oração; e, ao fazê-lo, trouxeram inúmeras bênçãos sobre si e sobre os outros. O Senhor não nos chama também a subir ao monte com Moisés, a entrar no lugar santíssimo com Aarão? Não ouvimos o precioso e bendito Senhor nos chamar pelo nosso nome como chamou a Samuel? E não respondemos: "Fala, Senhor, pois o teu servo ouve"? *"Eles clamavam ao Senhor e Ele os ouvia".* As orações não foram em vão; mas sendo o Deus santo, Ele foi fiel às Suas promessas e ouviu-os do seu trono de misericórdia. Eis uma razão para louvor, pois respostas às petições de alguns são provas da disposição de Deus para ouvir os outros. Estes três homens pediram grandes coisas, eles imploraram por uma nação inteira e detiveram grandes pragas e desviaram a ira flamejante; quem não se exercitaria na adoração a um Deus tão grande e tão misericordioso? Se Ele não fosse santo, seria infiel à sua palavra e recusaria os chamados de deu povo; isto, então, está registrado para nossa alegria e para a sua glória: que os santos de antigamente não oraram em vão.

7. *"Na coluna de nuvem lhes falava."* Foram mencionados a arca e a *shekinah*, e agora a coluna de fogo, que foi outro símbolo da presença de Deus entre Israel. Respostas vieram a Moisés e Aarão da gloriosa e poderosa nuvem e, embora Samuel não o visse, também a ele veio a voz mística que costumava trovejar daquele divino dossel. Os homens que tiveram o privilégio de ouvir a Deus, devem, como justa retribuição, falar com Ele. Ele nos falou de coisas por acontecer: que, como justa retribuição, confessemos os pecados passados; Ele nos revelou o seu pensamento: então, derramemos os nossos corações em Sua excelsa presença. *"Eles guardavam os seus testemunhos".* Enquanto outros viraram as costas, eles foram fiéis; eles guardaram a Sua palavra em seus corações, e a obedeceram. Quando Ele lhes falou, eles observaram a sua vontade; portanto, quando lhes falaram, o precioso Senhor cedeu aos seus desejos. Guardar os testemunhos divinos é uma virtude rara demais nestes nossos dias; os homens correm atrás de suas visões e opiniões

e fazem pouco da verdade de Deus; por esta razão não são bem sucedidos em suas orações; há até mesmo alguns escarnecedores que se atreveram a dizer que é inútil orar. Que o bondoso Senhor, por sua misericórdia, faça com que o seu povo volte a reverenciar a Sua palavra; e então Ele também atentará para o clamor de cada um deles. *"E os estatutos que ele lhes dera"*. O seu preceito prático eles observaram, assim como a sua instrução doutrinária. Os estatutos não devem ser tratados levianamente ou os testemunhos serão desprezados; e o inverso também é verdadeiro: uma consideração leviana do dogma inspirado certamente termina na negligência das virtudes morais. A Moisés, Arão e Samuel foram confiadas tarefas especiais, e eles foram fiéis à confiança neles depositada, pois reverenciaram o Senhor, seu Deus, e o adoraram com toda a alma. Eles eram homens diferentes, e cada um tinha uma obra específica a cumprir; mas, como cada um era um homem de oração, eles foram preservados na sua integridade, cumpriram o seu ofício e abençoaram a sua geração. Senhor, ensina-nos, como fizeste a Moisés, a levantar as nossas mãos em oração, e conquistar Amaleque. Ensina-nos, como fizeste a Arão, a balançar o incensário entre os vivos e os mortos até a peste ser detida. Ensina-nos, como fizeste a Samuel, a dizer a um povo culpado: "Deus proíba que eu peque contra o Senhor deixando de orar por vós"; se nos fizeres poderosos contigo na oração, também nos manteremos fiéis a Ti no serviço de que nos incumbiste.

8. *"Tu os escutaste, Senhor nosso Deus."* Um título doce e um fato alentador. Nosso Deus da aliança, de uma maneira muito especial, ouviu os seus três servos quando intercederam pelo povo. *"Tu foste um Deus que lhes perdoaste, posto que vingador dos seus feitos"*. Ele perdoou os pecadores, mas matou os seus pecados. Alguns aplicam este versículo a Moisés, Arão e Samuel e lembram-nos de que cada um deles pecou e foi castigado. De Samuel afirmam que, por ter estabelecido os filhos como sucessores, foi obrigado a se submeter à unção de Saul como rei, o que foi uma grande dor para ele; para nós, esta é uma afirmação muito duvidosa e nos leva a abandonar tal interpretação inteiramente. Cremos que a passagem se refere à nação, que foi poupada pela intercessão destes três santos, mas que, ainda assim, foi castigada pelas suas transgressões. Em resposta ao apelo de Moisés, as tribos sobreviveram, mas a geração então existente não pode entrar em Canaã; o bezerro de ouro de Arão foi destruído, mas o Fogo do Senhor não consumiu o povo, e Israel sofreu sob o rude governo de Saul; mas, a pedido de Samuel, seus murmúrios contra o governo teocrático do Deus de seus pais não foi castigado com pestilência ou fome. Então, perdoar o pecado e ao mesmo tempo expressar repulsa a ele é a glória peculiar de Deus, e é vista da melhor maneira possível na expiação feita pelo nosso Senhor Jesus Cristo. O leitor é um crente? Então, seu pecado lhe é perdoado. Mas, tão certo quanto ser um filho de Deus, a vara da disciplina paterna cairá sobre ele se não andar próximo de Deus. "Só conheço a vós, de todas as nações da terra; portanto, vos punirei por vossas iniquidades".

9. *"Exaltai o Senhor nosso Deus."* Uma segunda vez o título maravilhoso de Jeová, o nosso Deus, é usado e logo em seguida uma terceira vez. O salmo é trinitário em toda a sua estrutura. Em cada uma das suas pessoas sagradas, o Senhor é o Deus do seu povo; o Pai é nosso, o Filho é nosso, e o Espírito Santo é nosso: exaltemo-lo com os nossos poderes remidos. Nenhum lugar agora é cercado por ser particularmente santo ou porque deva ser considerado mais sagrado que outro; contudo, a sua igreja visível é a sua montanha escolhida e lá nos encontraremos, entre o seu povo, e nos uniremos a Ele em adoração. *"Pois o Senhor, nosso Deus, é santo"*. Novamente esta descrição devota é repetida e transformada no clímax do cântico. Oh, dá-nos corações puros, para que possamos corretamente perceber e condignamente louvar a perfeição infinita do Senhor Triúno.

NOTAS EXPLICATIVAS E DECLARAÇÕES SINGULARES

Salmo inteiro: Este salmo tem três partes, nas quais o Senhor é celebrado como Aquele que foi, Aquele que é, e Aquele que virá. — *John Albert Bengel, 1687*

Salmo inteiro: Em cada uma das três estrofes, Jeová é reconhecido na aliança peculiar com o seu povo. Na primeira Ele é "grande em Sião" (v. 2); na segunda, Ele "executou justiça em *Jacó*" (v. 4), e Ele é "Jeová, *nosso* Deus" (v. 5); na terceira, os grandes exemplos desta relação de aliança na história antiga de Israel são citados, e, novamente, por duas vezes afirma-se que Deus é "Jeová, o nosso Deus" (vv. 8,9). — *J. J. S. Perowne*

Salmo inteiro: Há *três* salmos que começam com as palavras "O Senhor (Jeová) reina". (Sl 93,97,99). Este é o terceiro e último destes salmos, e é notável que neste salmo as Palavras "Ele é santo" sejam repetidas *três* vezes (vv. 3,5,9). Assim, este salmo é um dos elos na corrente que liga a primeira revelação de Deus no Gênesis à manifestação plena da doutrina da santíssima Trindade, que é revelada na tarefa que o Salvador ressuscitado deu aos Seus apóstolos: "Ide e fazei discípulos de todas as nações, batizando-os em nome do Pai, do Filho e do Espírito Santo", e que prepara os fiéis para se juntarem ao louvor celestial da igreja glorificada: "Santo, Santo, Santo, é o Senhor Deus Todo-Poderoso, que foi, que é, e que será". Os outros elos dessa corrente no Antigo Testamento são a bênção de Arão, em Nm 6.24-27, e o Trisagião seráfico, em Is 6.1-3. — *Christopher Wordsworth*

Salmo inteiro: Muitos dos salmos precedentes, ao exaltarem o Domínio e a Supremacia do Messias, falaram dEle unicamente como o seu objeto de triunfo e júbilo. Ele foi representado em toda a abundância de sua misericórdia, no excesso de sua benevolência, e nas ideias de poder e majestade, com as quais estes projetos de graça serão certamente levados a efeito. Há sempre um grande perigo em tal sentimento, de que a nossa aliança *recíproca* seja esquecida e que nos acomodemos em nossos privilégios em detrimento do cumprimento dos nossos deveres. Este foi um erro constante dos judeus. "Temos Abraão como nosso Pai"; esta frase estava continuamente em seus lábios, como se a promessa dada à sua nação fosse inalienável para sempre. As eras subsequentes demonstraram a existência do mesmo falso princípio entre os gentios. Esta é uma parte da fraqueza da natureza humana; portanto, o profeta foi inspirado a prevenir o mundo contra o maligno, e levar a mente das pessoas a uma percepção justa da *enormidade* da majestade do Redentor. Nesta visão — que está ligada a afirmações desta prontidão para, em todos os tempos, ouvir o crente e atender as suas súplicas — o salmo é simultaneamente de grande poder e de abundante consolação. — *William Hill Tucker*

v. 1: "Trema o povo... mova-se a terra". O medo que procede da simples reverência, assim como aquele que surge da compreensão do mal, produz tremor físico. Assim, esta exortação pode dizer respeito tanto às nações crentes como às descrentes. — *Amiraldo*

v. 1: "Trema o povo". Ele lança um desafio, por assim dizer, a todos os seus inimigos, ὀργιζέσθωσαν, *irascantur, commoveantur, fremant populi*; que o povo se zangue, se aborreça e se inquiete, como em Salmo 2.1. *"Que a terra"*, isto é, que se movam os tiranos da terra ao ouvi-lo, mas saibam que todos os seus esforços são vãos. — *William Nicholson*

v. 1: "Trema o povo." Jarchi relaciona isto à guerra de Gogue e Magogue. — *John Gill*

v. 1: "Trema o povo". Apesar de estar cercada de inimigos, como o lírio entre os espinhos, como o seu Senhor reina no meio dela, ela tem razão não apenas para confortar-se nEle, mas também tem o fundamento necessário para desafiar os seus inimigos e vangloriar-se diante deles: *"O Senhor reina; trema o povo"*. O povo do Senhor não venera um Deus desconhecido; eles sabem quem Ele é e onde encontrá-lo, a saber, nos seus estatutos, no trono da graça, reconciliando-se com o mundo em Cristo: *"Ele está entronizado entre os querubins"*. — *David Dickson*

v. 1: "Os querubins". Estes eram figuras ou representações de anjos, inclinando seus rostos um para o outro e tocando um ao outro com as asas. Êx 30.18. Sua utilidade era cobrir ou sombrear o *trono de misericórdia* com as suas asas, v. 20, e, deste *assento* Deus falava a Moisés, v. 22; Nm 7.8,9. Isto pode ser aplicado a Cristo, cuja mediação era representada pelo *trono de misericórdia;* daí se dizer que

Ele é uma propiciação ou trono de misericórdia que cobre, Rm 3.25; 1 Jo 2.2; 4.10, porque, pela sua obediência, toda a nossa injustiça é coberta. — *Thomas Wilson (-1621), em "A Complete Christian Dictionary", 1678*

v. 1: "Ele está entronizado entre os querubins." Nosso amigo, o sr. Charles Stanford, em sua deliciosa obra, "Símbolos de Cristo", revelou com muita beleza a ligação entre os versículos 37 e 38 de Mt 23. A casa foi deixada desolada porque Cristo, que foi apresentado pelo símbolo de abrigo, foi rejeitado por eles e não se permitiram que Ele os cobrisse com as suas asas. Era costumeiro os judeus dizerem de um prosélito: "Ele refugiou-se sob as asas da *Shekiná*". Vemos agora que abrigar-se sob as asas da *Shekiná* era o mesmo que esconder-se sob as asas de Cristo. Embaixo desse escudo vivo, que repele o golpe destruidor e é largo o suficiente para cobrir um mundo fugitivo, nós nos abrigamos e ali a promessa é cumprida: "Ele te cobrirá com as suas penas, e debaixo das suas asas estarás seguro".

v. 1: "Ele está entronizado entre os querubins". *O querubim* é o trono de Deus, como nos mostra a Escritura, um trono celestial exaltado, que nós não vemos, mas a palavra de Deus o conhece, conhece-o como seu trono: e a palavra de Deus e o Espírito de Deus revelaram aos servos de Deus onde Deus está sentado. Não que Deus se sente, como o homem; mas se cada um de nós desejar que Deus tenha um trono em nossa vida, deveremos ser bons, e assim seremos o trono de Deus, pois está escrito: *"A alma do justo é o assento da sabedoria"* [tradução da Septuaginta]. Pois um trono em nossa língua é chamado de assento. Alguns, familiarizados com a língua hebraica, interpretaram querubim na língua latina (pois trata-se de um termo hebraico) com as palavras plenitude do conhecimento. Portanto, como Deus ultrapassa todo conhecimento, dizem que Ele se senta acima da plenitude do conhecimento. Portanto, que exista em ti a plenitude do conhecimento, e tu mesmo serás o trono de Deus. — *Agostinho*

v. 1: "Mova-se a terra". Os que se submetem a Ele serão *estabelecidos*, não *"movidos"*, Salmo 96.10, mas os que se opõem a Ele serão movidos. O céu e a terra serão sacudidos, e também todas as nações; mas o reino de Cristo não pode ser movido. As "coisas que não podem ser sacudidas permanecerão", Hebreus 12.27. — *Matthew Henry*

v. 2: "Ele está muito acima de todas as nações". A metáfora é tirada de grandes objetos como árvores, animais, palácios, torres, que são mais valorizados e que se considera possuírem mais força tanto quanto mais altos se elevarem acima dos outros. Portanto, considere Deuteronômio 1.28; 2.10,21; 9.2, no que se refere aos cananeus e aos gigantes. — *Martin Geier*

v. 3: "Que louvem o teu nome, grande e terrível", etc. Embora os inimigos da Igreja de Deus estejam em tumulto e a terra inteira seja movida, não obstante, vós, com espírito alegre, confiais a vossa salvação a Ele e reconheceis e celebrais diligentemente o seu poder, exibido na defesa do seu povo e na derrota dos seus inimigos. — *Mollerus*

v. 3: "O teu nome, grande e terrível, pois ele é santo". O nome do PAI é "grande", pois Ele é a fonte, o Criador, o Senhor de tudo; o nome do FILHO é "terrível', pois Ele será o nosso juiz; o nome do ESPÍRITO SANTO é "Santo", pois é Ele quem concede consagração e santificação. Os comentaristas hebreus vêem aqui o místico tetragrama יהוה, cuja verdadeira pronúncia era mantida em profundo segredo pelos rabinos, devido a um sentimento de formidável reverência; enquanto os gregos são precisos em nos convidar a tomar posse desse nome, que é "terrível" para os inimigos de Deus, "santo" para os seus amigos, e "grande" para ambos, o nome de JESUS. — *Hugo Cardinalis, Genebrardo e Baltazar Cordério, em Neale's Commentary*

v. 3: "Que louvem o teu nome, grande e terrível". Que força a experiência de uma consciência carregada vincula à expressão "o teu nome, grande e *terrível*", pois Ele é santo!" A infelicidade do pecado consiste não meramente nas suas consequências, mas na sua própria natureza, que deve se interpor entre Deus e as nossas almas, e nos separar de Deus e Deus de nós. Contudo, o Espírito de Deus indica, na aliança da graça, uma influência prática tríplice desta santidade sobre nós, da qual resulta o oposto do desespero. Os vários passos são marcados como louvor, exaltação e adoração (vv. 3,5,9). Destes, o último parece, de longe, ser o mais difícil de realizar. Pois está na natureza do pecado consciente impedir a nossa aproximação de Deus, impedir-nos da comunhão com Deus e encher-nos com uma percepção pesarosa de nossa distância infinita, e quase subtrai a esperança de termos um relacionamento com Ele. Contudo, *"louvaremos o teu nome, grande e terrível", pois ele é santo"*. Ele é grande, glorioso e altíssimo, e está muito acima de todas as concepções humanas. Visto sob esta luz, o fato de que "O Senhor reina", sob outros aspectos consoladores conduz apenas à inferência: "Trema o povo"; e "Ele está entronizado entre os querubins" (ou manifesta-se como o Deus da aliança) e à conclusão: "Mova-se a terra" ou *oscile*. Mas o seu nome não é apenas grande e terrível nas suas manifestações; "Ele é santo"; portanto, nós o "louvamos". A sua grandeza está toda do lado da bondade, e o seu poder do lado da justiça e da verdade. — *Alfred Edersheim, em "The Golden Diary of Heart Converse with Jesus in the Book of Psalms", 1873*

v. 3: "Teu nome, grande e terrível... santo". Nos atos de justiça vingativa do homem há algo de impureza, perturbação, paixão, certa mistura de crueldade, mas nenhuma destas coisas acomete a Deus nos seus vários atos de ira. Quando Deus surge a Ezequiel à semelhança de fogo, para representar a sua ira contra a casa de Judá por sua idolatria, "dos seus lombos, e para baixo, era fogo, e dos seus lombos para cima como aspecto de um esplendor, como cor de âmbar", Ez 8.2. O seu coração permanece puro até mesmo nos seus atos mais terríveis de vingança: é uma chama pura com a qual queima e consome os seus inimigos. Ele é santo até mesmo em sua aparência mais flamejante. — *Stephen Charnock*

v. 3: "Ele é santo". Nenhum atributo é proclamado com tanta grandiosidade, com tanta solenidade e com tanta frequência como este pelos anjos que se levantam diante do seu trono. Onde você encontra qualquer outro atributo que seja triplicado como este? Is 6.3: "Santo, santo, santo é o Senhor dos exércitos: a terra inteira está cheia da sua glória", e Ap 4.8: "As quatro criaturas vivas não repousam nem dia nem noite dizendo: Santo, santo, santo, Senhor Deus Todo-Poderoso", etc. Seu poder de soberania como Senhor dos exércitos é mencionado só uma vez, mas com uma tripla repetição de sua santidade. Você ouve em algum cântico evangélico alguma outra perfeição da natureza divina repetida três vezes? Onde lemos que se exclame Eterno, eterno, eterno ou Fiel, fiel, fiel, Senhor Deus dos exércitos? Seja qual for o atributo que fique de fora, a santidade de Deus já seria suficiente para encher as bocas dos anjos e dos salvos para sempre no céu... Como Ele parece desafiar uma excelência acima de todas as suas outras perfeições, assim é a glória de todo o resto; assim como é a glória da divindade, assim é á glória de toda perfeição na Divindade; como o seu poder é a força delas, a sua santidade é a beleza delas; assim como tudo seria fraco sem a força toda poderosa para sustentá-los, assim seria tudo feio sem o adorno de sua santidade; se esta fosse corrompida, todo o resto perderia a sua honra e a sua confortável eficácia. É como o sol, que, no mesmo instante em que perdesse a sua luz, perdesse também o seu calor, a sua força, a sua virtude geradora e vivificadora. Como a sinceridade é o lustro de toda graça em um cristão, assim a pureza é o esplendor de todo atributo na divindade. A sua justiça é uma justiça santa, a sua sabedoria é uma sabedoria santa, o seu braço de poder é um "braço santo", Sl 98. A sua verdade ou promessa é uma "promessa santa", Sl 105.42. Os atributos *santo* e *verdadeiro* caminham juntos, Ap 6.10. "O seu *nome*", que significa todos os seus atributos conjuntamente, "é santo". — *Stephen Charnock*

v. 4: "A força do rei". Eles se lembrarão de sua força com alegria porque Ele *"ama o juízo"* e não há razão para ter medo dEle por causa de sua grande força, contanto que continuem a caminhar no bom caminho. — *George Phillips*

vv.4 e 5: Nosso Rei *ama a justiça*: Ele executará a justiça perfeita, temperada com perfeita misericórdia. Ele julgará todo homem segundo as suas obras, resumindo e completando a justiça não percebida da sua providência manifestando abertamente ao universo a sua santidade e equidade. "Acreditamos que Ele será o nosso juiz"; portanto, que nós o engrandeçamos e exaltemos com nossos lábios e corações; e que todos nos prostremos e adoremos ao precioso e bendito Senhor Jesus Cristo, que assumiu a nossa natureza, sim, a nossa condição humana na terra, que é o escabelo de seus pés, retornando mais tarde para a eternidade da Divindade, na qual Ele é igual a Deus Pai. Como o céu, que é o trono de Deus, e a terra, que é o escabelo de seus pés, formam um universo, assim são Deus Pai e o Cristo que se fez homem, o Senhor eterno, "santo e verdadeiro", ao qual nós, pecadores, podemos recorrer quando nos dirigimos ao trono da eterna justiça, e ao escabelo da eterna misericórdia. — *"Plain Commentary"*

v. 5 (segunda oração): Observe a expressão peculiar, *"Prostrar-se no escabelo de seus pés"*. Que humildade e sujeição ela sugere! É a veneração de alguém cujo coração foi subjugado pela graça divina. — *W. Wilson*

v. 5: O bispo Horsley traduziu assim este versículo:

"Exaltai a Jeová, o nosso Deus,
E vos prostrai diante de seu escabelo;
Este escabelo é santo".

Assim ele liga "santo" ao escabelo de Jeová, mencionado na oração precedente. Parece-me que há grande adequação e beleza nesta construção, que divide o poema nos seus três membros. Destes, o primeiro termina atribuindo "santidade" ao *nome* de Jeová; o segundo, atribuindo a mesma adequação à sua *morada*, e, então, na conclusão do hino, "santidade", a santidade essencial, é atribuída ao próprio Jeová. A tradução que está na margem da nossa Bíblia reconhece esta construção do quinto versículo. — *Richard Mant*

v. 6: "Moisés e Aarão entre os seus sacerdotes" ou *oficiais* principais, como em 1 Cr 18.17. Moisés foi, se não um sacerdote, um intercessor contínuo a favor do povo, e um tipo de Cristo, o grande Mediador da sua igreja. *Aben-Ezra* chamou-o *Cohen haccohanin*, o sacerdote dos sacerdotes, e *Filo*, ao escrever a sua biografia, concluiu: Esta foi a vida e morte de Moisés, o rei, o legislador, o profeta e o principal sacerdote. — *John Trapp*

v. 6: Moisés duas vezes executou atos essencialmente sacerdotais (Êxodo 24 e 50.22, comparados com Levítivo 8), na ratificação da aliança e na consagração dos sacerdotes. Por esta razão, pode ser mais prontamente colocado aqui entre os mediadores sacerdotais. — *C. B. Moll*

v. 6: "Sacerdotes". A palavra *cohen* não se limita apenas a um título dos sacerdotes da ordem levítica; ele é aplicado a Melquisedeque e outros. Moisés é incluído entre os sacerdotes de Deus em conformidade com a verdadeira ideia de um sacerdote, como sendo o expoente oficial do amor e da misericórdia divina — alguém que representou Deus, apesar de agir em benefício dos interesses do homem. — *Robert Baker Girdlestone, em "Synonims of the Old Testament"*

v. 6: "Os seus sacerdotes". No fundamento disto há outra expressão idiomática espiritual, a saber, que são chamados sacerdotes todos os que possuem aquilo que constitui a essência do ofício sacerdotal comum (ainda que não os elementos exteriores), a ligação interior com Deus, o livre acesso ao trono da graça e o dom e o poder da oração intercessória. Esta expressão figurativa ocorre até mesmo na própria lei; compare-se com Êx 19.6, onde se diz a todo Israel: "Vós sereis para mim um reino de *sacerdotes* e uma nação santa". — *F. W. Hengstenberg*

v. 6: Sacerdotes. A palavra *cohen*, sacerdote, vem de *cahan, pleitear uma causa*, como um intercessor, mediador ou advogado; daí a adequação estrita de seu uso neste caso em referência a Moisés. — *C. H. S.*

v. 6: "Os que invocam o seu nome". A palavra hebraica que traduzimos como *invocar* a Deus denota um tipo de homem cuja principal ocupação ou negócio era invocar o nome de Deus e, neste caso, implica que a vocação especial destes homens era invocar a Deus. — *Joseph Caryl*

v. 6 a 9: Esta terceira estrofe é, na verdade, um retrato profético da futura adoração santa de Deus, na qual Moisés, Arão e Samuel surgem como os representantes vivos da igreja redimida, como os vinte e quatro anciãos na cena apocalíptica de João, mais plenamente desenvolvida. Rev. v. — *Joseph Francis Thrupp*

v. 7: "Eles guardavam os seus testemunhos". Por esta razão eram tão prontamente ouvidos, como o próprio Senhor diz: "Se um homem me amar, guardará as minhas palavras", e, novamente, "Se permanecerdes em mim e as minhas palavras permanecerem em vós, pedireis o que quiserdes e vos será feito". *"E o estatuto que ele lhes deu".* Eles não apenas guardavam os preceitos que obrigam os homens em geral, mas a obrigação peculiar de governar, dirigir e ensinar o povo que lhes foi confiado. — *Belarmino*

v. 8: A construção do versículo parece ser esta: "Oh, Senhor nosso Deus, tu os ouviste e a eles respondeste", isto é, os mediadores acima mencionados, Moisés, Arão e Samuel; "tu te tornaste um Deus clemente para eles", ou pela intercessão deles; e que, "mesmo quando punindo", ou, quando tu começavas a punir "os maus feitos deles", isto é, não de Moisés, Arão e Samuel, mas do povo que transgredira e pelo qual eles intercederam. Foi este o caso quando Moisés intercedeu pelos idólatras, Êx 22.32, Arão pelos cismáticos, Nm 16.47, e Samuel pela nação inteira, 1 Sm 7.9. — *George Horne*

v. 8: "Tu os escutaste... e lhes perdoaste". Oh, a abençoada segurança de que nada pode perturbar a nossa posição na aliança. Resposta e perdão são certos, embora seja infligida a vingança por nossas invenções. Como aqui toda palavra e expressão parecem se dirigir diretamente aos nossos corações! A própria designação de nossos pecados e punições é absolutamente verdadeira. Contudo, o acesso a Deus não está vedado a nós. Podemos falar com Ele e ouvi-lo; recebemos o que precisamos e muito mais; e, acima de tudo, temos a doce e permanente percepção de perdão, não obstante as "nossas invenções".

Quando sofremos intensamente sob castigos ou decepções, sabemos que é o fogo que consome o feno, a madeira e o restolho — os procedimentos de um Pai na compaixão e na misericórdia. De boa vontade, aceitamos gratamente esses castigos, que agora são para nós novos penhores da nossa segurança. Pois a fundação permanece segura, eternamente segura, e o caminho de acesso desimpedido. Oh, certamente, de todo o coração, proclamamos a uma só voz: *"Exaltai a Jeová, nosso Senhor, e o veremos em seu monte santo; pois Jeová, o nosso Deus, é santo".* — *Alfred Edersheim*

v. 8: As palavras deste versículo têm em si particularidades notáveis. I. O comportamento dos homens de que ele fala, que é parcialmente bom e parcialmente mau. O versículo anterior diz: *"Eles guardavam os seus testemunhos, e o estatuto que lhes dera";* isto insinua (o que também foi expressado, v. 6) que eles costumavam *invocar a Deus*; tudo isto era muito bom. Mas, de resto, eles realmente faziam às vezes coisas erradas, tinham algumas invenções, atalhos e passos tortos, que, assim como necessitavam de perdão, ocasionalmente o deixavam tão irado com eles que Ele não os deixava escapar inteiramente sem certa punição por tal rebeldia. II. A graça de Deus em um duplo aspecto: 1. Em *responder a eles,* concedendo seus pedidos e súplicas normalmente. 2. Em *perdoá-los*, perdoando sempre os seus deslizes e faltas; nunca punindo-os inteiramente segundo os pecados praticados, mas, no meio de qualquer transgressão deles, ou julgamento seu, lembrar-se da misericórdia. III. A sua justiça santa, não obstante, *vingando-se das suas invenções*; castigando-os às vezes por algumas faltas e não deixando que escapem sem punição, por mais fiéis que fossem geralmente ou por mais graça que Ele possa ter eternamente. — *Herbert Palmer (1601-1647), em um sermão intitulado "The Glass of God's Providence", 1644 v. 8:* "Tu foste um Deus que lhes perdoaste", ou, literalmente, "*por* eles", por causa de suas intercessões. Deus não destruiu aqueles por quem intercederam os seus servos devotados, no dia da vingança prometida. Seus pecados, na verdade, Ele visitou com a vara do castigo divino, mas as suas vidas perdidas Ele poupou em resposta às orações. — *John Morison*

v. 8: "Tu... lhes perdoaste, posto que vingador das suas invenções". O precioso e bendito Senhor ama as pessoas e odeia apenas o pecado; portanto, Ele preserva um e destrói apenas o outro. Este é o fruto, tirar o pecado. A aliança que é feita conosco em Cristo não é uma aliança feita de obras, mas de pessoas e, portanto, embora as obras muitas vezes sejam odiosas, Ele continua a amar as pessoas, e, para que possa continuar a amá-las, destrói nelas o que odeia, mas não as corta. O homem ama um membro de seu corpo que tenha lepra ou úlceras, já que é "a sua própria carne", Ef 5.29. Embora despreze a corrupção e a putrefação que estão em si, ele não o corta, mas o purga diariamente, coloca curativos neste membro para expulsar a corrupção, ao passo que em se tratando de uma verruga ou mesmo de um quisto ele os corta pois não os reconhece como sua carne. — *Thomas Goodwin*

v. 8: "Vingador das suas invenções". Aqui não se trata de uma punição leve, mas de uma *"vingança das suas invenções"*, para manifestar que Ele odeia o pecado como pecado, não porque as piores pessoas o cometeram. Talvez, se um homem profano tocasse a arca, a mão de Deus não o tivesse alcançado tão de repente. Mas quando Uzá, um homem tão zeloso, como se pode supor pelo cuidado em apoiar a arca oscilante, saiu de seu lugar, Ele o golpeou pela ação desobediente, já que ele a deveria sustentar indiretamente (já que não era um levita), 2 Sm 6.7. O Senhor tampouco reprovou os fariseus tão rispidamente quanto o fez com Pedro, quando este lhe deu um conselho carnal e contrário ao que seria a maior manifestação da santidade de Deus, isto é, a morte de Cristo, Mt 16.23. Ele o chama de Satanás, um nome muito mais agressivo do que o título "filhos do diabo", com o qual marcou os fariseus, e que não foi dado a ninguém (além dele) a não ser a Judas, que lhe confessou amor e exteriormente era um dos seus discípulos. Um jardineiro odeia ainda mais uma erva daninha por ela estar no canteiro com as flores mais preciosas. — *Stephen Charnock*

v. 8: "Vingador". Às vezes, os pecados de um povo podem ser tais que Deus não os perdoará no que se refere a castigos temporais, não, nem mesmo os devotos. Eles podem, até mesmo, ter compartilhado os pecados com os outros ou provocado tanto a Deus, e pecado de tal maneira que o Seu glorioso nome tenha sofrido algum tipo de blasfêmia, de modo que Ele, em defesa de Sua honra, se preocupa em infligir-lhes um castigo exemplar. Assim foi com Davi (2 Sm 12); apesar de tê-lo perdoado e poupado da perdição eterna, salvado a sua alma e poupado a sua vida, entregue que fora à justiça divina pelo assassinato de Urias; contudo, o profeta anuncia que graves aflições cairiam sobre ele e a espada nunca "deixaria a sua casa"; os filhos concebidos em adultério deveriam morrer e suas esposas deveriam ser dadas aos seus vizinhos. Assim, em Salmo 99, parece que se fala do próprio Moisés e de outros devotos entre os israelitas que morreram no ermo, sem permissão de entrar na terra prometida, quando se diz que "Deus os perdoou", mas "vingou-se das suas invenções". — *John Collins (- 1687) na obra The Morning Exercices*

v. 8: "Vingou-se de suas invenções". É notável que, nos versículos precedentes, Moisés, Arão e Samuel sejam mencionados de uma maneira que parece sugerir que eles estavam na mente do salmista quando ele faz a declaração do texto. Estas três pessoas, todas eminentes por sua piedade, também eram notáveis por terem sofrido o desprazer divino por conta de suas faltas. Moisés irou o Senhor nas águas da contenda, e por esta razão Ele não lhe permitiu que entrasse na terra prometida. Arão provocou a ira divina fazendo o bezerro de ouro, e teria sido destruído se a intercessão fervorosa de Moisés não tivesse desviado a ira do Senhor para que não o destruísse. Samuel colocou sobre Israel os seus filhos, que não andaram em seus caminhos; portanto, Deus deu Israel a um rei cujos crimes fizeram o profeta descer em tristeza ao túmulo. — *Stephen Bridge, 1852*

SUGESTÕES AOS PREGADORES

v. 1. I. A doutrina da soberania divina enunciada. II. O entendimento da soberania é exigido. Ela deve ser entendida *espiritualmente*. Deus quer ser Rei nos *corações* dos homens. Todos os mortais devem tremer diante do Imortal, especialmente os maus. III. Os acessórios da soberania divina são sugeridos. A soberania nunca abandona o trono de misericórdia. IV. O efeito da soberania divina é descrito. Os homens devem ser "movidos" a temer e a obedecer ao Rei perante o qual os anjos se curvam. Os homens devem ser movidos a buscar a misericórdia que os anjos estudam. — *William Durban*

v. 1. "Ele está entronizado entre os querubins", etc. I. A declaração é feita; onde Deus habita, no trono de misericórdia. Ouvir a oração, a confissão e conceder a salvação. II. Efeitos produzidos — "terra movida" à admiração, à oração, à contrição dolorosa, à aproximação, etc. — *E. G. Gange*

v. 2. I. Deus é grande em Sião, *em si mesmo;* todas as suas perfeições estão aqui, o que não se pode dizer da criação, de sua lei ou do céu dos anjos. II. Grande nas suas obras que consistem em *salvar* os pecadores, algo que Ele não pode fazer em outro lugar. III. Grande na sua glória, como exibida na *redenção* por meio de seu Filho. IV. Grande no seu *amor* aos seus redimidos. — *G. R.*

v. 2. "O Senhor é grande em Sião" I. Na condescendência que Ele exibe — Sião é a sua "habitação", o seu "repouso". II. Na glória que Ele manifesta — poder e glória estão no santuário, Sl 84.7. IV. Nas bênçãos que Ele confere. V. Na autoridade que Ele exerce. — *W. Jackson*

v. 3. Os terrores do Senhor, ligados à santidade e dignos de louvor.

v. 4. I. Traçar o processo de funcionamento de princípios corretos através de três etapas — Amor, Estabelecimento, Execução. II. Ilustrar a partir do caráter e da ação de Deus. III. Aplicar tudo isto à vida nacional e diária. — *C. D.*

v. 5. "Exaltai o Senhor, vosso Deus". I. Por quê? Pelo que Ele é para você. Pelo que Ele fez por você. Pelo que Ele lhe contou. II. Como? Na sua afeição. Na sua meditação. Nas suas súplicas. Na sua conversação. Na sua profissão. Na sua consagração. Na sua cooperação. Na sua expectativa. — *W. J.*

v. 5. I. O entusiasmo leal da adoração; ele exalta o Senhor. II. A humilde timidez da adoração que não aspira a sua exaltação; ela se ajoelha ao pé de seu escabelo. III. A boa razão para a adoração. "Ele é santo". — *C. D.*

vv. 6 e 7. I. A oração oferecida. Moisés, o profeta, Arão, o sacerdote, Samuel, o governante, "Eles clamavam", etc. II. Orações atendidas. "Ele os ouviu", "ele falou", etc. III. A oração vindicada. Eles guardaram os outros testemunhos, etc. — *G. R.*

v. 7 (primeira oração). A revelação da nuvem ou o que Deus prenunciou a Israel na nuvem. I. Que Deus estava disposto a ter comunhão com o homem. 2. Que o homem pecaminoso não poderia ver a Deus e viver. 3. Que Deus deve se tornar encarnado, velado na carne como na nuvem. 4. Que Ele deve ser o seu abrigo, protetor, guia. 5. Que o Deus manifesto em carne deve levá-los à Terra Prometida — que é o Céu. — *C. D.*

v. 8. Misericórdia e juízo, ou o mar de vidro mesclado com fogo. — *C.D.*

v. 8. Observar, I. Que a vingança de Deus pelo pecado não impede que Ele perdoe o pecado; e II. Que o perdão do pecado concedido por Deus não impede que Ele puna ou se vingue. — *Stephen Bridge*

v. 9. "O Senhor nosso Deus." Um tópico muito doce será encontrado nas questões: "Em que aspecto Jeová é nosso? E em que tipo de relacionamento Ele se coloca com o seu povo?"

SALMO 100

TÍTULO

Um *salmo de louvor*, ou, antes, de ação de graças. Este é o único salmo que tem esta inscrição precisa. Ele fulgura com adoração agradecida e, por esta razão, tem sido um grande favorito junto ao povo de Deus desde que foi escrito. "Vamos cantar o Velho Centésimo" é uma das expressões cotidianas da igreja cristã e assim será enquanto existirem homens com corações leais ao Grande Rei. Nada pode ser mais sublime deste lado do céu do que este nobre salmo cantado por uma grande congregação. A paráfrase de Watt, que começa "Perante o trono tremendo de Jeová", e a de Scotch, "Todos os que na terra habitam", são ambas nobres versões, e mesmo Tate e Brady superam-se quando cantam,

"Com consentimento único, que toda a terra
A Deus eleve a sua voz".

Neste poema divino cantamos com alegria o poder criador e a bondade do Senhor, enquanto, trêmulos, adoramos a sua santidade.

EXPOSIÇÃO

1 *Celebrai com júbilo ao Senhor, todos os moradores da terra.*
2 *Servi ao Senhor com alegria e apresentai-vos a ele com canto.*
3 *Sabei que o Senhor é Deus; foi ele, e não nós, que nos fez povo seu e ovelhas do seu pasto.*
4 *Entrai pelas portas dele com louvor e em seus átrios, com hinos; louvai-o e bendizei o seu nome.*
5 *Porque o Senhor é bom, e eterna, a sua misericórdia; e a sua verdade estende-se de geração a geração.*

1. *"Celebrai com júbilo ao Senhor, todos os moradores da terra."* Esta é uma repetição do quarto versículo do Salmo 98. A palavra original significa um grito alegre, como o dos súditos leais quando o rei surge entre eles. O nosso Deus feliz deve ser adorado por um povo feliz; um espírito alegre condiz com a sua natureza, os seus atos e a gratidão que devemos acalentar pelas suas graças. A bondade

de Jeová é vista em toda a terra; portanto, em toda a terra Ele deve ser louvado. Nunca queira que o mundo esteja na sua condição adequada até que, com um grito unânime, ele adore o único Deus. Oh, vós, nações, por quanto tempo o rejeitareis cegamente? Vossa idade áurea nunca chegará até que o reverencieis de todo coração.

2. *"Servi ao Senhor com alegria."* Rendei-lhe homenagens alegres com júbilo solene. Ele é o nosso Senhor; portanto, deve ser servido; Ele é o nosso Senhor gracioso e, portanto, deve ser servido com alegria. O convite à adoração aqui feito não é melancólico, como se a adoração fosse uma solenidade fúnebre, mas uma exortação jubilosa, alegre, como se fôssemos convidados para uma festa de casamento. *"Apresentai-vos a ele com canto"*. Devemos, em adoração, perceber a presença de Deus e por um esforço mental nos aproximarmos dEle. Este é um ato que, para todo coração corretamente instruído, deve ser de grande solenidade; mas, ao mesmo tempo, não deve ser realizado no servilismo do medo e, portanto, vamos à presença dEle não com choro e lamentos, mas com salmos e hinos. O canto, que é um exercício alegre e, ao mesmo tempo, devoto, deve ser uma forma constante de aproximação de Deus. A enunciação medida, harmoniosa e entusiasmada de uma congregação de pessoas realmente devotas não é meramente decorosa, mas prazerosa, e é uma adequada antecipação da adoração que será feita no céu, onde o louvor absorveu a oração e tornou-se o único modo de adoração. Como uma congregação de irmãos pode ter a coragem de proibir o cântico na adoração pública é um enigma que não conseguimos solucionar. Sentimo-nos inclinados a dizer com o Dr. Watts:

"Que se recuse a cantar,
Quem nunca conheceu o nosso Deus;
Mas os favoritos do rei celestial
Devem cantar o seu louvor".

3. *"Sabei que o Senhor é Deus."* A nossa adoração deve ser inteligente. Devemos saber a quem adoramos, e por quê o adoramos. "Homem, conhece a ti mesmo" é um aforismo sábio; mas conhecer ao nosso Deus é uma sabedoria mais verdadeira, e é muito questionável se um homem pode conhecer a si até que tenha conhecido a Deus. Jeová é Deus no sentido mais pleno, absoluto e exclusivo; Ele é Deus sozinho; só Ele é Deus; conhecê-lo nesse caráter e provar o nosso conhecimento através da obediência, confiança, submissão, zelo e amor é uma conquista que só a graça pode conferir. Somente aqueles que reconhecem a sua Divindade na prática é que podem oferecer um louvor aceitável. *"Foi Ele que nos fez,* não nós". A criatura não deve reverenciar o seu Criador? Alguns homens vivem como se tivessem criado a si mesmos; dizem que "se fizeram sozinhos" e adoram os seus supostos criadores; mas os cristãos reconhecem a origem do seu ser e do seu bem-estar e não tomam para si nenhuma honra por serem o que são. Nem na nossa primeira nem na nossa segunda criação (a nossa vida no céu) atrevemo-nos a sequer ter um dedo na glória, pois este é um direito e uma propriedade exclusivos do Todo-Poderoso. Renunciar à glória é, para nós, tão necessário, como parte da verdadeira reverência, quanto atribuir glória ao Senhor. "*Non nobis, domine!*" Esta será para sempre a verdadeira confissão do verdadeiro crente. Ultimamente, a filosofia tem trabalhado com afinco para provar que todas as coisas se desenvolveram a partir de átomos ou, em outras palavras, fizeram a si mesmas: se esta teoria algum dia tiver crentes, certamente não restará nenhuma razão para acusar os supersticiosos de incredulidade, pois a quantidade de fé necessária para aceitar este dogma do ceticismo é mil vezes maior do que a exigida por uma crença absurda em Madonas que piscam e Bambinos sorridentes. De nossa parte, achamos muito mais fácil crer que o Senhor nos criou do que crer que nos desenvolvemos por uma cadeia de seleções naturais a partir de átomos flutuantes que fizeram a si mesmos. *"Nós somos o seu povo, e as ovelhas do seu pasto"*. É nossa honra e nosso privilégio termos sido escolhidos em todo o mundo para sermos o *seu* povo; portanto, é igualmente uma grande honra

sermos guiados pela sua sabedoria, tratados pelo seu cuidado e alimentados pela sua abundância. As ovelhas se reúnem em torno do pastor e olham para ele; da mesma maneira, reunamo-nos em torno do grande Pastor da humanidade. O reconhecimento de nosso relacionamento com Deus é, em si mesmo, um grande louvor; quando relembramos a sua bondade, estamos prestando a Ele a melhor adoração; os nossos cânticos não precisam de nada das invenções das ficções, pois os fatos sozinhos são suficientes; a simples narração das graças do Senhor é mais surpreendente do que as produções da imaginação. Que somos as ovelhas do seu pasto é pura verdade e, ao mesmo tempo, a própria essência da poesia.

4. *"Entrai pelas portas dele com louvor e em seus átrios, com hinos."* O salmo provavelmente deve o seu título à ocorrência da expressão *render graças*. Em todo o nosso serviço público, a ação de graças deve ser abundante; é como o incenso do templo, que encheu toda a casa com fumaça. Os sacrifícios expiatórios terminaram, mas os de gratidão jamais terminarão. Enquanto formos receptores da misericórdia, deveremos dar graças. A misericórdia nos permite entrar por seus portões; louvemos essa misericórdia. Que melhor tema para os nossos pensamentos na casa de Deus do que o próprio Senhor da casa. *"E em seus átrios com hinos"*. Em qualquer átrio do Senhor que possais entrar, que a vossa entrada seja tema de louvor: graças a Deus, o átrio mais central está agora aberto aos crentes e entramos no que está dentro do véu; é nossa incumbência reconhecer o elevado privilégio através de nossos cânticos. "*Louvai-o e bendizei o seu nome*"; ou seja, sede gratos a Ele. Que o louvor esteja no vosso coração e não apenas na vossa língua, e que tudo seja para Aquele a quem tudo pertence. *"E bendizei o seu nome"*. Ele vos abençoou, bendizei-o, como uma justa retribuição; bendizei o seu nome, o seu caráter, a sua pessoa. Seja o que for que Ele fizer, tomai o cuidado de bendizê-lo por isso; bendizei-o quando Ele tomar, assim como quando Ele der; bendizei-o enquanto viverdes, sob todas as circunstâncias; bendizei-o por todos os seus atributos, sob todos os pontos de vista em que o considerardes.

5. *"Porque o Senhor é bom."* Isto resume o caráter dEle e contém muitas razões para louvor. Ele é bom, gracioso, benigno, generoso, amoroso; sim, Deus é amor. O que não louva o bem não é bom. O tipo de louvor inculcado no salmo, isto é, o da alegria e do júbilo nos é exigido por um argumento que está baseado na bondade de Deus: A sua misericórdia é eterna. Deus não é uma mera justiça, severa e fria: Ele tem entranhas de compaixão e não quer a morte do pecador. Para com o seu povo, a misericórdia ainda é mais visivelmente exibida; ela tem sido deles por toda a eternidade, e será deles para sempre.

A misericórdia eterna é um tema glorioso para um cântico sacro. *"A sua verdade estende-se de geração a geração."* Ele não é um ser volúvel, que promete e se esquece do que prometeu. Ele firmou uma aliança com o seu povo, e assim jamais a revogará nem alterará o que saiu de seus lábios. Como nossos pais o conheceram, fiel, assim Ele será com os nossos filhos e com a sua semente para sempre. Um Deus mutável seria um terror para os justos; eles não teriam uma ancoragem segura e, em um mundo em mudança, seriam jogados de um lado para o outro, em perpétuo temor do naufrágio.

Seria bom se a verdade da fidelidade divina fosse mais plenamente lembrada por alguns teólogos; isto derrubaria a sua crença na queda final dos crentes e os ensinaria um sistema mais consolador. O nosso coração salta de alegria quando nos inclinamos perante Aquele que nunca faltou com a sua palavra, nem mudou os seus propósitos.

"O seu ser poderia deixar de existir,
Se violasse a sua promessa ou se a esquecesse."

Baseados na sua palavra segura, sentimos aquela alegria que aqui é ordenada e, na força dela, vamos à sua presença agora mesmo, e falamos bem do seu precioso nome.

NOTAS EXPLICATIVAS E DECLARAÇÕES SINGULARES

Título: Este é o único salmo em toda a coleção intitulada *"Um salmo de louvor"*. Supõe-se que tenha recebido este nome por ser peculiarmente adaptado, se não destinado a ser cantado quando os *sacrifícios de ação de graças* fossem oferecidos. Veja Lv 7.12. Os gregos entendem que foi escrito por Davi, que aqui convida o mundo todo a juntar-se aos israelitas no serviço a Deus, cuja divina soberania ele aqui reconhece. — *Samuel Burder*

Salmo inteiro: Se estamos certos ao considerar os Salmos 93—99 como uma série contínua, um grande oratório profético, cujo título é "Jeová é Rei", com a mesma grande ideia ao longo de toda esta série, este salmo pode ser considerado como a doxologia que encerra a sequência. Vemos persistir nele notas da mesma grande harmonia. Ele respira a mesma alegria; está repleto da mesma esperança, de que todas as nações devem se curvar perante Jeová e confessar que só Ele é Deus. — *J. J. S. Perowne*

Salmo inteiro: Este salmo contém uma promessa do cristianismo, assim como o inverno, no seu final, contém a promessa da primavera. As árvores estão prontas para brotar, as flores estão apenas escondidas por um pouco de terra, as nuvens estão carregadas de chuva, o sol brilha na sua força; falta apenas um vento revigorante do sul que dê vida nova a todas as coisas. — *"The Speaker's Commentary", 1873*

Salmo inteiro: Lutero já teria imortalizado o seu nome se não tivesse feito mais nada além de escrever a majestosa melodia e harmonia com que estamos acostumados a cantar este salmo, e que, quando a mente está em uma disposição de adorar, parece trazer o céu à terra e elevar a terra ao céu, oferecendo-nos antecipações dos puros e sublimes prazeres daquela assembleia nobre e geral em que os santos e anjos para sempre celebrarão os louvores de Deus. — *Ingram Cobbin*

v. 2: A primeira metade deste versículo é do Salmo 2.11, só que, ao invés de *"com temor"*, como naquele, onde o salmista se refere a rebeldes ferozes, aqui temos *"alegria"* ou júbilo. — *F. W. Hengstenberg*

v. 2: "Servi ao Senhor com alegria". É um sinal de que o óleo da graça foi derramado no coração "quando o óleo da felicidade" brilha no semblante. A alegria dá crédito à religião. — *Thomas Watson*

v. 2: "Servi ao senhor". É nosso privilégio servir ao Senhor em todas as coisas. É nosso privilégio agradar ao Senhor desatando o cordão de um sapato, e usufruindo a expressão de seu favorecimento nisto. O servo de Deus não está servindo, ao mesmo tempo, a outro senhor; ele não foi contratado para desempenhar algum serviço ocasional; ele permanece a serviço do seu Deus e não pode se envolver em qualquer outra coisa que não nos negócios de seu Mestre; ele come, bebe, dorme, anda, discursa, encontra recreação, tendo sempre, como objetivo, servir a Deus. *"Servi ao Senhor com alegria"*. Você conseguiria suportar ser servido por um criado que cumpre todas as suas tarefas cabisbaixo e infeliz? Preferiria não ter criado nenhum a ter um que evidentemente considera triste e irritante servir-lhe. — *George Bowen*

v. 3: "Sabei que o Senhor é Deus", etc. Das razões desta exortação, aprenda que de tal tipo é nosso ateísmo natural que repetidamente necessitamos ser instruídos no fato de *que o Senhor é Deus*, do qual, pelo qual e para o qual são todas as coisas. — *David Dickson*

v. 3: "Foi ele que nos fez... somos seus". Ora, o fundamento da propriedade de Deus em todas as coisas é que Ele criou tudo... Portanto, você pode observar em muitas escrituras que a propriedade do Senhor é afirmada, e isto é anexado como fundamento dela: Salmo 89.11,12: O céu, a terra, o mundo inteiro e tudo o que há nele são teus. Por quê? "Tu os fundaste". E assim são todas as regiões e cantos do mundo, norte e sul, leste e oeste, pois Tabor ficava no oeste e Hermon no leste; e todos são teus, porque Tu os criaste. Assim o mar e a terra, Salmo 95.5. Todas as coisas são medidas pelo tempo, e o próprio tempo é a medida de tudo, Salmo 74.16,17. "Tu fizeste a luz", isto é, a lua para a noite e o sol para o dia. Ele define todo o clima da terra e todas as estações do ano; ele os fez. Isto será mais evidente e inquestionável se observarmos estas particularidades:

1. Ele fez tudo para si. Ele não foi empregado por ninguém para fazer para outro, pois, nesse caso, às vezes o que faz não é o proprietário; mas o Senhor se dedicou a esse grande trabalho e para Si o empreendeu e completou, Provérbios 16.4, Colossenses 1.15,16.

2. Ele fez todas as coisas do nada, sem nenhuma matéria prima; e ainda que tivesse usado algo, isto seria algo que Ele teria criado do nada. Quando um oleiro faz um recipiente de barro, se a argila com a qual o fizer não for sua, ele não será o proprietário pleno do recipiente, apesar de lhe ter dado forma: "A forma é sua, mas a matéria prima é de outro". Mas como o Senhor fez tudo do nada ou de alguma matéria prima que Ele mesmo fez a partir do nada, tudo é inteiramente seu; matéria prima e forma, tudo, inteiramente.

3. Ele fez tudo sem a ajuda ou a participação de qualquer outro. Não houve ninguém que o assistisse ou que sequer cooperasse com Ele na obra da criação. Os que assistem e cooperam na feitura de alguma coisa podem reivindicar uma parte nela; mas não há tal direito neste caso, pois Deus fez tudo sozinho. Assim, tudo é somente seu.

4. Ele sustenta todas as coisas da mesma maneira que as criou; tudo continua a ser da mesma maneira que Ele as fez. Ele o faz de per si, sem nenhum apoio, sem nenhum assistente. Todas as coisas se tornariam nada em um instante se Ele não as sustentasse em todos os momentos. Deste modo, todas as coisas recebem dEle a sua identidade, em todos os momentos, o seu ser e também o seu bem-estar e todos os meios que conduzem a Ele; portanto, tudo e todos são dEle. — *David Clarkson*

v. 3: "Foi Ele que nos fez". O imperador Henrique, enquanto caçava no dia do Senhor chamado Quinquagésima, tendo seus companheiros se dispersado, chegou sozinho à entrada de certa floreta e, vendo uma igreja próxima, rumou para ela e, passando-se por um soldado, simplesmente solicitou ao sacerdote que fizessem um culto. Ora, o sacerdote era um homem de notável piedade, mas tão deformado em pessoa que parecia mais um monstro do que um homem. Depois de considerá-lo atentamente, o imperador começou a perguntar-se por que Deus, de quem procede toda beleza, deveria permitir que um homem tão deformado administrasse os seus sacramentos. Mas, logo em seguida, quando o culto começou e eles chegaram à passagem, *"Sabei que o Senhor é Deus"*, cantada por um menino, o sacerdote repreendeu o menino por cantar com negligência e disse com voz alta: *"Foi Ele que nos fez*, não nós". Impressionado com estas palavras e crendo que o sacerdote fosse um profeta, o imperador o elevou, muito contra a sua vontade, ao arcebispado de Colônia, que aquele homem adornou com a sua devoção e com as suas excelentes virtudes. — *Da obra de Roger de Wendover (- 1237) "Flowers of History"*

v. 3: "Foi ele que nos fez... somos dEle". Muitos extraíram uma grande consolação destas palavras; sim, um verdadeiro balsamo, como, por exemplo, Melanchton, desconsolado ao lado do corpo do filho, em Dresden, em 12 de julho de 1559. Mas na expressão *"Ele nos fez e somos dEle"* há também uma rica mina de conforto e advertência, pois o Criador é também o Possuidor; o seu coração se apega à criatura, e a criatura deve-se inteiramente a Ele. Sem o precioso e bendito Senhor, não teríamos um ser e não continuaríamos a ser alguém. — *F. Delitzsch*

v. 3: "Ele nos fez", isto é, fez de nós o que somos, um povo para Ele, como lemos no Salmo 95.5, 1 Samuel 12.6 e Deuteronômio 32.6. Não fomos nós que determinamos que seríamos dEle (cp. Ezequel 29.3). *"Ele (não nós) fez de nós o Seu povo e o rebanho que Ele alimenta"*. — *Andrew A. Bonar*

v. 3: A expressão *"não nós"* é acrescentada porque qualquer participação da igreja na salvação a ela conferida enfraqueceria o testemunho que glorifica exclusivamente a Divindade do Senhor. — *F. W. Hengstenberg*

vv. 3 e 5: "Sabei" o que Deus é em Si mesmo e o que Ele é para você. O conhecimento é a mãe da devoção e de toda obediência; sacrifícios cegos jamais agradarão ao Deus que vê todas as coisas, sim, o Deus que criou a visão. *Saiba*, isto é, considere e aplique este conhecimento, e então você será mais próximo e constante; este conhecimento será mais interiorizado e sério em sua vida, na adoração ao Senhor. Saibamos, então, estas sete coisas referentes ao Senhor Jeová, com o qual nos relacionamos em todos os atos da adoração religiosa.

1. *"Que o Senhor é Deus"*; o único Deus vivo e verdadeiro; Ele é um ser infinitamente perfeito, autoexistente e autossuficiente e a fonte de todo ser. 2. Ele é o nosso *Criador. "foi Ele que nos fez*, não nós". Não nos fizemos e não poderíamos nos fazer; é prerrogativa de Deus ser a sua própria causa; o nosso ser é derivado e dependente. 3. Portanto, *Ele é o nosso legítimo proprietário.* Os massoretas, alterando uma letra no hebraico, leram: "Ele nos fez, e dEle somos", ou "a Ele pertencemos". Junte as leituras e descubra que, como Deus "nos fez, e não nós", portanto, não pertencemos a nós mesmos, mas a Ele. 4. *Ele é o nosso Governante soberano. "Somos o seu povo"*, ou súditos, e Ele é o nosso príncipe, o nosso reitor ou governador, que nos dá leis como agentes morais, e nos chamará a prestar contas do que fizermos. 5. *Ele é o nosso Benfeitor generoso;* não apenas somos as suas ovelhas, às quais Ele tem direito, mas *"as ovelhas do seu pasto"*, das quais Ele cuida. 6. Ele é o Deus de misericórdia e de bondade infinitas (v. 5); *"O Senhor é bom"*; portanto, Ele faz o bem; "A Sua misericórdia é eterna". 7. Ele é o Deus de verdade e fidelidade invioláveis; *"A Sua verdade permanece ao longo de todas as gerações"*, e nenhuma palavra dEle cairá por terra como se fosse antiquada ou revogada. — *Matthew Henry*

v. 4: "Entrai pelas portas dele"; as portas da Sua igreja estão abertas até mesmo para os mais culpados. — *Francis Hill Tucker*

v. 4: "Com louvor" ou "rendendo graças". Sobre a palavra תּוֹדָה [a palavra usada em Lv 7.12 para sacrifícios e ações de graças], o rabino Menachem observa: Todos os sacrifícios serão abolidos, mas o sacrifício de ação de graças permanecerá. — *George Phillips*

v. 4: A parte inicial deste salmo pode ter sido cantada pelo líder da adoração quando a oferta pacífica era levada ao altar; e este último versículo pode ter sido a resposta, cantada por todo o grupo de cantores no momento que o fogo era aplicado à oferta. — *Daniel Cresswell*

v. 5: "A sua misericórdia é eterna". A eterna e imutável misericórdia de Deus é o primeiro motivo para nos voltarmos a Ele e permanecermos constantes na sua aliança, e será o tema de um louvor incessante na eternidade. O Senhor é bom, e a sua misericórdia é eterna; assim, a perfeição plena destes atributos em um estado perfeito invocará um louvor incansável de corações que jamais esmorecerão. — *W. Wilson*

SUGESTÕES AOS PREGADORES

Salmo inteiro: Este é um cacho das uvas de Escol. É um sabor do que ainda é a terra prometida. A igreja judaica chegou à sua perfeição no reinado de Salomão, mas alguém maior do que Salomão está aqui. A perfeição da igreja do Novo Testamento é antecipada aqui. Este salmo ensina, I. *Que haverá um estado jubiloso que abrange o mundo inteiro* (v. 1). 1. A quem o discurso é dirigido — a "todas as terras" e a todos nessas terras. 2. O tema do discurso — "Fazei um som de júbilo". Que som pesaroso se fez! 3. Por quem o discurso é dado: por Aquele que consegue o que ordena. II. *Que este estado jubiloso do mundo inteiro decorrerá do fato de poderem desfrutar a gloriosa e preciosa presença do Ser Divino* (v. 2). 1. Há muito tempo os homens tentam ser felizes sem Deus. 2. Eles descobrirão, por fim, que a sua felicidade está em Deus. A conversão de um indivíduo neste aspecto é um tipo de conversão do mundo. III. *O fato de poderem desfrutar a gloriosa e preciosa presença de Deus decorrerá de um novo relacionamento com Ele* (v. 3). 1. Do conhecimento da nossa parte: Ele será conhecido como o Deus Triúno, como o Deus da aliança, como o Deus da salvação — como o único Deus. 2. Do direito legítimo da sua parte: (1) por direito de criação — "Ele nos fez"; (2) Por direito de redenção — "Não éreis um povo, mas agora sois o povo de Deus", etc.; "Eu te redimi; tu és meu". (3) por direito de preservação — "Nos somos as ovelhas", etc. IV. *Que este novo relacionamento com Deus nos afeiçoará aos estatutos da sua casa* (v. 4). 1. O serviço será composto — "ação de graças" e louvor. 2. A quem será prestado. Entrai pelas *suas* portas — *seus* átrios — ser grato a *Ele* — bendizer o *Seu* nome. V. *Que o seu serviço será perpétuo*; iniciado na terra, continuado no céu. Este fato está fundamentando — 1. Na bondade essencial, "Pois o Senhor é bom". 2. Na misericórdia eterna. "A sua misericórdia", etc. 3. Na verdade imutável. "A sua verdade", etc. — *G. R.*

v. 2. "Servi ao Senhor com alegria". 1. Pois Ele é o melhor dos seres. 2. Pois os seus mandamentos não são cruéis. 3. Pois Ele é o seu Salvador, além de Criador; seu amigo, além de Senhor. 4. Os anjos, tão maiores do que você, não conhecem nenhuma razão pela qual não devam servi-lo com alegria. 5. Ao servi-lo, você serve a si mesmo. 6. Você torna a religião atraente. 7. Você se torna apto para morar no céu. — *George Bowen*

v. 2 (primeira oração). "Servir ao Senhor com Alegria". Veja "Spurgeon's Sermons", n. 769.

v. 3. "Sabei que o Senhor é Deus". Para que possais ser fiéis em meio à superstição, esperançosos nas contrições, persistentes nas súplicas, incansáveis nos esforços, calmos nas aflições, firmes em meio às tentações, corajosos nas perseguições e felizes na dissolução deste corpo físico. — *W. J.*

v. 3. "Nós somos o seu povo". Nascemos duas vezes, como todo o seu povo. Amamos a companhia do seu povo. Estamos aguardando Jesus com o seu povo. Estamos separados do mundo como o seu povo. Experimentamos as tribulações do seu povo. Preferimos ser empregados como o seu povo. Usufruímos os privilégios do seu povo. — *W. J.*

v. 4. Um discurso de ação de graças que é devido a Deus pelos seus benefícios e bênçãos. — *A Sermon by Thomas Goodwin. Works, vol. 9, pgs. 499-514. Nichol's edition*

v. 4. I. Os privilégios do acesso que temos a Deus. II. O dever da gratidão. III. As razões para usufruirmos estas duas bênçãos.

v. 5. I. A fonte inexaurível — a bondade de Deus. II. O rio que flui eternamente — a misericórdia de Deus. III. O oceano insondável — a verdade de Deus. "Oh, que profundidade!" — *W. Durban*

SALMO 101

TÍTULO

Salmo de Davi. Este é exatamente um Salmo como o homem cujo coração era segundo o coração de Deus comporia, quando estivesse prestes a se tornar rei em Israel. O Salmo segue o estilo de Davi; direto, resoluto, devoto; não há qualquer traço de diplomacia ou hesitação – o Senhor o indicou para que fosse rei, e ele sabe disto, por isto ele se propõe, em todas as coisas, a se comportar como convém a um monarca escolhido pelo próprio Senhor. Se chamarmos este salmo de o Salmo de Resoluções Piedosas, talvez nos lembremos dele mais prontamente. Depois de cânticos de louvor, um salmo de prática não somente traz variedade, mas é introduzido de maneira muito adequada. Nós jamais louvamos melhor ao Senhor, do que quando fazemos aquelas coisas que são agradáveis aos seus olhos.

EXPOSIÇÃO

1 *Cantarei a misericórdia e o juízo; a ti, SENHOR, cantarei.*
2 *Portar-me-ei com inteligência no caminho reto. Quando virás a mim? Andarei em minha casa com um coração sincero.*
3 *Não porei coisa má diante dos meus olhos; aborreço as ações daqueles que se desviam; nada se me pegará.*
4 *Um coração perverso se apartará de mim; não conhecerei o homem mau.*
5 *Aquele que difama o seu próximo às escondidas, eu o destruirei; aquele que tem olhar altivo e coração soberbo, não o suportarei.*
6 *Os meus olhos procurarão os fiéis da terra, para que estejam comigo; o que anda num caminho reto, esse me servirá.*
7 *O que usa de engano não ficará dentro da minha casa; o que profere mentiras não estará firme perante os meus olhos.*
8 *Pela manhã destruirei todos os ímpios da terra, para desarraigar da cidade do SENHOR todos os que praticam a iniquidade.*

1. *"Cantarei a misericórdia e o juízo."* O salmista queria enaltecer tanto o amor quanto a severidade, o doce e o amargo, que o Senhor tinha mesclado na sua experiência; ele queria admirar a justiça e a

bondade do Senhor. Um cântico como este conduziria adequadamente a resoluções devotas, com respeito à sua própria conduta, pois aquilo que nós admiramos em nossos superiores, naturalmente nos esforçamos para imitar. A misericórdia e o juízo iriam moderar a administração de Davi, porque ele os tinha percebido adoravelmente nas dispensações do seu Deus. Tudo, nas tratativas de Deus conosco, pode, adequadamente, se tornar o tema de um cântico, e nós não consideraremos de modo correto a menos que sintamos que podemos cantar sobre isto. Nós devemos bendizer ao Senhor tanto pelo juízo com que Ele pune o nosso pecado, como pela misericórdia com que Ele o perdoa; existe tanto amor nos golpes da sua mão como nos beijos da sua boca. Em um retrospecto de suas vidas, os santos instruídos mal sabem pelo que devem ser mais agradecidos – pelos consolos que os animaram, ou pelas aflições que os purificaram.

"A ti, Senhor, cantarei." O Senhor deve receber todo o nosso louvor. Os instrumentos secundários, seja da misericórdia ou do juízo, devem ter um lugar subordinado na nossa memória, e somente o Senhor deve receber hinos de louvor do nosso coração. A adoração da nossa alma deve ser o elogio do Senhor. O salmista abandona a nota menor, que em breve iria dominá-lo no Salmo 102, e decide que, aconteça o que acontecer, ele cantará, e cantará ao Senhor, não importando o que os outros possam fazer.

2. *"Portar-me-ei com inteligência no caminho reto."* Ser santo é ser sábio; o caminho perfeito é um caminho sábio. A resolução de Davi era excelente, mas os seus procedimentos não estavam perfeitamente de acordo com ela. Ai! Ele nem sempre era sábio nem perfeito, mas era bom o que havia no seu coração. Um rei necessariamente deve ser sábio e puro e, se não o for em intenção, quando subir ao trono, a sua conduta posterior será um triste exemplo para o seu povo. Aquele que nem mesmo se decide a fazer o bem, provavelmente fará muito mal. Chefes de família, empregadores, e especialmente ministros, devem orar, pedindo sabedoria e santidade, pois precisarão de ambas.

"Quando virás a mim?" – uma exclamação, mas não uma interrupção. Ele sente necessidade, não apenas da ajuda divina, mas também da presença divina, para que ele possa ser instruído, e santificado, e adequado para o desempenho da sua alta vocação. Davi ansiava por uma visitação mais especial e eficaz do Senhor, antes de começar o seu reinado. Se Deus estiver conosco, não erraremos em juízo, nem transgrediremos em caráter; a sua presença nos traz sabedoria e santidade: longe de Deus, nós estamos afastados da santidade. Os homens bons são tão sensíveis à fraqueza que clamam pela ajuda de Deus, são tão voltados à oração que clamam em todas as ocasiões, são tão intensos nos seus desejos que clamam com suspiros e gemidos inexprimíveis, dizendo: "Quando virás a mim?"

"Andarei em minha casa com um coração sincero." A piedade deve começar em casa. Os nossos primeiros deveres são aqueles dentro da nossa própria morada. Nós devemos ter um coração perfeito em casa, ou não poderemos seguir um caminho perfeito fora de casa. Observe que estas palavras fazem parte de um cântico, e que não existe música como a harmonia de uma vida de graça, nenhum Salmo é tão doce como a prática diária da santidade. Leitor, como vai a sua família? Você canta no coro, e peca no quarto? Você é um santo fora de casa, e um demônio em casa? Que vergonha! Sejamos realmente o que somos em casa. Não poderá ser um bom rei aquele cujo palácio é a morada da maldade, nem é um verdadeiro santo aquele cuja morada é uma cena de lutas, nem um ministro fiel aquele cuja casa teme a sua presença junto à lareira.

3. *"Não porei coisa má diante dos meus olhos."* Não me deliciarei com coisas más que se puserem diante de meus olhos, nem as desejarei, nem as tolerarei. Se alguma iniquidade for trazida diante de mim, pelos outros, eu me afastarei dela, não a olharei com prazer. O salmista é muito envolvente na sua resolução, ele recusa a menor, a mais respeitável, a mais costumeira forma de mal – nenhuma *coisa má*: ela não apenas não habitará no seu coração, mas nem mesmo diante dos

seus olhos, pois o que fascina os olhos muito provavelmente conseguirá entrar no coração, como a maçã de Eva primeiro agradou os seus olhos, e depois predominou sobre a sua mente e a sua mão.

"Aborreço as ações daqueles que se desviam." Ele era acaloradamente contrário a elas; ele não as via com indiferença, mas com completo desprezo e abominação. O ódio ao pecado é uma boa sentinela para a porta da virtude. Há pessoas, nas cortes, que andam de uma maneira muito tortuosa, deixando o elevado caminho da integridade; e elas, por atalhos, guinadas e curvas, frequentemente devem realizar obras para seus senhores que os corações simples e honestos não se atrevem a realizar; mas Davi não empregaria tais métodos, ele não faria nenhum pagamento obscuro; ele odiava as práticas dos homens que se desviavam da justiça. Ele tinha a mesma mentalidade do estadista agonizante que disse: "A corrupção não pode conquistar nada mais do que a honestidade é capaz de conquistar". Deve-se deplorar intensamente o fato de que, em muitos anos, ele não tenha se mantido limpo em todos os casos, embora, no principal, sim; mas o que ele teria sido, se não tivesse começado com esta determinação, mas tivesse seguido a política tortuosa usual dos príncipes do oriente? Como nós todos precisamos da orientação divina! Nós não somos mais perfeitos do que Davi, na verdade, nós estamos muito aquém dele, em muitos aspectos; e, como ele, nós sentiremos a necessidade de escrever um Salmo de penitência, pouco depois do nosso Salmo de boas resoluções.

"Nada se me pegará" ou "Não tomarei parte nos seus pecados" (na versão NTLH). Eu repudiarei os seus caminhos, não imitarei a sua política: como o pó, isto poderá cair sobre mim, mas eu o lavarei, e jamais descansarei, até que esteja livre de tais coisas. O pecado, como a lama, tem uma grande capacidade de se agarrar às pessoas. No decorrer da história da nossa família, coisas tortuosas aparecerão, pois todos nós somos imperfeitos, e alguns ao nosso redor estão longe de ser o que deviam ser; portanto, deve ser um grande objeto de nossa preocupação nos desembaraçar, nos conservar livres de transgressão, e de tudo o que dela vem: isto não poderá ser feito, a menos que o Senhor venha a nós e habite conosco para sempre.

4. *"Um coração perverso se apartará de mim."* Ele se refere, tanto a si mesmo, quanto aos que estão ao seu redor; ele não seria tortuoso no seu coração, nem empregaria na sua casa pessoas de mau caráter; se ele as encontrasse no seu átrio, ele as expulsaria. Aquele que começa com o seu próprio coração, começa na origem da fonte, e provavelmente não tolerará más companhias. Não podemos afastar da nossa família aqueles cujos corações são perversos, mas podemos remover deles a nossa confiança, e fazer com que vejam que não aprovamos os seus caminhos.

"Não conhecerei o homem mau." Ele não será meu amigo intimo, meu amigo do peito. Eu devo conhecê-lo como homem, ou não poderei discernir o seu caráter; mas se eu souber que ele é ímpio, não mais terei amizade ou comunhão com ele. "Conhecer", nas Escrituras, significa mais do que a mera percepção, inclui a comunhão, e é neste sentido que é usado aqui. Os príncipes devem renegar aqueles que renegam a justiça; se tiverem comunhão com os ímpios, em breve serão também conhecidos como ímpios.

5. *"Aquele que difama o seu próximo às escondidas, eu o destruirei."* O salmista tinha conhecido, de modo tão amargo, as desgraças causadas pelos caluniadores, que pretendia lidar severamente com tais víboras, quando subisse ao poder, não para vingar seus próprios males, mas para evitar que outros sofressem, como ele tinha sofrido. Desferir contra o próximo um golpe no escuro é um dos mais atrozes crimes, ao qual, por mais fervorosamente que reprovemos, ainda não será suficiente, mas os que são culpados deste crime frequentemente encontram apoio e proteção nos lugares altos, e são considerados homens de penetração, confiáveis, que têm os olhos aguçados, e se preocupam em manter seus senhores bem informados. O rei Davi tiraria da piedosa árvore do seu estado estes ramos supérfluos: *"Aquele que tem olhar altivo e coração soberbo, não o suportarei"*. Orgulhoso, dominador, cavalheiro presunçoso, que despreza os pobres como se fossem vermes rastejando pela terra,

debaixo de seus pés – o salmista não podia suportar pessoas assim. A visão delas o fazia sofrer, e por isto ele não as podia tolerar. Grandes homens frequentemente apresentam ares aristocráticos e modos arrogantes. Davi, portanto, decidiu que ninguém ocuparia cargos de alto escalão no seu palácio, exceto aqueles que tivessem mais graça e mais bom senso para não tolerar o pecado em tão abominável vaidade. Os homens orgulhosos e arrogantes, em geral, são duros, e por isto muito inapropriados para funções públicas; as pessoas arrogantes frequentemente provocam inimizade e descontentamento, e quanto menos pessoas deste tipo houver em uma corte, melhor será para a estabilidade de um trono. Se todos os caluniadores agora estivessem extirpados, e todos os arrogantes banidos, o próximo censo declararia uma diminuição muito sensível da população.

6. *"Os meus olhos procurarão os fiéis da terra, para que estejam comigo."* Ele os procuraria, solicitaria os seus serviços, cuidaria deles, e os exaltaria à honra: esta era uma nobre ocupação, para um rei, que o recompensaria infinitamente melhor do que ouvir às bobagens inúteis dos aduladores. Seria para o grande benefício de todos nós, se escolhêssemos nossos servos mais pela sua piedade do que pela sua inteligência ou esperteza; aquele que consegue um servo fiel, consegue um tesouro, e deverá fazer qualquer coisa, para não separar-se dele. Aqueles que não são fiéis a Deus provavelmente não serão fiéis aos homens; se formos fiéis, não nos importaremos em ter, ao nosso redor, aqueles que não conseguem falar a verdade, nem cumprir suas promessas; não ficaremos satisfeitos até que todos os membros da nossa família sejam retos em caráter.

"O que anda num caminho reto, esse me servirá." Aquilo que eu mesmo desejo ser, que eu deseje que o meu servo seja. Os empregadores são, em grande parte, responsáveis por seus servos, e é costumeiro culpar um senhor se ele conservar a seu serviço pessoas de caráter notoriamente impróprio; por isto, para que não participemos dos pecados de outros homens, é bom que recusemos os serviços de pessoas de mau caráter. Um bom senhor faz bem em escolher um bom servo; ele pode receber um pródigo em sua casa, para o bem do pecador, mas se consultar os seus, procurará em outra parte. Babás perversas têm uma influência altamente maligna sobre a mente de criancinhas, e servos ímpios frequentemente ofendem a moral dos membros mais velhos da família, e por isto deve-se ter grande cuidado para que, sempre que possível, servos piedosos sejam empregados. Até mesmo homens não religiosos têm o bom senso de perceber o valor dos servos cristãos, e certamente seus próprios irmãos cristãos não devem ter uma opinião inferior à deles.

7. *"O que usa de engano não ficará dentro da minha casa."* O salmista tinha o poder de escolher os seus cortesãos, e pretendia exercer tal poder. O engano, entre a maioria dos orientais, é considerado uma virtude, e só é censurado quando não é suficientemente astuto, e assim vem a ser descoberto; portanto, era ainda mais notável que Davi fosse tão decididamente contrário a ele. Ele não podia saber o que o homem enganador poderia estar fazendo, que tramas poderia estar planejando, que engano poderia estar preparando, e por isto ele decidiu que, a qualquer custo, conservaria o engano fora da sua casa, para que o seu palácio não se tornasse uma cova de infâmia. Os enganos no comércio já são suficientemente maus, mas os enganadores, à nossa própria mesa, não podemos tolerar.

"O que profere mentiras não estará firme perante os meus olhos." Ele não desejava ter um mentiroso ao alcance da sua visão ou audição; ele odiava a menção dele. A graça torna os homens verdadeiros, e cria neles um total horror a tudo o que se assemelha à falsidade. Se Davi não desejava ter um mentiroso diante de seus olhos, muito menos o desejará o Senhor; nem aquele que ama a mentira, nem o que diz a mentira, será aceito no céu. Os mentirosos são odiosos o suficiente na terra; os santos não se preocuparão com eles no outro mundo.

8. *"Pela manhã destruirei todos os ímpios da terra."* No início do seu governo ele faria prontamente justiça aos indignos, ele não lhes daria descanso, mas faria com que eles deixassem a sua iniquidade ou sentissem o açoite da lei. O magistrado

justo "não traz debalde a espada". Favorecer o pecado é desencorajar a virtude; a indulgência indevida ao mau é crueldade com o bom. Quando o nosso Senhor vier para julgar, este versículo será cumprido, em grande escala; até então, ele deixa o juiz com o Salvador, e pede que os homens abandonem seus pecados e encontrem o perdão. Com o Evangelho, também nos é pedido que suportemos por muito tempo e que sejamos benignos, até mesmo com os ingratos e os maus; mas o cargo do magistrado é de outro tipo, e ele deve ter um olho mais firme com a justiça do que seria apropriado em pessoas comuns. Ele não deve ser um terror para os malfeitores?

"Para desarraigar da cidade do Senhor todos os que praticam a iniquidade." Jerusalém devia ser uma cidade santa, e o salmista desejava ser duplamente cuidadoso, em purificá-la dos homens ímpios. O juízo deve começar na casa de Deus. Jesus reserva o seu açoite de cordas curtas para os pecados no interior do templo. Quão pura deve ser a igreja, e quão diligentemente devem todos aqueles que têm cargos nela se esforçar para deixar do lado de fora os homens de vidas impuras. Os cargos honrosos envolvem sérias responsabilidades; brincar com eles trará culpa às nossas almas, e ofensa incalculável às almas dos outros. Senhor, vem a nós, para que nós, em nossas várias posições na vida, possamos andar diante de ti, com corações perfeitos.

NOTAS EXPLICATIVAS E DECLARAÇÕES SINGULARES

O Salmo: O conteúdo deste Salmo mostra que ele foi escrito em algum período notável da vida de Davi. Três ocasiões diferentes foram sugeridas como dando oportunidade para as solenes resoluções que são anunciadas neste Salmo. A primeira seria quando Davi, imediatamente depois da morte de Saul, subiu ao governo de uma parte do reino; a segunda, quando todo o reino foi unido sob o domínio de Davi; e a terceira, quando ele tirou a arca da casa de Obede e a levou a Sião, e a colocou na proximidade da sua própria morada. Certamente, tem pouca importância qual destes períodos escolhamos, mas o segundo versículo parece estar relacionado à última ocasião mencionada. O salmista diz aqui: "*Quando virás a mim?*", o que parece indicar que quando ele estava prestes a ter os símbolos da presença de Deus, tão próximos de si, ele vivenciou um solene sentimento, a respeito da santidade que agora, mais do que nunca, era seu dever – um sentimento que o induziu a formar os sagrados propósitos e resoluções que ele especificou. Estes propósitos são relacionados ao caráter das pessoas que ele escolheria para a sua casa, e aquelas às quais ele empregaria para realizar o seu governo, que parecessem estar mais firmemente estabelecidas pela condescendência divina do que lhe foi manifestado, ao ter a residência terrena de Deus colocada tão perto de si mesmo. Estava muito de acordo com o caráter de Davi, formar propósitos de mais fervorosa e firme obediência, em proporção às vantagens e aos benefícios que a bondade divina lhe concedera. – *William Walford*

O Salmo: Este Salmo foi chamado, apropriadamente, "o salmo do líder da família", e certamente, se cada chefe de família governasse a sua casa de acordo com estas regras do consciencioso salmista, haveria uma quantidade muito maior, não meramente de felicidade e conforto domésticos, mas de realização das sérias e responsáveis tarefas que recaem sobre os respectivos membros de uma família. Davi, até certo ponto, poderia ter que falar das regras de uma casa e família real; e, naturalmente, com estas pessoas nós, na nossa esfera mais humilde, podemos ter muito pouco em comum; mas, embora as tarefas e as exigências não sejam as mesmas, os mesmos princípios devem atuar, de modo semelhante, e as mesmas virtudes que adornam os inferiores podem irradiar um esplendor, até mesmo sobre os superiores. – *Barton Bouchier*

O Salmo: Este é o Salmo que os antigos comentaristas costumavam designar como "O espelho para os magistrados", e que excelente espelho ele é. Ele aceleraria, poderosamente, a vinda do momento em que cada nação será uma possessão de Cristo, e cada capital será uma "Cidade do Senhor", se todos os magistrados pudessem ser persuadidos a se posicionar ao lado dele, cada vez que se preparassem para desempenhar as funções de seu ofício divino. Quando Sir George Villiers se tornou o favorito e primeiro ministro do Rei James, Lord Bacon, em uma bela Carta de Conselho, o aconselhou a usar este salmo como sua regra, na promoção de cortesãos. "A escolha necessariamente deve ser de servos honestos e fiéis, assim como de bela aparência, que possam dobrar os joelhos e beijar a mão. O rei Davi (Sl 101.6, 7) propôs uma regra para si mesmo, para a escolha de seus cortesãos. Ele foi um rei sábio e bom, e um rei sábio e bom fará bem em seguir tão bom exemplo; e se ele descobrir que alguém tem falhas, o que talvez não possa ser descoberto repentinamente, que enfrente esta resolução, como o rei Davi, *'O que usa de engano não ficará dentro da minha casa'"*. Teria sido bom, para o Filósofo e para o favorito, se tivessem tido o cuidado de andar segundo esta regra. – *William Binnie*

O Salmo: Eyring, em sua obra "Life of Ernest the Pious" (Duque de Saxe-Gotha), relata que enviou a um ministro desleal uma cópia do Salmo 101, e que ele se tornou um provérbio no país, pois quando um oficial tivesse feito algo de errado, "certamente ele logo receberá o Salmo do príncipe para ler". – *F. Delitzsch*

O Salmo: O Salmo 101 era altamente apreciado pelo mais nobre dos príncipes russos, Vladimir Monomachos; e pelo mais gentil dos reformistas ingleses, Nicholas Ridley. Mas foi o seu primeiro salto na vida que o conduziu tão longe no futuro. Ele está cheio de firme exclusividade, de uma nobre intolerância, não contra o erro teológico, não contra os modos não refinados, não contra a insubordinação política, mas contra o coração arrogante, o olhar altivo, a calúnia em segredo, o trabalhador enganador, o contador de mentiras. Estes são os expulsos da corte do rei Davi; estes são os rebeldes e hereges aos quais ele não permitiria que habitassem na sua casa nem que ficassem diante de seus olhos. – *Arthur Penrhyn Stanley, "Lectures on the History of the Jewish Church", 1870*

O Salmo: Um hino de louvor como a grande doxologia do Salmo 99 não poderia se desvanecer sem um eco. De maneira semelhante, o Salmo 100 pode ser considerado formando o coro da igreja, e este tomando e aplicando esta parte da doxologia que celebra a manifestação *atual* do "Rei na sua formosura". – *Alfred Edersheim*

O Salmo: O Sr. Fox relata que o Bispo Ridley sempre lia e explicava este Salmo à sua família, pagando-lhes com dinheiro para que o memorizassem. – *Thomas Lye, "The Morning Exercises"*

v. 1: "Cantarei". Se me concedes misericórdias, ou se me trazes algum juízo, diante de ti, Ó Senhor, cantarei meu hino, por tudo. – *Paráfrase dos Caldeus*

v. 1: "Cantarei". A expressão traduz uma resolução *cordial*; coração e mente estão envolvidos nela; há um futuro *cantarei*, duas vezes no texto. A expressão traduz uma resolução *humilde*; eu não posso cantar sobre o mérito, mas cantarei sobre a misericórdia, e pela misericórdia, cantarei sobre a misericórdia. O cântico sobre a misericórdia deve ser um cântico humilde, pois a misericórdia com um infeliz pecador é uma palavra comovedora; e o cântico sobre o juízo deve ser um cântico humilde, pois o juízo, em todos os aspectos, é uma palavra terrível. A expressão traduz um harpista *talentoso*, um músico hábil, até mesmo em um sentido espiritual. Ele sabia qual devia ser o tema do cântico, e diz: "Cantarei a misericórdia e o juízo"; e sabia qual seria o objeto do cântico, ou a quem ele deveria ser entoado, e por isto diz: "A ti, Senhor, cantarei"; ele sabia quem seria o cantor, e por isto, diz: "Eu" cantarei; ele sabia qual seria a maneira, e por isto diz: "Cantarei a misericórdia e o juízo; a ti, Senhor, *cantarei*". É diante do Senhor que ele decide cantar, como diante da arca, que era um tipo de Cristo; e assim, é um cântico para o louvor de Deus em Cristo. A expressão traduz uma resolução *firme, fixa e constante*; é o que parece traduzir a sua repetição; "Cantarei, cantarei". Ele pensava que este exercício de cantar não deveria diminuir, mas continuar no seu ritmo: "Cantarei, cantarei"; cantarei na terra e cantarei no céu; cantarei no tempo e cantarei na eternidade. E, realmente, todos aqueles em quem o espírito de louvor e gratidão é derramado se decidem a jamais deixar de cantar... Davi tinha ouvido uma vez, ou melhor, duas vezes, que a misericórdia, assim como o poder, pertence ao Senhor, e por isto, não apenas uma vez, mas duas, ele se decide a cantar ao Senhor. A mensagem tem uma grande dose de elegância e ênfase; Cantarei a misericórdia, cantarei o juízo; óh, cantarei, óh Senhor, cantarei, e cantarei a ti. – *Ralph Erskine*

v. 1: Este cântico do doce cantor de Israel é peculiar à terra; eles não cantam sobre "*juízo*" no céu, pois ali não há pecado; eles não cantam sobre "*misericórdia*" no inferno, pois não há propiciação para o pecado ali. Houve uma época em que o cântico não foi ouvido, nem mesmo na terra; pois no Paraíso, o homem andava em inocência, e andando em inocência, ele andava à luz do rosto do seu Pai. – *Hugh Stowell, 1856*

v. 1: "Cantarei a misericórdia e o juízo". Ou seja, como se o salmista dissesse: "Cantarei os *juízos misericordiosos*"; pois o juízo é misericórdia, e é o tema do cântico; ou,. interpretando separadamente: "Cantarei a misericórdia *em* misericórdias, e, cantarei a misericórdia *em* juízo"; e assim cantarei as minhas hesitações e minhas abundâncias, cantarei o meu dia nublado e o meu dia claro; os meus altos e baixos. – *Ralph Erskine*

v. 1: "Misericórdia e juízo". Assim como a insígnia do navio em que o apóstolo Paulo viajava era *Castor e Pólux*, irmãos gêmeos, também a insígnia deste salmo é *misericórdia e juízo*, companheiros inseparáveis; dos quais pode ser dito, como o nosso profeta falou algumas vezes de Saul e Jônatas, "tão amados e queridos na sua vida, também na sua morte se não separaram". Estas são as duas estrelas mais brilhantes no firmamento da majestade; as duas mais belas flores e as joias de melhor qualidade da coroa imperial; como o cravo e o lírio, o rubi e a safira, ou o carbúnculo e o diamante, fornecendo um brilho mútuo e intercambiável entre si. Eles se assemelham aos dois apoios para os braços do rei, ou os dois serafins que estendem suas asas de ouro sobre o propiciatório, ou a rosa branca e a vermelha no mesmo brasão.

Nós lemos que Salomão erigiu duas belas colunas no pórtico do templo, uma delas chamada *Jaquim* e a outra, *Boaz*, que significam estabilidade e força; estes pilares do estado são *a misericórdia e o juízo*. O trono do rei é sustentado por eles, assim como o de Salomão era sustentado por leões de mármore dos dois lados. Por isto, assim como em uma passagem está escrito que "*com justiça se estabelece o trono*" (Pv 16.12); em outra, está escrito que "*com benignidade sustém ele o seu trono*" (Pv 20.28); a justiça sendo como os ossos e os tendões do corpo político, e a misericórdia como as veias e artérias. São as duas mãos da ação, os dois olhos da virtude, e as duas asas da honra. E, assim como os olhos, se estiverem bem colocados, olham, ambos, em uma única direção, também a *misericórdia e o juízo*, ainda que na apreensão do ser humano pareçam olhar para lados distintos. E assim como o agudo e o grave concordam na música, também a misericórdia e o juízo, na administração da comunidade. Portanto, Davi promete fazer com que ambos soem afinados no seu cântico, sem choques nem dissonância: "Cantarei a misericórdia e o juízo"...

Assim como a *misericórdia* é colocada aqui, em primeiro lugar, também a sentença de misericórdia e absolvição será pronunciada em primeiro lugar, no último dia. E é um costume louvável dos príncipes, quando assumem seus reinos, demonstrar misericórdia, ouvindo o lamento dos prisioneiros, e libertando as crianças da morte, afrouxando as cadeias da iniquidade, removendo os pesados fardos, permitindo a libertação dos oprimidos, e rompendo cada jugo de extorsões anteriores. Assim, o nosso profeta, tão logo a coroa foi posta em sua cabeça, investigou se ainda vivia alguém da casa de Saul, a quem pudesse mostrar misericórdia (2 Sm 9). Oh, que coisa bela é esta misericórdia, em tempos de angústia e aflição! É como uma nuvem de chuva no período da seca. Mas esta *misericórdia* aqui mencionada na primeira parte do cântico do nosso profeta se estende ainda mais: ela se desdobra em *clemência*, em *cortesia*, e em *compaixão*. Em *clemência*, pelo perdão aos malfeitores; em *compaixão*, pelo alívio aos aflitos; e em *cortesia*, dirigida a todos. – *George Hakewill, ou Hakewell, 1579-1649 v. 1:* "Misericórdia e juízo". O que é a história de cada pobre pecador, como um tição tirado do fogo, e trazido ao céu, por fim, para a paz, se não uma história de "misericórdia e juízo"? O juízo primeiramente desperta para o terror e para o medo; a misericórdia encontra o pobre pródigo que retorna trêmulo, e lança-se-lhe ao pescoço, o beija, e perdoa. Então, por todo o seu caminho atribulado, Deus arremata seu caminho com juízo, para que ele possa não vagar, e ilumina seu caminho com misericórdia, para que ele não esmoreça. Há um filho de Deus que possa examinar o registro variado do seu coração ou da sua história exterior, e não ver bondade e severidade, severidade e bondade, acompanhando-o por toda a sua jornada? Ele já teve um cálice tão amargo que pudesse dizer: "Aqui não há misericórdia?" Ele já teve um momento tão brilhante que pudesse dizer: "Aqui não há castigo nem correção?" Ele já recebeu más notícias, e não houve boas notícias imediatamente, para aliviar as más? Ele já teve um céu tão escuro que não pudesse ver nele sequer uma estrela, ou uma nuvem tão escura que não pudesse perceber nenhum arco-íris de promessa nela?...

Que teia de juízo e misericórdia maravilhosamente tecida apresenta a história secreta de cada homem, no seu caminho pelo deserto da vida em direção à terra da promessa! E que boa, e íntegra, e gentil e graciosa é esta abençoada mistura de ambos! Como nós precisamos do juízo, para nos conservar humildes e vigilantes e puros! E como precisamos da misericórdia, para nos conservar esperançosos, e para animar nossos esforços, e para incitar nossos corações, e para nos sustentar na paciência, em meio às lutas e batalhas da vida, e o desapontamento e a vergonha! Oh, como é bom para nós, que nós tenhamos, portanto, a vara e o cajado juntos – a vara para nos castigar, e o cajado para nos ajudar e sustentar! Como é bom para nós, que tenhamos que *"cantar a misericórdia e o juízo"*! E, além disto, o que é o juízo, se não a misericórdia com um aspecto mais severo? E o que são as repreensões do juízo, se não os tons mais severos da voz do amor do Pai? Pois o juízo é uma daquelas "coisas" que "contribuem juntamente para o bem daqueles que amam a Deus, daqueles que são chamados por seu decreto". – *Hugh Stowell*

v. 1: "Misericórdia e juízo". Deus mistura a misericórdia com a aflição: Ele impregna a sua espada de justiça com o óleo da misericórdia; não havia noite tão escura na qual Israel não tivesse uma coluna de fogo nela; não há condição tão desanimadora na qual não possamos ver uma coluna de fogo que a ilumina. Se o corpo estiver em dor, a consciência está em paz – existe misericórdia; a aflição é para a prevenção do pecado – existe misericórdia. Na arca, havia uma vara e um pote de maná, o emblema de uma condição cristã, a misericórdia misturada com o juízo. – *Thomas Watson*

v. 2: "Portar-me-ei com inteligência no caminho reto". A primeira coisa que ele promete, a respeito de si mesmo, é um comportamento com inteligência; prudência, não sapiência; não sábia contemplação, mas sábia ação. Não são sábios pensamentos, nem um falar inteligente, nem uma escrita inteligente, nem gestos e aparência inteligente, que servirão, mas o comportamento sábio; os primeiros são graciosos, mas o outro é necessário. Pois assim como o apóstolo fala sobre a piedade – "tendo aparência de piedade, mas negando a eficácia dela" –, também, certamente, há aqueles que, no aspecto da sabedoria e suficiência, fazem pouco ou nada, mas *magnoconatu nugas*, fazem muito sobre pequenas questões; usando todas as perspectivas de mudança, eles podem planejar fazer com que uma *superfície* vazia pareça um corpo de profundidade e volume. – *George Hakewill*

v. 2: "Andarei". Andar é uma palavra usada com frequência nas Sagradas Escrituras, e especialmente pelo nosso profeta, neste livro dos Salmos; mas mais frequentemente é usada de maneira figurada. Não estará, então, fora da sua propriedade e natureza, considerar os deveres incluídos e implicados nela. Os atos naturais contidos nela, então, são três; *movimento, progresso* e *moderação.* Assim como inclui *movimento,* também é oposta a estar deitado, ou em pé, ou sentado; assim como inclui *progresso no movimento*, também é oposta a saltar ou pular no mesmo lugar; assim como inclui *moderação* em um *movimento progressivo*, é oposta à corrida violenta. – *George Hakewill*

v. 2: "Andarei em minha casa". Grande parte do poder da piedade, embora não todo, está dentro de casa. É inútil falar de santidade se não pudermos apresentar nenhum testemunho de nosso santo caminhar com nossos parentes. Oh, é triste quando aqueles que têm motivos para nos conhecer melhor, pela sua convivência diária conosco, menos falam a favor da nossa santidade! Poucos são tão insolentes a ponto de sair nus às ruas: se os homens tiverem alguma coisa para cobrir a sua nudez, eles se vestirão, quando saírem de casa. Mas o que você é, dentro de casa? Que cuidado e consciência você tem para desempenhar o seu dever com seus parentes próximos? É um mau marido aquele que tem dinheiro para gastar entre amigos fora de casa, mas nenhum para gastar em provisões para sustentar sua família, em casa. E pode ser um bom cristão aquele que gasta toda a sua religião fora de casa, e não reserva nada para os seus familiares mais íntimos, em casa? Esta pessoa tem um grande zelo entre estranhos, e pouco ou nada de Deus vem dela para a sua família? Sim, estaria bem, se alguns que conquistam a reputação de cristãos fora de casa, não estivessem aquém de outros que fingem não professar aqueles deveres morais que deveriam realizar com seus parentes. Há alguns que são grandes estranhos à religião cristã, mas que são amorosos e bondosos à sua maneira, com suas esposas. Que tipo de professores, então, são aqueles que são rudes com suas esposas e que as tratam com irritabilidade? Aqueles que, pela sua dominação tirânica sobre elas, amarguram seus espíritos, e as fazem cobrir o altar do Senhor com lágrimas e pranto? Há esposas que não são exigentes, irritadas nem rebeldes com seus maridos, mas que estão longe de ter experimentado uma verdadeira obra de graça em seus corações; andam, então, como convém à santidade, aquelas que perturbam a casa inteira com suas violentas paixões? Há servos que, pela autoridade de uma consciência natural, são mantidos afastados da linguagem ofensiva quando reprovados por seus senhores; e será que a graça não acompanhará o ritmo da natureza? O santo Davi sabia muito bem o quanto esta parte do dever de um santo está próxima do coração da piedade; por isto, quando ele faz o seu voto solene de andar com um coração sincero diante de Deus, ele dá este exemplo, como um estágio em que descobre, eminentemente, a graça do seu espírito; *"Andarei em minha casa com um coração sincero"*. – *William Gurnall*

v. 2: "Em minha casa". É mais fácil, para a maioria dos homens, andar com um coração sincero na *igreja*, ou mesmo no *mundo*, do que em seus *próprios lares*. Quantos são tão mansos como ovelhas entre os *outros*, mas quando em *casa* são *vespas* ou *tigres*. – *Adam Clarke*

v. 2: "Em minha casa com um coração sincero". Mesmo nos nossos estabelecimentos mais bem dirigidos, assim como nas famílias, a melhoria está, em grande medida, confinada ao intelecto; e o exercício *direto* e o treinamento dos sentimentos morais e religiosos são raramente considerados essenciais ao seu pleno e vigoroso desenvolvimento. Os preceitos morais são, sem dúvida, oferecidos com abundância; mas eles se dirigem, principalmente, ao intelecto. Nós não devemos ficar satisfeitos em exclamar, simplesmente: "Seja bom, justo e afetuoso", quando, talvez, neste mesmo momento nós estamos agindo contra o efeito do conselho, pelo nosso próprio comportamento contrário. "Ela me dizia que não mentisse", disse Guy Rivers, a respeito de sua mãe, "e ela me deu o exemplo, frequentemente enganando meu pai, e me ensinando a desobedecer a ele e a enganá-lo". Este tipo de comportamento é mais comum na vida real do que se supõe, embora, em geral, menos flagrante. Os pais e professores realmente se esquecem frequentemente de que os sentimentos *são sentidos* e *não raciocinam*, e que, consequentemente, até mesmo uma criança pequena pode, pela operação instintiva da sua natureza moral, detectar imediatamente e se revoltar com a imoralidade de costumes, cujo verdadeiro caráter a *razão* é incapaz de expor. É um dos métodos mais eficazes de cultivar e despertar os sentimentos morais nas crianças, apresentar, diante delas, as manifestações destes sentimentos em nosso comportamento habitual...

Que tipo de deveres morais encoraja o pai, que, recomendando bondade, franqueza e justiça, *engana* o filho, atraindo-o à confissão de um erro, e então, de modo infame, o pune, tendo previamente prometido perdão? E como é a franqueza mais encorajada – praticando-a no comportamento ou negligenciando-a na prática, e prescrevendo-a em palavras? Ela deve ser cultivada, atirando suspeitas diante de intenções honestas? E como a justiça deve ser cultivada por um tutor que *fala* sobre ela, recomenda-a, e *na prática* sobrecarrega seus alunos com todo o peso de uma carroça? Ou, que tipo de educação moral é a que diz: "Faça como eu lhe digo, e eu lhe darei doces ou dinheiro, ou eu direi à sua mãe como você foi bom", resistindo às mais baixas e egoístas inclinações, como motivos para a conduta moral? Se o espaço me permitisse, eu iria realmente tratar exaustivamente das obrigações morais e religiosas, e propor perguntas similares a cada uma delas. Mas isto é desnecessário. Estes exemplos serão suficientes; e eu os apresento, não como aplicáveis, de modo geral, a pais ou professores, mas simplesmente como exemplos individuais entre ambos, que chegaram à esfera do meu conhecimento, e que dizem respeito ao princípio que está sob discussão. – *Andrew Combe, "The Principles of Physiology", 1836*

v. 3: "Coisa má". No texto original, se traduzirmos palavra por palavra: "*Não porei palavra de Belial diante dos meus olhos*". Mas *palavra* aqui é linguagem figurada, significando *coisa;* assim como lemos no Sl 41.8; e assim é traduzido, tanto por *Montanus* na anotação de margem, como no texto de *Junius;* embora, no seu comentário sobre este Salmo, ele siga precisamente o original, aplicando-o contra bajuladores e aduladores, os ratos e as traças da corte. – *George Hakewill*

v. 3: "Aborreço as ações daqueles que se desviam". O Sr. Schultens mostrou, no seu comentário sobre Provérbios 7.25, que שָׂטָה tem um significado muito mais forte e significativo do que meramente *desviar-se*; e que ele é usado com referência a um cavalo indomado, que morde o freio com sua ardente impaciência; e quando aplicado a um homem mau, indica alguém impaciente, contra toda restrição, com paixões desregradas, e que é obstinado e incontrolável, para sua gratificação, pisando sobre todas as obrigações da religião e da virtude. Elas são, merecidamente, os objetos do ódio de todos os homens bons, que detestam seus desvios criminosos e seus crimes presunçosos; nada disto *se lhes pegará*; eles não hospedarão o amor por elas, nem a inclinação a elas, nem as cometerão habitualmente, nem incentivarão a prática delas. Pessoas com este caráter são frequentemente vistas nas cortes dos príncipes, mas é honra e interesse deles, até onde puderem, repudiá-las. – *Samuel Chandler*

v. 3: "Nada se me pegará". Um pássaro pode pousar sobre a casa de um homem, mas o homem pode decidir se o pássaro ou seus filhotes poderá ter seu ninho ali; e o demônio e seus instrumentos podem representar uma iniquidade para a visão de um homem; mas o tal homem pode decidir, se a aceitará ou receberá, ou não. Para um homem, colocar coisas más diante de seus olhos nada mais é do que pecar por objetivo fixo, dispor-se a pecar, ou vender-se ao pecado, como Acabe, 1 Reis 21. – *George Hakewill*

v. 3: "Nada se me pegará". Um plano ou propósito perverso é assim representado, como tendo a tendência de se prender a um homem, ou *"colar nele"* – como piche ou cera, ou uma *rebarba.* – *Albert Barnes*

v. 4: "Um coração perverso". O sentido original de עָקַשׁ é *torsit, contorsit,* torcer junto, e indica, quando aplicado a homens, pessoas de uma disposição perversa e astuta, que podem se torcer e contorcer em todas as formas, e que não têm verdade nem honra da qual depender. – *Samuel Chandler*

v. 4: "Um coração perverso". Disto, eu entendo a expressão *"de guarda"* – dar passagem a repentinos impulsos de raiva, ou pensamentos rápidos, e lançá-los em palavras ou obras de impetuosa violência. – *Thomas Chalmers v. 5:* "Difama o seu próximo às escondidas" – literalmente, aquele que *usa a língua* contra seu próximo, secretamente. *"Não o suportarei"*, quer dizer, apropriadamente, "a ele *não poderei suportar"*, isto é, não poderei viver com ele, não o suportarei perto de mim, pois o mesmo verbo é usado em Isaías 1.13. – *Henry Cowles*

v. 5: "Aquele que tem olhar altivo". O orgulho irá se instalar e se mostrar nos olhos, tão rapidamente como em qualquer lugar. O homem é visto pelo que é *in oculis, in poculis, in loculis* (nos seus olhos, nos seus cálices, e nos seus recursos), dizem os rabinos. Veja Provérbios 6.17. – *John Wrapp*

v. 5: "Coração soberbo". De רָחַב, *latus* ou *dilatatus est*, é o substantivo רָחָב aqui, *amplo*, ou *vasto*, ou *grande;* e sendo aplicado ao *coração* ou à *alma*, indica *grandeza de desejos. – Henry Hammond*

v. 5: A maledicência, a ambição e a avareza são três ervas daninhas que brotam e prosperam no rico solo de uma corte. O salmista declara a sua resolução de empreender a difícil tarefa de erradicá-las, para o benefício do seu povo, para que os israelitas não fossem perturbados por informantes, nem reprimidos por ministros insolentes e vorazes. Nós vamos imaginar que estas maldades são menos odiosas aos olhos daquele rei cujo caráter era composto de humildade e caridade, ou que Cristo irá aceitar na corte do céu as características que Davi decidiu excluir da sua corte na terra? – *George Horne*

vv. 5 a 10: Perfeita, como profecia de Cristo, é a descrição de seus associados e discípulos. Os perversos; os malfeitores; os caluniadores, e os soberbos, não tinham comunhão com Ele. Não havia princípios comuns; nenhum elo de união entre eles. Havia um "abismo", como na parábola, que eles não podiam transpor; e o que eles viam de Cristo, contemplavam somente à distância. Nem mesmo agora, como naquela época, "o que usa de engano" habita na "casa" de Cristo – o seu santo templo; nem "o que profere mentiras estará firme" pelo seu amor e pelo seu favor. Eles devem renunciar às suas perversidades, antes que possam ser admitidos no seu concerto; ou, ainda que possam reivindicar comunhão com *Ele*, Ele, por sua vez, não poderá lhes exibir compaixão. – *William Hill Tucker*

v. 6: "Os meus olhos procurarão os fiéis". Há um olho de *procura* e um olho de *benevolência;* o primeiro é para procurar e encontrar os que possam servir; o segundo, para estimulá-los, e recompensar os seus serviços. – *George Hakewill*

v. 6: "Os meus olhos procurarão os fiéis da terra", etc. Os olhos de Cristo estão sobre as pessoas fiéis, ou os ministros fiéis do mundo, que pregam fielmente o Evangelho, administram fielmente as ordenanças, são fiéis às almas dos homens, vigiando-as, repreendendo-as e exortando-as; os seus olhos estão sobre eles, para guardá-los e preservá-los, e para honrá-los e recompensá-los com uma coroa de vida incorruptível. Os seus olhos também estão sobre os membros fiéis das igrejas, como aqueles que creem verdadeiramente nele, que se apegam à palavra fiel, e que se conservam próximos da sua adoração e das suas ordenanças; os seus olhos estão sobre eles, para mostrar-lhes benevolência, para conceder-lhes bênçãos e para protegê-los e defendê-los, e evitar que pereçam; *"Para que estejam comigo"*, ou *se assentem comigo;* à sua mesa, ou no conselho, ou em juízo, e o auxiliem nas questões do governo; assim os que são fiéis estarão com Cristo, aqui e no futuro; eles estarão nele, e com Ele, pela fé, e terão comunhão com Ele; eles habitarão na sua casa na terra, e habitarão com Ele no alto, para sempre. – *John Gill*

v. 6: "O que anda num caminho reto, esse me servirá". Você é um senhor piedoso? Quando você trouxer um servo para a sua casa, escolha-o conforme o critério de Deus, além de escolhê-lo conforme o seu próprio critério. Lembre-se de que há uma obra de Deus a ser feita pelo seu servo, assim como por você; assim sendo, será que você poderia escolher alguém que fosse adequado para o seu serviço, mas que não fosse adequado para a obra que deverá fazer para Deus? Você deseja que prospere a obra que o seu servo realiza, não deseja? E que base você tem, a partir da promessa, para esperar que a obra prospere na mão daquele que peca enquanto a está realizando? "A lavoura dos ímpios é pecado" (Pv 21.4). Um servo piedoso é uma bênção muito maior do que podemos imaginar. Ele pode trabalhar, e Deus também trabalhará, para o bem do seu senhor: "Ó Senhor, Deus de meu senhor Abraão, dá-me, hoje, bom encontro e faze beneficência ao meu senhor Abraão!" (Gn 24.12). E certamente, ele realizou para o seu senhor tanto serviço pela sua oração quanto pela sua prudência nesta jornada. Se você plantar um pomar, você terá as melhores árvores frutíferas, e não encherá o seu solo de caranguejos. Há mais perda em um servo sem a graça de Deus do que em uma árvore sem frutos no pomar. O santo Davi observou, quando estava na corte de Saul, o prejuízo de ter servos ímpios e não piedosos, pois estes estavam ao redor do infeliz rei, e Davi compara a sua corte com as dos pagãos profanos e bárbaros, entre os quais dificilmente se poderia encontrar mais iniquidade: "Ai de mim, que peregrino em Meseque, e habito nas tendas de Quedar" (Sl 120.5), isto é, entre aqueles que eram tão ímpios quanto qualquer pessoa dali. E sem dúvida isto fez com que este homem gracioso, quando exilado, antes de subir ao trono, e tendo visto o mal de uma casa desregrada, decidisse o que faria, quando Deus o tornasse o chefe de tal família real.

"O que usa de engano não ficará dentro da minha casa: o que profere mentiras não estará firme perante os meus olhos". Ele exemplifica estes pecados, não como se fosse usar todo o seu zelo contra eles, mas porque ele os tinha observado abundantes na corte de Saul, e por este motivo tinha sofrido tanto, como se pode perceber através do Salmo 120. – *William Gurnall*

v. 8: "Para desarraigar da cidade do Senhor todos os que praticam a iniquidade". Como o reino de Davi era apenas uma pálida imagem do reino de Cristo, nós devemos colocar Cristo diante de nossos olhos; pois, embora Ele possa tolerar muitos hipócritas, Ele será o juiz do mundo, e no final os chamará, a todos, para um ajuste de contas, e irá separar as ovelhas dos bodes. E se nos parece que Ele tarda muito, deveríamos pensar naquela manhã que irá irromper repentinamente, para que toda a imundície seja limpa, para que a verdadeira pureza possa brilhar. – *João Calvino*

v. 8: "Pela manhã". Com base em algumas ocorrências incidentais nas Escrituras (2 Sm 15.2; Sl 101.8; Jr 21.12), deduz-se que os juízes normalmente realizavam suas sessões pela manhã. Em um clima como o da Palestina, este costume seria natural e conveniente. É duvidoso, no entanto, se esta passagem expressa algo além da prontidão e do zelo que um juiz justo exerce no desempenho da sua função. – *E. P. Barrows*, "Biblical Geography and Antiquities"

v. 8: O juramento sagrado – "destruirei todos os ímpios da terra" e "para desarraigar da cidade do Senhor todos os que praticam a iniquidade" – deve se iniciar no nosso coração, que é o seu santuário, o templo do Espírito Santo. – *Alfred Edersheim*

SUGESTÕES AOS PREGADORES

O Salmo. Este é um Salmo de resoluções. Há nele um total de catorze resoluções. Elas devem ser feitas,

1. Com deliberação; e não, portanto, sobre questões insignificantes.
2. Com reservas. "Se o Senhor quiser", etc.
3. Com confiança e dependência do poder divino para o seu cumprimento. – *G. R.*

v. 1. I. A doce obra sobre a qual se determina é *"cantar"*.

II. O doce cantor que assim se decide, especificamente, Davi: "Cantarei".

III. O doce tema do cântico: *"misericórdia e juízo"*.

IV. O doce objeto deste louvor, e a maneira como ele deveria cantá-lo – *"A ti, Senhor,* cantarei". – *Ralph Erskine*

v. 1. O que há, na misericórdia, que fornece motivos para cantar.

I. O fato de que a misericórdia é gratuita e não merecida.

II. O fato de que a misericórdia é inesperada. Quando eu esperava um olhar carrancudo, eu obtive um sorriso; quando eu não esperava nada além de ira, eu pude ver de relance o amor; em vez de um golpe de vingança, eu obtive uma visão da glória.

III. O fato de que a misericórdia é oportuna é um motivo para cantar – a graça para ajudar em tempos de necessidade.
IV. A grandeza e a riqueza da misericórdia fazem com que aqueles que a recebem cantem.
V. A doçura da misericórdia os faz cantar.
VI. A certeza e a firmeza da misericórdia fazem com que cantem. – "as misericórdias asseguradas de Davi". – *do sermão de Ralph Erskine, intitulado* "The Militant's Song"
v. 1. I. As diferentes condições do justo nesta vida. Não só misericórdia, não só juízo, mas misericórdia e juízo.
II. O seu único dever e privilégio, com referência à misericórdia e ao juízo: "Cantarei", etc.
1. Porque ambos vêm de Deus.
2. Porque ambos vêm do amor.
3. Porque ambos são para o bem atual.
4. Porque ambos são preparativos para o descanso celestial. – *G. R.*
vv. 1 e 2. A mescla do cântico com a vida santa. O sino do louvor e a romã da santa produtividade devem adornar os sacerdotes do Senhor.
v. 2. I. O fim desejado: "Portar-se com inteligência", etc.; coerência no comportamento.
II. Os meios empregados: "Quando virás", etc.; somente quando Deus está conosco, nós andamos com coração sincero.
III. O teste proposto: "Em minha casa", onde eu sou eu mesmo, e sou mais bem conhecido. – *G. R.*
v. 2. A sabedoria da santidade.
1. Escolhendo a nossa esfera de dever.
2. No cronograma, arranjo e equilíbrio de deveres.
3. Governando os outros, segundo seus temperamentos.
4. Evitando disputas com adversários.
5. Expressando repreensões, dando esmolas, dando conselhos, etc.; a mistura da serpente com a pomba.
v. 2. *"Quando virás a mim?"* Uma expressão devota.
I. Revelando a necessidade do salmista da presença divina, para ter santidade.
II. O seu anseio intenso.
III. A sua grande expectativa.
IV. A sua total apreciação da visita condescendente.
v. 2 (última parte). Piedade no lar. O seu dever, excelência, influência, esfera e recompensa. Observe também a mudança de posição e a firmeza de propósito, necessárias para isto.
v. 3. I. A visão da iniquidade deve ser evitada: "Não porei coisa má", etc.
II. Quando o que é visto deve ser odiado: "Aborreço", etc.
III. Quando o que se sente deve ser repudiado. Poderá me tocar, mas "não se me pegará".
v. 4. A necessidade de extremo cuidado na escolha de pessoas íntimas.
v. 5. A natureza detestável da calúnia, ferindo três pessoas de uma só vez – quem fala, quem ouve e a pessoa caluniada.
v. 6. O dever dos crentes que são ricos, para encorajar e empregar pessoas de caráter piedoso.

SALMO 102

TEMA

Este é o lamento de um patriota pela aflição da sua nação. Ele se apresenta, nas aflições da sua nação, em uma veste de saco, e lança o seu pó e suas cinzas sobre a sua cabeça, como insígnias e causas da sua tristeza. Ele tem seus lamentos privados, e seus inimigos pessoais; além disto, ele está ainda mais afligido no corpo pela enfermidade, mas as desgraças do seu povo lhe trazem uma angústia muito mais amarga, e isto ele derrama em uma lamentação fervorosa e patética. No entanto, não é sem esperança que o patriota se lamenta; ele tem fé em Deus, e espera a ressurreição da nação por meio da benevolência onipotente do Senhor; isto faz com que ele ande em meio às ruínas de Jerusalém e diga, com espírito esperançoso: "Não, Sião, jamais perecerás. O teu sol não se pôs para sempre, dias melhores estão armazenados para ti". É inútil investigar o ponto preciso da história de Israel que incitou desta maneira a alma do patriota, pois muitas vezes a terra esteve oprimida, e em qualquer de suas ocasiões tristes este cântico e oração teria sido uma manifestação muito natural e apropriada.

TÍTULO

Uma oração de um homem aflito que, na tristeza, derrama as suas queixas na presença de Deus. Este Salmo é uma oração feita muito mais em espírito do que em palavras. As súplicas formais são poucas, mas uma forte tendência de súplicas está presente, do início ao fim, e como uma corrente subterrânea, encontra seu caminho para o céu em meio aos gemidos de tristeza e confissões de fé que compõem a maior parte do Salmo. É uma oração do aflito, ou de "um sofredor", e traz as marcas de sua descendência; como está registrado sobre Jabez, que "sua mãe o deu à luz com dores", também podemos dizer sobre este Salmo; mas, como o Benoni de Raquel, ou filho da aflição, também foi seu Benjamim, ou filho da sua mão direita, também este Salmo é eminentemente expressivo de consolação tanto como de desolação. É pouco correto chamá-lo de um Salmo de penitência, pois a tristeza nele contida é de alguém que sofre, e não de alguém que peca. Ele tem sua própria amargura, e não é a mesma do Salmo

51. O sofredor é afligido mais por causa dos outros do que por sua própria casa, mais por Sião e pela casa do Senhor do que pela sua própria casa. Na tristeza, ou profundamente perturbado e deprimido. Os melhores homens nem sempre são capazes de deter a corrente de tristeza. Mesmo quando Jesus está a bordo, a embarcação pode se encher de água e começar a afundar. Derrame as suas queixas na presença de Deus. Quando o cálice transborda ou é virado de cabeça para baixo, tudo o que há nele naturalmente é derramado. Grande perturbação remove o coração de toda reserva, e faz com que a alma escoe sem impedimento; é bom, quando aquilo que está na alma, é algo que possa ser derramado na presença de Deus, e este somente será o caso onde o coração tiver sido renovado pela graça divina. A palavra traduzida como "queixas" não traz a ideia de identificação de erro ou insatisfação, mas deve ser traduzida como "gemido" – a expressão de dor, e não de rebelião.

Para ajudar a memória, nós chamaremos este Salmo de Queixa do Patriota.

DIVISÃO

Na primeira parte do Salmo, versículos 1 a 11, o gemido monopoliza cada versículo, o lamento é incessante, a tristeza domina. A segunda parte, de 12 a 28, tem uma visão de melhores coisas, uma visão do Senhor gracioso, e sua eterna existência e preocupação pelo seu povo, e por isto é mesclada com a luz do sol, assim como recebe a sombra da nuvem, e termina gloriosamente com calma confiança no futuro e doce descanso no Senhor. Todo o texto pode ser comparado a um dia que, iniciado com vento e chuva, clareia ao meio-dia, e é aquecido com o sol, continua agradável, com chuvas intervenientes, e finalmente é concluído com um pôr-do-sol brilhante.

EXPOSIÇÃO

1 *SENHOR, ouve a minha oração, e chegue a ti o meu clamor.*
2 *Não escondas de mim o teu rosto no dia da minha angústia; inclina para mim os teus ouvidos; no dia em que eu clamar, ouve-me depressa.*
3 *Porque os meus dias se consomem como fumaça, e os meus ossos ardem como lenha.*
4 *O meu coração está ferido e seco como a erva, pelo que até me esqueço de comer o meu pão.*
5 *Já os meus ossos se pegam à minha pele, em virtude do meu gemer doloroso.*
6 *Sou semelhante ao pelicano no deserto; sou como um mocho nas solidões.*
7 *Velo e sou como o pardal solitário no telhado.*
8 *Os meus inimigos me afrontam todo o dia; os que contra mim se enfurecem me amaldiçoam.*
9 *Pois tenho comido cinza como pão e misturado com lágrimas a minha bebida,*
10 *por causa da tua ira e da tua indignação, pois tu me levantaste e me arremessaste.*
11 *Os meus dias são como a sombra que declina, e como a erva me vou secando.*

1. *"Senhor, ouve a minha oração."* Ou "Ó Jeová". Suplicantes sinceros não se contentam em orar por orar simplesmente, eles desejam realmente alcançar o ouvido e o coração do grande Deus. É um grande alívio, em tempos de aflição, familiarizar os outros com nossos problemas; nós nos sentimos tranquilizados pelo fato de que ouçam nossas lamentações, mas o fato de ter o próprio Deus como ouvinte compassivo das nossas queixas é o mais doce de todos os estímulos. O fato de que Ele nos ouve não é sonho nem ficção, mas é fato seguro. Seria o mais terrível de todos os nossos lamentos, se pudéssemos ser indiscutivelmente convencidos de que Deus não ouve nem responde; quem nos convencesse de uma crença tão terrível não nos faria melhor serviço do que se nos tivesse lido as nossas sentenças de morte. É melhor morrer do que ter negado o propiciatório. É melhor ser ateu, de uma vez, do que crer em um Deus insensível, que não ouve.

"E chegue a ti o meu clamor." Quando a tristeza chega a um ponto em que as palavras se tornam um meio de expressão fraco demais, e a oração é intensificada em um clamor, então o coração é ainda mais incentivado a ter audiência com o Senhor. Se nossos clamores não passarem pelo Véu, e não alcançarem o Deus vivo, podemos igualmente deixar de orar de uma vez, pois é inútil clamar aos ventos; mas, bendito seja Deus, a filosofia que sugere uma ideia tão terrível é refutada pelos fatos da experiência diária, uma vez que milhares de santos podem declarar: "Na verdade, Deus nos ouviu".

2. *"Não escondas de mim o teu rosto no dia da minha angústia."* Não dê a entender que não me vês, ou que não me reconheces. Sorria, agora, de qualquer maneira. Reserve o seu olhar carrancudo para outros momentos, quando eu puder suportá-lo melhor, se, na verdade, alguma vez eu puder suportá-lo; mas agora, na minha pesada aflição, favoreça-me com olhares de compaixão.

"Inclina para mim os teus ouvidos." Incline a sua grandeza à minha fraqueza. Se, por causa do pecado, o seu rosto se voltar para o outro lado, pelo menos deixe que eu tenha uma visão sua, empreste-me o seu ouvido se eu não puder ver os seus olhos. Volte-se outra vez para mim, se o meu pecado o tiver afastado, inclinando os seus ouvidos às minhas orações.

"No dia em que eu clamar, ouve-me depressa." Porque o caso é urgente e a minha alma é pouco capaz de esperar. Nós podemos pedir para ter respostas às orações tão logo quanto possível, mas não podemos nos queixar do Senhor, se Ele julgar mais prudente retardar a resposta. Nós temos permissão para pedir e ser inoportunos, mas não temos direito de exigir nem ser petulantes. Se for importante que a libertação venha imediatamente, estaremos certos se mencionarmos um curto período com destaque no nosso pedido, pois Deus está igualmente disposto a nos favorecer hoje ou amanhã, e Ele não é negligente a respeito da sua promessa. É um provérbio a respeito de favores das mãos humanas: "Dá duas vezes aquele que dá rapidamente", porque um presente tem seu valor aumentado se chegar em um momento de urgente necessidade; e podemos ter certeza de que o nosso Patrono celestial nos concederá os melhores presentes, da melhor maneira, concedendo-nos a graça da ajuda, em tempos de necessidade. Quando as respostas vêm imediatamente às nossas orações, são ainda mais surpreendentes, mais consoladoras e mais encorajadoras.

Nestes dois versículos, o salmista reuniu uma variedade de expressões, todas com o mesmo objetivo; em todas elas, *ele* implora uma audiência e uma resposta do Senhor, e o conjunto pode ser considerado como um tipo de prefácio à oração que se segue.

3. *"Porque os meus dias se consomem como fumaça."* A minha tristeza tornou a vida sem substância para mim, eu pareço ser apenas um jato de vapor, que nada tem em si mesmo, e logo é dissipado. A metáfora é admiravelmente bem escolhida, pois, para o infeliz, a vida não parece ser meramente frágil, mas estar cercada com tanta coisa que obscurece, profana, cega e deprime, que, sentado em desespero, ele se compara com homens que vagam em meio a um denso nevoeiro; o esgotamento produz uma secura tão grande neles que parece que são apenas um pouco melhores do que colunas de fumaça. Quando nossos dias não tiverem nem luz de alegria, nem fogo de energia, mas se tornarem como um pavio fumegante que morre ignobilmente nas trevas, então nós teremos causas suficientes para apelar ao Senhor, para que Ele não nos extinga completamente.

"E os meus ossos ardem como lenha." Ele se tornou tão seco como a lenha que o fogo aceso consumiu, ou como cinzas em que nem um vestígio de fogo pode ser encontrado. A sua alma estava pronta a ser dissipada como fumaça, e o seu corpo parecia propenso a permanecer como a lenha depois que se extingue a última brasa de consolação. Com tanta frequência a nossa piedade nos parece estar nesta condição! Nós tivemos que questionar a sua realidade, e tememos que ela jamais tivesse sido algo além de uma fumaça; nós tivemos a mais convincente evidência da sua fraqueza, pois não pudemos obter dela o menor consolo, não mais do que um viajante com frio consegue obter algum conforto da lenha fria que o fogo

consumiu há muito tempo. O problema da alma, sentido no nosso próprio coração irá nos ajudar a interpretar a linguagem empregada aqui; e os problemas da igreja também podem nos ajudar, se tivermos sido chamados a suportá-los. O salmista sentiu tristeza, diante de calamidades nacionais, e estas realizaram tal operação sobre a sua alma patriótica, que ele estava desgastado de ansiedade, seu espírito estava desanimado, e a sua própria vida estava prestes a expirar. Há esperança para qualquer nação que tenha tal filho; nenhuma nação pode morrer enquanto os corações fiéis estiverem dispostos a morrer por ela.

4. *"O meu coração está ferido"* como uma planta ressecada pelo violento calor de um sol tropical, e *"seco como a erva"*, que se seca, quando a foice a cortou. O coração do salmista era como uma flor murcha e seca, uma massa queimada, daquilo que antes era verde. A sua energia, beleza, frescor, e alegria, tudo isto tinha se acabado, devido à devastadora influência da sua angústia.

"Pelo que até me esqueço de comer o meu pão", ou "porque eu me esqueço de comer meu pão". A tristeza frequentemente destrói o apetite, e a falta de alimento tende a prejudicar a constituição e criar um desânimo ainda mais profundo. Assim como a flor ferida não mais bebe do orvalho, nem extrai a sua nutrição do solo, também um coração árido pela intensa dor frequentemente recusa o consolo e a nutrição do corpo, e decai velozmente à fraqueza, desânimo e desalento. O caso aqui descrito não é raro, de maneira alguma, frequentemente nós nos deparamos com indivíduos tão desordenados pela tristeza que a sua memória lhes falha até mesmo quanto a assuntos tão importantes quanto suas refeições, e devemos confessar que nós mesmos já estivemos na mesma condição. Uma dor aguda encheu a alma, monopolizou a mente e levou todo o resto a um plano secundário, de modo que assuntos comuns, como comer e beber, foram totalmente desprezados, e as horas de refrigério acabaram ignoradas, deixando não apenas uma fraqueza evidente no corpo, mas também um esgotamento crescente no coração.

5. *"Já os meus ossos se pegam à minha pele, em virtude do meu gemer doloroso."* Ele se tornou desnutrido pela tristeza. Ele tinha gemido até se tornar um esqueleto vivo, e assim, na sua aparência corpórea, ele era mais parecido com as coisas queimadas, secas com que tinha se comparado anteriormente. Haverá um período de tempo muito grande antes que as aflições da igreja de Deus façam com que alguns cristãos se encolham fisicamente, mas este bom homem estava tão comovido pela compaixão que sentia pelos males de Sião que se via reduzido a pele e ossos.

6. *"Sou semelhante ao pelicano no deserto"*, um objeto triste e até mesmo medonho, a própria imagem da desolação.

"Sou como um mocho nas solidões"; que ama a solidão, que permanece solitário entre as ruínas, que pia de modo discordante. O salmista se compara a duas aves que eram normalmente usadas como emblemas de melancolia e infelicidade; em outras ocasiões, ele tinha sido como a águia, mas as tristezas do seu povo o tinham humilhado, o brilho tinha se apagado de seus olhos e a beleza tinha deixado a sua pessoa; ele parecia, aos seus próprios olhos, como uma ave melancólica, sentado entre os palácios destruídos e templos derrubados da sua terra nativa. Nós também não lamentaremos, quando os caminhos de Sião lamentam, e a sua força degenera? Se houvesse mais desta tristeza santa, nós logo veríamos o Senhor retornando, para edificar a sua igreja. É mau que os homens pareçam pavões, com soberba terrena, quando os males da época deveriam deixá-los tão entristecidos como o pelicano; e é terrível ver os homens correndo como urubus para devorar a presa de uma igreja decadente, quando deveriam estar lamentando entre suas ruínas, como o mocho.

7. *"Velo e sou como o pardal solitário no telhado"*; eu faço uma vigília solitária como a sentinela solitária da minha nação; meus companheiros são egoístas demais, descuidados demais, para se preocupar com a terra amada, e assim, como um pássaro que pousa solitário no telhado, eu faço uma triste vigília sobre a minha nação. O salmista se comparou com um pássaro – um pássaro quando já perdeu a companheira ou seus filhotes, ou por alguma outra razão deve ficar sozinho,

em um local solitário. Provavelmente, ele não se referiu ao alegre pardal da nossa terra, mas se o fizesse, o exemplo não seria inapropriado, pois o pardal é feliz com companhia, e se estivesse sozinho, sendo o único da sua espécie na vizinhança, pode haver pouca dúvida de que ele ficaria muito infeliz, e se consumiria. Aquele que já se sentiu tão fraco e insignificante, como não tendo mais poder sobre a sua época do que um pardal tem sobre uma cidade, também, quando inclinado com desânimo, a respeito dos males do século, se sentou em total infelicidade, para lamentar os males que não podia curar. Os cristãos do tipo fervoroso e vigilante frequentemente se encontram entre aqueles que não têm ninguém que se solidarize com eles; mesmo na igreja, eles procuram, em vão, espíritos semelhantes; então eles perseveram em suas orações e seus esforços, mas se sentem tão solitários como o pobre pássaro que olha da beirada do telhado e não veem qualquer saudação amistosa de alguém que sinta o mesmo.

8. *"Os meus inimigos me afrontam todo o dia."* A raiva dos seus inimigos era incessante e implacável, e se expressava em zombarias e insultos; o patriotismo e as angústias do salmista se tornavam assunto de diversão e ofensa dos outros. Apontando para a triste condição do seu povo, eles lhe perguntaram: "Onde está o teu Deus?" e exultaram sobre ele, porque seus falsos deuses estavam dominando. A afronta corta como uma navalha, e quando é contínua, em todos os momentos, e repetida durante o dia inteiro, e todos os dias, torna a própria vida indesejável.

"Os que contra mim se enfurecem me amaldiçoam." Eles estavam tão furiosos, que se comprometeram, por um juramento, em destruí-lo, e usaram o seu nome como sua execração usual, uma palavra para amaldiçoar, o sinônimo de abominação e desprezo. Com angústias internas e perseguições externas, ele estava em uma dificuldade tão terrível quanto pudesse ser concebida.

9. *"Pois tenho comido cinza como pão."* Ele tinha lançado cinzas sobre a sua cabeça com tanta frequência, como sinal de lamentação, que elas se tinham misturado com a sua comida, e rangiam entre seus dentes, quando ele comia seu pão diário. Durante algum tempo, ele se esquecia de comer, e depois a situação mudava, e ele comia com tal voracidade que até mesmo as cinzas eram devoradas. A tristeza tem modos e temperamentos estranhos.

"E misturado com lágrimas a minha bebida." A sua bebida se tornou tão repugnante quanto a sua comida, pois copiosas lágrimas tornaram-na salobra. Esta é uma descrição da tristeza que satura tudo, que amarga tudo – e esta era a sorte de um dos melhores homens, e não por nenhuma falta sua, mas por causa do seu amor pelo povo do Senhor. Se nós, também, formos chamados à lamentação, não nos assombremos pela feroz tentação como se alguma coisa estranha tivesse acontecido conosco. Tanto na comida como na bebida nós pecamos; não é, portanto, assombroso se em ambas nós somos levados a lamentar.

10. *"Por causa da tua ira e da tua indignação: pois tu me levantaste e me arremessaste."* Uma percepção da ira divina que tinha sido manifestada na destruição da nação escolhida, e no seu triste cativeiro, levou o salmista à maior aflição. Ele se sentia como uma folha seca, levada por um furacão, ou como um vapor do mar que é lançado para cima, para que possa ser espalhado e dissolvido. A nossa tradução dá a ideia de uma embarcação elevada para que possa ser atirada à terra com a maior violência, e mais completamente destruída e partida em pedaços; ou, mudando a comparação, ela nos lembra de um lutador que é levantado pelo seu oponente, para poder lhe causar uma queda ainda mais desesperadora. A primeira interpretação que nós demos está, no entanto, mais completamente de acordo com o texto original, e expressa o completo desamparo que sentia o autor, e o sentimento de terror esmagador que lhe sobrevinha em uma avalanche de tristeza tumultuosa à qual ele não podia resistir.

11. *"Os meus dias são como a sombra que declina."* Os seus dias eram, na melhor das hipóteses, apenas uma sombra, mas agora pareciam como uma sombra que desaparecia. Uma sombra é suficientemente sem substância, quão tênue deve

ser uma sombra que declina? Nenhuma expressão poderia exibir a sua extrema fragilidade de maneira mais forçosa.

"E como a erva me vou secando." Ele era como a erva, castigada por um vento que seca, ou cortada por uma foice, e então deixada para secar sob o calor escaldante do sol. Há ocasiões em que, por causa da depressão do espírito, o homem sente como se toda a vida se esvaísse dele, e a existência tivesse se tornado meramente uma morte que respira. A mágoa tem uma influência assombrosa, que prejudica todo o nosso sistema; a nossa carne, na sua melhor condição, é apenas como a erva, e quando é ferida com profundas tristezas, a sua beleza diminui, e ela se torna uma coisa encolhida, seca e desagradável.

12 *Mas tu, SENHOR, permanecerás para sempre, e a tua memória, de geração em geração.*
13 *Tu te levantarás e terás piedade de Sião; pois o tempo de te compadeceres*
dela, o tempo determinado, já chegou.
14 *Porque os teus servos têm prazer nas suas pedras e se compadecem do seu pó.*
15 *Então, as nações temerão o nome do SENHOR, e todos os reis da terra, a sua glória,*
16 *quando o SENHOR edificar a Sião, e na sua glória se manifestar,*
17 *e atender à oração do desamparado, e não desprezar a sua oração.*
18 *Isto se escreverá para a geração futura; e o povo que se criar louvará ao SENHOR,*
19 *porquanto olhara desde o alto do seu santuário; desde os céus, o SENHOR*
observou a terra,
20 *para ouvir o gemido dos presos, para soltar os sentenciados à morte;*
21 *a fim de que seja anunciado o nome do SENHOR em Sião, e o seu louvor, em*
Jerusalém,
22 *quando os povos todos se congregarem, e os reinos, para servirem ao SENHOR.*
23 *Abateu a minha força no caminho; abreviou os meus dias.*
24 *Dizia eu: Deus meu, não me leves no meio dos meus dias, tu, cujos anos*
alcançam todas as gerações.
25 *Desde a antiguidade fundaste a terra; e os céus são obra das tuas mãos.*
26 *Eles perecerão, mas tu permanecerás; todos eles, como uma veste, envelhecerão;*
como roupa os mudarás, e ficarão mudados.
27 *Mas tu és o mesmo, e os teus anos nunca terão fim.*
28 *Os filhos dos teus servos continuarão, e a sua descendência ficará firmada*
perante ti.

12. Agora, o pensamento do autor se afasta dos seus problemas pessoais e relativos, e se volta para a verdadeira fonte de toda consolação, especificamente, o próprio Senhor, e seus graciosos propósitos a respeito do seu próprio povo.

"Mas tu, Senhor, permanecerás para sempre." Eu pereço, mas tu não perecerás; a minha nação se tornou quase extinta, mas tu és completamente imutável. O original traz a palavra "sentar" – "Tu, Jeová, te assentas eternamente"; isto quer dizer, tu continuas reinando, o teu trono ainda está seguro mesmo quando a tua cidade escolhida está em ruínas, e o teu povo peculiar é levado em cativeiro. A soberania de Deus, em todas as coisas, é um motivo infalível para consolação; Ele reina e governa a despeito do que quer que aconteça, e por isto tudo está bem.

Firme como o seu trono, está a Sua promessa.
E Ele bem pode assegurar,
o que nós entregamos nas Suas mãos,
Até a hora decisiva.

"E a tua memória, de geração em geração." Os homens me esquecerão, mas quanto a ti, ó Deus, os sinais constantes da tua presença conservarão a raça do homem lembrando-se de ti, de geração em geração. O que Deus é agora, Ele sempre será, de modo que o que nossos antepassados nos disseram, sobre o Senhor, nós

descobriremos que é verdade, no nosso tempo atual, e o que a nossa experiência nos possibilita registrar será confirmado pelos nossos filhos e pelos filhos de nossos filhos. Todas as outras coisas estão desaparecendo como fumaça, e secando como a erva, mas sobre tudo brilha uma luz eterna e imutável, e continuará brilhando, quando todas estas sombras tiverem declinado, e se convertido em nada.

13. *"Tu te levantarás e terás piedade de Sião."* Ele acreditava firmemente, e profetizou corajosamente, que a aparente falta de ação, por parte de Deus, se converteria em uma obra eficaz. Outros podem permanecer preguiçosos ou inativos no assunto, mas o Senhor certamente se moverá vigorosamente. Sião tinha sido escolhida há muito tempo, altamente favorecida, gloriosamente habitada e maravilhosamente preservada, e por isto, pela lembrança de suas misericórdias passadas, ela estava certa de que a misericórdia novamente lhe seria mostrada; Deus não deixará para sempre a sua igreja em uma condição humilde; Ele pode, durante algum tempo, se esconder dela, para castigá-la, para fazer com que ela veja a sua nudez e a sua pobreza, separada dele, mas deverá retornar a ela em amor, e levantar-se em sua defesa, a cuidar do seu bem estar.

"Pois o tempo de te compadeceres dela, o tempo determinado, já chegou." O decreto divino indicou uma época para abençoar a igreja, e quando este período chegar, ela será abençoada. Houve um tempo indicado para os judeus na Babilônia, e quando as semanas se cumpriram, nem ferrolhos nem barras poderiam aprisionar, por mais tempo, os resgatados do Senhor. Quando chegou o momento para que os muros subissem, pedra por pedra, nem Tobias nem Sambalate puderam paralisar a obra, pois o próprio Senhor o tinha erigido, e quem poderá deter a mão do Todo-Poderoso? Quando chegar o tempo de Deus, nem Roma, nem o diabo, nem os perseguidores, nem os ateus, poderão evitar que o reino de Cristo amplie seus limites. É trabalho de Deus fazê-lo – Ele deve *"se levantar"* e o fará, mas Ele tem a sua ocasião determinada; e enquanto isto, nós devemos, com santa ansiedade e expectativa de fé, servi-lo.

14. *"Porque os teus servos têm prazer nas suas pedras e se compadecem do seu pó."* Eles se alegram tão enormemente que até mesmo o lixo dela é precioso para eles. Foi um bom sinal, para Jerusalém, quando os cativos começaram a sentir saudade de casa, e começaram a suspirar por ela. Nós podemos esperar que os judeus modernos sejam restaurados à sua própria terra, quando o amor pela sua nação começar a influenciá-los e lhes remover o amor pelo lucro. Para a igreja de Deus, nenhum sinal pode ser mais cheio de esperança do que ver os seus membros profundamente interessados em tudo o que diz respeito a ela; nenhuma prosperidade poderá se fundamentar em uma igreja onde for manifesto o descuido com as ordenanças, os empreendimentos e os serviços; mas quando até mesmo a última e inferior questão conectada com a obra do Senhor é cuidadosamente atendida, podemos ter certeza de que é chegado o momento determinado para favorecer Sião. O membro mais pobre da igreja, o apóstata mais terrível, o convertido mais ignorante, deve ser precioso aos nossos olhos, porque faz parte (embora seja possivelmente uma parte muito fraca) da nova Jerusalém. Se nós não nos preocuparmos com a prosperidade da igreja à qual pertencemos, será que precisaremos nos perguntar se a bênção do Senhor será retida?

15. *"Então, as nações temerão o nome do Senhor."* A misericórdia dentro da igreja logo é percebida pelos que são de fora. Quando uma luz é acesa dentro da casa, ela brilha através da janela. Quando Sião se alegra no seu Deus, as nações começam a reverenciar o Sue nome, pois eles ouvem sobre as maravilhas do seu poder e se impressionam.

"E todos os reis da terra, a sua glória." A restauração de Jerusalém foi uma maravilha entre os príncipes que ouviram falar dela, e a sua ressurreição definitiva nos dias futuros será um dos prodígios da história. Uma igreja incentivada pelo poder divino é um objeto tão assombroso na história atual que não pode deixar de ser notada, os governantes não podem ignorá-la, ela afeta a Legislatura, e força os grandes da terra a um reconhecimento da obra divina. Oh, que possamos ver,

nos nossos dias, tal renovação na religião, para que nossos senadores e príncipes possam ser forçados a prestar respeitos ao Senhor, e reconhecer a sua gloriosa graça. Isto não poderá acontecer, até que os santos estejam edificados de melhor maneira, sim, edificados totalmente juntos para a habitação de Deus, por meio do Espírito. A prosperidade interior é a verdadeira fonte da influência exterior da igreja.

16. *"Quando o Senhor edificar a Sião, e na sua glória se manifestar."* Da mesma maneira como os reis exibem sua habilidade, seu poder e sua riqueza ao erigir suas capitais, também o Senhor revelaria o esplendor dos seus atributos, na restauração de Sião, e assim Ele irá se glorificar na edificação da sua igreja. O Senhor jamais é mais honorável aos olhos de seus santos, do que quando faz prosperar a sua igreja. Adicionar convertidos a ela, treiná-los para o santo serviço, instruir, esclarecer e santificar a irmandade, unir a todos nos laços do amor cristão, e encher todo o corpo com o poder do Espírito Santo – isto é edificar Sião. Outros edificadores apenas a incham, e a sua madeira, feno e restolho são destruídos quase com a mesma rapidez com que foram empilhados; mas o que o Senhor edifica é seguro e bem feito, e resulta na sua glória. Verdadeiramente, quando nós vemos a igreja em uma condição humilde, e observamos a loucura, o desamparo e a indiferença daqueles que professam ser seus edificadores, e, por outro lado, a energia, o talento e a influência daqueles que se opõem a ela, nós nos mostramos plenamente preparados a reconhecer que será uma obra gloriosa de graça onipotente, se ela atingir a sua grandeza e pureza originais.

17. *"E atender à oração do desamparado."* Somente os mais pobres foram deixados suspirando e chorando entre as ruínas da cidade amada; quanto ao resto, eram estrangeiros em terra alheia, e estavam distantes do lugar santo, mas as orações dos cativos e dos abandonados da terra seriam ouvidas pelo Senhor, que não ouve os homens por causa do dinheiro que eles possuem, nem pela quantidade de acres que chamam de seus, mas, por misericórdia, ouve mais prontamente o clamor dos mais necessitados.

"E não desprezar a sua oração." Quando grandes reis estão edificando seus palácios, não é razoável esperar que deem ouvidos a cada mendigo que lhes peça algo, mas quando o Senhor edifica Sião, e se manifesta em suas vestes de glória, Ele faz questão de ouvir a cada súplica dos pobres e necessitados. Ele não tratará com desprezo os seus pedidos. Ele irá inclinar seus ouvidos para ouvir, seu coração para considerar, e sua mão para auxiliar. Aqui há consolo para aqueles que se consideram completamente desamparados; a sua abjeta necessidade é atendida com uma promessa condescendente. Vale a pena ser desamparado, para ter, assim, assegurada a consideração divina.

18. *"Isto se escreverá para a geração futura."* Isto será escrito, pois haverá desamparados nas gerações futuras – "nunca cessará o pobre do meio da terra" – e seus olhos se alegrarão ao ler a história da misericórdia do Senhor para com os necessitados, em épocas anteriores. Registros da bondade divina devem ser feitos e preservados: nós escrevemos, na história, as calamidades que acontecem às nações – guerras, fomes, pestes, e terremotos são registrados; muito mais deveríamos fazer registros da benignidade do Senhor! Aqueles que, em suas próprias almas, suportaram desamparo espiritual, e foram libertados dele, não podem se esquecer disto; eles devem contar a outros sobre isto, e especialmente instruir seus filhos na bondade do Senhor.

"E o povo que se criar louvará ao Senhor." O salmista aqui pretende dizer que a reconstrução de Jerusalém seria um fato na história pelo qual o Senhor seria louvado, de geração em geração. O renascimento da religião não somente causa grande alegria àqueles que têm interesse imediato nele, mas também encoraja e alegra o povo de Deus muito tempo depois, e, na realidade, é um perpétuo incentivo à adoração, por toda a igreja de Deus. Este versículo nos ensina que devemos sempre pensar na posteridade, e que devemos nos esforçar especialmente para perpetuar a lembrança do amor de Deus pela sua igreja e pelo seu pobre povo, de modo que os jovens, à medida que crescem, possam saber que o Senhor Deus

de seus pais é bom, e cheio de compaixão. Embora o salmista estivesse triste, quando escreveu as partes sombrias desta queixa, ele não estava tão absorto pela sua própria tristeza, nem tão distraído pela calamidade nacional, a ponto de se esquecer das reivindicações de gerações futuras; esta, na verdade, é uma prova clara de que ele não deixava de ter esperança pelo seu povo, pois aquele que está tomando providências para o bem de uma geração futura não perdeu, ainda, a esperança pela sua nação. O louvor a Deus deve ser o grande objetivo de tudo o que nós fazemos, e assegurar a Ele a glória – tanto do presente quanto do futuro – é o mais nobre objetivo dos seres inteligentes.

19 e 20. *"Porquanto olhara desde o alto do seu santuário"* ou "se inclinara da altura da sua santidade", *"desde os céus, o Senhor observou a terra"*, examinando como um vigia da sua torre. Qual era o desígnio deste inclinar-se das fortalezas do céu? Por que este olhar atento sobre a raça dos homens? A resposta está cheia de assombrosa misericórdia: o Senhor não examina a humanidade para observar as pessoas importantes, e observar os feitos de seus nobres, mas *"para ouvir o gemido dos presos, para soltar os sentenciados à morte"*. Os gemidos dos presos, longe de serem musicais, são muito horríveis de se ouvir, mas Deus se inclina, para ouvi-los; os sentenciados à morte normalmente são má companhia, mas o Senhor se curva da sua grandeza para aliviar a sua extrema aflição e romper suas cadeias. Isto Ele faz, com resgates providenciais, restaurando saúde ao moribundo, e providenciando alimento para os famintos; e espiritualmente, esta necessidade de graça é satisfeita pela graça soberana, que nos liberta, pelo perdão, da sentença do pecado, e pela doçura da promessa de libertação do mortal desespero que uma sensação de pecado criou dentro de nós. Bem fazemos, em louvar ao Senhor, nós que já fomos os filhos da morte, mas agora somos trazidos à gloriosa liberdade dos filhos de Deus. Os judeus no cativeiro foram, nos tempos de Hamã, sentenciados à morte, mas o seu Deus lhes encontrou uma saída, e eles alegremente conservaram a festa de Purim como comemoração deste evento; que todas as almas que foram libertadas da astuta maldade do antigo dragão exaltem, com gratidão ainda maior, o Senhor de infinita compaixão.

21. *"A fim de que seja anunciado o nome do Senhor em Sião, e o seu louvor, em Jerusalém."* Grande misericórdia exibida àqueles que têm grande necessidade dela – este é o método mais simples de revelar os atributos do Altíssimo. Os atos falam mais alto do que as palavras; as obras da graça são uma revelação ainda mais impressionante do que as mais ternas promessas. Jerusalém restaurada, a igreja novamente edificada, encorajadas as almas antes desanimadas, e todas as outras manifestações do poder de abençoar do Senhor, são também muitos manifestos e proclamações afixadas nos muros de Sião, para divulgar o caráter e a glória do grande Deus. A experiência de cada dia deve ser, para nós, uma novidade de amor, uma circular do céu, uma mensagem diária dos centros da graça. Nós devemos contar tudo isto a nossos companheiros cristãos, fazendo deles auxiliares no nosso louvor, à medida que ouvem sobre a bondade que nós vivenciamos. Quando as misericórdias de Deus falam de modo tão eloquente, nós não devemos ficar mudos. Transmitir aos outros o que Deus fez pessoalmente por nós, e pela igreja, de modo geral, é nosso dever, de modo tão evidente, que não deveríamos precisar de incentivo para cumpri-lo. Deus sempre visa a glória da sua graça em tudo o que faz, e nós não devemos, voluntariamente, privá-lo do seu louvor.

22. *"Quando os povos todos se congregarem, e os reinos, para servirem ao Senhor."* A grande obra de restauração da Sião destruída deverá ser mencionada naquelas eras douradas, em que as nações pagãs se converterão a Deus; nem mesmo estes períodos gloriosos conseguirão menosprezar este grande evento que, como a travessia de Israel pelo Mar Vermelho, jamais será eclipsado e jamais deixará de despertar o entusiasmo do povo escolhido. Feliz será o dia quando todas as nações se unirão na mesma adoração ao Senhor, então todas as histórias dos tempos antigos serão lidas com assombro e adoração, e a mão do Senhor será vista,

como tendo pousado no exército sacramental dos seus eleitos; então haverá gritos de louvor exultante, que subirão ao céu, em honra àquele que libertou os cativos, soltou os condenados, suavizou as desolações dos séculos, e de pedras e entulho edificou um templo para a sua adoração.

23. *"Abateu a minha força no caminho."* Aqui, o salmista novamente retorna aos seus lamentos, e derrama sua queixa pessoal. A sua tristeza tinha abatido o seu espírito, e tinha, inclusive, provocado fraqueza no seu corpo, de modo que ele era como um peregrino, mancando pelo caminho, e estava pronto a se deitar e morrer.

"Abreviou os meus dias." Embora tivesse brilhantes esperanças para Jerusalém, ele temia que devesse deixar esta vida muito tempo antes que estas visões tivessem se tornado realidades; ele sentia que estava se consumindo e que seria um homem cuja vida seria curta. Talvez esta possa ser a nossa sorte, e venha a nos ajudar, materialmente, a estarmos satisfeitos, se estivermos persuadidos de que o maior de todos os interesses está seguro, e a boa e velha causa está protegida nas mãos do Senhor.

24. *"Dizia eu: Deus meu, não me leves no meio dos meus dias."* Ele se entregou à oração. Que melhor remédio existe, para a angústia e a depressão? Nós podemos, legitimamente, pedir a recuperação de enfermidades, e podemos ter esperanças de ser ouvidos. Os homens de bem não devem temer a morte, mas não são proibidos de amar a vida; por muitas razões, o homem que tem a melhor esperança do céu, pode, apesar disto, pensar que é desejável continuar aqui um pouco mais, para o bem da sua família, do seu trabalho, da igreja de Deus, e até mesmo a glória de Deus. Alguns interpretam a passagem "não me leves" como não me faça ascender e desaparecer como fumaça, não me leve como Elias, em um carro de fogo, pois eu vi somente a metade dos meus dias, e que triste metade foi! Deixe-me viver até que a manhã que ruge tenha se suavizado, em uma brilhante tarde, ou uma existência mais feliz.

"Tu, cujos anos alcançam todas as gerações." Tu vives, Senhor; deixa-me viver, também. Há uma plenitude de existência contigo, deixa-me participar dela. Observe o contraste entre ele se consumindo e prestes a expirar, e o seu Deus, vivendo na plenitude de força, para todo o sempre; este contraste está cheio de poder de consolação para o homem cujo coração se apoia no Senhor. Bendito seja o seu nome, Ele não falha, e por isto, a nossa esperança não nos falhará, nem nós nos desesperaremos, nem por nós, nem por sua igreja.

25. *"Desde a antiguidade fundaste a terra."* A criação não é uma obra nova para Deus; portanto, colocar "Jerusalém por louvor na terra" não será difícil para Ele. Muito tempo antes que a Cidade Santa estivesse em ruínas, o Senhor criou o mundo do nada, e não lhe será difícil levantar os muros de seus montões de ruínas e substituir as pedras, cada uma em sua devida posição. Nós não podemos dar continuidade à nossa existência nem dar existência a outros; mas o Senhor não apenas Existe, mas é o Criador de todas as coisas que existem; consequentemente, quando nossos assuntos estiverem no seu ponto mais baixo, ainda não estaremos desesperados, porque o Todo-Poderoso e Senhor Eterno ainda poderá nos restaurar.

"E os céus são obra das tuas mãos." Portanto, podes não apenas simplesmente lançar as fundações de Sião, mas também completar o seu telhado, pois tu cobriste o mundo com seu teto azul; os mais sublimes níveis de teu palácio terreno serão empilhados, sem dificuldade, quando tu empreenderes a sua construção, uma vez que tu foste o arquiteto das estrelas, e das esferas nas quais elas se movem. Quando um grande esforço deve ser executado, é eminentemente tranquilizador contemplar o poder daquele que se decidiu a realizá-lo; e quando a nossa própria força estiver esgotada, é supremamente animador ver a energia infalível que ainda está envolvida, para o nosso bem.

26. *"Eles perecerão, mas tu permanecerás."* O poder que os criou irá dissolvê-los, da mesma maneira como a cidade do teu amor foi destruída, pelo teu comando; mas nem a cidade destruída, nem a terra arruinada, podem provocar uma mudança em ti, reverter teus propósitos, ou diminuir a tua glória. Tu permaneces, quando todas as coisas caem.

"Todos eles, como uma veste, envelhecerão; como roupa os mudarás, e ficarão mudados." O tempo prejudica todas as coisas, o que está na moda se torna obsoleto, e desaparece. A criação visível, que é como a veste do Deus invisível, está envelhecendo, e se desgastando, e o nosso grande Rei não é tão pobre a ponto de precisar usar sempre as mesmas roupas; em breve, Ele irá dobrar os mundos, e deixá-los de lado, como vestes usadas, e se vestirá com a nova veste, criando um novo céu e uma nova terra em que habitem a justiça. Com que rapidez tudo isto será feito. Tu "os mudarás e ficarão mudados", tanto na Criação, como na restauração, a onipotência operará, sem impedimentos.

27. *"Mas tu és o mesmo", ou "tu és aquele."* Assim como um homem permanece o mesmo, depois de ter mudado de roupa, assim é o Senhor, para sempre, imutável, embora suas obras na criação possam estar mudadas, e as operações da sua providência possam variar. Quando o céu e a terra desaparecerem da terrível presença do grande Juiz, Ele permanecerá inalterado pela terrível confusão, e o mundo em conflagração não efetuará nenhuma mudança nele; ainda assim, o salmista se lembrou de que, quando Israel foi arrasada, sua capital destruída, e seu templo derrubado ao chão, o seu Deus permaneceu o mesmo ser, de existência própria, auto-suficiente, e restauraria o seu povo, assim como restaurará os céus e a terra, concedendo ao mesmo tempo uma nova glória, jamais conhecida antes. A doutrina da imutabilidade de Deus deve ser mais considerada do que é, pois negligenciá-la modifica a teologia de muitos professores religiosos, e os faz proferir muitas coisas que teriam considerado absurdas, há muito tempo, se tivessem se lembrado da declaração divina: "Eu, o Senhor, não mudo; por isso, vós, ó filhos de Jacó, não sois consumidos".

"E os teus anos nunca terão fim." Deus continua vivo, não lhe poderá acontecer nenhuma decadência, e nenhuma destruição poderá atacá-lo. Que alegria é isto! Nós podemos perder os nossos amigos terrenos mais queridos, mas não o nosso Amigo celestial. Os dias dos homens são, frequentemente, abreviados, e apenas alguns terão os dias mais longos, mas os anos da destra do Altíssimo não podem ser contados, pois não têm nem primeiro nem último, nem princípio nem fim. Ó, alma minha, exulta sempre no Senhor, pois Ele é sempre o mesmo.

28. *"Os filhos dos teus servos continuarão."* O salmista tinha, anteriormente neste Salmo, olhado à frente, a uma geração futura, e aqui ele fala com confiança que esta raça surgiria e seria preservada e abençoada por Deus. Alguns interpretam isto como uma oração: "Que os filhos dos teus servos permaneçam". De qualquer maneira, é algo cheio de ânimo para nós; nós podemos implorar pela benevolência do Senhor para a nossa semente, e podemos esperar que a causa de Deus e a verdade irão reviver em gerações futuras. Devemos esperar que aqueles que nos irão suceder não sejam tão teimosos, descrentes e pecadores, como nós fomos. Se a igreja foi diminuída e humilhada pela indiferença da raça atual, devemos implorar que o Senhor levante uma raça melhor de homens, cujo zelo e obediência irão conquistar e ter uma longa prosperidade. Que os nossos entes queridos possam estar entre a geração melhor que irá continuar nos caminhos do Senhor, obediente até o fim.

"E a sua descendência ficará firmada perante ti." Deus não negligencia os filhos dos seus servos. A regra era que o Isaque de Abraão fosse do Senhor, que o Jacó de Isaque fosse amado pelo Altíssimo, e que o José de Jacó encontrasse favor aos olhos de Deus. A graça não é hereditária, mas Deus se compraz em ser servido pela mesma família por muito tempo, assim como muitos grandes proprietários de terras se alegram em ter as mesmas famílias como arrendatários de suas propriedades, de geração em geração. Aqui está a esperança de Sião, seus filhos a edificarão, a sua descendência irá restaurar as suas glórias anteriores. Nós podemos, portanto, não somente para o nosso próprio bem, mas também pelo amor à igreja de Deus, orar diariamente para que os nossos filhos e filhas possam ser salvos, e conservados, pela graça divina, até o fim – estabelecidos diante do Senhor.

Assim nós passamos pela nuvem, e no próximo Salmo nos aqueceremos sob o sol. Tal é a experiência do crente, com altos e baixos. Paulo, em Romanos 7, clama e geme, e, no capítulo 8, se alegra e salta de alegria; e assim, dos lamentos do Salmo 102, passamos aos cânticos e às danças do 103, bendizendo o Senhor porque "o choro pode durar uma noite, mas a alegria vem pela manhã".

NOTAS EXPLICATIVAS E DECLARAÇÕES SINGULARES

O Título: *"Oração"*, etc. A oração que se segue é mais longa que outras. Quando Satanás, o Adversário da Lei, estende seus apelos contra nós, é conveniente que nós aumentemos nossos apelos a favor de nossas próprias almas; assim como os poderes das trevas estendem e multiplicam suas lutas, devemos aumentar nossas orações (Ef 6.12,18). – *Thomas Cobbet, 1657*

O Título: *"Que... derrama"*, etc. Aqui temos a descrição da oração da igreja, apropriada à sua situação extrema, com uma comparação a um recipiente cheio de vinho novo ou alguma bebida forte, à qual se dá vazão. Oh, os gritos de partir o coração que a igreja emite, todos os dias! Aqui não há uma forma de oração preguiçosa, hipócrita, ou econômica, nem sons vazios de expressões verbais, que jamais poderão lhe obter uma resposta consoladora do seu Deus, nem, ao menos, tranquilizar a sua alma pesarosa; mas orações derramadas, como a de *Ana* (1 Sm 1.15), e a de *Jeremias* (Lm 2.12), expressas com veemência de espírito e coração dorido, pela tristeza interior: assim o Senhor lida com a sua igreja e o seu povo. antes que Ele derrame cálices de consolação, eles devem derramar lágrimas, em grande medida. – *Finiens Canus Vove*

O Título:

Esta é a oração de quem lamenta, quando está enfraquecido,
E ao Pai Eterno suspira suas queixas.
– *John Keble*

O Salmo: Este Salmo foi atribuído a *Daniel*, a *Jeremias*, a *Neemias* ou a alguns dos outros *profetas* que floresceram durante o período do cativeiro. O autor da epístola aos Hebreus aplicou os versículos *21, 26* e *27* ao nosso Senhor, e à perpetuidade do seu reino. – *Adam Clarke*

O Salmo: Eu me pergunto se, sem o ensinamento apostólico, algum de nós teria tido a coragem de interpretá-lo; porque, em muitos aspectos, ele é o mais notável de todos os Salmos - o Salmo do "AFLITO" - sim, redigido enquanto a sua alma, dentro dele, está cheia de grande aflição, tristeza, e ansioso temor. – *Adolph Saphir, "Expository Lectures on the Epistle to the Hebrews"*

v. 1: "Senhor, ouve a minha oração, e chegue a ti o meu clamor". Quando, em qualquer ocasião, vemos os mendigos, ou pessoas pobres, que sofrem e se angustiam, com fome e frio, pelas ruas das cidades, cheios de feridas, de alguma maneira somos comovidos, interiormente, com piedade e misericórdia; mas se nós mesmos acompanharmos e dermos ouvido aos seus lamentos, clamores, e aos sons lamentáveis que emitem, deveríamos ser muito mais motivados a demonstrar a nossa piedade e misericórdia por eles; pois ninguém pode exibir a dor de uma pessoa enferma, tão bem, e de maneira tão patética, como ela mesma. Portanto, uma vez que o clamor e lamento daqueles que sofrem dor física e desgraça pode prevalecer tanto sobre os corações de criaturas mortais, eu não duvido, Bom Senhor, que tu, que és misericordioso, necessariamente estejas inclinado a exercer a tua misericórdia se *minha* angustiada petição puder *chegar* a teus ouvidos, ou à tua presença. – *John Fisher* (1459-1535), "A Treatise concerning the fruitful Sayings of David", 1714

v. 1: "A minha oração". A sua, e não de outra pessoa; não a que foi escrita para ele, mas escrita por ele; que veio do seu próprio coração e de lábios verdadeiros e sinceros, e expressa um sentimento de suas próprias necessidades e problemas; e, embora ditada e gravada no seu coração pelo Espírito de Deus, ainda assim, sendo expressa por ele com fé e fervor, é chamada de sua, e que ele deseja que seja ouvida. – *John Gill*

v. 1: "A minha oração". Para que a minha oração prevaleça, ó, Deus, eu a ergo em um clamor, e o clamor, posso dizer, é o mais belo sino, em todo o toque da oração; pois não consigo orar mais alto, do que clamando. Então, se não a minha oração, pelo menos *"chegue a ti o meu clamor"* – Se eu não for ouvido quando clamar, clamarei por não ser ouvido; e se for ouvido, quando eu clamar, clamarei para ser ainda mais ouvido; e, seja ou não ouvido, clamarei ainda, e Deus permita que eu ainda possa clamar; então, alegre-se, ó Deus, em "ouvir a minha oração", e "que chegue a ti o meu clamor". – *Sir R. Baker*

vv. 1 e 2: Este linguajar é o linguajar da tristeza piedosa, da fé, da tribulação e da esperança ansiosa: da *fé*, pois o suplicante devoto eleva o seu coração e a sua voz ao céu "como vendo o invisível" (Hb 11.27), e suplica que Ele ouça a sua oração e dê ouvidos ao seu clamor; de *tribulação*, pois ele se descreve como suportando aflição e sem desejar perder o incentivo do Senhor *no momento da sua tribulação; de esperança ansiosa*, pois ele parece esperar, em meio ao seu gemido, que suas orações sejam como as de Cornélio, e que estejam "em memória diante de Deus", que o ouvirá, e "depressa". – *Charles Oxenden*, "Sermons on the Seven Penitential Psalms", 1838

vv. 1 e 2: O Senhor permite que seus filhos balbuciantes falem com Ele na sua própria forma de falar (ainda que os termos que eles usam possam não ser adequados à sua majestade espiritual, invisível e incompreensível); assim são: *"Ouve", "não escondas o teu rosto", "inclina para mim os teus ouvidos"*, e outras palavras semelhantes. – *David Dickson*

vv. 1 e 2: Veja, Davi enviou a sua oração como um embaixador sagrado a Deus. Há quatro coisas necessárias para que uma missão de embaixador seja bem sucedida. O embaixador deve ser visto com olhos favoráveis; ele deve ser ouvido com ouvidos dispostos; ele deve retornar rapidamente, quando seus pedidos forem concedidos. Estas quatro coisas, Davi, como suplicante, pede a Deus, seu Rei. – *Le Blanc*

v. 2: "Inclina para mim os teus ouvidos". A grande exaustão do aflito é sugerida; ele está tão cansado, que mal consegue clamar, mas com uma voz fraca, apenas murmura, como um homem fraco e doente, cuja voz, se desejássemos ouvir, teríamos que *inclinar os ouvidos*. – Martin Geier

v. 3: "Consomem como fumaça", seria melhor *desaparecem como* em fumaça, como se desaparecessem em fumaça e cinzas. *"Ardem como lenha"*, não é uma tradução feliz, pois "lenha" não deve ser combustível. Melhor seria "ardem como feixes", como qualquer combustível. O sentimento: os meus dias se consomem, não resultam em nada, são perdidos. – *Henry Cowles*

v. 3: "Meus dias se consomem como fumaça"; ou, como no texto hebraico, literalmente *"em fumaça"*. A mesma expressão que Davi, no Salmo 37, versículo 20, tinha usado sobre "os inimigos do Senhor": "em fumaça se desfarão" (compare com Sl 68.2). Assim, o sofredor ideal se queixa de que a sorte dos ímpios recai sobre ele, embora sendo justo (Sl 101). – *A. R. Fausset*

v. 3: "Meus dias se consomem como fumaça". Assim como a fumaça é um vapor originado do fogo, mas não tem calor, também os meus dias se originam da tórrida zona da juventude, e se dirigem à região do frio e da idade; e assim como a fumaça parece uma substância espessa, mas desaparece imediatamente no ar, também os meus dias pareciam tão grandes, no início, como se jamais passassem, mas agora, ai... passaram, e me deixaram apenas uma existência. Como a fumaça é fuliginosa e escura, e não traz prazer na sua contemplação, também os meus dias são todos negros e sombrios; nenhuma alegria, nenhum prazer serão obtidos neles. E assim como a fumaça realmente sobe, mas ao subir desaparece e resulta em nada, também os meus dias são gastos ao crescer, são diminuídos ao aumentar; a sua abundância produziu uma escassez, e por mais que tenham sido, menos são agora. E como, na verdade, podem os meus dias escolher ser consumidos como fumaça, quando *"meus ossos ardem como lenha"?* Pois assim como, quando a lenha é queimada, não se pode fazer mais fogo sobre ela, também, quando os meus ossos, que são como a lenha de que foi feito o fogo da minha vida, vierem de uma vez para serem queimados, como poderá ser feito deles mais fogo de vida? E quando nenhum fogo puder ser feito, o que restará, senão fumaça? – *Sir R. Baker*

v. 3: "Como lenha". Ou como um *estrado*, ou *uma grelha,* segundo o Targum: ou, como uma *frigideira*: segundo a versão árabe. – *John Gill*

v. 4: "O meu coração está ferido e seco como a erva". A metáfora aqui é com a grama, cortada na campina. Ela é, no início, *"ferida"* com a *foice*, e então *"seca"* pelo *sol.* Assim os judeus foram feridos com os juízos de Deus; e agora estão secos, sob o fogo dos *caldeus.* – *Adam Clarke*

v. 4: "Até me esqueço de comer o meu pão". Eu ouvi falar de alguns que se esqueceram de seus próprios nomes, mas jamais soube de ninguém que se esquecesse de comer seu alimento; pois há um instigador chamado fome, que faz com que o homem se lembre do seu alimento, apesar de seus dentes. E é verdade que, quando o coração está destruído e seco, como a grama, este esquecimento de uma necessidade será o resultado. O secar do coração é a causa principal da tristeza, pelo menos, a causa da tristeza principal. E a tristeza extrema não é a mãe da estupidez, chocando e entorpecendo as faculdades animais, chegando a um ponto em que nem o entendimento nem a lembrança podem executar as suas funções? Ou a tristeza é tão intensa com relação ao que a causa, que não se pode pensar em nenhuma outra coisa? Ou a natureza se dá conta de que alimentar-se quando se está triste é alimentar a tristeza, e, por esta razão, julga que seja melhor se abster da comida? Ou, assim como a tristeza extrai a umidade do cérebro, e enche os olhos de água, também extrai um líquido semelhante de outras partes do corpo, que enche o estômago, em lugar do alimento? Seja como for, isto mostra uma operação assombrosa que existe na tristeza, fazendo não somente o estômago recusar o seu alimento, mas fazendo com que o cérebro se esqueça do estômago, mesmo havendo, entre eles, uma simpatia tão natural e uma correspondência tão próxima. Mas, assim como o vigor do coração gera abundância de estados de espírito, que transmitidos a todas as partes dão um apetite natural, também, quando o coração está dolorido e seco como a erva, e não há nele mais nenhum vigor, os estados de espírito ficam imediatamente perplexos, e então não será de admirar se o estômago perder o seu apetite e se esquecer do pão. – *Sir R. Baker*

v. 4: "Até me esqueço de comer o meu pão". Quando a tristeza tiver deprimido o espírito, o homem não terá apetite daquele alimento que deve reabastecê-lo e elevá-lo. Acabe foi ferido por um tipo de tristeza, Davi por outro, e Daniel por um terceiro; e todos se esqueceram de comer o seu pão, ou o recusaram (1 Rs 21.4; 2 Sm 12.16; Dn 10.3). O lamento e o jejum são companheiros naturais. – *Samuel Burder*

v. 5: "Meus ossos se pegam à minha pele". Quando os ossos se agarram à pele, ambos se apegam ao pó. – *Joseph Caryl*

v. 5: O fato de que a tristeza faz com que o corpo se consuma é muito conhecido. Foi dito, a respeito do Cardeal Wolsey, por uma testemunha ocular, que quando ele soube que a benevolência do seu senhor tinha sido desviada dele, ele foi acometido de tal agonia e tristeza, que durou uma noite inteira, que pela manhã o seu rosto tinha sido reduzido à metade de suas dimensões usuais.

v. 6: "Sou semelhante ao pelicano no deserto". O caate era um pássaro solitário, que era encontrado no *"deserto"*, isto é, longe da habitação do homem. Esta é uma das características do *pelicano*, que não ama a proximidade com os seres humanos, e gosta de ficar em terras amplas e não cultivadas, onde não será perturbado.

Nessas terras, ele faz seu ninho e choca seus filhotes, e a eles ele volta depois de comer, para digerir em tranquilidade a ampla refeição que acabou de fazer. O Sr. Tristiram sugere que a metáfora do salmista pode se referir ao hábito do pelicano e seus semelhantes, de ficar imóvel, durante horas, depois de se encher de comida, com a cabeça afundada nos ombros e seu bico apoiado no peito. – *J. G. Wood*

v. 6: "O pelicano no deserto". Somente aqui, [em Hulet] eu vi o pelicano do deserto, como Davi o chama. Certa vez, eu vi um deles, atingido pouco abaixo deste lugar por um tiro, e como estava apenas ferido na asa, eu tive uma boa oportunidade de estudar o seu caráter. Certamente era a ave mais sombria e mais austera que eu já tinha visto. Eu me sentia acometido de tristeza, só de olhar para ela. Davi não podia encontrar um tipo mais expressivo de solidão e melancolia com o qual exemplificar o seu próprio estado de tristeza. Parecia tão grande como um jumento meio-crescido, e quando bem assentado em suas pernas vigorosas, realmente era parecido com um deles. O pelicano jamais é visto, se não nestes isolamentos incomuns. – *W. M. Thomson*

v. 6: Considere que você não precisa se queixar, como Elias, de ter sido deixado sozinho, vendo que o melhor dos *santos* de Davi em todos os tempos sofreu o mesmo que *Davi*: na verdade, algumas vezes ele se vangloria, de que o Senhor o faz 'deitar-se em verdes pastos, e o guia mansamente a águas tranquilas', mas depois ele se queixa de que 'se atola em profundo lamaçal, onde se não pode estar em pé. O que aconteceu com aqueles verdes pastos? Áridos, com a seca. Onde estão as águas tranquilas? Perturbadas, com a tempestade da aflição. O mesmo Davi se compara a um *"mocho"*, e no salmo seguinte se assemelha a uma *"águia"*. Há duas aves mais diferentes? Uma é o *desprezo*, a outra é a *soberania;* uma é a mais *lenta,* a outra é a *mais veloz*; uma é a de visão mais *aguçada*, e a outra, *a de visão mais ofuscada,* de todas as aves. Não se espante, então, por ver, em você mesmo, repentinas e estranhas alterações. Isto acontecia com todos os servos de Deus, em suas agonias que vinham das tentações; e tenha confiança nisto: embora agora destroçado pela tristeza, no devido tempo você estará muito bem e consolado. – *Thomas Fuller*

v. 6: "Mocho". Acredita-se que o significado tencionado pela palavra hebraica *kôs*, traduzida como *"coruja"* em Lv 11.17; Dt 14.16, onde é mencionada entre as aves impuras, seja algum tipo de mocho. Ela aparece também em Sl 102.6: *"Sou semelhante ao pelicano no deserto; sou como um mocho nas solidões"*. A palavra hebraica *côs* significa um "cálice" em algumas passagens das Escrituras, originando-se de uma raiz que significa "receber", "esconder" ou "juntar"; consequentemente o pelicano, o "cálice", ou "pássaro com bolsa" é considerado como o pássaro mencionado. Neste caso, o versículo no Salmo seria assim traduzido: "Eu me tornei como um pelicano no deserto, como um 'pássaro com bolsa' nos lugares desertos". Mas o fato de que tanto o pelicano quanto o *côs* sejam citados na lista de aves cujo consumo como alimentação deveria ser evitado, é contrário a esta teoria, a menos que a palavra tivesse tido o seu significado alterado na época do salmista, o que é improvável. A expressão *côs*, "nas solidões", dá a entender que alguma coruja ou mocho fosse o significado pretendido. O árabe definitivamente aplica uma expressão semelhante à dos nomes de uma coruja, ou seja, *um elcharab*, isto é, "mãe das ruínas". A Septuaginta traz νυκτικόραξ como o significado de *côs*; e nós sabemos, por Aristóteles, que a palavra grega era sinônima de ὦτος, evidentemente, pela descrição que ele faz do pássaro, uma das corujas com orelhas. O Dr. Tristram parece inclinado a considerar o *côs* como a pequena *Athene Persica*, a mais comum das corujas da Palestina, representante da *A. noctua* do sul da Europa. Os árabes chamam a ave *"boomah"*, devido à sua observação; esta ave é descrita "como uma pequena ave, grotesca e de aspecto engraçado, familiar, embora cautelosa, que jamais se move desnecessariamente, mas permanece no seu galho, a menos que tenha bons motivos para crer que sua presença foi detectada, e ali torce e gira sua cabeça, e não seus olhos, para observar e vigiar o que está acontecendo". Ela é encontrada entre rochas, nos uádis ou nas árvores junto às águas, em oliveiras, nos cemitérios e nas ruínas, nos montes arenosos de Berseba, e "nas zonas costeiras de Tiro, onde seu lamento baixo com certeza será ouvido ao pôr-do-sol, e ela será vista inclinando-se e acompanhando a sua própria música". – *W. Houghton, "Cassell's Biblical Educator", 1874*

v. 6: "Mocho nas solidões".

A salvo, naquela torre coberta de hera,
O mocho infeliz se queixa para a lua
porque, vagando perto de seu refúgio secreto,
perturba seu reino antes solitário.
– *Thomas Gray* (1716-1771)

v. 7: "Velo". Durante as horas dedicadas ao sono, *"velo"*, como uma pequena ave que fica solitária no telhado da casa, enquanto todos, abaixo dela, desfrutam do sono que ele dá à sua amada. – *Alfred Edersheim*

v. 7: "Como o pardal solitário no telhado". Quando um deles perde a sua companheira – algo que acontece todos os dias – ele fica solitário no telhado, e lamenta esta triste perda continuamente. – *W. M. Thomson*

v. 7: "Sou como o pardal solitário", etc. É evidente que "o pardal solitário e melancólico sobre o telhado" não pode ser o pardal vivaz e gregário que se agrupa em grandes números nestes locais favoritos para sua alimentação [os telhados das casas no Oriente]. Nós devemos, portanto, procurar outro pássaro, e os naturalistas agora estão de acordo em que podemos aceitar o *melro azul* (*Petrocossyphus cyaneus*) como o tzippor ou pássaro pequeno que fica solitário nos telhados. A cor deste pássaro é azul escuro, daí o seu nome popular. Os seus hábitos correspondem exatamente à ideia de solidão e melancolia. Os melros azuis nunca se reúnem em bandos, e é muito raro ver mais do que dois deles juntos. Este pássaro gosta de ficar nos telhados das casas, emitindo sua música, que, ainda que agradável para ele mesmo, é monótona e melancólica para o ouvido humano. – *J. G. Wood, "Bible Animals"*

v. 7: "Pardal". Muitos leitores ficam assombrados com a incoerência da imagem, conforme a nossa versão, pretendida, pelo salmista, para expressar uma condição de aflição e desolação. O pardal é encontrado, na verdade, por todo o Oriente, sempre em conexão com as casas, como acontece conosco; mas em todas as partes é um dos pássaros mais sociais, chegando a ser impertinente, de tanta animação; e tem disposição travessa, não sendo isolado em seus hábitos, ou melancólico em seu comportamento. A palavra, no original, é um termo genérico para todos os pássaros pequenos, insetívoros e frutívoros, denominados limpos, e que poderiam ser comidos, de acordo com a lei, o melro, a cotovia, o alvêolo, o tentilhão, além do pardal. Parece ser, realmente, uma mera imitação do seu canto comum, como a que temos na palavra "gorjeio". Muitos críticos se contentam, portanto, com a tradução "pássaro solitário" ou *"pequeno pássaro solitário"*. Mas isto é muito insatisfatório. Isto não identifica a espécie; e há grande probabilidade de que deva ter existido um pássaro em particular que o salmista, escrevendo no final do cativeiro na Babilônia, tinha em mente, que correspondesse à descrição do salmista e representasse a sua condição de isolamento.

Há um pássaro deste tipo hoje em dia, comum no sul da Europa e na Ária Ocidental. A sua história é pouco conhecida, e a sua existência, até hoje, escapou à observação de todos os comentaristas bíblicos. De modo notável, o pássaro é comumente, embora erroneamente, chamado de pardal, pois é, na verdade, um melro, em tamanho, forma, hábitos e cantos. Ele difere singularmente do restante da tribo, por todo o Oriente, por uma predileção acentuada em ficar solitário sobre as habitações dos homens. Ele não se associa com os outros, e somente em determinada época, com sua própria parceira; e mesmo então, é frequentemente visto sozinho, sobre os topos das casas, onde gorjeia seus doces e queixosos sons, e continua o seu canto, passando de um telhado a outro. A América tem o seu melro solitário, de outra espécie, e de hábitos um pouco diferentes. Os pântanos solitários e sombrios de cana e murta, dos estados do sul, são os refúgios favoritos do pássaro recluso; e quanto mais densos e sombrios, maior será a probabilidade da ave ser encontrada neles. – *"The Biblical Treasury"*

v. 7: "Solitário". Mas os homens mal percebem o que é a solidão, e até que ponto se estende; pois uma multidão não é companhia, e os rostos são apenas uma galeria de retratos, e a conversa é apenas um címbalo, onde não existe amor. O adágio em latim explica, de certa maneira: *"magna civitas, magno solitudo"*; pois em uma grande cidade os amigos estão dispersos, de modo que não existe a comunhão que, de modo geral, existe em vizinhanças melhores; mas nós podemos ir além, e afirmar, de maneira muito verdadeira, que é uma mera e infeliz solidão a falta de verdadeiros amigos, sem os quais o mundo é apenas um deserto; e também mesmo neste sentido de solidão, quem quer que, na sua natureza e nos seus sentimentos seja inadequado para a amizade, estará trazendo em si uma característica que é de alguns animais, e não da humanidade. – *Francis Bacon*

v. 7: "Solitário". Veja a razão por que as pessoas em dificuldades adoram a solidão. Eles estão cheios de tristeza; e a tristeza, se tiver raízes profundas, é naturalmente reservada, e evita toda a convivência. O pesar é algo que é muito silencioso e privado. As pessoas que conversam e clamam muito a respeito de suas tristezas, nunca estão verdadeiramente tristes. Algumas podem se perguntar *por que as pessoas melancólicas gostam de estar tão sozinhas* e eu lhes digo qual é a razão.

1. Porque os fluidos desordenados de seus corpos alteram seu temperamento, seu humor e sua disposição, de modo que *não são mais os mesmos que costumavam ser*; o seu próprio mau humor é avesso ao que é alegre e divertido; e aqueles que se assombram com eles podem prudentemente indagar por que estão doentes, que é o que se tornarão, se não souberem como evitar tal comportamento; mas o mal da Melancolia *é tão obstinado, e tão desconhecido a todos, exceto aos que sofrem dele, que nada, exceto o poder de Deus, pode derrotá-lo completamente, e eu não conheço outra cura para ele.*

2. *Outro motivo por que eles preferem ficar sozinhos é* porque *as pessoas, em geral, não se importam com o que eles dizem,* nem acreditam neles, mas os ridicularizam, coisa que não costumam fazer de modo tão cruel com aqueles que sofrem de outros males; e nenhum indivíduo deve ser culpado por evitar a sociedade, quando ela não possibilita a credibilidade às suas palavras que é devida ao resto dos homens. Mas,

3. Outra razão, que é a principal, pela qual as pessoas tristes e em dificuldades preferem ficar sozinhas, é que *geralmente se consideram escolhidas para serem as marcas do desprazer peculiar de Deus,* e frequentemente, pelas suas agudas aflições, são um terror para si mesmas, e um assombro para os outros. E o seu coração se entristece, ao ver o quanto estão oprimidas, e abatidas, tendo sido antes tranquilas e agradáveis e cheias de esperança, como são os outros, Jó 6.21: "Vistes o terror e temestes"; Sl 71.7: "Sou como um prodígio para muitos". E estar com elas normalmente é desagradável para os outros. Sl 88.18: "Afastaste para longe de mim amigos e companheiros; os meus íntimos amigos agora são trevas". No entanto, não foi assim com os amigos de Jó: ver um homem que tinham conhecido feliz, agora tão infeliz, alguém a quem eles tinham visto tão próspero, agora tão pobre, em circunstâncias tão tristes, os afetou imensamente; ele, pobre homem, tinha mudado, e seus amigos não o conheceram, Jó 2.12,13: "Levantando de longe os olhos e não o conhecendo, levantaram a voz e choraram; e rasgando cada um o seu manto, sobre a cabeça lançaram pó ao ar. E se assentaram juntamente com ele na terra, sete dias e sete noites; e nenhum lhe dizia palavra alguma, porque viam que a dor era muito grande". O profeta representa a pessoa que está sob grandes aflições espirituais como alguém que *"se assenta solitário* e fica em silêncio", Lm 3.28. – *Timothy Rogers (1660-1729), "A Discourse on Trouble of Mind, and the Disease of Melancholy"*

v. 8: "Os meus inimigos me afrontam". É verdade o que escreve Plutarco, que os homens se sensibilizam mais com as repreensões do que com outras ofensas; a aflição, também, dá uma margem mais aguçada à calúnia, pois os aflitos são objetos mais apropriados à piedade do que à zombaria. – *Mollerus*

v. 8: "Os meus inimigos me afrontam", etc. Se eu estiver onde eles estão, eles me atacam; e se eu não estiver entre eles, eles me ofendem pelas costas; e fazem isto, não aos empurrões, que me possam dar algum tempo para respirar, mas cospem seu veneno, *todo o dia;* eles não agem isoladamente, e um por um, para que eu possa ter esperança de resistir; mas se combinam e se aliam, contra mim; e para tornar mais fortes suas alianças, e menos sujeitas à dissolução, se prendem, por um juramento, e assumem o sacramento deste juramento. E agora, resuma todas estas infelicidades e aflições; começando com o meu jejum, depois com o meu gemido, e acrescente a minha vigília; então, a vergonha de ser considerado com assombro pelos amigos; a seguir, some o desconforto de estar desconsolado e sozinho, e, por fim, acrescente a perversidade de meus inimigos; e considere que espanto, então, se estas desgraças, unidas, me fizerem completamente infeliz; que espanto se eu não for nada além de pele e ossos, quando nenhuma carne "que fosse prudente" permaneceria sobre um corpo, para suportar tantas misérias. – *Sir R. Baker*

v. 8 (última parte): Jurar por alguém significa tornar o seu nome um exemplo de execração, ou exemplo de maldição (Is 65.15; Jr 29.22; 43.18). – *Carl Bernard Moll, "Lange's Commentary"*

v. 9: "Pois tenho comido cinza como pão". Embora o pão possa ser realmente estranho, jamais será tão estranho quanto isto: tendo se queixado, anteriormente, de se esquecer de comer seu pão, agora ele, de repente, passa *a comer cinzas como pão.* Pois não teria sido melhor continuar se esquecendo, a menos que tivesse valido mais a pena se lembrar? Pois não há nada, na natureza, tão inapropriado para comer, como *cinzas*; é pior do que a erva de Nabucodonosor. – *Sir R. Baker*

v. 9: "E misturado com lágrimas a minha bebida". Se você pensa que o pão do salmista é ruim, descobrirá que a sua bebida é pior; pois *ele mistura com lágrimas a sua bebida;* e o que são as lágrimas, senão um líquido salgado? e o sal é adequado para matar a sede de alguém? Não podemos dizer aqui que o remédio é pior do que a doença? Pois não seria melhor suportar qualquer sede, do que procurar extingui-la com tal bebida? Não é digno de piedade não ter bebida nenhuma para colocar no estômago, exceto o que sai dos nossos olhos? E quem está em melhor situação? Certamente, nenhum homem comete pecado sem um desejo de prazer; mas o pecado não será cometido assim; pois quem quer que cometa pecado, que esteja certo de que, em alguma ocasião, encontrará mil vezes mais problemas por causa dele, do que já encontrou prazer nele. Pois todo pecado é um tipo de excesso, e não há como impedir que seja mortal, exceto por esta rígida dieta de comer cinzas como pão e misturar a bebida com lágrimas. Ó, alma minha, se estas são as obras de arrependimento em Davi, onde encontraremos um penitente no mundo, além dele? Falar de arrependimento é óbvio, na boca de todas as pessoas; mas onde está alguém que coma cinzas como pão, e misture a sua bebida com lágrimas? – *Sir R. Baker*

v. 10: "Pois tu me levantaste, e me arremessaste". Tu me levantaste a uma grande altura, pois me fizeste como a tua imagem, tocando a minha alma racional, e me deste poder, pela tua graça, para herdar as alegrias eternas do céu, em corpo e alma, se eu vivesse aqui segundo os teus mandamentos. Que dádiva maior podes dar-me, Senhor, além de ter a percepção de ti, que és tudo, em todas as coisas? Sim, tendo o cumprimento de todas as minhas esperanças em ti? Como podes me erguer mais alto, do que na eterna bem-aventurança? Mas então, ai... me deixaste cair outra vez, pois uniste a minha nobre alma com um corpo terreno, pesado e frágil; o peso e o fardo dele removeram a minha mente e o meu coração da consideração da tua bondade, e do modo correto de agir, conduzindo-me a todos os tipos de iniquidades, e à consideração das coisas temporais, segundo a sua natureza. A mansão terrestre conserva baixo o entendimento. Colocando-me, de certa forma, sobre o vento, me deste uma queda muito grande (Jó 30.22). Eu estou, na criação, acima de todos os outros tipos de criaturas terrestres, e sou quase igual aos anjos; mas nesta condição, tu fizeste um nó, de modo que eu sofra condenação por romper o menor dos teus mandamentos. Sem a tua contínua ajuda e misericórdia eu estou em pior condição do que qualquer animal selvagem, cuja vida, ou alma, morre com o corpo. – *Sir Anthony Cope (1551)*

v. 10: "Pois tu me levantaste e me arremessaste". Isto é para que eu possa cair de uma forma mais grave. *Significatur gravissima collisio.* Aqui, o profeta não acusa a Deus de crueldade, mas lamenta a sua própria infelicidade. *Miserum est fuisse felicem,* ter sido feliz não é uma infelicidade pequena. – *John Trapp*

v. 11 (primeira parte): Meus dias (meu período de vida) são como a sombra que declina, a sombra da tarde que se prolonga, mostrando a aproximação da noite. A comparação, embora não expressa de modo exato, é maravilhosamente sugestiva do pensamento pretendido. – *Thomas J. Conant*

v. 11 (última parte): "E eu", no hebraico, está em contraste intencional com "Mas *tu*", versículo 12. – *A. R. Fausset*

v. 13: "Tu te levantarás e terás piedade", etc. *Tu miserebere, "Tu te levantarás"*, como a sunamita disse ao profeta, agarrada aos seus pés, embora Geazi a retirasse, *Vivit Dominus,* "Vive o Senhor, e vive a tua alma, que não te hei de deixar"; e como Jacó disse ao anjo, quando tinha lutado a noite inteira com ele, *Non dimittam*: "Não te deixarei ir, se me não abençoares". – *de "A Sermon at Paules Crosse on Behalfe of Paules Church, March 26, 1620. Por B. of London" [John King]*

v. 13: "O tempo determinado". Há um tempo apropriado para as grandes ações de Deus. Ele permite que os poderes das trevas tenham a sua hora, e Deus terá a sua hora. Ele tem um tempo determinado para mostrar misericórdia, e jamais se atrasará, nem mesmo por um segundo. Qual é este tempo? (v. 9 e outros). Quando os servos de Deus "comem cinzas como pão e misturam sua bebida com lágrimas", quando eles estão mais humildes, e quando têm afeto moral pela igreja; quando seus sentimentos humildes e ardentes são fortes, até mesmo para a sua ruína, quando eles têm um forte desejo e anseio pela sua reparação, como os judeus, no cativeiro, tinham pelo próprio pó do templo: versículo 14: "Porque os teus servos têm prazer nas suas pedras e se compadecem do seu pó". *"Porque"* aqui indica que esta era uma razão pela qual eles consideravam que o tempo determinado já fosse chegado. Este é o tempo determinado por Deus, quando a igreja é mais crente, mais humilde, mais amorosa em relação ao interesse de Deus nela, e mais sincera. Sem fé, nós não somos adequados a desejar misericórdia, sem humildade nós não somos adequados a recebê-la, sem afeto nós não somos adequados a valorizá-la, e sem sinceridade nós não somos adequados a aprimorá-la. Os tempos de situações extremas contribuem para o crescimento e o exercício destas qualificações. – *Stephen Charnock*

v. 14: "Porque os teus servos têm prazer nas suas pedras". Isto é, eles ainda estão ligados a ela, e a consideram com extrema afeição, embora esteja em ruínas. A própria Jerusalém possibilita, hoje, um comovente exemplo desta passagem. Há motivos para crer que uma extensão considerável da *parte inferior* dos muros que cercam a atual mesquita de Omar, que ocupa o local do antigo templo judeu, é a mesma, ou pelo menos os lados sul, oeste e leste são os mesmos do templo de Salomão. Em um ponto, onde os remanescentes deste antigo muro são mais consideráveis e têm caráter mais massivo – onde há dois tramos de construção, composta de massivos blocos de pedra, que alcançam a altura de quase dez metros – está o que á chamado de Muro das Lamentações dos judeus. "Aqui", diz o Dr. Olin, "no pé do muro, há um lugar aberto, enfeitado com bandeiras, onde os judeus se reúnem todas as sextas-feiras, e em pequenos números nos outros dias, com o propósito de orar e lamentar as desolações dos seus lugares santos. Nem os judeus nem os cristãos têm permissão de entrar no Harã, que está consagrado à adoração muçulmana, e esta parte do muro é a mais próxima que se consegue chegar do local que consideram como o ponto preciso, dentro do entorno proibido, onde estava o antigo templo. Eles conservam o piso varrido com muito cuidado, e removem seus sapatos, como em solo santo. Em pé, ou ajoelhados, com seus rostos voltados para o antigo muro, eles contemplam em silêncio estas pedras veneráveis, ou derramam suas queixas em sons contidos, mas audíveis. Para mim, esta sempre foi uma visão muito emocionante, e eu repeti a minha visita a este local interessante, para contemplar e me solidarizar com o espetáculo melancólico, embora também agradável. O pobre povo, às vezes, soluça alto, e ainda encontra lágrimas a derramar pelas desolações da sua 'bela casa'. 'Se eu me esquecer de ti, ó Jerusalém, esqueça-se a minha destra da sua destreza. Apegue-se-me a língua ao paladar se me não lembrar de ti, se não preferir Jerusalém à minha maior alegria'". – *"Kitto's Pictorial Bible"*

v. 16: "Quando o Senhor edificar a Sião, e na sua glória se manifestar". Deus é tão sincero com o seu povo, que dá a sua própria glória como refém para a segurança deles; as suas vestes de glória estão encerradas na sua prosperidade e salvação; Ele não se apresentará, ou melhor, Ele não poderá se apresentar em toda sua magnificência e realeza, até que tenha concluído suas intenções de misericórdia pelo seu povo; Ele se alegra em prorrogar a época da sua aparição em toda a sua glória ao mundo, até que tenha realizado a libertação deles, para que Ele e eles possam surgir, juntos, em sua glória, no mesmo dia: *"Quando o Senhor edificar a Sião, e na sua glória se manifestar"*. O sol é sempre glorioso, no dia mais nublado, mas não aparece até que tenha aberto as nuvens que o escondem da visão do mundo inferior: Deus é glorioso quando o mundo não o vê; mas a sua glória declarada então aparece, quando a glória da sua misericórdia, verdade e fidelidade surge, na salvação do seu povo. Que vergonha deve cobrir o teu rosto, ó cristão, se não desejares sinceramente a glória do teu Deus, que ama a ti e a todos os seus filhos, tão afetuosamente. Este amor é grande demais, a ponto dele estar disposto a deixar a sua própria glória em benefício da felicidade dos seus filhos e filhas! – *William Gurnall*

v. 16: "Quando o Senhor edificar a Sião, e na sua glória se manifestar". Há dois motivos pelos quais o Senhor aparece glorioso nesta obra, e não em qualquer outra. Em primeiro lugar, porque é uma obra que o agrada infinitamente. Os homens decidem aparecer com roupas e comportamentos adequados à obra em que estarão empregados: a mulher de Tecoa finge que está de luto, quando vai transmitir uma mensagem pesarosa; e Davi, quando parte em uma jornada triste, cobre seu rosto e veste roupas de luto; mas quando Salomão está prestes a ser coroado, ele aparece em toda a sua realeza; e uma esposa se enfeita com glória quando está prestes a se casar. Verdadeiramente, assim também o Senhor, quando vai realizar uma obra de que não se agrada, veste as suas vestes de luto, se cobre com uma nuvem, e os céus com escuridão; quando vai realizar uma obra estranha de juízo, então Ele lamenta: "Como te deixaria, ó Efraim? Como te entregaria, ó Israel? Como te faria como Admá? Pôr-te-ia como Zeboim? Está mudado em mim o meu coração, todos os meus pesares juntamente estão acesos" (Os 11.8). Mas a edificação de Sião o agrada infinitamente, porque Sião é como a menina dos seus olhos; Ele comprou Sião por um alto preço, o seu próprio sangue; Ele traz Sião no seu seio, Ele se encanta com Sião, Sião é o seu amor, a sua pomba, a sua bela; Ele escolheu Sião e ama as suas portas, mais do que todos os palácios de Jacó; e sendo ela tão agradável a Ele, não é de admirar que Ele se vestisse com todas as suas vestes gloriosas para adornar e edificar Sião. E, em segundo lugar, há um outro motivo: porque toda a glória que Ele procura para a eternidade deve surgir desta obra de edificação de Sião; esta única obra será o único monumento da sua glória, por toda a eternidade; esta obra grandiosa, este céu e esta terra, que você vê e aproveita, é edificada, como uma exibição, para durar apenas uma semana, por seis ou sete mil anos ("um dia para o Senhor é como mil anos, e mil anos, como um dia"); e quando a sua obra estiver concluída, Ele destruirá novamente este pedaço de barro, e dele, Ele não espera glória diferente da de um *cabul*, um pedaço de terra, ou a cabana de um pastor, ou uma aboboreira que surge em uma noite e seca em um dia; mas este pedaço, Ele edifica para um propósito maior, para ser a mansão eterna da sua santidade e honra; esta é a sua *metropolis*, o seu templo, a sua casa, onde estão o seu fogo e o seu forno, a sua corte, o seu glorioso trono, e por isto a sua glória se preocupa muito com esta obra. Quando Nabucodonosor tiver uma cidade para a honra do seu reino, e para a glória da sua majestade, ele fará dela uma obra imponente. Salomão fez todo o seu reino rico e glorioso, mas ele fez a sua corte, e especialmente o seu torno, de outra maneira, tão imponente, que nunca se viu nada semelhante em nenhum outro reino; e por isto, não é de admirar que o precioso e bendito Senhor apareça na sua glória, edificando aquilo que podemos ousadamente dizer que um dia deverá ser tão glorioso quanto a sua sabedoria pode conceber, e o seu poder pode realizar. – *Stephen Marshall, em um sermão pregado a Right Honourable the House of Peers, intitulado "God's Master-Piece", 1645*

vv. 16 e 17: "Quando... edificar... manifestar... atender... e não desprezar". Estes futuros, no original, são todos verbos no presente; *"edifica... manifesta... atende... e não despreza"*. O salmista, na sua confiança no evento, fala sobre ele como já se realizando. – *Samuel Horsley*

v. 17: "Atender à oração do desamparado", etc. As pessoas são aqui chamadas de *"desamparadas"*. A palavra hebraica que aqui é traduzida como *"desamparado"* significa *myrica*, um arbusto baixo, *humiles myricae*, arbustos baixos que crescem no deserto; alguns pensam que eram *juníperos*, outros, um tipo de *arvoredo*, mas um arbusto que não crescia em nenhuma parte, exceto em um lugar desolado e abandonado; e algumas vezes, a palavra no texto é usada para representar os desertos da Arábia, o deserto arenoso da Arábia, que era um deserto miserável. Quando esta palavra é aplicada aos homens, sempre significa homens *abandonados*, homens *desprezados*; homens que são privados de tudo o que lhes é confortável: homens que jamais tiveram filhos, ou cujos filhos lhes foram tirados, e todos os seus confortos foram removidos, e eles mesmos foram deixados completamente desamparados, como a urze estéril em um deserto desolado. Estas são as pessoas às quais se refere o meu texto; o Senhor atenderá a oração do *"desamparado"*; e esta era, agora, a condição da Igreja de Deus, quando oferecia esta oração, e, pela fé, já declarava que Deus iria conceder tal resposta gloriosa...

Esta também é uma lição de singular consolação a cada alma afligida, para assegurar-lhe que as suas orações e súplicas são consideradas ternamente perante Deus. Eu tenho observado frequentemente estes pobres desamparados, que, aos seus próprios olhos, são muito humilhados, e de todas as outras pessoas, eles são os mais desejosos de implorar e obter as orações de seus amigos, quando veem alguém que tenha dons, e paz, e ânimo de espírito, e liberdade, e capacidade de realizar tarefas. Ó, como se alegram em conseguir as orações de tais pessoas! "Eu lhe peço, ore por mim, lembre-se de mim, no trono da graça", quando, na verdade, se fizermos um juízo correto, todas estas pessoas deverão desejar, realmente, que os *pobres* e os *desamparados* sejam *mediadores* por elas; pois, certamente, a despeito de quem quer que Deus abandone, Ele ouvirá o clamor daqueles que são negligenciados e desamparados. E, por isto, ó aflito e agitado com tempestades, que pensa que é completamente rejeitado pelo Senhor, continue a derramar a sua alma na presença dele; você tem a fiel promessa feita por Ele, de que vai recompensar, e *"atender à oração do desamparado"*. – *Stephen Marshall, em um sermão intitulado "The Strong Helper", 1645*

v. 17: "Atender à oração do desamparado". Deve-se observar que ele atribui a redenção e a restauração do povo às orações dos fiéis. Este é, verdadeiramente, um dom gratuito, e totalmente dependente da misericórdia divina, e, no entanto, o próprio Deus frequentemente o atribui às nossas orações, para nos incitar e nos tornar mais ativos na atividade da oração. – *Mollerus*

v. 17: "A oração do desamparado". Um homem que está desamparado sabe como orar; ele não precisa de nenhum instrutor. As suas infelicidades o instruem maravilhosamente na arte de oferecer orações. Coloquemo-nos na posição de desamparados, para que possamos saber como orar; destituídos de força, de sabedoria, da devida influência, da verdadeira felicidade, da fé apropriada, da consagração total, do conhecimento das Escrituras, da justiça.

Estas palavras introduzem e estão imediatamente relacionadas com uma profecia de coisas gloriosas, a serem testemunhadas nos últimos tempos. Nós professamos estar ansiosos pelo cumprimento destas coisas maravilhosas: mas estamos oferecendo a oração do desamparado? Ao contrário, não é a Igreja, de modo geral, muito parecida com a igreja de Laodiceia? Uma justa interpretação de muitos de seus atos e costumes não motivaria as palavras: "Rico sou, e estou enriquecido, e de nada tenho falta"? E as suas orações não se deparam com esta reprovadora resposta: "Não sabes que és um desgraçado, e miserável, e pobre, e cego, e nu". A tua afluência temporal não significa afluência espiritual. A tua condição espiritual é inversamente proporcional à prosperidade mundana que influenciou a tua cabeça. "Aconselho-te que de mim compres ouro provado no fogo". "Dá todo o teu ouro de má qualidade – porque está contigo – dá este ouro aos meus pobres; e Eu te darei ouro verdadeiro – ou seja, a percepção da tua infelicidade e pequenez; uma ânsia por graça, pureza, serventia, um amor pelos teus companheiros; e o Meu amor, derramado no teu coração". – *George Bowen*

v. 17: "Não desprezar a sua oração". Quantos, em todos os lugares (que serviram ao Senhor nesta grande obra) foram carregados nos braços da oração como um peso morto? A oração, até agora, salvou o reino. Eu me lembro de uma vanglória orgulhosa de nossos inimigos, quando nós tínhamos perdido *Bristol* e *Vies*, eles enviaram para outros reinos uma notícia triunfante, em que concluíam que agora todos estavam subjugados a eles, e entre muitas outras confiantes expressões, havia esta, *Nil restat superare Regem*, etc., que pode ser interpretada de duas maneiras; ou – *Nada mais falta para o Rei conquistar, exceto apenas as orações de umas poucas pessoas fanáticas*; ou – *Nada mais falta para conquistar o Rei, exceto apenas as orações de umas poucas pessoas fanáticas;* todo o resto estava perdido; agora tudo era deles. E, realmente, nós estávamos então em uma condição muito difícil. As nossas fortalezas tomadas, nossos exércitos dissolvidos, nossos corações, de modo geral, nos falhando, por medo, multidões fugindo do reino, e muitos desertando a causa, considerando-a desesperada, fazendo a paz em *Oxford*; quase nada nos sobrou, exceto *preces et lachrymse;* mas, bendito seja Deus, *a oração não foi conquistada*; eles descobriram que ela era o muro mais difícil de escalar, a brigada mais forte a derrotar; até aqui, ela nos preservou, suscitou ajudas inesperadas, e trouxe muitos desesperados a sucessos e libertações inesperados. Vamos, portanto, submetidos a Deus, colocar a coroa na cabeça da oração. Vocês, nobres e respeitáveis, devem estar satisfeitos por ser assim; isto não diminuirá o seu merecido louvor; Deus e o homem lhes darão o que lhes é devido. *Muitos de vocês agiram dignamente, mas a oração supera a todos vocês*: e isto não é uma novidade, a oração sempre teve proeminência na edificação de Sião. Deus reservou diversas obras para diversos homens, e diversas gerações; mas em todas as gerações e entre todos os homens, a oração foi o principal instrumento, especialmente na edificação de Sião. – *Stephen Marshall*

v. 17: "Não desprezar a sua oração". Então Ele dará ouvidos aos apelos dos pobres, e não rejeitará suas súplicas. Mas quem crerá nisto? É provável que, quando Deus estiver na sua glória, Ele se dedique a coisas tão inferiores, como dar ouvidos aos pobres? Estará de acordo com a honra da sua glória ficar lendo pedidos, e especialmente de homens que vêm em *forma pauperis*? Isto é realmente difícil de crer, especialmente em se tratando dos homens que, exaltados em honra, conservam uma distância dos pobres e consideram que olhar para baixo é um tipo de queda;

mas é suficientemente fácil de crer quando se trata de Deus, que julga que a sua glória é considerar os inglórios; mesmo sendo o Altíssimo, Ele ainda olha para o mais baixo, e favorece aos que estão mais desprezados. E isto fez Cristo, depois da sua transfiguração, quando apareceu na sua glória: Ele exibiu, então, atos da maior humildade; lavou os pés dos discípulos; e fez Pedro se assombrar por ver a sua humildade, como tinha se assombrado antes, por ver a sua glória. – *Sir R. Baker*

v. 18: "Louvará ao Senhor". As pessoas a quem Deus, em misericórdia, traz de uma condição humilde e inferior, são as pessoas de quem Deus promete receber louvor e glória. Na verdade, tal é o egoísmo da nossa natureza corrupta, que se nós somos alguma coisa, ou fazemos alguma coisa, somos propensos a esquecer Deus, e oferecer sacrifícios às nossas próprias redes, e queimar incenso aos nossos próprios utensílios e instrumentos de trabaho; de tal modo que, sempre que Deus encontra um povo que confie nele ou que o louve, este deva ser "um povo humilde e pobre" (Sf 3.11-13; Sl 22.22-25), ou um povo trazido de uma condição semelhante; a graça gratuita é ainda mais valorizada por estas pessoas. E se você examinar as Escrituras, verá que todos os louvores e cânticos de entrega que foram feitos a Deus, se originaram de um povo que assim se considerava, como aqueles que se veem reduzidos a nada; mas Deus, em misericórdia, os tinha trazido de volta das portas da morte, e normalmente, até que tivessem esta percepção de si mesmos, jamais deram a Deus a glória devida ao seu nome. – *Stephen Marshall*

v. 18: Os comentaristas observam, neste texto, que esta igreja redimida não pensa *sobre si mesma*, sobre a sua própria tranquilidade, *prazer, riqueza, ganho,* ou qualquer outra coisa que pudesse conseguir para si mesma por esta entrega, para tornar a sua vida mais fácil ou doce; mas os seus pensamentos e estudos são totalmente registrados, como a geração atual e as posteriores deveriam dar toda a glória a Deus por isto...

Há três razões especiais por que esta deve ser a grande obra do povo do Senhor, salvo e resgatado, e por que, na verdade, não podem fazer nada além de investigar como exaltá-lo desta maneira.

I. Uma delas é, porque eles bem sabem que o Senhor nada reservou para Si mesmo, exceto a sua glória, e apenas ela; os benefícios que Ele lhes dá; toda a doçura que pode ser encontrada nestes benefícios, Ele lhes permite que a suguem; mas a sua glória e o seu louvor são seus, e Ele os reservou completamente para Si. O precioso e bendito Senhor é zeloso quanto à sua glória, para que não lhe seja negada, eclipsada, diminuída, ou para que nenhuma violação lhe seja feita, de nenhum tipo. Todo o povo de Deus sabe isto dele, e, por isto, não pode deixar de se empenhar para preservar a glória e o louvor a Ele.

II. Em segundo lugar, além disto, eles sabem, assim como Deus é zeloso neste ponto, também o é toda a obra que Ele lhes indicou que fizessem; por isto, Ele os separou para Si, de todas as nações do mundo, para que fossem os seus peculiares para esta finalidade, para que pudessem dar a Ele toda a glória e todo o louvor pela sua misericórdia. Diz Deus: "Eu o *criei, formei* e *fiz, para a minha glória".* Isaías 43.7. Esta é a lei da sua *nova criação*, que é tão poderosa neles quanto o é a lei da *natureza*, ou a *primeira criação* o é no restante das suas obras. E por isto, com uma naturalidade santa e espiritual (se assim posso chamá-la), os corações de todos os santos são arrebatados para dar a Deus a glória, de modo tão real como as pedras são levadas ao centro, ou o fogo vai para o alto; isto está fixado nos seus corações, a obra da graça os formou para isto, de modo que não podem deixar de se esforçar para exaltar a Deus, sendo esta a finalidade por que a sua vida espiritual e todos os seus privilégios lhes são concedidos.

III. Em terceiro lugar, eles sabem que os seus próprios interesses estão muito concentrados na glória de Deus, eles jamais serão perdedores por ela; se, em alguma obra de Deus, lhe faltar o seu louvor, eles perderão a sua consolação, mas se Deus for ganhador, certamente eles não serão perdedores. O que quer que seja derramado sobre a cabeça de Cristo – qualquer que seja o bálsamo de louvor ou glória, na devida proporção, cairá na orla das suas vestes; não existe nenhuma outra maneira de ter qualquer doçura, consolação, louvor ou glória que derive dele para eles mesmos, exceto dando tudo àquele a quem tudo pertence; e embora Ele jamais abra mão da sua glória – a glória de ser a *fonte*, o *primeiro Doador, supremo e original* de todo o bem. Ainda assim eles terão a glória de ser instrumentos e colaboradores dele, o que é glória e louvor suficientes. – *Stephen Marshall*

v. 18 (primeira parte): Calvino assim traduz: "Isto se escreverá para a geração futura", e observa, – "o salmista dá a entender que esta será uma obra memorável de Deus, cujo louvor será transmitido a gerações futuras. Muitas coisas são dignas de louvor, e logo são esquecidas; mas o profeta vê uma distinção entre a salvação da igreja, pela qual ele oferece suas súplicas, e os benefícios comuns. Com a palavra *escreverá*, ele quer dizer que a história desta salvação será digna de um lugar nos registros públicos, para que a sua recordação possa ser transmitida a gerações futuras".

v. 18: "Isto se escreverá". Nada é mais tenaz do que a lembrança do homem, quando ele recebe uma ofensa; nada é mais negligente, se um benefício for conferido. Por esta razão, Deus deseja, para que seus dons não caiam no esquecimento, registrá-los por escrito. – *Le Blanc*

v. 20: "Para ouvir o gemido dos presos". Deus observa não apenas as orações do seu povo aflito, que são a linguagem da graça, mas até mesmo os seus gemidos, que são a linguagem da natureza. – *Matthew Henry*

v. 20: "Os sentenciados à morte". Que, no seu cativeiro, estão passando por tanta aflição, que é evidente que seus cruéis inimigos estão desejosos de destruí-los completamente; ou, pelo menos, de levá-los a um estado tão baixo e digno de piedade, e de apagar o seu nome de entre as nações da terra. – *William Keatinge Clay*

v. 24: "Deus meu". A falta de uma palavra em um testamento pode prejudicar a transferência da propriedade e desapontar todas as esperanças de um homem; a falta desta única palavra, *meu* (Deus) é o que faz com que o ímpio perca o céu, e é a adaga que perfurará seu coração no inferno, por toda a eternidade.

O grau de satisfação em qualquer bem está de acordo com o grau da sua união a ele (daí o nosso deleite ser maior na comida do que nas roupas, e a alegria dos santos ser maior em Deus no outro mundo do que neste, porque a união é mais íntima), mas onde não há propriedade não há união; portanto, não há complacência. O pronome *"meu"* é tão valioso para a alma quanto a parte ilimitada. Todo o nosso consolo está encerrado naquele gabinete privado. O vinho no copo não alegra o coração, se não entrar no corpo. A propriedade do salmista em Deus era a boca com que se alimentava daqueles manjares que o deleitavam tanto. Nenhuma poção de amor foi tão eficaz como este pronome. Quando Deus diz à alma, como Acabe disse a Ben-Hadade: "teu sou eu, e tudo quanto tenho", quem pode imaginar como o coração salta de alegria, e quase expira por desejar tamanha bênção, sim, uma novidade tão feliz! Outros, como estrangeiros, podem contemplar a sua honra e as suas excelências, mas somente este santo, como a esposa, se alegra. Disse Lutero: Grande parte da religião depende de pronomes. Toda a nossa consolação, na verdade, consiste deste pronome. É o cálice que contém todas as nossas bebidas estimulantes. Eu garanto que, sendo o diabo mau como é, ele dará todo o mundo, se estiver no seu poder, mais gratuitamente do que ofereceu a Cristo pela sua adoração, pela permissão de Deus para pronunciar estas duas palavras, Deus meu. Todas as alegrias do crente dependem desta única corda; rompa-a, e tudo estará perdido. Algumas vezes pensei como Davi a rolava como um torrão de açúcar debaixo da língua, como alguém que não quer perder a sua doçura cedo demais: "Eu te amarei do coração, ó Senhor, a minha fortaleza, o meu escudo, a força da minha salvação e o meu alto refúgio" (Sl 18.1,2). Este pronome é a porta pela qual o Rei dos santos entra nos nossos corações, com todo o seu pacote de deleites e consolações. – *George Swinnock v. 24:* "Não me leves" é, de maneira mais exata: Não me leves para cima, com possível referência ao caso de Elias, que "subiu". – *Henry Cowles*

v. 24: "Não me leves no meio dos meus dias". A mensagem é *"Não me deixes subir no meio dos meus dias"*, isto é, antes que eu tenha tido o curso usual da vida. Assim, *subir* é a mesma coisa que *ser arrancado*; a morte arranca os melhores deste mundo, e então eles sobem para um mundo melhor. A palavra *subir* é concebida para trazer uma referência dupla; em primeiro lugar, ao trigo, que é juntado pela mão de quem colhe, e então colocado sobre o restolho. Em segundo lugar, à luz de uma vela, que, enquanto a vela se consome, ou assim como aquilo que alimenta o fogo é consumido, sobe, e, por fim, desaparece. – *Joseph Caryl*

v. 24: "Tu, cujos anos alcançam todas as gerações". O salmista diz, a respeito de Cristo: *"Tu, cujos anos alcançam todas as gerações"* (Sl 102.24); salmo que o apóstolo cita em Hebreus 1.10. Devemos examinar a sua existência pontualmente, ao longo de todos os tempos. Devemos ir, de ponto a ponto, e observar como, nos detalhes, as Escrituras estão de acordo com isto. O primeiro ponto no tempo em que começaremos a cronologia da sua existência é aquele instante antes que Ele viesse ao mundo.

Em primeiro lugar, nós vemos que Ele existia antes de vir ao mundo, o instante da sua concepção (Hb 10.5), nestas palavras: "Entrando no mundo, diz: Sacrifício e oferta não quiseste, mas corpo me preparaste" (v. 7): "Eis aqui [eu] venho para fazer, ó Deus, a tua vontade". Aqui está uma pessoa diferente de Deus Pai, um *me*, um *eu* diferentes também daquela natureza humana que Ele iria assumir, que Ele chama de "corpo preparado"... Portanto, além daquela natureza humana, e antes dela, havia uma pessoa divina que existia, que não era deste mundo, mas que veio a ele, "entrando no mundo", etc.; para se tornar uma parte dele, e ser manifestado nele.

Em segundo lugar, nós vemos que Ele existia antes de João Batista, embora João fosse concebido e nascesse alguns meses antes dele. Eu observo estes diversos pontos no tempo, porque as Escrituras os observam, e colocam uma marca especial sobre eles: João 1.15: "João testificou dele e clamou, dizendo: Este era aquele de quem eu dizia: o que vem depois de mim é antes de mim, porque foi primeiro do que eu". Esta prioridade de existência é aquilo de que João dá especial testemunho. E é prioridade em existência, pois ele a alega como uma razão por que Ele era preferido, antes de João: "porque foi primeiro do que eu".

Em terceiro lugar, nós o vemos existindo quando todos os profetas escreveram e falaram (1 Pe 1.11). Está escrito que o Espírito de Cristo esteve em todos os profetas, e até mesmo Paulo, que veio depois de Cristo, também diz: "Buscais uma prova de Cristo que fala em mim" (2 Co 13.3). E por isto, Ele mesmo, cujo Espírito era, ou que Ele enviou, deve necessariamente existir, como a pessoa que o envia.

Em quarto lugar, nós o vemos existindo na época de Moisés, porque foi Ele que foi tentado no deserto: "E não tentemos a Cristo, como alguns deles também tentaram e pereceram pelas serpentes" (1 Co 10.9); e foi Cristo que foi a pessoa descrita como sendo tentada por eles, como também agora por nós, como mostra a palavra καί, "alguns deles também". E isto indica aquele anjo que foi enviado com eles (Êx 23.20,21), em quem estava o nome de Deus, e que, como Deus, tinha o poder de perdoar os pecados (v. 21). Veja também Atos 7.35; Hebreus 12.26.

Em quinto lugar, nós o vemos existindo na época de Abraão, e antes dela: "Em verdade, em verdade vos digo que, antes que Abraão existisse, eu sou" (Jo 8.58).

Em sexto lugar, Nós o vemos existindo nos dias de Noé (1 Pe 3.18-22). Ele diz, a respeito de Cristo, que Ele foi "mortificado, na verdade, na carne, mas vivificado pelo Espírito". Evidentemente, ele distingue as duas naturezas, a divina e a humana, como em Romanos 1.3,4, e outras passagens paralelas; e então declara como, por aquela natureza divina, que ele chama de "Espírito", em que Ele existia nos tempos de Noé, Ele foi e pregou às pessoas do mundo antigo, cujas almas estavam então na prisão, no inferno. Estas palavras "pelo Espírito" não significam o sujeito da vivificação, pois nem a sua alma nem a divindade poderiam ser consideradas assim, pois o que não está morto não pode ser vivificado; mas a principal causa da sua vivificação, que não era a sua alma, mas a sua divindade. E, além disto, por seu Espírito não se entende a sua alma, pois então se suporia que teria pregado às almas no inferno (onde se declara que elas estavam). Mas não há pregação onde não existe capacidade de fé. Mas este significado é que a alma e o espírito daquelas pessoas que viveram nos tempos de Noé, e receberam a pregação, eram então, quando isto foi escrito, espíritos em prisão, isto é, espíritos que estavam no inferno. Portanto, ele também acrescenta a expressão "em outro tempo": "Os quais em outro tempo foram rebeldes... nos dias de Noé". Estas palavras nos dão a entender que esta pregação foi feita por Noé ministerialmente, mas por Cristo, em Noé; que, de acordo com a sua pessoa divina existia, e ia com ele, assim como com Moisés, e a igreja no deserto, e pregava a eles.

Em sétimo lugar, Ele existia no princípio do mundo: "No princípio, era o Verbo". Nestas palavras, não havendo predicado nem atributo declarado por esta palavra, a sentença ou afirmação é concluída meramente com a sua existência: "Ele era", e Ele era, então, "no princípio". Ele não diz que Ele foi criado no princípio, mas que "Ele era no princípio". E é no princípio de modo absoluto, sem qualquer limitação. Portanto, o princípio tencionado aqui é o de Moisés (Gn 1.1), como mostram as palavras seguintes: "Todas as coisas foram feitas por ele", e (v. 10), "estava no mundo, e o mundo foi feito por ele". E da mesma maneira como o princípio é normalmente interpretado como os primeiros tempos ou a infância do mundo, também quando Deus começou a criar todas as coisas, o nosso Cristo já existia, pois Ele é eterno. E isto está aqui em oposição (Jo 1.14) com o tempo em que Ele se fez carne, para que isto não fosse considerado como o seu princípio. E de acordo com isto está Hebreus 1.10 onde se fala de Cristo, com base no Salmo 102: *"Tu, Senhor, no princípio, fundaste a terra"*; assim se pode ter plena certeza de que Ele existia então. Mas, além disto, em Salmos 102.24, está escrito: *"Tu, cujos anos alcançam todas as gerações"*. Você percebe, nós percorremos todas as gerações, desde a criação, e vemos os seus anos, através de todas elas. Mas, para que isto não fosse interpretado como se referindo somente às gerações deste mundo, ele acrescenta (como explica Rivet): *"Desde a antiguidade fundaste a terra"*.

Em oitavo lugar, assim concluímos que Ele existia desde antes da criação, isto é, desde a eternidade.

Mas, *em nono lugar,* se você desejar ter a sua eternidade ainda mais expressa, veja Hebreus 7.3, onde mencionando Melquisedeque, o tipo de Cristo, ele o interpreta como tendo sido seu tipo, nesta expressão – "sem pai, sem mãe, sem genealogia, não tendo princípio de dias nem fim de vida, mas, sendo feito semelhante ao Filho de Deus, permanece sacerdote para sempre". E o que ele pretende é declarar que aquilo que Melquisedeque era *typice* ou *umbraiter,* em uma sombra, o nosso Cristo era, realmente e substancialmente.

Finalmente, acrescente a isto o que está escrito em Miqueias 5.2: "E tu, Belém Efrata, posto que pequena entre milhares de Judá, de ti me sairá o que será Senhor em Israel, e cujas origens são desde os tempos antigos, desde os dias da eternidade", onde ele, evidentemente, fala dos dois nascimentos que Cristo teve, sob a metáfora de "origem": um, como homem em Belém, na plenitude dos tempos, o outro, como Filho de Deus, desde a eternidade. Como Filho de Deus, as suas origens (isto é, o seu nascimento) são desde a eternidade. E são mencionadas como "origens", no plural; porque são *actus continuus* e têm sido contínuas desde a eternidade. Assim como o sol gera luz e irradia cada momento, também Deus faz, com seu Filho. Assim, então, nós temos *duas eternidades* atribuídas à pessoa de Cristo; uma futura (Hb 1.10), e outra passada, conforme Miqueias 5.2. E assim, a respeito do próprio Deus, está escrito (Sl 90.2): "De eternidade a eternidade, tu és Deus", e isto também será verdadeiro a respeito de Jesus Cristo. – *condensado do tratado sobre "The Knowledge of God the Father, and his Son Jesus Christ", de T. Goodwin*

v. 25: "Terra... céus". Aqui ele cita as partes mais estáveis do mundo, e as mais belas partes da criação, as que estão mais livres da corrupção e de mudanças, para exemplificar a imutabilidade de Deus; embora os céus e a terra tenham uma prerrogativa de estabilidade acima de outras partes do mundo, e das criaturas que residem abaixo, os céus permanecem os mesmos, como quando foram criados, e o centro da terra conserva a sua estabilidade, e eles são tão belos e tão renovados, com a sua idade, como eram na sua juventude há muitos anos, apesar da mudança dos elementos, fogo e água frequentemente sendo convertidos em ar, de modo que pode haver muito pouco daquele ar que foi criado a princípio, por razão da contínua transmutação. Mas esta estabilidade da terra e dos céus não deve ser considerada em comparação com a característica inabalável e estável da existência de Deus. Assim como a sua beleza está aquém da glória da sua existência, também a sua estabilidade está aquém da sua estabilidade. – *Stephen Charnock*

v. 26: "Eles perecerão". Quanto maior a corrupção, mais vasta a destruição. Alguns pensam que o dilúvio de fogo não subirá mais do que o dilúvio de águas. Pode ser que a *terra* seja queimada, que o pior convidado esteja à mesa, o esgoto de todas as outras criaturas, mas os céus perecerão? Pode ser o céu no sentido do espaço que contém o ar; mas o céu estrelado, onde Deus imprimiu tais figuras da sua glória? Sim, *caelum, elementum, terra* quando *ignis ubique ferox ruptis regnabit habenis.* O primeiro dilúvio é chamado de inverno da terra, o seguinte é o verão do mundo. O primeiro ocorreu com um elemento úmido e frio, o outro será com um elemento quente e seco. Mas, o que acontecerá, então, com os santos? Eles serão salvos de todas as ameaças; caminhando como aqueles três servos, em meio àquela grande fornalha, "o mundo ardente", e sem se queimar e sem ao menos serem chamuscados, porque há um entre eles que os salvará, "o Filho de Deus" (Dn 3.25), o seu Redentor. Mas todos perecerão? Não, na verdade haverá uma modificação, e não uma abolição da sua substância.

"Tu os mudarás, e ficarão mudados", não abolidos. A concupiscência será eliminada, mas não a essência; a forma, não a natureza. Na alteração de uma roupa velha, nós não a destruímos, mas a adornamos, e a renovamos, e fazemos com que pareça nova; elas passam, não perecem; as impurezas são eliminadas, o metal permanece. A qualidade corrupta será renovada, e todas as coisas serão restauradas àquela formosura original com que foram criadas. "Já está próximo o fim de todas as coisas" (1 Pe 4.7): um fim para nós, um fim para os nossos dias, um fim para os nossos caminhos, um fim para os nossos pensamentos. Se alguém pudesse dizer, como o mensageiro de Jó: "Eu somente escapei", seria alguma coisa, ou mesmo que pudesse encontrar uma arca com Noé. Mas não há nenhum arca para defendê-los daquele calor, apenas o seio de Jesus Cristo. – *Thomas Adams*

v. 26: "Como uma veste". Toda a criação é como uma veste, em que o Senhor exibe o seu poder aos homens; consequentemente, está escrito que "Ele cobre-se de luz como de uma veste". E nisto está o esconderijo do seu poder. Ele está escondido, como um homem está escondido com uma veste; não que ele não deva ser visto, nunca, mas ele não deve ser visto com perfeição, e como ele é. A veste mostra o homem, e ele é conhecido por ela; mas ela também o esconde, para que ele não seja visto de maneira perfeita nem completa. Assim são as obras de criação para Deus, Ele as torna suas vestes de modo a, nelas, exibir alguns exemplos do seu poder e da sua sabedoria; mas Ele também se oculta nelas, para que, por causa delas, nenhuma criatura possa ter o conhecimento completo e perfeito dele. Quando esta obrar cessar, e Deus remover estas vestes, ou revelar toda a sua glória aos seus santos, e eles o conhecerem perfeitamente, e puderem vê-lo como Ele é, até o ponto em que uma criatura é capaz de compreender, então Ele deixará de lado estas vestes, e as dobrará, pelo menos para este uso, com a mesma facilidade como um homem deixa de lado a roupa que não mais irá usar. Isto está contido na metáfora. – *John Owen*

v. 27: "Tu és o mesmo". A essência de Deus, com todas as perfeições da sua natureza, é declarada a mesma, sem nenhuma variação, de eternidade a eternidade.

De modo que o texto não apenas declara a duração eterna de Deus, mas a sua imutabilidade nesta duração; a sua eternidade é representada pela expressão "tu permanecerás"; e a sua imutabilidade é representada pela expressão "tu és o mesmo". O fato de permanecer significa, na realidade, a sua imutabilidade, assim como a eternidade; pois aquilo que permanece não muda, e o que muda não permanece.

"Mas tu és o mesmo", אַתָּה־הוּא, traduz este significado mais plenamente. Ele não poderia ser o mesmo se pudesse ser modificado e convertido em qualquer outra coisa, além do que Ele é. O salmista, portanto, não escreve *foste* nem *serás*, mas *tu és* o mesmo, sem nenhuma alteração; tu és o mesmo, isto é, o mesmo Deus, o mesmo em essência e natureza, o mesmo em vontade e propósitos, tu mudas todas as outras coisas, conforme a tua vontade, mas tu és imutável em todos os aspectos, e não em ti não há mudança, nem sombra de variação, ainda que muito leve e pequena. Aqui o salmista faz alusão ao nome *Jeová, Eu sou*, e não somente atribui a Deus a imutabilidade, mas exclui todo o resto da participação desta perfeição. – *Stephen Charnock*

v. 28: "Os filhos dos teus servos continuarão". Qual é o sentido de *"filhos"*? Ou os filhos da sua carne, ou os da sua fé. Alguns dizem que são os filhos da mesma fé, com os mestres piedosos e servos do Senhor, gerados por eles a Deus, como indicando a perpetuidade da igreja, que, em cada geração, produzirá filhos para Deus. É o consolo do povo de Deus, ver uma jovem ninhada crescendo, para dar continuidade à lembrança de Deus no mundo, para que, quando eles morrerem, a religião não morra com eles, nem a sucessão da igreja seja interrompida. Este sentido não é totalmente incoerente, mas eu prefiro pensar que o significado pretendido aqui é o dos filhos dos seus corpos; é uma bênção frequentemente prometida: veja o salmo seguinte, versículo 17: "Mas a misericórdia do Senhor é de eternidade a eternidade sobre aqueles que o temem, e a sua justiça sobre os filhos dos filhos". *"Continuarão"; "ficará firmada"*. Qual é o sentido pretendido aqui? Alguns creem que é apenas *pro more faederis*, segundo aquele concerto sob o qual o povo de Deus se encontrava, quando a eternidade era revelada de modo mais obscuro e indistinto, seja como uma longa vida, ou como a continuidade do seu nome na sua descendência, o que era um tipo de imortalidade literal. Claramente, existe este tipo de consideração, como evidencia o que lemos em Salmos 37.28: *"Porque o Senhor ama o juízo e não desampara os seus santos; eles são preservados para sempre"*. Como? Uma vez que eles morrem como os outros? Veja a antítese, que explica isto: *"eles são preservados para sempre; mas a descendência dos ímpios será desarraigada"*. Eles são preservados na sua descendência. Os filhos são apenas pais multiplicados, e pais continuados; são *nodosa aeternitas;* quando a vida do pai se esgota, é atado um nó, e a vida continua no filho. Eu confesso que as bênçãos temporais, tais como a vida longa e a promessa de uma descendência feliz, são mais visíveis tendo em vista aquela dispensação do concerto; mas Deus ainda cuida dos filhos do seu povo, e muitas promessas seguem o caminho que pertence à administração do Evangelho, e o serviço a Deus ainda é o caminho mais seguro para estabelecer uma família, assim como o pecado é o caminho certeiro para desarraigá-la. E se nem sempre acontecer deste modo, ainda assim, na maior parte das vezes acontece; e nós não somos juízes competentes das dispensações deste tipo, que vêm da parte de Deus, porque nós vemos a Providência em partes, e não temos a capacidade de vê-las juntas; mas no dia do juízo, quando toda a estrutura das tratativas de Deus nos for apresentada, nós compreenderemos, claramente, como *os filhos dos seus servos continuarão, e a sua descendência será firmada*. – *Thomas Manton*

v. 28: Ó, a loucura do mundo, que procura trazer a perpetuidade às suas casas por invenções na lei, que podem, talvez, dar continuidade a suas propriedades, mas poderão dar continuidade à sua semente? Poderão transmitir terras a seus herdeiros, mas poderão transmitir herdeiros às suas terras? Não, Deus o sabe! Esta é uma perpetuidade que somente Deus pode proporcionar, um privilégio apenas dos servos de Deus: pois *"os filhos dos seus servos continuarão, e a sua descendência ficará firmada perante Ele"*; mas Davi não assegura que qualquer outra pessoa continue. – *Sir R. Baker*

SUGESTÕES AOS PREGADORES

Título: I. Os homens aflitos podem orar.
II. Os homens aflitos devem orar, mesmo quando oprimidos.
III. Os homens aflitos podem orar – pois o que se deseja é um derramamento da sua queixa, não uma exibição de oratória.
IV. Os homens aflitos são aceitos na oração – pois esta oração é registrada.
vv. 1 e 2. Cinco passos para o propiciatório. O salmista ora por,
I. Audiência: "Ouve a minha oração".
II. Acesso: "Chegue a ti o meu clamor".
III. Exposição: "Não escondas o teu rosto".
IV. Um ouvido atento: "Inclina os teus ouvidos".
V. Resposta. – *C. Davis*
vv. 1, 17, 19 e 20. Um discurso interessante pode ser baseado nestas passagens.
I. Uma súplica ao Senhor, para que ouça – v. 1.
II. A promessa de que Ele irá ouvir é feita – v. 17.
III. O registro de que o Senhor ouviu – vv. 19,20.
v. 2. I. A oração na angústia é muito necessária.
II. A oração na angústia é muito ouvida.
III. A oração na angústia é muito acelerada: "Ouve-me depressa". Ou,
I. Oração na angústia: "No dia", etc.
II. A oração da angústia: "Não escondas o teu rosto"; não removas a tentação, mas fica comigo nela. Uma fornalha ardente é um paraíso, quando Deus está conosco ali. – *G. R.*
v. 2 (primeira parte). Ele protesta pela perda da visão do rosto divino, quando enfrentando angústia.
I. Isto intensifica sua angústia mil vezes.
II. Isto o priva da força para suportar o problema.
III. Isto impede que ele aja de modo a glorificar a Deus, em meio ao problema.
IV. Isto prejudica o resultado do problema.
v. 2 (última parte): I. Frequentemente, nós precisamos ser atendidos rapidamente.
II. Deus pode nos responder assim.
III. Deus já nos respondeu assim.
IV. Deus prometeu nos responder assim.
vv. 3 a 11. I. As causas da tristeza.
1. A brevidade da vida. v. 3.
2. Dor física. v. 3.
3. Abatimento de espírito. vv. 4,5.
4. Solidão. vv. 6,7.
5. Reprovação. v. 8.
6. Humilhação. v. 9.
7. O esconder do rosto de Deus. v. 10.
8. Definhar, ser consumido. v. 11.
II. A eloquência da tristeza.
1. A brevidade da vida é como a "fumaça" que desaparece.
2. A dor física é fogo nos ossos.
3. O abatimento do espírito é "erva seca". Quem pode comer, quando o coração está triste?
4. A solidão é como "o pelicano no deserto, um mocho nas solidões, e o pardal no telhado".
5. A repreensão é ser rodeado de homens loucos – "os que se enfurecem".

6. A humilhação é "comer cinzas como pão" e "beber lágrimas".
7. As ocultações do rosto de Deus são como levantar-se para ser lançado abaixo.
8. Definhar é como o declínio de uma sombra, e como a erva que seca. – *G. R.*

v. 4. Uma angústia inacreditável faz com que nos esqueçamos de usar meios adequados para nosso sustento.

I. Nós nos esquecemos das promessas.

II. Nós nos esquecemos do passado e de suas experiências.

III. Nós nos esquecemos o Senhor Jesus, nossa vida.

IV. Nós nos esquecemos do amor eterno de Deus. Isto leva à fraqueza, debilidade, etc., e deve ser evitado.

v. 6. Este texto, juntamente com 103.5, faz um contraste interessante, e dá um escopo para muitos ensinos experimentais.

v. 7. Os males e os benefícios da solidão; quando ela pode ser procurada, e quando se torna uma loucura. Ou, o vigia pesaroso – sozinho, excluído da comunhão, insignificante, desejoso de companhia, separado para vigiar.

v. 9. As tristezas dos santos – seu número, sua amargura, suas fontes, corretivos, influências e consolações.

v. 10. I. A tentação das tentações – *tua* indignação e *tua* ira.

II. O agravamento desta tentação – benevolência anterior, "tu me levantaste", etc.

III. O melhor comportamento nesta circunstância: veja versículo anterior, e versículos 12 e 13.

v. 10 (última parte). A prosperidade de uma igreja ou de um indivíduo, frequentemente seguida por declínio; o engrandecimento terreno frequentemente seguido pela aflição; grande alegria no Senhor, em geral seguida por tentação.

vv. 11 e 12. *Eu* e *tu*, ou o contraste notável.

I. Eu: Os meus dias são como a sombra,

1. Porque ela não é substancial; porque ela faz parte da natureza das trevas, que devem absorvê-la; porque quanto mais longos eles se tornam, mais breve será a sua continuidade.
2. Sou como a erva, cortada pela foice; queimada pela estiagem.

II. *Tu.* Senhor. Permaneces para sempre. És sempre memorável. Sempre és o objeto de estudo das gerações de homens, que morrem. – *C. D.*

v. 13. I. Sião frequentemente precisa de restauração. Ela precisa de "misericórdia".

II. A sua restauração é assegurada: "Tu te levantarás", etc.

III. As épocas desta restauração são determinadas. Há um "tempo" para favorecê-la: um tempo "determinado".

IV. São dadas muitas indicações destas épocas futuras: "o tempo, o tempo determinado, já chegou". – *G. R.*

vv. 13 e 14. I. Visitação esperada.

II. Predestinação é alvo de confiança.

III. Evidência observada.

IV. Pergunta sugerida – nós temos prazer nas suas pedras?, etc.

vv. 13 e 14. O interesse do povo do Senhor nos interesses de Sião é um dos sinais mais certos do retorno da sua prosperidade.

v. 15. A prosperidade interior da igreja, essencial para o seu poder no mundo.

v. 16. Deus é o comprador, o arquiteto, o construtor, o habitante, o Senhor de Sião.

I. Sião, edificada. Conversões frequentes; confissões numerosas; firme união; sólida edificação; missões ampliadas.

II. Deus glorificado. Na sua própria fundação; pelo seu ministério; pelas dificuldades e pelos inimigos; por trabalhadores fracos, e materiais de má qualidade; e até mesmo pelos nossos erros.

III. A esperança despertada. Porque nós podemos esperar que o Senhor se glorifique a Si mesmo.

IV. A pergunta sugerida. Eu estou interessado, como edificado, ou edificando? Não apenas de modo doutrinário, mas experimental?

v. 17. I. Os desamparados oram.
II. Eles oram muito.
III. Eles oram melhor.
IV. Eles oram de modo muito eficaz. Ou a melhor maneira de ser bem sucedido na oração, é orar como o desamparado; mostre a razão disto.
v. 18. I. Um memorial.
II. Magnificat. – *W. Durban*
vv. 18 a 21. I. A infelicidade nas situações extremas.
II. A divindade observadora.
III. A divindade auxiliando ativamente.
IV. A glória divulgada em consequência.
vv. 19 a 22. I. A observação que Deus faz do mundo, v. 19.
1. O lugar de onde Ele o contempla: "desde os céus", e não de um ponto de vista terreno.
2. A natureza na qual Ele o contempla; "desde o alto do seu santuário", do propiciatório.
II. O que atrai a sua atenção, no mundo. O gemido do prisioneiro e dos sentenciados à morte.
III. O propósito por que Ele o contempla. "para soltar", etc.: "anunciar", etc.
1. Para o consolo humano.
2. Para a sua própria alegria.
IV. Quando Ele observa a terra. "quando", etc., v. 22. – *G. R.*
v. 23. Pelos enfermos.
I. Submissão – O Senhor enviou a tentação – *"Ele* abateu", etc.
II. Serviço – exonerado de algum trabalho, Ele agora me pede paciência, sinceridade, etc.
III. Preparação – para ir para casa.
IV. Oração – para que outros ocupem o meu lugar.
V. Expectativa – logo estarei no céu, agora que meus dias foram abreviados.
v. 24. I. *A oração.* "Não me leves", etc.
1. Não no meio da vida, é a oração de alguns.
2. Não no meio da prosperidade no mundo, é a oração de muitos, por causa daqueles que deles dependem.
3. Não no meio do crescimento espiritual, é a oração de alguns: "Poupa-me, até que tome alento", etc.
4. Não no meio da obra cristã, e da utilidade, é a oração de outros.
II. *O apelo.* "Tu, cujos anos", etc.; Os anos são abundantes contigo, por isto, dar-me dias mais longos será um dom fácil – e os teus próprios anos alcançam todas as gerações. – *G. R.*
vv. 25 a 27. I. A imutabilidade de Deus, em meio a mudanças passadas: "Desde a antiguidade", etc.
1. Ele foi o mesmo, tanto antes, quanto depois de lançar as fundações da terra.
2. Ele foi o mesmo, tanto depois como antes.
II. A imutabilidade de Deus, em meio a mudanças futuras. "Perecerão", etc.
1. O mesmo antes que eles pereçam, e também depois.
2. Depois, e também antes.
III. A imutabilidade de Deus, no passado e no futuro. "Tu és o mesmo", etc. – *G. R.*
vv. 26 e 27. I. Até onde Deus pode mudar – somente nas suas vestes, ou manifestações externas da criação e providência.
II. Em que Ele não pode mudar – sua natureza, atributos, concerto, amor, etc. III. As verdades confortáveis, que podem ser certamente deduzidas, ou que conseguem suporte a partir deste fato.
vv. 26 e 27. I. O universo material de Deus.
1. Não é mais, para Ele, do que uma veste para quem a usa.
2. Envelhecidos, mas Ele é o mesmo.

3. Logo serão mudados, e deixados para perecer, mas os seus anos não terão fim.

II. O nosso relacionamento, com ambos:

1. Jamais devemos amar a veste mais do que quem a usa.
2. Nem confiar mais no que muda do que no que permanece.
3. Nem viver por aquilo que irá perecer.

v. 28. A verdadeira sucessão apostólica.

I. Sempre haverá santos.

II. Frequentemente eles serão a semente dos santos, segundo a carne.

III. Eles sempre serão a semente espiritual dos piedosos, pois Deus converte um por meio do outro.

IV. Nós devemos ordenar nossos esforços visando o futuro da igreja.

SALMO 103

TÍTULO

Salmo de Davi. Sem dúvida, escrito por Davi; é o seu próprio estilo, na sua melhor forma, e nós devemos atribuí-lo aos seus últimos anos, quando ele tinha uma percepção mais elevada da preciosidade do perdão, por causa de uma percepção mais aguçada do pecado, do que teve nos seus dias de juventude. A sua percepção clara da fragilidade da vida indica os seus anos mais fracos, como também a própria plenitude de sua gratidão que traz louvor. Assim como nos elevados Alpes alguns picos estão acima dos outros, também entre os salmos inspirados há picos de cânticos que se destacam sobre os demais. Este Salmo 103 sempre nos pareceu como o Monte Rosa da cadeia divina dos montes de louvor, que resplandece com uma luz mais avermelhada que qualquer dos demais. É como a macieira, entre as árvores do bosque, e o seu fruto dourado tem um sabor que nenhuma outra fruta terá, a menos que tenha sido colhida sob o brilho do sol da misericórdia. É a resposta do homem às bênçãos do seu Deus, o seu cântico no monte, respondendo ao sermão da Montanha do seu redentor. Nabucodonosor adorou seu ídolo com flauta, harpa, cítara, saltério, e todos os tipos de música; e Davi, em um estilo muito mais nobre, desperta todas as melodias do céu e da terra em honra do único Deus vivo e verdadeiro. A nossa tentativa de explicação começa sob uma sensação da total impossibilidade de fazer justiça a uma composição tão sublime; nós invocamos a nossa alma e tudo o que há dentro de nós em busca de ajuda para a prazerosa tarefa; mas, ai, a nossa alma é finita, e toda a nossa capacidade mental é pequena demais para a empreitada. Nem mil penas poderão escrever sobre tudo o que diz o Salmo, ele é uma daquelas Escrituras abrangentes que contêm uma Bíblia em si mesmas, e que, sozinha, quase é suficiente para o hinário da igreja.

DIVISÃO

Em primeiro lugar, o salmista canta as misericórdias pessoais que ele mesmo tinha recebido (vv. 1-5); a seguir, ele exalta os atributos do Senhor, exibidos na maneira como Ele lida com o seu povo (vv. 6-19); e ele conclui convocando todas as criaturas do universo para adorar ao Senhor e se unir a Ele, bendizendo ao Senhor, sempre gracioso.

EXPOSIÇÃO

1 *Bendize, ó minha alma, ao SENHOR, e tudo o que há em mim bendiga o seu santo nome.*
2 *Bendize, ó minha alma, ao SENHOR, e não te esqueças de nenhum de seus benefícios.*
3 *É ele que perdoa todas as tuas iniquidades e sara todas as tuas enfermidades;*
4 *quem redime a tua vida da perdição e te coroa de benignidade e de misericórdia;*
5 *quem enche a tua boca de bens, de sorte que a tua mocidade se renova como a águia.*

1. *"Bendize, ó minha alma, ao Senhor."* A música da alma é a alma da música. O salmista toca a melhor nota quando começa a despertar o seu interior para exaltar ao Senhor. Ele monologa, tem comunhão consigo mesmo e se exorta, como se sentisse que o embotamento logo roubaria suas faculdades, como, na verdade, acontecerá a todos nós, a menos que sejamos diligentes na vigilância. O Senhor merece ser louvado por nós neste mais elevado estilo de adoração que é pretendido pela palavra *bendize* – "Todas as tuas obras te louvarão, ó Senhor, e os teus santos te bendirão". A nossa vida e o nosso ser interior devem ser concentrados neste prazeroso serviço, e cada um de nós deve despertar o seu próprio coração para envolver-se. Que os outros se abstenham, se puderem: "Bendize, ó minha alma, ao Senhor". Que os outros murmurem, mas tu, *bendize*. Que os outros bendigam a si mesmos e aos seus ídolos, mas tu, bendize *ao Senhor*. Que os outros usem somente suas línguas, mas, quanto a mim, clamarei: "Bendize, ó minha alma, *ao Senhor*".

"E tudo o que há em mim bendiga o seu santo nome." Muitas são nossas faculdades, emoções, e capacidades, mas Deus as deu a todos nós, e elas devem todas unir-se em coro em seu louvor. Os louvores indiferentes ou pouco entusiasmados, mal concebidos ou pouco inteligentes não são os que devemos oferecer ao nosso Senhor amoroso. Se a lei da justiça exigisse todo o nosso coração e alma e entendimento para o Criador, muito mais pode a lei da gratidão reivindicar, de modo abrangente, a homenagem de todo o nosso ser ao Deus da graça. É instrutivo observar como o salmista se estende sobre o *santo* nome de Deus, como se a sua santidade fosse muito importante para ele; ou, talvez, porque a santidade ou perfeição de Deus era, no seu entender, o maior motivo para prestar-lhe a homenagem da sua natureza, na sua plenitude. Crianças podem louvar a bondade divina, mas os pais, na graça, exaltam a sua santidade. Por *nome* nós entendemos o caráter revelado de Deus, e certamente os cânticos que são sugeridos, não pela nossa razão falível, e observação imperfeita, mas por inspiração inequívoca, devem, mais do que qualquer outra coisa, despertar todos os nossos poderes consagrados.

2. *"Bendize, ó minha alma, ao Senhor."* Ele é realmente fervoroso, e novamente nos convoca, para que despertemos. Ele tinha estado adormecido antes? Ou agora ele estava duplamente sensível em relação à importância da imperativa necessidade de adoração? Certamente, ele não usa de repetições vãs, pois o Espírito Santo guia a sua pena; e assim ele nos mostra que precisamos, sempre, nos estimular, quando vamos adorar a Deus, pois seria vergonhoso oferecer a Ele qualquer coisa que não fosse o máximo que nossas almas podem produzir. Estes primeiros versículos são o afinar da harpa, o apertar das cordas frouxas para que nenhuma nota possa perturbar a sagrada harmonia.

"E não te esqueças de nenhum de seus benefícios." Nenhuma das tratativas divinas deve ser esquecida, elas são todas realmente benéficas a nós, todas dignas dele mesmo, e todas motivos para louvor. A lembrança é muito traiçoeira em relação às melhores coisas; por uma estranha perversidade, produzida pelo pecado, ela armazena os dejetos do passado, e permite que tesouros de valor inestimável sejam negligenciados, ela se prende às angústias e considera sem firmeza os benefícios. Ela precisa de estímulo para o seu dever, ainda que este dever deva ser o seu deleite.

Observe que ele chama *tudo* o que há nele para se lembrar de *todos* os benefícios do Senhor. As nossas energias devem ser apropriadamente convocadas para que possamos fazer as nossas tarefas. Tudo o que há em Deus não pode ser louvado com menos do que tudo o que há em nós.

Leitor, nós não temos causas suficientes, a esta altura, para bendizer aquele que assim nos abençoa? Venha, vamos ler os nossos diários e ver se não há benefícios registrados pelos quais não dedicamos a Ele a nossa gratidão como retribuição. Lembra-te de como o rei persa, quando não podia dormir, leu as crônicas do império, e descobriu que aquele que salvou a sua vida jamais havia sido recompensado. Com que rapidez ele lhe prestou honras! O Senhor nos salvou com uma grande Salvação; será que não lhe seremos agradecidos? O nome *ingrato* é um dos mais vergonhosos que um homem pode merecer; certamente, não podemos nos sentir tranquilos correndo o risco de ser assim rotulados. Vamos despertar, então, e com intenso entusiasmo, bendizer ao Senhor Jeová.

3. *"É ele que perdoa todas as tuas iniquidades."* Aqui Davi começa a lista das bênçãos que recebeu, que ele repete como argumentos e temas deste louvor. Ele seleciona algumas das mais belas pérolas, da caixa de joias do amor divino, e faz com elas um colar, com o fio da lembrança, e as pendura ao redor do pescoço da gratidão. O pecado perdoado é, na nossa experiência, um dos melhores consolos da graça, uma das primeiras dádivas de misericórdia – na verdade, a preparação necessária para que se aproveite tudo o que as segue. Até que a iniquidade seja perdoada, a cura, a redenção e a satisfação, são bênçãos desconhecidas. O perdão é o primeiro na ordem da nossa experiência espiritual, e de certa forma, o primeiro em importância. O perdão concedido é presente – *perdoa;* é contínuo, pois Ele ainda *perdoa;* é divino, pois Deus o concede; tem longo alcance, pois remove *todos* os nossos pecados; ele aceita omissões além de comissões, pois ambas são *desigualdades;* e é muito eficaz, pois é tão real como a cura, e o restante das misericórdias com as quais foi colocado.

"E sara todas as tuas enfermidades." Quando a causa desaparece, ou seja, a iniquidade, o efeito cessa. A doença de alma e corpo veio ao mundo pelo pecado, e como pecado é erradicada; as doenças corpóreas, mentais e espirituais irão desaparecer, até que "morador nenhum dirá: Enfermo estou". O caráter do nosso Pai Celestial tem muitas facetas; pois, tendo perdoado como juiz, Ele cura como um médico. Ele é para nós tudo o que precisamos, sim, conforme as nossas necessidades exigem dele; e as nossas fraquezas apenas o revelam de formas que ainda não o conhecemos.

"Nele só há o que é bom,
Em mim só há o que é mau,
O meu mal apenas exibe a sua bondade, e
Ele ainda me ama."

Deus dá eficácia ao remédio para o corpo, e a sua graça santifica a alma. Espiritualmente, nós estamos, diariamente, sob os seus cuidados, e Ele nos visita, assim como o cirurgião visita seus pacientes; e ainda *sara* (pois esta é a palavra exata) cada doença, conforme ela apareça. Nenhuma doença do nosso corpo frustra a sua habilidade, Ele continua curando a *todas* e Ele o fará, até que o último traço de mácula tenha deixado a nossa natureza. As duas palavras *todas* deste versículo são razões adicionais para que *tudo* o que há dentro de nós louve ao Senhor.

O salmista desfrutava pessoalmente das duas bênçãos deste versículo, ele não cantou sobre os outros, mas sobre si mesmo, ou melhor, sobre o seu Senhor, que diariamente o perdoava e curava. Ele devia saber que era verdade, ou não poderia ter cantado sobre isto. Ele não tinha dúvida sobre isto, ele sentia na sua alma que era verdade, e, por isto, ele ordena que a sua alma perdoada e restaurada bendiga ao Senhor com todas as suas forças.

4. *"Quem redime a tua vida da perdição."* Por compra e por poder, o Senhor nos redime da morte espiritual em que nós caímos, e da morte eterna que deveria ter sido

a sua consequência. Se a morte, a penalidade pelo pecado, não tivesse sido removida, então o nosso perdão e a nossa cura teriam sido porções de salvação incompletas, apenas fragmentos, e apenas de pequeno valor, mas a remoção da culpa e do poder do pecado é adequadamente acompanhada pela revogação da sentença de morte que tinha sido proferida sobre nós. Glória ao nosso grande Substituto, que nos libertou e impediu que caíssemos na cova, dando a Si mesmo como nosso resgate. A redenção sempre constituirá uma das notas mais doces no cântico agradecido do crente.

"E te coroa de benignidade e de misericórdia." O nosso Senhor não faz nada pela metade, Ele não dará uma pausa à sua mão até que tenha feito o máximo pelo seu povo. Limpeza, purificação, cura, redenção, não são suficientes, Ele precisa torná-los reis e coroá-los, e a coroa deve ser muito mais preciosa do que se fosse feita de coisas corruptíveis, como ouro ou prata; ela está salpicada de pedras preciosas e forrada com o veludo da benignidade; é adornada com as joias da misericórdia, mas um forro de ternura suaviza-a para o uso. Quem é como tu, ó Senhor! O próprio Deus coroa os príncipes da sua família, pois as melhores coisas vêm dele, diretamente ou indiretamente; eles não merecem a coroa, pois é de *misericórdia,* e não de mérito; eles sentem que são totalmente indignos dela, por isto Ele lida com *ternura;* mas Ele está decidido a bendizê-los, e, por isto, os está *coroando,* sempre rodeando seus rostos com coroas de misericórdia e compaixão. Ele sempre coroa a edificação que Ele inicia, e onde Ele concede o perdão Ele dá também aceitação. "Enquanto foste precioso aos meus olhos, também foste glorificado, e eu te amei". O nosso pecado nos privou de todas as honras, uma condenação foi proferida contra nós, por traição; mas aquele que remove a sentença de morte, redimindo-nos da destruição, também nos restaura mais do que todas as nossas honras presentes, Deus nos irá coroar, e nós não o coroaremos? Levanta-te, minha alma, e lança a tua coroa aos pés dele, e em humilde reverência adora-o, sim, àquele que te exalta de uma forma tão grandiosa, levantando-te do monturo e colocando-te entre os príncipes.

5. *"Quem enche a tua boca de bens",* ou melhor, "enche a tua alma de bens". Nenhum homem jamais poderá ser cheio até a satisfação, exceto um crente, e somente o próprio Deus poderá satisfazê-lo. Muitas pessoas mundanas estão saciadas, mas nenhuma satisfeita. Deus satisfaz a própria alma do homem, a sua parte mais nobre, o seu ornamento e glória; e como consequência, Ele satisfaz a sua boca, por mais faminta e desejosa que ela possa estar. A satisfação da alma exige o louvor da alma, e quando a boca está cheia de bens, é compelida a falar bem daquele que a encheu. O nosso Senhor nos concede realmente *bens* e não brinquedos inúteis e prazeres ociosos; e Ele está sempre concedendo estes bens, de modo que em todos os momentos Ele está *enchendo* a nossa alma de bens: nós não deveríamos estar ainda louvando-o? Se nós jamais deixarmos de bendizê-lo, até que Ele deixe de nos abençoar, a nossa tarefa será eterna.

"De sorte que a tua mocidade se renova como a águia." A renovação de forças, que resultaria na concessão de uma nova vida, foi assegurada ao salmista; ele foi tão restaurado à sua antiga existência que rejuvenesceu, e parecia tão vigoroso como uma águia, cujos olhos podem se fixar no sol, e cujas asas podem voar acima da tempestade. A nossa versão se refere à troca de penas anual da águia, depois da qual ela parece renovada e jovem; mas o original não parece se referir a nenhum fato de história natural, mas simplesmente descrever o doente como tão curado e fortalecido que ele se torna tão cheio de energia como a ave que é a mais forte entre as aves, a mais destemida, a mais majestosa e a mais sublime. Aquele que se assentou triste com a coruja, no último salmo, aqui voa no alto, com a águia: O Senhor opera maravilhosas mudanças em nós, e nós aprendemos, com tais experiências, a bendizer o seu santo nome. Converter-se de pardal a uma águia, e deixar o deserto do pelicano para voar acima das estrelas, é suficiente para fazer qualquer pessoa clamar: "Bendize, ó minha alma, ao Senhor".

Assim se completa a interminável cadeia da graça. O pecado é perdoado, o seu poder é subjugado, e a sua punição desviada, e nós somos honrados, abastecidos e a nossa própria natureza é renovada, até que sejamos como crianças recém-nascidas na casa de Deus. Ó, Senhor, nós devemos bendizer-te, e o faremos; assim como nada reténs de nós, também não devemos reter nada do teu louvor, nem sequer o vigor de alguma força solitária da nossa natureza; mas com todo o nosso coração, e alma e forças louvaremos o teu santo nome.

6 *O Senhor faz justiça e juízo a todos os oprimidos.*
7 *Fez notórios os seus caminhos a Moisés e os seus feitos, aos filhos de Israel.*
8 *Misericordioso e piedoso é o Senhor; longânimo e grande em benignidade.*
9 *Não repreenderá perpetuamente, nem para sempre conservará a sua ira.*
10 *Não nos tratou segundo os nossos pecados, nem nos retribuiu segundo as nossas iniquidades.*
11 *Pois quanto o céu está elevado acima da terra, assim é grande a sua misericórdia para com os que o temem.*
12 *Quanto está longe o Oriente do Ocidente, assim afasta de nós as nossas transgressões.*
13 *Como um pai se compadece de seus filhos, assim o Senhor se compadece daqueles que o temem.*
14 *Pois ele conhece a nossa estrutura; lembra-se de que somos pó.*
15 *Porque o homem, são seus dias como a erva; como a flor do campo, assim floresce;*
16 *pois, passando por ela o vento, logo se vai, e o seu lugar não conhece mais.*
17 *Mas a misericórdia do Senhor é de eternidade a eternidade sobre aqueles que o temem, e a sua justiça sobre os filhos dos filhos;*
18 *sobre aqueles que guardam o seu concerto, e sobre os que se lembram dos seus mandamentos para os cumprirem.*
19 *O Senhor tem estabelecido o seu trono nos céus, e o seu reino domina sobre tudo.*

6. *"O Senhor faz justiça e juízo a todos os oprimidos."* As nossas obrigações pessoais não devem absorver o nosso cântico; nós também devemos exaltar o Senhor pela sua bondade para com os outros. Ele não abandona os pobres e necessitados para que pereçam nas mãos dos inimigos, mas age a favor deles, pois Ele é o Salvador dos pobres e o carrasco dos cruéis. Quando o seu povo estava no Egito, Ele ouviu os seus gemidos e os tirou de lá, mas lançou Faraó no Mar Vermelho. A injustiça do homem pode receber compensação pela mão de Deus. A misericórdia para com os seus santos exige a vingança aos seus perseguidores, e Ele a fará. O sangue dos mártires não será derramado em vão; nenhum gemido dos que confessam a Deus na prisão deixará de ser esquadrinhado. *Todas* as injustiças serão corrigidas, *todos* os oprimidos serão vingados. A justiça pode, às vezes, deixar os tribunais dos homens, mas ela permanece no tribunal de Deus. Pois cada pessoa reta e honesta irá bendizer a Deus. Se Ele se descuidasse do bem das suas criaturas, se Ele negligenciasse a administração de justiça, se Ele permitisse que os opressores cruéis escapassem, no final, nos teríamos mais razões para tremer do que para nos alegrar; mas, entretanto, as coisas não são assim, pois o nosso Deus é um Deus de justiça, e por Ele as ações são avaliadas; Ele repartirá a sua porção aos orgulhosos e fará com que o tirano morda o pó – sim, Ele frequentemente visita o perseguidor arrogante, durante esta vida, de modo que "o Senhor é conhecido pelo juízo que fez".

7. *"Fez notórios os seus caminhos a Moisés."* Moisés foi levado a ver a maneira como o Senhor lida com os homens; ele viu isto, em cada um dos três períodos da sua vida, na corte, no exílio, e como líder das tribos de Israel. A ele, o Senhor deu manifestações particularmente claras de suas dispensações e modos de governar em meio à humanidade, permitindo-lhe que visse mais de Deus do que já tinha sido visto por homens mortais, enquanto tinha comunhão com Ele sobre o monte.

"E os seus feitos, aos filhos de Israel." Eles viram menos que Moisés, pois eles contemplavam as obras de Deus sem compreender o seu método nelas, no entanto isto era muito, muito, e poderia ter sido mais, se eles não tivessem sido tão perversos;

a restrição não está na revelação, mas na dureza e insensibilidade de seus corações. É um grande ato de graça soberana e amor condescendente quando o Senhor se revela a algum povo, e eles devem apreciar a benevolência notável que lhes é exibida. Nós, como crentes em Jesus, conhecemos os *caminhos* da graça do concerto do Senhor, e nós podemos ter sido levados a ver, pela experiência, os seus *feitos* de misericórdia, com relação a nós; quão sinceramente nós devemos louvar ao nosso divino professor, o Espírito Santo, que fez com que nós conhecêssemos estas coisas, pois se não fosse por Ele teríamos continuado nas trevas, até hoje. "Senhor, de onde vem que te hás de manifestar a nós e não ao mundo?" Por que nos tornaste "os eleitos" que alcançaram a promessa, ao passo que os demais estão cegos?

Observe como é proeminente a personalidade de Deus em todo este gracioso ensinamento – *"Ele* fez notórios". Ele não deixou que Moisés descobrisse a verdade por si só, mas se tornou seu instrutor. O que nós poderíamos saber, se Ele não nos desse a conhecer? Somente Deus pode revelar a Si mesmo. Se Moisés precisava que o Senhor lhe desse o conhecimento, quanto mais nós, que somos tão inferiores ao grande legislador?

8. *"Misericordioso e piedoso é o Senhor".* Aqueles com quem Ele lida são pecadores. Por mais que Ele os favoreça, eles são culpados e precisam da misericórdia das suas mãos. Ele nem é lento em se apiedar da sua condição interior, nem relutante em erguê-los dela, pela sua graça. A misericórdia perdoa o pecado, a graça concede a benevolência; em ambas abunda o Senhor. Esta é a maneira pela qual Ele se deu a conhecer a Moisés (Êx 34.6) e desta maneira Ele permanecerá, enquanto durar a era da graça, e os homens ainda estiverem nesta vida. Aquele que "faz justiça e juízo", ainda assim se alegra na misericórdia.

"Longânimo." Ele pode se irar, e pode distribuir uma justa indignação sobre os culpados, mas esta é a sua obra que muitas vezes estranhamos: Ele se demora, com pausas de amor, tardando pelo caminho, para dar tempo para o arrependimento e oportunidade para a aceitação da sua misericórdia. Assim Ele lida com os maiores pecadores, e com os seus próprios filhos ainda mais: porém, com relação aos seus filhos, a sua ira tem vida curta, e jamais alcança a eternidade; e quando é exibida, em punições paternas, Ele não aflige com disposição, e logo se compadece das suas tristezas. Com base nisto, nós devemos aprender, nós mesmos, a ser lentos na ira; se o Senhor é tolerante com as nossas maiores provocações, muito mais nós devemos tolerar os erros de nossos irmãos!

"E grande em benignidade." Rico em benignidade, rápido nela, abundante nela; e assim Ele tinha que ser, ou logo nós seríamos consumidos. Ele é Deus, e não homem, ou os nossos pecados logo afogariam o seu amor; mas acima das montanhas dos nossos pecados se elevam as inundações da sua misericórdia.

"Graça abundante contigo é encontrada,
A graça que cobre todo o meu pecado;
Que abundem as correntes que fluem e curam,
E que me purificam e me conservam interiormente puro."

Todo o mundo prova a sua misericórdia que poupa, aqueles que ouvem o Evangelho participam da sua misericórdia que convida, os santos vivem pela sua misericórdia que salva, são preservados pela sua misericórdia que sustenta, são animados pela sua misericórdia que consola e entrarão no céu pela sua misericórdia infinita e eterna. Que a graça abundante seja o nosso cântico, todas as horas, na casa de nossa peregrinação. Que aqueles que sentem que vivem por causa dela, glorifiquem a abundante fonte da qual ela flui de maneira tão espontânea.

9. *"Não repreenderá perpetuamente."* Ele o fará, algumas vezes, pois não pode suportar que o seu povo abrigue o pecado em seus corações, mas não os castigará para sempre; tão logo eles se voltem para Ele e abandonem seus maus caminhos, Ele encerrará a contenda. Ele pode encontrar causa constante para contender conosco,

pois nós sempre temos algo em nós que é contrário à sua santa vontade, mas Ele se abstém, para que nossos espíritos não fraquejem diante dele. Será benéfico, para cada um de nós, que podemos estar, neste momento, fora da comunhão consciente com o Senhor, indagar das suas mãos a razão da sua ira, dizendo: "faze-me saber por que contendes comigo". Pois é fácil suplicar a Ele, e logo Ele cessa a sua ira. Quando seus filhos se afastam dos seus pecados, Ele logo se afasta de suas punições.

"Nem para sempre conservará a sua ira." Ele não guarda ressentimento nem rancor. O Senhor não deseja que o seu povo guarde ressentimentos, e no seu próprio curso de ação Ele lhes dá um grande exemplo. Quando o Senhor castiga os seus filhos, Ele o faz com a sua ira; Ele não pune como juiz, pois se assim fosse a sua ira queimaria, mas age como um pai, e por isto, depois de alguns golpes, Ele encerra a questão, e aperta o seu amado junto ao peito, como se nada tivesse acontecido; ou, se a transgressão estiver muito profunda na natureza do transgressor, para ser assim corrigida, Ele continua a corrigir, mas jamais deixa de amar, e não permite que a sua ira com o seu povo passe para o próximo mundo, mas recebe o seu filho errante na sua glória.

10. *"Não nos tratou segundo os nossos pecados; nem nos retribuiu segundo as nossas iniquidades."* Se fosse assim, Israel teria perecido completamente, e nós também estaríamos, há muito tempo, sido depositados no mais profundo inferno. Nós devemos louvar ao Senhor pelo que Ele não fez, assim como pelo que Ele fez por nós; até mesmo o lado negativo merece a nossa gratidão e adoração. Até este momento, no nosso estado muito modesto, jamais sofremos como merecemos sofrer; a nossa sina diária não é distribuída segundo o que nós merecemos, mas na medida muito diferente, da bondade imerecida.

Não bendiremos ao Senhor? Todas as forças da nossa existência poderiam ter sido abatidas pelas angústias; mas, em lugar desta angústia, todos nós desfrutamos uma grande felicidade, e muitos de nós somos tremendamente favorecidos com uma preciosa alegria interior. Assim sendo, que cada uma das nossas faculdades, sim, tudo o que há dentro de nós, bendiga o seu santo nome.

11. *"Pois quanto o céu está elevado acima da terra, assim é grande a sua misericórdia para com os que o temem."* Ilimitada para com os seus escolhidos é a misericórdia do Senhor; não há como medi-la, não mais do que a altura do céu ou o céu dos céus.

"Quanto o céu está elevado" é o linguajar original, que implica em outros pontos de comparação, além de extensão, e sugere sublimidade, grandeza e glória. Assim como os céus sublimes cobrem a terra, a molham com orvalhos e chuvas, a iluminam com o sol, a lua e as estrelas, e a contemplam com incessante vigilância, também a misericórdia do Senhor, do alto, cobre todos os seus escolhidos, os enriquece, os abraça e permanece, para sempre, como a sua morada. A ideia da nossa versão é uma ideia muito nobre, pois quem poderá dizer quão tremendamente grande é a altura do céu? Quem pode alcançar a primeira das estrelas, e quem pode medir os limites do universo delas? Mas como é grande a sua misericórdia! Oh, esta pequena palavra! Toda esta misericórdia é para com *"os que o temem";* deve haver uma reverência humilde e sincera à sua autoridade, ou não poderemos experimentar a sua graça. O temor piedoso é um dos principais produtos da vida divina em nós, é o princípio da sabedoria, e assegura plenamente a quem o possui todos os benefícios da misericórdia divina, e é, na realidade, aqui e em outras passagens, empregado para estabelecer o conjunto da verdadeira religião. Muitos verdadeiros filhos de Deus são cheios de temor filial, mas ao mesmo tempo tremem quanto à sua aceitação por Deus; este tremor é infundado, mas deve ser infinitamente preferido àquela presunção infame que incentiva os homens a se vangloriar da sua adoção e consequente segurança, quando estão na maior amargura o tempo todo. Aqueles que fazem conjeturas sobre a extensão infinita da misericórdia divina, aqui devem ser levados a considerar que, embora seja ampla como o horizonte e elevada como as estrelas, ela só se destina àqueles que temem ao Senhor; os rebeldes obstinados terão, para si, a justiça sem a misericórdia.

12. *"Quanto está longe o Oriente do Ocidente, assim afasta de nós as nossas transgressões."* Ó, versículo glorioso, nem uma palavra na página inspirada pode superá-lo! O pecado é removido de nós, por um milagre de amor! Que carga a mover, no entanto ela é removida, para tão longe, que a distância é incalculável. Voe tão longe quanto a asa da imaginação pode lhe levar, e se você viajar pelo espaço rumo ao oriente, estará cada vez mais longe do ocidente, a cada bater das asas. Se o pecado for removido a tal ponto, então podemos ter certeza de que o aroma, as marcas, a própria lembrança dele, terão sido eliminados completamente. Se esta for a distância da sua remoção, não há sombra de medo de que ele venha a ser trazido de volta; nem mesmo o próprio Satanás poderia realizar esta tarefa. Os nossos pecados se foram, Jesus os levou embora. Até o ponto onde o lugar do nascer do sol é afastado do ocidente, onde o sol afunda quando termina a sua jornada diária, até lá os nossos pecados foram levados pelo nosso bode expiatório há dezenove séculos, e agora, se forem procurados, não serão encontrados, não existirão, diz o Senhor. Vem, alma minha, desperta-te completamente e glorifica ao Senhor por esta que é a mais rica das bênçãos. Aleluia. Somente o Senhor poderia remover o pecado completamente, e Ele o fez de uma maneira divina, varrendo completamente todas as nossas transgressões.

13. *"Como um pai se compadece de seus filhos, assim o Senhor se compadece daqueles que o temem."* Àqueles que verdadeiramente reverenciam o seu santo nome, o Senhor é um pai e age como tal. Destes, Ele se compadece, pois nos melhores homens o Senhor vê muito de que se apiedar, e quando estão na sua melhor condição ainda precisam da sua compaixão. Isto deveria controlar toda a propensão ao orgulho, embora, ao mesmo tempo, deva nos trazer o mais rico consolo. Os pais sentem por seus filhos, especialmente quando estão sofrendo, que gostariam de sofrer no lugar deles, atingir o âmago de seus gemidos e suspiros: igualmente sensível com relação a nós é o nosso Pai Celestial. Nós não adoramos a um deus de pedra, mas ao Deus vivo, que é a própria ternura. Neste momento Ele está se compadecendo de nós, pois a palavra está no tempo verbal presente; a sua piedade jamais deixa de fluir, e nós jamais deixamos de precisar dela.

14. *"Pois ele conhece a nossa estrutura."* Ele sabe como fomos feitos, pois Ele nos fez. A nossa fabricação e construção, a nossa constituição e o nosso temperamento, a nossa fraqueza predominante e as mais importunas tentações, Ele percebe bem, pois sonda a nossa natureza mais profunda.

"[Ele] lembra-se de que somos pó." Feitos de pó, ainda pó, e prontos a retornar ao pó. Algumas vezes nós ouvimos falar do "Duque de Ferro" e de constituição de ferro, mas as palavras logo decepcionam, pois o Duque de Ferro se dissolveu e outros homens de igual vigor se dirigem para o túmulo, onde "pó ao pó" é um réquiem apropriado. Com excessiva frequência nós nos esquecemos de que somos pó, e exercitamos nossas mentes e corpos indevidamente com esforços físicos e mentais excessivos, e também nos importamos pouco com as fraquezas dos outros, e impomos sobre eles cargas angustiantes e difíceis de carregar; mas o nosso Pai Celestial nunca nos sobrecarrega, e nunca deixa de nos dar as forças de que precisamos para que possamos vencer cada dia, porque Ele sempre leva em consideração a nossa fragilidade quando faz os seus planos para a nossa vida. Bendito seja o seu santo nome pela sua mansidão para com as suas frágeis criaturas.

15. *"Porque o homem, são seus dias como a erva."* Ele vive sobre a erva e vive como a erva. O trigo é apenas uma erva mais refinada, e o homem, que se alimenta dele, participa da sua natureza. A erva vive, cresce, floresce, cai pela foice, seca e é removida do campo: leia esta sentença outra vez, e descobrirá a história do homem. Se ele sobreviver a este pequeno dia, será ceifado no final, e é muito mais provável que ele seque antes de chegar à maturidade, ou seja arrancado repentinamente muito antes de ter cumprido o seu tempo.

"Como a flor do campo, assim floresce." Ele tem uma beleza e uma graça como têm os campos quando estão amarelados com botões-de-ouro, mas, ai, que vida curta! Nem bem chega, já se vai, um relance de beleza, nada mais! O homem nem

é mesmo como uma flor na estufa nem em um jardim protegido, ele cresce segundo a natureza, como a flor do campo, e como a embelezadora do campo desprotegida, ele corre mil riscos de chegar a um rápido fim. Uma grande congregação, em vestes multicoloridas, sempre nos lembra de um campo que brilha com muitas tonalidades; e a comparação se torna uma triste verdade quando nós refletimos que, assim como a beleza da erva logo desaparece, isto também acontecerá com aqueles que nós contemplamos e com toda a sua beleza visível. Assim, também, deve acontecer com tudo o que vem da carne, até mesmo as suas maiores excelências e virtudes naturais, pois "o que é nascido da carne é carne", e por isto, é apenas como a erva que seca se apenas um golpe de vento a atingir. Felizes aqueles que, nascidos do alto, têm em si uma semente incorruptível que vive e permanece para sempre.

16. *"Pois, passando por ela o vento, logo se vai."* É necessário apenas um ligeiro vento, nem mesmo é preciso uma foice, uma brisa pode fazer isto, pois a flor é extremamente frágil.

"Se um vento intenso passar sobre o campo,
ele se secará em apenas uma hora."

Que pequena porção de gás deletério basta para criar uma febre mortal, à qual nenhum talento humano pode resistir. Não é necessário nem espada nem bala, um golpe de ar impuro é muito mais mortal e não deixa de abater o mais saudável e mais vigoroso dos homens.

"E o seu lugar não conhece mais." A flor não mais floresce. Pode ter um sucessor, mas, quanto a ela própria, as suas pétalas se espalharam e o seu perfume nunca mais adoçará o ar do entardecer. O homem também morre e desaparece, sim, desaparece de seus antigos lugares, seu amado lar, e suas tarefas diárias, para jamais retornar. No que diz respeito a este mundo, é como se ele jamais tivesse existido; o sol nasce, a lua cresce ou diminui, o verão e o inverno seguem seu curso, os rios correm, e todas as coisas prosseguem em seu curso, como se não sentissem falta do homem, pois o papel que ele desempenha nos assuntos da natureza é muito pequeno. Talvez um amigo perceba que ele se foi, e diga,

"Certa manhã, eu senti falta dele, na colina costumeira,
ao longo da urze, e perto da sua árvore favorita;
Na manhã seguinte, não estava junto ao riacho,
nem sobre o gramado, nem no bosque."

Mas quando os "lamentos apropriados" silenciarem sob um monte de terra, e talvez sob uma lápide em desintegração, como será pequena a lembrança da nossa existência nesta cena agitada! É verdade que há lembranças mais duradouras, e uma existência de outro tipo na eternidade, mas elas não pertencem à nossa carne, que é apenas erva, mas a uma vida superior, em que nós subimos rumo à íntima comunhão com o Eterno.

17. *"Mas a misericórdia do Senhor é de eternidade a eternidade sobre aqueles que o temem."* Bendito *mas!* Como é vasto o contraste entre a flor que seca e o Deus eterno! Como é maravilhoso que a sua misericórdia conectasse a nossa fragilidade com a sua eternidade, e nos tornasse também eternos! Desde a eternidade passada o Senhor via o seu povo como objetos de misericórdia, e como tal Ele os escolheu para que participassem da sua graça; a doutrina da escolha eterna é mais deliciosa para aqueles que têm luz ou esclarecimento para vê-la, e amor com que aceitá-la. É um tema para profunda consideração e grande alegria. A expressão *"a eternidade"* é igualmente preciosa. O Senhor não muda, Ele tem misericórdia sem fim, assim como sem início. Jamais aqueles que o temem descobrirão que seus pecados ou suas necessidades esgotaram a grande profundeza da sua graça. A questão principal é: "Nós *o tememos?*" Se elevarmos aos céus o nosso olhar com

temor filial, poderemos ter a certeza de que o olhar do amor paterno jamais será removido de nós, por toda a eternidade.

"E a sua justiça sobre os filhos dos filhos." A misericórdia àqueles com quem o Senhor faz um concerto é assegurada pela *justiça*; é porque Ele é justo que Ele jamais revoga uma promessa, ou deixa de cumpri-la. Os nossos filhos crentes, e a sua descendência, sempre, verão que a palavra do Senhor é a mesma, sempre; a eles Ele exibirá a sua graça e os abençoará como nos abençoou. Cantemos, então, pela posteridade. O passado exige o nosso louvor e o futuro o convida. Pelos nossos descendentes, cantemos, e também oremos. Se Abraão se alegrou a respeito da sua semente, também podem os devotos, pois "Em lugar de teus pais será a teus filhos" e como o último salmo nos disse, no seu último versículo: "Os filhos dos teus servos continuarão, e a sua descendência ficará firmada perante ti".

18. Os filhos dos justos não têm, no entanto, a promessa da misericórdia do Senhor, sem condições, e este versículo completa a declaração do versículo 18, acrescentando: *"Sobre aqueles que guardam o seu concerto, e sobre os que se lembram dos seus mandamentos para os cumprirem".* Os pais devem ser obedientes, e também os filhos. Aqui, nós somos instruídos a permanecer no concerto, e aqueles que correm para confiar em qualquer outra coisa que não seja a obra concluída de Jesus não estão entre aqueles que obedecem a este preceito; aqueles com quem o concerto é realmente feito permanecem firmes e fiéis a ele, e tendo começado no Espírito, não procuram ser aperfeiçoados na carne. Os que são verdadeiramente devotos obedecem aos mandamentos do Senhor cuidadosamente – eles *"se lembram"* deles; eles os observam, na prática – *"os cumprem"*; além disto, eles não são exigentes em suas escolhas, mas se lembram *"dos seus mandamentos"* como são, sem exaltar um acima do outro, como pode ditar o seu próprio prazer ou conveniência. Que a nossa descendência possa ser uma raça atenta, cuidadosa, e observadora, ansiosa por conhecer a vontade do Senhor e motivada a segui-la plenamente, então a sua misericórdia os enriquecerá e honrará, de geração em geração.

Este versículo também sugere louvor, pois quem desejaria que o Senhor sorrisse para aqueles que não consideram os seus caminhos? Isto seria encorajar a perversidade. Com base na maneira como alguns homens pregam o concerto descuidadamente, seria possível deduzir que Deus abençoaria um conjunto de homens, independentemente da maneira como vivem, e por mais que eles pudessem negligenciar as suas leis. Mas a Palavra não ensina isto. O concerto não é legal, é santo. É graça, do princípio ao fim, mas não estimula o pecado; ao contrário, uma das suas maiores promessas é: "porei a minha lei no seu interior e a escreverei no seu coração"; o seu objetivo geral é a santificação de um povo a Deus, zeloso e de boas obras, e todos os seus dons e operações trabalham nesta direção. A fé conserva o concerto, olhando apenas para Jesus, enquanto, ao mesmo tempo, com fervorosa obediência, recorda os mandamentos do Senhor ao povo.

19. *"O Senhor tem estabelecido o seu trono nos céus."* Aqui há uma grande explosão de canto, produzida por uma visão do poder ilimitado, e pela gloriosa soberania do Senhor. O seu trono está *estabelecido*, pois esta é a palavra; ele está estabelecido, fixo, imutável.

"Ele não se assenta em um trono precário,
nem pede permissão para estar ali."

No seu governo não há alarme, nem desordem, nem perturbação, nem busca de recursos de um lado a outro, nem surpresas a encontrar, nem catástrofes inesperadas a impedir; tudo já está preparado e concluído, e Ele mesmo preparou e estabeleceu. Ele não é um soberano delegado para quem um trono é estabelecido por outra pessoa; Ele é um autocrata, e o seu domínio se origina de Si mesmo e é sustentado pelo seu próprio poder. Esta soberania inigualável é a garantia da nossa segurança, a coluna sobre a qual a nossa confiança pode, com segurança, se apoiar.

"E o seu reino domina sobre tudo." Sobre todo o universo Ele agita o seu cetro. Agora, Ele reina universalmente, Ele sempre fez isso, e sempre o fará. Para nós, o mundo pode parecer estar em meio à anarquia, mas Ele traz a ordem até mesmo a partir da confusão. Os elementos combatentes marcham sob a sua bandeira, quando, com mais selvageria, se precipitam em furiosa tempestade. Grandes e pequenos, inteligentes e materiais, dispostos e não dispostos, cruéis ou gentis – todos, sim, todos estão sob a sua autoridade. A sua é a única monarquia universal, Ele é o bendito e único soberano, Rei dos reis e Senhor dos senhores. Uma clara visão da sua providência, sempre ativa, e suprema em todas as partes, é a da mais deliciosa das dádivas espirituais; aquele que a tem não pode fazer outra coisa, senão bendizer ao Senhor com toda a sua alma.

Assim o doce cantor entoou os variados atributos do Senhor, vistos na natureza, graça e providência, e agora ele reúne todas as suas energias para uma explosão final de adoração, à qual ele deseja que todos se unam, uma vez que todos são súditos do Grande Rei.

20 *Bendizei ao Senhor, anjos seus, magníficos em poder, que cumpris as suas ordens, obedecendo à voz da sua palavra.*
21 *Bendizei ao Senhor, todos os seus exércitos, vós, ministros seus, que executais o seu beneplácito.*
22 *Bendizei ao Senhor, todas as suas obras, em todos os lugares do seu domínio. Bendize, ó minha alma, ao Senhor.*

20. *"Bendizei ao Senhor, anjos seus, magníficos em poder."* Vendo a sua obra de louvor crescendo em suas mãos, ele convoca os "filhos primogênitos da luz" para cantar os louvores do Senhor, tanto quanto puderem, pois como diz Milton, eles são os que melhor podem fazê-lo. Habitando mais perto do que nós daquele trono preparado, no qual ainda não temos permissão para tocar, eles vêm mais de perto a glória que devemos adorar. A eles é dado um grande poder de intelecto, e voz, e força, que se alegram por usar em serviços sagrados a Ele; que eles, agora, dediquem todas as suas forças a este cântico solene, que devemos enviar ao terceiro céu. Àquele que deu a força angelical, seja dedicada toda a força angelical. Eles *são os seus* anjos, e por isto não devem ser lentos para cantar os seus louvores.

"Que cumpris as suas ordens, obedecendo à voz da sua palavra." Nós somos instruídos a obedecer a estes mandamentos, e, ai, nós falhamos; que estes espíritos que não falharam, cuja bênção é jamais ter transgredido, deem ao Senhor a glória da sua santidade. Eles dão ouvidos ainda a mais mandamentos, obedecendo por audição reverente e também por ação enérgica, e com isto nos ensinam como a vontade celestial deve ser realizada, para sempre; e por esta suprema excelência, que não recebam louvor, mas o deem todo àquele que os criou e conservou como são. Ó, que pudéssemos ouvi-los entoar os altos louvores de Deus, como os pastores, naquela que foi a maior de todas as noites de nascimento:

"Quando aquela música tão doce
seus corações e ouvidos saudou,
como jamais aconteceu, pelo toque do dedo mortal;
A voz divinamente ondulante
respondendo ao som das cordas
também tomou as suas almas, em bendito arrebatamento:
o ar relutou em perder tal prazer,
e com milhares de ecos ainda prolonga cada som celestial."

O nosso alegre coração antecipa a hora em que os ouviremos "sobre a harpa com som solene", e tudo será somente para o louvor de Deus.

21. *"Bendizei ao Senhor, todos os seus exércitos"*; qualquer que seja a raça de criaturas à qual vocês possam pertencer, pois vocês são os seus exércitos, e Ele é

o Generalíssimo de todos os seus exércitos. A ave no ar e o peixe no mar, e o que quer que passe pelos caminhos do mar, devem, todos, se unir em louvor ao seu Criador, de acordo com o melhor da capacidade que cada um tiver.

"Vós, ministros seus, que executais o seu beneplácito"; de qualquer maneira em que possam servi-lo, bendigam-no, enquanto o servem. O salmista deseja que cada servo no palácio do Senhor se una a ele, e todos, ao mesmo tempo, cantem os louvores do Senhor. Nós atribuímos um novo sentido à palavra "ministros" nestes últimos dias, e assim a limitamos àqueles que servem na palavra e na doutrina. Mas nenhum ministro verdadeiro desejaria alterar isto, pois somos, acima de todos os homens, obrigados a ser os servos do Senhor; e, acima de todas as inteligências ou forças do ministério, desejamos bendizer ao glorioso Senhor.

22. *"Bendizei ao Senhor, todas as suas obras, em todos os lugares do seu domínio."* Aqui está uma trindade de bênçãos, pois as três bendizem a Deus, e cada uma das três bênçãos amplia o que foi dito antes. Esta é a mais abrangente de todas, pois pode haver um chamado mais amplo do que aquele que é feito em todos os lugares? Veja como o homem finito pode despertar o louvor ilimitado! O homem é apenas pequeno, mas, colocando suas mãos nas chaves do grande órgão do universo, ele o desperta a trovões de adoração! O homem redimido é a voz da natureza, o sacerdote no templo da criação, o regente do coro na adoração do universo. Ó, que todas as obras do Senhor na terra fossem libertadas da vaidade da qual foram sujeitadas, e trazidas à gloriosa liberdade dos filhos de Deus: o momento se precipita e certamente chegará; então todas as obras do Senhor o bendirão, verdadeiramente. A promessa imutável amadureceu, a misericórdia assegurada está a caminho. Apressem-se, horas aladas!

"Bendize, ó minha alma, ao Senhor." Ele conclui com esta ideia. Ele não pode se satisfazer em chamar os outros, sem participar, ele mesmo; nem, porque os outros cantam mais alto e de maneira mais perfeita, ele se contentará em ser deixado de lado. Ó, minha alma, vem para casa, para ti mesma e para o teu Deus, e permite que o pequeno mundo dentro de ti acompanhe o ritmo e o tom das esferas que estão ressoando o louvor do Senhor. Ó, Senhor infinitamente bendito, favorecenos com esta mais alta bênção, de estar, para todo o sempre, completamente dedicados a bendizer-te.

NOTAS EXPLICATIVAS E DECLARAÇÕES SINGULARES

O Título: *Salmo de Davi*, que ele escreveu quando foi arrebatado até o céu, diz Beza. – *John Trapp*

O Salmo: Com tanta frequência os santos, na Escócia, entoaram este salmo, nos dias em que celebravam a *Ceia do Senhor!* Ele é particularmente conhecido na nossa terra. Ele também se relaciona com um caso notável dos dias de John Knox. Elizabeth Adamson, uma mulher que comparecia à sua pregação, "porque ele abria mais plenamente a fonte das misericórdias de Deus do que os outros", foi conduzida a Cristo e ao descanso, ao ouvir este salmo, depois de suportar tal agonia na alma, que ela comparou às dores torturantes que sentia em seu corpo: "Mil anos deste tormento físico, multiplicado por dez, não devem ser comparados a um quarto de hora de perturbação da minha alma". Ela pediu este salmo novamente, antes de partir: "Foi enquanto eu o recebia que a minha alma perturbada provou a misericórdia de Deus pela primeira vez, que agora é mais doce para mim do que se a posse de todos os reinos da terra me fosse dada". – *Andrew A. Bonar*

O Salmo: O número de versículos deste salmo é o número das letras do alfabeto hebraico; e a perfeição do conjunto é ainda mais testificada pelo seu retorno, no encerramento, às palavras com que ele começou: "Bendize, ó minha alma, ao Senhor". – *J. F. Thrupp*

O Salmo: O salmo, em termos de número, é um salmo alfabético, harmonizado de tal maneira que o versículo de conclusão retorna ao inicial, e todo o conjunto é desta maneira concluído e arredondado. De igual maneira, o nome Senhor aparece onze vezes. O salmo é dividido em duas estrofes, a primeira de dez versículos, e a segunda, de doze. Os dez são divididos ao meio, e os doze têm três divisões, cada uma de quatro versículos. Senhor aparece quatro vezes na primeira estrofe, e na segunda, sete vezes.

O salmo traz a característica de tranquila ternura. É um riacho claro do louvor de Deus. De acordo com isto, vemos que os versículos têm igual comprimento, no que diz respeito à estrutura, e consistem normalmente de duas partes. É apenas na conclusão, quando o tom se eleva, que os versículos se tornam mais longos: o vaso é pequeno demais para conter o sentimento.

O testemunho dado pelo *título*, a favor da autoria do Salmo por Davi, é confirmado pelo fato de que o Salmo, em passagens, cuja independência não pode ser confundida, traz uma assombrosa semelhança com os outros salmos de Davi, e, por conexão, com o salmo 102. Aqui, Davi ensina a sua descendência a *dar graças*, assim como, no salmo anterior, ele os tinha ensinado a *orar*; libertação de profunda aflição que formava ali o tema da oração, forma aqui o tema do agradecimento. – *E. W. Hengstenberg*

O Salmo: É digno de nota que não haja nenhum pedido nem súplica ao longo destes vinte e dois versículos. Nem uma única palavra de súplica há, em todo o salmo, dirigida ao Altíssimo. A oração, fervorosa, sincera, tinha, sem dúvida, sido feita anteriormente, pelo salmista, e respondida pelo seu Deus. Incontáveis bênçãos foram derramadas do alto, em reconhecimento às súplicas de Davi; portanto, uma gratidão abundante irrompe de seu alegre vaso. Ele toca cada corda da sua harpa e de seu coração, juntas, e derrama uma melodia espontânea de som extremamente doce, e puro louvor. – *John Stevenson, "Gratitude: an Exposition of the Hundred and Third Psalm", 1856*

v. 1: "Bendize, ó minha alma, ao Senhor". Ó, como são adequadas! Para que obra a minha alma é tão adequada quanto para esta? Quem é tão adequado para esta obra, como a minha alma? O meu corpo, Deus sabe, é grosseiro e pesado, e muito inapropriado para uma obra tão sublime. Não, alma minha, você é que deve fazer isto; e, na verdade, o que mais você tem a fazer? esta é a obra para a qual você foi criada, e você é tão adequada para a obra quanto a obra é adequada a você! Mas, ai, você se tornou, de certa maneira, terrena, pelo menos perdeu uma grande parte das suas habilidades, e jamais será capaz de realizar esta grande obra, sozinha. Se bendizer ao Senhor não fosse nada além de dizer apenas: "Senhor, Senhor", como aqueles que clamavam: "O templo do Senhor, o templo do Senhor", então apenas a minha língua seria suficiente para isto, e eu não precisaria perturbar mais ninguém com isto; mas bendizer ao Senhor é uma obra eminente, e exige não apenas muitos agentes, mas agentes muito capazes de realizá-la; e por isto, alma minha, quando for fazer isto, não vá sozinha; mas, leve com você *"tudo o que há em você"*; todas as forças no meu depósito, seja meu coração ou meu ânimo; seja minha vontade ou meus sentimentos; seja o meu entendimento ou a minha memória; leve tudo com você, e bendiga ao Senhor. – *Sir R. Baker*

v. 1: "Tudo o que há em mim". A tradução literal da forma usada aqui é *meu interior* ou *parte interior*, o significado forte e abrangente do plural, ainda mais enfatizado pela adição de *tudo*, como para impossibilitar exceção e reserva, e abranger no escopo todas as forças e sentimentos. – *J. A. Alexander*

v. 1: "Tudo o que há em mim", etc. Que a sua *consciência* "bendiga ao Senhor" por fidelidade invariável. Que o seu *juízo* o bendiga, por decisões de acordo com a sua palavra. Que a sua *imaginação* o bendiga, por puros e santos pensamentos. Que os seus *sentimentos* o bendigam, amando o que Ele ama. Que os seus *desejos* o bendigam, procurando somente a sua glória. Que a sua *memória* o bendiga, não se esquecendo de nenhum dos seus benefícios. Que os seus *pensamentos* o bendigam, meditando sobre a sua excelência. Que a sua *esperança* o louve, ansiando e esperando a glória que há de ser revelada. Que cada *sentido* seu o bendiga, pela sua lealdade, que cada *palavra* sua o bendiga pela sua verdade, e que cada *ato* seu o bendiga pela sua integridade. – *John Stevenson*

v. 1: "Bendize, ó minha alma, ao Senhor". Você ouve frequentemente, que quando se diz que Deus abençoa os homens, e eles, por outro lado, são incentivados a bendizê-lo, isto é interpretado de duas maneiras diferentes. Deus é a única fonte de existência e felicidade, de que todo o bem flui; e consequentemente diz-se que Ele abençoa as suas criaturas, quando concede misericórdias e favores a elas, lhes capacita corpo e mente, os liberta de males, e é a fonte de seus consolos atuais e de suas esperanças futuras. Mas neste sentido, você perceberá que não existe a possibilidade de que alguma criatura bendiga a Deus; pois assim como a sua perfeição infinita e imaculada o incapacita de receber qualquer excelência maior, ou qualquer melhoria na felicidade, também, supondo que este imenso oceano de bondade pudesse ser aumentado, fica claro que nós, que recebemos dele a nossa própria existência, e tudo o que temos ou somos, não podemos, de maneira alguma, contribuir para isto. *Bendizer* a Deus, então, consiste em, com ardente afeto, humildemente reconhecer estas excelências divinas, que o fazem o maior e melhor dos seres, o único merecedor da mais alta adoração; é dar a Ele o louvor por todos estes gloriosos atributos que adornam a sua natureza, e se manifestam visivelmente nas suas obras e nos seus caminhos. Bendizer a Deus é aceitar cada oportunidade apropriada para reconhecer a nossa veneração e estima pela sua excelente grandeza, e declarar a todos ao nosso redor, tão alto quanto pudermos, a bondade e a graça da sua conduta para com os homens, e nossas obrigações infinitas a Ele por todas as nossas alegrias; é nele que *vivemos, nos movemos, e existimos.* E um *bendizer a Deus* adequado deve surgir de um coração que está cheio de estima e gratidão, que coloca vida nos cânticos de louvor.

E então, entre todos, o método mais vivo e aceitável de bendizer a Deus, é uma existência santa e um sincero esforço para ser purificado de toda iniquidade; pois bendizer a Deus consiste, como eu lhe disse, de adorar a sua excelência, e expressar a nossa estima e veneração por ela: mas qual pode ser uma maneira eficaz de fazer isto, como a influência que a visão dela pode ter em nossa vida? Quem melhor exalta a glória do poder divino é quem teme a Deus acima de tudo, e treme ao perceber a sua ira; e quem melhor exalta a glória da sua justiça é quem foge do pecado, que o expõe à inexorável severidade dela. E falando do seu amor, quem melhor exalta a glória do poder divino é quem é suavizado por ele, em agradecidas retribuições de obediência; e então celebramos a sua santidade, quando nos empenhamos em imitá-la em nossa vida, e abandonamos tudo o que for uma abominação aos olhos da sua pureza. – *William Dunlop, 1692-1720*

v. 1: "Minha alma". Os olhos de Deus se concentram principalmente na alma: ainda que haja cem pratos na mesa, Ele não desejará nenhum, senão este; este é o alimento saboroso que Ele ama. Aquele que é melhor deve ser servido com o melhor; quando nós lhe entregamos a alma em uma tarefa, então nós lhe damos "a flor e a nata [a melhor parte]"; em uma química santa, nós acalmamos os ânimos. Uma alma inflamada no serviço é o cálice de "vinho aromático e do mosto das minhas romãs" (Ct 8.2), que a esposa dá para que Cristo beba. – *Thomas Watson*

v. 1: "Bendiga o seu santo nome". O *nome* de Deus frequentemente significa a sua natureza e os seus atributos, nas Escrituras. *Santidade* é a glória deste nome; a pureza de Deus é o que embeleza todas as suas perfeições, e as torna dignas de serem louvadas. A sua eternidade, e conhecimento, e poder, sem justiça e bondade e verdade podem, na realidade, nos assustar e confundir; mas não podem inflamar o nosso amor, nem nos incentivar a bendizê-lo sinceramente. Mas quando a força divina, e a sabedoria inequívoca e o domínio eterno se misturam com amor imutável, e veracidade inviolável e bondade, que se exalta acima de todas as suas obras, quando assim se torna um *santo nome*, então as perfeições divinas são realmente agradáveis e objetos apropriados de nossa esperança e confiança e dos cânticos mais altos; de modo que você vê com que elegância o salmista, nesta ocasião, menciona a pureza de Deus: *"Bendiga o seu santo nome"*.

E, além disto, não há, na verdade, nada que mais exalte a glória da graça divina e do amor redentor para uma alma, do que a consideração da *santidade de Deus;* pois se o seu Criador não fosse *de olhos mais puros do que os olhos do homem,* se o seu ódio ao pecado e o seu amor à justiça não fossem maiores do que os do mais nobre anjo, o seu perdão do pecado e a paciência com os transgressores não seriam de maravilhosa condescendência; mas o seu nome é infinitamente santo, de modo que *"nem os céus são puros aos seus olhos"*. Até mesmo a menor iniquidade é abominação para a sua alma, e algo que Ele odeia, com ódio perfeito. Certamente, então, a sua graça e o seu amor devem ser incomparavelmente maiores do que os nossos pensamentos. – *William Dunlop*

vv. 1 e 2: Raramente o poço está tão cheio que a água já sai jorrando no primeiro bombear; nem o coração é normalmente tão espiritual, depois dos nossos melhores cuidados na nossa vida terrena (muito menos quando, de alguma maneira, nós os exagerarmos) a ponto de se derramar no seio de Deus livremente, sem que algo o incentive e eleve; frequentemente as correntes da graça são tão profundas que o bombeamento não irá apanhar o coração em uma estrutura de oração, mas os argumentos devem ser derramados na alma, antes que se incitem os sentimentos. Assim são os monólogos e discursos que vemos os homens santos usando com seus próprios corações, para trazê-los a um temperamento de graça, apropriado à comunhão com Deus nas ordenanças. Parece [por estes versículos] que Davi descobriu ou temeu que o seu coração não estaria em tão boa estrutura como ele desejava; consequentemente, ele redobra a sua carga: ele descobriu que o seu coração estava, de certa forma, sonolento, o que o fez incitar-se desta maneira. – *William Gurnall*

vv. 1 a 3: A gratidão do salmista aqui tem quatro atributos. A primeira é *"pessoal"*: "Bendize, ó minha alma, ao Senhor". Ele aplica isto a si mesmo, novamente, no encerramento do salmo, depois que convocou os outros a realizarem esta obra. A nossa religião deve ser social, além de pessoal: mas embora ela não deva terminar em casa, deve começar em casa; e a religião relativa, sem ser pessoal, sempre terá falta de entusiasmo, energia, extensão, continuidade, e muito normalmente, sucesso.

Em segundo lugar, ela é *fervorosa. "E tudo o que há em mim bendiga o seu santo nome"* – todos os meus pensamentos, meus sentimentos, meu entendimento, minha vontade, minha memória, minha consciência, meus afetos, minhas paixões.

"Se houver paixões na minha alma,
(e paixões, Senhor, há);
que estejam todas sob o teu controle,
Meu gracioso Senhor, e que sejam todas por ti."

Em terceiro lugar, é *racional,* e exigida pelos fatos da sua vida passada. Portanto, "não te esqueças de nenhum de seus benefícios". Nada pode nos afetar nem influenciar apropriadamente, quando não nos lembramos disto. "Longe dos olhos, longe do coração"; e longe do coração, ou da lembrança, sem motivação. De onde surgiu a ingratidão dos judeus de antigamente? De más recordações. "Esqueceste-te da Rocha que te gerou; e em esquecimento puseste o Deus que te formou". "O boi conhece o seu possuidor, e o jumento, a manjedoura do seu dono, mas Israel não tem conhecimento, o meu povo não entende". Por isto, deve ser nosso interesse, não somente nos lembrarmos de nossas graças, mas também contá-las.

Por fim, é *específica*: *"É ele que perdoa todas as tuas iniquidades; e sara todas as tuas enfermidades"*. Quando todas as palavras em um discurso são enfáticas, nada é enfático, quando nos concentramos em tudo, não nos concentramos, efetivamente, em nada. Nós somos mais impressionados por uma paisagem, com um ponto de vista escolhido para inspeção, do que pela perspectiva geral. Davi era um poeta e entendia bem poesia; e a poesia é diferente da filosofia. A primeira procura se originar de fatos e acontecimentos particulares, para estabelecer princípios e regras gerais; a outra sempre desce da generalização à particularização; e grande parte da sua beleza e força surge das individualidades. – *William Jay, 1849*

v. 2: "Bendize, ó minha alma, ao Senhor". Davi descobriu alguma sonolência e algum embotamento; por isto ele golpeia tão frequentemente o seu peito com o espinho; por isto, ele instiga tão impetuosamente a sua alma, como alguém aqui o explica. – *John Trapp*

v. 2: "Não te esqueças". Isto toca a fonte secreta de tanta ingratidão – o esquecimento, a falta de lembrança, ou a reunião, novamente, de todas as variadas correntes de misericórdia. Compare Deuteronômio 6.12; 8.11,14. "*Si oblivisceris, iacebis*" (Se te esqueces, ficarás em silêncio). – *J. J. S. Perowne*

v. 2: "Não te esqueças de nenhum de seus benefícios". Isto é, não te esqueças de nem um só dos seus benefícios, uma vez que não importa a forma de linguagem do original. – *David Dickson*

v. 2: "Benefícios". A palavra traduzida como "benefícios", גְּמוּל (*g^e^mûl*), quer dizer verdadeiramente um ato, uma obra, seja bom ou mau, Sl 137.8; e depois, *prêmio*, ou o que um homem merece *pelo* seu ato; *recompensa*. É traduzida como *merecimento*, em Juízes 9.16; *benefício*, como aqui, em 2 Crônicas 32.25; *recompensa*, Salmos 28.4; *pago*, Salmos 94.2; Isaías 3.11; Obadias 15; *retribuição*, Provérbios 12.14; Isaías 35.4; 59.18; 66.6; Jeremias 2.6; Lamentações 3.64; Joel 3.4, 7. A referência apropriada aqui é às *tratativas* divinas, ao que Deus tinha *feito*, como razão para bendizer o seu nome. As suas *tratativas* com o salmista tinham sido do tipo que exige louvor e gratidão. Quais são estas *tratativas*, particularmente, ele especifica nos versículos seguintes. – *Albert Barnes*

v. 3: "Que perdoa todas as tuas iniquidades". As tuas iniquidades são muitas, mais do que podem ser contadas; e são um peso intolerável, de modo que a tua alma, debaixo delas, "não podia de modo algum endireitar-se". Ele as perdoa, *a todas*. Ele te livra de *todas*. Ele tira o terrível peso das tuas costas, o jugo torturador do teu pescoço, e te faz livre... As tuas iniquidades vêm da tua falta de justiça. Não há nada justo nem reto em ti. A tua própria natureza é uma falta de justiça, produzindo nada além de injustiças. Injustiças com o teu Deus, injustiças com teu próximo, e injustiças contigo mesmo, constituem o conjunto da tua vida. Tu és uma má árvore, e uma má árvore não pode produzir bons frutos. – *John Pulsford, "Quiet Hours", 1857*

v. 3: "Todas as tuas iniquidades". Neste salmo adorável e bastante conhecido, temos grande plenitude de expressão, em referência ao tema vital da redenção.

"Que perdoa *todas* as tuas iniquidades". Não são "algumas" nem *muitas* das tuas iniquidades. Isto não adiantará. Se a menor iniquidade, em pensamentos, palavras ou atos, fosse deixada sem perdão, nós estaríamos tão terrivelmente distantes de Deus, tão inadequados para o céu, tão expostos ao inferno, como se todo o peso dos nossos pecados ainda estivesse sobre nós. Que o leitor pondere sobre isto, profundamente. O texto não diz: "Que perdoa as tuas iniquidades anteriores à conversão". Não existe uma noção como esta nas Escrituras. Quando Deus perdoa, Ele perdoa de uma forma completa e perfeita, sim, com a perfeição que há nele mesmo. A fonte, o canal, o poder e o padrão do perdão, são todos divinos. Quando Deus cancela os pecados de um homem, Ele o faz segundo a medida em que Cristo levou estes pecados. Cristo não levou apenas *alguns* ou *muitos* dos pecados do crente, Ele levou *"todos"* eles; portanto, Deus perdoa *"todos"*. O perdão de Deus se estende até a extensão da expiação de Cristo; e a expiação de Cristo se estende até a extensão de cada um dos pecados do crente, passados, presentes e futuros. "O sangue de Jesus Cristo, seu Filho, nos purifica de *todo* pecado" (1 Jo 1). – *"Things New and Old", 1858*

v. 3: "E sara todas as tuas enfermidades". Em uma das prisões de determinado país, estava um homem que tinha cometido alta traição: por este crime, ele foi, no devido tempo, julgado, e, tendo sido considerado culpado, foi condenado à morte. Mas, mais do que isto; ele estava afligido por uma doença interior, que geralmente acaba sendo mortal. Então, podemos verdadeiramente dizer, que este homem estaca *duplamente* morto; que a sua vida foi perdida duas vezes: as leis deste país o declararam culpado e merecedor da pena de morte, e por isto a sua vida foi perdida *uma vez*, para as leis do seu país, e, se não tivesse morrido *desta* maneira, deveria morrer da sua doença; ele estava, portanto, "duas vezes morto". Suponha então que o soberano deste país tivesse desejado salvar a vida deste prisioneiro, *poderia* salvá-la? Ele poderia, na verdade, remover a punição da lei, poderia dar-lhe um perdão e assim restaurar a vida, tão certamente como ela tinha sido perdida pela justa sentença da lei; mas, a menos que ele pudesse também enviar um médico, que pudesse curar o homem da sua doença, este homem morreria por causa *dela*, e o perdão do soberano apenas estenderia por algumas semanas ou meses uma existência miserável. E se esta doença fosse não apenas uma doença mortal, mas uma doença *infecciosa*, que se transmitisse pela *respiração* do paciente, do tipo *contagioso*, que se transmitisse pelo *toque* do corpo ou das roupas do paciente, então seria perigoso que os outros se aproximassem daquele homem; e, a menos que ele fosse curado, e completamente curado, o homem, embora perdoado, ainda seria um interno adequado somente para o asilo dos pestilentos, e não poderia ser recebido nas casas das pessoas saudáveis. Vocês já *viram* um caso como este, irmãos; neste exato momento, vocês talvez estejam próximos a uma pessoa nesta situação; sim, e talvez você mesmo esteja agora nesta mesma situação! *Talvez*, eu digo? Eu devo dizer, você está nesta mesma situação, a menos que seja verdadeiramente um cristão, um crente em Cristo Jesus. – *W. Weldon Champneys, 1842*

v. 3: "Todas as tuas enfermidades". O corpo sente as melancólicas consequências do pecado de Adão, e está sujeito a muitas fraquezas; mas a alma está sujeita a muitas, também. O que é o orgulho, senão loucura; o que é a ira, senão uma febre; o que é avareza, senão um edema; o que é a luxúria, senão uma lepra; o que é a preguiça, senão uma paralisia mortal? Talvez existam enfermidades espirituais similares a todas as corpóreas. – *Goerge Horne*

v. 3: "Todas as tuas enfermidades". Ó, alma minha, considere as inúmeras fraquezas às quais você está sujeita; você sofre muitas influências da carne; e é capaz de se render a elas, e não lutar contra elas, com fervorosa oração e santa meditação; isto é uma fraqueza. Nas suas orações a Deus, os seus pensamentos sempre vagam, e pensa em outras coisas, muito indignas daquela grande Majestade à qual você está orando: ou você se cansa rapidamente, o seu ânimo esmorece e você prefere estar fazendo outra coisa: isto é uma fraqueza. E, na realidade, você tem fraquezas em todos os seus sentidos. Na sua visão, você pode ver um argueiro no olho do seu irmão, e não pode ver uma trave no teu próprio olho. No olfato, você pensa *suavis odor lucri ex re qualibet,* que o sabor do ganho é sempre doce, não importa de onde se origine. Na audição, você se alegra mais em ouvir os discursos profanos e inúteis, do que em ser santo e sério; estas são as suas fraquezas. Ó, alma minha, se eu devesse cortá-la em muitas partes, como um anatomista, e examinar as fraquezas de cada parte, não teria motivos, para clamar com o apóstolo Paulo: Miserável homem que sou! Quem me livrará do corpo desta morte? Quem me curará de todas estas fraquezas? Pois ou as chamamos de pecados, e então Deus as perdoa, ou as chamamos de fraquezas, e então Ele as cura; elas são, para nós, o mesmo benefício; em Deus, são a mesma bondade; de qualquer destas maneiras, é bom lembrá-las; assim, das duas maneiras, temos motivos justos para bendizê-lo e louvar o seu nome. – *Sir Richard Baker*

v. 3: "Todas as tuas enfermidades". O nosso *entendimento* é tão mau que não compreende a sua própria maldade; a nossa *vontade,* que é a rainha da nossa alma, se torna vassala do pecado; a nossa *lembrança,* como um jato, só serve para separar e acumular bobagens de nenhuma importância; nossa *consciência,* devido a erros no nosso entendimento, algumas vezes nos acusa quando somos inocentes, algumas vezes nos absolve quando somos culpados; nossos *sentimentos* são todos insatisfeitos e desarranjados. Não deve necessariamente ser um rosto monstruoso, aquele em que o tom azul que deve estar nas veias está nos lábios, a vermelhidão que devia estar nas maçãs do rosto, está no nariz; o cabelo que deveria crescer na cabeça, está no rosto? E as nossas almas não devem parecer feias aos olhos de Deus, que faz com que cresça tristeza onde deveria haver alegria, e alegria onde deveria haver tristeza? Nós amamos o que deveríamos odiar, e odiamos o que deveríamos amar; nós tememos onde não há temor, e não tememos, quando deveríamos temer; e todos os nossos sentimentos confundem o seu objeto, ou excedem a sua devida importância. – *Thomas Fuller*

v. 4: "Quem redime a tua vida da perdição". Desde a sua infância, o salmista era o filho da Providência. Muitas vezes, ele escapou por um triz, e foi resgatado maravilhosamente. Perigos de vários tipos se apresentavam, à medida que ele ficava mais velho. A mandíbula do leão e a pata do urso em várias ocasiões ameaçaram por um fim à sua existência, e em outros momentos, a cruel mão do homem. O mesmo Deus que o livrou da espada de Golias, resgatou a sua vida da lança de Saul. O Amigo Todo-Poderoso que tinha coberto sua cabeça no dia da batalha, o resgatou, em uma ocasião, dos senhores dos filisteus, em outra o salvou das mãos dos homens de Queila; e outra vez preservou a sua vida e o seu trono da rebelião anormal do seu próprio filho. Portanto, o salmista pode incitar a sua alma, e tudo o que há dentro dele, para bendizer, com fervorosa gratidão, o Senhor que, por tantos resgates milagrosos, tinha *"redimido a sua vida da perdição".* – *John Stevenson*

v. 4: "Quem redime". Preservação da destruição, הַגּוֹאֵל (*haggô'ēl*), mais exatamente, *redenção da vida pelo parente;* possivelmente, olhando à frente, no espírito de profecia, àquele que se fez participante da nossa carne e sangue, para que pudesse ter o direito de redimir a nossa alma da morte, morrendo em nosso lugar. – *Adam Clarke*

v. 4: "Da perdição", incluindo a morte, a sepultura, o Hades. O Targum traduz "de Geena". – *J. J. S. Perowne*

v. 4: "Graça". Eu não sei de nada que possa fazer melhor, senão de contar a você um pequeno incidente que aconteceu na minha cidade natal, Stirling. Trabalhadores estavam explodindo a rocha do castelo, perto de onde ela se apoia sobre um passeio que se abre para a rua. Eles acenderam a pólvora, e uma explosão era esperada a qualquer momento. De repente, correndo pela grande muralha do penhasco, veio uma garotinha, que se dirigia diretamente para onde haveria a explosão. Os homens gritaram – (isto foi *misericórdia*) – e com o terror dos seus gritos, alarmaram e confundiram a criança. A esta altura a mãe também tinha aparecido: e viu o perigo imediatamente; ela abriu seus braços e gritou, do fundo do seu coração: "*venha até mim, querida*", – (isto foi *graça*) – e, instantaneamente, com pés ansiosos, e os bracinhos abertos para os braços da mãe, e olhos cheios de lágrimas respondendo aos olhos da mãe – a criança correu de volta, afastando-se, e não parou até que se chocou com o peito da mãe – os cabelos dourados soltaram-se e os lábios vermelhos como coral pressionaram a face da mãe, pálida de medo – quando o coração materno deu vazão às lágrimas, com o pensamento de um perigo tão grande do qual sua pequenina escapou por tão pouco: pois foi por menos de um segundo, como provou o rugir da rocha despedaçando. – *Alexander B. Grosart, "The Pastor an Helper of Joy", 1865*

v. 5: "Quem enche a tua boca de bens". A palavra traduzida como *"boca"* é עֶדְיֵךְ, que é traduzida como *ornamentos* na nossa versão, em todas as outras passagens – onze no total – onde aparece, exceto aqui e em 32.9, sendo traduzida como "*boca*"; e mesmo nestas passagens ela deve ser mais exatamente traduzida como *ornamento,* e aqui o sentido parece ser *teu ornamento,* que é a tua glória, o teu espírito, 16.9; 62.8. É verdade que aqui o versículo se dirige à alma (נַפְשִׁי) – veja versículo 1; mas o espírito pode ser chamado de *ornamento* ou *glória* da *alma.* – *Christopher Wordsworth v. 5:* "Enche a tua boca". Kimchi interpreta a frase como expressando a recuperação de Davi da doença. Na doença, a alma abomina até o pão, e a comida apetecível, Jó 33.20. O médico, também, limita a dieta do paciente e prescreve coisas que são desagradáveis ao paladar. Portanto, o comentarista supõe que aqui Davi descreve a bênção da saúde, com *sua boca cheia de bens.* – nota do editor a Calvino *in loc.*

v. 5: "Enche". Deus pode satisfazer a alma, de modo que cada fenda nela possa ser cheia de alegria espiritual. – *Thomas Fuller*

v. 5: "De bens". Mark, com que o Senhor satisfaz? – *"boas* coisas". Não coisas *ricas,* nem *muitas* coisas, nem *tudo* o que eu peço, mas *"boas* coisas". Todas as minhas necessidades plenamente satisfeitas, e tudo *"bom".* A bondade é Deus se expressando. Todas as suas bênçãos participam da sua natureza. São santas bênçãos, santas graças. Tudo o que *satisfaz* deve ter a natureza de Deus. Nada mais jamais irá *"*satisfazer". O coração foi feito para Deus, e somente Deus pode satisfazê-lo. – *Frederick Whitfield, 1874*

v. 5: "A tua mocidade se renova como a águia". É uma fábula antiga, de que a águia é capaz de renovar a sua juventude quando já está muito velha, e este salmo faz alusão poética a isto; mas esta ideia sem dúvida se baseia, na realidade, na grande longevidade da ave, e na sua capacidade, em comum à de outras aves, de renovar suas penas periodicamente, aumentando assim a sua força e atividade. – *Hugh Macmillan**

v. 5: "A tua mocidade se renova como a águia". As Escrituras não mostram a ideia de que a águia, quando velha, renove a sua juventude. Não há nada deste tipo contido em Isaías 40.31, que normalmente é a referência, mas, na verdade, o poderoso voo da águia é mencionado aqui: "Subirão com asas como águias; correrão e não se cansarão", é evidente, pela passagem paralela, *voar, correr, marchar. – E. W. Hengstenberg*

v. 5: "A tua mocidade se renova como a águia". *A tua atividade se renovará como a águia.* Isto quer dizer, diariamente ele receberá e aumentará a sua força e vigor, de modo que possa prosperar e florescer, como a águia. A comparação com as águias não se faz em termos de *renovação,* mas em termos de vigor e *atividade* continuamente se renovando; como diz Is 40.31, diz: *"Os que esperam no Senhor renovarão as suas forças e subirão com asas como águias". – Venema*

v. 5: "A tua mocidade se renova como a águia". Esta renovação da sua mocidade pode ser interpretada de três maneiras. A primeira, com relação ao seu estado natural, ou à sua força física. A segunda, com relação ao seu estado civil, ou aos seus sucessos materiais, quanto à sua honra e reputação majestosa. A terceira, com relação ao seu estado espiritual, ou à quantidade de seus dons, graças e consolações. É provável que Davi tivesse encontrado uma decadência nas três, e por fim, pela bondade de Deus e pela sua bênção sobre ele, houve a renovação de todas elas, daquela velhice à mocidade outra vez, como o caso das águias. – *Joseph Caryl*

v. 5: "A tua mocidade se renova como a águia". Por mais ousado que isto possa parecer, não estamos exagerando quando falamos de uma *juventude eterna* como o privilégio glorioso do servo devoto do Senhor, mas somente dele. Tudo o que, com razão, encanta e cativa na aparência da mocidade, é visto, em maior medida, onde a vida espiritual se desenvolve sem perturbações, na comunhão com Deus. A *inocência* da mocidade atrai você? Na vida natural, frequentemente é uma aparência enganadora; mas na vida da alma, ela retorna, até certo ponto, quando o coração se purifica pelo poder do Espírito Santo, e a vida se renova em conformidade com a de Cristo, o Senhor. O *desfrutar* da mocidade ultrapassa, na sua avaliação, o de qualquer outra coisa aqui na terra? Ainda que assim fosse; cedo demais, ele é levado, pelas preocupações dos anos posteriores, ao passo que o desfrutar livre de preocupações, até mesmo nos dias mais sombrios, pode estar no coração em que

* Nós poderíamos ter ocupado o nosso espaço com fábulas dos rabinos e dos patriarcas, com referência a águias; mas elas também são absurdas, e jamais deveriam ser repetidas. Nós esperamos, portanto, que o leitor perdoe, e talvez até elogie a omissão.

a paz de Deus desceu, por meio da fé. A *força* da mocidade lhe parece desejável? Ah, dia após dia há verdade nas palavras: "Os jovens se cansarão e se fatigarão"; mas mesmo depois que a força natural já tiver alcançado, há muito tempo, o seu zênite, o cristão frequentemente se sente elevado por um poder do alto, que o ergue acima das fraquezas físicas; e aquilo que nenhuma força de tendão ou músculos puder realizar, será alcançado pelo poder da fé implícita. Sim, mesmo o belo *desenvolvimento* que o fim da mocidade lhe mostra, não procure em vão naquele homem que, apoiando-se na mão de Deus, esquecendo-se do que ficou para trás, se estende à frente, de luz a luz, de força a força, de bênção a bênção. Finalmente, como pode a *esperança,* que faz com que o coração jovem pulse forte, de alegria, estar faltando a ele? A mais bela parte da vida dos sentidos do homem logo terá sido deixada para trás. Porém o homem espiritual estará sempre em perspectiva; e, como a águia, esta última frequentemente pode, da baixa atmosfera ao seu redor, se elevar até o éter puro e claro, de onde, já longe, a imagem, ou melhor, a inefável realidade, lhe mostra uma alegria maior do que a terrena.

Mocidade eterna: muito mais do que de Davi, pode agora ser o que cabe a cada cristão, mas somente aos cristãos. Sem fé e esperança no coração, até mesmo a mais corajosa determinação de permanecer sempre jovem, ou pelo menos, pelo máximo tempo possível, deve ceder diante da primeira grande tempestade da vida. Mas você observa que mesmo quando a fé e a esperança não nos são estranhas na nossa vida espiritual há frequentemente tão pouco da *"águia"* aqui mencionada, e tanto do "pardal solitário no telhado", mencionado em Sl 102.7? Será possível que restringimos a nós mesmos a satisfação com as boas coisas de que Davi tinha falado, há pouco, ou seja, que nós *nos alimentamos* tão pouco com as melhores coisas que Deus tem para conceder – a sua palavra, o seu Espírito, a sua graça? Somente com estas coisas nós alcançamos o segundo e duradouro nascimento, de que a águia é o emblema, e uma inefável mocidade de coração é o fruto inestimável. Vocês, que são jovens em anos, procurem esta juventude eterna acima de todas as alegrias da vida terrena! Recupere-a, você, de meia idade, na comunhão viva com aquele que torna todas as coisas novas internamente! Preservem-na, velhos amigos de Deus e do seu Cristo, como sua mais bela coroa aqui, na terra, e o penhor da sua felicidade no céu. E você, cristão, que se assenta desconsolado, reflita: a águia abaixa suas asas, para, mais tarde, levantar voo com ainda mais força! – *J. J. Van Oosterzee, "The Year of Salvation", 1874*

v. 6: "O Senhor faz justiça", etc. Passando das bênçãos pessoais às gerais, o fato abrangente, e sempre para a glória de Deus, é a sua compaixão com os que sofrem e são oprimidos, e a sua pronta e eficaz intercessão no seu caso. Quem não louvará aquele que cuida com tanta bondade e tão gloriosamente daqueles que sofrem cruéis injustiças de ímpios opressores? – *Henry Cowles*

v. 7: "Fez notórios os seus caminhos a Moisés". Quando Moisés subiu ao monte Sinai e ali permaneceu com Deus durante quarenta dias, podemos pensar que Deus, durante este tempo, lhe revelou muitos segredos; e, particularmente, *"fez notórios os seus caminhos"* (Êx 33.19); não apenas os seus caminhos, em que Ele desejava que nós andássemos, mas os seus caminhos, em que Ele mesmo anda, e o curso que Ele adota no governo das questões do mundo; por que Ele permite que os ímpios prosperem, e por que permite que os devotos sejam oprimidos. Estes seus *"caminhos"* Ele deu a conhecer a Moisés; aos filhos de Israel, somente "os seus feitos". Ele lhes mostrou suas maravilhas sobre Faraó, e este foi seu juízo; e Ele lhes mostrou as suas maravilhosas benevolências, a eles mesmos, no deserto, e esta foi a sua justiça; mas Ele não lhes mostrou os seus caminhos e o curso que Ele adotou, neles; eles viram somente os eventos, não as razões dos mesmos, como Moisés viu. – *Sir Richard Baker*

v. 8: "Misericordioso e piedoso; longânimo e grande em benignidade". Minha alma, aqui estão quatro propriedades que se diz que estão em Deus, e são tão necessárias, que não poderíamos perder nenhuma delas. Se Ele não fosse *"misericordioso"*, nós não poderíamos ter esperança de qualquer perdão; e se Ele não fosse nada mais que misericordioso, não poderíamos esperar por nada, além de perdão; mas quando, além de ser misericordioso, Ele também é *"piedoso"*, isto nos dá uma nova esperança, a esperança de uma doação; e, então, não será aquilo de que somos merecedores, mas o que é apropriado que Ele nos dê. Se Ele não fosse *"longânimo"*, não poderíamos esperar nenhuma paciência; mas quando, além de ser longânimo, Ele também é *"grande em benignidade"*, isto nos faz esperar que Ele será o bom samaritano, e não somente atará nossas feridas, mas também operará novas curas em nós. Se o precioso e bendito Senhor nos repreende e se ira durante algum tempo, só precisamos ter um pouco de paciência, pois Ele mesmo, durante muito tempo, foi paciente conosco. – *Sir R. Baker*

v. 8: "Longânimo". Nas Escrituras, nós vemos que a lentidão em irar-se e a pressa em irar-se são expressadas por diferentes formas das narinas; pois, especificamente, quando está escrito que o Senhor é *"tardio em irar-se"*, o texto hebraico diz *de narinas longas*. – *Joseph Caryl*

v. 8: "Grande em benignidade". רַב־חֶסֶד, "grande, poderoso em misericórdia", colocando a sua principal glória neste atributo, e assim ensinando-nos como avaliar a verdadeira grandeza. – *George Horne*

v. 8: "Grande em benignidade". É uma coisa maravilhosamente satisfatória e agradável ao coração de um homem ser levantado de um monturo; e aqueles dizeres proverbiais se baseiam nisto: Não há pesca como a pesca no mar, nem serviço como o serviço de um rei; porque no primeiro está a maior abundância daquele tipo de prazer que os pescadores procuram; e para aqueles que servem, e precisam viver do seu serviço, não há nenhum serviço como o dos príncipes, porque têm abundância de prêmios e de oportunidades com que recompensar os serviços daqueles que os servem e atendem... e assim também as Escrituras, em várias passagens, não somente afirmam e testificam que Deus é *"misericordioso"* e *"piedoso"*, mas abundante em misericórdia e cheio de graça; e não apenas que nele há redenção, mas abundância de benignidade, Salmos 86.5; e 103.7; Isaías 55.7: "Deixe o ímpio o seu caminho", etc.; "Que ele retorne ao Senhor e Ele terá misericórdia dele; e ao nosso Deus, pois Ele perdoará abundantemente". O bem que nos falta é a misericórdia e o perdão dos nossos pecados, porque temos sido criaturas profanas e ímpias; este bem está abundantemente em Deus. Ele está guardado ali, como as águas no armazém do mar; os tesouros da sua graça, misericórdia, perdão e compaixão não têm fim. Não há homem que, em necessidade, não preferisse ir à casa de um homem rico em busca de alívio, em vez de ir à porta de um homem pobre, se soubesse que o rico seria tão liberal e de disposição tão generosa quanto o homem pobre poderia ser. – *John Goodwin, "Being Filled with the Spirit"*

v. 9: "Não repreenderá perpetuamente". Certamente, é tão desagradável para Deus nos repreender quanto é para nós receber a repreensão; e Ele gosta tão pouco da ira, que livra suas mãos dela tão rapidamente quanto pode; Ele é tardio para chegar à ira, mas é rápido para se livrar dela; pois a repreensão é um obstáculo à misericórdia, e a ira é um impedimento à compaixão; nada é tão odioso, para Deus, do que o fato de que algum obstáculo esteja no caminho da sua misericórdia, ou que a liberdade da sua compaixão tenha qualquer causa de restrição; e então, podemos ter a certeza de que Ele mesmo não colocará um obstáculo no caminho, com repreensões, nem será uma causa de restrição à sua compaixão, conservando a sua ira. – *Sir R. Baker*

v. 9 (segunda parte): Conservar ira para sempre corresponde à expressão em francês, *Je lui garde, Il me l'a gardé,** que usamos quando o homem, que não consegue perdoar as ofensas que recebeu, alimenta uma vingança secreta em seu coração, e espera uma oportunidade de retaliação. Agora, Davi nega que Deus, à

*"Eu o estou vigiando, como ele vigiou, para me fazer mal".

maneira dos homens, conserve a ira, por causa das ofensas feitas a Ele, uma vez que Ele é condescendente em se reconciliar. – *Calvino*

v. 10: "Não nos tratou segundo os nossos pecados". Nós poderíamos não ter esperado, por esta conduta, que Deus tivesse retirado de nós a bênção da sua providência, afastado de nós a comunicação com o seu Espírito, permitido que nós encontrássemos infrutíferos os meios da graça, deixado que nossas tentações se multiplicassem, e permitido que nós afundássemos em um estado de retrocesso? – e então, com nossos corações por fim afundando em sua natural depressão, nós não poderíamos ter a impressão de ouvi-lo dizendo-nos neste dia: "A tua malícia te castigará, e as tuas apostasias te repreenderão; sabe, pois, e vê, que mau e quão amargo é deixares ao Senhor, teu Deus, e não teres o meu temor contigo, diz o Senhor Jeová dos Exércitos". – *Baptist W. Noel, 1798-1873*

v. 10: "Não nos tratou segundo os nossos pecados". Por que é que Deus não nos tratou segundo os nossos pecados? Não é por que Ele tratou outra Pessoa segundo os nossos pecados? Houve uma outra Pessoa muito preciosa e especial que tomou os nossos pecados sobre Si, e de quem está escrito, que "Deus o castigou na sua ira feroz". E por que Ele o castigou, senão pelos nossos pecados? Ó Deus gracioso, tu és justo demais para impingir a vingança duas vezes pelos mesmos erros; portanto, tendo dirigido a tua ira violenta sobre Ele, não a dirigirás também sobre nós; mas, tendo-o recompensado segundo as nossas iniquidades, agora nos recompensarás, segundo os seus méritos. – *Sir. R. Baker*

v. 11: A nossa mente não consegue encontrar uma comparação excessiva para expressar a misericórdia super abundante do Senhor para com o seu povo. – *David Dickson*

v. 12: "Quanto está longe o Oriente do Ocidente". A expressão que fala da distância de *oriente a ocidente* é escolhida, segundo Kimchi, porque aquelas duas quartas partes do mundo têm grande extensão, sendo conhecidas e habitadas. Consequentemente, os geógrafos calculam desta maneira as suas longitudes, assim como calculam as latitudes de norte a sul. – *Henry Hammond*

v. 12: Quando o pecado é perdoado, ele jamais é motivo de acusação outra vez; a culpa deste pecado não pode retornar, como o oriente não pode se tornar ocidente, nem o ocidente se tornar oriente. – *Stephen Charnock*

v. 13: "Como um pai se compadece de seus filhos", etc. Um capelão da Marinha, em um porto americano, visitou um marinheiro que parecia estar à beira da morte. Ele falou gentilmente ao homem sobre o estado da sua alma, e o orientou a se entregar a Jesus. Com uma maldição, o homem doente pediu que ele fosse embora. O capelão, então, lhe disse que ele devia ser fiel a Jesus, pois se morresse impenitente estaria perdido para sempre. O homem ficou mal-humorado e em silêncio, e fingiu estar dormindo. A visita foi repetida mais de uma vez, sendo igualmente mal sucedida. Finalmente, o capelão, suspeitando que o marinheiro fosse escocês, repetiu um versículo da antiga versão dos salmos:

"Como um pai se compadece
de seus filhos,
assim o Senhor se compadece
daqueles que o temem."

Lágrimas começaram a correr dos olhos do marinheiro, quando ele ouviu estas palavras. O capelão lhe perguntou se ele tinha tido uma mãe religiosa. O homem irrompeu em lágrimas. Sim, a sua mãe, há muitos anos, lhe tinha ensinado estas palavras e também tinha orado a Deus por ele. Desde então, ele tinha sido um peregrino, por terra e mar; mas a lembrança da fé e do amor de sua mãe comoveram o seu coração. Os apelos feitos a ele foram abençoados pelo Espírito de Deus. A sua vida foi poupada, e provou a realidade da sua conversão.

v. 13: "Como um pai". Deve-se observar, neste versículo, o tipo de misericórdia que o profeta atribui a Deus. Ele não diz: Como um homem se compadece de um homem, como o rico se compadece do pobre, como o forte se compadece do fraco, como o liberto se compadece do cativo, mas ele menciona aquela piedade que um pai mostra a seu filho, que é a maior de todas. A palavra, por si só, sustenta esta perspectiva, pois ela significa, precisamente, *viscarum commotis.* Nós temos um exemplo disto em 1 Rs 3, no caso da mulher que não poderia suportar a morte de seu filho... E posteriormente, no caso do pai do filho pródigo (Lc 15). – *Musculus*

v. 13: "Como um pai se compadece de seu filho". O pai se compadece dos filhos que são fracos de conhecimento, e os instrui; ele se compadece quando eles são rebeldes, e é paciente com eles; ele se compadece quando estão doentes, e os consola; quando eles estão caídos, ele os ajuda a se erguer de novo; quando eles transgridem, e, depois da sua submissão, ele os perdoa; quando eles são injustiçados, ele lhes faz justiça. Assim "o Senhor se compadece daqueles que o temem". – *Matthew Henry*

v. 13: "Assim o Senhor se compadece", etc. Assim, e dez mil vezes mais. Pois Ele é o "Pai de todas as misericórdias", e o Pai de todas as paternidades, no céu e na terra (Ef 3.15). – *John Trapp*

v. 13: "O Senhor se comparece". Embora se diga, normalmente: "é melhor ser invejado do que ser digno de piedade", este não é o caso aqui; mas é muito mais feliz ter a piedade de Deus do que ser invejado pelos homens. – *Sir R. Baker*

v. 13: "Os que o temem". O temor a Deus é aquela deferência a Deus que faz com que você subordine a sua vontade à dele; que faz com que você se concentre em agradá-lo; que você seja penitente, considerando as teimosias passadas; feliz, no seu sorriso atual; transportado pelo seu amor; esperançoso da sua glória. – *George Bowen*

v. 13: "Os que o temem". Isto pode ser interpretado como se referindo àqueles que ainda não "receberam o espírito de adoção", mas que ainda estão "tremendo com a sua palavra"; destes Ele "se compadece". – *Matthew Henry*

vv. 13 e 14: O bom pai não repele o filho, por ser fraco e adoentado; mas é ainda mais indulgente, pois a sua necessidade exige socorro. Se o seu estômago recusa alimento, ou não responde a ele com digestão, ele o expulsará? Não; quando o filho da sunamita se queixa da dor em sua cabeça, ela o coloca em seu colo. Uma mãe é boa para todos os frutos do seu ventre, e muito gentil com o filho doente: quando ele fixa seus olhos nela, incapaz de declarar o seu sofrimento, ou de pedir o que deseja, isto duplica a sua compaixão: "Assim o Senhor se compadece... Pois ele conhece a nossa estrutura; lembra-se de que somos pó"; Ele sabe que a nossa alma trabalha em um instrumento defeituoso; e, por isto, Ele não exige de uma estrutura elementar o que exige de espíritos angelicais. O filho recebe a ordem de escrever uma boa cópia; ele faz o melhor que pode, mas muito distante do original; mas o pai não o repreende, mas, em lugar disto, o encoraja. Ou ele lhe dá arco e flechas, e lhe diz que atire contra um alvo; ele reúne suas máximas forças, e obedece alegremente; a flecha cai muito aquém do alvo, mas o filho é elogiado, e o pai se alegra. A tentação nos ataca, a luxúria nos agride, as atividades seculares nos distraem, múltiplas são as nossas fraquezas, mas não estão além do perdão do nosso Pai: Ele nos poupará "como um homem poupa a seu filho que o serve" (Ml 3.17). – *Thomas Adams*

v. 14: "Ele conhece a nossa estrutura". "A nossa formação"; a *maneira* como fomos construídos, e os *materiais* de que somos feitos. – *Adam Clarke*

v. 14: "Ele conhece a nossa estrutura; lembra-se de que somos pó". Não como algum empírico inábil, que tem apenas uma receita para todos, fortes ou fracos, jovens ou velhos; mas como um médico sábio considera o seu paciente, e então escreve a receita. Os homens e os demônios são apenas os farmacêuticos de Deus, eles não fabricam os nossos remédios, mas nos dão o que Deus prescreve. Balaão amava muito o pagamento de Balaque, mas não poderia ir além da comissão de Deus, nem a largura de um fio de cabelo. – *William Gurnall*

v. 14: "[Ele] lembra-se de que somos pó". Como se a matéria de que o homem foi criado, embora sem pecado, fosse uma desvantagem para ele, na resistência ao pecado. Foi uma desvantagem, antes que o homem tivesse qualquer pecado em si, e muito mais agora, quando muitos homens não têm nada em si, exceto pecado, e os melhores têm muitos pecados.

"O que é nascido da carne", diz Cristo, *"é carne"*. A natureza corrupta não pode produzir nada, exceto atos corruptos. – *Joseph Caryl*

v. 14: "Somos pó".

Como fico, neste teu grupo de almas,
– Sustentado pela tua mão –
Como um monte de terra!
Que pensamentos agitados – como ventos – espalhariam
e fariam fugir,
mas pelo teu poder,
a tua mão, sozinha, doma
estes golpes de vento, e mantém unida a minha estrutura.
– *Henry Vaughan*

vv. 14 e 16: "Somos pó". Eu nunca vejo uma daquelas colunas de areia ou terra em espiral que, como um vento forte, corre ao longo da estrada, em um dia de vento, sem pensar: "Esta é uma imagem da vida". Pó e um sopro! Observe como a aparente "coluna" é apenas uma condição, uma condição ativa, das partículas de pó, e estas partículas mudam continuamente. A forma depende do movimento incessante. A areia pesada flutua no ar impalpável enquanto participa do seu movimento; cessando o vento, ela cai. Assim também os montes do campo, feridos pela força do vento, adotam asas e levantam voo na vida, participam, durante algum tempo, do seu rápido movimento, e então, terminada a força, caem de volta no seu estado anterior. Um redemoinho, um fluxo, mantido por forças externas, que cessa quando estas forças são retiradas; esta é a nossa vida. – *James Hinton, "Thoughts on Health and some of its Conditions", 1871*

v. 15: "Porque o homem". A insignificância do homem é salientada, especialmente pelo uso de ENOSH aqui. – *Robert Baker Girdlestone*

v. 15: O homem, diz Jó, sai como *a flor*, e se seca; ele é enviado ao mundo – a mais bela e nobre parte das obras de Deus, moldado à imagem do seu Criador, no que diz respeito à razão e às grandes faculdades da mente; ele sai glorioso como a flor do campo; assim como ele ultrapassa o mundo vegetal em beleza, também ultrapassa o mundo animal, na glória e excelência da sua natureza. Se nenhum acidente inesperado o oprimir, a flor logo chega ao pleno período da sua perfeição – ela consegue triunfar por alguns momentos, e é arrancada, pelas raízes, no mesmo orgulho e estágio alegre da sua existência – ou se acontecer que ela escape das mãos da violência, em poucos dias necessariamente adoece, por si só, e morre. Da mesma maneira acontece com o homem, embora o seu progresso seja mais lento, e a sua duração um pouco maior, os períodos do seu crescimento e do seu declínio são aproximadamente os mesmos, tanto na sua natureza como na sua maneira. Se ele escapa aos perigos que ameaçam os seus primeiros anos, logo chega à maturidade e plenitude da vida; e se ele for afortunado e não for arrancado dela, então, por acidentes, pela sua própria loucura e intemperança – se escapar a estas coisas, ele decai, naturalmente, por si mesmo – um período se aproxima rapidamente dele, além do qual ele não foi feito para durar. Como as flores ou frutos que podem ser arrancados pela força, antes do tempo da sua maturidade, mas não podem ultrapassar o período quando devem murchar e cair, por si mesmos; quando isto acontece, a mão da natureza os arranca, a ambos, e não há arte do botânico que possa sustentar a flor, nem talento do médico que possa preservar o homem, além dos períodos a que as suas estruturas originais e constituições foram feitos para durar. Assim como Deus indicou e determinou os diversos crescimentos e as várias decadências da raça vegetal, também parece, com a mesma evidência, ter prescrito as mesmas leis para o homem, além de todas as criaturas vivas, e nos seus primeiros princípios de tais leis estão contidas as forças específicas do seu crescimento, da sua duração e extinção; e quando as evoluções destas forças animais se esgotam e se acabam, a criatura expira e morre, como o fruto maduro cai da árvore, ou uma flor preservada além do seu florescer, cai e perece no caule. – *Lawrence Sterne, 1713-1768*

v. 15: O salmista diz, sobre o homem: *"como a flor do campo, assim floresce"*. Não é uma flor do *jardim*, mas do *"campo"*. Esta última está mais sujeita à decadência do que a primeira, porque está mais exposta ao ar que a belisca e a ventos violentos, e à boca dos animais que pastam, e tem mais probabilidade de ser pisoteada: ela decai de todas estas maneiras, e também pelo sol escaldante, e pela sua própria disposição de desaparecer. – *John Edwards, "Theologia Reformata"*

v. 15: "Como a flor do campo".

O que é a vida! Como uma flor, com a destruição no seu seio,
Hoje, cheia de promessas – amanhã, ela morre! –
E a saúde – como a gota de orvalho, que está no seu broto, sobrevive apenas uma noite e evapora para o céu!
Quantas vezes, debaixo do botão que é belo
espreitam as sementes da destruição!
Quantas vezes, na raiz da flor mais rara –
seguro, na sua emboscada, o verme está trabalhando?
– *James Beattie, 1735-1803*

v. 16: "Passando por ela o vento, logo se vai", etc. Uma brisa, um vento gentil (רוּחַ) passa por ele, e ele se vai. Não seria tão estranho se uma tempestade, um ciclone, passando sobre ele, o varresse e eliminasse. O salmista quer dizer muito mais do que isto. O toque mais gentil, a brisa mais suave, o elimina. Logo ele se torna um estranho, não mais conhecido no pequeno espaço que antes ocupava, saindo e entrando. – *Henry Cowles*

v. 16: "Passando por ela o vento, logo se vai". Sabe-se que um vento quente no oriente destrói, de uma vez, tudo o que há de vegetação. Isto não deve ser motivo de espanto, se, como diz o Dr. Russell, o vento, às vezes, "traz consigo um grau de calor, e um tipo de calor, que se imaginaria saindo de um forno, e que, quando sopra forte, afeta os metais dentro das casas, como as fechaduras das portas, praticamente como se elas tivessem sido expostas aos raios do sol". O efeito devastador que parece ser a referência aqui, de certos ventos perniciosos sobre a estrutura animal, de maneira alguma é exagerado pela comparação com o repentino murchar de uma flor. Maillet descreve centenas de pessoas em uma caravana, asfixiadas instantaneamente pelo fogo e pelo pó, que parecem compor o vento mortal, que às vezes parece dominar nos desertos do oriente. E Sir John Ghardin descreve este vento "como fazendo um grande ruído, como assobio", e diz que "ele parece vermelho e violento, e mata àqueles aos quais atinge, com um tipo de asfixia, especialmente quando isto acontece durante o dia". – *Richard Mant*

v. 16: "E o seu lugar não conhece mais", etc. O homem, tendo retornado ao pó, é soprado por todos os ventos, de um lugar a outro; e quem conhece o lugar, quando o pó cai nele, seja o pó de um príncipe ou de um camponês, seja de um homem ou de um animal? E o homem, então, não precisaria se sentir muito infeliz quando o tempo e o lugar, as duas maiores ajudas da vida, o abandonam? Que ajuda o homem pode ter do tempo, uma vez que os seus dias são como a erva? Que ajuda o homem pode ter do lugar, uma vez que o seu lugar o nega e não o conhece? – *Sir R. Baker v. 17:* "Mas a misericórdia do Senhor é de eternidade a eternidade". Nenhuma benevolência humana é a mesma perpetuamente; mas, por experiência, nós vemos que aqueles que são bondosos hoje, podem se converter em tiranos amanhã. Nós vemos exemplos disto na vida de Nero e muitos outros governantes. Portanto, para que não suspeitemos de que a bondade de Deus tem algum caráter similar, está escrito, com consolação inimaginável, que ela jamais cessará, mas está preparada para sempre, para todos aqueles que temem e servem a Deus. – *Musculus*

v. 17: "De eternidade a eternidade". Desde a eternidade, por predestinação; até eternidade, por glorificação: a primeira, sem início, a outra sem fim. – *Bernard*

v. 18: "Para os cumprirem". Os mandamentos devem ser lembrados, para serem praticados; o objetivo da sua divulgação não é uma vã especulação. – *Stephen Charnock*

v. 19: "O Senhor tem estabelecido o seu trono". A palavra também significa *preparado*, e assim deve ser traduzida. A devida preparação é o caminho natural para o estabelecimento de algo; a pressa quebra e estraga. Isto destaca,

1. A peculiaridade da sua autoridade. Ele o prepara, e ninguém o faz por Ele. É um domínio que reside originalmente na sua natureza, e não deriva de ninguém por nascimento nem comissão; somente Ele o preparou. Ele é a única causa do seu próprio reino; a sua autoridade, portanto, é ilimitada, tão infinita quanto a sua natureza. Ninguém pode legislar sobre Ele, porque ninguém, exceto Ele mesmo, preparou o seu trono para Ele. Assim como Ele não irá prejudicar a sua própria felicidade, Ele também não irá limitar a sua própria autoridade.

2. A prontidão em exercer sua autoridade quando é devido. Ele preparou o seu trono, Ele não está confuso, Ele não precisa esperar por comissão nem instruções de ninguém sobre como agir. Ele tem tudo preparado para o auxílio ao seu povo, Ele tem recompensas e punições; seus tesouros e machados, o grande sinal de autoridade ao seu lado, os primeiros para os bons, os últimos para os ímpios. Ele guarda a beneficência em milhares (Êx 34.7); pôs em ação as suas setas inflamadas contra os perseguidores (Sl 7.13).

3. Sábia administração da sua autoridade. O trono está preparado: os preparativos indicam prudência; o governo de Deus não é uma autoridade precipitada e irrefletida. Um príncipe sobre o seu trono, um juiz no tribunal, administram as coisas com a maior discrição, ou devem, supostamente, fazer isto.

4. O sucesso e duração do seu trono. Ele o preparou ou estabeleceu. Está estabelecido, e não hesitante; É um domínio imutável; todos os esforços dos homens e demônios não podem derrubá-lo, nem mesmo abalá-lo. Ele está estabelecido acima do alcance de rebeldes obstinados; Ele não pode ser deposto dele, não pode ser ajudado nele. O seu domínio, assim como Ele mesmo, permanece para sempre. E como o seu conselho, também a sua autoridade, permanecerá; e Ele "fará toda a sua vontade" (Is 46.10). – *Stephen Charnock*

v. 19: "O seu trono nos céus", sugere:

1. A glória do seu domínio. Os céus são as peças mais majestosas e belas da criação; a majestade de Deus é mais visível ali, a sua glória mais esplêndida (Sl 19.1). No céu, o seu domínio é mais reconhecido pelos anjos: o seu domínio não é disputado ali pelos anjos que o servem, como é na terra pelos rebeldes que se armam contra Ele.

2. A supremacia do seu império. Os céus são a parte mais eminente da criação, e o único palácio adequado para Ele.

3. A peculiaridade deste domínio. Ele reina sozinho nos céus. A sua autoridade não é delegada a nenhuma criatura. Ele governa, sozinho, os espíritos abençoados; mas Ele também governa homens que estão no escabelo de seus pés através de outros do mesmo tipo, sim, de homens que têm a mesma natureza dos homens que são governados.

4. A vastidão do seu império. A terra é apenas um ponto para os céus. O que é a Inglaterra em um mapa de todo o globo terrestre, senão um ponto que você

pode cobrir com o seu dedo; e muito menos deve ser toda a terra para os céus extensos. Não se pode imaginar os muitos milhões de pequenas partículas que estão na terra; e, se reunidas forem como um único ponto em comparação com aquele lugar onde está assentado o trono de Deus, como deve ser vasto o seu império! Ele governa ali os anjos, que são excelentes em força, os seus exércitos que fazem a sua vontade, em comparação com quem todos os homens do mundo e a força das grandes potestades não são nada mais do que a força de uma formiga ou uma mosca. E uma vez que o seu trono está nos céus, a conclusão é que todas as coisas debaixo dos céus fazem parte do seu domínio; as coisas inferiores da terra não podem deixar de estar sujeitas a Ele; e isto inclui, necessariamente, a sua influência sobre todas as coisas abaixo, porque os céus são a causa de todos os movimentos no mundo. Veja Oseias 2.21,22.

5. A facilidade na administração deste governo. Estando o seu trono no alto, Ele não pode deixar de contemplar todas as coisas que acontecem abaixo; a altura de um lugar dá a vantagem para que um olho contemple as coisas abaixo. *"O Senhor olhou desde os céus para os filhos dos homens, para ver se havia algum que tivesse entendimento"* (Sl 14.2). Ele não olha do céu como se a sua presença estivesse confinada ali, mas olha para baixo de modo majestoso, e com autoridade.

6. A sua duração. Os céus são incorruptíveis, o trono de Deus está estabelecido ali em um estado incorruptível. O trono de Deus sobrevive à dissolução do mundo. – condensado da obra de Charnock.

v. 19: "O seu reino domina sobre tudo". A sua soberania é universal. Em primeiro lugar, sobre todo o *tempo*: outros senhores morrem, mas Ele é eterno. A eternidade é, precisamente, a duração de um Ens não criado. Ela é interpretada de modo equivocado, seja para coisas que têm começo e fim, como montes eternos; há várias destas expressões nas Escrituras; ou para coisas que têm um início mas não têm fim; assim os anjos e as almas dos homens são eternos; assim também a vida eterna, o fogo eterno. Mas Deus se chama "Eu sou" (Êx 3.14): Eu sou o que tenho sido; e tenho sido o que sou; e aquilo que sou e que tenho sido, é o que serei. Este atributo não é transmissível: todas as outras coisas têm um *non esse* que antecede o seu *esse*; e elas têm uma mutação que ruma a nada. "Os que pelejarem contigo tornar-se-ão nada" (Is 41.12); tudo se torna nada, a menos que seja sustentado pela manutenção de Deus: "Mas tu és o mesmo, e os teus anos nunca terão fim" (Sl 102.27). Tu levas o homem à destruição, e novamente, dizes, Retorna: "De eternidade a eternidade, tu és Deus" (Sl 90.2); o único árbitro e medidor de princípio e fim. Em segundo lugar, sobre todos os *lugares*, céu, terra, inferno (Sl 135.6). Os reis são limitados e não podem fazer muitas coisas que desejam fazer: eles não podem ordenar ao sol que pare, nem que o vento sopre do lado que eles desejam; no ar, no alto, nas profundezas do mar, nenhum rei humano reina. Eles adulam carinhosamente o papa, com seus longos braços, dizendo que podem alcançar o purgatório (mas, na verdade, tanto o poder que precisariam para ali chegar, como o próprio purgatório são igualmente imaginários); somente Cristo tem as chaves de todos os lugares. Em terceiro lugar, sobre todas as *criaturas*; juntando as cadeias do Sete-estrelo ou soltando os atilhos do Órion (Jó 38.31); ordenando que o fogo, contra a sua natureza, desça (2 Rs 1.12); criando e governando as estrelas (Am 5.8); domando os leões (Dn 6.22), enviando os meteoros (Sl 148.8), encerrando o mar, engolindo-o como uma criança em fraldas (Jó 38.8), dividindo-o, desviando-o, enchendo-o. Tanto no fogo como na água, estes dois elementos furiosos que não têm misericórdia, Ele mostra misericórdia; Ele nos liberta de ambos, em ambos. Ele chama as aves, e elas vêm; os animais, e eles ouvem; as árvores, e elas brotam em obediência a Ele. Ele tem um corvo para Elias, uma aboboreira para Jonas, um cão para Lázaro. Faz com que o leviatã, a maior criatura viva, preserve o seu profeta. Faz que um terrível leão seja morto, como o foi, por Sansão; ou que não mate, como os leões não mataram Daniel; ou que mate e não coma, como aquele profeta (1 Rs 13): aqui estava o Senhor. Sobre os metais: Ele faz com que o ferro flutue, que as pedras se quebrem ao meio. Sobre os demônios: eles devem obedecer a Ele, ainda que não o desejem. Mas eles se rebelam continuamente contra Ele, e desafiam a sua vontade! Eles agem, na verdade, contra a sua complacência, e não contra a sua permissão. Assim sendo, o poder não está no momento nem na hora da morte; em nenhum lugar, nem mesmo no mais amargo tormento; em nenhuma criatura, nem no diabo; mas é o Senhor que pode nos libertar de tudo. Portanto, em todos os momentos, em todos os lugares e contra todas as criaturas, confiemos nele, para termos a nossa libertação. – *Thomas Adams*

v. 19: "O seu reino domina sobre tudo". Quando Melancthon estava extremamente solícito sobre as questões da igreja, no seu tempo, Lutero o admoestou com estes termos: *Monendus est Philippus ut desinat esse rector mundi:* Que Filipe não mais se faça governador do mundo. – *David Clarkson*

v. 20: "Bendizei ao Senhor, anjos seus", etc. O peso de oferecer louvores a Deus é pesado demais, para que os homens o suportem; e, quanto aos anjos, será necessária toda a sua força e todas as suas melhores habilidades para que se incumbam disto. – *David Dickson*

v. 20: "Anjos... magníficos em poder, que cumpris as suas ordens". A grande excelência dos anjos, a principal causa da sua força e do seu poder, e da sua imensa superioridade em relação à humanidade, é o que é demonstrado nas palavras seguintes do texto. Depois que o salmista descreveu os anjos como seres de grande força, ele acrescenta que eles *cumprem as ordens de Deus, obedecendo à voz da sua palavra.* Pois esta é a única fonte viva de força e poder duradouros. Aqueles que fazem a vontade de Deus com fidelidade e obediência, têm Deus agindo a seu favor; e então, o que pode ser contra eles? Então, o próprio trabalho os fortalece, e é como uma maré que os leva à frente; porque é o *seu* trabalho. Por outro lado, aqueles que agem contra a vontade de Deus, têm Deus contra si mesmos; e então, o que ou quem pode ser por eles? Pode um homem empurrar o oceano para trás? Pode ele agarrar o sol e arrastá-lo para fora do seu curso? Porém muitos esperam ser fortes, mesmo quando estão lutando contra a vontade de Deus...

Assim sendo, nós vemos a falsidade daquela máxima, tão comum nos lábios daqueles que se gabam do seu domínio na sabedoria deste mundo – a força é lei – uma máxima que inverte totalmente a verdade e com que o príncipe das trevas sempre se coloca contra o Senhor do céu. O verdadeiro princípio, que é invertido e pervertido nesta falsidade – o princípio que deve ser escrito nos gabinetes de príncipes e nas paredes de senados – o princípio que explica o segredo da força dos anjos, e na verdade, de toda força verdadeira, que está de acordo com a vontade de Deus – pode ser declarado nas mesmas palavras, se apenas invertermos a sua ordem: a lei é força. – *Julius Charles Hare*, 1849

v. 20: "Anjos seus... que cumpris as suas ordens", etc. Eles dão ouvidos à voz da sua palavra, eles consideram Deus como o grande General, e se Ele transmitir a palavra, eles entregam suas forças e realizam o trabalho com disposição. Eles são muito atentos aos seus mandamentos; se Ele diz: Vão, firam Herodes por seu orgulho, Balaão por sua cobiça, Davi por sua vanglória, Senaqueribe por sua blasfêmia, e Sodoma por sua impureza, eles vão, imediatamente. – *William Greenhill*

v. 20: "Ordens". *Dābar* (דָּבָר), *falar*, é traduzido como "ordem" vinte vezes... a comunhão pessoal direta entre o Senhor e seus mensageiros parece estar implícita. – *R. B. Girdlestone*

v. 20: "Obedecendo à voz da sua palavra". Não apenas executando vigorosamente a palavra, quando ouvida; mas, sempre ouvindo atentamente, *prontos a captar a sugestão da sua vontade.* – *William Kay*

v. 20: "Obedecendo à voz da sua palavra". Os anjos são criaturas vigilantes, e esperam as oportunidades, e quando elas aparecem, eles não as perdem. Eles não cochilam nem adormecem, mas ouvem constantemente o que o Senhor diz, qualquer oportunidade que haja para ação; assim, em Ezequiel 1.11, eles são descritos com suas asas abertas para o alto, manifestando a sua vigilância e prontidão para o serviço. Quando Cristo nasceu, uma multidão deles apareceu e celebrou o seu nascimento (Lc 2.13); quando Cristo foi levado por Judas e seu grupo, Pedro sacou sua espada em defesa do seu Mestre; mas o que disse Cristo? "Mete no seu lugar a tua espada, não é hora de lutar agora, mas de sofrer: Ou pensas tu que eu não poderia, agora, orar a meu Pai e que ele não me daria mais de doze legiões de anjos? Não é o momento de orar pedindo ajuda, Eu devo morrer, para que se cumpram as Escrituras; se Eu quisesse, Meu Pai mandaria que os anjos me ajudassem, e eles viriam imediatamente, as legiões deles, sim, todos os anjos do céu". Devemos aprender com os anjos a esperar pelas oportunidades e aproveitá-las. Há momentos oportunos para realizar a obra de Cristo. – *William Greenhill*

v. 21: "Bendizei ao Senhor, todos os seus exércitos... que executais o seu beneplácito". O sol, a lua, as estrelas, e os planetas executam *o seu beneplácito* (Sl 19.1) inconscientemente; os "anjos" conscientemente, e com amor instintivo, "obedecem à voz da sua palavra" (v. 20). Juntos, eles constituem os exércitos do Senhor. – *A. R. Fausset*

v. 22: "Bendize, ó minha alma, ao Senhor". Isto é: "Deixa que a tua vocação seja a do serafim, minha alma, e entra na vida do céu!" Por que eu devo louvá-lo? Pode, o meu louvor, ser de alguma vantagem para Ele? Não; nem o de todos os exércitos celestiais. É uma condescendência infinita que Ele ouça os louvores das suas criaturas mais exaltadas.

Que eu bendiga ao Senhor, porque nenhuma atividade será mais rica em bênçãos para a minha alma do que esta. A contemplação com admiração da sua excelência é, na realidade, a apropriação dela; o coração não pode se alegrar em Deus sem se tornar como Deus. Deixe-me fazer isto, porque bendizer ao Senhor é o privilégio peculiar do homem nesta terra. Quando ele desejar encontrar alguém que o acompanhe nisto, ele deve subir aos céus. Deixe-me fazer isto, porque a terra está abundantemente dotada dos materiais de louvor. As areias, os mares, as flores, os insetos; animais, aves, campos, montes, rios, árvores, nuvens, sol, lua, estrelas – todos esperam que eu traduza os seus atributos e as suas distinções em louvor. Mas, acima de tudo, a nova criação.

Deixe-me fazer isto, porque dele, e por Ele, e para Ele, são todas as coisas que pertencem à minha existência, saúde, consolação, conhecimento, dignidade, segurança, progresso, poder e utilidade. Milhares dos seus ministros na terra, no mar e no céu estão envolvidos na produção e preparação de cada bocado que eu como. A respiração que eu sou instruído e capacitado a modular em louvor, não entra nem sai sem uma surpreendente exibição da condescendência, bondade, sabedoria, poder e presença daquele ao qual eu devo louvar. Não é covarde estar recebendo benefícios, sem sequer mencionar o nome ou descrever a bondade de quem os dá? Que os candidatos ao céu bendigam ao Senhor. No céu, não há lugar para os que não aprenderam esta arte. Como eu o louvarei? Não com palavras bonitas. Não é necessário talento poético. Qualquer linguagem que expresse admiração sincera será aceita. Louve-o até o ponto em que você o conhece; e Ele fará você conhecer mais da sua glória. – *George Bowen, 1873*

v. 22: A última especulação é completamente abrangente "todas as suas obras, em todos os lugares do seu domínio" – tudo o que Ele criou, seja inteligente ou não; *"em todos os lugares"* – acima, abaixo, ao redor: no céu, na terra ou no inferno: que todos entrem neste coro universal de louvor e bênção, enaltecendo ao Senhor, o Ser supremamente grande, supremamente bom! Nem Ele mesmo se isenta, pois as suas responsabilidades pessoais quanto ao seu próprio coração são as maiores. Por isto, o salmista conclui como tinha começado: "*Bendize, ó minha alma, ao Senhor*". – *Henry Cowles*

v. 22: "Bendize, ó minha alma, ao Senhor". Na medida em que o poeta retorna à sua própria alma, este salmo também se volta a si mesmo e assume a forma de um círculo convergente. – *Franz Delitzsch*

v. 22: "Bendizei ao Senhor, todas as suas obras, em todos os lugares do seu domínio. Bendize, ó minha alma, ao Senhor". Nós somos muito afetados por esta transição repentina, de "todas as suas obras, em todos os lugares do seu domínio" a si mesmo, um indivíduo solitário. Naturalmente, ele já tinha se incluído; ele tinha se convocado, quando convocou todas as obras de Deus, em todos os lugares do seu domínio; mas parece como se um temor repentino tivesse se apoderado do salmista, o temor de, por alguma possibilidade, se omitir; ou, se não era temor, uma consciência de que a sua mesma atividade em convocar os outros ao louvor poderia fazê-lo esquecer de que também devia louvar a Deus, ele mesmo, ou torná-lo preguiçoso no dever, ou pronto a assumir que ele mesmo não poderia estar negligenciando aquilo com que insistia tão firmemente com todos os tipos de seres. Aqui temos um grande assunto de discussão. Salomão disse: "e me puseram por guarda de vinhas; a vinha que me pertence não guardei". Ai! Como é possível, como é fácil, se esforçar pelos outros, e negligenciar a si mesmo; na verdade, fazer dos esforços que fazemos pelos outros a razão pela qual nos persuadimos de que não podemos, nós mesmos, negligenciar. Como é importante, então, que, se como o salmista, nós convocamos todas as obras de Deus em todos os lugares dos seus domínios, para que bendigam ao Senhor, como é importante, repito, que acrescentemos, como pessoas curvadas em exame próprio, e temor de arrogância: "*Bendize, ó minha alma,* ao Senhor". – *Henry Meloill*

vv. 1, 2 e 22: "Bendize, ó minha alma, ao Senhor"... "Bendize, ó minha alma, ao Senhor"... junto com a expressão "Bendizei ao Senhor, todas as suas obras, em todos os lugares do seu domínio: Bendize, ó minha alma, ao Senhor", v. 22; essas duas formam a bênção do Senhor à alma, repetida três vezes, e que consta na fórmula mosaica (Nm 6.24-26). – *A. R. Fausset*

SUGESTÕES AOS PREGADORES

v. 1. "Os santos bendizem ao Senhor." Veja "Spurgeon's Sermons", n. 1.078.

v. 1. I. Nós devemos bendizer ao próprio Altíssimo. É possível deixar de bendizer a *Ele*, enquanto louvamos os seus dons, a sua obra, a sua palavra, os seus caminhos.

II. Devemos bendizê-lo individualmente: "Minha alma". Não meramente a família, por intermédio do pai, nem o povo, por intermédio do pastor; nem a congregação por intermédio do coro; mas pessoalmente.

III. Nós devemos bendizê-lo espiritualmente: "alma". Não somente com órgão, ofertas, obras, etc.

IV. Nós devemos bendizê-lo sem reservas: "tudo o que há em mim".

V. Nós devemos bendizê-lo decididamente. Davi pregou a comunhão, o incentivo e o controle de si mesmo. – *W. Jackson*

v. 1: Aqui temos, I. Conversa consigo mesmo: "Minha alma". Muitos falam o suficiente com os outros, mas jamais falam consigo mesmos. São estranhos a si mesmos – não falam consigo mesmos – não se interessam por suas próprias almas – são embotados e melancólicos.

II. Exortação a si mesmo: "Bendize, ó minha alma, ao Senhor". O teu Criador, o teu Benfeitor, o teu Redentor.

III. Incentivo a si mesmo: "Tudo o que há em mim" – cada faculdade do meu ser mental, moral e espiritual: com dez cordas – todas as cordas trabalhando. Não há a necessidade de que uma faculdade da alma diga à outra: "Conheça ao Senhor"; porque todos me conhecerão, desde o menor deles até ao maior. – *G. T.*

v. 1 (primeira parte, e versículo 22, última parte). Adoração pessoal, ao Alfa e Ômega da religião. – *C. Davis*

v. 2. Investigar as causas do nosso frequente esquecimento das misericórdias do Senhor, mostrar o mal que isto causa e aconselhar soluções.

v. 3. I. O perdão está *em* Deus: "contigo está o perdão". É sua natureza perdoar, assim como punir, o pecado.

II. É *de* Deus. Ninguém pode perdoar o pecado, exceto Deus. Ninguém pode revelar o perdão, exceto Deus.

III. É *como* Deus, pleno, livre, e eterno. – "todas as tuas iniquidades". – *G. R.*

v. 3. "Sara todas as tuas enfermidades."

I. Por que o pecado é chamado de enfermidade?

1. Porque destrói a beleza moral da criatura.
2. Porque desperta a dor.
3. Porque ele incapacita para o dever.
4. Porque ele leva à morte.

II. A variedade de doenças pecaminosas às quais nós estamos sujeitos (Mc 7.21-23; Gl 5.19, etc).

III. O remédio com o qual Deus cura estas enfermidades.

1. A sua misericórdia que perdoa, através da redenção de Cristo.
2. As influências santificadoras da graça.
3. Os meios da graça.
4. A ressurreição do corpo. – *de "The Study", 1873*

v. 3 (última parte). As nossas doenças naturais, o nosso grande Médico, a saúde perfeita que Ele opera em nós, os resultados desta saúde.

v. 3 a 5. A Hexapla da misericórdia.

I. Três maldições removidas.

1. A culpa, eliminada.
2. A corrupção, curada.
3. A destruição, desviada.

II. Três bênçãos concedidas.

1. Benevolências que podem ser gratificantes.
2. Prazeres que podem satisfazer.
3. A vida que não pode morrer.

Ou,

I. Perdão (v. 3).

II. Purificação (v. 4).

III. Redenção.

IV. Coroação (v. 5).

V. Abundância concedida. VI. Força renovada. – *W. Durban*

v. 4 (primeira parte). A redenção da vida de Davi da destruição.

1. A sua vida de pastor.
2. A sua vida militar.
3. A sua vida de perseguido.
4. A sua vida régia.
5. A sua vida espiritual. – *W. J.*

v. 4. O que é redimido, e de quê? Quem é redimido, e por quem?

v. 5. I. Uma condição singular – satisfação.

II. Uma provisão singular – boas coisas.

III. Um resultado singular – mocidade renovada.

v. 5. "Rejuvenescimento." Veja Macmillan, "Ministry of Nature", p. 321-347.

v. 7. I. Deus queria que os homens o conhecessem.

II. Ele é o seu próprio revelador.

III. Há estágios na revelação.

IV. Nós podemos orar, pedindo maior conhecimento dele.

v. 8. I. A misericórdia especificada: "misericordioso e piedoso".

II. A misericórdia qualificada: "Longânimo". A própria misericórdia pode se irar, e então, quão terrível é a ira.

III. A misericórdia amplificada: "Grande em benignidade". Ele perdoará abundantemente; e somente Ele sabe o que significa o perdão abundante. – *G. R.*

v. 9. I. O que Deus irá fazer ao seu povo. Algumas vezes, Ele irá repreender – contender com eles.

1. Pela providência, por provações externas.
2. Por experiências, por conflitos internos.
II. O que Ele não fará a eles.
1. Não irá repreender perpetuamente, nesta vida.
2. Não irá repreender para sempre. "Os dias do pranto... se cumpriram". – *J. G. R.*

v. 10. Explore a terrível suposição, mostre as razões pelas quais isto ainda não aconteceu; então, sugira que isto pode se tornar um fato terrível, e exortar a culpa, para buscar misericórdia.

vv. 11 a 13. A altura, extensão e profundidade do amor divino.

v. 12. "Absolvição plenária." Veja "Spurgeon's Sermons", n. 1.108.

v. 12. I. A união implícita. Entre o homem e as suas transgressões.
1. Legalmente.
2. Verdadeiramente.
3. Experimentalmente.
4. Eternamente, considerada neles mesmos.
II. A separação efetuada.
1. Por quem? "Ele afasta, etc".
2. Como? Pelo seu próprio Filho, que se coloca entre o pecador e os seus pecados.
III. A re-união impedida. "Quanto está longe", etc. Quando o oriente e o ocidente se encontrarem, então, e não antes, a reunião terá lugar. Como as duas extremidades de uma linha reta jamais podem se encontrar, e não podem se estender, sem se afastar ainda mais uma da outra, assim será sempre com um pecador perdoado e os seus pecados. – *G. R.*

vv. 13 e 14. "A terna piedade do Senhor." Veja "Spurgeon's Sermons".

vv. 13 e 14. I. De quem Deus se compadece: "Daqueles que o temem".
II. Como Ele se compadece: "Como um pai se compadece de seus filhos".
III. Por que Ele se compadece: "Pois ele conhece a nossa estrutura". Ele tem razões para conhecer a nossa estrutura, pois Ele nos formou, e tendo, Ele mesmo, criado o homem do pó, "lembra-se de que somos pó". – *Matthew Henry*

v. 14. I. A constituição do homem.
II. A consideração de Deus. – *W. D.*

v. 15. A carreira terrena do homem. A sua ascensão, progresso, glória, queda e esquecimento.

vv. 15 a 18. I. O que o homem é, quando abandonado. "Porque o homem", etc.
1. Como é aqui? São seus dias como a erva, a sua glória, como a flor do campo.
2. Como é no futuro? varrido por um vento destruidor, por um golpe da ira divina – não é mais conhecido na terra, porém só é conhecido na perdição.
II. O que a misericórdia de Deus faz por ele. 1. Faz um concerto de graça por ele, desde a eternidade.
2. Faz um concerto de paz com ele, nesta vida.
3. Faz um concerto de promessa para ele, por uma eternidade futura.
III. Quem são os objetos desta misericórdia? 1. Aqueles que temem a Deus.
2. Os que seguem os passos de piedosos ancestrais.
3. Os que confiam na misericórdia do concerto.
4. Que são fiéis aos seus compromissos de concerto. – *G. R.*

v. 18. O concerto, em quais aspectos podemos guardá-lo, em qual estado de espírito deve ser observado, e qual é a prova prática de se fazê-lo.

v. 19. "Um sermão sobre o domínio de Deus." Veja Charnock's Works [Nicol's Edition, Vol. II, pp. 400-499].

v. 19. I. A natureza do trono.
II. A extensão do domínio.
III. O caráter do monarca.
IV. A alegria consequente dos súditos: Bendizer ao Senhor.

v. 20. O serviço dos anjos, instrutivo para nós.
I. A sua força pessoal é excelente. Como servos de Deus, também devemos procurar cuidar da nossa própria saúde e vigor espiritual.

II. Eles são práticos, e não teóricos, na sua obediência.

III. Eles são atentos quando estão trabalhando, prontos a aprender mais, e conservam comunhão com Deus, que fala com eles pessoalmente.

IV. Eles fazem tudo com um alegre espírito de louvor, bendizendo o Senhor.

vv. 20 e 21. I. O centro do louvor: "Bendizer ao Senhor". Todo o louvor se concentra nele.

II. O concerto do louvor.

1. Anjos.
2. Os exércitos dos redimidos.
3. Os ministros, em particular.
4. A criação ao redor.

III. O clímax do louvor. "Bendize, ó minha alma, ao Senhor". Esta é a maior exigência em mim, de gratidão e louvor. Ainda que o coro possa ser vasto, ele não será perfeito sem a minha nota de louvor. Esta é a nota culminante: "Bendize, ó minha alma, ao Senhor". – *G. R.*

v. 21. Quem são os ministros de Deus? Qual é a ocupação deles? Fazer a sua vontade. Qual é o seu deleite? Bendizer ao Senhor.

vv. 21 e 22. Henry Melvill tem um sermão notável sobre "The Peril of the Spiritual Guide" ("O Perigo do Guia Espiritual"). A sua tendência pode ser percebida pelo fragmento que inserimos como uma nota sobre a passagem.

v. 22. I. O coro.

II. O eco. – *W. D.*

SALMO 104

OBSERVAÇÕES GERAIS

Aqui temos um dos voos mais longos e de maior altura da inspiração. O salmo dá uma interpretação das muitas vozes da natureza, e canta docemente, tanto sobre a criação quanto sobre a providência. O poema contém um completo cosmos: mar e terra, nuvem e luz do sol, plantas e animais, luz e trevas, vida e morte, todos provam ser expressivos da presença do Senhor. São muito evidentes os vestígios dos seis dias de criação, e embora a criação do homem, que foi a obra de coroação do sexto dia, não seja mencionada, isto é explicado pelo fato de que o homem é o cantor: alguns distinguiram sinais do descanso divino, no sétimo dia, no versículo 31. É a versão do Gênesis por um poeta. O assunto do cântico aqui não é a condição atual da terra, mas há uma indicação daqueles tempos mais santos, quando veremos uma "nova terra, em que habita a justiça", fora da qual o pecador será consumido, versículo 35. O espírito de ardente louvor a Deus percorre o conjunto e com uma distinta percepção do Ser divino como uma existência pessoal, amado e digno de confiança, além de adorado.

Nós não temos informações quanto ao autor do salmo, mas a Septuaginta o atribui a Davi, e não vemos razão para atribuí-lo a qualquer outra pessoa. O seu espírito, estilo e maneira de escrever são muito evidentes aqui, e se o salmo for atribuído a outra pessoa, deve ser a uma mente admiravelmente similar, e poderíamos apenas sugerir o sábio filho de Davi – Salomão, o pregador poeta, com cujas observações sobre história natural no livro de Provérbios alguns dos versículos têm uma assombrosa semelhança. Quem quer que possa ter sido o autor humano, a suprema glória e perfeição da autoria divina do Espírito Santo estão claras a toda mente espiritual.

DIVISÃO

Depois de bendizer ao Senhor, o devoto salmista canta sobre a luz e o firmamento, que foram as obras do primeiro e do segundo dias (vv. 1-6). Com uma fácil transição, ele descreve a separação entre as águas e a terra seca, a formação da chuva, riachos e rios, e o brotar de ervas verdes, que foram o produto do terceiro dia

(vv. 7-18). A seguir, a indicação do sol e da lua como guardiões do dia e da noite exige a admiração do poeta (vv. 19-23), e assim ele canta a obra do quarto dia. Tendo já se referido a muitas variedades de criaturas vivas, o salmista prossegue, do versículo 24 ao versículo 30 para cantar a vida com que o Senhor se agradou em encher o ar, o mar e a terra; estas formas de existência foram o produto peculiar do quinto e do sexto dias. Nós podemos considerar os versículos finais (vv. 31-35) como meditação de sábado, hino e oração. O conjunto se apresenta, diante de nós, como um panorama do universo, considerado pelo olho da devoção. Oh, que Deus nos dê graça para render o devido louvor ao Senhor enquanto o lemos.

EXPOSIÇÃO

1 *Bendize, ó minha alma, ao Senhor! Senhor, Deus meu, tu és magnificentíssimo;*
estás vestido de glória e de majestade.
2 *Ele cobre-se de luz como de uma veste, estende os céus como uma cortina.*
3 *Põe nas águas os vigamentos das suas câmaras, faz das nuvens o seu carro e*
anda sobre as asas do vento.
4 *Faz dos ventos seus mensageiros, dos seus ministros, um fogo abrasador.*
5 *Lançou os fundamentos da terra, para que não vacile em tempo algum.*
6 *Tu a cobriste com o abismo, como com uma veste; as águas estavam sobre os montes;*

1. *"Bendize, ó minha alma, ao Senhor."* Este salmo começa e termina como o salmo 103, e não poderia ser melhor: quando o modelo é perfeito, merece existir em duplicata. O verdadeiro louvor começa em casa. É inútil despertar os outros ao louvor se nós mesmos nos mantivermos silenciosos, sem mostrar gratidão. Nós devemos convocar o íntimo do nosso coração, para que desperte e se motive, pois somos propensos a ser preguiçosos, e se assim formos, quando chamados a bendizer a Deus, nós teremos grande motivo para nos sentirmos envergonhados. Quando enaltecemos ao Senhor, devemos fazê-lo com sinceridade: o melhor de nós está muito abaixo do que Ele merece, não o desonremos, dedicando-lhe uma adoração que não é completamente sincera.

"Senhor, Deus meu, tu és magnificentíssimo." A declaração traz consigo uma notável mistura da ousadia da fé com o respeito do temor santo: pois o salmista chama o Senhor infinito de *"Deus meu"*, e, ao mesmo tempo, prostrado em assombro pela divina grandeza, ele clama, com total assombro: *"Tu és magnificentíssimo"*. Deus foi grande no Sinai, pois as palavras iniciais da sua lei foram: "Eu sou o Senhor, teu Deus"; a sua grandeza não é a razão pela qual a fé não deva apresentar a sua reivindicação e chamá-lo seu. A declaração da grandeza do Senhor aqui apresentada teria tido um lugar muito apropriado no fim do salmo, pois é uma dedução natural de uma investigação no universo: a sua posição, no início do poema, é indicação de que todo o salmo foi considerado e digerido na mente antes que fosse efetivamente colocado em palavras: somente com esta suposição nós podemos explicar a emoção que antecede a contemplação. Observe, ainda, que o assombro expressado não se refere à criação e à sua grandeza, mas ao próprio Senhor. Não é o universo que "é magnificentíssimo", mas "TÚ és magnificentíssimo". Muitos param na criatura, e assim se tornam idólatras em espírito; prosseguir até o próprio Criador é a verdadeira sabedoria.

"Estás vestido de glória e de majestade." Tu mesmo não podes ser visto, mas as tuas obras, que podem ser chamadas de tuas vestes, são cheias de formosura e maravilhas que redundam na tua honra. As vestes escondem e ao mesmo tempo revelam um homem, e assim também as criaturas de Deus. O Senhor é visto nas suas obras como merecedor de *honra* pelo seu talento, pela sua bondade, e pelo seu poder, e declarando *majestade*, pois Ele criou todas as coisas com soberania, fazendo como quer e não pedindo a aprovação ou permissão do homem. Deve ser verdadeiramente cego aquele que não enxerga que a natureza é uma obra do Rei dos reis. Eles são golpes solenes da mente severa de Deus, toques terríveis dos seus firmes atributos, linhas largas de

mistério inescrutável, e profundas sombras de poder esmagador, e tudo isto faz da imagem da criação um problema que jamais será solucionado, exceto admitindo que aquele que a fez não explica os seus motivos, mas conduz todas as coisas segundo o bom prazer da sua vontade. A sua *majestade*, no entanto, é sempre exibida de modo a refletir *honra* sobre o seu caráter; Ele faz o que quer, mas Ele só quer aquilo que seja três vezes santo, como Ele mesmo. As mesmas vestes do Espírito invisível nos ensinam isto, e nós devemos reconhecê-las com humilde adoração.

2. *"Ele cobre-se de luz como de uma veste"*, vestindo-se de luz como um monarca veste o seu manto. A ideia é sublime: mas nos faz sentir como deve ser completamente inconcebível a glória pessoal do Senhor; se a própria luz é apenas a sua veste e o seu véu, o que deve ser o brilhante esplendor da sua própria existência! Nós nos perdemos em assombro e não ousamos olhar o mistério, para que não fiquemos cegos pela sua glória, cuja visão é difícil de suportar.

"Estende os céus como uma cortina" – dentro da qual Ele possa habitar. A luz foi criada no primeiro dia, e o firmamento no segundo, de modo que apropriadamente um segue ao outro neste versículo. Os príncipes orientais vestem suas vestes gloriosas e então se assentam, imponentemente, atrás de cortinas, e o Senhor é descrito com esta imagem: mas muito acima de toda a compreensão esta imagem deve ser erguida, uma vez que a veste é essencialmente luz, à qual sóis e luas devem o seu brilho, e a cortina é o céu azul pontilhado de estrelas como pedras preciosas. Este é um argumento substancial a favor da verdade com a qual o salmista inicia o seu cântico: "Senhor, Deus meu, tu és magnificentíssimo".

3. *"Põe nas águas os vigamentos das suas câmaras."* As suas câmaras solenes são cercadas com as águas que estão acima do firmamento. Os cenáculos da grande casa de Deus, as histórias secretas muito acima de nosso conhecimento, as câmaras do palácio onde Ele reside, se baseiam sobre as enchentes que formam o oceano superior. Ao que não é substancial, Ele empresta estabilidade; Ele não precisa de vigas, pois o seu palácio é sustentado pelo seu próprio poder. Não devemos interpretar literalmente onde a linguagem é poética; seria simplesmente absurdo fazer isto.

"Faz das nuvens o seu carro." Quando Ele sai do seu pavilhão secreto, é assim que avança, na sua realeza. "O seu carro de ira forma profundas nuvens de trovão", e o seu carro de misericórdia derrama abundância, quando passa pela estrada celestial.

"E anda [ou melhor, *vai*] *sobre as asas do vento."* Com as nuvens como carro, e os ventos como cavalos alados, o Grande Rei se apressa nos seus movimentos, seja para misericórdia ou para juízo. Assim nós temos a ideia de um rei ainda mais elaborada – o seu palácio eminente, o seu carro, e os seus corcéis, estão diante de nós; mas que palácio nós devemos imaginar, cujas vigas são de cristal e cuja base é vapor consolidado! Que carro imponente é este que é imaginado com as nuvens que voam, com cujas cores magníficas Salomão, com toda a sua glória, não pôde competir; e que progresso divino é este em que asas espirituais e golpes de vento sustentam o trono em movimento. "Senhor, Deus meu, tu és magnificentíssimo!"

4. *"Faz dos ventos seus mensageiros"*; ou *anjos*, pois a palavra pode significar as duas coisas. Os anjos são espíritos puros, embora possam assumir uma forma visível quando Deus deseja que eles sejam vistos por nós. Deus é espírito, e Ele é visitado por espíritos em sua corte real. Os anjos são como ventos, em termos de mistério, força e invisibilidade, e sem dúvida os próprios ventos são frequentemente os anjos ou mensageiros de Deus. Deus, que faz com que os seus anjos sejam como ventos, também pode fazer com que os ventos sejam seus anjos; e eles o são constantemente, na natureza.

"Dos seus ministros, um fogo abrasador." Aqui, também, podemos escolher um dos dois significados: Deus faz com que os seus ministros ou servos sejam tão rápidos, poderosos e terríveis como o fogo, e, por outro lado, Ele faz com que o fogo,

este elemento devorador, seja seu ministro, queimando nas suas missões. O fato de que esta passagem se refere a anjos fica claro, com base em Hb 1.7; e era muito adequado mencioná-los aqui, em conexão com a luz e os céus, e imediatamente depois das vestes e do palácio do grande Rei. O séquito do Senhor dos Exércitos não deveria ser mencionado assim como o seu carro? Teria sido uma falha na descrição do universo se os anjos não tivessem sido mencionados, e este é o ponto mais apropriado para a sua introdução. Quando pensamos nos extraordinários poderes confiados a seres angelicais, e a glória misteriosa dos serafins e dos quatro animais viventes, somos levados a refletir sobre a glória do Mestre a quem eles servem, e, novamente, clamamos com o salmista: "Senhor, Deus meu, tu és magnificentíssimo".

5. *"Lançou os fundamentos da terra."* Desta maneira, o início do mundo é descrito, quase nas mesmas palavras empregadas pelo próprio Senhor, em Jó 38.4: "Onde estavas tu quando eu fundava a terra? Sobre que estão fundadas as suas bases, ou quem assentou a sua pedra de esquina?" E as palavras são encontradas na mesma conexão, pois o Senhor prossegue, dizendo: "Quando as estrelas da alva juntas alegremente cantavam, e todos os filhos de Deus rejubilavam".

"Para que não vacile em tempo algum." A linguagem é, naturalmente, poética, mas o fato, ainda assim, é maravilhoso: a terra está colocada no espaço de tal maneira que permanece tão estável como se estivesse fixa. Os diversos movimentos do nosso planeta são executados de maneira tão silenciosa e uniforme que, no que nos diz respeito, todas as coisas são tão permanentes e pacíficas como se fosse literalmente verdade a antiga noção de que o planeta se apoia em pilares. Com que delicadeza o grande Artífice instalou o nosso globo! Que poder deve haver naquela mão que fez com que um corpo tão grande conhecesse a sua órbita, e que se movesse nela tão suavemente! Que engenheiro pode proteger cada parte do seu equipamento de um choque, solavanco ou atrito? Mas no nosso grande mundo, em seus complicados movimentos, nenhuma destas coisas jamais ocorreu. "Senhor, Deus meu, tu és magnificentíssimo".

6. *"Tu a cobriste com o abismo, como com uma veste."* A terra recém-nascida foi envolta em faixas úmidas. Nos primeiros séculos, antes que o homem aparecesse, as águas orgulhosas dominaram toda a terra, *"as águas estavam sobre os montes"*, não havia terra seca visível, um vapor, como de uma caldeira, cobria tudo. Os geólogos nos informam isto, como uma descoberta, mas o Espírito Santo tinha revelado este fato há muito tempo. A passagem diante de nós nos mostra o Criador iniciando o seu trabalho, e lançando a fundação para ordem e beleza futuras: pensar nisto com reverência nos encherá de adoração; conceber isto de maneira carnal e rude será uma grande blasfêmia.

7 *à tua repreensão, fugiram; à voz do teu trovão, se apressaram.*
8 *Subiram aos montes, desceram aos vales, até ao lugar que para elas fundaste.*
9 *Limite lhes traçaste, que não ultrapassarão, para que não tornem mais a cobrir a terra.*
10 *Tu, que nos vales fazes rebentar nascentes que correm entre os montes.*
11 *Dão de beber a todos os animais do campo; os jumentos monteses matam com elas a sua sede.*
12 *Junto delas habitam as aves do céu, cantando entre os ramos.*
13 *Ele rega os montes desde as suas câmaras; a terra farta-se do fruto das suas obras.*
14 *Ele faz crescer a erva para os animais e a verdura, para o serviço do homem, para que tire da terra o alimento*
15 *e o vinho que alegra o seu coração; ele faz reluzir o seu rosto com o azeite e o pão, que fortalece o seu coração.*
16 *Satisfazem-se as árvores do Senhor, os cedros do Líbano que ele plantou,*
17 *onde as aves se aninham; quanto à cegonha, a sua casa é nas faias.*
18 *Os altos montes são um refúgio para as cabras monteses, e as rochas, para os coelhos.*

7. *"À tua repreensão, fugiram; à voz do teu trovão, se apressaram."* Quando as águas e os vapores cobriram tudo, o Senhor teve apenas que falar, e eles desapareceram imediatamente. Como se fossem agentes inteligentes, as ondas correram para suas profundezas, e deixaram sozinha a terra; então os montes ergueram suas cabeças, os planaltos se ergueram das planícies, e, por fim, continentes e ilhas, vertentes e planícies formaram a terra habitável. A voz do Senhor realizou esta grande maravilha. A sua palavra não é a mesma a cada emergência? Não é suficientemente poderosa para realizar o maior milagre? Por esta mesma palavra, as inundações de problemas serão reprimidas, e as ondas furiosas do pecado serão repreendidas: chegará o dia em que, ao soar do trovão da voz do Senhor, todas as águas orgulhosas do mal apressadamente se retirarão. "Senhor, Deus meu, tu és magnificentíssimo".

8. As águas que baixaram são, a partir de agora, obedientes. *"Subiram aos montes"*, subindo na forma de nuvens, até os cumes dos Alpes. Elas *"desceram aos vales, até ao lugar que para elas fundaste"*: elas estão tão dispostas a descer, na forma de chuva, e riachos, e torrentes, como estavam ansiosas a subir, em névoa. A lealdade das águas poderosas às leis do seu Deus é notável; a inundação violenta, a correnteza turbulenta, a torrente tremenda, são apenas formas daquele gentil orvalho que treme na fina folha da erva, e nestas formas mais rudes são igualmente obedientes às leis que o seu Criador lhes impôs. Assim como uma partícula solitária de spray nunca sai da sua posição, nem infringe a ordem do Senhor, de mar e terra, também as impressionantes cataratas e as terríveis inundações nunca se revoltam contra o seu domínio. É muito bonito, entre as montanhas, ver o sistema divino de abastecimento de água – a subida de vapores como algodão, a destilação do líquido puro, a alegria com que os novos elementos saltam pelos penhascos para chegar aos rios, e a forte ansiedade com que os rios procuram o oceano, o lugar indicado para eles.

9. *"Limite lhes traçaste, que não ultrapassarão; para que não tornem mais a cobrir a terra."* Este limite já tinha sido ultrapassado uma vez, mas não mais o será. O dilúvio foi causado pela suspensão da ordem divina que controlava as águas: elas conheciam a sua antiga supremacia, e se apressaram em reafirmá-la, mas agora, a promessa do concerto impede, para sempre, o retorno deste festival de águas, desta revolta das ondas: nós não devemos chamar esta corrente impetuosa das inundações indignadas para vingar a honra ofendida do seu Rei, a quem os homens ofenderam? A palavra do Senhor limita o oceano, usando apenas uma estreita faixa de areia para confiná-lo aos seus limites: esta restrição aparentemente frágil responde a cada propósito, pois o mar é obediente, como uma criança, à ordem do seu Criador. A destruição está adormecida, no leito do oceano, e embora os nossos pecados pudessem despertá-la, ainda assim os seus limites são fortes, pelo concerto da misericórdia, de modo que ela não pode ser solta novamente sobre os filhos dos homens culpados.

10. *"Tu, que nos vales fazes rebentar nascentes que correm entre os montes."* Esta é uma bonita parte do arranjo do Senhor das águas dominadas: elas encontram caminhos pelos quais saltam à liberdade onde a sua presença será altamente benéfica. Existem depressões nos lados das montanhas, e por elas os riachos devem descer, frequentemente tendo subido como fontes borbulhantes que saem das entranhas da terra. É Deus que envia estas fontes assim como um jardineiro cria os cursos d'água, e desvia a correnteza com seu pé. Quando as águas estão confinadas no abismo, *o Senhor* define os seus limites, e quando saem para a liberdade, é *Ele* que as envia.

11. *"Dão de beber a todos os animais do campo."* Quem mais poderia dar-lhes de beber, se o Senhor não o fizesse? Estes animais são o *seu* gado, e por isto Ele os conduz à água. Ele não se esquece de nenhum deles.

"Os jumentos monteses matam com elas a sua sede." O bom Senhor lhes dá o suficiente, e de sobra. Eles conhecem a manjedoura do seu Mestre. Embora eles não

tolerem o freio do homem, e o homem diga que não é possível ensinar-lhes nada, eles aprendem com o Senhor e sabem, muito melhor do que o homem, onde flui o líquido fresco e cristalino do qual devem beber, ou morrer. São apenas jumentos, e monteses, mas o nosso Pai celestial cuida deles. E não cuidará também de nós? Nós vemos aqui, também, que nada acontece em vão; embora o lábio dos humanos não se umedeça no riacho no vale solitário, ainda assim há outras criaturas que precisam de refrigério, e estas matam a sua sede na correnteza. Isto não é nada? Tudo precisa existir para o homem, caso contrário será desperdiçado? O que poderia ter sugerido esta ideia, senão o nosso orgulho e egoísmo? Não é verdade que as flores que enrubescem, sem ser vistas pelos olhos humanos, estejam desperdiçando a sua doçura, pois a abelha as descobre, e outros peregrinos alados vivem de seus sucos deliciosos. O homem é apenas uma criatura, entre as muitas, às quais o Pai celestial dá de comer e beber.

12. *"Junto delas habitam as aves do céu, cantando entre os ramos."* Como são revigorantes estas palavras! Que felizes lembranças elas suscitam, de cataratas salpicantes e ramos embaraçados, onde o alegre ruído da queda d'água forma um tipo de música de fundo agradável, e as doces notas dos pássaros são as luzes mais brilhantes na harmonia. Belos pássaros, cantem! O que podem fazer melhor, e quem pode fazer isto melhor? Quando nós também bebermos do rio de Deus, e comermos do fruto da árvore da vida, será conveniente cantarmos "entre os ramos". Onde vocês habitam, vocês cantam; e não nos alegraremos nós no Senhor, que tem sido a nossa morada em todas as gerações? Assim como vocês voam, de ramo a ramo, chilreando suas notas, assim faremos nós, quando passarmos pelo tempo para a eternidade. Não é adequado que os pássaros do paraíso sejam superados pelos pássaros da terra.

13. *"Ele rega os montes desde as suas câmaras."* Como os montes são altos demais para ser regados por rios e riachos, o próprio Senhor os refresca com aquelas águas, acima do firmamento, que o poeta descreveu em um versículo anterior como as câmaras do céu. As nuvens se detêm entre os penhascos e molham as vertentes com chuva fertilizante. Onde os homens não alcançam, o Senhor alcança; aqueles a que ninguém mais pode regar com graça, Ele pode, e onde todos os estoques de refrigério falham, Ele pode abastecer com tudo o que é necessário, de suas próprias câmaras.

"A terra farta-se do fruto das suas obras." O resultado da obra divina é plenitude, em todas as partes, o solo é saturado com a chuva, a semente germina, os animais bebem, e os pássaros cantam – nada deixa de ser abastecido. Assim também é na nova criação, Ele dá mais graça, Ele enche o seu povo com bens, e os faz, a todos, confessar: "E todos nós recebemos também da sua plenitude, com graça sobre graça".

14. *"Ele faz crescer a erva para os animais e a verdura, para o serviço do homem."* A erva cresce, assim como a verdura, pois o gado deve ser alimentado, tanto quanto o homem. Até à mais inferior criatura Deus aponta a sua porção, e cuida para que ela a tenha. O poder divino é tão verdadeiramente e tão merecidamente apresentado na alimentação dos animais quanto na nutrição dos homens; veja apenas uma folha de erva com olhar devoto, e poderá ver Deus trabalhando dentro dela. A verdura é para o homem, e ele deve cultivar o solo, ou ela não será produzida, mas é Deus que a faz crescer no jardim, o mesmo Deus que faz a erva crescer nos pastos do deserto. O homem se esquece disto e fala da sua produção, mas verdadeiramente, sem Deus ele irá arar e semear em vão. O Senhor faz com que cada folha verde brote e que cada espiga amadureça; apenas contemple isto com os olhos abertos, e verá o Senhor caminhando pelos campos de trigo.

"Para que tire da terra o alimento." Tanto a erva para o gado quanto o milho para o homem são alimentos produzidos pela terra, e são sinais de que era o desígnio de Deus que a terra debaixo dos nossos pés, que parece mais adaptada para nos enterrar do que nos sustentar, na verdade se transformasse no sustento da vida. Quanto mais nós pensarmos nisto, mais maravilhoso parecerá. Como é grande este

Deus, que, em meio às sepulturas, encontra o sustento da vida, e do solo que foi amaldiçoado produz as bênçãos de trigo e vinho e azeite.

15. *"E o vinho que alegra o seu coração."* Com a ajuda de chuvas geniais, a terra produz, não apenas o que é necessário, mas o que é supérfluo, aquilo que abastece um banquete e também o que faz uma refeição. Ó, se os homens fossem suficientemente sábios para saber como usar o vinho, este produto que os alegra; mas, infelizmente, com muita frequência eles o usam com maus propósitos, e se aviltam desta maneira. Disto, ele mesmo sempre deverá ser culpado; merece ser infeliz aquele que converte bênçãos em maldições.

"Ele faz reluzir o seu rosto com o azeite." Os orientais usam o azeite mais do que nós, e provavelmente são mais sábios a este respeito do que nós; eles se deleitam com unções de óleos perfumados e consideram o brilho do rosto como um emblema de alegria. Deus deve ser louvado por todos os produtos do solo, dos quais nenhum poderia vir até nós, não fosse porque Ele permite que cresça.

"E o pão, que fortalece o seu coração." Os homens têm mais coragem depois que se alimentam: muitos espíritos deprimidos são consolados por uma boa e substancial refeição. Nós devemos bendizer a Deus pela força do coração, assim como pela força dos membros; assim, se possuirmos estas duas coisas, elas serão a generosidade da sua bondade.

16. O regar das colinas não somente produz a erva e as verduras cultivadas, mas também as espécies mais nobres da vegetação, que não fazem parte da cultura humana:

"Com as veias alimentadas com umidade genial,
as florestas do Senhor levantam as suas cabeças:
Os teus cedros, ó Líbano,
não pedem nada além da sua mão que os alimenta".

"As árvores do Senhor" – As maiores, mais nobres e mais majestosas das árvores, e também aquelas que são desconhecidas do homem, e intocadas pela sua mão.

"Satisfazem-se", ou estão cheias de seiva, bem abastecidas, ricamente regadas, de modo que se tornam, como os cedros, cheias de resina, cheias de vida, e verdes durante o ano todo.

"*Os cedros do Líbano que ele plantou.*" Eles crescem onde ninguém jamais pensou em plantá-los, onde, durante séculos, estiveram despercebidos, e onde, neste momento, são gigantescos demais para que os homens os venham a podar. O que o nosso salmista teria dito a algumas das árvores no vale Yosemite? Verdadeiramente, elas são dignas de ser chamadas de árvores do Senhor, pela sua gigantesca estatura e enorme diâmetro. Assim vemos que o cuidado de Deus é efetivo e auto-suficiente. Se as árvores de que o homem não cuida estão, apesar disto, tão cheias de seiva, podemos ter certeza de que o povo de Deus, que, pela fé, depende apenas do Senhor, será igualmente bem sustentado. Plantados pela graça, e devendo tudo ao cuidado do nosso Pai celestial, nós podemos desafiar o furacão e rir do medo da seca, pois ninguém que confia nele jamais será deixado sem água.

17. *"Onde as aves se aninham; quanto à cegonha, a sua casa é nas faias."* Tão longe de estar em necessidade, estas árvores de Deus propiciam abrigo a outras criaturas; pássaros pequenos e grandes fazem seus ninhos entre os galhos. Assim, o que elas recebem do grande Senhor, elas se esforçam para devolver às suas criaturas mais fracas. Como uma coisa se encaixa em outra, nesta bela criação, cada elo se aproveitando do outro! As chuvas regam os abetos, e os abetos se tornam o feliz lar dos pássaros; assim as nuvens cheias de chuva constroem a casa do pardal, e a chuva que cai sustenta a base do ninho da cegonha. Observe, ainda, como tudo tem sua utilidade – os ramos propiciam um lar para os pássaros; e todos os

seres vivos têm seu alojamento – a cegonha encontra uma casa nos pinheiros. O seu ninho é chamado de casa, porque esta ave exibe virtudes domésticas e amor materno, que fazem com que seus filhotes sejam comparáveis a uma família. Sem dúvida, este antigo autor tinha visto ninhos de cegonhas nos abetos; estas aves normalmente parecem fazer seus ninhos sobre casas e ruínas, mas também há evidências de que, onde há florestas, elas se satisfazem com pinheiros. O leitor já andou por uma floresta de grandes árvores e sentiu na catedral sublime da natureza a reverência que afeta o coração? Então, ele se lembrará de ter sentido que cada pássaro era santo, uma vez que habitava em meio a tão sagrada solidão. Aqueles que não podem ver nem ouvir a Deus, exceto em edifícios góticos, em meio ao som de órgãos, e vozes de um coro vestido com túnicas, não serão capazes de experimentar o sentimento que faz com que a alma simples e não sofisticada ouça "a voz do Senhor Deus, que passeava no jardim".

18. *"Os altos montes são um refúgio para as cabras monteses; e as rochas, para os coelhos."* Todos os lugares transbordam de vida. Nós chamamos as nossas cidades de populosas, mas as florestas e os altos montes não são mais densamente povoados com vida? Nós falamos de lugares inabitáveis, mas onde estão eles? O antílope salta de penhasco a penhasco, e o coelho escava sob o solo. Para uma criatura, a altitude das montanhas, e para a outra os vazios das rochas, serve de proteção:

> "Acima dos penhascos perambulam as cabras monteses,
> as rochas fornecem o lar para o coelho".

Assim toda a terra está cheia de vida feliz, cada lugar tem seu habitante apropriado, nada é vazio e inútil. Veja como cabras, e cegonhas, e coelhos, e pardais, cada um deles contribui com um versículo para o salmo da natureza; nós também não temos nossos cânticos para cantar ao Senhor? Por menores que possamos ser na escala de importância, ainda assim devemos preencher a nossa esfera e honrar ao Senhor que nos criou com um propósito.

19 *Designou a lua para as estações; o sol conhece o seu ocaso.*
20 *Ordenas a escuridão, e faz-se noite, na qual saem todos os animais da selva.*
21 *Os leõezinhos bramam pela presa e de Deus buscam o seu sustento.*
22 *Nasce o sol e logo se recolhem e se deitam nos seus covis.*
23 *Então, sai o homem para a sua lida e para o seu trabalho, até à tarde.*

19. A regra das grandes luzes é agora o tema de louvor. A lua é mencionada em primeiro lugar, porque no dia dos judeus a noite antecede ao dia.

"Designou a lua para as estações." Segundo o crescer e o diminuir da luz, o ano é dividido em meses, e semanas, e desta maneira as datas exatas dos dias santos são organizadas. Assim a luz da noite é feita, para estar a serviço do homem, e ao fixar os períodos das congregações religiosas (como acontecia entre os judeus) ela entra em conexão com o seu ser mais nobre. Nunca devemos considerar os movimentos da lua como o resultado inevitável de uma lei impessoal e inanimada, mas como arranjo do nosso Deus.

"O sol conhece o seu ocaso." Na imagem agradavelmente poética, o sol é representado como sabendo quando se retirar do alcance da visão, e afundar abaixo do horizonte. Ele jamais se detém no seu caminho, nem faz uma pausa, como indeciso quanto a onde se pôr; o seu horário indicado para se pôr, ainda que varie constantemente, sempre obedece, até os segundos. *Nós* precisamos ser despertados pela manhã, mas ele sempre se levanta pontualmente, e embora alguns precisem olhar o relógio para saber a hora do descanso, ele, sem ter um relógio para consultar, se esconde no céu do ocidente no instante em que chega o horário determinado. Pois em tudo este homem deve louvar o Senhor do céu e

da luz, que criou estas grandes luzes para serem nossos cronômetros, e assim manter em ordem o nosso mundo e não permitir que a confusão nos distraia.

20. *"Ordenas a escuridão, e faz-se noite."* Fechando para nós as persianas, Ele prepara o nosso quarto, para que possamos dormir. Se não existisse a escuridão, nós suspiraríamos por ela, uma vez que acharíamos muito mais difícil repousar se o dia cansativo jamais se acalmasse na noite. Devemos ver a mão de Deus no véu sobre o sol, e jamais temer a escuridão, natural ou providencial, uma vez que ambas são de criação do Senhor.

"Na qual saem todos os animais da selva." Então é o dia do leão, o seu momento de caçar sua comida. Por que o animal selvagem não teria a sua hora, como o homem? Ele tem um serviço a realizar, porque não teria também o seu alimento? A escuridão é mais adequada para os animais do que para o homem; e são mais embrutecidos os homens que amam a escuridão mais do que a luz. Quando as trevas da ignorância cobrem uma nação, então abundam todos os tipos de superstições, crueldades e maldades; o Evangelho, como o nascer do sol, logo limpa o mundo da destruição declarada destes monstros, e eles procuram moradas mais apropriadas. Vemos aqui a importância da luz verdadeira, pois podemos confiar que onde há noite também haverá animais selvagens para matar e devorar.

21. *"Os leõezinhos bramam pela presa e de Deus buscam o seu sustento."* Esta é a interpretação poética de um rugido. A quem rugem os leões? Certamente, não para as suas presas, pois o som terrível tende a alarmar as suas vítimas, e afugentá-las. À sua própria maneira, eles expressam seus desejos de comida, e a expressão do desejo é um tipo de oração. Deste fato vem a ideia devota de que os animais selvagens apelam ao seu Criador, pedindo alimento. Mas nem com os leões, nem com os homens, a busca por meio da oração será suficiente, deve haver uma busca prática também, e os leões bem sabem disto. O que, na sua própria linguagem, eles pedem, eles saem e procuram, sendo desta maneira muito mais sábios do que muitos homens, que oferecem orações formais, muito menos sinceras do que as dos leões jovens, e então negligenciam os meios com que poderiam obter o objeto de suas súplicas. Os leões rugem e procuram; muitos são mentirosos diante de Deus, e rugem, mas jamais buscam. Como é consolador o pensamento de que o Espírito traduz a voz de um leão e descobre que é um pedido a Deus, por alimento! Que nós não esperemos que nossos pobres clamores e gemidos, que em nossa tristeza nós chamamos de "palavras do meu bramido" (Sl 22.1) sejam compreendidos por Ele e interpretados a nosso favor. Evidentemente, Ele considera o significado mais do que a música, e lhe atribui a melhor interpretação.

22. *"Nasce o sol."* Cada noite tem a sua manhã, para fazer o dia. Não fosse porque vemos o sol tão frequentemente, nós pensaríamos que é o maior dos milagres, e a mais assombrosa das bênçãos.

"Logo se recolhem e se deitam nos seus covis." Desta maneira, estão fora do caminho do homem, e ele raramente os encontra, a menos que deseje. Os guerreiros da floresta se retiram a seus aposentos, quando se ouve o tambor da manhã, encontrando nos recessos de seus covis uma escuridão apropriada para seu sono; ali eles se deitam e digerem seu alimento, pois Deus destinou, até mesmo a eles, a sua porção de descanso e prazer. Houve alguém que, neste aspecto, era mais pobre do que leões e raposas, pois não tinha onde reclinar a cabeça; todos tiveram provisões, exceto o seu Provedor encarnado. Bendito Senhor, tu te curvaste abaixo das condições dos animais, para exaltar homens piores do que animais!

É assombroso como o Senhor controla o mais feroz dos animais, com muito mais facilidade do que o pastor controla as suas ovelhas. Ao cair da noite, eles se separam, e seguem, cada um deles, com a missão misericordiosa de acabar com a infelicidade dos doentes e decrépitos, entre os animais herbívoros. Os mais jovens destes animais, sendo rápidos, facilmente escapam, e são beneficiados pelo exercício, e, na maioria, somente são alcançados e mortos aqueles cuja vida teria trazido agonia prolongada. De modo que os leões são mensageiros de misericórdia, e são tão enviados de Deus como o cão de caça é enviado pelo homem, em suas missões. Mas estes poderosos caçadores não devem estar sempre em ação; eles devem ser enviados de volta às suas tocas quando o homem entra em cena. Quem reunirá estas ferozes criaturas e as encerrará? Quem as acorrentará e as fará inofensivas? O sol é suficiente para isto. Ele é o verdadeiro domador de leões. Eles se reúnem, como se fossem ovelhas, e em seus próprios retiros eles se mantêm prisioneiros, até que a volta da escuridão lhes dê permissão para outra saída. Por meios simplesmente majestosos, os propósitos divinos se cumprem. De igual maneira, os demônios estão sujeitos ao nosso Senhor Jesus, e pelo simples acender da luz do Evangelho estes demônios ruidosos são expulsos do mundo. Não há necessidade de milagres nem exibições de poder físico, o Sol da Justiça nasce, e o diabo e os falsos deuses, e as superstições e os erros dos homens, todos procuram seus esconderijos nos lugares escuros da terra entre as toupeiras e os morcegos.

23. *"Sai o homem."* É a vez do homem, agora, e o sol preparou as coisas para ele. Ele deixa o seu confortável sofá e os confortos do lar, para encontrar o seu alimento diário; este trabalho é bom para ele, pois o mantém longe do mau comportamento, e o faz exercer as suas faculdades.

"Para a sua lida e para o seu trabalho, até à tarde." Ele não sai para se divertir, mas para trabalhar; não para matar o tempo, mas para trabalhar; pelo menos, esta é a sina da melhor parte da humanidade. Nós somos feitos para trabalhar, e devemos trabalhar, e não devemos jamais reclamar porque isto nos é indicado. As horas de trabalho, no entanto, não devem ser longas demais. Se o trabalho durar o horário normal da luz do dia, isto certamente será tudo o que qualquer homem deverá esperar do dia seguinte. No entanto, há pobres criaturas que são tão mal pagas que em doze horas não conseguem ganhar o pão suficiente para afastar de si a fome. Que vergonha para aqueles que ousam afligir assim mulheres e crianças indefesas. O trabalho noturno também deve ser evitado, tanto quanto possível. Há doze horas em que um homem deve trabalhar; a noite é destinada para o descanso e o sono.

A noite, então, como o dia, tem a sua voz de louvor. É mais suave, porém não é menos verdadeira. A lua acende um solene silêncio de adoração entre os abetos, através dos quais o vento da noite sopra suavemente os "cânticos sem palavras". De vez em quando se ouve um som, que, embora simples durante o dia, parece, entre as sombras, assustador e estranho, como se a presença do desconhecido tivesse enchido o coração de tremor, e fizesse com que se percebesse a influência do Infinito. A imaginação desperta; a incredulidade considera inamistosos o silêncio e a solenidade; a fé olha para os céus acima dela e vê coisas celestiais mais claramente na ausência do sol, e a adoração se curva diante do Grande Invisível! Há aqueles que se mantêm despertos nas vigílias noturnas, e o aroma da sua presença é sentido por muitos peregrinos, em meio à solidão da natureza. Deus também está atento durante a noite toda, e a glória que Ele mantém oculta é frequentemente sentida como sendo maior do que a que Ele revela. Bendize, ó minha alma, ao Senhor.

24 *Ó Senhor, quão variadas são as tuas obras! Todas as coisas fizeste com sabedoria; cheia está a terra das tuas riquezas.*
25 *Tal é este vasto e espaçoso mar, onde se movem seres inumeráveis, animais pequenos e grandes.*
26 *Ali passam os navios; e o leviatã que formaste para nele folgar.*
27 *Todos esperam de ti que lhes dês o seu sustento em tempo oportuno.*
28 *Dando-lho tu, eles o recolhem; abres a tua mão, e enchem-se de bens.*
29 *Escondes o teu rosto, e ficam perturbados; se lhes tiras a respiração, morrem e voltam ao próprio pó.*
30 *Envias o teu Espírito, e são criados, e assim renovas a face da terra.*

24. *"Ó Senhor, quão variadas são as tuas obras!"* Elas não são apenas muitas, em número, mas múltiplas, em variedade. Minerais, vegetais, animais – que variedade de obras é sugerida por estes três substantivos! Não há dois da mesma classe que sejam exatamente iguais, e as classes são mais numerosas do que a ciência pode computar. Obras nos céus no alto, e na terra abaixo, e nas águas debaixo da terra; obras que permanecem pelos séculos, obras que chegam à perfeição e que desaparecem em um ano; obras que, com toda a sua beleza, não vivem um dia; obras dentro de obras, e obras dentro delas – quem pode citar uma em mil? Deus é o grande trabalhador e ordenador da variedade. Nós devemos estudar as suas obras, pois elas são grandiosas, e selecionadas para todos aqueles que sentem prazer nelas. O reino da graça contém muitas obras, sim, e obras tão grandiosas quanto as do reino da natureza; mas somente os escolhidos do Senhor são capazes de discerni-las.

"Todas as coisas fizeste com sabedoria", ou *operaste*. Todas são suas obras, realizadas pelo seu poder, e todas exibem a sua sabedoria. Foi sábio fazê-las – nenhuma podia ser evitada; cada elo é essencial para a cadeia da natureza – os animais selvagens, tanto quanto os homens; e os venenos, às vezes tão cheirosos quanto as ervas aromáticas. Elas são criadas sabiamente – cada uma se encaixa no seu lugar, o preenche e é feliz ao fazer isso. Como um todo, "toda" a criação é uma sábia realização, e ainda que possa ser acidentada, com mistérios e nublada com terrores, tudo trabalha em conjunto para o bem, e como uma completa e harmoniosa obra de artefato, corresponde à finalidade do grande Trabalhador.

"Cheia está a terra das tuas riquezas." Não é um casebre, mas um palácio; não é um faminto casebre em ruínas, mas uma casa bem abastecida. O Criador não colocou suas criaturas em uma morada onde a mesa é escassa, e o bufê está vazio; Ele encheu a terra de comida; e não apenas com o imprescindível, mas com *riquezas* – guloseimas, luxos, belezas, tesouros. Nas entranhas da terra há minas escondidas de riqueza, e na sua superfície há colheitas abundantes. Todas estas riquezas são do Senhor; nós não devemos chamá-las de "riquezas das nações", mas de "tuas riquezas". Ó Senhor! Estas riquezas de Deus não são encontradas em um único clima, mas em todas as terras – até mesmo o oceano Ártico tem as suas coisas preciosas, para cuja obtenção os homens suportam muitas dificuldades, e o sol escaldante do Equador amadurece uma produção que dá sabor ao alimento de toda a humanidade. Se a sua casa, aqui em baixo, está tão cheia de riquezas, como deve ser a sua casa lá em cima, onde

> "As próprias ruas são pavimentadas com ouro
> tremendamente claro e puro?"

25. *"Tal é este vasto e espaçoso mar."* O salmista dá um exemplo do imenso número e variedade das obras do Senhor, apontando para o mar. "Olhe", diz ele, "para este oceano, que se estende dos dois lados e abraça tantas terras, ele também está cheio de vida animal, e nas suas profundezas há tesouros incontáveis". Os pagãos consideravam o mar como uma província diferente da terra, e atribuíam o seu comando a Netuno; mas nós sabemos, com certeza, que o Senhor é quem controla as suas ondas.

"Onde se movem seres inumeráveis, animais pequenos e grandes"; entenda *coisas que se movem, e animais pequenos e grandes*, e terá o sentido correto. O número de formas minúsculas de vida animal está, na verdade, além de qualquer contagem: quando uma única onda fosforescente pode gerar milhões de criaturas unicelulares, e ao redor de um fragmento de rocha podem se ajuntar exércitos de seres microscópicos, nós renunciamos a qualquer ideia de aplicar a aritmética a estes casos. O mar, em muitas regiões, parece estar todo vivo, como se cada gota fosse um mundo. Estas criaturas minúsculas não são os únicos ocupantes do mar, pois ele contém mamíferos gigantescos que têm maior tamanho do que aqueles que se estendem pela terra, e um vasto exército de enormes peixes que vagam entre as ondas, e se escondem nas cavernas do mar, como o tigre espreita na selva ou o

leão perambula pela planície. Verdadeiramente, ó Senhor, tu fazes com que o mar seja tão rico, nas obras das tuas mãos, como a própria terra.

26. *"Ali passam os navios."* De modo que o oceano não está totalmente desprovido de humanidade. É a estrada das nações e, em lugar de dividir, une as terras distantes. *"E o leviatã que formaste para nele folgar."* A gigantesca baleia faz do mar o seu parque de diversões, e brinca, como Deus designou que ela deveria fazer.

A ideia desta assombrosa criatura fez com que o salmista adorasse o poderoso Criador que o criou, o formou para o seu lugar, e o fez feliz nisto. Os nossos mapas antigos, de modo geral, detratam um navio e uma baleia no mar, e assim mostram que é muito natural, e também poético, conectá-los com a menção do oceano.

27. *"Todos esperam de ti."* Eles se colocam ao teu redor, como aves ao redor da porta do fazendeiro, na hora da comida, e olham para cima com expectativa. Homens ou marmotas, águias ou formigas, baleias ou peixinhos, todos, de igual maneira, dependem dos teus cuidados.

"Que lhes dês o seu sustento em tempo oportuno"; isto é, quando necessitam dele, e quando ele está preparado para eles. Deus tem o seu tempo para todas as coisas, e não alimenta as suas criaturas aos trancos e barrancos: Ele lhes dá o pão diário, e uma quantidade proporcional às suas necessidades. Isto é tudo o que qualquer um de nós deve esperar; se até mesmo os animais se satisfazem com a suficiência, não devemos ser mais ambiciosos do que eles.

28. *"Dando-lho tu, eles o recolhem."* Deus dá, mas eles precisam recolher, e ficam felizes porque Ele dá, pois de outra maneira seria inútil o recolher! Nós nos esquecemos, frequentemente, de que os animais e os pássaros, na sua vida livre, têm de trabalhar para obter alimento, como nós; e é verdade, tanto com eles como conosco, que o nosso Pai celestial alimenta a todos. Quando nós vemos as galinhas apanhando o milho que a dona de casa lhes espalha do seu colo, temos um exemplo adequado da maneira como o Senhor supre as necessidades de todos os seres vivos – Ele dá e eles recolhem.

"Abres a tua mão, e enchem-se de bens." Aqui a liberalidade divina, com sua mão aberta, enche as criaturas necessitadas, até que não queriam mais nada; e aqui a complacência divina alimenta um mundo, simplesmente abrindo a sua mão. O que deveríamos fazer, se esta mão se fechasse? Não haveria necessidade de desferir um golpe sequer, o mero fechar da mão produziria a morte pela fome. Vamos louvar ao Senhor generoso, cuja providência e graça satisfazem as nossas bocas com boas coisas.

29. *"Escondes o teu rosto, e ficam perturbados."* Tão dependentes são todos os seres vivos do sorriso de Deus, que um olhar de repreensão os enche de terror, como se estivessem estarrecidos com angústia. É assim no mundo natural, e certamente não é diferente no espiritual: os santos, quando o Senhor esconde o seu rosto, estão em terrível perplexidade.

"Se lhes tiras a respiração, morrem e voltam ao próprio pó." A respiração parece ser uma questão insignificante; e o ar, que por muitos é considerado uma substância impalpável de pequena importância, se for retirado, causa um grande problema: o corpo perde toda a vitalidade e se desfaz voltando à terra de que foi tomado originalmente. Todos os animais estão sujeitos a esta lei, e nem mesmo os habitantes do mar estão isentos dela. Assim, toda a natureza é dependente da vontade do Eterno. Observe aqui que a morte é causada pelo ato de Deus: "*se lhes tiras* a respiração"; nós somos imortais, até que Ele nos mande morrer, e assim são até mesmo os pequenos pardais, que não caem ao solo sem o consentimento do nosso Pai.

30. *"Envias o teu Espírito, e são criados, e assim renovas a face da terra."* A perda da sua respiração os destrói, e pelo sopro do Senhor uma nova raça é criada. As

obras do Senhor são majestosamente simples, e são realizadas com facilidade real – um sopro cria, e a sua retirada destrói. Se lermos a palavra *espírito* como a temos na nossa versão, isto também nos será instrutivo; pois nós vemos o Espírito Divino criando a vida na natureza, assim como o vemos no reino da graça. No dilúvio, o mundo foi destituído praticamente de toda a vida, mas logo o poder de Deus voltou a encher os lugares desolados! No inverno, a terra cai em um sono que a faz parecer desgastada e velha, mas o Senhor a desperta prontamente com a voz da primavera, e faz com que ela vista de novo a beleza da sua mocidade. Tu, Senhor, fazes todas as coisas; assim, toda a glória seja ao teu nome.

31 *A glória do SENHOR seja para sempre! Alegre-se o Senhor em suas obras!*
32 *Olhando ele para a terra, ela treme; tocando nos montes, logo fumegam.*
33 *Cantarei ao SENHOR enquanto eu viver; cantarei louvores ao meu Deus, enquanto existir.*
34 *A minha meditação a seu respeito será suave; eu me alegrarei no SENHOR.*
35 *Desapareçam da terra os pecadores, e os ímpios não sejam mais.*
Bendize, ó minha alma, ao SENHOR. Louvai ao SENHOR.

31. *"A glória do Senhor seja para sempre."* As suas obras podem desaparecer, mas não a sua glória. Ainda que fosse somente pelo que Ele já fez, o Senhor merece ser louvado incessantemente. A sua existência e o seu caráter asseguram que Ele é e continuará sendo glorioso mesmo que todas as criaturas estejam mortas.

"Alegre-se o Senhor em suas obras." Ele o fez no princípio, quando descansou no sétimo dia, e viu que tudo era bom; Ele ainda o faz, até certo ponto em que a beleza e a pureza na natureza ainda sobrevivem à Queda, e Ele o fará mais completamente quando a terra for renovada e o rastro da serpente estiver eliminado do globo. Este versículo está escrito de uma maneira extremamente entusiasmada. O poeta encontra seu coração alegre por contemplar as obras do Senhor, e ele sente que o próprio Criador deve ter sentido um prazer indescritível ao exercer tanta sabedoria, bondade e poder.

32. *"Olhando ele para a terra, ela treme."* O Senhor que exibiu graciosamente o seu poder em atos e obras de bondade poderia, se o tivesse julgado apropriado, nos ter esmagado com os terrores da destruição, pois com um olhar seu a terra sólida treme de medo.

"Tocando nos montes, logo fumegam." Todo o Sinai fumegava quando o Senhor desceu sobre ele. Foi apenas um toque, mas foi suficiente para fazer com que a montanha se dissolvesse em chamas. O nosso Deus é um fogo consumidor. Ai daqueles que provocarem a sua desaprovação, eles perecerão com o toque da sua mão. Se os pecadores não fossem totalmente insensíveis, um olhar do Senhor os faria tremer e o toque da sua mão na aflição inflamaria seus corações de arrependimento. "Todas as coisas mostram algum sinal de razão", exceto o coração insensível do homem.

33. *"Cantarei ao Senhor enquanto eu viver"*, ou, literalmente, *em todas as fases da minha vida*. Aqui e no futuro, o salmista continuaria a louvar o Senhor, pois o tema é infindável, e permanece sempre novo. Os pássaros cantavam os louvores de Deus antes que os homens fossem criados, mas os homens redimidos cantarão as suas glórias quando não existirem mais pássaros. O Senhor, que vive para sempre e nos faz viver será para sempre exaltado, e enaltecido nos cânticos dos homens redimidos.

"Cantarei louvores ao meu Deus, enquanto existir." Uma resolução feliz para si mesmo, e, ao mesmo tempo, que glorifica ao Senhor. Observe o doce título – *meu Deus*. Nós nunca cantamos tão bem como quando sabemos que temos um interesse nas boas coisas sobre as quais cantamos, e um relacionamento com o Deus a quem louvamos.

34. *"A minha meditação a seu respeito será suave."* Suave e doce, tanto para mim como para Ele. Eu me alegrarei, desta maneira, ao examinar as suas obras e pensar

na sua pessoa, e Ele graciosamente aceitará as minhas observações de louvor. A meditação é a alma da religião. É a árvore da vida, no meio do jardim da piedade, e o seu fruto é muito revigorante à alma que dele se alimenta. E é tão boa para o homem como é boa para o Deus. Assim como a gordura do sacrifício era a porção do Senhor, também as nossas melhores meditações são devidas ao Altíssimo e são totalmente aceitáveis a Ele. Nós devemos, portanto, tanto para o nosso próprio bem quanto para a honra do Senhor, nos ocupar com a meditação, e esta meditação deve principalmente ser sobre o próprio Senhor: deve ser "meditação *sobre Ele*". Pela falta desta meditação, se perde muita comunhão e muita felicidade.

"*Eu me alegrarei no Senhor*". Para a mente que medita, cada pensamento a respeito de Deus é repleto de alegria. Cada um dos atributos divinos é uma fonte de alegria, por que, em Cristo Jesus, nós somos reconciliados com Deus.

35. "*Desapareçam da terra os pecadores, e os ímpios não sejam mais.*" Eles são as únicas máculas da criação.

"Cada detalhe agrada,
E somente o homem é vil."

Em santa indignação, o salmista de bom grado livraria o mundo de seres tão vis a ponto de não amar seu gracioso Criador, tão cegos a ponto de se rebelar contra o seu Benfeitor. Ele apenas pede aquilo que os homens justos esperam no fim da história, pois deve ser eminentemente desejado o dia em que, em todo o reino de Deus, não permanecerá sequer um único traidor ou rebelde. A maneira cristã de expressar isto será pedir que a graça possa converter os pecadores em santos, e conquistar os ímpios para os caminhos da verdade.

"*Bendize, ó minha alma, ao Senhor.*" Aqui está o fim da questão – seja o que for que os pecadores façam, tu, minha alma, sê fiel à tua bandeira e fiel ao teu chamado. O silêncio deles não deve te silenciar; mas, na verdade, te provocar a oferecer ao precioso e bendito Senhor um louvor redobrado, para compensar as falhas deles. A nossa alma não pode realizar este trabalho sozinha; outros devem vir ajudá-la. Vós, santos, "*Louvai ao Senhor*". Que os vossos corações clamem Aleluia – pois esta é a palavra em hebraico. Que palavra celestial! Que ela conclua o salmo, pois o que mais há para ser dito ou escrito? Aleluia. *Louvai ao Senhor.*

NOTAS EXPLICATIVAS E DECLARAÇÕES SINGULARES

O Salmo: Este Salmo é um inspirado "Oratório da Criação". – *Christopher Wordsworth*

O Salmo: O Salmo é aprazível, doce e instrutivo, e nos ensina as visões mais firmes da natureza (*la más sana física*) e o melhor método para seguir o seu estudo, ou seja, admirando com um olho as obras de Deus, e com o outro, o próprio Deus, seu Criador e Preservador. – *Sanchez, citado por Perowne*

O Salmo: Quase se pode dizer que este único Salmo representa a imagem de todo o cosmos. Nós nos assombramos por encontrar um poema lírico de abrangência tão limitada, todo o universo – os céus e a terra – delineados com alguns poucos toques ousados. O trabalho calmo e cansativo do homem, desde o nascer até o pôr-do-sol, quando o seu trabalho diário é concluído, é aqui contrastado com a vida em movimento dos elementos da natureza. Este contraste e generalização na concepção da ação mútua de fenômenos naturais, e esta retrospecção de um poder invisível e onipresente, que pode renovar a terra ou destruí-la a pó, constituem uma forma solene e exaltada, e não inflamada nem gentil, de criação poética. – *A. Von Humboldt, "Cosmos"*

O Salmo: Os seus toques são, na verdade, poucos e rápidos – mas como são abrangentes e sublimes! É Deus? – "Ele cobre-se de luz como de uma veste", e, quando Ele anda, é sobre "as asas do vento". Os ventos ou relâmpagos? – São seus mensageiros ou anjos: "Não nos pares", parecem dizer; "os assuntos do Rei exigem pressa". As águas? – O poeta as mostra em inundação, cobrindo a face da terra, e então, como estão agora, limitadas dentro de suas margens, para não mais irromper, para sempre. As fontes? – Ele as examina, com um olhar inspirado, correndo entre as montanhas, quando dão de beber às criaturas selvagens e solitárias do deserto, quando nutrem os galhos sobre os quais cantam os pássaros, a erva, de que se alimenta o gado, a verdura, o trigo, a oliveira, a videira, que enchem a boca do homem, alegram seu coração e fazem brilhar o seu rosto. A seguir, ele examina todos os objetos altos – as árvores do Senhor no Líbano, "satisfeitas" – as faias e as cegonhas sobre elas – os altos montes, com suas cabras monteses – e as rochas com seus coelhos. A seguir, ele voa até os corpos celestes – o sol e a lua. Então, ele abre suas asas na escuridão da noite, que "não se esconde dele" e ouve os animais da floresta saindo para procurar as suas presas, e o rugir dos leões a Deus, pedindo alimento, subindo nos ventos da meia-noite. A seguir, quando ele vê as sombras e os animais fugindo juntos, em pressa competitiva, da presença do sol da manhã e do homem, forte e calmo na sua luz como no sorriso de Deus, apressando-se para o seu trabalho, o salmista exclama: "Ó Senhor, quão variadas são as tuas obras! Todas as coisas fizeste com sabedoria!" Ele lança, então, um olhar para o oceano – um exame dos navios que ali estão, o leviatã que brinca ali; e então examina as incontáveis criaturas, pequenas e grandes, que são encontradas nas profundezas deste véu de águas. Ele vê, a seguir, todos os seres, povoando igualmente a terra e o mar, esperando a vida e o alimento ao redor da mesa do seu Mestre Divino – não esperando em vão – até que Ele esconde o seu rosto, e eles se perturbam, morrem e desaparecem no caos e na noite. A seguir, um relance da grande ressurreição da natureza e do homem passa pelos seus olhos. "Envias o teu Espírito, e são criados, e assim renovas a face da terra". Mas ainda se segue uma verdade maior, e forma o clímax do Salmo – (uma verdade que Humboldt, com toda a sua admiração pelo salmo, não percebe, e que dá um tom cristão ao conjunto) – *"Alegre-se o Senhor em suas obras"*. Ele contempla um cosmos ainda mais perfeito. Ele irá fazer "desaparecer os pecadores" e o pecado deste belo universo: e então, quando o homem for totalmente merecedor da sua morada, diz Deus, tanto a respeito da morada quanto do homem, com uma ênfase ainda mais profunda do que quando o disse pela primeira vez, e sorrindo ao mesmo tempo, Ele mostrará um sorriso mais caloroso e mais suave: "É muito bom". E com uma recomendação de bendizer ao Senhor, o poeta conclui este cântico quase angelical das obras da natureza, da glória de Deus e das perspectivas do homem. Não foi meramente a unidade do Cosmos que ele exibiu nele, mas a sua progressão, conectada com o progresso correspondente do homem – a sua total dependência de uma Mente Infinita – o "propósito crescente" que o acompanha – e a sua purificação final, quando ele se abrirá na "flor brilhante e perfeita" do novo céu e da nova terra, "onde habita a justiça" – este é o peso real e a glória peculiar do Salmo 104. – *George Gilfillan, "The Bards of the Bible"*

O Salmo: É uma circunstância singular na composição deste salmo, o fato de que cada uma das partes do primeiro refrão, depois da primeira, começa com um particípio. E estes particípios são acusativos, e concordam com יְהוָה, o objeto do verbo בָּרְכִי, no início do salmo. Bendize – cobre-se – estende – põe – faz – anda – faz – lançou – fazes rebentar – regas – faz – faz. Assim, este verbo transitivo no início do salmo, estendendo a sua regência pelas partes sucessivas do mesmo refrão, exceto a última, une todas as partes em um único e grande período. – *Samuel Horsleg*

O Salmo: Quanto aos detalhes – as seções que intervêm entre os versículos 2 e 31 – podem ser interpretados como uma meditação sobre a criação e a primeira "ordenação do mundo", como contrapartida e prenúncio da nova e restaurada ordem no grande sábado ou período milenar, ou, pode ser, estão, na verdade, descrevendo isto – começando com a vinda do Senhor nas nuvens do céu (v. 3, com Sl 18.9-11), acompanhado dos "anjos do seu poder" (v. 4 com 2 Ts 1.7, *Gr.*); seguido do "estabelecimento" da terra, para não mais ser "movida" nem "agitada" pelas convulsões e perturbações que o pecado causou: depois disto, a natureza é exibida na perfeição da sua formosura – todas as coisas correspondendo à finalidade da sua criação: todas as ordens do mundo animal em harmonia, umas com as outras, e todas em paz com o homem; todas sustentadas pela variada produção da terra, não mais amaldiçoada, mas abençoada, e novamente feita frutífera por Deus, "de quem todos esperam... que abre a sua mão e os enche de bens"; e toda a sua bondade encontrando o seu devido reconhecimento por parte das suas criaturas, que se unem em coro para louvá-lo e dizer: "Ó Senhor, quão variadas são as tuas obras! Todas as coisas fizeste com sabedoria; cheia está a terra das tuas riquezas. Aleluia". – *William De Burgh*

v. 1: "Bendize, ó minha alma, ao Senhor". O trabalho de um bom homem é, em grande parte, interno, isto é, ele se ocupa mais da sua própria alma do que com o mundo; ele jamais estará sozinho, enquanto tiver Deus e o seu próprio coração para conversar. – *John Trapp*

v. 1: Com que reverência e santo respeito o salmista inicia a sua meditação com este reconhecimento! "*Senhor, Deus meu, tu és magnificentíssimo*"; e é a alegria dos santos o fato de que aquele que é o seu Deus é um grande Deus: a grandeza do príncipe é o orgulho e a alegria de todos os seus bons súditos. – *Matthew Henry*

v. 1: "Estás vestido de glória e de majestade". Isto é, como diz Jerônimo, Estás adornado com magnificência e esplendor; tu és reconhecido como glorioso e ilustre pelas tuas obras, assim como o homem pelas suas vestes. Assim, está claro que a grandeza aqui celebrada não é a intrínseca mas a grandeza exterior ou revelada de Deus. – *Lorinus*

vv. 1 a 4: Cada alma criada, redimida, regenerada, é impelida a louvar ao Senhor, o Criador, Redentor, Santificador; pois este Deus Filho, que, no início, criou os mundos, e cuja graça está sempre realizando o seu trabalho, para o seu perfeito fim, pela operação do Espírito Santo, foi revelado diante de nós na sua suprema glória. Ele, como o eterno sumo sacerdote, vestiu o Urim e o Tumim da majestade e honra, e se revestiu de luz, como um sacerdote se veste com suas vestes santas: o seu esplendor sobre o monte da transfiguração foi apenas um vislumbre passageiro do que Ele é agora, sempre foi e sempre será. Ele é a Luz verdadeira, por isto seus anjos são os anjos da luz, seus filhos são os filhos da luz, a sua doutrina é a doutrina da luz. O universo é o seu tabernáculo; os céus, visíveis e invisíveis, são as cortinas que envolvem o seu santuário. Ele lançou as vigas e fundações do seu santo dos santos, muito elevadas, muito acima das águas que estão acima do firmamento. As nuvens e os ventos do céu inferior são o seu carro, sobre o qual Ele estava quando ascendeu a partir do monte das Oliveiras, sobre o qual Ele se assentará quando vier outra vez. – *"Plain Commentary"*

v. 2: "Ele cobre-se de luz como de uma veste". Ao comparar *a luz* com que descreve Deus *vestido* com *"uma veste"*, o salmista indica que, embora Deus seja invisível, a sua glória é suficientemente visível. Com respeito à sua essência, Deus sem dúvida habita na luz que é inacessível; mas como Ele irradia o mundo inteiro com seu esplendor, esta é a veste em que Ele, que se esconde em Si mesmo, aparece para nós de uma maneira visível. O conhecimento desta verdade é de suma importância. Se os homens tentarem alcançar a altura infinita à qual Deus é exaltado ainda que voem acima das nuvens, deverão cair, no meio do seu caminho. Aqueles que procuram vê-lo na sua majestade nua certamente são muito tolos. Para que possamos desfrutar da visão dele, Ele deve se manifestar em suas vestes; isto é, nós devemos dirigir nossos olhos ao maravilhoso tecido do mundo em que Ele deseja ser visto por nós, e não ser curiosos em excesso e buscar vê-lo na sua essência secreta. Uma vez que Deus se apresenta a nós vestido em luz, aqueles que procuram pretextos para viver sem o conhecimento dele não podem alegar, como desculpa de sua preguiça, que Ele está escondido em profunda escuridão. Quando está escrito que *os céus são como uma cortina*, isto não quer dizer que, por trás dela, Deus se esconda, mas que, por ela, a sua majestade e a sua glória são exibidas, sendo, de certa forma, o seu pavilhão real. – *João Calvino*

v. 2: "De luz". A primeira criação de Deus nos trabalhos dos dias foi a luz dos sentidos; a última foi a luz da razão; e o seu trabalho do Sábado, desde então, é a iluminação do espírito. – *Francis Bacon v. 2:* "Estende os céus como uma cortina". É comum no oriente, no verão, e em todas as ocasiões, quando se espera a visita de um grupo, ter o pátio da casa protegido do calor do clima por um guarda-chuva ou véu, que estendido em cordas de um lado do parapeito ao outro, pode ser dobrado ou desdobrado, conforme se desejar. O salmista parece aludir a alguma cobertura deste tipo na bela expressão *estende os céus como uma cortina. – Kitto, "Pictorial Bible"*

v. 2: "Como uma cortina". Com a mesma facilidade, meramente pela sua palavra, com que um homem estende a cortina de uma tenda, Isaías 54.2. Isaías 40.22 é paralela: "que estende os céus como cortina e os desenrola como tenda para neles habitar". O versículo 3 continua a descrição do trabalho do segundo dia. Ali estão, na primeira parte, as palavras de Gênesis 1.7, 7: "E fez Deus a expansão e fez separação entre as águas que estavam debaixo da expansão e as águas que estavam sobre a expansão". As águas sobre a expansão são os materiais com que, ou de que, a estrutura é edificada. Edificar das águas móveis um palácio firme, o céu nublado, "firmes como espelho fundido" (Jó 37.18), é uma obra magnífica de onipotência divina. – *E. W. Hengstenberg*

v. 2: "Como uma cortina". Como os hebreus concebiam o céu como um templo e palácio de Deus, este azul sagrado era, ao mesmo tempo, o piso da sua morada, e o telhado da nossa. Mas eu penso que os que moravam em tendas amavam ainda mais a figura da tenda celestial. Eles representam Deus como estendendo-a diariamente, e prendendo-a na extremidade do horizonte às colunas do céu, os montes: ela é, para eles, uma tenda de segurança, de descanso, de hospitalidade paterna, em que Deus vive com suas criaturas. – *Herder, citado por Perowne*

v. 3: A representação metafórica de Deus, como *pondo nas águas os vigamentos das suas câmaras* parece, de certa forma, difícil de entender; mas este era o desígnio do profeta, de algo incompreensível para nós, nos impressionar com a maior admiração. A menos que os *vigamentos* sejam substanciais e fortes, não serão capazes de sustentar nem mesmo o peso de uma casa comum. Quando, portanto, Deus faz das águas a fundação do seu palácio celestial, quem pode evitar se maravilhar com um milagre tão maravilhoso? Quando nós levamos em consideração a nossa lentidão de percepção, estas expressões hiperbólicas não são, de maneira alguma, supérfluas; pois é com dificuldade que elas nos despertam e capacitam a obter um conhecimento de Deus, mesmo que ligeiro ou superficial. – *João Calvino*

v. 3: "Põe nas águas os vigamentos das suas câmaras", ou "que coloca as suas câmaras superiores acima das águas". A sua câmara superior (as pessoas orientais costumavam se retirar para a câmara superior quando desejavam solidão) é edificada em éter na fina fundação das nuvens de chuva. – *A. F. Tholuck*

v. 3: "Põe... os vigamentos", etc. "Ele faz o solo das suas câmaras com águas", isto é, as nuvens fazem o piso dos seus céus. – *Zachary Mudge*

v. 3: "E anda sobre as asas do vento"; veja Salmos 18.10; que é indicativo da sua rapidez em vir para ajudar o seu povo em ocasiões de necessidade; que ajuda, e logo, e pode perfeitamente ser aplicado tanto à primeira quanto à segunda vinda de Cristo, que veio saltando sobre os montes, pulando sobre os outeiros, quando veio pela primeira vez; e, quando Ele vier pela segunda vez, será semelhante ao gamo ou ao filho dos corços sobre os montes dos aromas (Ct 2.8, e 8.14). O Targum diz: "sobre as nuvens velozes, como as asas de uma águia"; consequentemente, talvez, os pagãos tenham uma noção de que Júpiter seja levado em um carro pelo ar, quando há trovões e relâmpagos. – *John Gill*

v. 3: "E anda sobre as asas do vento". Nestas palavras há uma elegância sem igual; não, Ele *corre* – nem Ele *passa rapidamente*, mas – Ele *anda*; e isto *sobre as asas do vento*; no mais impetuoso elemento, levado à máxima fúria, e movendo-se com incrível rapidez. Nós não podemos ter uma ideia mais sublime sobre a Divindade; serenamente, andando sobre um elemento de velocidade inconcebível, e, como nos parece, incontrolável impetuosidade! – *James Hervey, 1713/14-1758 v. 4:* "Faz dos ventos seus mensageiros". Alguns traduzem isto como *Que faz dos seus anjos os ventos,* aos quais podem ser comparados, pela sua invisibilidade, pois não são vistos, não mais do que o vento, a menos que assumam uma forma exterior; e pela sua entrada nos corpos de uma maneira muito surpreendente; veja Atos 12.6-10; e pela sua grande força e poder, sendo anjos poderosos, e descritos como magníficos em poder (Sl 103.20); e pela sua rapidez em obedecer às ordens divinas; segundo o Targum, "Ele faz seus mensageiros, ou anjos, velozes como o vento". – *John Gill*

v. 4: "Faz dos ventos seus mensageiros". As palavras *"criando os seus anjos como espíritos"* podem significar: "criando-os como seres espirituais, e não materiais", ou "criando-os como ventos" – *isto é,* como os ventos, invisíveis, rápidos em seus movimentos e capazes de produzir grandes efeitos. A segunda interpretação parece destacada pelo paralelismo – "*dos seus ministros*" – ou "servos" – que são claramente como seus anjos – *"um fogo abrasador"*, isto é, como o relâmpago. A declaração aqui feita sobre os anjos parece ser a seguinte: "São seres criados, que, nas suas qualidades, trazem uma semelhança com os ventos e o relâmpago".

O argumento deduzido por Paulo, em Hebreus 2.7, com base nesta declaração da inferioridade dos anjos é direto e poderoso – Ele é o Filho; eles são criaturas de Deus. *"Unigênito"* é a descrição da existência de Cristo; *criados,* é a descrição da existência dos anjos. "*Todos* os poderes que os anjos possuem são poderes transmitidos; e ainda que possam estar em posição elevada na escala da criação, é esta escala em que estão, o que os coloca infinitamente abaixo do precioso e bendito Senhor Jesus Cristo, que é o Filho de Deus, sendo, portanto, Deus, e estando então acima de todos, sendo bendito para sempre". – *John Brown, "An Exposition of the Epistle to the Hebrews"*

v. 4: "Um fogo abrasador". O fogo expressa poder irresistível, santidade imaculada, e emoção ardente. É notável que o serafim, pelo menos uma classe destes ministros, tenha o seu nome derivado de uma raiz que significa queimar; e o altar, de onde um deles tomou a brasa viva (Is 6.6), é o símbolo da mais elevada forma de amor santo. – *James G. Murphy, "A Commentary on the Book of Psalms", 1875*

v. 5: "Para que não vacile em tempo algum". A estabilidade da terra é de Deus, tanto quanto a sua existência. Houve muitos terremotos ou movimentos de terra, em várias partes da terra, mas o conjunto global jamais se moveu mais do que a espessura de um fio de cabelo, desde que as suas fundações foram lançadas. *Arquimedes*, o grande matemático, disse: "Se vocês puderem me dar um lugar onde instalar meu mecanismo, eu removerei a terra". Isto foi uma grande vanglória; mas o Senhor a prendeu de modo muito firme para que o homem a remova. Ele pode fazê-la balançar e tremer, Ele pode movê-la quando quiser; mas Ele nunca a removeu, nem deseja removê-la. Ele lançou as fundações da terra para que não sejam removidas, nem possam ser movidas, exceto segundo o seu prazer; e quando ela se move, em alguma ocasião, é para lembrar aos filhos dos homens de que eles, pelos seus pecados, levaram o Senhor ao desprazer. – *Joseph Caryl*

v. 5: O modo filosófico de declarar esta verdade pode ser visto em *Amédée Guillemin*, em seu trabalho intitulado "The Heavens". "Como é que, embora nós sejamos transportados com uma grande velocidade pelo movimento da terra, nós mesmos não percebemos o nosso movimento? Isto é porque todo o corpo da terra, atmosfera e nuvens, participam do movimento. Esta velocidade constante, com que todos os corpos situados na superfície da terra são animados, seria a causa da mais terrível e geral catástrofe que se poderia imaginar, se, por alguma possibilidade, a rotação da terra cessasse abruptamente. Tal evento seria o precursor da mais devastadora destruição de todos os seres organizados. Mas a constância das leis da natureza nos permite contemplar tal catástrofe sem temor. Está demonstrado que a posição dos pólos de rotação na superfície da terra é invariável. Também já se perguntou se a velocidade da rotação da terra teria mudado, ou, o que significa a mesma coisa, se a duração do dia sideral e do dia solar deduzido teria variado ao longo da história? Laplace respondeu a esta pergunta, e a sua demonstração mostra que ela não variou nem um centésimo de segundo durante os últimos dois mil anos".

vv. 5 a 9:

Deus da terra e do mar,
Lançaste as fundações da terra:
Pelo fato da tua mão a sustentar,
Ela sempre permanece firme.
Uma vez abriste as suas fontes profundas e ocultas,
E logo as águas subiram acima dos montes.

Com tua repreensão, fugiram, à voz do teu trovão,
A inundação deu ouvidos à tua ordem
E recuou apressadamente:
As águas ocupam o lugar que tu lhes designaste,
E nas colinas e vales um canal lhes mostraste.

Um limite estabeleceste, ao qual elas não podem ultrapassar,
Um limite profundo,
com fortes barreiras,
para que as suas águas orgulhosas não mais tragam desolação,
nem varram da terra cada habitação humana.

– John Barton, "The Book of Psalms in English Verse: a New Testament Paraphrase", 1871

vv. 6 a 8: "Estavam", "fugiram", "se apressaram". As palavras do salmo descrevem vividamente o maravilhoso processo original. A mudança dos tempos, também, de passado a presente, nos versículos 6, 7, 8 é expressiva, e pinta o progresso da cena. No versículo 6, *"estavam"* significa estão; no versículo 7, *"fugiram"* seria fogem; e *"se apressaram"* seria se apressam como na P.B.V. – *"The Speaker's Commentary"*

v. 7: "À tua repreensão, fugiram". Aqui, nos vem à mente a famosa descrição de Virgílio, que apresenta Netuno como repreendendo firmemente os ventos, por terem ousado, sem o seu consentimento, transtornar o céu e a terra e levantar ondas tão gigantescas: então, mais rapidamente do que a palavra é dita, ele acalma os mares dilatados, dispersa as nuvens que se haviam ajuntado e traz de volta o sol. – *Lorinus*

v. 7: "À voz do teu trovão, se apressaram"; fugiram com grande pressa: Assim como um servo, quando seu senhor lhe faz uma cara feia e fala com ele de uma maneira ameaçadora, como um trovão, o servo foge dele, para fazer a vontade do seu senhor e realizar o seu trabalho. Este é um exemplo do grande poder de Cristo; e, pelo mesmo poder, Ele removeu as águas do dilúvio, quando elas cobriram a terra e os cumes dos mais altos montes; e repreendeu o Mar Vermelho, e ele se tornou terra seca; e fez recuar as águas do Jordão, para que os israelitas pudessem passar; e também repreendeu o mar da Galileia, quando os seus discípulos estavam angustiados; e com igual facilidade Ele pode e remove a profundeza do pecado e das trevas do seu povo, na conversão; repreende Satanás, e faz recuar as suas tentações, quando ele surge como uma inundação; e ordena que se afastem as águas da aflição, quando elas ameaçam dominar; pois são seus servos, e vêm quando Ele ordena que venham, e se vão, quando Ele assim ordena. – *John Gill*

v. 7: "À voz do teu trovão". É muito provável que Deus empregasse um fluído elétrico como um agente nesta separação. – *Ingram Cobbin*

v. 7: "Se apressaram".
Deus disse.
Reuni-vos, águas sob o Céu,
em um lugar, e que apareça a terra seca.

Imediatamente os gigantescos montes apareceram
e suas costas amplas e nuas se erguem
até as nuvens; seus cumes sobem ao céu:
Tão altas como se erguem as colinas salientes, tão baixas
se afundam a um vazio amplo e profundo,
amplo leito das águas: Para lá,
se precipitaram, com grande pressa,
como gotas sobre o pó da terra:
Parte se ergue, em um muro transparente, ou em um desfiladeiro,
pela pressa: esta fuga, a grande ordem impeliu
nas rápidas ondas: como exércitos ao toque
da trombeta (pois de exércitos, já ouviste)
se colocam em formação, também a turba líquida
onda após onda, onde encontrarem caminho,
se íngreme, com veloz pressa, se pela planície,
baixando suavemente; nem rocha nem monte lhes foi obstáculo;
Mas elas, subterrâneas ou em aberto,
perambulando e serpenteando, encontraram o seu caminho,
E neste trajeto, usaram profundos canais;
Algo fácil, antes que Deus tivesse ordenado que o solo se secasse,
Todo ele, exceto dentro destas margens, onde os rios
agora correm, e traçam perpetuamente a sua trilha inchada.
À terra seca, Ele chamou Terra; e ao grande receptáculo
das águas congregadas, Ele chamou Mares:
E viu que era bom.
– *John Milton*

v. 8: "Subiram aos montes", etc. O Targum diz: "Subiram, das profundezas para os montes"; isto é, as águas, quando saíram do interior da terra, obedecendo às ordens divinas, dirigiram seu curso para o alto dos montes, e depois desceram pelos vales até o lugar designado para elas; elas passaram por colinas e vales, e nada pôde interromper nem retardar o seu curso, até que chegaram ao seu lugar apropriado; o que é outra amostra do poder assombroso do Filho de Deus. – *John Gill*

v. 9: "Limite lhes traçaste", etc. O Mar Báltico, nos nossos tempos, inundou grandes extensões de terra e provocou terríveis danos ao povo flamengo e outras nações vizinhas. Com um exemplo deste tipo nós somos advertidos de qual seria a consequência, se fosse removida a restrição imposta ao mar pela mão de Deus. Como é que não fomos engolidos todos juntos, exceto pelo motivo de que Deus controlou este elemento violento, com a sua palavra? Em resumo, embora a tendência natural das águas seja a de cobrir a terra, isto não acontecerá, porque Deus estabeleceu, pela sua palavra, uma lei que cancela a tendência natural, e, assim como a sua verdade é eterna, esta lei deve permanecer firme. – *João Calvino*

v. 9: "Limite lhes traçaste", etc. Nestas palavras, o salmista nos menciona três coisas que claramente dizem respeito às águas. Em primeiro lugar, que certa vez (ele não está se referindo ao dilúvio, mas ao caos) as águas já tinham coberto a terra, até que Deus, com uma palavra de comando, as enviou a seus canais apropriados, para que a terra seca pudesse aparecer. Em segundo lugar, que as águas têm uma propensão natural de retornar e cobrir a terra outra vez. Em terceiro lugar, que a única razão pela qual elas não retornam e não cobrem toda a terra é que "Deus *lhes traçou limites, que não ultrapassarão*". Elas não conheceriam limites, se Deus não as limitasse e confinasse. A sabedoria mostra similar louvor ao poder de Deus, Provérbios 8.29: "[Ele] punha ao mar o seu termo, para que as águas não trespassassem o seu mando". O que não pode ordenar aquele que envia a sua ordem ao mar, e é obedecido? Alguns grandes príncipes, acalorados com raiva e embriagados de orgulho, lançaram algemas no mar, como que ameaçando-o de aprisionamento e escravidão, caso ele não se aquietasse; mas o mar não se permitiu confinar por eles; eles também determinaram o número de golpes a serem desferidos contra o mar como punição pela sua teimosia e rebelião contra as suas ordens ou os seus desígnios. Quão ridiculamente ambiciosos devem ter sido os que pretendiam ter tal domínio! Muitos príncipes tiveram grande poder sobre o mar e no mar, mas jamais houve algum príncipe que tivesse qualquer poder acima do mar; esta é uma flor que não pertence a nenhuma coroa, exceto à coroa do céu. – *Joseph Caryl*

v. 9: "Limite lhes traçaste", etc. Alguns poucos metros na onda do oceano que faz o seu circuito das marés ao redor do globo, desolaria um número incontável de cidades e regiões... Mas com que controle imutável e seguro Deus definiu os seus limites! Você poderá observar um arbusto ou uma flor, sobre uma margem de vegetação que cobre um penhasco no mar, ou que se pendura em alguma cavidade; ou você poderá marcar uma pedrinha na praia, colocar uma teia de aranha sobre ela; e este vasto, ingovernável, incontrolável, tempestuoso elemento saberá como estipular a umidade do seu spray quando chega à margem, ou ao ponto da sua demarcação, e então retirar as suas forças, sem ter passado uma polegada ou um palmo de mão além da margem indicada. E todo este exato controle e esta medição no movimento do mar, por aquele misterioso poder que vem das insondáveis profundezas do espaço, de astros que se movem no éter! Um poder, por si só, prodigioso, irresistível, invisível, gentil, como a exatidão dos minutos, medido e exercido. – *George B. Cheever, "Voices of Nature to her Foster Child, the Soul of Man", 1852*

v. 9: "Limite... que não ultrapassarão".
Dirija a sua vista para o mar, além das águas criadas
para purificar o ar, e sustentar o grande comércio do mundo.
Para se levantar e molhar os montes, perto do sol,
e depois correr, de volta para si mesmas, em rios,
Cumprindo utilidades poderosas, em todo lugar,
Pela terra, pelo ar, ou aqui, como maré do oceano.
Como o gigante se levanta, e se estica,
e salta, para romper suas fortes cadeias sem aberturas,
e espuma, na sua ira, e às portas da sua prisão,
Ouça! Ouça-o! Como ele bate, e puxa, e ruge,
Como se pudesse irromper novamente, e varrer
cada ser vivo, para dentro da sua mais profunda profundeza.
– *Richard Henry Dana (1787-)*

v. 10: "Nos vales fazes rebentar nascentes", etc. Tendo falado das águas salgadas, a seguir ele trata das doces e potáveis, elogiando a sabedoria e a providência de Deus, que, dos lugares mais profundos da terra e das veias escondidas nos montes, Ele fizesse jorrar as fontes de água. – *Lorinus*

v. 10: "Nos vales fazes rebentar nascente". Quanto maior humildade, maior a graça; se, nos vales, algumas cavidades são mais profundas que outras, as águas se acumulam nestas. – *Martinho Lutero*

v. 10: "Nos vales fazes rebentar nascentes". Os homens escavam lugares para que os rios neles corram, mas ninguém, senão Deus, pode escavar um canal para trazer correntes espirituais à alma. O salmista fala do envio de fontes como um grande ato da providência de Deus. É um mistério secreto, que aqueles que sondaram mais profundamente a natureza não conseguem nos esclarecer, como estas fontes são alimentadas, como são mantidas e nutridas, de modo a jorrar sem cessar em tais grandes correntezas, como muitas delas. A filosofia não pode esclarecer a razão. O salmista o faz bem: [*Deus*] *nos vales faz rebentar nascentes,* a sua providência e o seu poder as mantêm jorrando continuamente: aquele que desejar ter a sua alma regada deve ir até Deus em oração. – *Ralph Robinson*

v. 10: "Que correm entre os montes". Isto é, as *correntezas* ou *fontes* correm. Em muitas partes do mundo, pode ser encontrada uma *Sault,* uma *água que dança,* e uma *Minne-ha-ha,* uma *água que ri.* As correntezas dos montes *andam,* e *correm,* e saltam, e louvam ao Senhor. – *William S. Plumer*

vv. 10,13 e 14: "Ele". "Ele". "Ele".
Todas as coisas aqui são *dele;* desde os negros pinheiros,
Que são a sua sombra nas alturas, e o rugir
das correntezas, onde Ele ouve, às vinhas
que cobrem o seu verde caminho de descida à praia,
onde as águas arqueadas o encontram e o adoram.
Beijando seus pés com murmúrios.
– *Byron*

v. 11: "Os jumentos monteses matam com elas a sua sede". Isto é observado, particularmente, a respeito dos *jumentos,* que, embora sejam criaturas sem inteligência e tolas, pela Providência aprendem o caminho até as águas, nos desertos secos e arenosos, e que não há melhor guia para ser seguido pelos viajantes sedentos, do que observar as suas manadas, descendendo até as correntezas. – *Thomas Fenton*

v. 11: "Os jumentos monteses matam com elas a sua sede". Quando se aproximava a noite, nós vimos congregados, perto de um pequeno riacho, o que parecia ser um grande grupo de árabes, desmontados, os cavalos em pé, ao lado deles. Como já estávamos perto deles, e não poderíamos ter escapado ao olhar vigilante dos beduínos, nós nos preparamos para um encontro. Nós nos aproximamos cautelosamente, e nos surpreendemos ao ver que os cavalos ainda permaneciam ali, sem seus cavaleiros; nós nos aproximamos ainda mais, quando eles galoparam pelo deserto. Eram *jumentos monteses.* – *Henry Austen Layard*

v. 12: "Junto delas habitam as aves do céu". Eu jamais vou me esquecer da primeira vez em que fui de Riha a Ain Sultan; o nosso caminho cruzou o oásis evocado pelas águas. Pode ser que o contraste com o árido deserto do dia anterior tivesse aumentado os sentimentos da satisfação atual, mas certamente ecoavam as palavras de Josefo: uma "região divina". Em certa ocasião, eu me lembrei de Epping Forest, e então de um pomar esquecido e negligenciado, com arbustos de vegetação abundante.

Grandes espinheiros e arbustos salpicavam a planície, de todos os lados. Em alguns pontos, o chão era coberto de flores, e cada arbusto parecia ter voz, com o alegre trinar dos pássaros. Eu uso a palavra "trinar" porque não acho que tivesse ouvido um chilrear durante todo o tempo em que estive na Síria. Coleridge fala do "alegre rouxinol",

"Que insiste, e se apressa, e se precipita,
com seu rápido chilrear, suas notas deliciosas".

O canto de meus pequenos amigos sírios parecia consistir de uma série de felizes gorjeios. Outros viajantes foram mais afortunados. Bonar fala da nota do cuco; o Dr. Robinson, do rouxinol. Lord Lindsay nos fala da alegria de uma noite passada junto ao Jordão, "o rio murmurando, e o rouxinol cantando entre as árvores". Canon Tristram, descrevendo o cenário perto de Tell-el-Kady, diz que "o bulbul e o rouxinol competiam no canto, nos galhos acima, e era audível acima do ruído da correnteza, abaixo". Diante destas declarações, me parece notável, considerando as inúmeras referências à natureza que há na Bíblia, que o canto dos pássaros seja mencionado apenas três vezes. Na conhecida passagem que tão maravilhosamente retrata uma primavera na Síria, nós lemos que "chegou o tempo de cantarem as aves" (Ct 2.12, na versão ARA). O salmista, ao falar do poder e da maravilhosa Providência de Deus, menciona as nascentes "nos vales... que correm entre os montes. Dão de beber a todos os animais do campo: os jumentos monteses matam com elas a sua sede. Junto delas habitam as aves do céu, cantando entre os ramos". Canon Tristram, comentando sobre esta passagem, diz que ela pode se referir especialmente ao "bulbul e ao rouxinol, pois ambos invadem as árvores que beiram o Jordão e abundam em todos os vales cheios de árvores, enchendo o ar, no início da primavera, com a rica cadência das suas notas". – *James Wareing Bardsley, "Illustrative Texts", 1876*

v. 12: "Junto delas habitam as aves do céu", etc. A estes pássaros os santos podem ser comparados, pois são, como eles, fracos, indefesos e temerosos; propensos a serem aprisionados em armadilhas, e às vezes maravilhosamente libertados. Eles também são dados a perambular e se desviar, pois são almas nascidas no céu, participantes do chamado celestial. Estas almas têm a sua habitação junto à fonte de Jacó, junto ao rio do amor divino, ao lado das águas calmas do santuário, onde cantam os cânticos de Sião, os cânticos da graça que chama, escolhe e redime. – *John Gill*

v. 12: "As aves... cantando entre os ramos". O canto dos pássaros foi o cântico de agradecimento que foi oferecido da terra, antes que o homem fosse formado. – *John Wesley*

v. 12: "As aves do céu, cantando entre os ramos". Como o melro e o pássaro preto, com suas vozes melodiosas, dão boas vindas à alegre primavera, e em seus meses fixos gorjeiam tais cantigas como nenhuma arte ou instrumento pode alcançar?... Mas o rouxinol, outra das minhas criaturas aéreas, emite uma música tão doce da sua pequena garganta instrumental, que faz a humanidade pensar que os milagres não deixaram de existir. Aquele que, à meia-noite, quando o trabalhador dormir em segurança, ouvir, como eu frequentemente ouvi, a melodia limpa, os doces contrapontos, o subir e descer natural, o dobrar da voz, poderá ser levantado acima da terra, e dizer: "Senhor, que música deste aos santos no céu, quando deste aos homens maus tal música na terra?" – *Izaak Walton*

v. 12:

Enquanto sobre suas cabeças as avelãs estão penduradas,
os pequenos pássaros cantam alegremente,
ou voam ligeiramente em asas brincalhonas
nas bétulas de Aberfeldy.
As encostas sobem, como caminhos eminentes,
A corrente espumosa de bramido profundo
sobressai com florestas flagrantemente abertas,
as bétulas de Aberfeldy.
– *Robert Burns, 1759-1796*

v. 13: "A terra farta-se do fruto das suas obras"; isto é, com a chuva, que é o teu trabalho, fazendo com que ela regue a terra, quando tu quiseres; ou, com a chuva, que desce das nuvens; ou com os frutos que tu fazes que a terra produza, desta maneira. – *Arthur Jackson*

v. 14: "Ele faz crescer a erva" Certamente, isto deve humilhar os homens, para que saibam que todas as forças humanas, unidas, não podem fazer nada, nem mesmo fazer crescer a erva. – *William S. Plumer*

v. 14: "Para os animais", etc. Para que sejamos agradecidos, consideremos, 1. Que Deus não somente provê para nós, mas para os nossos servos; os animais que são de uso do homem são particularmente cuidados; a erva cresce em grande abundância para eles, quando "os leõezinhos" que não estão a serviço do homem, frequentemente "passam fome". 2. Que o nosso alimento está perto de nós, e preparado para nós: tendo nossa morada sobre a terra, aqui temos nosso armazém, e não dependemos do "navio mercante [que] de longe traz o seu pão", Provérbios 31.14. 3. Tão bom é o senhor ao qual servimos que nós recebemos os produtos da terra, não apenas por necessidade, mas para ornamento e deleite. A natureza exige algo que a sustente e que repare a sua decadência diária? Aqui há "*o pão, que fortalece o seu coração* [*do homem*]", e por isto é chamado de sustento da vida; que ninguém tenha que se queixar de necessidade. A natureza vai mais além, e ambiciona algo agradável? Aqui há o "*vinho que alegra o seu coração* [*do homem*]", revigora o ânimo e o alegra, quando consumido com sobriedade e moderação em uma forma não fermentada; para que possamos não apenas realizar o nosso trabalho, mas realizá-lo com alegria; é uma pena que o puro fruto da vide, que foi dado para reanimar o coração e para agilizá-lo no seu trabalho, seja usado de modo abusivo, para sobrecarregar o coração, e incapacitar o homem para o seu dever. A natureza está ainda mais geniosa, e deseja algo também para ornamento? Isto também é obtido da terra; "*azeite que faz reluzir o rosto*", para que a expressão possa não apenas ser alegre, mas bela, e possamos ser mais aceitáveis, uns aos outros. – *Matthew Henry*

v. 14: "Para o serviço do homem". A versão comum destas palavras pode apenas significar que é para o seu benefício ou uso, um sentido que não pertence à palavra hebraica, que, assim como o verbo que é sua raiz, se aplica à servidão ou à escravidão ao homem, como um agricultor (Gn 3.17-19), e tem aqui o sentido de cultivo, como em Êxodo 1.14 e Levítico 25.39, tem o sentido de trabalho compulsório ou servil, o infinitivo na última frase indica o objeto cujo trabalho é imposto ao homem. – *J. A. Alexander*

v. 14: "Para que tire da terra o alimento". Na festa da Páscoa, e antes de partir o pão, os israelitas tinham o costume de dizer: "Louvado seja o Senhor nosso Deus, tu, Rei do mundo, que produziu o nosso pão da terra"; e a cada colheita, nós devemos nos encher de gratidão, tão frequentemente como nós recebemos, outra vez, a valiosa dádiva do pão. Este é o meio mais indispensável e necessário de nutrição, do qual jamais nos cansamos, ao passo que outro alimento, quanto mais doce, mais facilmente nos sacia: todos – as crianças e os velhos, o mendigo e o rei – gostam de pão. Nós nos lembramos do homem infeliz, que foi deixado na ilha deserta, esfomeado, e que clamava, com a visão de um punhado de ouro: "Ah, é apenas outro!" De bom grado, ele teria trocado este material inútil, que na mente da maioria dos homens, está acima de todos os preços, por um punhado de pão. Que jamais pequemos outra vez contra Deus, sem dar o valor devido ao pão! Que aceitemos, agradecidos, os feixes que colhemos, e agradecidos visitemos os celeiros, que os preservam; para que possamos repartir nosso pão com os que têm fome, e com os que têm sede das provisões que Deus nos deu. Que jamais nos sentemos à mesa sem pedir que Deus abençoe as dádivas que recebemos da sua graciosa mão, e jamais comamos nosso pão sem pensar em Cristo, o nosso Senhor, que se chamou de Pão da vida, que desceu do céu para dar vida ao mundo. E, acima de tudo, jamais nos dirijamos à mesa do Senhor sem desfrutar dela através dos símbolos que são o pão e o vinho, que representam o seu corpo e o seu sangue, com que recebemos forças para nutrir a nossa vida espiritual! Sim, Senhor, tu satisfazes tanto o corpo como a alma, com o pão da terra e com o pão do céu. Louvado seja o teu santo nome; os nossos corações e bocas estarão cheios dos teus louvores, por toda a eternidade! – *Frederick Arndt, "Lights of the Morning", 1861*

v. 15: Quando você foi tirado do útero, a que palácio imponente o Senhor Deus lhe trouxe: o mundo, o qual você encontrou preparado e já dotado de todas as coisas para o seu sustento, assim como Canaã tinha tudo preparado para os filhos de Israel; você não construiu uma casa imponente, não plantou árvores, não estendeu uma rica abóbada, salpicada de estrelas, como uma cortina sobre a sua cabeça; Ele acende uma luz para regular o seu trabalho, o sol, até que você esteja cansado (v. 23) e então ele se põe, sem que você peça, pois ele "*conhece o seu ocaso*" (v. 19); em seguida, Ele estende uma cortina sobre a metade do mundo, para que os homens possam descansar: "*Ordenas a escuridão, e faz-se noite*" (v. 20). Este mundo é como uma casa, tão curiosamente planejado que em cada lugar, até mesmo em cada aldeia, há nascentes, como canos, para lhe trazer água (vv. 10,11). O pavimento desta casa, sobre o qual você pisa, é o que lhe traz seu alimento (v. 14): "*O vinho que alegra o seu coração; ele faz reluzir o seu rosto com o azeite e o pão, que fortalece o seu coração"* (v. 15). Estes três elementos são, como sinédoque, representativos de todas as coisas necessárias para a força, ornamento e deleite. – Thomas Goodwin.

v. 15: "O vinho que alegra o seu coração [do homem]". O vinho mencionado tinha a mesma qualidade das bebidas fermentadas; ele alegrava o coração. Assim, se bebido em excesso, teria levado à intoxicação. O termo em hebraico é *yayin,* correspondendo à palavra grega *oinos,* e incluindo toda forma que o suco de uva pode assumir, como bebida. Foi isto que Noé bebeu, quando se embriagou (Gn 9.21,24). Melquisedeque o trouxe a Abraão (Gn 14.18). As filhas de Ló o deram a seu pai e o embriagaram (Gn 19.35). Desta bebida, o nazireu devia manter-se afastado (Nm 6.3-20). Esta é a bebida altamente intoxicante, tão frequentemente mencionada por Isaías (vv. 11-22; 22.13; 28.1-7; etc.); mas somente por causa disto pode se tornar, para o homem, uma daquelas graças com cujo uso ele deve exercer constante autocontrole, mantendo sempre a atitude de consumir o suco não fermentado. Consumido com excesso, era uma maldição; se desfrutado como vindo de Deus, era algo pelo que o homem devia ser grato. – *John Duns*

v. 15: "Faz reluzir o seu rosto com o azeite". Observe que depois da menção ao vinho, ele fala do azeite, ou do unguento, porque nos banquetes entre os judeus e outros povos orientais, como posteriormente entre os gregos e romanos, havia um uso frequente de unções. As razões pelas quais se derramava unguento sobre a cabeça eram: Evitar intoxicação. Melhorar a saúde. Contribuir para o prazer e o deleite. Homero se refere frequentemente a este costume, e há uma alusão a ele feita por Salomão, Ec 9.8: *"Em todo tempo sejam alvas as tuas vestes, e nunca falte o óleo sobre a tua cabeça".* Veja também Salmos 23.5. – *Le Blanc*

v. 15: Os antigos usavam muito o azeite para embelezar seus corpos. Nós lemos do *"Azeite que faz reluzir o rosto".* Rute se ungiu, para se embelezar (Rt 3.3) e a mulher de Tecoa e o profeta Daniel omitiram o uso de azeite, pelo motivo inverso (2 Sm 14.3; Dn 10.3). O costume também é mencionado em Mateus 6.17 e Lucas 7.46. – *Ambrose Serle, "Horse Solitarise", 1815*

v. 15: "O pão, que fortalece o seu coração". Com a fome, não apenas a *força* se abate, mas também a *coragem natural. A fome* não tem iniciativa, nem emulação, nem coragem. Mas quando, em tais circunstâncias, o estômago recebe um pouco de pão, mesmo antes que a digestão possa ter tempo de prepará-lo para a nutrição, a *força* é restaurada, e os *ânimos* renovados. Este é um resultado surpreendente; e ainda não foi satisfatoriamente explicado. – *Adam Clarke*

v. 15: "O pão, que fortalece o seu coração". Na Odisseia, de Homero, nós encontramos a expressão "Pão, a medula dos homens".

v. 15: "O seu coração [do homem]". Não é sem motivo que, em lugar da palavra הָאָדָם, *de Adão,* que foi usada no versículo 14, aqui seja empregada a palavra אֱנוֹשׁ, um homem *fraco* e *frágil,* porque ele menciona aqueles nutrientes de que não havia necessidade antes da Queda, e que são particularmente apropriados para nutrir e estimular os homens fracos. – *Venema*

v. 15: Se a terra transitória está tão cheia das boas coisas de Deus, o que teremos, então, quando chegarmos à terra dos viventes? – *Starke, em "Lange's Commentary"*

v. 16: "As árvores do Senhor". A transição que o profeta faz, de homens a árvores, é como se ele tivesse dito: Não é de se admirar que Deus tão generosamente nutra os homens que são criados à sua própria imagem, uma vez que Ele não deixa de estender os seus cuidados até mesmo às árvores. Como *"as árvores do Senhor",* deve-se entender aquelas que são altas e de extrema beleza; pois a bênção de Deus é mais visível nelas. Parece pouco possível que alguma outra seiva da terra alcance uma altura tão grande, e ainda assim elas renovam a sua folhagem todos os anos. – *João Calvino*

v. 16: "As árvores do Senhor" podem ser assim chamadas devido ao seu tamanho e à sua estatura – sendo este nome usado como um superlativo em hebraico, ou para indicar algo que é grande e extraordinário. – *Thomas Chalmers*

v. 16: "As árvores do Senhor", etc. Os cedros são, na verdade, as árvores do Senhor. Eles foram plantados particularmente por Ele. Há um sentido em que, acima de todas as outras árvores, eles pertencem a Ele, e irradiam mais a sua glória. A expressão peculiar do texto, no entanto, não deve ser limitada a uma espécie particular de cedros... Encorajado por este uso das Escrituras, eu vou usar a palavra em um sentido um pouco mais amplo do que o convencional, para indicar três exemplos notáveis que podem ser escolhidos do *coniferae* para mostrar que o poder e a sabedoria de Deus podem estar nas árvores da floresta. São os cedros do Líbano, os cedros do Himalaia e os cedros de Sierra Nevada. O epíteto que o salmista aplica a um deles pode muito apropriadamente ser aplicado a todos eles; e há várias razões pelas quais pode-se dizer que o Senhor tem um interesse especial e a propriedade de cada um daqueles poucos aos quais a nossa atenção pode estar dirigida de modo benéfico.

1. Os cedros são "árvores do Senhor" por causa das *peculiaridades da sua estrutura.* Como todos os pinheiros, elas são excepcionais na sua organização. Elas revelam uma nova ideia da mente criativa. 2. Os cedros são "árvores do Senhor" por causa da *antiguidade da sua espécie.* Era principalmente deste tipo de árvores que as florestas da época anterior a Adão eram constituídas. 3. Os cedros são "árvores do Senhor" por causa da *majestade da sua aparência.* É a árvore, *por excelência*, da Bíblia – o tipo de vegetação de todas as florestas. – *condensado de Hugh Macmillan, "Bible Teachings in Nature", 1868*

v. 16: "Satisfazem-se". O cedro tem um depósito de resina. Ela flui de cortes feitos na casca, e das escamas das pinhas, e é abundante nas suas sementes. Tanto a resina quanto a madeira eram muito valorizadas pelos antigos. Os romanos acreditavam que a resina que era fornecida pelo cedro tinha o poder de tornar incorruptível tudo o que ela impregnasse; e nós lemos que os livros de Numa, o antigo rei de Roma, que foram encontrados intactos na sua sepultura, quinhentos anos depois da sua morte, tinham sido embebidos de óleo de cedro. Os egípcios também usavam o óleo para embalsamar seus mortos. – *Mary e Elizabeth Kirby, "Chapters on Trees", 1873*

v. 17: "Aves". A palavra aqui traduzida como "*aves*" é a palavra que, em Salmos 84.3 é traduzida como *pardal,* e que é comumente usada para indicar *pequenas* aves. Compare Levítico 14.4 (margem), e 5-7, 49-53. Mas é usada para indicar aves de qualquer tipo. Veja Gênesis 7.14; Salmos 8.8; 11.1; 148.10. – *Albert Barnes*

v. 17: "A cegonha" é usada como exemplo das aves maiores que fazem ninhos, assim como os cedros do Líbano foram introduzidos, no versículo 16, como sendo as maiores das árvores não cultivadas. – *A. C. Jennings e W. H. Lowe, "The Psalms, with Introductions and Critical Notes", 1875*

v. 17: "Quanto à cegonha, a sua casa é nas faias". Em muitos casos a cegonha tem seus filhotes entre ruínas, e nestas circunstâncias ela gosta de fazer seus ninhos nos topos de colunas ou torres, no ápice de arcos e lugares semelhantes. Quando ela faz sua morada em meio à humanidade, geralmente ela seleciona lugares que foram construídos para isto, por alguém que conhece o seu gosto, mas frequentemente escolhe o topo de uma chaminé ou algum local semelhante. Quando é obrigada a fazer seu ninho em lugares onde não consegue encontrar rochas nem edifícios, ela o faz em árvores, e, como a garça, é sociável no seu ninho, com toda uma comunidade residindo em um aglomerado de árvores. Não é muito detalhista quanto ao tipo de árvore, desde que seja toleravelmente alta, e suficientemente forte para suportar o peso do seu enorme ninho; e o leitor verá imediatamente que as *faias ou ciprestes* são peculiarmente apropriados para as casas das cegonhas.

A espécie particular de *faia* à qual o salmista se refere é, provavelmente, o pinheiro Aleppo (*Pinus halepensis*), que é próximo aos grandes cedros do Líbano, no que diz respeito a tamanho. Foi esta árvore que forneceu a maneira e as tábuas para o templo e o palácio de Salomão, uma madeira que era evidentemente muito valorizada. Esta árvore satisfaz todas as condições que uma cegonha iria desejar para construir seu ninho. Ela é alta, e seus ramos são suficientemente horizontais para formar uma plataforma para o ninho, e suficientemente fortes para sustentá-lo. Por causa do seu valor e da maneira incessante com que foi cortada, sem que fossem formadas novas plantações, o pinheiro Aleppo foi extinto de muitas partes da Palestina em que anteriormente era comum, e podia propiciar uma morada para a cegonha. No entanto, há várias outras espécies de faias que são comuns em várias partes do país, cada espécie prosperando no solo que é mais adequado a ela, de modo que a cegonha nunca deixará de encontrar um lugar para o seu ninho em um país que produziu tantas árvores apropriadas aos seus propósitos. *– J. J. G. Wood, "Bible Animals"*

v. 17: "Quanto à cegonha, a sua casa é nas faias". Bairros bem arborizados são, em sua maior parte, os recantos favoritos das cegonhas, que constantemente selecionam as árvores tanto com o propósito de fazer seu ninho quanto de conseguir um lugar para descansar à noite; algumas espécies, no entanto, provam ser exceções a esta regra, e fazem seus ninhos em telhados, chaminés, ou outros lugares elevados na proximidade dos homens. *– de "Cassell's Book of Birds". A partir do texto do Dr. Brehm. Por T. R. Jones, F.R.S.*

v. 17: "As faias". As portas do templo foram feitas da madeira desta árvore; da árvore que era um tipo da humanidade de Jesus Cristo. Considere Hebreus 2.14. A faia também é a casa da cegonha, esta ave impura, assim como Cristo é um abrigo e refúgio para os pecadores. "*Quanto à cegonha*", diz o texto, *"a sua casa é nas faias"*; e Cristo diz aos pecadores que vêm a sua falta de abrigo: "Vinde a mim... e eu vos aliviarei". Ele é um refúgio para os oprimidos, um refúgio em tempos de dificuldades. Ele é, como as portas de faia do templo, a entrada para a casa de Deus, para a presença de Deus, e para uma participação na sua glória. Assim Deus, desde antigamente, por semelhanças e comparações, ensinava o seu caminho ao seu povo. *– John Bunyan, "Solomon's Temple Spiritualized"*

v. 17:

A águia e a cegonha
sobre penhascos e copas de cedros seus ninhos constroem.
– John Milton

v. 18: "Os altos montes são um refúgio para as cabras monteses". Não há praticamente nenhuma dúvida de que o *Azel* do Antigo Testamento é o *Arabian Ibex* ou *Beden* (*Capra Nubiana*). Este animal é muito intimamente ligado ao bastante conhecido Ibex dos Alpes, ou Steinbock, mas pode ser distinguido dele por uma ou duas pequenas diferenças, como a barbicha negra e o formato mais frágil dos chifres, que, além disto, têm três ângulos, em lugar de quatro, como é o caso do Ibex dos Alpes... A cor de seus pêlos se parece tanto à cor das rochas que um olho inexperiente não veria nada, além de rochas e varas onde um caçador experiente veria uma quantidade de *Beden,* visíveis pelos seus chifres belamente curvados.

A agilidade dos *Beden* é extraordinária. Vivendo nas mais altas e escarpadas partes da cordilheira, ele se arremessa de um ponto a outro com uma inquietude que assombra alguém que não esteja acostumado ao animal e à maravilhosa segurança de suas patas. Por exemplo, ele se lança contra a face de um precipício perpendicular que parece tão liso quanto um muro de tijolos, com o propósito de alcançar uma minúscula prateleira que mal é perceptível, e que está a uns 4,5 metros acima do ponto de onde o animal saiu. Os seus olhos, no entanto, marcaram determinadas fendas e projeções na face da rocha, e quando o animal faz seu salto, ele passa em rápida sucessão por estes pequenos pontos, tocando-os, apenas, quando passa no seu caminho ascendente, e pelo ligeiro toque dos seus pés conserva o impulso original do seu salto. Similarmente, o Ibex desliza e salta descendo por precipícios dos montes, às vezes parando com suas quatro patas unidas, sobre uma pequena projeção um pouco maior do que uma moeda de um centavo, e às vezes saltando ousadamente por cima de uma fenda, e aterrissando com precisão sobre uma projeção de rocha que parece não ser grande o suficiente para sustentar confortavelmente um rato. *– J. G. Wood*

v. 18: "Coelhos". Quando nós estávamos explorando as rochas nos arredores do mosteiro, eu me deliciei observando uma família ou duas de *Wubar,* dedicados a seus saltos nas alturas acima de nós. O Sr. Smith e eu os observamos de perto, e nos divertimos muito com a vivacidade de seus movimentos e a rapidez da sua fuga para dentro das fendas da rocha, quando pressentiam perigo. Eu creio que nós éramos os primeiros viajantes europeus que realmente observaram este animal, agora admitido universalmente como sendo o *shaphan,* ou coelho das Escrituras, dentro dos limites da Terra Santa; e não nos sentimos nem um pouco satisfeitos com esta descoberta... A sua pele faz com que ele seja confundido com uma outra espécie de coelho, embora seja de uma constituição mais forte e de uma cor mais escura, sendo marrom escura. Ele não tem cauda, e tem alguns pêlos eriçados na boca, sobre a cabeça e pelas costas, e ao longo delas há sinais de tonalidades claras e escuras. Com suas orelhas pequenas, pés pequenos, negros e sem pêlos, e seu focinho pontudo, ele se parece ao ouriço. Ele não é, no entanto, insetívoro, mas, embora um pouco anômalo, é semelhante aos paquidermes, entre os quais agora é classificado pelos naturalistas. – *John Wilson, "The Lands of the Bible", 1847*

v. 18: "Coelhos". As pessoas costumavam pensar que os coelhos de Salomão eram como os nossos coelhos, que são, na verdade, "frágeis", mas não "fazem suas casas na rocha". Agora que o *coelho* de Salomão é considerado como sendo o Damon ou Hyrax – uma criatura tímida e indefesa, que vive entre os precipícios dos montes e corre para sua toca ao menor sinal de perigo, as palavras de Agar adquirem todo o seu significado. – *James Hamilton*

v. 19: "Designou a lua para as estações". Quando está escrito que a *lua foi designada para distinguir as estações,* os intérpretes concordam que isto deve ser interpretado como uma referência às festas comuns e recomendadas. Como os hebreus estavam acostumados a calcular seus meses de acordo com a lua, isto servia para regular seus dias de festa e suas congregações, tanto sagradas quanto políticas. O profeta, eu não tenho dúvidas, pela sinédoque, com uma parte, se refere ao todo, sugerindo que a lua não somente distingue os dias das noites, mas, de modo similar, assinala os dias de festa, mede anos e meses, e, responde a muitos propósitos úteis, na medida em que a distinção dos tempos é tirada do seu curso. – *João Calvino*

v. 19: "Designou a lua para as estações". "Ele criou a lua para servir, na sua estação, como uma declaração do tempo e um sinal para o mundo. Da lua vem o sinal das festas, uma luz que diminui na sua perfeição. O mês é chamado pelo nome dela, que cresce maravilhosamente nas suas alterações, sendo um instrumento dos exércitos do alto, brilhando no firmamento do céu; a beleza do céu, a glória das estrelas, um ornamento que dá luz nos lugares altos do Senhor". – *Eclesiástico 43.7-9*

v. 19: "O sol conhece o seu ocaso". A segunda parte não deve ser traduzida da maneira normal: "*o sol conhece o seu ocaso",* mas de acordo com a expressão usual, *Ele,* isto é, *Deus conhece o ocaso do sol.* Sem mencionar a forma incomum e ríspida da expressão, pela qual *o conhecimento do seu ocaso* é atribuído ao sol, não parece haver nenhuma razão pela qual devesse ser usado aqui, uma vez que é destituído de força,* ou por que o salmista se volta de Deus, como causa, ao sol em movimento, uma vez que tanto antes como depois ele fala a respeito de Deus, dizendo: "*Designou a lua"; "Ordenas a escuridão".* Muito mais adequadamente, portanto, o texto deve ser entendido como se o salmista estivesse falando a respeito de Deus, tanto antes como depois, e também no meio da causa direta das aparições da luz, do pôr-do-sol e da chegada da escuridão. Mais corretamente, também se diz que Deus *conhece* o ocaso do sol, mais do que o próprio sol, uma vez que *conhecer* tem, na verdade, o significado de *cuidar,* como é frequentemente o caso em outras passagens. – *Venema*

---

* Este excelente intérprete não consegue ver a beleza da expressão poética, e por esta razão escreve em prosa.

v. 20: "Ordenas a escuridão". Alguns observam, com Agostinho, que no livro de Gênesis está escrito que *houve luz*, mas não que *houve escuridão*, porque a escuridão não é nada, é a mera não existência. Mas nesta passagem também está escrito que *faz-se a noite*; e o Senhor se intitula o *Criador da luz e o Criador da escuridão*. – *Lorinus*

v. 20: "Ordenas a escuridão", etc. Seria interessante considerar a maravilhosa adaptação da duração do dia para a saúde do homem, e para o vigor, e talvez a existência, dos grupos animais e vegetais. A alegria da vida depende muito da grata alternância entre dia e noite. Para uma consideração total deste assunto, eu recomendo ao leitor a obra do Dr. Whewell, *Bridgewater Treatise*. Os fragmentos apresentados aqui podem, entretanto, auxiliar na reflexão. "O dia terrestre – e consequentemente a duração do ciclo de luz e escuridão, de cuja constituição vemos várias partes, tanto de animais como de vegetais, que têm um caráter periódico nas suas funções – corresponde à sucessão diária de condições externas; e nós vemos que a duração do período existente na sua constituição coincide com a duração do dia natural. A alternância de processos que ocorrem nas plantas de dia e de noite é menos óbvia, e menos obviamente essencial ao seu bem-estar, do que a série anual de mudanças. Mas há uma abundância de fatos que servem para mostrar que tal alternância faz parte da organização vegetal...

"Os animais também têm um período nas suas funções e nos seus hábitos; como os hábitos de despertar, dormir, etc., e o seu bem-estar parece depender da coincidência deste período com a duração do dia natural. Nós vemos que, durante o dia, todos os animais encontram ocasião para se alimentar e repousar, que está perfeitamente de acordo com a sua saúde e o seu conforto. Alguns animais se alimentam durante o dia, praticamente todos os animais ruminantes e as aves terrestres; outros se alimentam somente ao anoitecer, como os morcegos e as corujas e são chamados *crepusculares*; ao passo que muitos animais de rapina, aves aquáticas e outros animais se alimentam durante a noite. Estes animais, que se alimentam à noite, durante o dia dormem, ao passo que os que são crepusculares dormem parcialmente à noite, e parcialmente durante o dia; mas em todos, o período completo destas funções é de 24 horas. O homem, de igual maneira, em todas as nações e épocas, faz seu principal descanso apenas uma vez em 24 horas; e a regularidade deste costume parece muito adequada à sua saúde, embora a duração do tempo reservado ao repouso seja extremamente diferente, em diferentes casos. Até onde podemos avaliar, este período tem uma extensão benéfica à estrutura humana, independentemente do resultado de agentes externos. Nas viagens recentemente feitas às latitudes extremas ao norte, onde não há luz do sol durante três meses, as tripulações dos navios eram obrigadas a aderir, com a máxima pontualidade, ao hábito de se retirar, para descansar às 9:00 hs, e se levantar às 5:45 hs, e eles apresentavam, sob circunstâncias aparentemente muito estressantes, um estado de salubridade muito admirável. Isto mostra que, segundo a constituição comum desses homens, o ciclo de 24 horas é muito cômodo, embora não lhes seja imposto por circunstâncias externas". – *William Whewell (1795-1866)*

v. 21: "Os leõezinhos... de Deus buscam o seu sustento". Deus alimenta não somente as ovelhas e os cordeiros, mas também os lobos e leões. É uma expressão estranha, a dos leõezinhos quando bramam pela presa, que devem ser descritos como *buscando o seu sustento da parte de Deus*; indicando que nem a sua força nem a sua habilidade poderia alimentá-los, sem o auxílio de Deus. As mais fortes criaturas, se deixadas sozinhas, não são capazes de se sustentar. Assim como aqueles que temem a Deus são alimentados por uma providência especial de Deus, também todas as criaturas são alimentadas e nutridas por uma providência geral. O leão, ainda que seja forte e sutil, não pode conseguir a sua própria presa; nós pensamos que um leão pode se arranjar sozinho, mas não: é o Senhor que provê por ele; os leõezinhos buscam de Deus o seu sustento. Certamente, então, os homens mais poderosos não conseguem viver sozinhos: assim como recebemos de Deus a vida e a respiração, também recebemos dele todas as coisas necessárias para o sustento desta vida. – *Joseph Caryl*

v. 21: "Os leõezinhos bramam". O bramido de um leão, segundo Burchell, às vezes é semelhante ao som que é ouvido, no momento de um terremoto; e é produzido, quando ele coloca sua cabeça no chão e emite um rosnar meio reprimido, e assim o ruído é transmitido pela terra. No instante em que ele é ouvido pelos animais em repouso nas planícies, estes se levantam, alarmados, fogem em todas as direções e até mesmo em direção ao perigo que procuram evitar. – *de Cassell, "Popular Natural History"*

v. 21: O bramido dos leõzinhos, como o grito dos corvos, é interpretado como *o seu pedido de alimento a Deus*. Deus coloca este significado na linguagem da mera natureza, até mesmo nas criaturas venenosas; e Ele não irá interpretar favoravelmente a linguagem da graça do seu próprio povo, ainda que sejam gemidos fracos e inexprimíveis? – *Matthew Henry*

v. 22: "Nasce o sol... e se deitam nos seus covis". Como os animais selvagens, desde a queda do homem, parecem ter nascido para nos fazer mal, e para rasgar e partir em pedaços tudo o que encontram no seu caminho, esta crueldade selvagem deve ser mantida sob controle pela providência de Deus. E, para conservá-los encerrados nos seus covis, o único meio que Ele emprega é inspirar-lhes terror, simplesmente pela luz do sol. Este exemplo de bondade divina, o profeta elogia ainda mais, porque é necessário; pois se não fosse assim, os homens não teriam liberdade de sair para os trabalhos e negócios da vida. – *João Calvino*

v. 23: "Sai o homem para a sua lida", etc. Somente o homem, entre todas as criaturas, por distinção dos instrumentos voluntários do Todo-Poderoso, tem um trabalho real e diário. Ele tem um papel definido a interpretar na vida; e ele consegue reconhecê-lo. – *Carl Bernhard Moll*, "Lange's Commentary"

v. 23: Quando brilha a luz da verdade e da justiça, o erro e a iniquidade desaparecem diante dela, e o "leão que brama" se afasta, durante algum tempo. Então, o cristão *sai para a lida* da sua salvação, e para o seu *trabalho* de amor, até que *a tarde* da velhice o aconselhe a se preparar para o seu último repouso, crendo em uma alegre ressurreição. – *George Horne*

v. 24: "Ó Senhor, quão variadas são as tuas obras!", etc. Se o número das criaturas é tão extremamente grande, sim, tão grande, ou melhor, imenso, esta deve ser, necessariamente, uma manifestação do poder e da sabedoria daquele que formou a todas! Pois (se eu posso tomar emprestadas as palavras de um nobre e excelente autor) assim como é evidência de muito mais poder e talento em um artífice do que ele poderia exibir, o fato de que consiga fabricar *relógios* e *relógios de pulso*, e *bombas* e *moinhos* e *colheitadeiras* e *foguetes*, do que ao fazer apenas um destes tipos de equipamentos, também o Todo-Poderoso revela mais da sua sabedoria por formar tão vasta multidão de diferentes tipos de criaturas, e tudo com arte admirável e irrepreensível, do que se tivesse criado apenas algumas; pois isto declara a grandeza e a capacidade ilimitada do seu entendimento. Novamente, a mesma superioridade de conhecimento seria exibida no planejamento de equipamentos do mesmo tipo ou com o mesmo propósito, de diferentes maneiras, como o funcionamento de relógios com molas em lugar de pesos: assim o Criador infinitamente sábio mostrou, em vários exemplos, que Ele não está confinado a um único instrumento para realizar um único resultado, mas pode realizar a mesma coisa de diversas maneiras. Assim, embora as penas pareçam ser necessárias para voar, ainda assim Ele capacitou diversas criaturas para que voem sem elas, como dois tipos de peixes, um tipo de lagarto e o morcego, sem mencionar os numerosos grupos de insetos voadores. De igual maneira, embora a bexiga de ar nos peixes pareça necessária para que nadem, ainda há alguns que são formados de modo a nadar sem ela, *por exemplo,* em primeiro lugar, o tipo *cartilaginoso*, que por algum artifício próprio, sobem e descem como querem, e continuam na profundidade de água que desejarem, um artifício que ainda é desconhecido para nós. Em segundo lugar, os *cetáceos*, ou animais do mar, que não diferem em quase nada, exceto pela falta de pés. O ar que recebem em seus pulmões pela respiração pode servir para deixar seus corpos com peso igual ao da água; e a sua construção ou dilatação, pela ajuda do diafragma e dos músculos da respiração, provavelmente pode ajudá-los a subir ou descer na água, por um ligeiro impulso de suas nadadeiras...

Novamente, nos fornecem abundantes argumentos de sabedoria e conselho a grande utilidade e conveniência, a beleza e variedade de tantas nascentes e fontes, de tantos riachos e rios, de tantos lagos e tanques de água, e eles tão dispersos por toda a terra, que nenhuma parte da terra está destituída deles, sem os quais estaria, sem um abastecimento de outras maneiras, desolada e sem habitantes; que nascentes surjam nos lados dos montes mais distantes do mar; que haja um caminho formado para os rios, em meio a rochas e desfiladeiros, e canais subterrâneos, de modo que nós pensaríamos que a natureza abriu um caminho proposital para entregar a água, que, de outra maneira, transbordaria e inundaria nações inteiras. – *John Ray (1678-1705), "The Wisdom of God Manifested in the Works of the Creation"*

v. 24: "Quão variadas são as tuas obras!" Quando contemplamos as maravilhosas obras da natureza, e andamos desocupados, examinamos este amplo teatro do mundo, considerando a imponente beleza, a ordem constante e a sua mobília suntuosa; o glorioso esplendor e o movimento uniforme dos céus; a agradável fertilidade da terra; a curiosa figura e a fragrante doçura das plantas; a estrutura singular dos animais; e todos os outros maravilhosos milagres da natureza, em que os gloriosos atributos de Deus, especialmente a sua transcendente bondade, são mais evidentemente exibidos: de modo que, por eles, não somente grandes reconhecimentos, mas hinos de gratidão, de certa forma, de louvor, foram proferidos pelas bocas de Aristóteles, Plínio, Galeno, e outros homens semelhantes, sobre os quais jamais houve qualquer suspeita de culpa de excessiva devoção; então os nossos corações devem ser afetados por um sentimento de gratidão, e os nossos lábios devem irromper em louvor. – *William Barrow, 1754-1836*

v. 24: Ele não se preocupa em responder à sua própria pergunta: "*Quão variadas?*", pois confessa que as obras de Deus são maiores do que o seu próprio poder de expressão; quer estas *"obras"* pertençam à criação da natureza ou à da graça. E observe como a operação concomitante da Bendita Trindade é exposta: *"Ó Senhor, quão variadas são as suas obras";* esta frase nos ensina sobre o Pai, que é a fonte de todas as coisas; *"todas as coisas fizeste com sabedoria"*, é uma expressão que nos fala do Filho, a Palavra (ou Verbo) eterna, "Cristo, o poder de Deus e a sabedoria de Deus, por quem todas as coisas foram criadas, e sem Ele, nada do que foi criado teria sido criado" (1 Co 1.24; Jo 1.3); *"cheia está a terra das tuas riquezas"*, fala do Espírito Santo, que enche o mundo. – *Agostinho, Hugo e Cassiodoro, na obra de Neale e Littledale*

v. 24: "Todas as coisas fizeste com sabedoria". Não apenas uma coisa, como os céus (Sl 136.5); mas tudo é sabiamente planejado e feito; há uma exibição gloriosa da sabedoria de Deus na coisa mais diminuta que as suas mãos criaram; Ele criou tudo belo, na sua época. Um artífice talentoso, depois que terminou o seu trabalho e o examina novamente, frequentemente encontra um ou outro defeito nele; mas quando o Senhor terminou as suas obras de criação, e as examinou, Ele viu que tudo era bom; a sabedoria infinita não pôde encontrar nenhuma falha nelas: que criaturas fracas e tolas devem ser as que pretendem acusar qualquer das obras de Deus de loucura ou falta de sabedoria? – *John Gill*

v. 24: "Cheia está a terra das tuas riquezas", literalmente, *as tuas possessões;* estas, tu não conservas para ti mesmo, mas abençoas as tuas criaturas com elas. – *A. R. Fausset*

v. 25: "Seres inumeráveis". As águas contêm mais vida do que a terra. Abaixo de uma superfície menos variada do que a dos continentes, o mar guarda no seu seio uma exuberância de vida, de que nenhuma outra região do globo pode oferecer a mais pálida ideia. A sua vida se estende dos pólos ao Equador, do oriente ao ocidente. Em todas as partes, o mar é povoado; em todos os lugares, até as suas profundezas insondáveis, criaturas vivas se adequam ao local. Em cada ponto da sua vasta expansão, o naturalista encontra instrução, e o filósofo, meditação, enquanto as mesmas variedades de vida tendem a inculcar em nossas almas um sentimento de gratidão ao Criador do universo. Sim, as costas do oceano e as suas profundezas, as suas planícies e os seus montes, os seus vales e precipícios, até mesmo as suas *ruínas* são vivificados e embelezados por milhares de seres vivos. Há as plantas solitárias ou sociáveis, eretas ou pendentes, que se estendem nos prados, se agrupam nos oásis, ou crescem em imensas florestas. Estas plantas fornecem cobertura e alimento a milhões de animais que rastejam, correm, nadam, voam, escavam o solo, se prendem a raízes, se alojam em fendas ou constroem abrigos para si mesmos, que procuram outro ou que fogem de outro, que perseguem outro ou que combatem outro, que se preocupam, uns com os outros com afeto ou que devoram um ao outro sem piedade. Charles Darwin diz, com verdade, que as florestas terrestres não contêm um número tão grande de animais como o grande número de animais do mar. O oceano, que é, para o homem, um elemento de morte, é, para uma miríade de animais, um lar de vida e saúde. Há alegria em suas ondas, há felicidade nas suas costas, e azul celestial, em todas as partes. – *Moquin Tandon, "The World of the Sea", traduzido e detalhado por H. Martin Hart, 1869*

vv. 25 e 26: "Animais pequenos e grandes".

Os canais e os mares, cada riacho e baía,
Abundam de incontáveis peixes, e cardumes
De peixes que com suas nadadeiras e escamas brilhantes
deslizam sob a verde onda, em cardumes que se amontoam
no meio do mar; alguns sozinhos, outros com seus parceiros,
se alimentam das ervas do mar, e passeiam
entre bosques de corais; ou, exibindo-se rapidamente,
mostram ao sol suas escamas salpicadas de ouro
Ou, tranquilos em suas conchas peroladas, recebem
a úmida nutrição; ou, debaixo das rochas,
espreitam seu alimento em armadura; as focas
e os golfinhos curvados brincam suavemente: um imenso volume,
revolvendo-se, indomável, com passos enormes,
agita o oceano; ali, o leviatã, a maior das criaturas vivas,
estendido nas profundezas como um promontório, dorme ou nada,
ele parece uma terra em movimento; em suas guelras
atrai, e em sua tromba devolve ao mar.
– *John Milton*

v. 26: "Navios". O primeiro dos navios, sem dúvida, foi a arca de Noé, de modo que todos eles devem seu primeiro esboço ao próprio Deus. – *John Gill*

v. 26: "Ali passam os navios". Longe de separar entre si as nações da terra (como supunham os antigos, ainda inexperientes em navegação), o mar é a grande estrada da raça humana, e une todas as suas várias nações em uma família, pelos laços benéficos do comércio. Incontáveis armadas estão constantemente sulcando o seu seio, para enriquecer, com intercâmbios ou permutas perpétuas, todas as nações do globo com produtos de todas as regiões, para levar os frutos do mundo tropical aos filhos do frio norte, ou para transportar os produtos de climas mais frios aos habitantes das regiões equatoriais. Com o crescimento do comércio, a civilização também expandiu a ampla estrada do oceano, de costa a costa; isto começou nos limites do mar, e seus lugares principais ainda são encontrados junto aos seus confins. – *G. Hartwig, "The Harmonies of Nature", 1866 v. 26:* "O Leviatã". Há razões para pensar (embora alguns neguem isto) que, em diversas passagens, o termo *leviatã* seja empregado de maneira genérica, como nós usamos a palavra *dragão,* e que indique um grande monstro do mar. – *E. P. Barrows, "Biblical Geography and Antiquities"*

v. 26: "Para nele folgar". Por mais terrível e tempestuoso que o mar possa parecer, e incontrolável em suas ondas, é somente o local de *diversão*, o *parque de diversões*, o *"verde boliche"*, para estes imensos monstros marinhos. – *Adam Clarke*

v. 26: "O Leviatã... que formaste para nele folgar". Tão maravilhosa força tem a cauda da baleia, que os maiores destes animais, medindo cerca de 25 metros de comprimento, são capazes, com o auxílio da cauda, de saltar e sair completamente da água, como se fossem pequenos peixes, saltando em busca de moscas. Este movimento recebe o nome técnico de "breaching" em inglês, ou salto fora d'água, e o som que é produzido quando o imenso corpo cai sobre a água é tão forte que pode ser ouvido à distância de vários quilômetros. – *J. J. G. Wood, "The Illustrated Natural History", 1861*

v. 26: "O Leviatã... que formaste para nele folgar". Embora estes imensos mamíferos não tenham pernas, eles nadam com grande velocidade, e dançam nos montes de água açoitados pelas tempestades. – *Moquin Tandon*

v. 26: "O Leviatã... que formaste para... folgar". Ele foi criado para *"folgar"* no mar; ele não tem nada a fazer, como tem o homem, que "sai para a sua lida"; ele não tem nada a temer, como têm os animais, que se deitam nos seus covis; e por isto, ele brinca com as águas: é uma pena que alguns dos filhos dos homens, que têm poderes mais nobres e foram criados com propósitos mais nobres, devam viver como se fossem enviados ao mundo como o leviatã às águas, para brincar, desperdiçando todo o seu tempo em passatempos. – *Matthew Henry*

v. 26: "Nele". Peixes, grandes e pequenos, brincam no elemento, mas tão logo são tirados dele, enfraquecem e morrem. Marca, ó alma, qual é o teu elemento, se desejas viver alegremente e abençoada. – *Starke, "Lange's Commentary"*

v. 27: Há cinco coisas que devem ser observadas, no sustento de Deus a todos os animais. O seu poder, que sozinho é suficiente para todos: *"Todos esperam de ti"*. Sabedoria, que escolhe uma ocasião adequada: *"Que lhes dês o seu sustento em tempo oportuno"*. A sua majestade acima de todos: *"Dando-lho tu, eles o recolhem"*, como as migalhas que caem da mesa do seu Senhor supremo. A sua liberalidade, que não detém nada na sua mão aberta que não seja dado: *"Abres a tua mão"*. A sua bondade original que flui para todos: *"Enchem-se de bens"* isto é, das boas coisas que se originam da tua bondade. – *Le Blanc*

v. 27: "Que lhes dês o seu sustento em tempo oportuno"; ou, no seu tempo; a cada um, no seu próprio tempo, o que é natural a eles, e como foram acostumados, no momento em que o Senhor lhes dá, e eles o recolhem; seria bom se os homens fizessem a mesma coisa, comendo e bebendo no momento apropriado e devido (Ec 10.7). Cristo fala uma palavra oportuna às almas cansadas; os seus ministros dão a todos a sua porção de alimento, no devido tempo; e quão boa e doce é uma palavra dita na ocasião apropriada? Isaías 7.4; Lucas 12.12; Provérbios 15.23. – *John Gill*

vv. 27 a 32:

Todos estes, Senhor, esperam em ti, que lhes dês o seu alimento;
Tu atendes às suas necessidades;
Eles recolhem o que tu envias;
Abres a tua mão, suprindo todas as suas necessidades,
Não negligencias nem o menor, e satisfazes os grandes.

Quando escondes o teu rosto, uma repentina mudança lhes sobrevém
Miríades perdem o fôlego, Eles morrem, para não mais despertar;
Mas o teu Espírito logo cria novas miríades,
E toda a face da natureza é rapidamente renovada.
A glória do Senhor, imutável, permanece para sempre;

em todas as suas obras se alegra,
sem desprezar sequer a menor.
Mas, se Ele se zanga, a terra se encolhe com temor, debaixo dele,
E, ao seu toque, os montes o adoram com chamas acesas.
– *John Burton*

v. 28: "Dando-lho tu, eles o recolhem". Esta sentença descreve *O sistema de abastecimento da Criação.* O problema é alimentar "seres inumeráveis, animais pequenos e grandes" que enchem o mar; os exércitos de aves que enchem o céu, e as vastas hordas de animais que povoam a terra firme; e nesta sentença, temos o problema solucionado: *"Dando-lho tu, eles o recolhem"*. A obra é estupenda, mas é feita com facilidade, porque quem a realiza é infinito: se Ele não estivesse à frente da tarefa, ela jamais seria realizada. Bendito seja Deus, pelo grande TU do texto. É, de todas as maneiras, nossa mais doce consolação, que o Deus pessoal ainda esteja trabalhando no mundo: o leviatã no oceano, e o pardal sobre o galho, podem se alegrar com isto, de igual maneira; e nós, os filhos do grande Pai, muito mais.

O princípio geral do texto é: Deus dá às suas criaturas, e as suas criaturas o recolhem. Este princípio geral nós aplicaremos ao nosso próprio caso, como homens e mulheres; pois ele é tão verdadeiro para nós como o é para os peixes do oceano e para o gado nas montanhas: *"Dando-lho tu, eles o recolhem"*. I. *Nós só temos que recolher, pois Deus dá.* Em coisas *temporais,* Deus nos dá, todos os dias, o nosso pão cotidiano, e a nossa tarefa é simplesmente reconhecê-lo. E também nas coisas *espirituais,* o princípio é verdadeiro, mais enfaticamente – no tocante à graça, nós só temos que recolher o que Deus nos dá. O homem natural pensa que tem que merecer a benevolência divina; que tem que comprar a bênção do céu; mas ele está muito enganado: a alma só tem que receber aquilo que Jesus dá, gratuitamente. II. *Nós só podemos recolher aquilo que Deus nos dá.* Ainda que possamos estar ansiosos, este é o fim da questão. O pássaro diligente não poderá recolher mais do que o Senhor lhe deu; e tampouco poderá o mais avarento e cobiçoso homem. "Inútil vos será levantar de madrugada, repousar tarde, comer o pão de dores, pois assim dá ele aos seus amados o sono". III. *Nós devemos recolher o que Deus nos dá,* caso contrário não obteremos nenhum bem através da sua doação generosa. Deus alimenta os seres inumeráveis, mas cada criatura recolhe o seu alimento. O imenso leviatã recebe a sua vasta porção, mas ele deve continuar arando pelos campos sem fim, e recolher as miríades de objetos minúsculos que suprem a sua necessidade. O peixe deve saltar para apanhar a mosca, a andorinha deve caçar, como um falcão, o seu alimento, os leõezinhos devem caçar a sua presa. IV. A quarta etapa do texto nos dá o doce pensamento de que *podemos recolher o que Ele dá.* Nós temos a permissão divina para desfrutar livremente do que o Senhor concede. V. A última parte é: *Deus sempre nos dará alguma coisa para reunirmos.* Está escrito: "O Senhor proverá". Isto também inclui as coisas espirituais. Se você estiver disposto a recolher, Deus sempre dará. – *C. H. S.*

v. 28: "Recolher". O verbo traduzido como "*recolher*" significa apanhar ou pegar do chão. E é usado na história do maná (Êx 16.1,5,16), à qual aqui há uma alusão óbvia. O ato de recolher do solo parece pressupor um atirar prévio do céu. – *J. A. Alexander*

v. 28: "Abres a tua mão". Os comentaristas gregos interpretam *o abrir da mão* como indicando facilidade. Eu sou de opinião de que isto se refere também à abundância e à liberalidade, como em Salmos 145.16: *"Abres a mão e satisfazes os desejos de todos os viventes"*. Usando a mesma fórmula, Deus nos ordena *que não fechemos a mão, mas que ela esteja aberta para os pobres.* – *Lorinus*

v. 29: "Ficam perturbados". Ficam confusos; dominados pelo terror e pelo assombro. A palavra "*perturbado*" não transmite, de maneira nenhuma, o sentido da palavra original – בָּהַל (*bāhal*) – que significa, na verdade, tremer; estar em trepidação; encher-se de terror; estar assombrado; estar confuso. É aquele tipo de consternação que se tem, quando são retirados todo o apoio e proteção, e quando a destruição inevitável está à frente. Quando Deus vira o rosto, todo o sustento é retirado, falham todos os recursos, *e eles devem morrer*. Eles são representados como conscientes disto; ou isto é o que ocorreria, se eles *estivessem* conscientes. – *Albert Barnes*

v. 30: "Envias o teu Espírito, e são criados". O Espírito de Deus cria todos os dias; o que é que dá continuidade às coisas na sua existência criada, senão a providência? Este é um verdadeiro axioma de divindade, *a providência é a criação continuada*. O Espírito de Deus, que criou a princípio, cria, até hoje: *"Envias o teu Espírito, e são criados"*. A obra da criação foi concluída nos seis primeiros dias do mundo, mas a obra da criação é renovada todos os dias, e assim continuará, até o fim do mundo. A criação providencial progressiva, assim como a criação original, é atribuída ao Espírito. *"E assim renovas a face da terra"*. Tu crias um novo mundo; e assim Deus cria um novo mundo todos os anos, enviando o seu Espírito, ou vivificando o poder, na chuva e no sol, para renovar a face da terra. E, assim como o Senhor envia o seu poder, em graças providenciais, também o faz em juízos providenciais. – *Joseph Caryl*

v. 31: "Alegre-se o Senhor em suas obras". Apenas o homem, entre as criaturas, entristece a Deus, e trouxe lágrimas aos olhos de Cristo, que se alegrou no Espírito, porque o Pai tinha condescendido em revelar os mistérios aos pequeninos. Deus se arrependeu de ter criado o homem, porque assim como um filho sábio faz um pai feliz, também um louco é uma vergonha para ele. – *Lorinus*

v. 31 (última parte): O que o salmista acrescenta, *Alegre-se o Senhor em suas obras* não é supérfluo, pois ele deseja que a ordem que Deus estabeleceu desde o início possa ser continuada no uso lícito dos seus dons. Como lemos em Gênesis 6.6 que "arrependeu-se o Senhor de haver feito o homem sobre a terra", assim, quando Ele vê que as boas coisas que Ele concede são poluídas pelas nossas corrupções, Ele deixa de se alegrar em concedê-las. E certamente a confusão e a desordem que têm lugar, quando os elementos deixam de realizar a sua função, testificam que Deus, desgostoso e cansado, é provocado, a ponto de descontinuar e interromper o curso regular da sua beneficência, embora a ira e a impaciência não tenham, a rigor, lugar na sua mente. O que é ensinado aqui é que Ele tem o caráter do melhor dos pais, que se alegra em cuidar ternamente dos seus filhos, e em nutri-los com generosidade. – *João Calvino*

v. 32: "Olhando ele para a terra, ela treme". Assim como o homem pode lançar um olhar, com a mesma rapidez Deus pode fazer tremer a terra, isto é, seja toda a massa da terra, ou o tipo inferior de homens sobre a terra, quando Ele *"olhando"*, ou lançando um olhar irado *"para a terra, ela treme"*.

"Tocando nos montes" (isto é, os principados e potestades do mundo), "logo fumegam"; se Ele apenas os toca, eles fumegam, isto é, os terríveis efeitos do poder e do juízo de Deus são visíveis sobre eles. – *Joseph Caryl*

v. 32: Ninguém, senão um fotógrafo, pode retratar o deserto ao redor do Sinai. As perspectivas de Robert são nobres, e até certo ponto, fiéis, mas elas não representam estes penhascos e ravinas do deserto. Nenhum artista pode fazê-lo apropriadamente. Somente o fotógrafo pode retratar os milhões de pequenos detalhes que constituem a desolação, o estado selvagem, a enormidade e a triste solidão destes desertos misteriosos.

Aproximadamente ao meio-dia, eu saí e caminhei até o telhado do convento. A luz das estrelas sobre os cumes das montanhas era esplêndida, embora o brilho que se debruçava ao redor destes enormes precipícios e destas ravinas impenetráveis era quase opressivo ao espírito. Esta é a cena de que Davi falava.

"Olhando ele para a terra, ela treme: tocando nos montes, logo fumegam". Este é o monte "palpável, aceso em fogo" (Hb 12.18). Não o monte "que se pode tocar", como nossos tradutores interpretaram, mas o monte "que foi tocado", ψηλαφωμένῳ – o monte em que se apoiou o dedo de Deus.

Nós podemos imaginar o cinturão negro da espessa escuridão que cercava o monte, e os relâmpagos exibindo o seu rápido fogo pela sua cobertura, tornando mais escura a escuridão. Também podemos imaginar a chama sobrenatural, que não foi acesa por nenhuma mão terrena, que se elevou no meio disto, como uma coluna viva de fogo, subindo, em meio ao som de trombetas angelicais e trovões super angelicais, até o centro do céu. – *Horácio Bonar, "The Desert of Sinai", 1858*

v. 32: O filósofo se esforça para investigar a causa natural de terremotos e vulcões. Bem, ele pode explicar como quiser, mas ainda é o poder imediato do Senhor que é a verdadeira e suprema causa. Deus opera nestas tremendas operações. "*Olhando ele para a terra, ela treme; tocando nos montes, logo fumegam"*. Esta é a filosofia das Escrituras: esta, então, será a minha filosofia. Jamais uma sentença proferida pelo homem sem inspiração foi tão sublime, como esta. A ideia é inconcebivelmente grandiosa; e a expressão reveste a ideia com apropriada majestade externa. Deus não precisa de meios com os quais pôr em prática o seu propósito pelo seu poder, mas, de modo geral, Ele estabeleceu meios pelos quais Ele age. Em conformidade com este plano Divino, Ele cria através de meios, e governa através de meios. Mas os meios que Ele empregou na Criação, e os meios que Ele emprega na providência, são eficazes somente pelo seu poder todo-poderoso. A sublimidade da expressão nesta passagem se origina da infinita desproporção entre os meios e o fim. Um soberano terreno olha com ira, e os seus cortesãos tremem. Deus olha para a terra, e ela treme até a sua fundação. Ele toca os montes, e o vulcão fumega, vomitando torrentes de lava. Os montes são descritos como derretendo na presença do Senhor. "Treme, terra, na presença do Senhor, na presença do Deus de Jacó". Como é frio e paralisante o sopro desta filosofia nociva, que impede que as nossas mentes vejam Deus nas suas obras de Providência! O cristão que vive nesta atmosfera, ou às suas margens, não será saudável nem frutífero em obras verdadeiras de justiça. Esta malária destrói toda a vida espiritual. – *Alexander Carson*

v. 32: "Tocando nos montes, logo fumegam". É um problema, portanto, cair nas mãos daquele que pode fazer coisas tão terríveis com seus olhares e toques. – *John Trapp*

v. 33: "Cantarei ao Senhor". O salmista, exultando na perspectiva gloriosa da renovação de todas as coisas, irrompe em triunfante expectativa do grande evento, e diz: "Cantarei ao Senhor", בְּחַיָּי (*b*[e]*ḥayyāy*), "enquanto eu *viver"*, durante a vida que tenho *agora*, e durante a *vida* que *terei* no futuro.

"Cantarei louvores ao meu Deus", בְּעוֹדִי (*b*[e]*'ôdî*), *"enquanto existir",* na minha continuidade, na minha progressão incessante. Que ideias assombrosas! Mas então, como esta grande obra será realizada! E como a nova terra será habitada apenas por espíritos justos? A resposta é (v. 35): *"Desapareçam da terra os pecadores, e os ímpios não sejam mais"*. – *Adam Clarke*

vv. 33 a 35: Tendo todos sido admoestados a glorificar a Deus, o salmista revela o que irá fazer: com a sua voz, ele declarará seus louvores. *"Cantarei ao Senhor enquanto eu viver";* com sua mão, ele irá escrever salmos, e lhes porá música: "*cantarei louvores ao meu Deus, enquanto existir"*; com sua mente, fará doces meditações: "*A minha meditação a seu respeito será suave"*; com vontade e sentimento, ele buscará a Deus, e somente a Ele: "*eu me alegrarei no Senhor*; ele prediz e deseja a destruição de todos os pecadores que não pensam em louvar a Deus, mas o desonram com suas palavras e obras: "*Desapareçam da terra os pecadores, e os ímpios não sejam mais"*; e, por fim, com toda a sua alma e todas as suas forças, ele irá bendizer a Deus: "*Bendize, ó minha alma, ao Senhor"*. – *Le Blanc*

v. 34: "A minha meditação ao seu respeito será suave". Um cristão não precisa estudar nada, além de *Cristo*, em Cristo há o suficiente para ocupar o seu estudo e a sua contemplação todos os seus dias; e quanto mais nós estudamos Cristo, mais podemos estudá-lo; sempre haverá novas maravilhas a serem descobertas a respeito dele. – *John Row, 1680 v. 34:* "A minha meditação ao seu respeito será suave". As últimas palavras escritas por Henry Martin, que morreu entre muçulmanos, na Pérsia, foram: Eu me sentei no pomar, e pensei, com doce consolação e paz, no meu Deus, minha companhia na solidão, meu Amigo e Consolador.

v. 34: "A minha meditação ao seu respeito será suave". Eu devo meditar em Cristo. Que os filósofos se elevem em suas contemplações, e andem entre as estrelas; o que são as estrelas diante de Cristo, o Sol da justiça, o esplendor da glória do Pai, e a imagem expressa da sua pessoa? Deus manifesto na carne é um tema que os anjos se alegram em contemplar. – *Samuel Lavington*

v. 34: "A minha meditação ao seu respeito será suave". Em primeiro lugar, interprete isto como *uma afirmativa*. A meditação sobre o Senhor é doce. E esta doçura deve nos despertar a colocá-la em prática. Em segundo lugar. Interprete isto como *uma resolução* – que o salmista fará, para a sua própria prática; isto é, que ele se consolaria em performances como estas; enquanto outros têm prazer em outras coisas, ele se agradaria na comunhão com Deus, este seria o seu consolo e o seu deleite em todas as ocasiões. Davi promete a si mesmo uma grande satisfação neste exercício de meditação divina, que ele empreende com muita alegria: e assim, agem de igual maneira outros servos de Deus, da mesma natureza e disposição que ele, em empreitadas similares. Em terceiro lugar, interprete como *uma oração e uma súplica*. *"Será"*, isto é, *que seja*, o futuro com significado de imperativo, como frequentemente costuma ser; e assim deve ser traduzida a palavra *gnatam*, não *de Deus*, mas *a Deus*. Que a minha meditação, ou oração, ou conversação, seja doce para Ele. *Placeat illi meditatio mea*, assim alguns bons intérpretes interpretam. A tradução em inglês – "Que minhas palavras sejam aceitáveis" – e a anterior a ela – "Oh, que as minhas palavras possam agradá-lo" –, significam a mesma coisa, assumindo a noção de uma *oração*: isto é o que os servos de Deus ainda julgavam ser o mais necessário para eles (como, na verdade, o é); a aceitação, por Deus, das realizações que foram apresentadas por eles. – *condensado de Thomas Horton*

v. 34 (primeira parte): Todos os antigos concordam em interpretar isto desta maneira: *"A minha meditação será doce para Ele"*, ou, como o texto árabe-judaico: ענדה, *com Ele*, de acordo com o texto do salmista, Salmos 19.14: "Sejam agradáveis as palavras da minha boca e a meditação do meu coração perante a tua face". Assim, os caldeus aqui: קֳדָמוֹי, *diante dele*; a LXXII: ἡδυνθείη αὐτῷ, *"Que seja doce para Ele"*; a siríaca: ܠܗ , *para Ele*, e também as outras. E עַל também significa *para* além de *sobre*. – *Henry Hammond*

v. 34: "Eu me alegrarei no Senhor". Compare isto com o versículo 31, e observe o prazer e o deleite mútuos e recíprocos entre Deus, que é louvado, e a alma que o louva. Deus, *que se alegra nas suas obras*, tem mais deleite com o homem, que é o compêndio das suas outras obras. E nesta obra, nada mais excelente poderá ser procurado pelo homem do que a obra de louvar a Deus; nela, os benditos são empregados. Assim, neste mesmo louvor a Deus que é tão agradável, Davi professa estar sempre disposto a alegrar-se. *O meu amado é meu*, canta a esposa, *e eu sou dele*. – *Lorinus*

v. 35: "Desapareçam da terra os pecadores", etc. – Há alguns anos, o destino me levou a caminhar, por alguns quilômetros, em uma manhã de verão, ao longo de uma praia de beleza assombrosa. Era o dia do Senhor, e as palavras do salmo 104 vieram espontaneamente à minha mente, enquanto uma imagem após outra se desdobravam diante dos meus olhos. Na metade do caminho para o meu destino, o caminho passava por um vilarejo sujo, e minhas meditações foram rudemente interrompidas pelo vociferar de algumas pessoas, que pareciam ter passado a noite alcoolizadas. Bem, eu pensei, o salmista deve ter tido alguma experiência igualmente desagradável. Ele deve ter se envolvido com pessoas, deve ter participado de alguma cena de beleza natural, que, em lugar de ser um santo sacerdócio que dê voz à natureza, em louvor ao seu Criador, em vez de ser, no puro e santo teor das suas vidas, a mais celestial nota do cântico geral – a encheu de áspero desacordo. A sua oração é a veemente expressão de um desejo de que a terra não mais se corrompa pela presença de homens ímpios – que eles possam ser completamente consumidos, e possam dar lugar a homens animados com o temor a Deus, homens justos e santos, homens que serão uma coroa de beleza sobre a cabeça desta bela criação. Se esta for a explicação correta da oração do salmista, não apenas é justificável, mas há algo errado nas nossas meditações sobre a natureza, se não estivermos dispostos a nos unirmos a ela. – *William Binnie*

v. 35: "Desapareçam da terra os pecadores". Esta imprecação depende da última parte do versículo 31: *"Alegre-se o Senhor em suas obras"*. À medida que os ímpios infectam o mundo com as suas corrupções, a consequência é que Deus tem menos alegria com a sua própria humanidade, e até mesmo se desagrada dela. É impossível que esta corrupção – que, sendo estendida e difundida por todas as partes do mundo, vicia e corrompe este nobre produto das suas mãos – não seja extremamente ofensiva a Ele. Uma vez que os ímpios, com o seu uso perverso dos dons de Deus, fazem com que o mundo, de certa forma, degenere e se afaste do seu original, o profeta, com razão, deseja que eles sejam exterminados, até que sua raça desapareça inteiramente. Então, devemos tomar cuidado para avaliar a providência de Deus, e sendo totalmente devotados a obedecer a Ele, possamos usar, corretamente e puramente, os benefícios que Ele santifica para o nosso desfrute. Além disto, devemos nos entristecer pelo fato de que estes preciosos tesouros sejam impiamente desperdiçados, e devemos considerar monstruoso e detestável que os homens não apenas se esqueçam do seu Criador, mas também, de certa forma, propositalmente se dirijam a um fim perverso e indigno, por mais que Ele lhes tenha concedido boas coisas. – *João Calvino*

v. 35: "Os pecadores".

Todos fiéis, todos sem pecados, todos em sintonia.
O maravilhoso coro da criação,
aberto em místico uníssono,
durará até que expire o tempo.

E ainda dura, de dia e de noite,
com uma voz de concordância.
Todos entoam hinos à tua glória, apropriadamente,
Todos adoram e se alegram.

Somente o homem prejudica o doce acordo,
superando com áspero ruído
a música das tuas obras e palavras,
uma má combinação de tristeza e pecado.
– John Keble, "The Christian Year"

v. 35: "Bendize, ó minha alma, ao Senhor". Aqui se repetem as primeiras palavras do salmo, que são as mesmas que aparecem no versículo 35. Elas são aqui repetidas, como para indicar que o fim dos homens bons é como o seu começo, e que ele não pertence ao grupo daqueles que começam no espírito e procuram ser aperfeiçoados na carne. Um digno começo para o salmo, diz Cassiodoro, e um digno fim, para bendizer aquele que jamais, em nenhuma ocasião, deixa de estar com os fiéis. A alma que bendiz engordará... Conduzida por estas rédeas de louvor divino, ela jamais perecerá. – *Lorinus*

v. 35: Este é o primeiro ponto em que Aleluia (*"Louvai ao Senhor"*) aparece no livro dos Salmos. Ela é produzida depois de um retrospecto sobre a *Criação* e pela contemplação da bondade de Deus na preservação de todas as criaturas pela sua mão, e também por uma visão prospectiva daquele sábado futuro, em que, pela remoção dos homens maus da comunhão com os bons, Deus poderá examinar as suas obras, como Ele fez no primeiro sábado, antes que o Tentador as tivesse prejudicado, e veja "que tudo era bom". Veja Gn 1.31; 2.2,3. – *Christopher Wordsworth v. 35:* "Louvai ao Senhor". Esta é a primeira vez que nos deparamos com *Aleluia;* e ela aparece aqui, por ocasião da destruição dos ímpios; e a última vez em que a vemos é na ocasião semelhante, quando a Babilônia do Novo Testamento é consumida, este é o peso do cântico, *"Aleluia"*, Apocalipse 19.1,3,4,6. – *Matthew Henry*

SUGESTÕES AOS PREGADORES

v. 1 (primeira parte). Uma exortação ao coração de cada um.

I. Lembrar do Senhor como a causa principal de todo o bem. Não bendizer ao homem, nem ao destino, mas *ao Senhor.*

II. Fazer isto de uma maneira amorosa, agradecida, sincera, laudatória. *Bendizer ao* Senhor.

III. Fazer isto verdadeiramente e intensamente. *Ó, minha alma.*

IV. Fazer isto *agora* – por várias razões e de todas as maneiras possíveis.

v. 1 (segunda parte). Ele é tudo isto, essencialmente, e em natureza, providência, graça e juízo.

v. 2 (primeira parte). A mais clara revelação de Deus ainda encobre tantas coisas... até mesmo a luz é apenas um esconderijo para Ele. Deus se veste de luz, quando o vemos na sua onisciência, na sua revelação, na sua glória no céu, e na sua graça na terra.

v. 3 (última parte). I. Deus está tranquilo, na sua pressa: Ele *"anda"*, etc.

II. Deus é rápido, até mesmo no seu relaxamento: "Ele anda *sobre as asas do vento"*.

III. As conclusões práticas são que há tempo suficiente para os propósitos divinos, mas não para as nossas brincadeiras; e que devemos esperar com paciência pela vitória da sua causa, e, ao mesmo tempo, corrermos para ela, através de atividades santas.

v. 4. I. A natureza dos anjos. Espíritos.

II. O Senhor dos anjos. "Faz", etc. Imagine como deve ser a própria espiritualidade daquele que faz os espíritos?

III. O ministério dos anjos.

1. O seu ofício: "ministros".
2. A sua atividade ou o seu zelo: "um fogo abrasador".
3. A sua dependência: *faz* ministros. – *G. Rogers*

v. 7. O poder da palavra divina na natureza mostra o seu poder em outras esferas.

v. 9. I. Todas as coisas têm indicados os seus limites.

II. Ultrapassar estes limites, sem a permissão especial de Deus, é transgressão. "Limite lhes traçaste, que *não ultrapassarão*".

III. Casos extraordinários devem ser seguidos por um retorno às tarefas normais. "Para que não tornem mais", etc. – *G. R.*

v. 10. A consideração de Deus por aqueles que, como os vales, são humildes, e estão escondidos e necessitados: o caráter permanente das suas provisões: e os felizes resultados do seu cuidado.

vv. 10 e 11. Os cuidados de Deus pelos animais selvagens, reflexões sobre isto.

(1.) Ele não cuidará muito mais do seu povo?

(2.) Ele não cuidará dos homens selvagens, que vagueiam?

(3.) Nós também não devemos cuidar de todos os que vivem?

vv. 10 a 12. A fertilidade, vida e música que assinalam o curso de uma correnteza, ilustram as influências benéficas do Evangelho. – *C. A. Davis*

v. 14. "No campo de feno". (Veja "Spurgeon's Sermons", n. 757.) *"Ele faz crescer a erva para os animais"*.

I. A erva é, por si, instrutiva.

1. Como símbolo da nossa mortalidade: "Toda carne é como erva".
2. Como emblema dos ímpios.
3. Como imagem dos escolhidos de Deus (Is 35.7; 44.4; Sl 72.6,16).
4. A erva é comparável ao alimento com que o Senhor supre as necessidades dos seus escolhidos (Sl 23.2; Ct 1.7).

II. Deus é visto no crescer da erva.

1. Como trabalhador: "Ele faz", etc. Ver Deus em coisas comuns – em coisas solitárias. 2. Ver Deus como protetor: "Ele faz crescer a erva para os animais". Deus cuida dos animais – os indefesos – coisas tolas e mudas – provendo-lhes alimento adequado: "erva". Devemos, então, ver a sua mão na providência, em todos os momentos.

III. O trabalho de Deus na erva para os animais nos dá exemplos a respeito da graça.

1. Deus "tem cuidado dos bois" e satisfaz as suas necessidades: deve, então, haver alguma coisa, em algum lugar, que satisfaça as necessidades do homem, criatura mais nobre, e da sua alma imortal.

2. Embora Deus forneça a erva para os animais, eles mesmos devem comê-la. O Senhor Jesus Cristo é o alimento para a alma. Nós devemos, pela fé, receber e nos alimentarmos de Cristo.

3. A graça preventiva pode ser vista aqui como um símbolo: antes mesmo que fossem criados os animais, neste mundo havia a erva. Havia suprimentos de concerto para o povo de Deus antes que eles estivessem no mundo.

4. Aqui há um exemplo da graça gratuita: os animais não trazem nada com que comprar seu alimento. Por que isto?

(1) Porque eles pertencem a Ele, Salmos 1.10.

(2) Porque Ele entrou em concerto com eles, para alimentá-los (Gn 9.9, 10).

No texto, há um golpe poderoso contra o livre arbítrio: *"Ele faz* crescer a erva". A graça não cresce no coração sem uma causa divina. Se Deus se preocupa em fazer crescer a erva, Ele também fará que nós cresçamos em graça. Novamente; a graça não cresce sem um objeto; ela é "para os animais"; mas os animais crescem para o homem. Para que, então cresce o homem? Observe, ainda, que a existência da erva é necessária para completar a cadeia da natureza. Também o mais inferior dos filhos de Deus é necessário para a família.

v. 16. "Os cedros do Líbano" (Veja "Spurgeon's Sermons", n. 529).

I. A ausência de toda cultura humana. Estas árvores são peculiarmente as árvores do Senhor, porque,

1. Elas devem a sua plantação inteiramente a Ele: "Ele plantou".

2. Elas não dependem do homem para serem regadas.

3. Nenhum poder mortal as protege.

4. Quanto à sua inspeção – elas conservam uma sublime indiferença ao olhar humano.

5. A sua exultação é toda para Deus.

6. Não há um cedro no Líbano que não seja independente do homem, nas suas expectativas.

II. A gloriosa exibição do cuidado divino.

1. Na abundância da sua provisão.

2. Elas são permanentemente verdes.

3. Observe a grandeza e o tamanho destas árvores.

4. A sua fragrância.

5. A sua perpetuidade.

6. Elas são muito veneráveis.

III. A plenitude do princípio da vida: "Satisfazem-se as árvores do Senhor".

1. Isto é vitalmente necessário.

2. É essencialmente misterioso.

3. É radicalmente secreto.

4. É permanentemente ativo.

5. É externamente operante.

6. Deve ser abundantemente desejado.

vv. 17 e 18. "Lições da natureza". (Veja "Spurgeon's Sermons", n. 1.005).

I. Para cada lugar, Deus preparou uma forma de vida adequada: para "a faia", "a cegonha"; para "os altos montes", "as cabras monteses", etc. Assim, para todas as partes do universo espiritual, Deus proveu formas apropriadas de vida divina.

1. Cada época tem seus santos.

2. Eles são encontrados em todos os níveis. A religião cristã é igualmente bem adaptada para todas as condições.

3. Em cada igreja, será encontrada vida espiritual.

4. O povo de Deus será encontrado em cada cidade.

II. Cada criatura tem seu lugar apropriado.

1. Cada homem tem uma posição providencial designada por Deus para si.

2. Isto também é verdade sobre a nossa experiência espiritual.

3. E também é verdade quanto à individualidade de caráter.

III. Cada criatura que Deus criou tem o seu refúgio.

IV. Para cada criatura, o refúgio é apropriado.

V. Cada criatura usa o seu refúgio.

v. 19. I. A sabedoria de Deus, como exibida nos céus materiais. Nas fases da lua, e na variedade das estações.

II. A bondade de Deus, como é exibida aqui. Na adaptação destas variações às necessidades e aos usos dos homens.

III. A fidelidade de Deus, como é exibida aqui. Inspirando confiança nas suas criaturas pela sua regularidade.

"Como o sol, que eu possa cumprir as tarefas designadas para o dia. Com mente pronta e ativa, marcharei e seguirei o meu caminho para o céu".

v. 20. A escuridão e os animais da selva que saem.

1. A ignorância a respeito de Deus, e os desejos não reprimidos (Rm 1.2). Os pecados revelados. Havia animais ali, antes, porém estavam despercebidos; porém agora, eles aterrorizam o homem.

3. Desânimo espiritual, desalento, desespero, etc.

4. Letargia da igreja. Todos os tipos de heresias, etc., começam a sair.

5. A influência papal. Monges, frades, sacerdotes, etc., saem nesta era escura. – *A. J. G. Brown*

vv. 20 a 23. I. O trabalho noturno é para os animais selvagens: "Ordenas a escuridão", etc.

II. O trabalho diurno é para os homens: "Sai o homem", etc. Os homens bons fazem o seu trabalho durante o dia; porém os maus, durante a noite: o seu trabalho se realiza na escuridão. Os ministros, que se dedicam a seus estudos à noite, e "bramam pela presa" e "de Deus buscam o seu sustento" são mais parecidos com os animais selvagens do que com os homens racionais. – *G. R.*

v. 21. Orações inarticuladas, por mais defeituosa que a expressão possa ser; e, apesar disto, quão real é a oração na avaliação de Deus.

v. 22. O efeito do nascer do sol nos animais de rapina, exibe a influência da graça divina sobre as nossas paixões profanas. – *C. A. D.*

v. 23. *"Early Closing"*. Um sermão pregado em nome da "Early Closing Association", por *James Hamilton*, D. D., 1850. Em "Pulpit", Vol. 57.

v. 24. I. A linguagem do assombro: "Ó Senhor, quão variadas", etc. O seu número, a sua variedade, cooperação, harmonia.

II. De admiração: "Com sabedoria", etc. Em todas as partes, a mesma sabedoria é exibida. Deus, diz o Dr. Chalmers, é tão grande nos detalhes quanto em magnitude.

III. De gratidão: "Cheia está a terra", etc. – *G. R.*

v. 24. I. As obras do Senhor são inúmeras e variadas.

II. Elas são feitas para mostrar a mais suprema sabedoria em seu *desígnio* e a *finalidade* para a qual são formadas.

III. Todas elas são *propriedade* de Deus, e devem ser usadas somente em referência ao fim para o qual foram criadas. Todo *abuso* e *desperdício* das criaturas de Deus é roubo e saque da propriedade do Criador. – *Adam Clarke*

v. 26. *"Ali passam os navios"*. (Veja "Spurgeon's Sermons", n. 1.259).

I. Nós vemos que os navios passam.

1. Os navios devem passar.

2. Os navios que passam por fim desaparecem do alcance da visão.
3. Os navios que passam buscam negócios.
4. Os navios navegam em um mar que muda.
II. Como vão os navios?
1. Eles devem ir de acordo com o vento.
2. Mas o marinheiro não segue de acordo com o vento, sem que haja um grande esforço de sua parte.
3. Eles devem ser guiados e orientados pelo leme.
4. Aquele que maneja o leme procura orientação de cartas, mapas e luzes.
5. Eles seguem de acordo com a sua construção.
III. Devemos sinalizar para eles.
1. Quem é o seu proprietário?
2. Qual é a sua carga?
3. Para onde está indo?

vv. 27 a 30. Examinar a analogia no mundo espiritual. Os santos esperando, v. 27; o seu sustento, da mão aberta, v. 28; a sua perturbação com o rosto oculto; a sua morte, se o Espírito se fosse, v. 29; o seu reviver, quando o Espírito retorna, v. 30.

vv. 29 e 30. I. O começo da vida vem de Deus: "Envias o teu Espírito", etc.
II. A continuidade da vida vem de Deus: "E assim renovas", etc.
III. O declínio da vida vem de Deus: "Escondes o teu rosto", etc.
IV. A cessação da vida vem de Deus: "E lhes tiras a respiração", etc.
V. A ressurreição da vida vem de Deus: "Renovas", etc. – *G. R.*

v. 30. A estação da primavera e suas analogias mortais. Veja John Foster, "Lectures", 1844.

v. 32. I. O que há em um olhar de Deus. "Olhando ele", etc.
1. O que há em um olhar de ira.
2. O que há em um olhar de amor. Ele olhou da coluna ardente para os egípcios. "O Senhor olhou da sua coluna de glória", etc. Ele também olhou da mesma coluna para Israel.
II. O que há em um toque de Deus: "Tocando", etc. Um toque seu pode elevar uma alma ao céu, ou fazer uma alma afundar no inferno. – *G. R.*

v. 33. I. O cantor – "Eu".
II. O cântico – "louvores".
III. O ouvinte – "O Senhor", "*Meu* Deus".
IV. A duração do cântico – "enquanto eu viver; enquanto existir". – *A. J. G. B.*

v. 33. Dois "cantarei".
I. Porque Ele me fez viver.
II. Porque Ele me faz viver nele.
III. Porque Ele é o Senhor e "meu Deus".
IV. Porque eu viverei para sempre, no melhor sentido.

v. 34. I. A contemplação de Davi.
II. A exultação de Davi. – Thomar Horton.

v. 35. I. Aqueles que não louvam a Deus não são adequados para estar na terra: "Desapareçam da terra os pecadores", etc.
II. E muito menos são adequados para estar no céu. III. Aqueles que louvam a Deus são adequados tanto para a terra como para o céu. Embora outros não o louvem aqui, os santos o farão. "Bendize ao Senhor", etc.
1. Em oposição a outros, eles o louvam na terra.
2. Em harmonia com outros, eles o louvam no céu, etc. Em todos os lugares, eles continuam tendo uma importante obrigação: "Bendize ao Senhor". – *G. R.*

SALMO 105

TÍTULO

Este salmo histórico foi, evidentemente, composto pelo rei Davi, pois os seus quinze primeiros versículos foram usados como um hino quando a arca foi trazida da casa de Obede-Edom, e nós lemos em 1 Crônicas 16.7: "Então, naquele mesmo dia, entregou Davi em primeiro lugar o Salmo seguinte, para louvarem ao Senhor, pelo ministério de Asafe e de seus irmãos". Tal cântico era apropriado para a ocasião, pois ele descreve os movimentos do povo do Senhor e o cuidado do seu guardião por todos os lugares, e tudo isto por causa do concerto de que a arca, então removida, era um símbolo. O nosso último salmo cantou os capítulos iniciais do livro do Gênesis, e este toma os seus capítulos finais e nos conduz aos livros do Êxodo e Números.

Os primeiros versículos são cheios de alegre louvor, e convocam o povo a exaltar o Senhor (vv. 1-7); a seguir, são descritos os primeiros dias da nação recém nascida (vv. 8-15); a ida ao Egito (vv. 16-23), a saída do Egito, com o braço estendido do Senhor, (vv. 24-38), a jornada pelo deserto e a entrada em Canaã.

Agora nós estamos nos salmos longos, assim como em outras ocasiões estivemos nos salmos curtos. Estas extensões variadas dos poemas sagrados devem nos ensinar a não estabelecer nenhuma regra, seja de brevidade ou de prolixidade, nem na oração nem no louvor. Súplicas curtas e versos isolados de hinos são, frequentemente, os melhores para as ocasiões públicas, mas há momentos em que toda uma noite de inquietação ou um dia inteiro de cântico de salmos não seriam longos demais. O Espírito é sempre livre nas suas operações, e não deve ser confinado às regras da propriedade convencional. O vento sopra como quer, e em uma ocasião corre em um movimento breve e rápido, ao passo que, em outra, continua a refrescar a terra, hora após hora, com seu sopro revivificador.

EXPOSIÇÃO

1 *Louvai ao Senhor e invocai o seu nome; fazei conhecidas as suas obras entre os povos.*

2 *Cantai-lhe, cantai-lhe salmos; falai de todas as suas maravilhas.*

3 *Gloriai-vos no seu santo nome; alegre-se o coração daqueles que buscam ao Senhor.*
4 *Buscai ao Senhor e a sua força; buscai a sua face continuamente.*
5 *Lembrai-vos das maravilhas que fez, dos seus prodígios e dos juízos da sua boca,*
6 *vós, descendência de Abraão, seu servo, vós, filhos de Jacó, seus escolhidos.*
7 *Ele é o Senhor, nosso Deus; os seus juízos estão em toda a terra.*

1. *"Louvai ao Senhor."* O Senhor é o autor de todos os nossos benefícios, por isto Ele deve ter toda a nossa gratidão.

"Invocai o seu nome", ou chamai-o pelo seu nome; proclamai os seus títulos e enchei o mundo com sua fama.

"Fazei conhecidas as suas obras entre os povos", ou entre as nações. Que os pagãos ouçam sobre o nosso Deus, para que possam abandonar os seus ídolos e aprender a adorá-lo. A remoção da arca era uma ocasião apropriada para proclamar em alta voz as glórias do Grande Rei, e para divulgar a toda a humanidade a grandeza das suas obras. A arca tinha uma história que estava ligada às nações, e era adequado que elas a recordassem com reverência. O restante do salmo é um sermão, e estes primeiros versículos constituem o seu texto.

2. *"Cantai-lhe."* Tragam os seus melhores pensamentos e expressem-nos na melhor linguagem, com os mais doces sons. Cuidem para que o seu canto seja "para Ele" e não meramente por causa da música ou para alegrar os ouvidos de outras pessoas. Cantar é um exercício tão prazeroso que é uma pena que uma grande quantidade de cânticos seja desperdiçada em brincadeiras, ou em algo pior. Ó, vocês que podem imitar o rouxinol, e quase rivalizar com os anjos, nós oramos muito fervorosamente para que os seus corações possam ser renovados, de modo que suas melodias possam ser derramadas aos pés do seu Criador e Redentor.

"Falai de todas as suas maravilhas." Os homens se aprazem em falar de maravilhas, e outros, de maneira geral, se alegram ao ouvir falar de coisas surpreendentes; certamente, aquele que crê no Deus vivo tem, diante de si, a mais assombrosa série de maravilhas jamais ouvidas ou imaginadas, os seus temas são inesgotáveis e eles são de tal modo a encantar o homem. Nós devemos falar mais sobre este assunto: ninguém seria criticado, como Sr. Falador, se este fosse o seu tema constante. Falem, todos vocês, todos vocês conhecem algo, por experiência, da maravilhosa benignidade amorosa do Senhor-"Falai". Desta maneira, como todas estão neste abençoado assunto, *"todas"* as suas maravilhas serão divulgadas. Uma pessoa só não pode fazer isto, nem dez mil vezes dez mil; mas se todos falarem da honra do Senhor, então, por fim, chegarão perto de realizar a tarefa. Nós devemos ter um amplo escopo quando falarmos das obras do Senhor, e não devemos fechar os nossos olhos a nenhuma parte delas. Falai das suas maravilhas – em criação e em graça, em juízo e em misericórdia, em interposições providenciais e em consolações espirituais. Não ignoreis nenhuma, ou isto será a vossa ruína. A obediência a este versículo dará a cada língua santificada algo para fazer: o músico treinado pode cantar, e a mais comum das vozes pode falar, e das duas maneiras o Senhor receberá uma medida dos agradecimentos devidos a Ele, e as suas obras serão dadas a conhecer entre os povos.

3. *"Gloriai-vos no seu santo nome."* Alegrem-se por ter tal Deus. O seu caráter e os atributos são tais que você jamais se enrubescerá por chamá-lo de seu Deus. Os idólatras podem se envergonhar dos atos atribuídos às suas divindades, os seus nomes estão sujos de luxúria e vermelhos de sangue, mas o Senhor é completamente glorioso; cada obra sua suportará o mais rígido escrutínio; o seu nome é santo, o seu caráter é santo, a sua lei é santa, o seu governo é santo, a sua influência é santa. Em tudo isto poderemos nos gloriar, e ninguém poderá negar o nosso direito de fazê-lo.

"Alegre-se o coração daqueles que buscam ao Senhor." Se eles ainda não o encontraram tão completamente como desejam, o simples fato de ter permissão e capacitação para buscar tal Deus já é motivo para alegria. Adorar ao Senhor e buscar o seu reino e a sua justiça é o caminho certo para a felicidade, e, na verdade, não há outro. Aqueles que verdadeiramente o buscam lançam os seus corações nesta

ocupação, e com isto os seus corações recebem alegria; de acordo com o texto, nós temos a permissão para nos alegrar e a promessa de que o faremos. Como são agradáveis todas estas sentenças! Onde podem estar os ouvidos dos homens quando eles falam, com melancolia, sobre entoar salmos? Que cânticos terrenos são mais cheios de verdadeira alegria? Nós ouvimos o som do tamboril e da harpa em cada verso. Aqueles que buscam encontram a felicidade no nome do Senhor Jesus; e, quanto aos que a encontram, podemos dizer, com o poeta:

"E aqueles que te encontram, encontram uma bênção
que nenhuma língua ou pena é capaz de mostrar:
o que é o amor de Jesus,
ninguém sabe exceto os seus amados".

4. *"Buscai ao Senhor e a sua força."* Coloque-se sob a sua proteção. Considere-o, não como um Deus fraco, mas examine a sua onipotência e procure conhecer a força da sua graça. Todos nós precisamos de força; confiemos no Forte, para consegui-la. Nós precisamos de um poder infinito que nos leve em segurança ao nosso local de repouso eterno, confiemos no Senhor Todo-Poderoso para isto.

"Buscai a sua face continuamente." Buscai, buscai, buscai, a palavra aparece três vezes, e embora as palavras sejam diferentes no idioma hebraico, os significados são os mesmos. *Buscar* deve ser algo abençoado, ou nós não seríamos tão motivados a fazer isto. Buscar a sua face significa desejar a sua presença, o seu sorriso, a sua benevolência, desfrutada conscientemente. Primeiro, nós buscamos *ao Senhor*, a seguir *a sua força*, e então *a sua face*; da reverência pessoal, nós passamos para a força distribuída e então para a benevolência consciente. Esta busca não deve cessar jamais – quanto mais conhecemos, mais devemos procurar conhecer. Quando o encontramos, devemos "inflamar nossas mentes, para buscá-lo cada vez mais". Ele busca os adoradores espirituais, e os adoradores espirituais o buscam; eles estão, portanto, certos de que se encontrarão, face a face, antes que passe muito tempo.

5. *"Lembrai-vos das maravilhas que fez."* A memória nunca será mais bem empregada do que a respeito destes tópicos. Ai de nós, pois somos muito mais propensos a nos lembrarmos de coisas tolas e perversas do que a conservar em nossas mentes as obras gloriosas do Senhor. Se conservássemos as obras na lembrança, a nossa fé seria mais forte, a nossa gratidão seria mais calorosa, a nossa devoção seria mais fervorosa, e o nosso amor, mais intenso. Que vergonha para nós que deixemos escapar o que pareceria impossível esquecer. Nós não devemos precisar de nenhuma exortação para nos lembrar de tais maravilhas, especialmente porque Ele as operou, todas elas, para o bem do seu povo.

"Os seus prodígios e dos juízos da sua boca" – eles também devem ser conservados na lembrança. Os juízos da sua boca são tão memoráveis como as maravilhas da sua mão. Deus tinha apenas que falar, e os inimigos do seu povo eram amargamente afligidos; as suas ameaças não eram meras palavras, mas feriam terrivelmente os seus adversários. Assim como a Palavra de Deus é a salvação dos seus santos, também é a destruição dos ímpios: da sua boca sai uma espada de dois fios com a qual Ele ferirá os ímpios.

6. *"O vós, descendência de Abraão, seu servo, vós, filhos de Jacó, seus escolhidos."* Ainda que o mundo inteiro se esqueça, nós somos obrigados a nos lembrar. O nosso pai Abraão viu as suas maravilhas e os seus juízos sobre Sodoma, e sobre os reis que vieram de longe, e Jacó também viu as maravilhosas obras do Senhor, quando Ele visitou as nações com a fome, mas provendo para os seus escolhidos uma boa herança, em uma terra agradável; por isto, que os filhos louvem a Deus, seu Pai. Os israelitas eram a nação escolhida do Senhor, e eram compelidos a imitar seu progenitor, que era um servo fiel do Senhor e que andava diante dele, em santa fé: a semente de Abraão não deve ser descrente, nem os filhos de um servo tão fiel devem se tornar rebeldes. À medida que lemos este pungente apelo à semente escolhida, devemos reconhecer

as reivindicações especiais que o Senhor tem sobre nós, uma vez que nós também fomos favorecidos, mais do que todos os outros. O fato de ter sido escolhido não é um sofá para a tranquilidade, mas um argumento para uma diligência sete vezes maior. Se Deus nos escolheu, devemos desejar ser homens escolhidos.

7. *"Ele é o Senhor, nosso Deus."* Bendito seja o seu nome. O Senhor condescende em ser o *nosso* Deus. Esta sentença contém uma riqueza de significado maior do que toda a eloquência dos oradores pode abranger, e há mais alegria nela do que em todos os sonetos que trazem alegria.

"Os seus juízos estão em toda a terra", pois toda a nação era instruída pela sua lei, regida pelos seus estatutos e protegida pela sua autoridade. Que alegria é o fato de que o nosso Deus jamais se ausenta de nós, Ele jamais deixa de habitar entre nós, jamais é um governante ausente, os seus juízos estão em todos os lugares em que Ele habita. Se a segunda parte deste versículo se referir ao mundo inteiro, é muito bonito ver a exclusividade da escolha de Israel unida à universalidade do reino do Senhor. O Senhor não se revelou apenas a uma nação, mas a sua glória brilhou por todo o globo. É impressionante que o povo judeu tenha se tornado tão exclusivista, e tenha perdido tão completamente o espírito missionário, pois a sua literatura sagrada está repleta das amplas e generosas compaixões que são tão coerentes com a adoração "ao Deus de toda a terra". Não é menos doloroso observar que, entre certa classe de crentes da escolha da graça de Deus, haja um duro espírito exclusivista, fatal para a compaixão e para o zelo. Seria bom que eles também se lembrassem de que o seu Redentor é o "Salvador de todos os homens, principalmente dos fiéis".

8 *Lembra-se perpetuamente do seu concerto, da palavra que mandou, até milhares de gerações;*
9 *do concerto que fez com Abraão e do seu juramento a Isaque,*
10 *o qual ele confirmou a Jacó por estatuto e a Israel por concerto eterno,*
11 dizendo: A ti darei a terra de Canaã por limite da vossa herança.
12 *Quando eram ainda poucos homens, sim, muito poucos, e estrangeiros nela;*
13 quando andavam de nação em nação e de um reino para outro povo,
14 *não permitiu a ninguém que os oprimisse, e por amor deles repreendeu reis, dizendo:*
15 *Não toqueis nos meus ungidos e não maltrateis os meus profetas.*

8. *"Lembra-se perpetuamente do seu concerto."* Aqui está a base para todas as suas tratativas com o seu povo: Ele tinha iniciado o concerto com eles, na pessoa do seu pai, Abraão, e a este concerto Ele permaneceu fiel. A exortação para *lembrar-se* (no versículo 5) recebe grande força do fato de que Deus se lembra. Se o Senhor se lembra da sua promessa, certamente nós não devemos nos esquecer da maravilhosa maneira com que Ele a cumpre. Para nós, deve ser motivo para a mais profunda alegria, o fato de que, em nenhum momento, o Senhor negligenciou os seus compromissos de concerto, nem o fará, até o fim do mundo. Oh, se nós fôssemos atentos a eles, como Ele é.

"Da palavra que mandou, até milhares de gerações." Isto é apenas uma ampliação da declaração anterior, e serve para colocar diante de nós a imutável fidelidade do Senhor, durante as várias gerações de homens. Os seus juízos são ameaçados sobre a terceira e a quarta gerações daqueles que o amam, mas o seu amor flui para sempre, até "milhares de gerações". Aqui está escrito que a sua promessa é *mandada*, ou revestida de toda a autoridade de uma lei. É a proclamação de um soberano, a *firmã* de um imperador, cujas leis permanecerão em cada jota e til, até que o céu e a terra passem. Portanto, devemos dar graças ao Senhor e falar de todas as suas obras maravilhosas, sim, tão maravilhosas pela sua fidelidade e verdade.

9. *"Do concerto que fez com Abraão."* Quando as vítimas foram repartidas e a luz ardente passou entre as partes (Gn 15) então o Senhor fez, ou ratificou, o concerto com o patriarca. Esta foi uma obra solene, não realizada sem sangue, e o corte

em partes do sacrifício: isto nos aponta para o concerto maior que é assinado em Cristo Jesus, selado e ratificado, para que possa permanecer para todo o sempre.

"E do seu juramento a Isaque." Isaque não teve uma visão da celebração solene do concerto, mas o Senhor renovou com ele o seu juramento (Gn 26.2-5). Isto foi suficiente para ele, e deve ter estabelecido a sua fé no Altíssimo. Nós temos o privilégio de ver, no nosso Senhor Jesus, tanto o selo do sacrifício, quanto o juramento eterno de Deus, pelo qual cada promessa do concerto se faz "sim e amém" a toda a semente escolhida.

10. *"O qual ele confirmou a Jacó por estatuto."* Jacó, em seu sonho impressionante (Gn 28.10-15) recebeu uma promessa de que o modo de proceder do Senhor com ele estaria de acordo com as relações de concerto: pois disse o Senhor: "porque te não deixarei, até que te haja feito o que te tenho dito". Assim, se podemos falar com toda a reverência, o concerto se tornou uma lei para o próprio Senhor, pela qual Ele se obrigava a agir. Ó, condescendência incomparável, que o Senhor livre e soberano se coloque sob obrigações de concerto para com os seus escolhidos, e faça uma lei para Si mesmo, embora Ele esteja acima de toda a lei.

"E a Israel por concerto eterno." Quando Ele mudou o nome de Jacó, Ele não mudou o seu concerto, mas está escrito: "abençoou-o ali" (Gn 32.29), e foi com a antiga bênção, de acordo com a palavra imutável da graça permanente.

11, 12. *"Dizendo: A ti darei a terra de Canaã por limite da vossa herança."* Esta repetição da grande promessa de concerto está registrada em Gênesis 35.9-12 em conexão com a mudança do nome de Jacó, e muito pouco tempo depois da matança dos siquemitas, o que tinha alarmado muito o patriarca, e o tinha levado a usar palavras quase idênticas às do versículo seguinte.

"Quando eram ainda poucos homens, sim, muito poucos; e estrangeiros nela." Jacó disse a Simeão e a Levi: "Tendes-me turbado, fazendo-me cheirar mal entre os moradores desta terra, entre os cananeus e ferezeus; sendo eu pouco povo em número, ajuntar-se-ão, e ficarei destruído, eu e minha casa". Assim, os temores do homem de Deus se declararam, e eles eram razoáveis, se contemplarmos somente as circunstâncias em que ele se encontrava, mas logo eles são vistos como infundados, quando nós nos lembramos de que a promessa de concerto, que assegurava a posse da terra, implicava necessariamente na preservação da raça à qual a promessa era feita. Nós frequentemente tememos onde não há temor.

As bênçãos prometidas à semente de Abraão não dependiam do número dos seus descendentes nem da sua posição neste mundo. O concerto foi feito com um homem, e consequentemente o número nunca poderia ser menor, e este homem não possuía nem um metro de solo, em toda a terra, exceto talvez somente uma cova na qual enterrar os seus mortos, e por isto a sua semente não poderia ter menos herança do que ele. A pequena dimensão de uma igreja e a pobreza dos seus membros não são barreiras para a bênção divina, se ela for buscada fervorosamente, alegando a promessa. Não eram poucos os apóstolos, e frágeis os discípulos, quando a boa obra teve início? Não é porque nós somos estrangeiros aqui, como eram os nossos pais, que nós estamos em meio a maior perigo: nós somos como ovelhas em meio a lobos, mas os lobos não podem nos fazer mal, pois o nosso pastor está perto.

13. *"Quando andavam de nação em nação e de um reino para outro povo."* Migrando, como fizeram os patriarcas, da região de uma tribo à nação de outra, eles foram singularmente preservados. A pequena família peregrina poderia ter sido arrancada completamente, se um mandado especial não tivesse sido emitido do trono, para a sua proteção. Não foi a bondade dos seus vizinhos que os protegeu; eles foram resguardados pela misteriosa proteção do céu. Seja no Egito, ou na Filístia, ou em Canaã, os herdeiros das promessas, habitando em suas tendas, estavam sempre a salvo.

14. *"Não permitiu a ninguém que os oprimisse."* Os homens não podem nos fazer mal, a menos que Deus permita que eles façam isto; o maior deles precisa esperar pela sua permissão antes que possa colocar um dedo em nós. Os ímpios nos devorariam, se pudessem, mas não podem nem mesmo nos ludibriar em um centavo, sem a permissão divina.

"E por amor deles repreendeu reis." Faraó e Abimeleque tiveram que ser forçados a respeitar os estrangeiros singulares que tinham vindo a residir na sua terra; os maiores reis são pessoas de segunda classe para Deus, em comparação com os seus servos escolhidos.

15. *"Dizendo, não toqueis nos meus ungidos e não maltrateis os meus profetas."* Abraão e sua semente eram, no meio do mundo, uma geração de sacerdotes ungidos para apresentar sacrifícios ao Deus Altíssimo; uma vez que os oráculos estavam comprometidos com eles, eles também eram os profetas da humanidade; e eles eram também reis – um sacerdócio real; consequentemente, eles tinham recebido uma unção tripla. Os seus cargos sagrados os cercavam de uma santidade que fazia com que fosse um sacrilégio perturbá-los. O Senhor se agradou em impressionar as tribos de Canaã com um assombro respeitoso dos estrangeiros piedosos, que tinham vindo para habitar com eles, de modo que eles não se aproximavam delas, nem lhes faziam mal. As palavras aqui mencionadas podem não ter sido realmente pronunciadas, mas a impressão de respeito que caiu sobre as nações é poeticamente descrita desta forma. Deus não permitirá que sejam tocados aqueles que foram separados para Si. Ele os chama de seus, dizendo: "*Meus* ungidos"; Ele declara que Ele os *"ungiu"* para serem profetas, sacerdotes e reis, para Si mesmo, e novamente os declara como *seus* profetas: "Não maltrateis os *meus profetas*". Durante todos os muitos anos em que os três grandes patriarcas habitaram em Canaã, nenhum homem conseguiu fazer-lhes mal: eles não eram capazes de se defender com armas, mas o Deus eterno era o seu refúgio. Ainda nesta época atual, os restantes, segundo a escolha da graça, não podem ser destruídos, nem mesmo tocados, sem o consentimento divino. Contra a igreja de Cristo, as portas do inferno não podem prevalecer. Com tudo isto, nós vemos razões para dar graças ao Senhor, e proclamar o seu nome, segundo a exortação do primeiro versículo do salmo. Aqui termina a parte que foi cantada na mudança da arca: é evidente a sua adequação para ser usada com este propósito, pois a arca era o símbolo, tanto do concerto quanto daquela morada mística de Deus com Israel, que foi, ao mesmo tempo, a sua glória e a sua proteção. Ninguém podia tocar os que eram do Senhor, pois o Senhor estava entre eles, reluzindo com majestade entre os querubins.

16 *Chamou a fome sobre a terra; fez mirrar toda a planta do pão.*
17 *Mandou adiante deles um varão, que foi vendido por escravo: José,*
18 *cujos pés apertaram com grilhões e a quem puseram em ferros,*
19 *até ao tempo em que chegou a sua palavra; a palavra do Senhor o provou.*
20 *Mandou o rei e o fez soltar; o dominador dos povos o soltou.*
21 *Fê-lo senhor da sua casa e governador de toda a sua fazenda*
22 para, a seu gosto, sujeitar os seus príncipes e instruir os seus anciãos.
23 *Então, Israel entrou no Egito, e Jacó peregrinou na terra de Cam.*

Tendo a presença de Deus permanecido com os seus escolhidos, enquanto eles peregrinavam em Canaã, não os abandonou, quando foram chamados para descer ao Egito. Eles não foram para lá por sua própria vontade, mas sob orientação divina, e assim o Senhor preparou o seu caminho e os fez crescer, até que julgou adequado conduzi-los outra vez à terra da promessa.

16. *"Chamou a fome sobre a terra."* Ele tinha somente que chamá-la, como um homem chama seu servo, e ela veio imediatamente. Como devemos ser gratos, porque Ele não chama frequentemente esta sua terrível serva, tão miserável e magra, e implacável, tão impiedosa com as mulheres e as crianças, tão amarga para os homens fortes que desmoronam completamente diante dela.

"Fez mirrar toda a planta do pão." A vida frágil do homem não consegue subsistir sem o seu sustento – se o pão lhe faltar, ele fraqueja. Da mesma maneira como um aleijado com um bordão quebrado cai ao chão, também o homem, quando o pão não mais o sustenta. Para Deus, trazer uma fome é tão fácil quanto quebrar um

bordão. Ele poderia também tornar a fome universal, de modo que todas as nações estariam em igual situação: então a raça do homem realmente cairia, e o seu bordão estaria quebrado para sempre. Nisto está o doce consolo de que o Senhor tem sábios fins a servir, até mesmo através da fome: Ele queria que o seu povo descesse para o Egito, e a escassez de alimento foi o método que Ele usou para levá-los para lá, pois ouviram "que há mantimento no Egito".

17. *"Mandou adiante deles um varão... José."* Ele foi o guarda avançado e o pioneiro, para todo o clã. Os seus irmãos o venderam, mas Deus o enviou. Onde a mão dos ímpios é visível, a mão de Deus pode estar atuando de modo invisível, anulando a maldade deles. Ninguém era mais *viril* ou mais adequado para liderar a caravana do que José: era necessário um intérprete de sonhos, e os seus irmãos tinham dito, a respeito dele: "Eis lá vem o sonhador-mor".

"Que foi vendido por escravo." A viagem de José ao Egito não foi tão custosa como a viagem de Jonas, quando ele pagou o seu próprio transporte: a passagem de José foi possibilitada pelos midianitas, que também asseguraram que ele fosse apresentado a uma grande autoridade do estado, entregando-o como escravo. O seu caminho até uma posição em que ele pudesse alimentar a sua família passou pela cova, pela caravana do mercador de escravos, o mercado de escravos e a prisão, e quem poderá negar que este era o caminho correto, o caminho mais seguro, o caminho mais sábio, e talvez o caminho mais curto. Mas certamente não pareceu assim. Se nós tivéssemos que enviar um homem em uma missão como esta, nós lhe daríamos dinheiro – José vai como mendigo; nós o investiríamos de autoridade – José vai como escravo; nós lhe daríamos total liberdade – José vai sem liberdade; mas o dinheiro teria tido pouca utilidade quando o alimento era tão caro, a autoridade poderia ter irritado, e não influenciado o Faraó, e a liberdade poderiam não ter colocado José em contato com o capitão de Faraó e seus outros servos, e assim as notícias do seu talento para a interpretação poderiam não ter chegado aos ouvidos do monarca. O caminho de Deus é *o* caminho. O caminho do nosso Senhor para o seu trono de mediação passava pela cruz do Calvário; o nosso caminho para a glória passa pelos rios da tristeza.

18. *"Cujos pés apertaram com grilhões."* Com isto, nós conhecemos um pouco mais a respeito dos sofrimentos de José do que encontramos no livro de Gênesis; a inspiração não tinha cessado, e Davi era um historiador tão preciso como Moisés, pois o mesmo Espírito guiava a sua pena.

"E a quem puseram em ferros", ou *"cuja alma se converteu em ferro"*. A versão do livro de orações – "o ferro entrou em sua alma" – não é gramatical, mas provavelmente expressa a mesma verdade. Os seus grilhões feriam a sua mente, além do seu corpo, e bem disse Jacó: "Os flecheiros lhe deram amargura, e o flecharam, e o aborreceram". Sob a cruel falsa acusação, que ele não podia refutar, a sua mente estava, de certa forma, envolvida e presa com ferros, e se o Senhor não tivesse estado com ele, ele poderia ter afundado sob estes sofrimentos. Com tudo isto, e além de mil outras coisas, ele foi um tipo admirável daquele que, no sentido mais elevado, é "Pastor e a Pedra de Israel". Os grilhões de ferro o estavam preparando para usar correntes de ouro, e preparando seus pés para estar em posições elevadas. É assim com todos os aflitos do Senhor, também eles, um dia, deixarão suas prisões e irão para seus tronos.

19. *"Até ao tempo em que chegou a sua palavra."* Deus tem os seus tempos, e os seus filhos devem esperar até que o seu "até" se cumpra. José foi tentado como em uma fornalha, até que a obra de teste de Deus se cumpriu integralmente. A palavra do copeiro-mor não era nada; ele teve que esperar até que viesse a palavra de Deus, e, enquanto isto, *"a palavra do Senhor o provou"*. Ele creu na promessa, mas a sua fé foi amargamente posta à prova. Uma bênção atrasada testa os homens, e "prova o seu metal", se a sua fé é daquele tipo precioso que pode suportar o fogo. Sobre muitas promessas, nós podemos dizer, com Daniel: "a palavra é verdadeira e trata de uma guerra prolongada". Se a visão tarda, é bom esperar por ela com paciência. Há uma palavra que nos prova, e uma palavra que nos liberta, e nós devemos suportar

a primeira, até que a outra venha até nós. Com que mansidão José suportou as suas aflições e com que coragem ele olhava à frente, para o esclarecimento do seu caráter caluniado, nós bem podemos imaginar: seria muito bom se, sob provações semelhantes, nós pudéssemos imitá-lo, saindo da fornalha tão completamente purificados como ele, e igualmente bem preparados para suportar a provação ainda maior da honra e da força.

20. *"Mandou o rei e o fez soltar."* Ele foi enviado à prisão por uma autoridade, mas foi libertado pelo próprio monarca.

"O dominador dos povos o soltou." A maré tinha mudado, de forma que o arrogante governante do Egito o chamou, da prisão ao palácio. Ele tinha interpretado os sonhos dos cativos, sendo ele mesmo um cativo; agora, ele devia interpretar para um governante, e tornar-se, ele mesmo, um governante. Quando Deus deseja libertar os seus prisioneiros, os reis se tornam seus carcereiros.

21. *"Fê-lo senhor da sua casa."* Sem reservar poder, mas dizendo "somente no trono eu serei maior que tu". O servo de escravos se torna senhor acima dos nobres. Com que rapidez o Senhor exalta os seus escolhidos da masmorra, para colocá-los entre príncipes.

"E governador de toda a sua fazenda." Ele lhe deu capacidade para administrar o estoque de sete abundantes colheitas, e para distribuir as provisões nos dias futuros de escassez. Todos os tesouros do Egito estavam sob os seus cuidados, os armazéns do mundo eram fechados ou abertos, à sua ordem. Assim, ele estava na melhor posição imaginável para preservar viva a casa de Israel, com a qual foi feito o concerto. Assim como o próprio nosso Senhor esteve protegido no Egito da inimizade de Herodes, também, séculos antes, a raça redimida encontrou um abrigo igualmente disponível na hora de necessidade. Deus sempre tem um refúgio para os seus santos, e se toda a terra não lhes puder propiciar santuário, o próprio Senhor será sua morada, e os levará ao seu próprio seio. Nós sempre estamos seguros de que seremos alimentados, ainda que o mundo inteiro passe fome. É maravilhoso pensar no nosso grande José governando as nações para o bem da sua própria casa, e nos convém permanecer em tranquila confiança em cada desastre político, uma vez que Jesus está no trono da providência, Rei dos reis e Senhor dos senhores, e ali estará até que termine esta dispensação.

22. *"Para, a seu gosto, sujeitar os seus príncipes."* Aquele que estava preso obtém autoridade para prender. Ele já não é mantido na prisão, mas administra todas as prisões e lança nelas os maiores nobres, quando a justiça assim o exige.

"E instruir os seus anciãos." Os líderes dos vários povos, os anciãos das nações, aprenderam com ele a ciência do governo, a arte de prover para o povo. José foi um grande instrutor em administração política, e não duvidamos que ele mesclasse à mais pura moral a mais correta jurisprudência, e um pouco daquela sabedoria divina, sem a qual os mais hábeis senadores permanecem nas trevas. A autoridade do rei o tornava absoluto, na corte executiva e na legislativa, e o Senhor o instruía para usar o seu poder e sabedoria. Que responsabilidades e honras foram colocadas sobre o homem que tinha sido rejeitado pelos seus irmãos, e vendido por vinte moedas de prata! Que glórias coroam a cabeça daquele grande homem que foi "separado de seus irmãos".

23. *"Então, Israel entrou no Egito."* O velho patriarca veio, e com ele aquele grupo que levava o seu nome. Foi difícil levá-lo para lá. Talvez nada menos do que a esperança de ver José pudesse tê-lo levado a fazer uma viagem tão longa dos sepulcros de seus antepassados; mas a vontade divina se cumpriu, e a igreja de Deus foi removida a uma nação inimiga, onde, durante algum tempo, foi alimentada.

"E Jacó peregrinou na terra de Cam." Sem, o abençoado, veio para hospedar-se, durante algum tempo, com Cam, o amaldiçoado: a pomba no ninho do abutre. Deus assim o desejou, durante algum tempo, e por isto era seguro e correto: ainda assim, foi apenas uma peregrinação, e não uma fixação. A bela Gósen, no Egito, não era a bênção do concerto, nem o Senhor pretendia que o seu povo assim pensasse; assim também para nós, "a terra é nossa hospedaria", mas somente isto, pois o céu

é nosso lar. Quando estivermos mais bem hospedados, ainda devemos nos lembrar de que aqui não temos uma cidade permanente. Seriam más notícias para nós, se fôssemos condenados a residir no Egito para sempre; pois nem mesmo todas as suas riquezas são dignas de serem comparadas com o vitupério de Cristo.

Assim, o cântico repetia os movimentos do povo do Senhor, e era um acompanhamento muito adequado para o transporte da arca, enquanto os sacerdotes a levavam à cidade de Davi, onde o Senhor tinha apontado um lugar de descanso.

24 *E ele multiplicou sobremodo o seu povo e o fez mais poderoso do que os seus inimigos.*
25 *Mudou o coração deles para que aborrecessem o seu povo, para que tratassem astutamente aos seus servos.*
26 *Enviou Moisés, seu servo, e Arão, a quem escolhera.*
27 *Fizeram entre eles os seus sinais e prodígios na terra de Cam.*
28 *Mandou às trevas que a escurecessem; e elas não foram rebeldes à sua palavra.*
29 *Converteu as suas águas em sangue e assim fez morrer os peixes.*
30 *A sua terra produziu rãs em abundância, até nas câmaras dos seus reis.*
31 *Falou ele, e vieram enxames de moscas e piolhos em todo o seu território.*
32 *Converteu as suas chuvas em saraiva e fogo abrasador, na sua terra.*
33 *Feriu as suas vinhas e os seus figueirais e quebrou as árvores dos seus termos.*
34 *Falou ele, e vieram gafanhotos e pulgão em quantidade inumerável,*
35 *e comeram toda a erva da sua terra, e devoraram o fruto dos seus campos.*
36 *Feriu também a todos os primogênitos da sua terra, as primícias de todas as suas forças.*
37 *Mas, a eles, os fez sair com prata e ouro, e entre as suas tribos não houve um só enfermo.*
38 *O Egito alegrou-se quando eles saíram, porque o seu temor caíra sobre eles.*

24. *"E ele multiplicou sobremodo o seu povo."* Em Gósen, eles pareciam crescer rapidamente, desde o início, e isto incitou os temores dos egípcios, de modo que eles tentaram retardar o crescimento dos israelitas, por meio da opressão, mas o Senhor continuou a abençoar o seu povo, *"e o fez mais poderoso do que os seus inimigos"*. Tanto na força física quanto em quantidade, eles ameaçavam se tornar a raça mais poderosa. O crescimento da nação também não foi impedido por medidas tirânicas, mas aconteceu exatamente o oposto, dando, assim, um exemplo precoce do que, desde então, se tornou um provérbio na igreja – "quanto mais eles os oprimiam, mais se multiplicavam". É inútil contender com Deus ou com o seu povo.

25. *"Mudou o coração deles para que aborrecessem o seu povo."* Foi a sua bondade com Israel que despertou a má vontade da corte egípcia, e foi o Senhor quem causou isto. E, além disto, Ele fez uso deste sentimento para levar o seu povo ao desconforto, e à sua prontidão para deixar a terra à qual evidentemente tinham se tornado muito apegados. Até aqui, mas não além, o Senhor mudou os corações dos egípcios. Deus não pode, de maneira alguma, ser o autor do pecado, a ponto de ser moralmente responsável pela existência do pecado, mas frequentemente acontece, por meio do mal que é inerente à natureza humana, que os atos do Senhor despertassem a má vontade dos homens ímpios. O sol deve ser considerado culpado porque, enquanto amolece a cera, endurece o barro? O astro do dia deve ser acusado de criar os vapores desagradáveis que o seu calor extrai do pântano pestilento? O sol provoca o mau cheiro da masmorra, somente de certa forma – se fosse um leito de flores, os seus raios teriam exalado flagrância. O mal está nos homens, e a honra de convertê-lo em bons e úteis propósitos é do Senhor. O ódio é frequentemente aliado à astúcia, e assim foi no caso dos egípcios, eles começaram a *"tratar astutamente aos seus servos"*. Eles os trataram de uma maneira fraudulenta, eles os reduziram à escravidão, com suas explorações, e planejaram secretamente a destruição de seus filhos do sexo masculino, e, por fim, ordenaram abertamente esta cruel medida, e tudo tendo em vista impedir o crescimento dos israelitas, para que, em tempos de

guerra, eles não se aliassem aos invasores, para obter a sua liberdade. Certamente, as profundezas da política satânica foram atingidas aqui, mas inútil é a astúcia dos homens contra a semente escolhida.

26. *"Enviou Moisés, seu servo; e Arão, a quem escolhera."* Quando a opressão se tornou a pior possível, veio Moisés. Pela segunda vez, temos aqui a expressão "enviou". Aquele que enviou José também enviou Moisés e seu eloquente irmão. O Senhor tinha os homens em prontidão, e tudo o que Ele teve que fazer foi dar-lhes a comissão e enviá-los. Eles eram dois, para consolação e força mútua, assim como os apóstolos e os setenta na época do nosso Senhor foram enviados, aos pares. Os homens eram diferentes, e assim um complementava o outro, e juntos eles seriam realizar muito mais do que se fossem exatamente iguais: o principal é que ambos foram *enviados* e assim, ambos foram investidos de poder divino.

27. *"Fizeram entre eles os seus sinais e prodígios na terra de Cam."* Os milagres que foram realizados por Moisés eram do Senhor, e não do próprio Moisés; assim, são aqui chamados de *"seus* sinais", como sendo as marcas da presença e do poder do Senhor. As pragas eram "palavras dos seus sinais" (veja a anotação de margem de algumas traduções da Bíblia Sagrada); isto é, elas falavam maravilhas, o que testificava mais claramente do que palavras sobre a onipotência do Senhor, a sua determinação de ser obedecido, a sua ira com a obstinação de Faraó. Nunca os discursos foram mais claros, diretos, pessoais ou poderosos, e ainda assim foram necessários dez deles, para realizar o fim desejado. Na pregação do Evangelho, há palavras e sinais e prodígios, que deixam os homens sem desculpas para a sua impenitência; ter o reino de Deus se aproximando deles, e ainda assim continuar sendo rebeldes, é o infeliz pecado daqueles cujo espírito é obstinado. Estão sofrendo os milagres do pecado aqueles que veem os milagres da graça, e ainda assim não se deixam afetar por eles; por pior que fosse, Faraó não teve esta culpa, pois os prodígios que ele contemplou eram milagres de juízo e não de misericórdia.

28. *"Mandou às trevas que a escurecessem."* Não era uma escuridão normal ou comum, explicável pela poeira cegante do simum, além de todos os precedentes e fora dos limites dos eventos comuns. Foi uma obscuridade palpável, horrível, que os homens sentiram se debruçar sobre eles, como se fosse um manto da morte. Foi uma escuridão espessa, uma escuridão total, uma escuridão que durou três dias, uma escuridão em que ninguém ousava se mover. Que condição na qual se encontrar! Esta praga é mencionada pela primeira vez, embora não seja a primeira na ordem, porque apropriadamente descreve todo o período das pragas; a terra esteve nas trevas da tristeza, e nas trevas do pecado, todo o tempo. Se nós trememos ao pensar nesta longa e terrível penumbra, devemos refletir sobre a grande escuridão que ainda cobre as terras pagãs, como resultado do pecado, pois esta é uma das principais pragas que a iniquidade cria por si só. Que venha logo o dia em que as pessoas que ainda estão nas trevas verão uma grande luz.

"E elas não foram rebeldes à sua palavra." Moisés e Arão fizeram como lhes foi pedido, e durante o período das trevas os egípcios ficaram tão amedrontados que quando ela se dissipou, eles estavam ansiosos para que Israel partisse, e, se não tivesse sido pelo orgulho de Faraó, eles teriam se alegrado em apressá-los na sua viagem, imediatamente. Deus pode forçar os homens a obedecer, e até mesmo fazer com que o mais valente coração anseie por respeitar a sua vontade, pois o temor às suas pragas deve ser multiplicado. Possivelmente, no entanto, a sentença diante de nós não se refere a Moisés e nem aos egípcios, mas às pragas, que vieram, obedecendo ao Senhor. A escuridão, a saraiva, as rãs, a pestilência nos animais, todos foram servos obedientes ao grande Senhor de todos.

29. *"Converteu as suas águas em sangue e assim fez morrer os peixes."* De modo que a praga não foi um mero colorir da água com terra vermelha, como supõem alguns, mas o rio se tornou ofensivo e fatal para os peixes. O adorado Nilo e outros rios, todos foram igualmente tingidos e ensanguentados. A mais comum das suas graças se tornou a sua maior maldição. A água é uma das maiores graças, e quanto

mais abundante, melhor, mas o sangue é uma visão horrível, e ver rios e lagos cheios dele é realmente assustador. No Egito, grande parcela da alimentação consistia de peixes; e vê-los boiando, mortos, e brancos, em uma corrente de escarlate, não era uma aflição pequena. A mão do Senhor os feriu, e todas as classes de pessoas saberiam disto, e sofreriam por isto.

30. *"A sua terra produziu rãs em abundância."* Se os peixes não podiam viver, as rãs podiam; sim, elas se multiplicaram, tanto em terra quanto na água, até que chegaram a proporções incontroláveis.

"Até nas câmaras dos seus reis." Elas penetraram nas melhores salas do palácio, e foram encontradas nos sofás do estado. O Senhor as chamou, e elas vieram. Por mais abomináveis e até mesmo repulsivas que fossem, não havia como resistir a elas; elas pareciam brotar do chão; a própria terra as produzia. A sua presença universal deve ter inspirado horror e desgosto que provocariam doenças e tornariam a vida um peso; o fato de que chegassem até mesmo às câmaras do rei era uma vergonha para ele, e o seu orgulho deve ter sentido isto. Os reis não são nada além de outros homens, no que diz respeito a Deus, nada menos do que outros, quando são os primeiros em rebelião; se as rãs tivessem sido abundantes em outros lugares, mas tivessem sido deixadas fora destas câmaras, o monarca pouco teria se importado, pois era um ser sem coração, mas Deus cuidou para que houvesse uma horda especial destes invasores no seu palácio; elas abundaram nas câmaras dos seus reis.

31. *"Falou ele."* Veja o poder da palavra divina. Ele teve apenas que dizer – e foi feito: *"e vieram enxames de moscas"*. Insetos de vários e abomináveis tipos vieram em infinitas hordas, uma mistura de mosquitos, moscas, besouros, pernilongos, e outros insetos daninhos, picando, ferroando, zumbindo, fazendo da carne dos homens a sua presa, o lugar para depósito dos seus ovos, e o local de tormentos peculiares.

"E piolhos em todo o seu território." Estas indescritivelmente repugnantes formas de vida eram como o pó, e cobriram as suas pessoas, as suas vestes, e tudo o que eles comiam. Nada é pequeno demais para dominar o homem, quando Deus manda que o ataquem. Os filhos da Cam tinham desprezado os israelitas, e agora sentiam repugnância de si mesmos. Os mais humildes mendigos eram mais acessíveis do que os egípcios orgulhosos; eles foram reduzidos à mais inferior condição de sujeira, e ao mais doloroso estado de irritação. Que exércitos o Senhor pode enviar quando o seu braço direito está exposto para a guerra! E que desdém Ele derrama sobre as nações orgulhosas, quando as combate, não com anjos, mas com piolhos! Faraó teve pouco de que se orgulhar, quando a sua própria pessoa foi invadida por parasitas imundos. Foi um tapa na face, que deveria ter humilhado o seu coração; mas o homem, quando está completamente poluído ainda conserva a sua arrogância, e quanto é o objeto mais repugnante do universo ainda se gaba. Certamente, o orgulho é a loucura moral.

32. *"Converteu as suas chuvas em saraiva."* Raramente eles tinham chuva, mas agora as chuvas assumiam a forma de pesadas e destruidoras tempestades de granizo, e acompanhadas com um furacão e trovões, eram esmagadoras, terríveis e destruidoras.

"E fogo abrasador, na sua terra." O relâmpago era particularmente vívido, e parecia correr ao longo do solo, ou cair em centelhas ardentes. Assim, todo o fruto das árvores e as colheitas dos campos foram despedaçados ou queimados, e o terror universal fez com que o coração dos homens se curvasse até o chão. Não há fenômenos mais pavorosos para a maior parte da humanidade do que aqueles que acompanham uma tempestade; até mesmo os mais audaciosos blasfemadores cedem, quando a terrível artilharia do céu abre fogo contra a terra.

33. *"Feriu as suas vinhas e os seus figueirais."* De modo que se acabou toda esperança de colher os seus melhores frutos, e as árvores foram danificadas para produção futura. Todas as colheitas foram destruídas, e elas são mencionadas como sendo as mais proeminentes formas da sua produção, usadas por eles em festas e em refeições comuns. *"E quebrou as árvores dos seus termos"*. De ponta a ponta do Egito, as árvores foram feridas e quebradas pelo terrível granizo. Deus é sério quando lida com os espíritos orgulhosos; Ele acabará com eles, ou os corrigirá.

34 e 35. *"Falou ele, e vieram gafanhotos e pulgão em quantidade inumerável."* Uma palavra do Capitão, e os exércitos saltam à frente. A expressão é muito surpreendente, e apresenta o resultado imediato da palavra divina. O pulgão (ou "lagarta") é chamado de *destruidor*, porque ele parece consumir tudo o que é verde, em um momento. Talvez o pulgão (ou lagarta) aqui mencionado seja o gafanhoto, em outra forma. Estes enxames de gafanhotos, em incontáveis exércitos, é um fato observado normalmente, e o caso poderia ser pior, nesta ocasião. Nós mesmos já viajamos, durante quilômetros, em meio a exércitos de gafanhotos, e vimos, com nossos próprios olhos, quão completamente eles devoram tudo o que é verde. A descrição não é forçada, quando lemos: *"E comeram toda a erva da sua terra, e devoraram o fruto dos seus campos"*. Nada escapa a estas criaturas vorazes, elas chegam a subir nas árvores para alcançar cada resto de folhagem que possa sobreviver. Sendo, como realmente eram, comissionadas por Deus, podemos ter a certeza de que realizariam o seu trabalho vigorosamente e completamente, e não deixariam nada atrás de si, exceto um deserto desolado.

36. *"Feriu também a todos os primogênitos da sua terra, as primícias de todas as suas forças."* Agora veio o golpe de mestre. O Senhor falou anteriormente, mas agora Ele fere; antes, Ele somente feria vinhas, mas agora Ele atinge os próprios homens. A glória da casa morre em uma única noite, o orgulho e a eminência da nação são extirpados, a flor dos exércitos, os herdeiros dos ricos, e as esperança dos pobres, tudo isto morre à meia-noite. Agora, o alvo foi atingido no centro, não há confrontação desta praga. Faraó sentiu isto como a escrava o sentiu, no moinho: Ele tinha ferido Israel, o primogênito do Senhor, e o Senhor lhe fez a devida retribuição. Que clamor subiu de toda a terra do Egito, quando cada casa lamentava o seu recém nascido em meio ao silêncio da noite. Ó Senhor, triunfaste naquela hora, e com um braço estendido libertaste o teu povo.

37. *"Mas, a eles, os fez sair com prata e ouro."* Isto eles pediram aos egípcios, talvez até mesmo exigiram, e bem podiam tê-lo feito, pois tinham sido roubados e saqueados por muitos dias, e não era apropriado que partissem de mãos vazias. Felizes ficariam os egípcios de entregar suas joias para acalmar um povo que tinha ao seu lado um amigo tão terrível no alto; eles não precisavam de pressões desnecessárias, eles os temiam demais, para negar-lhes seus pedidos. Os israelitas foram forçados a deixar suas casas e terras para trás, e era apenas justo que eles pudessem convertê-los em bens que pudessem levar consigo.

"E entre as suas tribos não houve um só enfermo" – realmente, uma coisa maravilhosa. O número dos seus soldados era muito grande, e, no entanto, não havia nenhum no hospital, nenhum foi levado em ambulância, nem foi mancando atrás dos demais. A pobreza e a opressão não os tinham debilitado. Jeová Rafá os tinha curado; eles não levavam consigo nenhuma das doenças do Egito, e não sentiam nada da exaustão que a escravidão amarga produz. Quando Deus chama o seu povo para uma longa jornada, Ele os capacita para ela; na peregrinação da vida, a nossa força será igual ao que houver no nosso dia. Veja o contraste entre o Egito e Israel - no Egito, um morto em cada casa, e entre os israelitas, não havia nenhum que sequer mancasse.

38. *"O Egito alegrou-se quando eles saíram"*, o que não teria sido o caso se os israelitas tivessem se apropriado do ouro e da prata, pois os homens não gostam de ver seus bens levados a um país distante. No Egito, houve o temor a Deus, e eles temeram o seu povo, e ficaram felizes de pagá-los para que se fossem. Que transformação, da época quando os filhos de Jacó eram os escravos da terra, o refugo de todas as coisas, os oleiros cujo esforço era recompensado somente pelo açoite ou pela vara. Agora, eles eram reverenciados, como profetas ou sacerdotes.

"Porque o seu temor caíra sobre eles", o povo passou a ser um terror supersticioso para os egípcios. Assim, com saudações e bons desejos, seus antigos capatazes os enviaram para que seguissem o seu caminho: Faraó foi frustrado e o povo escolhido se pôs, mais uma vez, em movimento, dirigindo-se ao lugar que o Senhor lhes tinha

dado, por um concerto de sal. "Ó, dai graças ao Senhor; invocai o seu nome, tornai manifestos os seus feitos entre os povos".

39 *Estendeu uma nuvem por coberta e um fogo, para os alumiar de noite.*
40 *Oraram, e ele fez vir codornizes e saciou-os com pão do céu.*
41 *Abriu a penha, e dela brotaram águas, que correram pelos lugares secos, como um rio.*
42 *Porque se lembrou da sua santa palavra e de Abraão, seu servo.*
43 *E tirou dali o seu povo com alegria e, os seus escolhidos, com regozijo.*
44 *E deu-lhes as terras das nações, e herdaram o trabalho dos povos,*
45 *para que guardassem os seus preceitos e observassem as suas leis. Louvai ao Senhor!*

39. *"Estendeu uma nuvem por coberta e um fogo."* Nunca o povo tinha sido tão favorecido. O que os viajantes do deserto não dariam agora por tal abóbada? O sol não podia queimá-los com seus raios escaldantes; todo o seu acampamento foi protegido, como um rei, no seu pavilhão. Nada parecia ser bom demais para que Deus o desse à sua nação escolhida; o conforto deles foi estudado, de todas as maneiras. *"Para os alumiar de noite."* Enquanto as cidades estavam envoltas em trevas, as suas cidades de tendas eram iluminadas por uma luz que a modernidade, com todos os seus equipamentos, não consegue igualar. O próprio Deus era o seu sol e o seu escudo, a sua glória e a sua defesa. Poderiam ser descrentes, enquanto a sombra os protegia tão graciosamente, ou rebeldes, quando caminhavam à noite com tal luminosidade? Ai! A história do *seu* pecado é tão extraordinária como esta história do *seu* amor; mas este salmo escolhe o tema mais feliz e trata apenas do amor e da fidelidade de concerto. Louvai ao Senhor, porque Ele é bom. Nós, também, descobrimos que o Senhor é tudo isto para nós, pois Ele tem sido o nosso sol e o nosso escudo, e tem nos preservado, de igual maneira, de todos os perigos das alegrias e dos males das tristezas.

"Ele foi a minha alegria na lamentação,
Alegrou o meu coração quando estava abatido;
E com advertências, suavemente tristes,
Acalmou o meu coração, quando estava contente".

Assim a promessa tem sido cumprida para nós: "O sol não te molestará de dia, nem a lua, de noite".

40. *"Oraram."* Mas tão mal, de modo tão ímpio! E, apesar disto, a sua graça perdoou o pecado das suas murmurações, e ouviu o que queriam dizer: ou, talvez, nós possamos considerar que, enquanto a multidão murmurava, houvesse alguns que eram realmente graciosos, que oraram, e, por isto, veio a bênção.

"E ele fez vir codornizes e saciou-os com pão do céu." Ele lhes deu o que pediam de modo inapropriado, e também o que era bom para eles, mesclando juízo com bondade, para sua disciplina. As codornizes eram mais uma maldição do que uma bênção, no final, por causa da sua avareza e da sua luxúria; mas, em si mesmas, eram uma indulgência peculiar, uma benevolência. Foi por culpa deles mesmos que a deliciosa refeição trouxe a morte consigo. Quanto ao maná, era exclusivamente bom para eles, e realmente os satisfazia, coisa que as codornizes jamais fizeram. Era o pão *que vinha do* céu, e o pão *do* céu, enviado *pelo* céu; era uma pena que eles não fossem motivados a olhar para o céu, de onde ele vinha, e temessem e amassem ao Deus que, do céu, fazia chover este pão sobre eles. Assim, eles foram abrigados debaixo da abóbada do Senhor, e alimentados com alimento da sua própria mesa; jamais as pessoas foram abrigadas e hospedadas desta maneira. "Casa de Israel, bendizei ao Senhor".

41. *"Abriu a penha, e dela brotaram águas."* Com a vara de Moisés e a sua própria palavra, ele abriu a rocha no deserto, e jorraram abundantes fluxos para

que bebessem, onde tinham temido morrer de sede. Das fontes mais improváveis, o Deus todo suficiente pode suprir as necessidades do seu povo; rochas sólidas podem se tornar fontes através da palavra do Senhor.

"Que correram pelos lugares secos, como um rio": para que todos, a alguma distância da rocha, pudessem se curvar e se refrescar, e a correnteza fluía, para que, em futuras viagens, fossem abastecidos. A areia do deserto naturalmente engoliria as correntezas, no entanto, não fez isto, o rio refrescante correu "pelos lugares secos". Nós sabemos que a rocha representa o nosso Senhor, Jesus Cristo, de quem jorra uma fonte de águas vivas que jamais se esgotará, até que o último peregrino tenha cruzado o Jordão e tenha entrado em Canaã.

42. *"Porque se lembrou da sua santa palavra e de Abraão, seu servo."* Aqui está o motivo secreto para toda esta graça. O concerto, e aquele por quem ele foi celebrado, estão sempre no coração do Altíssimo. Ele se lembrou do seu povo, porque se lembrou do seu concerto. Ele não poderia infringir este gracioso pacto, pois era sagrado para Ele – "a sua santa palavra". O Deus santo sempre cumpre a sua santa palavra. No nosso caso, os olhos do Senhor estão sobre o seu amado Filho e sobre os seus compromissos com Ele, para o nosso bem, e esta é a fonte e a origem das incontáveis benevolências que nos enriquecem, em todas as nossas peregrinações pelo deserto desta vida.

43. *"E tirou dali o seu povo com alegria e, os seus escolhidos, com regozijo."* Do deserto Ele os tirou, alegrando-se consigo mesmo, e fazendo com que eles também se alegrassem. Eles eram o *seu* povo, os *seus* escolhidos, e, consequentemente, Ele se alegrava neles, e neles mostrava a sua benevolência, para que pudessem se alegrar nele como o seu Deus, e no seu destino.

44. *"E deu-lhes as terras das nações."* Ele tirou os cananeus, e destinou as terras às tribos. Eles foram chamados para lutar, mas o Senhor operou tão maravilhosamente, que a conquista não foi realizada pelos seus arcos nem lanças – o Senhor lhes *deu* a terra.

"E herdaram o trabalho dos povos", eles habitaram em casas que não tinham edificado, e colheram fruto de vinhas e oliveiras que não tinham plantado. Eles não se instalaram em um deserto que precisava ser recuperado, mas em uma terra fértil, e cultivada cuidadosamente por seus habitantes. Como Adão, eles foram instalados em um jardim. Esta entrada na boa terra foi apropriadamente celebrada, quando a arca foi levada a Sião.

45. *"Para que guardassem os seus preceitos e observassem as suas leis."* Este era o desígnio prático de tudo. A nação escolhida deveria ser guardiã da verdade, o exemplo de moralidade, o padrão da devoção: tudo foi ordenado de modo a colocá-los em circunstâncias vantajosas, para cumprir este desígnio. Era um chamado elevado, e uma escolha gloriosa. Envolvia grandes responsabilidades, mas era, em si mesmo, uma bênção de distinção, pela qual a nação devia dar graças. Muito apropriadamente, então, a música é concluída com o jubiloso, mas solene, grito de Aleluia: *"Louvai ao Senhor"*. Se esta história não fizesse Israel louvar a Deus, o que faria?

NOTAS EXPLICATIVAS E DECLARAÇÕES SINGULARES

O Salmo: Este é o primeiro de uma série de salmos "*Confitemini Domino*", "Louvai ao Senhor" (105.1; 106.1; 107.1; 118.1; e 136.1). – *Christopher Wordsworth*

O Salmo: O Salmo 105 é uma meditação sobre o concerto, no que diz respeito a Deus, e o Salmo 106, no que diz respeito a Israel. Ambos se baseiam na vontade predestinadora de Deus, escolhendo homens para a santidade e para a obediência, e o modo com que o pecado humano se opõe a esta vontade, e, apesar disto, não pode anulá-la. – *"Plain Commentary"*

vv. 1 a 15: Os quinze primeiros versículos foram escritos quando a arca foi trazida (1 Cr 16), e narram que é esta graça soberana que governa tudo – é um Deus soberano.

Em meio a um mundo caído, Ele toma a quem Ele quiser – indivíduos, famílias, nações. Ele escolheu *Israel*, há muito tempo, para que eles pudessem ser os objetos da graça, e a sua terra como o teatro onde ela é exibida. Ele voltará a Israel, quando os dias do seu reino de glória se aproximarem; e Israel terá uma participação plena – a mais completa e mais rica – nas suas bênçãos, temporais e espirituais. – *Andrew A. Bonar*

v. 1: "Invocai o seu nome". O significado original desta expressão é *chamai-o pelo seu nome*, isto é, dai a Ele o título descritivo que melhor expressa as suas perfeições divinas; ou, mais especificamente, chamai-o pelo seu nome, Jeová, *isto é,* atribuí a Ele os atributos que o nome indica, que são, eternidade e existência própria, juntamente com o relacionamento de concerto com o seu povo, que, embora não indicado pelo nome, estava constantemente associado com ele, e, portanto, necessariamente sugerido por ele. O significado da frase seguinte é obscurecido, se não completamente oculto, pela tradução comum *"entre os povos"*. A forma plural e o sentido da expressão original são essenciais para o propósito do autor, que consiste em glorificar o Deus de Israel entre as nações. – *Joseph Addison Alexander*

v. 1: "Fazei conhecidas as suas obras entre os povos". O povo de Deus não esteve confinado naquele estreito pedaço da terra, para que o verdadeiro conhecimento e adoração a Deus não estivessem confinados nos seus territórios limitados: mas Deus desejava que ali fosse a sede fixa da igreja, de onde o som da doutrina celestial deveria sair para todas as nações. Por isto Ele escolheu Canaã, que está inserida entre as mais poderosas nações do mundo, para que dela, como uma fonte, pudesse jorrar mais facilmente a doutrina de Deus ao resto das nações: como diz Isaías: *"De Sião sairá a lei"*. – *Mollerus*

v. 2: "Falai de todas as suas maravilhas", נִפְלְאֹתָיו (*nipl^{e}'ōtāyw*), "dos seus milagres". Quem tem tantos milagres de que se gloriar, como os cristãos? O cristianismo é um tecido de milagres; e cada parte da obra da graça na alma é um milagre. Os genuínos cristãos convertidos podem falar de milagres, de manhã até a noite; e *deveriam falar* deles, e elogiar aos outros o seu Deus e Salvador, operador de milagres. – *Adam Clarke*

v. 2: "Cantai"... "falai", etc. A música e a conversação são duas coisas pelas quais a mente do homem recebe grande quantidade de bem, ou grande quantidade de mal. Os que fazem do "Senhor" e de "suas maravilhas" os sujeitos de ambas, desfrutam de um céu na terra. E aqueles que o realmente amam o Salvador, sempre se encontrarão propensos a *"cantar-lhe"* e a *"falar dele"*. – *George Home*

v. 2: "Cantai-lhe salmos". Não é suficiente oferecer o recipiente vazio da nossa alegria a Deus, ou a nossa voz somente em cânticos: mas também é preciso que a nossa voz alegre esteja cheia de santidade e bons propósitos, para que Deus seja razoavelmente louvado: "Cantai *salmos* a Ele". – *David Dickson*

v. 2: "Cantai-lhe salmos". A salmodia é a tranquilidade da alma, o repouso do espírito, o mediador da paz. Ela silencia a onda, e concilia o redemoinho das nossas paixões, suavizando as impetuosas, moderando as impuras. É o que engendra a amizade, o que cura a dissensão, o que reconcilia os inimigos. Pois quem pode continuar considerando seu inimigo aquele com quem elevou melodias ao trono de Deus? Salmodiar é algo que repele os demônios e atrai o ministério dos anjos. É uma arma de defesa dos terrores noturnos, e um descanso do trabalho diário. Para a criança, é um anjo da guarda presente; para o adulto, uma coroa de glória; um bálsamo de consolação para o idoso; um ornamento agradável para a mulher. – *Basil*

v. 4: "Buscai ao Senhor e a sua força"; assim diversas versões antigas interpretam. Aqueles que desejam ser "fortalecidos em seu interior" devem buscar a força de Deus, pela fé e pela oração.

"Buscai a sua força" e então vereis a sua face; pois com a sua força nós esperamos prevalecer na presença dele para que possamos obter o seu favor, como fez Jacó (Os 12.3).

"Buscai a sua face continuamente", isto é, buscai ter a sua benevolência, por toda a eternidade; portanto, continuai buscando-a, até o fim dos tempos da vossa provação. Em outras palavras, busquem-na, enquanto viverem neste mundo, e a terão enquanto viverem no outro mundo, e mesmo lá sempre haverá uma busca eterna, em uma progressão infinita, e sejam, para sempre, satisfeitos nela. – *Matthew Henry*

v. 4: "sua força". No linguajar clássico, a sua égide, ou proteção, a sua arca, o símbolo da presença divina. – *John Mason Good*

v. 4: "Buscai a sua face continuamente". "Continuamente" está acrescentado aqui, para que eles não imaginassem que já tivessem cumprido seu dever, se se reunissem duas ou três vezes ao longo do ano no tabernáculo, e observassem os ritos externos, em conformidade com a lei. – *Mollerus*

v. 4: "Buscai... buscai". Ninguém busca o Senhor tão fervorosamente, mas os israelitas aqui têm necessidade de ser despertados a buscá-lo mais fervorosamente; ninguém conseguiu tal medida de comunhão com Deus, mas eles têm necessidade de buscá-la a uma medida ainda maior: por isto está escrito: "*Buscai ao Senhor e a sua força; buscai a sua face continuamente*". – *David Dickson*

v. 5: "Lembrai-vos". Eu não pergunto como os outros podem ser afetados. De minha parte, eu confesso que não existe preocupação nem tristeza pela qual eu seja tão gravemente incomodado, como quando me sinto culpado de ingratidão para com o meu tão bondoso Senhor. Não é raro que isto pareça ser uma falha tão inexplicável, e eu fico alarmado quando leio estas palavras, pois as considero dirigidas a mim mesmo e a outros como eu. Lembrai-vos, vós, esquecidos, descuidados e ingratos, das obras de Deus, do que Ele fez por vós com tantos sinais e provas da sua bondade. O que mais Ele poderia ter feito, que não fez? – *Folengius*

v. 6: "Vós, descendência de Abraão, seu servo". Considere o relacionamento que você tem com Ele. Você é *"a descendência de Abraão, seu servo";* você nasceu na sua casa, e tendo, assim, direito ao privilégio, à proteção e à provisão dos seus servos, você está obrigado a realizar as tarefas dos servos, servir o seu Senhor, procurar a sua honra, obedecer às suas ordens, e fazer tudo o que puder tendo em vista os seus interesses. – *Matthew Henry*

v. 8: "Lembra-se perpetuamente do seu concerto". Como tinha se passado uma longa série de anos, entre a promessa e o cumprimento, o profeta usa a expressão *"Lembra-se"* indicando que a promessa divina não se torna obsoleta com o passar do tempo, mas que até mesmo quando o mundo imagina que ela está extinta e completamente esquecida, Deus ainda conserva a lembrança dela, tão distinta como sempre, para que possa cumpri-la no devido tempo. – *João Calvino*

v. 8: "A palavra que mandou". Tudo o que Deus diz deve necessariamente ser dito com autoridade, de modo que até mesmo as suas promessas participem da natureza dos mandamentos. – *Joseph Addison Alexander*

v. 11: "Limite da vossa herança": literalmente, חֶבֶל, *o cordão da vossa herança,* uma expressão extraída do antigo método de medir a terra com cordão ou linha; consequentemente, o cordão é inserido como *metonímia,* significando a parte medida, e dividida pelo cordão. Assim: "*As linhas* [חֲבָלִים, os cordões] *caem-me em lugares deliciosos*", isto é, como o salmista explica, "coube-me uma formosa herança" (Sl 16.6). – *Samuel Chandler*

v. 11: "Vossa herança". A mudança do singular para o plural (de "tua" para "vossa") indica que Deus fez um concerto com todo o povo, de modo geral, embora proferisse as palavras somente a alguns indivíduos; como vimos, um pouco antes, isto era um decreto ou uma lei duradoura. Os santos patriarcas foram os primeiros, e as principais pessoas, a cujas mãos foi transmitida a promessa; mas eles não aceitaram a graça que lhes era oferecida como algo que pertencesse somente a eles mesmos, mas como uma bênção, da qual a sua descendência participaria, juntamente com eles. – *João Calvino*

v. 12: "Quando eram ainda poucos homens, sim, muito poucos". מְתֵי מִסְפָּר. Literalmente, *homines numeri*, homens em número; tão poucos, que seriam contados facilmente em oposição ao que a sua descendência se tornou, posteriormente, como a areia do mar: inumerável. – *Samuel Chandler*

vv. 12 a 14: Poderíamos pensar que o mundo os oprimia; mas aqui estava a proteção, Deus tem uma palavra negativa: *"Não permitiu a ninguém que os oprimisse"*. Muitos (como dizemos) tinham maus sentimentos com relação ao povo de Deus, não gostavam de lidar com eles, e o texto mostra quatro vantagens que o mundo tinha contra eles. Em primeiro lugar, *"Eram poucos"*. Em segundo lugar, *"muito poucos"*. Em terceiro lugar, *"estrangeiros"*. Em quarto lugar, *"andavam de nação em nação"*. O que impedia os seus inimigos? Era a palavra negativa do Senhor. *"Por amor deles, repreendeu reis, dizendo, não toqueis nos meus ungidos e não maltrateis os meus profetas"*. Nós vemos um exemplo disto (Gn 35.5). Quando Jacó e sua família viajavam, "o terror de Deus foi sobre as cidades que estavam ao redor deles, e não seguiram após os filhos de Jacó". Eles tinham a ideia de segui-los, para vingar a matança dos siquemitas, mas Deus disse, *Não os sigais*, e então não puderam seguir – eles deviam permanecer em casa. E quando o seu povo, os judeus, estava a salvo em Canaã, Ele os incentiva a vir, livremente, adorar em Jerusalém, com esta certeza: "Ninguém cobiçará a tua terra, quando subires para aparecer três vezes no ano diante do Senhor, teu Deus" (Êx 34.24). Deus pode impedir não apenas que as mãos saqueiem, mas que os corações desejem. – *Joseph Caryl*

v. 13: "De um reino para outro povo". Onde poderíamos esperar ler *de um reino a outro reino*, o ouvido fica, de certa forma, desapontado com a frase: "*de um reino a outro povo*", que poderia ter pretendido distinguir a monarquia egípcia e outras das instituições mais democráticas e patriarcais dos árabes, e de outras nações. – *Joseph Addison Alexander*

v. 13: Embora mudar-se constantemente não seja desejável nem recomendável, às vezes há uma ocasião justa e necessária para isto, e pode ser a sina de alguns dos melhores homens. – *Matthew Henry*

v. 14: "Não permitiu a ninguém que os oprimisse". À medida que muitos se levantavam, um depois do outro, com exércitos contra eles, o salmista diz indefinidamente que os homens estavam impedidos de lhes fazer-lhes mal; pois אָדָם (*'Ādām*) é a palavra usada aqui, a palavra mais usada, em geral, com o significado de *homem*. – *João Calvino*

vv. 14 e 15: Eu interpreto estas palavras classificando-as em três partes.

1. Aqui está a proximidade e a importância dos santos para Deus. Eles são mais importantes para Ele do que os reis e os estados, considerando a situação de uma forma simples; isto é, eles são santos; pois você vê que por amor a eles Ele repreendeu reis, e mostrou que os preferia aos reis.

2. Aqui está o grande perigo, para reis e estados: lidar com os seus santos de alguma maneira que não seja boa. Isto fica patente de muitas maneiras; pois Ele não apenas com palavras dá a ordem de que eles não sejam molestados, como a expressa de uma maneira autoritária (pois assim Deus faz, quando defende a sua causa). Não toqueis, como se Ele tivesse dito, Deixem-me ver se vocês são ousados a ponto de tocá-los; e é com uma sugestão da maior ameaça, se o fizessem; vocês estarão correndo grande risco, se o fizerem; pois este é o escopo de tais palavras. E, de acordo com isto, em obras Ele fez o bem, pois o texto diz que Ele não permitiu que ninguém lhes fizesse mal; não que Ele impedisse completamente toda a injustiça e as ofensas, pois eles receberam muitas quando passavam por aquelas terras;

mas em nenhuma ocasião Ele permitiu que isto ficasse impune. Neste sentido, Ele não lhes permitiu isto. Nós sabemos como Ele atormentou Faraó, o rei do Egito, com grandes pragas, e toda a sua casa, por causa da esposa de Abraão (Gn 12). E também a Abimeleque, rei de Gerar, o Senhor oprimiu fortemente, e as suas primeiras palavras estão em Gênesis 20.3: "Eis que morto és", antes que lhe tivesse dito o motivo, embora, então Ele acrescente a razão; Ele o coloca de joelhos (v. 4), e o faz dar satisfação a Abraão e devolver-lhe a esposa (v. 7); e assim ele escapou; e o Senhor também lhe diz que ele deve ser grato às orações de Abraão pela sua vida. "Profeta é", diz Ele, "e rogará por ti, para que vivas".

3. A terceira é o cuidado e a proteção que Deus tinha colocado sobre eles, e ampliado, (1) pela quantidade e pela condição das pessoas às quais Ele defendia; ainda que "*muito poucos*", isto é, contados rapidamente, para o seu poder e força poucos, ou muito poucos, εἰς μίκρους, segundo a Septuaginta na passagem paralela, 1 Crônicas 16.19; como também, (2) pelo que Ele fez por eles: Ele não permitiu que nenhum homem, por maior que fosse, lhes fizesse algum mal, por menor que fossem; não sem recompensa e satisfação; que não o fizessem, embora tivessem vontade de fazê-lo. Embora o povo lhes desejasse o mal, Gênesis 26.11, Deus fez com que Abimeleque promulgasse uma lei com este propósito; Abimeleque recomendou a todo o seu povo em nome de Isaque, e disse nas mesmas palavras do texto: "Qualquer que tocar neste varão ou em sua mulher certamente morrerá". – *Thomas Goodwin*

v. 15: "Meus ungidos". Abraão, Isaque e Jacó não tiveram unção exterior. Eles eram, no entanto, chamados de "*ungidos*" porque foram separados por Deus da multidão dos ímpios, e dotados com o Espírito e os seus dons, de que a unção era um emblema. – *Mollerus*

v. 15: "Não toqueis nos meus ungidos, e não maltrateis os meus profetas". Aqui vemos uma descrição vívida do povo de Deus. Eles são os "seus ungidos", tendo "algo do Espírito"; eles são os seus profetas, a quem é confiada a palavra da vida, para que possam ser testemunhas no mundo. A eles Ele dá, por assim dizer, um passaporte seguro pelo mundo. Embora eles tivessem sido apenas homens em número, contados como algo vil, são preciosos aos seus olhos. Eles não são distinguidos pela dignidade exterior, pela sua quantidade ou pelo seu poder, como Roma exibe as marcas da sua comunhão. Eles estão nos reinos, mas não são deles. Normalmente, eles formam as mais humildes porções da maioria das comunidades, e, apesar disto, recebem honra de Deus. Desprezados pelo mundo, mas reis e sacerdotes para Deus, ordenados e ungidos, para reinar com Cristo para sempre. – *W. Wilson*

v. 15: "Profetas". O termo נָבִיא é o profeta, ou o que fala; o termo coloca ênfase nas palavras proferidas, e não na visão. A palavra hebraica se origina de uma raiz que significa borbulhar e transbordar, como de uma fonte cheia. Mas a plenitude dos verdadeiros profetas do Senhor não era a de seus próprios pensamentos e emoções. Era do Divino Espírito dentro deles. "A profecia nunca foi produzida por vontade de homem algum, mas os homens santos de Deus falaram inspirados pelo Espírito Santo" (2 Pe 1.21). A primeira aplicação da palavra é a Abraão (Gn 20.7); embora muito tempo antes de Abraão, "profetizou também Enoque, o sétimo depois de Adão" (Jd 14). – *Donald Fraser, "Synoptical Lectures on the Books of Holy Scripture", 1873*

v. 16: "Chamou a fome". Como um senhor *chama* um servo ansioso por obedecer-lhe. Ao contrário, Deus diz (Ez 36.29): "Chamarei o trigo, e o multiplicarei, e não trarei fome sobre vós". Compare as palavras do centurião sobre a doença ser serva de Cristo, pronta para ir ou vir ao seu comando (Mt 8.8, 9). – *A. R. Fausset*

vv. 17 a 22: José pode ser um tipo apropriado da nossa libertação espiritual. Considere-o vendido no Egito, não sem o conselho de Deus, que ordenou isto previamente para o bem: "Para conservação da vida, Deus me enviou diante da vossa face", Gênesis 45.5. Aqui está a diferença, os irmãos venderam a José, e nós vendemos a nós mesmos. Considere-nos, assim, vendidos, para o pecado e a morte; Deus teve um propósito para nos redimir; aqui há a escolha. José foi libertado da prisão, e nós fomos resgatados da casa da escravidão; houve redenção. A causa de José foi dada a conhecer, e ele foi absolvido; nós não podemos nos considerar inocentes, mas fomos absolvidos em Cristo; disto consiste a nossa justificação. Por fim, José foi vestido com roupas gloriosas, e adornado com correntes de ouro, e pôde andar no segundo carro do Egito; também o nosso último passo consistirá em sermos exaltados até altas honras, à glória da corte celestial: "esta honra, tê-la-ão todos os santos" (Sl 149.9). – *Thomas Adams*

vv. 17 a 22: Em muitas circunstâncias a respeito de José – no fato dele ser amado por seu pai – no fato de ser odiado por seus irmãos – nos seus sofrimentos e vil humilhação – no fato de ser tirado da prisão – na sua promoção e exaltação – na sua sabedoria e prudência – na sua provisão para a família do seu pai – no seu perdão livre e gratuito às ofensas que tinha recebido e suportado de seus irmãos – podemos dizer, verdadeiramente, que temos Cristo delineado em todas elas, e exibido, em tipo, figura e representativamente. Mas não desejo entrar em maiores detalhes aqui; apenas dou esta indicação ao leitor. – *Samuel Eyles Pierce, 1817*

v. 18: "A quem puseram em ferros". A *alma* indica toda a pessoa, porque a alma do cativo sobre ainda mais do que o corpo. O aprisionamento é uma das mais severas provações para a alma. Mesmo para heróis espirituais, como Savonarola e Cyran, as águas frequentemente passam pela alma. – *E. W. Hengstenberg*

v. 18: "A quem puseram em ferros". Até que o tenhamos sentido, não podemos conceber esta doença do coração, que, em algumas ocasiões, se infiltrará no paciente sofredor; este sentimento de solidão, este desfalecimento da alma, que vem de esperanças adiadas e desejos reprimidos, do egoísmo dos irmãos e da insensibilidade do mundo. Nós perguntamos a nós mesmos: Se o Senhor estivesse comigo, eu sofreria assim, não somente a zombaria e o desdém dos instruídos, e o desprezo dos grandes, mas também a indiferença e a negligência daqueles a quem eu servi, que me esquecerão? Assim, José poderia ter perguntado; e assim, até agora, os escolhidos podem perguntar, quando são deixados sozinhos, sem o encorajamento ou a solidariedade dos homens, mesmo não sendo desviados pela falsidade ou pelo desdém, com o seu rosto como uma rocha, mas sentindo profundamente o quanto isto lhes custa. – *Andrew Jukes, "The Types of Genesis", 1858*

v. 19: "Até ao tempo em que chegou a sua palavra: a palavra do Senhor o provou". Este versículo forma a chave para o significado da misteriosa provação de José, e, ao mesmo tempo, ilustra um profundo mistério na vida espiritual do homem. Com *"a palavra do Senhor"* que *"o provou"*, o salmista, evidentemente, se refere aos sonhos do seu futuro destino, que foram enviados por Deus a José: e, ao dizer que eles o tentaram *"até ao tempo em que chegou a sua palavra"*, evidentemente ele quer dizer que a sua fé, nestas promessas, foi testada pelo seu longo aprisionamento, até que amanheceu o dia da sua libertação. Considere, por um momento, a sua posição, e você verá o propósito desta provação. Um jovem educado, em meio a toda a simplicidade da vida patriarcal, era assombrado por visões, ou sonhos, de um poderoso destino. Estas visões prediziam, misteriosamente, o seu governo no Egito, e as bênçãos que o seu sábio e justo governo trariam à terra; mas, embora incapaz de compreendê-las, ele acreditava que eram vozes do futuro, e promessas de Deus. Mas a quietude daquela vida de pastor não era a preparação para o cumprimento do seu destino prometido. A educação que formaria o homem que poderia resistir, firmemente, às tentações da vida no Egito, com suas cidades e civilização; a educação que formaria o governante cujo olhar esclarecido julgaria entre o bem e o mal, e discerniria o caminho da segurança, no momento de perigo de uma nação – tudo isto não seria obtido sob a sombra da tenda do seu pai; deveria vir através da provação, e dela surgiria a promessa de Deus, em que ele acreditava.

Assim, uma grande e assustadora mudança cruzou a sua vida, parecendo proibir o cumprimento daquela promessa em sonho, e tentando-o a duvidar da sua verdade. Vendido no Egito como escravo, lançado à prisão pela sua fidelidade a Deus, a palavra do Senhor provou a sua alma poderosamente. Naquela prisão sombria, era muito difícil crer na fidelidade de Deus, quando a sua aflição tinha se originado da sua obediência; e ainda mais difícil manter claramente a promessa diante de si, quando a sua grande dificuldade perpetuamente o tentava a considerar a promessa como um sonho inútil. Mas com a provação, ele obteve a forte confiança de que a pompa e a glória do Egito não tiveram o poder de destruir; e, quando veio a palavra de libertação, o homem emergiu, fortalecido pelas provações, para cumprir o seu glorioso destino de governar o Egito, em nome de Deus, o que lhe assegurou as bênçãos do céu. Assim, a sua provação pela palavra do Senhor – a sua provação de duvidar da sua verdade – era uma disciplina divina que o preparava para o cumprimento da promessa.

E examinado por este aspecto, este versículo nos apresenta uma profunda verdade espiritual: As promessas de Deus provam o homem, para que, pela provação, ele possa estar preparado para o cumprimento das promessas. O nosso assunto, então, é este: A provação do homem, pelas promessas de Deus. Este versículo sugere três grandes fatos que exibem três aspectos desta provação.

I. As promessas de Deus *devem provar* o homem. Cada promessa do Senhor é *necessariamente* uma provação. Mas esta necessidade surge de duas fontes; da descrença secreta do homem, e dos propósitos de disciplina de Deus.

1. *A palavra de Deus deve provar o homem, revelando a sua descrença secreta.* Nós jamais conheceremos a nossa falta de fé, até que alguma promessa gloriosa incite a alma à atitude de crença; então a frieza e a infidelidade do coração são iluminadas por este relâmpago de fé, e a promessa é uma provação. Assim Paulo, com seu profundo discernimento dos fatos de experiência espiritual, diz: "A palavra de Deus é viva, e eficaz, e mais penetrante do que qualquer espada de dois gumes, e penetra até à divisão da alma, e do espírito, e das juntas e medulas, e é apta para *discernir os pensamentos e intenções do coração*". Como exemplo disto, podemos observar que muitas promessas do Senhor vêm a nós, como vinham a José, como visões em sonhos do futuro. As visões vêm à alma do cristão, tão grandes e maravilhosas como aquelas que vinham ao jovem hebreu de antigamente; e elas também são profecias do que nós estamos destinados a ser. Há um momento em que a voz de Deus é ouvida com maior clareza, e a grande herança é revelada. Nenhum sonho noturno – nenhum espírito dos mortos – nos visitou; mas, como um espírito, um pouco da verdade de Deus entrou na câmara da alma, e a convocou para a nobre aspiração e o empenho, à semelhança de Cristo. Então o penhor do futuro brilha no horizonte da vida. O sábado da eternidade, com todo o seu bálsamo e a sua música, parece próximo, e fascinados com a sua glória, nós somos incitados a um zelo abrangente. Mas eu apelo à sua experiência, se não é verdade que estas revelações da promessa se tornam, rapidamente, épocas de provação. Então a voz zombeteira da descrença nos diz que a aspiração é inútil. As frias correntes da indiferença resfriam os violentos impulsos do coração. Nós somos aprisionados como José, não com barras materiais, na verdade, mas com as correntes invisíveis da incredulidade; e nós achamos muito difícil conservar a promessa clara e brilhante, enquanto somos tentados a crer que as nossas aspirações são meros sonhos inúteis. E há o despertar, pela promessa, da descrença oculta da alma, que faz de cada promessa uma provação inevitável.

2. Novamente: *Deus faz com que as suas promessas nos tentem, para que Ele possa realizar os seus próprios propósitos de disciplina.* Uma das leis da nossa natureza é que nenhuma crença em qualquer coisa invisível jamais possa passar a uma forma ativa de forte empenho para obtê-la, até que sejamos tentados a não crer nela. Assim, a grande ideia de uma terra não descoberta, do outro lado do Atlântico, feria a alma de Colombo; mas permaneceu sendo uma fé de sonho, até que, pela oposição e pela ridicularização, ele foi tentado a considerá-la como um sonho, e então

se tornou um empenho heroico, e a terra foi descoberta. Assim acontece com todos os homens de talento. Eles estão à frente do seu tempo, com ideias que o mundo não consegue compreender; mas estas ideias são sonhos, até que o sofrimento e a zombaria tentam os homens, e então eles são despertados ao esforço para torná-los realidade. Assim Deus nos conduz a circunstância em que nós somos tentados a duvidar das suas promessas, para que, pela provação, Ele possa disciplinar a fé e convertê-la em poder. Há um deserto de provação em cada vida, e, como Cristo, frequentemente nós somos levados a ele, desde o momento solene quando ouvimos a voz: "Tu és meu filho"; mas, como Cristo, nós saímos fortalecidos, depois da longa e silenciosa luta contra a tentação, para realizar a vontade do nosso Pai.

II. Deus envia a Hora da Libertação: *"Até ao tempo em que chegou a sua palavra"*. Quando a disciplina se *completou*, José saiu, preparado para a sua missão. Mas a nossa libertação nem sempre nos vem *desta* maneira. Veja nas histórias da Bíblia os quatro grandes métodos pelos quais Deus envia a libertação. *Algumas vezes, pela morte.* Assim foi com Elias. O cansaço, a solidão, o fracasso, arrancaram do homem forte o clamor: "Toma agora a minha vida, pois não sou melhor do que meus pais". A tentação estava se tornando forte demais, e Deus enviou a libertação no carro de fogo. *Algumas vezes, transformando a dimensão da tentação na dimensão da bênção.* Os três jovens na Babilônia prepararam os nervos para o clímax da agonia, quando o fogo se tornou um paraíso. Agora, Deus faz do clímax da tentação o arauto da bem-aventurança espiritual. Com o sofrimento, nós somos libertados das correntes do tempo e da razão; há alguém perto de nós, sim, o Filho de Deus; e a libertação chega. *Algumas vezes, pelo olhar de amor a uma alma pecadora.* Assim aconteceu com Pedro. A tentação o estava subjugando: um olhar daqueles *olhos, e ele saiu, chorando, e liberto. Algumas vezes, pela continuação da tentação, mas aumentando as forças para resistir a ela.* Assim aconteceu com Paulo. Depois da visão do terceiro céu, veio "o espinho na carne". A provação o fez clamar três vezes a Deus; a provação permaneceu, mas houve a libertação: "A minha graça te basta". O sofrimento não perdeu nada da sua pressão, mas Paulo aprendeu a gloriar-se na fraqueza: e *então* veio a sua libertação.

III. Deus faz com que a Provação pela Promessa cumpra a própria Promessa. Em José, a tentação para duvidar da palavra de Deus silenciosamente o adequou para o cumprimento da palavra. Assim acontece com todos nós. Nós não esperamos um reino egípcio, a nossa visão de sonho é a de uma herança celestial, e o palácio de um Rei celestial. Mas cada tentação resistida, cada voz zombeteira de dúvida subjugada, é um auxílio no caminho para cima e para frente. Provações, tentações, sofrimentos, lutas, são anjos preparando a alma, nas vestes brancas do mundo celestial, e coroando-a com a coroa incorruptível. E, quando vem o fim, então se verá que o longo e terrível empenho de se agarrar à promessa de sonho – a firme resposta "não" à tentação de não crer, tudo é mais do que recompensado com "um peso eterno de glória mui excelente" – *Edward Luscombe Hull, "Sermons preached at King's Lynn", 1867*

v. 19: "A palavra do Senhor o provou". Assim como nós provamos a palavra de Deus, também Deus nos prova; e que felicidade se, depois de provados, sairmos como ouro; e o teste da nossa fé prova ser mais precioso do que o do ouro, que perece, embora ele seja provado pelo fogo. – *William Jay*

v. 19: "[Ela] o provou". Eu não duvido que os irmãos de José fossem humilhados, mas José devia ser mais, ele devia ser lançado à cova, e à prisão, e o ferro devia penetrar, não somente nas suas pernas, mas na sua alma. Ele devia ser mais afetado em espírito, porque devia realizar uma obra maior para Deus, e devia ser mais exaltado alto que os outros, e por isto precisava de mais lastro. – *Thomas Shepard, "The Sound Believer", 1649*

v. 19: "Provou". צָרַף, "examinou" (Sl 12.6; 17.3; 18.30). Ele saiu da provação como o ouro do refino, mais puro e brilhante. – *William Kay vv. 19 a 21:* "[Ela] o provou", "Fê-lo senhor da sua casa". Os pés de José foram feridos com ferros, para prepará-lo para pisar com mais delicadeza no palácio do rei, em Zoã; e, quando chegou o tempo do Senhor, pelas mesmas escadas que o enviaram à prisão, ele sobe no carro ao lado do Faraó. Poucos podem receber grandes e repentinas graças sem que se mostrem orgulhosos e petulantes, até que sejam obstruídos e humilhados, para que então as recebam com moderação. – *Samuel Lee, "The Triumph of Mercy in the Chariot of Praise", 1677*

v. 20: "Mandou o rei e o fez soltar". E pelo seu próprio senhor, Potifar, que o tinha encerrado ali, instigado perversamente pela sua esposa libertina. Ele tinha sido preso de maneira ignomínia, mas agora será libertado de maneira honrosa. – *Christopher Ness*

v. 21: "Governador de toda a sua fazenda" ou "possessão". Nisto também, ele foi um tipo de Jesus Cristo, que, como Deus, é possuidor do céu e da terra, sendo o criador de ambos. – *John Gill*

vv. 21 e 22: Ele foi recebido na Sociedade Real dos honrados, os conselheiros particulares do rei, e foi constituído como Presidente do Conselho, o que, embora Moisés não expresse, Davi sugere, em Salmos 105.21,22. Todos os conselheiros particulares, assim como as pessoas, estavam obrigadas (possivelmente por juramento) a obedecer a ele, e, daquele assento, ele ensinava *magistralmente sabedoria a estes senadores.* Assim diz o texto em hebraico: *a seu gosto (ou segundo a sua vontade), sujeitou os seus príncipes e* instruiu os seus anciãos; ensinando-os não somente moral e civismo, mas também sabedoria divina, motivo pelo qual Deus enviou José (diz ele) ao Egito, para que algum som da redenção da humanidade pecadora pudesse ser ouvido naquele reino, naquela época o mais próspero do mundo: nem Moisés fica completamente em silêncio, pois ele o chama de *mestre de sabedoria* ou *pai de Faraó* (Gn 45.8). Muito mais aos seus conselheiros, e ele diz que sem ordem de José ninguém levantará a sua mão ou o seu pé (isto é, nos assuntos de estado, na nação, ou em missões estrangeiras, no exterior); ele era o plenipotenciário do rei (Gn 41.44). – *Christopher Ness*

v. 22: "Sujeitar os seus príncipes". O significado de לֶאְסֹר שָׂרָיו é o de exercer controle sobre os maiores homens do reino, e este poder foi concedido a José por Faraó: veja Gênesis 41.40; e também os versículos 43, 44. A capacidade de sujeitar deve ser considerada como evidência de autoridade; a capacidade de exigir obediência; ou, na ausência dela, de infligir punição. – *George Phillips, 1846*

v. 22: "A seu gosto". Literalmente, *à sua alma,* o que alguns explicam como uma metáfora ousada, descrevendo a mente ou a alma de José como a corda ou corrente com que ele sujeitava os egípcios, isto é, os forçava a realizar a sua vontade. Mas veja Salmos 17.9; 27.12; 41.2. – *Joseph Addison Alexander*

v. 22: "E instruir os seus anciãos". Isto é, com aquela sabedoria com que ele tinha sido instruído por Deus, ele possa também instruir os príncipes e ensinar prudência àqueles que eram muito mais velhos do que ele. Aqui há alguns vislumbres da sabedoria divina, especialmente no fato de que Ele pudesse ordenar aos príncipes e aos anciãos que aprendessem sabedoria com aquele que era um escravo e um estrangeiro, embora os egípcios sempre sejam propensos a se vangloriar de que o Egito é o berço da sabedoria. – *Jansênio*

v. 23: "Egito"... "a terra de Cam". Os egípcios eram uma ramificação da raça de Cam. Eles vieram da Ária, através do deserto da Síria, para se estabelecer no vale do Nilo. Este é um fato claramente estabelecido pela ciência, e confirma inteiramente as declarações do livro de Gênesis. – *F. Lenormant e E. Chevalier, "A Manual of Ancient History", 1869 v. 24:* "E ele multiplicou sobremodo o seu povo". Eis aqui a bênção escondida no segredo da cruz. Sob esta bênção, o povo de Deus está na condição mais frutífera. – *Berleb. Bible*

v. 25: "Mudou o coração deles para que aborrecessem o seu povo". Não colocando este ódio dentro deles, o que não é coerente nem com a santidade da natureza de Deus, nem com a verdade da sua obra, e que era completamente desnecessário, porque eles tinham esta e todas as outras impiedades em si mesmos, por natureza; mas parcialmente, retirando as dádivas comuns e as operações do seu Espírito, e todos os obstáculos e impedimentos a este ódio, e deixando-os inteiramente com seus próprios erros, e paixões, e interesses corruptos, que, por si só, estavam prontos a seguir este caminho; e parcialmente, orientando e governando este ódio, que estava inteiramente dentro deles, e era-lhes comum, de modo que caísse sobre os israelitas e não sobre qualquer outro povo. – *Matthew Pool*

vv. 25 e 26: Quando, pela maldade dos inimigos, o povo de Deus é levado às maiores dificuldades, há uma libertação próxima, a ser enviada, de Deus a eles. *"Para que tratassem astutamente aos seus servos. Enviou Moisés, seu servo"*. – *David Dickson*

v. 26: "Moisés... e Arão". Deus normalmente envia os seus servos em pares, para auxílio e consolo mútuo. – *John Trapp*

v. 28: "Mandou as trevas". A escuridão aqui está no início (não na ordem histórica em que estava a praga da escuridão) para mostrar como *a ira de Deus* esteve sobre o Egito como uma *nuvem escura* durante todas as pragas. – *A. R. Fausset*

v. 28: "Trevas". Esta praga da escuridão tem um terrível significado. O sol era o principal objeto de devoção entre os egípcios, sob o nome de Osíris. O próprio nome Faraó significa não apenas o rei, mas também o sol, e caracteriza o próprio rei como representante do sol, e tendo direito a algum tipo de honra divina. Mas agora, a própria luz do sol desapareceu, e o caos anterior parece ter retornado. Assim, todas as formas de adoração à moda egípcia foram cobertas de vergonha e confusão pelas pragas. – *James G. Murphy, "A Commentary on Exodus", 1866*

v. 28: "Que a escurecessem". Deus é frequentemente descrito como manifestando o seu desagrado em uma nuvem. Joel fala do dia da vingança de Deus como "dia de trevas e de tristeza; dia de nuvens e de trevas espessas" (Jl 2.2); e Sofonias emprega praticamente o mesmo linguajar (1.15). A coluna de nuvem que ia à frente dos israelitas, e lhes dava luz, para os egípcios era "escuridade" (Êx 14.20). A escuridão que estava sobre a face da terra "no princípio" é descrita pelo Senhor, no livro de Jó, como uma nuvem: "Quando eu pus as nuvens por sua vestidura e, a escuridão, por envolvedouro" (Jó 38.9). Agora a terra do Egito foi envolvida por uma nuvem espessa e palpável, fria, úmida, impenetrável: as pessoas a sentiriam em seus membros, como faixas; o sol foi encoberto por ela, e todas as coisas foram reduzidas praticamente a um estado de morte – do qual esta nona praga era, de certa forma, a sombra lançada anteriormente. Esta nuvem seria ainda mais terrível no Egito, no ensolarado Egito, do que em outras nações; pois ali o céu é claro, quase sempre, e não se conhecem chuvas pesadas. Mas em qualquer lugar, e sob quaisquer condições, deve ter sido cheia de horror e desgraça. Nada poderia representar isto de maneira mais convincente do que a curta sentença: "ninguém se levantou do seu lugar por três dias". Foi um horror de grande escuridão; e permaneceu sobre eles como uma mortalha; eles não sabiam quais perigos podiam estar ao seu redor, qual juízo era o próximo: eles não tinham sido avisados desta praga com antecedência, e não podiam saber se era apenas um prelúdio para alguma visitação mais terrível: a sua alma derreteu neles, por temor daquelas coisas que podiam lhes sobrevir; eles não ousaram ir de uma câmara a outra, nem mesmo de um assento a outro: onde eles estivessem no momento em que as trevas caíram sobre eles, ali tiveram que permanecer. Faraó podia chamar pelos seus guardas, em vão; eles não viriam até ele. Moisés e Arão não estavam mais ao seu alcance, pois ninguém poderia ir procurá-los. Os senhores não podiam dar ordens a seus escravos, nem os escravos podiam se apressar para obedecer ao chamado de seus senhores; a esposa não podia correr para junto de seu marido, nem a criança se agarrar aos seus pais: o mesmo temor se apoderou de todos, nobres e humildes; o mesmo terror paralisante e o mesmo desânimo se apossou de todos. Como diz o patriarca Jó, eles foram "sobressaltados de horror" (Jó 18.20). E isto continuou, durante três dias e noites: eles não tinham candelabros nem tochas; ou não podiam acendê-los, ou não ousavam se mover para procurá-los: eles ficaram silenciosos, nas trevas, como os homens que já estão mortos. A esperança e a expectativa do retorno da luz podem ter, a princípio, sustentado os egípcios; mas a esperança que tardou setenta e duas exaustivas horas morreria imediatamente, e os deixaria entregues ao desespero. Quanto mais as trevas durassem, mais se tornariam opressivas e intoleráveis. "Sentidas" em seus corpos, como um castigo físico, e "sentidas" ainda mais em suas almas, em agonias de medo e apreensão; uma escuridão como aquela que, no livro do Apocalipse, o quinto anjo derrama sobre o trono da besta – "e o seu reino se fez tenebroso; e os homens mordiam a língua de dor. E, por causa das suas dores e por causa das suas chagas, blasfemaram do Deus do céu e não se arrependeram das suas obras" (Ap 16.10,11). Se há alguma verdade nas tradições dos judeus a respeito deste assunto, houve ainda maior alarme debaixo desta abóbada de escuridão, esta obscuridade palpável, do que qualquer sob aflição que pudesse surgir de castigos físicos. A escuridão é um tipo do reino de Satanás; e Satanás tinha liberdade, no Egito, de andar de um lado a outro. Os rabinos judeus nos dizem que o diabo e seus anjos foram deixados em liberdade durante estes terríveis três dias; eles tiveram maior liberdade do que usualmente, para fazer mal. Eles descrevem estes espíritos malignos entre as pessoas infelizes, colados em seus assentos, de certa forma, com terror; aterrorizando-as com terríveis aparições; perfurando seus ouvidos com horríveis gritos e gemidos; levando-os quase à loucura com a intensidade dos seus temores; arrepiando sua pele, e levantando os seus cabelos. Este clímax parece ser mencionado pelo salmista: "atirou para o meio deles, quais mensageiros de males, o ardor da sua ira: furor, indignação e angústia" (Sl 78.49). – *Thomas S. Millington, "Signs and Wonders in the Land of Ham", 1873*

v. 28: "E eles não foram rebeldes à sua palavra". A praga das trevas e as demais pragas que Deus enviou foram como seus servos, não foram desobedientes a Ele, mas obedeceram à sua palavra. Veja os versículos 31, 34. – *John Gill*

v. 28: "E eles não foram rebeldes à sua palavra"; como fez Jonas, que, quando foi enviado a denunciar os juízos de Deus contra Níneve, foi para Társis. Moisés e Arão não se comoveram, nem com um tolo temor da ira de Faraó, nem com uma tola piedade da infelicidade dos egípcios, para relaxar ou retardar qualquer das pragas que Deus lhes ordenou que infligissem aos egípcios; mas estenderam a mão para infligi-las, como Deus ordenara. Aqueles que são instruídos a executar juízos, descobrirão que a sua negligência é interpretada como uma rebelião contra a palavra de Deus. – *Matthew Henry*

v. 29: "Converteu as suas águas em sangue". O Nilo começa a subir aproximadamente no final de junho, e atinge o seu nível mais alto no fim de setembro. No início da sua cheia, ele assume uma tonalidade esverdeada, e a sua água tem sabor desagradável, é insalubre e frequentemente não pode ser bebida. No entanto, logo ele se torna vermelho e turvo, e permanece assim durante três ou mais semanas. Nesta condição, a água novamente é saudável e pode ser consumida. O milagre realizado agora foi totalmente diferente desta transformação anual. Porque,

1. Ele teve lugar depois do solstício de inverno, e não de verão;

2. A água se converteu em sangue, e não foi simplesmente tingida por uma mistura de argila vermelha ou animais microscópios;

3. Os peixes morreram, um resultado que não acontecia na mudança periódica de cor;
4. O rio exalou mau cheiro, e se tornou ultrajante, o que deixava de acontecer quando surgia o tom avermelhado normal;
5. Este evento foi suspenso no final de sete dias, ao passo que a vermelhidão natural continuava pelo menos por três semanas;
6. A mudança aconteceu instantaneamente, com a palavra de ordem, diante dos olhos de Faraó. A calamidade era assustadora. As doces águas do Nilo eram a bebida comum do Egito. Ela era abundante em todos os tipos de peixes, que formavam o item principal da alimentação dos habitantes. Ela era reverenciada como um deus, pelo Egito. E agora era uma correnteza pútrida, da qual eles se afastavam com repugnância. – *James G. Murphy*

v. 29: "Converteu as suas águas em sangue". Com a transformação milagrosa das águas em sangue, uma repreensão prática foi feita às suas superstições. Este rio sagrado e bonito, benfeitor e preservador da nação, este berço dos seus principais deuses, esta morada das divindades inferiores, esta fonte de toda a sua prosperidade, este centro de toda a sua devoção, se converteu em sangue: as águas exalaram mau cheiro; os canais e tanques, as artérias de madeira e pedra, que eram abastecidos pelo rio, todos estão igualmente poluídos. O Nilo, de acordo com Plínio, era a "única fonte de onde os egípcios obtinham a água para beber" (Hist. Nat. 76, c. 33). Esta água era considerada particularmente doce e refrescante; a tal ponto que as pessoas tinham o hábito de provocar a sede, para poder desfrutar mais livremente de seus goles agradáveis. Agora ela tinha se tornado abominável para eles, e eles repugnavam bebê-la. – *Thomas S. Millington*

v. 29: "E assim fez morrer os peixes". Além do peixe salgado, ou enviado ao mercado para consumo, uma grande quantidade era separada, expressamente para alimentação das aves e animais sagrados – como os gatos, crocodilos, íbis, e outros; e alguns dos grandes reservatórios, ligados aos templos, eram usados para criação dos peixes e também para as abluções necessárias dos devotos, e para vários propósitos relacionados com a religião. A quantidade de peixes no Egito era uma grande bênção para as classes pobres, e quando o Nilo transbordava, os habitantes das aldeias do interior se beneficiavam com este presente anual do rio, pela melhoria da terra com a lama fertilizadora depositada sobre ela. Os canais, tanques e lagos, nas terras baixas, continuavam abundantes de peixes, mesmo depois de cessada a inundação; e era então que o seu retorno ao Nilo era interceptado, fechando-se as bocas dos canais. – *Sir J. Gardner Wilkinson, "A Popular Account of the Ancient Egyptians", 1854*

v. 30: "A sua terra produziu rãs em abundância". Esta é a aparição natural na ordem de acontecimentos relacionados ao rio Nilo, e também dela o Deus da natureza se valeu, para defender o seu poder diante de Faraó e diante do Egito. O Nilo, suas ramificações e os grandes canais de irrigação estão todos cheios até às margens, e a exuberante umidade despertou do seu torpor de verão para a vida e para a atividade, as rãs do Nilo, em números inimagináveis para aqueles que não estiveram nestes países quentes. Mesmo em anos normais, a perturbação que representam estas repugnantes criaturas, dia e noite, dá alguma ideia do que deve ter sido esta praga, e torna abundantemente razoável a criação de uma deusa, *Ranipula** no início da mitologia do antigo Egito. No conjunto desta terrível sucessão de juízos, não há nenhum mais pessoalmente revoltante do que a praga das rãs. – *William Osburn*

v. 30: "A sua terra produziu rãs em abundância". Não é difícil, para um inglês, em uma monção oriental úmida, formar uma tolerável ideia desta praga do Egito, em que as rãs estavam "nas casas, e nos dormitórios, e sobre as camas, e nas amassadeiras" dos egípcios. Na estação chuvosa, miríades delas emitiam seu

*"Expulsadora de rãs". seu nome era Heki; *Birch* ap. Bunsen. Ela era a *Buio* dos autores gregos.

constante coaxar, em todas as direções; e um homem que não tem muita paciência, se torna tão petulante quanto o deus lascivo, e está pronto a exclamar:

"Croc, croc ! Realmente eu vou me engasgar
se vocês incomodarem e aborrecerem meus ouvidos ainda mais
Com seu *croc, croc, croc*".

Um recém-chegado, ao vê-las saltando pelos quartos, fica enojado, e começa a atacá-las; mas a noite seguinte trará um retorno de seus ativos visitantes. Pode parecer quase incrível, mas certa noite nós matamos mais de quarenta destas convidadas na casa da missão Jaffna. Elas tinham se escondido principalmente em um pequeno túnel conectado com o banheiro, onde o seu ruído tinha se tornado quase insuportável. – *Joseph Roberts, "Oriental Illustrations", 1844*

v. 30: "Nas câmaras dos seus reis". Deus atormentou Faraó no seu *dormitório*: pode ser porque Ele desejava mostrar que os seus juízos podem penetrar na maior privacidade; pois o campo, e o átrio, e o *dormitório* e o gabinete, são a mesma coisa para Deus.

É provável que Faraó não se comovesse se as suas fronteiras estivessem cheias de rãs, mas elas devem vir à sua *casa, e ao seu dormitório.* O que eu observo é: Se os maiores príncipes do mundo ofenderem a Deus, não serão isentos dos juízos. Os príncipes e as pessoas de autoridade normalmente são isentas da reprovação dos homens. Quanto às leis, são frequentemente como teias de aranha; as moscas grandes as atravessam. Quem ousa dizer a um príncipe: "És ímpio"? E alguém, falando a respeito do Papa, afirmou que não é lícito dizer: "O que ele faz?" Deus golpeia aqueles que não estão ao alcance da repreensão humana. – *Josias Shute, "Judgment and Mercy: or the Plague of Frogs", 1645*

v. 31: "Moscas". Este termo serve para indicar um tipo de inseto que pousa sobre a pele ou as folhas de plantas, provocando dor, com a sua picada, no primeiro caso, e causando destruição, no segundo. Os enxames de moscas no Egito são normalmente numerosos e excessivamente perturbadores. Elas pousam nas partes úmidas das pálpebras e narinas e causam feridas que produzem grande dor, inchaço e inflamação. Elas também são a ruína das plantas em que depositam seus ovos. Filo (vit. Mos. ii. p. 110) descreve o moscardo como uma peste terrível do Egito. Mosquitos e pernilongos também são abundantes e virulentos. Uma praga destas criaturas causaria imenso sofrimento e desolação. – *James G. Murphy*

v. 31: Como exemplo do poder das moscas, nós apresentamos um fragmento de "Canadian Dominion", de Charles Marshall. "Eu soube, por homens de inquestionável veracidade, que ao meio-dia as nuvens de moscas nas planícies poderiam esconder os líderes de um conjunto de quatro cavalos da vista do condutor. O gado só podia ser reconhecido pelo seu formato. Todos se tornaram igualmente negros com uma impenetrável crosta de moscas. A linha da rota sobre as planícies do Mar Vermelho foi marcada pelos cadáveres dos bois picados até à morte por este adversário insignificante".

v. 31: "Piolhos em todo o seu território". Os sacerdotes, sendo contaminados por esta horrível infecção, não podiam ficar em pé, para servir as suas divindades. O povo não podia, na sua impureza, entrar nos recintos dos seus templos. Se eles desejassem oferecer sacrifícios, não haveria vítimas apropriadas para este objetivo. Até mesmo os deuses, os bois, e as cabras, e os gatos, estavam contaminados pelos insetos. Os egípcios não apenas sofriam dores pelo odioso castigo, como também se sentiam humilhados e desgraçados por ele. Josefo observa o seguinte: "Faraó", diz ele, "ficou tão confuso com esta nova praga que, com o perigo, o *escândalo* e a sordidez, ele lamentava um pouco o que tinha feito" (b. ii. c. 14). A praga assumiu a forma de uma doença, estava "nos homens" (Êx 8.17). Como diz Josefo, outra vez: "Os corpos das pessoas os procriavam, e eram totalmente cobertos por eles, que mordiam e rasgavam de maneira insuportável, e sem remédio, pois banhos e unguentos não adiantavam". Mas, por maior que fosse a aflição para seus corpos, o caráter asqueroso e deplorável da praga, e a ofensa trazida à sua religião pela contaminação das suas divindades, e a interrupção de todas as suas cerimônias religiosas, era o que havia de mais desagradável. – *Thomas S. Millington*

v. 31: "Piolhos". Este tipo de inseto é um dos aborrecimentos comuns do Egito. Heródoto nos diz (2.37) que os sacerdotes raspam os pêlos de todo o seu corpo, dia sim, dia não, para que nenhum piolho ou outra impureza possa ficar preso a eles no serviço aos deuses. É evidente que esta espécie de inseto era particularmente desagradável para os egípcios. – *James G. Murphy*

v. 32: "Converteu as suas chuvas em saraiva". Eu tinha saído para as escavações [em Gizé], quando, vendo que se aproximava uma grande nuvem escura, enviei um servo às tendas, para tomar conta delas, mas quando começou uma chuva leve, logo eu fui atrás dele. Pouco depois da minha chegada, começou uma tempestade de vento. Portanto, eu ordenei que as cordas das tendas fossem reforçadas, mas logo veio uma forte chuva, que alarmou todos os nossos árabes e os levou à sepultura na rocha, onde está a nossa cozinha... De repente, a tempestade se converteu em um furacão, do tipo que eu jamais tinha testemunhado na Europa, e uma chuva de granizo caiu sobre nós, quase convertendo o dia em noite... Não demorou muito para que a nossa primeira tenda caísse, e quando eu tinha acabado de trazê-la para dentro da minha, para protegê-la no interior, ela também se quebrou, acima de mim. – *Carl Richard Lepsius, "Letters from Egypt, Ethiopia, and the Peninsula of Sinai", 1853*

v. 32: "Saraiva". Relatos extraordinários sobre a magnitude de pedras de granizo, que caíam durante tempestades tão memoráveis que encontram seu lugar na história geral, vêm de períodos de antiguidade, mais ou menos remotos. Segundo "Chronicles", uma chuva de granizo ocorreu no reino de Carlos Magno, em que caíram pedras que mediam 4,5 m por 1,8 m, por 3,3 m; e sob o reinado de Tippoo Sahib, há a narrativa de que caíram pedras de granizo de tamanho igual ao de elefantes. Deixando de lado estes relatos e semelhantes, como sendo mais fábulas do que história, encontraremos o suficiente para criar assombro em observações bastante autênticas sobre este tema.

Em uma chuva de granizo que ocorreu em Flintshire, no dia 9 de abril de 1072, Halley viu pedras que pesavam 140 gramas.

Em 4 de maio de 1697, Robert Taylor viu caírem pedras de granizo que mediam 35 centímetros de diâmetro.

Na tempestade que destruiu a cidade de Como em 20 de agosto de 1787, Volta viu pedras de granizo que pesavam 250 gramas.

Em 22 de maio de 1822, o Dr. Noggerath viu caírem pedras de granizo, em Bonn, que pesavam entre 340 e 370 gramas.

Parece, portanto, certo que em regiões diferentes houve chuvas de granizo em que caíram pedras que pesavam entre 230 e 340 gramas. – *Dionysius Lardner, "The Museum of Science and Art", 1854*

v. 34: "Vieram gafanhotos e pulgão em quantidade inumerável". Nesta região, e em todos os domínios de Prete Janni, há uma praga horrível, que consiste em um grupo incontável de gafanhotos, que comem e destroem todo o trigo e as árvores; e o seu número é tão grande que chega a ser inacreditável; e com a sua quantidade, eles cobrem a terra e enchem o ar de tal maneira que é difícil conseguir ver o sol... Nós viajamos durante cinco dias por lugares totalmente devastados e destruídos, onde tinha sido plantado painço, que tinha caules tão grandes como os que temos em nossas vinhas, e nós os vimos quebrados como se uma tempestade tivesse passado por ali; foram os gafanhotos que fizeram isto. As árvores ficaram sem folhas, e as suas cascas foram devoradas; e não havia erva para ver, pois eles tinham comido todas as coisas; e se nós não tivéssemos sido avisados, e aconselhados a levar conosco nossos mantimentos, nós e nosso gado teríamos perecido. Esta região estava totalmente coberta com gafanhotos sem asas; e nos contaram que estes eram a descendência daqueles que tinham devorado tudo, e que tão logo suas asas tivessem crescido, eles iriam procurar os outros. O seu número era tão grande que nem posso descrever, porque não acreditarão em mim: mas devo dizer que vi homens, mulheres e crianças desesperados e mortos entre os gafanhotos. – *Samuel Purchas, 1577-1628*

v. 34: "Gafanhotos e pulgão". Deus não trazia a mesma praga duas vezes; mas quando houve oportunidade para outra, foi uma nova; pois Ele tem muitas flechas em sua aljava. – *Matthew Henry*

v. 34: "Em quantidade inumerável". Um enxame [de gafanhotos] que foi observado na Índia, em 185, ocupou uma área de 103 quilômetros quadrados, contendo pelo menos quarenta milhões de gafanhotos e lançando uma grande sombra sobre a terra. E Major Moore assim descreve um imenso exército destes animais, que destruiu a região de Mahratta: "A coluna formada por eles se estendia por 800 quilômetros; e era tão compacta no voo que, como um eclipse, escondeu completamente o sol, de modo que nenhuma sombra era produzida". Brown, em suas viagens à África, afirma que uma área de quase 5.200 quilômetros quadrados foi literalmente coberta por eles; e Kirby e Spence mencionam que uma coluna era tão imensa que os insetos levaram quatro horas para passar pelo ponto onde estava o observador. – *M. Kalisch*

v. 34: "Vieram... em quantidade inumerável".

E vieram, uma nuvem escura e contínua,
de miríades incontáveis congregadas;
de cujas águas o bater era como o som
de algum rio largo, precipitando-se no seu curso,
Precipitado de um cume de montanha; ou o rugir
de um oceano revolto na tempestade de outono,
quebrando suas ondas em uma costa rochosa,
e vieram, as ondas os impeliam.
– *Robert Southey, 1774-1843*

v. 35: "E comeram toda a erva". Os gafanhotos tinham devorado toda erva e toda grama; e se não fosse pelas canas, de que o nosso gado subsistia completamente quando nós passamos pelas margens do rio, a jornada poderia ter sido interrompida, pelo menos na linha que tinha sido proposta. As larvas, como acontece geralmente nesta classe da natureza, são muito mais vorazes do que o inseto formado; nada que seja verde parece haver entre eles... Os indícios do seu caminho pela nação são muito óbvios por muitas semanas depois da sua passagem, a superfície parece ter sido varrida, ou como se um ancinho tivesse sido passado por ali. – *John Barrow, 1764-1849*

v. 36: "Feriu também a todos os primogênitos". Você ouviu aquele clamor? Este é o momento da meia-noite, e alguma tragédia está acontecendo naquele lar egípcio, pois que grito assombroso!, e é repetido e ecoado, quando as portas se abrem e mulheres frenéticas correm para as ruas, e, quando as casas de sacerdotes e médicos são procuradas, eles apenas sacodem as cabeças em muda agonia, e apontam para os traços selados pela morte de seu próprio primogênito. Luzes brilham às portas do palácio, e passam rapidamente pelas câmaras reais; e quando os mensageiros do rei se precipitam pela cidade, perguntando onde vivem os dois veneráveis irmãos hebreus, a notícia corre: "O príncipe real está morto!" Saiam, filhos de Jacó! Saiam da sua casa de escravidão, oprimidos e ofendidos israelitas! E, na sua pressa de mandar embora a terrível raça protegida pelo Céu, eles lhes dão ouro e joias, e lhes pagam para que vão embora. – *James Hamilton*

v. 37: "Entre as suas tribos não houve um só enfermo", quando Israel deixou o Egito; houve, enquanto viviam ali: assim ali nenhum *santo enfermo* irá para o céu, mas serão perfeitos quando levados para lá pelos anjos de Deus, embora se queixem de fragilidades aqui. "Não haverá mais nela criança de poucos dias, nem velho que não cumpra os seus dias; porque o jovem morrerá de cem anos" (Is 65.20). Pode-se observar em todas as pessoas *moribundas* ou mortas um grande *abatimento*. E isto também ocorre na *alma*. A menor criança passa, no *instante da dissolução*, a um perfeito conhecimento de Deus, e a tal dimensão de graça, que não se pode conseguir aqui; ela se torna "como Davi"; e o maior cristão chega a tal dimensão que é "como um anjo do Senhor" (Zc 12.8). – *John Sheffield, "The Rising Sun", 1654*

v. 37: "E entre as suas tribos não houve um só enfermo". Todos saíram com boa saúde, e não trouxeram consigo nenhuma das doenças do Egito. Certamente, nunca acontecerá nada semelhante, que, entre tantos milhares de judeus, não havia um único doente! Em vista disso, vemos que era extremamente falsa a descrição que os inimigos dos judeus, nas eras futuras, fizeram do assunto, dizendo que todos estavam enfermos com lepra ou alguma doença repugnante, e, por isto, os egípcios os expulsaram da sua terra. – *Matthew Henry*

v. 37: "Enfermo". Alguém indolente ou que tropeça. A palavra indica uma pessoa incapacitada para o serviço militar. – *Joseph Addison Alexander*

v. 39: No exército de Alexandre o Grande, a marcha era iniciada por um sinal de comando emitido por um grande farol instalado sobre um mastro, para que "o fogo fosse visto à noite, e a fumaça durante o dia", e isto ainda está em uso entre as caravanas da Arábia. É bastante provável que, nesta terra imutável, este fosse o costume na época do Êxodo, e que Deus, por meio de parábolas, e também de fatos, desse modo, ensinasse o povo que Ele era o seu verdadeiro líder, e que o céu era o seu pavilhão, de onde vinha a ordem de marchar. – *Neale e Littledale*

v. 39:

Quando Israel, o amado do Senhor,
saiu da terra da escravidão.
O Deus de seu pai se moveu diante dela.
Um impressionante guia em fumaça e chamas,

Durante o dia, ao longo das terras assombradas,
a coluna de nuvem deslizava lentamente;
À noite, as areias avermelhadas da Arábia
Refletiam o brilho ardente da coluna.

Ergueu-se o hino de louvor
e a trombeta e o tamboril o acompanharam,
e as filhas de Sião derramaram seus cânticos
entre as vozes do sacerdote e do guerreiro.

Mas ainda presente, ainda que invisível.
Quando o dia próspero bilhar
que os pensamentos sobre ti sejam uma cortina de nuvem
para suavizar o raio enganador!

E, ó, quando se curvar, no caminho de Judá,
em sombras e tempestades, a noite frequente,
Sê tu – tolerante, tardio em irar-te,
uma luz ardente e brilhante.
– *Sir Walter Scott, 1771-1832*

v. 40: "Codornizes". As codornizes são encontradas abundantemente na Síria e na Judeia, e parece haver pouca dúvida de que se trata das codornizes tão frequentemente mencionadas nas Sagradas Escrituras. “Nós temos”, diz Tristram, “uma prova clara da identificação da codorniz comum, com a palavra hebraica *selav,* com o seu nome árabe, *salwa,* de uma raiz que significa “estar gordo” – ela descreve a forma arredondada, rechonchuda e gorda da codorniz... Ela migra em grandes bandos, e cruza regularmente o deserto árabe, voando na maior parte do tempo à noite. E quando as aves pousam, estão tão completamente exaustas, que podem ser capturadas em grandes quantidades com facilidade. Apesar de seus hábitos migratórios, elas escolhem instintivamente as mais curtas passagens sobre o mar, e se aproveitam de qualquer ilha como lugar de parada. Assim, na primavera e no outono, elas são mortas em grandes quantidades em Malta e em muitas das ilhas gregas, e muito poucas são vistas até a chegada do período da migração. Elas também voam a favor do vento, e não de frente para ele, como muitas outras aves”. “Os israelitas ‘as espalhavam’ depois de tê-las apanhado, antes que elas estivessem suficientemente revigoradas para escapar; exatamente como Heródoto nos diz, que os egípcios tinham o hábito de fazer com as codornizes – secá-las ao sol”. Brehm menciona ter sido testemunha da chegada de um grande bando de codornizes à costa do norte da África, e nos conta que as aves exaustas caíram juntas sobre o solo, completamente esgotadas pela sua cansativa jornada, e ali permaneceram alguns minutos, como se estivessem estupefatas. – *Cassell, “Book of Birds”*

vv. 40 a 42:

Trazidas do seu depósito para os israelitas,
codornizes, em cujos bandos buscam, a cada mudança,
que Ele, dos céus remova a sua fome,
Guloseimas na grama, com doce orvalho congelado.
Ele fere a rocha, e a rocha, ferida, se incha;
Inchando, permite que novas correntezas renovem os canais,
Tudo porque a vontade atenta de Deus não pode ser afastada,
Da palavra sagrada, dada certa vez ao seu Abraão.
– *Sir Philip Sidney, 1554-1586*

v. 44: “Herdaram o trabalho dos povos”. De igual maneira, a Canaã celestial é desfrutada pelos santos, sem nenhum esforço próprio; esta herança não é da lei, nem das obras da lei; é dádiva de Deus (Rm 4.14 e 6.23). – *John Gill*

SUGESTÕES AOS PREGADORES

v. 1. I. Louvar a Deus pelas graças anteriores.
II. Orar, pedindo novas graças.
III. Divulgar suas famosas graças.

vv. 1 a 5. Uma série de exercícios santos. “Louvar” – “invocar o seu nome” – “fazer conhecidas” – “cantar” – “falar” – “gloriar-se” – “alegrar-se” – “buscar” – “lembrar-se”.

v. 2. I. O prazer de falar *com* Deus – “Cantai”, etc.; melodiando no coração.
II. O dever de falar *sobre* Deus. – “Falai”, etc. – *G. R.*

v. 2. O esquema de conversa do cristão.

v. 3. I. Os que encontram: ou – “gloriai-vos”, etc.
II. Os que buscam: ou – “alegre-se”.

v. 3 (segunda parte). Que aquele que busca se alegre por haver este Deus para buscar, que Ele nos convide a buscar, que Ele nos incite a buscar, e nos capacite a buscar, e prometa que o encontraremos. A tendência de quem busca é desanimar, mas há muitos motivos para consolo.

v. 4. Como podemos buscar a força do Senhor?
1. Desejando estar sujeitos a ela.
2. Sendo sustentados por ela.
3. Sendo equipados com ela para o serviço.
4. Vendo os resultados dela, nos outros.

v. 4. Busca tripla.
I. O Senhor, para ter misericórdia.
II. A sua força, para o serviço.
III. A sua face, para ter alegria. – *A. J. G. Brown*
v. 4 (última parte). Buscar ao Senhor, a ocupação eterna de um crente.
v. 5. Temas para recordar.
I. O que Deus fez.
II. O que Ele disse.
vv. 5 e 8. A nossa memória e a memória de Deus. "Lembrem-se." "Lembra-se."
v. 7. O relacionamento de Deus com os seus escolhidos e com toda a humanidade.
vv. 9 e 10. Fazer o concerto, jurar e confirmá-lo. Veja nossos comentários sobre estes versículos nas passagens aludidas.
v. 12. Consolação aos poucos. O típico Israel espiritual – poucos, no princípio. Os poucos que estavam na arca povoaram o mundo. Pequenos grupos fizeram maravilhas. A presença de Cristo é prometida a duas ou três pessoas. Deus não salva muitos nem poucos, etc.
vv. 13 e 14. I. O povo de Deus pode ser frequentemente removido.
II. Eles não podem jamais ser ofendidos.
III. Deus não irá renunciar à sua propriedade sobre eles.
vv. 14 e 15. *O Dr. T. Goodwin* tem um excelente sermão sobre estes versículos, intitulado *"The Interest of England"*, em que condensa a história do mundo, para mostrar que aquelas nações que perseguiram e afligiram o povo de Deus foram, invariavelmente, destruídas. – *"Goodwin's Works", vol. xii. p. 34-60, edição de Nichol*
v. 15. Em que aspecto Abraão foi um profeta, e até que ponto os crentes também o são.
v. 16. I. Todas as coisas vêm com o chamado de Deus. Ele chamou a fartura, e ela veio; a fome, e ela veio; o cativeiro, e ele veio; a libertação, e ela veio.

II. O mais improvável meio de alcançar um objetivo para o homem é, frequentemente, o caminho direto com Deus. Ele cumpriu a promessa de Canaã a Abraão, tirando-o de lá; da fartura, enviando uma fome; da liberdade, trazendo o cativeiro. – *G. R.*

v. 19. A duração de nossos problemas, o poder de provação da promessa, o resultado consolador que nos é assegurado.
v. 24. Prosperidade da igreja *desejável.* Aumento de membros, aumento de vigor. *Possível de conseguir* sob grande perseguição e oposição. *Divina na sua origem* – "*Ele* aumentou". *Satisfatória como um teste* – só é verdadeiro sobre o "seu povo".
v. 24 (segunda parte). De que maneira a graça pode tornar os crentes mais fortes do que os seus inimigos.
v. 25. I. O ódio natural do mundo pela igreja.
II. A permissão de Deus, para que este ódio seja exibido. Quando? Por que?
III. A maneira sutil com que esta inimizade busca o seu objetivo.
v. 32. "Converteu as suas chuvas em saraiva." O juízo substituído pela misericórdia.
v. 37 (primeira parte). A riqueza encontrada em nós, depois da aflição.
v. 37 (segunda parte). Uma consumação a ser desejada. Este era o resultado direto da presença divina. As circunstâncias de que ela surgiu foram o trabalho árduo e a perseguição. E os capacitou a deixar o Egito, a viajar para longe, a carregar pesos, a combater inimigos, etc.
v. 39. I. Uma nuvem escura de providência é o guia do povo de Deus durante o dia.
II. Uma nuvem brilhante de promessas é o seu guia, à noite. – *G. R.*
v. 39. A bondade do Senhor, exemplificada em nossas variadas condições.
I. Para a prosperidade – uma nuvem.
II. Para a adversidade – uma luz. Um bom texto seria encontrado em "luz na noite".
v. 40. I. Deus frequentemente dá com amor o que não é pedido. Assim aconteceu com o pão do céu, que estava além de tudo o que podiam pedir ou pensar.

II. Às vezes, Ele dá, com ira, o que é pedido. Eles pediram alimento – "E ele fez vir codornizes". – *J. G. R.*

v. 41. Nós temos,

I. Um tipo da pessoa de Cristo, na rocha.

1. Que não se podia contemplar, como Horebe – "olhando nós para ele, nenhuma beleza víamos", etc. (Is 53.2).

2. Firme e imutável – "Quem é rochedo, senão o nosso Deus?" (2 Sm 22.32).

II. Um tipo dos sofrimentos de Cristo, na rocha ferida.

1. Ferida pela vara da Lei.

2. Ferida profundamente.

III. Um tipo dos benefícios de Cristo, na água que jorrou da rocha – pura, revigorante, perpétua, abundante. – *James Bennett, 1828*

v. 41. I. A energia milagrosa da graça de Deus, na conversão de um pecador: "Abriu a penha, e dela brotaram águas".

II. O efeito na relação com os outros, que demonstra, ao mesmo tempo, a excelência e a realidade do milagre, em nós mesmos: "Correram pelos lugares secos como um rio". – *Thomas Dale, 1836*

v. 41. I. A grande fonte – a rocha aberta.

II. A correnteza liberal – "brotaram".

III. O fluxo contínuo – "pelos lugares secos".

v. 42. I. O Senhor atento à *sua* promessa.

II. O Senhor atento a *nós*.

III. O Senhor operando maravilhas, como resultado de ambas as coisas.

v. 45. Obediência a Deus, o desígnio das suas misericórdias a nós.

SALMO 106

OBSERVAÇÕES GERAIS

Este Salmo começa e termina com Aleluia – "Louvai o Senhor". O espaço entre essas duas descrições de louvor está repleto de detalhes melancólicos do pecado de Israel e da extraordinária paciência de Deus; e verdadeiramente fazemos bem em bendizer ao Senhor tanto no início como no fim de nossas meditações quando o pecado e a graça são os temas. Este cântico sagrado ocupa-se da parte histórica do Antigo Testamento e é um dos muitos assim compostos: certamente isto deve ser admoestação suficiente aos que falam desdenhosamente das Escrituras históricas; não é condizente que um filho de Deus menospreze aquilo que o Espírito Santo tão frequentemente usa para nossa instrução. Que outras Escrituras Davi tinha além dessas histórias que são tão depreciadas? E, no entanto, ele as estimava mais do que comida que lhe era necessária e fez delas seus cânticos na casa de sua peregrinação.

A história de Israel é escrita aqui com o intuito de mostrar o pecado humano, assim como o salmo precedente foi composto para enaltecer a bondade divina. Na verdade, é uma CONFISSÃO NACIONAL, e inclui um reconhecimento das transgressões de Israel no Egito, no deserto e em Canaã, com petições devotas por perdão, que tornaram o salmo adequado para o uso em todas as gerações seguintes, especialmente em tempos de cativeiro nacional. Provavelmente foi escrito por Davi – e, de qualquer maneira, seu primeiro e segundo versículos encontram-se no cântico sagrado que Davi entregou a Asafe quando trouxe a arca do Senhor (1 Cr 16.34,35,36).

Enquanto estudamos este Salmo santo, devemos nos ver sempre entre o antigo povo do Senhor, e lamentar nossas provocações ao Altíssimo, ao mesmo tempo em que admiramos a sua infinita paciência, e o adoramos por causa dela. Que o Espírito Santo a santifique para a promoção da humildade e da gratidão.

DIVISÃO

Louvor e oração estão fundidos na introdução (vv. 1-5). Então, vem a história dos pecados da nação, que continua até a oração e louvor de encerramento dos dois últimos versículos. Enquanto faz a confissão, o salmista reconhece os pecados cometidos no Egito e no Mar Vermelho (vv. 6-12), a cobiça no deserto (vv. 13-15), a inveja de Moisés e Arão (vv. 16-18), a adoração do bezerro de ouro (vv. 19-23), o menosprezo da terra prometida (vv. 24-27), a iniquidade de Baal-Peor (vv. 28-30) e as águas de Meribá (vv. 32-33). Então ele reconhece o fracasso de Israel depois de assentado em Canaã, e menciona os castigos subsequentes (vv. 31-44), juntamente com a rápida compaixão que veio lhes dar alívio depois de estarem humilhados (vv. 44-46). A oração e a doxologia de encerramento ocupam os versículos seguintes.

EXPOSIÇÃO

1 *Louvai ao Senhor! Louvai ao Senhor, porque ele é bom, porque a sua benignidade é para sempre.*
2 *Quem pode referir as obras poderosas do Senhor? Quem anunciará os seus louvores?*
3 *Bem-aventurados os que observam o direito, o que pratica a justiça em todos os tempos.*
4 *Lembra-te de mim, Senhor, segundo a tua boa vontade para com o teu povo; visita-me com a tua salvação,*
5 *para que eu veja o bem de teus escolhidos, para que eu me alegre com a alegria do teu povo, para que me regozije com a tua herança.*

1. *"Louvai o Senhor." Aleluia.* Este cântico é para o povo reunido, e eles são exortados a juntar-se na oração a Jeová. Não é próprio que alguns louvem e o resto fique em silêncio; todos devem participar. Se Davi estivesse presente em igrejas em que quartetos e coros se encarregam de todo o cântico, ele se voltaria para a congregação e diria: "Louvai o Senhor". A nossa meditação se detém no pecado humano, mas, em todas as ocasiões e em todas as ocupações, é conveniente e proveitoso louvar o Senhor.

"Rendei graças ao Senhor, porque ele é bom" (ARA). Para nós, criaturas necessitadas, a bondade de Deus é o primeiro atributo que incita o louvor, e esse louvor assume a forma de gratidão. Louvamos ao Senhor verdadeiramente quando damos graças pelo que recebemos por sua bondade. Que nunca tardemos em retribuir com nosso louvor; render-lhe graças é o mínimo que podemos fazer – não negligenciemos isto.

"Porque a sua misericórdia dura para sempre." A bondade para com os pecadores assume a forma de misericórdia; a misericórdia, portanto, deve ser uma nota dominante em nosso cântico. Como o homem não deixa de ser pecaminoso, é uma grande bênção que Jeová não deixe de ser misericordioso. De era para era, o Senhor lida graciosamente com a sua igreja, e a cada indivíduo nela Ele é constante e fiel na sua graça, e para sempre. Em um breve espaço, temos aqui dois argumentos para o louvor: "porque ele é bom; porque a sua misericórdia dura para sempre" (na versão ARA); e estes dois argumentos são, em si mesmos, louvores. A melhor linguagem de adoração é aquela que, nas palavras mais claras, com adoração, expõe a verdade simples no que se refere ao Senhor. Não é preciso nenhum floreio retórico ou hipérbole poética; os simples fatos são poesia sublime, e a narração reverente destes é a essência da adoração. O primeiro versículo é o texto de tudo o que se segue; agora devemos ver como, geração após geração, a misericórdia do Senhor permaneceu para com o seu povo.

2. *"Quem pode referir as obras poderosas do Senhor?"* Que língua de homem ou anjo pode descrever devidamente as grandes exibições do poder divino? Pois elas são impronunciáveis. Mesmo os que as viram não puderam narrá-las completamente.

"Quem anunciará os seus louvores?" Declarar as suas obras é o mesmo que louvá-lo, pois os seus feitos são sua melhor recomendação. Podemos dizer a seu favor um décimo do que já disseram o seu caráter e os seus atos? Os que louvam ao Senhor têm um tema infinito, um tema que, por toda a eternidade, não será esgotado pelos

maiores intelectos, ou melhor, nem por toda a multidão dos redimidos, embora nenhum homem possa numerá-los. As questões deste versículo nunca poderão ser respondidas; seu desafio nunca pode ser aceito, exceto na humilde medida que pode ser alcançada por uma vida santa e um coração agradecido.

3. Como o Senhor é tão bom e tão digno de ser louvado, obedecer-lhe deve ser para a nossa felicidade. *"Bem-aventurados os que observam o direito, o que pratica a justiça em todos os tempos."* Multiplicam-se as bênçãos que devem descer sobre toda a companhia dos que guardam o caminho da justiça e especialmente sobre o homem raro que em todos os tempos observa o que é direito. Santidade é felicidade. O caminho do justo é o caminho da paz. Contudo, os homens abandonam esta estrada e preferem os caminhos do destruidor. Portanto, a história que se segue contrasta tristemente com a felicidade aqui descrita, porque o caminho de Israel não foi o do juízo e da justiça, mas o da insensatez e da iniquidade. O salmista, enquanto contempla as perfeições de Deus, teve o sentimento de que os servos de tal Ser devem ser felizes e, quando olhou ao redor e viu como as tribos de antigamente prosperaram ao obedecer e sofreram quando pecaram, teve ainda mais certeza da verdade da sua conclusão. Ah, se pudéssemos estar livres de pecado, estaríamos livres da dor! Seríamos não apenas justos, mas "observaríamos o que é direito; não nos contentaríamos em agir de maneira correta ocasionalmente, mas "praticaríamos justiça em todos os tempos".

4. *"Lembra-te de mim, Senhor, segundo a tua boa vontade para com o teu povo."* Insignificante como sou, não te esqueças de mim. Pensa em mim com bondade, como pensas nos teus eleitos. Não posso pedir mais, nem buscaria menos. Trata-me como o menor dos teus santos é tratado e ficarei satisfeito. Deveria ser suficiente para nós sermos como o restante da família. Se mesmo Balaão não desejava mais do que morrer a morte dos justos, podemos nos contentar em viver como eles vivem e morrer como eles morrem. Este sentimento nos impediria de desejar escapar ao julgamento, à acusação e ao castigo; esta foi a sorte dos santos; por que escaparíamos a ela?

"Devo ser carregado para o céu
Em leitos floridos de conforto,
Enquanto outros lutaram pelo prêmio
E navegaram por mares de sangue?"

Ao mesmo tempo, oramos para ter o seu doce e o seu amargo. Se o Senhor sorriu para as almas do seu povo, não podemos descansar até que sorria para a nossa também. Habitaríamos onde habitaram, exultaríamos como exultaram, sofreríamos como sofreram, e em todas as coisas seríamos um com eles no favor do Senhor. A sentença perante nós é uma doce oração, ao mesmo tempo humilde e desejosa, submissa e expansiva; poderia ser usada por um ladrão moribundo ou por um apóstolo vivo; usemo-la agora.

"Visita-me com a tua salvação." Vem com ela à minha casa. Venha à minha casa e ao meu coração e dá-me a salvação que preparaste e que apenas tu podes dar. Às vezes ouvimos que um homem morreu pela visitação de Deus, mas eis aqui um que sabe que só pode *viver* através da visitação de Deus. Jesus disse de Zaqueu: "Hoje, veio a salvação a esta casa", e era esse o caso, porque Ele mesmo viera. Não há nenhuma salvação além do Senhor, e Ele deve visitar-nos com ela ou nunca a obteremos. Estamos doentes demais para visitar nosso Grande Médico e, portanto, Ele nos visita. Ah, que nosso grande Bispo visitasse todas as suas igrejas e conferisse a sua bênção a todo o seu rebanho. Às vezes, a segunda oração deste versículo parece grande demais para nós, pois sentimos que não somos dignos de que o Senhor venha sob nosso teto. Será que posso pedir: Visita-me, Senhor! Será que posso atrever-me a pedir tal bênção? Sim, devo fazê-lo, pois só tu podes trazer-me a salvação: portanto, Senhor, rogo-te que venhas visitar-me e fiques comigo para sempre.

5. *"Para que eu veja o bem de teus escolhidos."* O desejo do salmista pela boa vontade divina foi incitado pela esperança de que ele poderia participar de todas as coisas boas que fluem para o povo de Deus através da sua eleição. O Pai nos abençoou com todas as bênçãos espirituais nos lugares celestiais em Cristo, como também nos elegeu nele, e destas preciosas dádivas desejamos compartilhar por meio da visita salvadora do Senhor. Nenhum outro bem desejamos ver, perceber e entender a não ser aquele que é o tesouro peculiar dos santos.

"Para que eu me alegre com a alegria do teu povo." O salmista, tendo buscado a sua porção do bem dos escolhidos, agora também implora para compartilhar sua alegria: pois de todas as nações sob o céu, o verdadeiro povo do Senhor é o mais feliz.

"Para que me regozije com a tua herança." Ele queria uma parte em sua honra, assim como em sua alegria. Ele estava disposto a encontrar a glória onde os santos a encontram, isto é, em ser repreendido pelo bem da verdade. Servir ao Senhor e suportar a vergonha por Ele é a glória dos santos aqui em baixo: Senhor, que eu me regozije por suportar a minha parte nisto. Estar com Deus acima, para sempre abençoado em Cristo Jesus, é a glória dos santos acima: Oh, Senhor, apraza-te em destinar-me um lugar ali também.

Estes agradecimentos e súplicas introdutórios, apesar de ocorrerem primeiro no salmo, são, sem dúvida, o resultado das contemplações que os sucedem e podem ser vistos não apenas como o prefácio, mas também como a moral de todo o cântico sacro.

6 *Nós pecamos como os nossos pais; cometemos iniquidade, andamos perversamente.*
7 *Nossos pais não atentaram para as tuas maravilhas no Egito; não se lembraram da*
multidão das tuas misericórdias; antes, foram rebeldes junto ao mar, sim, o mar Vermelho.
8 *Não obstante, ele os salvou por amor do seu nome, para fazer conhecido o seu poder.*
9 *Repreendeu o mar Vermelho, e este se secou, e os fez caminhar pelos abismos*
como pelo deserto.
10 *E livrou-os da mão daquele que os aborrecia e remiu-os da mão do inimigo.*
11 *As águas cobriram os seus adversários; nem um só deles ficou.*
12 *Então, creram nas suas palavras e cantaram os seus louvores.*

6. *"Nós pecamos como os nossos pais."* Aqui tem início uma confissão longa e particular. A confissão do pecado é a maneira mais pronta de assegurar uma resposta à oração do versículo 4. Deus visita com sua salvação a alma que reconhece a sua necessidade de um Salvador. Pode-se dizer que os homens pecaram como os seus pais quando os imitam, quando seguem os mesmos objetivos e fazem de suas vidas uma mera continuação da insensatez de seus progenitores. Além disso, Israel foi apenas uma nação o tempo todo, e a confissão que se segue expõe mais os pecados nacionais do que os pecados pessoais do povo do Senhor. Eles gozavam de privilégios nacionais; portanto, participavam da culpa nacional.

"Cometemos iniquidade, andamos perversamente." Assim a confissão é repetida três vezes, como um símbolo da sua sinceridade e entusiasmo. Devemos reconhecer em categorias distintas os pecados de omissão, comissão e rebelião, para que possamos exibir a devida percepção do número e hediondez das nossas faltas.

7. *"Nossos pais não atentaram para as tuas maravilhas no Egito."* Os israelitas viram as pragas miraculosas e se maravilharam com elas mesmo em meio à ignorância: eles foram incapazes de perceber seu desígnio de amor, suas profundas lições morais e espirituais, e a revelação do poder e justiça divinos. Uma longa permanência entre idólatras havia amortecido suas percepções de família escolhida, e a cruel escravidão os havia lançado na indolência metal. Ai, quantas das maravilhas de Deus ainda não são entendidas ou são mal entendidas por nós. Receamos que os filhos não sejam muito melhores do que os pais. Herdamos de nossos pais muitos pecados e pouca sabedoria; eles só podiam nos deixar o que possuíam. Vemos por este versículo que falta de entendimento não é desculpa para o pecado, mas é um enquadramento na acusação contra Israel.

"Não se lembraram da multidão das tuas misericórdias." O pecado do entendimento leva ao pecado da memória. O que não é entendido logo será esquecido. Os homens sentem pouco interesse em preservar folhelhos; se não conhecem nada do cerne, não cuidarão das cascas. Tendo em vista que as misericórdias de Deus foram tão numerosas e eles, no entanto, conseguiram esquecer todas elas, o seu pecado foi agravado. Com certeza alguns dentre tantos benefícios devessem permanecer gravados em seus corações, mas se a graça não nos dá entendimento, a natureza logo apagará a lembrança da grande bondade de Deus.

"Antes, foram rebeldes junto ao mar, sim, o mar Vermelho." Debandar no início foi um mau sinal. Não se pode esperar que os que não começaram bem terminem bem. Israel mal sai do Egito e começa a provocar ao Senhor, duvidando de seu poder de libertar e questionando a sua fidelidade à sua promessa. O mar só era *chamado* vermelho, mas seus pecados eram realmente escarlates; era conhecido como o "mar das ervas daninhas", mas ervas daninhas muito piores cresciam em seus corações.

8. *"Não obstante, ele os salvou por amor do seu nome, para fazer conhecido o seu poder."* Uma vez que não conseguiu encontrar nenhuma outra razão para a sua misericórdia, Ele a descobriu na sua própria glória e aproveitou a oportunidade para exibir o seu poder. Se Israel não merece ser salvo, o orgulho de Faraó precisa ser esmagado e, portanto, Israel será libertado. O Senhor, muito zelosamente, guarda o seu nome e honra. Nunca se dirá que Ele não pode ou que não salvará o seu povo, ou que não possa extinguir a arrogância de seus inimigos desafiadores. Este respeito pela sua honra sempre o leva a atos de misericórdia; portanto, podemos muito bem nos alegrar por Ele ser o Deus zeloso.

9. *"Repreendeu o mar Vermelho, e este se secou."* Uma palavra o fez. O mar ouviu a sua voz e obedeceu. Quantas repreensões de Deus se perdem em *nós*! Não somos mais indomáveis que o oceano? Deus, por assim dizer, admoestou o mar e disse: "Por que impedes o caminho do meu povo? Seu caminho para Canaã passa por teu canal; como te atreves a atrapalhá-los?" O mar percebeu a presença do seu Senhor e da sua semente real, e abriu caminho imediatamente.

"E os fez caminhar pelos abismos como pelo deserto." Como se fosse o chão seco do deserto, as tribos passaram pelo fundo do golfo; sua passagem não foi aventureira, pois foi Ele que disse que fossem, nem perigosa, pois Ele os conduziu. Nós também, sob a proteção divina, passamos por muitas provações e aflições e, tendo o Senhor como guia, não sentimos medo e não corremos nenhum perigo. Fomos conduzidos através dos abismos como se fosse pelo deserto.

10. *"E livrou-os da mão daquele que os aborrecia."* Faraó foi afogado, e o poder do Egito foi tão abalado que, durante os quarenta anos em que Israel vagou pelo deserto, nunca foi ameaçado pelos seus antigos senhores.

"E remiu-os da mão do inimigo." Esta foi uma redenção pelo poder, e um dos tipos mais instrutivos de redenção do povo do Senhor do pecado e do inferno por meio do poder que atuava neles.

11. *"As águas cobriram os seus adversários; nem um só deles ficou."* O Senhor não faz nada pela metade. O que Deus começa Ele leva até o fim. Novamente, o fato de Israel ter visto a inteireza da justiça divina e a perfeição da fidelidade divina, tornou maior o seu pecado. No afogamento dos inimigos temos um tipo do perdão dos nossos pecados; eles são afundados no mar, para nunca mais subirem outra vez, e, bendito seja o Senhor "nem um só deles ficou" – nenhum pecado de pensamento, palavra ou ato; o sangue de Jesus cobriu tudo. Ele "lançará todos os nossos pecados nas profundezas do mar".

12. *"Então, creram nas suas palavras."* Isto é, eles creram na promessa quando a viram cumprida, mas não até então. Isto é mencionado não em seu favor, mas para sua vergonha. Aqueles que não creem na palavra do Senhor até a verem realizada não são crentes. Quem não acreditaria tendo o fato diante de si? Os egípcios teriam feito o mesmo.

Eles "cantaram os seus louvores." Como poderiam não fazê-lo? Seu cântico foi excelente, e é o tipo do cântico do céu, mas, por mais doce que fosse, foi breve e, quando cessou, eles passaram a murmurar. "Eles cantaram os seus louvores", "cedo, porém, se esqueceram das suas obras". Do Israel que cantava para o Israel que pecava havia apenas um passo de distância. O cântico foi bom enquanto durou; porém mal começou, e logo chegou ao fim.

13 *Cedo, porém, se esqueceram das suas obras; não esperaram o seu conselho;*
14 *mas deixaram-se levar da cobiça, no deserto, e tentaram a Deus na solidão.*
15 *E ele satisfez-lhes o desejo, mas fez definhar a sua alma.*

13. *"Cedo, porém, se esqueceram das suas obras."* Eles pareciam ter pressa de apagar as misericórdias de Deus de suas memórias; eles se apressaram em ser ingratos. *"Não esperaram o seu conselho"*, sem esperar pela palavra de comando ou de promessa, ávidos por fazer como queriam e inclinados a confiar em si mesmos. Esta é uma falta comum na família do Senhor até hoje; levamos tempo para aprender a esperar pelo Senhor e a servi-lo. Nele encontra-se conselho e força, mas somos vaidosos demais a ponto de procurarmos isso em nós mesmos; portanto, erramos, e ficamos em uma situação muito triste.

14. *"Mas deixaram-se levar da cobiça, no deserto."* Além de não esperarem pela vontade de Deus, estão ansiosos por fazerem a sua própria vontade. Quando o alimento mais adequado e agradável lhes foi dado em abundância, ele não os satisfez por muito tempo; eles ficaram exigentes, desdenharam o alimento dos anjos e queriam carne para comer, o que não era uma dieta sadia para aquele clima quente, e para a vida tranquila que tinham. Eles se detiveram sobre este desejo até que se tornasse uma obsessão e, como um cavalo selvagem, arrastasse o cavaleiro. Por uma refeição com carne eles estavam prontos a amaldiçoar o seu Deus, e a renunciar à terra que manava leite e mel. Quão maravilhoso foi o fato do Senhor não ter considerado a palavra deles ao pé da letra! É claro que eles o irritaram profundamente, *"e tentaram a Deus na solidão"*. No lugar onde dependiam absolutamente dele e onde eram alimentados diretamente por Ele todos os dias, tiveram a presunção de provocar a Deus. Queriam que Ele mudasse os planos de sua sabedoria, que satisfizesse seus apetites relacionados aos prazeres dos sentidos e operasse milagres para satisfazer sua perversa descrença; o Senhor não faria estas coisas, mas eles foram tão longe quanto puderam na tentativa de induzi-lo a isso. Não falharam em sua perversa tentativa por causa de qualquer bondade que tivessem em si, mas porque Deus "não pode ser tentado" – a tentação não tem nenhum poder sobre Ele; Ele não cede às ameaças ou promessas do homem.

15. *"E ele satisfez-lhes o desejo."* A oração pode ser respondida com ira e negada com amor. O fato de Deus satisfazer o desejo de um homem não é prova de que o tal seja o objeto de favorecimento divino; tudo depende do que é o seu desejo.

"Mas fez definhar a sua alma." Ah, esse "mas"! Ele torna tudo amargo. A comida se tornou um veneno para eles quando veio sem uma bênção; aquilo que podia fazer o corpo engordar não valia nada quando fazia definhar a alma. Se devemos conhecer a escassez, Deus conceda que não seja a escassez da alma: esta, aliás, é uma acompanhante comum da prosperidade terrena. No caso de muitos homens, quando as suas propriedades terrenas engordam, as suas almas emagrecem. Ganhar prata e perder ouro pouco vale, mas ganhar aquilo que traz satisfação ao corpo e perder aquilo que traz satisfação à alma é muito pior. Quão avidamente Israel revogaria as suas orações se soubesse o que lhes sobreviria quando fossem atendidas. As orações feitas por cobiça trarão um grande pranto. Ficamos inquietos e irritados até conseguirmos satisfazer os nossos desejos, e depois nos inquietamos ainda mais pelo fato da obtenção deles terminar em uma amarga decepção.

16 *E tiveram inveja de Moisés, no acampamento, e de Arão, o santo do Senhor.*
17 *Abriu-se a terra, e engoliu a Datã, e cobriu a gente de Abirão.*
18 *E lavrou um fogo na sua gente; a chama abrasou os ímpios.*

16. *"E tiveram inveja de Moisés, no acampamento."* Embora devessem tudo a ele, na condição de instrumento escolhido de Deus, sentiam rancor pela sua autoridade, que era necessário que ele exercesse para o próprio bem deles. Alguns eram mais abertamente rebeldes do que outros e tornaram-se líderes do motim, mas o espírito de insatisfação era geral e, portanto, toda a nação é/foi responsável por ele. Quem pode ter esperança de escapar à inveja quando os homens mais humildes estão sujeitos a ela? Quão irracional era essa inveja, uma vez que Moisés era o único homem em todo o acampamento que trabalhava com grande afinco e que tinha mais a suportar. Deviam solidarizar-se com ele; invejá-lo era ridículo. *"E de Arão, o santo do Senhor".* Por escolha divina, Arão foi reservado para ser santidade ao Senhor e, ao invés de agradecerem a Deus por ter lhes dado um sumo sacerdote por cuja intercessão suas orações seriam apresentadas, eles contestaram a escolha divina e contenderam com o homem que devia oferecer sacrifício por eles. Assim, para eles, nem igreja nem estado estavam ordenados corretamente; queriam arrebatar de Moisés o cetro e de Arão a mitra. É marca dos homens maus sentir inveja dos bons e ter rancor em relação aos melhores benfeitores.

17. *"Abriu-se a terra, e engoliu a Datã, e cobriu a gente de Abirão."* Corá não é mencionado, pois a misericórdia se estendeu à sua casa, apesar dele mesmo perecer. A terra não podia mais suportar o peso daqueles rebeldes e ingratos: a paciência de Deus se esgotou quando começaram a afrontar seus servos, pois seus filhos lhe são caros, e quem os toca, toca na menina do seu olho. Moisés abrira o mar para sua libertação, e agora que o provocavam, a terra se abria para sua destruição. Era tempo da nudez do seu pecado ser coberta e da terra abrir a boca para devorar os que abriam a boca contra o Senhor e contra os seus servos.

18. *"E lavrou um fogo na sua gente; a chama abrasou os ímpios."* Os levitas que se juntaram a Corá pereceram pelo fogo, uma morte digna dos que se opuseram ao sacerdócio e, portanto, ofereceram fogo estranho. Deus tem mais de uma flecha na aljava; o fogo pode consumir aquele que o terremoto poupa. Estes detalhes terríveis da justiça são mencionados aqui para mostrar a obstinação do povo ao continuar a se rebelar contra o Senhor. Os terrores se perderam tanto quanto as misericórdias se haviam perdido; elas não podiam ser atraídas nem incitadas.

19 *Fizeram um bezerro em Horebe e adoraram a imagem fundida.*
20 *E converteram a sua glória na figura de um boi que come erva.*
21 *Esqueceram-se de Deus, seu Salvador, que fizera grandes coisas no Egito,*
22 *maravilhas na terra de Cam, coisas tremendas no mar Vermelho.*
23 *Pelo que disse que os teria destruído se Moisés, seu escolhido, se não pusera perante ele, naquele transe, para desviar a sua indignação, a fim de os não destruir.*

19. *"Fizeram um bezerro em Horebe."* No mesmo lugar onde haviam jurado solenemente obedecer ao Senhor, eles violaram o segundo, se não o primeiro, dos seus mandamentos, e levantaram o símbolo egípcio do boi e se prostraram diante dele. A imagem do boi é aqui chamada sarcasticamente "um bezerro'; os ídolos não são dignos de respeito; o desprezo nunca é mais legitimamente usado do que quando é vertido sobre todas as tentativas de representar o Deus Invisível. Os israelitas foram realmente tolos quando pensaram em ver a mínima glória divina em um touro, ou, melhor, na mera imagem de um touro. Crer que a imagem de um touro poderia ser a imagem de Deus exige uma grande credulidade.

"E adoraram a imagem fundida." Perante ela renderam-lhe honras divinas e disseram: "Estes são teus deuses, ó Israel". Isso foi pura loucura. Da mesma maneira, os ritualistas precisam estabelecer seus símbolos e multiplicá-los em profusão. Eles parecem incapazes de entender a adoração espiritual; sua veneração está relacionada aos sentidos no mais elevado grau e atrai o olho, o ouvido e o nariz. Ah, a insensatez dos homens ao bloquearem o seu próprio caminho para a adoração aceitável, e por tornarem o caminho da religião espiritual – que é difícil para nossa

natureza – mais difícil ainda com todos esses empecilhos que espalham ao longo dele. Ouvimos que a riqueza da parafernália papista é muito exaltada, mas uma imagem idólatra, quando feita de ouro, não é em nada menos abominável do que seria se tivesse sido feita de detritos e esterco: a beleza da arte não pode ocultar a deformidade do pecado. Falam-nos da natureza sugestiva dos seus símbolos; mas para que poderiam servir uma vez que Deus proíbe o seu uso? Também é vão dizer que tal veneração é entusiástica. Pior ainda. O entusiasmo por ações proibidas só aumenta a transgressão.

20. *"E converteram a sua glória na figura de um boi que come erva."* Eles disseram que pretendiam apenas adorar ao único Deus sob uma figura adequada e sugestiva, pela qual o seu grande poder seria mostrado à multidão; eles pleiteavam o grande avivamento católico que se seguiria após este retorno a um cerimonial mais ornado, pois as pessoas se amontoaram em torno de Arão e dançaram diante do bezerro com todo vigor. Mas, no próprio ato, eles haviam renunciado ao verdadeiro Deus, que tinham tido o privilégio e a glória de adorar, e colocado um rival para Ele, não uma representação dele; pois como Ele poderia ser assemelhado a um boi? O salmista mostra desprezo e o faz com justiça: a irreverência para com os ídolos é uma reverência indireta a Deus. Falsos deuses, tentativas de representar o verdadeiro Deus, e, na verdade, todas as coisas materiais que são adoradas são como lixo na face da terra, sejam elas cruzes, crucifixos, virgens, hóstias, relíquias ou mesmo o próprio Papa. Somos hipócritas demais a respeito dessas infames abominações: Deus as abomina, e assim devemos fazer. Renunciar à glória da adoração espiritual em favor da pompa exterior e do espetáculo é o auge da insensatez e merece ser tratado como tal.

21 e 22. *"Esqueceram-se de Deus, seu Salvador."* Lembrar-se do bezerro envolvia esquecer a Deus. Ele ordenara que não fizessem nenhuma imagem e, ao atreverem-se a desobedecer, esqueceram os seus mandamentos. Além disso, está claro que devem ter esquecido inteiramente a natureza e o caráter de Jeová, ou nunca o teriam assemelhado a um animal comedor de erva. Alguns homens esperam manter os seus pecados e também o seu Deus – o fato é que aquele que peca já está tão afastado de Deus que já o esqueceu.

"Que fizera grandes coisas no Egito." No Egito, Deus superara a todos os ídolos e, no entanto, eles se esqueceram tanto dele que o assemelharam a eles. Um boi podia operar milagres? Um bezerro de ouro podia lançar pragas sobre os inimigos de Israel? Estavam embrutecidos ao levantarem um arremedo de divindade tão infeliz depois de terem visto o que o verdadeiro Deus conseguia realmente fazer.

"Maravilhas na terra de Cam, coisas tremendas no mar Vermelho." Eles viram várias séries de milagres; o Senhor não poupou provas de seu eterno poder e divindade; no entanto, eles não se contentaram em adorá-lo da maneira que Ele indicara, mas quiseram ter um *Diretório* de sua própria invenção, um ritual elaborado segundo a velha maneira egípcia, e um objeto manifesto de adoração para assisti-los na adoração a Jeová. Isto era suficiente para provocar ao Senhor, e assim foi; nenhuma língua pode dizer quanto mais Ele se zanga todos os dias com a nossa terra.

23. *"Pelo que disse que os teria destruído."* A ameaça de destruição por fim veio. Pelo primeiro pecado no deserto, Ele os castigou, fazendo definhar a sua alma; pelo segundo, Ele arrancou os faltosos, e o fogo queimou os maus; pelo terceiro, Ele ameaçou destruí-los; pelo quarto, Ele levantou a sua mão e quase os feriu (v. 26); pelo quinto, Ele realmente os feriu, "e a peste rebentou entre eles"; não se deve brincar com as suas palavras, pois Ele realmente as pronuncia e tem o poder de cumpri-las.

"Se Moisés, seu escolhido, se não pusera perante ele, naquele transe." Como um audacioso guerreiro que defende a muralha quando há uma abertura para o adversário e a destruição irrompe sobre a cidade, Moisés deteve o caminho da justiça vingadora através das suas orações. Moisés desfrutava de uma grande consideração junto a Deus. Moisés aqui era um tipo eminente de nosso Senhor, que é chamado "meu *Eleito,* em quem se compraz a minha alma". Assim como o Redentor Eleito se interpôs entre Deus Pai e um mundo pecaminoso, Moisés se colocou entre o

Senhor e o seu povo infrator. A história contada pelo próprio Moisés está repleta de interesse e instrução, e tende grandemente a enaltecer a bondade do Senhor, que assim deixou que fosse desviada a ferocidade de sua ira.

Com afeição desinteressada e generosa renúncia aos privilégios oferecidos a ele e à sua família, o grande Legislador intercedeu junto ao Senhor *"para desviar a sua indignação, a fim de os não destruir"*. Veja o poder da intercessão de um homem justo. Observe quão forte foi a oração: ela desviou a vingança que o grande pecado de Israel merecia. Quão diligentemente devemos suplicar ao Senhor pelo mundo culpado e especialmente pelo seu povo relapso! Quem não empregaria um recurso tão poderoso para alcançar um fim tão gracioso! O Senhor ainda ouve a voz de um homem; assim, será que as nossas vozes não deveriam se exercitar nas súplicas por um povo culpado?

24 *Também desprezaram a terra aprazível; não creram na sua palavra.*
25 *Antes, murmuraram em suas tendas e não deram ouvidos à voz do Senhor.*
26 *Pelo que levantou a mão contra eles, afirmando que os faria cair no deserto;*
27 *que humilharia também a sua descendência entre as nações e os espalharia pelas terras.*

24. *"Também desprezaram a terra aprazível."* Eles falaram levianamente dela, apesar de ser a glória de todas as terras: não acharam que ela valia o trabalho de procurar e conquistar; falaram até do Egito, a terra da servidão na fornalha de ferro, como se a preferissem a Canaã, a terra que mana leite e mel. É um mau sinal quando um cristão começa a pensar levianamente a respeito do céu e das coisas do céu; isto indica uma mente pervertida e, além disso, é uma grave ofensa contra o Senhor desprezar aquilo que Ele estima tanto a ponto de, no seu infinito amor, reservar para os seus escolhidos. Preferir coisas terrenas às bênçãos celestiais é preferir o Egito a Canaã, a casa da escravidão à terra da promessa.

"Não creram na sua palavra." Este é o pecado fundamental. Se não crermos na palavra do Senhor, pensaremos levianamente nas dádivas que Ele prometeu. "Não puderam entrar por causa da sua incredulidade" – foi esta a chave que lhes trancou a porta. Quando os peregrinos da Cidade Celestial começam a duvidar do Senhor que os conduz pelo caminho, logo passam a pensar levianamente sobre o repouso que os aguarda ao final da jornada; esta é a maneira mais segura de fazer deles maus viajantes. A incredulidade de Israel exigiu que espias observassem a terra; o relato desses espias teve um caráter incerto e, então, uma nova colheita de incredulidade se formou, com consequências deploráveis.

25. *"Antes, murmuraram em suas tendas."* Da incredulidade à murmuração a passagem é breve e natural; eles chegaram a chorar quando tinham o melhor fundamento para se alegrar. Murmurar é um grande pecado, não mera fraqueza; ele contém em si a descrença, o orgulho, a rebeldia e toda uma hoste de pecados. É um pecado doméstico e é geralmente praticado pelos queixosos "em suas tendas", mas é exatamente como o mal nas ruas e é igualmente revoltante para o Senhor.

"E não deram ouvidos à voz do Senhor." Fazendo barulho com suas próprias vozes, eles recusaram atenção ao seu melhor Amigo. Os que murmuram são maus ouvintes.

26 e 27. *"Pelo que levantou a mão contra eles, afirmando que os faria cair no deserto."* Ele jurou em sua ira que eles não entrariam no seu repouso; Ele começou a obra de julgá-los e eles começaram a morrer. Basta que Deus levante a sua mão contra um homem para que chegue o seu dia; cai terrivelmente aquele que Jeová derruba.

"Que humilharia também a sua descendência entre as nações e os espalharia pelas terras." Prevendo que os seus descendentes reproduziriam os seus pecados, Ele declarou solenemente que os entregaria ao cativeiro e à espada. Aqueles cujos cadáveres caíram no deserto eram, em certo sentido, exilados da terra prometida, e, estando rodeados por muitas tribos hostis, estavam virtualmente em uma terra estrangeira: morrer longe da herança do pai era um destino justo e grave, que as

rebeliões deles mereciam. A perda da nossa comunhão com Deus e as divisões em nossas igrejas, com certeza, muitas vezes nos sobrevêm como castigo pelos pecados que lhes deram origem. Se não honrarmos ao Senhor não podemos esperar que Ele nos honre. Os nossos líderes logo serão levados cativos e os nossos príncipes se tornarão prisioneiros se nos esquecermos do Senhor, e desprezarmos as suas misericórdias. O nosso cântico se transformará em suspiros e o nosso riso em infelicidade se formos contrários ao pensamento do Senhor.

28 *Também se juntaram com Baal-Peor e comeram os sacrifícios dos mortos.*
29 *Assim, o provocaram à ira com as suas ações; e a peste rebentou entre eles.*
30 *Então, se levantou Fineias, que executou o juízo, e cessou aquela peste,*
31 *e isto lhe foi imputado por justiça, de geração em geração, para sempre.*

28. *"Também se juntaram com Baal-Peor."* O ritualismo levou à adoração aos falsos deuses. Se escolhermos uma maneira falsa de adoração, em breve escolheremos adorar um falso deus. Esta abominação dos moabitas era um ídolo em cuja homenagem as mulheres entregavam seus corpos à mais desavergonhada lascívia. Imagine o povo que pertencia ao Deus santo chegando a isto.

"E comeram os sacrifícios dos mortos." Israel se juntou às orgias com as quais os adoradores de Baal celebravam a sua detestável adoração, compartilhando até mesmo os seus sacrifícios como adoradores devotados, embora os deuses fossem apenas ídolos mortos. Talvez tenham assistido ritos de necromancia, que se destinavam a abrir uma correspondência com espíritos dos mortos, esforçando-se assim para romper o selo da providência de Deus e irromper nas câmaras secretas que Deus trancou. Os que estão cansados de buscar ao Deus vivo muitas vezes mostram uma atração pelas ciências ocultas, e buscam a companhia de demônios e espíritos. A quão grandes enganos se entregam aqueles que abandonam o temor a Deus! Esta observação é tão necessária agora, como foi no passado.

29. *"Assim, o provocaram à ira com as suas ações; e a peste rebentou entre eles."* A licenciosidade aberta e a idolatria confessa eram muito gritantes para serem ignoradas. Desta vez as ofensas clamavam por julgamento, e o julgamento veio imediatamente. Vinte quatro mil pessoas caíram diante de uma doença repentina e mortal que ameaçava alastrar-se por todo o acampamento. Seus novos pecados traziam consigo uma doença nova para as tribos. Quando os homens inventam pecados Deus não demora a inventar castigos. Seus vícios eram uma peste moral e eles foram visitados por uma peste corporal: o Senhor responde igualmente.

30. *"Então, se levantou Fineias, que executou o juízo, e cessou aquela peste."* Nos piores tempos restam a Deus os seus campeões, e eles se levantam quando chega a hora de entrar em batalha. A justa indignação de Deus moveu-o à rápida execução de dois transgressores declarados. Seu espírito honesto não podia suportar que a devassidão fosse publicamente praticada quando um jejum fora proclamado. Tal desafio audacioso a Deus e a toda a lei não podia ser tolerado e, portanto, com sua lança aguda ele traspassou os dois culpados no ato. Foi uma paixão santa que o inflamou; não foi uma inimizade com os dois que os matou. As circunstâncias eram tão notáveis e o pecado tão flagrante que envolveria um grande pecado um homem público ficar impassível e ver Deus assim desafiado e Israel assim corrompido. Fineias não pensava assim, não era neutro nem oferecia paliativo para o pecado; seu coração estava firme nos estatutos de Deus, e toda a sua natureza ardia de zelo pela glória de Deus e, assim, apesar de ser um sacerdote e, portanto, não obrigado a atuar como carrasco, ele tomou para si a tarefa ingrata e, embora os transgressores fossem de estirpe nobre, não os respeitou e cumpriu a justiça como se fossem as mais baixas das pessoas. Este feito bravo e decidido foi tão aceitável para Deus como prova de que havia algumas almas sinceras em Israel que as visitas da morte cessaram. Duas mortes haviam sido suficientes para salvar a vida da multidão.

31. *"E isto lhe foi imputado por justiça, de geração em geração, para sempre."* Até o momento em que o salmo foi escrito a casa de Fineias era honrada em Israel. Sua fé executara um feito valoroso e sua justiça fora testificada pelo Senhor e honrada pela continuação de sua família no sacerdócio. Ele foi impelido por motivos tão puros que aquilo que seria um feito sangrento foi justificado à vista de Deus; mais ainda: foi considerado prova de que Fineias era justo. Nenhuma ambição pessoal, vingança privada, paixão egoísta ou mesmo fanatismo inspiraram o homem de Deus, mas sim o zelo por Deus, a indignação diante da imundície aberta e verdadeiro patriotismo.

Mais uma vez temos um motivo para observar a misericórdia de Deus; mesmo expedida a ordem e com a execução em curso, Ele deteve a mão por causa de um homem, vendo, por assim dizer, uma apologia para a sua graça quando a justiça parecia exigir a vingança imediata.

32 *Indignaram-no também junto às águas da contenda, de sorte que sucedeu mal a Moisés, por causa deles;*
33 *porque irritaram o seu espírito, de modo que falou imprudentemente com seus lábios.*

32. *"Indignaram-no também junto às águas da contenda."* Eles nunca param? A cena muda, mas o pecado continua. Antes, eles haviam se rebelado por causa da água, quando a oração em breve teria transformado o deserto em um lago, e agora o faziam novamente, depois da experiência da bondade divina. Isto dobrava o pecado, sim, multiplicava-o sete vezes, e fez mais intensa a ira do Senhor.

"De sorte que sucedeu mal a Moisés, por causa deles." Moises, por fim se cansou e começou a ficar irado com eles e sem esperança de que melhorassem; quem se admira, já que ele era um homem, não Deus? Depois de quarenta anos com eles, o homem manso fraquejou e chamou-os de rebeldes e mostrou-lhes ira; portanto, não lhe foi permitido entrar na terra que desejava herdar. É verdade que ele teve uma visão da formosa terra do topo do Pisga, mas a entrada lhe foi negada, e assim sucedeu mal a ele. Foi o pecado *deles* que o enfureceu, mas *ele* teve que suportar as consequências; por mais claro que possa ser o fato de que outros sejam mais culpados do que nós, devemos sempre nos lembrar de que isto não nos protegerá e que cada homem deve carregar o seu próprio fardo.

33. *"Porque irritaram o seu espírito, de modo que falou imprudentemente com seus lábios."* Este parece um pecado pequeno se comparado com o dos outros, mas foi o pecado de Moisés, o servo escolhido de Deus, que vira e conhecera tanto do Senhor e, portanto, não podia ser ignorado. Ele não disse blasfêmias ou falou falsamente, mas apenas hostilmente e sem cuidado; mas esta é uma falta séria em um legislador, especialmente um que fala por Deus. Para nós esta passagem é uma das mais terríveis da Bíblia. Verdadeiramente servimos a um Deus zeloso. Contudo, Ele não é um mestre severo ou austero; não devemos pensar assim, mas antes ser zelosos conosco e cuidarmos para viver com mais cuidado e falar com mais bom senso, porque nós servimos tal Senhor. Devemos também ter muito cuidado com a maneira como tratamos os ministros do Evangelho, para que não os incitemos, provocando o seu espírito, a qualquer comportamento impróprio que possa fazer o castigo do Senhor cair sobre eles. Um povo murmurador e contencioso nem imagina os perigos em que envolve os seus pastores através do seu comportamento impróprio.

34 *Não destruíram os povos, como o Senhor lhes dissera.*
35 *Antes, se misturaram com as nações e aprenderam as suas obras.*
36 *E serviram os seus ídolos, que vieram a ser-lhes um laço.*
37 *Demais disto, sacrificaram seus filhos e suas filhas aos demônios;*
38 *e derramaram sangue inocente, o sangue de seus filhos e de suas filhas, que sacrificaram aos ídolos de Canaã, e a terra foi manchada com sangue.*
39 *Assim, se contaminaram com as suas obras e se corromperam com os seus feitos.*

40 *Pelo que se acendeu a ira do Senhor contra o seu povo, de modo que abominou a sua herança*
41 *e os entregou nas mãos das nações; e aqueles que os aborreciam se assenhorearam deles.*
42 *E os seus inimigos os oprimiram, humilhando-os debaixo das suas mãos.*
43 *Muitas vezes os livrou; mas eles provocaram-no com o seu conselho e foram abatidos pela sua iniquidade.*

34. *"Não destruíram os povos, como o Senhor lhes dissera."* Eles foram encarregados de agir como carrascos de raças condenadas pelos seus crimes antinaturais, e, por causa da preguiça, covardia ou complacência pecaminosa, embainharam a espada muito cedo, para o seu perigo e inquietação. É um grande mal que os ensinadores não sejam zelosos na completa destruição de todo pecado, dentro e fora. Fazemos alianças de paz quando devíamos declarar guerra; alegamos o nosso temperamento constitucional, nossos hábitos anteriores, a necessidade de nossas circunstâncias ou alguma outra desculpa má como pretexto para nos contentarmos com uma santificação muito parcial, se é que se trata de santificação. Também somos lentos para repreender o pecado nos outros, e estamos prontos a poupar "pecadores respeitáveis", que, como Agague, caminham com passos afetados (veja 1 Sm 15.32). A medida de nossa destruição do pecado não deve ser a nossa inclinação ou o hábito dos outros, mas o mandamento do Senhor. Não temos uma autorização para ser brandos com nenhum pecado, seja qual for.

35. *"Antes, se misturaram com as nações e aprenderam as suas obras."* Não foi o deserto que causou os pecados de Israel; eles foram igualmente desobedientes quando se estabeleceram na terra prometida. Encontraram má companhia e deleitaram-se nela. Eles se tornaram amigos daqueles a quem deviam ter destruído. Como se já não tivessem faltas suficientes, estiveram prontos a aprender com os imundos cananeus e educaram-se ainda mais nas artes da iniquidade. Era certeza que não podiam aprender nada de bom de homens que o Senhor condenara à total destruição. Poucos desejariam ir à cela do condenado em busca de saber, mas Israel sentou-se aos pés da amaldiçoada Canaã e se levantou graduada em todas as abominações. Este também é um erro triste, mas comum entre os professores: eles cortejam a companhia mundana e copiam as modas mundanas. No entanto, a sua vocação e tarefa é testemunhar contra essas coisas. Ninguém é capaz de dizer o mal que vem da insensatez e da conformidade com o mundo.

36. *"E serviram os seus ídolos, que vieram a ser-lhes um laço."* Eles ficaram fascinados com os encantos da idolatria, embora ela traga infelicidade aos seus devotos. Um homem não pode servir ao pecado sem ser aprisionado por ele. É como o visco e tocá-lo é ser capturado. Sansão deitou a cabeça no colo da mulher filisteia, mas logo depois foi privado de sua força. Namorar o pecado é fatal para a liberdade espiritual.

37 e 38. *"Demais disto, sacrificaram seus filhos e suas filhas aos demônios."* Isto era realmente estar aprisionado; eles estavam enfeitiçados pela superstição cruel e foram arrebatados a ponto de tornarem-se assassinos dos próprios filhos, em honra das mais detestáveis divindades, que eram demônios e não deuses.

"E derramaram sangue inocente." Os pobres pequeninos que eles mandaram para a morte em sacrifício não compartilhavam o seu pecado, e Deus viu com a máxima indignação o assassinato dos inocentes.

"O sangue de seus filhos e de suas filhas, que sacrificaram aos ídolos de Canaã, e a terra foi manchada com sangue." Quem sabe até onde vai o mal? Ele incitou os homens a serem antinaturais, além de ímpios. Se houvessem pensado por um momento, deveriam perceber que uma divindade que podia ser agradada com o sangue de bebês, derramado pelos próprios pais não podia ser uma divindade, mas um demônio, digno de ser detestado, não adorado. Como podiam preferir tal culto ao de Jeová? *Ele* arrancava bebês dos seus seios e sorria de sua agonia?

Os homens preferem usar o jugo de ferro de Satanás a carregar o fardo suave do Senhor; isto não prova a profunda depravação de seus corações? Se o homem não está totalmente depravado, quão pior seria se estivesse? Este versículo não descreve o *ne plus ultra* da iniquidade?

"E a terra foi manchada com sangue." A terra prometida, a terra santa, que era a glória de todas as terras, pois Deus estava lá, foi contaminada pelo sangue fétido de bebês inocentes e pelas mãos tintas de sangue de seus pais, que os mataram para prestar homenagem a demônios. Ai! Ai! Que afronta isto foi para o espírito do Senhor.

39. *"Assim, se contaminaram com as suas obras e se corromperam com os seus feitos."* Não apenas a terra, mas os seus habitantes estavam contaminados. Romperam o vínculo de matrimônio entre eles e o Senhor e incorreram em adultério espiritual. A linguagem é forte, mas a ofensa não poderia ser descrita em termos menos fortes. Assim como um marido é profundamente desonrado e gravemente ferido quando a sua mulher não é casta e se entrega aos amantes na sua própria casa, assim o Senhor se irou contra o seu povo por estabelecer muitos deuses e muitos senhores na sua própria terra. Eles fizeram e inventaram novos deuses e então adoraram o que tinham feito. Que insensatez! Suas novas divindades eram monstros repugnantes e demônios cruéis e, ainda assim, eles rendiam-lhes homenagem. Que impiedade! E para cometer esta insensatez e impiedade eles rejeitaram o verdadeiro Deus, cujos milagres eles tinham visto, e cujo povo eles eram. Foi a provocação do pior tipo.

40 e 41. *"Pelo que se acendeu a ira do Senhor contra o seu povo, de modo que abominou a sua herança."* Não que Ele, mesmo então, houvesse rompido sua aliança ou rejeitado inteiramente o povo ofensivo, mas Ele sentiu a mais profunda indignação e olhou-os com repulsa. O sentimento descrito é como o de um marido que ainda ama a esposa culpada e, contudo, quando pensa na sua lascívia sente toda a sua natureza se levantar em ira contra ela, de modo que a própria visão dela aflige a sua alma. Quão mais não pode a ira divina inflamar-se contra aqueles que Ele ainda ama em seu coração é difícil de dizer, mas certamente Israel levou a experiência ao extremo.

"E os entregou nas mãos das nações." Esta foi a manifestação de sua repulsa. Ele lhes deu uma amostra do resultado do pecado; eles pouparam os pagãos, misturaram-se com eles e os imitaram, e logo tiveram de sofrer por causa deles, pois hordas de invasores abateram-se sobre eles para saquear à vontade. Os homens fazem varas para as próprias costas. Suas próprias invenções tornam-se seus castigos.

"E aqueles que os aborreciam se assenhorearam deles." E quem poderia se admirar? O pecado nunca cria verdadeiro amor. Eles se juntaram aos pagãos na sua impiedade e não conquistaram os seus corações, mas, ao invés disso, provocaram o seu desprezo. Se nos misturarmos com homens do mundo, eles logo se tornarão nossos senhores e tiranos, e não podemos querer nada pior.

42. *"Os seus inimigos os oprimiram."* Isto estava de acordo com a natureza deles; um israelita sempre passa mal nas mãos dos gentios. A tolerância que demonstraram para com Canaã se mostrou como uma crueldade para consigo mesmos.

"Humilhando-os debaixo das suas mãos." Eles foram humilhados com a escravidão laboriosa e curvaram-se sob a tirania. Em seu Deus eles haviam encontrado um senhor benigno, mas naqueles cuja companhia haviam buscado encontraram déspotas do tipo mais bárbaro. Quem deixa o seu Deus deixa a felicidade pela infelicidade. Deus pode transformar os nossos inimigos em varas em suas mãos para nos espancar até voltarmos para Ele, que é o nosso melhor Amigo.

43. *"Muitas vezes ele os livrou."* Ao lermos o livro de Juízes vemos quão verdadeira é esta sentença: vezes e vezes seus inimigos foram vencidos e eles ficaram livres novamente, só para retornar com mais vigor aos antigos descaminhos.

"Mas eles provocaram-no com o seu conselho." Deliberadamente eles concordaram em transgredir novamente; a obstinação foi sua conselheira e eles a seguiram até sua própria destruição.

"E foram abatidos pela sua iniquidade." Eram cada vez piores os males infligidos a eles e cada vez mais eles afundavam no pecado e, consequentemente, na dor. Em covas

e cavernas da terra eles se esconderam; foram privados de todas as armas de guerra e desprezados pelos seus conquistadores; eram antes uma raça de servos que de homens livres até que o Senhor os reerguesse. Se pudéssemos conhecer plenamente os horrores das guerras que desolaram a Palestina e as pilhagens que causaram fome e escassez, estremeceríamos diante dos pecados que foram assim repreendidos. O pecado da idolatria devia estar profundamente enraizado na sua natureza, ou não teriam voltado a ele com tanta persistência apesar de tais castigos; não devemos nos admirar disto; há algo mais surpreendente: o homem prefere o pecado e o inferno ao céu e a Deus.

A lição para nós, como povo de Deus, é andar com humildade e cuidado diante do Senhor e, acima de tudo, mantermo-nos afastados dos ídolos. Ai dos que passam a compartilhar as idolatrias de Roma, pois estarão junto dela nas suas pragas. Que nos seja dada a graça de mantermos o caminho separado e de permanecermos incontaminados pela fornicação da prostituta escarlate da Babilônia.

44 *Contudo, atentou para a sua aflição, ouvindo o seu clamor.*
45 *E lembrou-se do seu concerto, e compadeceu-se, segundo a multidão das suas misericórdias.*
46 *Por isso, fez com que deles tivessem misericórdia os que os levaram cativos.*
47 *Salva-nos, Senhor, nosso Deus, e congrega-nos dentre as nações, para que louvemos o teu nome santo e nos gloriemos no teu louvor.*

44. *"Contudo, atentou para a sua aflição, ouvindo o seu clamor."* Apesar de todas estas provocantes rebeliões e detestáveis enormidades, o Senhor ainda ouviu sua oração e se compadeceu deles. Isto é muito maravilhoso, muito divino. Seria de pensar que o Senhor fecharia os seus ouvidos à sua oração ao ver que eles haviam fechado seus ouvidos às suas admoestações; mas não, Ele teve um coração de pai, e a visão de seus sofrimentos tocaram sua alma; o som de seus lamentos venceu o seu coração e Ele os olhou com compaixão. A sua ira mais feroz contra o seu povo é apenas uma chama temporária, e o seu amor arde para sempre como a luz de sua própria imortalidade.

45. *"E lembrou-se do seu concerto."* A aliança é o fundamento seguro da misericórdia; e quando todo o tecido da graça exterior manifestada nos santos jaz em ruínas, ela é a base fundamental do amor que ninguém pode mover, e sobre ela o Senhor passa a construir uma nova estrutura de graça. A misericórdia da aliança é tão certa quanto o trono de Deus.

"E compadeceu-se, segundo a multidão das suas misericórdias." Ele não levou a termo a destruição que começara. Falando à maneira dos homens, Ele mudou de ideia, e não os entregou aos inimigos para serem eliminados porque viu que sua aliança, em tal caso, seria rompida. O Senhor é tão cheio de graça que não tem apenas misericórdia, mas misericórdias, sim, uma multidão delas, e estas se juntam na aliança e acumulam o bem para os errantes filhos dos homens.

46. *"Fez com que deles tivessem misericórdia os que os levaram cativos."* Como tem os corações de todos os homens nas mãos, o Senhor produziu a compaixão até mesmo no seio dos pagãos. Assim como encontrou amigos para José no Egito, Ele fez com que se levantassem simpatizantes para os servos cativos. Na nossa pior condição, o nosso Deus precioso tem maneiras e meios de amenizar a gravidade de nossos sofrimentos; Ele pode encontrar auxiliares para nós entre os nossos opressores e assim o fará se formos realmente o seu povo.

47. Esta é a oração de encerramento, preparada pela profecia para aqueles que no futuro seriam cativos e adequada a todos aqueles que, antes dos dias de Davi, haviam sido expulsos de casa pela tirania de Saul, ou que haviam permanecido no exílio após as várias dispersões causadas pela fome e aflição que haviam acontecido na era de ferro dos juízes.

"Salva-nos, Senhor, nosso Deus." A menção da aliança encorajou os aflitos a clamarem ao Senhor, seu Deus, e isto os capacitou a, com mais ousadia, suplicar que Ele se interpusesse e os resgatasse.

"E congrega-nos dentre as nações." Cansados dos ímpios e suas maneiras, eles anseiam por ser levados ao seu próprio país, onde possam novamente gozar dos meios da graça, entrar em santa comunhão com seus irmãos, escapar de exemplos contaminadores e ser livres para servir ao Senhor. Quão frequentemente, hoje, crentes verdadeiros anseiam por afastar-se de lares ímpios, onde suas almas se irritam com a conversa dos maus.

"Para que louvemos o teu nome santo e nos gloriemos no teu louvor." Separados dos ídolos, eles desejam fazer menção apenas do nome de Jeová e atribuem suas misericórdias à sua fidelidade e amor permanentes. O Senhor com frequência os salvara pelo seu nome santo e, portanto, eles sentem que, quando novamente restaurados, renderiam toda a sua gratidão àquele nome salvador, sim, seria sua glória louvar a Jeová e a mais ninguém.

48 *Bendito seja o SENHOR, Deus de Israel, de eternidade em eternidade, e todo o povo diga: Amém! Louvai ao SENHOR!*

48. *"Bendito seja o Senhor, Deus de Israel, de eternidade em eternidade."* A sua misericórdia dura para sempre; e o seu louvor, não deve ter a mesma duração? Jeová, o Deus de Israel, abençoou o seu povo; e não devem eles bendizê-lo?

"E todo o povo diga: Amém!" Todos foram poupados pela sua graça; que todos, em voz alta e unânime, se juntem na adoração. Que trovão de louvor seria assim causado! Mesmo, porém, que uma nação assim o enaltecesse, mesmo que todas as nações do passado e do presente se unissem em tal aclamação, tudo ficaria muito aquém daquilo que o precioso e bendito Senhor merece. Ó que dia feliz será aquele em que toda a carne verá a glória de Deus, e todos proclamarão em voz alta o seu louvor. *"Louvai ao Senhor" ou "Aleluia".*

Querido leitor, louve ao Senhor, como aquele que escreve esta frágil exposição agora faz com todo o coração!

"Agora bendito, para sempre bendito, seja Ele,
Aquele que permanece o mesmo por toda a eternidade.
Nosso Deus adorado de Israel!
Que todo o povo se junte
E em voz alta diga: 'Aleluia',
'Louvai ao Senhor que vive para sempre'."

NOTAS EXPLICATIVAS E DECLARAÇÕES SINGULARES

v. 1: "Porque ele é bom"; essencialmente, unicamente e originalmente; esta frase comunica e divulga a sua bondade; Ele é o autor de todo o bem e de nenhum mal; e é gracioso e misericordioso e pronto a perdoar. – *John Gill*

v. 1: "Porque ele é bom, porque a sua benignidade é para sempre". Observe aqui o que é a verdadeira e perfeita confissão da bondade divina. Sempre que Deus abençoa o seu povo de modo que sua bondade seja percebida em um sentido carnal, ao conferir riquezas, honras, paz, saúde e coisas desse tipo, é fácil reconhecer que Deus é bom, e esse reconhecimento está ao alcance da maioria dos homens carnais. O caso é outro quando Ele inflige aos faltosos a vara da correção e os açoita com a graça do castigo. Então a carne dificilmente é capaz de confessar aquilo que os seus sentidos não percebem. Ela deixa de discernir a bondade de Deus, no que se refere à salvação, na severidade da vara e do açoitamento, e, portanto, recusa-se a reconhecer a bondade nos golpes e nos sofrimentos. O profeta, porém, ao longo de todo o salmo, celebra em muitas passagens a maneira como o povo pecador foi aprisionado e golpeado. E, quando propôs que este salmo fosse cantando na igreja de Deus, Israel estava sob a cruz e aflições. Contudo, ele exige que Israel reconheça que o Senhor é bom, que sua misericórdia dura para sempre, mesmo no ato de golpear o transgressor. Esta, portanto, sozinha, é uma confissão plena da bondade divina, que é feita não apenas na prosperidade, mas também na adversidade. – Musculus.

vv. 1 a 3: Há (1) a doxologia, (2) o convite, (3) A razão de devermos, e por que devemos, sempre dar graças; (4) A grandeza da obra. Mas "quem pode referir as obras poderosas do Senhor? Quem anunciará os seus louvores?" Isto é, é impossível para qualquer homem do mundo cumprir corretamente este dever, como deveria. (5) O melhor modo e método de dar graças. "Bem-aventurados os que observam o direito, o que pratica a justiça em todos os tempos". Como se Ele tivesse dito: "Este é realmente um dever bastante amplo, mas quem se coloca constantemente a serviço de Deus procurando guardar os seus mandamentos, faz a melhor tentativa de cumpri-lo". – *William Cooper, "Morning Exercises"*

vv. 1, 47 e 48: O primeiro e os dois últimos versículos deste Salmo fazem parte do salmo que Davi entregou a Asafe e seus irmãos, para ser cantado diante da arca da aliança, depois que esta foi trazida da casa de Obede-Edom ao monte Sião (veja 1 Cr 16.34-36). Daí ter sido atribuído à pena de Davi. Muitos dos antigos pensavam, seguidos por Horsley e Mudge, que foi composto durante o cativeiro, baseando sua opinião principalmente no versículo 47, mas, como esse versículo ocorre no salmo de Davi, registrado em 1 Crônicas 16.35, este argumento claramente não tem força. – *James Anderson, "Note to Calvin" in loc*

v. 2: "Quem pode referir?", etc. Este versículo é suscetível de duas interpretações; pois, se for lido em conexão com o que vem imediatamente em seguida, o sentido será o de que os homens não estão todos igualmente à altura da tarefa de louvar a Deus, porque os ímpios e os maus não fazem nada alem de profanar o seu santo nome com seus lábios impuros; como é dito no Salmo 50: "Mas ao ímpio diz Deus: Que tens tu que recitar os meus estatutos e que tomar o meu concerto na tua boca?" E, portanto, a esta sentença devia ter sido anexada a oração seguinte, na forma de uma resposta: "Bem-aventurados os que observam o direito". Minha opinião, porém, é que o profeta tinha outra intenção em mente, isto é, a de que não há homem que tenha se esforçado para concentrar todas as suas energias, físicas e mentais, em louvar ao Senhor, sem sentir-se inadequado para tão grandioso tema, cuja grandeza transcendente supera todos os nossos sentidos. Não que ele exalte o poder de Deus com a intenção de impedir que celebremos os seus louvores, mas, antes, como um meio de nos levar a fazê-lo com todas as nossas forças. Saber que, por maior que seja o nosso entusiasmo, estaremos longe da perfeição, é motivo para cessarmos os nossos esforços? O que deve nos inspirar com o maior encorajamento é o conhecimento de que, embora a capacidade possa nos faltar, os louvores do coração que oferecemos a Deus são agradáveis a Ele; cuidemos apenas para que não sejamos empedernidos, pois certamente seria um grande absurdo que aqueles que não conseguem alcançar um décimo da perfeição aproveitassem isto como uma desculpa para não conseguirem um centésimo dela. – *João Calvino*

v. 2: "Quem pode referir as obras poderosas do Senhor?", etc. Nossa visão nos falha quando olhamos para o sol, vencida pelo esplendor de seus raios; e o olho da mente sofre o mesmo em toda meditação sobre Deus, e quanto maior é a atenção no pensar em Deus, mais a visão mental é cegada pela luz dos seus próprios pensamentos. Pois o que podes dizer dele, o que, repito, podes dizer adequadamente dele, que é mais sublime que toda grandeza, e mais exaltado que toda altura, e mais profundo que toda profundidade, e mais claro que toda luz, e mais brilhante que todo brilho, e mais esplêndido que todo esplendor, mais forte que toda força, mais vigoroso que todo vigor, mais belo que toda beleza, mais verdadeiro que toda verdade, e mais potente que toda potência, e maior que toda majestade, mais poderoso que todo poder, mais rico que toda riqueza, mais sábio que toda sabedoria, mais bondoso que toda bondade, mais justo que toda justiça, mais misericordioso que toda misericórdia? – *Tertuliano, citado por Neale e Littledale v. 2:* "Quem pode referir as obras poderosas do Senhor?", etc. Isto pode ser solucionado como uma negação ou como uma restrição. Poucos ou ninguém pode "referir as obras poderosas do Senhor" ou pode "anunciar os seus louvores"; poucos conseguem fazer isso de maneira aceitável, e ninguém pode fazer isso de maneira perfeita. E realmente não é incomum na Escritura que tal tipo de interrogação equivalha a uma negação ou, pelo menos, a uma expressão da raridade e dificuldade daquilo de que se fala (1 Co 2.16; Sl 42; 92; Is 53.1). Sem uma confissão plena das misericórdias não é possível valorizá-las devidamente ou retribuir com justiça. E no Salmo 40.5 pode-se ver quão impossível é recontar as misericórdias completamente: "Muitas são, Senhor, meu Deus, as maravilhas que tens operado para conosco, e os teus pensamentos não se podem contar diante de ti; eu quisera anunciá-los e manifestá-los, mas são mais do que se podem contar". – *Henry Jeanes, "The Works of Heaven upon Earth", 1649*

v. 2: "Obras poderosas do Senhor". Ou *poderes*, a que corresponde a palavra grega que significa os milagres de cristo (Mt 11.20,21); e, para Kimchi, restringem-se aqui às maravilhas operadas no Egito e no Mar Vermelho; mas também pode incluir os poderosos atos de Deus, e os efeitos do seu poder, na criação de todas as coisas a partir do nada; no sustento e governo do mundo, na redenção do seu povo por Cristo, na conversão dos pecadores e na perseverança final dos santos, em todos os quais exibe-se o poder de Deus que não pode ser proferido nem declarado por línguas mortais. – *John Gill*

v. 3: "Bem-aventurados os que observam o direito", etc. Bem-aventurados aqueles que têm princípios corretos e práticas justas; isto é real e um substancioso louvor a Deus. O agradecimento é a prova da ação de graças; e a vida de bem dos agradecidos é a vida da gratidão. Os que dizem apenas "obrigado, Deus" não são apenas insolentes, mas injuriosos. – *John Trapp*

v. 3: "Observam o direito"; "pratica a justiça". Não tenho dúvida de que há diferença, isto é, diz-se que observa o direito aquele que julga corretamente, mas que pratica justiça aquele que age justamente. – *Agostinho*

v. 3: Li sobre Luís, rei de França, que, quando pronunciou um julgamento injusto por inadvertência, tão logo leu as palavras do salmista – "Bem-aventurados os que observam o direito, o que pratica a justiça em todos os tempos" –, ele se recompôs e, depois de pensar melhor, fez o julgamento contrário. – *Thomas Brooks*

v. 4: "Visita-me". Esta é uma bela figura. A oração não é "Dá-me um desejo mais intenso, maior energia de ação, para que eu possa agradar-te, para que eu possa servir-te , para que eu possa ir passo a passo a ti, cada passo trazendo consigo uma percepção renovada de que mereço a (ou que tenho direito à) tua preciosa presença". Não. É "visita-me", "desce até mim" diariamente do seu grandioso trono, para cumprir os teus propósitos. "Visita-me". – *George Fisk, 1851*

v. 4: "Visita-me com a tua salvação". Hugo considera a *visita* de Deus como a de um médico, do qual se busca a cura dos olhos, porque acrescenta-se imediatamente "para que eu veja", etc. – *Lorinus*

v. 4: Há uma antiga glosa judaica que é digna de nota, de que a petição é para uma parcela na ressurreição nos dias do Messias, para ver sua maravilhosa restauração do seu posso que sofre. – *Neale e Littledale*

v. 5: Podemos observar que a natureza tríplice do homem incita-o à união das três petições deste verso em uma única. *"Para que eu veja"* é a oração do corpo, que deseja a visão aberta de Deus; *"Para que eu me alegre"* é o desejo da alma ou mente, ansiando que as afeições possam igualmente ser satisfeitas; e *para que me regozije*, já que o espírito precisa derramar-se em louvor. Além disso, três nomes são aqui dados aos santos, cada um por uma razão própria. Eles são os "escolhidos" de Deus, "como também nos elegeu nele antes da fundação do mundo, para que fôssemos santos e irrepreensíveis diante dele em caridade [ou 'amor']" (Ef 1.4); eles são a sua "nação", com uma lei e uma veneração, estando sob o governo dele como o seu único Rei. "E que gente há tão grande, que tenha estatutos e juízos tão justos como toda esta lei?" (Dt 4.8); eles são a sua "herança", pois está escrito: "Eu te darei as nações por herança" (Sl 2.8). – *Cardeal Hugo e Alberto Magno, em Neale e Littledale.*

v. 5: "Para que eu veja o bem de teus escolhidos". Que nós, predestinados e justificados, possamos ver o bem dos teus escolhidos, o que significa que o próprio rosto do Senhor pode tornar-se visível para nós. "Seremos semelhantes a ele; porque assim como é o veremos" (1 Jo 3.2). Não devemos entender o "bem de teus escolhidos" como a probidade ou bondade, mas a suprema felicidade que é o seu galardão.

"Para que eu me alegre com a alegria do teu povo." Para que possamos participar da indizível alegria que nasce da visão beatífica, que é a propriedade peculiar do povo escolhido, da qual os estranhos não podem provar, da qual o Evangelho diz: "Entra no gozo do teu Senhor". – *Robert Bellarmine, 1542-1621*

v. 6: "Nós pecamos como os nossos pais". Olhemos um pouco para trás, para encontrarmos a era do pecado; vamos até mesmo mais longe, ao original, de onde vêm todas as imitações. Por mais que sejam novos no ato, eles são velhos no exemplo: *"Nós pecamos como os nossos pais"*. Deus lhes diz que se rebelaram antigamente: "Assim como fizeram vossos pais, também vós o fazeis" (At 7.51, ARA). A antiguidade não é um argumento infalível de bondade, embora Tertuliano diga que as primeiras coisas são as melhores, e, quanto mais distantes do início, mais pobres; mas deve-se entender isso apenas em referência aos costumes santos. Pois a iniquidade pode alegar antiguidade; o que comete um novo ato de assassinato percebe que se trata de um ato velho através do exemplo de Caim; a embriaguez pode ser vista em Noé; o desdém pode ser visto nos pais de Cam; a leviandade pode ser encontrada nas filhas de Ló. Não há pecado que não tenha cabelos brancos e não seja muito velho. Mas olhemos para trás, até Adão: eis a idade do pecado. É o que o apóstolo Paulo chama de velho homem; é tão velho quanto a raiz, porém mais velho do que todos os ramos. Portanto, a nossa restituição à graça através do Salvador, do Senhor Jesus Cristo, é chamada de novo homem. – *Thomas Adams*

v. 6: "Nós pecamos como os nossos pais". O pecado é consideravelmente realçado com o acréscimo de "com nossos pais". Seria atenuante, não exagerado, se o salmista dissesse "pecamos como outros mortais". Mas ao dizer "pecamos como os nossos pais", ele não suaviza, mas agrava suas ofensas, enquanto, com isso, exalta a bondade de Deus, que abençoou não apenas os que agiram pecaminosa e impiamente, mas também os filhos e descendentes dos pecadores e ímpios, mesmo aqueles, que, com a mais elevada justiça, eliminaríamos como duplamente detestáveis. – *Musculus*

v. 6: "Pecamos... cometemos iniquidade, andamos perversamente". Os rabinos nos contam que há três tipos e graus de pecado aqui expostos em escala ascendente: contra o próprio eu, contra o próximo e contra Deus, pecados de ignorância, pecados de deliberação consciente, pecados de orgulho e maldade. – *R. Levi e Genebrardo, em Neale e Littledale*

vv. 6, 12, 13, 14, 21 e 24: Embora os autores das Escrituras fossem, por inspiração divina, infalivelmente preservados da extravagância, eles usam toda a variedade adequada de linguagem forte e condenatória contra o pecado (v. 6). Certamente, o mal moral não pode ser uma trivialidade. Contudo, irrompe em todas as ocasiões e em todas as mãos. Às vezes na forma de esquecimento de Deus por parte da pessoa (vv. 13,21), às vezes na forma de um impetuoso e impensado retorno para o mal (v. 13), às vezes na forma de desejos fortes, imperiosos (v. 14), às vezes de vil descrença (vv. 12,24), e, portanto, de todo o catálogo de ofensas contra Deus e o homem. Oh, quão vis nós somos! – *William S. Plumer*

v. 7: "Nossos pais não atentaram para as tuas maravilhas no Egito", embora os anciãos tenham acompanhado Moisés e o ouvido fazer a Faraó, em nome do Senhor, as exigências de libertar Israel (Êx 3.16). Sim, e eles viram o juízo de Deus no Egito; contudo, "não atentaram" para o fato de que aquelas maravilhas fariam o trabalho da sua libertação. No início, pensaram que fosse pior para si. Entenderam menos ainda que sua libertação seria um tipo de libertação eterna, que Deus seria seu Deus, como depois é explicado no prefácio aos dez mandamentos. Portanto, como eles "não atentaram para as tuas maravilhas", "não se lembraram da multidão das tuas misericórdias". Um entendimento superficial não causa mais que uma breve lembrança. – *Nathaniel Homes*, 1652

v. 7: "Nossos pais não atentaram para as tuas maravilhas no Egito". É mais do que provável que muitos dos israelitas tenham atribuído a maioria dessas maravilhas ao fato da habilidade de Moisés transcender a dos magos egípcios, ou à assistência de um espírito mais elevado e potente do que aquele que os assistia. Ou, se acreditavam que fossem os efeitos de um Poder Divino, não disciplinaram as suas mentes seriamente para considerá-lo, de modo a imprimirem em seus corações o assombro produzido por tal consideração; e aquele que considera superficialmente questões importantes, na linguagem da Escritura, o faz por que *não atenta* para elas e assim não as entende. – *Robert South*

v. 7: "Não atentaram... não se lembraram". O salmista reprovou seu entendimento e sua memória. O entendimento era necessário para que pudessem meditar sobre as bênçãos eternas para as quais Deus os estava chamando por meio destas bênçãos temporais; assim como era necessária a lembrança, para que não se esquecessem das maravilhas temporais que Deus operara e pudessem crer fielmente que, pelo mesmo poder que haviam experimentado, Deus os libertaria da perseguição de seus inimigos; mas ao invés disso, eles se esqueceram da ajuda que Ele lhes dera no Egito por meio de tais maravilhas, para esmagar os seus inimigos. – *Agostinho*

v. 7: Um pecado é um passo para outro mais odioso, pois *não atentar* é seguido por *não lembrar-se*, e o *esquecimento* do dever acarreta a *desobediência* e a rebelião. – *David Dickson*

v. 7: "Antes, foram rebeldes". *Rebelar-se* é uma expressão que exprime um grau de má conduta peculiar e acima do comum, e parece significar uma decisão audaciosa e insolente de ofender. É uma decisão que não se mostra satisfeita com um único golpe de desobediência, mas que multiplica e repete a ação, até que a ofensa cresça e se torne uma afronta; e, como se relaciona com Deus, entendo-a como dirigida a Ele em três aspectos. 1. Seu poder. 2. Sua bondade. 3. Sua paciência.

1. Em primeiro lugar ela se levanta contra *o poder e a prerrogativa de Deus*. É, por assim dizer, um assalto a Deus em seu trono, um roubo de seu cetro e um desafio à sua realeza e supremacia. Aquele que provoca se rebela contra Deus, de certa maneira desafia-o a golpear, e vingar a injúria e a invasão de sua honra. Quem age assim não considera o peso do braço todo-poderoso de Deus e o fio de sua espada, a rapidez e o veneno de suas flechas, mas despreza tudo isso e encara os terrores da justiça que vinga o pecado. Os israelitas não podiam pecar contra Deus depois dos milagres no Egito sem uma evidente provocação daquele poder que haviam experimentado de maneira tão convincente, um poder que podia esmagar um israelita tão facilmente quanto um egípcio e dar um exemplo terrível de sua força consumidora tanto sobre os falsos amigos como sobre os inimigos declarados; talvez, à vista de Deus, este seja o tipo de transgressor menos ofensivo dentre os dois.

2. Em segundo lugar, rebelar-se contra Deus importa em um insulto à sua *benignidade*. Deus, investido de poder, é o objeto adequado de nosso temor, mas, quando exibe sua benignidade, de nosso amor. Com o poder, Ele ordena; com a benignidade, Ele conquista e (por assim dizer) corteja a nossa obediência. E as afrontas à sua benignidade, ternura e misericórdia excedem em muito uma afronta ao seu poder, assim como um ferimento no coração transcende um golpe na mão. Pois quando Deus quis mostrar milagres de misericórdia, saindo do curso comum da providência, comandando as hostes do céu, desviando de seu caminho o globo terrestre e todo o sistema da natureza, para cumprir um desígnio de bondade para com o seu povo,

como fez com os israelitas, esta não é uma provocação infinitamente vil e intolerável, após passagens assim amáveis, e um grau de ingratidão mais elevado do que o céu que está sendo golpeado, e mais profundo do que o mar que atravessaram?

3. Em terceiro lugar, rebelar-se contra Deus importa em uma afronta à sua longanimidade e paciência. Os movimentos da natureza no peito da humanidade nos dizem quão agudamente, quão dolorosamente, todo homem ressente o abuso do seu amor, quão duramente qualquer príncipe, menos um, pode contrapor uma ofensa aos seus atos de misericórdia, e uma afronta muito maior é desprezar a majestade que governa antes pelo cetro de ouro do perdão do que pelo bastão de ferro da lei penal. Mas a paciência é um avanço adicional e mais elevado da misericórdia; é uma misericórdia prolongada. Misericórdia que luta contra a baixeza e se esforça, se possível, até mesmo para cansar e superar a ingratidão; portanto, um pecado contra a longanimidade e a paciência é o grau mais elevado, o aperfeiçoamento máximo e, se posso assim dizer, o *ne plus ultra* da rebeldia. Pois quando a paciência se cansar e perder o fôlego perdoando, que toda a invenção da humanidade encontre alguma outra coisa em que o transgressor possa depositar sua esperança ou contra a qual possa cometer um pecado. Mas foi contra a paciência de Deus que os ingratos israelitas pecaram, pois até mesmo o importunaram e perseguiram com pecado após pecado, uma ofensa se sobrepondo à outra, a última conta sempre mais alta, crescendo cada vez mais, até os tesouros da graça e do perdão se esgotarem e exaurirem, a ponto de levar Deus a *jurar*, e mais, *a jurar em sua ira*, e com um propósito pleno de vingança, que *nunca entrariam em seu repouso*. – *Robert South*

v. 7: "Foram rebeldes". Onde estava a sua rebeldia? *"Não se lembraram da multidão das tuas misericórdias"*. As antigas misericórdias do Senhor não fortaleceram a sua confiança durante os problemas presentes; isto foi uma rebeldia. E, assim como as antigas misericórdias não fortaleceram a sua confiança, os problemas presentes tiraram a sua desconfiança, como assegura outra passagem da Escritura, relatando o seu comportamento (Êx 14.11): "E disseram a Moisés: Não havia sepulcros no Egito, para nos tirares de lá, para que morramos neste deserto? Por que nos fizeste isto, que nos tens tirado do Egito?" Que previsões inquietantes eram essas, estes pressentimentos surpreendentes de uma ruína inevitável (a seu ver), a não ser os transbordamentos da descrença ou desconfiança em Deus, e esta foi outra atitude de rebeldia. As antigas misericórdias são esquecidas, sim, consumidas pela descrença, como as sete vacas magras no sonho de Faraó devoram as gordas, e as dificuldades presentes são agravadas pela descrença, como se todo o poder de Deus não pudesse removê-las e superá-las. E o Senhor não irá (pensa você) visitar com ira um pecado como esse? – *Joseph Caryl*

v. 7: "No mar Vermelho". Isto é, *no Golfo Arábico*: literalmente, *no mar de Sufe*, que, se Sufe não for um nome adequado aqui (como parece ser em Dt 1.1, e, com uma ligeira variação, em Nm 21.14), significa *mar das ervas*, e esse mar ainda é chamado por nome similar no moderno Egito. Sua designação, ao longo de todos os livros do Antigo Testamento, está na versão siríaca, e a Paráfrase Caldeia igualmente traduz como o *mar das ervas*; o nome pode ser derivado dos juncos que crescem junto às margens, ou das ervas, ou produções coralinas que, segundo Diodoro de Sicília e Kircher, ali abundavam e eram vistas nas suas águas translúcidas. Finati, citado por Laborde, fala da transparência de suas águas e dos corais vistos no seu fundo... Plínio afirma que é chamado Mar Vermelho por causa do rei Eritreu, ou do reflexo de uma cor vermelha por causa do sol ou da sua areia e do solo, ou da natureza da sua água. – *Daniel Cresswell*

vv. 7 e 8: Este salmo é um salmo de ação de graças, como declaram os primeiros e últimos versos. Como um homem está mais apto a louvar ao Senhor quando está mais sensível ao seu próprio pecado e falta de valor, o salmista, ao longo de todo o salmo, coloca juntos o pecado de Israel e a misericórdia de Deus. O verso 7: "Nossos pais (diz ele) não atentaram para as tuas maravilhas no Egito". Eles as viram com seus olhos, mas não as entenderam com seu coração; eles não entenderam o desígnio, o alcance e a finalidade de Deus naquelas maravilhas e, portanto, "não se lembraram (diz o texto) da multidão das tuas misericórdias", pois um homem não se lembra de algo além do que aquilo que entende.

Mas poderia ser que estas misericórdias fossem muito poucas e, portanto, seu pecado de esquecimento seria menor? Não, pois o versículo 7 diz: "Não se lembraram da multidão das tuas misericórdias"

Mas poderia ser que o pecado tivesse sido cometido enquanto estavam no Egito ou entre os egípcios, sendo assumido por eles? Não, pois foi depois de terem saído do Egito e de terem de lidar apenas com Deus, e depois de ter visto o seu poder glorioso no Mar Vermelho, que se rebelaram contra Ele: *"Junto ao mar, sim, o mar Vermelho"*.

Então, o Senhor não os destruiu? Não, diz o texto: "Não obstante" toda sua injustiça, ingratidão e rebelião, "Ele os salvou por amor do seu nome" – *William Bridge, em um sermão proferido diante da Câmara dos Comuns, em 5 de novembro de 1647*

v. 8: "Não obstante, ele os salvou". Se Deus não mostrasse misericórdia a seu povo sem um *não obstante*, como a glória de sua misericórdia seria manifestada? Se um médico só curasse um homem que tivesse dor de cabeça ou dor de dente, um que tivesse um resfriado ou alguma doença menor, isso não mostraria grande perícia ou excelência no médico. Mas, quando um homem está perto da morte, quando está prestes a morrer ou, ao olhar da razão, está além da recuperação, se o médico então o cura, isso mostra a perícia e excelência do médico. Ora, se Deus só curasse e salvasse um povo que fosse menos malvado e perverso, ou que fosse realmente bom, onde surgiria a excelência da misericórdia? Mas quando um povo está perto da morte, preso à cama, por assim dizer, e o Senhor, pelo seu amor espontâneo, pelo seu nome, levanta e cura um povo assim indigno, isto expõe a glória da sua misericórdia. É dito no verso precedente: Eles "foram rebeldes junto ao... mar Vermelho"; quando as águas se levantaram como paredes em ambos os seus flancos, quando viram aquelas paredes de águas ninguém jamais tinha visto antes, e viram o poder, o poder infinito de Deus conduzindo-os por terra seca; então eles se rebelaram, no mar, no próprio mar, e, no entanto, apesar de tudo isso, o Senhor os salvou, com um *não obstante* tudo isso. E eu digo: o Senhor derramaria tanta graça sobre um povo que estava sob a lei, e não derramaria muito mais desta graça sobre os que estão sob o Evangelho? – *William Bridge*

v. 8: "Por amor do seu nome". Enalteça o seu nome em todas as circunstâncias, pois Ele tem um nome que é próprio para toda carência, para toda necessidade. Precisa que maravilhas sejam operadas a seu favor? Seu nome é Maravilhoso; espere que Ele o faça, por amor do seu nome. Precisa de conselho e orientação? Seu nome é Conselheiro: entregue-se a Ele, e conte com o seu Nome para lhe abençoar. Você tem inimigos poderosos contra os quais precisará debater? Seu nome é o Deus Forte; procure que Ele exerça o seu poder, por amor do seu nome. Precisa da sua piedade paterna? Seu nome é Pai da eternidade: "Como um pai se compadece de seus filhos, assim o Senhor se compadece daqueles que o temem". Suplique a sua piedade, por amor do seu nome. Precisa de paz externa, interna ou eterna? Seu nome é Príncipe da Paz; busque-o, por amor do seu nome, porque Ele pode criar paz. Oh, senhores, seu nome é Jeová-Rafá, o Senhor, aquele que cura, o médico; busque, por amor do seu nome, que Ele cure todas as suas doenças. Precisa de perdão? Seu nome é Jeová-Tsidkenu, o Senhor justiça nossa: busque, por amor do seu nome, que Ele seja misericordioso para com as suas injustiças. Precisa de defesa e proteção? Seu nome é Jeová-Nissi, o Senhor é minha bandeira; busque; por amor do seu nome, que o seu estandarte de amor e graça seja hasteado sobre você. Precisa de provisão em meio a uma carência extrema? Seu nome é Jeová-Jiré, no monte do Senhor se proverá; ou seja, o Senhor proverá. Precisa da sua presença? Seu nome é Jeová-Shamá, o Senhor está aí: Emanuel, Deus conosco: seja cuidadoso para que Ele esteja com você, por amor do seu nome. Você precisa que Ele ouça a oração? É Ele que ouve as orações e as responde. Precisa de força:

seu nome é Força de Israel. Precisa de conforto? Seu nome é Consolação de Israel. Precisa de abrigo? Seu nome é Cidade do Refúgio. Você não tem nada e precisa de tudo? Seu nome é Tudo em todos. Sente-se e invente nomes para as suas carências e necessidades e você descobrirá que Ele tem um nome adequado para elas; Ele tem sabedoria para guiá-lo, poder para mantê-lo, misericórdia para se apiedar de você, verdade para protegê-lo, santidade para santificá-lo, justiça para justificá-lo, graça para adorná-lo, e glória para coroá-lo. Confie no seu nome, pois é por amor ao seu precioso Nome que Ele salva. – *Ralph Erskine, 1685-1752*

v. 9: "Repreendeu o mar Vermelho, e este se secou". Uma expressão poética que significa que o Mar Vermelho retirou-se ao comando de Deus, assim como um escravo fugiria da presença do seu mestre ao ser severamente repreendido. – *Robert Bellarmine*

v. 9: Ele "repreendeu". Não lemos que alguma voz fosse enviada do céu para repreender o mar, mas Ele chamou o Poder Divino pelo qual isto foi feito, uma repreensão, a não ser que alguém prefira dizer que o mar foi secretamente repreendido, de tal modo que as águas puderam ouvir, mas os homens não. O poder pelo qual Deus atua é muito complicado e misterioso, um poder pelo qual Ele faz com que até mesmo coisas destituídas de senso obedeçam instantaneamente à sua vontade. – *Agostinho*

v. 9: "Deserto". Midbar, uma grande extensão de terra seca e pobre, própria para carneiros (como as nossas Chapadas do Sul, ou a Planície de Salisbury). Compare com Isaías 13. – *William Kay*

v. 11: "Nem um só deles ficou". Um emblema da completa destruição de todos os nossos inimigos espirituais por Cristo, que não apenas nos salvou deles, mas os destruiu inteiramente; Ele deu fim ao pecado, mesmo os pecados do seu povo; Ele despojou Satanás, seus principados e potestades; Ele aboliu a morte, o último inimigo, e fez seus santos mais do que vencedores quando comparados com todos os demais. Pode igualmente ser uma representação da destruição dos maus no último dia, que serão todos queimados na conflagração geral, raiz e ramos, nada restará. Veja Malaquias 4.1. – *John Gill*

v. 12: "Então, creram nas suas palavras". Há uma fé temporária, como diz Marcos (4.7), que não é tanto um fruto do Espírito de regeneração, mas de certa afeição mutável e que, portanto, logo desaparece. Não se trata de uma fé voluntária que aqui é exaltada pelo profeta, mas antes de uma que resulta da compulsão, isto é, porque os homens, querendo ou não, por meio de uma percepção que têm do poder de Deus, são obrigados a demonstrar alguma reverência por Ele. Esta passagem deve ser bem considerada, pois ela demonstra que os homens, quando se submetem a Deus, não podem enganar a si mesmos, mas devem saber que a pedra de toque da fé é o fato de receberem espontaneamente a palavra de Deus e permanecerem constantes na obediência a ela. – *João Calvino.*

v. 12: As afeições naturais elevadas a uma profissão de religião suportarão tentações em uma crise; mas é necessário "esperar a água baixar" para que se possa ver os resultados. Que surto de afeição tiveram os israelitas quando seus olhos viram a maravilhosa libertação no Mar Vermelho! Que cânticos de júbilo entoaram! Que decisões de nunca deixar de confiar nele outra vez!

"Então, creram nas suas palavras e cantaram os seus louvores." Satanás agora não os incita à murmuração e à descrença, embora fosse este o seu desígnio, mas se detém até que o ataque termine, quando então poderá tentá-los novamente a "esquecer das suas obras". – *Richard Gilpin, "A Treatise of Satan's Temptations", 1677*

v. 12: Na própria brevidade deste versículo, o único de seu tipo na porção narrativa do salmo, podemos bem perceber quão curta é a vida de sua gratidão, crença e adoração a Deus; como se vê logo a seguir: *"Cedo, porém, se esqueceram"*, etc. – *Neale e Littledale*

vv. 12 e 13: "E cantaram os seus louvores. Cedo, porém, se esqueceram das suas obras". Isto foi dito a respeito da geração de israelitas que saíram do Egito.

O capítulo que contém a porção da história aqui mencionada começa com alegres expressões de gratidão e termina com murmurações de descontentamento, ambas proferidas pelos mesmos lábios, no curto espaço de três dias. Suas expressões de gratidão foram suscitadas por aquela maravilhosa exibição das perfeições divinas, que os livrou do exército de Faraó e destruiu os seus inimigos. Suas murmurações foram excitadas por uma inconveniência comparativamente trivial, removida em poucas horas. De pessoas tão rápidas para agradecer e tão facilmente levadas a murmurar, poderia muito bem se dizer: embora cantem *os louvores de Deus, logo se esquecem das suas obras.*

Infelizmente, os israelitas não são as únicas pessoas de quem podemos dizer isso com verdade. Sua conduta, como descrita aqui, oferece uma notável exemplificação da gratidão espúria, que muitas vezes irrompe de súbito, quando males temidos são afastados ou favores inesperados são conferidos, mas que expira com a ocasião que lhe deu origem; é uma gratidão que lembra a alegria demonstrada por uma criança quando recebe um presente brilhante, o qual é recebido com alegria e o agrada durante uma hora; quando o encanto da novidade desaparece, o presente é posto de lado com indiferença, e a mão que o ofertou é esquecida. Brotando de um princípio que não passa da gratificação do amor por si mesmo, esta gratidão não é aceitável por Deus nem produz obediência às suas leis; tampouco tem qualquer semelhança com aquele afeto santo, nascido no céu, cuja linguagem muitas vezes ele empresta e cujo nome assume. Pode ser chamada de gratidão dos pecadores, os quais, assim como amam aqueles que os amam, naturalmente serão gratos àqueles que são gentis com eles, gratos até mesmo a Deus quando o veem como gentil ou bondoso.

Destes exemplos, o primeiro que observarei é fornecido pelas obras da *criação* ou, como muitas vezes são chamadas, ainda que impropriamente, as obras da natureza. A maneira como essas obras se apresentam aos nossos sentidos e muito impressionante: é tanta a variedade, beleza e sublimidade que elas exibem, é tamanho o poder, sabedoria e bondade que elas mostram, que talvez nenhum homem, certamente nenhum homem que possua o mínimo de sensibilidade, gosto ou cultivo mental, possa vê-las sem emoção, sem sentimentos de assombro, admiração ou prazer.

Mas, ai, quão transitórias, quão incapazes de efeitos salutares mostraram ser estas emoções? O apetite e a paixão, apesar de silenciados por um momento, logo voltaram a importunar; o brilho da riqueza, da distinção e do poder, a nosso ver, eclipsaram as glórias de Jeová; afundamos, daquele céu rumo ao qual parecia que estávamos caminhando, e afundamos no turbilhão dos prazeres e buscas mundanas; nós o negligenciamos e abandonamos, sim, aquele a quem estivéramos prontos a adorar, e continuamos a viver sem Deus, em um mundo que acabáramos de ver como cheio da sua glória.

Um segundo exemplo de natureza similar é proporcionado pela maneira como os homens são muitas vezes afetados pelas obras da *providência* de Deus. Nessas obras, suas perfeições são constantes e claramente exibidas; nossa dependência delas é, em todos os tempos, muito real e às vezes muito aparente, e elas têm, em muitos casos, influência tão direta e evidente sobre nossos mais caros interesses pessoais, que nem mesmo os mais insensíveis podem considerá-los sempre com indiferença.

Mas o sentimento é geralmente transitório, e o reconhecimento é esquecido quase tão logo é feito.

De maneira similar, os homens muitas vezes são afetados pelas obras da *graça* de Deus, ou por aquelas obras cujo desígnio e tendência é promover os interesses espirituais e eternos do homem. Estas obras exibem claramente não apenas as perfeições naturais, mas as perfeições morais de Jeová. Aqui este caráter brilha de modo pleno e completo.

Que uma exibição destas maravilhas deva produzir uma impressão pelo menos temporária em nossas mentes não é mais do que poderia ser naturalmente esperado. Por um momento nossos corações parecem amolecer. Sentimos e estamos prontos a reconhecer que Deus é bom, que o Salvador é compassivo, que seu amor deve ser retribuído, que o céu é desejável! Como uma classe de ouvintes descrita por um grande Professor, recebemos o mundo com alegria, uma alegria destituída de qualquer coisa que se assemelhe à gratidão, e cantamos, ou sentimos como se devêssemos cantar com prazer, os louvores de Deus. Mas deixamos a sua casa; as emoções ali excitadas recuam; como a terra, quando parcialmente suavizada por um sol invernal, nossos corações logo recuperam a sua dureza gélida; as maravilhas da graça divina são esquecidas, e Deus tem razão para dizer com dor e desprazer: "A vossa beneficência é como a nuvem da manhã e como o orvalho da madrugada, que cedo passa". – *Condensado de um sermão de Edward Payson, 1783-1827*

v. 13: "Cedo, porém, se esqueceram das suas obras". Eles esqueceram, sim, "cedo"; eles se apressaram a esquecer, de modo que o original diz: "Bem depressa se esqueceram". São como homens que no sono apertam a mão da Morte, mas quando despertos não a conhecem. – *Thomas Adams*

v. 13: Como podemos saber que estamos corretamente agradecidos? Quando temos o cuidado de registrar a misericórdia de Deus, 1 Crônicas 16.4: Davi "designou dentre os levitas os que haviam de... . celebrar, e louvar, e exaltar o Senhor, Deus de Israel". Os médicos dizem que a memória é a primeira coisa que se deteriora; é verdade na espiritualidade: *"Cedo, porém, se esqueceram das suas obras"*. – *Thomas Watson*

v. 13: "Cedo, porém, se esqueceram". Como acontece com uma peneira ou espinhel, o grão bom e a farinha fina passam, mas a palha leve e o farelo rude ficam, ou com um coador, no qual a bebida doce é filtrada, mas os resíduos ficam para trás, como um ralo, que deixa a água pura ir, mas segura palha, gravetos, lama ou sujeira. Assim é com as lembranças dos homens; por natureza, elas são apenas, por assim dizer, *pertusa dolia*, meras tinas de rio, muito traiçoeiras, especialmente nas coisas boas, de modo que tendem a reter os conceitos vãos dos homens e a deixar que se vão as instruções e as graciosas promessas divinas; de trivialidades e brinquedos, e coisas mundanas, eles tendem a se lembrar, com tenacidade suficiente, mas as coisas espirituais eles deixam ir; como Israel, eles *cedo as esquecem*. – *William Gouge*

v. 13: "Cedo... se esqueceram das suas obras". Três dias depois, nas águas de Mara (Êx 15.24). – *Adam Clarke*

v. 13: "Não esperaram". A natureza insaciável dos nossos desejos é impressionante, mas Deus não permite, sequer por um dia, que eles sejam satisfeitos. Pois se Ele não os satisfaz imediatamente, ficamos impacientes e corremos o risco de incorrer no desespero. Esta, então, foi a falta do povo: eles não lançaram seus problemas a Deus, não clamaram a Ele calmamente, nem esperaram com paciência até que Ele respondesse as suas solicitações, mas adiantaram-se com insensata precipitação, como se quisessem ditar a Deus o que deveria fazer. Portanto, para realçar a criminalidade da conduta imprudente do povo, o salmista emprega o termo *"conselho"*, porque os homens não reconhecem que Deus possui sabedoria, nem julgam adequado depender do seu conselho, e são mais providentes do que lhes cabe e preferem tentar governar Deus a serem governados por Ele segundo a sua vontade. Para que possamos ser preservados de provocar a Deus, devemos conservar sempre este princípio: é nosso dever deixar que Ele nos forneça as coisas que Ele sabe que serão proveitosas para nós. E, verdadeiramente, a fé, ao nos despir da nossa sabedoria, possibilita que aguardemos, esperançosa e silenciosamente, que Deus realize a sua obra; do contrário, nosso desejo carnal sempre precede o conselho de Deus, em virtude de sua grande pressa. – *João Calvino*

v. 13: "Não esperaram". Eles devem ter pensado que tão grandiosas obras de Deus para com eles não eram destituídas de propósito, que os convidavam a uma felicidade infinita, a qual devia ser aguardada com paciência; mas eles se apressaram para se tornar felizes com coisas temporais, que não dão ao homem verdadeira felicidade, porque não satisfazem o seu anseio insaciável: "Qualquer que beber desta água tornará a ter sede", diz nosso Senhor (Jo 4.13). – *Agostinho*

v. 13: "Não esperaram o seu conselho". Esta negligência da parte deles pode ser entendida de duas maneiras: Primeiro, pode-se entender que eles não esperaram por seu conselho aberto ou declarado, para orientá-los quanto ao que fazer, mas, sem pedir o seu conselho, se aventuraram e prosseguiram, por suas próprias cabeças, a fazer o que parecia bom aos seus próprios olhos. Segundo, pode-se entender que eles não esperaram pela realização do seu conselho oculto e secreto para eles; não queriam esperar o tempo de Deus para a realização de seus conselhos. Não esperar por Deus de nenhuma maneira é muito pecaminoso. Não esperar que o seu conselho nos oriente quanto ao que fazer e não esperar que Ele realize ou cumpra o seu conselho indica um espírito orgulhoso e impaciente; em um caso, os homens até menosprezam a sabedoria de Deus, e no outro vaidosamente se atrevem a tentar impedir a sua providência. – *Joseph Caryl*

v. 13: "Não esperaram o seu conselho". Um crente que age na sua fé tem grande vantagem frente a um descrente. Um descrente é voluntarioso e apaixonado, precipitado e apressado quando está prestes a naufragar; *ele não espera o conselho de Deus*. Ele se atira antes de olhar, antes que tenha olhos para ver o caminho, ao passo que um crente é sereno e confiante, silencioso e paciente, cheio de oração, e se levanta como atalaia, para ver o que Deus responderá em tal tempo. – *Matthew Lawrence, "The Use and Practice of Faith", 1657*

v. 14: "No deserto". Quando Deus, pelas circunstâncias do tempo e do lugar, pede moderação do apetite carnal, a transgressão é mais cruel e ofensiva a Deus: "Mas deixaram-se levar da cobiça, no deserto", onde deviam ter se contentado com qualquer tipo de provisão. – *David Dickson*

v. 14: "No deserto". Ali, *onde tinham pão suficiente e de sobra*, nada lhes servia, porque queriam comer carne. Eles estavam, agora, *puramente à mercê de Deus*, de modo que isto era uma reflexão sobre a sabedoria e a bondade do seu Criador. Com toda probabilidade, estavam *a um passo de Canaã*, mas não tiveram paciência para esperar pelas delícias de que desfrutariam quando chegassem. *Eles tinham rebanhos e manadas suas*, mas não queriam matá-los; Deus deve dar-lhes carne como lhes deu pão, ou nunca darão crédito a Ele ou à sua boa palavra: eles não apenas queriam carne, "mas" eles a "cobiçaram" em demasia. Um desejo, mesmo de coisas lícitas, quando é excessivo e violento, torna-se pecaminoso; portanto, isto é chamado de "cobiçar as coisas más" (1 Co 10.6), embora as codornizes, como presente de Deus, fossem coisas boas, e assim se dissesse sobre elas (Sl 105.40). Mas isto não foi tudo, "tentaram a Deus na solidão", no deserto, onde haviam tido experiência de sua bondade e poder, e questionaram se Ele podia e iria satisfazê-los. Veja Salmos 78.19,20. – *Matthew Henry*

v. 15: "Ele satisfez-lhes o desejo", etc. O prazer do estômago fechou o paraíso, vendeu a primogenitura, decapitou João Batista e se tornou o principal prazer; Nebuzaradã foi quem primeiro incendiou o templo e arrasou a cidade. Os efeitos deste prazer são: 1. Obesidade, que tira a agilidade, impedindo que a pessoa faça qualquer obra boa, transformando o homem em um tonel em cima de dois vasos (as pernas). César disse que não desconfiava de Antônio e Dolabela por quaisquer práticas, porque eles eram gordos, mas desconfiava de Casca e Cássio, homens magros, que pensavam demais. Os outros são as aves empanturradas do diabo, gordas demais para botar. Na verdade, por que precisam ir longe quando a felicidade está em casa, colocando o paraíso na goela e o céu na sua comida? 2. Macilência de graça, pois, assim como coloca gordura em seus corpos, faz definhar as suas almas. Deus engordou os israelitas com codornizes, mas "fez definhar a sua alma". A carne engorda, o espírito languesce. São piores que antropófagos, pois comem a si mesmos: colocam pleurisia em seu sangue e apoplexia em sua alma. – *Thomas Adams.*

v. 15: "Fez definhar a sua alma". Deus nos proporciona um grande meio de crescimento nestes tempos do Evangelho, como sempre fez; Ele nos leva a pastos verdes e a águas tranquilas (Sl 23.1-6); portanto, é uma vergonha que o povo de Deus não cresça, não "produza gêmeos", como Ct 6.6. Deviam crescer duas vezes mais rápido, gerar duas vezes mais rápido, gerar duas vezes mais cordeiros, duas vezes mais lã, duas vezes mais leite que aqueles que vivem em campos comuns. Todo o mundo pode apontar a vergonha de um homem que é bem alimentado, muitas vezes com estatutos gordos e doces, se ainda assim ele continuar como as vacas magras de Faraó, tão magro e macilento quanto sempre foi. Certamente, estatutos gordos e almas magras não combinam bem. Devemos considerar isto como o maior dos julgamentos: *as nossas almas definham* enquanto somos alimentados com maná. Vemos como uma aflição ter um corpo magro demais; mas é muito mais triste ter uma alma magra. Das duas, seria melhor ter uma alma vigorosa e um corpo magro: é uma grande misericórdia quando os dois prosperam (3 Jo 2): “Desejo que... tenhas saúde, assim como bem vai a tua alma”. Ah, é uma coisa doce, especialmente ter uma alma próspera e em constante crescimento; e Deus espera que seja assim quando proporciona boa dieta, grandes meios de graça, como em Daniel 1.10: “Disse o chefe dos eunucos a Daniel: Tenho medo do meu senhor, o rei, que determinou a vossa comida e a vossa bebida; por que veria ele os vossos rostos mais tristes do que os dos jovens que são vossos iguais? Assim, arriscareis a minha cabeça para com o rei”. Então, certamente, quando Deus oferece alimentos preciosos a almas preciosas, se estas continuarem magras sob estatutos gordos, aqueles que são alimentados ou aqueles que os alimentam, os funcionários ou a família, o ministro ou o povo, ou ambos, certamente arriscam as suas cabeças. É apenas igual e justo que devam crescer. Não nos surpreendemos ao ver ovelhas magras em campos nus; mas, quando vemos ovelhas continuarem magras em pastos gordos, achamos que o pasto foi mal empregado; portanto, esforcemo-nos por crescer na terra que pode nos fazer crescer. – *Matthew Lawrence*

v. 15: “Definhar”. Este termo é traduzido como “aversão” pelo bispo Horsley, o que está de acordo com o estado literal do caso, mas penso que a palavra definhar, aplicada à alma, descreva muito melhor a sua esterilidade espiritual e a ausência de gostos ou prazeres divinos. – *Thomas Chalmers*

v. 17: “Abriu-se a terra”, etc. Este elemento da natureza não estava acostumado a tais alimentos. Ele devora os corpos dos homens, mas corpos com almas vivas, nunca antes. Vê-los mortos sobre a terra seria horrível, mas ver a terra simultaneamente como carrasco e túmulo foi muito mais horrível. Nem o mar nem a terra se prestam a dar passagem; o mar é úmido e flui, e não se divide a sua continuidade; a terra é seca e maciça e não cede naturalmente nem se junta depois de ter cedido; contudo, as águas se separaram para abrir caminho a Israel, para a sua preservação, a terra se fendeu para abrir caminho para os conspiradores no julgamento; mar e terra fecharam suas mandíbulas sobre os adversários de Deus. Há mais maravilha neste último caso. Foi uma maravilha que as águas se abrissem; não foi maravilha que se fechassem outra vez, pois se retirarem e fluírem seria o natural. Não foi menos maravilhoso que a terra se abrisse, mas foi mais maravilhoso que se fechasse outra vez, pois não tinha nenhuma disposição natural para que se juntasse depois de dividida. Israel podia ver que tratava com um Deus que podia vingar-se com facilidade.

Há dois tipos de traidores; a terra engoliu um, o fogo o outro. Todos os elementos concordam em servir à vingança do seu Criador. Nadabe e Abiú trouxeram a Deus pessoas adequadas, mas fogo inadequado; estes levitas trouxeram o fogo certo, mas as pessoas inadequadas: o fogo de Deus consome ambos. É perigoso usurpar as funções sagradas. O ministério não conferirá graça ao homem; mas o homem poderá desgraçar o ministério. – *Joseph Hall*

v. 17: Apenas Datã e Abirão são mencionados, e isto está em estrita concordância com Nm 26.11, onde lê-se: *“Os filhos de Corá* não morreram”. E a mesma coisa é pelo menos sugerida em Nm 16.27, onde se diz, pouco antes da catástrofe: “Datã e Abirão” (não há menção a Corá) “saíram e se puseram à porta das suas tendas”. Veja isto observado e explicado na obra *Veracity of the Books of Moses*, de Blunt, parte 1.20, p. 86. – *J. J. Stewart Perowne v. 19:* "Fizeram um bezerro". E por que um bezerro? Eles não podiam encontrar entre todas as criaturas uma semelhança mais digna? Por que não o altivo leão, para mostrar a soberania, o enorme elefante para mostrar a imensidão, a sutil serpente para mostrar a sabedoria, o cervo de vida longa, para mostrar a eternidade, a ágil águia, para a mostrar a onipresença de Deus, ao invés do tolo bezerro, que come feno? Mas pouco importa a forma, porque é ilícito fazer com que Deus se pareça com alguma coisa, qualquer coisa, pois o mandamento proíbe a sua representação pelas coisas do céu, assim como da terra, proíbe dar-lhe a forma quer de um anjo ou de um verme (Êx 20.4). Mas, provavelmente eles deram preferência ao bezerro porque assim tinham visto os egípcios fazerem ao adorarem o touro Ápis. Assim, os israelitas tomaram emprestado (Êx 12.35) dos egípcios não ouro e a prata, mas a escória, de onde tiraram as formas idólatras de sua adoração.

v. 19: Os modernos judeus acham que todas as aflições que, desde então, ocorreram à nação, ainda são os justos castigos do seu primeiro pecado de idolatria. E os rabinos têm um dito segundo o qual Deus nunca lhes inflige um juízo sem que haja uma grama de ira pelo bezerro de ouro de seus ancestrais. Um reverendo amigo meu, conversando com um jovem judeu de Amsterdã (muito capaz e engenhoso quando comparado aos seus concidadãos) esforçou-se para torná-lo sensível à ira de Deus contra eles por terem rejeitado e crucificado a Cristo, ato vil pelo qual, ele mostrou, os judeus vivem há séculos em infeliz exílio. Mas o jovem não reconheceu em seus sofrimentos nenhuma consequência ou punição pelo assassinato de Cristo e, tomando a sua Bíblia, voltou-se para a ameaça de Deus imediatamente após a confecção do bezerro (Êx 32.34): "Porém, no dia da minha visitação, visitarei, neles, o seu pecado", assim interpretando e aplicando todas as numerosas calamidades que desde então lhes sucederam como não tendo nenhuma relação com qualquer outra coisa que não o seu primeiro ato de idolatria. Na verdade, a dívida de sua idolatria já foi paga há muito tempo, e esta é uma nova dívida, mais recente, contraída pela sua infidelidade. – *Thomas Fuller, 1608-1661, "A Pisgah Sight of Palestine"*

v. 19: "Fizeram um bezerro", etc. O povo tinha visto este culto idólatra no Egito, e agora não ansiava por alimento egípcio, mas por aquele deus egípcio... É fácil os homens serem atraídos para a prática de idolatrias que eles se acostumaram a ver nos lugares onde moraram por muito tempo. Quem quer atentar para a idolatria, que atente para o Egito: o próprio ar do Egito (como posso dizer) é infeccioso nisto. Observe que eles tinham visto a adoração a um boi no Egito, e agora queriam ter o seu próprio boi.

O assento local do Anticristo (e que outra pode ser além de Roma?) é chamado no Apocalipse por três nomes: é chamado Egito, (Ap 11.8) e no mesmo versículo é chamado Sodoma. É chamado Babilônia em muitas passagens do Apocalipse. É chamado Babilônia por causa da crueldade. É chamado Sodoma por causa de sua imundície, e Egito por causa de sua idolatria.

É muito difícil um homem viver no Egito sem provar e saborear algo da idolatria do Egito. Durante algum tempo, tivemos um provérbio a respeito de visitar Roma. Dizia-se que quando um homem ia à Roma pela primeira vez, ele ia para ver um homem mau; que, quando ia pela segunda vez, ia para ter contato com esse homem mau; que, quando ia pela terceira vez, trazia o homem mau para casa. Quantos, na nossa nobreza e aristocracia, nós vimos (e é uma pena ver tantos) que foram àquelas partes egípcias e voltaram: poucos deles trouxeram para casa as mesmas maneiras, a mesma religião ou as mesmas almas que haviam levado consigo. – *Thomas Westfield, bispo de Bristow, "England's Face in Israel's Glasse", 1658*

v. 19: "Em Horebe". Há uma ênfase peculiar nas palavras *"em Horebe"*, que designa o próprio lugar em que ocorrera a grande manifestação do poder e da presença de Deus, e onde a lei fora dada, em cujas palavras de abertura havia uma proibição do pecado da idolatria. – *Agélio, em Neale e Littledale*

vv. 19 e 20: Ápis, ou Serápis, era um touro real; era preto, tinha uma lista ou faixa branca ao longo do dorso, uma marca branca em forma de meia-lua no ombro direito, apenas dois pêlos na cauda (por que apenas dois e não mais, só o diabo sabe), com uma marca quadrada na testa, e uma grande protuberância chamada *cântaro* debaixo da língua. Não quero questionar que arte os sacerdotes usavam para manter a linhagem e preservar a sucessão de gado com tais γωρίσμαια, ou marcas particulares... Além deste boi natural e vivo, mantido em um lugar, eles também veneravam βοῦν διάχρυσον, um boi de ouro ou dourado, à imagem ou retrato do primeiro. Alguns acreditam que este Ápis foi o símbolo e emblema de José, o patriarca, assim chamado por causa אָב (*'āb*), um pai, já que se diz que Deus o tinha "posto por pai de Faraó" (Gn 14.8), significando um preservador dele e do seu país; portanto, em eras posteriores os egípcios honraram sua memória com estátuas de um boi, uma criatura altamente útil para arar, semear, transportar e moer grãos, a fim de perpetuar a dádiva dos grãos que ele lhes conferira. Eles fortalecem a conjetura porque Serápis (interpretado como nada mais que Ápis com o acréscimo de שַׂר (*śar*), isto é, um príncipe, era retratado com um alqueire em cima da cabeça, e José (nós sabemos) era o controlador geral dos grãos no Egito. Outros, porém, com bom fundamento, concebem a adoração de bois no Egito como muito mais antiga.

Contudo, daí viria o fato de Arão (Êx 32.4) e, depois, Jeroboão (o qual, depois de fugir de Salomão, viveu alguns anos com Sisaque, rei do Egito, 1 Rs 11.40), terem o molde dos bezerros que fizeram para os filhos de Israel adorarem. Se alguém objetar que os ídolos dos egípcios eram touros e bois e os dos israelitas apenas bezerros, a diferença não é considerável, pois (além do fato de que quem fez a objeção não olhou a boca destes para saber a sua idade) *gradus non variat speciem*, uma característica a menos não muda todas as coisas. Sim, Heródoto chama Ápis μόσχος, bezerro, e Vitulus tem ampla aceitação entre os latinos. O poeta descreve uma bezerra velha como esta,

Ego hanc vitulam (ne forte recuses,
Bis venit ad mulctram binos alit ubere faetus)
Depono.

Minha bezerra eu deito (para que não te enganes,
Ela vai ao balde e ainda amamenta dois).

Mas, para tirar toda dúvida, o que é chamado bezerro em Êxodo, o salmista chama boi (Sl 106.20). – *Thomas Fuller*

vv. 19 a 22: Devemos ter esperança de não viver para ver um tempo em que os milagres da nossa redenção sejam esquecidos, em que se perca a esperança do retorno de Jesus Cristo, um tempo no qual o povo solicite aos seus mestres que fabriquem uma nova divindade filosófica, para que eles a venerem ao invés do adorarem ao Deus dos seus ancestrais, a quem foi atribuída glória de geração em geração. – *George Horne*

v. 20: "Um boi que come erva". Os egípcios, quando consultavam Ápis, presenteavam-no com feno ou erva, e se o boi o recebesse, esperavam por sucesso. – Daniel Creswell.

Versículo 20: Ainda que alguns rabinos desculpem esta grosseira idolatria de seus ancestrais, outros mais sábios a lamentam e dizem que há uma grama do bezerro de ouro em todos os seus sofrimentos presentes. – *John Trapp*

v. 21: "Esqueceram-se de Deus". Elaborar imagens e figuras para nos lembrar Deus é esquecer a natureza de Deus e sua autoridade, que proíbe tais artifícios, pois assim Deus o expõe: "Esqueceram-se de Deus, seu Salvador". – *David Dickson*

v. 21: Observemos neste trecho que Israel é acusado pela terceira vez de esquecer-se de Deus; acima, no versículo 7, depois no versículo 13, e agora no versículo 21. E para que possa mostrar a grandeza de seu esquecimento o salmista não diz simplesmente que eles se esqueceram de Deus, mas acrescenta *seu Salvador*: não o Salvador dos seus pais em tempos antigos, mas *o seu próprio Salvador*. – *Musculus*

v. 22: "Terra de Cam". O Egito é chamado terra de *Cam*, ou *Ḥām* (חָם), porque foi povoado por Mizraim, filho de Cam e neto de Noé. Plutarco (*De Iside* e *Osiride*) informa-nos que os egípcios chamavam o seu país Χημια (*Chēmia*), e os coptas lhe dão o nome de Χημι (*Chēmi*) até hoje. – *Comprehensive Bible*

v. 23: "Se Moisés, seu escolhido, se não pusera perante ele, naquele transe". Moisés se interpôs e desviou a ira de Deus; a proteção da religião e da adoração havia sido rompida por um bezerro de ouro, e ele a restaurou: em Nm 16.41,42, as pessoas murmuraram, levantaram-se contra Moisés e Arão, pisotearam a cerca da autoridade, no que irrompeu a peste entre eles; Arão colocou-se na brecha e a peste cessou (vv. 47,48). O que fizeram foi honroso; e eles foram reparadores de roturas. Nós, por meio da misericórdia infinita, tivemos alguns como Moisés e Arão para reconstituir nossas cercas, levantar as nossas fundações e fechar algumas brechas; mas nem todas estão fechadas. Não há roturas na cerca da doutrina? Se não houvesse, como teriam aparecido entre nós tais opiniões errôneas, blasfemas e insensatas? Não há roturas nas cercas da autoridade civil e eclesiástica? Multidões não pisoteiam a magistratura e o ministério, todos os poderes, humanos e divinos? Não há roturas na adoração de Deus? Não há muitos que pisoteiam todas as igrejas, todos os estatutos, sim, as próprias Escrituras? Não há roturas na cerca da justiça, por onde entram os touros de Basã, que oprimem os pobres e quebrantam os necessitados? (Am 4.1); não há roturas na cerca do amor; não está rompido aquele vínculo de afeição? Não há amarga inveja e sentimento faccioso entre nós; não nos mordemos e devoramos uns aos outros? Não há roturas na cerca da consciência? Não está rompida a paz entre Deus e as suas almas? Satanás não vem com frequência à rotura para perturbar você? Não há roturas também nos seus vários relacionamentos, nos quais ele consegue vantagem? Com certeza, se os nossos olhos estiverem em nossas cabeças, poderemos ver muitas roturas. – *William Greenhill*

v. 23: "A rotura". Esta é uma metáfora tirada de uma cidade sitiada, nas muralhas das quais o inimigo fez uma "rotura", está entrando nela para destruí-la , a menos que seja repelido por um guerreiro valoroso. Assim Moisés, por assim dizer, colocou-se "na rotura" e desviou a ira de Deus, quando Ele ia destruir os israelitas. Veja Êxodo 32.1-35. – *Thomas Fenton*

v. 23: Se os cristãos pudessem ser levados a uma percepção justa do valor e do poder da oração intercessória, eles certamente seriam abundantes nela. Há uma terrível repreensão contra os profetas mentirosos do tempo de Ezequiel: "Não subistes às brechas, nem reparastes a fenda da casa de Israel, para estardes na peleja no dia do Senhor" (Ez 13.5). Compare com 32.9-14. – *William S. Plumer*

v. 24: "Também desprezaram". Quando a herança prometida do céu (figurada pela aprazível *terra prometida*) não é considerada digna de todas as dores e dificuldades que podem ser sustentadas e encontradas no caminho rumo a ela, a herança prometida é pouco estimada, como no caso dos israelitas, que, por amor ao conforto e temor dos cananeus, estavam prontos a voltar ao Egito: *"Desprezaram a terra aprazível"*. – *David Dickson*

v. 24: "Desprezaram a terra aprazível". A terra prometida era um tipo de céu, a boa terra distante, a pátria melhor, a terra da promessa e do descanso, na qual há abundâncias de provisões e onde não haverá fome nem sede, onde flui o rio da água da vida e onde está a árvore da vida, produzindo doze frutos (Ap 22.2), onde há abundância de alegrias e delícias perpetuamente, a deliciosa companhia do Pai, do Filho e do Espírito, de anjos e santos glorificados, e nada para perturbar sua paz e prazer, seja de fora, seja de dentro. E, no entanto, pode-se dizer que esta terra aprazível é desprezada por aqueles que não estão dispostos a passar por nenhuma dificuldade até chegar a ela, que não estão dispostos a executar os deveres da religião, a suportar repreensão em nome de Deus, a passar por tribulações, a caminhar no caminho estreito e angustiado que leva a ela, e por aqueles que não estão dispostos a abandonar suas paixões e prazeres pecaminosos, mas que os preferem, e as coisas do mundo, ao estado celestial. – *John Gill*

v. 24: Um grande obstáculo para a salvação é a preguiça espiritual. É dito de Israel que "desprezaram a terra aprazível". Qual a razão? Canaã era um paraíso de deleites, um tipo de céu; sim, mas eles acharam que lhes custaria muito incômodo e perigo consegui-la, e preferiram ficar sem ela, eles desprezaram a terra aprazível. E não há milhões de nós que prefeririam ir dormindo para o inferno, do que ir suando para o céu? Li sobre certos espanhóis que vivem perto de um lugar onde há muito peixe e que são tão preguiçosos que não se dão o trabalho de capturá-los, preferindo comprá-los dos vizinhos. Que estupidez e preguiça pecaminosas dominam a maioria: embora Cristo esteja perto, embora a salvação seja oferecida pelo Evangelho, eles não se esforçam por ela. – *Thomas Watson*

vv. 24 e 25: Na murmuração há muita descrença e desconfiança de Deus: *"Não creram na sua palavra. Antes, murmuraram em suas tendas"*. Eles não conseguiam acreditar que o deserto era o caminho para Canaã, que Deus proveria e forneceria uma mesa para eles ali e os aliviaria em todas as dificuldades. O mesmo acontece conosco quando temos problemas. Contendemos com a providência de Deus porque não cremos nas suas promessas; não cremos que possam ser compatíveis com o amor, ou que, no final, possam fazer o bem. – *John Willison, 1680-1750*

v. 25: "Antes murmuraram". Murmuração! Deve ter sido uma doença característica do povo hebreu ou uma moléstia própria daquele deserto. À medida que prosseguimos com esta narrativa, nós encontramos os israelitas constantemente, rangendo em discórdia rude e crônica, ou impressionando a terra e o céu com seus paroxismos agudos e ensurdecedores. Eles levantam os seus olhos e, enquanto os egípcios os perseguem, eles murmuram. Chegam a uma fonte, a água é amarga e mais uma vez eles murmuram. E então, nada de pão: murmuração redobrada. Moisés não está mais no monte: murmurações. Ele toma muita coisa sobre si: mais murmurações. Quando chegaremos a essa Terra Prometida? – Murmurações extraordinárias, murmurações em voz alta. Estamos próximos da terra, mas os seus habitantes são gigantes e suas cidades muradas até o céu. Oh, que cilada! E o último fôlego dos últimos sobreviventes daquela raça queixosa irrompe em um furacão de censura e queixa – uma verdadeira tempestade de murmurações. – *James Hamilton (1814-1867), "Moses the Man of God"*

v. 25: A murmuração nesta ocasião parece ter sido um mal social, eles *murmuravam em suas tendas*. Assim os homens, na vida social, promovem entre si preconceito e aversão à verdadeira religião. – *W. Wilson*

v. 28: "Também se juntaram com Baal-Peor". A narrativa (Nm 25.1-18) parece demonstrar claramente que esta forma de adoração a Baal estava ligada a ritos licenciosos. Sem colocar muita ênfase na derivação rabínica da palavra פְּעוֹר, *hiatus*, isto é, *"aperire hymenem virgineum"*, parece que temos razão para concluir que era esta a natureza da adoração. Baal-Peor era identificado pelos rabinos e primeiros patriarcas com Priapo (veja as autoridades citadas por Selden, *De Diis Syrirs*, 1.4, p. 302, sq., o que, porém, diverge desta visão). Esta, além disso, é a visão de Creuzer (2.411), Winer, Gesênio, Fürst e quase todos os críticos. Para informações mais detalhadas, o leitor deve consultar *Symbolik* de Creuzer e *Phönizier* de Movers. – *William Gotch, "Smith's Dictionary of the Bible"*

v. 28: "Comeram os sacrifícios". Era comum que os oficiantes comecem a parte principal do sacrifício. Daí a observação de Paulo sobre este tema (1 Co 8.1-13). – *Benjamin Boothroyd*

v. 28: "Dos mortos". A palavra מֵתִים (*mētîm*) significa *homens mortos*, pois os ídolos dos pagãos eram geralmente *homens* – guerreiros, reis ou legisladores – que haviam sido divinizados após a morte, ainda que muitos deles houvessem sido execrados durante a vida. – *Comprehensive Bible*

v. 28: "E comeram os sacrifícios dos mortos".

Rendemos a Polidoro suas exéquias
Aos mortos levantamos altares e um túmulo
Com rendas em azul-escuro e faixas de cipreste negro
Nossas mulheres, com seus cabelos desgrenhados, choram;
Leite quente e espumoso e sangue sagrado
Nós oferecemos; no seu túmulo o espírito jaz
Chamai-o em voz alta, e pronunciemos a despedida final. – *Virgílio*

v. 29: "Assim, o provocaram à ira com as suas ações". Observe que não se diz *com os seus feitos*, mas a palavra traduzida como ações aqui, significa investigações. Uma coisa é simplesmente fazer alguma coisa; outra coisa é dedicar-se a ela dia e noite. A primeira pode acontecer por acidente, ignorância ou por causa de alguma tentação ou violência, e isso sem o consentimento e contra a inclinação da mente. Mas a segunda é provocada pela busca de um propósito e desígnio únicos e por meio de esforços e premeditação. Vemos nesta passagem, portanto, que a paciência de Deus foi finalmente levada à ira e à fúria quando o povo pecou, não meramente outra vez, mas quando a busca pelo pecado cresceu e se fortaleceu. – *Musculus*

v. 29: "suas ações", isto é, suas investigações, suas invenções. Na versão AV em inglês, seus pecados são aqui chamados pelo nome de *"suas invenções"*. E assim eles são, certamente, caminhos não ensinados por Deus, mas de nossa imaginação e descobertas. Pois realmente as nossas invenções são a causa de todos os pecados. E se examinarmos bem, descobriremos que as nossas invenções são assim. Todos devemos viver pela injunção de Deus, e a sua injunção é: "Não fareis conforme tudo o que hoje fazemos aqui, cada qual tudo o que bem parece aos seus olhos" (ou descobre em seu cérebro), "mas aquilo que vos ordenei, isso fareis" (Dt 12.8). Mas nós, por causa da velha doença de nosso pai Adão ("sereis como Deus, sabendo o bem e o mal"), achamos que é bom sermos inteligentes e descobrirmos as coisas por nós mesmos, para elevarmos a nós mesmos, sermos autores e inventores de alguma coisa, para que possamos parecer tão sábios quanto Deus, se não mais sábios, e saber o que nos favorece tão bem quanto Ele, se não melhor. Esta foi a falha de Saul. Deus ordenou que Saul destruísse inteiramente Amaleque e ele inventou uma maneira melhor para guardar uma parte (certamente) para sacrifício, algo no que Deus sequer podia pensar. E foi a falha de Pedro tentar dissuadir Cristo de sua paixão encontrando um caminho melhor (como ele pensava) do que Cristo poderia planejar. – *Lancelot Andrewes*

v. 29: "A peste rebentou entre eles". A imagem é a de um rio cujas barreiras arrebentaram; veja Êx 19.24. A peste é o massacre infligido ao povo por ordem de Moisés (Nm 25.4-5, 8-9, 18). – *The Speaker's Commentary*

v. 30: "Então, se levantou Fineias". Todo Israel viu a audaciosa lascívia de Zinri, mas seus corações e olhos estavam tão cheios de dor que não havia espaço suficiente para a indignação. Fineias viu como os demais, porém com outras afeições. Quando vê aquele desafio a Deus e o insulto ao pesar de seu povo (que um vilão, enquanto eles torciam as mãos, se atrevesse a apagar a sua humilhação com seu namoro perverso), seu coração ferve com desejo de vingança santa, e aquela mão, acostumada com o turíbulo e a faca do sacrifício, toma o punhal e, com um golpe, junta na morte aqueles dois corpos que se haviam juntado no pecado e, no flagrante de sua lascívia, abre um novo caminho para que suas almas vão para o seu lugar. Oh, nobre e heroica coragem de Fineias, que, assim como foi recompensada por Deus, é digna da admiração dos homens. Ele não se preocupa com escrúpulos: Quem sou eu para fazer isso? O filho do sumo-sacerdote. Minha posição é a favor da paz e da misericórdia. A mim cabe sacrificar e orar pelo pecado do povo, não sacrificar alguém do povo pelo seu pecado. O meu dever me chama a aplacar a ira de Deus, e não a vingar os pecados dos homens; a orar pela sua conversão, e não cooperar com a confusão de um pecador. E quem são esses? Um não é um grande príncipe em Israel, e a outra uma princesa de Midiã? Pode a morte de dois personagens tão famosos ficar sem vingança? Ou, se é seguro e próprio, por que meu tio Moisés derramou as suas próprias lágrimas ao invés do sangue deles? Lamentarei com o restante; outro que se vingue. Mas o zelo de Deus impediu toda deliberação fraca, e ele agora considera seu dever e sua glória ser o carrasco de um par de faltosos tão desavergonhados.

O pecado é punido e a peste cessa. A vingança de Deus sempre chega logo após o pecado, mas se a vingança dos homens (que geralmente vem mais tarde) puder alcançá-lo, Deus interrompe a perseguição. Quantas vezes a imposição de um castigo menor evitou um maior! Não há melhores amigos do estado, nem ministros da justiça tão corajosos e imparciais: são os reconciliadores de Deus e do povo. As atitudes deles valem mais do que as orações dos que ficam sentados e não fazem nada. – *Joseph Hall*

v. 30: "Então, se levantou Fineias", etc. Observe o poderoso princípio que se moveu como uma torrente no coração de Fineias. O espírito não o obscurece. O louvor é este: Ele "teve zelo pelo seu Deus" (Nm 25.13). Ele não podia cruzar os braços e ver a lei de Deus ser insultada, suas regras desafiadas, sua majestade e império menosprezados. O coração do servo inflamou-se de indignação. Ele tinha que se levantar para vingar o seu Senhor. Seu amor fervoroso, sua audaz resolução não teme nada em um causa justa. O transgressor Zinri era um príncipe poderoso; contudo, ele não o poupou.

Crente, você consegue ler isto e não sentir vergonha? Seus esforços audaciosos testificam o seu zelo? Os pecadores blasfemam contra o nome de Deus. Você os censura? Seus sábados são profanados. Você protesta? Falsos princípios são correntes? Você expõe as fraudes? O vício ronda vestido como virtude. Você rasga a sua máscara? Satanás escraviza o mundo. Você resiste? Ou, ao invés disso, você cochila, despreocupado? Para você se a causa de Cristo tiver sucesso ou for vencida, tanto faz? Se o zelo justo cingisse-lhe os lombos, fortalecesse seus nervos, movesse o leme de seu coração e inchasse as suas velas para a ação, Deus seria tão desconhecido e a blasfêmia tão atrevida?

Observe, em seguida, que o zelo de Fineias é sensato. Não é um cavalo sem freio, uma torrente transbordante, um furacão à solta. Seus passos estão no caminho da ordem. Ele executa a vontade de Deus à maneira de Deus. O mandamento diz: que os faltosos morram. Então, ele desfere um golpe mortal, com a mão obediente. O zelo, que o céu inflama, é sempre uma graça submissa. – *Henry Law, "Christ is All", 1858*

v. 30: "Então, [ele] se levantou" com tanta valentia para fazer a sua obra de zelo quanto Moisés se levantara para fazer o papel de intercessor; e só ele se levantou para dar o exemplo de resistência aos ritos imundos de Baal-Peor. – *Cassiodoro, citado por Neale e Littledale.*

v. 30: "E cessou aquela peste". O próprio Deus confere esta honra peculiar, de deter a praga (quando estava prestes a destruir o acampamento inteiro) diante deste feito de Fineias, dizendo: Ele "desviou a minha ira" (Nm 25.10,11), porque nele agiu o mesmo zelo pela glória de Deus e pelo bem de Israel, sim, o mesmo zelo de Deus por eles, e ele não temeu perder a vida na causa de Deus ao executar com um golpe um príncipe e uma princesa no flagrante de sua lascívia. O Senhor coloca tamanha ênfase neste ato (como observam os rabinos) que aqui eles iniciam a quadragésima primeira seção ou leitura da Lei, ou (como diz Vatablo), a sétima seção do livro que eles chamam de Fineias. Além disso, o salmista nos ensina que o zelo pela justiça na causa de Deus é um meio esperançoso de remover do homem a ira de Deus e de obter a sua misericórdia. Assim, Davi também fez uma expiação ao fazer a justiça relacionada à casa de Saul, 2 Samuel 21.3, etc.

Em virtude desta promessa do seu sacerdócio (Nm 25.12,13), Fineias viveu até a idade bem avançada (como dizem alguns), até os trezentos anos, como parece segundo encontramos em Juízes 20.28, onde ele então é encontrado vivo, pelo zelo que mostrou nesta ocasião. Ele viveu tanto que alguns dos rabinos acharam que ele não havia morrido, mas que ainda está vivo e que foi o Elias que deveria vir antes de Cristo; mas esta noção é refutada por outros rabinos e pela menção de sua semente sucedendo-o na Sagrada Escritura. Contudo, embora poucos chegassem a tal idade depois do Dilúvio, Fineias devia ser bem velho no tempo da guerra de Israel com Benjamim... O sacerdócio de Fineias é chamado "eterno", não na sua pessoa, mas na sua posteridade, cujos filhos foram sucessivamente sacerdotes até o cativeiro na Babilônia, 1 Crônicas 6.4-16, e, no retorno do cativeiro, pois Esdras, o grande sacerdote e escriba, era de sua linhagem (Ed 7.1-6), e, portanto, continuou até, ou quase, a aproximação do nosso Sumo Sacerdote evangélico (como Cristo é chamado, Hb 5.6), que era da ordem de Melquisedeque. – *Christopher Ness*

v. 30: Por que a pacificação da ira de Deus e o fim da peste são atribuídos a Fineias, tendo em vista que há um pouco de irregularidade nisso, pois esta era uma atitude que deveria ter sido tomada por Moisés e os juízes, que tinham ordens expressas de Deus e eram os maiores oficiais? Como resposta, os atos de Moisés e dos juízes *abrandaram o fogo* da ira de Deus; o de Fineias o *extinguiu*; novamente, os atos de Moisés e dos juízes eram uma *centelha*, enquanto o de Fineias era uma *chama de zelo* e santa indignação; daí o Senhor, para quem importam muito as fontes e raízes das ações, coloca a coroa na cabeça de Fineias. – *Edmund Staunton, em um sermão pregado em frente à Casa dos Lordes, 1644*

v. 30: "E cessou aquela peste". Um homem não vive assim pela sua própria fé, mas, em *aspectos temporais*, a fé de outro homem pode lhe fazer bem. Pela sua fé, senhores obtiveram a cura para seus servos, pais para seus filhos (Mt 15.28). "Ó homem, grande é a tua fé!" "Jesus, vendo a fé deles", curou o doente da paralisia. O povo de Deus é uma benção para a cidade ou lugar onde vive: Eles livrarão "até ao que não é inocente" (isto é, o que age fielmente), Jó 22.30. Gn 18.32: "Se, porventura, se acharem ali dez... Não a destruirei, por amor dos dez". Falando especificamente de Magistrados, *Moisés* (Nm 14.1-45) e *Ezequias* (Is 37.1-38) oraram e Deus salvou o povo e os lugares pelos quais oraram: "Fineias...executou o juízo (aplacou a ira de Deus pela fé) *e cessou aquela peste*". – *Matthew Lawrence*

v. 32: "Sucedeu mal a Moisés". Este julgamento de Deus sobre aquele pecado não implica que ele tenha apagado o nome de Moisés do livro da vida, ou dos demais santos. Entendemos que os pecados deles foram perdoados. Pois Deus continuou a falar com ele e a aconselhá-lo no governo de seu povo e disse a Josué que ele deveria ser fiel a Ele como seu servo Moisés. Não foi a verdadeira Canaã que lhe foi vedada, mas apenas a figura e a sombra, e esta ele teve a permissão para ver: uma visão digna de todos os seus trabalhos, pelas coisas mais excelentes que ela representava. – *Isaac Williams, "The Characters of the Old Testament", 1873*

v. 33: "Irritaram o seu espírito". Como Abraão se distinguiu pela sua fé, Moisés se distinguiu pela mansidão, pois a Escritura declara que ele era "mui manso, mais do que todos os homens que havia sobre a terra" (Nm 12.3). Contudo, a julgar pelos fatos registrados a seu respeito, devemos nos inclinar a supor que ele era notável, por natureza, pela sensibilidade e pela precipitação do temperamento – sua única deficiência. Isto fica evidenciado pela ocasião em que matou o egípcio, quando duas vezes feriu a rocha no deserto, e pela ocasião em que foi "punido", como diz o salmista, *"porque irritaram o seu espírito, de modo que falou imprudentemente com seus lábios"*, e quando quebrou as duas tábuas da Lei. Algo do mesmo tipo parece ter ocorrido com o nosso Hooker; o seu biógrafo lhe atribui uma humildade muito singular, enquanto seus escritos privados indicam um temperamento agudamente alerta e sensível à percepção do erro. – *Isaac Williams*

v. 33: "Irritaram o seu espírito". Em uma ordem principalmente graciosa e prenunciando outra que seria inteiramente a própria graça, era de importância primordial que os mediadores fossem misericordiosos e compassivos, pacientes e longânimos. E assim foram, de maneira maravilhosa...

Esta passagem é tão plena de instruções que é interessante que façamos algumas observações.

1. Como os pregadores cuidadosos do Evangelho e expositores da Escritura devem ser para não oferecerem uma impressão errônea da intenção ou mensagem de Deus. A agudeza mental é rara, mas o espírito reto é ainda mais raro. Mas qual é o espírito reto? – Um espírito amoroso, um espírito bondoso, um espírito fiel, um espírito manso, um espírito que diz: "Fala, Senhor, porque o teu servo ouve", e um espírito que acrescenta: "Tudo o que meu Deus me disser, isso falarei", aquele espírito excelente que só é conferido pelo bondoso e precioso Espírito de Deus. Pois se ele se retira, até mesmo um Moisés deixa de ser humilde; e, deixando de ser manso, até mesmo um Moisés torna-se um mau servo de Deus e um ensinador equivocado, ferindo a rocha que já fora ferida de uma vez por todas, e pregando boas novas de um modo rude. Aquele que dá a água viva não a dá de má vontade; mas, às vezes, ao invés de: "Ó vós todos os que tendes sede", o pregador diz: "Ouvi agora, rebeldes: porventura, tiraremos água desta rocha para vós?", tornando o próprio convite repulsivo.

2. Depois de correr por muito tempo e correr bem, quão triste é tropeçar a alguns passos do destino! Se Moisés tinha um desejo terreno, este consistia em ver Israel seguramente estabelecido em sua herança, e seu desejo foi quase consumado. A fé e a paciência haviam aguentado por quarenta anos; em poucos meses o Jordão seria cruzado e a obra estaria completa. E quem pode dizer que não foi justamente a proximidade do prêmio que ajudou a criar algo como uma confiança presunçosa? O sangue de Moisés era quente, e ele não foi o mais manso dos homens quando feriu o egípcio e escondeu seu corpo na areia. Mas ele tinha aprendido a dominar o espírito e, entre a longa permanência com Jetro e a auto-disciplina necessária na responsabilidade para com esta multidão, ele talvez imaginasse que agora tivesse o pé no pescoço deste inimigo: mas eis que, então, o pecado revive e Moisés morre.

Bem-aventurado o homem que continuamente teme! Bem-aventurado o homem que, embora tenham se passado anos sem uma tentativa de roubo, ainda tranca a porta e as janelas! Bem-aventurado o homem que, embora tenha se passado uma geração desde a última erupção, não constrói no solo vulcânico, temendo os incêndios que arderam oitenta anos atrás! Bem-aventurado o homem que, mesmo depois de ter atravessado as marés, e estando com os pés em terra, ainda vigia! Bem-aventurado o homem que, mesmo nos limites de Canaã, toma cuidado com o seu coração pecaminoso, para que, tendo a promessa de nela entrar, não deixe de receber esta grande bênção por incredulidade!

3. A elevação do pensamento e a doçura do espírito são pérolas de grande preço e, se desejamos preservá-las, é melhor confiá-las à guarda de Deus. Se Moisés perdeu a sua fé, foi por primeiro perder o auto-controle; e se um homem perde o auto-controle, é difícil dizer o que pode perder em seguida; como o guerreiro louco que faz do escudo um projétil e o atira na cabeça do inimigo e fica aberto a todos os dardos, aos cortes e golpes de todos os atacantes. Mas, como observa John Newton, "A graça de Deus para o desenvolvimento de um temperamento sadio em um cristão é necessária tanto quando se quebra um prato como quando se perde um filho único"; e, como ninguém pode dizer se o dia que amanhece não será o mais atribulado de sua vida, quão sábio é orar sem cessar: "Sustenta-me conforme a tua palavra... Sustenta-me, e serei salvo" (Sl 119.116-117). "Põe, ó Senhor, uma guarda à minha boca; guarda a porta dos meus lábios" (Sl 141:3). "Quem pode entender os próprios erros? Expurga-me tu dos que me são ocultos. Também da soberba guarda o teu servo, para que se não assenhoreie de mim; então, serei sincero e ficarei limpo de grande transgressão" (Sl 19.12-13). – *James Hamilton*

v. 33: "Irritaram o seu espírito", etc. Ele certamente estava irado. Quando, ao retomar um antigo milagre, o Altíssimo disse que ele tomasse o cajado – a vara utilizada para a operação de muitos milagres – e, diante da congregação, "falasse à rocha" e ela "daria a sua água", Moisés, no calor e agitação de seu espírito, deixou de executar implicitamente o mandamento divino. Ao invés de falar à rocha, ele falou ao povo, e seu discurso não foi proferido na linguagem calma do legislador, mas tinha um certo tom de petulância e egocentrismo: "Ouvi agora, rebeldes: porventura, tiraremos – nós, eu e Arão, e não Jeová – água desta rocha para vós?" E, ao invés de simplesmente falar a ela, ele levantou a vara e aplicou-lhe dois golpes, como se a rocha compartilhasse a perversidade geral; assim ele, não menos que o povo, desobedeceu ao Criador. Irou-se e pecou. Pecou e foi severamente punido. Jorrou água suficiente para todo o acampamento, como também para o gado, água clara, fresca e farta, suficiente para milhões de pessoas; mas, no mesmo momento em que a fartura imerecida jorrou sobre os rebeldes, "um cálice de ira foi colocado na mão de Moisés".* A vós, murmuradores, veio água viva; aos vossos veneráveis líderes, o cálice da ira de Deus.*

"O Senhor disse a Moisés e a Arão: Porquanto não me crestes a mim, para me santificar diante dos filhos de Israel, por isso não metereis esta congregação na terra que lhes tenho dado" (Nm 20.12). – *James Hamilton*

v. 33: "Falou imprudentemente com seus lábios". O Senhor desejava que Moisés se dirigisse à rocha, mas ele falou a Israel. Deus desejava que ele falasse uma palavra à pedra inanimada, e Moisés a fere duas vezes. Deus ainda deseja que o povo permaneça como sua herança, mas Moisés evidentemente os trata com má vontade e de maneira ofensiva. Deus quer aliviar e refrescar o povo em sua sede, e Moisés é selecionado para cooperar com Ele em tal alegria; mas observe como, no mesmo dia, se manifesta uma profunda discordância entre a inclinação de Deus e a mente de Moisés. Deus está inclinado a perdoar – Moisés inclina-se para a punição; entretanto, o oposto pareceu prevalecer. Deus é longânimo, mas Moisés está cheio de amargura; Deus procura glorificar a sua graça – com Moisés, quem tem a proeminência é o eu, e não Deus. Não é "devemos" ou "deve o Senhor", mas "tiraremos [nós] água desta rocha?" Percebemos agora, neste profeta, que se mostrou forte em outras ocasiões, as primeiras indicações claras de declínio e cansaço. Ele se cansara de carregar aqueles filhos teimosos (e não deve parecer estranho, pois qual de nós poderia suportar uma luta como a dele durante a metade do tempo que ele a suportou?). Aquele homem, tão verdadeiramente grande, até então nunca se esquecera de sua dignidade na presença de todo Israel; agora, porém, ele não já não demonstra mais tanto domínio de si. – *J. J. Van Oosterzee*

v. 33: "Falou imprudentemente". Uma pessoa benevolente pode ser surpreendida e cair repentinamente entre ladrões escondidos entre os arbustos. Homens muito santos, a menos que maravilhosamente precavidos, podem ser atropelados por questões repentinas e emergências inesperadas. Quem conhece a sutileza do pecado e a natureza enganosa do seu próprio coração? Tenha cuidado com a resposta rápida e a exclamação repentina ao céu antes de se pronunciar sobre uma questão grave e repleta de dúvidas. – *Samuel Lee*

vv. 34 a 38: Os milagres e misericórdias que os estabeleceram em Canaã não lhes deixaram impressões mais profundas e duráveis do que aqueles que receberam quando foram tirados do Egito; pois, naquele tempo, estavam bem aquecidos em Canaã; eles se corromperam e deixaram o Senhor seu Deus. Observe as etapas da sua apostasia.

1. Eles pouparam as nações que Deus condenara à destruição (v. 34). Quando conseguiram a boa terra que o Senhor lhes prometera, fingindo pena, não foram zelosos com os habitantes maus, os quais o Senhor ordenara que eles extirpassem; todavia Deus é tão misericordioso que nenhum homem, em caso algum, precisa ser mais compassivo do que Ele.

2. Ao poupá-los, eles prometeram a si mesmos que, apesar de tudo, não teriam com eles nenhuma afinidade que lhes representassem algum perigo; mas o caminho do pecado é para baixo; omissões abrem caminho para comissões; ao negligenciarem a destruição dos pagãos, a nova notícia que ouvimos é: Eles "se misturaram com as nações", fizeram alianças com eles e ficaram íntimos deles, de modo que *"aprenderam as suas obras"* (v. 35). Aquilo que é podre corromperá aquilo que é sadio ao invés de ser curado pelo que é sadio.

---

*Van Oosterzee

3. Ao se misturarem com eles e aprenderem algumas das suas obras que pareciam diversões e entretenimentos inocentes, pensaram que nunca se juntariam a eles na sua adoração; mas, gradualmente, aprenderam também isso (v. 36). *"Serviram os seus ídolos"* – eles os serviram da mesma maneira, e com os mesmos ritos; e tais ídolos tornaram-se um laço para eles, e o pecado atraiu muitos mais e trouxe sobre eles os juízos de Deus, dos quais não tinham como não se dar conta; no entanto, não sabiam como se recuperar.

4. Ao se juntaram à nações em alguns dos cultos idólatras que julgavam menos danosos, não imaginavam que algum dia seriam culpados daquela prática idólatra bárbara e desumana – o sacrifício de crianças vivas aos seus deuses mortos – entretanto acabaram por chegar a isto (vv. 37,38), e assim Satanás triunfou sobre seus adorados e regalou-se com sangue e assassinato. *"Sacrificaram seus filhos e suas filhas"*, pedaços de si mesmo *"aos demônios"*, e acrescentaram o assassinato, o mais anti-natural dos crimes, à sua idolatria; não há como pensar nisso sem horror; eles *"derramaram sangue inocente"*, o mais inocente, pois era o sangue de criancinhas, era o *"sangue de seus filhos e de suas filhas"*. Veja o poder do espírito que opera nos filhos da desobediência e veja a sua maldade. O início da idolatria e da superstição, assim como o da luta, é como a água que jorra, e não há vilania na qual os homens possam se aventurar achando que deixarão de cometê-la, pois, com justiça, "Deus os entregou a um sentimento perverso" (Rm 1.28). – *Matthew Henry*

v. 37: "Demais disto, sacrificaram seus filhos e suas filhas aos demônios". Não precisamos de argumento melhor para revelar a natureza desses deuses do que este seu culto que é declarado no texto; pois pelo registro das Sagradas Escrituras e pela relação de autores pagãos e outros, sabemos que normalmente nada era ordenado nem aceito com gratidão por esses deuses a não ser o derramamento de sangue humano, e o sacrifício de homens, donzelas e crianças, como parece ter sido a prática comum dos homens em tempos antigos. Pelos testemunhos da Escritura, ofereço apenas o exemplo do rei de Moabe, mencionado em 2 Rs 3.27, onde se diz que, estando em dificuldades, Ele "tomou a seu filho primogênito, que havia de reinar em seu lugar, e o ofereceu em holocausto sobre o muro".

As histórias dos pagãos estão igualmente cheias de exemplos. Quando os atenienses perguntaram ao oráculo de Apolo como podiam oferecer compensação pela morte de Androgeu, este lhe disse que enviassem, anualmente, ao rei Minos, sete corpos de cada sexo para aplacar a ira do deus. Ora, este tipo de sacrifício anual continuou em Atenas no tempo de Sócrates. Assim, os cartagineses, vencidos por Agátocles, rei da Sicília, e supondo que seu deus estivesse irado, sacrificaram duzentos filhos de nobres para aplacá-lo. Este costume era antigo mesmo antes da guerra de Troia, pois foi então que Ifigênia foi sacrificada. Assim, lemos que os latinos sacrificam o décimo de seus filhos a Júpiter, que homens e crianças geralmente eram sacrificados a Saturno em muitos lugares de Cândia, Rodomene, Fenícia, África, e os escolhidos eram os mais valorosos e queridos filhos, das descendências mais nobres. Diodoro relata que a maneira de sacrificar os filhos a Saturno era a seguinte: levar os filhos à estátua ou imagem de Saturno, que era de grandes proporções – eles os entregavam em suas mãos, que eram ocas e onduladas, por onde as crianças oferecidas escorregavam e caíam, através de uma caverna, em uma fornalha. Os sacrifícios continuaram em uso até o nascimento e morte de nosso Salvador Jesus Cristo, que veio para desfazer as obras do diabo; pois tais sacrifícios foram proibidos primeiramente por Augusto César; depois, mais generalizadamente, por Tibério (em cujo reino o nosso Salvador sofreu), que, como escreve Tertuliano, os proibiu tão estritamente que crucificou os sacerdotes que os ofereciam; contudo, mesmo no tempo de Tertuliano e após os tempos de Eusébio e Lactâncio, tais sacrifícios eram oferecidos (porém secretamente) a Júpiter de Lácio.

Quem pode ter dúvidas, vendo tamanha crueldade supersticiosa, de que os deuses que ordenavam tais sacrifícios eram demônios e inimigos da humanidade? Deus não ordena tal coisa; Ele a proíbe, e ameaçou o seu povo com pestes, porque eles o renegaram e "edificaram os altos de Baal, para queimarem seus filhos em holocausto a Baal; o que nunca lhes ordenei, nem falei, nem subiu ao meu coração" (Jr 19.5). Mais infalivelmente, então, podemos concluir que ninguém a não ser Satanás, o arquidemônio, e seus anjos, ordenaram tal culto, pois isto condiz com a sua natureza, que é assassina desde o início. – *Robert Jenison, "The Height of Israel's Heathenish Idolatrie, in Sacrificing their Children to the Devil", 1621*

v. 37: "Demais disto, sacrificaram seus filhos", etc. Com isto aprendemos que o zelo inconsiderado é um pretexto fraco a favor de qualquer ato de devoção. Pois, a medida com que o zelo ardente influencia os judeus é a mesma com que o profeta os declara culpados de mais perversidade; porque sua loucura os carregou para muito além do entusiasmo, levando-os a não pouparem os próprios filhos. Se as boas intenções fossem meritórias, como supõem alguns idólatras, deixar de lado todas as afeições naturais sacrificando os próprios filhos, seria um feito merecedor do mais elevado elogio. Mas quando os homens agem movidos pelo impulso de seu humor caprichoso, e das suas excentricidades, quanto mais se ocupam com atos de adoração exteriores, mais aumentam a sua culpa. Pois qual é a diferença entre Abraão e as pessoas que o profeta menciona, a não ser o fato de que o primeiro, sob a influência da fé, estava pronto para oferecer o filho, enquanto os outros, levados pelo impulso do zelo inconsiderado, abandonaram toda afeição natural e ensoparam as mãos com o sangue de seus próprios filhos? – *João Calvino*

v. 37: "Demônios", שֵׁדִים (*Shēdîm*). Parece que crianças eram sacrificadas a divindades assim chamadas, divindades estas que eram de natureza irada e inimigas da raça humana e, portanto, objetos de honra como meio de evitar calamidades. O nome שֵׁדִים pode significar *senhor* ou *mestre*, ou qualquer coisa que seja *negra*, sendo derivada de um verbo árabe com o significado de *ser negro* ou *ser senhor*. – *John Jahn, "Biblical Antiquities"*

vv. 37 e 38: Sem dúvida alguma, ficamos atônitos diante desta impiedade horrível, bárbara e antinatural, de oferecer crianças a Moloque pelo fogo: mas quão pouco se considera que as crianças criadas na ignorância, erro, vaidade, insensatez e vício, são sacrificadas com mais eficácia ao grande adversário da humanidade! – *George Horne.*

v. 39: "E se prostituíram nos seus feitos" (na versão ARA). Como a prostituição é um dos pecados mais abomináveis que podem ser cometidos por uma filha ou esposa, muitas vezes, nas Escrituras, afastar-se de Deus e, especialmente, praticar a idolatria, é chamado prostituição e fornicação (Sl 73.27, na versão ARA; Êx 34.15, 16). – *William S. Plumer*

v. 40: "Abominou a sua própria herança". Abominar é um termo usado para uma situação em que um grande amor se reduz a um grande ódio. – *Lorinus*

v. 43: "Por sua iniquidade, foram abatidos". A natureza do pecado é debilitante e empobrecedora; ele enfraqueceu toda a humanidade e tomou dos homens a força moral para fazer o bem, e os levou à pobreza e à carência, a serem mendigos no monturo, a um poço sem água, e os deixou em uma situação indefesa e sem esperança. Sim, muitas vezes, após a conversão, o pecado leva o povo de Deus a um estado baixo, quando Deus esconde o rosto por causa desta volta deles ao pecado. Em uma situação como esta as tentações são fortes, a graça é fraca, e eles se tornam mornos e indiferentes às coisas espirituais. – *John Gill*

v. 46: "Fez com que deles tivessem misericórdia os que os levaram cativos". O fato de Deus ter feito isso melhorou o sentimento dos captores para com os judeus, como em Dn 1.9; da mesma maneira, José teve seu cativeiro suavizado pelo favor de Deus (Gn 39. 21). Assim Evil-Merodaque, rei da Babilônia, tratou Joaquim, rei de Judá, com benevolência (2 Rs 25.27). – *A. R. Fausset*

v. 47: "Congrega-nos". O bispo Patrick diz que, na sua opinião, este versículo refere-se àqueles que, nos dias de Saul, ou antes, foram aprisionados pelos filisteus ou por outras nações, e Davi ora para que Deus os congregue de volta à sua terra, para que pudessem adorá-lo no lugar que havia preparado para a arca da sua presença. – *Thomas Fenton*

v. 48: "Amém". Martinho Lutero disse uma vez, sobre o termo "Pai Nosso", que "por ser tão frequentemente usado sem pensamento e sentimento, sem reverência e fé, era o maior mártir sobre a terra". Esta curiosa observação, tão verdadeira quanto triste, aplica-se, talvez, com força ainda maior à palavra "amém".

O som desta palavra se tornou tão familiar, que encontrou um lar onde quer que os nativos tenham aprendido a adorar o Deus e Salvador de Israel. Ela foi adotada e retida sem tradução em todas as línguas em que o Evangelho de Jesus, filho de Davi, tem sido pregado. O significado literal, "assim seja", é conhecido de todos; contudo, poucos consideram o significado profundo, a grande solenidade e a abundante consolação contidas nesta palavra, que há séculos faz parte da conclusão das orações e louvores do povo de Deus. É uma palavra frequentemente usada sem a devida consideração e, sendo usada desacompanhada do sentimento que se pretende que ela invoque, perde o seu poder por causa da própria familiaridade e, apesar de estar constantemente em nossos lábios, encontra-se de cama no dormitório da nossa alma. Mas esta é uma grande palavra, *"amém"*, e Lutero disse com muita verdade: "Assim como foi o seu amém, assim foi a sua oração".

É uma palavra com uma história venerável em Israel e na igreja. A palavra data do tempo da lei de Moisés. Quando um juramento solene era pronunciado pelo sacerdote, a resposta do suplicante consistia simplesmente na palavra *"amém".* De maneira similar, as pessoas respondiam *"amém"* quando, do alto de Ebal e Gerizim, as bênçãos e maldições da lei divina eram pronunciadas. Novamente, na grande festa que Davi promoveu quando a arca de Deus foi trazida de Obede-Edom, o salmo de louvor que Asafe e seus irmãos cantaram terminava com as palavras: "Louvado seja o Senhor, Deus de Israel, de século em século. E todo o povo disse: Amém!" (1 Cr 16.36). Assim, vemos no livro de Salmos, não meramente que Davi conclui seu salmo de louvor com a palavra *amém*, mas ele diz: *"E todo o povo diga: Amém!" – Adolph Saphir, "The Lord's Prayer", 1870*

SUGESTÕES AOS PREGADORES

v. 1. Considere este versículo como o tema do salmo e veremos então que sua exortação ao louvor,

I. Dirige-se a um povo especial: escolhido, redimido, mas pecador, suportado e perdoado.

II. É sustentado por abundantes argumentos. O homem não deve ser louvado, pois ele peca. Deus dá, em sua bondade e perdoa em sua misericórdia, e, portanto, deve receber agradecimento.

III. É tão aplicável agora como sempre foi, pois nossa história é uma transcrição da história de Israel.

v. 2. I. Um desafio.

II. Uma sugestão: pelo menos façamos o que pudermos.

III. Uma ambição: nas eras por vir tornaremos conhecidos, com a igreja, para os anjos e todos os seres inteligentes, os poderosos atos da graça divina.

IV. Uma pergunta: Eu estarei lá?

v. 3. A bem-aventurança de uma vida piedosa.

v. 4. I. A linguagem da humildade: "Lembra-te de mim, Senhor". Que eu não deixe de ser notado por ti em meio aos muitos milhões de criaturas que estão sob os teus cuidados.

II. A linguagem da Fé.

1. Que Deus tem um povo ao qual mostra favor especial.
2. Que Ele próprio proveu a salvação deles.

III. A linguagem da oração.
1. Pelo dom gratuito da salvação.
2. Pela salvação comum – não desejando ser peculiar, mas ser como o "teu povo", considerando tudo e todos, agora e para sempre. Andando nas pegadas do rebanho.

"Seja esta a minha glória, Senhor:
Estar junto de teus santos e perto de ti". – *G. R.*

vv. 4, 7 e 45. No versículo 4, uma lembrança desejada. No versículo 7, uma falha de lembrança é lamentada. No versículo 45, uma lembrança divina é exaltada.
v. 5. As pessoas:
I. "Teus escolhidos"; "tua nação"; "tua herança".
II. Os privilégios: "O bem dos teus escolhidos"; "a alegria do teu povo"; o "regozijo da tua herança".
III. Os pedidos: "Que eu veja", etc. Eles foram como eu sou: faça de mim o que eles são agora.
2. Minha salvação é tudo para mim. "Que eu veja", etc. "Que eu me alegre", etc. Eles são muitos; eu sou apenas um. "Que [eu] me regozije", etc. – *G. R.*
vv. 7 e 8. I. Da parte do homem, um entendimento escurecido, um esquecimento ingrato e provocativo.
II. Da parte de Deus: o entendimento descobrindo uma razão para a misericórdia; a memória atenta à aliança; a paciência revelando o poder da aliança.
vv. 7 e 8. I. Uma provocação especial: eles murmuraram junto ao Mar Vermelho.
II. Uma libertação especial; "Não obstante", etc.
III. Um desígnio especial: "Por amor do seu nome"; "Para fazer conhecido o seu poder". – *G. R.*
v. 8. A salvação pela graça – uma grande manifestação de poder.
v. 8. "Por que os homens são salvos?" Veja "Spurgeon's Sermons", 115.
I. O Salvador glorioso: "Ele".
II. Quem são as pessoas favorecidas?
1. Eles eram um povo tolo: "Nossos pais não atentaram", etc., v. 7.
2. Um povo ingrato: "Não se lembraram", etc., vv. 7,13,24, etc.
3. Um povo provocador, rebelde.
III. A razão da salvação: "Ele os salvou por amor do seu nome". O nome de Deus representa a sua pessoa, os seus atributos e a sua natureza. Poderíamos, talvez, incluir também: "O meu nome está nele". – isto é, em Cristo; Ele nos salva por Cristo, que é o nome de Deus. Ele os salvou para que pudessem manifestar a sua natureza: "Deus é amor". Ele os salvou para vindicar o seu nome.
IV. Os obstáculos removidos: "Não obstante".
v. 9. *"Israel diante do mar Vermelho"*. Veja "Spurgeon's Sermons", 72.
I. As três dificuldades de Israel.
1. O Mar Vermelho diante deles. Ele não foi colocado ali por um inimigo, mas pelo próprio Deus. O mar Vermelho representa uma grande e difícil providência, colocada no caminho de todo filho novamente nascido de Deus, para provar a sua fé e a sinceridade de sua confiança em Deus.
2. Os egípcios atrás deles representam os pecados que pensávamos que já estivessem mortos e não existissem mais.
3. A terceira dificuldade eram seus corações fracos e temerosos.
II. Os três auxílios de Israel.
1. A providência.
2. Seu conhecimento de que eram o povo da aliança de Deus.
3. O homem – Moisés. Portanto, a esperança e auxílio do crente está no Deus-homem, Cristo Jesus.
III. O grande desígnio de Deus nisto. Dar-lhes um batismo completo em seu serviço, consagrando-os para sempre para Si mesmo. (1 Co 10.1,2).

v. 9 (segunda oração). Caminhos perigosos e difíceis que se tornam seguros e fáceis pela liderança de Deus.

v. 11 (segunda oração). Cântico sobre os pecados perdoados.

vv. 12 a 14. A fé que vem através da observação da natureza, baseada na visão, causa alegria passageira, logo evapora, morre em completa descrença e conduz a pecado maior.

vv. 13 a 15. I. As misericórdias são esquecidas mais depressa que as provações: "Cedo, porém, se esqueceram", etc. Escrevemos nossas aflições sobre mármore, nossas misericórdias na areia.

II. Devemos esperar por Deus, bem como em Deus: "Não esperaram", etc.

III. Um desejo imoderado por bens terrenos que não temos tenta Deus a nos privar do que temos: v. 14.

IV. A oração pode ser respondida tanto para mal como para bem: "Ele satisfez-lhes o desejo", depois lhes infligiu a peste.

V. A indulgência carnal é inimiga da mente espiritual: v. 15. "Pobre neste mundo, rico na fé". Há poucos de quem se possa dizer: "Desejo que te vá bem em todas as coisas e que tenhas saúde", etc. (3 Jo 2). – *G. R.*

v. 14. O mal dos desejos desordenados.

I. Estão fora de lugar – "no deserto".

II. São ataques a Deus – "e tentaram a Deus".

III. Eles desprezam misericórdias passadas – veja os versículos precedentes.

IV. Eles envolvem sérios perigos. – veja o versículo seguinte.

v. 16. O pecado da inveja. Sua natureza vil, suas ações cruéis, sua ingratidão inescrupulosa, seus assaltos atrevidos, sua abominação perante Deus.

v. 19. O pecador como inventor.

v. 19 a 22. I. O pecado relembrado.

1. Idolatria: não meramente esquecendo Deus, ou renegando-o, mas levantando um ídolo em seu lugar.
2. Idolatria do pior tipo: converter a glória de Deus na figura de um boi, etc.
3. A idolatria do Egito, sob a qual haviam sofrido e da qual haviam sido libertos.
4. Idolatria após muitas interposições maravilhosas do verdadeiro Deus em seu favor.

II. A lembrança do pecado.

1. Para humilhação. Foi o pecado de seus pais.
2. Para auto-condenação. "Nós pecamos como os nossos pais". Foi a nossa natureza neles, e a natureza deles em nós que cometeu este grande pecado.

v. 23. Mediação exigida: "[Ele] disse que os teria destruído", etc.

II. Mediação oferecida: "Se Moisés, seu escolhido, se não pusera perante ele".

III. Mediação aceita: "Para desviar a sua indignação", etc. Êx 32. – *G. R.*

vv. 24 a 27. I. O repouso prometido: "A terra aprazível".

II. A recusa do repouso: "Desprezaram", etc.

III. A razão da recusa: descrença. "não puderam entrar por causa da sua incredulidade". – *G. R.*

vv. 30 e 31. Os efeitos de um ato decisivo a favor de Deus: imediatos, pessoais e para a posteridade.

vv. 32 e 33. I. As aflições do povo de Deus são para provar a sua fé.

II. A prova da sua fé consiste em tirá-los da dependência de circunstâncias e trazê-los para a dependência do próprio Deus.

III. A misericórdia de Deus para com o seu povo é maior do que a do melhor dos homens. – *G. R.*

v. 33. I. O que é falar inadvertidamente.

II. Qual é grande causa disso – eles "irritaram o seu espírito".

III. Quais podem ser os resultados.

vv. 34 a 42. I. O que Israel não fez. Eles começaram bem, mas não completaram a conquista dos inimigos: v. 34.

II. O que fizeram: vv. 35-39.

1. Tornaram-se amigos deles.
2. Adotaram os seus hábitos: "aprenderam as suas obras".
3. Abraçaram a sua religião: "serviram os seus ídolos".
4. Imitaram suas crueldades; vv. 37,38.
5. Fizeram pior do que os pagãos (v. 39); eles acrescentaram suas próprias invenções perversas.

III. O que Deus lhes fez: vv. 40-42. Ele os entregou às mãos dos inimigos e permitiu que fossem severamente oprimidos por eles. Devemos conquistar todos os nossos inimigos ou seremos conquistados por eles. Volte da batalha com seu escudo, ou volte deitado sobre ele. – *G. R.*

v. 37. A adoração de Moloque nos tempos modernos: Crianças sacrificadas à moda, riqueza, e casamentos sem amor entre as classes mais altas. Mau exemplo, hábito de beber, etc., entre os mais pobres. Um tema necessário.

vv. 44 e 45. O pecado no povo de Deus.

I. É muito provocante a Deus.

II. Assegura o castigo.

III. Deve ser sinceramente lamentado. – "sua aflição".

IV. Será graciosamente perdoado e o seu efeito removido. Assim a aliança promete.

v. 47. I. Uma oração feita com seriedade: "Salva-nos, Senhor", etc.

II. Uma oração de fé: "Senhor, nosso Deus.

III. Uma oração humilde: "Congrega-nos dentre as nações".

IV. Uma oração sincera: "Para que louvemos o teu nome santo"; para que reconheçamos a tua justiça e santidade em todos os teus caminhos.

V. Uma oração confiante: Para que "nos gloriemos no teu louvor". Somente das especiarias moídas emanam tais odores. – *G. R.*

v. 48. I. Deus deve ser louvado como o "Deus de Israel".

1. Do Israel simbólico.
2. Do verdadeiro Israel.

II. Ele deve ser louvado como o Deus de Israel sob todas as circunstâncias: pelos seus juízos, assim como pelas suas misericórdias.

III. Em todos os tempos: "De eternidade em eternidade".

IV. Por todo o povo: "Todo o povo diga: Amém!"

V. Como o início e o final de todo cântico: "Louvai o Senhor". – *G. R.*

v. 48. *"Todo o povo diga: Amém!"* – A exortação ao louvor universal. Todos os homens são devedores ao Senhor, todos pecaram, todos ouvem o Evangelho, todo o seu povo é salvo. A unanimidade no louvor é agradável e promove a unidade em outras questões.

AQUI TERMINA O LIVRO IV DE SALMOS

SALMO 107

ASSUNTO

Este é um cântico para os remidos do Senhor (v. 2). Embora ele comemore libertações providenciais, e por isto possa ser entoado por qualquer homem cuja vida tenha sido preservada em tempos de perigo, ele exalta grandemente ao Senhor por bênçãos espirituais, das quais as benevolências temporais são apenas tipos e sombras. O tema é a gratidão, e os motivos para ela. A construção do salmo é altamente poética, e simplesmente como composição deve ser difícil encontrar algo semelhante entre as produções humanas. Os poetas da Bíblia não ficam em segundo lugar entre os compositores de cânticos.

DIVISÃO

O salmista começa, dedicando o seu poema aos remidos que foram resgatados do cativeiro (vv. 1-3); a seguir, ele compara a sua história à dos viajantes perdidos no deserto (vv. 4-9); à dos prisioneiros acorrentados (vv. 10-16); à dos enfermos (vv. 17-22); e à dos marinheiros sacudidos pela tempestade (vv. 23-32). Nos versículos finais, o juízo de Deus sobre os rebeldes, e as graças de Deus ao seu próprio povo afligido, se tornam o refrão do cântico (vv. 33-42); e então o Salmo é concluído, com um tipo de resumo, no versículo 43, que declara que aqueles que estudam as obras e os caminhos do Senhor certamente verão a sua bondade e a louvarão.

EXPOSIÇÃO

1 *Louvai ao Senhor, porque ele é bom, porque a sua benignidade é para sempre.*
2 *Digam-no os remidos do Senhor, os que remiu da mão do inimigo*
3 *e os que congregou das terras do Oriente e do Ocidente, do Norte e do Sul.*

1. *"Rendei graças ao Senhor, porque ele é bom"* (na versão ARA). Isto é tudo o que podemos dar a Ele, e o mínimo que podemos dar; portanto, devemos, diligentemente, dar a Ele o nosso agradecimento. O salmista é fervoroso na exortação, consequentemente intensifica

as suas palavras: devemos, em todas as ocasiões, ser completamente fervorosos nos louvores ao Senhor, com nossos lábios e também com nossas vidas, dando graças, e vivendo de modo agradecido. Jeová (que é o nome usado aqui), não deve ser adorado com gemidos e suspiros, mas com agradecimentos, pois Ele é bom; e estes agradecimentos devem ser feitos com sinceridade, pois a sua bondade não é uma bondade comum: Ele é bom por natureza, e essência, e provou ser bom em todos os atos da sua eternidade. Em comparação com Ele, não existe ninguém bom, nem uma pessoa sequer: mas Ele é essencialmente, perpetuamente, superlativamente, infinitamente bom. Nós participamos eternamente da sua bondade, e por isto devemos, acima de todas as criaturas, exaltar o seu nome. O nosso louvor deve ser aumentado pelo fato de que a bondade divina não é algo transitório, mas, no atributo da misericórdia, permanece, para sempre, a mesma, *"porque a sua misericórdia dura para sempre"* (na versão ARA). A palavra *dura* foi apropriadamente inserida pelos tradutores, mas, de alguma maneira, restringe o sentido, que será melhor se interpretarmos *"porque a sua benignidade é para sempre"* (na versão ARC). Esta misericórdia não teve início, e jamais conhecerá um fim. O nosso pecado exigia que a bondade nos fosse demonstrada sob a forma de misericórdia, e assim aconteceu, e assim será, para sempre; não devemos ser lentos em louvar a bondade que se adapta à nossa natureza pecadora.

2. *"Digam-no os remidos do Senhor."* Independentemente do que outras pessoas possam pensar ou dizer, os remidos têm razões decisivas para declarar a bondade do Senhor. A sua redenção é uma redenção peculiar, e por isto eles devem oferecer louvor peculiar. O Redentor é tão glorioso, o preço do resgate é tão imenso, e a redenção é tão completa, que eles estão sob múltiplas obrigações de dar graças ao Senhor, e de exortar outros, para que façam o mesmo. Que não somente sintam isto, mas que *digam* isto; que cantem e convidem seus companheiros a cantar.

"Os que [Ele] remiu da mão do inimigo." Resgatados por força superior das inflamadas opressões, eles são obrigados, acima de todos os homens, a adorar ao Senhor, seu Libertador. A sua redenção é uma redenção divina, "[Ele] os remiu", e ninguém mais o fez. O seu próprio braço, sem nenhuma ajuda, operou a sua libertação. Os escravos emancipados não deveriam ser agradecidos à mão que os libertou? Que gratidão poderá ser suficiente para uma libertação do poder do pecado, da morte e do inferno? No próprio céu, não há hino mais doce do que aquele cujo refrão é: "com o teu sangue [nos] compraste para Deus".

3. *"E os que congregou das terras do Oriente e do Ocidente, do Norte e do Sul."* A congregação se segue à redenção. Os cativos de antigamente foram restaurados à sua própria terra, de cada confim da terra, e até mesmo de além mar; pois a palavra traduzida como *sul* significa, na realidade, *o mar.* Não importa o que divide, o Senhor irá ajuntar os seus em um único corpo, em primeiro lugar, na terra, por "um só Senhor, uma só fé, um só batismo", e depois, no céu, por uma bem-aventurança comum, eles serão conhecidos como o único povo do Único Deus. Que glorioso Pastor é aquele que ajunta desta maneira o rebanho comprado com sangue das mais remotas regiões, que os guia entre incontáveis perigos, e que, por fim, os faz deitar nos verdes pastos do Paraíso. Alguns peregrinavam por um caminho, e outros, por outro; todos eles deixaram a terra do Emanuel e se desviaram, o mais longe que puderam, e grandes são a graça e o poder pelos quais eles são todos ajuntados em um único rebanho pelo Senhor Jesus. Que os remidos, com um coração e uma voz, louvem ao Senhor que os ajunta em um só.

4 *Andaram desgarrados pelo deserto, por caminhos solitários; não acharam cidade que habitassem.*

5 *Famintos e sedentos, a sua alma neles desfalecia.*

6 *E clamaram ao Senhor na sua angústia, e ele os livrou das suas necessidades.*

7 *E os levou por caminho direito, para irem à cidade que deviam habitar.*

8 *Louvem ao Senhor pela sua bondade e pelas suas maravilhas para com os filhos dos homens!*

9 *Pois fartou a alma sedenta e encheu de bens a alma faminta,*

4. *"Andaram desgarrados pelo deserto."* Eles *andaram desgarrados*, pois a trilha estava perdida, não havia vestígio de um caminho; e, pior ainda, eles peregrinavam *pelo deserto*, onde tudo era areia escaldante. Eles estavam perdidos, no pior lugar possível, assim como o pecador está perdido no pecado; eles peregrinaram de um lado a outro, em buscas vãs, como um pecador, quando desperta e vê a sua condição perdida; mas isto terminou em nada, pois ainda continuavam no deserto, embora tivessem esperado escapar dele.

"Por caminhos solitários." Não havia por perto nenhuma habitação humana, e nenhum outro grupo de viajantes passava ao alcance da audição. A solidão é um grande intensificador da infelicidade. A solidão de um deserto tem a influência mais deprimente sobre o homem que está perdido no deserto ilimitado. O caminho do viajante no deserto é um caminho *deserto*, e quando ele deixa esta trilha pobre e estéril, para ir além do caminho do homem, ele está realmente em uma luta infeliz. Uma alma sem solidariedade está nas fronteiras do inferno: um caminho solitário é o caminho do desespero.

"Não acharam cidade que habitassem." Como poderiam? Não havia nenhuma. Israel, no deserto, habitava sob tendas, e não tinha nenhum dos consolos da vida assentada; os peregrinos, no Saara, não encontram nenhuma cidade ou aldeia. Os homens, quando estão sob aflição, não encontram nada em que descansar, nenhum consolo e nenhuma paz; os seus esforços, depois da salvação, são muitos, cansam e desapontam, e a dolorosa solidão em seus corações os enche de horrível angústia.

5. *"Famintos e sedentos, a sua alma neles desfalecia."* Os espíritos esmorecem quando a estrutura física fica exausta, pelas longas provações. Quem consegue manter a sua coragem, quando está prestes a cair ao chão a cada passo, devido à total exaustão? O abastecimento de alimento é todo consumido, a água se esgota das garrafas, e não há campos nem correntezas no deserto, o coração, portanto, esmorece e afunda em horrível desespero. Esta é a condição de uma consciência despertada antes de conhecer o Senhor Jesus; ela está cheia de desejos insatisfeitos, de necessidades dolorosas, e de temores pesados. Ela está completamente esgotada e sem energia, e não há nada, em toda a criação, que possa ministrar para o seu revigoramento.

6. *"E clamaram ao Senhor na sua angústia."* Eles não oravam, até que estivessem em situações extremas, mas a misericórdia é aquela pela qual oraram *então*, e oraram da maneira correta, com um *clamor*, e para a pessoa correta, *o Senhor*. Não mais faltava que eles tivessem que fazer: eles não podiam ajudar a si mesmos, nem encontrar ajuda em outros, e por isto, clamaram a Deus. As súplicas que saem forçadas de nós, por grande necessidade, são, ainda assim, aceitáveis para Deus; mas, na verdade, elas têm ainda mais predominância, uma vez que são, evidentemente, sinceras, e fazem um apelo poderoso à piedade divina. Alguns homens não irão orar jamais, até que estejam meio mortos de fome, e para os seus melhores interesses é muito melhor que eles estejam vazios, e desmaiem, do que cheios e intrépidos. Se a fome nos puser de joelhos, ela será mais útil, para nós, do que os banquetes; se a sede nos levar à fonte, ela será melhor do que os mais profundos goles da alegria terrena; e se a fraqueza levar ao clamor, ela será melhor do que a força dos poderosos.

"E ele os livrou das suas necessidades." A libertação segue certamente a oração. O clamor deve ter sido muito débil, pois eles estavam fracos, e a sua fé era tão fraca como o seu clamor; mas ainda assim eles foram ouvidos, e ouvidos imediatamente. Uma pequena demora teria sido a sua morte; mas não houve nenhuma, pois o Senhor estava pronto para salvá-los. O Senhor se alegra em vir, quando ninguém mais pode oferecer a menor ajuda. O caso era desesperador, até que o Senhor intercedeu, e então tudo mudou imediatamente; as pessoas estavam caladas, tensas e quase à morte, mas o alívio lhes veio imediatamente, quando começaram a se lembrar do seu Deus, e confiaram nele na oração. Merecem morrer de fome aqueles que nem mesmo pedem o pão, e aquele que, perdido em um deserto, não implorar a ajuda de

um guia, não merece piedade, nem mesmo se perecer em lugar deserto, e alimentar os abutres com a sua carne.

7. *"E os levou por caminho direito."* Há muitos caminhos errados, mas um único correto, e neste ninguém pode nos liderar, exceto o próprio Deus. Quando o Senhor é o líder, o caminho certamente é o correto; nós jamais devemos questionar isto. Ele conduziu os perdidos para fora dos labirintos intransitáveis do deserto; Ele encontrou o caminho, fez o caminho, e os capacitou a andar por ele, mesmo estando frágeis e famintos!

"Para irem à cidade que deviam habitar." O fim era digno do caminho: Ele não os guiou de um deserto a outro, mas deu aos peregrinos uma habitação, deu aos cansados um lugar onde descansar. Não acharam cidade que habitassem, mas *Ele* encontrou uma, prontamente. O que *nós* podemos fazer, e o que *Deus* pode fazer, são duas coisas muito diferentes. Que diferença representou, para eles, trocar a sua solidão por uma cidade, o seu caminho sem trilha por ruas bem frequentadas, e o seu desfalecimento de coração pelo conforto de uma casa! Muito maiores são as mudanças que o amor divino opera na condição dos pecadores, quando Deus responde às suas orações e os leva a Jesus. O Senhor não será exaltado com estas misericórdias tão especiais? Podemos nós, que desfrutamos delas, nos assentar em silêncio ingrato?

8. *"Louvem ao Senhor pela sua bondade."* A palavra "homens" não é mencionada aqui, no texto original, mas a palavra é adequadamente inserida pelos tradutores em algumas versões; o salmista desejava que todas as coisas existentes exaltassem o nome do Senhor. Certamente *os homens* farão isto sem ser exortados a fazê-lo, quando a libertação estiver vívida em suas lembranças. São horrivelmente ingratos aqueles que não honram tal Libertador por um resgate tão feliz da mais cruel morte. É bom que os remidos sejam incitados a bendizer ao Senhor frequentemente, pois a vida preservada merece uma gratidão de uma vida inteira. Mesmo aqueles que não encontraram perigo semelhante, e obtiveram libertação semelhante, devem bendizer ao Senhor juntamente com seus semelhantes, compartilhando da sua alegria.

"E pelas suas maravilhas para com os filhos dos homens." Estas benevolências são concedidas sobre a *nossa* raça, sobre os filhos da família à qual nós pertencemos, e por isto devemos nos unir ao louvor. Os filhos dos homens são tão insignificantes, tão frágeis, e tão indignos, que é um grande milagre que o Senhor faça algo por eles; mas Ele não se satisfaz em fazer pequenas obras, Ele põe em ação a sua sabedoria, o seu poder e amor para realizar maravilhas para o bem daqueles que o buscam. Na vida de cada um dos remidos, há um mundo de maravilhas; portanto, de cada um deles deve ecoar um mundo de louvores. Quanto às maravilhas da graça que o Senhor realizou pela sua igreja, como um todo, não há como estimá-las, elas estão tão acima dos nossos pensamentos como os céus estão acima da terra. Quando amanhecerá o dia em que a raça favorecida do homem será tão devotada ao louvor de Deus como é distinguida pela benevolência de Deus?

9. *"Pois [Ele] fartou a alma sedenta."* Este é o resumo da experiência do viajante perdido. Aquele que, em um sentido natural, foi resgatado e impedido de perecer em um deserto assustador, deve bendizer ao Senhor que o traz de volta para comer o pão entre os homens. O sentido espiritual, no entanto, é mais rico em construção. O Senhor nos deixa ansiando, e então nos satisfaz completamente. Este anseio nos leva à solidão, à separação, sede, fraqueza, e desespero; e o desespero próprio e todas estas outras situações nos conduzem à oração, à fé, à orientação divina, à satisfação da sede da alma e ao descanso: a boa mão do Senhor deve ser vista em todo o processo e no resultado divino.

"Encheu de bens a alma faminta." Assim como para a sede Ele dá satisfação, também para a fome Ele fornece o abastecimento. Nos dois casos, a necessidade é mais do que satisfeita, há abundância no abastecimento que é digno de nota: o Senhor nada faz de uma maneira mesquinha; satisfazer e abastecer são suas maneiras peculiares de tratar seus convidados; ninguém que esteja sob a provisão do Senhor jamais poderá se queixar de pão e água. Ele não abastece o faminto com

uma alimentação comum, mas com a própria *bondade*. A maior bênção é a essência da bondade que Ele concede aos suplicantes necessitados. O homem será assim tão regiamente abastecido, e não retribuirá com louvor a generosidade do amor? Não deve ser assim. Mesmo agora, nós devemos dar graças com toda a igreja redimida, e orar pelo momento em que toda a terra se encherá com a sua glória.

10 *tal como a que se assenta nas trevas e sombra da morte, presa em aflição e em ferro.*
11 *Como se rebelaram contra as palavras de Deus e desprezaram o conselho do Altíssimo,*
12 *eis que lhes abateu o coração com trabalho; tropeçaram, e não houve quem os ajudasse.*
13 *Então, clamaram ao Senhor na sua angústia, e ele os livrou das suas necessidades.*
14 *Tirou-os das trevas e sombra da morte e quebrou as suas prisões.*
15 *Louvem ao Senhor pela sua bondade e pelas suas maravilhas para com os filhos dos homens!*
16 *Pois quebrou as portas de bronze e despedaçou os ferrolhos de ferro.*

10. *"Tal como a que se assenta nas trevas e sombra da morte."* A cela é escura, por si mesma, e o temor da execução lança uma sombra ainda mais densa sobre a prisão. A crueldade dos homens, uns contra os outros, é tal que dezenas de milhares são levados a habitar em lugares que só são apropriados para serem sepulcros: insalubres, sufocantes, sepulcros imundos, onde eles adoecem e morrem com os corações partidos. Enquanto isto, o temor da morte repentina é a parte mais odiosa da punição; os prisioneiros sentem como se a fria sombra da própria morte os congelasse até a medula. O estado de uma alma sob a condenação do pecado é forçosamente simbolizado por esta condição; as pessoas nesta condição não conseguem ver as promessas que lhes trariam consolação; elas ainda se encontram na inatividade do desespero, elas temem a proximidade do juízo, e se sentem, por isto, tão aflitas quanto se estivessem às portas da morte.

"Presa em aflição e em ferro." Muitos prisioneiros estão assim duplamente presos, de mãos e coração; ou o texto pode significar que a aflição se torna como uma corrente de ferro para eles, ou que as correntes de ferro lhes causam grande aflição. Ninguém sabe destas coisas, exceto aqueles que as sentiram; nós deveríamos valorizar a nossa liberdade mais, se soubéssemos, por real experiência, o que significam algemas e correntes. Em um sentido espiritual, a aflição frequentemente acompanha a condenação do pecado, e então a dupla tristeza causa uma dupla escravidão. Nestes casos, o ferro penetra na alma, os pobres cativos não podem se mover, por causa de seus grilhões, não podem ter esperança, por causa da sua tristeza, e não têm forças, por causa do seu desespero. A infelicidade é a companhia de todos aqueles que estão presos e não podem sair. Ó, vocês que são libertados por Cristo Jesus, lembrem-se dos que estão presos.

11. *"Como se rebelaram contra as palavras de Deus."* Esta era a causa geral da escravidão entre o antigo povo de Deus; eles foram entregues aos seus adversários porque não foram leais ao Senhor. Não se deve brincar com as palavras de Deus, e aqueles que se aventurarem em tal rebelião trarão a escravidão a si mesmos.

"E desprezaram o conselho do Altíssimo." Eles pensaram que conheciam a lei melhor do que o Juiz de toda a terra, e por isto deixaram os caminhos dele, e andaram pelos seus. Quando os homens não seguem o conselho divino, eles dão a prova mais prática do seu desprezo por ele. Aqueles que não se sujeitarem à lei de Deus estarão, antes que passe muito tempo, sujeitos aos grilhões do juízo. Há muito desprezo pelo conselho divino, até mesmo entre os cristãos, e por isto tão poucos, entre eles, conhecem a liberdade com que Cristo nos liberta.

12. *"Eis que lhes abateu o coração com trabalho."* Nas prisões orientais, os homens frequentemente precisam trabalhar como animais do campo. Como não têm liberdade, também não têm descanso. Isto logo subjuga o mais valente coração, e faz com que o orgulhoso que se vangloria entoe outro cântico. Os problemas e o

trabalho árduo são suficientes para domar um leão. Deus tem métodos para abater a soberba de aspecto rebelde: a cela e a mó fazem tremer até mesmo os gigantes.

"Tropeçaram, e não houve quem os ajudasse." Tropeçando no escuro por baixo da sua cansativa tarefa, por fim eles caíram no chão, mas ninguém veio para se apiedar deles, nem para levantá-los. A sua queda poderia ser fatal porque nenhum homem se preocupava com eles; a sua infelicidade não era vista, ou, se era observada, ninguém poderia interferir, entre eles e seus senhores tiranos. Em tal terrível dificuldade, o israelita rebelde se tornou mais humilde em pensamento, e pensou mais ternamente a respeito do seu Deus e das suas ofensas contra Ele. Quando uma alma percebe que todos os seus esforços para a auto-salvação são abortivos, e sente que está agora completamente sem forças, então o Senhor está em ação, escondendo do homem o orgulho, e preparando o aflito para receber a sua misericórdia. O caso espiritual que é aqui descrito de maneira figurada é desesperador, e, por isto, permite o campo mais refinado para a interposição divina; alguns se lembram de como a misericórdia brilhou na nossa prisão, e da música que fizeram as algemas quando caíram das nossas mãos. Nada, senão o amor do Senhor, poderia ter nos libertado; sem ele, nós teríamos perecido completamente.

13. *"E clamaram ao Senhor na sua angústia."* Nem uma oração sequer, até então. Enquanto houvesse alguma ajuda de baixo, eles não olhariam para cima. Nenhum clamor, até que seus corações fossem humilhados e suas esperanças estivessem todas mortas – *então* eles clamaram, mas não antes. Assim muitos homens oferecem o que chamam de oração, quando está tranquilo e pensa bem de si mesmo, mas na realidade, o único clamor verdadeiro a Deus é aquele que é extraído à força, por um sentimento de total desamparo e infelicidade. Nós oramos melhor quando estamos prostrados sobre nossos rostos, em doloroso desamparo.

"E ele os livrou das suas necessidades!" Rapidamente, e voluntariamente, Ele enviou alívio e socorro. Eles tardaram muito tempo a clamar, mas Ele não tardou a salvar. Eles tinham procurado todas as outras pessoas, antes de vir até Ele, mas quando se dirigiram a Ele, foram bem recebidos, imediatamente. Aquele que salvou os homens no deserto aberto também pode salvar na prisão fechada: fechaduras e barras não podem forçá-lo a ficar do lado de fora, nem encerrar por muito tempo os seus remidos.

14. *"Tirou-os das trevas e sombra da morte."* O Senhor, em sua providência, arranca os prisioneiros das suas celas e faz com que eles respirem o doce ar puro outra vez, e então solta as suas algemas e dá liberdade aos seus doloridos membros. Ele também liberta os homens das preocupações e dos problemas, e especialmente da desgraça e da escravidão do pecado. Isto Ele faz com a sua própria mão, pois a experiência de todos os santos certifica que não há libertação da prisão, a menos que seja pelo próprio Juiz.

"E quebrou as suas prisões." Ele os libertou pela força, libertando-os para que eles não fossem acorrentados outra vez, pois Ele tinha quebrado as correntes. As libertações do Senhor são do tipo mais completo e triunfante, Ele jamais deixa a alma nas trevas ou presa, nem permite que as forças do mal novamente subjuguem o cativo libertado. O que Ele faz, está feito para sempre. Glórias ao seu nome.

15. *"Louvem ao Senhor pela sua bondade e pelas suas maravilhas para com os filhos dos homens."* A visão desta bondade faz com que o homem honesto anseie para ver o Senhor devidamente honrado pela sua assombrosa misericórdia. Quando as portas das prisões estão abertas, e as cadeias são quebradas, quem pode recusar-se a adorar a gloriosa bondade do Senhor? O coração adoece de pensar que tais graciosas misericórdias continuem sem ser cantadas: nós não podemos deixar de implorar que os homens se lembrem das suas obrigações e louvem ao Senhor seu Deus.

16. *"Pois quebrou as portas de bronze e despedaçou os ferrolhos de ferro."* Este versículo pertence ao que o precede, e resume a misericórdia vivenciada pelos cativos. O Senhor rompe as mais fortes portas e barras quando chega o momento de libertar os seus prisioneiros: e espiritualmente o Senhor Jesus quebrou o mais poderoso dos grilhões espirituais e realmente nos libertou. O metal e o ferro

são como estopa, diante da chama do amor de Jesus. As portas do inferno não prevalecerão contra nós, nem as barras da sepultura nos deterão. Aqueles que experimentaram o poder redentor do Senhor devem louvá-lo, e o farão, pelas maravilhas da sua graça exibidas para o nosso bem.

17 *Os loucos, por causa do seu caminho de transgressão e por causa das suas iniquidades, são afligidos.*
18 *A sua alma aborreceu toda comida, e chegaram até às portas da morte.*
19 *Então, clamaram ao Senhor na sua angústia, e ele os livrou das suas necessidades.*
20 Enviou a sua palavra, e os sarou, e os livrou da sua destruição.
21 *Louvem ao Senhor pela sua bondade e pelas suas maravilhas para com os filhos dos homens!*
22 *E ofereçam sacrifícios de louvor e relatem as suas obras com regozijo!*

17. *"Os loucos, por causa do seu caminho de transgressão e por causa das suas iniquidades, são afligidos."* Muitas doenças são o resultado direto de atos de loucura. Os homens imprudentes e cobiçosos pela embriaguez, gulodice, e pela indulgência de suas paixões, enchem seus corpos com enfermidades do pior tipo! O pecado está no fundo de muitas tristezas, mas algumas tristezas são os resultados imediatos da iniquidade: os homens, por causa do seu caminho de transgressão, se afligem e são enlouquecidos, por suas dores. Pior ainda, mesmo quando estão afligidos, ainda são loucos: "Ainda que pisasses o tolo com uma mão de gral entre grãos de cevada pilada, não se iria dele a sua estultícia". De uma transgressão eles passam a muitas iniquidades; e embora estejam sob a vara, somam pecado a pecado. Ai, às vezes até mesmo o povo do Senhor se comporta loucamente, desta triste maneira!

18. *"A sua alma aborreceu toda comida."* O apetite se afasta dos homens, quando estão enfermos: o melhor dos alimentos lhes é abominável, o seu estômago se revolta contra ele.

"E chegaram até às portas da morte." Da falta de comida, e do poder destruidor da sua enfermidade, eles deslizam gradualmente, descendo, até que estejam à porta da sepultura; o talento do médico não é suficiente para deter o seu declínio. Como não podem comer, não há sustento dado ao sistema, e à medida que a doença progride, a sua pouca força é gasta em dor e desgraça. Assim, é com as almas afligidas, elas sentem tal sensação de pecado, que não conseguem encontrar consolação nas melhores promessas, mas se afastam, com repugnância, do Evangelho, de modo que gradualmente declinam ao sepulcro do desespero. A misericórdia é que, embora próximos às portas da morte, ainda não estão dentro do sepulcro.

19. *"E clamaram ao Senhor na sua angústia."* Eles se unem, por fim, à legião dos que oram. Saul também está entre os profetas. O louco deixa de lado as suas vestes com a perspectiva da mortalha, e cai de joelhos. Que cura para a doença da alma é operada frequentemente pela graça do Senhor!

"E ele os livrou das suas necessidades." A oração é tão eficaz em um leito de doença como no deserto ou na prisão; ela pode ser feita em todos os lugares e circunstâncias, com resultado assegurado. Nós podemos orar sobre as nossas dores e fraquezas físicas, e também podemos esperar pelas respostas. Quando não tivermos apetite de alimento, podemos ter um apetite de oração. Aquele que não pode se alimentar da palavra de Deus ainda pode se voltar para Deus e encontrar misericórdia.

20. *"Enviou a sua palavra, e os sarou."* O homem não é curado apenas pelos remédios – pela palavra que é proferida pela boca de Deus o homem é restaurado e impedido de descer à sepultura. Uma palavra fará isto, uma palavra já fez isto milhares de vezes.

"E os livrou da sua destruição." Eles escapam embora haja perigos ao seu redor, muitos e mortais. A palavra do Senhor tem uma grande poder de libertação; Ele apenas precisa falar, e os exércitos da morte fogem em um instante. As almas doentes pelo pecado devem recordar o poder da *Palavra*, e devem ouvi-la e meditar sobre ela.

Considerados espiritualmente, estes versículos descrevem uma alma doente pelo pecado: tola, mas apesar disto levada a uma sensação de culpa, ela recusa consolo de qualquer e todas as partes, e uma letargia de desespero a paralisa completamente. Na sua própria noção, não resta mais nada, senão a total destruição, em várias formas: as portas da morte estão abertas diante dela, e na sua própria noção, ela se apressa em sua direção. A alma é levada a clamar, na amargura da sua angústia, ao Senhor, e Cristo, a Palavra eterna, vem com poder que cura, na situação mais extrema, livrando completamente.

21. *"Louvem ao Senhor pela sua bondade e pelas suas maravilhas para com os filhos dos homens."* É assombroso que os homens possam ser restaurados da doença e ainda se recusem a bendizer ao Senhor. Parece impossível que eles se esquecessem de tão grande misericórdia, pois nós esperaríamos que eles e os amigos aos quais eles foram restaurados estivessem unidos em ações de graças pela vida inteira. Mas quando dez são curados, é raro que mais de um retorne para dar glória a Deus. Ai, onde estão os nove? Quando uma cura espiritual é realizada pelo grande Médico, o louvor é um dos sinais mais certos da saúde renovada. Uma mente liberta da doença do pecado e das dores da condenação deve e irá adorar a Jeová Rafá, o Deus que cura: mas seria bom se o sentimento fosse mil vezes maior do que este.

22. *"E ofereçam sacrifícios de louvor."* Neste caso, que haja presentes e oblações, além de palavras. Que o bom Médico receba a sua recompensa de gratidão. Que a vida se torne um sacrifício àquele que a prolongou, que a escritura da gratidão seja repetida várias vezes – deve haver muitos sacrifícios alegres para celebrar a maravilhosa bênção.

"E relatem as suas obras com regozijo." Estas coisas merecem ser ditas, pois a declaração pessoal honra a Deus e nos alivia, consola a outros e faz com que todos os homens tomem conhecimento dos fatos a respeito da bondade divina que eles não conseguirão ignorar.

23 *Os que descem ao mar em navios, mercando nas grandes águas,*
24 *esses veem as obras do Senhor e as suas maravilhas no profundo.*
25 *Pois ele manda, e se levanta o vento tempestuoso, que eleva as suas ondas.*
26 *Sobem aos céus, descem aos abismos, e a sua alma se derrete em angústias.*
27 *Andam e cambaleiam como ébrios, e esvai-se-lhes toda a sua sabedoria.*
28 *Então, clamam ao Senhor na sua tribulação, e ele os livra das suas angústias.*
29 *Faz cessar a tormenta, e acalmam-se as ondas.*
30 *Então, se alegram com a bonança; e ele, assim, os leva ao porto desejado.*
31 *Louvem ao Senhor pela sua bondade e pelas suas maravilhas para com os filhos dos homens!*
32 *Exaltem-no na congregação do povo e glorifiquem-no na assembleia dos anciãos!*

23. *"Os que descem ao mar em navios."* A navegação era tão pouco praticada entre os israelitas que os marinheiros eram revestidos de um alto grau de mistério, e a sua profissão era considerada como de singular coragem e perigo. As histórias do mar enchiam os corações de assombro, e aquele que tivesse estado em Ofir ou Társis e tivesse retornado vivo era considerado como um homem famoso, um marinheiro idoso a ser ouvido com reverente atenção. As viagens eram consideradas como descidas a um abismo, "descem ao mar em navios"; ao passo que agora, os nossos marinheiros mais ousados e mais acostumados falam dos "grandes mares".

"Mercando nas grandes águas." Se não tivessem tido negócios a realizar, jamais teriam se aventurado no oceano, pois nós nunca lemos, nas Escrituras, de alguém se divertindo no mar: tão avessa era a mente israelita à navegação, que não ouvimos sequer que o próprio Salomão tivesse um barco para passeio. O Mediterrâneo era o "grande mar" para Davi e seus conterrâneos, e eles tinham uma admiração muito grande por aqueles que tinham negócios no mar.

24. *"Esses veem as obras do Senhor."* Além dos habitantes da terra, eles veem as maiores obras do Senhor, ou, pelo menos, é o que os que ficam em casa julgam, quando ouvem o relato delas. Em vez de o oceano provar ser um deserto líquido, ele está cheio das criaturas de Deus, e se nós tentássemos escapar à sua presença, fugindo para as suas partes mais extremas, somente nos precipitaríamos nos braços do Senhor e nos encontraríamos no centro da sua adoração.

"E as suas maravilhas no profundo." Eles veem maravilhas dentro do mar, e sobre o mar. O mar é, por si só, uma maravilha, e está cheio de maravilhas. Os marinheiros, por terem menos objetos à sua volta, observam mais os objetos do que os homens que vivem em terra, e por isto são descritos como *vendo* as maravilhas das profundezas. Ao mesmo tempo, o oceano realmente contém muitas das mais assombrosas criaturas de Deus, e é o cenário de muitos dos mais tremendos fenômenos físicos pelos quais o poder e a majestade do Senhor são revelados entre os homens. As principais maravilhas a que o salmista faz alusão são uma tempestade repentina e a calmaria que a segue.

Nem todos os crentes têm a mesma experiência profunda: mas, para fins de sabedoria, para que possam fazer negócios para Ele, o Senhor envia alguns dos seus santos ao mar da perturbação da alma, e ali eles veem, e os outros não, as maravilhas da graça divina. Navegando sobre as profundezas da depravação interior, as águas devastadas da pobreza, os vagalhões da perseguição, e as ondas agitadas da tentação, eles precisam de Deus, acima de todos, e o encontram.

25. *"Pois ele manda."* A sua palavra é suficiente para qualquer coisa, Ele tem apenas que desejar, e se inicia uma tempestade.

"E se levanta o vento tempestuoso." Ele parecia estar adormecido, antes, mas ele reconhece a voz do seu Mestre, e se levanta de uma vez, com toda a sua fúria.

"Que eleva as suas ondas." A superfície de cristal do mar se quebra, e miríades de cabeças brancas aparecem e se enfurecem e se agitam de um lado a outro, conforme o vento as sopra. Embora estivessem deitadas tranquilas antes, as ondas agora se levantam com a sua força e saltam em direção ao céu, tão logo o uivar do vento as desperta.

Assim, é necessária somente uma palavra de Deus, e a alma está em águas agitadas, levada de um lado a outro, com milhares de aflições. Dúvidas, medos, terrores, ansiedades levantam as suas cabeças como tantas ondas iradas, quando o Senhor permite que os ventos da tempestade nos açoitem.

26. *"Sobem aos céus."* Transportados na crista da onda, os marinheiros e suas embarcações parecem subir aos céus, mas é somente por um momento, pois em breve, na depressão das ondas, *"descem aos abismos"* outra vez. Como se a sua embarcação fosse apenas uma ave do mar, os marinheiros são levados "para cima e para baixo, para cima e para baixo, da base da onda até a coroa do vagalhão".

"E a sua alma se derrete em angústias." Cansados, molhados, desanimados, sem esperança de escapar, os seus corações se voltam para a água e eles parecem não ter mais nenhum resíduo de virilidade.

Aqueles que estiveram na profundeza espiritual, em uma das grandes tempestades que ocasionalmente agita a alma, sabem o que este versículo quer dizer. Nestes ciclones espirituais, a arrogância se alterna com o desespero, a indiferença com a agonia! Não sobra coragem para nada, a coragem se esgotou, a esperança está praticamente morta. Esta experiência é tão real como a agitação de uma tempestade literal, e muito mais dolorosa. Alguns de nós já resistimos a muitos destes furacões internos, e, na realidade, já vimos as obras maravilhosas do Senhor.

27. *"Andam e cambaleiam como ébrios."* O movimento violento da embarcação impede que mantenham o equilíbrio, e os seus temores lhes esgotam a capacidade de usar seus cérebros, e por isto parecem homens embriagados.

"E esvai-se-lhes toda a sua sabedoria." O que mais podem fazer? Eles usaram todos os expedientes conhecidos da navegação, mas o barco é tão forçado e açoitado pelas ondas, que eles não sabem como mantê-lo flutuando.

Aqui também, o protocolo do marinheiro espiritual está de acordo com o do marinheiro no mar. Nós balançamos, assustados! Nós não conseguimos ficar em pé por nada, e nos segurar em nada. Não sabíamos o que fazer, e não poderíamos ter feito nada, mesmo que tivéssemos sabido. Éramos como homens distraídos, e sentíamos como se a própria destruição fosse melhor do que a nossa horrível situação de suspense. Quanto à inteligência e à sabedoria, são apagadas de nós; nós nos sentimos como completamente perplexos.

28. *"Então, clamam ao Senhor na sua tribulação."* Embora sem saber o que fazer, tiveram inteligência suficiente para orar: o seu coração estava derretido, e clamava, pedindo ajuda. Isto terminou bem, pois está escrito: *"E ele os livra das suas angústias"*. É bom orar em meio a uma tempestade. Nós podemos orar, balançando e cambaleando, e orar quando não sabemos mais o que fazer. Deus irá nos ouvir em meio ao trovão, e nos responderá da tempestade. Ele trouxe as angústias aos marinheiros, e por isto eles faziam bem, ao se voltarem para Ele para a remoção destas angústias; eles não esperavam em vão.

29. *"Faz cessar a tormenta."* Ele revela o seu poder nas súbitas e maravilhosas transformações que ocorrem ao seu comando. Ele ordenou a tempestade, e agora ordena a calmaria: Deus está em todos os fenômenos naturais, e nós fazemos bem em reconhecer as suas obras.

"E acalmam-se as ondas." Eles se inclinam em silêncio, aos seus pés. Onde saltavam gigantescos vagalhões, agora mal se podem perceber ondas. Quando Deus faz a paz, esta é uma paz verdadeira, sim, a paz de Deus que excede todo entendimento. Ele pode, em um instante, alterar a condição de uma mente humana, de modo que pareça, a esta pessoa, um absoluto milagre, que ela tenha passado tão repentinamente do furacão à calma. Ó, que o Senhor opere assim no leitor, se o seu coração for atormentado com problemas externos ou temores internos. Clame ao Senhor, e a paz virá imediatamente.

30. *"Então, se alegram com a bonança."* Ninguém pode apreciar este versículo, a menos que tenha estado em uma tempestade no mar. Nenhuma música pode ser mais doce do que o som das correntes, quando os marinheiros soltam as âncoras; e nenhum lugar parece mais desejável do que a pequena angra, ou a ampla baía, em que o navio descansa em paz.

"E ele, assim, os leva ao porto desejado." Quanto mais difícil a viagem, mais os marinheiros anseiam pelo porto, e à medida que se multiplicam as nossas tentações, o céu se torna, cada vez mais "o porto desejado". Com tempestades e brisas favoráveis, entre tempestades e bom tempo, o grande Piloto e Governante do mar leva os marinheiros ao porto, e o seu povo para o céu! Ele deve ter a glória pelo sucesso da viagem no tempo, e quando nós estivermos ancorados no rio da vida, no alto, nós faremos com que os seus louvores não sejam esquecidos. Nós deveríamos, há muito tempo, ter sido destruídos, não fosse pela sua mão que preserva, e a nossa única esperança de sobreviver às ondas do futuro se baseia na sua sabedoria, fidelidade e poder. O nosso porto celestial soa com clamores de grata alegria quando nós alcançamos a sua bendita costa.

31. *"Louvem ao Senhor pela sua bondade e pelas suas maravilhas para com os filhos dos homens!* Que o mar entoe louvores ao Senhor por causa da sua graça libertadora. Quando o marinheiro tocar a praia, que ele entoe o hino solene ao céu e que permita que os outros o vejam resgatado das garras da morte, unidos em suas ações de graças.

32. *"Exaltem-no na congregação do povo."* Os agradecimentos por tais misericórdias devem ser feitos em público, no local onde os homens se congregam para adorar.

"E glorifiquem-no na assembleia dos anciãos." O louvor deve ser apresentado com grande solenidade, na presença de homens de idade, experiência e influência. Um culto elevado e de peso deve ser realizado por grandes e distintas benevolências, e por isto, que o sacrifício seja apresentado com o devido decoro e com grave seriedade. Frequentemente, quando os homens ouvem falar de alguém que escapou por pouco

de um naufrágio, eles examinam o assunto com uma descuidada observação sobre a sorte, mas isto jamais deveria ser motivo de gracejo.

Quando um coração já esteve em grandes tempestades espirituais, e, por fim, encontrou a paz, o resultado, como dever e privilégio, é o reconhecimento da misericórdia do Senhor diante do seu povo, e é bom que isto seja feito na presença daqueles que têm autoridade na igreja, e que, nos seus anos de maturidade, são mais capazes de apreciar o testemunho.

33 *Ele converte rios em desertos; nascentes, em terra sedenta;*
34 *a terra frutífera, em terreno salgado, pela maldade dos que nela habitam.*
35 *Converte o deserto em lagos e a terra seca, em nascentes.*
36 *E faz habitar ali os famintos, que edificam cidade para sua residência,*
37 *e semeiam campos, e plantam vinhas, que produzem fruto abundante.*
38 *E ele os abençoa, de modo que se multiplicam muito; e o seu gado não diminui.*
39 *Mas outra vez decrescem e são abatidos, pela opressão, aflição e tristeza.*
40 *Derrama o desprezo sobre os príncipes e os faz andar desgarrados pelo deserto,*
onde não há caminho.
41 *Mas ele levanta da opressão o necessitado, para um alto retiro, e multiplica*
as famílias como rebanhos.
42 *Os retos veem isto e alegram-se, mas todos os iníquos fecham a boca.*

33. *"Ele converte rios em desertos; nascentes, em terra sedenta."* Quando o Senhor lida com homens rebeldes, logo Ele pode privá-los daquelas bênçãos de que eles mais se sentem assegurados: os seus rios e as suas nascentes perenes são considerados como garantidos, e que jamais lhes serão tirados, mas o Senhor, com uma única palavra, pode privá-los até mesmo disto. Nos climas quentes, depois de longas secas, as correntezas diminuem, e até mesmo as nascentes deixam de jorrar, e isto também já aconteceu em outras partes do mundo onde aconteceram grandes convulsões da superfície da terra. Na providência, esta catástrofe física encontra a sua contrapartida quando os negócios deixam de dar lucro e as fontes de riqueza começam a falhar. Como também acontece quando a saúde e a força são removidas, quando o auxílio dos amigos é retirado, e quando são rompidas as associações confortadoras. Assim, também, nas questões da alma, os mais prósperos ministros podem secar, as mais deliciosas meditações deixam de nos beneficiar, e os mais frutíferos exercícios religiosos ficam vazios do revigoramento de graça que antes produziam. Uma vez que

"É Deus que levanta os nossos consolos,
Ou os afunda no sepulcro",

é conveniente que nós andemos diante dele com reverente gratidão, e que vivamos de modo que não se torne imperativo que Ele nos aflija.

34. *"A terra frutífera, em terreno salgado."* Isto foi feito em várias ocasiões, e notavelmente no caso da nação do próprio salmista, que já havia sido a glória de todas as terras, e agora era quase um deserto. *"Pela maldade dos que nela habitam."* O pecado está no fundo da tristeza. Ele tornou estéril a terra, pela primeira vez, nos dias do pai Adão, e continua tendo um efeito destruidor em tudo o que toca. Se nós não tivermos o sal da santidade, logo receberemos o sal da esterilidade, pois o texto em hebraico é – "uma terra, frutífera em terreno salgado". Se não dermos ao Senhor uma colheita de obediência, Ele pode proibir que o solo nos dê uma colheita de pão, e então, o que irá acontecer? Se nós convertemos o bem em mal, podemos imaginar que o Senhor nos pagará com a mesma moeda, e devolverá a nossa baixeza a nós mesmos? Muitas igrejas estéreis devem a sua triste condição atual ao seu comportamento incoerente, e muitos cristãos estéreis chegaram a esta

lamentável condição por um andar descuidado e insatisfeito diante do Senhor. Que os santos, que agora são úteis, não corram os riscos de suportar a perda das suas graças, mas estejam vigilantes, e tudo lhes irá bem.

35. *"[Ele] Converte o deserto em lagos."* Com outro gesto da sua mão, o Senhor faz mais que restaurar aquilo que, no juízo, tinha tirado. Ele realiza a sua obra de misericórdia em escala real, pois um lago profundo é visto onde antes havia apenas um deserto de areia. Não é por leis naturais, que operam por alguma força inata, que esta maravilha é realizada, mas por Ele mesmo – Ele converte *"a terra seca em nascentes"*. A continuidade, a abundância e a renovação perpétua, todas estão implícitas nas nascentes, e elas são criadas onde tudo era seco. Este milagre de misericórdia é a inversão precisa da obra do juízo, e é operado pela mesma mão. Assim, na igreja, e em cada santo individualmente, a misericórdia do Senhor logo opera maravilhosas transformações, quando a graça que restaura e renova iniciam o seu trabalho benigno. Ó, que possamos ver o cumprimento deste versículo em todos à nossa volta, e dentro de nossos próprios corações: então estas palavras nos servirão como exclamação de agradecido assombro, e um cântico de merecido louvor.

36. *"E faz habitar ali os famintos"*, ali, onde ninguém podia habitar antes. Eles apreciarão a mudança e valorizarão a sua graça; assim como a esterilidade do solo tinha causado a sua fome, também a sua fertilidade irá bani-la para sempre, e eles se instalação como um povo feliz e agradecido, para bendizer a Deus por cada punhado de grão que a terra lhes produzir. Ninguém está tão disposto a retribuir as grandes misericórdias de Deus com louvor como aqueles que conheceram a falta delas. Almas famintas produzem doce música, quando o Senhor as enche com suas graciosas dádivas. Nós temos fome? Ou estamos satisfeitos com as migalhas deste mundo pobre e repugnante?

"Que edificam cidade para sua residência." Quando a terra é regada e os homens a cultivam, surgem cidades que proliferam de habitantes. Quando a graça é abundante, onde antes reinava o pecado, os corações encontram paz e residem no amor de Deus, como em uma fortaleza. A igreja é edificada onde antes tudo era um deserto, quando o Senhor faz com que fluam os largos rios e as correntes da graça do Evangelho.

37. *"E semeiam campos, e plantam vinhas, que produzem fruto abundante."* Os homens trabalham quando Deus trabalha. A sua bênção encoraja quem semeia, alegra quem planta, e recompensa quem se esforça. E os resultados não são apenas os itens essenciais, mas também os supérfluos, vinho além de grãos, quando os céus são levados a produzir a chuva necessária para encher os cursos d'água. As visitações divinas trazem riquezas espirituais, estimulam variadas obras de fé e de amor, e fazem com que cada bom fruto seja abundante, para nossa consolação e para o louvor de Deus. Quando Deus envia a bênção, ela não suplanta, mas incentiva e desenvolve o empenho humano – Paulo planta, Apolo rega, e Deus dá o crescimento.

38. *"E ele os abençoa, de modo que se multiplicam muito; e o seu gado não diminui."* A bênção de Deus é tudo. Ela não somente faz felizes os homens, mas cria os próprios homens, fazendo com que os homens se multipliquem sobre a terra. Quando o Senhor criou o primeiro casal, Ele os abençoou e disse: "Frutificai, e multiplicai-vos", e aqui Ele restaura a primeira bênção. Observe que os animais, como os homens, são beneficiados quando Deus favorece o seu povo: eles compartilham com os homens da bondade ou da severidade da providência divina. As pragas e as pestes são afastadas do rebanho, quando o Senhor deseja o bem para o povo; mas quando a intenção é a punição, os rebanhos são arrancados da face da terra. Ó, que as nações, no dia da sua prosperidade, apenas reconhecessem a graciosa mão de Deus, pois é à sua bênção que eles devem tudo o que têm.

39. *"Mas outra vez decrescem e são abatidos, pela opressão, aflição e tristeza."* Quando eles mudam o seu caráter, também as suas circunstâncias são alteradas. Sob a antiga dispensação, isto devia, muito claramente, ser observado; os altos e baixos de Israel eram as consequências diretas dos seus pecados e arrependimentos.

As tentações são de vários tipos; aqui temos três palavras, que significam aflição, e há muitas mais: Deus tem várias varas e nós temos muitos sofrimentos, e tudo porque temos muitos pecados. As nações e as igrejas logo diminuem em número, quando a sua graça também diminui. Se nós somos deficientes no nosso amor a Deus, não é de admirar que Ele nos humilhe em outros aspectos. Deus pode inverter a ordem da nossa prosperidade, e nos dar um *diminuendo* onde tínhamos um *crescendo*; por isto, devemos andar diante dele com grande ternura de espírito, conscientes da nossa dependência do seu sorriso.

40 e 41. Nestes dois versículos, nós vemos como o Senhor voluntariamente gira o rumo da providência. Sem respeitar a grandeza imaginária do homem, Ele abate príncipes e os faz peregrinar no exílio, assim como eles tinham feito peregrinar seus cativos quando os expulsavam, de uma terra a outra; ao mesmo tempo, tendo sempre uma consideração terna pelos pobres e necessitados, o Senhor liberta os aflitos e os coloca em uma situação de consolação e felicidade. No desenrolar da história, isto se repete muitas vezes, e na experiência espiritual, nós observamos a sua contrapartida: os auto-suficientes são levados a desprezar a si mesmos e procurar, em vão, ajuda no deserto da sua natureza, enquanto as pobres almas condenadas são adicionadas à família do Senhor e habitam em segurança, como ovelhas do seu rebanho.

42. *"Os retos veem isto e alegram-se."* A divina providência provoca alegria no povo fiel de Deus; eles veem a mão de Deus em todas as coisas, e se alegram em examinar os caminhos da sua justiça e da sua graça.

"Mas todos os iníquos fecham a boca." O que poderiam dizer? A providência de Deus frequentemente é tão conclusiva nos seus argumentos, que não há o que responder ou questionar. O atrevimento dos ímpios não poderá ser silenciado por muito tempo, mas quando os juízos de Deus são liberados, ele é levado a controlar a sua língua.

43 *Quem é sábio observe estas coisas e considere atentamente as benignidades do Senhor.*

Aqueles que observam as providências nunca ficarão muito tempo sem observar uma providência. É sábio observar o que o Senhor faz, pois Ele é maravilhoso nos seus conselhos; Ele nos deu olhos para ver, e é tolice fechá-los, quando há tanto a observar; mas nós devemos observar com prudência, caso contrário poderemos logo confundir, a nós mesmos e aos outros, com reflexões precipitadas sobre as atitudes do Senhor. De mil maneiras a benignidade do Senhor é exibida, e se observarmos prudentemente, chegaremos a um melhor entendimento dela. Compreender o delicioso atributo da benignidade é tanto agradável quanto lucrativo: aqueles que são proficientes nesta arte estarão entre os mais doces cantores da glória do Senhor.

NOTAS EXPLICATIVAS E DECLARAÇÕES SINGULARES

O Salmo: O Dr. Lowth, na sua vigésima preleção, observa, a respeito deste salmo: "Não há dúvida de que a composição de todo este salmo é completamente admirável; e a parte descritiva acrescenta, pelo menos, a sua parcela de beleza ao conjunto; mas o que deve ser mais admirado é a sua *concisão* e toda a expressividade das palavras, que desperta a imaginação com inimitável elegância. O viajante *cansado* e *confuso*, o cativo *infeliz* na odiosa masmorra, o enfermo e moribundo, o *marinheiro que soçobra* em uma tempestade, são descritos de uma maneira tão comovente, que excedem, e muito, qualquer coisa semelhante, embora nunca tão elaborada". Eu poderia acrescentar que se tal idílio tivesse aparecido em Teócrito ou Virgílio, ou se tivesse sido encontrado, como uma cena de qualquer das tragédias gregas, até mesmo no próprio Ésquilo, provavelmente teria sido produzido como sua obra-prima. – *Adam Clarke*

O Salmo: Eu não acredito que o cuidado especial de Deus pelo seu próprio povo é o significado aqui, mais *indiretamente* do que *diretamente*, e que, portanto, este salmo é composto de modo a ilustrar o cuidado geral de Deus:

1, Porque os súditos das várias libertações são chamados de *remidos do Senhor,* versículo 2, que é o título costumeiro para o povo de Deus.

2, Porque, entre os exemplos dados, estão aqueles que são peculiares ao povo de Deus, como no versículo 3, o retorno dos dispersos de todas as partes do globo, uma bênção singular, prometidas nas profecias ao povo de Deus, veja Salmos 106.47.

3, Os loucos do versículo 17 são aqueles que estão espiritualmente loucos, chegando à morte, como fica claro pelo fato de que são curados pela *palavra* de Deus; o que não é a ordem da providência comum. Os *aprisionados* do versículo 2 são aqueles que, por causa da adoração a Deus, caem em poder de seus inimigos, o que não se pode aplicar a nenhum povo, que não o povo de Deus. Se você entender que eles são os *ímpios*, pois sobre outros pagãos não se pode dizer que tenham sido lançados à prisão por causa do não cumprimento às leis, então a *libertação* não lhes pertence.

4, *Invocar* a Deus, especialmente ao *Senhor* (Jeová), nome pelo qual Ele era conhecido apenas ao seu povo, não se pode aplicar, a menos que em um sentido parcial e diluído, àqueles que estão afligidos no curso geral da providência...

5, Ele ordena que aqueles que são libertados comemorem a bondade divina na *"congregação do povo e na assembleia dos anciãos"*, versículo 32, o que é a característica da verdadeira igreja e sua descrição usual.

6, Finalmente, exemplos de providências gerais não costumam aparecer sob o nome de חֶסֶד, *graça*, que é o que descreve estas libertações, nem exigem ser considerados com tão grande e cuidadosa atenção, como aqui o santo poeta ordena aos piedosos e prudentes: estas coisas são observadas facilmente, e acontecem todos os dias. – *Venema*

O Salmo: O salmo é dividido em cinco partes: as quatro primeiras, aparentemente, descrevem quatro divisões dos israelitas que retornavam, e narram os acidentes particulares que tinham ocorrido a cada grupo em sua jornada, e as graças particulares pelas quais eles deviam ser gratos. A quinta parte descreve o que acontece às nações reunidas, ou a parte delas, quando chegam à terra que era o objetivo da sua jornada – eu penso na restauração ou colonização antes da reunião geral. Não se sabe ao certo se as quatro divisões dos viajantes deveriam vir exatamente dos quatro cantos da terra. As primeiras divisões são claramente descritas (vv. 4,5) como cruzando o deserto e deparando-se com todos os desastres usuais neste caminho. – *John Fry*

O Salmo: Sem insistir em uma aplicação exclusiva deste salmo a Israel, podem ser examinados, eu creio, não indistintamente, os principais incidentes da experiência variável da nação, no linguajar descritivo da parte narrativa.

Nos versículos 4-7, é rapidamente narrada a história do deserto, para o louvor da glória da graça daquele que satisfaz a alma ansiosa e enche a alma faminta de bondade. A forte punição, com aflição nacional, que visitou a casa rebelde, até o seu retorno do seu cativeiro, quando a duração indicada do exílio na Babilônia se completou, parece formar o cenário histórico dos versículos 10-16; mas no seu objetivo profético, esta passagem exigiria uma interpretação muito mais detalhada. Somente a ressurreição de Israel, tanto espiritualmente como politicamente, cumpriria adequadamente estas palavras.

Os sofrimentos da "louca nação" – quando, cheios da indignação do Senhor, eles encontram uma armadilha daquilo que deveria tê-los alimentado, e sofrem sob a pressão de uma fome mais dolorosa do que a fome de pão, até que, em resposta ao seu clamor de angústia, a palavra de saúde salvadora lhes é enviada do alto – parecem ser indicados na divisão seguinte (vv. 17-20). A linguagem usada no versículo 22 está de acordo com isto. Aqueles que tinham tratado diariamente de estabelecer a sua própria justiça, são chamados para oferecer o sacrifício de ação de graças, e para declarar as suas palavras com cânticos.

Além da óbvia força e beleza dos versículos seguintes (vv. 23-30) no seu significado simples e na sua aplicação geral, nós fazemos, creio eu, uma ideia do problema inquietante de Jacó, quando, como um marinheiro irritado e assustado, peregrinou de um lado a outro no grande mar de nações, sem tranquilidade, um peregrino do desprazer do Senhor, sem amigos, até que o tão desejado repouso foi obtido, por fim, sob a fiel orientação daquele que busca o seu povo no dia escuro e nublado. De igual maneira, nós encontramos, no lembrete incentivador de louvor que vem a seguir (v. 32), uma menção ao povo congregado e seus anciãos, que agora são convocados a comemorar nos tranquilos lugares de repouso da terra do Emanuel a sua fiel bondade e o seu poder, que tinham convertido a sua tempestade de aflição, suportada por tanto tempo, no calmo brilho do sol da paz perpétua. – *Arthur Pridham, "Notes and Reflections on the Psalms", 1869*

v. 1: "Louvai ao Senhor". Com nenhum dever nós somos mais lentos e desobedientes, do que com o louvor a Deus, e os agradecimentos a Ele; e para nenhum dever há mais necessidade de que nós sejamos incentivados, como esta fervorosa exortação esclarece. – *David Dickson*

v. 1: "Porque ele é bom", etc. As primeiras palavras do salmo são abundantes de pensamentos a respeito do Senhor. *"Porque ele é bom"*. Esta não é a versão do Antigo Testamento de *"Deus é amor"*? (1 Jo 4.8). E então: "*Porque a sua benignidade é para sempre*". Não é esta a corrente que jorra da fonte do Amor? – a corrente incessante, em cujas margens *"os remidos do Senhor" andam, "os que [Ele] remiu da mão do inimigo"* (Hengstenberg, "*mão de problemas*", צַר). O rico significado destas sentenças não é diminuído pelo fato de que saibamos que elas foram, de tempos em tempos, o refrão do *cântico do altar*. Quando a arca veio ao lugar do seu repouso (1 Cr 16.34), eles cantaram ao Senhor – *"porque é [Ele] bom; pois a sua benignidade dura perpetuamente!"* No templo de Salomão, os cantores e os músicos que tocavam os instrumentos faziam ressoar as resplandecentes paredes do templo recém erigido, com estas mesmas palavras, quando a glória desceu (2 Cr 5.13); e estas foram as palavras que irromperam dos lábios dos adoradores assombrados e deleitados, que viram o fogo descer sobre o altar (2 Cr 7.3). E, nos dias de Esdras (3.11), novamente, tão logo o altar foi erigido, eles cantaram ao Senhor – *"Porque ele é bom; porque a sua benignidade é para sempre"*. O nosso Deus é conhecido como sendo "Amor", principalmente através do sacrifício expiatório que preparou para nos beneficiar. Jeremias (33.11) também mostra como o Israel restaurado exultará neste nome. – *Andrew A. Bonar*

v. 1: "A sua benignidade é para sempre". O apóstolo Paulo nos assegura que o concerto da graça, que é a fonte de toda misericórdia, foi feito antes da fundação do mundo, e ele repete isto, em várias das suas epístolas. O salmista ensina a mesma doutrina, e frequentemente nos convoca para que agradeçamos a Deus, porque a sua benignidade é para todo o sempre – porque a sua benignidade é eterna – e, no texto, porque *"a sua benignidade é para sempre";* a palavra *"é"* é inserida pelos tradutores, pois no original não há um verbo, nem poderia haver, rigorosamente falando; porque não houve um momento em que esta misericórdia não tenha sido exercida, nem haverá alguma ocasião em que não seja exercida. Ela começou antes de todos os mundos, quando foi feito o concerto da graça, e irá continuar até as eras da eternidade, depois da destruição deste mundo. De modo que a *benignidade* era, e é, e será, *"para sempre"*, e o homem infeliz e pecador sempre poderá encontrar alívio nesta eterna benignidade, sempre que a sensação da sua infelicidade o predisponha a buscá-la. E esta razão não nos motiva a *"dar graças"*? Porque com Deus está a benignidade – a misericórdia para apiedar-se dos infelizes – e até mesmo para aliviá-los – embora eles não o mereçam; pois a benignidade pode ser vista na graça gratuita, e no amor não merecido. Ó! Quão adorável, então, e gracioso é este atributo! Como é doce, e cheio de consolação para os culpados. – *William Romaine (1714-1795), "A Practical Comment on the Hundred and Seventh Psalm"*

v. 2: "Remidos". Moisés nos deu, na lei, uma clara e completa ideia do que nós devemos entender com a palavra *goel*, aqui traduzida como *"remidos"*. Se alguma pessoa era vendida como escravo, ou levada como cativa, então seu parente, o mais próximo na linha de sangue, tinha o direito e a justiça de redenção. Mas nenhuma outra pessoa tinha permissão de redimir. E este parente era chamado "o remidor" quando pagava o preço pelo qual seu parente tinha sido vendido como escravo, ou pagava o resgate pelo qual ele tinha sido levado cativo. E há outro exemplo notável na lei, em que era feita a provisão, de que, em caso alguém fosse encontrado assassinado, então o parente consanguíneo mais próximo devia processar o assassino, e levá-lo perante a justiça, e este parente próximo, vingando o assassinato, é chamado pelo mesmo nome, um *remidor*. E de que bela maneira o ofício do nosso grande Remidor é representado nestes três exemplos! Ele foi, para nós, tal Remidor, no campo espiritual, como estes eram, no campo temporal: pois o pecado tinha trazido toda a humanidade à escravidão e ao cativeiro, e nos tinha assassinado... Este Deus Altíssimo, que também se fez homem, unido em um Cristo, veio ao mundo para nos redimir, e sendo a mesma pessoa Deus e também homem, deve ter para nós o mérito, como Deus, do que Ele fez por nós, como homem. De igual maneira, pelos méritos da sua obediência e dos seus sofrimentos, Ele pagou o preço da nossa redenção, e não mais somos servos do pecado; e com o seu precioso sangue, derramado sobre a cruz, com a sua morte e ressurreição, Ele venceu a morte e também aquele que tem o poder da morte, e libertando-nos desta maneira da escravidão e do cativeiro, cumpriu a terceira parte do ofício de Remidor: pois Satanás era, desde o início, o assassino, que tinha desferido tanto ao corpo quanto à alma a ferida mortal do pecado, que era a morte certa e a infelicidade eterna, e o Remidor veio para vingar o assassinato. Ele tomou a nossa causa, sendo nosso parente mais próximo; e vingar a nossa vida lhe custou a sua própria. – *William Romaine*

v. 2: "Da mão do inimigo". De todos os seus pecados, que guerreiam contra as suas almas; de Satanás, o seu implacável adversário, que é mais forte do que eles; da lei, que os ameaça e amaldiçoa, com condenação e morte; da própria morte, o último inimigo, e, na verdade, da mão de todos os seus inimigos, sejam eles quem forem. – *John Gill*

v. 3: "Congregou". Se algo pode nos inspirar com gratidão, este motivo deve prevalecer, porque não podemos deixar de sentir a sua força, pois ele nos lembra daquela infelicidade da qual nós, em particular, fomos remidos. Os *gentios* tinham se afastado de Deus, e estavam tão perdidos e confusos nos labirintos de erro e superstição, que nada, exceto o poderoso amor do nosso Senhor Jesus, poderia tê-los congregado em uma única igreja. – *William Romaine*

v. 3: "[Ele] os congregou". A Siríaca traz, como título deste salmo: Deus recolhe os judeus do cativeiro e os traz de volta da Babilônia; o Filho Unigênito de Deus também, Jesus Cristo, recolhe as nações dos quatro cantos do mundo, chamando o homem para ser batizado. – *E. W. Hengstenberg.*

v. 3: "Do Ocidente". A menção do *ocidente* leva os pensamentos do salmista ao Egito; e à lembrança da escravidão e dos esforços dos ancestrais dos israelitas no Egito, combinada com a descrição em um salmo anterior (105.17) do aprisionamento de José. – *Joseph Francis Thrupp*

v. 4: "Andaram desgarrados", etc. Nestas palavras, não é fácil identificar as pessoas às quais o versículo se refere. Mas esta é uma circunstância que não deve ser lamentada. É até mesmo uma vantagem; ela nos impele a uma interpretação mais espiritual e mais evangélica do assunto. E assim toda a representação é plenamente e facilmente agregada. Pois o povo de Deus são os *"remidos"* – remidos da maldição da lei, dos poderes das trevas, e da escravidão da corrupção. Eles são *"congregados"* – congregados pela sua graça, de todas as diversidades da raça humana; "de todas as nações, e tribos, e povos, e línguas". A despeito do que este mundo seja para os outros, eles o acham um "deserto", onde são frequentemente tentados; mas as suas tentações os incentivam a orar, e a oração lhes traz alívio. E sendo *conduzidos* divinamente, por fim chegam ao seu destino: e esta é a conclusão do conjunto, e se aplica a cada um deles: *"E os levou por caminho direito, para irem à cidade que deviam habitar"*. – *William Jay*

v. 4: "Andaram desgarrados". A sua passagem pelo deserto não foi uma jornada, como quando os homens passam por uma estrada que leva a algum lugar habitado; mas uma *peregrinação*, de um lado a outro, fora de qualquer caminho e estrada, e em um interminável labirinto de desolação. – *Henry Hammond*

v. 4: "Andaram desgarrados pelo deserto", etc. O pecador *perdeu o seu caminho.* Quando estava no mundo, não teve dificuldades; o caminho era tão amplo, que ele não podia errar. Mas quando a obra da graça divina começa a agir em um coração pecador, ele perde o seu caminho. Ele não consegue encontrar o seu caminho para este mundo; Deus o tirou deste caminho, assim como tirou Ló de Sodoma. Ele não consegue encontrar o seu caminho para o céu; porque, atualmente, lhe faltam aqueles claros testemunhos, aquelas claras manifestações com que ele consegue ver o seu caminho. Esta é a sua experiência, ele perdeu o seu caminho, tendo dado suas costas ao mundo; no entanto, é incapaz de perceber na sua alma as alegrias que fariam do céu o seu lar. Ele perdeu o seu caminho de tal maneira, que se virar à direita ou à esquerda, não tem claras referências que lhes mostrem o caminho que a sua alma anseia por percorrer.

Nós não precisamos nos desviar do texto para descobrir onde está o peregrino. "Andaram desgarrados pelo deserto". O deserto é um tipo do que é esta vida para o povo do Senhor. Não há nada que cresça nele e que seja adequado para ser seu alimento ou nutrição. Nele, as serpentes ardentes, voadoras – o pecado e Satanás – estão perpetuamente mordendo e picando-os; e não há nada nele que possa lhes dar algum repouso, doce e sólido. As areias estéreis da carnalidade, abaixo, e o sol escaldante da tentação, acima, ambos lhes negam, igualmente alimento e abrigo.

Mas há uma palavra adicionada que lança uma nova luz sobre a natureza do deserto. "Andaram desgarrados pelo deserto *por caminhos solitários*", um caminho que não tinha sido traçado; um caminho em que cada um deve andar sozinho; uma estrada onde nenhuma companhia o alegra, e sem referências, para orientar seu curso. Este é um sinal particular para o filho de Deus – que o caminho pelo qual ele viaja é, nos seus próprios sentimentos, *"um caminho solitário"*. Isto aumenta os seus exercícios para que pareçam peculiares a ele. As suas perplexidades são tais que ele não consegue crer que elas sejam o exercício de qualquer alma viva; os dardos que são arremessados na sua mente pelo Maligno são tais, que ele pensa que nenhum filho de Deus jamais os sentiu; a escuridão da sua alma, a descrença e a infidelidade do seu coração, e as obras das suas poderosas corrupções, são tais, que ele supõe que ninguém jamais as conheceu, exceto ele mesmo. É este andar *"por caminhos solitários"* que torna o caminho da tentação tão doloroso para a família de Deus. – *J. C. Philpot (1802-1869), em um sermão intitulado "The Houseless Wanderer"*

v. 4: "Por caminhos solitários". A maior parte do deserto, sendo totalmente destituída de água, raramente é visitada por qualquer ser humano, exceto quando as caravanas percorrem a sua cansativa e perigosa rota através dele. Em algumas partes desta terra tão extensa, o solo é coberto com pequenos arbustos, que servem como referências para as caravanas, e fornecem aos camelos uma escassa alimentação. Em outras partes, o peregrino desconsolado, voltando-se para qualquer lado, nada vê ao seu redor, exceto uma extensão interminável de areia e céu; um vazio sombrio e estéril, onde os olhos não encontram nenhum objeto particular para descansar a vista, e a mente fica cheia de dolorosas preocupações de perecer de sede. Rodeado por esta terrível solidão, o viajante vê os cadáveres de aves, que a violência do vento trouxe de regiões mais felizes; e, quando ele reflete sobre a extensão assustadora da distância que ele ainda precisa percorrer, ouve, com horror, o golpe de vento que o guia, o único som que interrompe o terrível repouso do deserto.* – *Mungo Park, 1771-1806(?).**

* Procedimento da African Association

v. 4: "Por caminhos solitários". Veja a razão por que as pessoas em dificuldades apreciam a solidão. Eles estão cheios de tristeza; e a tristeza, se tiver raízes profundas, é naturalmente reservada, e evita toda a convivência. O pesar é algo muito silencioso e privado. As pessoas que conversam e clamam muito a respeito de suas tristezas, nunca estão verdadeiramente tristes. Algumas podem se perguntar *por que as pessoas melancólicas gostam de estar tão sozinhas* e eu lhes digo qual é a razão.

1. Porque os fluidos desordenados de seus corpos alteram seu temperamento, seu humor e sua disposição, de modo que *não são mais os mesmos que costumavam ser;* o seu próprio mau humor é avesso ao que é alegre e divertido; e aqueles que se assombram com eles podem prudentemente indagar por que estão doentes, que é o que serão, se não souberem como evitar isto; mas o mal da melancolia *é tão obstinado, e tão desconhecido a todos, exceto aos que sofrem dele, que nada, exceto o poder de Deus, pode derrotá-lo completamente, e eu não conheço outra cura para ele.*

2. *Outro motivo por que eles preferem ficar sozinhos é* porque *as pessoas, em geral, não se importam com o que eles dizem,* nem acreditam neles, mas os ridicularizam, coisa que não costumam fazer de modo tão cruel com aqueles que sofrem de outros males; e nenhum indivíduo deve ser culpado por evitar a sociedade, quando ela não possibilita às suas palavras a credibilidade que é devida ao resto dos homens. Mas,

3. Outra razão, que é a principal, pela qual as pessoas tristes e em dificuldades preferem ficar sozinhas, é porque *geralmente se consideram escolhidas para serem as marcas do desprazer peculiar de Deus,* e frequentemente, pelas suas agudas aflições, são um terror para si mesmas, e um assombro para os outros. E o seu coração se entristece, ao ver o quanto estão oprimidas, e abatidas, tendo sido antes tranquilas e agradáveis e cheias de esperança, como são os outros, Jó 6.21 (na versão ARA): "Vedes os meus males e vos espantais"; Salmos 71.7: "Sou como um prodígio para muitos". E estar com elas normalmente é desagradável para os outros. Salmos 88.18: "Afastaste para longe de mim amigos e companheiros; os meus íntimos amigos agora são trevas". E, no entanto, não foi assim com os amigos de Jó; ver um homem a quem tinham conhecido feliz, agora tão infeliz, ver alguém a quem tinham visto tão próspero, agora tão pobre, em tanta agonia, em tão terríveis circunstâncias, os afetou tremendamente; ele, pobre homem, tinha mudado, não o conheceram, Jó 2.12,13: "Levantando de longe os olhos e não o conhecendo, levantaram a voz e choraram; e rasgando cada um o seu manto, sobre a cabeça lançaram pó ao ar. E se assentaram juntamente com ele na terra, sete dias e sete noites; e nenhum lhe dizia palavra alguma, porque viam que a dor era muito grande". Como o profeta representa alguém sob grandes aflições espirituais, que "se assenta solitário e fica em silêncio" (Lm 3.28). – *Timothy Rogers (1660-1729) em "Trouble of Mind, and the Disease of Melancholy"*

v. 4: "Não acharam cidade que habitassem"*;* nem mesmo para se alojar, em muitos quilômetros, o que é o caso de viajantes, em alguns lugares, particularmente no deserto da Arábia. Os viajantes espirituais não encontram assentamento, descanso, paz, alegria e consolação, exceto em Cristo; e não, na verdade, neste mundo, e nas cosias dele; aqui, eles não têm cidade permanente (Hb 13.14). – *John Gill*

v. 5: "A sua alma neles desfalecia". A palavra aqui usada, עָטַף (*'āṭap*), significa, exatamente, cobrir, vestir, como com uma veste (Sl 73.6); ou um campo de grãos (Sl 65.13); e, depois, esconder-se (Jó 23.9); e, depois, cobrir com escuridão (Sl 77.3; 102 *título*); assim, indica o estado de espírito, quando as trevas parecem estar no caminho – um caminho de calamidade, perturbação, angústia; de fraqueza, desmaio, debilidade. Aqui, com base na conexão, parece referir-se à exaustão produzida pela falta de comida e bebida. – *Albert Barnes*

v. 6: "E clamaram", etc. Nestas palavras, encontramos três coisas notáveis: em primeiro lugar, a condição da igreja de Deus e do povo, *perturbação e angústia*; em segundo lugar, a prática e o exercício do povo de Deus nesta condição: *"E chamaram ao Senhor"*; em terceiro lugar, o seu sucesso e o bom resultado desta prática: *"E ele os livrou"*, etc. – *Peter Smith, em um sermão pregado à House of Commons, 1644*

v. 6: "E clamaram". A raiz צָעַק tem aqui uma força peculiar: ela indica um clamor do tipo em que qualquer pessoa, quando agitada com uma violenta tempestade de emoção, no extremo de sua dor e ansiedade, sofre um *colapso* e irrompe em *queixas*, como quando os céus enviam trovões e relâmpagos. A ideia original da palavra sendo um *colapso,* indica as queixas e os clamores que eles emitem, ao serem oprimidos por outras pessoas ou ao serem contidos em aflição, implorando a proteção e a ajuda dos outros (Dt 22.24, 1 Rs 20.39, Is 19.20). – *Venema*

v. 6: "Na sua angústia". Observe as palavras: "E clamaram ao Senhor *na* sua angústia". Não *antes*, não *depois*, mas *nela*. Quando eles estavam no meio dela; quando a angústia envolvia as suas cabeças, assim como as algas envolviam a cabeça de Jonas; quando estavam cercados por ela, e não podiam ver a saída; quando, como uma pessoa em um nevoeiro, não viam a saída, nem à frente, nem por trás; quando nada, exceto uma nuvem escura de angústia, envolvia suas almas, e não sabiam que esta nuvem se dispersaria – foi então que eles clamaram. – *J. C. Philpot*

v. 6: "Angústia". "Aflição". A condição da igreja, ou a sua situação mais usual, é estar sob tristezas e aflições. Eu digo, de um modo mais usual: "Porque para sempre não contenderei, nem continuamente me indignarei; porque o espírito perante a minha face se enfraqueceria, e as almas que eu fiz" (Is 57.16). Mas assim como nós dizemos, sobre as diversas vocações e profissões desta vida, este homem tem esta vocação, e aquele homem, outra; e assim como o poeta disse de Hermógenes: Embora ele se calasse (talvez estando adormecido), é um bom cantor, e um músico por profissão; também eu digo, sobre o povo de Deus, que *o seu negócio é suportar a tribulação.* – *Peter Smith*

v. 7: "E os levou". Levou do mundo – levou de uma profissão – de um nome para o qual viver – e também de tudo o que é odioso aos seus olhos santos e puros. – *J. C. Philpot*

v. 7: "E os levou por caminho direito", etc. Alexander traduz este verbo da seguinte maneira: *"E os levou em um caminho direito, para que fossem a uma cidade de residência"*; e acrescenta: "Nenhuma versão exata consegue preservar nem imitar a paronomásia** que se origina da afinidade etimológica entre o primeiro verbo e substantivo, análoga àquela que existe entre *andar* (substantivo) e *andar* (verbo, embora as formas em hebraico sejam apenas similares e não idênticas. A ideia de retidão física necessariamente sugere a de retidão moral ou honestidade, comumente indicada pela palavra em hebraico".

v. 7: "A cidade que deviam habitar", não uma "cidade de *inspeção"*. Muitos (Ó Deus Eterno, será alguém deste grupo?) – olharão para dentro; e "haverá choro e ranger de dentes, quando virdes Abraão, e Isaque, e Jacó, e todos os profetas no Reino de Deus e vós, lançados fora". Não uma cidade de *visitação.* Os cristãos não apenas entrarão, mas habitarão. Eles não mais sairão – é "uma cidade *de habitação"*. Isto transmite a ideia de *repouso.* O cristão agora é um viajante; então, será um residente: agora, está a caminho, então, estará em casa: "Resta ainda um *repouso* para o povo de Deus". Isto nos lembra de uma *condição social.* Não é uma condição; nós iremos participar disto com um grupo incontável que Ele salvou, de entre os homens, com patriarcas, profetas, apóstolos, mártires, nossos irmãos em Cristo. "São concidadãos dos santos e da família de Deus". Isto sugere *magnificência.* Não é uma aldeia, ou uma vila, mas uma *cidade* de habitação. Uma cidade é a mais alta representação da comunidade civil. Houve cidades famosas, mas o que são todas elas, em comparação com esta! – *William Jay*

** **N. do T.:** [Paronomásia: Figura de retórica que consiste em aproximar as palavras cujo som é semelhante, mas cujo sentido é diferente. Por exemplo: *quem casa quer casa* – Houaiss].

v. 8: Ele faz maravilhas para os filhos dos homens; e, portanto, os homens devem louvar ao Senhor. E Ele deve ser ainda mais louvado por causa destas maravilhas, נִפְלָאוֹת (*niplā'ôt*), milagres de misericórdia e graça, são realizados para os *indignos. Eles são feitos* לִבְנֵי אָדָם (*libnê 'Ādām*), para os filhos de *Adão*, os descendentes corruptos de um pai rebelde. – *Adam Clarke*

v. 8: "Louvem ao Senhor", etc. Em hebraico: Que eles confessem ao Senhor, tanto secretamente como publicamente. Isto é todo o pagamento que Deus exige; Ele se satisfaz com que nós tenhamos o consolo das suas bênçãos, para que Ele possa ter a honra delas. Este é todo o pagamento que Cristo espera pelas curas que realiza: Vá e conte o que Deus fez por você. As palavras parecem ser uma recompensa pobre e superficial; mas o nome de Cristo, diz Nazianzo, é "O Verbo de Deus". – *John Trapp*

v. 8: "Para com os filhos dos homens". Nós devemos reconhecer a bondade de Deus para com os filhos dos homens, assim como para com os filhos de Deus; aos outros, como também a nós mesmos. – *Matthew Henry*

v. 9: "Pois fartou a alma sedenta". Esta é a razão que o salmista oferece para o *dever* da gratidão que prescreve. *"A alma sedenta"*, נֶפֶשׁ שֹׁקֵקָה (*nepesh shōqēqâ*), *a alma que se apressa, em fervoroso desejo* de salvação. – *Adam Clarke*

v. 10: "Tal como a que se assenta nas trevas e sombra da morte, presa em aflição e em ferro". Cada filho de Adão, no seu estado natural antes de ser remido, está nas *"trevas"* e *"sombra da morte"*, e está fortemente *"preso"* com as correntes do pecado e da *aflição*, e não há ajuda para ele na terra – o Todo-Poderoso Deus e Salvador é o único capaz de salvá-lo. – *William Romaine*

v. 11: "Como se rebelaram contra as palavras de Deus". No idioma hebraico, há um jogo com sons similares. – *Himru Imree. As palavras de Deus* são aquelas proferidas na *Lei* e pelos *profetas*. *"E desprezaram o conselho do Altíssimo"* – outro jogo com sons similares em hebraico – *Hatzath Naatzu*. – *A. R. Fausset*

v. 12: "Eis que [Ele] lhes abateu o coração". Ó, crente, Deus pode ver que você tem muitos desejos fortes que devem ser subjugados, e que você precisa de muitas e amargas aflições para abatê-los. O seu orgulho e obstinação de coração podem ser fortes, as suas inquietações podem estar profundamente enraizadas, e por isto a parte física deve estar de acordo com eles. – *John Willison*

v. 12: "[Ele] lhes abateu o coração com trabalho". Aquelas paixões exacerbadas pelas quais eles se exaltavam inutilmente acima da lei e da adoração de Deus, Ele enfraqueceu e desacelerou, de modo que eles começassem a se submeter a Deus. A raiz כָּנַע, derivada do idioma árabe, descreve um processo de *enfraquecimento comprimindo as asas* ou encolhendo os dedos, e é apropriadamente aplicada a *aves*, que, quando suas asas são comprimidas são obrigadas a descer ao solo, ou aos homens, que, pelo encolher de seus dedos, perdem a capacidade de trabalhar; e é transferida para *opressões* ou *depressões* de qualquer tipo. – *Venema*.

v. 12: "Tropeçaram, e não houve quem os ajudasse". A aflição então atinge a sua dimensão completa, quando o pecador se apercebe da sua própria fraqueza, e vê que não existe ajuda para ele, exceto em Deus, e somente nele. – *David Dickson*

v. 12: "Tropeçaram". Eles se atiraram, prostrados, a seus pés, pedindo misericórdia; a sua coragem e a sua força lhes falharam, é o significado da palavra, usada em Sl 31.10; aterrorizados com a percepção da ira divina, não puderam ficar em pé diante do Senhor, nem enfrentá-lo.

"E não houve quem os ajudasse." Eles não podiam socorrer a si mesmos, nem havia qualquer criatura que pudesse fazê-lo. Não há salvação em ninguém, senão em Cristo; quando Ele viu que não havia ninguém que o ajudasse naquela obra, o seu próprio braço lhe trouxe a salvação; e quando os pecadores vêm que não há ajuda em ninguém, dirigem-se a Ele. – *John Gill v. 17:* "Loucos". Não há nada mais louco do que um ato de iniquidade; não há sabedoria igual àquela que consiste em obedecer a Deus. – *Albert Barnes*

vv. 17 a 20: "Os loucos, por causa do seu caminho de transgressão e por causa das suas iniquidades, são afligidos. A sua alma aborreceu toda comida" (eles estão tão doentes que não conseguem saborear nada) e "chegaram até às portas da morte", já estão quase lá, estão às margens do inferno; que caminho deve ser tomado, para a sua cura? Na verdade, este: "[*Ele*] *enviou a sua palavra, e os sarou, e os livrou da sua destruição*". Nem mesmo a erva no jardim do mundo pode fazer algum bem a estas criaturas aflitas. Os amigos podem falar, e os ministros podem falar, e até os anjos podem falar, mas tudo será em vão; as feridas são incuráveis a despeito de todas as suas palavras; mas, se Deus se agradar em falar, a alma moribunda revive. Esta palavra é o único bálsamo que pode curar a consciência ferida: "Enviou a sua palavra, e os sarou". A consciência é prisioneira de Deus, Ele a mantém cativa, Ele a acorrenta, de modo que o ferro penetra na própria alma; isto Ele faz com a sua palavra, e, verdadeiramente, somente aquele que encerra pode deixar sair; o mundo inteiro não pode abrir a porta de ferro, abrir as algemas, e libertar o pobre prisioneiro, até que Deus diga a palavra. – *George Swinnock, 1627-1673*

v. 18: "A sua alma aborreceu toda comida". Não é sem ênfase que se diz que o homem doente rejeita o alimento, mas *a sua alma*... A palavra hebraica נֶפֶשׁ, que significa fôlego, e consequentemente um apetite ofegante, é aplicada a um *apetite muito veemente* para o alimento. Quando, portanto, se diz que a *alma aborreceu a comida*, isto é equivalente a dizer *pois o apetite veemente por comida aborrece a comida:* isto *é*, no lugar do apetite por comida, estão oprimidos com repugnância: quando deveriam estar motivados com um desejo agudo por comida, para que as suas forças esgotadas pudessem ser revigoradas, o próprio apetite se torna *repugnância por comida*, o que é uma descrição muito vívida da máxima repugnância, e total prostração de todos os desejos. – *Venema*

v. 18: "A sua alma aborreceu toda comida". Os melhores consolos das criaturas são apenas consolos vãos. Que bem o manjar pode fazer a um homem, quando ele está doente e prestes a morrer? Então o ouro e a prata, as terras e as casas, que são os manjares de um homem cobiçoso, são abomináveis a ele. Quando o homem está doente e à morte, as suas riquezas são sem vida e sem sabor, para ele; esposa e filhos, amigos e conhecidos, podem lhe trazer pouco consolo nesta triste hora, eles frequentemente provam ser maus consoladores: quando nós temos mais necessidade de consolo, estas coisas nos proporcionam pouco ou nenhum conforto. Não é sábio de nossa parte, então, ter um estoque destes consolos, que permaneçam frescos conosco, quando todos os consolos terrenos nos abandonam ou se tornam insípidos para nós? Não é bom ter um estoque daquela comida, de que, por mais doentes que estejamos, nossos estômagos jamais sentem repugnância? Sim, quanto mais doentes estivermos, nossos estômagos mais a apreciarão, e mais fome terão dela, e mais entusiasticamente se alimentarão dela. *A carne de Cristo verdadeiramente é comida* (Jo 6.55). Alimente-se dele, com fé, na saúde e na doença, e você jamais sentirá repugnância dele. A sua carne é a verdadeira comida dos desejos, uma comida que nos satisfaz e nos engorda, mas nunca nos sacia. Um apetite faminto de Cristo, e a doce satisfação nele são inseparáveis, e quanto mais forte é o nosso apetite, maior é a nossa satisfação. E (o que é uma felicidade ainda maior) as nossas almas terão o maior apetite, o estômago mais faminto por Cristo, quando, pelas doenças físicas, nossos estômagos não puderem ingerir, mas abominarem o aroma e a visão da comida mais agradável, e dos deliciosos manjares terrenos. Cuide para que você consiga algo para comer que possa digerir sobre um leito de enfermidade; a sua comida, no leito de enfermidade, é Cristo; todos os outros manjares podem ser abomináveis para você. – *Joseph Caryl*

v. 18: "A sua alma aborreceu toda comida". O caso está ficando desesperador, e não parece haver mais esperança, quando se chega ao último estágio, aqui descrito, *isto é, rejeitar e "aborrecer toda comida".* O estômago já se revolta à visão da comida, e o homem sente esta repugnância por *todos os alimentos.* O que ele mais apreciava, e de que tinha o melhor apetite, agora se tornou muito repugnante, de forma que ao sentir o seu aroma, ele adoece e desmaia. A natureza não se sustenta por muito tempo, com este problema. Continuando esta perda de apetite, e a repugnância até mesmo do aroma do mais simples alimento, isto irá esgotar as energias do paciente. Na verdade, não é sempre uma doença mortal; pode haver uma repugnância total à comida, e até mesmo desmaios com o aroma dela, e o paciente pode, algumas vezes, se recuperar; mas no presente caso, o mal estar tinha continuado por tanto tempo, e tinha ficado tão inveterado, que não havia esperanças, pois *"chegaram",* diz o salmista, *"até às portas da morte".* Aquelas portas metálicas e barras de ferro com que a morte encerra seus prisioneiros na sepultura; você e eu podemos julgar como deve ser grande a resistência destas portas e barras, uma vez que somente uma pessoa foi capaz de rompê-las, e se Ele não tivesse sido mais do que um homem, jamais teria rompido estas portas metálicas, nem cortar estas barras de ferro. – *William Romaine*

v. 18: "Chegavam até às portas da morte". A morte é um grande comandante, um grande tirano, e tem portas para presidir, como os juízes e magistrados costumavam "presidir" às portas. Há três coisas sugeridas nesta frase.

1. Em primeiro lugar, *"Chegavam até às portas da morte",* isto é, estavam *"próximos da morte"*; aquele que se aproxima das portas de uma cidade, está perto da cidade, porque as portas dão entrada à cidade.

2. Em segundo lugar, as portas se referem à morte *como autoridade.* Elas estavam quase na jurisdição da morte. A morte é um grande tirano. Ela governa todos os homens do mundo, os reis e poderosos, e os homens humildes; e os maiores homens temem mais a morte. Ela é "o rei dos terrores", como Jó a chama (Jó 18.14); ai, e o temor dos reis... Por isto é chamada "porta da morte". Ela governa toda a humanidade. Por isto se diz que "reina" (Rm 5.21). A morte e o pecado andam juntos. O pecado era a porta que deixava a morte entrar, e desde então reinou e reinará a morte, até que Cristo, que é o Rei daquele senhor e comandante, e tem as "chaves da morte e do inferno" (Ap 1.18), triunfe perfeitamente. Para os homens ímpios, digo, é um tirano, e tem uma porta; e quando eles passam pela *"porta da morte",* vão para um mundo pior, e inferior, o inferno. É o alçapão para o inferno.

3. Em terceiro lugar, com "*portas da morte"* se entende não apenas a autoridade, mas *o poder da morte;* como no Evangelho: "As portas do inferno não prevalecerão contra ela" (Mt 16.18); isto é, o poder e a força do inferno. Aqui, então, sugere a força da morte, que é muito grande, pois subjuga a tudo. É o executor da justiça de Deus. – *Richard Sibbes*

v. 20: Quando George Wishart chegou a Dundee, onde a praga havia se abatido [1545], ele deu a entender que iria pregar; e com este propósito, escolheu um ponto junto à porta oriental, com as pessoas infectadas do lado de fora, e as saudáveis do lado de dentro. O seu texto foi Salmos 107.20: *"Enviou a sua palavra, e os sarou",* etc. Neste versículo, ele falou sobre o benefício e a consolação da palavra de Deus, da punição que vem pelo desprezo a ela, da prontidão da misericórdia de Deus aos que verdadeiramente se voltam para Ele, e da felicidade daqueles aos quais Deus tira desta infelicidade, etc. Com este sermão, ele incentivou tanto os corações daqueles que o ouviram, que estes não temeram a morte, mas julgaram mais felizes aqueles que iriam partir então, e não os que permaneceriam para trás, considerando que não sabiam quando teriam tal consolador com eles. – *Samuel Clarke (1599-1682), "A General Martyrologie"*

v. 20: "Enviou a sua palavra". A mesma expressão aparece em Salmos 147.15, 18; compare Isaías 55.11. Nós detectamos, nestas passagens, o primeiro indício da doutrina do apóstolo João sobre a ação da Palavra pessoal. A Palavra pela qual os céus foram criados (33.6), é vista como não meramente a expressão da vontade de Deus, mas sua mensageira, sendo mediadora entre Ele e as suas criaturas. É interessante comparar isto com as palavras de Eliú na passagem paralela, de Jó 33.23, onde o que aqui é atribuído à mediação da Palavra é atribuído à ação do "mensageiro ou intérprete". – *J. J. Stewart Perowne*

v. 20: "A sua palavra" que *"os sarou"* era a sua Palavra, a segunda pessoa da Divindade, o nosso Senhor Jesus Cristo, o verbo que se fez carne e habitou entre nós: sobre este Verbo divino, foi predito, no Antigo Testamento, que Ele apareceria com a glória do sol da manhã, trazendo nas suas asas, cura para todos os males; portanto, relata o Novo Testamento, que Jesus percorreu toda a Galileia, pregando o Evangelho do Reino e curando todas as enfermidades e moléstias entre o povo. Ele curou as doenças físicas milagrosamente, para provar que Ele era o Todo-Poderoso Médico da alma. E é notável que Ele jamais rejeitasse ninguém que o procurasse em busca de uma cura exterior, para nos demonstrar que Ele jamais rejeitaria ninguém que o procurasse para uma cura espiritual. – *William Romaine*

v. 20: "E os livrou de sua destruição". De suas covas, ou, de seus sepulcros. Isto é, das mortes das quais eles estavam próximos. Outros traduzem, De suas redes ou armadilhas. Outros, *de suas destruições*, as doenças de que eram prisioneiros infelizes. – *Franciscus Vatablus*

v. 20: "E os livrou de sua destruição". Da destruição do corpo, da beleza e da força dele, pelas doenças; restaurar a saúde é remir a vida da destruição; da sepultura, da cova de corrupção e destruição, assim chamada porque nela o corpo se corrompe, apodrece e é destruído por vermes; e os que se convencem do pecado e são abençoados com graça, perdão e misericórdia, são libertados da eterna destruição de corpo e alma no inferno. – *John Gill*

v. 22: "E ofereçam sacrifícios". Pela sua *cura*, eles deviam fazer um *sacrifício;* e deviam oferecer a *vida* do animal inocente a Deus, assim como Ele ofereceu a *vida* deles; e que assim *confessem* que Deus *os* poupou, quando mereciam morrer; e que *"relatem"* as suas obras "com regozijo"; pois quem não se alegrará quando é libertado da morte? – *Adam Clarke*

Como um exemplar de espiritualização medieval, nós apresentamos o seguinte extrato do eremita de Hampole:

v. 23: "Os que descem ao mar em navios", etc. *Aqueles que* (são verdadeiros prelados e pregadores) *descem* da sublimidade de contemplação *ao mar,* isto é, se adaptam aos humildes, para que também possam ser salvos *em navios*, isto é, na fé, esperança e caridade da igreja, sem o que eles teriam se afogado nas águas do prazer, *e mercando,* isto é, continuam pregando *nas grandes águas*, isto é, entre muitas pessoas, para que possam se tornar pescadores de homens. – *Richardus Hampolitanus*

vv. 23 a 27:

Enquanto nossos navios ainda seguem corajosamente desviados –
Agora, agitados por tempestades, agora retrasados por calmarias;
para contar os terrores das profundezas desconhecidas,
as dificuldades que nós sofremos, as tempestades que desafiamos;
os dilúvios ruidosos derramados pelas nuvens negras,
as terríveis semanas de trevas profundas;
ondas grandes como montes açoitam,
repentinos furacões se lançam contra a vela;
relâmpagos que se precipitam com chama incessante,
iluminam, com uma grande chama, o ar, que queima;
O rugir dos trovões sobre nossas cabeças,
parece abalar o leito cambaleante do oceano:
para contar cada horror na profundeza revelada,
seria necessária uma garganta de ferro, enrijecida dez vezes,
Estas terríveis maravilhas das profundezas eu vi,
que enchem o peito do marinheiro de sagrado assombro;

e que os sábios, com seu vão conhecimento,
julgam ser os fantasmas de um cérebro repleto de ilusão.
– Luis de Camões (1524-1579), em "Os Lusíadas"

vv. 23 a 31: Nenhuma linguagem pode ser mais sublime do que a descrição de uma tempestade no mar, neste salmo. É a própria alma da poesia. A extrema simplicidade das palavras é empregada para transmitir os maiores pensamentos. A imagem não é atulhada; apenas as circunstâncias mais impressionantes são escolhidas; e tudo é natural, simples, e extremamente interessante. O conjunto é uma nobre representação da Providência de Deus, governando no que parece ser a mais ingovernável província da natureza. É Deus quem provoca a tempestade; é Deus quem a acalma. Os sábios deste mundo podem não olhar além das leis físicas, pelas quais Deus atua; mas o Espírito Santo, pelo salmista, vê o terrível conflito dos elementos como obra de Deus. – *Alexander Carson*

vv. 23 a 32: Esta última imagem surge naturalmente da menção ao mar feita no versículo 3; e aqui o salmista pode ter dirigido a sua imaginação à usual tempestuosidade da época em que o salmo foi entoado. – *Joseph Francis Thrupp*

v. 24: "Estes veem as obras do Senhor". Há pecadores que, como Jonas, fugindo da face de Deus, entram no mar, nas preocupações e prazeres do mundo, longe da terra firme da humildade, quietude e graça. Eles se ocupam em muitas águas, em trabalhos desnecessários e prazeres excessivos, e mesmo ali Deus não os abandona, mas faz com que vejam as suas obras e os seus milagres até mesmo nas profundezas dos seus pecados, dando-lhes avisos oportunos e suficientes; e alarmando-os com o temor do abismo. – *Le Blanc, em Neale e Littledale*

vv. 25 a 31:

Pensa, ó alma minha, pensa devotamente,
Como, com olhos assustados,
Viste as amplas profundezas
Surgirem em todos os seus horrores!

A confusão habitava em cada rosto,
e o temor, em cada coração;
Quando onda após onda, e abismo sobre abismo,
subjugam a habilidade do piloto.

Então, de todas as minhas angústias, ó Senhor,
a tua misericórdia me libertou,
e com a confiança da oração
a minha alma se apegou a ti.

Pois, embora suspenso em terríveis redemoinhos
no alto das ondas que quebram,
eu sabia que tu não és lento em ouvir,
nem impotente para salvar.

A tempestade foi acalmada, os ventos retirados,
obedientes à tua vontade;
O mar que rugiu ao teu comando,
ao teu comando se aquietou.

Em meio a perigos, temores e morte,
a tua bondade eu irei adorar.

E louvar-te, pelas tuas misericórdias passadas
e humildemente esperar novas.

A minha vida, se tu a preservares,
Teu sacrifício será;
e a morte, se a morte tiver que ser o meu destino
unirá a minha alma a ti.
– *Joseph Addison*

v. 26: "Sobem aos céus" aqui podem ser três céus. 1. *Coelum aerium*. 2. *Coelum astriferum*. 3. *Coelum beatorum*. Não é no último que eles enfrentam as tempestades, mas nos dois primeiros. – *Daniel Pell, "An Improvement of the Sea", 1659*

v. 26: "Sobem aos céus, descem aos abismos".
Para bombordo seus remos e suas velas se dirigem;
Em uma cordilheira de águas, até o céu
somos elevados, e de novo, para baixo, até o Erebus,
afundando com a onda que cai; três vezes gritaram as rochas
em suas cavernas rochosas, três vezes vimos
a espuma salpicada sobre as luzes do céu.
– *Virgílio*

v. 28: "Clamam ao Senhor". Os seus atributos são muito honrados, quando clamamos a Ele, especialmente em ocasiões de perigo e aflição.

1. Quando você clama a Deus no mar, você honra a sua *soberania*. Deus diz a estas arrogantes ondas: "Até aqui virás, e não mais adiante". Assim, "a tempestade e a saraiva" cumprem a sua vontade, e quando lhe agrada, Ele convoca uma calmaria.

2. A oração, em ocasião de perigo, honra a *sabedoria* de Deus, quando nós não vemos a passagem aberta para que misericórdias e libertação cheguem, conduzindo a Ele o nosso olhar, com fé. "Ele sabe livrar da tentação". Ó, quanta sabedoria de Deus aparece na preservação em tempos de perigo! E não é um bom sinal de misericórdia que se vê quando as pessoas oram, embora todos os caminhos visíveis estejam bloqueados? Isto honra a *sabedoria* de Deus, que, reconhecemos, jamais se confunde nas maneiras de trazer misericórdia e libertação.

3. A *fidelidade* de Deus é muito honrada em ocasiões de perigo, quando clamam a Ele. A fidelidade de um amigo aparece em uma dificuldade: se você puder confiar na sua promessa, a fidelidade de Deus é a melhor coisa a que podem se agarrar homens que estão afundando no mar. E eu posso acrescentar que clamar a Deus honra todos os seus outros atributos. – *John Ryther (1632-1681), "A Plea for Mariners: or, The Seaman's Preacher", 1675*

v. 28: "Então clamam". Tempestades e perigos mortais deixaram de joelhos aqueles que jamais teriam se curvado em uma calmaria: *"Então clamam"*. Se alguém deseja saber em que momento os marinheiros iniciam a tarefa da oração, devo dizer que é quando a morte os olha no rosto. Se você vir os céus encobertos com negra escuridão, as nuvens correndo, e os ventos rugindo por baixo delas; poderá concluir que alguns deles (embora Deus conheça apenas poucos) estão em oração, empenhados nela, com seu Deus. Mas jamais acredite que existe alguma oração entre eles quando os céus estão calmos, não há ventos e os mares estão tranquilos.

Davi não lhe conta sobre a sua oração em um clima bom e confortável, mas que esta oração se dá em ocasiões de tempestades; pois eu creio que nem ele nem eu tenhamos visto muitos deles nestas dificuldades...

Deus ouve mais frequentemente as orações de pessoas aflitas do que ouve, ou pode ouvir, de pessoas que estão tranquilas e fora de perigo. *"Então clamam"*. O filho pródigo estava muito arrogante e decidido a jamais retornar, até que foi humilhado por aflições que o incomodaram e venceram, então seu pai teve notícias dele. Agar era orgulhosa na casa de Abraão, mas foi humilhada no deserto. Jonas estava adormecido no navio, mas desperto e em oração na barriga do grande peixe (Jn 2.1); Manassés viveu em Jerusalém como um libertino, mas quando foi aprisionado, em Babel, seu coração se converteu ao Senhor (2 Cr 33.11,12). Doenças físicas forçaram que muitos, sob o Evangelho, viessem a Cristo, ao passo que outros, que tinham saúde, não o desejaram reconhecer. Poderíamos pensar que o Senhor abominaria ouvir estas orações que são feitas somente pelo medo do perigo, e não pelo amor, realidade, e sinceridade do coração. Não fosse por tantas infelicidades de cegueira, deficiência física, paralisia, febres, etc., nos dias de Cristo, não teria havido aquele rebanho seguindo-o. – *Daniel Pell*

v. 28: "Então clamam ao Senhor". *"Então"*, se é que clamam: daí a frase, *Qui nescit orate, discat navigare* – Aquele que não pode orar, que vá para o mar, e ali irá aprender. – *John Trapp*

v. 28: "Então clamam", etc. Os deuses do mar e dos céus (pois que recurso eu tenho, exceto a oração?) se abstêm de separar as juntas de nossos membros quebrados. – *Ovídio*

v. 29: "Faz cessar a tormenta", etc. A imagem é esta. A humanidade, antes de ser redimida, é como um navio em um mar tempestuoso, agitada com paixões, levada de um lado a outro com suas preocupações, e tão exausta, com variadas tentações, que jamais encontra repouso. Este é o seu estado mais calmo, no sorridente dia da tranquila prosperidade: mas as aflições virão, e aflição do pecado e Satanás, e o mundo incitará uma violenta tempestade, à qual toda a inteligência e força do homem não conseguirão escapar. Logo ele está engolido pelas ondas que devoram; a menos que o mesmo Deus que criou o mar, lhe diga: "Paz, acalma-te". Todos nós estamos na mesma situação em que estavam os apóstolos, quando estavam sozinhos na noite, no meio do oceano, e o vento e as ondas eram contrários; contra os quais eles se esforçavam, remando em vão, até que Cristo veio até eles, andando sobre o mar, e ordenou que os ventos cessassem, e que as ondas se aquietassem. Houve, então, uma grande calma; pois conheceram a voz daquele que lhes tinha dado a existência, e obedeceram. A sua palavra é poderosa para incitar e acalmar a guerra dos mais furiosos elementos. E Ele é tão poderoso, no mundo espiritual, como o é, no mundo natural. Em qualquer alma que Ele entre, Ele ordena que se acalmem todas as paixões dissonantes, e há, realmente, uma abençoada calma. Ó, que o Salvador Todo-Poderoso possa falar com todos vocês, para que possam navegar em um mar sereno, até que vocês cheguem a salvo no porto desejado do eterno repouso! – *William Romaine*

v. 29: Se o marinheiro não pode fazer nada tão sábio – e frequentemente, realmente não pode fazer nada além de confiar no Senhor, assim é conosco, nas tempestades da vida. Como o marinheiro, nós devemos usar meios lícitos para nossa proteção; mas o que são os meios sem a bênção divina? – *William S. Plumer*

v. 30: "Porto desejado". Em uma ocasião como esta doce manhã de abril, realmente, um quebra-mar como este [de Portland] pode parecer de pouco valor, quando as ondas do oceano são suficientes para quebrar-se em contas de brilho variável e criar música sussurrante; enquanto embarcações de todos os tamanhos, incluindo aquelas cujos mastros vemos pelo promontório, velejando com perfeita segurança até o mar aberto. Mas nas ferozes ventanias de novembro ou março, quando os golpes uivantes sopram furiosamente, o canal, e as gigantescas ondas, como montes verdes e brancos, abrem ameaçadoras sepulturas de todos os lados, como seria bem-vindo um porto seguro, de fácil acesso, e colocado em um lugar, na costa, que, não fosse por ele, estaria desprotegida por muitas léguas, dos dois lados! Bendito seja Deus, pela dádiva do seu amado Filho, o único Porto de refúgio para os pobres pecadores agitados pela tempestade! Nós podemos pensar negligentemente nisto agora, mas no dia vindouro de sombras e ira, quando "descer a chuva, e correr os rios, e assoprarem os ventos", somente irão escapar os que ali estiverem abrigados! – *Philip Henry Gosse, "The Aquarium", 1856*

v. 31: "Ó". Este versículo parece incluir a fervorosa sinceridade do espírito do salmista, de que os marinheiros deveriam estar muito gratos e louvar muito e frequentemente ao Senhor, seu libertador de todas as suas aflições. *"Ó"* – ele parece dizer – se eu pudesse fazer com que os homens fizessem isto, seria mais consolador para mim, ele parece dizer, encontrar este princípio nos corações daqueles que trabalham nas grandes águas, do que qualquer outra coisa no mundo, seja qual for. *"Ó"* é uma pequena palavra, que consiste de uma letra, mas nenhuma palavra que o homem venha a proferir com a sua língua sai com esta força e sentimento do coração, como esta. *"Ó"* é uma palavra de grande expressividade, uma palavra dita quando não se consegue dizer mais nada. Esta interjeição frequentemente irrompe do coração por algum pensamento inesperado, ou admiração, ou outro sentimento. – *Daniell Pell*

v. 33: "Ele converte rios em desertos", etc. Deus é o *pai da chuva*. Se Ele retiver este alívio por muito tempo, toda a natureza entra em declínio e tudo o que é verde, morre. A imagem é extraída da Palestina, onde havia apenas duas estações chuvosas por ano, e, se alguma delas tardasse muito tempo, o resultado era assustador. Os canais de rios consideráveis secavam. – *William S. Plumer*

v. 33: "Rios... nascentes". Os profetas comparam uma igreja enriquecida com as graças do céu a um jardim bem regado (Is 58.11; Jr 31.12), ao paraíso de Deus, regado com seus quatro rios frutíferos: pois, assim como tudo o que é útil e ornamental no mundo vegetal é cultivado pela água, também tudo no mundo espiritual é cultivado pelo Espírito Santo. – *William Romaine*

v. 34: "A terra frutífera, em terreno salgado". A Judeia nesta época é um notável exemplo disto (assim como muitas partes da Ásia e África, que já foram muito frutíferas, mas, desde que se tornaram muçulmanas, secas e desertas). Na Judeia, disse alguém, agora se podem encontrar apenas algumas poucas áreas de solo frutífero; de modo que os homens podem imaginar a qualidade da roupa pela excelência dos retalhos. – *John Trapp*

v. 34: "Pela maldade dos que nela habitam". Quando eu me encontro com um agricultor queixoso, e ele me fala de um solo intratável, de uma estação de plantio chuvosa, de um inverno que acontece cedo demais, de uma primavera inóspita, de um verão que não é suficientemente quente, de um outono com muitos ventos, eu lhe falo de um Deus descontente, que se certificará de planejar e utilizar todas as estações e os elementos para os seus mais sábios movimentos e propósitos. – *Joseph Hall*

v. 34: "Pela maldade". Deus tranca as nuvens, porque nós fechamos nossas bocas. A terra se converte em ferro para nós, porque nós endurecemos nossos corações em relação a nossos vizinhos que padecem necessidades. Os clamores dos pobres, pedindo pão, são em voz alta, porque os nossos clamores contra o pecado foram em volume muito baixo. A doença passa de casa em casa, e elimina os pobres habitantes despreparados, porque nós não eliminamos o pecado que a originou. – *Richard Baxter, 1615-1691*

v. 35: "A terra seca, em nascentes". Se Deus aflige, a sua justiça encontra no homem a causa para isto; mas se Ele faz o bem a qualquer homem, é pelo seu próprio prazer, sem nenhuma causa no homem: por isto, aqui não é fornecido nenhum motivo para esta mudança, como foi fornecido na sentença anterior, mas, simplesmente: "[*Ele converte*] *a terra seca em nascentes*". – *David Dickson*

v. 40: "Derrama o desprezo sobre os príncipes". Poderosos soberanos, que foram o terror de todo o mundo, quando desnudados da sua dignidade e do seu poder, se tornam a diversão até mesmo de seus próprios dependentes. – João Calvino.

v. 40: *"Príncipes"*. As pessoas de posição elevada são as mais poupadas, em situações normais, da destituição e da necessidade; assim, quando elas são afetadas, pode-se considerar que a miséria atingiu uma grande dimensão. Nenhuma parte do mundo provavelmente tenha testemunhado tantas e tão grandes inversões deste tipo como as regiões e as nações do Oriente. – *William Walford*

v. 41: "Levanta da opressão o necessitado". Até que altura? Acima do alcance da maldição, que jamais poderá alcançá-lo; acima do poder de Satanás, que jamais poderá destruí-lo; acima da influência reinante do pecado, que "não terá domínio sobre ele"; acima da possibilidade de ser banido da presença de Deus, pois "Israel é salvo pelo Senhor, com uma eterna salvação". Esta é a maneira como Deus levanta o seu povo, instruindo-os nos mistérios da sua palavra, e fazendo com que eles participem das alegrias que ela contém. – *Joseph Irons, 1786-1852*

v. 42: "Os retos veem isto". A palavra aqui traduzida como *"retos"* não é o que as Escrituras usam, normalmente, para indicar pessoas retas ou justas; mas é outra palavra e transmite outra ideia. Ela significa *orientar, endireitar;* e os *"retos"* aqui mencionados são aqueles que estão orientados no caminho correto, e andam, como Enoque, com Deus, no seu caminho, e não no caminho do mundo. E estes *"veem"* a bondade e a misericórdia das atitudes de Deus com a raça pecadora do homem. Eles terão olhos para ver os caminhos da sua providência. A mesma graça que os endireitou, manifestará a eles a racionalidade do plano de redenção. Eles verão e admirarão, e serão gratos pelas maravilhas do seu amor redentor, que estão registradas neste hino divino. – *William Romaine*

v. 42: "Todos os iníquos fecham a boca". *"Iniquidade"* é o significado, aqui, indicando os iníquos; mas o abstrato é mais poético. *"Fecham a boca"*. Literalmente, *de boca fechada;* o que, talvez, possa não ser vernaculizado de maneira imprópria. – *Alexander Geddes*

v. 43: "Quem é sábio", etc. Ou, como pode ser interpretado, com sentido interrogativo: "*Quem é sábio?*", como em Jeremias 9.12 e Oseias 14.9; isto é, espiritualmente sábio, sábio para a salvação; que é levado a conhecer a sabedoria no oculto; pois aqui a referência é aos que são dotados de sabedoria natural, não aos que são conhecedores dos costumes mundanos, e muito menos os que são sábios para fazer o mal. *"Observe estas coisas"*, as notáveis manifestações da Providência divina às pessoas em aflição; as várias mudanças e vicissitudes do mundo; as diversas aflições do povo de Deus e as suas libertações; as maravilhosas obras de Deus na natureza, providência e graça; estas serão observadas, percebidas, armazenadas na mente, e guardadas por aqueles que são verdadeiramente sábios, que sabem como fazer um uso correto e um aproveitamento apropriado delas. *"Considere atentamente as benignidades do Senhor";* cada um dos homens sábios perceberão a bondade de Deus para com os homens, nas diversas dispensações da sua providência para com eles, e o seu amor especial e a sua bondade para com o seu próprio povo, de modo que em todas as suas aflições eles percebam que esta benignidade está no fundo de cada misericórdia e bênção; eles entenderão mais sobre a natureza e a excelência desta bondade, e conhecerão mais o amor de Deus e Cristo, que traz conhecimento. Ou, *a bondade do Senhor será compreendida;* isto é, pelos homens sábios; assim R. Moses, em Aben Ezra traduz as palavras. – *John Gill*

v. 43: "Observe estas coisas", etc. Observe cuidadosamente e anote o que é dito aqui sobre a queda e a recuperação da humanidade, da nossa condição por natureza e por graça. A verdadeira sabedoria consiste de observar estas duas coisas, o que nós somos, em nós mesmos, e o que somos em Cristo; em uma percepção profunda da nossa infelicidade pelo pecado, incitando-nos a procurar o nosso remédio no Redentor. Isto é sabedoria. E quem quer que seja assim sábio para a salvação *"considere atentamente as benignidades do Senhor";* seja capaz de aplicar o que compreende delas, para seu próprio uso e benefício particular. O verbo no original, traduzido como *"considere"* está na conjugação chamada *Hithpael*, que significa agir em si mesmo. Quem quer que observe apropriadamente estas coisas encontra o seu próprio interesse nelas. Ele torna a compreensão destas coisas úteis para si mesmo. Ele não as estuda como uma ciência ou teoria, mas como pontos interessantes pelos quais se interessa, e que, portanto, ele tenta compreender para seu próprio benefício particular. Quando ele ouve sobre as misericórdias do Senhor Jesus, registradas neste salmo, ele deseja participar delas. Quando ele ouve sobre as grandes libertações, asseguradas ao homem pecador arruinado, ele procura ter a sua quota delas. O que está escrito sobre estas pessoas que se desviaram do caminho no deserto e caíram na escravidão do pecado, e foram afligidas com as suas doenças e perturbadas, como um mar tempestuoso, com suas contínuas borrascas, tudo isto ele sabe que era o seu próprio caso, e por isto, a consequência do seu estado próspero, depois que Cristo os libertou, pode ser sua, também, se ele clamar ao Senhor, como eles fizeram, pedindo ajuda. E ele jamais deixa de orar e buscar, até que o bendito Jesus o traz para o porto seguro da igreja, onde ele deseja estar. E se ele encontrar a igreja diminuída e abatida, não se sentirá desencorajado; mas confiará nas promessas do seu Deus, que o exaltarão e o elevarão, colocando-o fora do alcance da calamidade pública. Ele virá a destruir uma igreja infiel; ele observa o que é dito neste salmo, a respeito destas coisas e sabe que é verdade, pela sua própria experiência. E, portanto, a benignidade do Senhor aqui registrada é, para ele, um motivo de extrema alegria, porque ele a vivenciou. Quem é sábio ficará infimamente convencido do conhecimento deste salmo e compreenderá a benignidade do Senhor, e será capaz de aplicar o que compreende para seu próprio benefício, e, portanto, estará continuamente louvando o Senhor pela sua bondade, e declarando as maravilhas que Ele fez pela salvação dos homens. – *William Romaine*

v. 43: "Observe estas coisas". *"Observar* significa não somente contemplar com os nossos olhos; mas também incitar as nossas mentes à consideração de algo, para que possamos melhorar através disto", diz um sério autor. Nesta noção, quantos serão os poucos que observam *"estas coisas"?...*

Se você, observando a providência de Deus, compreender a sua benignidade, e obtiver uma sabedoria espiritual, *deixe seu olho influenciar seu coração.* Mollerus nos diz aqui a intenção da observação: *unde ad pietatem exuscitemur, ut inde meliores evadamus,* "que nos desperte à piedade e nos ajude a melhorar". Há muitos observadores da providência descuidados, que na realidade veem *eventos* em lugar de providências; eles veem grande parte do que acontece no mundo, mas não consideram nestas coisas nada de Deus... Eles se comportam de acordo com o livro da providência, como Agostinho se queixou sobre si mesmo, no seu estado não regenerado, de seu comportamento em relação ao livro das Escrituras; ele trazia mais *discutiendi acumen,* do que *discendi pietatem.* Assim os homens trazem às grandes obras de Deus um olhar perspicaz e inteligência para descobrir as causas imediatas, e razões naturais e políticas, não apresentando *um coração humilde, que treme* para que possam aprender com elas mais para reconhecer, *amar, temer, adorar* e reverenciar o grande e poderoso Deus cujas obras são tão preciosas. Que a sua não seja uma observação deste tipo: mas que os seus olhos, contemplando Deus nas suas dispensações providenciais, influenciem seu coração com aquela adoração e veneração, aquele amor e temor do Deus grande e poderoso, que tais obras de Deus realmente esperam de você. – *John Collinges (1623-1690), "Several Discourses Concerning the Actual Providence of God"*

v. 43: "Observe estas coisas". Estas obras poderosas de nosso Salvador e nosso Deus, ao resgatar as suas frágeis criaturas do deserto do erro – da corrente asquerosa da luxúria carnal, – da doença mortal de uma natureza corrupta – e da selvagem tempestade da paixão terrena, merecem a alegria considerada de todos os que desejam ser servos fiéis do seu Senhor. A boca da descrença e as desculpas da iniquidade são interrompidas pela visão das maravilhas da misericórdia que dura para sempre. "O acusador dos irmãos" é silenciado e derrubado. Os verdadeiramente sábios ponderarão estas coisas, pois no conhecimento delas está a verdadeira sabedoria; e com esta ponderação, se abrirá diante deles, ainda mais clara, a revelação daquele amor poderoso do seu Pai eterno que excede todo entendimento, e é mais vasto do que todo o pensamento. – *Plain Commentary*

v. 43: Que grande volume poderia ser escrito, *de observandis Providentae*, a respeito das coisas que se podem observar da Divina Providência. Eu vi um quadro (uma daquelas obras que chamamos de arte para a cozinha) a respeito da qual me tinha sido proposto que, por algumas horas, eu deveria examiná-la com tanta curiosidade como pudesse; e a pessoa que me fez esta proposta se empenharia em me mostrar algo nela que eu não tivesse observado. Verdadeiramente, a Providência é algo assim; jamais poderei examiná-la, jamais poderei inserir as impressões dela nos meus pensamentos, mas alguma observação nova a infiltra nos meus pensamentos. Eu devo desviar os meus olhos desta maravilhosa obra, pois vejo que os meus olhos não ficarão satisfeitos apenas em ver, e a minha mente não se encherá com a observação. – *John Collinges*

v. 43: Quando falamos do amor e da benevolência de Deus para com o seu povo, nós somos propensos a entender, com isto, nada menos que agradáveis providências, agradáveis aos nossos sentidos: a *"benignidade"* de Deus não somente é vista em agradáveis dispensações, mas em providências adversas também: "o Senhor corrige o que ama e açoita a qualquer que recebe por filho"; "todas as minhas coisas são tuas", diz o apóstolo. Este conhecimento deve ser obtido por *observação*. – *John Collinges*

SUGESTÕES AOS PREGADORES

O Salmo. Este salmo é como a casa do Intérprete, em *O Peregrino*, de Bunyan. O peregrino é informado de que ali verá coisas excelentes e lucrativas. A mesma promessa é feita na introdução deste salmo, onde temos,

I. A origem destas coisas excelentes – a bondade e a misericórdia de Deus, que tudo tolera; a misericórdia não é esgotada pela indignidade daqueles a quem ela se destina.

II. O seu reconhecimento: "Digam-no os remidos do Senhor". Os homens não o reconhecerão, mas os remidos do Senhor, sim. É esta experiência que é pictorialmente representada neste salmo. Que cada pessoa fale de Deus como quiser. Ele é bom quando tira, assim como quando dá? "Digam-no os remidos do Senhor". Ele é misericordioso quando repreende, assim como quando sorri? "Digam-no os remidos do Senhor". Ele faz com que todas as coisas trabalhem para o bem daqueles que o amam? "Digam-no os remidos do Senhor".

III. O seu fim. Louvor e agradecimentos: "Louvai", etc.

1, Por graças, em geral;

2, pela redenção;

3, por libertações especiais. – *G. R.*

vv. 1 e 2. O dever do louvor é universal, a sua verdadeira apresentação permanece com os remidos. A redenção particular deve levar ao louvor especial, o testemunho especial à verdade e fé especial em Deus: "Digam-no os remidos do Senhor".

v. 3. A congregação dos eleitos.

I. Todos peregrinavam.

II. Os seus caminhos eram diferentes.

III. Todos observados pelo Senhor.

IV. Todos trazidos a Jesus, como a um único centro. Observam caminhos e ocasiões para a congregação.

v. 4. Judeus peregrinos. Exemplificam o vagar de uma mente em busca de verdade, paz, amor, pureza, etc.

vv. 4 a 10. As palavras contêm um breve relato da queda do homem e da sua desgraça, e da sua restauração por Jesus Cristo, que são descritos com estes detalhes.

I. A condição perdida dos homens, por natureza.

II. Eles são levados a uma percepção correta dela, e clamam ao Senhor Jesus, em busca de libertação.

III. Ele os ouve e os liberta de todas as suas aflições.

IV. O tributo de agradecimento devido a Ele, por esta grande libertação. – *W. Romaine*

v. 5. A fome espiritual é a causa da fraqueza. A necessidade de alimentar a alma.

v. 7. A graça divina estimula nossos esforços. "E os levou... para irem".

v. 8. Aquele que recebe a ajuda de Deus deve anotar,

1, em que aflição ele estava;

2, como ele invocava a Deus;

3, como Deus o ajudou;

4, os agradecimentos que ele rendeu; e,

5, os agradecimentos que ele deve render. – *Lange's Commentary.*

v. 9. Um grande fato geral. A condição, o benfeitor, a bênção – "bondade", o resultado – "fartar". Então, o resultado adicional do louvor, como visto no versículo 8.

vv. 12 e 13. I. A condição abjeta da alma condenada – humilhada, exausta, prostrada, abandonada.

II. A sua rápida libertação. Clamaram, clamaram quando em aflições, ao Senhor, Ele os livrou da sua aflição.

v. 13. O trabalho do homem e o trabalho de Deus. *Eles* clamaram e *Ele* livrou.

v. 14. Deus dá a luz, a vida, e a liberdade.

v. 17, etc. Um resgate da morte, com o retorno do louvor. – *R. Sibbe's Works, Vol VI; edição de Nichols.*

vv. 17 a 21. I. A aflição dos doentes.

II. A sua cura, pelo Grande Médico.

III. O seu comportamento agradecido a Ele. – *W. Romaine*

v. 17 a 22. Uma visita ao hospital de Cristo.

I. Os nomes e as descrições dos pacientes. – "loucos"; todos os pecadores são loucos.

II. A causa de suas dores e aflições – "por causa do seu caminho de transgressão", etc. III. O progresso da doença – "A sua alma aborreceu toda comida"; e "chegaram até às portas da morte".

IV. A intercessão do médico – "então, clamaram", etc., vv. 19,20.

1, Observe, quando o médico entra – quando eles "clamam", etc.

2, O tipo de oração – um clamor.

3, O que o médico fez – "livrou", "sarou", "livrou".

4, Como isto se realizou – "Enviou a sua palavra", etc.

V. O comportamento consequente dos que foram curados; louvaram a Deus pela sua bondade. E acrescentaram sacrifício a este louvor, v. 22. Além do sacrifício, os curados começaram a oferecer cânticos – "sacrifício de louvor". E acrescentaram uma declaração de alegria – "relatem as suas obras com regozijo".

v. 18. A alma enferma, sem apetite para convites, encorajamentos, ou promessas, independentemente de como são apresentados. O leite é comum demais, a carne vermelha é pesada demais, o vinho é quente demais, o maná é leve demais, etc.

v. 18. E nos ensina que até mesmo o apetite, para a nossa carne, é uma boa dádiva do Senhor; também que quando os homens estão em situações muito extremas, então Deus se aproxima deles. – *T. Wilcocks.*

v. 20: A recuperação das doenças deve ser atribuída ao Senhor, e a gratidão deve fluir, por causa disto. Mas o texto descreve a doença espiritual e mental.

Observe, I. O paciente na sua situação extrema.

1. Ele é um louco: por natureza, propenso ao mal.

2. Ele se faz de louco (veja v. 17), "transgressão", "iniquidades".

3. Agora, ele perdeu todo o apetite e já está além da possibilidade de cura.

4. Ele está às portas da morte.

5. Mas começou a orar.

II. A cura, na sua simplicidade.

1. Cristo, o Verbo, é a cura essencial. Ele cura a culpa, os hábitos, a depressão e os péssimos resultados do pecado. Para cada forma de doença, Cristo tem a cura; assim, os pregadores devem pregar muito a respeito dele e meditar muito sobre Ele.

2. A Palavra, no Livro, é a cura instrumental: os seus ensinamentos, doutrinas, preceitos, promessas, encorajamentos, convites, exemplos.

3. A palavra do Senhor, pelo Espírito Santo, é a cura que é aplicada. Ele nos leva a crer. Ele deve ser buscado pela alma doente. Ele deve receber a confiança daqueles que desejam trazer outros até o Grande Médico.

v. 26. Os altos e baixos da experiência de um pecador condenado.

v. 27. O pecador, desperto, se confunde e se assusta.

vv. 33 e 34. A cena que aqui se abre com uma paisagem de fertilidade e beleza é repentinamente alterada e passa para um deserto seco e estéril. Os rios são secos, as nascentes deixam de fluir em meio às montanhas, e os pastos verdejantes estão desnudos. A razão atribuída para isto é "a maldade dos que nela habitam". Esta imagem não precisa de interpretação para o povo de Deus. É precisamente o que acontece dentro deles, depois que caíram em pecado. – *G. R.*

v. 34. A maldição, a causa e a cura da esterilidade em uma igreja.

v. 35. A esperança para as igrejas decaídas está em Deus; Ele pode operar uma transformação maravilhosa, Ele realmente faz isto – "converte": Ele fará isto, quando a causa da esterilidade for removida pelo arrependimento.

vv. 35 a 38. Aqui novamente a cena muda. As nascentes novamente jorram, os lagos calmos novamente repousam em meio à folhagem e às flores, os montes são revestidos com vinhas luxuriantes, e os campos estão cobertos de grãos; a fartura abunda, tanto no campo como na cidade, e os homens e o gado se multiplicam. Esta imagem, também, tem a sua contrapartida na santidade experimental. "Em lugar do espinheiro, crescerá", etc. "O deserto e os lugares secos se alegrarão", etc. Uma cena antecede a oração, a outra a segue. Um deserto assolado antes, o jardim do Éden depois. – *G. R.*

vv. 39 a 41. A cena novamente é revertida. Há uma mudança, outra vez, da liberdade à opressão; da abundância à falta; da honra ao desprezo. Então, novamente aparece uma renovação. Os pobres e aflitos são exaltados, e os enlutados têm "famílias como rebanhos". Estas são as cenas variáveis pelas quais o povo de Deus é conduzido; e tal é a experiência pela qual eles são adequados às alegrias puras, perfeitas e perpétuas do céu. – *G. R.*

vv. 42 e 43. Estas surpreendentes mudanças são de utilidade,

1, Para a consolação dos santos; eles observam com prazer estas dispensações: "Os retos veem isto e alegram-se", na glorificação dos atributos de Deus e na manifestação do seu domínio sobre os filhos dos homens.

2. Para o silenciar dos pecadores: "todos os iníquos fecham a boca"; *isto é,* será uma condenação total da loucura daqueles que negam a presença divina.

3. Para a satisfação de todos, a respeito da bondade divina: "Quem é sábio observe estas coisas" – estas várias dispensações da divina providência – "considere atentamente as benignidades do Senhor". – *M. Henry*

v. 43. A melhor observação e a mais nobre compreensão.

SALMO 108

TÍTULO E TEMA

Salmo de Davi. Canção – A ser cantado de modo jubiloso, como um hino nacional, ou de modo solene como um salmo sagrado. Nós não vemos como descartar este salmo, simplesmente enviando o leitor a Salmos 57.7-11 e então a Salmos 60.5-12, embora vejamos, imediatamente, que estes dois trechos das Escrituras são praticamente idênticos aos versículos diante de nós. É verdade que muitos dos comentaristas fizeram isto, e não somos tão presunçosos a ponto de questionar a sua sabedoria, mas nós acreditamos que as palavras não teriam sido repetidas se não houvesse um propósito para fazer isto, e este não teria sido alcançado se cada ouvinte tivesse dito: "Ah, nós já ouvimos isto antes, e por isto não precisamos meditar sobre isto outra vez". O Espírito Santo não conta com uma quantidade tão pequena de expressões a ponto de precisar se repetir, e a repetição não pode ter o mero objetivo de encher o livro: deve haver alguma intenção na colocação de duas declarações divinas anteriores em uma nova conexão; se conseguimos descobrir qual é esta intenção, já é outra questão. Pelo menos devemos nos empenhar em fazê-lo, e podemos esperar a assistência divina nesta tarefa.

Temos diante de nós O Cântico Matinal do Guerreiro, com que ele adora o seu Deus e fortalece o seu coração antes de entrar nos conflitos do dia. Assim como um velho oficial prussiano estava acostumado, na oração, a invocar a ajuda do "Augusto Aliado de sua Majestade", também Davi apela ao seu Deus e arvora o seu pendão no nome do Senhor.

DIVISÃO

Em primeiro lugar, nós temos uma declaração ditada pelo espírito de louvor (vv. 1-5); então uma segunda mensagem evocada pelo espírito da oração que é feita com fé (vv. 6-12); e então uma mensagem final de resolução (v. 13), quando o guerreiro ouve a trombeta de guerra, convocando-o a participar da batalha imediatamente, e por isto marcha com seus companheiros imediatamente para a peleja.

EXPOSIÇÃO

1 *Preparado está o meu coração, ó Deus; cantarei e salmodiarei com toda a minha alma.*
2 *Despertai, saltério e harpa! Eu despertarei ao romper da alva.*
3 *Louvar-te-ei entre os povos, Senhor, e a ti cantarei salmos entre as nações.*
4 *Porque a tua benignidade se eleva acima dos céus, e a tua verdade ultrapassa as mais altas nuvens.*
5 *Exalta-te sobre os céus, ó Deus, e a tua glória sobre toda a terra,*

Estes cinco versículos são encontrados em Salmos 57.7-11, quase literalmente: a única alteração importante está no uso do grande nome de Senhor no versículo 3, em lugar de Adonai, em 57.9. O leitor de língua portuguesa (na versão ARC) somente será capaz de perceber isto pelo uso das maiúsculas, neste salmo, e não no Salmo 57. Existem outras alterações pequenas, mas o principal ponto de diferença provavelmente está na *posição* dos versículos. No capítulo 57, estas notas de louvor seguem a oração e se originam dela; mas, neste caso, o salmista começa imediatamente a cantar e louvar, e posteriormente ora a Deus, de uma maneira notavelmente confiante, de modo que parece mais tomar posse da bênção do que suplicar por ela. Às vezes, nós devemos subir pela escada da oração, para poder louvar, e em outras ocasiões nós devemos bendizer a Deus pelo passado, para sermos capazes, pela fé, de pedir pelo presente e pelo futuro. Com a ajuda do Espírito Santo nós podemos orar, ou louvar ao Senhor até que estejamos em um estado adequado para a oração. No Salmo 57, estas palavras são um cântico entoado na caverna de Adulão, e são o resultado da fé que inicia as suas batalhas entre inimigos domésticos, do tipo mais perverso: mas aqui elas expressam a resolução continuada e o louvor de um homem que já suportou muitas campanhas, superou todos os conflitos domésticos e anseia por conquistas, em todo lugar. A passagem serviu como um encerramento adequado para um salmo, e é uma abertura igualmente digna de nota para outro. Com muita frequência, nós não podemos nos decidir a exaltar ao Senhor; nem podemos jamais hesitar em usar as mesmas palavras, ao nos aproximarmos dele, pois o Senhor, que não pode suportar vãs repetições, está igualmente cansado de variações inúteis. Algumas expressões são tão admiráveis que devem ser usadas novamente: quem deixaria de lado um cálice porque já bebeu dele antes? Deus deve ser servido com as melhores palavras, e quando nós as tivermos, certamente serão suficientes para serem usadas duas vezes. Usar as mesmas palavras continuamente, e jamais pronunciar um novo cântico, mostraria grande preguiça, e levaria a um formalismo morto, mas não devemos considerar a novidade de linguajar como sendo essencial para a devoção, nem buscá-la como uma necessidade urgente. Pode ser que o nosso Pai celestial aqui deseje nos ensinar que, se não formos capazes de encontrar uma grande variedade de expressões adequadas em devoção, não devemos nos afligir, nem um pouco, mas devemos orar ou louvar, "usando as mesmas palavras".

1. *"Preparado* [*ou, "firme"*] *está o meu coração, ó Deus."* Embora eu tenha muitas guerras que me perturbam, e muitas preocupações que me agitam de um lado a outro, estou decidido e não posso ser desviado da minha decisão. O meu coração irá se estabelecer e permanecer em uma resolução. A tua graça superou a inconstância da natureza, e agora eu estou em um estado de espírito resoluto e determinado.

"Cantarei e salmodiarei." Com voz e com música te exaltarei. – "Cantarei e tocarei", alguns interpretam. Embora eu tenha que gritar na batalha, também cantarei na minha alma, e se meus dedos precisarem estar engajados com o arco, também tocarão as dez cordas do instrumento, e exibirão teu louvor!

"Com toda minha alma" – com meu intelecto, minha língua, meu talento poético, minha habilidade musical, ou o que quer que me faça ser reconhecido e me confira honra. É minha glória ser capaz de falar e não ser um animal mudo, por isto a minha voz expressará o teu louvor; é minha glória conhecer a Deus e não ser um

pagão, e por isto meu intelecto instruído te adorará; é minha glória ser um santo, e não mais um rebelde, por isto a graça que eu recebi te bendirá; é minha glória ser imortal e não um mero animal que perece, por isto a minha vida mais íntima celebrará a tua majestade. Quando ele usa o futuro, ele supõe que poderá haver alguma tentação a refrear, mas isto ele deixa de lado, e com o coração preparado e firme, se prepara para a alegre atividade. Aquele que canta com o coração preparado e firme provavelmente irá continuar cantando, e todo o tempo cantará bem.

2. *"Despertai, saltério e harpa."* Como se ele não pudesse ficar satisfeito somente com a voz, mas precisasse usar as cordas bem afinadas e transmitir a elas um pouco da sua própria vitalidade. As cordas são coisas maravilhosas quando alguns homens as tocam, elas parecem se solidarizar e se incorporar ao menestrel, como se a sua própria alma fosse dividida com elas e se emocionasse com elas. Somente quando uma alma completamente arrebatada fala no instrumento, a música pode ser aceitável para Deus: pelo mero som musical, o Senhor pode não ter prazer, Ele somente se agrada com o pensamento e o sentimento que são expressos pela música. Quando um homem tem talento musical, ele deve considerá-lo como um poder adorável demais para estar envolvido na causa do pecado. Charles Wesley disse bem:

"Se bem conheço a arte agradável
de cativar um coração humano,
seja tua, Senhor, a glória.
Um servo de tua bendita vontade,
aqui devoto todo o meu talento
para tocar o louvor divino.

Inspira, Senhor, o teu próprio músico,
E permite que a minha lira consagrada
repita a parte do salmista.
Revela em mim o teu Filho,
e enche com santa melodia
as fibras do meu coração".

"Eu despertarei ao romper da alva." Eu invocarei o amanhecer. As melhores horas do dia me encontrarão devotadamente desperto, para bendizer o meu Deus. Alguns cantores têm necessidade de despertar, pois cantam lentamente, como se estivessem meio adormecidos; a melodia se arrasta, não há sentimento no canto, mas o ouvinte ouve apenas um som mecânico e monótono, como se o coro moesse as notas de um velho realejo. Ó, membros do coro, despertem, pois este não é um trabalho para sonhadores, mas um trabalho que exige a sua melhor capacidade, na sua condição mais vital. Em toda a adoração, esta deve ser a decisão pessoal de cada adorador: "Despertarei".

3. *"Louvar-te-ei entre os povos, Senhor."* Não importa quem venha a me ouvir, devoto ou profano, crente ou pagão, civilizado ou bárbaro, eu não cessarei a minha música. Davi pareceu inspirado para prever que o seu salmo seria cantado em todas as terras, desde os montes gélidos da Groenlândia, até a costa de corais da Índia. O seu coração era grande, ele desejava que toda a raça humana ouvisse a sua alegria em Deus, e ele teve o seu desejo satisfeito, pois o seu salmo é cosmopolita; nenhum poeta é tão universalmente conhecido como ele. Ele tem um único tema, ele canta o Senhor, e ninguém mais, e a sua obra, sendo assim feita de ouro, prata e pedras preciosas, suportou a terrível provação do tempo, e jamais foi mais valorizada do que nestes dias. Homem feliz, tendo escolhido ser o músico do Senhor, ele mantém o seu cargo de Poeta laureado do reino do céu, e o manterá até o dia do juízo final.

"E a ti cantarei salmos entre as nações." Isto está escrito, não apenas para completar o paralelismo do versículo, mas para reafirmar a sua firme resolução. Ele queria marchar para a batalha, louvando ao Senhor, e quando tivesse conquistado,

faria com que as cidades capturadas soassem com louvores ao Senhor. Ele levará consigo a sua religião onde quer que as suas conquistas o levem, e os derrotados não deveriam ouvir os louvores de Davi, mas as glórias do Senhor dos exércitos. Deus permita que, onde quer que os cristãos professantes vão, levem os louvores do Senhor consigo! É algo a ser temido que alguns deixem suas religiões para trás, quando saem de suas casas. As nações e os povos logo conheceriam o Evangelho de Jesus se cada viajante cristão fosse tão intensamente devotado como o salmista. Ai, é algo a temer que o nome do Senhor seja profanado, e não honrado, entre os pagãos, por muitos que são chamados pelo nome de Cristo.

4. *"Porque a tua benignidade se eleva acima dos céus"*; portanto, não deve haver limite de tempo, nem lugar, ou povos, quando esta benignidade for exercida. Assim como os céus cobrem toda a terra, e do alto desce a benignidade sobre os homens, também tu serás louvado em todos os lugares debaixo do céu. A benignidade é mais elevada do que os montes, ainda que estes perfurem as nuvens; a terra não pode contê-la, ela é tão vasta, tão ilimitada, tão excessivamente alta que os próprios céus são superados por ela.

"E a tua verdade ultrapassa as mais altas nuvens." Até onde nós conseguimos ver, contemplamos a tua verdade e a tua fidelidade, e há muito mais, que está oculto na nuvem, mas estamos certos de que tudo é benignidade; embora esteja muito alto, e fora do alcance da nossa visão. Portanto, o canto será elevado, e o salmo irá ressoar sem limitação da reverberação da música. Aqui há um amplo espaço para o mais alto coro, e um assunto que motiva trovões de louvor.

5. *"Exalta-te sobre os céus, ó Deus, e a tua glória sobre toda a terra."* Que o teu louvor esteja de acordo com a grandeza da tua misericórdia. Ah, se nós medíssemos assim a nossa devoção, com que fervor cantaríamos! Toda a terra, com a sua abóbada, pareceria uma orquestra muito limitada, e todas as faculdades, de toda a humanidade, pequenas demais para o louvor. Os anjos seriam chamados em nosso auxílio, e certamente viriam. Eles virão no dia em que toda a terra estará cheia com os louvores ao Senhor. Nós ansiamos pela ocasião em que Deus será adorado universalmente, e a sua glória no Evangelho será dada a conhecer, em todos os lugares. Esta é verdadeiramente uma oração missionária. Davi não tinha a exclusividade dos judeus modernos, nem a visão limitada de alguns cristãos nominais. Por causa de Deus, para que a sua glória possa ser revelada em todos os lugares, ele desejava ver o céu e a terra cheios do louvor divino. Amém, assim seja.

6 *para que sejam livres os teus amados; salva-nos com a tua destra e ouve-nos.*
7 *Deus falou no seu santuário: Eu me regozijarei; repartirei a Siquém e medirei o vale de Sucote.*
8 *Meu é Galaade, meu é Manassés; Efraim é a força da minha cabeça; Judá, o meu legislador.*
9 *Moabe, a minha bacia de lavar; sobre Edom lançarei o meu sapato; sobre a Filístia jubilarei.*
10 *Quem me levará à cidade forte? Quem me guiará até Edom?*
11 *Porventura, não serás tu, ó Deus, que nos rejeitaste? E não sairás, ó Deus, com os nossos exércitos?*
12 *Dá-nos auxílio para sairmos da angústia, porque vão é o socorro da parte do homem.*

Agora a oração se segue ao louvor, e deriva força da fé e santa coragem dele. É frequentemente melhor começar a adoração com um hino, e então apresentar os nossos vasos depois que as harpas tenham começado a emitir seus doces sons.

6. *"Para que sejam livres os teus amados: salva-nos com a tua destra e ouve-nos."* Que a minha oração seja benéfica a todos os amados. Às vezes, uma nação parece depender das súplicas de um homem. Com que ardor este homem deve derramar a sua alma! É o que Davi faz aqui. É fácil orar pelos amados do Senhor, pois nós estamos certos de uma resposta favorável, uma vez que o coração do Senhor já está

disposto a fazer-lhes o bem: e é um trabalho solene suplicar quando nós sentimos que a condição de toda uma nação adoradora depende daquilo que o Senhor pretender fazer conosco, a quem Ele colocou em uma posição de representantes. "Ouve-nos para que sejam livres os teus amados" é uma oração urgente. Davi sentia que o caso requeria a *destra* de Deus – a sua intercessão mais sábia, mais rápida e mais eficiente, e ele tem certeza de obtê-la para si mesmo, uma vez que a sua causa envolvia a segurança do povo escolhido. O Senhor deixará de usar a sua mão direita de poder, para o benefício daqueles aos quais Ele colocou à sua destra de benevolência? Os amados não serão libertos por aquele que os ama? Quando o nosso caso não for um caso egoísta, mas estiver dedicado à causa de Deus, poderemos ser muito corajosos a este respeito.

7. *"Deus falou no seu santuário."* Anteriormente, o Senhor tinha feito grandes promessas a Davi, e estas tinham sido asseguradas pela sua santidade. Os atributos divinos foram empenhados na questão de dar ao filho de Jessé grandes bênçãos: não houve o temor de que o Deus do concerto recuasse em relação à sua palavra empenhada.

"Eu me regozijarei." Se Deus falou, nós podemos nos alegrar: o próprio fato de uma revelação divina é uma alegria. Se o Senhor tivesse pretendido nos destruir, Ele não nos teria falado, como falou. Mas o que Deus falou é uma nova razão para alegria, pois Ele declarou "as misericórdias de Davi" e prometeu estabelecer a sua semente no seu trono, e subjugar todos os seus inimigos. Davi se alegrou enormemente depois que o Senhor falou com ele, por intermédio da boca de Natã. Ele se assentou diante do Senhor, em uma alegria maravilhosa. Veja 1 Crônicas 17, e observe que, no capítulo seguinte, Davi começou a atuar vigorosamente contra os seus inimigos, assim como ele promete fazer neste salmo.

"Repartirei a Siquém." As conquistas domésticas acontecem em primeiro lugar. Os adversários devem ser desalojados do território de Israel, e as terras devem ser devidamente estabelecidas e administradas.

"E medirei o vale de Sucote." Do outro lado do Jordão, assim como deste lado, a terra deve ser arrumada e protegida contra todos os peregrinos saqueadores. Há um regozijo que leva à inércia, mas não aquele que está fundamentado em uma fé viva na promessa de Deus. Veja como Davi ora, como se já tivesse obtido a bênção e pudesse reparti-la entre os seus homens: este é o resultado de ter cantado tão sinceramente ao Senhor, seu ajudador. Veja como ele se decide a agir, como um homem cujas orações são somente uma parte da sua vida, e uma porção vital da sua ação.

8. *"Meu é Galaade."* Corações agradecidos repousam nas dádivas que o Senhor lhes deu, e não consideram trabalhoso mencioná-las, uma a uma.

"Meu é Manassés." Eu já o tenho, e é, para mim, o sinal e a certeza de que o restante da herança prometida também virá à minha possessão, no devido tempo. Se nós reconhecermos agradecidamente o que temos, nós estaremos em melhor condição para obter aquilo que ainda não recebemos. Aquele que nos dá Galaade e Manassés não deixará de colocar o resto do território prometido em nossas mãos.

"Efraim é a força da minha cabeça." Esta tribo forneceu a Davi mais de vinte mil "varões valentes, homens de nome em casa de seus pais"; a lealdade fiel deste grupo era, sem dúvida, uma prova de que o restante da tribo estava com ele, e assim eles os considerava como o elmo do estado, a proteção da sua coroa real.

"Judá, o meu legislador." Ali ele tinha instalado o governo e os tribunais de justiça. Nenhuma outra tribo podia governar licitamente, exceto Judá: até que Siló viesse, o decreto divino fixava a autoridade legal neste estado. Para nós, também, não existe outro legislador, exceto o nosso Senhor, que nasceu de Judá; e sempre que Roma, ou Canterbury, ou qualquer outra autoridade tentar impor leis e ordenanças para a igreja, nós temos uma única resposta – "Judá é o meu legislador". Assim, o salmista real se alegrava, porque a sua própria terra tinha ficado livre de intrusos, e um governo regular tinha sido estabelecido, e guardado por uma ampla força, e, em tudo isto, ele encontrou encorajamento para implorar vitória sobre os seus adversários estrangeiros. Assim, nós suplicamos ao Senhor, que, assim como em uma

terra ou outra o santo Evangelho de Cristo foi estabelecido e mantido, também em outras terras o poder do seu cetro de graça pode ser admitido, até que toda a terra se curve diante dele, e o Edom do Anticristo seja esmagado debaixo dos seus pés.

9. *"Moabe, a minha bacia de lavar."* Esta nação não tinha demonstrado amizade aos israelitas, mas os considerava continuamente como rivais detestados, e por isto deveriam ser subjugados e feitos súditos do trono de Davi. Ele reivindica a vitória pela fé, e considera com desprezo o seu poderoso inimigo. E ele não ficou desapontado, pois "ficaram, assim, os moabitas por servos de Davi, trazendo presentes" (2 Sm 8.2). Assim como os homens lavam seus pés depois de uma longa viagem, e assim se renovam também as dificuldades superadas servem para nos revigorar; nós usamos Moabe como bacia.

"Sobre Edom lançarei o meu sapato." Será como o chão em que o banhista tira suas sandálias, estará debaixo dos seus pés, sujeito à sua vontade e completamente seu. Edom era orgulhoso, mas Davi lança seu sapato nele; a sua capital era elevada, mas ele lança a sua sandália sobre ela; era forte, mas ele arremessa o seu sapato sobre ele como sinal de batalha. Ele ainda não tinha entrado na sua fortaleza feita na rocha, mas uma vez que o Senhor estava com ele, ele se sentia seguro de que o faria. Sob a liderança do Todo-Poderoso, ele se sentia tão seguro de conquistar até mesmo a ferrenha Edom que a considera como um mero escravo, sobre o qual ele exaltaria sem qualquer retaliação. Nós jamais devemos temer aqueles que estão defendendo o lado errado, pois uma vez que Deus não está com eles, a sua sabedoria é loucura, a sua força é fraqueza, e a sua glória é a sua vergonha. Nós consideramos excessivamente os adversários de Deus, e falamos deles com respeito excessivo. Quem é este Papa de Roma? A sua Santidade? Não o chamem assim, mas sim de sua Blasfêmia! Sua profanação! Seu atrevimento! O que são, ele e seus cardeais, e seus enviados, senão a imagem e encarnação do Anticristo, que será, no devido tempo, lançado com a besta e o falso profeta no lago de fogo?

"Sobre a Filístia jubilarei." Davi assim tinha feito na sua mocidade, e ele está ainda mais seguro de fazer isto novamente. Nós lemos que "Davi feriu os filisteus e os sujeitou" (2 Sm 8.1), como tinha ferido Edom e a tinha enchido com as suas guarnições. Os inimigos com quem nós batalhamos na nossa mocidade ainda estão vivos, e nós teremos mais atritos com eles, antes da nossa morte, mas, bendito seja Deus, nós não desanimamos, de maneira alguma, com esta perspectiva, pois esperamos triunfar sobre eles, ainda mais facilmente do que anteriormente.

A tua destra o teu povo auxiliará:
A tua fiel promessa nos fortalece;
Nós iremos invadir a terra dos filisteus
e cantar sobre Edom.

Contigo nós provamos ser muito corajosos.
E esmagamos o adversário sob os nossos pés;
contigo a nossa fé removerá os montes,
E reduzirá as montanhas para que sejam tão pequenas quanto a palha.

10. A fé leva a um forte desejo da realização da promessa, e daí a pergunta prática: *"Quem me levará à cidade forte? Quem me guiará até Edom?"* A dificuldade é percebida claramente. Petra é forte, e é difícil entrar nela: o salmista guerreiro sabe que não conseguirá entrar na cidade pelas suas próprias forças, e por isto pergunta quem poderá ajudá-lo. Ele pergunta à pessoa correta, ao seu Senhor, que tem todos os homens à sua disposição, e pode dizer a este homem "mostre ao Meu servo o caminho", e ele mostrará, ou a este grupo, "abram caminho para a cidade rochosa", e certamente o farão. Sobre Edom, Obadias escreveu: "A soberba do teu coração te enganou, como o que habita nas fendas das rochas, na sua alta morada, que diz no seu coração: Quem me derribará em terra? Se te elevares como águia e puseres o

teu ninho entre as estrelas, dali te derribarei, diz o Senhor". Davi procurava vencer através do poder infinito do Senhor, e o seu esforço não foi em vão.

11. *"Porventura, não serás tu, ó Deus, que nos rejeitaste?"* É uma grande fé aquela que pode confiar no Senhor, mesmo quando Ele parece nos ter rejeitado. Alguns mal conseguem confiar nele quando Ele os favorece de uma forma especial; no entanto, Davi confiou nele quando Israel parecia estar sob uma nuvem, e quando o Senhor tinha escondido o seu rosto. Ó, se houvesse mais desta fé viva e verdadeira! A rejeição não dura muito tempo, quando a fé se conserva tão gloriosamente. Ninguém, senão os eleitos de Deus, que alcançaram "fé igualmente preciosa" podem cantar:

"Agora tu preparas teu rosto terrível
Com expressão contrariada, sem um sorriso;
Nós, pela nuvem, cremos na tua graça,
E ainda estamos seguros da tua compaixão".

"E não sairás, ó Deus, com os nossos exércitos?" Poderás, para sempre, abandonar os teus e deixar o teu povo para ser derrotado pelos teus inimigos? O mais doce cantor está seguro de que Edom será capturado, porque não pode crer que Deus deixará de sair com os exércitos do seu povo escolhido. Quando nos perguntamos: "Quem fará que nós obtenhamos uma bênção prometida?" não devemos nos sentir desencorajados, se não identificarmos nenhum agente secundário, pois podemos então voltar a recorrer ao grande Dono da Promessa, e crer que Ele mesmo irá cumprir a sua palavra a nós. Se ninguém mais nos levar a Edom, o próprio Senhor o fará, se o tiver prometido. Ou se houver necessidade de instrumentos visíveis, Ele usará *os nossos exércitos*, por mais frágeis que sejam. Nós não precisamos da criação de nenhum novo agente, Deus pode fortalecer os nossos exércitos atuais, e capacitá-los a fazer tudo o que é necessário; tudo o que é necessário, para a conquista de um mundo, é que o Senhor saia com as forças que já temos. Ele pode nos conduzir à cidade forte, mesmo com as armas fracas que nós empunhamos hoje.

12. *"Dá-nos auxílio para sairmos da angústia, porque vão é o socorro da parte do homem."* Esta oração frequentemente sai dos lábios dos homens que foram amargamente desapontados por seus companheiros e também é derramada ao Senhor diante de algum esforço gigantesco, em que o poder mortal evidentemente não tem utilidade. Não é possível entrar em Edom por nenhum poder humano, mas, da sua fortaleza os bandos de ladrões saem correndo; portanto, Ó Senhor, intercede e livra o teu povo. A ajuda divina é esperada, porque a ajuda humana é inútil. Nós devemos orar com muito mais confiança em Deus, quando a nossa confiança nos homens tiver se esgotado. Quando a ajuda do homem for inútil, nós não consideraremos inútil procurar a ajuda de Deus.

13 *Em Deus faremos proezas, pois ele calcará aos pés os nossos inimigos.*

13. A ajuda de Deus nos inspirará a ajudar a nós mesmos. A fé não é covarde nem preguiçosa: ela sabe que Deus está com ela, e por isto ela fará proezas; ela sabe que Ele calcará seus inimigos, e por isto, ela se levanta para pisá-los, em nome dele. Quando o louvor e a oração tiverem precedido a batalha, nós poderemos esperar ver obras heroicas e vitórias decisivas.

"Em Deus" – Deus é o nosso sustento secreto; desta fonte, nós extraímos toda a coragem, sabedoria e força.

"Faremos proezas." Este é o fluxo público desta fonte secreta: a nossa fé interior e espiritual é provada por obras externas e corajosas.

"Ele calcará seus inimigos." Eles cairão diante dele, e enquanto estiverem ali, prostrados, Ele marchará sobre eles, e todos os exércitos do seu povo, com Ele. Isto é uma profecia. Ela se cumpriu na vida de Davi, mas permanece verdadeira para o Filho de Davi e para todos os que estão do seu lado. A igreja se levantará para

louvar o seu Deus, com todo o seu coração, e então, com cânticos e hosanas ela prosseguirá na grande batalha; os seus adversários serão derrotados, e totalmente esmagados pelo poder do seu Deus, e a glória do Senhor estará sobre toda a terra. Envia isto nos nossos dias, nós te rogamos, ó Senhor.

NOTAS EXPLICATIVAS E DECLARAÇÕES SINGULARES

O Salmo: Observe a aplicação diferente das palavras da forma como são usadas nos salmos 57 e 60, e como elas são empregadas no salmo 108. Nos primeiros, elas são proféticas, da prosperidade que virá, e consoladoras, na expectativa de dificuldades que se aproximam. No último, elas são eucarísticas, de misericórdias já recebidas, e descritivas das coisas gloriosas que Deus preparou para o seu Filho e para Israel, o seu povo. Este salmo, assim interpretado, anuncia que o esforço do Messias estará terminado, quando os problemas de Israel se aproximarem do final. O Filho de Davi e o Senhor de Davi tomou o seu grande poder e começou a reinar, e assentado sobre o trono da glória, entoa este hino, versículos 1 a 6. Mas com a glória do Redentor também está associada a restauração, para o benefício e a felicidade, de Israel, o seu povo, durante tanto tempo rejeitado, mas não esquecido. O estabelecimento do rei Messias sobre o santo monte Sião é vividamente descrito, e todas as promessas do Senhor são realizadas da maneira mais plena. O Messias é descrito como um conquistador, quando a batalha já estiver ganha, e reis e nações prostrados aos seus pés, esperam a sua sentença e o seu juízo. "Eu me regozijarei; repartirei a Siquém e medirei o vale de Sucote. Gileade é meu, e eu o dou aos filhos de Gade e Rúben. E Manassés também é meu. Efraim é a minha força na guerra; o meu toque de defesa. Judá é meu rei". Assim, em palavras graciosas e bajuladoras, o vencedor se dirige aos seus confederados e súditos. Com um estilo diferente, com sarcasmo e desprezo, ele anuncia o seu prazer a respeito de seus inimigos conquistados. "Moabe, eu usarei como uma bacia onde lavar os meus pés. Sobre a soberba Edom lançarei o meu sapato, como um senhor irado contra um servo que o serve. A Filístia seguirá o meu carro, e gritará o meu triunfo". Mas como devemos interpretar a passagem seguinte (v. 10): "Quem me guiará até Edom?" Edom já é tratada como um estado vassalo, versículo 9. Quando todas as nações se tornarem os reinos do Messias, o que será este Edom, que deverá estar entre os seus últimos triunfos? Uma única passagem parece se aplicar a isto (Is 63.1), e dela nós aprendemos que é de Edom, como o último cenário da sua vingança, que o Messias conquistador virá, "vestido de uma veste salpicada de sangue". Este Edom é, portanto, mencionado com ansiedade, porque depois da sua derrota, o Messias resplandecerá "Rei dos reis, e Senhor dos senhores", Apocalipse 19.13-16. – *R. H. Ryland*

O Salmo: Este salmo tem duas partes: na primeira, está o agradecimento da fé, e a promessa de louvor, com a esperança de obter tudo aquilo pelo que a igreja ora aqui (vv. 1-5). Na parte final, está a oração pela preservação da igreja (v. 6), com a confiança de ser ouvida e auxiliada, qualquer que seja o impedimento que aparecer, contra todos os que procurarem se levantar contra o reino de Cristo, seja dentro da igreja visível (vv. 7,8), seja fora dela, como aqueles que são seus inimigos declarados (vv. 9,10,11), e a oração é seguida (v. 12) e confortavelmente concluída com a certeza da vitória da igreja pela ajuda de Deus (v. 13). – *David Dickson*

v. 1: "Firme está o meu coração, ó Deus!" (ARA) As rodas de um carro giram, mas o eixo não; as asas de um moinho se movem com o vento, mas o moinho propriamente dito não se move; a terra é levada ao redor da sua órbita, mas o seu centro é fixo. Assim o cristão deve ser capaz de dizer, entre cenários variáveis e a sorte mutável: *"Firme está o meu coração, ó Deus!" – G. S. Bowes, "Illustrative Gatherings", 1862*

v. 1: "Firme está o meu coração, ó Deus!" (na versão ARA) O profeta diz que *o seu coração estava preparado*, esta é a tradução antiga (na versão ARA); a nova tradução (na versão ARC) diz: *"Preparado está o meu coração"*. A palavra no texto em hebraico significa, em primeiro lugar, *pronto*, ou *preparado*. E, em segundo lugar, significa *fixo*.

Em primeiro lugar, nós adequamos, preparamos algo, e fazemos a ponta, antes de inseri-lo no solo, e então o inserimos e fixamos. Assim, peça, seriamente e frequentemente, que o seu coração possa estar preparado, e também possa ser fixado, e isto com um *hábito* que traz prontidão e fixação, como em outras santas tarefas, e também na da meditação. – *Nathanael Ranew, "Solitude improved by Divine Meditation", 1670*

v. 1: A meditação é uma tarefa fixa. Não é um trabalho precipitado. Os pensamentos dos homens naturalmente ocorrem com grande inconsistência; mas a meditação os acorrenta, e os prende a algum objeto espiritual. A alma, quando medita, impõe um comando a si mesma, de que os pensamentos que, de outra maneira, seriam esvoaçantes, se fixem no seu objeto; e assim esta tarefa é muito vantajosa. Assim como nós sabemos que um jardim que é regado com chuvas repentinas tem frutos mais incertos do que quando ele é refrescado com uma corrente constante; também, quando nossos pensamentos estão durante algum tempo sobre algo bom, e em seguida fogem, quando apenas vislumbram um objeto santo e já voam para longe, não existe muito fruto proporcionado à alma. Na meditação, então, o coração deve se fixar sobre o objeto, os pensamentos devem estar impregnados, como diz o santo Davi: *"Firme está o meu coração, ó Deus!"* Nós devemos considerar o santo objeto apresentado pela meditação como um desenhista que contempla alguma peça curiosa, e cuidadosamente presta atenção em cada sombra, cada linha e cada cor; como Maria guardava todas estas coisas, conferindo-as em seu coração. Na verdade, a meditação não é apenas a ocupação dos pensamentos, mas o centro deles; não apenas o emprego deles, mas a fixação deles, sobre algum assunto espiritual. Quando a alma, meditando sobre algo divino, diz, como os discípulos, na transfiguração (Mt 17.4): "Bom é estarmos aqui". – *John Wells, "Practical Sabbatarian", 1668*

v. 1: "Com toda a minha alma". A passagem paralela na versão do Livro de Oração diz: "Com o melhor membro que eu tenho". A língua, sendo considerada o melhor membro, é aqui descrita como a *glória* do homem – como aquilo que o eleva na escala da criação; e por isto o homem piedoso decide empregar as suas palavras, proferindo a bondade de Deus. Deus é glorificado pelo louvor dos seus remidos, e o instrumento pelo que isto é feito é a *glória* do homem. – *The Quiver*

vv. 1 e 2: Assim como um homem afina o seu instrumento antes, e depois toca, também deve o santo servo de Deus, primeiramente se empenhar em deixar seu espírito, coração e sentimentos em uma condição sólida e estabilizada para a adoração, e então passar à adoração; *"Preparado está o meu coração"*, ou preparado firmemente, *"cantarei e salmodiarei"*. Assim como a glória do homem, acima dos animais, é que, com um espírito razoável, ele possa expressar qual é a sua vontade, com a sua língua: também a glória dos santos, acima dos outros homens, é ter uma língua orientada pelo coração, para expressar o louvor de Deus; *"Cantarei e salmodiarei com toda a minha alma"*. Com palavras típicas, nós somos ensinados a fazer uso de todos os meios santificados, para nos estimular ao serviço de Deus: pois esta era a intenção do salmista, quando disse: "*Despertai, saltério e harpa"*. Nós mesmos devemos, antes de mais nada, ser estimulados a fazer o uso apropriado dos meios, antes que os meios possam ser adequados para nos estimular: por isto, diz ele: *"Eu despertarei ao romper da alva"*. – *David Dickson*

vv. 1 a 5: Depois que Davi professou o propósito de louvar a Deus (vv. 1,2,3), ele diz, a seguir, a proporção que há entre os atributos que ele louva em Deus, e o seu louvor a Ele. A grandeza dos atributos *"benignidade e verdade"*, nós temos no versículo 4: "*a tua verdade ultrapassa as mais altas nuvens"*; e há uma grandeza correspondente nos seus louvores a Deus, por elas, v. 5; "*Exalta-te sobre os céus, ó Deus, a tua glória sobre toda a terra"*. Ele deseja e se empenha para exaltá-lo, ao máximo possível, tanto em seus louvores quanto em si mesmo; exaltá-lo acima da terra, acima dos céus e das nuvens. – *Henry Jeanes*

v. 2: Com referência a esta passagem, o Talmude diz: "Costumava haver uma cítara sobre a cama de Davi; e quando chegava a meia-noite, o vento norte soprava entre as cordas, de modo que elas soavam, por si mesmas; e imediatamente ele se levantava e se ocupava com a Tora, até o amanhecer". Rashi observa: "A alvorada desperta os outros reis; mas eu, diz Davi, despertarei a alvorada". – *Franz Delitzsch*

v. 2: Quando os cativos hebreus estavam assentados, entristecidos, "junto aos rios da Babilônia", choraram, e penduraram suas harpas nos salgueiros, e não puderam ser persuadidos pelos conquistadores a cantar "os cânticos de Sião naquela terra" (Sl 137.1,4). Mas quando "o Senhor trouxe do cativeiro os que voltaram a Sião, então a sua boca se encheu de riso, e a nossa língua, de cânticos" (Sl 126.1,2). Então *"o saltério e a harpa"* das gerações anteriores *"despertaram"* (v. 2). Os antigos cânticos reviveram nos seus lábios, e as melodias de Davi adquiriram novos encantos para eles. – *Christopher Wordsworth*

v. 2: "Despertarei ao romper da alva".

"Jamais dormir quando o sol está alto; a oração deve
amanhecer com o dia, pois há horas terríveis colocadas
entre o céu e nós; o maná não era bom
depois do nascer do sol, pois o dia mancha as flores".
– *Henry Vaughan, 1621-1695*

v. 4: "Porque a tua benignidade se eleva", etc. A tua benignidade é grande – esta benignidade recentemente cantada (Sl 107.1,43). Ela é "*de* acima dos céus" (מֵעַל־שָׁמַיִם); isto é, desce até nós como as gotas de uma chuva fertilizante; até mesmo a *"Paz na terra"*, de Lc 2.14, era, antes, "Paz no céu" (Lc 19.38). – *Andrew A. Bonar*

v. 4: A benignidade de Deus era, então, grande, *acima* dos céus, quando o Deus-homem, Cristo Jesus, foi exaltado até os mais altos céus, e a verdade da nossa salvação estabelecida no trono de Deus. – *W. Wilson*

vv. 4 e 5: Há mais substância de bem nas promessas do Senhor do que o santo de visão mais penetrante podia perceber; pois quando nós seguimos a promessa, para descobrir toda a verdade que está contida nela, nós nos deparamos com uma nuvem de riquezas insondáveis, e somos forçados a deixá-la ali; pois muito está incluído aqui: *"a tua verdade ultrapassa as mais altas nuvens"*. A dimensão do nosso louvor a Deus deve atribuir a Ele toda a honra e toda a glória, apontando-o a outros, discorrendo sobre a magnificência do seu próprio nome, e alegrando-nos com isto, como aqui: *"Exalta-te sobre os céus, ó Deus; a tua glória sobre toda a terra"*. – *David Dickson*

vv. 4, 5 e 6: Aqui, há grande confiança, e, como sempre, a misericórdia para a alma que conhece a si mesma, e comparece diante da verdade. Mas, então, para sua própria libertação e bênção, confia na exaltação de Deus. Isto mostra que deve ser uma exaltação santa e justa. "Exalta-*te* sobre os céus, ó Deus: a tua glória sobre toda a terra; para que sejam livres os teus amados". É um pensamento abençoado, e é nisto que a fé deve se agarrar agora, nos tempos de tentação: a nossa bênção e a glória de Deus são uma coisa só, mas nós devemos colocar a sua glória em primeiro lugar. – *J. N. Darby*

v. 6: "Para que sejam livres os teus amados". A igreja é dos *amados* do Senhor, ou da incorporação, mais amados do que qualquer outra coisa no mundo, e por isto, chamados aqui de *"teus amados"*. Como a igreja é a amada de Deus, a preocupação com ela deve estar, principalmente, na nossa mente, e o amor pela sua preservação deve extrair a nossa oração a favor dela. *"Para que sejam livres os teus amados: salva-nos"*. – *David Dickson*

v. 6: Sendo Deus exaltado desta maneira, segundo a majestade da sua verdade, a súplica especial do Espírito de Jesus, fundada na misericórdia que se entronizou acima dos céus, é incentivada (v. 6) para o bem da nação do seu antigo amor: *"Para que sejam livres os teus amados; salva-nos com a tua destra e ouve-nos"*. É o Espírito do Emanuel que intercede desta maneira, pelo seu povo bem lembrado, de acordo com Deus. A sua terra estaria livre, no devido tempo, daqueles que a tinham sobrecarregado com iniquidade. Pois *Deus* tinha falado, na sua santidade, a respeito da porção do seu Ungido. – *Arthur Pridham*

v. 7: "Deus falou" a palavra de garantia. Isto se refere a todas as mensagens em que a terra da sua herança foi definida, particularmente Gênesis 15.18; Êxodo 23.31; Deuteronômio 11.24, e aquela notável predição a respeito da perpetuidade da descendência de Davi, 2 Samuel 7, que deve ter produzido uma profunda impressão na sua mente. Destas passagens, fica evidente que Arã, assim como Edom, estava incluída na área do território designado a Israel, e que Davi se sentia no caminho do destino, quando se empenhava para estender o seu domínio do rio do Egito ao grande rio, o Eufrates. *"No seu santuário"*, na imutável integridade do seu coração, o que era uma garantia infalível para o cumprimento da sua promessa. *"Eu me regozijarei"*. Esta é a exclamação do líder e representante do povo, quando ele pondera sobre as palavras divinas. – *James G. Murphy*

v. 7: A fé contida em uma promessa, trará alegria ao crente antes que ele desfrute da sua realização: *"Deus falou"*, diz ele, *"Eu me regozijarei"*. – *David Dickson*

v. 7: Ele, o segundo Davi, tinha travado a sua guerra, e tinha se coroado com vitória. Assim, Ele repartiria os reinos do mundo e os subjugaria a Si mesmo, de acordo com a sua santa vontade. Efraim e Judá, Moabe e Filístia, primeiro os judeus e depois os gentios, seriam levados a confessá-lo como seu Senhor, – *Plain Commentary*

v. 8: "Efraim é a força da minha cabeça". Como *Efraim* era a mais populosa de todas as tribos, apropriadamente é chamado de *a força da sua cabeça*, isto é, dos seus domínios. – *João Calvino*

v. 9: "Moabe, que tinha atraído Israel às impurezas, se torna um vaso para a sua purificação. *Edom*, descendente daquele que desprezou sua primogenitura, é privado da sua independência – pois *"lançar um sapato"* era um sinal da transferência de uma reivindicação anterior da terra (Rt 4.7). – *William Kay*

v. 9: "Moabe, a minha bacia de lavar". A função de lavar os pés era, no Oriente, normalmente realizada por escravos, e os mais inferiores da família, como se percebe com base no que Abigail disse a Davi, quando a tomou por mulher: "Eis aqui a tua serva servirá de criada para lavar os pés dos criados de meu senhor" (1 Sm 25.41); e do fato de que o nosso Salvador lavasse os pés dos seus discípulos, para dar-lhes um exemplo de humildade (Jo 13.5). A palavra νιπτήρ, usada nesta última passagem, significa, em geral, *uma bacia,* e tem o significado da palavra ποδόνιπτρον, termo que os gregos, no sentido restrito da palavra, aplicavam a um recipiente para lavar os pés. Como esta função era servil, os recipientes usados com este propósito eram os mais inferiores da casa. Gataker e Le Clerc ilustram este texto com um caso relatado por Heródoto, a respeito de Amasis, rei do Egito, que expressou a inferioridade da sua própria origem, comparando-se a um recipiente para lavar os pés (Herodes, Lib. ii. c. 172). Quando, portanto, se lê *"Moabe, a minha bacia de lavar",* a sujeição completa e servil de Moabe a Davi fica fortemente marcada. Isto é expressado, não com a comparação de Moabe a um escravo que realiza as mais humildes tarefas, apresentando a seu senhor a bacia para lavar os pés, mas comparando-o a um utensílio inferior. Veja 2 Samuel 8.2; 1 Crônicas 18.1,2,12,13. – *James Anderson, "Note to Calvin on Ps. lx"*

v. 9: "Moabe, a minha bacia de lavar; sobre Edom lançarei o meu sapato". Esta expressão relativamente difícil pode ser explicada da seguinte maneira: Moabe e Edom seriam reduzidos a um estado da mais humilde servidão para o povo de Deus. Moabe seria como uma bacia, somente para lavar os pés, ao passo que Edom seria como o escravo doméstico, que ficava à espera das sandálias atiradas a ele pela pessoa prestes a realizar suas abluções, de modo que pudesse colocá-las em um lugar seguro e depois vir para lavar os pés do seu Senhor. – *Rays from the East v. 9:* "Sobre Edom lançarei o meu sapato". Davi derrotou o exército deles no "Vale do Sal" e seu general, Joabe, depois da vitória, destruiu praticamente toda a população de sexo masculino (1 Rs 11.15,1 6) e colocou guarnições de judeus em todas as fortalezas de Edom (2 Sm 8.13,14). Em honra a esta vitória, o salmista-guerreiro pode ter escrito as palavras em Sl 60.8: *"Sobre Edom lançarei o meu sapato". – J. L. Porter, "Smith's Dictionary of the Bible"*

v. 10: A fortaleza edificada sobre a rocha, o coração endurecido do homem, mais forte e mais rochoso do que a sepultura, ele tinha conquistado e derrotado; e nele e no seu poder, o seu povo deve prosseguir na sua guerra, e derrubar todas as fortalezas da soberba humana, e da rebeldia humana, e da impenitência humana. – *Plain Commentary*

vv. 10 e 11: Não é evidência conclusiva de que não sejamos chamados a empreender determinado trabalho ou realizar determinada tarefa, por ser muito difícil; na realidade, é impossível que sejamos bem sucedidos sem a ajuda especial de Deus. Se Deus chama Davi para tomar Petra, ele tomará Petra. – *William S. Plumer*

v. 11: "Não serás tu, ó Deus?" A sua mão o levará até Petra, que parece inacessível pelas forças humanas. Esta maravilhosa cidade forte dos edomitas está cercada por rochas, algumas das quais têm cerca de 90 metros, e um caminho de pouco menos de 4 metros de largura conduz a ela. A cidade propriamente dita é parcialmente cortada nas rochas partidas, e as suas ruínas, que, entretanto, pertencem a um período posterior, enchem os viajantes de assombro. – *Augustus F. Tholuck*

v. 11: Aquele que saiu vitorioso de Edom, de Bozra, com as vestes tingidas do sangue da sua paixão, irá, a partir de agora, sair com os exércitos do Israel fiel (pois o que são os exércitos sem o Senhor dos Exércitos?) para subjugar seus inimigos. – *Plain Commentary*

v. 12: "Dá-nos auxílio para sairmos da angústia", etc. Aquele que deseja a ajuda de Deus em qualquer atividade, deve abandonar a confiança na ajuda dos homens – e ver a inutilidade da ajuda dos homens faz com que o crente confie ainda mais na ajuda de Deus, e a espere com mais confiança, como acontece aqui: "*Dá-nos auxílio para sairmos da angústia, porque vão é o socorro da parte do homem*". – *David Dickson*

SUGESTÕES AOS PREGADORES

O Salmo: Partes dos dois salmos anteriores são aqui unidas.

I. A repetição é sancionada aqui, pela inspiração.

1. De quê? De hinos, de orações, de sermões.

2. Para quê? Para causar impressão. "Assim como já vo-lo dissemos, agora de novo também vo-lo digo: se alguém vos anunciar...", etc. Para confirmação: "Regozijai-vos, sempre, no Senhor; outra vez digo: regozijai-vos": eles passaram pela Síria e pela Cilícia, outra vez, confirmando as igrejas. Para preservação: as citações autenticam os originais, algo escrito em duas cópias é mais seguro do que em uma só.

II. A reorganização é aqui sancionada por inspiração.

1. Diferentes experiências podem exigir isto. Às vezes, o coração está mais concentrado no início de um exercício espiritual: às vezes, no seu final. Assim, o começo de um salmo é o final de outro.

2. Diferentes ocasiões podem exigir isto. Tanto de tristeza como de alegria. Duas partes de dois hinos diferentes podem harmonizar melhor com uma ocasião em particular do que qualquer uma delas, considerada separadamente. – *G. R.*

v. 1. I. A melhor ocupação: o louvor. Digno – 1. Do coração na sua melhor condição.

2. Das melhores faculdades do homem mais bem educado.

II. A melhor resolução.

1. Nasce de um coração preparado.

2. É deliberadamente formada.
3. É expressada solenemente.
4. É executada alegremente.

III. Os melhores resultados. Louvar a Deus torna uma pessoa mais feliz e mais santa, mais forte e mais corajosa – como mostram os versículos seguintes.

v. 2. O benefício de levantar-se cedo. A doçura da reunião da congregação para oração, no sábado pela manhã.

v. 3. Não devemos restringir o louvor por sermos ouvidos casualmente pelos estrangeiros, nem porque os ouvintes são pagãos, ou profanos, ou numerosos, ou porque provavelmente irão se opor. Pode haver ainda mais razões para que louvemos a Deus abertamente quando nos encontramos sob tais circunstâncias.

vv. 4 e 5. A grandeza da benignidade, a dimensão da verdade e a imensidão do "louvor Divino".

v. 6. A oração de um homem representativo. Há ocasiões em que responder "*eis-me aqui, Senhor*" é uma atitude que traz um grande benefício e uma grande vitória à igreja – nestas ocasiões, nós temos um apelo poderoso.

v. 7. A voz de Deus, a causa de alegria, razão para ação, garantia de sucesso.

v. 8. *"Judá, o meu legislador"*. Jesus, o único legislador da igreja.

v. 11 (primeira parte). A confiança no Deus que está desgostoso.

v. 11 (segunda parte). A saída de Deus com nossos exércitos depende dos seguintes fatores: Quem são eles? Qual é o seu objetivo? Qual é a sua motivação e estado de espírito? Que armas eles usam? etc.

v. 12. A falta de ajuda humana frequentemente,
1. É a causa direta da nossa oração.
2. É a fonte de urgência na súplica.
3. É um poderoso argumento a favor de quem suplica.
4. Uma razão distinta para esperar a luz da esperança.

v. 13. Como, quando, e por que, um crente deve agir corajosamente.

SALMO 109

Ao regente do coro. Destinado, portanto, a ser cantado, e cantado no culto do templo! Mas não é fácil, de maneira alguma, imaginar toda a nação entoando tão terríveis maldições. Nós mesmos, de qualquer forma, sob a dispensação do Evangelho, consideramos muito difícil infundir neste salmo um sentido do Evangelho, ou um sentido compatível, por menor que seja, com o espírito cristão; e por isto, poderíamos pensar que os judeus devem ter julgado difícil cantar estas palavras fortes sem sentir o espírito de vingança excitado; e o despertar deste espírito jamais poderia ter sido objeto de adoração divina, em nenhum período de tempo – seja sob a lei ou sob o Evangelho. Já no início, este título mostra que o salmo traz consigo o significado de que é adequado que os homens de Deus tenham comunhão diante do trono do Altíssimo: mas o que é este significado? Esta é uma pergunta de grande dificuldade, e somente um espírito muito semelhante ao das crianças poderá ser capaz de responder.

Salmo de Davi. Não se trata, portanto, dos desvarios de um misantropo perverso, nem das maldições de um espírito acalorado e vingativo. Davi não desejava ferir o homem que buscava o seu sangue, mas frequentemente perdoava àqueles que o tratavam de modo vergonhoso; portanto, estas palavras não podem ser interpretadas com um sentido amargo ou vingativo, pois seriam estranhas ao caráter do filho de Jessé. As imprecações diante de nós foram escritas por alguém que, com toda a sua coragem em batalha, era um homem de música e de coração terno, e foram escritas com a intenção de serem dirigidas a Deus na forma de um salmo; portanto, não podem ser interpretadas como sendo uma mera maldição irada.

A menos que se possa provar que a religião da antiga dispensação era completamente severa, impertinente e draconiana, e que Davi tinha um espírito maldoso e vingativo, não se pode conceber que este salmo contenha o que um autor se aventurou a chamar de “um ódio desapiedado, uma malignidade refinada e insaciável”. Não podemos dar espaço para uma sugestão como esta, nem por um momento.

Mas, o que mais podemos entender, com este linguajar tão forte? Verdadeiramente, esta é uma das mais duras passagens das Escrituras, uma passagem que faz a alma tremer, ao lê-la; mas, como é um salmo a Deus, e dado por inspiração, não nos cabe julgá-lo, mas curvar nossos ouvidos para o que Deus, o Senhor deseja nos falar por meio dele.

Este salmo se refere a Judas, pois assim Pedro o citou; mas atribuir as suas amargas declarações ao nosso Senhor na hora de seus sofrimentos é mais do que nós ousamos fazer. Elas não são coerentes com o silencioso Cordeiro de Deus, que não abriu a sua boca, quando levado à morte. Pode parecer muito piedoso colocar tais palavras na sua boca, mas nós esperamos que a nossa piedade seja o que nos impede de fazer isto. Veja nossa primeira nota, extraída de Perowne, nas Notas Explicativas e Observações Singulares.

DIVISÃO

Nos cinco primeiros versículos, Davi humildemente suplica a Deus que possa ser libertado de seus inimigos hipócritas e desumanos. Do versículo 6 ao 20, cheio de furor profético, que o deixa completamente fora de si, ele denuncia o juízo sobre os seus adversários, e depois, de 21 a 31, retorna à sua comunhão com Deus, em oração e louvor. A parte central do salmo, em que está a dificuldade, deve ser considerada não como o desejo pessoal do salmista, a sangue frio, mas como sua denúncia profética destas pessoas que ele descreve, e enfaticamente um "filho de perdição" que ele vê com olhos prescientes. Nós devemos todos orar pela conversão de nosso pior inimigo, e Davi teria feito a mesma coisa; mas, considerando os adversários do Senhor, que cometem iniquidades, como tal, e como incorrigíveis, não podemos desejar-lhes o bem; ao contrário, nós desejamos a sua queda e destruição. Os mais bondosos corações ardem com indignação quando ouvem falar de barbaridades feitas a mulheres e crianças, de tramas ardilosas para destruir os inocentes, da cruel opressão a órfãos indefesos e desamparados, e da ingratidão gratuita aos bons e mansos. Uma maldição sobre os que perpetram as atrocidades na Turquia não pode ser menos virtuosa do que uma bênção aos justos. Nós desejamos o bem a toda a humanidade, e por esta razão, às vezes, nos inflamamos com indignação contra os infelizes desumanos que pisam cada lei que protege nossos semelhantes, e que consideram nulo cada ditame de humanidade.

EXPOSIÇÃO

1 *Ó Deus do meu louvor, não te cales!*
2 *Pois a boca do ímpio e a boca fraudulenta estão abertas contra mim; têm falado contra mim com uma língua mentirosa.*
3 *Eles me cercaram com palavras odiosas e pelejaram contra mim sem causa.*
4 *Em paga do meu amor, são meus adversários; mas eu faço oração.*
5 *Deram-me mal pelo bem e ódio pelo meu amor.*

1. *"Não te cales."* Os meus inimigos falam, fala tu também. Rompe o teu solene silêncio, e silencia aqueles que me caluniam. Este é o clamor de um homem cuja confiança em Deus é profunda, e cuja comunhão com Ele é muito íntima e ousada. Observe, ele apenas pede que o Senhor fale: uma palavra de Deus é tudo o que um crente necessita.

"Ó Deus do meu louvor." Tu, a quem toda a minha alma louva, alegra-te por proteger a minha honra e guardar o meu louvor. "Preparado está o meu coração", disse ele, no salmo anterior, "cantarei e salmodiarei", e agora ele apela ao Deus ao qual tinha louvado. Se nós cuidarmos da honra de Deus, Ele cuidará da nossa. Nós podemos confiar nele, como o guardião do nosso caráter, se buscarmos, verdadeiramente, a sua glória. Se vivermos para o louvor de Deus, mais cedo ou mais tarde Ele nos honrará entre os homens.

2. *"Pois a boca do ímpio e a boca fraudulenta estão abertas contra mim."* Os ímpios dizem, necessariamente, coisas ímpias, e nós temos razões para temê-las; mas, além disto, eles proferem coisas falsas e enganosas, e estas são as piores. Não há conhecimento que possa sair de bocas que são, ao mesmo tempo, perversas e mentirosas. Nenhum coração pode imaginar a desgraça causada a um homem bom, por calúnias mas é o que estas bocas fazem: entre as armas de Satanás, não há armas piores, do que línguas enganosas. Ter a reputação que nós vigiamos com cuidados diários, repentinamente enlameada com as mais infames difamações, é extremamente e indescritivelmente doloroso; mas quando homens ímpios e enganosos abrem completamente suas bocas, dificilmente poderemos esperar escapar, não mais do que os outros.

"Têm falado contra mim com uma língua mentirosa." As línguas mentirosas não podem ficar paradas. As más línguas não se satisfazem em difamar os homens perversos, mas escolhem os mais graciosos dos santos como objetos de seus ataques. Aqui há razão suficiente para orações. O coração desanima quando atacado pela calúnia, pois não sabemos o que poderá ser dito a seguir, que amigo poderá ser afastado, que mal poderá ser ameaçado, ou que desgraça poderá ser causada, a nós e a outros. O ar está cheio de boatos, e sombras impalpáveis flutuam ao nosso redor; a mente está confusa, com o medo de adversários e flechas invisíveis. Que mal pode ser pior do que o ataque de uma calúnia,

"Cuja lâmina é mais afiada do que a da espada,
cuja língua é mais venenosa do que todos os vermes do Nilo"?

3. *"Eles me cercaram com palavras odiosas."* Para qualquer lado que ele se volte, eles o cercam com falsidade, deturpação, acusação e zombaria. Sussurros, escárnio, insinuações, sátiras e acusações abertas, enchiam os seus ouvidos com um zumbido perpétuo, e sem nenhuma razão, senão puro ódio. Cada palavra estava tão cheia de veneno quanto um ovo está cheio de alimento: eles não podiam falar sem mostrar os dentes.

"E pelejaram contra mim sem causa." Ele não tinha provocado a contenda, nem contribuído para ela, mas, de mil maneiras, eles se esforçavam para "corroer a sua consolação, e destruir a sua paz". Tudo isto tendia a fazer o suplicante sentir mais agudamente os males que lhe eram feitos.

4. *"Em paga do meu amor, são meus adversários."* Eles me odeiam porque eu os amo. Um dos nossos poetas diz, sobre o Senhor Jesus: "Declarado culpado por excesso de amor". Certamente, este foi o seu único "defeito". O nosso Senhor poderia ter usado toda a linguagem desta queixa, da maneira mais enfática – eles o odiaram, sem causa, e lhe retribuíam com ódio o seu amor. Que terrível é isto para a alma, ser odiada em proporção à gratidão que ela merece, odiada por aqueles a quem ela amou, e odiada por causa do seu amor. Este é um caso cruel, e a mente sensível do salmista escreve nestas circunstâncias.

"Mas eu faço oração." Ele não fazia outra coisa, senão orar. Ele se dedicava à oração, ao mesmo tempo em que eles se dedicavam à maldade. Esta era a sua resposta aos seus inimigos, ele apelava, sobre os homens e a sua injustiça, ao Juiz de toda a terra, que deve agir corretamente. Somente a verdadeira coragem pode ensinar um homem a deixar seus caluniadores sem resposta, e levar o caso ao Senhor.

"Os homens não podem deixar de reverenciar a coragem que anda em meio às calúnias sem resposta."

"Ele está como um valente que não dá ouvidos a tiros nem bombas."

5. *"Deram-me mal pelo bem e ódio pelo meu amor."* O mal em troca do bem é demoníaco. Este é o modo de agir de Satanás, e os seus filhos, sobre a terra, o seguem avidamente: é cruel, e fere rapidamente. A vingança que paga com a mesma moeda tem um tipo de justiça natural, mas o que pode ser dito daquela baixeza que retribui à bondade o oposto do que ela tem o direito de esperar? O nosso Senhor

suportou este vil tratamento todos os dias em que esteve nesta terra, e, infelizmente, ainda o suporta em seus servos hoje.

Assim vemos o homem inofensivo e inocente, de joelhos, derramando seus lamentos: agora devemos observá-lo, levantando-se do propiciatório, inspirado com energia profética, e derramando sobre seus inimigos os prenúncios da sua perdição. Nós o ouviremos falar como um juiz, revestido de firme severidade, ou como o anjo da condenação, vestido de vingança, ou como a espada nua da justiça, quando ela mostra seu braço para a execução. Não é por ele mesmo, que ele fala, mas por todos os caluniados e pisados, dos quais ele se sente como representante e porta-voz. Ele pede justiça, e com a alma ferida pelas cruéis injustiças, ele pede com solene deliberação, não economizando suas queixas. Demonstrar piedade para com a maldade é fazer uma maldade contra toda a humanidade; encobrir os ardilosos que procuram o sangue humano seria crueldade com os oprimidos. Na verdade, o amor, a verdade e a piedade levantam as suas feridas para o céu e imploram vingança sobre os inimigos dos inocentes e oprimidos; aqueles que consideram a própria bondade um crime, e fazem da inocência um motivo para ódio, merecem não encontrar misericórdia no grande Preservador de homens. A vingança é prerrogativa de Deus, e assim como seria uma calamidade ilimitada se o mal continuasse impune para sempre, também é uma bênção indescritível que o Senhor recompense os ímpios e cruéis, e há ocasiões em que um homem bom deve orar por esta bênção. Quando o Juiz de todos ameaça punir a crueldade tirânica e a traição hipócrita, a virtude dá seu consentimento. Amém, que assim seja, diz cada homem justo, no íntimo da sua alma.

6 *Põe acima do meu inimigo um ímpio, e Satanás esteja à sua direita.*
7 *Quando for julgado, saia condenado; e em pecado se lhe torne a sua oração.*
8 *Sejam poucos os seus dias, e outro tome o seu ofício.*
9 *Sejam órfãos os seus filhos, e viúva, sua mulher.*
10 *Sejam errantes e mendigos os seus filhos e busquem o seu pão longe da sua habitação assolada.*
11 *Lance o credor mão de tudo quanto tenha, e despojem-no os estranhos do seu trabalho.*
12 *Não haja ninguém que se compadeça dele, nem haja quem favoreça os seus órfãos.*
13 *Desapareça a sua posteridade, e o seu nome seja apagado na seguinte geração.*
14 *Esteja na memória do Senhor a iniquidade de seus pais, e não se apague o pecado de sua mãe.*
15 *Antes, estejam sempre perante o Senhor, para que faça desaparecer a sua memória da terra.*
16 *Porquanto se não lembrou de usar de misericórdia; antes, perseguiu o varão aflito e o necessitado, como também o quebrantado de coração, para o matar.*
17 *Visto que amou a maldição, ela lhe sobrevenha; e pois que não desejou a bênção, ela se afaste dele.*
18 *Assim como se vestiu de maldição tal como de uma veste, assim penetre ela nas suas entranhas como água e em seus ossos como azeite.*
19 *Seja para ele como a veste que o cobre e como cinto que o cinja sempre.*
20 *Seja este, da parte do Senhor, o galardão dos meus contrários e dos que falam mal da minha alma.*

6. *"Põe acima do meu inimigo um ímpio."* Que pior punição poderia ter um homem? O homem soberbo não pode suportar os soberbos, nem o opressor aguentar o domínio de alguém como ele. Os justos, na sua paciência, consideram o domínio dos ímpios como uma amarga escravidão; mas aqueles que estão cheios de ressentimento e aspirações presunçosas, são escravos, realmente, quando homens da sua própria classe os lideram com firmeza. Para Herodes, ser governado por outro Herodes

seria desgraça suficiente, e, no entanto, que retribuição poderia ser mais justa? Que homem injusto pode se queixar, caso se encontre governado por uma pessoa de igual caráter? O que podem esperar os ímpios, senão que seus governantes sejam como eles mesmos? Quem não admira a justiça de Deus, quando vê os cruéis romanos governados por Tibério e Nero, e os republicanos governados por Marat e Robespierre?

"E Satanás esteja à sua direita." Os semelhantes não devem estar próximos aos seus semelhantes? O pai da mentira não deve estar próximo aos seus filhos? Quem é o melhor amigo (o "amigo que está à mão direita") de um adversário dos justos, senão o próprio grande adversário? A maldição é terrível, mas é muito natural que ela se realize: aqueles que servem a Satanás podem esperar ter a sua companhia, a sua ajuda, as suas tentações, e, por fim, a sua perdição.

7. *"Quando for julgado, saia condenado."* Ele julgou e condenou outros, da maneira mais infame, ele não permitiu que os inocentes escapassem; e seria uma grande vergonha se, na sua hora de provação, sendo verdadeiramente culpado, ele tivesse permissão de escapar. Quem desejaria que o Juiz Jeffries fosse absolvido, se ele fosse julgado por perverter a justiça? Quem desejaria que Nero ou Calígula fossem inocentados se levados ao tribunal por crueldade? Quando Shylock vai ao tribunal, quem deseja que ele vença a ação?

"E em pecado se lhe torne a sua oração." O pecado manifesto deve ser tratado como pecado. Aos ofendidos, deve parecer terrível que o perverso vilão pretenda orar, e muito naturalmente eles imploram que ele não seja ouvido, mas que os seus apelos possam ser considerados como acrescentados à sua culpa. Ele devorou a casa da viúva, e, no entanto, ele ora. Ele levou Nabote à morte, com falsa acusação, e se apoderou da sua vinha, e então apresenta orações ao Todo-Poderoso. Ele entregou aldeias à matança, e suas mãos estão vermelhas com o sangue de crianças e moças, e faz votos a Alá! Certamente, deve ser amaldiçoado aquele que não deseja que estas abomináveis orações sejam odiadas pelo céu e registradas como novos pecados. Aquele que diz que a oração dos outros é pecado, encontrará a sua própria oração convertida em pecado. Quando, por fim, ele perceber a sua necessidade de misericórdia, a própria misericórdia considerará o seu apelo como um insulto. "Porquanto se não lembrou de usar de misericórdia", ele mesmo será esquecido pelo Deus da graça, e seus amargos pedidos de libertação serão considerados como zombaria pelo céu.

8. *"Sejam poucos os seus dias."* Quem desejaria que um tirano perseguidor vivesse por muito tempo? Seria como se nós desejássemos vida longa a um cão louco. Se ele não fizer nada exceto maldades, a abreviação da sua vida será o prolongamento da tranquilidade do mundo. "Homens de sangue e de fraude não viverão metade dos seus dias" – esta será a pura justiça para eles, e uma grande misericórdia para os pobres e necessitados.

"E outro tome o seu ofício." Talvez possa vir um homem melhor, e, de qualquer forma, já é momento de tentar uma mudança. Tão acostumados estavam os judeus a considerar estes versículos como a perdição dos traidores, de mente cruel e enganadora, que Pedro viu imediatamente, na rápida morte de Judas, um cumprimento desta sentença, e uma razão para que fosse indicado um sucessor que assumisse a sua posição de supervisão. Um homem mau não torna mau o seu cargo: outro pode usar, de modo benéfico, aquilo que ele tentou perverter.

9. *"Sejam órfãos os seus filhos, e viúva, sua mulher."* Este seria, inevitavelmente, o caso, quando o homem morresse, mas o salmista usa as palavras em um sentido enfático, ele desejava que a sua viúva fosse "realmente viúva" e que os seus filhos não tivessem amigos, de modo a serem considerados órfãos, no sentido mais amargo. Ele vê o resultado da morte do perverso, e o inclui na punição. A espada do tirano deixa muitas crianças órfãs, e não pode lamentar quando as suas barbaridades vêm à sua própria família, e eles também, choram e lamentam. A piedade é devida a todos os órfãos e viúvas, mas os atos de atrocidade de um pai podem secar as

fontes de piedade. Quem lamenta que os filhos de Faraó tenham perdido seu pai, ou que a esposa de Senaqueribe se tornasse uma viúva? Como a espada de Agague deixou sem filhos muitas mulheres, ninguém chorou quando a arma de Samuel deixou a mãe de Agague sem filhos. Se Herodes tivesse sido morto, quando tinha acabado de matar os inocentes em Belém, ninguém teria lamentado, ainda que a esposa de Herodes tivesse se tornado viúva. Estas terríveis maldições não são de uso comum entre os homens, mas se limitam aos juízes, como era Davi, para que as profiram sobre os inimigos de Deus e dos homens. Um juiz pode condenar à morte um homem, quaisquer que possam ser as consequências à família do criminoso, e aqui não há sentimento de vingança privada, mas simplesmente um ato de justiça, porque o mal deve ser punido. Nós estamos cientes de que isto pode não parecer justificar a plena força destas expressões, mas jamais se deve esquecer que o caso era, supostamente, execrável, e o caráter do criminoso é extremamente odioso e não deve ser punido por alguma abominação comum. Aqueles que consideram o ápice da virtude como um tipo de benevolência efeminada para todas as criaturas, igualmente, são muito favoráveis a esta era degenerada; eles esperam a salvação dos condenados, e até oram pedindo a restauração do diabo. É muito possível que, se fossem menos simpatizantes com o mal, e estivessem em maior harmonia com os pensamentos de Deus, houvesse uma mentalidade muito mais firme e também muito melhor. Concordar com as maldições de Deus nos parece ser melhor do que concordar com as falsas bênçãos do diabo; e se, a qualquer momento, o nosso coração saltar contra os terrores do Senhor, nós interpretaremos isto como prova de nossa necessidade de maior humildade, e confessaremos os nossos pecados diante do nosso Deus.

10. *"Sejam errantes e mendigos os seus filhos."* Que jamais tenham casa nem lar, não se assentem nem se sintam estáveis; e enquanto peregrinam e imploram, que se lembrem, sempre, de que a casa de seu pai está em ruínas.

"E busquem o seu pão longe da sua habitação assolada." Frequentemente tem sido assim: uma raça de tiranos se tornou uma geração de mendigos. O poder mal usado e a riqueza mal empregada conquistaram ao nome da família um ódio universal, e asseguraram à família uma herança de infâmia. A própria justiça não outorgaria tal maldição, exceto com a suposição de que o pecado acompanha a descendência no sangue; mas a suprema providência que, no final, é pura justiça, escreveu muitas páginas na história em que a imprecação deste versículo foi verificada, literalmente.

Nós confessamos que, quando lemos alguns destes versículos, necessitamos toda a nossa fé e reverência para aceitá-los como a voz de inspiração; mas o exercício é bom para a alma, pois educa a nossa sensação de ignorância, e testa a nossa capacidade de aprender. Sim, Espírito Divino, nós podemos crer, e realmente cremos, que até mesmo estas terríveis palavras com que desanimamos têm um significado coerente com os atributos do Juiz de toda a terra, ainda que o seu nome seja Amor. Futuramente saberemos como pode ser isto.

11. *"Lance o credor mão de tudo quanto tenha."* Realmente, uma maldição. Aqueles que já caíram nas mãos do usurário ou do agiota podem dizer a você o que isto quer dizer: seria melhor ser uma mosca na teia de uma aranha. Da maneira mais sutil, preocupante e envolvente, o extorquidor remove, pouco a pouco, as propriedades da sua vítima, até que não sobre nem uma fração, para formar uma renda para a velhice. Montando sua armadilha, vigiando-a cuidadosamente, e habilmente atraindo sua vítima a ela, o extorquidor, por meios legais, realiza obras ilícitas, *apanha* a sua ave, remove todas as suas penas e não se preocupa se ela morre de fome. Ele rouba, com a lei protegendo-o, e com o magistrado respaldando-o; cair em suas garras é pior do que ser importunado por ladrões declarados.

"E despojem-no os estranhos do seu trabalho" – para que seus parentes não tenham nada. Com duros credores e estranhos que roubam, a propriedade deve desaparecer em pouco tempo! A extorsão sugando de um lado, e a pilhagem de outro, um conhecido agiota e um ladrão desconhecido, ambos em ação, e os bens

do homem logo desaparecem, e com justiça, pois foram ajuntados por meios ilícitos. Isto também é visto frequentemente. A riqueza acumulada pela opressão raramente dura até a terceira geração: ela foi ajuntada pela injustiça, e pela injustiça ela é dissipada, e quem decretaria que deve ser de outra forma? Certamente, aqueles que sofrem sob fraude autoritária não desejariam impedir a retribuição do Todo-Poderoso, nem aqueles que vêm os pobres roubados e pisados desejariam alterar os arranjos divinos pelos quais estes males são recompensados, ainda nesta vida.

12. *"Não haja ninguém que se compadeça dele."* Ele não teve misericórdia, mas, ao contrário, esmagou todos os que apelaram a ele. Odiando feri-lo com a sua própria arma, a justiça não pode agir de outra forma; ela levanta a sua balança e assim se vê que isto, também, deve estar incluído na sentença.

"Nem haja quem favoreça os seus órfãos." Nós ficamos chocados ao ver os filhos incluídos na sentença do pai, mas, na verdade, os filhos realmente sofrem pelos pecados de seus pais, e, enquanto as questões desta vida forem ordenadas como são, assim deverá ser. Tão envolvidos são os interesses da raça, que é quase impossível, em todos os aspectos, considerar o pai separadamente dos filhos. Ninguém, entre nós, poderia desejar ver os órfãos sofrendo pela culpa de seu falecido pai, mas é isto o que acontece, e não há injustiça neste fato. Eles compartilham do ganho ou da posição que o pai obteve ilicitamente, e a sua exaltação é parte do objeto que ele visava, ao perpetrar os seus crimes; permitir que eles prosperem seria encorajar e recompensar a sua iniquidade; portanto, por estas e outras razões, um homem não perece sozinho na sua iniquidade. A maldição está na sua raça. Se o homem fosse inocente, isto seria um crime; se ele fosse apenas comumente culpado, isto seria retribuição excessiva; mas quando a ofensa é feita ao elevado céu, em impronunciável abominação, não é de admirar que os homens dediquem toda a casa do homem à infâmia perpétua, e que assim aconteça.

13. *"Desapareça a sua posteridade, e o seu nome seja apagado na seguinte geração."* Que desapareçam, da existência e da lembrança, até que ninguém saiba que esta descendência infame existiu. Quem deseja ver que a família de Domiciano ou Juliano continue sobre a terra? Quem lamentaria se a raça de Tom Paine ou de Voltaire chegasse a tal completo fim? Não seria desejável que os filhos de vilões e sedentos de sangue alcançassem honra elevada, e se isto acontecesse, eles somente iriam reviver a lembrança dos pecados de seus pais.

14. Este versículo é, talvez, o mais terrível de todos, mas, na verdade, os filhos realmente conquistam a punição pelos pecados de seus pais, e são frequentemente eles mesmos os meios de tal punição. Um mau filho faz lembrar dos fracos pontos do caráter de seu pai; as pessoas dizem: "Ah, ele é como o pai. Ele é parecido com seu pai". Os pecados de uma mãe também certamente virão à mente, se a sua filha se tornar terrivelmente ímpia. "Ah", dirão, "pouco admira, quando se considera como era a sua mãe". Estas são questões que acontecem todos os dias. Não podemos, no entanto, pretender explicar a justiça desta maldição, ainda que creiamos plenamente nela. Nós esperamos até que o nosso Pai celestial se agrade em nos dar novas instruções. Mas, como os erros de um homem frequentemente são aprendidos de seus pais, não é injusto que os seus consequentes crimes recaiam sobre ele.

15. Outra vez, ele deseja que os pecados de seu pai possam acompanhar o transgressor e ajudar a completar a medida das suas próprias iniquidades, para que, por toda a carga acumulada, a família possa ser ferida até a completa extinção. Um rei pode, com razão, desejar que este fim recaia sobre uma descendência incorrigível de rebeldes; e os santos podem, com o mesmo espírito, orar pela extinção dos perseguidores; mas a passagem é obscura e sombria; e assim devemos deixá-la. Deve ser correto, ou não estaria aqui, mas não podemos ver como pode ser correto. Por que deveríamos esperar compreender todas as coisas? Talvez seja mais benéfico para nós exercer humildade, e adorar reverentemente a Deus conforme um texto severo, do que seria compreender todos os mistérios.

16. *"Porquanto se não lembrou de usar de misericórdia."* Como não se lembrou de mostrar misericórdia, o Juiz de todos terá uma lembrança mais forte dos seus pecados. Tão pouca misericórdia ele já tinha demonstrado, que tinha se esquecido de como fazer isto, ele não tinha humanidade, estava vazio de compaixão, e por isto somente merecia ser tratado segundo a fria lei da justiça.

"Antes, perseguiu o varão aflito e o necessitado." Ele considerava os pobres como um aborrecimento na terra, esmagava seus rostos, oprimindo-os nos seus salários, e os tratava como a lama das ruas. Ele não deveria ser punido, e, por sua vez, humilhado? Todos os que o conhecem se indignam com as suas brutalidades, e se gloriarão por vê-lo derrubado.

"Como também o quebrantado de coração, para o matar." Ele tinha maldade no coração contra alguém que já estava suficientemente angustiado, e a quem era uma malignidade atacar. Mas nenhuma angústia lhe despertou simpatia, nenhuma pobreza o motivou a ceder. Não, ele mataria o quebrantado de coração, e roubaria o patrimônio dos seus órfãos. Para ele, os gemidos eram como música, e as lágrimas eram como vinho, e as gotas de sangue eram preciosos rubis. Algum homem pouparia tal monstro? Não seria servir os fins da humanidade se nós desejássemos que ele se fosse, que se fosse ao trono de Deus, para receber a sua recompensa? Se ele se convertesse e se arrependesse, muito bem: mas, caso contrário, esta árvore venenosa deve ser cortada e lançada ao fogo. Assim como os homens matam cachorros loucos, se puderem, e com razão, também nós podemos, licitamente, desejar que os opressores cruéis dos pobres sejam removidos de seu lugar e de sua posição, e, como um exemplo para os outros, sofram pelas suas barbaridades.

17. *"Visto que amou a maldição, ela lhe sobrevenha."* Bem no fundo da alma de cada homem, a justiça de *lex talionis* é estabelecida. A retaliação, não como vingança particular, mas como medida de justiça pública, é exigida pelo salmista, e merecida pelo crime. Certamente, o homem perverso não pode se queixar se for julgado pelas suas próprias regras, e se tiver seu grão medido com seu próprio alqueire. Que ele tenha o que ele amava. Eles são seus próprios pintinhos, e devem voltar para o poleiro. Ele fez a cama, que deite nela. Ele deve beber a bebida que preparou. Assim todos os homens dizem, como questão de justiça; e embora a lei superior do amor deva estar acima de toda ira pessoal, ainda assim, contra os infames indivíduos aqui descritos, nem mesmo o amor cristão desejaria ver a sentença mitigada.

"E pois que não desejou a bênção, ela se afaste dele." Ele não sentia alegria com o bem de nenhum homem, nem levantaria uma mão sequer, para ajudar a outra pessoa; em vez disto ele se irritaria quando outra pessoa prosperasse, ou quando se ouvisse alguma alegria sob a sua janela; o que, então, podemos desejar a ele? A bênção estava desperdiçada nele, ele odiava aqueles que gentilmente procurassem levá-lo a uma mentalidade melhor; até mesmo as bênçãos da providência, ele recebia com reclamações; ele desejava que a fome subisse o preço dos seus grãos, e que a guerra aumentasse o seu negócio. O mal era bom para ele, e considerava mau o bem. Se ele pudesse ter amaldiçoado cada plantação do mundo, ele o teria feito, se pudesse ter ganho algum dinheiro com isto, ou se pudesse, com isto, ter ofendido o bom homem ao qual odiava profundamente. O que podemos desejar a ele? Ele procura o mal, e odeia o bem; ele se dispõe a destruir os devotos a quem Deus abençoou, ele é amigo do diabo e tão satânico quanto o seu chefe; as coisas deveriam ir bem com alguém assim? Será que devemos lhe "desejar boa sorte, em nome do Senhor"? Invocar bênçãos para tal homem seria participar da sua iniquidade; portanto, que a bênção esteja longe dele, enquanto ele continuar como é agora.

18 e 19. Ele tinha, tão abertamente, o hábito de desejar o mal para os outros que parecia usar vestes de maldição, portanto que seja para ele como a veste que o cobre e como cinto que o cinja sempre, assim penetre a sua veste nas suas entranhas como água e em seus ossos como azeite. É apenas justo que ele receba uma retribuição pela sua maldade, e que a receba também na mesma moeda.

20. Este é o resumo de toda a imprecação, e a fixa sobre as pessoas que tinham, tão maldosamente, atacado o inofensivo homem de Deus. Davi era um homem de temperamento dócil, e notavelmente livre do espírito de vingança, e por isto aqui podemos imaginá-lo falando como um juiz ou um homem representante, em quem grandes princípios precisam ser justificados e grandes ofensas reparadas.

Entre o povo de Deus, milhares se confundem com este salmo, e nós receamos ter contribuído muito pouco para esclarecê-lo, e talvez as observações que coletamos de outros autores, uma vez que exibem tal variedade de interpretações, possam apenas aumentar a dificuldade. E então? Não é bom que nós, às vezes, sejamos levados a sentir que não somos capazes de compreender toda a palavra e toda a vontade de Deus? Uma perplexidade completa, desde que não faça vacilar a nossa fé, pode ser útil para nós, confundindo nosso orgulho, incitando nossas faculdades, e levando-nos a clamar: "Aquilo que eu não sei, ensina-me".

21 *Mas tu, ó Jeová Senhor, sê comigo por amor do teu nome; porque a tua misericórdia é boa, livra-me.*
22 *Porque estou aflito e necessitado, e, dentro de mim, está aflito o meu coração.*
23 *Eis que me vou como a sombra que declina; sou sacudido como o gafanhoto.*
24 *De jejuar, estão enfraquecidos os meus joelhos, e a minha carne emagrece.*
25 *E ainda lhes sirvo de opróbrio; quando me contemplam, movem a cabeça.*
26 *Ajuda-me, Senhor, Deus meu! Salva-me segundo a tua misericórdia.*
27 *Para que saibam que nisto está a tua mão, e que tu, Senhor, o fizeste.*
28 *Amaldiçoem eles, mas abençoa tu; levantem-se, mas fiquem confundidos; e alegre-se o teu servo.*
29 *Vistam-se os meus adversários de vergonha, e cubra-os a sua própria confusão como uma capa.*
30 *Louvarei grandemente ao Senhor com a minha boca; louvá-lo-ei entre a multidão.*
31 *Pois se porá à direita do pobre, para o livrar dos que condenam a sua alma.*

21. *"Mas tu, ó Jeová, Senhor, sê comigo por amor do teu nome."* Com que entusiasmo ele se volta, de seus inimigos, ao seu Deus! Ele coloca o grande tu em oposição a todos os seus adversários, e vemos, imediatamente, que o seu coração está tranquilo. As palavras são indistintas, e, embora a nossa versão não possa traduzi-las com exatidão, ainda assim, de uma maneira notável, alcança o sentido e a obscuridade que paira sobre ele. "Sê comigo" – o que? Ora, fazer o que quer que julgue adequado. Ele se entrega nas mãos do Senhor, sem exigir nada, mas muito satisfeito, enquanto o seu Deus apenas agir por ele. O seu apelo não é seu próprio mérito, mas *o nome*. Os santos sempre sentiram que este era o seu apelo mais poderoso. O próprio Deus realizou suas maiores obras de graça para a honra do seu nome, e o seu povo sabe que este é o mais potente argumento com Ele. O que o próprio Senhor guardou, com sagrado zelo, nós devemos reverenciar, com nossos corações, e confiar nisto, sem suspeitas.

"Porque a tua misericórdia é boa, livra-me." Não porque eu seja bom, mas porque a tua misericórdia é boa: veja como os santos fundamentam as suas súplicas na oração do próprio Senhor. A misericórdia de Deus é a estrela à qual o povo do Senhor dirige seus olhos, quando estão agitados na tempestade, e sem consolo, pois a generosidade peculiar e a bondade daquela misericórdia são atraídas pelos corações cansados. Quando o homem não tem misericórdia, nós ainda a encontramos em Deus. Quando o homem devora, nós podemos confiar que Deus liberta. O seu nome e a sua misericórdia são duas bases firmes para esperança, e felizes são aqueles que sabem como confiar nelas.

22. *"Porque estou aflito e necessitado."* Quando ele suplica algo a respeito de si mesmo, ele não apresenta as suas riquezas nem os seus méritos, mas a sua pobreza e as suas necessidades: isto é a súplica do Evangelho, como somente o Espírito de Deus pode expressar no coração. Esta humildade não é coerente com o suposto

espírito vingativo dos versículos anteriores: portanto, deve haver alguma interpretação deles, que os torne adequados aos lábios de um homem humilde de Deus.

"E, dentro de mim, está aflito o meu coração." O Senhor sempre tem uma consideração terna com os que têm o coração quebrantado, e assim o salmista havia se tornado: a crueldade imerecida, a infâmia, a calúnia dos seus inimigos contumazes o tinham perfurado até a alma, e esta triste condição ele alega, como razão para o rápido socorro. É o momento de que um amigo se manifeste, quando o adversário fere tão profundamente. O caso se torna desesperador, sem a ajuda divina; agora, portanto, é o momento do Senhor.

23. *"Eis que me vou como a sombra que declina."* Eu sou uma mera sombra, uma sombra a ponto de desaparecer, quando se estica, mas é quase perdida na escuridão universal da noite que se instala sobre tudo, e assim apaga as sombras lançadas pelo sol que se põe. Senhor, já quase nada me sobra, tu não virás, antes que eu me acabe?

"Sou sacudido como o gafanhoto", que é a diversão dos ventos, e sobe ou desce conforme a brisa o leva. O salmista se sentia tão impotente na sua aflição como um pobre inseto, que uma criança pode sacudir como desejar. Ele implora a piedade divina, porque ele tinha sido trazido a esta frágil condição pela longa perseguição que o seu terno coração tinha suportado. A calúnia e a maldade são capazes de produzir distúrbios nervosos, e levar a doenças que consomem. Aqueles que usam estas flechas envenenadas nem estão sempre cientes das consequências; eles espalham tições e morte, e dizem que é diversão.

24. *"De jejuar, estão enfraquecidos os meus joelhos"*, seja jejum religioso, ao qual ele recorreu na situação extrema da sua angústia, ou a perda de apetite ocasionada pela sua angústia. Quem consegue comer, quando a inveja estraga cada pedaço do alimento? A vantagem do caluniador é o fato de que ele não sente nada, ao passo que a sua sensível vítima mal pode comer um pedaço de pão por causa da sua sensibilidade. No entanto, o bom Deus sabe de tudo isto, e irá socorrer o seu aflito. O Senhor que nos convida a firmar os frágeis joelhos certamente o fará, Ele mesmo.

"E a minha carne emagrece." Ele se consumiu até um esqueleto, e assim como o seu corpo emagrecia, também a sua alma era despojada de consolação: ele se consumia, e todo o tempo os seus inimigos viam isto, e riam da sua angústia. De que maneira patética ele apresenta o seu caso; esta é uma das mais verdadeiras formas de oração: o exibir das nossas angústias diante do Senhor. Os joelhos fracos são fortes com Deus, e a carne que emagrece tem grande poder de súplica.

25. *"E se ainda lhes sirvo de opróbrio."* Eles o tornavam tema de ridículo, a vítima de suas brincadeiras grosseiras: o seu emagrecimento, pelo jejum, o tornava um assunto tentador para suas caricaturas e sátiras.

"Quando me contemplam, movem a cabeça." As palavras não eram uma expressão suficiente do seu escárnio, eles recorriam a gestos que pretendiam mostrar a sua zombaria e também irritar o espírito do salmista. Embora estas coisas não quebrem ossos, elas fazem coisa pior, pois quebram e ferem partes muito mais ternas. Muitos homens que poderiam ter respondido a palavras maldosas, aliviando assim o seu espírito, sentiram profundamente uma zombaria, um mostrar de língua, ou outro sinal de desprezo. Também aqueles que estão exaustos por tanto jejuar e se consumir, como descreve o último versículo, estão, de modo geral, em um estado de mórbida sensibilidade, e por isto sentem mais profundamente a crueldade dos outros. Aquilo que os faria sorrir, em épocas mais felizes, se torna intolerável quando eles se encontram em uma condição altamente nervosa e agitada.

26. *"Ajuda-me, Senhor, Deus meu."* Apropriando-se do Senhor com a palavra mais adequada, *meu*, ele implora a sua ajuda, tanto para ajudá-lo a suportar a sua pesada carga, quanto para capacitá-lo a se levantar. Ele descreveu a sua própria fraqueza, e a força e fúria de seus inimigos, e com estes dois argumentos, ele reforça os seus apelos. Esta é uma oração muito rica, curta e apropriada, para os crentes em qualquer situação de perigo, dificuldade ou angústia.

"Salva-me segundo a tua misericórdia." Como é a tua misericórdia, que seja a tua salvação. A medida é grandiosa, pois a misericórdia de Deus é ilimitada. Quando o homem não tem misericórdia, é consolador se apoiar na misericórdia de Deus. A justiça para os ímpios é, frequentemente, justiça para os justos, e como Deus é misericordioso, Ele irá salvar o seu povo, derrotando os seus adversários.

27. *"Para que saibam que nisto está a tua mão."* Tolos como eles são, que a misericórdia que me é exibida seja tão evidente que eles sejam forçados a ver a ação do Senhor nela. Os homens profanos não verão a mão de Deus em nada, se puderem evitar, e quando virem os homens bons entregues ao seu poder, se tornarão mais confirmados do que nunca no seu ateísmo; mas tudo a seu tempo – Deus se levantará e punirá tão eficazmente a sua perversidade, e resgatará o objeto do seu rancor, que eles serão compelidos a dizer, como os mágicos egípcios: "isto é o dedo de Deus".

"E que tu, Senhor, o fizeste." O autor de tão completa defesa, de tão completo virar de mesa, não será confundido.

28. *"Amaldiçoem eles, mas abençoa tu"*, ou *"eles amaldiçoarão, e tu irás abençoar"*. A sua maldição, então, terá tão poucas consequências, que não importará nada. Uma bênção do Senhor irá remover o veneno de dez mil maldições dos homens.

"Levantem-se, mas fiquem confundidos." Eles se levantam, para desferir outro golpe, para proferir outra falsidade, e para observar os seus ofensivos efeitos sobre sua vítima, mas eles veem a sua própria derrota e se enchem de vergonha.

"E alegre-se o teu servo". Não apenas como um homem protegido e resgatado, mas como servo de Deus, em quem são exibidas a glória e a bondade do seu Senhor, quando ele é salvo de seus adversários. Deve ser a nossa maior alegria que o Senhor seja honrado na nossa experiência; a própria misericórdia não deve nos alegrar tanto, como a alegria que é, com isto, trazida àquele que tão graciosamente a concede.

29. *"Vistam-se os meus adversários de vergonha."* É uma profecia, assim como um desejo, e nós podemos interpretá-la tanto no indicativo como no imperativo. Quando o pecado é a roupa de baixo, a vergonha logo se torna a roupa exterior. Aquele que vestir os homens bons com desprezo, se vestirá com desonra.

"E cubra-os a sua própria confusão como uma capa." Que a sua confusão seja suficientemente ampla para envolvê-los, da cabeça aos pés, que eles se envolvam com ela, e se escondam dentro dela, como completamente receosos de serem vistos. Agora, eles andam desavergonhadamente, e revelam a sua própria iniquidade, agindo como se não tivessem nada a esconder, ou não se importassem se isto fosse visto; mas eles terão outro modo de pensar quando o grande Juiz lidar com eles, então eles pedirão que os montes os cubram, e que os outeiros caiam sobre eles, para que não sejam vistos: mas será tudo em vão, eles devem ser arrastados ao tribunal e nada os cobrirá, exceto a sua própria confusão.

30. *"Louvarei grandemente ao Senhor com a minha boca."* Entusiasticamente, abundantemente, e em voz alta, ele irá exaltar o justo Senhor, que o redimiu de todo o mal; e não apenas na sua própria câmara ou entre a sua família, mas da maneira mais pública.

"Louvá-lo-ei entre a multidão." Providências notáveis e públicas exigem reconhecimento público, pois, caso contrário, os homens do mundo julgarão que somos ingratos. Nós não louvamos a Deus para sermos ouvidos pelos homens, mas como um senso natural de justiça faz com que todos esperem ouvir uma pessoa amiga falar bem de seu benfeitor, nós temos consideração com tais expectativas, naturais e justas, e nos esforçamos para tornar nossos louvores tão públicos como o benefício que recebemos. O cantor, neste caso, é o homem cujo coração foi ferido dentro de si, porque ele era motivo de riso de inimigos contumazes; mas agora ele louva, louva grandemente, louva em voz alta, louva diante de todos os oponentes, e louva com um espírito alegre e reto. Não nos deixes jamais desesperar, não nos deixes jamais deixar de louvar.

31. *"Pois se porá à direita do pobre."* Deus não estará ausente quando o seu povo estiver passando por provações; Ele os defenderá, e comparecerá à corte como seu advogado, preparado para apelar em nome deles. Como é diferente isto, da condenação do ímpio que tem Satanás à sua mão direita (v. 6).

"Para o livrar dos que condenam a sua alma." O tribunal somente se reuniu como formalidade, pois os maldosos já tinham decidido o veredicto; eles o consideraram culpado, pois o seu ódio o condenou; eles proferiram a sentença de condenação à alma da sua vítima: mas o que importava? O grande Rei estava no tribunal, e a sua sentença se voltou contra eles mesmos. Nada pode sustentar mais docemente o coração de um crente caluniado do que a firme convicção de que Deus está próximo de todos os que são injustiçados, e certamente operará a sua salvação.

Ó, Senhor, salva-nos da severa tentação da calúnia: trata com a tua justiça todos aqueles que atacam perversamente as qualidades dos homens santos, e faze com que todos os que sofrem a calúnia e a difamação saiam imaculados da aflição, assim como o teu Filho Unigênito. Amém!

NOTAS EXPLICATIVAS E DECLARAÇÕES SINGULARES

O Salmo: *"Misterioso"* foi a única palavra escrita junto a este salmo, na bíblia de bolso de um recente autor, devoto e popular. Ela representa a total perplexidade com que ele é considerado, de maneira geral. – *Joseph Hammond*

O Salmo: Neste salmo, Davi supostamente se refere a Doegue, o edomita, ou a Aitofel. É o salmo mais imprecatório, e pode bem ser chamado de *Salmo Iscariotes.* Aquilo que Davi aqui diz do seu inimigo mortal, encontra o cumprimento na traição ao Filho de Davi. É do versículo 8 que Pedro deduz a necessidade de preencher a vaga ocasionada pela morte de Judas: foi, diz ele, predito que outra pessoa assumisse o seu lugar. – *Paton J. Gloag, "A Commentary on the Acts", 1870*

O Salmo: Nós podemos considerar Judas, ao mesmo tempo, como o líder virtual da nação judaica, na sua ousada tentativa de destronar o Filho de Deus. A condenação proferida, e as razões para ela, se aplicam aos judeus como nação, assim como ao líder do bando que prendeu Jesus. – *Andrew A. Bonar*

O Salmo: É possível que este salmo perturbador e doloroso nos apresente, afinal, não as maldições de Davi aos seus inimigos, mas as maldições deles sobre ele? Não apenas eu considero esta interpretação bastante legítima, como eu a considero a interpretação mais natural e mais razoável . – *Joseph Hammond*

[Na obra do Dr. Cox, *Expositor,* Vol. II., p. 225, esta teoria é detalhada por Hammond, mas não podemos aceitá-la nem por um instante. – *C. H. S.*]

Imprecações do Salmo: A linguagem foi justificada, não como a linguagem de Davi, mas como a linguagem de Cristo, exercendo seu ofício de Juiz, ou, quando tivesse deixado de lado este ofício, durante a sua vida terrena, invocando seu Pai para cumprir a maldição. Alguns alegaram que esta é o prenúncio profético das palavras solenes: "Ai daquele homem por quem o Filho do Homem é traído! Bom seria para esse homem se não houvera nascido" (Mt 26.24). A maldição, nas palavras de Crisóstomo, é "uma profecia em forma de maldição" (προφητεία ἐν εἴδει ἀρᾶς).

O esforço a que esta interpretação nos obriga, para adotar a linguagem, deveria ter nos levado, há muito tempo, ao abandono de tal linguagem. Nem mesmo as palavras proferidas pelo nosso Senhor contra os fariseus podem, realmente, ser comparadas aos anátemas que aqui estão enfileirados. Muito menos há qualquer pretensão de dizer que estas palavras, tão cheias de profunda e santa angústia, dirigidas ao traidor descrito nos Evangelhos, são meramente outra expressão das terríveis denúncias do salmo. Mas por mais terríveis que elas sem dúvida sejam, e justificadas pelo espírito da Antiga Dispensação, e não sendo defendidas pelo espírito da Nova Dispensação, ainda devemos aprender a avaliá-las corretamente. – *J. J. Stewart Perowne*

Imprecações: Estas imprecações não são apropriadas na boca do Salvador que sofre. Não é o espírito de Sião, mas o do Sinai, que aqui fala da boca de Davi; o espírito de Elias, que, de acordo com Lc 9.58, não é o espírito do Novo Testamento. Este espírito colérico é subjugado pelo espírito do amor. Mas estes anátemas não estão ainda, por causa disto, derrotados. Há neles uma energia divina, como na bênção e maldição de cada homem que está unido a Deus, e, mais especialmente, de um homem cujo estado de espírito é como o de Davi. Elas possuem o mesmo poder que as ameaças proféticas, e neste sentido são consideradas, no Novo Testamento, como cumpridas no filho da perdição (Jo 17.12). Para a geração da época de Jesus, elas eram um aviso dissuasivo, para que não se ofendesse o Santo de Deus, e este *Psalmus Ischarioticus* (At 1.20) será sempre este espelho de advertência aos inimigos e perseguidores de Cristo e da sua igreja. – *Franz Delitzsch*

Imprecações: Com respeito às imprecações contidas neste salmo, é adequado ter em mente o que eu disse em outras passagens, que quando Davi formula tais maldições, ou expressa o desejo delas, ele não é instigado por alguma propensão carnal descontrolada, nem age por zelo sem conhecimento, nem é influenciado por qualquer consideração pessoal. Estas três questões devem ser cuidadosamente analisadas, pois, em proporção com a quantidade da auto-estima que possui um homem, ele está tão enamorado com seus próprios interesses a ponto de se precipitar na vingança. Assim, acontece que quanto mais a pessoa é devotada ao egoísmo, mais estará incontrolavelmente dependente do progresso de seus próprios interesses individuais. Este desejo da promoção dos interesses pessoais dá origem a outros tipos de maldade: pois ninguém deseja ser vingado contra seus inimigos porque isto seria justo e correto, mas porque é este o meio de gratificar a sua própria propensão rancorosa. Alguns, na verdade, alegam justiça e equidade na questão, mas o espírito de malignidade, que os inflama, apaga todos os traços de justiça e cega suas mentes.

Quando os dois defeitos, o egoísmo, e a carnalidade, são corrigidos, ainda há outra coisa que exige correção: nós devemos reprimir o ardor do zelo tolo, para que possamos seguir o Espírito de Deus como nosso guia. Se alguém, sob a influência de perverso zelo, apresentar Davi como um exemplo dele, isto não seria um exemplo apropriado; pois esta pessoa pode ter aplicado muito adequadamente a resposta que Cristo deu aos seus discípulos: "Vós não sabeis de que espírito sois" (Lc 19.55). Que sacrilégio detestável há, por parte dos monges, e especialmente dos frades franciscanos, em perverter este salmo, usando-o para estimular os mais nefandos propósitos! Se um homem abrigar maldade contra um vizinho, é muito comum que ele use uma destas perversas maldições contra o próximo, o que ele faria repetindo diariamente este salmo. Eu conheço uma senhora, na França, que contratou um grupo destes frades para amaldiçoar o seu próprio e único filho com estas palavras. Mas eu retorno a Davi, que, livre de qualquer paixão desordenada, emitia as suas orações sob a influência do Espírito Santo. – *João Calvino*

Imprecações: É possível, como pensa Tholuck, que, em algumas das palavras naqueles que são chamados *salmos vingativos*, especialmente as imprecações em Salmos 109, o zelo pessoal profano possa ter se mesclado com santo zelo, como foi, aparentemente, o caso dos dois discípulos, Tiago e João, quando o Senhor repreendeu o seu desejo de vingança (Lc 9.54-56). Mas, na realidade, o sentimento que estes salmos expressam pode ser considerado praticamente como ira, como explica e justifica o Bispo Butler nos seus sermões "Resentment and the Forgiveness of Injuries", e como Paulo ensina em Efésios 4.26: "Irai-vos e não pequeis". A ira contra o pecado e um desejo de que os malfeitores sejam punidos não são opostos ao espírito do Evangelho, ou àquele amor aos inimigos que o nosso Senhor ordenou e exemplificou. Se a emoção ou a sua expressão fossem essencialmente pecaminosas, como Paulo poderia desejar que o inimigo de Cristo, que corrompe o Evangelho, fosse amaldiçoado (ἀνάθεμα, 1 Co 16.22; Gl 1.8); e, especialmente, como o espírito dos santos martirizados, no céu, poderia invocar a Deus, pedindo vingança (Ap 6.10) e se unirem para celebrar a sua execução final (Ap 19.1-6). Sim, o ressentimento contra os ímpios está tão longe de ser necessariamente pecaminoso que nós o vemos manifestado pelo Santo e Justo, quando, nos dias da sua carne, olhou ao redor, para seus ouvintes, "com indignação, condoendo-se da dureza do seu coração" (Mc 3.5); e quando no "grande dia da sua ira" (Ap 6.17), Ele dirá a "todos os que praticais a iniquidade" (Lc 13.27): "Apartai-vos de mim, malditos" (Mt 25.41). – *Benjamin Davies (1814-1875), "Kitto's Cyclopaedia"*

Imprecações: É verdade que esta vingança é invocada sobre a cabeça do traidor de Cristo: e nós podemos nos beneficiar, lendo até mesmo a mais grave das passagens, quando as consideramos como ditadas por um zelo ardente pela honra do Senhor, uma justa indignação e um zelo amoroso, e, de modo geral, senão universal, como denúncias de justo juízo contra os inimigos obstinados de Cristo, e contra todos os que não obedecem ao Evangelho de Deus. Ao mesmo tempo, estas passagens não podem ser completamente explicadas sem um franco reconhecimento do fato de que o salmo foi concebido e escrito sob o Antigo Concerto. Esta dispensação era mais severa do que a nossa. O povo de Deus teve, com todos os outros povos, um conflito de espada e lança. Eles quiseram pisar seus inimigos, ou esmagar os pagãos; e consideraram um grande triunfo religioso que um homem justo lavasse seus pés no sangue dos ímpios (Sl 58.10; 68.23). Agora a luta é sem armas carnais, e o tom da dispensação se alterou. – Donald Fraser.

Imprecações: As imprecações de juízo sobre os ímpios *com a hipótese da sua continuada impenitência* não são incoerentes com esforços simultâneos para levá-los ao arrependimento; e a caridade cristã não pode fazer nada além de se empenhar pela conversão dos pecadores. A lei da santidade requer que nós oremos pela divina retribuição: a lei do amor para buscar e, ao mesmo tempo, resgatar o tição do fogo. A última oração do mártir Estêvão foi respondida, não por um desvio geral da condenação de uma nação culpada, mas pela conversão de um indivíduo, perseguidor daqueles que servem a Deus. – *Joseph Francis Thrupp*

Imprecações: Esta explicação que considera os "inimigos" como adversários espirituais tem uma grande dose de verdade. Ela se recomenda a uma mente tão afastada do misticismo como a de Arnold. Ela é mais importante para o uso devoto e privativo do salmo. Pois, embora nós estejamos no monte Sião, coroado com a eterna calma, o ouvido aberto pode ouvir o trovão sobre os picos do Sinai. No Evangelho, a ira de Deus se manifesta do céu, contra toda impiedade e injustiça. O pecado é totalmente odioso para Deus. As amplas portas estão completamente abertas para a cidade que está totalmente aberta para os ventos do céu; pois o seu governante é divinamente tolerante. Mas de maneira alguma poderá entrar nela coisa alguma que contamine e cometa abominação; pois ele também é divinamente intolerante. E quando, de público ou privadamente, nós lemos estes salmos de imprecação, há uma lição que nos convence. Nós devemos lê-los, ou estaremos desonrando a palavra de Deus. Lendo-os, nós devemos nos afastar do pecado, ou pronunciar juízo sobre nós mesmos. A embriaguez, a impureza, o ódio, cada pecado conhecido, da carne ou espírito – estes, e não os homens enganados, são os piores inimigos de Deus e do seu Cristo. Contra estes, nós oramos em nossas orações pela paz, nas orações pela manhã e à noite – "Defende-nos de todos os ataques dos nossos inimigos, para que, por ti, sendo defendidos do temor dos nossos inimigos, possamos passar o nosso tempo em descanso e tranquilidade". Estes eram os exércitos sombrios que passaram pela visão do salmista, quando ele clamou: "Envergonhem-se e perturbem-se todos os meus inimigos" (Sl 6.10). – *William Alexander, "The Witness of the Psalms to Christ and Christianity", 1877*

Imprecações: Eu não posso deixar de relatar o seguinte incidente que aconteceu outro dia, na adoração familiar matinal. Aconteceu que eu estava lendo um dos salmos de imprecação, e quando fiz uma pausa o meu filho, de dez anos, perguntou, com alguma seriedade: "Pai, você acha certo que um homem bom ore desta maneira pela destruição dos seus inimigos?" e ao mesmo tempo eu me lembrei de Cristo orando pelos seus inimigos. Eu fiz uma pausa, para saber como moldar a resposta de modo a responder e satisfazer plenamente a sua pergunta, e disse: "Meu filho, se um assassino entrasse na casa, à noite, e matasse a sua mãe, e fugisse, e o Delegado de Polícia e todos os cidadãos os perseguissem, tentando prendê-lo, você não oraria a Deus para que eles conseguissem prendê-lo, e para que ele pudesse ser trazido diante da justiça?" "Oh, sim", disse ele, "mas eu nunca pensei nisto antes, eu não sabia que este era o significado destes salmos". "Sim", disse eu, "meu filho, os homens contra quem Davi ora eram homens sanguinários, homens de falsidade e crime, inimigos da paz da sociedade, buscando a sua própria vida, e a menos que eles fossem presos e seus estratagemas perversos derrotados, muitas pessoas inocentes iriam sofrer". A explicação o satisfez perfeitamente. – *F. J. G. Hibbard, "The Psalms Chronologically Arranged", 1856*

O Título: É digno de nota que a inscrição *"ao regente do coro"*, ao líder do coro (לַמְנַצֵּחַ), prova que o salmo era destinado, da maneira como está, ao serviço de cânticos do Tabernáculo ou do Templo. – *Joseph Hammon, "The Expositor", 1875*

O Título: *Inscrição siríaca.* Os verbos do texto em hebraico praticamente em toda a parte das imprecações deste salmo estão no singular, como se o profeta tencionasse se referir a algum sujeito particular. Mas os nossos tradutores sempre alteram os verbos para o plural, o que não é feito pelos Setenta e outros tradutores, que são mais fiéis ao texto em hebraico. Mas sem dúvida isto aconteceu porque os cristãos siríacos explicam este salmo como uma referência aos sofrimentos de Cristo, que podem ser interpretados a partir da inscrição siríaca deste salmo, e que, em Polyglottis Angl. diz: – *"De Davi: quando fizeram rei a Absalão, sem que ele soubesse, e por causa disto, ele foi morto. Mas isto nos apresenta os sofrimentos de Cristo"*. Por este motivo, todas estas imprecações são transferidas aos inimigos ou assassinos de Jesus Cristo. – *John Augustus Cathe, 1731-1791*

v. 1: "Ó Deus do meu louvor, não te cales". Toda recomendação ou manifestação da nossa inocência deve ser procurada em Deus, quando nós somos atacados com calúnias por todos os lados. Quando Deus está silencioso, nós devemos clamar ainda mais forte; e não devemos, por causa da demora, perder a esperança de socorro, nem deixar impacientemente de orar. – *Martin Geier*

v. 1: "Não te cales". Como é apropriado que esta frase seja aplicada a Deus, para quem *falar* é a mesma coisa que *fazer*; pois, pela sua palavra, Ele fez todas as coisas. Apropriadamente, portanto, Ele é descrito como silencioso, quando Ele parece não perceber as coisas que são feitas pelos ímpios, e pacientemente tolera a sua perversidade. O salmista implora que Ele se levante e fale com os ímpios, na sua ira, e assim se vingue, merecidamente, deles; o que é fácil para Ele fazer, tão fácil como é, para um homem irado, irromper em palavras de repreensão e culpa. Isto deve ser, para nós, um grande estímulo contra a iniquidade desta geração: Deus, que é o motivo do nosso louvor, pode restringi-la com uma pequena palavra. – *Wolfgang Musculus*

v. 1: "Ó Deus". Assim como os mais inocentes e santos servos de Deus estão sujeitos a pesadas difamações e falsas calúnias, levantadas contra eles, também o melhor remédio e alívio, neste caso, é ir até Deus, como o salmista faz aqui. – *David Dickson*

v. 1: "Deus do meu louvor". Tu, que és o constante objeto do meu louvor e dos meus agradecimentos (Jr 17.14). – *William Keatinge Clay*

v. 1: "Ó Deus do meu louvor". Ao denominá-lo *o Deus do seu louvor*, ele confia a Deus a defesa da sua inocência, diante das calúnias pelas quais ele era universalmente atacado. – *João Calvino*

v. 1: "Ó Deus do meu louvor". Permita-me, para explicar melhor, objetar. Ora, Davi, não havia outros santos, além de você, que dessem louvor a Deus? Por que você, então, parece se apropriar de Deus, e absorvê-lo para você mesmo, como o

Deus do seu louvor, como se ninguém mais o louvasse, além de você? Davi ora assim porque a sua alma tinha dedicado todo o louvor que ele era capaz de conferir, somente a Deus, a quem ele tinha se dedicado a louvar. Assim como de um filho amado nós costumamos dizer: "ó filho do meu amor". E, além disto, é como se ele tivesse dito: Se eu tivesse toda a capacidade de todos os espíritos dos homens e anjos para celebrá-lo, eu entregaria todos a Ele; Ele é o Deus do meu louvor. E assim como ele era o Deus do louvor de Davi, também será o do nosso. – *Thomas Goodwin*

v. 2: "Pois a boca do ímpio e a boca fraudulenta estão abertas contra mim". Fala, diz Arnóbio, à tua própria consciência, ó homem de Deus, tu que estás seguindo a Cristo; e quando a boca do homem ímpio e enganoso se abre a respeito de ti, alegra-te e tem segurança; porque enquanto a boca do ímpio está aberta para a tua calúnia na terra, a boca de Deus está aberta para o teu louvor no céu. – *Lorinus*

vv. 2 e 3: Observe, em primeiro lugar, que o caluniador abre a sua boca, para poder derramar o seu veneno, e para poder devorar a sua vítima. Por isto, Davi diz: "a boca do ímpio está aberta contra mim". Observe, em segundo lugar, que o caluniador é falante: *"Têm falado"*, etc. A boca do caluniador é um jarro quebrado que derrama seu conteúdo. Observe, em terceiro lugar, que a calúnia se origina do ódio: "Eles me cercaram *com palavras odiosas"*. Em grego, ἐκύκλωσάν με, isto é, eles me envolveram, como em um círculo. Clímaco diz: "A calúnia é *odii partus*, uma doença sutil, uma sanguessuga gorda mas oculta, que suga o sangue da caridade, e depois a destrói. – *Lorinus*

vv. 2 a 5: "A boca do ímpio", etc.

Perversão – deformada,
e feia, e de cheiro desagradável –
para roubar da virtude um incenso tão doce,
e com ele ungir e salvar as suas próprias
feridas, e perfumar o caminho que leva
à morte, lutou diariamente, por mil métodos:
e frequentemente conseguiu tornar a virtude repugnante
às narinas do mundo, e fazer com que a sua própria existência odiosa
tivesse aroma agradável. O boato foi o mensageiro
da difamação, e tão rápido, que ninguém
poderia ser o primeiro a transmitir uma mensagem ruim.

A calúnia encheu a sua boca com palavras mentirosas
Calúnia, o filhote mais asqueroso do Pecado. O homem
em quem este espírito entrasse, estaria destruído.
A sua língua ardeu no fogo do inferno; o seu coração
ficou negro como a morte. As suas pernas enfraqueceram com a pressa
em propagar a mentira que a sua língua tinha forjado
O seu travesseiro foi a paz das famílias
destruídas, o suspiro dos inocentes repreendidos,
amizades rompidas, e a disputa de irmandades.
Mas ele poupou o seu sono, e ouviu o relógio
marcar o turno da meia-noite, na sua cama,
planejando mais maldades; e levantou-se cedo,
e fez refeições ainda mais infernais com os nomes dos homens bons.

A paz fugiu do lugar onde ele fez
as suas perseguições; e, como uma peste moral,
diante do seu sopro os brotos e as flores
de alegria e felicidade decaíram.
Na sua companhia somente foram vistos loucos,

e aqueles abandonados por Deus e entregues à sua própria sorte.
O homem prudente o evitou, e à sua casa
como alguém que tivesse uma praga moral mortal.
– *Robert Pollok*

v. 3: Embora um indivíduo possa estar ausente, de modo que não pode ser cercado e combatido corporeamente, ainda assim, tão grande é a força e a maldade de uma língua envenenada, que um homem ausente pode ser, com o mesmo perigo, cercado e combatido. Assim Davi, embora ausente e no exílio, ainda assim viu-se cercado e atacado pelas calúnias de Doegue e dos outros bajuladores de Saul, de modo que acabou fisicamente cercado; nesta luta ele teria claramente perecido, a menos que tivesse sido divinamente libertado (veja 1 Sm 23). E este tipo de cerco e ataque é mais mortal quanto menos for possível de evitar. Pois quem pode ser inocente a ponto de escapar às ciladas de uma língua que morde e calunia? Que lugar pode ser tão remoto e obscuro a ponto deste mal não invadir, uma vez que Davi não pôde estar em segurança nos montes e nas cavernas das rochas? – *Wolfgang Musculus*

v. 4 (primeira parte): Ninguém é pior inimigo do que quem recebeu as maiores graças, depois de se tornar perverso. Assim como o mais amargo vinagre é feito do mais puro vinho, e alimentos agradáveis se convertem nos mais amargos líquidos no estômago, também o maior amor concedido a amigos, se mal digerido ou corrompido, se converte no mais inamistoso ódio, *proximorum odia sunt acerrima.* – *Abraham Wright*

v. 4: "Em paga do meu amor, são meus adversários"; é uma retribuição injusta; mas como Davi os recompensou? Nós podemos acreditar no que ele diz. Ele nos diz como os recompensou: *"mas eu faço oração"*; ele parecia um homem completamente dedicado à oração. A concisão elegante do texto em hebraico é: *"Mas eu oro";* nós assim traduzimos: *"mas eu faço oração".* Eles estão pecando contra mim, recompensando o meu amor com ódio, *"mas eu faço oração".* Mas por quem ele orava? Sem dúvida, ele orava, e orava muito, por si mesmo; e também orava por eles. Nós podemos interpretar estas palavras – *"eu faço oração"* – de duas maneiras. Em primeiro lugar: Eu oro contra os seus planos e más atitudes para comigo (a oração sempre foi a melhor fortaleza de Davi contra os seus inimigos), mas isto não era tudo. Mas, em segundo lugar: *"eu faço oração"* para que o Senhor perdoe os seus pecados, e converta seus corações, quando me estão fazendo o mal; ou, embora eles me tenham feito mal, eu lhes desejo o melhor bem. Davi (em outra passagem) mostrou de que espírito de caridade ele estava dotado, quando nenhuma repreensão poderia impedir que ele orasse por outros (Sl 141.5). – *Joseph Caryl*

v. 4: O tradutor da versão siríaca inseriu, no versículo 4: ܘܐܢܐ ܡܨܠܐ ܗܘܝܬ ܥܠܝܗܘܢ, *"e eu orei por eles"*, como se ele tivesse copiado estas palavras daquelas ditas pelo nosso Senhor, em Mateus 5.44, onde, na versão siríaca do Novo Testamento, nós temos exatamente a mesma construção. Ela está de acordo com a inscrição do salmo, que o aplica diretamente a Cristo. Parece como se o tradutor tivesse interpretado este versículo como tratando da crucificação e da oração do Redentor pelos seus assassinos, ou como se a única maneira de compreender a linguagem elíptica do salmista fosse a partir do ensinamento e do exemplo do nosso Senhor. – *E. T. Gibson, de Crayford*

v. 4: "Faço oração". O Messias diz, neste salmo profético: *"Eu faço oração".* Durante a sua peregrinação sobre a terra, toda a sua vida esteve em comunhão com Deus, e agora, na sua glória, Ele está constantemente fazendo intercessão por nós. Mas isto não esgota a ideia: *"Faço oração".* Ele não orava e agora está orando, Ele não meramente nos ensina e nos influencia a orar, mas Ele *é* oração, a fonte e origem de toda oração, assim como a fundação e a base de todas as respostas às nossas súplicas. Ele é a Palavra também neste sentido. Na eternidade, seu Pai o ouviu, o ouviu como intercedendo por aquele mundo que, criado por meio dele, Ele representava, e no qual, por meio dele, a glória divina deveria ser revelada. No mesmo sentido, portanto, em que Ele é luz, e dá a luz, em que Ele é vida e ressurreição, e portanto vivifica, Jesus é oração. – *Adolph Saphir, "Lectures on the Lord's Prayer", 1870*

v. 4: Os santos perseguidos são homens de oração, sim, são como se fossem constituídos de oração. Davi orou antes, mas quando seus inimigos o perseguiram, então ele se entregou integralmente à oração. Oh, então ele foi mais sincero, mais fervoroso, mais frequente, mais diligente, mais constante, e mais abundante no trabalho da oração! Quando Numa, rei dos romanos, ficou sabendo que seus inimigos tomaram armas contra ele, apenas riu e respondeu: "e eu faço sacrifício"; assim também quando os perseguidores se armam contra o povo de Deus, o povo de Deus apenas confia no Senhor, sorri, e se dedica ainda mais à oração. Quando os homens se armam contra eles, então eles se armam com todas as suas forças para o trabalho de oração e ai, ai daqueles que têm exércitos de orações marchando contra eles. – *Thomas Brooks*

v. 4: "Eu faço oração". A instrução que há para nós nestas palavras é consoladora e preciosa. Nós estamos curvados com tristeza e angústia? *"Eu faço oração"* Nós somos perseguidos, ultrajados e cercados com palavras de ódio? *"Eu faço oração"*. A morte entrou na nossa casa? e quanto nós procuramos, com angústia desesperada, o olhar – que já não nos responde – daquele que era nosso sustento terreno, e sentimos como se toda esperança, assim como toda ajuda, tivesse deixado de existir, ainda nos resta o mesmo refúgio abençoado para todos os que são do Senhor e que sofrem: *"eu faço oração"*. Na alegoria dos antigos, a Esperança ficava no fundo do caixão, como o adoçante da vida humana, mas Deus, com misericórdia muito mais rica, dá a oração como o bálsamo da provação humana. – *Barton Bouchier*

v. 4: Um cristão é pura oração: ele ora ao despertar, ao se deitar, e quando caminha: como um favorito da corte, que tem a chave para as escadas secretas e pode despertar o seu príncipe à noite. – *Augustus Montague Toplady, 1740-1778*

v. 6: "Põe acima do meu inimigo um ímpio", etc. Aqui tem início a terrível série de maldições, sem paralelos no Texto Sagrado, dirigida contra um pecador individual, embora fosse pouco mais do que uma repetição adicional das lamentações nacionais proferidas em Lv 26 e Dt 28. – Neale and Littledale.

v. 6: "Põe acima do meu inimigo um ímpio". A primeira coisa que o salmista pede é que o seu inimigo possa estar sujeito ao mal de ter posto sobre si um homem como ele mesmo: – um homem que não considera a justiça, a verdade, e o direito; um homem que não respeitaria caráter e propriedade mais do que ele mesmo teria respeitado. É, na verdade, uma oração para que ele possa ser punido *conforme as suas ofensas*. Não pode ser errado que um homem seja tratado como trata os outros; e não pode ser errado desejar que um homem seja tratado segundo seu caráter e merecimento, pois este é o objeto de toda a lei, e isto é o que todos os magistrados e legisladores procuram *assegurar*. – *Albert Barnes*

v. 6: "Acima dele". Considere qual teria sido o efeito, se estas palavras tivessem sido proferidas contra os *pecados* dos homens, e não, como são nestas passagens, contra os *pecadores*. Os homens teriam dito: "Meu pecado é amaldiçoado, e não *eu"*. Que permissão teria sido dada ao pecado! A natureza depravada teria dito: "Se eu não estou condenado, mas somente o meu *pecado*, eu posso fazer o que quiser; não serei chamado a prestar contas por isto. Eu *adoro* o pecado e posso continuar com ele". Isto é o que os homens teriam dito. Não haveria esforço para se livrar do pecado. Por que haveria, se somente o *pecado* é condenado e não o *pecador*? Mas o *pecado* do homem é identificado com *ele mesmo*, e isto o faz tremer. A ira de Deus está sobre *ele* por causa do seu pecado. A condenação *o* espera, por causa do seu pecado. Isto o torna ansioso por se livrar do pecado. – *Frederick Whitfield*

v. 6: "Satanás esteja à sua direita". Parece que era o costume, nos julgamentos diante das cortes judaicas, que um litigante ficasse à direita do acusado. Veja Zc 3.1, onde são descritos Josué, o sumo sacerdote, diante do Anjo do Senhor, e o adversário (שָׂטָן, *Śāṭān*, como aqui) à sua direita, em oposição a ele. Veja também o versículo 31. – *John Le Clerc, 1657-1736* *v. 6:* "Satanás esteja à sua direita". Hugo observa que o diabo está à esquerda daqueles aos quais ele persegue, em coisas temporais: à direita daqueles aos quais domina em coisas espirituais: diante daqueles que estão em guarda contra as suas perversidades: atrás daqueles que não são previdentes e prudentes: acima daqueles aos quais ele pisa: debaixo dos pés daqueles que o pisam. Um autor espanhol recente,* escrevendo neste idioma, pensa que não pode haver nada pior do que aquele homem que, diligente e propositadamente, ofende outras pessoas, falando de modo enganoso, cercando-as com palavras de ódio, atacando sem causa, caluniando, retribuindo o bem com o mal, e o amor com ódio: portanto, neste ponto se deseja que um homem ímpio seja posto sobre esta pessoa, e o diabo esteja à sua direita; como se ele devesse ser condenado a assumir o lugar mais inferior, porque é o pior. – *Lorinus*

v. 6: "À sua direita". A força do corpo é exibida principalmente na mão direita. Portanto, aquele que deseja obstruir outra pessoa e impedir o seu empenho, fica à sua direita; e assim facilmente evita o seu ataque ou esforço. Eu considero que este seja o significado mais simples desta passagem, que mostra que Deus reprime e restringe a fúria dos inimigos da igreja que resistem, uns aos outros, por seus esforços antagônicos, seja por inveja ou outro motivo.

Assim (2 Sm 17), os conselhos de Aitofel são desfeitos por Husai; e certo dia, nós vemos que os conselhos e esforços dos nossos inimigos frequentemente foram reprimidos pelos obstáculos que criaram, uns aos outros: e nisto se pode discernir a bondade de Deus. – *Mollerus*

v. 6: Ele começa a profetizar o que eles iriam receber pela sua grande impiedade, detalhando de tal maneira, como se ele desejasse a sua realização com um desejo de vingança; embora ele declarasse o que iria acontecer com a mais absoluta certeza, e o que a justiça de Deus faria recair sobre eles. Alguns, não compreendendo este modo de predizer o futuro, sob a aparência de desejo, supõem que o ódio seria retribuído por ódio, e um mau desejo por um mau desejo: uma vez que, na verdade, poucos podem distinguir de que maneira a punição do ímpio agrada ao acusador, que anseia por saciar a sua inimizade; e de que maneira tão diferente agrada ao juiz, que, com uma mente justa, pune os pecados. Pois o primeiro retribui o mal com o mal, mas o juiz, quando pune, não retribui mal por mal, uma vez que devolve a justiça aos injustos; e o que é justo, certamente é bom. Portanto, ele pune, não com alegria pela infelicidade de outra pessoa, o que é o mal pelo mal, mas com o amor pela justiça, que é o bem pelo mal. Que os cegos não corrompam a luz das Escrituras, imaginando que Deus não pune os pecados; nem que os ímpios se vangloriem, como se Ele retribuísse o mal com o mal. Portanto, devemos ouvir a continuação desta composição divina; e, nas palavras de alguém que parece desejar o mal, reconhecer as predições de um profeta; e assim vamos ver Deus fazendo uma justa retribuição, elevando a nossa mente às suas leis eternas. – *Agostinho*

vv. 6 a 19: Estas terríveis maldições são repetidas com muitas palavras e sentenças, para que possamos saber que Davi não proferiu estas palavras impulsivamente ou com um estado de espírito precipitado; mas, tendo o Espírito Santo as ditado, *Ele* emprega esta forma de execração para que possa ser uma profecia ou predição perpétua das amargas dores e da destruição dos inimigos da igreja de Deus. Nem Davi roga estas punições sobre os seus próprios inimigos e Judas, o traidor de Cristo; mas punições similares esperam a todos os que lutam contra o reino de Cristo. – *Mollerus*

vv. 6 a 20: Também considerei que se eu arriscasse tudo por Deus, envolveria Deus para que se ocupasse com os meus interesses; mas se eu o abandonasse, e também aos seus caminhos, por temer que algum problema me acontecesse, ou aos meus, então eu não somente estaria falsificando a minha profissão de fé, mas também poderia ter a certeza de que os meus interesses não estariam tão protegidos,

---

* *Peter Vega,* na obra On the Penitential Psalms.

se deixados aos pés de Deus, enquanto eu me levantasse a favor do seu nome e por ele, como estariam se estivessem sob os meus próprios cuidados, ainda que com a negação do caminho de Deus. Esta era uma consideração dolorosa, e como espinhos na minha carne. Esta passagem (Sl 109.6-20) também ajudou muito para que eu percebesse, onde Cristo ora contra Judas, que Deus o desapontaria em todos os seus pensamentos egoístas, que o levaram a vender o seu Mestre; ore e leia este texto com sobriedade. Eu também tive outra consideração, que foi o terror dos tormentos do inferno; eu tinha a certeza de que eles deveriam participar, os que, por temor à cruz, realmente recuam em relação à sua profissão de Cristo, suas leis e suas palavras, diante dos filhos dos homens. Eu também pensei na glória que Ele tinha preparado para aqueles que, com fé, amor e paciência seguissem os seus caminhos diante deles. Eu digo, estas coisas me ajudaram, quando os pensamentos sobre a desgraça a que eu e os meus poderíamos estar expostos, por causa da minha profissão, lancetavam a minha mente. – *John Bunyan*

v. 7: "Em pecado se lhe torne a sua oração". Como os clamores de um malfeitor condenado não somente não encontram aceitação, mas são considerados como uma ofensa ao tribunal. As orações dos ímpios agora se convertem em pecado, porque estão contaminadas com o fermento da hipocrisia e da perversidade; e assim serão no grande dia, porque então será tarde demais para clamar... *"Senhor, Senhor, abre-nos. – Matthew Henry*

v. 7: "Em pecado se lhe torne a sua oração". Evidentemente, a sua oração, em referência ao seu *juízo* pelo crime; a sua oração para que pudesse ser absolvido e inocentado. Deve-se ver, no final, que esta oração era *errada;* de que era, na verdade, uma oração para a absolvição de um homem mau – um homem que *devia* ser punido. Deve-se ver o que *seria* uma oração, se oferecida por um homicida, ou transgressor da lei – uma oração para que ele pudesse escapar, ou não ser punido. Todos devem ver que *tal* oração seria errada, ou seria um "pecado"; e assim, no seu próprio caso, seria igualmente verdade que uma oração *pela sua própria libertação* seria "pecado". O salmista pede que, pelo resultado do juízo, esta oração *pudesse ser interpretada como* sendo, na verdade, uma oração pela proteção e pela libertação do *homem mau.* Uma sentença justa no caso demonstraria isto; e isto é o que o salmista pede, em oração. – *Albert Barnes*

v. 7: "Em pecado se lhe torne a sua oração". Kimchi, em suas notas, assim explica estas palavras: *isto é,* "que fique sem efeito, de modo que ele não alcance o que pede; que ele não atinja o objetivo que almeja; pois חָטָא tem, às vezes, o significado de *"perder", ou deixar de obter. – Wolfgang Musculus*

v. 7: "Em pecado se lhe torne a sua oração". Jerônimo diz que a oração de Judas se converteu em pecado, por causa da sua falta de esperança, quando orou: e assim foi em desespero que ele se enforcou. – *Robert Bellarmine*

v. 7: "Em pecado se lhe torne a sua oração". A oração do hipócrita é pecado, formalmente, e é pecado no resultado, isto é, em lugar de obter algum bem com ela, ele se prejudica, e o Senhor, em lugar de ajudá-lo, porque ele ora, o pune, por causa da natureza pecadora das suas orações. Assim a sua oração se lhe torna em pecado, porque ele não recebe mais respeito de Deus quando ora do que quando peca. E o pecado não apenas se mistura à sua oração (como acontece com as orações dos mais santos), mas a sua oração nada mais é do que uma mistura de muitos pecados. – *Joseph Caryl*

v. 7: "Em pecado se lhe torne a sua oração". Nós devemos ser vigilantes na oração, para que a mais santa adoração a Deus não se converta em uma abominação (Is 1.15; 66.3; Tg 4.3; Os 7.14; Am 5.23). Se o remédio estiver envenenado, como a doença poderá ser curada? – *Martin Geier*

vv. 7 a 19: Estes versículos e os seguintes, embora contenham imprecações terríveis, se tornam menos amedrontadores, se os interpretarmos como proferidos a respeito de homens que se agarram tenazmente às suas perversidades, que são os únicos contra os quais Deus ameaça punições; e não contra aqueles que se arrependem de todo o coração e se tornam completamente mudados na vida. – *John Le Clerc*

v. 8: "Sejam poucos os seus dias". Por *"seus dias"* ele quer dizer os dias do seu apostolado, que foram poucos; uma vez que foram concluídos, pelo seu crime e pela sua morte, antes da paixão do nosso Senhor. E como se alguém perguntasse: O que, então, acontecerá com aquele sagrado número doze, com que o nosso Senhor desejou, não sem significado, limitar os seus doze primeiros apóstolos? Ele morreu, e *"outro tome o seu ofício"*. O que equivale a dizer, que ele seja punido, de acordo com o que merecer, e que o seu lugar seja preenchido. E se alguém desejar saber como isto foi feito, leia o livro de Atos dos Apóstolos. – *Agostinho*

v. 8: "E outro tome o seu ofício". Assim, cada homem deve agir com oração para que os perversos e corruptos possam ser removidos dos seus cargos. Uma vez que este ofício deve ser preenchido por alguém, todos os esforços exercidos para remover o homem perverso tendem a possibilitar que "outro tome o seu ofício"; por isto, é *correto* se empenhar e orar. O ato não implica, por si só, malignidade nem maus sentimentos, mas é coerente com a mais pura benevolência, os mais gentis sentimentos, a mais completa integridade, o mais firme patriotismo, e a mais elevada forma de piedade. – *Albert Barnes*

v. 9: "Sejam órfãos os seus filhos". Desamparados e incapazes. Uma amarga irritação para muitos, em seu leito de morte, e suficiente sobre perseguidores desprovidos de misericórdia. Mas felizes são aqueles que, quando estão à morte, podem dizer, como Lutero, *Domine Deus gratias ago tibi quod velueris me esse pauperem, et mendicum,* &c. Senhor Deus, eu te agradeço pela minha atual pobreza, mas também te agradeço por minhas esperanças futuras. Eu não tenho uma casa, terras, posses, nem dinheiro, para deixar para trás. Tu me deste esposa e filhos; eis que eu os devolvo a ti, e te imploro que os sustentes, os ensines, os conserves a salvo, como até aqui tens feito, Ó Pai dos órfãos e juiz das viúvas. – *John Trapp*

vv. 9, 10, 12 e 13: "seus filhos"; "sua posteridade". Embora, em questões de caráter civil ou judicial, nós declaremos, com a mais alta autoridade, que os filhos não devem ser responsáveis pelos pais, nem os pais pelos filhos, mas cada transgressor deve suportar a punição pelo seu próprio pecado, ainda assim, em um sentido moral, e social e espiritual, é impossível que os pais comam uvas verdes e que os dentes dos filhos não embotem. Os descendentes do libertino e do pródigo podem – e frequentemente conseguem – evitar os pecados específicos dos pais; mas, raramente escapam às terríveis consequências de seus pecados – se é que alguma vez conseguem. E esta reação não pode ser evitada, até que Deus se agrade, em primeiro lugar, em desfazer e então remodelar toda a sua criação inteligente. – *T. Dale, em um sermão para Chefes de Famílias, 1839*

vv. 9 a 13: Sob o Antigo Concerto, a calamidade, que se estendia de pai para filho, era a recompensa pela transgressão; a prosperidade, *por outro lado*, da obediência: (veja a oração de Salomão, 2 Cr 6.23): e estas orações do salmista (cf. Sl 10.13; 12.1; 58.10; etc.) podem expressar o desejo de que o governo providencial que Deus tem sobre o seu povo seja declarado na punição dos inimigos de Deus e do homem. – *Speaker's Commentary*

v. 10: "Sejam errantes e mendigos os seus filhos". A palavra usada na sentença proferida contra *Caim* (Gn 4.12). Compare com Sl 59.11,15. – *William Kay*

v. 10: "Busquem", etc. Horsley traduz esta sentença: *"Que sejam expulsos das ruínas de suas moradas"* e enfatiza que a imagem é a de "vagabundos em busca de um abrigo miserável entre as ruínas de edifícios em decadência ou demolidos, e não podendo permanecer em tranquilidade nem mesmo nestes lugares".

vv. 9 e 10: Quando nós consideramos sobre quem se refere este salmo, não haverá dificuldade a respeito dele. Nenhuma linguagem poderia ser mais terrível do que a dos versículos 6 a 19. Ela abrange praticamente toda desgraça em que podemos pensar. Mas algum homem poderia estar em uma condição mais infeliz do que Judas? Quaisquer palavras poderiam ser severas demais para expressar a profundeza da sua infelicidade – daquele que, durante três anos inteiros, tinha sido auxiliar constante do Salvador da humanidade, que tinha testemunhado os seus milagres, e que tinha visto seus maravilhosos poderes, que tinha recebido todos os avisos, todas as repreensões do seu amor, e então o tinha traído por trinta moedas de prata? Podemos imaginar uma condição mais infeliz do que a de Judas? E este salmo é *uma profecia da punição* que lhe sobreviria, pelo seu pecado. O apóstolo Pedro, no livro de Atos dos Apóstolos, cita parte deste salmo, e o aplica a Judas, e o aplica como uma profecia da punição que Judas sofreria, pela traição do Filho de Deus.

É provável que neste salmo, quando é usada a palavra "filhos", o significado não esteja relacionado àqueles que são a sua prole, por descendência natural, mas àqueles *que se assemelham a ele,* e *que colaboram com ele, na sua perversidade.* Este é um significado comum, da palavra "filhos", nas Sagradas Escrituras. Assim, onde o nosso bendito Senhor diz aos judeus: *"Vós tendes por pai ao diabo"*, Ele não quis dizer que os judeus eram os descendentes naturais do diabo, mas que eram seus filhos porque realizavam as suas obras. Novamente, quando são chamados de filhos de Abraão, o significado é "aqueles que realizam as obras de Abraão". Assim, também neste salmo, onde é predito que uma terrível punição aconteceria a Judas, pela traição ao seu Senhor, e se estenderia aos seus filhos, o significado é *seus colaboradores, seus companheiros e imitadores em perversidade. – F. H. Dunwell, "A Tract on the Commination Service", 1853*

vv. 10, 12 e 13: É com finalidades públicas que o salmista orou para que as famílias dos ímpios pudessem estar envolvidas na sua ruína. Estes são pedidos terríveis; mas foi Deus, e não o homem, que destinou estas calamidades como as consequências comuns da persistência na iniquidade. É Deus, e não o homem, que visita a iniquidade dos pais sobre os filhos, até a terceira e quarta gerações. O salmista ora por estas calamidades porque há uma recompensa comum para os transgressores, e *para que, assim, da maneira habitual de Deus, a sua abominação pelas transgressões* de seus inimigos possa ser destacada. Ele pede que Deus faça o que tinha declarado que faria, e com finalidade pública, pois diz: "Louvarei grandemente ao Senhor com a minha boca; louvá-lo-ei entre a multidão. Pois se porá à direita do pobre para o livrar dos que condenam a sua alma", vv. 30,31. – *R. A. Bertram, "The Imprecatory Psalms", 1867*

vv. 10 a 13: Muitos pais na penúria buscam tanto o alimento para seus filhos, que chegam a roubar dos próprios filhos de Deus; mas a mão do Senhor será contra os seus leõezinhos (Na 2.13). Eles vão de casa em casa, e de campo em campo, mas seus filhos serão "errantes e mendigos", "e buscarão o seu pão longe da sua habitação assolada". Quantas toupeiras cobiçosas estão agora cavando uma morada na terra, para a sua posteridade, e jamais sonham com esta consequência, de que Deus transformará os seus filhos em mendigos, sim, pelos quais seus pais tinham feito tantos mendigos! Esta é uma retribuição em que o siro não crerá, mas tão certo como Deus é justo, o filho irá sentir. Se ele tivesse apenas permissão para sair do inferno durante uma hora, e ver isto, como ele amaldiçoaria a sua loucura! Certamente, se possível, isto dobraria a dor da sua tortura infernal. Sejam moderados, então, vocês que devoram tão insaciavelmente, como se tivessem uma capacidade infinita; vocês sobrecarregam seus estômagos, é adequado que eles se aliviem em vergonhoso vômito. Com que rapidez um homem mundano se converte em um enganador, e passa de enganador a usurário, de usurário a opressor, de opressor a extorquidor! Se os seus olhos apenas identificassem um despojo e avisassem o seu coração, este atacaria, e lutaria pelo despojo (Mq 2.2). Eles apenas veem, gostam, e tomam. Observe o seu devido pagamento. "*Lance o credor mão de tudo quanto tenha*": tudo o que conseguiram, pela extorsão, perderão pela extorsão. Eles roubaram o próximo; então, os estrangeiros os roubarão. Com que frequência a pobre viúva e os pobres órfãos choraram, clamaram, gemeram, pediram misericórdia, e não encontraram! Eles mesmos disseram a Deus como Ele deveria lidar com eles: "*Não haja ninguém que se compadeça dele*". Eles têm casas modernas como memorial, e terras dedicadas aos seus próprios nomes (Sl 49.11); tudo para lhes dar um nome; e nisto mesmo serão frustrados: *"E o seu nome seja apagado na seguinte geração"*. – *Thomas Adams*

v. 11: "Lance o credor mão de tudo quanto tenha". Observe: é mais infeliz aquele que cai nas mãos dos usurários; pois o esfolarão vivo e drenarão o seu sangue. Os romanos, para que pudessem afastar os cidadãos da usura, colocaram uma estátua de Mársias no Fórum, ou tribunal, com que pretendiam dizer que aqueles que viessem às mãos de usurários seriam esfolados vivos; e para mostrar que os usurários, como os mais injustos litigantes, mereciam o enforcamento, eles colocaram uma corda na mão da estátua. – *Le Blanc*

v. 11: "Lance mão". Isto se refere às obrigações entre credores e devedores, e ele os chama de armadilhas, pelas quais, de certa forma, os devedores insolventes são presos, e, por fim, vêm à servidão. – *Mollerus*

v. 12: "Não haja ninguém que se compadeça dele" ou "Não haja quem lhe estenda benignidade" (TB). Ele não diz, que ninguém mostre, mas que ninguém se "*compadeça*" isto é, que ninguém lhe estenda benignidade. Estender a benignidade significa, por exemplo, depois da morte de um amigo, demonstrá-la aos seus filhos; e a amizade verdadeira é deste tipo, de modo que a amizade que os amigos mostravam, uns aos outros, enquanto vivos, é mantida e não é extinguida com a morte do amigo. – *Wolfgang Musculus*

v. 12: "Não haja ninguém que se compadeça dele". Que Deus, na sua justiça, afaste todos os corações daquele que tinha sido tão irracionalmente cruel. Assim, nenhum homem abriu a sua boca para interceder por Hamã; os sacerdotes se livraram de Judas, dizendo-lhe que *cuidasse de si*, etc. – *John Trapp*

v. 15: "Antes, estejam sempre perante o Senhor". A temida punição dos pecadores é estar sempre diante dos olhos de um Deus irado: então, a alma do pecador se angustia, diante da sua própria deformidade. – *Le Blanc*

v. 15: "Antes, estejam sempre perante o Senhor". Lafayette, o amigo e aliado de Washington, na sua mocidade esteve confinado em uma prisão na França. Na porta da sua cela havia um pequeno orifício, do tamanho suficiente para o olho de um homem; aí era colocado um sentinela, cuja tarefa era vigiar, momento após momento, até que fosse substituído pela troca da guarda. Tudo o que Lafayette via era o olho piscando, mas o olho estava sempre ali; quando quer que ele olhasse, encontrava este olho. Nos seus sonhos, ele estava consciente de que o olho estava olhando para ele. "Oh", diz ele, "era horrível; não havia como escapar; quando ele se deitava, e quando se levantava, quando comia e quando lia, aquele olho o vigiava". – *New Cyclopsedia of Illustrative Anecdote, 1875*

vv. 15 a 19 e 29: A pura justiça, e nada mais, respira em cada súplica. Você não consegue dizer "Amém" a todas estas súplicas? Você não fica feliz quando o ímpio cai na cova que preparou para a destruição de outra pessoa, e quando a sua perversidade retorna sobre a sua própria cabeça? Mas você diz: "Estas súplicas são, inquestionavelmente, justas, mas por que o salmista não pede justiça, e sim *misericórdia?"* A resposta é, que na sua capacidade pública, ele era obrigado a pensar, antes de mais nada, na justiça.

Nenhum governo poderia ter como base o perdão, se a justiça não precedesse a misericórdia. Suponha que, no decorrer da próxima sessão, o Parlamento decretasse que, a partir de agora, em lugar de aplicar a justiça aos ladrões, enviando-os à prisão, eles devessem ser tratados com caridade, e obrigados a devolver *metade* do que roubaram, o que os homens honestos diriam sobre o governo? Sem dúvida, os ladrões seriam muito amáveis, mas o que os homens honestos diriam? Ora, diriam que o governo tinha falhado completamente na sua função, e que não duraria outra semana. E assim os salmistas eram obrigados, antes de mais nada, a buscar a defesa, a justificação, e o estabelecimento da justiça e da verdade. Como os magistrados de hoje, eles consideraram o bem estar da comunidade. Isto eles fizeram, em vista de todas as calamidades que buscaram trazer sobre os malfeitores. – *R. A. Bertram*

v. 16: "Porquanto". Ora, qual é o crime? "[*Ele*] *se não lembrou de usar de misericórdia"*, etc. Veja que longo cálice, cheio de pragas de Deus, é derramado sobre o homem que não tem misericórdia! – *Thomas Watson*

v. 16: "Antes, perseguiu o varão aflito e o necessitado". Se um homem roubar dos pobres, Deus usará isto contra ele, e riscará o seu nome do livro da vida. Se for condenado aquele que não dá aos seus, o que acontecerá com aquele que tira de outro homem? (Agostinho) Se o juízo sem misericórdia for o destino daquele que não demonstra misericórdia (Tg 2.13), onde aparecerão o roubo e o saque? "Lance o credor mão de tudo quanto tenha; e despojem-no os estranhos do seu trabalho", v. 11: há um roubo, da sua propriedade. "Desapareça a sua posteridade, e o seu nome seja apagado na seguinte geração", v. 13: há outro roubo, a sua lembrança. "Não haja ninguém que se compadeça dele: nem haja quem favoreça os seus órfãos", v. 12: aqui há outro roubo, uma recusa de piedade, para com ele e os seus. "Saia condenado; e em pecado se lhe torne a sua oração", v. 7: outro roubo, da possibilidade de ser ouvido pelo céu. "E outro tome o seu ofício", aqui há um roubo do seu lugar: "Sejam poucos os seus dias", v. 8: aqui há o roubo da sua vida. "Sejam riscados do livro da vida e não sejam inscritos com os justos" (Sl 69.28); aqui está o último roubo, o roubo da sua alma. É uma aritmética assustadora: se o ímpio acrescenta pecados, Deus acrescentará pragas. Se eles roubam aos outros os seus direitos, Deus roubará deles as suas misericórdias. – *Thomas Adams*

v. 17: Amaldiçoar é, ao mesmo tempo, bom e mau. Pois nós lemos, nas Escrituras, que os homens santos frequentemente amaldiçoavam. Na verdade, ninguém pode oferecer a Oração do Senhor de modo apropriado, sem amaldiçoar. Pois, quando Ele ora: "santificado seja o teu nome. Venha o teu Reino. Seja feita a tua vontade", etc., Ele deve incluir no mesmo derramamento da sua vontade tudo o que se opõe a ela, e dizer, malditos e execrados e desonrados sejam todos os outros nomes, e que todos os reinos que se opõem ao teu sejam destruídos, e fragmentados, e todos os estratagemas formados contra ti sejam destruídos. – *Martinho Lutero*

v. 17: "Pois que não desejou a bênção, ela se afaste dele".

Era um lobo em pele de ovelha,
que roubou o rebanho de Deus, e que,
com o sangue de almas, que vendeu à morte,
engordou; e, quando todos o teriam
expulsado, ele clamou: "Não toqueis o sacerdote de Deus".
E ele foi ungido, e os loucos creram;
Mas souberam, naquele dia, que ele era o sacerdote do diabo,
ungido pelas mãos do Pecado e da Morte,
e consagrado particularmente ao mal –
Enquanto isto, sobre ele, envoltas na fumaça, as veias da perdição
se derramavam sem limites. Ah! Que maldição, então,
se acumulou sobre a sua cabeça, por almas arruinadas,
que o sobrecarregou com o assassinato deles, quando ele estava

contemplando todos os não remidos, muito triste,
à espera da vinda do Filho do Homem!
– *Robert Pollok*

vv. 17 a 19: Possivelmente os versículos 17 e 18 descrevem como fato aquilo que o versículo 19 amplifica em um desejo, ou oração. "Ele adorava amaldiçoar, e a maldição o amava, em retribuição, e veio a ele; ele não se alegrava em abençoar, e isto estava longe dele. Ele se vestiu de maldição tal como de uma veste, que permeou as suas partes mais íntimas como água, assim como o azeite refrescante com que o corpo é ungido encontra seu caminho para os ossos e a medula. As imagens são familiares; a veste diária, a água que permeia diariamente todas as partes do corpo, o azeite usado diariamente para nutrição (Sl 104.15) e alegria (Sl 23.5). No desejo que se segue (v. 19) o manto, ou *a veste* que era sempre usada, ou o cinto com que o amaldiçoado está sempre cingido, são aparentemente substituídos por termos mais genéricos. – *Speaker's Commentary*

vv. 17 a 19: Assim como a perda da alma é uma perda peculiar e uma dupla perda, também é uma perda muito temida, porque é acompanhada pela pesada maldição de Deus. Esta maldição está na privação de todo o bem, e em ser engolido por todas as mais terríveis desgraças que um Deus santo, justo e eterno pode, com justiça, infligir sobre a alma de um homem pecador. Que aqui entre a razão, e seja exercida da melhor maneira; que ele agora some todas as maneiras de maldições e tormentos, de que um homem racional e uma alma imortal é, ou pode ser, capaz, e quando ele tiver terminado, estará aquém deste grande anátema, esta grande maldição que Deus reservou, entre os seus tesouros, e pretende exibir no dia de batalha e guerra, que Ele se propõe a fazer contra as almas condenadas, naquele dia. E isto Deus irá fazer, parcialmente como uma retaliação, como anteriormente, e parcialmente como vingança.

1. Como retaliação: "*Visto que amou a maldição, ela lhe sobrevenha: e pois que não desejou a bênção, ela se afaste dele*". Novamente: "*Assim como se vestiu de maldição tal como de uma veste, assim penetre ela nas suas entranhas como água e em seus ossos como azeite. Seja para ele como a veste que o cobre e como cinto que o cinja sempre*". "Seja *este*", diz Cristo, *"da parte do Senhor, o galardão dos meus contrários"*, etc.

2. Assim como esta maldição vem sob a forma de retaliação, também vem sob a forma de vingança. Deus irá reparar o mal que os pecadores lhe fizeram, irá recompensar com vingança o desprezo e a difamação, com que eles o afrontaram, e irá vingar a contenda no seu concerto. Como o início das vinganças é terrível (Dt 32.41,42), o que será, então, toda a execução, quando Ele vier como labareda de fogo, tomando vingança dos que não conhecem a Deus e dos que não obedecem ao evangelho de nosso Senhor Jesus Cristo? E, por isto, esta maldição é executada com ira, com zelo, com furor; os céus e a terra serão queimados com o fogo daquele zelo em que virá o grande Deus, quando vier amaldiçoar as almas dos pecadores, e quando vier para desafiar os ímpios, 2 Tessalonicenses 1.7-9. – *John Bunyan*

v. 18: As três figuras neste versículo são climáticas: ele se revestiu de maldição, e bebeu dela como água (Jó 15.16; 34.7), ela penetrou até a medula dos seus ossos, como as preparações de óleo que são esfregadas e penetram nos ossos. – *Franz Delitzsh*

v. 18: Não devemos passar deste versículo sem observar que no seu tom há uma alusão a Números 5.21,22,24 – à mulher infiel. A sua maldição deveria penetrar nas suas entranhas; e a água que traz a maldição entrará nela; e maldição semelhante vem ao infiel Judas, que infringe o seu compromisso com o Senhor, e também sobre Israel, de modo geral, que se afastou dele, "como mulher que, com traição, se afastou de seu marido" e cometeu adultério contra o Esposo. – *Andrew A. Bonar*

vv. 18 e 19: Pedro, em Atos 1.20, aplica este salmo a Cristo, quando os judeus clamaram: "O seu sangue caia sobre nós e sobre nossos filhos"; então eles vestiram a roupa envenenada que atormentou desde então. Ela lhes rodeou os lombos; a maldição penetrou como água, e entrou em seus ossos como óleo. Que terrível será a condição daqueles que de novo crucificam o Filho de Deus e o expõem ao vitupério. – *Samuel Horsley*

v. 21: "Por amor do teu nome". Os meus inimigos logo se tornariam meus amigos e protetores, se eu apenas renunciasse à minha fidelidade a ti; a minha recusa em desobedecer a ti constitui todo o meu crime, aos olhos deles. A minha causa, portanto, se torna tua, será a tua glória se te declarares do meu lado, para que os ímpios não se aproveitem dos meus sofrimentos para blasfemar o teu santo nome, como se tu não tivesses o poder de libertar, ou fosses completamente indiferente àqueles que, renunciando a toda ajuda humana, depositaram a sua confiança em ti. – *Jean Baptiste Massillon*

v. 21: "Por amor do teu nome". Ele não diz, por amor do *meu* nome, para que ele possa ser defendido da difamação e da vergonha, mas por amor do *teu* nome; é como se ele dissesse: A despeito do que quer que eu seja, ó Senhor, e do que quer que possa me acontecer, tenho respeito pelo teu nome e consideração por ele. Eu não sou digno de buscar a tua ajuda, mas o teu nome é digno de ser defendido do desprezo. Aqui, aprendemos com que paixão pela glória do nome divino devem ser estimulados aqueles que são peculiarmente consagrados ao nome de Deus.

Ele não diz: "porque o meu caso é bom", mas: *"porque a tua misericórdia é boa".* Observe, também, que ele não diz simplesmente: Porque tu és bom, ou: Porque és misericordioso, mas Porque a tua misericórdia é boa. Ele tinha vivenciado certa bondade especial na misericórdia divina, *isto é*, uma bondade atemporal, uma prontidão bondosa, em todas as aflições, e ajuda para todos os tipos de aflição preparados. Nisto o salmista deposita a sua esperança e confiança, nisto ele se refugia. São verdadeiramente felizes aqueles que vivenciaram esta misericórdia, e podem confiar nela com firme esperança e confiança. – *Wolfgang Musculus*

v. 21: Sobre um pecador verdadeiramente humilhado, as misericórdias que estão em Deus, à partir das quais Ele perdoa, teriam bondade e doçura infinitamente maiores do que o próprio perdão, ou todas as outras coisas que estão contidas nas promessas. Uma alma que provou como o Senhor é bom irá reconhecer isto instantaneamente. Uma promessa de vida para um homem condenado é doce, pois a vida é doce, como dizemos; mas "a tua benignidade", diz Davi, que tinha provado como o Senhor é bom, "é melhor do que a vida", e infinitamente mais doce (Sl 63.3). E, novamente, Davi diz: *"porque a tua misericórdia é boa, livra-me".* A libertação era boa, sim, mas a misericórdia de Deus percebida nela foi infinitamente melhor para ele, o que era o maior estímulo para que ele procurasse libertação. E, na verdade, a misericórdia de Deus traz, eminentemente, o estilo da bondade. – *Thomas Goodwin*

vv. 21 a 25: Agora, é como se o trovão e o relâmpago fossem seguidos por uma chuva de lágrimas de uma queixa profunda e angustiada. – *Franz Delitzsch*

v. 22: "Porque estou aflito e necessitado, e, dentro de mim, está aflito o meu coração". Observe, aqui, a bela maneira como ele une estes argumentos. Ele tinha dito: *"Porque a tua misericórdia é boa"*; e acrescenta: *"Porque estou aflito e necessitado".* Ele não poderia ter acrescentado nada mais apropriado: pois esta é a natureza da bondade e da misericórdia no próprio coração humano, e muito mais em Deus, o melhor e mais misericordioso de todos os seres, de modo que nada motiva mais facilmente a dar socorro do que a aflição, a calamidade e a desgraça daqueles pelos quais é invocado. – *Wolfgang Musculus*

v. 22: "Dentro de mim, está aflito o meu coração". Os corações dos homens santos e piedosos não são como o metal ou a pedra, de modo que a apatia dos estoicos tenha se alojado neles, mas são suscetíveis a tristezas e paixões. – *Musculus*

v. 23: "Eis que me vou como a sombra que declina" – O bispo Horsley traduz: *"Já estou acabado, como a sombra esticada à sua máxima extensão"*; e enfatiza: "A situação das sombras de objetos terrestres ao pôr-do-sol, aumentando a cada instante, e ficando mais tênue à medida que se estendem; e desaparecendo no instante em que alcançam uma extensão imensurável".

v. 23: "Sou sacudido como o gafanhoto". Embora os gafanhotos tenham força de voo suficiente para permanecer no ar por um período considerável, e percorrer grandes distâncias, eles têm pouco ou nenhum domínio sobre a direção do seu voo, sempre viajam segundo o vento, da mesma maneira que a codorniz. Eles estão tão inteiramente à mercê do vento, que se houver um golpe repentino, eles serão sacudidos da maneira mais inevitável; e se acontecer que eles atravessem uma das correntes circulares de ar que são tão frequentes nas regiões que habitam, são levados por um redemoinho, sem a menor capacidade de se livrar. – *J. G. Wood*

v. 23: "Sou sacudido como o gafanhoto". Esta referência é ao gafanhoto que voa. Eu tive frequentes oportunidades de observar como estes esquadrões são sacudidos, de um lado a outro, e giram como em um redemoinho, pelas variáveis correntes dos ventos das montanhas. – *W. M. Thomson*

v. 28: "Amaldiçoem eles, mas abençoa tu". Não temas, tu, que és santo, as suas imprecações; isto é apenas um tiro de uma arma descarregada; faz ruído, mas não fere; as bênçãos de Deus te protegerão da sua maldição. – *William Gurnall*

v. 28 (primeira parte): As maldições dos homens são impotentes, as bênçãos de Deus são onipotentes. – *Matthew Henry*

v. 30: "Louvarei grandemente ao Senhor com a minha boca". Na celebração dos louvores de Deus, não pode haver dúvida de que eles devem se originar no coração antes que possam ser proferidos pelos lábios; ao mesmo tempo, seria uma indicação de grande frieza, e de falta de fervor, não ter a língua unida ao coração neste exercício. A razão por que Davi menciona a boca é o fato de que ele assume que, a menos que haja um derramamento do coração diante de Deus, estes louvores que não chegam mais longe que os ouvidos são vãos e frívolos; e, portanto, do fundo da sua alma, ele derrama a sua gratidão do fundo do seu coração, em frequentes manifestações de louvor; e isto ele faz pelos mesmos motivos que deveriam influenciar todos os fiéis – o desejo de edificação mútua; pois agir de outra forma seria roubar a Deus a honra que pertence a Ele. – *João Calvino*

v. 31: "Pois se porá à direita do pobre". Esta expressão sugere, em primeiro lugar, que Ele aparece ali como um *amigo*. Como é animador, como é consolador, ter um amigo ao nosso lado quando estamos em dificuldades! Este amigo é Jesus. Na hora de necessidade, Ele vem como um amigo, para ficar à direita da pobre criatura cuja alma é condenada pela culpa e acusação. Mas Ele está em uma relação muito melhor do que a de um amigo; Ele também tem a posição de *fiador e libertador*. Ele vai, de certa forma, ao tribunal; e quando o prisioneiro se levanta, Ele se aproxima e fica à sua direita, como sua garantia e seu fiador; Ele traz, no seu seio, a quitação da dívida, assinada e selada com o seu próprio sangue, Ele a apresenta aos olhos do tribunal, e declara e exige a absolvição do prisioneiro à cuja direita Ele se coloca. Ele está ali, então, para que o prisioneiro possa ser livremente perdoado e completamente justificado das acusações que *"condenam a sua alma"*. Ó, doce posição! Ó, bendita manifestação! – *Joseph C. Philpot (1802-1869)*

v. 31: "Pois se porá à direita do pobre". Um dos mais antigos comentários rabínicos tem uma observação muito bonita sobre esta passagem. "Sempre que um homem pobre está à tua porta, o Santo, bendito seja o seu nome, está à sua direita. Se lhe deres esmolas, saibas que receberás uma recompensa daquele que está à sua direita". – *Alfred Edersheim, "Sketches of the Jewish Social Life in the Days of Christ", 1876*

SUGESTÕES AOS PREGADORES

v. 1. O silêncio de Deus. O que pode significar, o que ele envolve, como podemos nos empenhar para rompê-lo.

v. 1. "Deus do meu louvor". Um texto que pode ser expandido no seu duplo sentido.

v. 2. Calúnia. Sua causa – a iniquidade e a perversidade. Seus instrumentos – o engano e as mentiras. Sua frequência – Jesus e os santos foram caluniados. Sua punição. Os nossos recursos, quando somos tentados – a oração a Deus.

vv. 1 a 3. I. Deus é com o seu povo quando os ímpios estão contra eles (v. 1);
1. por amor de seu povo;
2. por sua própria causa.
II. Os ímpios são contra o seu povo quando Ele está com eles (vv. 2,3);
1. pelo ódio a Deus;
2. pelo ódio ao seu povo. – *G. R.*

v. 4. Sobre a excelência da oração. Veja as notas sobre a exposição.

v. 4. Os adversários do nosso Senhor, e os seus recursos.

vv. 4 e 5. I. O espírito e o comportamento de Davi com relação aos seus inimigos.
1. O seu espírito é o do amor – amor como retribuição pelo ódio; consequentemente as suas declarações são contra os seus pecados, e não contra eles.
2. O seu comportamento. Ele retribuía o mal com o bem: ele intercedia por eles.
II. O espírito e comportamento deles com relação a ele.
1. Ódio como retribuição pelo amor.
2. O mal como retribuição pelo bem. – *G. R.*

v. 5. *"Mal pelo bem"*. Isto é demoníaco. Os homens não foram culpados disto diante de seus pais, daqueles que os advertiram, dos santos e ministros, e especialmente diante do próprio Senhor?

v. 5. Como o Redentor foi recompensado? Mostrar o que Ele merece e o que Ele recebe, de vários indivíduos. Ele sente a crueldade daqueles que são ingratos.

v. 6. É a lei de retribuição, punir os ímpios por meio dos ímpios. – *Starke*

v. 7. Quando a oração pode se tornar pecado? Dependendo do que se busca, como é buscado, por quem é buscado e para que é buscado.

v. 8. "Sejam poucos os seus dias". O pecado é o grande abreviador da vida humana. Depois do dilúvio, toda a raça viveu menos tempo; a paixão e os cuidados avarentos encurtam a vida, e alguns pecados têm um poder peculiar de fazer isto, como a luxúria, a embriaguez, etc.

vv. 20 e 21. I. Davi deixa seus inimigos nas mãos de Deus (v. 20).
II. Ele se coloca nas mesmas mãos (v. 21). – *G. R.*

v. 21. A súplica de um crente deve ser feita ao seu Deus – o seu "nome" *e a sua* "misericórdia". O hábito oposto, de procurar argumentos em si mesmo é muito comum e muito decepcionante.

v. 21. *A bondade peculiar da misericórdia divina.*

v. 22. As angústias internas de um santo. Sua causa, seus efeitos, suas consolações, e sua cura.

vv. 26 e 27. I. A oração.
II. O título que alivia: "Ó Senhor, meu Deus".
III. O atributo em que se confia.
IV. O motivo para a súplica.

v. 28. A cura divina para a má vontade humana; e o temperamento do santo, quando ele confia; com isto – "alegre-se o teu servo".

v. 29. I. Uma oração pelo arrependimento dos adversários de Davi.
II. Uma profecia de sua confusão, se permanecerem impenitentes. – *G. R.*

v. 29. A última capa do pecador.

v. 30. Louvor oral. Deve ser pessoal, resoluto, inteligente, abundante, sincero. Deve atrair outros, acompanhar outros, estimular outros, mas jamais perder a sua personalidade.

vv. 30 e 31. I. A *vontade* de Davi, a respeito de si mesmo: "Louvarei... sim, louvarei", etc. (v. 30).

II. O seu *futuro,* a respeito de Deus: "Ele se porá", etc. (v. 31). – *G. R.*

vv. 30 e 31. Ele promete a Deus que o louvará, v. 30. Ele promete a si mesmo que terá motivo para louvar a Deus, v. 31. – *Matthew Henry*

v. 31. I. A quem a promessa é feita – ao pobre.

II. O perigo a que ele está exposto – àqueles que condenam a sua alma.

III. A libertação que lhe é prometida – divina, oportuna, eficiente, completa, duradoura.

SALMO 110

TÍTULO

Salmo de Davi. A respeito da exatidão deste título, não pode haver dúvida, uma vez que o nosso Senhor diz, em Mateus 22.43: "Como é, então, que Davi, em espírito, lhe chama Senhor". No entanto, alguns críticos gostam tanto de encontrar novos autores para os salmos, que ousam se opor ao próprio Senhor Jesus. Para evitar encontrar Jesus aqui, eles interpretam o título como "Salmo sobre (ou a respeito de) Davi", como se não fosse escrito por ele, mas sobre ele; mas aquele que lê com entendimento verá que há pouco de Davi aqui, exceto como o autor. Ele não é o assunto deste salmo, nem mesmo no menor grau, mas Cristo é. Quanto foi revelado ao patriarca Davi! Como são cegos alguns acadêmicos modernos, mesmo diante do brilho da luz, em comparação com este poeta-profeta da mais obscura dispensação. Que o Espírito que falou por intermédio do homem, segundo o próprio coração de Deus nos dê olhos para ver os mistérios ocultos deste salmo maravilhoso, em que cada palavra tem uma infinidade de significados.

TEMA E DIVISÃO

O assunto é o Sacerdote-Rei. Nenhum dos reis de Israel combinou estes dois cargos, embora alguns tivessem se esforçado para fazê-lo. Embora Davi realizasse alguns atos que pareciam se aproximar do sacerdotal, ele não era sacerdote, mas pertencia à tribo de Judá, "e concernente a essa tribo nunca Moisés falou de sacerdócio"; e ele era um homem devoto demais, para se lançar neste ofício, sem ser chamado. O Sacerdote-Rei aqui mencionado é o Senhor de Davi, um personagem misterioso, tipificado por Melquisedeque, e esperado, pelos judeus, como o Messias. Ele não é ninguém mais que o apóstolo e rei-sacerdote da nossa profissão, Jesus de Nazaré, o Rei dos judeus. O salmo descreve a nomeação do sacerdote real, os seus seguidores, as suas batalhas e a sua vitória. O seu centro é o versículo 4, e assim ele pode ser dividido, como sugere Alexander, em: introdução (vv. 1-3); a ideia central (v. 4); e os versículos complementares (vv. 5-7).

EXPOSIÇÃO

1 *Disse o Senhor ao meu Senhor: Assenta-te à minha mão direita, até que ponha os teus inimigos por escabelo dos teus pés.*
2 *O Senhor enviará o cetro da tua fortaleza desde Sião, dizendo: Domina no meio dos teus inimigos.*
3 *O teu povo se apresentará voluntariamente no dia do teu poder, com santos ornamentos; como vindo do próprio seio da alva, será o orvalho da tua mocidade.*

1. *"Disse o Senhor ao meu Senhor"* – Jeová disse ao meu Adonai: Davi, em espírito, ouviu a voz solene de Jeová, que falava ao Messias, desde a eternidade. Que maravilhosa relação havia entre o Pai e o Filho! E desta comunhão secreta e íntima nascem o concerto da graça e todas as suas maravilhosas disposições. Todos os grandes atos de graça são trazidos à existência pela palavra de Deus; se Ele não tivesse falado, não teria havido nenhuma manifestação de Divindade a nós; mas, no princípio, era o Verbo, e desde a eternidade havia uma misteriosa comunhão entre o Pai e o seu Filho, Jesus Cristo, a respeito do seu povo e da grande disputa, por causa deles, entre Ele mesmo e as forças do mal. Como foi condescendente, por parte de Jeová, permitir que um ouvido mortal ouvisse, e uma pena humana registrasse as suas conversas secretas com seu Filho, que era absolutamente igual em categoria! Como devemos valorizar a revelação das suas palavras particulares e solenes com o Filho, aqui divulgadas para o alívio do seu povo! Senhor, o que é o homem, para que tu compartilhes os teus segredos com ele!

Embora Davi cresse firmemente na Unidade da Divindade, ele ainda discerne, espiritualmente, as duas pessoas, distingue entre elas, e percebe que na segunda ele tem um interesse peculiar, pois o chama *"meu Senhor"*. Isto foi uma antecipação da exclamação de Tomé: "Senhor meu, e Deus meu", e expressa a reverência do salmista, a sua obediência, a sua apropriação de crente e a sua alegria em Cristo. É bom ter visões claras dos mútuos relacionamentos das pessoas da bendita Trindade; na verdade, o conhecimento destas verdades é essencial para o nosso consolo e crescimento na graça. Há uma distinção manifesta nas pessoas divinas, uma vez que uma fala com a outra; no entanto, a Divindade é uma só.

"Assenta-te à minha mão direita, até que ponha os teus inimigos por escabelo dos teus pés." Longe da vergonha e do sofrimento da sua vida terrena, Jeová chama Adonai, nosso Senhor, para o repouso e as honras do seu assento celestial. A sua obra está concluída, e Ele pode se assentar à sua direita; a sua obra terá grandes resultados, e por isto Ele pode esperar tranquilamente para ver a vitória completa, que certamente virá. O glorioso Jeová assim se dirige a Cristo como nosso Salvador; pois, diz Davi, ele diz "ao meu Senhor". Jesus é colocado no assento de poder, domínio e dignidade, e deve assentar-se ali por indicação divina, enquanto Jeová luta por Ele, e deixa cada rebelde debaixo dos seus pés. Ele se assenta ali, pela ordenança e pelo chamado do Pai, e irá assentar-se ali, apesar de toda a fúria de seus adversários, até que sejam todos trazidos à completa vergonha quando Ele colocar seu pé sobre seus pescoços. Ali, Ele é nosso representante. O reino da mediação perdurará até que o último inimigo seja destruído, e então, de acordo com a palavra inspirada, "virá o fim, quando tiver entregado o Reino a Deus, ao Pai". O trabalho de subjugar as nações está agora nas mãos do grande Deus, que, pela sua Providência, irá realizá-lo para a glória do seu Filho; a sua palavra está empenhada nisto, e a permanência do seu Filho à sua direita é a garantia disto; portanto, jamais devemos temer o futuro. Enquanto vemos o nosso Senhor e representante assentado, em tranquila expectativa, nós, também, podemos nos assentar com tranquila certeza, e com confiança esperar o grande resultado de todos os eventos. Tão certamente como Jeová vive, Jesus deve reinar, sim, ainda agora Ele está reinando, embora todos os seus inimigos ainda não estejam subjugados. Durante este intervalo, em que nós esperamos a sua gloriosa aparição e o reino

milenar visível, Ele está no lugar de poder, e o seu domínio não é prejudicado, ou, se fosse assim, Ele não permaneceria tranquilo. Ele se assenta, porque tudo está a salvo, e Ele se assenta à direita de Jeová, porque a onipotência espera realizar a sua vontade. Portanto, não há motivo para alarme, aconteça o que acontecer neste mundo inferior; a visão de Jesus entronizado em glória divina é a garantia de que todas as coisas se movem em direção à vitória definitiva. Aqueles rebeldes que agora estão em posições de poder logo estarão no lugar de desprezo, eles serão o seu escabelo. Com facilidade Ele os dominará, Ele se assentará e colocará seus pés sobre eles; não se erguendo, para pisá-los, como quando um homem exerce a sua força para subjugar poderosos adversários, mas conservando a atitude de repouso, e ainda dominando-os como vassalos abjetos, que não mais têm coragem de se rebelar, mas se tornaram completamente dominados e subjugados.

2. *"O Senhor enviará o cetro da tua fortaleza desde Sião, dizendo."* É na igreja, e pela igreja, que o poder do Messias é conhecido na atualidade. O Senhor Jeová deu a Jesus toda a autoridade entre o seu povo, a quem Ele governa com seu cetro real, e este poder é distribuído, com divina energia, a partir da igreja, para a congregação dos eleitos e a submissão de todo o mal. Nós precisamos orar para o envio da vara da força divina. Foi com esta vara que Moisés feriu os egípcios, e operou maravilhas por Israel, e da mesma maneira, sempre que o Senhor Jesus envia o cetro da sua fortaleza, os nossos inimigos espirituais são destruídos. Deve haver aqui uma alusão à vara de Arão que floresceu e assim provou o seu poder; ela foi guardada na arca, mas o cetro do nosso Senhor é enviado para subjugar os seus adversários. Esta promessa começou a ser cumprida no Pentecostes, e continua, até hoje, e ainda terá um cumprimento maior. Ó Deus de eterno poder, faça com que a fortaleza do nosso Senhor Jesus seja mais claramente vista, e que as nações a vejam saindo do meio do teu frágil povo, de Sião, o lugar da tua habitação.

"Domina no meio dos teus inimigos", como Ele faz sempre que o seu poderoso cetro de graça é brandido, para renovar e salvá-los. A vara de Moisés fez sair água da dura rocha, e o Evangelho de Jesus logo faz com que o arrependimento flua em rios, do coração do homem, antes endurecido. Ou o texto pode querer dizer que, embora a igreja esteja situada em meio a um mundo hostil, ainda assim exerce uma grande influência; ela continua a manifestar uma majestade interior, e é, afinal, o poder dominante entre as nações porque o grito de um rei está no seu meio. Jesus, ainda que seja odiado pelos homens, ainda é o Rei dos reis. O seu governo está acima até mesmo dos menos dispostos, de modo a dominar a sua mais violenta oposição ao progresso da sua causa. Jesus, como este texto dá a entender, não está inativo durante a sua permanência à direita de Jeová, mas, da sua própria maneira, prova a natureza permanente do seu reino, tanto *em* Sião quanto *originária de* Sião, tanto entre seus amigos como entre seus adversários. Nós esperamos a manifestação mais clara do seu poder onipotente nos últimos dias; mas mesmo nestes tempos de espera, nos alegramos de que todo o poder no céu e na terra foi dado ao Senhor.

3. *"O teu povo se apresentará voluntariamente no dia do teu poder, com santos ornamentos; como vindo do próprio seio da alva; será o orvalho da tua mocidade."* Em consequência do envio do cetro da fortaleza, ou seja, do poder do Evangelho, originário de Sião, os convertidos virão em grandes números, para se alistar sob a bandeira do Sacerdote-Rei. Dados a Ele desde a eternidade, eles são o seu povo, e quando o seu poder é revelado, eles se apressam, com alegria, para reconhecer o seu domínio, respondendo ao chamado do Evangelho com espontaneidade, como o orvalho aparece pela manhã. Esta metáfora é mais ampliada, pois assim como o orvalho tem uma beleza cintilante, também estes exércitos voluntários de convertidos têm uma santa excelência e encanto; e assim como o orvalho é o emblema vívido do frescor, também estes convertidos são cheios de vivacidade e vigor de juventude, e a igreja é revigorada por eles, e levada a prosperar extraordinariamente. Basta que o Evangelho seja pregado com unção divina, e os eleitos do Senhor respondem a ele, como exércitos no dia da inspeção; eles vêm, enfileirados pela graça, em uniformes

brilhantes de santidade, e em número, frescor, beleza e pureza, são como as gotas de orvalho que surgem misteriosamente do útero da manhã. Alguns associam esta passagem à ressurreição, mas ainda que seja assim, a obra da graça na regeneração é igualmente bem descrita por ela, pois é uma ressurreição espiritual. Assim como os santos mortos ressuscitam alegremente conforme a adorável imagem do seu Senhor, também as almas despertadas vestem a gloriosa justiça de Cristo, e se apresentam para contemplar o seu Senhor e servi-lo. Quão verdadeiramente bela é a santidade! O próprio Deus a admira. Quão maravilhosa também é a eterna juventude do corpo místico de Cristo! Assim como o orvalho é novo a cada manhã, também existe uma constante sucessão de convertidos para dar à igreja a juventude perpétua. Os seus jovens têm sobre si o orvalho do Senhor, e despertam, em seus exércitos, um entusiasmo vívido e eterno por aquele cujos "cabelos são crespos, pretos como o corvo", com inesgotável juventude. Uma vez que Jesus vive para sempre, também a sua igreja prosperará para sempre. Assim como a sua força jamais falha, também o vigor do seu povo fiel será renovado, dia após dia. Assim como Ele é um Sacerdote-Rei, também no seu povo todos são sacerdotes e reis, e os encantos da santidade são suas vestes sacerdotais, as suas vestes para a glória e formosura: destes sacerdotes para Deus haverá uma sucessão ininterrupta. A realização deste dia de poder durante o período da demora do Senhor é aquilo pelo que devemos orar constantemente; e podemos, legitimamente, esperá-la, uma vez que Ele está sempre assentado no trono de honra e poder, e exibe a sua força, segundo a sua própria palavra: "Meu Pai trabalha até agora, e eu trabalho também".

4 *Jurou o SENHOR e não se arrependerá: Tu és um sacerdote eterno, segundo a ordem de Melquisedeque.*

Agora chegamos ao coração do Salmo, que também é o centro e a alma da nossa fé. O nosso Senhor Jesus é um Sacerdote-Rei, pelo antigo juramento do Senhor: "[Ele] não se glorificou a si mesmo, para se fazer sumo sacerdote", mas foi ordenado para isto, desde a eternidade, e foi chamado por Deus "um sacerdote eterno, segundo a ordem de Melquisedeque". Deve ser um motivo solene e seguro que leva o Eterno a jurar, e com Ele um juramento fixa e estabelece o decreto para sempre; mas, neste caso, como para tornar a certeza mil vezes assegurada, é acrescentado: *"e não se arrependerá"*. Está feito, e está feito para todo o sempre; Jesus é empossado para ser o sacerdote do seu povo, e deve continuar sendo, até o fim, porque a sua comissão é selada pelo juramento imutável do imutável Senhor. Se o seu sacerdócio pudesse ser revogado, e a sua autoridade removida, seria o fim de toda a esperança e vida para o povo a quem Ele ama; mas esta rocha sólida é a base da nossa segurança – o juramento de Deus estabelece o nosso glorioso Senhor, tanto no seu sacerdócio como no seu trono. Foi o Senhor que o constituiu como sacerdote, para sempre, Ele o fez por juramento, este juramento não tem arrependimento, e é válido agora, e assim será por todas as gerações: consequentemente, a nossa segurança nele está além de qualquer dúvida.

A declaração é feita no tempo presente do verbo, como sendo o único tempo com o Senhor, e abrangendo todos os outros tempos. *"Tu és", isto é,* tu eras, e és, e serás, em todos os tempos, um Rei sacerdotal. A ordem do sacerdócio de Melquisedeque era a mais antiga e primitiva, a mais livre do ritual e da cerimônia, a mais natural e simples, e, ao mesmo tempo, a mais honrosa. Este antigo patriarca foi o pai do seu povo, e ao mesmo tempo, os governou e ensinou; ele brandiu, ao mesmo tempo, o cetro e o incensário, reinou em justiça, e ofereceu sacrifícios diante do Senhor. Jamais houve outro como ele, desde os seus dias, pois sempre que os reis de Judá tentaram usurpar o ofício sacerdotal, foram rejeitados, para sua confusão: Deus não quis nenhum rei-sacerdote, exceto seu Filho. O ofício de Melquisedeque foi excepcional: ninguém o precedeu nem sucedeu; ele surge na página da história misteriosamente; não é mencionada nenhuma genealogia, nem data de nascimento, nem há menção à sua morte; ele abençoa Abraão, recebe o dízimo, e desaparece de cena, entre honras que mostram que ele foi maior do que o fundador da nação escolhida. Ele é visto apenas uma vez, e esta única vez é suficiente. Arão e a sua semente chegaram e se foram; o seu sacrifício imperfeito continuou por muitas gerações, porque não era eficaz, e jamais pôde tornar perfeitos os que o faziam. O nosso Senhor Jesus, como Melquisedeque, se apresenta diante de nós como um sacerdote de ordenação divina; não se fez sacerdote por nascimento em carne, como os filhos de Arão; Ele não menciona nem pai, nem mãe, nem descendente, como seu direito ao ofício sagrado; Ele se apresenta sozinho, nos seus méritos pessoais; assim como nenhum homem veio antes dele, na sua obra, também ninguém pode vir depois dele; a sua ordem começa e termina na sua própria pessoa, e nele ela é eterna, "não tendo princípio de dias nem fim de vida". O Rei-sacerdote esteve aqui, e deixou a sua bênção sobre a semente que crê, e agora se assenta na sua glória, em sua natureza completa, expiando por nós, pelo mérito do seu sangue e exercendo todo o poder por nós.

"Ó, possamos sempre ouvir a tua voz
em misericórdia, falar conosco,
E no nosso Sacerdote nos alegraremos,
Sim, em ti, ó grande Melquisedeque".

5 *O Senhor, à tua direita, ferirá os reis no dia da sua ira.*
6 *Julgará entre as nações; enchê-las-á de cadáveres; ferirá os cabeças de grandes terras.*
7 *Pelo caminho, dessedentar-se-á no ribeiro e prosseguirá de cabeça erguida.*

Nós entendemos que os últimos versículos deste salmo se referem às futuras vitórias do Sacerdote-Rei. Ele não se assentará para sempre, em postura de espera, mas virá para a luta, para terminar a guerra com a sua própria presença vitoriosa. Ele liderará pessoalmente o ataque final; a sua própria mão direita, e o seu próprio braço santo, lhe alcançarão a vitória.

5. "*O Senhor, à tua direita, ferirá os reis no dia da sua ira.*" Agora que o precioso e bendito Salvador veio ao campo de ação, o Senhor infinito, o Pai, vem com Ele, como a força da sua mão direita. O poder eterno acompanha a vinda do Senhor, e o poder terreno morre diante dele, como se fosse ferido com uma espada. Nos últimos dias, todos os reinos da terra serão dominados pelo reino do céu, e aqueles que ousarem se opor, se depararão com a destruição rápida e esmagadora. O que são os reis, quando ousam se opor ao Filho de Deus? Um único golpe será suficiente para a sua destruição. Quando o anjo do Senhor feriu Herodes, não houve necessidade de um segundo golpe; ele foi devorado por vermes, e entregou o seu espírito. A respeito dos últimos dias, nós lemos sobre o Fiel e Verdadeiro, que montará um cavalo branco, e, com justiça, julgará e pelejará: "E da sua boca saía uma aguda espada, para ferir com ela as nações: e ele as regerá com vara de ferro e ele mesmo é o que pisa o lagar do vinho do furor e da ira do Deus Todo-poderoso".

6. "*Julgará entre as nações*", ou entre os pagãos. Todas as nações sentirão o seu poder, e se renderão a ele, alegremente, ou então serão esmagadas diante dele.

"*Enchê-las-á de cadáveres.*" Nas terríveis batalhas do seu Evangelho, todos os oponentes cairão, até que o campo de batalha esteja cheio de mortos. Isto não deve ser interpretado literalmente, mas como uma descrição poética da derrubada de todos os poderes rebeldes, e a derrota de todos os princípios profanos. Mas se os reis de opusessem ao Senhor com armas de guerra, o resultado seria a sua esmagadora derrota e a total destruição das suas forças. Em conexão com esta profecia, leia a passagem que começa no versículo 17 de Apocalipse 19, e prossegue até o fim do capítulo. Coisas terríveis, embora justas, serão vistas antes que a história deste mundo chegue ao seu fim.

"Ferirá os cabeças de grandes terras." Ele golpeará as maiores forças que resistirem a Ele, e não ferirá apenas homens comuns, mas aqueles que governam e reinam. Se as nações não aceitarem Cristo como seu Líder, descobrirão que seus líderes políticos são incapazes de protegê-los. Ou, a passagem pode ser interpretada: "Feriu a cabeça que está acima de toda a terra". O monarca da maior nação não poderá escapar à espada do Senhor; nem aquele temido príncipe espiritual, que governa sobre os filhos da desobediência, será capaz de escapar, sem uma ferida mortal. O papa e os sacerdotes deverão cair, com Maomé e outros enganadores, que agora são os líderes do povo. Jesus reinará e eles perecerão.

7. *"Pelo caminho, dessedentar-se-á no ribeiro."* Tão rapidamente Ele marchará para a conquista, que não se deterá para se refrescar, mas beberá enquanto se apressa para a batalha. Como os homens de Gideão, que lamberam as águas, Ele colocará o seu coração na disputa, e a encurtará, em justiça, porque o Senhor fará uma breve obra na terra.

"E prosseguirá de cabeça erguida." A sua própria cabeça estará erguida, em vitória, e o seu povo, nele, também será exaltado. Quando Ele passou por este caminho antes, foi oprimido, e lhe foram impostas dificuldades; mas no seu segundo advento, Ele obterá uma vitória fácil; antes, Ele foi um homem de dores, mas quando vier pela segunda vez, a sua cabeça estará erguida, em triunfo. Que os seus santos se alegrem com Ele. "Levantai a vossa cabeça, porque a vossa redenção está próxima". Nos últimos dias, nós esperamos terríveis conflitos e uma vitória final. Jesus tolerou por muito tempo a nossa raça rebelde, mas, no final, Ele se levantará para dar fim à guerra da tolerância, através dos golpes da justiça. Deus combateu contra os pecados dos homens, para o bem deles, mas Ele não lutará para sempre com os homens pelo seu Espírito; Ele deixará esta luta de amor tolerante, e começará outra, que logo terminará na destruição final dos seus adversários. Ó, Rei-sacerdote, nós que somos, em menor escala, também reis-sacerdotes, estamos cheios de alegria, porque tu reinas até agora, e virás, antes que passe muito tempo, para defender a tua causa e estabelecer o teu império para sempre! Assim, venha sem demora. Amém!

NOTAS EXPLICATIVAS E DECLARAÇÕES SINGULARES

O Salmo: O salmo anterior é um Salmo de Paixão, e agora é seguido por um Salmo sobre a ressurreição, ascensão de Cristo, e a sua permanência na glória. Nós vimos a mesma conexão em Salmos 22 a 24, e em Salmos 45 a 47. Este salmo se origina do salmo anterior, assim como o Monte das Oliveiras, o monte da Ascensão, se ergue do vale do Getsêmani, abaixo dele. – *Christopher Wordsworth*

O Salmo: Este Salmo foi apropriadamente designado como a coroa de todos os salmos, sobre o qual Lutero disse que ele é merecedor de ser coberto de joias preciosas. De maneira mais especial, o Reformista chama o versículo 5 de uma fonte, ou manancial - ou melhor, um tesouro de todas as doutrinas cristãs, compreensão, sabedoria e consolação, mais rico e mais completo do que qualquer outra passagem do Texto Sagrado. Da sua maneira peculiar, ele chama Cristo de *Sheblimini* ('Sentado à minha destra'). 'Certamente, o diabo deve deixar em paz o meu *Sheblimini*, e não pode derrubá-lo com a sua zombaria, nem com a sua ira'. Cristo ainda vive e reina, e o seu título é *Sheblimini.* No seu estribo, está gravado: "que eu ponha os teus inimigos por escabelo de teus pés", e no seu diadema: "Tu és sacerdote eternamente". – *Alfred Edersheim, 1873*

O Salmo: Os antigos (segundo a antologia de Cassiodoro) chamam este salmo de *O sol da nossa fé, o tesouro do texto sagrado*; *verbis brevis, sensu infinitus* (diz Agostinho), poucas palavras, mas sentido infinito. Teodoreto observa como ele está conectado com o salmo anterior: "naquele (diz ele) temos a sua cruz e os sofrimentos, neste a sua conquista e os seus troféus". Pois Ele vem como o *herdeiro declarado* do Todo-poderoso, o resplendor da sua glória, e a expressa imagem da sua pessoa, agraciada com,

1. Título. *"Meu Senhor".*
2. *Lugar. "Assenta-te à minha mão direita".*
3. *Poder. "até que ponha os teus inimigos por escabelo dos teus pés". – John Prideaux, em um sermão intitulado "The Draught of the Brooke", 1636*

O Salmo: Este salmo é uma das mais completas e resumidas profecias sobre a pessoa e os ofícios de Cristo de todo o Antigo Testamento, e é tão cheio de verdade fundamental, que eu não me recusarei a chamá-lo *Symbolum Davidicum,* o credo do profeta Davi. E, na verdade, há muito poucos, se é que há algum, dos artigos deste credo que todos nós professamos, de modo geral, que não são expressos claramente nem se acomodam, com evidente implicação, neste pequeno modelo. Em primeiro lugar, a *Doutrina da Trindade* está nas primeiras palavras; *"Disse o Senhor (Jeová) ao meu Senhor".* Existe *Jeová, o Pai,* e *meu Senhor,* o Filho, e a sua consagração como sendo o Senhor de Davi, que aconteceu pelo *Espírito Santo,* por cuja plenitude Ele foi ungido nos ofícios de rei e sacerdote; pois assim o nosso próprio Salvador explica esta palavra: "*disse*" pela sua confirmação e santificação ao seu ofício (Jo 10.34, 35, 36). Então, temos a *Encarnação de Cristo,* nas palavras *"meu Senhor"* juntamente com a sua dignidade e honra, acima de Davi (como o próprio nosso Salvador explica, Mt 22.42,45). *Meu,* isto é, meu Filho por descendência e genealogia segundo a carne, e, apesar disto, também meu Senhor, no aspecto da sua elevada filiação. Também temos os *sofrimentos de Cristo,* no fato de que Ele foi consagrado como *sacerdote* (v. 4), para oferecer a Si mesmo, de uma vez por todas, e assim *"pelo caminho, dessedentar-se no ribeiro".* Nós temos a sua *Obra Completa* e a conquista sobre todos os seus inimigos e sofrimentos; a sua ressurreição: *"prosseguirá de cabeça erguida";* a sua ascensão e intercessão: *"Assenta-te à minha mão direita".* Temos aqui também uma *Igreja Santa e Universal,* congregada pelo cetro do seu reino, e conservando nos grupos uma bendita e bela *Comunhão dos santos: "O Senhor enviará o cetro da tua fortaleza desde Sião, dizendo: Domina no meio dos teus inimigos. O teu povo se apresentará voluntariamente no dia do teu poder, com santos ornamentos; como vindo do próprio seio da alva, será o orvalho da tua mocidade".* Temos o *Juízo Final, pois todos os seus inimigos deverão ser postos debaixo dos seus pés* (que é o argumento do apóstolo, para provar o fim de todas as coisas, 1 Co 15.25); e há também o *dia da sua ira,* em que Ele irá executar o juízo sobre as nações, e obterá a vitória sobre os reis da terra (*que se aconselham e se aliam contra Ele*), – o que Ele inicia aqui, com a sua palavra. Temos a *remissão dos pecados,* compreendida no seu sacerdócio, pois Ele iria oferecer sacrifícios pela remissão dos pecados, e "aniquilar o pecado pelo sacrifício de si mesmo" (Ef 1.7; Hb 9.26). Temos a *ressurreição do corpo,* porque Ele deve colocar a "todos os inimigos debaixo de seus pés... o último inimigo que há de ser aniquilado é a morte", como argumenta o apóstolo, com base neste salmo (1 Co 15.25, 26). E, finalmente, temos *a vida eterna,* no mérito e na virtude eternos do seu sacerdócio. *"Tu és sacerdote eternamente, segundo a ordem de Melquisedeque",* e no fato de que Ele esteja assentado à direita de Deus, para onde Ele vai como nosso precursor, para preparar um lugar para nós (Hb 6.20; Jo 14.2); e, portanto, o apóstolo deduz, do fato de que Ele se assenta ali, e vive eternamente, a perfeição e a certeza da nossa salvação (Rm 6.8, 11; 8.17; Ef 2.16; Cl 3.1-4; 1 Co 15.49; Fp 3.20,21; 1 Ts 4.14; Hb 7.25; 1 Jo 3.2). – *Edward Reynolds, 1599-1676*

O Salmo: Embora os judeus de gerações recentes tenham procurado dar-lhe outro significado, este salmo é tão aprovado, e não questionado, como uma profecia sobre Cristo, que os fariseus não negam isto, quando questionados pelo nosso Salvador (Mt 22.42,43) a seu respeito, vendo que Cristo é o filho de Davi, e que Davi, apesar disto, o chama de Senhor, dizendo: "*Disse o Senhor ao meu Senhor*"; não puderam responder-lhe nem uma palavra, ao passo que a resposta teria sido muito fácil e imediata, se pudessem ter negado que este Salmo se refere a Cristo. Mas eles sabiam que ele não poderia ser interpretado de outra maneira, e era comumente considerado, entre eles, como uma profecia sobre o seu Messias, de acordo com a própria evidência do próprio texto, que não pode ser atribuída a nenhuma outra pessoa, mas somente a Cristo, nosso Salvador, o Filho de Deus. Pois embora alguns deles, desde então, tenham considerado todas estas coisas como ditas em nome do povo de Judá a respeito de Davi, seu rei, o próprio texto recusa esta interpretação, quando, nestas palavras – *"Assenta-te à minha mão direita"* –, menciona uma honra feita àquele de quem ele fala, maior do que pode ser apropriada para os anjos, e, portanto, muito menos pode ser aplicada a Davi. Novamente, aquilo de que fala o quarto versículo, sobre o sacerdócio, não pode ser interpretado como sendo a respeito de Davi, que realmente era um rei, mas jamais teve nada dito como tocando o sacerdócio que lhe competia, e de quem não se pode imaginar que pudesse ser dito: *"Tu és sacerdote eternamente"*, etc. Aqui não é dito nada com que possamos ver em Davi algo além de alguma pequena sombra, em comparação com o que veio a acontecer em Jesus Cristo. – *Robert Abbot (1560-1617), "The Exaltation of the Kingdom and Priesthood of Christ"*

O Salmo: O Salmo 86 saúda a ascensão do Messias, representada pelo transporte da arca, e fornece uma rápida e obscura visão das glórias e das bênçãos consequentes destes eventos. O Salmo 24 nos apresenta o Messias subindo para o seu trono de redenção, sustentado pelas asas de anjos e arcanjos, e saudado com hosanas por toda a criação inteligente; ele mostra, com as cores mais brilhantes, a entrada triunfal do Messias nas regiões celestiais, e o tom de autoridade e poder com que Ele comanda esta entrada – e o envia, acompanhado pelo exército angelical, ao trono do seu Pai, para ali reivindicar aquela proeminência que era sua, por herança e por conquista. Neste ponto, o salmo diante de nós "assume a maravilhosa história": ele nos apresenta as impressionantes solenidades da sua recepção, representa o Pai concedendo ao seu Filho amado o reino que Ele tinha conquistado, exaltando-o no trono e colocando todas as coisas debaixo dos seus pés; recebendo-o no seu ofício de profeta, e prometendo universalidade e permanência ao "cetro da sua fortaleza"; recebendo-o no ofício do sacerdócio, o seu próprio sacerdócio peculiar, e confirmando a sua eficácia e duração por um juramento; e desta maneira aperfeiçoando o esquema de redenção, e concluindo a derrota sobre o pecado e a morte e sobre aquele que tinha o poder da morte. O homem, unido a Deus, foi exaltado ao trono de existência: o homem unido a Deus aperfeiçoou o sacrifício que era exigido, e o exército celestial é representado pelo salmista como tomando a melodia e entoando hinos aos futuros triunfos do Rei da Glória – Ele triunfa sobre os seus adversários, aos que Ele irá visitar no dia da sua ira, e triunfa sobre o seu povo voluntarioso, aos quais Ele irá ajudar com o seu Espírito, refinar com a sua graça, e exaltar na sua glória. Assim eu entendo que é a ocasião, o objeto, e a tendência deste cântico sagrado: para mim, parece ser eminentemente um *epinicion*, ou cântico de vitória: ele celebra o triunfo do conquistador, e o apresenta com as recompensas da vitória, e prediz futuras conquistas como coroando a sua glória; enquanto, em outras passagens, nós vemos militante o Capitão da nossa salvação, aqui nós o vemos triunfante; enquanto, em outras passagens, nós vemos os seus ofícios em um estágio inicial, aqui eles são aperfeiçoados, pela aprovação da Divindade, e a promessa da eternidade: aqui temos a instrução consolidando o império, e a expiação concluída pelo sacerdócio eterno. – *J. H. Singer, "The Irish Pulpit", 1839*

v. 1: Neste único versículo nós temos uma descrição da pessoa de Cristo, das suas guerras e da sua vitória; de modo que podemos dizer sobre ele (e, na verdade, sobre todo o salmo, que é um resumo do Evangelho), como Tully disse sobre Brutus, na sua lacônica epístola, *Quam multa, quam paucis!* Tanto, em tão pouco. – *John Trapp*

v. 1: "Disse o Senhor ao meu Senhor: Assenta-te à minha mão direita". Uma passagem frequentemente citada – porque contém uma verdade memorável. Nós a vemos citada pelo próprio Messias, para levar Israel a reconhecê-lo como maior do que Davi (Mt 22.44). Ela é citada em Hebreus 1.13, para provar que Ele é muito superior aos anjos. Ela é mencionada por Pedro, (At 2.34), para mostrar que Ele é

Senhor, além de Cristo. É lembrada em Hebreus 10.12,13, declarando que Jesus concluiu de forma absolutamente satisfatória aquilo que se comprometeu a fazer na terra, "um único sacrifício", e está, a partir de agora, assentado naquele assento de honra divina, "esperando até que os seus inimigos sejam postos por escabelo de seus pés" por ocasião da sua segunda vinda. – *Andrew A. Bonar*

v. 1: "Disse o Senhor". Embora o entendimento da pessoa e do ofício de Cristo sejam necessários na igreja, ninguém conhece o Pai, senão o Filho e aquele a quem o Filho o quiser revelar: pois Davi conhecia a Cristo somente pelo ensinamento do Pai: *"Disse o Senhor"*, diz ele. – *David Dickson*

v. 1: "Meu Senhor". A partir de agora, vemos que, embora Cristo fosse homem, Ele era mais do que um simples homem, uma vez que é Senhor do seu pai, Davi. Pois *jure naturae*, nenhum filho é senhor de seu pai; a dominação jamais é ascendente. Deve haver nele algo acima da natureza, de modo a fazê-lo o soberano de seu pai, como o nosso próprio Salvador argumenta, nestas palavras (Mt 22.42,45). – *Edward Reynolds*

v. 1: "Meu Senhor". Ter a Cristo como filho era uma honra maior do que ser um rei; apesar disto, Davi não diz que Cristo é seu filho, mas se alegra pelo fato de que Cristo é o seu Senhor, e ele é servo de Cristo. Mas esta alegria também é obtida *por isto* (veja Lc 1.43; Jo 20.28; Fp 3.3,8). Aqueles que consideram o Messias apenas como o filho de Davi, consideram apenas a menor parte da sua concepção. Um domínio ao que o próprio Davi está sujeito, mostra a majestade celestial do Rei, e o caráter celestial do seu reino. – *John Albert Bengel*

v. 1: "Até que ponha os teus inimigos por escabelo dos teus pés". Cada palavra está carregada de significado. Embora normalmente as subdivisões das Sagradas Escrituras e o esmigalhamento do pão da vida sejam mais uma indefinição do que uma explicação, ainda assim, em determinadas partes, de propósito destinado a modelos e resumos de doutrinas fundamentais (e este é um dos mais abrangentes e mais curtos salmos deste tipo nas Escrituras), como em pequenos mapas de países grandes, não há palavra de que algum ponto de razoável consequência não dependa. Aqui, então, deve ser considerado o *período de duração* ou *a dimensão do reino de Cristo: "até"*. O *autor* da submissão dos inimigos de Cristo debaixo dos seus pés: *"Eu, o Senhor"*. A *maneira* como isto acontece; *ponam*, e *ponam scabellum,* por os teus inimigos por escabelo dos teus pés. A vitória é uma palavra relativa, e pressupõe inimigos, e eles estão expressos no texto... A inimizade se mostra contra Cristo em todas as funções da sua mediação. Há inimizade contra Ele, como um *profeta*. Inimizade contra a sua *verdade* – em opinião, adulterando-a com misturas humanas e persuasões, ensinando, como se fossem doutrinas, as tradições dos homens; em sentimento, desejando que muitas verdades divinas fossem eliminadas das Escrituras, como sendo claramente contrárias àqueles prazeres que eles amam, em lugar de amarem a Deus; em suas conversas, obscurecendo a verdade e enfatizando a injustiça, e naquelas coisas que eles conhecem, como animais, corrompendo-se. A inimizade contra os seus *ensinamentos*, extinguindo os movimentos, e resistindo à evidência do seu Espírito na Palavra, recusando-se a ouvir a sua voz, e rejeitando o conselho de Deus contra eles mesmos. Há a inimizade contra Ele como um *sacerdote*, subestimando a sua pessoa, os seus sofrimentos, a sua justiça ou os seus méritos. E como um *rei*; a inimizade à sua adoração, negligenciando-a com a profanação, utilizando-a mal, com a idolatria, e corrompendo-a pela superstição. A inimizade aos seus caminhos e ao seu serviço, com preconceitos infundados, avaliando-os mal, como sendo caminhos angustiosos, não benéficos ou desiguais; e por desobediência voluntária, abandonando-os, para andar nos caminhos do nosso próprio coração. – *Edward Reynolds*

v. 1: "Ponha os teus inimigos por escabelo dos teus pés". Esta expressão, de que a conquista dos inimigos de Cristo será apenas como mudar um banquinho de lugar, nos faz notar duas coisas: em primeiro lugar, *a facilidade da vitória de Deus* sobre os inimigos de Cristo. Eles estão diante dele, como nada, menos que nada, a gota de um balde, o pó da balança, uma coisa muito pequena... Em segundo lugar, assim como esta colocação dos inimigos de Cristo como um escabelo debaixo dos pés dá a ideia de facilidade, *também* sugere *ordem* ou *beleza*. Quando os inimigos de Cristo estiverem debaixo dos seus pés, então haverá uma ordem correta nas coisas; então realmente será manifesto que Deus é um *Deus de ordem* e, portanto, o dia em que isto estiver concluído, é chamado de *"os tempos da restauração de tudo"* (At 3.21). Colocar os inimigos de Cristo como escabelo dos seus pés é um *ato de justiça*; e entre todas as outras, a justiça é a virtude mais ordenada, aquilo que conserva a beleza no rosto de um povo, consistindo, ela mesma, de simetria e proporção.

Colocar os inimigos de Cristo como escabelo dos seus pés também nos dá a entender duas coisas, com referência a Cristo: Em primeiro lugar, o seu *descanso*, e, em segundo lugar, o seu *triunfo*. *Levantar-se*, na expressão das Escrituras, indica *ministério;* e *assentar-se, descansar*; e não há postura tão confortável como se assentar tendo um escabelo debaixo dos próprios pés. Até que todos os inimigos de Cristo estejam sob os seus pés, Ele não estará plenamente em seu descanso.

Além disto, este *"escabelo"* debaixo dos pés de Cristo, em referência aos seus inimigos, nos sugere quatro coisas. Em primeiro lugar, *a extrema vergonha e confusão* de que todos sofrerão, eternamente; a completa humilhação de tudo o que se exalta contra Cristo. Em segundo lugar, *o peso que os homens ímpios devem suportar*: o escabelo sustenta o peso do corpo, e assim também os inimigos de Cristo devem sustentar o peso da sua pesada e eterna ira sobre as suas almas. Em terceiro lugar, *a relação que a justa recompensa* de Deus tem com os pecados dos homens ímpios. Assim Cristo irá lidar com os seus inimigos, no último dia. Aqui, eles pisam em Cristo, na sua palavra, em seus caminhos, em seus membros; eles fazem com que os santos se curvem, para que possam passar por cima, como se fossem pavimento do solo; eles pisam sobre o sangue do concerto, e o santuário do Senhor, e envergonham a Cristo; mas ali, a sua própria medida lhes será retribuída, e eles serão forçados a confessar, como Adoni-Bezeque: "Assim como eu fiz, assim Deus me pagou". Finalmente, aqui podemos observar *o grande poder e a sabedoria de Cristo* ao converter a maldade dos seus inimigos para seu próprio uso e vantagem, e ordenando aos ímpios que, embora eles não pretendessem nada senão extirpar e arruinar o seu reino, ainda assim eles lhe seriam úteis, e, contra suas próprias vontades, teriam serventia àqueles gloriosos objetivos, com cujo cumprimento o Senhor se fará admirável em todos os que creem. Assim como em uma casa grande é necessário o uso de vasos de desonra, destinados a serviços sórdidos e interiores, embora diários, também na grande casa de Deus, os ímpios são seus utensílios e instrumentos da casa, como escabelos e bordões, e vasos em que não há prazer, embora possa haver bom uso deles. – *condensado de Reynolds*

v. 1: "Escabelo de teus pés". Assim como o nosso Rei tem um trono glorioso, também tem um maravilhoso escabelo; e assim como o seu trono real nos concede consolação, no mais alto grau, também o seu escabelo nos concede alegria. Como deverão se alegrar os seus pobres súditos, quando ouvirem que o seu príncipe e rei matou seus inimigos e os livrou das mãos deles! Como os seus pobres súditos saíram para encontrar Saul e Jônatas, quando estes reis mataram os filisteus!... Além disto, como o nosso Rei tem os *seus* inimigos debaixo dos seus pés, também Ele irá trazer os *nossos* inimigos debaixo dos nossos pés, pois a sua vitória é nossa: "Graças a Deus, que nos dá a vitória por nosso Senhor Jesus Cristo". – *Joshua Arnd, 1626-1685*

v. 2: "O cetro da tua fortaleza", ou melhor, "o cetro do teu poder", isto é, da "tua majestade real", como em Jeremias 48.17; Ezequiel 19.14. Crisóstomo se aproveita da palavra ῥάβδος (LXX) como uma vara de força e consolação, como em Salmos 23.4; uma vara de punição, como em Salmos 2.9, 1 Coríntios 4.21; um símbolo de governo real, como em Isaías 11.1; Salmos 45.6. Foi com esta vara, diz ele, que os discípulos trabalharam quando subjugaram o mundo, em obediência ao mandamento: "Ide...

fazei discípulos de todas as nações" (Mt 28.19, na versão ARA), uma vara muito mais poderosa do que a de Moisés, "pois aquela dividia rios, esta rompe em pedaços a impiedade do mundo". E então, com profunda verdade, ele acrescenta: "Ninguém irá errar se chamar a cruz de cetro de fortaleza; pois este cetro converteu mar e terra, e os encheu com um grande poder. Armados com este cetro, os apóstolos saíram por todo o mundo, e realizaram tudo o que fizeram, começando por Jerusalém". A Cruz, que para os homens parecia o próprio emblema de vergonha e fraqueza, era, na verdade, o poder de Deus. – *J. J. Stewart Perowne*

v. 2: "O cetro da tua fortaleza". O poder deste cetro e da palavra de Cristo aparecem, enormemente, na salvação dos seus eleitos... poderosamente eles prevaleceram e dominaram a mente dos homens contra a natureza, a razão, o entendimento, a sabedoria, os costumes, e tudo o mais que é forte para conservar os homens no apreço a estas coisas que eles receberam e seguiram, de modo que eles se alegrassem em renunciar às devoções que seus antepassados tinham adotado há tanto tempo, e em expulsar os deuses que eles mesmos tinham servido devotamente; e fechar os seus ouvidos contra os motivos e persuasões contrárias de pai e mãe; endurecer seus corações contra as esposas e os filhos, ajoelhados, chorando e abraçando-os, esquecer as suas honras, e heranças, e também as suas vidas, em lugar de perder a paz e a alegria de coração que a palavra de Cristo lhes tinha ministrado. Sim, como é estranho, e quanto é elogioso ao poder desta palavra, ver a fraqueza prevalecendo desta maneira contra a força, a simplicidade contra a política; ver o cordeiro diante do leão, sem medo, a dócil tartaruga diante do milhano devorador; mulheres e filhos e homens fracos diante de grandes monarcas e potentados do mundo, sem temer as suas palavras ameaçadoras, sem se aterrorizar com suas mãos torturadoras, mas corajosamente proferindo a palavra do seu testemunho (Ap 12.11), apesar de toda a sua fúria, sem jamais ceder a ela, por qualquer coisa que pudesse ser tramado contra eles. A palavra de Deus em seus corações lhes deu coragem e determinação e força, para passar pelo fogo e pela água, para suportar todos os caprichos do vento e do clima, e ainda que parecessem chocar-se contra as rochas, ainda assim escaparam ilesos e sem naufragar, e chegaram a salvo ao porto do seu desejo. – *Robert Abbot*

v. 2: "Desde Sião". Nós não precisamos dizer muita coisa sobre como a onisciência de Deus é exibida no fato maravilhoso de que, na mesma terra do concerto – em meio ao mesmo povo que rejeitou e crucificou o Salvador, a primeira igreja de Cristo na terra fosse estabelecida. O que poderiam ter dito os críticos e blasfemadores, se tivesse sido de outra maneira? A comunidade cristã teria sido formada em alguma das nações pagãs? E não teria sido considerada uma ficção dos sacerdotes idólatras? Israel dispersa entre as nações, e a igreja de Cristo, iniciada em Sião, em Jerusalém, são os monumentos mais maravilhosos e permanentes, e testemunhas incontestáveis da verdade do cristianismo. – *Benjamin Weiss*

v. 2: Com o seu governo *em meio aos inimigos,* nós aprendemos que o reino de Cristo nesta vida é o reino da Cruz, de perseguições e de perigos. Jamais faltam inimigos, não somente adversários externos, mas também espirituais e eternos; e por isto, grande angústia sempre está à espera dos devotos. Neste tão terrível conflito, entretanto, as suas mentes são exaltadas por esta consolação, *a saber,* que o cetro do reino é forte, e não pode ser derrotado por nenhuma força ou nenhum poder; sim, embora atacado por disputas e todos os tipos de tempestades, continuará estável, firme e perpétuo: e sempre haverá uma igreja entre os homens, que irá temer e adorar este Rei; porque a experiência de todas as gerações ensina que este reino mais cresce e aumenta, quanto mais recebe oposição, de acordo com aquelas palavras de Basílio: ἐν ταῖς θλιψεσι μαλλον θάλλει ἡ ἐκκλησία, a igreja prospera mais pela tribulação. – *Rivetus*

v. 2: "Domina no meio dos teus inimigos". Estabelece o teu poder sobre eles, e reina no meio deles. Esta é uma comissão para se estabelecer um reino *no meio* daqueles que eram seus inimigos; nos corações daqueles que tinham sido, e eram, rebeldes. O seu reino é estabelecido, não os destruindo, mas *subjugando-os*, de modo que eles se tornem seus Servos voluntários. Eles se rendem a Ele, e Ele governa sobre eles. Não é, aqui, uma comissão para extirpá-los, mas uma de muito mais difícil execução – a de torná-los seus amigos, e fazer com que se disponham a se submeter à sua autoridade. A simples *força* pode esmagar os homens; mas é necessário mais do que isto para tornar os rebeldes voluntariamente submissos, e dar-lhes a disposição para obedecer voluntariamente. – *Albert Barnes*

v. 3: "O teu povo". Isto é, aqueles aos quais tu recebes do teu Pai, e, estabelecendo o padrão e a insígnia do Evangelho, congregas a ti *"se apresentarão voluntariamente"*. A palavra é *disposição*, isto é, um povo de *grande disposição e devoção* ou (como a palavra original é usada em outras passagens, Sl 119.108, ARA), serão *ofertas espontâneas* para ti. O abstrato significando o concreto, e o plural no lugar do singular, indicam o quanto elas deveriam ser extremamente livres e espontâneas; como o Senhor, para indicar que o seu povo era muito rebelde, disse que eles eram *a casa rebelde* (Ez 2.8). Então o significado é: O teu povo irá, com disposição e alegria, devotar-se, consagrar-se, e entregar-se ao teu governo como um sacrifício racional, será de um espírito muito liberal, livre, nobre e irrestrito no teu serviço, e serão *voluntários* nas guerras do teu reino. – *Edward Reynolds*

v. 3: "O teu povo". Ó Jesus Cristo, os que te foram dados pelo Pai, resgatados e redimidos por ti, que te reconhecem como seu Senhor, e estão comprometidos contigo por um juramento militar, são *extremamente dispostos,* sendo devotados ao teu serviço com a maior disposição de alma, vivacidade, inclinação e obediência voluntária. E não são apenas dispostos, mas a própria *disposição* de modo abstrato; na verdade, *disposições*, no plural, a mais elevada e mais excelente disposição, com ênfase. Isto é visto como sendo בְּיוֹם חֵילֶךָ, *"no dia do teu poder [valor]", em que o teu espírito generoso, apropriando-se deles, os incentiva a empreitadas grandiosas e ousadas.* Então, eles seguem, na beleza da santidade, pela qual são um terror para o diabo, uma alegria para Deus e os anjos, e uma mútua edificação, uns para os outros. – *Hermann Witsius, 1636-1708*

v. 3: "O teu povo se apresentará voluntariamente". Voluntariamente, para fazer o que? Eles serão voluntários, ao passo que outros, não. O simples termo *"voluntário"* é muito expressivo. Ele sugere a bela condição das criaturas que se permitem transformar, e mover, de acordo com a vontade de Deus. Elas permitem que Deus opere nelas, para que queiram e façam. Eles são *voluntários* para morrer para todo o pecado, são voluntários para crucificar o velho homem, ou o homem interior, para que o novo homem, ou Cristo, possa ser formado neles. Eles são *voluntários* para serem separados de seus antigos pensamentos e propósitos, para que os propósitos e pensamentos de Deus possam ser cumpridos neles. Eles são *voluntários* para serem transferidos, dos passos da natureza da descendência humana, para os passos de Deus, da ascendência humana, ou, para agir de acordo com a simplicidade do nosso texto, Deus é a Vontade, e eles são *"voluntários"*. Deus os irá embelezar com a salvação, porque não há nada neles que impeça que Ele opere. Eles serão sábios, bons, e graciosos; serão *como Deus*, pois eles são *"voluntários"*; e procede de Deus um espírito poderoso, do qual toda a tendência é fazer com que as suas criaturas sejam como Ele mesmo. – *John Pulsford, "Quiet Hours", 1857*

v. 3: "O teu povo se apresentará voluntariamente". Eles são voluntários, crendo, amando, obedecendo, aderindo, vivendo com piedade e justiça neste mundo; de modo que eles não precisam das restrições da lei ou de ameaças, porque são conduzidos pelo Espírito de Deus, e onde está o Espírito do Senhor, aí há liberdade. – *Wolfgang Musculus*

v. 3: "O teu povo se apresentará voluntariamente". Eu sou uma das "pessoas voluntárias" – não somente a minha obediência e lealdade são asseguradas por uma convicção da verdade, mas o meu coração está inclinado e a minha vontade renovada? *Fazer* a vontade de Deus, *lutar* pela vontade de Deus, *coincidir* com a vontade de Deus – e com calma, se não com alegre consentimento do coração, vendo aquele que é invisível, e apegando-me à minha percepção viva da sua pessoa e do seu caráter? Toda a falta de disposição e vontade, seja prática ou escondida no coração, nasce da incredulidade – do fato de não se perceber a doce presença dele, nem os seus propósitos. Se Jesus, como Deus encarnado, e como se dando por mim, e o seu conselho da graça a meu respeito, estiver diante do meu coração, como eu poderia hesitar em me entregar, absolutamente e implicitamente, a Ele e à sua orientação? Novamente, esta "disposição" é a essência da santidade; ela constitui "a beleza da santidade" – a beleza de Cristo, lançada sobre a alma. A cura, portanto, para toda a minha infelicidade e o meu pecado, é mais fé, mais de Cristo, sim, estar mais próximo a Ele. Isto me leva a buscar e a pedir com um fervor cada vez maior. – *Alfred Edersheim*

v. 3: "O teu povo se apresentará voluntariamente no dia do teu poder", etc. Aqui, o profeta observa três coisas, a respeito dos súditos do reino do Messias: 1. A sua pronta obediência. 2. As suas vestes. 3. A sua abundância, ou quantidade. Esta descrição está admiravelmente de acordo com o que a antecede. Ele tinha dito que o Messias iria reinar no meio dos seus inimigos, mas que ninguém pensasse que Ele reinaria somente sobre os inimigos, relutantes e antagônicos, da mesma forma como os demônios são obrigatoriamente postos na posição de súditos de Cristo; assim, agora o texto sagrado nos informa que Ele terá um povo leal, e súditos obedientes, pois caso contrário faltaria a mesma glória de que Salomão fala em Provérbios 14.28: "Na multidão do povo está a magnificência do rei". Ele também afirma que Ele terá o seu próprio povo, que irá reconhecê-lo, recebê-lo e servi-lo, como Rei, com fiel obediência, e que não seria um pequeno grupo, mas como o orvalho, que rega a face de toda a terra. – *Rivetus*

v. 3: "O teu povo se apresentará voluntariamente no dia do teu poder". É poder que age e executa *com toda doçura, mansidão e bondade.* Aqui há "liderança, mas não força; condução, mas não compulsão", *vehemens inclinatio, non coactio:*[*] a vontade é determinada, mas não é realizada a menor violência que infrinja a sua liberdade. Com que espontaneidade a pessoa liderada segue àquele que a lidera! Assim é aqui. Esta e todas as outras obras do Espírito são admiravelmente adequadas à natureza de agentes razoáveis e livres. A graça eficaz não destrói, de maneira alguma, a liberdade natural. Onde o Espírito não encontra pecadores voluntários, pelo seu doce método Ele os torna voluntários: *"O teu povo se apresentará voluntariamente no dia do teu poder". Um "dia de poder"*, mas *"voluntário"*. Até mesmo a atração do Espírito é administrada com toda a coerência em relação à liberdade da vontade. Ελκυει ὁ Θεος, αλλα βουλομενον ἑλκυει.[**] "Ele atrai; sim, mas aquele que Ele torna um voluntário, e que assim o segue". "Eis que eu a atrairei" (Os 2.14): aqui podemos ver a liderança do Espírito, sendo esta a doutrina constante e admitida dos Protestantes, e particularmente a sua explicação para a liderança do Espírito no texto [Rm 8.14]; quão ofensivos e invejosos são os autores papistas, ao caluniá-los, como se afirmassem que o Espírito, neste ou em qualquer outro ato, trabalhasse com a compulsão, ou de uma maneira destrutiva à liberdade essencial do homem! É uma calúnia infame! – *Thomas Jacomb, "The Morning Exercises"*.

v. 3: "O dia do teu poder". No dia da tua *força*, diz a *Vulgata:* da tua força e *do teu valor*, dizem Tremélio e Junius: das *assembleias*, dizem os de Genebra: dos *exércitos*, diz Munster; "nas ocasiões em que trarás teus grupos e entrarás na batalha", segundo Vatablo, Castálio e a Paráfrase dos Caldeus. Tudo o que o original בְּיוֹם חֵילֶךָ pode transmitir sem esforço. – *John Prideaux, 1578-1650*

v. 3: Os súditos do Sacerdote-Rei são soldados voluntários. Em conformidade com o tom guerreiro de todo o salmo, o nosso texto descreve os súditos como um exército. Esta metáfora militar se apresenta quando nós conectamos o verdadeiro significado

* Gorrano
** Crisóstomo

das palavras *"no dia do teu poder"*. A palavra traduzida, e corretamente traduzida como *"poder"* tem a mesma ambiguidade que tem esta palavra em inglês, na data em que foi traduzida, e um século mais tarde, como você poderá ver em Shakespeare e Milton, que a usaram, ambos, com o sentido de "exército". Singularmente, nós não empregamos "poderes" neste sentido, mas usamos outra palavra que significa a mesma coisa – e falamos de "forças", com o significado de "tropas". *"O dia do teu poder"* não é um mero sinônimo para *"os tempos da tua força"*, mas significa, especificamente, *"o dia do teu exército"*, isto é, "o dia em que irás reunir as tuas forças e enviá-las para a guerra". O Rei está saindo para a conquista. Mas Ele não vai sozinho. Atrás dele vêm os seus fiéis seguidores, todos avançando com corações voluntários e elevada coragem. – *Alexander McLaren, 1871*

v. 3: "O dia do teu poder". Isto se refere, de modo geral, à dispensação do Evangelho, e em particular, ao período de conversão. Para o pecador que perece, o Evangelho vem, "não... somente em palavras, mas também em *poder*, e no Espírito Santo, e em muita certeza. É um poder *que prende*; ele encontra o pecador e interrompe a sua louca carreira, como no caso de Saulo de Tarso. *É um poder* convincente, que ensina o pecador que ele está destruído em todos os aspectos, e o leva a clamar: "Que farei, para ser salvo?" (para herdar a vida eterna). "É um poder *que dá vida*; ele desperta as almas mortas, e, no final, trará os corpos, de suas sepulturas; "os mortos *ouvirão* a voz do Filho de Deus e *viverão"*. Este é o estilo do Senhor: *"Eu farei, eles farão"*; ninguém mais ousa falar assim. É também um poder *libertador*; "Se, pois, o Filho vos libertar, verdadeiramente, sereis livres". – *Theophilus Jones, em um sermão pregado em Surrey Chapel, 1823*

v. 3: "O teu povo", etc. Em *respeito*, eles serão como um grupo de sacerdotes em vestes sagradas, pois aparecerão *"em santos ornamentos"*. Em *número*, serão como as incontáveis gotas de orvalho, *"vindo do próprio seio da alva"*, reluzindo sob os raios do sol nascente, e refletindo o seu brilho. Em *glória*, eles trarão a semelhança da ressurreição de Cristo, em todo o seu frescor carnal: *"Será o orvalho da tua mocidade"*. – *Benjamin Wildon Carr*

v. 3: "Com santos ornamentos". Em santas vestes, como sacerdotes. Eles são, ao mesmo tempo, guerreiros e sacerdotes; apropriados para o serviço daquele que era Rei e Sacerdote. Neander (*Mem. of Chr. Life,* cap. iv.) enfatiza a conexão entre estas duas faces do caráter cristão. Os soldados de Deus somente podem *manter a sua guerra* com sacerdotal auto-consagração. E, por sua vez, os sacerdotes de Deus podem somente *preservar a sua pureza* com conflitos ininterruptos. – *William Kay*

v. 3: "Com santos ornamentos". Esta expressão normalmente é interpretada como pertencendo às palavras imediatamente anteriores, ou às que são imediatamente posteriores, mas, seja qual for o caso, a conexão é um pouco difícil e obscura. Parece ser melhor considerá-la como uma sentença distinta e separada, adicionando uma característica nova à descrição do exército. E nós não temos nenhuma dificuldade para identificar isto. *"Com santos ornamentos"* é uma expressão frequente para as vestes sacerdotais, a indumentária festiva e santa dos sacerdotes do Senhor. Assim considerada, como se encaixa bem aqui! O Rei conquistador ao qual o Salmo canta é um sacerdote para sempre; e Ele é seguido por um exército de sacerdotes. Os soldados estão reunidos no dia da revista, com grande coragem e voluntária devoção, prontos a arriscar suas vidas; mas não se vestem com armaduras, mas com vestes sacerdotais; como aqueles que esperam diante do altar, e não aqueles que se atiram na luta, como aqueles que cercaram Jericó tendo a arca como sua bandeira, e as trombetas como suas armas. Nós não podemos deixar de recordar as palavras que os ecoam e interpretam. "Os exércitos que há no céu em cavalos brancos e vestidos de linho fino, branco e puro" – uma estranha armadura, contra o corte da espada e as perfurações da lança. – *Alexander McLaren*

v. 3: "Com santos ornamentos". A santidade é a nossa beleza espiritual. A santidade é, para a alma, como a luz para o mundo, para ilustrá-la e adorná-la. Não é a grandeza que nos destaca aos olhos de Deus, mas a bondade: o que é a beleza dos anjos, senão a sua santidade? A santidade é o curioso ornamento e feitura do Espírito Santo: uma alma dotada de santidade é adamascada com beleza e esmaltada com pureza; esta é a "veste de ouro tecido", que faz com que o Rei do céu se apaixone por nós. Se não houvesse uma excelência na santidade, o hipócrita jamais se preocuparia em pintá-la. A santidade projeta uma glória e um brilho sobre os santos: o que são as graças, senão as penas douradas em que brilha a pomba de Cristo? (Sl 68.13). – *Thomas Watson*

v. 3: "Será o orvalho da tua mocidade". Estas palavras são frequentemente mal interpretadas como sendo uma descrição da energia jovial atribuída pelo salmo ao Sacerdote-Rei desta nação de soldados-sacerdotes. A má interpretação, suponho, levou à expressão comum "o orvalho da sua mocidade". Mas a referência da expressão é ao exército, e não ao seu líder. *"Mocidade"*, aqui, é um substantivo coletivo, equivalente a *"homens jovens"*. O exército dos seus súditos soldados é descrito como um grupo de jovens guerreiros, a quem Ele lidera, na sua força jovem e nos seus números incontáveis, e na sua beleza resplandecente, como o orvalho da manhã... É um símbolo do frescor que um mundo esgotado irá receber das conquistas e da presença do Rei e do seu exército, para que sejam semelhantes ao brilhante orvalho da manhã. Outra passagem profética das Escrituras nos dá o mesmo emblema, quando fala de Israel "no meio de muitos povos, como orvalho do Senhor". Tal deve ser o efeito da nossa presença. Nós devemos contentar, revigorar, este mundo prosaico e árido, com um frescor trazido das câmeras do nascer do sol.

O orvalho, formado no silêncio das trevas, enquanto os homens dormem, caindo tão voluntariamente sobre a madeira morta como sobre qualquer outra parte, pendurando suas pérolas em cada pobre caule de grama, e vestindo tudo sobre o que pousa com estranha beleza, cada glóbulo minúsculo e evanescente, mas cada um deles reluzindo na luz, e cada um deles como uma perfeita esfera: isolados, frágeis, mas unidos, poderosos para alegrar os pastos do deserto – assim, criados em silêncio por uma influência invisível, frágeis quando vistos em detalhe, mas fortes em suas miríades, felizes em ocupar o lugar mais humilde, e cada um "brilhando com um pouco de luz celestial", os homens e mulheres cristãos devem estar no meio de muitas pessoas, como orvalho do Senhor. – *Alexander McLaren*

v. 3: "O orvalho da tua mocidade". Aqui não me parece haver nenhuma razão para duvidar de que, neste ponto, Davi explora a benevolência exibida no aumento do número do povo de Cristo; e assim, em consequência do seu extraordinário crescimento, ele compara a juventude ou raça que lhe deveriam ter sido trazidas pelo *orvalho.* Como os homens são atingidos pelo assombro quando veem a terra umedecida e refrescada pelo orvalho! Embora ele desça de maneira imperceptível, Davi declara que uma descendência incontável será nascida para Cristo, e se espalhará por toda a terra. Os jovens, portanto, que, como as gotas de orvalho, são incontáveis, são aqui designados como *o orvalho da infância,* ou *mocidade.* – *João Calvino*

v. 3: "Do próprio seio da alva". Esta expressão é, do modo mais pertinente, aplicada à concepção e à produção do orvalho; observemos a agradável expressão utilizada pelo grande mestre, o Sr. Thomson, em sua descrição justa e em sua pintura vívida:

"A mansa manhã aparece, sim, a mãe dos orvalhos".

Nós encontramos uma boa expressão no livro de Jó, que pode servir para confirmar esta observação, e pode ilustrar a propriedade da frase usada nesta conexão: "A chuva, porventura, tem pai? Ou quem gera as gotas do orvalho?" Aparentemente, os autores orientais se alegravam por representar o orvalho como um tipo de nascimento, como a descendência da manhã. Neste caso, certamente não haveria imagem, em toda a abrangência do universo, melhor adaptada para o propósito do salmista, nem mais fortemente significativa destas multidões de prosélitos, que nasceram, não do sangue, nem da vontade da carne, nem da vontade do homem, mas de Deus; pelo grande poder da sua palavra e do seu Espírito. Com esta suposição, todo o versículo descreve a submissão voluntária, as realizações graciosas e o vasto número dos convertidos de Cristo. – *James Hervey (1713/14-1758), "Meditations and Contemplations"*

v. 3: "O orvalho da tua mocidade". A referência mais aparente é à multidão. Compare com Salmos 72.16, e o uso proverbial do orvalho juntamente com a areia da costa do mar, para expressar um vasto número. O povo do Messias é muito numeroso, tão grande que homem algum pode contar (Ap 7.9). Mas este é apenas o véu que envolve um sentido mais amplo. Nós devemos também notar, *em primeiro lugar,* A Origem do Orvalho. *De onde ele vem?* De material terreno, vapores e umidade, assim como o soldado de Cristo, que experimenta o novo nascimento, é transformado a partir da substância confusa e obscura da antiga natureza. *De que maneira ele é produzido?* Com a influência do calor celestial dos raios do sol matinal, assim também o povo de Deus é nascido à partir da luz que vem do alto. Na luz vivificadora do céu, são geradas as gotas de orvalho, e do céu elas se originam, mais apropriadamente, do que da água da terra. *Como elas são produzidas?* De maneira invisível, maravilhosa, pela influência secreta e incompreensível do poder divino. De maneira alguma, nós esgotamos a imagem, pois percebemos, *em segundo lugar,* O Objetivo do Orvalho. Ele serve para *fertilizar e refrescar* a terra. O Israel espiritual é um orvalho que dá frutos e que dá a vida, entre os homens. É também para o *ornamento* da terra, que o orvalho se espalha, como pedras preciosas; e esta beleza é causada porque cada pequena gota de orvalho reflete o sol da manhã, e é um reflexo terreno da luz celestial. – condensado de Rudolph Stier.

v. 3 (última parte): Com singular beleza e propriedade, o salmista compara os primeiros pregadores do Evangelho ao orvalho. Para começar, eles podem ser comparados às gotas de orvalho, por causa da sua quantidade. Mas, para julgar a adequação da comparação neste aspecto, devemos considerar que, na Terra Santa, o orvalho é admiravelmente abundante. Um viajante francês*** observou, a respeito da Judeia, que pela manhã o solo está bastante umedecido pelo orvalho, como se tivesse chovido. Nós fomos informados, na história sagrada, de que, quando a Estrela da manhã veio do alto e visitou a terra, muitos eram os seguidores de Cristo; e que pouco depois da sua ascensão ao céu "a multidão dos que criam no Senhor, tanto homens como mulheres, crescia cada vez mais". É razoável, então, que aqueles que aderiram ao bendito Jesus, quando a gloriosa luz do seu Evangelho iluminou o mundo, ou imediatamente no início do seu reino de mediação, sejam comparados, em quantidade, às gotas do orvalho, que, no amanhecer, cai sobre a terra.

Neste versículo, também é mencionado que os primeiros súditos do Messias deviam se apresentar adornados "com santos ornamentos"; בְּהַדְרֵי־קֹדֶשׁ, no esplendor da santidade. Em resplendor, então, assim como em quantidade, eles se assemelhavam às cintilantes gotas do orvalho da manhã. Nosso grande poeta combinou estas duas ideias nesta bela comparação de um exército incontável com as...

..."Estrelas da manhã, gotas de orvalho que o sol transforma em pérolas".****

A formação de orvalho é representada, nas Escrituras, como a obra de Deus, e não do homem; e a sua descida para revigorar e fertilizar a terra é mencionada como sua dádiva pessoal, em oposição aos meios humanos para tornar a terra mais frutífera. "Quem", pergunta Jó, "gera as gotas do orvalho?" (Jó 38.28). E o profeta Miqueias declara que "estará o resto de Jacó no meio de muitos povos, como orvalho do Senhor, como chuvisco sobre a erva, que não espera pelo homem, nem aguarda filhos de homens" (Mq 5.7). Então o termo poderia ser aplicado pelo salmista àqueles a quem "Deus, segundo a sua vontade, gerou pela palavra da verdade"; e que foram

*** Eugene Rogers.

**** Milton, "Paradise Lost", Livro 5, linha 745.

seus instrumentos, nomeados para, com a sua pregação, fazer com que "o deserto e os lugares secos" se alegrassem com isso; e "o ermo" exultasse e florescesse como a rosa; e "o deserto" se tornasse em campo fértil.

Também devemos nos lembrar de que aqueles aos quais o salmista compara com o orvalho são descritos como jovens soldados, saindo para travar as batalhas de um príncipe vitorioso. Esta comparação é usada em 2 Samuel 17.11,12: "Eu, porém, aconselho", diz Husai a Aitofel, "que, com toda a pressa, se ajunte a ti todo o Israel, desde Dã até Berseba, em multidão como a areia do mar, e que tu em pessoa vás à peleja. Então, iremos a ele, em qualquer lugar que se achar, e facilmente viremos sobre ele, como o orvalho cai sobre a terra". Talvez seja digno de nota o fato de que, entre os romanos, estas tropas que atacaram o inimigo, em primeiro lugar, e que eram compostas de jovens, eram, por uma suposta semelhança com o orvalho, chamadas de Rorarii. Não me compete investigar a razão pela qual eles receberam este nome, é suficiente destacar a sua similaridade com a expressão do salmista, que se aplica àqueles que foram os primeiros a se envolver no conflito contra os inimigos do Evangelho de Cristo. – *Richard Dixon, 1811*

v. 3:

A ti, no dia triunfante do teu poder,
as nações voluntárias irão obedecer;
E, quando virem os teus raios
todos (redimidos da noite dos erros)
aparecerão, tão incontáveis e brilhantes
como gotas cristalinas do orvalho da manhã.
– *N. Brady e N. Tate*

v. 3:

Senhor, que o Dia do teu poder seja conhecido,
que o teu povo confesse;
Fervorosos e corajosos – sacerdotes, cada um deles,
Vestidos com santos ornamentos.

Incontáveis, eles brilham, como o orvalho do céu
quando os céus do oriente se aclaram –
Mais gloriosos do que estes orvalhos são dados,
reluzindo à luz da manhã.
– *George Rawson, "Hymns, Verses, and Chants", 1876*

v. 4: "Jurou o Senhor e não se arrependerá", etc. Seria diligentemente considerado que Deus ungiu Cristo como sacerdote, por um juramento, e que isto foi feito por nossa causa: Em primeiro lugar, para que nós possamos saber quão tremendamente importante foi esta transação, e crer nela, com mais reverência e com fé mais forte. Em segundo lugar, para que nós possamos reconhecer a bondade de Deus, que, sendo verdadeiro em Si mesmo, e a respeito de cuja fidelidade é o maior crime duvidar, ainda assim se alegrou em nos falar, não somente pela palavra revelada, mas também, à maneira dos homens, confirmar o seu decreto com um juramento. – *Rivetus*

v. 4: "Jurou... e não se arrependerá: Tu és um sacerdote eterno". Deus poderia ter nomeado o sacerdote levítico por juramento, e ainda assim Ele poderia ter mudado; mas se Ele o tivesse nomeado, por juramento, como sacerdote eterno, então não poderia ter se arrependido, isto é, mudado; mas Ele deve, necessariamente, ter sido um sacerdote eterno. Por isto, você deve observar, em especial, que Deus não somente jurou que Cristo seria um sacerdote, ou seria um sacerdote por muito tempo, mas um sacerdote *"eterno";* de modo que jamais houve nem haveria outro sacerdote como Ele. E assim, se considerarmos o caminho e o que foi confirmado por este juramento, duas coisas ficarão claras:

1. Que o sacerdócio de Cristo é pessoal, e estabelecido em uma única pessoa, para sempre; de modo que Ele não poderá ter companheiro, nem colaborador, nem qualquer sucessor no seu sacerdócio.

2. Que, com este juramento, Deus limitou o seu próprio poder, supremo e absoluto, neste aspecto; e removeu o uso e o exercício deste poder, e para sempre. Pois agora Cristo já foi estabelecido por Deus Pai como sacerdote, e o seu sacerdócio não pode ser removido: e com isto, Deus revelou o seu indescritível amor por Cristo, e o exaltou soberanamente, e o recompensou; e também com isto Ele exibiu a sua abundante misericórdia para com o homem, pois com este juramento, conhecido dos homens, Ele quer dizer que o homem jamais será destituído de um sacerdote poderoso e eficiente, capaz, para sempre, de salvar; e isto transmite aos homens pecadores o mais doce e celestial consolo. – *George Lawson, 1662*

v. 4: A forma e a maneira da investidura ou consagração do nosso Salvador foi muito honrosa e gloriosa, sendo Deus Pai quem realizou o ritual, que não constou de imposição de mãos e do sopro do Espírito Santo, mas de um solene *testemunho* com uma declaração: *"Tu és um sacerdote eterno"*, cerimônias jamais usadas por alguém, senão Deus, nem na investidura de alguém, senão de Cristo, e nem mesmo na sua investidura em qualquer outro ofício, senão no sacerdócio. Da sua coroação nada sabemos, mas o Senhor disse: *"Assenta-te à minha mão direita";* o governo de todo o mundo foi dado ao nosso Salvador, por ordem de Deus Pai; e mesmo nisto, Cristo mostrou a sua obediência ao seu Pai, que lhe deu o governo da sua igreja. Mas na consagração de Cristo, nós temos muito mais cerimônia e solenidade; Deus, seu Pai, fez um juramento, e particularmente expressou a natureza e a condição do seu ofício, um *sacerdócio eterno, segundo a ordem de Melquisedeque* e Ele o confirmou neste sacerdócio para sempre, dizendo: *"Tu és um sacerdote eterno"*. – *Daniel Featley, "Clavis Mystica", 1636*

v. 4: Que doutrina as Escrituras fornecem, que seja mais consoladora para uma alma desanimada, do que esta, de que *Deus jurou que o seu Filho seria um sacerdote eterno*, para nos santificar e limpar os nossos pecados, e entregar todas as nossas súplicas ao seu Pai? Que pecado é tão odioso, que este sacerdote não possa expiar pela oblação de Si mesmo? Que causa é tão desesperadora, a ponto deste advogado, se apelar, não prevalecerá? Nós podemos ter a certeza de que não será difícil que Deus receba a nossa súplica, pois Ele mesmo nos indicou tal intercessor ao qual Ele não pode negar nada; e com esta finalidade, Ele indicou aquele que está à direita de Deus, e também intercede por nós. – *Abraham Wright*

v. 4: "E não se arrependerá". O significado desta frase é que o sacerdócio de Cristo não é como o de Arão, que, depois de algum tempo, iria se extinguir, e que agora tem toda a lei cerimonial abolida, mas um sacerdócio que jamais seria alterado ou modificado. – *Daniel Featley*

v. 4: "Tu és um sacerdote". Acredita-se que as razões que levaram o nosso Deus a incumbir Jesus do ofício de sacerdote sejam as seguintes. 1. Porque sendo a salvação e a redenção da humanidade uma obra notável, operada pelo sacrifício do seu sacerdócio, não era adequado que ninguém tivesse a honra por ela, exceto o Filho de Deus. 2. Tampouco era adequado que alguém o oferecesse, sendo Ele o único sacrifício que poderia expiar os pecados de todo o mundo, exceto Ele mesmo: portanto, oferecendo a Si mesmo, Ele acrescentou valor infinitivo ao sacrifício e grande honra ao sacerdócio do Evangelho. Pois assim como o ouro não santifica o altar, mas o altar santifica o ouro, também pode ser dito, sem prejudicar a dignidade daquele chamado, que Cristo era uma honra para o sacerdócio, mais do que o sacerdócio era uma honra para Ele. Pois o que Ele obteve com o sacerdócio que lhe custou a própria vida? Que privilégio poderia representar, para Ele, assumir um cargo com que Ele iria ser completamente humilhado e levado a uma morte ignominiosa, considerada maldita? Quem éramos nós, infames canalhas, concebidos e nascidos no pecado, e manchados com a imundície de incontáveis transgressões, para que, para purificar e limpar as nossas almas corrompidas e consciências contaminadas, a segunda pessoa da Trindade fosse feita um sacerdote? Foi uma humildade maravilhosa que Ele lavasse os pés dos seus discípulos; mas que Ele, na sua pessoa divina, lavasse nossas almas imundas, está acima da compreensão humana, pois parece abaixo da majestade divina. Não há nada tão impuro como uma consciência imunda; não há nada tão imundo, não há corrupção tão podre e repugnante como a que é encontrada nas feridas de uma mente supurada; mas o Filho de Deus é condescendente em lavá-la no seu próprio sangue. Ó, tremenda profundidade de humildade e misericórdia! Outros sacerdotes foram indicados pelos homens para o serviço de Deus, mas Ele foi nomeado por Deus para o serviço e a salvação dos homens; outros sacerdotes derramaram o sangue de animais, para salvar os homens, mas Ele derramou o seu próprio sangue para nos salvar, sim, a nós que éramos mais animais do que homens; outros sacerdotes ofereceram sacrifícios por si mesmos, mas Ele se ofereceu como um sacrifício; outros sacerdotes se alimentavam dos sacrifícios que as pessoas traziam, mas Ele nos alimenta com o sacrifício do seu próprio corpo e sangue; e, por fim, outros sacerdotes eram nomeados, apenas por algum tempo, mas Ele foi nomeado como um sacerdote *"eterno"*. – *Daniel Featley*

v. 4: "Tu és um sacerdote". Esta expressão – *"tu és"* – é *verbum constitativum,* uma "palavra de constituição" em que se baseava o sacerdócio de Cristo. E pode ser considerada: 1. Como *declarando* o decreto eterno de Deus, com o concerto entre o Pai e o Filho, com que Ele foi designado a este cargo. 2. Como *demonstrativa* da sua missão, ou o seu envio para o desempenho do seu cargo. Estas palavras são o símbolo e o sinal solene de que Deus confere esta honra sobre Ele, o que lhe deu a sua investidura. 3. Como *preditiviva,* pois inclui uma suposição de que Deus iria preparar um corpo para Ele, em que Ele poderia exercer o seu sacerdócio, e que Ele poderia oferecer a Ele. – *John Owen*

v. 4: "Melquisedeque". Alguns hereges de antigamente afirmaram que ele era o *Espírito Santo.* Outros, que ele era um *anjo.* Outros, que era *Sem,* filho de Noé. Outros, que era um *cananeu,* extraordinariamente exaltado por Deus para ser sacerdote para os gentios. Outros, que era o *próprio Cristo,* manifestado na carne, por uma dispensação especial e privilégio, a Abraão, que, segundo está escrito, viu este dia, e se alegrou (Jo 8.56). A diferença é com respeito a *Salém,* o lugar em que ele era rei. Alguns entendem que se trata de *Jerusalém,* como afirmam Josefo e muitos dos antigos. Outros, que é uma cidade da meia tribo de Manassés, submersa pelo rio Jordão, onde Hierom relata que permaneciam algumas ruínas do palácio de Melquisedeque. Pode ser enfadonho que eu insista, neste ponto, sobre quem era Melquisedeque. Mas quando eu vejo o Espírito Santo propositadamente ocultando o seu nome, a sua genealogia, o início, o fim, e a descendência, e com um propósito especial, eu não posso deixar de me admirar que os homens se empenhem nas trevas para descobrir aquilo de que não têm a menor base para conjetura, e a evidência é expressamente registrada, fazendo, portanto, de Melquisedeque o tipo mais apropriado para o sacerdócio eterno de Cristo. – *Edward Reynolds*

v. 4: "Melquisedeque". Estas coisas são certas: *Em primeiro lugar, que ele era um simples homem, e nada além disto;* pois, 1. "todo sumo sacerdote" devia ser "tomado dentre os homens" (Hb 5.1); de modo que o Filho de Deus não poderia ter sido um sacerdote, se não tivesse assumido a nossa natureza. 2. Que, se ele fosse mais do que um homem, não haveria mistério na sua introdução nas Escrituras como "sem pai, sem mãe, sem genealogia", pois ninguém, exceto os homens, têm isto. 3. Sem esta concepção a respeito dele, não há força no argumento do apóstolo contra os judeus. *Em segundo lugar, que ele não chegou a este cargo pelo direito de primogenitura* (que inclui uma genealogia) nem por qualquer forma de sucessão, mas foi exaltado e chamado de Deus para isto; pois neste aspecto Cristo é escrito como um sacerdote segundo a sua ordem. *Em terceiro lugar, que ele não teve sucessor na terra,* nem poderia ter; pois não havia lei que constituísse uma ordem de sucessão, e ele era um sacerdote somente por um chamado extraordinário. Estas coisas pertencem à fé neste assunto, e nada mais... O primeiro tipo pessoal instituído de Cristo foi um sacerdote, que foi Melquisedeque. Houve, anteriormente, tipos instituídos *reais* da sua obra, como sacrifícios, e houve tipos *morais* da sua pessoa, como Adão, Abel e Noé, que o representaram em diferentes aspectos; mas a primeira pessoa que foi solenemente designada para ensinar sobre Ele e representá-lo, pelo que era e fez, foi um sacerdote. E o que Deus ensinou com isto foi que a fundação de tudo o que o Senhor Cristo tinha que fazer na igreja, e por ela, estava estabelecido no seu ofício sacerdotal, com que Ele fez expiação e reconciliação pelo pecado. Além disto, tudo o que Ele fez se baseia na suposição do seu sacerdócio. E nós devemos começar pela aplicação daquilo que Deus começa a exibir. Um interesse pelos resultados do ofício sacerdotal de Cristo é aquilo que devemos procurar, em primeiro lugar. Obtido isto, devemos estar dispostos a ser ensinados e governados por Ele. Não é inadequado observar a semelhança entre Melquisedeque e Cristo. Quanto ao nosso Senhor,

1. Ele é descrito como sendo, e realmente era, e somente Ele, em primeiro lugar, *rei de justiça, e, além disto, rei de paz;* uma vez que somente Ele trouxe a justiça eterna e reconciliou Deus com os pecadores. Somente no seu reino estas coisas podem ser esperadas.

2. Ele era, verdadeiramente, *sacerdote do Deus Altíssimo*; e apropriadamente, somente Ele o era. Ele ofereceu este sacrifício, e fez esta expiação, que representou todos os sacrifícios feitos pelos homens santos, desde a fundação do mundo.

3. Ele *abençoou todos os fiéis, assim como Abraão, o pai dos fiéis, foi abençoado por Melquisedeque.* Nele, eles deveriam ser abençoados; e por Ele são abençoados – por intermédio dele são libertos tanto da maldição como de todos os seus frutos; e eles não participam de nenhuma bênção, exceto das dele.

4. Ele *recebe as homenagens do seu povo,* todos os seus agradecidos reconhecimentos do amor e da benevolência de Deus, na conquista de seus adversários espirituais, e na libertação deles, assim como Melquisedeque recebeu de Abraão uma décima parte dos despojos.

5. Ele foi, realmente, *sem progenitores ou predecessores* no seu ofício; e eu não excluiria este sentido místico da intenção implícita, de que Ele foi sem pai quanto à sua natureza humana, e sem mãe quanto à sua natureza divina.

6. Ele foi um *sacerdote sem genealogia*; ou seja, ele não se originou da genealogia que veio dos lombos de Arão, ou de qualquer outro que tivesse sido um sacerdote no mundo. E, além disto, ele veio de uma geração misteriosa que ninguém pode declarar.

7. *Na sua divina pessoa,* como o sumo sacerdote da igreja, Ele *não* [*teve*] *princípio de dias nem fim de vida,* e de igual modo isto não é registrado a respeito de Melquisedeque; pois a morte que ele teve, desempenhando o seu ofício, não sendo a morte da sua pessoa, mas apenas da sua natureza humana, não interrompeu o seu ofício eterno. Pois embora a pessoa do Filho de Deus tivesse morrido, e estivesse escrito que Deus "resgatou [a sua igreja] com seu próprio sangue" (At 20.28), ainda assim Ele não morreu, na sua pessoa, completamente: mas na sua natureza divina, ainda estava vivo. Absolutamente, portanto, e com respeito ao seu ofício, ele não teve nem princípio de dias nem fim de vida.

8. Ele era *realmente o Filho de Deus,* como Melquisedeque, em muitas circunstâncias, foi feito como o Filho de Deus.

9. *Somente Ele permanece sacerdote para sempre*: disto, trataremos particularmente mais adiante. – *condensado de John Owen*

v. 5: "O Senhor... ferirá os reis", etc. Ele realmente ameaça estas grandes cabeças de uma maneira terrível, de modo que se não desejarem ouvir, e não puderem obedecer, serão aterrorizados até a morte. E certamente o salmista os desejava levar, com estes meios, ao arrependimento, e persuadi-los a se converter, e deixar de enfurecer o Senhor. Mas, se não o desejarem, conhecerão contra quem estavam... O nosso consolo, o consolo que nos sustenta e que torna nosso coração alegre e satisfeito contra a perseguição e a fúria do mundo é o fato de que temos um Senhor assim, que não apenas nos liberta do pecado e da morte eterna, mas que também nos protege e nos liberta de sofrimentos e tentações, de modo que não devemos desanimar quando formos submetidos a estes. E embora os homens se enfureçam de uma maneira extremamente selvagem contra os cristãos, nem o Evangelho nem o cristianismo irão perecer; as cabeças dos perseguidores é que serão destruídas. Se os seus perseguidores continuassem incessantemente, o cristianismo não poderia resistir; por isto Ele lhes dá algum tempo, e diz que os tolerará por algum tempo, mas não depois que chegue a hora que Ele aqui chama de *"dia da sua ira"*. E se eles não quiserem cessar agora, em nome de Deus, então serão obrigados a cessar, em nome do Diabo. – *Martinho Lutero*

v. 5: "Ferirá os reis". *Ferir* indica uma vitória completa e a confusão total do inimigo, uma ferida incurável, de modo que eles venham a cambalear e cair, e não se levantem mais; sim, e que esta angústia não se levante uma segunda vez (Na 1.9; 1 Sm 26.8). A única dificuldade aqui é o significado de "reis". Pois o que devemos observar é que o reino de Cristo é espiritual, e a sua guerra é espiritual, e por isto os seus inimigos são, na sua maior parte, espirituais. – *Edward Reynolds*

v. 5: "No dia da sua ira". Observe que não está simplesmente escrito, Ferirá os reis na sua ira, mas No *dia* da sua ira. Portanto, assim como há um tempo de graça e paciência, também há um tempo indicado de ira e vingança de Deus. Frequente menção é feita a isto nas Sagradas Escrituras, para que possamos ser alertados de que os ímpios não permanecerão impunes para sempre, porque eles desprezam a paciência de Deus, provocando a sua ira; mas que haverá um momento em que sentirão a ira de Deus. Assim, armados com a paciência, devemos perseverar na prática da piedade, e não nos afastarmos dela, seja pelo mau exemplo dos ímpios, ou por medo deles. – *Wolfgang Musculus*

vv. 5, 6 e 7:

Os pagãos sentenciados Ele matará
e encherá de cadáveres o seu caminho,
Até que tenha matado os tiranos da terra;
Mas no caminho, os riachos, primeiramente,
como de um pobre peregrino, matarão a sua sede,
e então, em triunfo, Ele erguerá a sua cabeça.
– *N. Brady e N. Tate*

v. 6: "Enchê-las-ás de cadáveres". O fato de que não ficasse ninguém vivo para sepultar os mortos indica *a grandeza* da vitória. Haverá uma destruição universal dos ímpios; *juntos*, no dia da ira do Senhor, eles serão agrupados em feixes, e empilhados para destruição (Mt 13.30; Sl 37.38; Is 1.28; 66.17). E indica a *vergonha* e a desonra do inimigo; eles serão como esterco sobre a face da terra, e serão deixados por seus conquistadores a um sepultamento infame e sem honras, como vemos na grande batalha contra Gogue e Magogue (Ez 39.11-16). – *Edward Reynolds*

v. 6: "Cadáveres", sejam os cadáveres do inimigo derrotado, ou (possivelmente) os corpos vivos de homens em uma condição de *servidão*, como em Gênesis 47.18 e Neemias 9.37. (A construção como a de Êx 15.9.). Em último caso, o significado pode ser que os corpos daqueles que tinham sido escravizados pelo Usurpador, pela Morte, agora eram reivindicados pelo seu justo Senhor. O número completo é reivindicado. Tendo o "último inimigo" sido destruído, "*todas* as coisas" serão sujeitas ao poder de Cristo. – *William Kay*

v. 6: "Os cabeças". Ou melhor, *a cabeça;* sem dúvida, a cabeça da Velha Serpente (de acordo com a profecia em Gn 3.15), que atua em todos os que resistem a Cristo. O verbo *machats*, que é usado aqui, é empregado para descrever o ato profético e típico de Jael, ferindo a *cabeça* do inimigo de Deus, Sísera (Jz 5.26 e 4.22); e é usado em Salmos 68.21, que descreve a vitória de Cristo: "Deus *ferirá*... a *cabeça* de seus inimigos"; e também em Habacuque 3.13: "Tu *feriste* a *cabeça* da casa do ímpio". – *Christopher Wordsworth*

v. 7: "Dessedentar-se-á no ribeiro", etc. O salmista descreve a paixão de Cristo e a sua glória. *"Pelo caminho"*, diz ele, isto é, na sua vida, enquanto Ele está nesta peleja, *"dessedentar-se-á no ribeiro"*, isto é, sofrerá e será derrotado. Pois beber do cálice significa sofrer; mas beber do ribeiro significa estar completamente cheio de problemas, irritado e atormentado e completamente esmagado com um grande conjunto de problemas. Assim, Davi desejava declarar a paixão de Cristo. Mais adiante, ele diz: *"prosseguirá de cabeça erguida"*. Depois da paixão, vem a glória, com a ressurreição e a ascensão. Paulo (Fp 2) fala de ambas, e diz: "[Cristo] humilhou-se a si mesmo, sendo obediente até à morte e morte de cruz. Pelo que também Deus o exaltou soberanamente e lhe deu um nome que é sobre todo o nome", etc. – *Myles Coverdale, 1487-1568*

v. 7: Suponho que o *ribeiro* aqui mencionado não pretendia nos dar a ideia de um riacho claro com água refrescante, que daria forças para que o Redentor suportasse o terrível conflito, como o fato de beber água permitiu que os homens de Gideão saíssem em batalha contra os midianitas. Não; no caso do nosso Senhor, foi uma correnteza poluída e turva. Como as águas de *Mara*, que os israelitas não podiam beber, porque eram amargam, pois o pecado assim a tinha feito. Ela trazia consigo, enquanto fluía, a maldição da lei infringida, e a vingança da justiça ofendida, e a ira do Deus eterno. Era dor, tristeza, sofrimento, morte. *Este* foi o *"ribeiro"* de que Ele bebeu. O "cálice" que o seu Pai lhe deu para beber estava cheio com a água amarga deste *"ribeiro"*; e pode-se dizer que Ele tomou deste cálice pela primeira vez quando declarou aos seus discípulos, a caminho do Getsêmani: "A minha alma está profundamente triste até a morte".

Mas o texto declara que este *"ribeiro"* estava *"pelo caminho"*. Aqui ele é descrito como correndo pelo caminho em que o Redentor passava, para o cumprimento da sua grande obra da salvação do homem; esta obra que Ele tinha se comprometido, no concerto eterno, em realizar; e somente com este cumprimento o homem poderia ser aceito por Deus. O pecado do homem era a *fonte* de que jorrava esta água; e ela fluía ao longo do *"caminho"* do Salvador, pelo deserto deste mundo, até o seu reino de glória, no próximo; como o ribeiro de *Cedrom*, vermelho devido ao sangue dos sacrifícios típicos, fluía no seu caminho para o *Calvário*. – *Fountain Elwin, 1842*

v. 7: Nas explicações de muitos dos antigos e modernos, nós lemos que Ele bebeu do ribeiro,

1, a *mortalidade* pela sua encarnação;

2, a severidade e as *dificuldades* em toda a sua passagem, pelas suas necessidades e pobreza voluntárias;

3, a *forte poção da lei*, pela sua obediência e sujeição exatas;

4, a *maldade dos judeus*, pelas suas contínuas indignidades;

5, as *águas de Belial*, por tentações aparentes e desconhecidas;

6, a *mais pesada ira* do seu Pai, pela sua indescritível agonia e pelo suor de sangue no jardim. E, por fim, *a própria morte* na cruz, pela sua triste e extrema paixão. – *John Prideaux*

v. 7: "Pelo caminho, dessedentar-se-á no ribeiro". Estas palavras foram interpretadas por Junius e Tremélio há muito tempo, como significando "Ele prosseguiu firmemente à vitória, como fazem os generais que possuem um elevado nível de energia, que, ao perseguir adversários em fuga, não se permitem parar para comer ou beber". Hengstenberg e outros aprovam substancialmente esta interpretação. Embora alguns sustentem que deve ser feita alusão a Sansão em Ramate-Leí (como se as palavras falassem de Cristo tendo uma fonte secreta de vigor, quando necessário). Muitos parecem inclinados a tomar *Gideão* como o tipo que melhor expressa a ideia. Prosseguindo rumo à vitória, o Messias, como Gideão, "enfraquece, mas persegue" enquanto cruza o Jordão, Ele não desistirá até que tudo tenha sido conquistado.

"Não faltará, nem será quebrantado, até que ponha na terra o juízo". Talvez a ideia seja esta: A sua carreira era irresistivelmente bem sucedida, como a de Gideão; pois Ele não permitiu que ninguém o detivesse, nem recuou da sua empreitada por fadiga, nem fez uma pausa para satisfazer a carne. Se assim interpretarmos, estas palavras contêm tanto a Humilhação quanto a Exaltação do Filho do Homem; e Filipenses 2.8,9 fornece um comentário. – *Andrew A. Bonar*

v. 7: "Schnurrer", diz Rosenmüller, "parece ter captado o significado do versículo, que fornece, com as seguintes palavras: 'Embora fatigado com a matança de seus inimigos, ainda assim Ele não desistirá: mas, tendo se revigorado com água do curso d'água mais próximo, exercerá a sua força renovada na perseguição do adversário em fuga'". – *Messianic Psalms*

v. 7: Cristo "prosseguirá de cabeça erguida" com triunfo e alegria, quando tiver concluído a vingança contra os seus adversários, e libertado, não apenas a Si mesmo, mas a todo o corpo da sua igreja dos ataques e perigos de todos os inimigos. Agora vemos que, frequentemente, embora não em Si mesmo, mas nos seus membros, Ele fica satisfeito por curvar a cabeça, e usar os emblemas de reprovação e vergonha, enquanto os ímpios se gabam (Jó 31.26) e nos seus corações desprezam os justos, considerando-os mais vis do que o pó de seus pés. – *Robert Abbot*

SUGESTÕES AOS PREGADORES

v. 1. Aqui o Espírito Santo começa com o *reino de Cristo*, que Ele descreve e exalta.

1. Pela sua *unção* e *ordenação*, pela palavra ou decreto do seu Pai: *"Disse o Senhor"*.
2. Pela *grandeza da sua pessoa* em Si mesmo, uma vez que é quase aliado a nós no sangue e na natureza; "*Meu Senhor*".
3. Pela *glória*, poder e qualidade celestial do seu reino, pois na administração deste reino, Ele se assenta à mão direita do seu Pai: *"Assenta-te à minha mão direita"*.
4. Pela *continuidade* e pelas vitórias: *"Até que ponha os teus inimigos por escabelo dos teus pés"*. – *Edward Reynolds*

v. 1. "Meu Senhor."

I. A condescendente proximidade de Cristo conosco não destrói a nossa reverência: Ele era filho de Davi, e ainda assim Davi o chama Senhor; Ele é nosso irmão, esposo, e assim por diante, e, no entanto, nosso *Senhor*.

II. A glória de Cristo não diminui a sua proximidade conosco, nem a sua familiaridade conosco. Assentado no trono como Senhor, Ele ainda é *"meu* Senhor".

III. É sob o duplo aspecto de Senhor, e também nosso, que Jeová o considera, e fala com Ele, e o ordena para o sacerdócio. Sob estas mesmas duas luzes nós devemos considerá-lo.

v. 1. "Assenta-te", etc.

I. O nosso Senhor tranquilo em meio aos eventos.

II. A abundância do seu poder atual.

III. Toda a história operando rumo ao fim supremo, que será,

IV. A sua fácil vitória: colocando seu pé sobre seus adversários, tão prontamente como nós pisamos um escabelo.

v. 2. I. O que é este cetro? O Evangelho (ilustrado pela vara de Moisés).

II. Quem o envia? "O Senhor".

III. De onde ele vem? Da igreja de Deus.

IV. Qual é o resultado? Jesus reina.

v. 3. Um povo voluntário e um Líder imutável.

I. A promessa feita a Cristo, a respeito do seu povo: "O teu povo se apresentará voluntariamente", etc.

1. Uma promessa de tempo: "No dia", etc.
2. De pessoas: "O teu povo".
3. De disposição: "Voluntariamente".
4. De caráter: "Com santos ornamentos".

5. A figura majestosa empregada: "Do próprio seio da alva será o orvalho da tua mocidade".

II. A promessa feita a Cristo, a respeito de Si mesmo: "Será o orvalho da tua mocidade". Jesus Cristo tem o orvalho da sua mocidade, de modo pessoal, doutrinário e místico, sendo rodeado de novos convertidos, que são como o orvalho da manhã. – *Spurgeon's Sermons, n. 74*

v. 3. Esta é uma profecia sobre os súditos do reino de Cristo.

I. Quem são: "O teu povo".

1. Um povo. Isto indica distinção, separação, similaridade, organização. Não são uma multidão confusa, mas uma comunidade unida.

2. Seu povo. Por presente, por compra, por chamado efetivo.

II. O que são:

1. Um povo leal: "voluntários".

2. Um povo conquistado: "no dia da tua fúria".

3. Um povo santo: "com santos ornamentos".

4. Um povo numeroso: "do próprio seio da alva", etc. O número de convertidos, na primeira proclamação do Evangelho de Cristo foi apenas o orvalho da sua mocidade. – *G. R.*

v. 3. Em primeiro lugar, *a evidência interna do reino de Cristo está na disposição do seu povo:* "O teu povo se apresentará voluntariamente – o teu povo será um povo voluntário" – todos voluntários, e não pressionados. Em segundo lugar, *a evidência externa está na santidade do seu povo*; os "santos ornamentos"; ou, como pode ser traduzido – "na magnificência do seu santuário", pois os ornamentos do santuário e as vestes dos sacerdotes eram esplêndidos. Quando vocês se entregam a Deus, vocês se tornam templos de Deus; e a santidade deverá adornar o coração que for um templo vivo do Espírito Santo. – *J. Bennett, em um sermão, 1829*

v. 3. Todos os verdadeiros seguidores de Jesus são:

(1) sacerdotes – os santos ornamentos são suas vestes sacerdotais;

(2) soldados – "no dia do teu poder";

(3) voluntários;

(4) benfeitores – como o orvalho. – *sugerido por um artigo em "The Baptist Magazine"*

v. 3. Aqui temos um conjunto de assuntos: a disposição do povo do Senhor, os santos ornamentos, os jovens convertidos, a vida e glória da igreja, o mistério da conversão, e assim por diante.

v. 4. O sacerdócio eterno de Cristo. Em que se baseia a sua perpetuidade, e de que fluem os abençoados resultados.

v. 4. Estas palavras oferecem três aspectos que devem ser especialmente observados.

1. A cerimônia usada na consagração do nosso Senhor: *"Jurou o Senhor"*.

2. O ofício que lhe foi conferido por este ritual ou cerimônia: *"Tu és um sacerdote"*.

3. As prerrogativas do seu ofício; que é aqui declarado como sendo:

(1) Perpétuo: *"eternamente"*.

(2) Regular: *"segundo a ordem"*.

(3) Real: *"de Melquisedeque"*. – *Daniel Featley*

v. 4. Melquisedeque: um assunto frutífero. Veja notas.

v. 5. A derrota assegurada de cada força que se opõe ao Evangelho.

v. 6. As temidas calamidades que aconteceram às nações, devido à sua pecaminosa rejeição ao Senhor Jesus.

v. 7. A diligência de Cristo, a sua renúncia a Si mesmo, e a sua simplicidade; as causas do seu sucesso. O exemplo a ser imitado.

v. 7. A humilhação e a exaltação de Cristo.